METZLER LITERATUR LEXIKON
Begriffe und Definitionen

METZLER LITERATUR LEXIKON

Begriffe und Definitionen

Herausgegeben von
Günther und Irmgard Schweikle

Zweite, überarbeitete Auflage

J. B. Metzlersche
Verlagsbuchhandlung
Stuttgart

Mit einem Anhang:
Sachgebiete im Überblick 513
Benutzerhinweise 520
Abkürzungsverzeichnis 521
Abgekürzt zitierte Werke,
Literatur und Zeitschriften 522
Literaturhinweise 523

CIP-Kurztitelaufnahme der Deutschen Bibliothek

Metzler-Literatur-Lexikon : Begriffe und Definitionen / hrsg. von Günther u. Irmgard Schweikle. [Mitarb. Irmgard Ackermann . . .]. – 2., überarb. Aufl. – Stuttgart : Metzler, 1990
ISBN 3-476-00668-9

NE: Schweikle, Günther [Hrsg.]

ISBN 3 476 00668 9

© J. B. Metzlersche Verlagsbuchhandlung und Carl Ernst Poeschel Verlag GmbH in Stuttgart 1990
Satz: SCS Schwarz Satz & Bild digital
Druck: Franz Spiegel Buch GmbH, Ulm
Printed in Germany

Mitarbeiter

Dr. Irmgard Ackermann, München (IA)
Prof. Dr. Otto Bantel, Stuttgart (OB)
Prof. Dr. Joachim Bark, Stuttgart (JB)
Dr. Margret Brügmann, Nijmwegen (MB)
Dr. Detlef Brüning, Stuttgart (DB)
Dr. Eberhard Däschler, Tübingen (ED)
Prof. Dr. Hansgerd Delbrück, Wellington/New Zealand (HD)
Dr. Volker Deubel, München (VD)
Prof. Dr. Reinhard Döhl, Stuttgart (D)
Dr. Wulf-Otto Dreeßen, Stuttgart (WD)
Eva Eckstein, Stuttgart (EE)
Prof. Dr. Hans-Heino Ewers, Frankfurt (HHE)
Prof. Dr. Walter Gebhard, Bayreuth (WG)
Prof. Dr. Hans Vilmar Geppert, Augsburg (VG)
Prof. Dr. Dagmar Grenz, Köln (DG)
Prof. Dr. Gunter Grimm, Würzburg (GG)
Prof. Dr. Reinhold R. Grimm, Hannover (RG)
Prof. Dr. Hans Haider, Stuttgart (HH)
Dr. Gisela Henckmann, München (GH)
Prof. Dr. Klaus Harro Hilzinger, Stuttgart (H)
Dr. Peter Hölzle, Stuttgart (PH)
Dr. Klaus Hübner, München (KH)
Prof. Dr. Dieter Janik, Mainz (DJ)
Rolf Kellner, Tübingen (RK)
Dr. Gerhard Köpf, München (GK)
Michael Konitzer, München (MK)
Prof. Dr. Rüdiger Krohn, Karlsruhe (Kr)
Dr. Jürgen Kühnel, Siegen (K)
Dr. Bernd Lutz, Stuttgart (BL)
PD Dr. Günther Mahal, Knittlingen (GM)
Prof. Dr. Ulrich Müller, Salzburg (UM)
Prof. Dr. Herta-Elisabeth Renk, Eichstätt (HR)
Gisela Reske, Stuttgart (GR)
Dr. Hans-Friedrich Reske, Stuttgart (HFR)
Dr. Lerke von Saalfeld, Stuttgart (LS)
Dr. Gerhard Schäfer, Rottweil (GS)
Dr. Rose Schäfer-Maulbetsch, Tübingen (RSM)
PD Dr. Franz Schmidt †, Weimar (FS)
Prof. Dr. Manfred Günter Scholz, Tübingen (MS)
PD Dr. Rainer Schönhaar, Stuttgart (RS)
PD Dr. Georg-Michael Schulz, Aachen (GMS)
PD Dr. Helga Schüppert, Stuttgart (SCH)
Prof. Dr. Günther Schweikle, Stuttgart (S)
Irmgard Schweikle, Stuttgart (IS)
Dr. Peter Schwind, München (PS)
Prof. Dr. Harald Steinhagen, Bonn (HS)
Prof. Dr. Hans-Hugo Steinhoff, Paderborn (HST)
Prof. Dr. Jens Tismar, Stuttgart (JT)
Prof. Dr. Michael Titzmann, München (MT)
Prof. Karl Trost, Stuttgart (KT)
Dr. Helmut Weidhase, Konstanz (HW)
Dr. Dietmar Wenzelburger, Esslingen (DW)
Prof. Dr. Heiner Willenberg, Ludwigsburg (W)

Vorwort

Auf die Frage, was er tun würde, wenn er Macht hätte, antwortete ein chinesischer Weiser, er ließe die Bedeutung der Wörter festlegen. Dies wird bisweilen auch als Sinn und Zweck eines Lexikons angesehen. Anders dieser Band: den Begriffen der Geistes- und Literaturgeschichte eignet von Natur aus eine beträchtliche Bedeutungsbreite (Ambiguität), Bedeutungskomplexität und damit zusammenhängend Offenheit und Wandelbarkeit, deren Ursachen nicht nur in der semantischen Struktur des Mediums Sprache, sondern im besonderen auch in der Beschaffenheit der Gegenstände liegen, die sich selten genug ›schubladengerecht‹ darbieten. Sowohl im historischen Verlauf als auch im synchronen Ensemble ändern und überlagern sich die Phänomene und damit auch die Begriffe mannigfach.

Ein solches Lexikon kann nicht mehr als erste Informationen über literarische **Begriffe, Bezeichnungen, Definitionen** liefern. Es versammelt Stichwörter der Poetik, Rhetorik, Metrik, der Literaturgeschichte, der Literaturwissenschaft und Philologie, teilweise auch der Buch- und Sprachgeschichte. Es ist nicht vordringlich für den jeweiligen Spezialisten gedacht. Es soll Wege weisen für eine Orientierung im Gesamt eines Sach- und Begriffsfeldes und damit dem Benützer helfen, die literarische Nomenklatur kritisch zu überschauen, zu durchschauen und sich in ihr zurechtzufinden.

Im Zentrum des Bandes steht die deutschsprachige Literatur im Rahmen der abendländischen Kulturkreise. Die Literaturen der Neuen Welt, des nahen und fernen Ostens sind berücksichtigt, sofern sie die Kernbereiche berühren. Die Reihe der Stichwörter reicht von der Antike bis zur neuesten Zeit. Hier war es allerdings nicht immer einfach, modische (und deshalb eher zu vernachlässigende) Begriffsschöpfungen von zukunftsträchtigen zu unterscheiden.

Je nach augenblicklichem Standpunkt, nach bestimmter Interessenlage wird man Stichwörter vermissen, für überflüssig, für zu umfangreich, für zu knapp halten. Solche Einwände sind kaum auszuschließen bei einer nach vielen Seiten hin offenen, sachbedingt schwer abzugrenzenden Arbeit. Wir hoffen hier auf die Nachsicht der Einsichtigen –, auch für manch andere, uns durchaus bewußte Schwächen, die mit der Geschichte dieses Bandes zusammenhängen.

Er verdankt seine Entstehung den sich über sieben Jahre (1970–1977) hinziehenden Zulieferungen von Sachwortartikeln für Meyers Enzyklopädisches Lexikon. Umfang und Auswahl der Stichwörter wurden damals im Umlaufverfahren vom Mitarbeiterkreis mitbestimmt. In Meyers Enzyklopädie hat dann allerdings kaum die Hälfte des hier vorliegenden Artikel-Corpus Eingang gefunden. Der schließlichen Zusammenfassung aller Artikel in einem Sonderband stellten sich, v. a. des Umfanges wegen, jahrelang beträchtliche Schwierigkeiten entgegen, die u. a. dazu führten, daß die Herausgeber die Schlußredaktion und die Aktualisierung allein übernehmen mußten. Die notwendigen Kürzungen betrafen vornehmlich die anfangs sehr titelreichen Literaturangaben, einmal, weil Sekundärliteraturlisten meist rascher als die Sachartikel selbst veralten, zum anderen, weil wohl jeder, der sich über das Informationsangebot dieses Bandes hinaus orientieren möchte, ohnedies zu weiterführenden Bibliographien (aufgeführt unter Stichwörtern wie ›Bibliographie‹) oder umfangreicheren Handbüchern greifen wird. Wo bei der Koordinierung und Kürzung auch Eingriffe in die Artikel (manche waren für den vorgegebenen Raum zu lang) selbst notwendig wurden, ist dies durch ein Sternchen hinter dem Namenssigle vermerkt, damit keiner der Autoren mit einer nicht von ihm autorisierten Bearbeitung belastet sei.

In höchst rühmenswerter Weise hat sich schließlich der Metzler-Verlag dieses Projektes angenommen. Ihm und v. a. seinem Lektor, Herrn Dr. Bernd Lutz, gebührt besonderer Dank. Dank aber nicht zuletzt den Mitarbeitern, welche durch ihre Mitwirkung dieses Lexikon erst ermöglichten, und die den langwierigen Entstehungsprozeß mit Verständnis und Geduld ertragen haben. Dank auch Sigrid Noelle, Gudrun Kainz, Gabriele Schad, Elisabeth Utz und Kurt Rauscher, den Helfern bei der Anfertigung des Typoskripts, neuer Bibliographien und bei den Schlußkorrekturen.

Stuttgart, Februar 1984   G. S./I. S.

Vorwort zur zweiten Auflage

So erfreut Herausgeber, Mitarbeiter und Verlag über das weitgehend positive Echo auf das MLL waren, so dankbar nahmen sie auch konstruktive Kritik entgegen. Allerdings ließ die Fülle von Vor- und Ratschlägen gelegentlich auch das Gefühl nachempfinden, das Vater und Sohn befallen haben mochte, als sie, unterwegs mit ihrem Esel, versuchten, allen guten Meinungen gerecht zu werden (nachzulesen bei Hans Wilhelm Kirchhof in dessen Schwanksammlung »Wendunmuth«, 1562: »Von einem vatter, sohn und esel« [II, 124], oder bei Johann Peter Hebel in den »Erzählungen des Rheinländischen Hausfreunds«, 1808 ff.: »Seltsamer Spazierritt«).

In dieser zweiten, berichtigenden und um etwa 60 Artikel erweiterten Auflage wurde die ursprüngliche Konzeption nicht verändert, wohl aber wurden die Literaturangaben und gegebenenfalls die Lemmata aktualisiert. Vor allem wurden einige Begriffe der neueren literaturtheoretischen Strömungen aufgenommen.

Zu Dank verpflichtet sind wir den Mitarbeitern für ihre Bereitschaft zu Ergänzungen, Revisionen und Verbesserungen, weiter Dr. Bernd Lutz von der Metzlerschen Verlagsbuchhandlung für die Betreuung des Bandes und schließlich Andrea Holtz, Christine Kühnel, Bettina Küster, Kalliopi Verga und Zhijiang Yang für mannigfache Hilfe beim Bibliographieren und den Schlußkorrekturen.

Mit Interesse und Genugtuung haben wir festgestellt, daß das Unternehmen, literarische Begriffe zu sammeln – so problematisch deren Fixierung bisweilen sein mag – einem gegenwärtigen Bedürfnis zu entsprechen scheint, wie die große Zahl neuerer ähnlicher Publikationen zeigt (s. Literaturhinweise S. 523 ff.). Möge in diesem Wettstreit das MLL seinen nützlichen Platz behaupten.

Stuttgart, im April 1990   G. S./I. S.

Abbreviatio, f. [mlat., nach lat. breviare = verkürzen], Verknappung einer Aussage, z. B. durch Participium absolutum, Ablativus absolutus, ⁄Ellipse, Vermeidung von Wiederholungen (⁄Geminatio) oder Komprimierung mehrerer möglicher Sätze in einen; Stilideal der *brevitas* (Tendenz zur Kürze). Gegensatz zur ⁄Amplificatio. S

Abbreviaturen, f. Pl., auch Abbreviationen [zu mlat. abbreviare = abkürzen], v. a. paläograph. Bez. für systemat. ⁄Abkürzungen in Handschriften und alten Drucken.

ABC-Buch vgl. ⁄Fibel.

Abecedarium, n. [lat. Benennung der Buchstabenreihe nach den ersten vier Buchstaben des lat. Alphabets],
1. Elementarbuch, bis etwa 1850 gebräuchl. Bez. der Fibel (vgl. auch lat. *abecedarius* = ABC-Schütze).
2. alphabet. geordnetes Register oder Repertorium (Inhaltsübersicht) röm., röm.-kanon. und dt. Rechtsbücher und ihrer Glossierungen (⁄Glosse) aus dem 14. und 15. Jh.
3. alphabet. ⁄Akrostichon; jede Strophe, jeder Vers oder jedes Wort eines Gedichts beginnt mit einem neuen Buchstaben des Alphabets. Neben dem einfachen A. finden sich auch doppelt geschlungene Formen (AZBWCV bei Juda Halevi). Nach biblisch-hebr. Vorbild (z. B. Psalm 119, aus 22 achtvers. Strophen; die 8 Verse der 1. Strophe beginnen mit Aleph, die 8 Verse der 2. Strophe mit Beth usw.) beliebte Form in der jüd. und christl. Liturgie (z. B. die Lamentationes der Karfreitagsliturgie der römisch-kath. Kirche) und religiösen Lyrik (u. a. die hebr. geistl. Gedichte des 6. bis 13. Jh.s, die sog. »Pijutim«, lat. und dt. Marien-Abecedarien des Spät-MA.s; Qu. Kuhlmann, »Kühlpsalter«, 1684); seltener in der weltl. Dichtung, vor allem des 17. Jh.s.
4. Abecedarium Nordmannicum: Runengedicht dän. Ursprungs (überliefert in einer oberdt. Hs. des 9. Jh.s.); zugrunde liegt die jüngere nord. Runenreihe (»fuþark«; ⁄Runen). Altertüml. Form: jeweils in sich stabende ⁄Kurzzeilen (⁄Stabreimvers). – Das A. Nordmannicum beruht, wie auch das alphabet. Akrostichon in religiösen Gedichten, auf der Verwendung des Alphabets zu mag. Zwecken. K

Abele spelen, n. Pl. [niederländ. = schöne Spiele, abele von lat. habilis = geziemend, gut], älteste niederländ. weltl. Schauspiele, Mitte 14. Jh., anonym überliefert in der sg. van Hulthemschen Sammelhandschrift (Brüssel): drei nach mal. höf. Romanstoffen konzipierte Stücke »Esmoreit«, »Gloriant«, »Lanseloet van Denemercken«; ferner eine Allegorie »Vanden Winter ende vanden Somer«. Kennzeichnend sind einfache Sprache (Reimpaare) und Handlungsführung, freier Schauplatzwechsel. Den Aufführungen folgte meist eine ⁄Klucht, ein possenhaftes ⁄Nachspiel. – Im 15. Jh. von den Zinnespelen (⁄Moralitäten) verdrängt.
📖 Roemans, R.: Een abel spel van Lanseloet. Amsterdam ³1966. – Stellinga, G.: De abele spelen. Groningen 1955.
HSt*

Abenteuerroman, literar. Oberbegriff für Romane, die sich durch Stofffülle und abenteuerl. Spannung auszeichnen und in denen der Held in eine bunte Kette von Ereignissen oder Irrfahrten verwickelt wird. Der typ. A. besteht aus einer lockeren Folge relativ selbständiger, um diesen gruppierter Geschichten, meist in volkstüml.-realist. Stil. Sie dienen der Darstellung seiner Entwicklung, sondern der Unterhaltung und allenfalls Belehrung des Lesers: Sie sind z. T. mit dem jeweiligen Populärwissen ihrer Zeit angereichert. – Im MA sind nach diesem Schema die sog. ⁄Spielmannsdichtungen (»Herzog Ernst«) angelegt, ebenso später die ⁄Volksbücher. A.e begegnen in großer Zahl vom Barock (⁄Schelmenroman, ⁄Avanturierroman) über die Trivialromane des 18. Jh.s (⁄Geheimbund-, ⁄Schauerromane, K. Grosse, K. G. Cramer, Ch. A. Vulpius) bis ins 19. Jh. Sie werden (je nach Stoff und Schwerpunkt und nicht immer deutl. abgrenzbar) als Schelmen-, Lügen-, Reise-, Räuber-, Schauerroman unterschieden. Seit der

Antike finden sich aber auch in literar. anspruchsvollen Werken abenteuerl. Erlebnisse der Helden; jedoch sind hier die Episoden nicht Selbstzweck, sondern in der Darstellung integriert: auf solche Werke trifft die Bez. ›A.‹ nur partiell zu. Es sind dies etwa in der Spätantike der »Goldene Esel« des Apuleius, die »Aithiopika« des Heliodor, im MA die Artusepen, von denen eine Fülle verflachter Nachahmungen abstammen (⁄Amadisromane, ⁄Ritterromane), zu denen als Gegenbewegung wiederum satir. A.e entstanden (Cervantes, »Don Quichote«, 1606; Grimmelshausen, »Simplizissimus«, 1669 [⁄Simpliziaden]; Le Sage, »Gil Blas«, 1719). Auch D. Defoes »Robinson« (1719) rief in ganz Europa eine Flut oberflächl. Nachahmungen hervor (⁄Robinsonaden). Abenteuerl. Lebensläufe schildern auch Voltaire in seinem philos. fundierten »Candide« (1759), S. Richardson in seinen empfindsamen Romanen, ferner H. Fielding in seinem als Protest dagegen entstandenen »Tom Jones« (1749) oder T. G. Smollett (»The Adventures of Roderick Random«, 1748, » . . . of Peregrine Pickle«, 1751). Die im A. implizierte Spielart des Reiseromans wird bes. im 18. Jh. beliebt (J. A. Musäus, M. A. Thümmel, J. C. Wezel). Die Abenteuermotive in den Werken der Klassik und Romantik (Goethe, »Wilhelm Meister«; J. Eichendorff, »Taugenichts«; Jean Paul, »Flegeljahre«, L. Tieck, E. T. A. Hoffmann) sind zu verstehen als geist. Abenteuer und prägen hinfort ⁄Künstler-, ⁄Bildungs- und ⁄Entwicklungsromane. – Im 19. und 20. Jh. zeichnet sich der A. durch psycholog. Vertiefung, z. T. auch Zeitkritik aus (H. Kurz, »Der Sonnenwirt«, 1854, R. L. Stevenson, J. Conrad u. a.). Daneben steht das Interesse an der Ethnographie neu erschlossener Erdteile (Ch. Sealsfield, F. Gerstäcker, J. F. Cooper, K. May) und an der Geschichte, v. a. des MA.s (W. Scott, Ch. de Coster u. a.). Hinzu treten soziale Anliegen (V. Hugo, »Les Misérables«, 1862), auch utop. Zukunftsphantasien (J. Verne). Motive des A. finden sich auch in den Werken A. Dumas, E. Sues, H. Melvilles, Mark Twains, J. Londons, B. Travens, B. Cendrars, R. Garys, Baroja y Nessis, Sánchez Ferlosios, J. Schaffners und B. Kellermanns. Eine moderne Gestaltungsform der A.s ist der naturnahe ⁄Landstreicherroman (K. Hamsun, H. Hesse, M. Hausmann).
📖 Steinbrink, B.: Abenteuerliteratur des 19. Jh.s in Deutschld. Tüb. 1982. – Klotz, V.: A.e Mchn. 1979. – Ayrenschmalz, A.: Zum Begriff des A. Diss. Tüb. 1962. –
RL

Abgesang, zweiter Teil der mal. ⁄Stollen-(Kanzonen-, ⁄Meistersang-)Strophe: vom ⁄Aufgesang immer musikal., metr., in der Reimordnung und nach syntakt. abgesetzt. Sein Umfang kann von einem Reimpaar oder einer Dreiversgruppe bis zu mehreren Versperioden reichen; er kann auf verschiedene Weise auf den Aufgesang rückbezogen sein, z. B. durch Anreimung. Bez. aus der Meistersingerterminologie. In der prov. und it. Lyrik als ⁄Coda, Cauda bez. S

Abhandlung, f., im 17. Jh. übl. Bez. für den ⁄Akt im Drama.

Abkürzung, A.en von Silben, Wörtern oder Wortfolgen aus Raum- oder Zeitgründen sind so alt wie die Schrift. Die heutige A.stechnik folgt weitgehend antiken Prinzipien, so v. a. der *A. durch Suspension* (Weglassung: SPQR = Senatus PopulusQue Romanus, AEG = Allgemeine Elektrizitäts-Gesellschaft), insbes. dem Verfahren der röm. Juristen, für das der *Punkt hinter der A.* typ. ist. Man unterscheidet Reduktion auf den ersten Anfangsbuchstaben (u. = und, d. h. = das heißt), auf Anfangs- und einen oder mehrere Folgebuchstaben (Tel. = Telefon), auf Anfangs- und Mittelbuchstaben (Jh. = Jahrhundert), Anfangs-, Mittel- und Endbuchstaben (Slg. = Sammlung), Anfangs- und Endbuchstaben (Nr. = Nummer, No. = lat. numero). Bei A.en von Wortfolgen ergeben oft deren Anfangsbuchstaben oder -silben ein neues Kurzwort (⁄Akronym). – Systematisiert in spätantiken Kanzleien (bereits A.sverzeichnisse), prägten A.en die mal. Schreibpraxis und (trotz des erschwerenden Typenaufwandes) die frühen Drucke. Bes. in der Neuzeit schwollen A.en in allen Sprachbereichen stark an und gelangten oft aus der Schreibtradition in die Alltagssprache (okay = o. k., ka-o = k. o. = knock out) und Literaturgepflogenheiten (z. B. bei Arno Schmidt). Durch die heute v.a. von der Elektronik geforderte ›Sprachwirtschaftlichkeit‹ nimmt die Zahl der A.en ständig zu (heute ca. 500 000 A.en) und macht Normen und Regeln für das A.sverfahren nötig (DIN 2340). Als ›Abbreviologie‹ ist es heute ein Teil der Terminologielehre. /Sigle.

CD Buttress, F. A./Heaney, H. J. (Hg.): World Guide to Abbreviations of Organizations. Glasgow ⁸1988. – Sola, R. de: Abbreviations Dictionary. New York ⁷1986. – Spiller, P.: Intern. Wörterbuch d. A.en von Organisationen. Mchn. 1970. – Grun, P. A.: Schlüssel zu alten und neuen A.en. Limbg. 1966. – Cappelli, A.: Lexicon abbreviaturarum, Mailand ⁶1961, Nachdr. 1967; mit Supplement von Pelzer, A.: Abréviations latines médiévales. Paris/Löwen ²1966.

HFR*

Abschwörungsformel vgl. /Taufgelöbnis.

Absolute Dichtung, auch autonome oder reine Dichtung (Prosa, aber auch Verse), die – in Absicht einer reinen Wortkunst (/l'art pour l'art, poésie pure) – ihr Augenmerk auf die Eigengesetzlichkeit der Sprache, auf sprachl. Prozesse richtet. Die Geschichte der *absoluten Prosa,* deren wesentl. Leistungen R. Grimm als »Romane des Phänotyp« subsumiert, geht auf F. Schlegels theoret. Forderung eines »absoluten Romans« zurück, der alle Romane in sich einschließe, zurück, auf die Entdeckung in der nachnormativen Poetik, daß der Roman »die größten Disparaten« zulasse, da er »Poesie in Prosa« (Herder) sei. Die absolute Prosa will bei einem Minimum an Handlung, an Stofflichkeit auf nichts außerhalb ihrer selbst verweisen, sie soll für sich selbst stehen. Absolute Prosa, mehr oder weniger deutl. ausgebildet, ist im ganzen 19. Jh. belegbar. Sie erreicht (Th. Gautiers l'art pour l'art-Formel folgend) ihren /Symbolismus einen ersten Höhepunkt, v. a. mit J.-K. Huysmans »Roman ohne Handlung«, mit nur einer Person, die alles in sich konzentriert«, »A rebours«, A. Gides »Paludes«, P. Valérys »Monsieur Teste« und St. Mallarmés Fragment einer Erzählung »Igitur oder Die Narrheit Elbehnons«, das sich »an die Intelligenz des Lesers« wendet, »die selbst die Dinge in Szene setzt« (Motto). Einen zweiten Höhepunkt markiert der (Gide gewidmete) »Bebuquin« C. Einsteins (»Der Begriff will zu den Dingen, aber gerade das Umgekehrte will ich«). Auf »Bebuquin« und Gides »Paludes« bezieht sich auch G. Benn, dessen »Roman des Phänotyp« gleichzeitig ein vorläufiges Ende der absoluten Prosa darstellt. Für die *absolute Poesie* kann allgemein gelten, was Einstein bezüglich Mallarmés »Un coup de dés« festhält: die Suche nach dem »schwierigen Punkt, wo die Sprache sich durch Fixierten allein rechtfertigen kann, durch den Gegensatz des geschriebenen Schwarz und des unerschlossenen Weiß des Papiers«. Entwicklungsgeschichtl. liegen vor der Lyrik Mallarmés (nach aphorist.-fragmentar. Ansätzen in der dt. /Romantik) v.a. E. A. Poe (»The Raven«), Ch. Baudelaire (»Les fleurs du mal«, »Petits poèmes en prose«) und A. Rimbaud. Wie die a. Prosa spielt auch die a. Poesie nach dem Symbolismus noch einmal in der /Wortkunst des /Sturmkreises um H. Walden eine (auch theoret.) Rolle bei A. Stramm und (mit Übergängen zur /akust. bzw. /visuellen Dichtung) bei R. Blümner bzw. O. Nebel. Für die Literatur nach 1945 könnte man außer bei H. Heissenbüttel auch bei Franz Mon u. a. von neuen »Versuchen ›absoluter‹ Poesie und Prosa« in Richtung auf eine /konkrete Dichtung sprechen.

CD Böschenstein, B.: Studien z. Dichtung des Absoluten. Zürich/Freibg. 1968. – Grimm, R.: Romane des Phänotyp. In: R. G.: Strukturen. Essays zur dt. Lit. Gött. 1963. – Landmann, M.: Die a. D. Stuttg. 1963.

D

Abstrakte Dichtung, oft mißverstandene Bez. für eine gegen die Symbol- und Bildersprache des Erlebnisgedichts und damit gegen ein traditionelles Literaturverständnis gerichtete Auffassung von literar. Ausdrucksmöglichkeiten und den in ihrem Zusammenhang ausgebildeten literar. Redeweisen seit der sog. /Literatur-, bzw. Kulturrevolution (ital. u. russ. /Futurismus, /Dadaismus, /Sturmkreis). Daneben gibt es eine Vielzahl z. T. sich überlagernder Bezz. (meist parallel zu Bezz. entsprechender Tendenzen in der bildenden Kunst) wie absolute, elementare, konsequente, experimentelle, materiale und v. a. auch /konkrete Dichtung (Poesie, Literatur). – *Definitionsansätze* finden sich schon im Umkreis des Dadaismus, u. a. bei K. Schwitters (/Merzdichtung). Analog zur Entwicklung in der bildenden Kunst entwickelt die a. D. einen bes. Typus des /reduzierten Textes: bei A. Stramm, T. Tzara, H. Arp, K. Schwitters: als Ausprägung einer primär /akust. Dichtung mit Grenzüberschreitungen zur Musik (Schwitters' »Ursonate«), als Ausprägung einer primär /visuellen Dichtung mit Grenzüberschreitungen zur bildenden Kunst, zur Typographik (Schwitters' »Gesetztes Bildgedicht«). Die a. D. versucht jegl. metaphor. (= bildl.) Ungefähr zu vermeiden; sie zieht sich zurück auf das Material der Sprache (Wörter, Silben, Buchstaben) und auf das Spiel mit diesem Material. Sie betont den Modell-, den Demonstrationscharakter der sprachl. Gebildes. »In einem Gedicht von Goethe wird der Leser poet. belehrt, daß der Mensch sterben und werden müsse. Kandinsky hingegen stellt den Leser vor ein sterbendes und werdende Wortbild, vor eine sterbende und werdende Wortfolge« (H. Arp.). Wie in der bildenden Kunst die Organisation von Farbe und Form anstelle des traditionellen Gegenstandes als mögl. reiner Bild-Inhalt verstanden werden muß, läßt sich in der Literatur (z. B. in Schwitters' »i-Gedicht«) noch das kleine i der dt. Schrift als Inhalt auffassen, insofern als der zugeordnete Merkvers aus dem Grundschulunterricht »dem Leser schockartig deutl. werden« läßt, »daß Sinn und Bedeutung, die einen geschriebenen oder gedruckten Text beigelegt werden, im Grunde in einer teils konventionellen, teils subjektiven Assoziationstätigkeit bestehen, die mit der Materialität dieser Schriftzeichen nur fragwürdig verbunden sind« (Heißenbüttel). Diesem extremen Infragestellen der Verbindlichkeit des dichter. Wortes (und allgem. der Sprache) entspricht die umgekehrte Tendenz der a. D., überhaupt noch Sagbares sagbar zu machen. A. D.en nach 1945 sind etwa die (visuellen) /Konstellationen E. Gomringers, (akust.) /Artikulationen F. Mons, die »Textbücher« H. Heißenbüttels, die »Sprechgedichte« E. Jandls, die engagierenden« und »Figurengedichte« C. Bremers, die /»Permutationen« L. Harigs, z. T. die Versuche der /Wiener Gruppe (v. a. G. Rühm, F. Achleitner) und der /Stuttgarter Schule. Poetolog. Bestandsaufnahmen der a. D. versuchte Heißenbüttels Frkft. Vorlesungen über Poetik (1963) und die Texttheorie M. Benses.

CD Maier, Rudolf Nikolaus: Paradies der Weltlosigkeit. Unterss. zur a. n. D. seit 1909. Stuttg. 1964; /konkrete Dichtung.

D*

Absurdes Theater, Versuch einer Abkehr vom wirklichkeits- und gesellschaftsabbildenden (»bürgerl.«) Theater. Von A. Jarry (»Ubu Roi«, 1896) führt die Entwicklung über die Surrealisten, bes. die Dramatiker G. Apollinaire, zu den nach dem 2. Weltkrieg in Paris produzierenden E. Ionesco, A. Adamov, S. Beckett, J. Tardieu u. a. Erst durch sie rückte das absurde Th. als neue Ausdrucksform ins Bewußtsein des Publikums. – Geistiger Impuls des a.n Th.s ist die Entdeckung der Welt als metaphys. Niemandsland. In zwei Weisen demonstriert sich die daraus resultierende Verkümmerung und Destruktion des Menschen: parabelhaft, abstrakt, gesellschafts- und geschichtsentrückt (z. B. Beckett) oder in der Darstellung der sich dumpf in ihre sinnentleerte Alltagswelt einmauernden Bürger, die die Sinnfrage durch verhärtete Gewohnheiten und Terror ersetzen (Ionesco). – Merkmale der Form: keine überschaubare, psycholog. motivierte Handlung; statt Personen Demonstrationsfiguren für Gedankenspiele und Gedankenqualen der Autoren; konsequenter Bruch mit der herkömml. Dramensprache. Die Sprache erfüllt dennoch eine Hauptfunktion: ihre Reduktion, Sinnentleerung und ihr Verstummen zeigt einmal die totale Entfremdung des Menschen von der Umwelt, den Mitmenschen und sich selbst (Beckett); der systemat. und leidenschaftl. Gebrauch der banalsten Alltagssprache durch Ionesco deckt andererseits den Verlust echter Kommunikation, die Verdummung und Entmenschlichung durch den Gemeinplatz auf. Die Stücke sind auf Grund ihrer parabelhaften Konstruktion relativ kurz. Statt einer gegliederten Handlung gibt es nur Geschehensrhythmen: sich steigernde, zum Höhepunkt treibende Vorgänge (Ionesco), kreisende Rituale oder sich immer weiter reduzierende Abläufe (Beckett). Ernst ist verbunden mit groteskem Humor, Wirklichkeit und Schein liegen in einer Dimension. Neben der frz. Literatur haben poln. Autoren eine ähnl. Wendung zum absurden Th. vollzogen (St. J. Witkiewicz »Die da!«, 1920, W. Gombrowicz, S. Mrozek). Daneben auch verwandte Erscheinungen in England (H. Pinter), USA (E. Albee), nach unbedeutenderen Versuchen in Deutschland (G. Grass, W. Hildesheimer) erhielt das a. Th. neue Impulse durch P. Handke. Bedeutsam sind auch die Werke des frz. schreibenden Spaniers F. Arrabal. ▢ Quint-Wegemund, U.: D. Theater des Absurden. Frkf. 1983. – Daus, R.: Das Theater des Absurden in Frankr., Stuttg. 1977. – Büttner, G.: A. Th. und Bewußtseinswandel. Bln. 1968. – Esslin, M.: Das Theater des Absurden. Dt. Übers. Frkft. ²1967. DJ

Abundanz, f., [lat. abundantia = Überfluß], Stilbegriff (schon bei Quintilian, Inst. orat. XII, 1, 20), bez. eine Überfülle sprachl. Ausdrucksformen, die denselben Gedanken mehrmals wiedergeben. RSM

Abvers, zweiter Teil einer ↗Langzeile oder eines ↗Reimpaares, auch Schlußvers eines ↗Stollens; Ggs. ↗Anvers.

Accumulatio, f. [lat. = Häufung], ↗rhetor. Figur, syndet. oder asyndet. Häufung von Wörtern, nicht als Wiederholung verschiedener Wörter für dieselbe Sache (Synonymie), sondern einen übergeordneten Begriff detaillierend: »Ist was, das nicht durch Krieg, Schwert, Flamm und Spieß zerstört« (Gryphius). Dieser Kollektivbegriff kann vor- oder nachgestellt sein, aber auch fehlen (z. B. »Dem Schnee, dem Regen, dem Wind [= der winterl. Natur] entgegen«, Goethe). Die Abfolge kann sich steigern (entweder durch längere, vollklingendere Wörter oder Wortgruppen oder durch den Wortinhalt: »Ein Wort – ein Glanz, ein Flug, ein Feuer, ein Flammenwurf, ein Sternenstrich«, G. Benn, vgl. ↗Klimax). Die A. kann syntakt. subordiniert sein (z. B. A. von Adverbien oder Objekten zu Verben, oder von Attributen zu Substantiven usw.: »Ernste, milde, träumerische, unergründl. süße Nacht«, Lenau), oder syntakt. koordiniert sein; folgen dabei die Wörter unmittelbar aufeinander, spricht man von Enumeratio, sind die Glieder der A. durch zwischengeschobene andere Satzglieder getrennt, spricht man von Distributio. – Die A. ist ein Mittel der ↗Amplificatio; sie dient der Veranschaulichung, Verlebendigung, Bildhaftigkeit und Intensivierung; beliebt in pathet. Dichtung (z. B. im Barock). – Zur Reihung von Wortgruppen vgl. ↗Adiunctio. S

Acta, n. Pl. [lat. = Taten, zu agere = tun], ursprüngl. Aufzeichnungen von Amtshandlungen der röm. Verwaltung (a. publica, a. senatus) auch Mitteilungen von öffentl. Interesse, eine Art antiker Zeitung (a. diurna oder urbana, 55. v. Chr. von Caesar gegründet), später Bez. für Publikationen allgemeiner Bedeutung: A. apostolorum (Apostelgeschichte), A. martyrorum (Märtyrergeschichte), A. sanctorum (Quellenwerk zur Heiligengeschichte, begr. von den Bollandisten, 17. Jh.), A. eruditorum (1682–1782, erste wis-

senschaftl. Zeitschrift, hrsg. v. O. Mencke); noch heute Titel von Zeitschriften (z. B. A. philologica Scandinavica) oder Sammelwerken. ↗Institutionen, ↗Analekten (Analecta). S

Adaptation (Adaption), f. [von lat. (ad-)aptus bzw. adaptatus = angepaßt], Umarbeitung eines literar. Werkes, um es den strukturellen Bedingtheiten einer anderen Gattung oder eines anderen Kommunikationsmittels anzupassen, ohne daß der Gehalt wesentl. verändert wird. Bes. häufig ist die A. von Erzählwerken für Bühne (Schauspiel, Oper usw.), Funk, Film und Fernsehen. Die A. kann (anders als die ↗Bearbeitung) durch den Autor selbst erfolgen (↗Fassung) oder durch einen Adaptor. Beispiele: P. Tschaikowskijs A. von Schillers »Jungfrau von Orleans« für die Oper; H. v. Hofmannsthals A. von E. T. A. Hoffmanns Novelle »Die Bergwerke zu Falun« für die Bühne (zunächst Einakter, später Tragödie in 5 Akten); M. Frischs A.en seines Hörspiels »Herr Biedermann und die Brandstifter« für das Fernsehen und die Bühne; J. Osbornes A. von H. Fieldings »Tom Jones« für den Film. – Vgl. ↗Bühnenbearbeitung, ↗Dramatisierung. RSM

Adespota, n. Pl. [gr. adespotos = herrenlos]. Bez. f. Schriften, deren Verfasser nicht bekannt sind. ↗anonym. S

Adiunctio, f. [lat. = Anschluß, Zusatz], ↗rhetor. Figur: von einem Satzglied abhängige koordinierte Reihung bedeutungsverschiedener Wortgruppen (meist vom Prädikat abhäng. Objektsätze), wobei ein übergeordneter Gedanke eine differenzierte Ausprägung gewinnen soll: »... er ... wird Euch aus diesem Neste ziehen, Eure Treu in einem höhern Posten glänzen lassen« (Schiller, »Wallensteins Tod«, IV, 7). Vgl. auch ↗Accumulatio. S

Adoneus, Adonius, m. [gr.-lat. = adon. Vers], fünfgliedr. antiker Versfuß der Form –⏑⏑–⏓; gilt als anaklast. Variante des ↗Dochmius (Umstellung der ersten beiden Längen und Kürzen), metr. ident. mit dem Schluß des daktyl. Hexameters nach der bukol. Dihärese, daher auch katalekt. daktyl. Dipodie gedeutet (im Dt. mit ↗Daktylus + ↗Trochäus nachgebildet). Bez. nach dem Klageruf O ton Adonin in griech. Totenklagen um Adonis. Wegen seiner abschließenden Wirkung auch als Schluß-, Kurzvers verwendet, z. B. in der Sapph. Strophe (↗Odenmaße, z. B. Horaz, Carm. I, 2, F. G. Klopstock »Der Frohsinn«); selten (z. B. G. Greflinger, »An seine Gesellschaft«). HS*

ad spectatores [lat. = an die Zuschauer], 1. ↗Prolog, Vorrede (vgl. H. Bebel, »Comoedia de optimo studio iuvenum«, 1501); 2. ↗Beiseite (sprechen).

Ad usum delphini, auch: in usum d. [lat. = zum Gebrauch des Dauphin], die Wendung bezieht sich ursprüngl. auf die in moral. und polit. Hinsicht gereinigten (und kommentierten) Ausgaben antiker Klassiker, die auf Veranlassung Ludwigs XIV. von J.-B. Bossuet und P. D. Huet in den Jahren 1674–1730 für den Unterricht des Dauphins (des franz. Thronfolgers) zusammengestellt wurden. Sie wird später allgemein bezogen auf Bearbeitungen literar. Werke für die Jugend (D. Defoe, »Robinson Crusoe«, J. Swift, »Gullivers Reisen« u. a.), ↗Editio castigata. GG*

Adventsspiel, aus dem protestant. Schulspiel und städt. Brauchtum Mitteldeutschlands entstandenes ↗geistl. (Umzugs)spiel, ursprüngl. szen.-mim. Gestaltung der Einkehr Christi in Bethlehem und Katechisierung der Kinder. Im Umzug gehen neben Christus (als Kind oder Erwachsener) Maria, Josef, Engeln, Heiligen usw. auch Rauhnachtgestalten mit (Knecht Ruprecht, Hans Pfriem usw.). – Anfangs Schüleranzug (1. Bezeugung als Schülerumzug Ende 16. Jh.), geht das A. über auf Bauern und Bergleute; eigentl. Entfaltung seit Mitte 17. Jh.s (um diese Zeit entstehen unabhängig eigenstd. Formen im kath. Ost-Mitteldeutschland): Der mitteleurop. Kernbereich ist Ausstrahlungszentrum für umfangreiche Spielwanderungen bes. nach dem weiteren Osten sowie nach SO-Europa, dabei

Ausweitung zu großen Christfahrten, wobei weitere Teile der Weihnachtsspielüberlieferung (Hirtenszenen u.a.) übernommen werden. Bes. im Erzgebirge bis ins 19.Jh. weit verbreitet.

□ Karasek-Langer, A: Herkunft u. Entwicklung der A.e. Bayer. Jb. f. Volkskunde 1963, S. 144–165.   RSM

Adynaton, n. [gr. = das Unmögliche], ↗Tropus: emphat. Umschreibung (↗Periphrase) des Begriffes *niemals* durch Berufung auf das Eintreten eines unmöglichen (Natur)ereignisses: »So gewiß Kirschen auf diesen Eichen wachsen und diese Tannen Pfirsiche tragen, . . .« (Schiller, »Räuber« II, 3).   GG*

Aemulatio, f. [lat. = Nacheiferung], wetteiferndes Nachahmen und Überbieten eines Vorbildes; nach antiker und mal. Kunstauffassung kein Gegensatz zur Originalität (vgl. Horaz, Ars poetica V. 119 ff.), z. B. die Bewertung Vergils oder Hartmanns von Aue im Vergleich zu ihren Vorbildern Homer bzw. Chrestien de Troyes. ↗Imitation, ↗Poetik.   UM*

Aesthẹtik, f. [gr. aisthetikós = wahrnehmend], Lehre von den sinnl. Wahrnehmungen, im engeren Sinne die philosoph. Disziplin, die sich mit prinzipiellen Problemen der Kunst und des Schönen befaßt. Das *Wort* ›Ae.‹ wurde im 18.Jh. nach gr. aisthetikē (technē) gebildet (vgl. A. G. Baumgarten, »Aesthetica«, 1750–58). Die philosoph. Ae. hat durch Platon, Aristoteles, Plotin, Thomas von Aquino, dann I. Kant, F. W. Schelling, G. W. F. Hegel, A. Schopenhauer, F. Nietzsche, N. Hartmann auch das nicht-philosoph. Denken über Kunst und Schönheit nachhaltig beeinflußt. Seit dem 19. Jh. sind im Rahmen der Ae. psychologische (K. Lange, J. Volkelt), biolog. (H. Spencer, W. Jerusalem), soziolog. (H. Taine, J. M. Guyau), klassenkampfgeschichtl. (Marx, Engels, Lenin), völkerpsycholog. (W. Wundt) und sexualpsycholog. (S. Freud) Betrachtungsweisen angewandt worden. Aesthet. Gebilde führen in der Vorstellung zu Aktualisierungen der von diesen symbolisierten, mehr oder weniger realitätsorientierten, bisweilen surrealen oder phantast. Ausschnitten oder Surrogaten der erlebten Welt, ohne daß es unmittelbar zu prakt., auf eine Handlung abzielenden Reaktionen käme (Kant: »interesseloses Wohlgefallen«). Die Leugnung aller, auch mittelbarer prakt. Reaktionen führt zum ↗l'art pour l'art, die Leugnung der Mittelbarkeit von prakt. Reaktionen zur Aufhebung der begrenzten Autonomie des Ästhetischen. Die moderne informationstheoret. Ae. hält sich dagegen überwiegend an die »ästhet. Zustände« den materiellen Zeichenträger, die sie als eine mathemat. zu beschreibende Quelle von Informationen betrachtet. Mit der exakten Beschreibung eines materiellen ästhet. Zustandes soll dann zugleich eine bestimmte, den Zeichenträger einschließende Subjekt-Objekt-Relation »fixiert« sein, wobei Werte als Zeichen von Zeichen gelten (M. Bense). Außerhalb und mehr oder weniger unabhängig von der Philosophie befassen sich die ↗Poetik und für die bildenden Künste die Kunsttheorie mit Problemen der Ae., z. B. mit Fragen der Nachahmung, des Idealen, des Tragischen, des Komischen, des Konkreten und Abstrakten, der Eignung gewisser Stoffe und Formen für bestimmte Kunstarten. Die Poetik wird Ae., wenn sie bildende Künste einbezieht (G. E. Lessings »Laokoon«, 1766). Nach F. Schiller, dem bedeutendsten Aesthetiker unter den dt. Dichtern, soll der sinnl. Stofftrieb mit dem überzeitl. Formtrieb im Spieltrieb vereinigen, der damit (unkantisch) die Welt des Werdens mit dem absoluten Sein in der lebenden Gestalt, dem Schönen, verbindet (»Über die aesthet. Erziehung des Menschen«, 1793/95). Schillers Ideal der »Freiheit in der Erscheinung« wird bei Goethe zum »Gesetz in der Erscheinung«: die Künste gehen auf das Vernünftige zurück, wonach die Natur selbst handelt, haben aber auch ihre eigene Schönheit in sich selbst (»Maximen und Reflexionen«). Für F. Hölderlin vollzieht sich im histor.-poet. Mythos die doppelte, wechselseitig

steigernde Vereinigung des Vergangen-Einzelnen mit dem Gegenwärtig-Unendlichen und des geistig-gestaltenden Künstler-Propheten mit der chaot. Natur (»Aesth. Fragmente«, »Grund zum Empedokles«). Bei Jean Paul sind es die innere und die äußere, die ewige und die zeitl. Welt, die sich im Werk des künstler. Genius zu einem harmon. schönen Ganzen zusammenschließen (»Vorschule der Ae.«, 1804, § 14). Auch nach Novalis hat die Poesie die universale Sympathie des Endlichen und Unendlichen darzustellen; sie wird dadurch schlechthin symbol. (»Fragmente«, Nr. 1871, 1875, 1910). – Den Dichtern liegt, wenn sie über Wesen, Arten und Mittel der Künste schreiben, mehr an Selbstauslegung als an Erkenntnis; sie pflegen daher rasch zur Poetik einer bestimmten Dichtungsgattung überzugehen. Äußerungen, Entwürfe, Schriften zur Ae. gibt es außer von den genannten Dichtern u. a. noch von G. A. Bürger, G. E. Lessing, K. Ph. Moritz, H. Heine, F. Hebbel, G. Keller, W. Raabe; von S. T. Coleridge, P. B. Shelley, E. A. Poe, O. Wilde, von Voltaire, J. J. Rousseau, D. Diderot, Madame G. de Staël, V. Hugo, H. de Balzac, J. P. Sartre. Sophokles, Dante, Shakespeare haben explicite keine Ae. entworfen, aber Werkstrukturen geschaffen, deren Begriffe, auf Kunstwerke überhaupt bezogen, zur Stoff-Form-Thematik der Ae., soweit sie eine allgemeine strukturalist. Kunstwissenschaft ist, gehören.

□ Kutschera, F. v.: Ae. Bln./New York 1988. – Pochat, G.: Gesch. der Ae. u. Kunsttheorie von d. Antike bis zum 19. Jh. Köln 1986. – Tatarkiewicz, W.: Gesch. der Ae. 3 Bde. Basel/Stuttg. 1979–87. – Henckmann, W. (Hrsg.): Ae. Darmst. 1979. – Adorno, Th. W.: Aesthet. Theorie. Ges. Schr. Bd. 7. Frkft. 1970. – Bense, M.: Einf. in die informationstheoret. Ae. Reinbek 1969. – Assunto, R.: Die Theorie des Schönen im MA. Köln 1963. – Grassi, E.: Die Theorie d. Schönen in d. Antike. Köln 1962. – Bayer, R.: L'esthétique mondiale au 20e siècle. Paris 1961. – Cassirer, E.: Freiheit u. Form (1917). Darmst. ³1961. – Heidegger, M.: Der Ursprung des Kunstwerkes. Stuttg. 1960. – Moles, A. A.: Théorie de l'information et perception esthétique. Paris 1958. – Lukács, G.: Ae. Neuwied ²1956. – Fechner, G. Th.: Vorschule der Ae. 2 Teile. Lpz. ³1925. – Dilthey, W.: Die Epochen der mod. Ae. Ges. Schr. Bd. 6. Lpz. 1924. – Dessoir, M.: Ae. und allgem. Kunstwissensch. Stuttg. ²1923. – Lotze, H.: Gesch. der Ae. in Deutschland (1868). Nachdr. Lpz. 1913.   FS

Aesthetizismus, m. [zu Aesthetik = Lehre vom Schönen], Geisteshaltung, welche dem Aesthetischen einen absoluten Vorrang vor anderen Werten einräumt, oft verbunden mit der Relativierung oder Negierung herrschender religiöser und eth. Anschauungen (aesthet. Immoralismus oder gar Amoralismus). Ae. resultiert meist aus einer passiven, resignativen und kontemplativen Einstellung zum Leben, aus einer hedonist. Sensualismus oder einer Flucht aus einer als feindlich oder widersinnig empfundenen Wirklichkeit in eine Welt des schönen Scheins (↗Eskapismus, ↗Elfenbeinturm); er kann geradezu zu antisozialem, apolit. lebensfeindl. Nihilismus führen. Der Ae. tritt mit seiner eth. Unverbindlichkeit und seinen artifiziellen Stilisierungen häufig in Opposition zu pragmatisch orientierten, gesellschaftl. engagierten Kunstrichtungen, die programmat. nach Wahrheit, sei der Darstellung oder des Ausdrucks streben (z. B. Naturalismus, in gew. Sinne auch Expressionismus). – Anzeichen der verschiedensten Formen des Ae. finden sich bereits in der Antike (bes. im Hellenismus), auch im MA. (z. B. bei Gottfried v. Straßburg, »Tristan«) und in der zum ↗Manierismus tendierenden Phase der Renaissance, im Gefolge der Emanzipation des Künstlers. Stärkere Tendenzen entwickeln sich aber erst in der Kunst und Literatur der Neuzeit seit dem 18. Jh., v. a. bei W. Heinse (»Ardinghello«, 1787), den Romantikern und ihren Nachfahren (F. Schlegel, L. Tieck, auch A. v. Platen, Chateaubriand, J. Keats, Ch. Baudelaire). Die verschiedenen Strömungen gegen Ende des 19. Jh.s, wie ∕Symbolismus, ∕Impressionismus, die Kunst der Décadence, des Fin de siècle, sind den unterschiedl. Ausprägungen des Ae. günstig. Vgl. etwa W. Pater, J. Ruskin, O. Wilde, A. Beardsley; G. Flaubert, St. Mallarmé, M. Proust (Leben aus der Erinnerung), J.-K. Huysmans (»A rebours«, 1884); aesthet. Mystizismus); der früher Nietzsche (Rechtfertigung der Welt allein als aesthet. Phänomen), der junge Hofmannsthal, St. George; G. D'Annunzio. Auch ∕l'art pour l'art.   S

Aeternisten, m. Pl. [zu lat. aeternus = ewig], von St. Wronski (Pseudonym für F. Hardekopf) proklamierte Bez. für die Gruppe der engeren literar. Mitarbeiter der Zeitschrift »Die Aktion« (1911–32), deren Arbeiten der Herausgeber F. Pfemfert »eine Bedeutung über die Zeit hinaus zumaß« (P. Raabe). Die Autoren der 10 erschienenen »Aktionsbücher der Ae.« (1916–21) – v. a. Hardekopf, C. Einstein, F. Jung, H. Schäfer, G. Benn – stellen zusammen mit W. Klemm, K. Otten und L. Rubiner (∕Aktivismus) gleichzeitig den engeren ∕Aktionskreis dar.   D

Agitprop-Theater [Kurzwort aus Agitation und Propaganda], in den 20er Jahren von Laienspielgruppen kommunist. (Jugend)verbände praktizierte Form polit. Theaters. Es sollte der Verbreitung marxist.-leninist. Lehre dienen (Propaganda) und zugleich, ausgehend von aktuellen Problemen, zu konkreten polit. Aktionen aufrufen (Agitation). Diesem Ziel entsprechend sind die Stücke kurz, die Probleme sinnfällig vereinfacht, Songs und Sprechchöre, oft mit Hörerbeteiligung, erklären die Konsequenzen des Gezeigten. Die Aufführungen, oft als ∕Straßentheater, sind bewußt antikünstlerisch, von primitiver Ausstattung und intensivem, stark gestischen Darstellungsstil. – Entwickelt im Rahmen der sowjetruss. ∕Proletkult-Bewegung, erreicht die A. seinen Höhepunkt in Deutschland 1929–1933 (ca. 200 organisierte Spieltruppen); wichtigste Quelle ist die Sammlung »Das rote Sprachrohr«(1929, hg. vom Kommunist. Jugendverband Deutschland). Die Annäherung an die Gebrauchsform des A.s ist eine der wesentl. Tendenzen des sozialist. bestimmten dt. Theaters der Gegenwart (z. B. P. Weiss, »Viet Nam Diskurs«, »Gesang vom lusitan. Popanz«).

⌺ Laschen, G. (Hrsg.): A. Dokumentation zur Funktion u. Geschichte. Frkft. 1974. ∕Arbeiterliteratur.   H*

Agon, m. [gr. = Wettkampf, Wettstreit], 1. sportl. und mus. Wettkämpfe in der Antike, bes. bei den griech. Festspielen; auch Aufführungen von Tragödien und Komödien waren als A. organisiert, bei dem einer der Dichter den 1. Preis erhielt. – 2. ∕Streitgespräch oder -gespräch, Hauptbestandteil der att. Komödie (z. B. A. zwischen Euripides und Aischylos in den »Fröschen« des Aristophanes), auch in der Tragödie (Euripides), im Epos und als selbständ. Werk (»A. Homers und Hesiods«). – Vgl. in der dt. Dichtung v. a. die barocken Trauerspiele (A. Gryphius, »Leo Armenius« I, 4).   HS

Agrarians, m. Pl. [əˈgrɛəriənz; engl. = Agrarier, Landwirt(e)] ∕Fugitives.

Aitiologisch [griech. aitiā = Ursache, logos = Erzählung, Lehre], nähere Kennzeichnung von Sagen, Legenden, Märchen und Mythen (Aitien), die Ursprung und Eigenart bestimmter Phänomene zu erklären versuchen, etwa Naturerscheinungen (›Mann im Mond‹, Stürme als Wotans Heer), Kultformen (antike Mythen, Heiligenlegenden), techn. Errungenschaften (Feuer, erfunden von Prometheus), Namen (Ägäisches Meer nach Aigeus, sagenh. griech. König; Watzmann-Massiv). – Bes. frühen und einfachen Kulturstufen eigentümlich, aber bereits im Hellenismus dichter. ausgebildet (Kallimachos, »Aitia«, 3. Jh. v. Chr.), aus der Neuzeit z. B. die Sage von der Loreley (C. Brentano, H. Heine).   S

Akademie, f., ursprüngl. Name der von Platon zwischen 387 und 361 v. Chr. bei Athen (in der Nähe eines Heilig-

tums des altatt. Heros Akademos) gegründeten Philosophenschule, die 529 n. Chr. durch Justinian geschlossen wurde. Heute Bez. für gelehrte Gesellschaften (meist vom Staat unterstützte Körperschaften des öffentl. Rechts, mit gewählten Mitgliedern) zur Pflege, Förderung und Organisation der Wissenschaften (z. B. Herausgabe wissenschaftl. Standardwerke und Gesamtausgaben, Preisaufgaben, -verleihungen, vgl. ∕Literaturpreis, u. a.). A.n können nur einer Wissenschaft gewidmet sein oder verschiedene Disziplinen umfassen; sie sind dann meist unterteilt in eine mathemat.-naturwissenschaftl. Klasse, jeweils mit mehreren Sektionen. A.n, bzw. Sektionen für Dichtung und Sprache (deren Mitglieder vorwiegend Schriftsteller sind) werden auch als Dichter-A.n bez. Die ersten A.n dieser Art entstanden in der Renaissance, die damit an die antike Tradition anknüpfen. Bedeutende, z. T. weitreichende Entwicklungen anstoßende A.n waren: die Academia Platonica in Florenz, gegründet 1459 von Cosimo I. de Medici, die zum Zentrum des italien. ∕Humanismus wurde (Mitglieder u. a. M. Ficino, A. Poliziano, G. Pico della Mirandola, C. Landino); sie bestand bis 1522. Vorbildhaft bes. für die sprachpfleger. Bestrebungen in vielen europ. Ländern wurde die Accademia della Crusca (= Kleie; d. h. A., die die Spreu vom Weizen, das Wertlose vom Wertvollen trennen will), gegründet 1582 in Florenz, die sich (bis heute) der Revision und ∕Pflege der italien. Sprache widmet. 1612 ff. gab sie mit dem ›Vocabolario degli academici della Crusca‹ das erste Wörterbuch der italien. Literatursprache heraus, seit 1955 ist ein großes histor. Wörterbuch der italien. Sprache im Werden. Die Accademia dell'Arcadia, gegründet 1690 in Rom (bald mit ›Kolonien‹ in vielen Städten), bekämpfte v. a. formalist. Literatur, insbes. den ∕Marinismus, und propagierte (als vermeintl. Rückbesinnung auf antike ›arkad.‹ Natürlichkeit) die anakreont. (Schäfer-)Dichtung, die sie im 18. Jh. zu weitreichender Resonanz verhalf (P. Rolli, C. J. Frugoni, P. Metastasio); sie leistete aber auch Beiträge zur Ästhetik und Literaturgeschichtsschreibung (L. A. Muratori). Als ›Accademia letteraria italiana dell'Arcadia‹ (seit 1925) besteht sie bis heute. – Nach dem Vorbild der Accademia della Crusca entstand die bedeutendste A. Frankreichs, die Académie française, 1629 zunächst als privater Literatenzirkel in Paris um V. Conrart gegründet, seit 1635 durch Richelieu institutionalisiert (40 auf Lebenszeit gewählte Mitglieder, die »Unsterblichen«) zur Pflege von Sprache und Literatur. Während der franz. Revolution 1793 aufgelöst, als Abteilung des ›Institut de France‹ (einer Körperschaft von [heute] 5 A.n zur Pflege der Wissenschaften und Künste) 1803 wieder etabliert. Es gab u. a. 1694 ff. das normsetzende »Dictionnaire de l'Académie« heraus (⁸1932 ff.); 1932 eine seit 3 Jh.en intendierte histor. Grammatik: sie übte, nicht zuletzt durch ihre Literaturpreise (Grand prix de littérature, Grand prix du roman), einen bedeutenden Einfluß auf die franz. Literatur aus. Den bedeutendsten franz. Literaturpreis für ein modernes franz. Prosawerk verleiht seit 1903 jährl. die Académie Goncourt, von E. H. de Goncourt 1896 testamentar. gegründete A. von 10 Schriftstellern, die nicht der Académie française angehören sollen. Die wichtigsten A.n Deutschlands sind die ebenfalls an die Accademia della Crusca anknüpfenden ∕Sprachgesellschaften, ferner die 1700 auf Vorschlag G. W. Leibniz' von Kurfürst Friedrich III. in Berlin gegründete ›Kurfürstl. Brandenburg. Societät der Wissenschaften‹ (deren 1. Präsident Leibniz wurde), die als erste A. mehrere Wissenschaftszweige zusammenfaßte, seit 1711 als Preuß. A. der Wissenschaften (W. und A. von Humboldt, Schleiermacher u. v. a.), seit 1946 als Dt. A. der Wissenschaften zu Berlin (Ost), seit 1972 als Dt. A. der Wissenschaften der DDR fortbestehend (mit heute 6 Klassen; Kl. 5: Sprachen, Literatur und Kunst). Weitere A.n entstanden 1751 in Göttingen (1. Präsident A. v. Haller), 1759 in München (Bayer. A.

der Wissenschaften), 1846 in Leipzig (Sächs. A. der Wiss.), 1847 in Wien (Österreich. A. der Wiss.), 1909 in Heidelberg, 1949 in Mainz (A. der Wiss. und der Lit.), 1970 in Düsseldorf (Rhein.-Westfäl. A. der Wiss.). Zu nennen sind ferner die *A.n der Künste,* meist ebenfalls mit Sektionen für Literatur: So die aus der 1696 gegr. Preuß. A. der Künste hervorgegangenen Nachfolgeinstitutionen: 1. die *A. der Künste Berlin (Ost),* seit 1950 das zentrale Gremium der DDR für kulturelle Belange (verleiht u. a. den Heinrich-Mann-Preis), 2. Die *A. der Künste Berlin (W),* seit 1945 (Präsident 1988 Giselher Klebe, stellv. Dir.-Dir. der Sektion Literatur: P. Härtling), 3. die 1949 als westdt. Weiterführung der Sektion Dichtkunst eröffnete *Dt. A. für Sprache und Dichtung Darmstadt,* die im Rahmen der Förderung, Pflege und Vermittlung der dt. Sprache und Literatur jährl. den Georg-Büchner-Preis für ein literar. (Gesamt-)werk verleiht, ferner *Preise* für Germanistik im Ausland, Übersetzertätigkeit, literar. Kritik (Johann-Heinrich-Merck-Preis), wissenschaftl. Prosa (Sigmund-Freud-Preis) und Essayistik (Karl-Hillebrand-Preis). Weitere A.n der Künste wurden 1948 in München, 1949 in Hamburg, 1984 in Mannheim gegründet. Einige der A.n schlossen sich zur *Betreuung langfrist. wissenschaftl. Unternehmen* zusammen, so zur Förderung der »Monumenta Germaniae historica« und des »Thesaurus Linguae Latinae« seit 1893 die A.n Göttingen, Leipzig, München, Wien, dazu 1905 Berlin, 1911 Heidelberg, heute auch Mainz; oder zur Erarbeitung des Goethe-Wörterbuchs seit 1951 die A.n Berlin (Ost), Heidelberg, Göttingen. – Seit 1901 existieret ein internat. Zusammenschluß der A.n (›Union Académique Internationale‹, Sitz Brüssel).

☐ Vademecum Dt. Lehr- u. Forschungsstätten. Hrsg. v. d. Red. d. Dt. Univ. Ztg. Stuttg. [8]1985. – Erkelenz, P.: Der A.gedanke im Wandel der Zeiten. Bonn 1968. – RL.   IS

Akatalektisch, Adj. [gr. = nicht (vorher) aufhörend], in der antiken Metrik Bez. für Verse, deren letzter Versfuß *vollständig* ausgefüllt ist; vgl. dagegen ∕katalektisch, ∕hyperkatalektisch.

Akephal, Adj. [gr. = kopflos], 1. Bez. der antiken Metrik: ein am Anfang um die erste Silbe verkürzter Vers wird a. genannt; 2. Kennzeichnung eines literar. Werkes, dessen Anfang nicht oder nur verstümmelt erhalten ist (z. B. Hartmann von Aue, »Erec«).   HS

Akmeismus, m. [russ. zu gr. akmē = Gipfel, Höhepunkt], russ. literar. Gegenbewegung gegen den russ. Symbolismus, deren Vertreter Gegenständlichkeit, Wirklichkeitsnähe und v. a. formale Klarheit (daher auch als ›*Klarismus*‹ bez.) der Dichtung forderten. Entstand um 1910 um N. St. Gumiljow und S. M. Gorodetzki und die Zeitschrift »Apollon«(1909–17); Hauptvertreter waren außerdem M. A. Kusmin, A. A. Achmatowa, O. E. Mandelstam (»Der Morgen des A.«, 1912, veröff. 1919), W. J. Narbut, M. A. Senkjewitsch. Bestand etwa bis 1920.   IS

Akronym, n. [gr. akros = spitz (vorne), onoma = Name], ∕Abkürzung von Komposita oder Wortfolgen, deren Anfangsbuchstaben oder -silben zu einem neuen Kunstwort verschmelzen, z. B. Agfa (= Aktiengesellschaft für Anilinfarben), Bafög (= Bundesausbildungsförderungsgesetz), DIN (= Dt. Industrienorm), Gema (= Gesellschaft für musikal. Aufführungsrechte). Zulässig sind nur A.e, die nicht zugleich eine traditionale Bedeutung haben, was zu Mißverständnissen führen kann (vgl. z. B. Eifel (= Elektron. Informations- u. Führungssystem für die Einsatzbereitschaft der Luftwaffe).

☐ Sawoniak, H./Witt, M. (Hg.): New international Dictionary of Acronyms. Mch. u. a. 1988.   S

Akrostichon, n. [gr. akron = Spitze, stichos = Vers: erster Buchstabe eines Verses], Wort, Name oder Satz, gebildet aus den ersten Buchstaben (Silben, Wörtern) aufeinanderfolgender Verse oder Strophen. Ursprüngl. eignete dem A. wohl mag. Funktion, später verweist es auf Autor oder Empfänger oder dient als Schutz gegen ∕Interpola-

nen und Auslassungen. Frühestes Vorkommen des A.s in babylon. Gebeten, in hellenist. Zeit bei Aratos, Philostephanos, Nikander und in der Techné des Eudoxos, sehr gut belegt in der geistl. Dichtung von Byzanz, in antiker lat. Dichtung u. a. bei Ennius (3./2. Jh. v. Chr.), in der »Ilias Latina«, (1. Jh.), den »Instructiones« Commodians (4. Jh.) und den Argumenta zu Plautus (2. Jh.); auch in jüd. Dichtung. Beliebt dann in lat. und dt. Dichtung des MA.s (Otfried von Weißenburg, Gottfried von Straßburg, Rudolf von Ems) im Barock (M. Opitz, J. Ch. Günther, P. Gerhardt, »Befiehl du deine Wege«, Ph. Nicolai), seltener in der neueren Dichtung (J. Weinheber). Eine bes. in der semit. Dichtung beliebte Spielart des A.s ist das einfache (ABCD) oder das doppelt geschlungene (AXBY) ∕Abecedarium. Selten ist das *versetzte A.*: hier ergibt sich das Wort aus dem 1. Buchstaben des ersten Verses, dem 2. Buchstaben des 2. Verses usw. z. B. A. »Hölderlin« bei Stefan George: »Hier schließt das tor . . .« (Stern des Bundes, III 19). ∕Akroteleuton, ∕Mesostichon, ∕Telestichon.   GG

Akroteleuton, n. [gr. = äußerstes Ende), Verbindung von ∕Akrostichon und ∕Telestichon: die Anfangsbuchstaben der Verse oder Zeilen eines Gedichtes oder Abschnittes ergeben von oben nach unten gelesen, die Endbuchstaben von unten nach oben gelesen das gleiche Wort oder den gleichen Satz.   GG

Akt, m. [lat. actus = Vorgang, Handlung], größerer, in sich geschlossener Handlungsabschnitt eines Dramas. Die Verwendung der lat. Bez. *actus* findet sich im dt.-sprach. Drama nach. hungarer. Vorbild zuerst 1527 gleichzeitig bei B. Waldis (»De parabell vam verlorn Szohn, 2 Actus«) und H. Sachs (»Lucretia, 1 Actus«); seit dem 17. Jh. daneben dt. Bez. wie »Abhand(e)lung« (A. Gryphius, D. C. Lohenstein), »Handlung« (J. Ch. Gottsched), ∕Aufzug (so allg. seit dem 18. Jh.: J. E. Schlegel, G. E. Lessing). Das klass. griech. Drama und die altröm. Komödie kennen keine feste A.einteilung; die A.gliederungen in den Ausgaben sind Zutaten humanist. Editoren. Das spätantike Drama und das Drama der Neuzeit seit der Renaissance bevorzugen im Anschluß an die einfache Poetik die Gliederung in 3 oder 5 Akte, bzw. Stufen des Handlungsablaufs. *Die Dreiteilung* basiert auf Aristoteles (Poetik 7, 3) und Donat (Terenzkommentar, 4. Jh.); sie findet sich v. a. im italien. u. span. Drama; nach italien. Vorbild seit dem 17. Jh. auch häufig in der frz. und dt. Komödie (∕Dreiakter). – *Die Fünfteilung* ist im Anschluß an Horaz (Ars poetica, v. 189 f.) zuerst bei Seneca durchgeführt; daran knüpfen nach der Edition durch Celtis (1487) v. a. die Dramentheorie J. C. Scaligers (1561; 1. ∕Protasis; 2.3. ∕Epitasis, Steigerung der Handlung bis zum Höhepunkt der ∕Krisis; 4. ∕Katastasis, Ausgangspunkt der ∕Peripetie; 5. ∕Katastrophe, vgl. ∕Fünfakter), das lat. ∕Humanistendrama des 16. Jh.s, dem 18. ∕Reformationsdrama des 16. und 17. Jh.s, das ∕schles. Kunstdrama und die frz. ∕haute tragédie. – Die A.grenzen werden bei Seneca und seinen Nachahmern durch die kommentierenden ∕Chor (Gryphius, Lohenstein: »∕Rey(h)en«), seit dem 17. Jh. durch den Vorhang markiert. – Die A.gliederungen im volkstüml. dt. Drama des 16. Jh.s sind oft unbeholfen und nur äußerlich den traditionellen Dramenformen wie dem geistl. ∕Volksschauspiel (Luzerner Passionsspiel, 1583) aufgesetzt; die Anzahl der A.e ist dabei variabel (H. Sachs, »Der hürnen Sewfried«, 1557: 7 Actus). Im klassizist. dt. Drama seit Gottsched (»Sterbender Cato«, 1731) und in der dt. Klassik ist fünfteil. Aufbau nach frz. Vorbild die Norm (Ausnahme: »Faust I«). Seltener sind ∕Einakter (Lessing, »Philotas«, 1759; H. v. Kleist, »Der zerbrochene Krug«, 1808; H. v. Hofmannsthal; A. Schnitzler) und Vierakter (H. Sudermann; seltener bei G. Hauptmann). Größere A.zahlen begegnen, vom dt. Drama des 16. Jh.s abgesehen, nur im außereuropäischen Drama (altind. Kunstdrama: 5 bis 10 A.e). Seit dem Drama des ∕Sturm und Drang (Goethe,

»Götz von Berlichingen«, 1773; J. M. R. Lenz, »Die Soldaten«, 1776) macht sich, zunächst unter dem Einfluß Shakespeares (A.einteilung erst durch die Herausgeber), zunehmend die Auflösung der strengen A.gliederung (die äußerlich jedoch häufig beibehalten wird) zugunsten einer ep. lockeren Aneinanderreihung einzelner Bilder und Szenen bemerkbar: A. von Arnim (»Halle und Jerusalem«, 1811), Ch. D. Grabbe, G. Büchner (»Dantons Tod«, 1835), F. Wedekind (»Frühlings Erwachen«, 1891); erster Höhepunkt im ↗Expressionismus, z.T. im Anschluß an A. Strindberg (»Traumspiel«, 1902); B. Brechts ↗episches Theater; W. Borchert (»Draußen vor der Tür«, 1947; Dokumentarspiel). Daneben begegnen bis in die Gegenwart Dramen mit in sich geschlossenen A.en (R. Hochhuth, »Soldaten«, 1968; G. Grass, »Davor«, 1969). – RL.   K

Aktionskreis, im soziolog. Sinne keine Gruppe, sondern – in paralleler Wortbildung zu ↗Sturmkreis – Sammelbegriff für die Mitarbeiter der von F. Pfemfert hrsg. Wochenschrift »Die Aktion« (1911–1932); er gilt v. a. für die erste polit.-literar. (1911–19) und die zweite (auch infolge der Kriegszensur) fast ausschließl. künstler.-literar. Phase (1914–18); die Bez. wird zudem meist nur für die künstler. oder sogar nur literar. Mitarbeiter (F. Hardekopf, C. Einstein, F. Jung, W. Klemm, K. Otten, L. Rubiner, H. Schäfer) gebraucht. »Die ›Aktion‹ wurde die Aktion einer Dichtung, die ihr bestes in der Gemeinschaft leistete, deren Kollektiv stärker war als der einzelne« (P. Raabe, vgl. auch ↗Aeternisten). Der Sammelbegriff A. deckt z. T. aktivist. Tendenzen (↗Aktivismus) der ersten Jahre ebensowenig wie die fast ausschließl. polit.-linksradikalen, undogmat. kommunist. Beiträge seit 1920, obwohl die (z. T. politische) erste und die (fast ausschließl. polit.) dritte Phase der Wochenschrift auch als polit.-weltanschaul. Rahmen des A.es verstanden werden müssen.
⌺ Raabe, P. (Hrsg.): Die Aktion. Bd. 1: Einf. und Kommentar. Stuttg. 1961.   D

Aktivismus, m., geist.-polit. Bewegung innerhalb der sog. ↗Literatur- oder Kulturrevolution, die parallel zum literar. ↗Expressionismus und im Ggs. zu ihm die Literaten als Mittel zum Zweck, den Literaten als »Verwirklicher« betont. Obwohl es auch einen »rechten« A. (W. Rothe) gab, versteht man unter A. v. a. die in den 5 Jahrbüchern »Das Ziel« (1916–24, hg. v. K. Hiller) vertretenen sozial-revolutionären, pazifist. Thesen und Programme. Als Aktivisten im engeren Sinne gelten K. Hiller (Initiator des »Bundes zum Ziel«, 1917) und L. Rubiner, die schon 1911–13 an F. Pfemferts »Aktion« mitgearbeitet hatten; im weiteren Sinne zählen zum A. A. Kerr, M. Brod, W. Benjamin, H. Blüher, R. Leonhard, G. Wyneken, Mitarbeiter der »Ziel«-Jahrbücher. Blütezeit des A. waren die Jahre 1915–1920. Von Einfluß war u. a. Nietzsche, programmat. Bedeutung hatte H. Manns Essay »Geist und Tat« (1910), dessen Titel in bezeichnenden Variationen aufgegriffen wird, z. B. als »Geist u. Praxis«, »tätiger Geist«, »Literat und Tat« (Hiller). 1918 erfolgte die Gründung eines (erfolglosen) »Polit. Rats geistiger Arbeiter«. Das Ende des A. zeichnete sich ab mit der Selbstbeschränkung auf eine nur noch »kulturpolit. Bewegung« (Aktivisten-Kongreß 1919 Berlin); ledigl. Hiller war in zahlreichen Schriften dem erklärten »Ziel« einer konkreten Utopie des durch den Literaten befreiten Menschen in einer veränderten Welt treu geblieben.
⌺ Der A. 1915–1920. Hrsg. v. W. Rothe. Mchn. 1969.   D

Akustische Dichtung, neben der ↗visuellen Dichtung wesentlichste Spielart der internationalen ↗konkreten Dichtung, die auf das Wort als Bedeutungsträger verzichtet und in der method. oder zufälligen Reihung bzw. Komposition von Buchstaben, Lauten, Lautfolgen, Lautgruppen sog. »Verse ohne Worte«, »Lautgedichte«, »Poème phonétiques«, »text-sound compositions«, »Hörtexte« u. a. herstellt. Oft auch als abstrakte, ↗elementare, ↗konsequente, ↗absolute, materiale Dichtung (Literatur, Texte)

bezeichnet. Seit Ende des 19. Jh. zunächst in z. T. spielerischen Einzelbeispielen bei St. George, E. Lasker-Schüler, P. Scheerbart, Ch. Morgenstern (z. T. als ↗Unsinnspoesie zu verstehen). Seit der ↗Literaturrevolution v. a. im russ. ↗Futurismus (A. Krucenyk), ↗Dadaismus (H. Ball, R. Hausmann, K. Schwitters), ↗Sturmkreis (R. Blümner, O. Nebel), ↗Lettrismus (I. Isou) und in einem internationalen Neuansatz seit ca. 1950 (H. Chopin, B. Cobbing, F. Dufrêne, B. Heidsieck, F. Kriwet, L. Novak u. a.) in zunehmendem Maße als eine neben dem »Sehtext« der ↗visuellen Dichtung zweite grundsätzl. Möglichkeit literarischer Äußerung verstanden. Die Grenzen zur ↗onomatopoiet. Dichtung sind ebenso fließend wie zum ↗reduzierten Text. Grenzüberschreitungen zur Musik sind möglich (↗Mischformen). Theoret. Begründungen seit der Literaturrevolution v. a. bei Ball, Hausmann, Schwitters, im Sturmkreis und bei Isou. Als ideale Publikationsform der a. D. gelten Schallplatte und Tonband, deren techn. Möglichkeiten die Geschichte einer a. n. D. mitbestimmt haben. ↗konkrete Dichtung.   D

Akyrologie, f. [gr. akyros = uneigentlich], uneigentl. Wortgebrauch, Verwendung von Tropen und Bildern (↗Tropus, ↗Bild).

Akzent, m. [lat. accentus, Lehnübersetzung für griech. prosodia = Tongebung], Hervorhebung einer Silbe im Wort (Worta.), eines Wortes im Satz (Satza.) durch größere Schallfülle (dynam. oder expirator. A., Drucka., Intensitätsa.) oder durch höhere Tonlage (musikal. A.); in der Regel verfügt eine Sprache über dynam. und musikal. A., wobei einer der beiden A.arten dominiert. Der Worta. liegt in manchen Sprachen auf einer bestimmten Silbe des Wortes (fester A.), in anderen Sprachen kann er grundsätzl. auf verschiedenen Silben des Wortes liegen (freier A.); Wort- und Satz-A. als feste Bestandteile von Wort und Satz (objektiver A.) können emphatisch (↗Emphase) verändert werden (subjektiver A.). Der altgriech. A. war vorwiegend musikal.; etwa zu Beginn der Zeitrechnung gewann jedoch der dynam. A. die Oberhand. Der altlat. A. war vorwiegend dynam. und im vorliterar. Zeit auf der ersten Silbe des Wortes festgelegt (Initiala.), später in Abhängigkeit von der Quantität der vorletzten Silbe des Wortes (Paenultima) bedingt frei; der l. der klass. lat. Literatursprache war, vermutl. unter griech. Einfluß, überwiegend musikal.; in nachklass. Zeit setzte sich der in der Volkssprache nie ganz verdrängte dynam. A. wieder durch. – Der A. der german. Sprache ist überwiegend dynam. und in der Regel als Initiala. auf der ersten Silbe des Wortes festgelegt; Ausnahmen sind sprachgeschichtl erklärbar (Verbalkomposita und daraus abgeleitete Nomina: er-lauben, daraus Er-laubnis gegen Ur-laub als altem Nominalkompositum; Fremdwörter). – Die rhythm. Behandlung der Sprache richtet sich in der klass. antiken. und lat. Poesie zur Zeit des musikal. A.s nach der Quantität der Silben (↗quantierendes Versprinzip); der Worta. der Prosasprache bleibt dabei unberücksichtigt, er setzt sich jedoch in nachklass. Zeit unter dem wachsenden Einfluß des dynam. A.s, der zugleich den Verfall der festen Quantitäten und damit der quantierenden Metrik bedingt, als rhythm. Prinzip durch (↗akzentuierendes Versprinzip). In der Dichtung der germ. Völker richtet sich die metr. Behandlung der Wörter grundsätzl. nach dem (dynam.) Worta.; Worta. und Versiktus stimmen im allgemeinen überein; die Quantität der Tonsilben wird, bis zu ihrer Nivellierung durch die Beseitigung der kurzen offenen Tonsilben im Spät-MA., bedingt berücksichtigt (↗Hebungsspaltung, ↗beschwerte Hebung). Während sich der altgerm. ↗Stabreimvers, nach Ausweis der Stabsetzung, darüber hinaus auch an den objektiven Satz-A. hält, kommt es später, im zunehmenden Tendenz zur Alternation (↗alternierende Versmaße) zu einer bedingten Unterordnung des Worta.s unter die Versbetonung (↗akzentuierendes Versprinzip). – Die Bez. prosodia und accentus meinen, ihrer

griech.-lat. Herkunft gemäß, zunächst nur den musikal. A.;
mlat. accentus bezeichnet darüber hinaus das Rezitieren
mit der Gesangsstimme (im Ggs. zur entfalteten Melodie
des concentus); die Übertragung der Begriffe auf den
dynam. A. setzt sich endgültig erst im 18.Jh. (Gottsched)
durch. Entsprechend dienen die *A.zeichen* zunächst nur der
Wiedergabe des musikal. A.s: ´ lat. (accentus) acutus für
griech. (prosodia) oxeia = Hochton, steigender Ton; ` lat.
(accentus) gravis, für griech. (prosodia) bareia = Tiefton,
fallender Ton; ^ lat. (accentus) circumflexus für griech.
(prosodia) perispomene = steigend-fallender Ton. Eine
Weiterentwicklung der musikal. A.zeichen stellen die Neumen dar. – RL.　　　　　　　　　　　　　　　　　　　K
Akzentuierendes Versprinzip, rhythm. Gliederung
der Sprache durch den (freien oder geregelten) Wechsel
druckstarker und druckschwacher Silben; das a.V. setzt
damit einen dynam. ⁄Akzent voraus, nach dem sich die
metr. Behandlung der Wörter richtet; der Wortakzent wird
zum Träger des metr. ⁄Iktus. Im Ggs. dazu beruht das
⁄quantitierende Versprinzip auf dem Wechsel prosod. langer und kurzer Silben, das ⁄silbenzählende Versprinzip auf
der Regelung der Silbenzahl rhythm. Reihen. – Die klass.
gr. und lat. Verskunst ist quantitierend; auf Grund der
sprachgeschichtl. Entwicklung setzen sich jedoch in nachklass. Zeit das akzentuierende und das silbenzählende Versprinzip durch. Der Dichtung der german. Völker liegt das
a. V. zugrunde; im germanischen ⁄Stabreimvers richtet
sich dabei die metr. Behandlung der Sprache nicht nur nach
dem Wortakzent, sondern auch nach dem objektiven Satzakzent; die unterschiedl. dynam. Auszeichnung der Satzglieder und damit der Wortarten im Satz (Nomina druck-
stärker als Verba, von zwei Nomina das untergeordnete
druckschwächer) wird in der ags. und altsächs. Stabreim-
epik (»Beowulf«, »Heliand«) genau beachtet. Neben dem
Wortakzent werden in der Dichtung der german. Völker die
Quantitäten der Tonsilben bis zu ihrer Nivellierung durch
die Beseitigung der kurzen offenen Tonsilben im Spät.-MA.
bedingt berücksichtigt (⁄beschwerte Hebung; ⁄Hebungs-
spaltung); dies gilt namentl. in der ⁄Kadenz des ⁄Reim-
verses. Die wachsende Tendenz des. Verses seit Otfried
von Weißenburg zur Alternation führt zu einer bedingten
Unterordnung des Wort- und Satzakzents unter die Versbetonung. Wort- und Satzakzente werden stilisiert (auch
sprachl. schwach betonte oder unbetonte Silben können im
Vers dynam. ausgezeichnet werden: »Dies ist die Zéit der
Könige nicht méhr« (Hölderlin, »Empédokles«); umgekehrt kann es, etwa bei Reihung starktoniger Silben, zur
Unterdrückung von Wortakzenten kommen: »Gott schäfft,
erzéucht, tréigt, spéist, tränkt, läbt, stärkt, nährt, erquickt«,
Logau). Zu Durchbrechungen des akzentuierenden V.s in
der dt. Dichtung kommt es seit dem späten MA. im ⁄Mei-
stersang, im 16. und 17.Jh. in der Gelehrtendichtung nach
roman. und antiken Vorbildern (Silbenzählung bei Vernachlässigung des Wortakzents zugunsten strenger Alternation nach Versikten im Meistersingervers und wohl auch im
strengen ⁄Knittelvers, bei G. Weckherlin u.a.: »Als mán
abér (erwéhlet . . .« [A. Puschmann], Quantitierung bei den
Humanisten: »Ö vattér unsér, der dú dyn éewige
wónung . . .« [K. Gesner]). Die Wiedereinsetzung des
akzentuierenden V.s ist, von einzelnen Vorgängern im
16.Jh. abgesehen (P. Rebhun), das Verdienst M. Opitz'
(»Buch von der Deutschen Poeterey«, 1624; Cap. 7): Opitz
gestattet zunächst jedoch nur ⁄alternierende Versmaße;
die adäquate Nachbildung nichtalternierender antiker
Versmaße unter Beachtung des alternierenden V.s gelang
zuerst J. Ch. Gottsched (⁄Hexameter) und F. G. Klopstock
(⁄Odenmaße) (antike Länge durch druckstarke, antike
Kürze durch druckschwache Silbe wiedergegeben; den
⁄Spondeus als ⁄Trochäus behandelt). Nicht im Widerspruch zum a. V. stehen emphat. (⁄Emphase) bedingte
⁄Tonbeugungen (»Örtlich, Irrstérn des Táges, erscheinest
du«, Hölderlin, »Chiron«).　　　　　　　　　　　　　K

Alamodeliteratur, [zu frz. à la mode (ala'mo:d) = nach
der Mode],
1. die im frühen 17.Jh. entstandene *höf. Unterhaltungsliteratur.* Die Bez. entstand in Anlehnung an z.T. satir.
gemeinte Wendungen wie »à la mode«, »Monsieur Ala-
mode« für die damals ›moderne‹ übertriebene Nachahmung ausländ. (v. a. frz. und italien.) Sitte und Sprache.
Typ. für die A. sind die oberflächl. Übernahme, Schilderung und Wertung fremder Vorbilder, ausländ. Redewendungen und eine renommierende Vorliebe für Fremdwörter.
2. Die durch diese Modeströmung entstandene
satir.-literar. Gegenbewegung, die v. a. von den ⁄Sprachge-
sellschaften ausging, aber auch von einzelnen Dichtern,
z. B. Moscherosch (»Gesichte Philanders von Sittewalt«,
1640–1643), Logau (Epigramme, »Alamode-Kleider«,
»Alamode-Sitten«), J. Lauremberg (Scherzgedichte, 1652),
Abraham a Santa Clara, Grimmelshausen, die polem.
scharfe Satiren oder Gegenbilder schufen. – RL.　　HFR*
Alba, f. [prov. = Morgenrot, Tagesanbruch], Gattung der
Trobadorlyrik, gestaltet den Abschied zweier Liebenden im
Morgengrauen; Name nach dem meist im Refrain vorkommenden Wort *a.* Dichter: u. a. Guiraut de Bornelh, Bertran
d'Alamanon, Cadenet, Raimon de las Salas, einige Anonymi. Als *Aube* in der Trouvèrelyrik, als ⁄Tagelied im dt.
⁄Minnesang. Gegenstück ⁄Serena. S. auch ⁄Aubade.
⊡ Saville, J.: The medieval erotic a. New York 1972.　PH
Album, n. [lat. = das Weiße], in der Antike weiß über-
tünchte, öffentl. aufgestellte Holztafel mit Verordnungen
oder Listen von Amtsträgern (Senatoren, Richter), dann
auch kl. Tafel für (im Ggs. zu Wachstafeln nicht korrigier-
bare) geschäftl. Aufzeichnungen (Kaufverträge u. a.). Seit
dem 17.Jh. Bez. für ein *Buch mit leeren Blättern* für Notizen
oder zum Sammeln von Zitaten, kleinen Zeichnungen, insbes. von herald., zoolog. oder botan. Illustrationsmustern,
Ende 18. Jh. dann v. a. Bez. für *Stammbuch: a. amicorum,*
Poesie-A. (vgl. heute auch Photo-, Briefmarken-A.).　　IS
Aleatorische Dichtung, [lat. alea = Würfel(spiel)],
auch: automat. Dichtung, Sammelbez. für eine Literatur,
bei deren ›Herstellung‹ der Zufall als Kompositionsprinzip
eine wesentl. Rolle spielt. Als das »eigentl. Zentralerlebnis
von Dada« (H. Richter) wurde das in der bildenden Kunst
›entdeckte‹ »Gesetz des Zufalls« für die Literatur übernommen »in der Form einer mehr oder weniger assoziati-
ven Sprechweise, in welcher [. . .] Klänge und Formverbin-
dungen zu Sprüngen verhalfen, die scheinbar Unzusam-
menhängendes plötzl. im Zusammenhang aufleuchten ließen« (Richter). Vorausgegangen waren eine kaum
bekanntgewordene, den psycholog. Aspekt verdeutlichende Versuchsreihe mit automat. Zufallsniederschriften G.
Steins und L. M. Solomons (1896), St. Mallarmés »Un
coup de dés jamais n'abolira le hasard« (1897) und die
Manifeste des italien. ⁄Futurismus. – Ansätze sind bereits
in der dt. Romantik zu finden: »Die ganze Poesie beruht
auf tätiger Ideenassoziation, auf selbsttätiger, absichtlicher
idealistischer Zufallsproduktion« (Novalis). Vertreter der
a. D. im Züricher ⁄Dadaismus waren v. a. H. Arp, T. Tzara,
W. Serner und R. Huelsenbeck mit ihren auf die ⁄Écriture
automatique des ⁄Surrealismus vorauswesenden Simul-
tangedichten, als Grenzfall K. Schwitters mit seiner i-Theorie. In der experimentellen Dichtung seit 1945 hat sich eine
anfängl. gelegentliche Überbetonung des Zufalls als fium
»nahezu kult. Instanz« (etwa bei Arp) in den modernen
sog. ⁄Würfeltexten (F. Kriwet) und einer seit ca. 1960
zunehmenden ⁄Computerliteratur fast ganz verloren.
⊡ Richter, H.: Der Zufall I, Der Zufall II, Der Zufall u. der
Anti-Zufall, in: H. R.: Dada – Kunst u. Antikunst. Köln
1964.　　　　　　　　　　　　　　　　　　　　　　　D
Alexandriner, m., in der roman. Verskunst 12- (bzw. 13-)
silb. Vers mit männl. (bzw. weibl.) Reim und fester Zäsur
nach der 6. Silbe; die 6. und 12. Silbe sind regelmäßig

betont; benannt nach dem afrz. »Alexanderroman« (1180), aber schon Anfang des 12. Jh.s in der »Karlsreise« verwendet; bis ins 14., 15. Jh. der beliebteste Vers der frz. Dichtung. Nach seiner Wiederbelebung durch P. de Ronsard und seine Schule (Mitte 16. Jh.) wird er im 17. Jh. erneut der bevorzugte Vers fast aller Gattungen (bes. Drama, Epos, Lehrgedicht, lyr. Gattungen: Sonett). – *Dt. Nachbildungen* des roman. A.s versuchen im 16. Jh. P. Schede und A. Lobwasser; durch M. Opitz wird er als 6-heb. Vers mit jamb. Gang, männl. oder weibl. Kadenz und fester Zäsur nach der 3. Hebung in die dt. Dichtung eingeführt und zum beherrschenden Vers des 17. Jh.s in Drama (A. Gryphius, Casper D. v. Lohenstein) und Lyrik; auch im 18. Jh. noch häufig (J. Ch. Gottsched, auch noch bei Goethe, »Faust« II, 10 849 ff.), dann aber immer stärker durch den ↗Hexameter und den ↗Blankvers zurückgedrängt. Im klass. (frz. und dt.) A. begünstigt die strenge Einhaltung der Zäsur (die Zweischenkligkeit) die Parallelität der Antithetik der Aussage sowie eine epigrammat. Pointierung: »Was dieser heute baut/reißt jener morgen ein« (A. Gryphius, »Es ist alles eitel«). Nach der Reimstellung werden der heroische A. (aa bb) und der eleg. A. (ab ab) unterschieden. – In der franz. Romantik herrscht die Tendenz zur Schwächung der Mittelzäsur durch eine rhythm. Dreiteilung des Verses (Alexandrin ternaire).

⍰ Buck, Th.: Die Entwicklung des dt. A.s. Diss. Tüb. 1957. HS*

Alkäische Strophe, s. ↗Odenmaße.

Alkäische Verse, drei nach dem Lyriker Alkaios (um 600 v. Chr.) benannte ↗äol. Versmaße. Man unterscheidet 1. den *alk. Elfsilbler* (Hendekasyllabus) mit Dihärese nach der 5. Silbe ⌣–⌣–– | –⌣⌣–⌣–⌣, gedeutet als um eine jamb. Dipodie erweiterter ↗Telesilleus, 2. den *alk. Zehnsilbler* (Dekasyllabus) –⌣⌣–⌣⌣–⌣–ꞩ, ein um einen Daktylus erweiterten ↗Aristophaneus, 3. den *alk. Neunsilbler* ⌣–⌣–⌣–⌣– ꞩ. Die a. n. V. bilden in der Reihenfolge 2mal Elf-, einmal Neun-, einmal Zehnsilbler die alkäische Strophe (vgl. ↗Odenmaße). S

Allegorese, f., hermeneut. Verfahren, das hinter dem Wortsinn *(sensus litteralis)* eines Textes eine nicht unmittelbar evidente tiefere (philosoph., theolog., moral. usw.) Bedeutung *(sensus spiritualis)* aufzeigt; ursprüngl. angewandt zur Erhellung dunkler Textstellen oder zur Verteidigung von Texten gegenüber philosoph. oder relig. Einwänden. – Die älteste bekannte A. ist die Homer-A., die – entstanden aus der Homerkritik der Vorsokratiker – v. a. von der Stoa zur Rechtfertigung Homers gegenüber der Philosophie ausgebildet wurde. In der Spätantike wurde dieses Verfahren vom hellenist. gebildeten Juden Philon v. Alexandrien auf die Deutung des AT.s übertragen (vgl. die jüd. Auslegung des Hohen Liedes: Mädchen = Israel, Freund = Jahwe); von da aus gelangt die A. in die spätantike Vergil-Deutung (4. Ekloge) und durch das Bemühen der christl. Apologetik (↗Apologie), die Gegner mit eigenen Mitteln zu schlagen, auch in die christl. ↗Exegese, die sie zur *Lehre vom mehrfachen ↗Schriftsinn* ausbaute (Origenes, Cassianus, Hieronymus). Auch Augustin nimmt diese hermeneut. Tradition auf und bezieht das Schema vom doppelten Schriftsinn auf das Verhältnis von Sache *(res)* und Zeichen *(signum)* als dem Symbol der wahren Sache, der den Wortlaut transzendierenden Wirklichkeit. Die A. wurde, vollends aus dem heilsgeschichtl. Weltverständnis des MA.s heraus, zur Grundlage der moral. Interpretation relig.-philosoph., dichter. u. a. profaner Werke. Durch allegorisierende Moralisierung konnte auch Ovid zum Schulautor werden (Ovide moralisé), ebenso wurden naturkundl. Werke allegorisiert, z. B. der »Physiologus« (Löwe = Christus usw.). A. reicht bis dann bes. häuf. in myst. Schriften, sie reicht bis ins Barock, die theolog. A. bis ins 19. Jh. ↗Allegorie, ↗Hermeneutik.

⍰ Freytag, H.: Die Theorie der allegor. Schriftdeutung und

die Allegorie in dt. Texten bes. des 11. u. 12. Jh.s. Bern/ Mchn. 1982. – Christiansen, I.: D. Technik d. allegor. Auslegungswissenschaft b. Philon v. Alexandrien, Tbg. 1969. – Heinemann, I.: Altjüd. Allegoristik, Breslau 1936. – Wehrli, F.: Z. Gesch. d. allegor. Deutung Homers im Altertum. Basel 1928. S

Allegorie, f. [gr. allo agoreuein = etwas anderes sagen], Veranschaulichung 1. eines Begriffes durch ein rational faßbares Bild: *Begriffs-A.* (stat.), z. B. ›Justitia‹ als blinde Frau (↗Personifikation), Staat als Schiff; 2. eines abstrakten Vorstellungskomplexes oder Begriffsfeldes durch eine Bild- und Handlungsfolge: *Geschehens-A.,* z. B. Widerstreit zw. positiven und negativen Eigenschaften (Tugenden und Laster) als ep. ausgeführter Kampf menschl. oder tier. Gestalten. Im Ggs. zur ↗Metapher ist die Beziehung zw. Bild und Bedeutung willkürl. gewählt, verlangt daher nach rationaler Erklärung; damit ist aber eine Gleichsetzung bis ins Detail mögl. Zu unterscheiden sind *zwei Grundfunktionen* der A.:

1. als Methode der Exegese (↗Allegorese) eines vorhandenen, für sich bestehenden Textes, dem ein anderer Sinngehalt übergeordnet wird (sensus litteralis oder historicus – sensus allegoricus oder spiritualis). Verwandt damit ist die bibl. ↗Typologie, die histor. Gestalten (Typus – Antitypus) zueinander in einen über sie hinaus- (auf die Heilsgeschichte) weisenden Sinnbezug versetzt.

2. als Mittel poet. Darstellung in einem von vornherein als A. geschaffenen, geradezu konstruierten Text – entweder als allegoria tota (in sich geschlossene, für sich stehende A.), deren Deutung evtl. in einer gesonderten Textfolge nachgeliefert wird (Extremform Rätsel: wenn das Gemeinte nur schwer zu entschlüsseln ist) oder als allegoria permixta (gemischte A.), die schon im Kontext Hinweise für die Lösung enthält. Zweck der A. ist im Unterschied zur Metapher die gewollte, ausdrückl. intendierte Anregung zur Reflexion. Sie wurde in der antiken Rhetorik als uneigentl. Redeweise unter die seit der Antike in Lit. und Kunst. Viele Begriffs-A.n wurden durch häuf. Verwendung mit der Zeit auch ohne Aufschlüsselung verständl., z. B. Glaube, Liebe, Hoffnung, Fortuna als Frauen mit bestimmten Attributen, das Glücksrad usw. Traditionsbildend waren bes. als Geschehens-A. angelegte moral. didakt., philosoph. oder polit. Werke, z. B. von Prudentius (»Psychomachia«), Boëthius (»Trost der Philosophie«), Martianus Capella (»Vermählung d. Philologie mit Merkur«). Das MA. hatte eine Vorliebe für allegorisierende Interpretationen (↗Allegorese) brachte in Literatur und Kunst durch freie Kombination immer neue A.n und allegor. Werke hervor oder unterlegte anderen Werken einen allegor. Sinn, vgl. ↗Lapidarien, ↗Bestiarien (»Physiologus«), ↗Schachbücher, v. a. ↗Minne-, Jagd-, Traum-A.n. Als sinnstiftende Episoden finden sich A.n im »Erec« Hartmanns v. Aue (joie de la court) und im »Tristan« Gottfrieds v. Straßburg (Minnegrotte); eine Gesamt-A. ist der afrz. »Rosenroman« von Guillaume de Lorris/Jean de Meung (13. Jh.). Der »Renner« Hugos v. Trimberg enthält mit didakt. Zielsetzung eine Fülle im MA. gängiger A.n, ebenso die Werke Dantes und Petrarcas, die spätmal. Jedermannspiele »Teuerdank«, in England E. Spensers »Faerie Queene« (1590). Bes. beliebt sind beiderlei A.n auch im Barock: vgl. das Jesuitentheater, die Trauerspiele von A. Gryphius oder etwa »The Pilgrim's Progress« von J. Bunyan. A.n begegnen auch noch in den ↗Fabeln und ↗Parabeln Lessings, in Goethes Spätwerk (Festspiele, »Faust II«, z. B. Frau Sorge), bei E. T. A. Hoffmann (»Prinzessin Brambilla«), bei J. v. Eichendorff (»Das Marmorbild«). Als allegor.-symbol. Mischform wird Novalis' ›blaue Blume‹ interpretiert, auch in der modernen Dichtung finden sich Elemente, z. T. durch den ↗Symbolismus beeinflußt, die als A.n verstanden werden können (vgl. die Dramen P. Claudels). Der Begriff A.

ist aber für die vielschichtige moderne Dichtung nur noch bedingt anwendbar, da die verschiedenen Formen des übertragenen und verschlüsselten Darstellens sich in ihnen z.T. überschneiden (vgl. F. Kafka). Am ehesten noch kann die indirekte Behandlung polit. u. gesellschaftl. Probleme am Beispiel vergleichbarer histor. Situationen als allegorisch (Geschichts-A.) aufgefaßt werden (vgl. histor. Roman u. Drama, z.B. W. Bergengruen: »Der Großtyrann und das Gericht«, G. Orwell, »Animal Farm«, A. Miller, »Hexenjagd«); auch ↗Symbol, ↗Gleichnis. ↗Camouflage.
⌷ Haug, W. (Hrsg.): Formen u. Funktionen der A. Stuttg. 1979 (mit Bibliographie). – Calin, V.: Auferstehung der A. Weltlit. im Wandel. Von Homer bis Beckett. Wien/Zürich/Mchn. 1975.

Alliteration, f., gleicher Anlaut aufeinanderfolgender Wörter. Die Bez. (lat. *alliteratio*), eine Prägung des it. Humanisten G. Pontano († 1503, im Dialog »Actius«, veröff. 1556) in Anlehnung an die Bez. *annominatio,* setzt sich erst im 18.Jh. gegenüber den bei den Rhetorikern gebräuchl. griech. Bez. Parechesis (↗Paronomasie), ↗Homoioprophoron, ↗Paromoion durch. Der Ursprung der A. liegt vermutl. im mag.-relig. Bereich der Beschwörungs- und Gebetsformeln (↗Carmen, ↗Carmenstil), wo sie aus den älteren Figuren der Paronomasie und des ↗Polyptoton erwachsen ist (vgl. 2. Merseburger Zauberspruch: »*b*en zi *b*ena, *b*luot zi *b*luoda, *l*id zi *g*e*l*iden«). Die Verwendung der A. als eines verskonstituierenden Prinzips (neben anderen) in der ältesten italischen, ir. und in der altgerman. Dichtung (einschließl. rhythm. gestalteter Sprichwörter und der feierl. Rechtsrede) beruht auf dem starken Initialakzent dieser Sprachen (↗Akzent). In der west- und nordgerman. Epik und in der norweg.-isländ. ↗Skaldendichtung hat die A. dabei die spezif. Form des ↗Stabreims mit seinen festen Stellungsregeln angenommen (↗Stabreimvers). – Die griech. und lat. Poesie und Kunstprosa kennt seit den Anfängen (Homer) die A. (Homoioprophoron) als ein die Klangintensität steigerndes Kunstmittel; in der Rhetor. Tradition gilt sie, sofern sie gehäuft auftritt (Ennius: »O Tite tute Tati tibi tanta tyranne tulisti«) als geduldeter Solözismus. Der neuhochdt. Dichtung kennt die A., abgesehen von den Versuchen Fouqués, R. Wagners, W. Jordans, F. Dahns, den german. Stabreimvers zu erneuern, ebenfalls nur als Klangfigur. Eine Anzahl der der german. Rechtsrede entstammenden alliterierenden ↗Zwillingsformeln haben sich in der dt. Umgangssprache erhalten *(Land und Leute, Haus und Hof, Kind und Kegel).* – Die A. als Klangfigur hat doppelte Funktion: sie wirkt gruppierend, indem sie z. B. koordinierte Begriffe hervorhebt: »hirze oder hinden/ kunde im wênic engân« (Nibelungenlied, Str. 937) » ... und möge droben/ in Licht und Luft zerrinnen mir Lieb und Leid« (Hölderlin, »Abendphantasie«) oder einem Substantiv das zugehörige typisierende Epitheton fest zuordnet: »diu minnecl*î*che *m*eit«, »*h*eiliges *H*erz« (Hölderlin) u. a.; in den meisten Fällen aber hat sie lautmaler. oder sprachmusikal. Bedeutung: »Komm Kühle, komm küsse den Kummer,/ süß säuselnd von sinnender Stirn ...« (C. Brentano).   H/K

Alliterationsvers, vgl. ↗Stabreimvers.

Allonym, n. [gr. allos = der andere, onoma = Name], Form des ↗Pseudonyms: Verwendung des Namens einer prominenten Persönlichkeit aus Verehrung, z.B. Pablo Neruda für Neftali Ricardo Reyes Basualto (nach dem tschech. Dichter Jan Neruda) oder zur Erfolgssicherung (oft an der Grenze des Legalen), z.B. Heinrich Heine für Wolfgang Müller von Königswinter für sein Versepos »Höllenfahrt«, 1856. Das Motiv des Zusammentreffens von echtem und falschem Namensträger gestaltet Jean Paul in »Dr. Katzenbergers Badereise«. ↗Pseudepigraphen, ↗literar. Fälschung.   S

Almanach, m. [mlat. almanachus = Kalender, Herkunft unsicher], ursprüngl. im Orient verwendete astronom.

Tafeln zur Angabe der Planetenörter. In Europa ist der Ausdruck A. seit 1267 als Synonym für ↗Kalender nachweisbar (Roger Bacon, Op. Tert. 9, 36). Die ersten *gedruckten A.e* von G. v. Peurbach (Wien 1460, lat.) und J. Regiomontanus (Nürnberg 1475–1531, lat. und dt.) informieren über kalendar.-astronom. Daten (Einteilung des Jahres, Beschreibung der Sonnen- und Mondbahn, Sternkunde). Im 16., 17. und 18.Jh. werden neben den Angaben zur Zeitrechnung in ständig zunehmendem Maß auch anspruchslos-belehrende und unterhaltende Themen in die A.e aufgenommen, z.B.: Prophezeiungen, Liebesgeschichten, Anekdoten, Gedichte, Modeberichte, Hofklatsch, amtl. Mitteilungen, Stammtafeln der Fürstenhäuser und medizin. Ratschläge (»Almanach de Liège«, Lüttich 1625 ff., Vox Stellarum«, später »Old Moores Almanac«, London 1770 ff.). Neben diesem alle Zeitströmungen vereinigenden Typus finden sich schon im 17., dann v. a. im 18. und 19.Jh. A.e, die auf einen Stand, einen Beruf, eine Landschaft oder ein Sachgebiet ausgerichtet sind, z.B. der prachtvoll ausgestattete »Almanach Royal« (Paris 1700 ff.), dann bes. die im 18.Jh. vorherrschenden belletrist. A.e (↗Musenalmanach und ↗Taschenbuch) und die Theateralmanache des 19.Jh.s (Gothaischer Theateralmanach). Das 20.Jh. kennt als neuen Typus den *Verlags-A.* (»Insel-Almanach«, Leipzig 1900, 1906 ff.), einen zu besonderen Anlässen oder aus Werbegründen veröffentlichten Querschnitt aus der Jahresproduktion eines Verlags.
⌷ Raabe, P.: Zeitschriften u. A.e 1750–1850. In: Hauswedell, E. L./Voigt, Ch. (Hg.): Buchkunst u. Lit. in Deutschld. II. Hambg. 1977. – Marwinski, F.: A.e, Taschenbücher, Taschenkalender. Weimar 1967. – Lanckorońska, M. Gfn./Rümann, A.: Gesch. d. dt. Tbb. u. A.e aus der klass.-romant. Zeit. Mchn. 1954. – Bibliogr. der A.e, Kalender u. Tbb. f. die Zeit v. ca. 1750–1860. Bearb. u. hg. v. H. Köhring. Hamb. 1929. – *Verlags-A.e:* Rosen, E. R.: Das gedruckte Schaufenster. Wesen u. Wandlung des Verlags-A.s im 20. Jh. Bln. 1982.   PH

Alphabet, n. [gr.], aus den ersten beiden griech. Buchstaben (alpha, beta) gebildete Bez. für die Buchstabenreihe eines Schriftsystems. ↗Schrift, ↗Abecedarium.

Altercatio, f. [lat. = Wortwechsel], aus der antiken Gerichtspraxis entwickelte rhetor. Form der Wechselrede (z.B. Platon, »Apologie«, 24 C, ↗Eristik) ohne bes. Bez. für literar. ↗Streitgespräche und ↗Streitgedichte, z.B. »A. Phyllidis et Florae« (wohl Ende 12.Jh., Minnethema).   UM

Alternative Literatur, nonkonforme literar. Szene, in der die Inhalte über ökonom. Zwänge, die individuelle Entfaltung über Marktverhalten triumphieren sollten; entstand nach der Verkündigung des Endes der bürgerl. Literatur (im »Kursbuch« 15) 1968 vor dem Hintergrund der antiautoritären Studentenbewegung und der außerparlamentar. Opposition sowie in engem Bezug zu subkulturellen Lebens- und Bewußtseinsformen. Ziel war, zum etablierten Literaturbetrieb eine Gegenöffentlichkeit zu schaffen, in der sonst vernachlässigte Themen ein Forum besäßen: u. a. etwa Ökopolitik, linke Theorie, Minderheitenprobleme, neurelig. Fragen u. a. Das Selbstverständnis der a. L. fand seinen äußeren Ausdruck in der Gründung von Alternativpressen und Interessengemeinschaften (Literarisches Informationszentrum, Bottrop 1969; Arbeitsgemeinschaft alternativer Verlage und Autoren, 1975) sowie in der Ausrichtung einer Frankfurter Gegenbuchmesse (seit 1977). Die erhöhte öffentl. Wirkung führte dazu, daß sich der Kulturbetrieb teilweise der Themen und Autoren der a. L. einverleibte, teils um sie zu kontrollieren, teils um sie zu vermarkten zu können: Die Gegenbuchmesse ist inzwischen längst in die beherrschende Internationale Buchmesse integriert; die Namen und Titel der zunächst alternativen Szene erscheinen in den großen Verlagen, was nicht nur Zeichen eines Aderlasses der a. L. ist, sondern auch Beweis für ihre Kraft zu beständiger Veränderung.

⟡ Schubert, Ch.: A. L.szene in der BRD. In: H. L. Arnold (Hg.): Literaturbetrieb in der BRD. Mchn. ²1981. – Engel, P. (Hg.): Handbuch der dt. sprach. a. L. Trier ²1980.　　**Kr**

Alternierende Versmaße, [lat. alternare = wechseln], beruhen bei ↗akzentuierendem Versprinzip auf dem regelmäß. Wechsel druckstarker und druckschwacher, bei ↗quantitierendem Versprinzip auf dem regelmäß. Wechsel langer und kurzer Silben. Man unterscheidet steigend-alternierend (↗Jambus) und fallend-alternierend (↗Trochäus). Nichtalternierend sind im Ggs. dazu außer daktyl. und anapäst. Versen u.a. der german. ↗Stabreimvers mit seiner freien Füllung, die ↗freien Rhythmen F. G. Klopstocks, F. Hölderlins, des jungen Goethe, H. Heines u.a., und der freie ↗Knittelvers. – Strenge Alternation kann in der antiken Metrik durch die Auflösung einer Länge in zwei Kürzen aufgelockert werden. Der altdt. Vers zeigt seit Otfried von Weißenburg eine Tendenz zur Alternation, die sich im Verlauf der 2. Hälfte des 12. Jh.s verstärkt. Durchbrechungen des alternierenden Prinzips sind jedoch relativ häufig (↗Hebungsspaltung, ↗Senkungsspaltung, ↗beschwerte Hebung). In den Versen der Meistersinger, im strengen Knittelvers und in der frühen Gelehrtendichtung nach frz. Vorbild (G. Weckherlin) ist die Alternation bei gleichzeit. Silbenzählung (↗silbenzählendes Versprinzip) streng durchgeführt, oft allerdings auf Kosten des Wortakzents; erst M. Opitz stellt die Einheit von Wortakzent und Versiktus wieder her (»Buch von der Deutschen Poeterey«, 1624); er forderte die ausschließl. Verwendung alternierender V., seine Versreform ermöglichte jedoch zugleich die Verwendung nichtalternierender Versmaße unter Wahrung des ↗akzentuierenden Versprinzips, die in der Generation nach ihm einsetzt (S. v. Birken, G. Ph. v. Harsdörffer, J. Klaj).　　**K**

Amadisroman, nach dem berühmtesten und populärsten Werk der Gattung bezeichneter Typus des (Prosa) – ↗Ritterromans des 16. Jh.s. Er verbindet Strukturen des antiken Romans (phantast., vielsträngige Liebes-, Intrigen- und Abenteuerhandlung; Heliodor, Tatios) mit mal. (kelt.-breton.) Sagengut (bes. nach dem nordfrz. Artuswesen – matière de Bretagne) und heroisch-ritterl. Ethos zur Verherrlichung eines idealen Rittertums. Der Held, Amadis de Gaula (d. h. ›von Wales‹) besteht, nach seiner Geburt ausgesetzt, zahllose Abenteuer auf exot. Schauplätzen (von Irland bis Konstantinopel), bis er endl. mit seiner Geliebten Oriana vereint wird. Eine erste Erwähnung des Amadis findet sich um 1350 in der span. Übersetzung von E. Colonnas »De regimine principum« durch J. García Castroxeriz. Die ältesten Textzeugen des A.s sind vier Fragmente einer kastil. Hs. um 1420 (entdeckt 1955). Die erste erhaltene Fassung des A. erschien 1508 in Spanien: eine Bearbeitung der Urfassung von G. R. de Montalvo, vermehrt um ein 4. Buch, das den Stoff zum Abschluß bringt (Vermählung des Helden) und ihn einem polit. Ziel (der Wiederbelebung heroischer Rittertugend vor dem Hintergrund der Reconquista, der christl. Rückeroberung Spaniens) dienl. zu machen versucht. Die stilist. Eleganz, psycholog. Motivierung und kunstreiche Gliederung des beliebten Stoffes sicherte dem A. ungeheuren Erfolg und veranlaßte Montalvo bereits 1510 zu einem weiteren (5.) Buch (Taten des Amadis-Sohnes). Bis ca. 1600 wuchs der A. durch immer neue Erweiterungen und Fortsetzungen vieler Nachahmer auf 24 Bücher an, wobei nicht nur eine Fülle neuer Stoffe angelagert (immer weitere Häufung immer absurderer Heldentaten, auch stilist. meist in abnehmender Qualität), sondern auch neue literar. Tendenzen verarbeitet (Sentimentalisierung, Einfluß der ↗Schäferdichtung u.a.), das Personal neuen gesellschaftl. Idealen (z. B. der courtoisie galante) angepaßt wurde. Daneben entstand eine Fülle neuer Gruppierungen oder Modifizierungen des Stoffes um andere Helden (z. B. seit 1511 um Palmerin de Oliva, sog. Palmerinromane). Der letzte Ritterroman dieses Typus' war die »Historia de Don

Policisne de Beocia« (1602) von J. de Silva y Toledo. Der A. wurde etwa 100 Jahre lang zum bevorzugten Lesestoff der aristokrat. Gesellschaft der Renaissance und galt geradezu als Handbuch höf. Kultur. Seit Mitte des 16. Jh.s begann der Siegeslauf des A.s in ganz Europa, ausgehend von Frankreich: auf Geheiß Franz' I. wurden 1540–48 acht Bücher des A.s übersetzt (N. d'Herberay des Essarts); es folgten Übersetzungen, z. T. selbständ. Erweiterungen und Nachahmungen in Italien seit 1546 (durch Bernardo Tasso), in England seit 1567, in Deutschland seit 1569 (nach frz. Vorlagen; aber auch dt. Erweiterungen wurden wieder ins Franz. übersetzt). Bis 1583 lagen auf deutsch 13 Bücher, 1595 alle 24 Bücher und zwei Zusatzbände vor (1572 übersetzte z. B. auch J. Fischart ein Buch [Buch 6] des A.s). Bis 1624 erschienen Nachdrucke, Auszüge, Sammlungen von Reden, Gesprächen, Sendbriefen aus dem A. Dann begann die Phase des barocken ↗heroisch-galanten Romans, für den der A. (neben Heliodor und dem Schäferroman »L'Astrée«, 1607 ff. von H. d'Urfé) die wichtigste Grundlage wurde. Der A. beeinflußte nicht nur die gesamte Literatur seiner Zeit (u. a. G. Vicente, L. Ariosto, B. Castiglione, T. Tasso, M. de Cervantes – der mit seiner Parodie »Don Quichote«, 1605 und 1615, das Ende der Gattung signalisiert), sondern auch die des 17. und noch des 18. Jh.s (vgl. z. B. G. F. Händels Oper »Amadigi«, 1715, Ch. M. Wieland, Goethe u. a.).

⟡ Pierce, F.: Amadís de Gaula. Boston 1976. – Hilkert Weddige: Die »Historien vom Amadis auss Franckreich«. Dokumentar. Grundlegung zur Entstehung u. Rezeption. Wiesb. 1975. – Costa Marques, F.: Amadis de Gaula. Lissabon 1960. – Thomas, H.: Las novelas de caballerías españolas y portuguesas. Madrid 1952.　　**IS**

Ambiguität, f. [lat. ambiguitas = Zweideutigkeit, Doppelsinn, gr. = Amphibolie],
1. allgemein Bez. für die Mehrdeutigkeit von Wörtern, Werten, Motiven, Charakteren und Sachverhalten.
2. Bez. der ↗Rhetorik für lexikal. (z. B. durch Homonyme: Bank = Sitzgelegenheit und Geldinstitut) oder syntakt. (z. B. durch ungeschickte Anordnung: in culto loco = auf bebautem Gelände inculto loco = auf unbebautem Gelände; er gab ihm sein Buch) Mehrdeutigkeit (Quintilian, Inst. VII, 9, 1–15). Unfreiwillige A. wird in der Rhetorik und Stilistik als Fehler, beabsichtigte A. wegen ihres Effektes als ↗rhetor. Figur gewertet. Der satir., iron., humorist. obszöne Stil und viele, oft subliterar. Kleinformen (Witz, Rätsel, Orakel, Scherzgedicht, Wortspiel) leben von der A. – A. im weiteren Sinne ist konstitutiv für jede Art dichter. Darstellung, welche die Komplexität und ↗Ambivalenz des Seienden erfassen will.

⟡ Bode, Ch.: Aesthetik d. A. Tüb. 1988.　　**S**

Ambivalenz, f. [lat. Doppelwertigkeit], von dem Psychologen E. Bleuler geprägter und von S. Freud weiterentwickelter Begriff zur Bez. für das Schwanken zwischen (zwei) Werten bei konträrer Entscheidung von Bewußtsein und Unterbewußtsein. Fand als Generationserfahrung verstärkt psycholog.-philos. Ausweitung Aufnahme in die Thematik der modernen Literatur, z. T. auch als Gestaltungsprinzip (z. B. bei R. Musil, G. Benn). – Der Begriff A. wurde von der Literatur- und Sprachwissenschaft aufgenommen zur Bez. (oft auch nur scheinbar) in sich widersprüchl. Phänomene, z. B. *geistesgeschichtl. A.:* Nebeneinander verschiedener geist. Strömungen innerhalb einer Epoche; *lautl. A.:* verschiedene Möglichkeiten der phonet. Realisierung eines Buchstabens; *Wort-A.:* Mehrdeutigkeit oder Vielschichtigkeit von Wörtern. ↗Ambiguität.　　**HFR***

Amoibaion, n. [gr. = das Abwechselnde], lyr.-jamb. Wechselgesang zwischen Schauspielern oder Chor und Schauspieler(n) in der griech. ↗Tragödie (z. B. Sophokles, «König Ödipus», V, 2), meist nach dem ↗Stasimon eingefügt.　　**UM***

Amphibolie, f. [gr. = Doppeldeutigkeit, ↗Ambiguität].

Amphibrachys, m. [gr. = beidseitig kurz], dreisilbiger antiker Versfuß: ◡–◡ (nicht als selbständiges Versmaß belegt); vielfach schwer zu entscheiden, ob amphibrach. Verse nicht als ⁄Anapäste mit ⁄akephalem (um eine Silbe verkürzten, also jambischem) Anfang zu deuten sind. – Dt. Nachbildungen finden sich erstmals im 17. Jh. häufiger als Versuch, auch nicht ⁄alternierende Versmaße nachzubilden, vgl. »Die Sónne mit Wónne den Tágeswachs míndert« (J. Klaj, »Vorzug des Herbstes«); in späterer Zeit nur noch selten, z. B. »Lied der Parzen« in Goethes »Iphigenie« IV; C. F. Meyer, »Chor der Toten«. – Eine sog. *Amphibrachien-schaukel* entsteht im daktyl. ⁄Hexameter bei einer Zäsur post quartum trochaium, durch die die übliche daktyl. Struktur des Versschlusses verändert wird; im griech. Vers verpönt, im lat. erlaubt, s. auch Goethe, »Reineke Fuchs«: »Pfingsten, das liebliche Fest, war gekommen; es grünten und blühten (–◡◡|–◡◡|–◡◡|–◡||◡–◡◡–◡).   HS*

Amphimakros, m. [gr. = beidseitig lang], s. ⁄Kretikus.

Amphitheater, n. [gr. amphi = rings, ringsum], Form des antiken Theaters: eine runde (ovale) Arena (lat. = Sandplatz; gr. ⁄Orchestra) stufenweise ansteigende Sitzreihen unter freiem Himmel. In Griechenland meist in natürl. Gelände eingefügt (oder Erdaufschüttungen) und die Arena zu zwei Dritteln umfassend (⁄Skene, ⁄Proskenion). Im röm. Theater auch freistehende Bauten (Sitzreihen nur Halbkreis), zunächst aus Holz zum Wiederabbruch, dann steinerne Konstruktionen (Rundbogen). – Die berühmten, die Arena rings umschließenden A. wurden nur für sportl. Wettkämpfe, Tierhetzen, Gladiatorenkämpfe etc. benutzt (vgl. Kolosseum in Rom, 60 n. Chr., 50 000 Plätze u. a.). Viele A. werden heute noch bespielt (Arles, Verona).   S

Amplificatio, f. [lat. = Erweiterung, gr. Auxesis = Wachstum, Zunahme], kunstvolle Aufschwellung einer Aussage über das zur unmittelbaren Verständigung Nötige hinaus. In der *antiken* ⁄Rhetorik (Cicero) diente die A. der Wirkungssteigerung der Rede; als Mittel empfahl sie v. a. ⁄Variation (Gedankenvariation und verschiedene Figuren der Häufung wie ⁄Accumulatio, Enumeratio, Distributio, Synonymie usw.), ⁄Periphrase, Vergleich und Beschreibung (Descriptio). In der *mal.* Rhetorik (Galfred, Johannes de Garlandia) diente die A. dagegen der systemat. Vergrößerung des Umfangs eines Textes als Selbstzweck; entsprechend erweiterte sie der ›modi amplificationis‹ um ⁄Apostrophe (mit Exclamatio, Dubitatio, Interiectio), ⁄Personifikation (⁄Exkurs (Digressio) und Figuren wie ⁄Litotes und ⁄Oppositio; zugleich stellte sie jeweils einen Formelschatz (Topoi) bereit. A. kennzeichnet auch die spätere manierist. und pathet. Dichtung.   HSt*

Anachronismus, m. [gr. anachronizein = in eine andere Zeit verlegen], falsche zeitl. Einordnung von Vorstellungen, Sachen oder Personen, entweder *naiv* (antike oder german. Sagengestalten als höf. Ritter in mhd. Epen, antike Helden mit Allonge-Perücken im barocken Theater) oder *versehentlich* (z. B. der im 17. Jh. aufgekommene Weihnachtsbaum in J. V. von Scheffels »Ekkehard«, der im 10. Jh. spielt; schlagende Uhren, erfunden im 14. Jh., in Shakespeares »Julius Caesar«, II, 1; Kanonen in der Textfassung der Hundeshagenschen Handschrift des »Nibelungenliedes« u. a.) oder *absichtlich,* entweder zur Erzielung kom. Wirkungen, so meist in ⁄Travestien (z. B. J. A. Blumauers »Aeneas«, 1783) oder zur Betonung überzeitl. Aktualität in Inszenierungen histor. Geschehnisse, wie im 20. Jh. (»Hamlet« im Frack, Schillers »Räuber« in modernen Uniformen).   UM/S

Anadiplose, f. [gr. anadíplōsis = Wiederholung, Verdoppelung, auch: Epanadiplosis, Epanastrophe, lat. Reduplicatio], ⁄rhetor. Figur, Sonderform der ⁄Gemination: Wiederholung des letzten Wortes oder der letzten Wortgruppe eines Verses oder Satzes am Anfang des folgenden Verses oder Satzes zur semant. oder klangl. Intensivierung, z. B. »Ha! wie will ich dann dich höhnen!/ Höhnen? Gott bewahre mich!«(Schiller, »An Minna«).   RSM

Anagnorisis, f. [gr. = Erkennen, Wiedererkennen], in der antiken Tragödie Umschlag von Unwissenheit in Erkenntnis: plötzliches Durchschauen eines Tatbestandes; nach Aristoteles (Poetik 11) eines der drei entscheidenden Momente einer dramat. Fabel (neben ⁄Peripetie und ⁄Katastrophe). Am häufigsten ist das Erkennen von Verwandten und Freunden (vgl. Sophokles, »König Ödipus«, »Elektra«, F. Schiller, »Braut von Messina«, F. Grillparzer, »Die Ahnfrau«). Die A. kann einen Konflikt lösen (vgl. Goethe, »Iphigenie«) oder die Tragik der Katastrophe vertiefen, bes. wirkungsvoll, wenn A. und Peripetie zusammenfallen (Camus, »Das Mißverständnis«).   HS*

Anagramm, n. [gr. anagrammatízein(-tismós) = Buchstaben umstellen; neulat. Wortbildung: anagramma, 16. Jh.] Umstellung der Buchstaben eines Wortes (Namens oder einer Wortgruppe) zu einer neuen, sinnvollen Lautfolge. Als Erfinder wird Lykophron von Chalkis (3. Jh. v. Chr.) genannt, doch gilt als eigentl. Heimat der Orient, wo das A. durch religiöse Geheimschriften, bes. der jüd. Kabbalisten, weite Verbreitung fand. Auch im MA. suchte man im dem A. vor allem symbol. Bezüge aufzudecken, z. B. »Ave – Eva« oder man fand in der Pilatusfrage (Joh. 18, 38) »Quid est veritas?« anagrammat. die Antwort: »Est vir qui adest«. Das A. wird bes. beliebt im 16. u. 17. Jh. (Frankreich, Pléiade), z. B. auch für ⁄Anspielungen in Briefen und für Buchtitel. Im 17. Jh. dient das A. auch zur Verschlüsselung und vorläufigen Geheimhaltung wissenschaftl. Entdeckungen (z. B. von Galilei). Am häufigsten wird das A. als ⁄Pseudonym verwendet, etwa von François Rabelais (Alcofrybas Nasier), Logau (Golaw), Christoffel von Grimmelshausen (zwei seiner 7 A.e sind: German Schleifheim von Sulsfort, Melchior Sternfels von Fuchshaim), Kaspar Stieler (Peilkarastres), Arouet l(e) j(eune) (Voltaire), Paul Verlaine (le Pauvre Lélian). Eine strenge Form stellt das *rückläufige* A. dar: »Roma – Amor«, vgl. ⁄ananym, ⁄Palindrom. Daneben finden sich auch weniger exakte Kombinationen, so das berühmt gewordene »Rose de Pindare« aus Pierre de Ronsard. Sammlungen lat., griech. und dt. A.e stellte erstmals F. D. Stender (»Teutscher Letterwechsel«, 1667) zusammen. Vgl. auch ⁄Kryptonym.

⌼ Wunderli, P.: Ferdinand de Saussure und die A.e. Tüb. 1972. – Wheatley, H. B.: Of anagrams. A monograph treating of their history from the earliest ages to the present time. Hertford 1862.   RSM

Anaklasis, f. [gr. = das Zurückbiegen],
1. in der antiken Metrik die Umstellung benachbarter langer und kurzer Silben z. B. ◡–◡–zu–◡◡–, vgl. ⁄Anakreonteus; entspricht in akzentuierenden Versen etwa der ⁄schwebende Betonung).
2. ⁄rhetor. Figur, auch: Ant-A., Sonderform der ⁄Diaphora: Wiederholung desselben Wortes oder Ausspruchs durch einen Dialogpartner mit emphat. (betoner) Bedeutungsnuance, z. B. Odoardo: »[. . .] Der Prinz haßt mich.« – Claudia: »Vielleicht weniger, als du besorgst.« – Odoardo: »Besorgst? Ich besorg' auch so was!« (G. E. Lessing, »Emilia Galotti«, II, 4).   S

Anakoluth, n. [gr. an-akolouthon = nicht folgerichtig], grammat. nicht folgerichtige Konstruktion eines Satzes; wird stilist. als Fehler gewertet (nachlässige Sprechweise), kann aber auch rhetor. Kunstmittel sein zur Charakterisierung einer sozial oder emotional bestimmten Redeweise, z. B.: »deine Mutter glaubt nie daß du vielleicht erwachsen bist und kannst allein für dich aufkommen« (U. Johnson, »Mutmaßungen über Jakob«); häufig ist der sog. absolute Nominativ: »Der Prinz von Homburg, unser tapfrer Vetter,/ . . ./Befehl ward ihm von dir . . .« (Kleist, »Prinz v. Homburg«).   H*

Anakreonteus, m., antiker Vers der Form ◡◡–◡–◡––; gilt als ⁄Dimeter aus zwei Ionici a minore mit ⁄Anaklasis in der Versmitte; Bez. nach dem Lyriker Anakreon (6. Jh. v. Chr.); stich. und in Verbindung mit ion. oder jamb.

Metren in der Lyrik und in lyr. Partien der Tragödie verwendet.
HS*

Anakreontik, f., *im engeren Sinn* strenge Nachahmungen der 60 im Hellenismus entstandenen, jedoch Anakreon (6. Jh. v. Chr.) zugeschriebenen (reimlosen, unstroph.) Oden (sog. Anakreonteen), erstmals ediert 1554 von H. Stephanus (H. Estienne). *Im weiteren Sinn* auch Gedichte, die nur Themen und Motive (nicht die strenge Form) der Anakreonteen aufnehmen, d. h. die Freude an der Welt und am Leben verherrlichen. Vorbilder sind neben der Sammlung des Stephanus der echte Anakreon, Horaz mit seinen heiteren Oden, Catull sowie Epigramme der ›Anthologie Planudea‹ (↗Anthologie). – Anakreont. Dichtung entsteht im 16. Jh. zuerst in Frankreich im Kreis der ↗Pléiade; unter dem Einfluß des Philosophen P. Gassendi (»De vita moribus et doctrina Epicuri«, 1647) dichten im 17. Jh. C. E. Chapelle, G. A. de Chaulieu u. a. im Geiste Anakreons, im 18. Jh. Voltaire und die petits poètes J. B. Grécourt, A. Piron u. a. (↗poésie fugitive). – *In der dt. Literatur* versteht man unter A. allgemein die ↗Rokoko (doch ist nicht die gesamte Rokokolyrik auf den Begriff des Anakreont. zu reduzieren, da sie auch Einflüsse der engl. Naturlyrik und der galanten Dichtung verarbeitet). Auch in Deutschland gibt es schon vom 16. bis zum frühen 18. Jh. anakreont. Dichtung, doch bleibt sie vorläuferhafte, äußerl. Nachahmung. Erst ein neues Lebens- und Weltgefühl ermöglicht um 1740 auch in Deutschland eine Dichtung, in der Anakreon nicht mehr nur formales und themat. Vorbild ist, sondern zum Inbegriff eines verfeinerten Hedonismus wird, der das carpe diem am Leben, aus Weltklugheit das »carpe diem« des Horaz literar. gestaltet. Eine begrenzte Zahl von Themen wird formelhaft immer aufs neue variiert: Liebe, Wein, Natur, Freundschaft und Geselligkeit, das Dichten (ein speziell dt. Thema ist die ›fröhl. Wissenschaft‹). Schauplatz ist die amöne Landschaft (↗Locus amoenus), bevölkert von mytholog. Figuren (Amor und Bacchus, Nymphen, Musen und Grazien usw.), oft auch vom Dichter und seiner Geliebten, nicht selten im Schäferkostüm. Nicht nur im Gehaltlichen, auch in der Form zeigt sich eine Tendenz zum Kleinen (neben der anakreont. Ode: Epigramm, Liedchen, Triolett; Veröffentlichung in Almanachen, Taschenbüchern, in Gedichtbändchen mit Titeln wie »Kleinigkeiten«, »Tändeleyen« u. a.; im Sprachl.: Diminutiva, zierl. Modewörter usw.); Versbehandlung und sprachl. Ausdruck gewinnen (nicht zuletzt nach franz. Vorbild) an Leichtigkeit und graziöser Klarheit. In das heitere Bekenntnis zur Diesseitigkeit, zu Scherz, Ironie und tändelndem Witz mischen sich auch neue gefühlhafte Züge der ↗Empfindsamkeit. – Die A. des dt. Rokoko geht aus vom ↗Halleschen Dichter- oder Freundeskreis: um 1740 beginnen J. W. L. Gleim, J. N. Götz und J. P. Uz, Anakreon zu übersetzen und nachzuahmen. Neben Halle wird Hamburg durch den Freundeskreis um F. v. Hagedorn (Ch. N. Naumann, J. F. Lamprecht, J. A. Unzer, J. M. Dreyer) zu einem Zentrum der dt. A. Die anakreont. Dichtung in Hamburg zeigt sich weltoffener, weniger empfindsam als die von mittleren Beamten und Geistlichen getragene A. in Halle, die (nach G. Müller) z. T. »Säkularisation des Pietismus« ist. Zu einem dritten, von Halle und Hamburg beeinflußten Zentrum wird Leipzig. Auch außerhalb dieser Anakreontikerkreise wird von vielen Dichtern der Epoche zumindest zeitweilig anakreont. gedichtet; so setzen sich der Halberstädter Kreis um Gleim, die ↗Bremer Beiträger, der ↗Göttinger Hain, F. G. Klopstock, K. W. Ramler, G. E. Lessing, H. W. v. Gerstenberg, M. Claudius, Goethe und Schiller. – Die *kunsttheoret. Grundlagen* der A. werden (unter engl. Einfluß, bes. Shaftesburys) in der von A. Baumgarten systematisierten Lehre vom Schönen (»Aesthetica«, lat. 1750–58) gelegt, v. a. dann (dt.) in den Schriften G. F. Meiers (»Gedanken von Scherzen«, 1744), sowie von M. Mendelssohn (»Briefe über die Empfindungen«, 1755, u. a.)

und F. J. Riedel (»Theorie der schönen Künste und Wissenschaften«, 1767, u. a.). Die A. wird durch den ↗Sturm und Drang abgelöst; sie hat (parallel zur empfindsamen Dichtung als Gegenströmung zur Aufklärung) stark auf spätere Epochen gewirkt, vgl. auch Nachwirkungen bei Goethe (bis hin zum »Westöstl. Divan«), F. Rückert, Wilhelm Müller, A. v. Platen, H. Heine, E. Mörike, E. Geibel, J. V. v. Scheffel, P. Heyse, D. v. Liliencron, R. Dehmel, O. J. Bierbaum, M. Dauthendey u. a. – In der jüngeren Forschung (bes. Anger) wird die Rokokodichtung als eigenwert. literar. Epoche zu erfassen gesucht; auch neue Maßstäbe für eine sachl. Bewertung der A. gesetzt, die nicht mehr nur als Ausläufer der mit dem Barock beginnenden Epoche gesehen wird, sondern als selbständ. Typ der Lyrik des 18. Jh.s.

📖 Zeman, H.: Die dt. anakreont. Dichtung. Stuttg. 1972. – RL.
RSM*

Anakrusis, f. [gr. = das Anschlagen des Tones, das Anstimmen, Präludieren], in der klass. Philologie seit R. Bentley (18. Jh.) gebräuchl. und von der Germanistik des 19. Jh.s aufgegriffene Bez. für die Eingangssenkung(en) speziell jamb. und anapäst. Verse. In der ↗Taktmetrik durch die Bez. ↗Auftakt ersetzt.
K

Analekten, f. Pl. [zu gr. analegein = auflesen, sammeln], Sammlung von Auszügen oder Zitaten aus dichter. oder wissenschaftl. Werken oder von Beispielen bestimmter literar. Gattungen, z. B. »Analecta hymnica medii aevi« (wichtigste Slg. mal. Hymnen). Auch als Titelbestandteil von Reihenwerken (z. B. »Analecta Ordinis Carmelitarum«). ↗Anthologie, ↗Kollektaneen, ↗Katalekten.
HFR*

Analyse, f. [gr. análysis = Auflösung], objektivierende werkbezogene Methode, mit deren Hilfe ein (literar.) Gegenstand dadurch genau erfaßt werden soll, daß er in bestimmte Komponenten zerlegt, ›analysiert‹ wird; Gegensatz ↗Synthese, v. a. als erlebnisbezogene Methode der Werkerfassung (Dilthey). – In der Literaturwissenschaft sucht man mit der *Form-A.* (Zerlegung der Form eines Werkes in konstituierende Bestandteile: Abschnitt, Kapitel, Strophe, Vers, Reim etc.) oder der *Struktur-A.* (Bestimmung der Elemente, welche einem Werk seinen spezif. Charakter verleihen: Aufbau, Motivgeflecht etc.) oder der (Stilebenen, Bildlichkeit, Satz-, Periodenbau etc.) vertiefte Einblicke in die Eigenart literar. Produkte zu gewinnen (sog. *Werk-A.*). – Hilfsmittel der Sprachwissenschaft sind u. a. die *Satz-A.* (Zerlegung eines Satzes in seine Elemente) und die *Wort-A.* (Zergliederung eines Wortes nach Wurzel, Stamm, Prä- und Suffixe etc.).

📖 Behrmann, A.: Einführung in die A. von Prosatexten. Stuttg. ²1968. – Glinz, H.: Grundbegriffe u. Methoden inhaltsbezogener Text- u. Sprach-A.n. Düsseld. 1965. – Walzel, O.: Analyt. u. synthet. Lit.forschung. GRM 2 (1910) 257–274 u. 321–341.
S

Analytisches Drama, auch Enthüllungsdrama, Dramenform, für die ein bestimmtes Handlungsschema kennzeichnend ist: entscheidende Ereignisse, die den dramat. Konflikt begründen, werden als *vor dem Beginn der Bühnenhandlung* geschehen vorausgesetzt. Die auf der Bühne sich anbahnende Katastrophe erscheint als äußere und innere Folge vorangegangener Verwicklungen, Tatbestände und Verhältnisse, die den Bühnenfiguren nicht oder nicht in voller Tragweite bekannt sind. Für diese *analyt. Technik*, d. h. das schrittweise Aufdecken der vor der Bühnenhandlung liegenden Sachverhalte, für das Zusammenfügen der ›Wahrheit‹ aus den Teilaspekten, die einzelne Personen kennen, eignet sich bes. die Form des Verhörs. Als Musterbeispiel des analyt. D.s gilt »König Ödipus« von Sophokles; weitere Beispiele sind »Die Braut von Messina« (F. Schiller), »Der zerbrochene Krug« (H. v. Kleist), »Maria Magdalena« (F. Hebbel); die analyt. Dramentechnik findet sich im romant. Schicksalsdrama (z. B.

»Die Ahnfrau« v. F. Grillparzer), im naturalist. Drama (z. B. »Meister Oelze« v. J. Schlaf, »Der Biberpelz« v. G. Hauptmann) oder bei H. Ibsen (v. a. »Gespenster« und »Rosmersholm«), in neuerer Zeit etwa bei C. Goetz (»Hokuspokus«) und H. Kipphardt (»In der Sache J. Robert Oppenheimer«). – Daneben gibt es auch Mischformen: Dramen, in denen die dramat. Konflikte einerseits auf zurückliegenden Geschehnissen basieren, in denen sich aber andererseits neue Konflikte während der Bühnenhandlung entfalten, z. B. »Nathan der Weise« (G. E. Lessing), »Maria Stuart« (F. Schiller), »Käthchen von Heilbronn« (H. v. Kleist).

⌂ /Drama   RSM*

Anantapodoton, n., auch: Anapodoton [gr. = ohne Entsprechung], Sonderfall des /Anakoluth: von einer zweiteil. korrespondierenden Konjunktion (z. B. zwar – aber, weder – noch) erscheint nur der erste Teil in einem meist länger ausgeführten Vordersatz, während der Nachsatz mit dem zweiten Teil der Konjunktion fehlt (vgl. Cicero, Tusculum 3, 36).   H

Ananym, n. [gr. ana = zurück, onoma = Name], Form des /Pseudonyms: rückläufige Schreibung eines Namens, z. B. Curt W. Ceram für Kurt W. Marek. /Anagramm, /Palindrom.   S

Anapäst, m. [gr. anapaistos = rückwärts geschlagener, d. h. umgekehrter (/Daktylus)], antiker Versfuß der Form ◡◡–; mit Auflösung bzw. Zusammenziehung ◡◡◡◡; Verwendung in antiken Marsch- und Schlachtliedern, in Prozessionsliedern (Einzugs- und Auszugsgesängen des Chors in der Tragödie: /Parodos, /Exodos) und in Spottliedern, namentl. in den /Parabasen der aristophan. und plautin. Komödien. – Nachbildungen anapäst. Verse in der dt. Dichtung finden sich zuerst bei A. W. Schlegel (»Ion«, 1803) und Goethe (»Pandora«, 1808/10), z. T. mit Reim und neben A.en mit zweisilbiger Senkung auch solche mit einsilbiger und dreisilbiger Senkung, vgl. »Sie schwébet auf Wássern, sie schréitet auf Gefilden«, (Goethe, Pandora, v. 674). Die aristophan. Parabasen bildet A. v. Platen in seinen Literaturkomödien nach (»Die verhängnisvolle Gabel«, 1826; »Der romantische Ödipus«, 1829). – Die Verse der Nürnberger (J. Klaj, G. Ph. Harsdörffer, S. v. Birken) mit einsilbiger Eingangs- und zweisilbiger Binnensenkung sind nicht als anapästisch, sondern als amphibrachisch (/Amphibrachys ×x×) zu deuten (»Es gischen die gläser, es zischet der zucker . . .«, Ph. v. Zesen).   K

Anapher, f. [gr. anaphora = Rückbeziehung, Wiederaufnahme], /rhetor. Figur, Wiederholung eines Wortes oder einer Wortgruppe am Anfang aufeinanderfolgender Sätze, Satzteile, Verse oder Strophen (Ggs. /Epipher, Verbindung von A. u. Epipher: /Symploke). Seit der antiken Kunstprosa häufiges Mittel der syntakt. Gliederung und des rhetor. Nachdrucks. Nachbildungen. z. B.: »Wer nie sein Brot mit Tränen aß,/ Wer nie die kummervollen Nächte/ Auf seinem Bette weinend saß . . .« (Goethe, »Harfenspieler«).   H*

Anastrophe, f. [gr. = Umkehrung], /rhetor. Figur, s. /Inversion.

anazyklisch [gr. = umkehrbar] sind Wörter oder Sätze, die vorwärts und rückwärts gelesen gleichlauten, sog. /Palindrome, z. B. Reliefpfeiler.   S

anceps [lat. = schwankend],
1. Bez. der antiken /Metrik für eine Stelle im Versschema (v. a. am Anfang und Ende), die durch eine Länge oder eine Kürze ausgefüllt werden kann (= elementum anceps: ◡).
2. Bez. der antiken /Prosodie für eine Silbe, die im Vers als Länge oder als Kürze verwendet werden kann (= syllaba anceps).   HS

Andachtsbuch, seit Beginn d. 17. Jh.s Bez. für das vorwiegend privatem Gebrauch dienende Gebetbuch, wie Ph. Kegels »Zwölf geistl. Andachten« (1606) oder die zahllosen teils anonymen »Andachtbücher«, »Andachtflammen«, »Andachtfunken«, »Andachtspiegel«, »Andacht-

wecker« u. a. Kirchenliedersammlungen und Gesangbücher erscheinen vereinzelt ebenfalls unter dem Titel A., z. B. Johann Rist, »Poet. Andacht-Klang von denen Blumengenossen« (1691). /Erbauungsliteratur.   PH

Anekdote, f. [gr. anékdota = nicht Herausgegebenes], ursprünglich Titel einer gegen Kaiser Justinian und Theodora gerichteten Schrift »Anekdota« (lat. »Arcana Historia«) des Prokopios von Cäsarea (6. Jh.) mit entlarvenden Geschichten über den byzantin. Hof, die er in seiner offiziellen Geschichte der Regierung Justinians nicht veröffentlicht hatte. In den beiden hier implizierten Bedeutungen wird A. später gebraucht:
1. im Sinne von lat. inedita (= nicht veröffentlicht) als Titel von Editionen vordem noch nicht edierter Manuskripte; in der Neuzeit erstmals bei L. A. Muratori 1697 für die Edition von Handschriften der Ambrosian. Bibliothek, dann u. a. bei Max F. Müller (»Anecdota Oxoniensa«, 1881) für bisher ungedruckte Handschriften der Bodleyan. Bibliothek zu Oxford.
2. im Sinne von Geschichtchen, so erstmals in der franz. Memoirenliteratur des 17. und 18. Jh.s, nach diesem Vorbild in Deutschland zuerst bei K. W. Ramler (1749) und J. G. Herder (1784). Heute bez. A. v. a. eine ep. Kleinform, die auf eine überraschende Steigerung oder Wendung (Pointe) hinzielt und in gedrängter sprachl. Form (häufig in Rede und Gegenrede) einen Augenblick zu erfassen sucht, in dem sich menschl. Charakterzüge enthüllen oder die Merkwürdigkeit oder die tieferen Zusammenhänge einer Begebenheit zutage treten. Die Pointe besteht häufig in einer schlagfert. Entgegnung, einer witzigen Aussage, einem Wortspiel oder Paradoxon oder einer unerwarteten Aktion, daher Nähe zu /Witz, /Aphorismus, /Epigramm. – Die A. bildet sich v. a. um histor. Persönlichkeiten und Ereignisse, aber auch um fiktive, jedoch typisierte Gestalten oder allgem. um menschl. Situationen und Haltungen. Dabei ist es zweitrangig, ob das Erzählte histor. verbürgt ist; bedeutsam ist allein, ob es möglich, treffend und charakteristisch ist. Die A. soll im Episod. Typisches (nicht selten mit satir. oder frivolem Einschlag) aufzeigen, sie kann jedoch auch Geheimes, Privat-Intimes mitteilen.
Geschichte. Anekdotenart. Geschichten, sei es als mündl. gepflegte Gebrauchskunst, in einfach-volksmäß. oder anspruchsvoller literar. Form, werden seit ältester Zeit tradiert. Sie finden (wenn auch nicht unter diesem Begriff) Verwendung als /Exempel in /Historie, /Gesta, /Vita und /Chronik, in /Rede, /Predigt, /Traktat und /Satire (im Griech. entspricht der A. etwa das /Apophthegma, im Lat. der /Apolog, im MA. das /Bispel). – Die A. als selbständ. literar. Form (die jedoch nicht deutl. gegen /Fabel, /Schwank, /Novelle abzugrenzen ist) entsteht im 14./15. Jh. im Gefolge der ›novella‹ des Boccaccio und deren Nachahmung, ferner v. a. der lat. /Fazetie des G. F. Poggio Bracciolini (»Liber facetiarum«, postum 1470), die in Deutschland teils übersetzt, teils (in lat. oder dt. Sprache) nachgeahmt und abgewandelt wurde (H. Steinhöwel, 1475; A. Tünger, 1486; S. Brant, 1500; H. Bebel, 1508 ff.). A.n begegnen in Schwanksammlungen des 16. Jh.s, in Werken Grimmelshausens (»Ewig-währender Kalender«, 1670; »Rathstübel Plutonis«, 1672), in Predigten Abrahams a Santa Clara. Eine eigentl. A.nsammlung ist P. Lauerembergs »Acerra philologica« (1633). Später findet die A. weite Verbreitung in speziellen Sammlungen, Almanachen und Zeitschriften. Zur hohen, Norm setzenden Kunstform wird sie durch H. von Kleist in »Berliner Abendblättern«, 1810/11). Nah verwandt ist die /Kalendergeschichte (M. Claudius im »WandsbeckerBoten«, J. P. Hebel im »Rheinländ. Hausfreund«, J. Gotthelf u. a.). Zu Novelle, /Kurzgeschichte oder /Short story tendiert die A. im 20. Jh. bei W. Schäfer (»A.«, 1908; »Hundert Histörchen«, 1940), P. Ernst (»Geschichten von dt. Art«, 1928 u. a.), W. Borchert (»An diesem Dienstag«, »Die Hundeblume«, 1947); bio-

graph. A.n schreibt H. Franck (»Ein Dichterleben in
A.n«, 1961 u. a.), gesellschaftskrit. F. C. Weiskopf
(»A.nbuch«, 1954 u. a.). Prägnanz und Nähe zur Realität
lassen die A. auch zum Kristallisationspunkt anderer
literar. Werke werden: bei Th. Fontane z. B. begegnet die A.
als Kunstmittel im Roman (leitmotivartig in »Vor dem
Sturm«, 1878); B. Brecht verarbeitet vielfach Anekdoti-
sches (»Kalendergeschichten«, »Geschichten von Herrn
Keuner«, »Augsburger« und »Kaukas. Kreidekreis«). Die
Zahl populärer A.n, die v. a. Biographisches erfassen und
durch den Journalismus verbreitet werden, wird im 19. und
20. Jh. unübersehbar.
□ Grothe, H.: A. Stuttg. ²1984 (SM 101). – Schäfer, R.: A.
Mchn. 1982. – Jolles, A.: Einfache Formen. Tüb. ⁶1982. –
Schäfer, W. E.: A.-Anti-A. Stuttg. 1977. – RL   RSM
Anfangsreim, Reim der ersten Wörter zweier Verse:
»Krieg! ist das Losungswort./ Sieg! und so klingt es fort.«
(Goethe, »Faust« II). ⁄Reim.   H
Anglizismus, m. [aus mlat. anglicus = englisch], Nachbildung einer syntakt. oder idiomat. Eigenheit des Englischen, neuerdings auch des Amerikanischen *(Amerikanis-
mus)* in einer anderen Sprache, im Dt. z. B. *Nonsense*dichtung, *brand*neu (engl. brandnew) u. a.; Anglizismen werden
auch bewußt als Stilmittel verwendet, vgl. z. B. Th. Mann,
»eine gute Zeit haben« (nach: to have a good time) mehrmals in »Joseph der Ernährer«.
□ Pfitzner, J.: Der A. im Deutschen. Stuttg. 1978.   GS*
Angry young men, Pl. [ˈæŋgri ˈjʌn ˈmɛn; engl. = zornige
junge Männer], Bez. für die junge Generation engl. Schriftsteller, die in den fünfziger Jahren in der engl. Literatur eine
wesentl. Rolle spielten; benannt nach dem Charakter der
Hauptfigur in J. Osbornes Drama »Look back in anger«
(Blick zurück im Zorn, 1956). Die A.y.m. bildeten keine
Gruppe, doch war ihnen gemeinsam der Protest gegen das
»Establishment«, gegen das engl. Klassen- und Herr-
schaftssystem. Die meisten von ihnen lebten, aus der Arbeiterklasse stammend (nur wenige besuchten eine Universität), bis zu ihren ersten Erfolgen unter schwierigen sozialen
und finanziellen Bedingungen. In einer für engl. Autoren
neuart. Weise äußert sich ihr Protest – v. a. im Drama –
offen, direkt, häufig mit naturalist. Mittteln (auch im
Sprachlichen); sie zeigen den (klein)bürgerl. Alltag, dem
die Dramen- und Romanfiguren, von Weltekel, Selbstmit-
leid, Resignation, ohnmächtigem Zorn erfaßt, nicht entrin-
nen können oder wollen. Einige der Autoren sind von B.
Brecht beeinflußt (bes. J. Arden, »Sergeant Musgrave's
dance«, 1959), andere von F. Kafka, S. Beckett, E. Ionesco
(so N. F. Simpson, »A resounding tinkle«, 1957, und bes.
H. Pinter, »The caretaker«, 1960). Neben den genannten
sind die wichtigsten *Dramatiker:* B. Behan (»The hostage«,
1958), Sh. Delaney (»A taste of honey«, 1958), A. Jellicoe
(»The sport of my mad mother«, 1958), A. Wesker (»The
kitchen«, 1957); J. Mortimer, A. Owen, E. Bond u. a. (Hör-
und Fernsehspiele), K. Tynan (Theaterkritiker); die wichtigsten *Romanautoren* sind: K. Amis (»Lucky Jim«, 1954),
J. Wain (»Hurry on down«, 1953), I. Murdoch (»Under the
net«, 1954), C. Wilson (»The outsider«, 1956), J. Braine
(»Room at the top«, 1957), A. Sillitoe (»Saturday night and
sunday morning«, 1958).
□ Steiger, K. P. (Hg.): Das engl. Drama nach 1945.
Darmst. 1983. – Kreuzer, I.: Entfremdung u. Anpassung.
Die Lit. der a. y. m. im England der 50er Jahre. Mchn. 1972.
– Taylor, J. R.: Anger and after. London ²1969, dt. u. d. T.
Zorniges Theater. Hbg. 1965.   RSM
Ankunftsliteratur, der Begriff faßt, nach dem Titel des
Romans »Ankunft im Alltag« (von Brigitte Reimann,
1961), eine Reihe von Prosawerken zusammen, die für die
Literatur der DDR in den 60er Jahren kennzeichnend sind:
Sie handeln von Problemen, welche (wie die Autoren) in
der DDR aufgewachsene junge Menschen zunächst mit der
Eingliederung in die sozialist. Gesellschaft und deren Pro-

duktionsverhältnisse haben. Weitere Werke: K.-H. Jakobs,
»Beschreibung eines Sommers« (1961), J. Wohlgemuth,
»Egon und das achte Weltwunder« (1962), Christa Wolf,
»Der geteilte Himmel« (1963).   S
□ Meyer-Gosau, F.: Bildlose Zukunft. Diss. Bremen 1982.
Anmerkungen, Ergänzungen Erläuterungen, Quellen-
nachweise u. a. zu einem Text, von diesem (typo)graph. teils
als ⁄Fußnote, ⁄Marginalie oder als Anhang (Appendix)
abgesetzt. A. sind in wissenschaftl. Literatur und wissen-
schaftl. Textausgaben die Regel; sie finden sich nach die-
sem Vorbild aber auch in Dichtungen, bes. in der ⁄Gelehr-
tendichtung seit dem Barock (z. B. bei Opitz, Gryphius,
Lohenstein) und wieder in den ⁄histor. Romanen des 19.
Jh.s (W. Hauff, J. V. v. Scheffel u. a.) und in der modernen
⁄Dokumentarliteratur (z. B. R. Hochhuth), in denen A. die
Authentizität der Darstellung belegen sollen. ⁄Glossen,
⁄Scholien, ⁄Kommentar.   HFR*
Annalen, Pl. [lat. (libri) annales = Jahrbücher],
1. Aufzeichnungen geschichtl. Ereignisse nach Jahren
geordnet, wodurch chronolog. Übersichtlichkeit erreicht,
zugleich aber stoffl. Zusammengehörendes getrennt wird.
A. gab es im Altertum bei den Ägyptern, Juden, Griechen
(Horoi) und Römern. Die Grundlage für die röm.
Geschichtsschreibung bildete die Codifizierung und Kommentierung der bis dahin öffentl. aufgestellten Jahrestafeln
(⁄Fasti) der röm. Pontifices (Oberpriester) in den 80
Büchern der *Annales maximi* um 130/115 v. Chr. Höhepunkt der röm. Annalistik durch Titus Livius und Tacitus.
Von den A. unterschieden wurde die ⁄Historie, die zeitgeschichtl. Darstellung. Die *A. des MA.s* stehen nicht in
unmittelbar antiker Tradition, obgleich sie auch auf Kalen-
dertafeln (zur Bestimmung des Ostertermins, z. B. Osterta-
feln Bedas, 7./8. Jh.) zurückgehen. Es sind zunächst anonyme Aufzeichnungen für den Eigengebrauch der Klöster, später entwickelt sich die A. zu einer Gattung mal.
Geschichtsschreibung, z. B. die fränk. Reichsa. *(Annales
regni francorum,* 741–829) oder die otton. *Annales Quedlin-
burgenses, Annales Hildesheimenses* u. a. (10. Jh.); im 11. u.
12. Jh. tritt, bes. durch die Publizistik des Investiturstreits,
die Darstellung der Zeitgeschichte stark in den Vordergrund: A., ⁄Chronik und ⁄Historie verschmelzen (Lam-
pert von Hersfeld, 11. Jh.). Solche Mischformen sind auch
die A. des Humanismus.
2. Titelbestandteil meist jährl. erscheinender wissenschaftl.
(nicht unbedingt histor.) Publikationen. Das annalist. Prinzip, auf Dekaden erweitert, ist Aufbauschema der »A. der
dt. Literatur« (hg. v. H. O. Burger, ³1971).   S
Annominatio, f. [lat. = Wortumbildung], rhetor. Figur, s.
⁄Paronomasie.
Anonym [gr. aneu = ohne, onoma = Name] sind Werke
(Anonyma) von unbekanntem Verfasser (Anonymus). Die
mannigfachen Formen der Anonymität reichen vom Fehlen jgl. Verfasserangabe (z. B. Nibelungenlied, Volkslieder,
Märchen) über falsche Zuschreibungen durch Spätere (z. B.
pseudo-augustin. Schriften) bis hin zur bewußten Wahl
eines ⁄Pseudonyms. Die Anonymität eines Autors kann
verschiedenste Gründe haben: unzulängl. Überlieferung
oder mangelnde Information am Autor (bes. bei den in großem Ausmaß a. überlieferten mal. Werken), Scheu des
Autors vor der Öffentlichkeit oder Zensur (bes. bei satir.,
theol. und polit. Schriften); a. erschienen z. B. die »Epistolae obscurorum virorum« (1515/17), der »Karsthans«
(1521), J. G. Herders »Krit. Wälder« (1769), F. Schillers
»Räuber« (1781). Seit dem 17. Jh. Aufschlüsselung der
Anonyma in einschläg. Lexika. Wichtigstes dt. Anonymen-
lexikon (über 70 000 A.e): M. Holzmann u. H. Bohatta,
Deutsches Anonymen-Lexikon, 7 Bde., 1902–1928, Nachdruck 1961 u. 1983. Gegensatz *autonym, orthonym* (unter
eigenem, richtigem Namen verfaßt). – RL   HFR
Anopisthographon, n. [gr. = nicht auf der Rückseite
Beschriebenes], in der Papyrologie Bez. für eine Papyrus-

handschrift, die, wie aus techn. Gründen die Regel, *nicht* auf der Rückseite beschrieben ist (im Ggs. zu spätantiken und mal. Pergamenthandschriften); ferner Bez. für einen sog. *Reibedruck,* bei dem das Papier nicht auf den Druckstock gepreßt, sondern angerieben wird. ↗Opisthographon, ↗Einblattdruck.　　　　　　　　　UM*

Anreim, dt. Bez. für ↗Alliteration.

Anspielung, Form der Rede: eine beim Hörer oder Leser als bekannt vorausgesetzte Person, Sache, Situation, Begebenheit etc. wird nicht direkt benannt, sondern durch Andeutungen bezeichnet, oft in Form eines ↗Tropus, einer ↗Antonomasie oder ↗Periphrase, z. B. häufig bei H. Heine (»Atta Troll«, »Deutschland. Ein Wintermärchen«), oft auch Mittel der Polemik, Grundprinzip in der ↗Schlüsselliteratur.　　　　　　　　　　　　　　　　PH*

Anstandsliteratur. Zusammenfassende Bez. für Werke, die sich mit gesellschaftl. Umgangsformen befassen. Die ausgeprägtesten Beispiele der A. im MA. sind die ↗Ensenhamens in der prov., die Chastoiements, Doctrinaux de Courtoisie, Livres de Manières in der franz., sowie die ↗Hof- und ↗Tischzuchten in der dt. Literatur, die im 15. und 16. Jh., ins Ironisch-Satirische gewendet, als grobianische Dichtung (↗Grobianismus) fortleben. Die mehr die äußeren Umgangsformen reglementierenden ↗Komplimentierbücher des Barock wurden Ende des 18. Jh.s durch das Erziehungsbuch des Freiherrn A. v. Knigge »Über den Umgang mit Menschen« abgelöst (1788). Dieses bis heute in zahlreichen Ausgaben und Übersetzungen vorliegende Werk behandelt im Sinne einer prakt. Lebensphilosophie das angemessene verständnisvolle Verhalten gegenüber der Mitwelt und auch gegenüber dem eigenen Ich.　　　PH*

Antagonist, m. [gr. ant-agonistes = Gegenspieler]. Gegenspieler des Haupthelden, vor allem im Drama, ↗Protagonist.　　　　　　　　　　　　　　　　　　　K

Antanaklasis, f., rhetor. Figur, ↗Anaklasis.

Antepirrhema, n., vgl. ↗Parabase, ↗Epirrhema.

Anthologie, f. [zu gr. ánthos = Blume, Blüte und légein = lesen, lat. ↗Florilegium, dt. Blütenlese], Sammlung von ausgewählten Texten, bes. von Gedichten, kürzeren Prosastücken oder von Auszügen aus größeren ep., seltener dramat. Werken, weiter von Briefen, Erbauungsliteratur, von didakt., philosoph. oder wissenschaftl. Texten. A.n können unter den verschiedensten Gesichtspunkten zusammengestellt sein: zur Charakterisierung des Schaffens eines einzelnen oder mehrerer Autoren, einer bestimmten Schule, einer literar. Richtung, einer Epoche oder Nation, oder auch, um einen Überblick über eine Gattung zu geben oder einzelne Themen oder Theorien an Beispielen zu veranschaulichen, ferner um zu belehren oder zu erbauen. Darüber hinaus spiegeln A.n den Zeitgeschmack (des Hg.s und seines Leserpublikums) oder Forschungsergebnisse wider. Wirkungsgeschichtl. sind bes. jene A.n interessant, in denen Werke bis dahin noch unbekannter Autoren veröffentlicht sind, oder solche, durch die sonst nicht überlieferte Werke vor dem Vergessen bewahrt wurden. Für die Anfänge schriftl. Überlieferung spielen A.n eine wichtige Rolle. Sie enthalten oft die einzigen Zeugnisse verlorener Werke. Frühzeitl. Teilsammlungen bilden häufig die Grundlage späterer Werke (vgl. die Logien-Sammlung als eine der Vorstufen des Matthäus- und Lukas-Evangeliums). Reich an A.n sind in der außereurop. Literatur bes. das Hebr. (↗Psalmen), Pers., Arab. (↗Hamâsa) und Türk. Als älteste bekannte antike A. gilt eine (nicht erhaltene) Sammlung »Stephanos« (= Kranz, überwiegend Epigramme) des griech. Philosophen Meleagros von Gadara (1. Jh. v. Chr.). Für die Kenntnis der antiken Literatur wichtig ist die Sammlung des Johannes Stobaios (5. Jh.), im MA. unterteilt in »Eklogai« und »Anthológion« mit etwa 500 Auszügen aus Lyrik und Prosa, in erster Linie philosoph.-eth. Gehalts, eine sog. ↗Chrestomathie für den Unterricht seines Sohnes (hrsg. v. C. Wachsmuth u. O. Hense, 5 Bde. Bln.

1958). Von großer Bedeutung für das MA., bes. die mlat. Dichtung, wurde die sog. »Anthologia Latina«, (6. Jh.; hrsg. v. A. Riese u. a. Lpz. 1894–1926, Nachdr. 1964). Die berühmteste abendländ. Sammlung griech. Lyrik ist die in neueren Ausgaben (seit 1494) sog. »Anthologia Graeca« (Epigramme von etwa 300 Dichtern, gr. u. dt. hrsg. v. H. Beckby, 4 Bde. Mchn. ²1965–67), die bes. auf die Humanisten starken Einfluß übte. Sie geht auf zwei ältere A.n zurück: auf die berühmte »Anthologia Palatina« (10. Jh., 3700 Epigramme, benannt nach der Handschrift der Heidelberger Bibliotheca Palatina) und die sog. »Anthologia Planudea« (1301 von dem byzantin. Gelehrten Maximus Planudes zusammengestellt, 2400 Epigramme). In der Spätantike, dem MA. und bes. in der Renaissance sind (lat.) A.n, v. a. im Unterricht, weit verbreitet. Sie enthalten meist neben Auszügen aus klass. Autoren und aus den Kirchenvätern auch moral. Sprüche und Sprichwörter; dieser Typus kulminiert in den »Adagia« des Erasmus von Rotterdam (1500–1533). Unter dem Einfluß der (bes. in lat. Übersetzungen verbreiteten) »Anthologia Planudea« kommt im 16. Jh. auch der ältere Typus der A. wieder auf, in lat., aber auch schon in italien., franz. und engl. Sprache, in Deutschland dagegen erst seit dem 17. Jh. (J. W. Zincgref, »Martini Opitii Teutsche Poemata . . . sampt einem Anhang mehr auserlesener geticht anderer teutscher Poeten«, 1624; B. Neukirch, »Herrn von Hoffmannswaldau und andrer Deutschen ausserlesener bissher ungedruckter Gedichte erster bis siebender Teil«, 1695–1727). Im 18. Jh. spielen A.n (nun auch häufig unter dem Titel ›A.‹) eine bedeutsame Rolle im literar. Leben, z. B. K. W. Ramler, »Lieder der Deutschen« (1766, eine repräsentative A. der ↗Anakreontik), J. G. Herders »Volkslieder« (1778/79), Schillers »A. auf das Jahr 1782«. Die Zahl der unter den verschiedensten Gesichtspunkten erscheinenden A.n wird im 19. und 20. Jh. unübersehbar.

□ Bark, J./Pforte, D.: Die dt.sprach. A. I: Ein Beitrag zu ihrer Theorie u. eine Auswahlbibliogr. des Zeitraumes 1800–1950; II: Studien zu ihrer Gesch. u. Wirkungsform. Frankf. 1969/70. – Gow, A. S. F.: The greek anthology. Ldn. 1958. – Wifstrand, A. S.: Studien zur griech. A. Lund 1926. – Lachèvre, F.: Bibliographie des recueils collectifs de poésies publiés de 1597–1700. 4 Bde., Suppl. Bd., Paris 1901–22. – RL.　　　　　　　　　　　　　RSM*

Antibarbarus, m. [gr.-lat.], im 19. Jh. geprägter Titel für Lehrbücher zur Vermeidung sprachl. Unreinheiten (↗Barbarismus), z. B. J. P. Krebs u. J. H. Schmalz, A. der lat. Sprache (⁸1962), K. G. Keller, Dt. A. (²1886), R. Scherffig, Frz. A. (1894).　　　　　　　　　　　　　　　　　　　　UM

Antichristdichtung, Thema ist der Kampf des Antichrist, der Personifikation des Bösen, um die Weltherrschaft. Entsprechende apokalypt. Prophezeiungen finden sich im AT (Ez. 38, 1–39, 29; Dan. 7; 8, 21–22.24; 11, 21–45), im NT (Mark. 13, bzw. Matth. 24, Luk. 21; 2. Thess. 2, 3–12; Apok. 12, 3–18; 13, 11–17; 17–18; 19, 17–21) und in apokryphen apokalypt. Schriften. – A.en entstehen in Morgen- und Abendland mit der Ausbreitung christl. Gedankengutes. Den Anfang dt. A.en bildet eine Stabreimdichtung des 9. Jh.s, das sog. »Muspilli«(Kampf des Elias mit dem Antichrist, Weltbrand, Christi Erscheinen und Gericht). Vorstellungen von der endzeitl. Herrschaft des Antichrist erscheinen auch in heilsgeschichtl. Darstellungen von Christi Erlösungstat bis zum Weltende, etwa im »Leben Jesu« der Frau Ava (um 1125, schließt mit einem »Antichrist« und »Jüngsten Gericht«), im »Friedberger Christ und Antichrist« (erhalten in Bruchstücken, frühes 12. Jh.), in der allegor.-typolog. Ausdeutung des Jakobsegens in den »Vorauer Büchern Mosis« (1130/40), übernommen aus der »Wiener Genesis« (1060/65), wo die Endzeit behandelt der »Linzer Antichrist« (1160/70). Um 1160 schrieb ein Tegernseer Geistlicher den *lat.* »Ludus de Antichristo«, die bedeutendste mal. dramat. Gestaltung des

Stoffes, verbunden mit einem aktuellen polit. Programm: der eschatolog. Fundierung des universalen Reichsgedankens und des Herrschaftsanspruchs der Staufer. Quellen für dieses wie überhaupt für mal. A.en sind neben den Bibelkommentaren das »Libellus de Antichristo« des Adso von Toul (10. Jh.) und Schriften des Petrus Damiani (11. Jh.). – Für das Spät-MA. sind Aufführungen von Antichristspielen belegt (Frankfurt 1469 u. ö., Xanten 1473/81, Kur 1517 u. a.). Der Antichriststoff wird auch als ∕Fastnachtsspiel verarbeitet, etwa in »Des Entekrist vasnacht« (1354?) und in dem Hans Folz zugeschriebenen »Herzog von Burgund« (1493?). – In der Reformationszeit wird das Antichristthema zur literar. Waffe (vgl. das scharf satir., gegen das Papsttum gerichtete lat. Drama »Pammachius« des Naogeorgus, 1538, 5mal ins Dt. übersetzt). Antichristspiele leben weiter bis in die Zeit der Aufklärung, bes. lange in Tirol, meist als relig. Volksschauspiele. – Eine Wiederbelebung erfährt der Antichriststoff seit dem späten 19. Jh. (Dostojewskij, »Der Großinquisitor«, 1880, S. Lagerlöf, »Die Wunder des Antichrist«, 1897, J. Roth, »Der Antichrist«, 1934).

□ Emmerson, R. K.: Antichrist in the Middle Ages. Manchester 1981. – Kursawa, H.-P.: Antichristsage, Weltende u. Jüngstes Gericht in mal. dt. Dichtung. Diss. Köln 1976. – Aichele, K.: Das Antichristdrama des MA.s, der Reformation u. Gegenreformation. Den Haag 1974. – Rauh, H. D.: Das Bild des Antichrist im MA. Münster 1973. RSM*

Antiheld, allg. der dem aktiv-handelnden Helden entgegengesetzte Typ des inaktiven, negativen oder passiven ∕Helden in Drama und Roman (∕Anti-Theater; ∕Anti-Roman). Seit dem 19. Jh. *im engeren Sinne* der im Problemumkreis der Langeweile durch Überpsychologisierung als handlungsunfähig gezeichnete Romanheld (J. A. Gontscharows Oblomow) oder Dramenheld (G. Büchners Leonce). – Eine aktive Rolle spielte der Held als vorbildl.-heroisch Handelnder eigentl. nur im Barockdrama u. -roman. Sein ›Anti‹ war im gleichen System z. B. der noch vorbildl. handelnde Schelm (∕Schelmenroman). Schon vor der Weimarer Klassik tritt an die Stelle dieses Heldentyps in zunehmendem Maße der passive Held im bürgerl. Romans und Dramas, dem etwas geschieht, der etwas mit sich geschehen läßt. Er kann durch zunehmende Problematisierung keine Vorbildfigur mehr sein (vgl. das Werther-Mißverständnis). Seit einem ersten Höhepunkt dieses Prozesses (etwa Mitte des 19. Jh.s) spielt der vorbildl. handelnde, ungebrochene Held fast nur noch eine Rolle in der ∕Trivialliteratur und im 20. Jh. in der Literatur des ∕sozialist. Realismus als der im Sinne der sozialist. Gesellschaft ∕positive Held. Beginnend etwa mit der Postulierung des »absoluten Romans« durch F. Schlegel (∕absolute Dichtung) über die Romane von J. Joyce und Gertrude Stein wird dieser Prozeß immer deutlicher ablesbar an den zunehmenden Schwierigkeiten der Autoren mit der doppelten Perspektive des Erzählers, der seine Figur von außen sieht und sie zugleich von innen kennt, im Mißtrauen gegenüber der subjektiven Erfindung der Romangestalt (»Madame Bovary, das bin ich«, Flaubert), der Fabel, einer fiktionalen Welt. Dieses Mißtrauen gegenüber der »Geschichte mit lebendigen und handelnden Personen« gilt dabei für Autor und Leser gleichermaßen »Nicht nur, daß beide der Romangestalt mißtrauen, sie mißtrauen durch diese Romangestalt hindurch auch einander« (N. Sarraute). Infolgedessen zerbrach man die (in sich) geschlossene fiktionale Romanwelt, weil die Gestalten, wie der alte Roman sie verstand, die moderne psycholog. Realität nicht mehr einzuschließen vermochten. »Eine Romangestalt (blieb) nur noch der Schatten von sich selbst«, ja sie wurde zu einem »undefinierbaren, ungreifbaren Wesen ohne Umrisse, einem unsichtbaren ›ich‹, das alles und nichts und oft nur eine Widerspiegelung des Autors selbst ist, sich der Rolle des Haupthelden bemächtigt und den ersten Platz

einnimmt« (Sarraute). Entsprechend sind »die sekundären Gestalten aller autonomen Existenz beraubt, nur noch Auswüchse, Seinsmöglichkeiten, Erfahrungen oder Träume dieses ›ich‹, mit dem der Autor sich identifiziert.« D. h. aber, daß der Autor als Erfinder seines Helden nicht länger mehr zwischen Held und Leser, und damit der vom Autor erfundene Held nicht länger mehr zwischen Leser und Autor steht, der vor dem Leser bei dieser Form des ›Ich‹-Romans »sofort im Inneren (ist), an der gleichen Stelle, an der sich der Autor befindet, in einer Tiefe, in der nichts mehr von diesen bequemen Anhaltspunkten besteht, mit Hilfe derer er sich seine Gestalten konstruiert« (Sarraute). – Der A. ist ein Zeichen der Krise eines Romantyps, in dem sich die Hauptgestalt über den passiven Helden durch Überpsychologisierung zum handlungsunfähigen Helden entwickelt und sich schließl. in der Tradition der absoluten Prosa aufhebt in einer Personalunion mit dem Autor.

□ Duwe, W.: Die Kunst und ihr Anti von Dada bis heute. Bln. 1967. – Sarraute, N.: L'ère du soupçon. Paris 1956; dt. u. d. Titel: D. Zeitalter des Argwohns. Köln 1963. – Zeltner-Neukomm, G.: Das Wagnis des frz. Gegenwartsromans. Reinbek 1960. – Robbe-Grillet, A.: Une voie pour le roman futur. In: La Nouvelle Revue Française, Nr. 43 (1956) 77. – Butor, M.: Le roman comme recherche. In: Les Cahiers du Sud 42 (1955) 347. D*

Antike, f. [zu lat. antiquus, frz. antique = alt], seit dem 18. Jh. Bez. für das griech.-röm. Altertum (ca. 1100 v. Chr. bis 4.–6. Jh. n. Chr.). Der Mittelmeerraum bildet die geograph. Einheit in der griech. (griech. Kolonisation, ∕Hellenismus) und röm. Geschichte (Imperium Romanum), wurde mit seinen Randländern als die Oikumene (orbis terrarum), die bewohnte Kulturwelt, verstanden. Die geist.-kulturellen Hochleistungen der griech. und röm. A. (insbes. die des griech. Perikleischen Zeitalters, 5. Jh. v. Chr. und die des lat. Augusteischen Zeitalters um Christi Geburt) prägten in Philosophie, Politik, Recht, Kunst und Literatur die Geistes- und Kulturgeschichte des Abendlandes entscheidend mit. Sie wurden seit der Karolingerzeit, später dann v. a. in Humanismus, Klassizismus und Neuhumanismus zum klass. Bildungsvorbild. Die Konfrontation mit der Antike, sei es durch mehr oder weniger bewußte Nachahmung, sei es durch krit. Weiterbildung ihrer Gestaltungen und Ideengehalte oder auch durch Ablehnung der ihr eigenen normativen Kräfte, ist eine der bedeutsamsten Konstanten u. a. der europ. Literatur- und Kunstgeschichte. Einzelne Epochen erhielten ihre Kennzeichnung geradezu nach ihrem schöpfer. Verhältnis zur A., so die ›Karoling. Renaissance‹ (um 800), die ›Italien. Renaissance‹ (mit ihren europ. Ausstrahlungen im 15. u. 16. Jh.), die ›Stauf. Klassik‹ (um 1200), die ›Weimarer Klassik‹ (um 1800), der frz. ›Classicisme‹ (17. Jh.). Nach dem sog. griech. Mittelalter (1100–800 v. Chr.), in dem sich das Stammeskönigtum zugunsten einer erstarkenden Aristokratie auflöste und sich die für die griech. Geschichte typ. Gemeindestaaten (Polis) bildeten, entstanden in der Zeit des sog. Archaismus (800–500 v. Chr.) erstmals (bis heute gült.) literar. Hochleistungen, so v. a. die ›klass.‹ Epen Homers (»Ilias«, »Odyssee«, Mitte 8. Jh.), die noch eine feudale Gesellschaftsordnung zur Voraussetzung haben. An der Wende vom 7. zum 6. Jh. entstand die Lyrik, in der im Ggs. zur Epik das Individuum in den Vordergrund trat, die von einem neuen Selbstbewußtsein kündet und durch die Dichter Kallinos, Tyrtaios, Archilochos, Sappho, Alkaios, Terpandros, Mimnermos, Phokylides, Semonides, Theognis, Simonides, Anakreon, Alkman, Pindar, Solon u. a. repräsentiert wird. Das 5. Jh. war die Blütezeit der nun demokrat. Polis und zugleich der von ihr getragenen geist. Kultur (Perikleisches Zeitalter). Im Drama (Tragödien des Aischylos, Sophokles, Euripides), Komödien des Aristophanes), in der Geschichtsschreibung (Herodot, Thukydides, Xenophon), der Philosophie (Sophistik, Sokrates, Platon), der Architektur (Parthenon, Erechtheion) und Plastik (Phidias) wurden die bis heute bedeutsamen klass. Vorbilder geschaffen. – Der mit Alexander dem Großen beginnende /Hellenismus brachte durch die Verschmelzung griech. Gesittung und Geistigkeit mit der der unterworfenen oriental. Völker das Zeitalter der griech.-oriental. Weltkultur mit Griech. als Staats- und Verkehrssprache. Im geist. Leben entwickelten sich aus der Philosophie die Einzelwissenschaften Philologie, Mathematik, Geographie, Astronomie und Musik, deren wichtigste Pflegestätten außer dem in seiner Bedeutung zurückgehenden Athen Alexandria und Pergamon in Kleinasien wurden. Während Rom am Anfang seiner Geschichte (6. Jh. v. Chr.) unter etrusk. Kultureinfluß stand, geriet es im 3. und 2. Jh. v. Chr. unter zunehmenden kulturellen Einfluß der Griechen: Die röm. Geschichtsschreibung begann um 200 v. Chr. in griech. Sprache; einer der ersten namhaften Dichter, Livius Andronicus, war ein griech. Sklave aus Tarent. Der griech. Einfluß wurde zunehmend röm. umgeformt (vgl. Gestaltung und Thematik des Dramas, fabula /praetexta). Die republikan. Zeit und das folgende sog. Augusteische Zeitalter (die /goldene Latinität) war die Blütezeit der Rhetorik und Philosophie (Cicero), der Geschichtsschreibung (Caesar, Sallust, Livius), der Altertumskunde (Varro) und der Dichtkunst (Vergil, Horaz, Ovid). Einen weiteren Höhepunkt bildete die sog. /silberne Latinität (1. Jh. n. Chr.) mit den Satirikern Persius, Juvenal, Petronius, dem Epigrammatiker Martial, den Epikern Lucan und Statius, dem Geschichtsschreiber Tacitus, dem Naturforscher Plinius, dem Philosophen und Dramatiker Seneca. Im 2. und 3. Jh. n. Chr. erlebte die Jurisprudenz ihre höchste Entfaltung. Seit dem 2. Jh. wurde unter Konstantin dem Großen das Christentum toleriert und unter Theodosius I. zur Staatsreligion erhoben. Die Auseinandersetzung zwischen Christentum und heidn. Kultur führte in den Werken von Augustinus, Martianus Capella, Cassiodor, Boëthius und Isidor zu einer Synthese, die vom MA. bis auf die Neuzeit fortwirkte. Bis zum 16. Jh. vollzogen sich geist. Auseinandersetzungen vornehml. im Medium der antiken Sprachen (bes. des Lat.). Fortdauernde Einwirkungen der A. verraten sich bereits in vielfältigen Spuren im Wortschatz der modernen europ. Sprachen, v. a. in der wissenschaftl. und im engeren Sinne der literar. Terminologie. Eine wichtige Vermittlerrolle spielten seit dem frühen MA. die Übersetzungen von vorbildhaften antiken Schriften. In ahd. Zeit hatte schon Notker Teutonicus (um 1000) Werke von Aristoteles, Vergil, Terenz übersetzt. Die Geschichte der Aristotelesübersetzungen kann geradezu als beispielhaft für den anhaltende Rezeption antiken Geistes. Unmittelbare Nachbildungen antiker Formen (/antike Verse, /Drama, /Epos) lassen sich neben mittelbaren Auswirkungen auf die Pflege der Form von Otfried von Weißenburg bis Stefan George beobachten (/antikisierende Dichtung). Ebenso wurden Stoffe und Gestalten der antiken Mythologie, Sage, Geschichte und Literatur immer wieder übernommen, neu gestaltet, neu gedeutet (z. B. Zeus und Amphitryon; Untergang Troias: Achilles, Odysseus, Aeneas; Orpheus, Herakles-Herkules; Ödipus, Elektra; Alexander, Caesar, vgl. z. B. Giraudoux, »Amphitryon 38«, weil mutmaßl. 38. Dramatisierung des Stoffes). Auch die antike Grammatik, Literaturtheorie, Poetologie und Rhetorik (z. B. die »Poetik« des Aristoteles u. a.) lieferten Normen für die abendländ. Dichtung. – Während im MA. und noch im franz. classicisme der lat.-röm. Einfluß dominierte (als der Ependichter par excellence galt Vergil), erwachte seit der Renaissance und dem Humanismus das Interesse für die griech. A., seit dem 18. Jh. vor allem in Deutschland (Winckelmann, Lessing). An die Stelle des Epikers Vergil trat Homer als Vorbild, an die Stelle des röm. Tragikers Seneca traten Sophokles und Euripides, an die Stelle der Komödiendichter

Plautus und Terenz trat Aristophanes. Höhepunkt der Entwicklung der ideellen Anverwandlung antiken Geistes war die /Weimarer Klassik (Goethe, Schiller, Hölderlin). Gegenüber dem apollin. Griechenbild des 18. Jh.s (»edle Einfalt, stille Größe«) betonte dann F. Nietzsche das dionys. Element in der griech. A.

📖 Schadewaldt, W.: Hellas u. Hesperien. 2 Bde. Zür., Stuttg. ²1970. – Hamburger, K.: Von Sophokles zu Sartre. Griech. Dramenfiguren antik u. modern. Stuttg. ⁴1968. – Lebende A. Symposion f. R. Sühnel. Hrsg. v. H. Meller/H.-J. Zimmermann. Bln. u. a. 1967. – Borinski, K.: Die A. in Poetik u. Kunsttheorie vom Ausgang des klass. Altertums bis auf Goethe u. W. von Humboldt. 2 Bde. Lpz. 1914–24; Nachdr. Darmst. 1966. – Rüegg, W. (Hrsg.): Antike Geisteswelt. Zür./Stuttg. ²1964. – Wehrli, F.: Das Erbe der A. Zür./Stuttg. 1963. – Jaeger, W. (Hrsg.): Das Problem des Klassischen u. die A. Lpz. 1931; Nachdr. Darmst. 1961. – Newald, R.: Nachleben der antiken Geistes. Tüb. 1960.

UM/S

antiker Vers, nach dem /quantitierenden Versprinzip konstituiert, beruht auf der geregelten Abfolge kurzer und langer Silben (Ggs. der akzentuierende Vers der Germanen: Wechsel von betonten und unbetonten Silben, und der silbenzählend-alternierende Vers der Romanen). Der Einfluß des musikal. Akzents der griech. Sprache einerseits und des stärker exspirator. Akzents des klass. Lateins andererseits auf die Versmetrik ist umstritten. Metr. Hilfsdisziplin für die Festlegung der Silbenquantitäten im antiken V. ist die /Prosodie. Antike V.e sind entweder *kata metron*, d. h. aus sich wiederholenden festen Versmaßen (Metren) gebaut oder *nicht nach Metren* gebaut. In den nach Metren gebauten Versen bilden die Versfüße (/Jambus, /Trochäus, /Daktylus u. a.) die kleinsten Einheiten; sie sind meist zu /Dipodien zusammengefaßt. Je nach der Zahl der Wiederholungen eines Metrums (Versfuß oder Dipodie) pro Vers ergeben sich /Dimeter, /Trimeter, /Tetrameter, /Pentameter, /Hexameter (z. B. besteht der jamb. Trimeter aus drei jamb. Dipodien oder Dijamben, der daktyl. Hexameter aus sechs Daktylen). – Nicht nach bestimmten Metren gebaut sind die /archiloch. Verse, in denen verschiedene Versmaße kombiniert werden, und die Verse der *äol. Metrik* (/äol. Versmaße), die nicht in Metren zerlegbar, sondern auf eine bestimmte Silbenzahl festgelegt sind (z. B. /Glykoneus, /Pherekrateus, /Odenmaße). – *Sprech*verse sind ursprüngl. nach Metren gebaut und meist in Reihen (kata stichon, d. h. [mono-]/[stichisch] geordnet, sie werden fortlaufend wiederholt, z. B. der Hexameter im Epos. – *Sing*verse werden zu Strophen zusammengefaßt, die oft dreiteilig sind (/Strophe, /Antistrophe, /Epode, vgl. auch /Stollenstrophe). Die Nachahmung antiker Verse in den modernen europ. Sprachen bereitet gewisse Schwierigkeiten, da für die Quantitäten der antiken Sprachen genau entsprechende Äquivalente fehlen. In der dt. Sprache werden die Längen mit Hebungen, die Kürzen mit Senkungen gleichgesetzt.

📖 Snell, B.: Griech. Metrik, Göttingen ³1962. – Crusius, F., Rubenbauer, H.: Röm. Metrik. Mchn ⁸1967 (jeweils mit umfangreicher Bibliogr.). – RL   UM*

Antikisierende Dichtung, literar. Werke, in denen antike Formen oder Stoffe bewußt nachgebildet werden; findet sich in allen europ. Literaturen. Sie beginnt *in Deutschland* im 9./10. Jh. mit den lat. Werken der Dichter der Akademie um Karl den Großen (/karoling. Renaissance), der Übersetzung (Notker Balbulus) und Nachahmung spätantiker christl. Epik (Otfrieds v. Weißenburg Evangelienharmonie), aber auch klass. Metr. Lit. (vgl. das lat. Hexameterepos »Waltharius« nach Vergil, die Märtyrerdramen Hrotsviths v. Gandersheim nach Terenz). – Stehen die Dichtungen der Karoling- und Ottonik stärker unter dem Einfluß antiker Formkunst, so überwiegt im Hoch-MA. v. a. das stoffl. Interesse (zahlreiche Alexander-

und Trojaromane). – In der it. Renaissance entfaltet sich eine am Vorbild der röm. Antike orientierte ↗neulat. Dichtung, die auch auf die volkssprachl. Literatur (bes. des Barock) wirkt. Auf antike und frz. Theorien beruft sich der ↗Klassizismus des 18. Jh.s (Gottsched). *Höhepunkte der dt. a.n D.* sind dann Klopstock (der sich selbst einen »Lehrling der Griechen« nennt) mit dem »Messias« und den Oden, Goethes »Iphigenie«, »Reineke Fuchs«, »Die röm. Elegien«, Schillers »Braut von Messina«, Goethes und Schillers »Xenien« sowie v. a. Hölderlins Oden und Übersetzungen; Wielands Werk »in antikem Geist« (Lukian) und oft antikem Kostüm stellt einen herausragenden Sonderfall der dt. a.n D. dar. – Im 19. Jh. versucht R. Wagner eine Neuschöpfung der griech. Tragödie »aus dem Geiste der Musik« (Nietzsche), wie überhaupt die Oper eine entstehungsbedingte Vorliebe für antike Stoffe besitzt. Die modernen Dichtungen um die Atriden Agamemnon, Elektra, Orest (Hofmannsthal–R. Strauss, Krenek, G. Hauptmann, O'Neill, Giraudoux, Sartre), um Ödipus (Hofmannsthal, Cocteau-Strawinsky, Eliot) und Antigone (Hasenclever, Cocteau-Honegger, Anouilh) zeigen die Aktualität antiker Sagen und Mythen, die als überzeitl., vorbildhafte Exempel der existentiellen Problematik des Menschen immer neue Auseinandersetzungen provozieren.
📖 Hamburger, K.: Von Sophokles zu Sartre. Griech. Dramenfiguren antik u. modern. Stuttg. ⁴1968. – Newald, R.: Nachleben des antiken Geistes im Abendland bis zum Beginn d. Humanismus. Tüb. 1960. – Borinski, K.: Die Antike in Poetik u. Kunsttheorie. 2 Bde. Lpz. 1914–24; Nachdr. Darmst. 1966. – RL. UM*

Antiklimax, f. [gr. = Gegen-Leiter], moderne Bez. für eine ↗rhetor. Figur, deren einzelne Glieder nicht nach dem Prinzip der Steigerung (↗Klimax), sondern in absteigender Folge gereiht sind, z. B.: »Urahne, Großmutter, Mutter und Kind« (G. Schwab, »Das Gewitter«). UM

Antilabe, f. [gr. anti-labē = Griff; metaphor. = Einwendung], Form der Dialoggestaltung im Versdrama: Aufteilung eines Verses auf zwei oder mehrere Sprecher, meist in emphat., pathet. Rede, häufig mit ↗Ellipse. Z. B.: *Gräfin:* »O halt ihn! halt ihn!« *Wallenstein:* »Laßt mich!« *Max:* »Tu es nicht,/ Jetzt nicht.« (Schiller, »Wallensteins Tod«, III, 20). Vgl. dagegen ↗Stichomythie. HS*

Antimetabole, f. [gr. = Umstellung, Vertauschung, lat. Commutatio = Umkehrung], ↗rhetor. Figur: eine Antithese wird mit denselben Wörtern durch die Verbindung von ↗Chiasmus und ↗Parallelismus dargestellt (Quintilian, Inst. Orat. IX, 3, 85): »Ihr Leben ist dein Tod! Ihr Tod dein Leben« (Schiller, »Maria Stuart«, II, 3). UM*

Antiphon, f. [gr. antiphonos = gegentönend, antwortend], liturg., einstimm. Wechselgesang zweier Chöre, ursprüngl. beim Singen von ↗Psalmen, entsprechend dem Parallelismus membrorum dieser Dichtungen. Bereits im altjüd. Tempelkult bezeugt, breitet sich der Brauch antiphonalen Singens seit Mitte d. 4. Jh.s im Osten aus und wird Ende des 4. Jh.s aus der syr. Kirche, vermutl. durch den Mailänder Bischof Ambrosius, in die Liturgie der Westkirche eingeführt. A. bez. hier jedoch einen ↗Refrain (meist Psalmvers o. ä.), den der Chor einer Vorsängergruppe beim Psalmenvortrag antwortete, zunächst nach jedem Vers, später an Anfang und Schluß des Psalms, im Wortgebrauch nicht immer scharf von *Responsorium* (Wechsel von Solist [Priester] und Chor) geschieden. Daneben entstehen schon früh A.e, die unabhängig vom Psalmodieren sind und im Wechsel gesungen werden, z. B. zahlreiche A.e für Prozessionen und seit dem 12. Jh. Marianische A.e (z. B. »Salve Regina«, »Alma Redemptoris Mater«, dem Reichenauer Mönch Hermannus Contractus [11. Jh.] zugeschrieben), die teils auch Eingang in die Gebetsgottesdienste finden. Gesammelt wurden A.e (erstmals von Gregor d. Gr. um 600) in *Antiphonaren* (von liber antiphonarius, antiphonarium, auch: *Antiphonale*); sie enthielten

ursprüngl. A.e für Messe und Offizium, seit dem 12. Jh. wird für die Sammlung von antiphonalen und responsor. Meßgesängen die Bez. *Graduale* geläufiger. Antiphonare enthalten heute Gesänge für das Offizium. Als ältestes erhaltenes Antiphonar gilt das Karls des Kahlen (9. Jh., Paris, Bibl. Nat.), als ältestes mit Neumen (Notenzeichen) das Antiphonar in der Stiftsbibl. St. Gallen (um 1000); seit dem 11. Jh. sind auch illustrierte Antiphonare überliefert. RSM*

Antiphrasis, f. [gr. = entgegengesetzte Redeweise], rhetor. Stilmittel, ↗Tropus: meint das Gegenteil des Gesagten, iron., sarkast.: »eine schöne Bescherung«. ↗Litotes, ↗Emphase, ↗Ironie. HSt

Antiquariat, n. [lat. antiquus = alt], Verkaufsorganisation für alte (gebrauchte) Bücher. Unterschieden wird 1. das *bibliophile A.* (hauptsächl. für Sammler): Handel mit seltenen, kostbar ausgestatteten Werken, Frühdrucken, Erstausgaben, auch Handschriften, Autographen, Graphik; Nähe zum Kunsthandel, 2. das *wissenschaftl. A.*: Beschaffung nicht mehr im Buchhandel greifbarer wissenschaftl. Literatur; oft Spezialisierung; eine neuere Form ist 3. das *moderne A.*: Handel mit Restauflagen und sog. Remittenden (von Buchhandel nicht abgesetzten Exemplaren). Die Preisgestaltung der A.e richtet sich nach Nachfrage, Seltenheit und Erhaltungszustand der Druckwerke. Der Verkauf erfolgt hauptsächl. durch A.skataloge, deren meist detailreiche bibliograph. Angaben oft auch wissenschaftl. Informationen liefern. *Vorläufer* der A.e sind die Verkäufe von Gelehrtennachlässen seit dem MA., zunächst an Universitäten (Zentrum Rom), im 16. und 17. Jh. dann v. a. durch Drucker auf den niederl. Messen. Eigentl. A.e entstanden Mitte des 18. Jh.s zuerst in Frankreich (vgl. die Pariser Bouquinisten, Straßenhändler) und England; dt. A.e genossen v. a. während der Weimarer Republik internat. Ruf. Die Antiquare der Bundesrepublik sind seit 1968 im ›Verband dt. Antiquare‹ zus.geschlossen (jährl. A.messe in Stuttg., jährl. Gemeinschaftskatalog).
📖 Wendt, B.: Der A.buchhandel. Hamb. ³1974. – Bender, H.: Kleine A.skunde. Aachen 1985. IS

Antiquarische Dichtung [zu Antiquar im Sinne der älteren Bedeutung = Liebhaber von Altertümern], Sonderform ↗histor. Romane, Novellen und Dramen v. a. aus der 2. Hälfte des 19. Jh.s, die sich durch genaue Wiedergabe kulturhistor. Details auszeichnen. Verfasser waren zum großen Teil vom Positivismus und Historismus geprägte (Altertums-)Wissenschaftler (daher antiquar. Romane auch als *Professorenromane* bez.). Die Gelehrsamkeit der Werke kommt bes. deutl. in den z. T. umfangreichen ↗Anmerkungen zum Ausdruck, die die Fülle des zusammengetragenen Materials quellenmäßig belegen. Die im Altertum oder MA. spielende Handlung arbeitet mit Effekten und Sensationen und wirkt oft unwahrscheinl., überspannt oder trivial; bisweilen ist sie vordergründ. aktualisiert, indem weltanschaul. Thesen der Gegenwart am histor. Beispiel exemplifiziert werden, gelegentl. verbunden mit polit. pädag. Zielsetzung (Weckung eines bürgerl. Geschichtsbewußtseins bei G. Freytag und W. H. Riehl). – Die a. D. ist eine gesamteurop. Erscheinung (Bulwer-Lytton, »The Last Days of Pompeii«, 1834; V. Hugo, »Notre Dame de Paris«, 1831; G. Flaubert, »Salammbô«, 1862; H. Sienkiewicz, »Quo vadis?«, 1896. Wichtigste dt. Vertreter: G. Ebers (»Eine ägyptische Königstochter«, 1864; »Serapis«, 1885; »Die Nilbraut«, 1887), E. Eckstein (»Die Claudier«, 1882; »Nero«, 1889), W. Walloth (»Octavia«, 1885; »Tiberius«, 1889), A. Hausrath (»Antonius«, 1880), F. Dahn (»Ein Kampf um Rom«, 1876), G. Freytag (Trauerspiel »Die Fabier«, 1859; Romanzyklus »Die Ahnen«, 1872–1880), F. v. Saar (Dramenzyklus »Kaiser Heinrich IV.«, 1863–1867), W. H. Riehl (»Kulturgeschichtliche Novellen«, 1856; »Geschichten aus alter Zeit«, 1863–67). K*

Anti-Roman, allgem. Roman, der in Auseinandersetzung

oder Widerspruch zum traditionellen Romanverständnis und zu traditionellen Romanformen geschrieben ist. *Im engeren Sinne* begegnet die Bez. ›A.‹ in zunehmendem Maße in der wissenschaftl. Literatur (vor allem nach 1945) über die Prosa seit der ↗Literaturrevolution um die Jh.wende. A.e sind entstanden aus einem tiefen Mißtrauen gegen die traditionelle Fabel, gegen eine »Geschichte mit lebendigen und handelnden Personen«, gegen den »Romanhelden«, der längst zu einem konventionellen Muster (↗Trivialliteratur) geworden sei. J. P. Sartre bezeichnet als A.e im Vorwort zu Nathalie Sarrautes »Portrait d'un inconnu« (1948) die Werke V. Nabokovs, E. Waughs, in gewissem Sinne auch A. Gides »Falschmünzer« und v. a. die Werke N. Sarrautes (vgl. auch ihre Essay-Sammlung «L' ère du soupçon», 1956). Als *erster konsequenter A.* in dt. Sprache kann C. Einsteins »Bebuquin« (1912) mit dem bezeichnenden Untertitel »Dilettanten des Wunders« angesehen werden. – Für den Autor des A.s ist die Fabel kein geschlossener Geschehenszusammenhang mehr mit bestimmten und bestimmbaren Figuren, die in einer faßbaren Umwelt durch ihre psych. Eigenschaften eine nachvollziehbare Geschichte haben. Nur in der Relation zu einem so verstandenen traditionellen Romanverständnis und zu einer entsprechenden Romanform ist es legitim, von ›A.‹ zu sprechen. Aus dieser Relation gelöst, hat aber der moderne Roman (etwa bei J. Joyce, Gertrude Stein, in der absoluten Prosa, mit den Beiträgen des ↗nouveau roman) eigene Erzähltechniken und -formen und damit ein neues Selbstverständnis des Romans entwickelt, das seinerseits sein eigenes ›Anti‹ provozieren kann (vgl. auch ↗Antiheld). D*

Antistasis, f. [gr. = Gegenstandpunkt] ↗Diaphora.

Antistrophe, f. [gr. = Umdrehung, Gegenwendung],
1. auch: Gegenstrophe, im griech. Drama ursprüngl. ein Umkehren des Chores beim Schreiten und Tanzen in der ↗Orchestra, dann die diese Bewegung begleitende Strophe des Gesangs. Strophe und A. sind metr. gleich gebaut, ihnen folgt meist eine metr. anders gebaute ↗Epode. Strophe und A. können auf Halbchöre aufgeteilt sein, die Epode wird dagegen immer vom ganzen Chor gesungen. – A. wird auch der zweite Teil der ebenfalls diesem triad. Schema folgenden ↗Pindarischen Ode genannt.
2. rhetor. Figur, vgl. ↗Epiphora. RSM

Anti-Theater, Sammelbez. für verschiedene Richtungen des modernen (experimentellen) Theaters, die – in Form und intendierter Wirkung – mit der Tradition des illusionist., psycholog.-realist., »bürgerl.« Theaters brechen, um neue, zeitgemäße Ausdrucksweisen zu finden (s. ↗Anti-Held, ↗Anti-Roman). Der Begriff A. ist seit E. Ionesco gebräuchl. und wird daher im speziellem Sinn für das ↗absurde Theater und wird daher im speziellem Sinn für das ↗absurde Theater verwendet. – Als »Antiteater« verstand in jüngster Zeit R. W. Fassbinder seine Stücke (»Katzelmacher« u. a.), die er im Münchner »antiteater« inszenierte. □ ↗absurdes Theater; Hayman, R.: Theatre and anti-theatre. New movements since Beckett. Ldn. 1979. RSM

Antithese, f. [gr. antithesis = Gegen-Satz],
1. Behauptung, die im Gegensatz zu einer bestehenden These aufgestellt wird.
2. In der ↗Rhetorik die Gegenüberstellung gegensätzl. Begriffe und Gedanken (auch antitheton, lat. contrapositum, contentio; vgl. Quintilian, Inst. Orat. IX, 3, 81 ff.): z. B. Krieg und Frieden; oft durch andere rhetor. Mittel unterstützt, z. B. durch ↗Alliteration (Freund und Feind) oder durch ↗Chiasmus (»Die Kunst ist lang, und kurz ist unser Leben«, in Faust«, v. 558 f.). zum ersten Mal systematisiert von Gorgias (ca. 485–380 v. Chr.); bes. häufig in rhetor. Literatur seit der Antike. Manche Dichtungsformen (↗Epigramm, ↗Sonett) oder Versarten (↗Alexandriner) tendieren zu antithetischer Strukturierung. ↗Oppositio. UM*

Antizipation, f. [lat. anti- (eigentl. ante-)cipatio = Vorwegnahme, gr. Prolepsis],

1. ↗rhetor. Figur: a) Vorwegnahme eines erst im Prädikat eines Satzes begründeten Ergebnisses durch ein Adjektiv-Attribut: »Und mit des Lorbeers muntern Zweigen/ bekränze dir dein *festlich* Haar« (so daß es festl. wird; Schiller); b) Vorwegnahme bzw. Widerlegung eines vermuteten Einwandes in der antiken Rede (auch Prokatalepsis), später beliebt im ↗auktorialen Erzählen: »Ein spitzfindiger Leser wird es vielleicht unwahrscheinl. finden, daß . . .« (Wieland).
2. erzähltechn. Verfahren, Vorgriff auf chronolog. spätere Handlungsteile, ↗Vorausdeutung. Ausdrückl. bei Th. Mann: »Solche A.en ist ja der Leser bei mir schon gewöhnt« (»Faustus«, 39). HSt*

Antode, f. [gr. = Gegen-Ode, Gegen-Gesang], Gegenstück zur ↗Ode in der ↗Parabase einer altatt. Komödie; auch Bez. der ↗Antistrophe der ↗Pindar. Ode oder der Chorlieder der altgr. Tragödie. UM

Antonomasie, f. [gr. = Umbenennung],
1. Umschreibung eines *Eigennamens* durch bes. Kennzeichen, als ↗Tropus meist stereotyp gebraucht; dient im Kontext als Variation eines öfters vorkommenden Namens oder als verhüllende Anspielung. Zu unterscheiden sind a) das Patronymikon (Benennung nach dem Namen des Vaters): *der Atride* = Agamemnon, Sohn des Atreus; b) das Ethnikon (nach der Volkszugehörigkeit): *der Korse* = Napoleon; c) die Umschreibung durch ein bes. Charakteristikum (*der Dichterfürst* = Homer, *der Erlöser* = Jesus; ↗Periphrase): *Vater der Götter und Menschen* = Zeus.
2. In analoger Umkehrung des ursprüngl. Begriffs die Ersetzung einer Gattungsbez. (Appellativum) durch den Eigennamen eines ihrer typ. Vertreter (z. B. *Eva* für Frau, *Judas* für Verräter, *Casanova* oder *Don Juan* für Frauenheld; vgl. auch Kaiser und Zar nach lat. Caesar). ↗Synekdoche. H

Anvers, erster Teil einer ↗Langzeile, eines ↗Reimpaares eines ↗Stollens; Ggs. ↗Abvers.

Aöde, m. [gr. aoidós = Sänger], fahrender Sänger der griech. Frühzeit, der zur Laute (Phorminx) meist selbstverfaßte Götter-, Helden- und Tanzlieder und Trauergesänge vortrug, vgl. Homer »Odyssee« VIII (Demodokos), XXII (Phemios). ↗Rhapsode. S

Äolische Basis, vgl. ↗äol. Versmaße.

Äolische Versmaße, von den in Äolien (v. a. Lesbos) wirkenden Dichtern Sappho und Alkaios (um 600 v. Chr.) überlieferte Versformen ihrer monod. Lyrik (äol. Lyrik). Sie sind 1. *silbenzählend,* d. h. Längen und Kürzen können (im Ggs. zu den meisten anderen antiken Versen) nicht gegeneinander aufgerechnet werden, kennzeichnend ist ferner 2. die sog. *äol. Basis,* d. h. die beiden ersten Silben, die lang oder kurz sein können (meist –– [wie immer bei Horaz] oder – ∪ oder ∪∪) und 3. ein meist hervorgehobener ↗Choriambus in der Versmitte. – Die äol. *Grundmaße* ↗Glykoneus, ↗Pherekrateus und ↗Hipponakteus können durch Kürzungen (akephale Formen; ↗Telesilleus, ↗Reizianus) und Erweiterungen (innere: Verdoppelung[en] des Choriambus, äußere: 2–3malige Wiederholung des Grundmaßes, Voran- oder Nachstellung weiterer Versfüße) variiert werden (vgl. z. B. ↗Asklepiadeus, ↗Priapeus u. a.). – Ä. V. wurden zu Strophen kombiniert, vgl. ↗Odenmaße. Ihre wichtigsten Ausprägungen entstanden durch die ↗Oden des Horaz den späteren europ. Literatur vermittelt. UM*

à part [a'pa:r, frz. = ↗beiseite(sprechen)].

Aperçu, f. [aper'sy; frz. von apercevoir = wahrnehmen], aus dem Augenblick entstandene, geistreiche und prägnant formulierte Bemerkung, die, in einen Rede- oder Textzusammenhang eingestreut, eine unmittelbare Erkenntnis vermittelt. PH

Aphärese, f. [gr. aphaíresis = Wegnahme], Wegfallen eines Lautes oder einer Silbe *am Anfang* eines Wortes, entweder sprachgeschichtl. bedingt (ahd. hwer – nhd. wer), aus metr. (» 's Röslein auf der Heiden«, Goethe) oder artikulator. Gründen (v. a. mundartl. oder umgangssprachl. 'raus, 'ne). Vgl. als Lautausfall im Wortinnern ↗Synkope, am Wortende ↗Apokope. GS*

Aphorismus, m., Pl. Aphorismen [gr. aphorizein = abgrenzen, definieren], prägnant knappe, geistreiche oder spitzfindige Formulierung eines Gedankens, eines Urteils, einer Lebensweisheit. Nach Inhalt und Stil anspruchsvoller als das ↗Sprichwort; ausgezeichnet durch effektvolle Anwendung rhetor. Stilmittel (↗Antithese, ↗Parallelismus, ↗Chiasmus, ↗Paradoxon) und durch auffallende Metaphorik. Als ↗Denkspruch bisweilen überspitzt, auf überraschende Wirkung bedacht; will den Leser verblüffen, seine Kritik herausfordern. Dem A. nahe stehen ↗Aperçu, ↗Apophthegma, ↗Maxime, ↗Sentenz. – A.en finden sich schon in der Antike, z. B. in den medizin. Bemerkungen und Lebensregeln des Hippokrates (»Corpus Hippocraticum«, 400 v. Chr., z. B. *vita brevis – ars longa,* das Leben ist kurz, die Kunst währt lange) oder bei Mark Aurel (2. Jh.). Antike A.en sammelte im 16. Jh. Erasmus in seiner »Adagia«. Francis Bacon verwandte den A. in seinen Essays, ebenso Montaigne. Meister der aphorist. Formulierungskunst waren die frz. Moralisten des 17. Jh.s (La Rochefoucauld, La Bruyère), weiter der frz. Philosoph Blaise Pascal und der Spanier Gracián (»Handorakel«), im 18. Jh. Vauvenargues und Chamfort, in Deutschland v. a. G. Ch. Lichtenberg, dann die Romantiker F. Schlegel und Novalis, später Heine, Hebbel, Schopenhauer (»A.en zur Lebensweisheit«), Nietzsche, A. Kerr, St. George (in »Tage und Taten«), K. Kraus. Vgl. auch ↗aphorist. Stil.
□ Fricke, H.: A. Stuttg. 1984 (SM 208). – Der A. Zur Gesch., zu d. Formen u. Möglichkeiten einer literar. Gattung. Hg. v. Gerh. Neumann. Darmst. 1976. – RL. S

Aphoristischer Stil [zu ↗Aphorismus], zu knapper, sentenzenhafter Prägung des Gedankens neigender Stil, syntakt. meist unverbundene Reihung geistreich-witziger, überraschender Formulierungen (Aphorismen), deren gedankl. Verbindung oft dem Leser überlassen bleibt (so schon bei Seneca, dann v. a. bei G. E. Lessing, J. G. Hamann, F. Nietzsche); birgt die Gefahr, durch Lust am Wortspiel und an anderen Manierismen zur Verblüffung des Lesers die geist. Einheit einer Aussage zu vernachlässigen. S

Apodosis, f., vgl. ↗Periode.

Apokalypse, f. [gr. apokalypsis = Enthüllung, Offenbarung], Offenbarungsschrift. Die anonymen, oft auch einem Propheten oder Bibelvater (Abraham, Moses) zugeschriebenen A.n geben göttl. Auftrag od. Inspiration vor und entwerfen in prophet. dunkler Bildersprache und meist in Formen der Vision ein Bild des Weltendes, des künft. Lebens und der Offenbarung der Gottheit, stets mit Bezug auf die heiligen Bücher, doch aktualisierend durch z. T. massive Zeitkritik und Polemik. Seit dem 2. Jh. v. Chr. bis 1. Jh. n. Chr. entstanden zahlreiche jüd. A.n (im bedeutendsten das Buch Henochs); sie verarbeiten z. T. Elemente der altpers. Religionen (z. B. Buch Daniel), des antiken Heidentums (Sibyllin. Bücher), v. a. aber Gedankengut des Judentums. Seit dem 2. Jh. schufen die Christen, z. T. durch Überarbeitung jüd. A.n (z. B. Elias-A.), eine reiche christl. apokalypt. Lit. (z. B. Paulus-A., Johannes-A.). Die meisten A.n sind ↗Apokryphen, z. T. nur fragmentar. und nicht im Urtext überliefert, oft in mehreren Rezensionen. In den bibl. Kanon wurde nur die Johannes-A. aufgenommen, als deren Verfasser der Evangelist galt. Mit ihr hauptsächl. beschäftigten sich die christl. Bibelkommentatoren, ebenso die Predigt, die volkssprachl. Dichtung (A. des Heinrich von Hesler, um 1300 oder allgem. ↗Antichristdichtungen) und die bildende Kunst (Bamberger A., Dürers ›Apocalypsis cum figuris‹). HFR*

Apokoinou, n. [gr. eigentl. schema oder lat. constructio a.

= vom Gemeinsamen], ↗rhetor. Figur der Worteinsparung, Form des syntakt. ↗Zeugmas; ein Satzglied eines Satzes (oder Satzteiles) gehört syntakt. und semant. auch zum folgenden Satz (oder Satzteil); es steht meist zwischen den beiden Sätzen. In antiker und v. a. mal. Dichtung (Spielmanns- Heldenepos) belegt: »do spranc von dem gesidele *her Hagene* also sprach« (Kudrun 538,1); in der Neuzeit selten (»leer steht von Trauben und Blumen und von Werken der Hand ruht *der geschäftige Markt*«, Hölderlin), z. T. zur Andeutung außerlog. Verknüpfungen genutzt (Enzensberger). Umgangssprachl. Rahmenstellung (»du machst a zu a scheenes Gebete machst du immer«, G. Hauptmann, »Die Weber«, V) ist kein A. i. e. S., auch nicht das sog. Satz-A., bei dem ein Hauptsatz zwischen zwei von ihm abhäng. Nebensätzen steht (»Was sein Pfeil erreicht, das ist seine Beute, das da kreucht und fleucht«, Schiller, »Wilh. Tell«, III, 1). HSt*

Apokope, f. [gr. = Abschlagen], Wegfallen eines Lautes oder einer Silbe *am Ende* eines Wortes, entweder sprachgeschichtl. bedingt (z. B. mhd. frouwe – nhd. Frau), aus metr. (»manch' bunte Blumen«, Goethe, »Erlkönig«) oder artikulator. Gründen (v. a. mundartl. oder umgangssprachl.: bitt' schön, hatt' ich); meist durch Apostroph angezeigt. Vgl. als metr. Sonderform ↗Elision, als Lautausfall im Wortinnern: ↗Synkope. S

Apokryphen, f. Pl. [gr. ap'okryphos = verborgen], *Ursprüngl.* im Schrifttum der Gnosis verwendete Bez. für die geheimzuhaltende Kultliteratur (Leidener Zauberpapyrus). Die Kirchenväter übernahmen die Bez. ›A.‹ zunächst für die als ›gefälscht‹ anzusehenden gnost. Geheimschriften, ehe sie sie ohne abwertenden Nebensinn auf die über den Bestand des hebr. AT hinausgehenden Teile der griech. Bibelübersetzung (Septuaginta) anwandten, später auch auf Schriften, deren Ursprung unbekannt, deren Verfasser falsch bezeichnet oder deren Inhalt häretisch war. – Die *heutige Definition* versteht unter A. die jüd. und altchristl. Schriften, die sowohl inhaltl. als auch formal – indem sie die in der Bibel vertretenen Literaturgattungen (Erzählung, Prophetie, Lehrbrief, Apokalypse u. a.) aufnehmen – in enger Berührung mit der Bibel stehen, z. T. Anspruch erheben, den bibl. Schriften gleichwertig zu sein, ohne aber in den ↗Kanon der Bücher des AT und NT Eingang gefunden zu haben. Dem Inhalt entsprechend unterscheidet man zwischen *A. zum AT* (Makkabäer, Tobias, Judith, Baruch, Jesus Sirach, Weisheit Salomos, Zusätze zu Esra, Esther, Daniel, Chronik u. a.) und *zum NT* (Evangelien der Nazaräer, Ebioniten, Hebräer; Apostelgeschichten: Petrus-, Paulus-, Johannesakten; Briefe und Apokalypsen des Petrus, des Paulus u. a.). In der ev. Kirche werden die A. zum AT seit Luther »der heiligen Schrifft nicht gleich gehalten«. Die kath. Kirche verlieh ihnen dagegen auf dem Trienter Konzil (1546) kanon. Rang (1566 als »deuterokanon.« Schriften). Sie betrachtet vorwiegend die jüd. Apokalypsenliteratur (Buch Henoch u. a.) als apokryph, für die die ev. Theologie den Begriff der ↗Pseudepigraphen (ab 1713) prägte. Die A. zum NT rechnen beide Konfessionen nicht dem Kanon zu. *Einflüsse der A.* auf religiöse Dichter, v. a. des MA, lassen sich nachweisen bei Hrotsvith v. Gandersheim (Maria; De ascensione Domini), dem Priester Werner (Marienleben), Konrad v. Fußesbrunnen (Kindheit Jesu), dem Dichter des »Passional«, Jacobus de Voragine (Legenda Aurea), Dante (Göttl. Komödie), dann bei Milton (Verlorenes Paradies) und Klopstock (Messias). – 1806/7 verfaßte Seume unter dem Titel ›A.‹ eine Sammlung polit. Aphorismen, die nur deshalb diesen Namen verdienen. Sie mußten ›geheim‹ bleiben, weil sie den Herrschenden sehr ›ketzerisch‹ erschienen wären. 1. vollständiger Druck 1869.
□ Rost, L.: Einl. in die alttestamentl. A. und Pseudepigraphen einschließl. der großen Qumran-Hss. Hdbg. 1971. PH

Apollinisch, auf den griech. Gott Apollon als dem Gott

der Harmonie und Ordnung bezogenes Attribut, mit welchem die Vorstellung von Formstrenge, heiterer Ausgeglichenheit, rationaler Klarheit verbunden wird. Der entgegengesetzte Begriff *dionysisch* wurde dem griech. Gott Dionysos zugeordnet, mit den Kennzeichnungen: rauschhafte Ekstase, elementare Sinnlichkeit, Emotionalität, Irrationalität. Das Begriffspaar wurde von F. W. J. Schelling gebildet, von G. W. F. Hegel und vor allem von F. Nietzsche übernommen (»Die Geburt der Tragödie aus dem Geiste der Musik«, 1872) zur Kennzeichnung prinzipieller Pole künstler. Erlebens und Schaffens. Ihre Synthese fand Nietzsche im att. Drama und im Musikdrama R. Wagners verwirklicht. In der Literaturwissenschaft wird das Begriffspaar angewandt zur Etikettierung gegensätzl. Epochen (Klassik einerseits, Romantik, Sturm u. Drang, Expressionismus andererseits), Stilhaltungen (geschlossene – offene Form), Dichter (Wieland – Heinse; alter Goethe – junger Goethe) oder Werke (Goethe, »Iphigenie« – H. v. Kleist, »Penthesilea«).   UM*

Apolog, m., Pl. Apologen [gr. apologos = Erzählung], in der griech. Antike Bez. für kurze Erzählung in mündl. Vortrag (Beleg bei Platon, »Politeia« 10: Alkinoos-Erzählung); von den Römern eingeengt auf beispielhafte, humorist.-phantast. Erzählungen, z. B. die Fabeln Äsops (als Genus der leichten Erzählliteratur). Die Bez. findet sich im 17. und 18. Jh. noch gelegentl. für moral. Erzählungen, bes. Fabeln (B. Corder, 1630; Ch. F. Gellert, 1744; F. A. Krummacher, 1809 u. a.). ↗Anekdote, ↗Exempel, ↗Fabel, ↗Bispel, ↗Predigtmärlein.   S

Apologie, f. [gr. apologia = Verteidigung], Verteidigungsrede oder -schrift; berühmt sind die A.n des Sokrates in den Werken seiner Schüler Platon und Xenophon. Die A. wurde in gewissem Sinne zum literar. Kennzeichen der christl. Frühzeit, einer Zeit der Verteidigung *(Apologetik)* des Christentums gegenüber dem Judentum und heidn. Religionen durch die Kirchenväter *(Apologeten)* des 2. und 3. Jh.s (Justinos Martyr, Athenagoras, Clemens v. Alexandrien, Origenes, Tertullian u. a.). – Bedeut. A.n der Neuzeit sind die »A. der Augustana« (der Augsburger Konfession, 1530) von Melanchthon, die »A. de Raymond Sebon« (1580) von Montaigne, die »Apologia pro vita sua« (1864) von Kardinal Newman.   UM*

Apopemptikon, n. [gr. apopempein = wegschicken, entlassen], antikes Abschiedsgedicht eines Scheidenden an die Zurückbleibenden, welche ihrerseits diesem ein ↗Propemptikon (Geleitgedicht, Segensspruch) mit auf den Weg geben können.

Apophthegma, n., Pl. Apophthegmata [gr. = prägnante Aussage], gewandt formulierter Ausspruch. Im Ggs. zur ↗Gnome (lat. sententia) wird das A., der ↗Anekdote vergleichbar, durch Angaben über die Situation und die beteiligte(n) Person(en) eingeleitet. A.ta bilden sich hauptsächl. um bekannte Persönlichkeiten, so sind im Griech. A.ta von den Sieben Weisen, Sokrates, Alexander d. Gr. u. a. überliefert, im Lat. (hier auch *dictum* genannt) von Cicero, Augustus u. a. – Sammlungen (↗Anthologie) von A.ta – alphabet., sachl. oder zeitl. geordnet, teils gleichen Inhalts – sind zahlreich erhalten. Als bes. wertvoll gelten: die als Bestandteile von Plutarchs Werk überlieferten »A.ta regum et imperatorum« und »A.ta Laconica«, das »Gnomologium Vaticanum« sowie die »A.ta patrum«, eine im 5. Jh. aus älteren Vorlagen zusammengestellte Sammlung von asket. Lehrsprüchen ägypt. Mönche. (Auch die »Logia Jesu«, erschlossene Vorstufe des Matth.- und Luk.-Evangeliums, sind zu den A.ta zu rechnen). In der dt. Literatur erscheint der Begriff A. bei Zincgref (»Teutsche A.ta«, 1626), Z. Lund, Harsdörffer (»Ars Apophthegmatica«, 1655) u. a.
☐ Verweyen, Th.: A. u. Scherzrede. Die Gesch. einer einfachen Gattungsform u. ihrer Entfaltung im 17. Jh. Bad Homburg v. d. H. u. a. 1970.   RSM

Aporie, f. [gr. aporia = Unwegsamkeit, Ratlosigkeit, Zweifel],

1. philosoph. Begriff zur Kennzeichnung eines unlösbaren Problems.
2. ↗rhetor. Figur, s. lat. ↗Dubitatio.   S

Aposiopese, f. [gr. aposiopesis = das Verstummen, lat. reticentia], ↗rhetor. Figur, bewußtes Abbrechen der Rede vor der entscheidenden Aussage, wobei entweder die syntakt. Konstruktion abgebrochen oder ledigl. der Gedanke (in einem vollständ. Satz) nicht zu Ende geführt wird. Der Hörer oder Leser muß das Verschwiegene aus dem Zusammenhang erraten. Findet sich oft als Ausdruck der Drohung (quos ego! – Euch werd' ich!, bes. auch umgangssprachlich), oder, bes. in der Dichtung, der emotionalen Erregung: »Was! Ich? Ich hätt' ihn –? Unter meinen Hunden –? Mit diesen kleinen Händen hätt' ich ihn –?« (H. v. Kleist, »Penthesilea«). Vgl. dagegen ↗Ellipse.   GG*

Apostelspiel, spätmal. Typus des ↗geistl. Spiels, in dem nach den Evangelien und der bibl. Apostelgeschichte, nach Legenden und apokryphen Schriften die Geschichte der Apostel oder Ereignisse aus deren Leben dargestellt wird, etwa Bekehrung und Tod des Paulus oder die Aussendung der Apostel (bes. im 16. Jh. im Zusammenhang mit dem Fest »Divisio Apostolorum« [15. Juli]). Im 15.–18. Jh. ist das A. in Europa verbreitet, bes. gepflegt wird es als ↗Schuldrama; in der Zeit der Reformation und der Glaubenskämpfe steht es im Dienst der konfessionellen Auseinandersetzung. – Während es sich anfangs um streng geistl. Spiele handelt (dem eigentl. A. gehen die Apostelszenen, z. B. Wettlauf der Jünger zum Grab, des mittelalterl. ↗Osterspiels voran), steht eher das Interesse am individuellen Schicksal der Apostel im Vordergrund. – Die Dramen neuerer Zeit, die Stoffe aus dem Leben der Apostel behandeln (Strindberg, Werfel, R. Henz, M. Mell, »A.«, 1923) sind nicht mehr den geistl. Spielen zuzuordnen.
☐ Emrich, W.: Paulus im Drama. Bln. 1934.   RSM

Apostrophe, f. [gr. Abwendung], ursprüngl. in der griech. Gerichtsrede Wegwendung des Redners von den Richtern zum Kläger hin; dann, in übertragenem Sinn, ↗rhetor. Figur: Hinwendung des Rhetors oder Dichters zum Publikum oder zu anderen, meist abwesenden (auch toten) Personen (häufig in Totenklagen), direkte Anrede von Dingen (z. B. Apostrophierung von Waffen im »Rolandslied«) oder Abstrakta (in mal. Dichtung z. B. Frau Welt, Frau Minne, der Tod: »wê dir, vil übeler Tôt!« Hartmann von Aue, »Erec«). Zur A. zählt auch die ↗Invocatio Gottes, der Götter, der Musen (Homer, Vergil, Wolfram von Eschenbach, Klopstock u. a.). Die A. dient v. a. der Verlebendigung; häufig als Ausruf oder Frage formuliert, ist sie ein Stilmittel emphat. oder pathet. Rede (aus neuerer Zeit vgl. etwa G. Trakl: »Verflucht ihr dunklen Gifte, weißer Schlaf!«).   RSM

Apotheose, f. [gr. apotheosis – Vergottung], allgem. jede Form der Erhebung eines Sterblichen zur übermenschl. Weihe und die entsprechende Darstellung in Lit., bildender Kunst und Theater. – Begriff und Formen der A. entstammen dem oriental.-hellenist. Gottkönigtum und drangen von daher in den röm. Staatskult ein. Wirkungsvollsten Ausdruck fand die Herrscher-A. in der ↗Hofdichtung (frühes Beispiel: 4. Ekloge Vergils), bes. in der Gattung des ↗Panegyricus. Bevorzugtes Anwendungsgebiet der ↗Allegorie. Das ausgeprägte Zeremoniell und die entsprechenden Ausdrucksschemata in Lit. und offizieller Kunst zur Betonung der gottnahen Stellung des Herrschers wurden abgewandelt auch von den christl. Kaisern beibehalten (Nachwirken der spätant. A. im ganzen MA.) Ein erneutes Aufleben und die Ausweitung der A. im Sinne einer allgemeinen Verherrlichung und Verklärung erfolgte – unter Rückgriff auf antike Vorbilder – wieder in der Hofdichtung und den ↗Trionfi der Renaissance. Das Barock brachte die üppigste Blüte dieser Form der A. auf allen Gebieten der Lit. und bildenden Kunst hervor. Die künstler. und theatral. Glaubenspropaganda der Gegenreformation konzentrierte sich v. a. auf die der A. verwandte Form der bibl. Entrückung (z. B. Himmelfahrt des Elias) oder Verklärung (Christus auf Tabor), die dem christl. Märtyrer- und Heiligenkult schon früh Züge der A. gegeben hatte. Die mit großem szen. Aufwand (als Schaubild) ausgestaltete Schluß-A. des barocken geistl. und weltl. Schauspiels brachte alle überkommenen literar. und bildkünstler. Elemente zu höchster Steigerung. Die bedeutendste Nachwirkung in der späteren Dramatik: Schluß des »Faust II« von Goethe.   HFR

Apparat, m. [lat. apparatus = Ausstattung, Zurüstung], 1. Gesamtheit der zu einer wissenschaftl. Arbeit nötigen Hilfsmittel; 2. (text-)krit. A.: Bez. für textkrit. /Anmerkungen in krit. (histor.-krit.) Ausgaben (apparatus criticus) entweder am Fuße der Seiten, als Anhang (/Appendix) oder in einem separaten Band; bietet die /Lesarten (/Varianten) zu einem krit. edierten Text. Nach neuerer Auffassung (F. Beißner, Stuttgarter Hölderlin-Ausgabe) soll er die primäre Textgeschichte vollständig und möglichst im Textzusammenhang darstellen, wo Handschriften vorhanden sind, auch die Arbeitsschichten (Korrekturen etc.), etwa durch treppenweise Anordnung der Varianten. Man unterscheidet: a) *Positiver A.:* auf das /Lemma (Stichwort) folgen, durch Kola getrennt, die Varianten (vollständig), dahinter jeweils die /Siglen des betreffenden Textzeugen. b) *Negativer A.:* er verzeichnet nur die Abweichungen vom gedruckten Text (meist darunter). Auch Kombinationen beider Formen sind möglich. Aufgeführt sind im krit. A. vom Text bzw. Lemma abweichende Lesarten der vorhandenen Handschriften, wichtigsten Abschriften und zu Lebzeiten des Autors erschienenen Drucke und Ausgaben oder auch Zitate desselben in anderen Werken (z. B. bei antiken Schriftstellern). Der A. kann ferner eine Übersicht über die erhaltenen Textzeugen (Manuskripte, Drucke, Fassungen) mit Sigle und Herkunft (/conspectus siglorum) enthalten, Bemerkungen zur /Editionstechnik, Konjekturalkritik (Texteingriffe des Herausgebers), Textbewertung (/Athetesen), Textgeschichte, Quellen, Zeugnisse zur Entstehung und, wo nötig, sachl., sprachl., metr., histor. u. a. Erläuterungen (/Erläuterungen).   S

Appendix, m. [lat. = Anhang], Anhang eines Buches mit Ergänzungen (Kommentaren, Register, Karten- und Bildmaterial, Tabellen), auch weiteren Textzeugen wie Briefe, Dokumente oder Texte, deren Zugehörigkeit zum betreffenden Autor unsicher ist (vgl. z. B. den A. Virgiliana mit Gedichten, die Vergil nur zugeschrieben sind). Bei Textausgaben kann der krit. /Apparat als A. folgen.   S

Aprosdoketon, n. [gr. = Unerwartetes], /rhetor. Figur, unerwarteter Ausdruck (Wort, Redewendung) anstelle eines vom Hörer oder Leser zu erwartenden; z. B. » . . . (Trompeten), die den Marsch blasen, die griechischen den Trojanern, die trojanischen — *na, wem wohl?«* (statt: *den Griechen;* R. Hagelstange, »Spielball der Götter«).   GS*

Arabeske, f. [frz. = arabesque aus it. arabesco = arabisch], in der bildenden Kunst Bez. für stilisiertes, plast. wirkendes Blatt- und Rankenornament, das zwar Elemente der abstrakteren arab. Ornamentik enthält (daher die Bez.), seinen Ursprung jedoch in der aus der klass. Palmettenwellenranke entwickelten Ornamentik der hellenist., bes. der röm. Zeit hat. Mit A. wurde bis in die Goethezeit jedoch auch die /Groteske (vielfach ineinander verschlungene Pflanzen-, Tier- und Menschengestalten) bezeichnet. In diesem Zusammenhang wurde der Begriff A. 1797/98 durch F. Schlegel auf literar. Phänomene übertragen. Er bez. mit A. nicht nur eine poet. Gattung (mannigfach verschlungene Stoff- und Rankenkompositionen), sondern auch die ideale romant. Formmöglichkeit: »die unendl. Fülle in der unendl. Einheit« zu gestalten. A. erscheint mehrfach in Buchtiteln oder Untertiteln: N. Gogol, »Arabesken« (1835), K. L. Immermann, »Münchhausen«. Eine

Geschichte in A.n« (1838/39), E. A. Poe, »Tales of the Grotesque and Arabesque« (1840). Seit dem 19. Jh. wird A. häufig als Titel in der Trivialliteratur verwendet (sowie als Titel für Musikstücke). ☐ Polheim, K. K.: Die A. Ansichten u. Ideen aus F. Schlegels Poetik. Mchn. u. a. 1966.   GS

Arai, f. Pl. [gr. = Verwünschungen, Gebete, Flüche], Verfluchung einer Person oder Sache, entweder innerhalb eines literar. Werkes (z. B. Sophokles, »Oedipus« v. 230 ff.) oder als selbständ. Schmähgedicht, z. B. auf Inschriften gegen den eventuellen Zerstörer eines Denkmals oder Grabsteins. Vgl. lat. /Dirae.   UM

Arbeiterliteratur, 1. *in der traditionellen Literaturtheorie* jede Literatur *von* Arbeitern; ihre Wertung erfolgt nach den Maßstäben der bürgerl. Ästhetik, d. h. dem Grad der poet. Bewältigung der meist aus der techn.-industriellen Arbeitswelt stammenden Stoffe und Motive: Mensch und Technik (Bedrohung und ›Schöpfertum‹, meist auch Aufrufe zu sozialer Gerechtigkeit oder Zukunftsvisionen (eines ›Maschinenzeitalters‹, des Arbeiters als ›neuen Menschen‹ u. a. Unter diesem ständ. Aspekt gelten als bedeutende Arbeiterdichter die Mitglieder des /Nylandkreises, H. Lersch, G. Engelke, A. Petzold, M. Barthel, K. Bröger. Sprachgestus und Stil ihrer oft pathet. ankläger. *Lyrik* sind beeinflußt mit Form M. Gorki, W. Whitman, E. Verhaeren und der Industrielyrik R. Dehmels (vgl. z. B. Petzold: »Der stählerne Schrei«, 1916; Lersch: »Herz! Aufglühe dein Blut«, 1916; Barthel: »Arbeiterseele«, 1920 u. a.). – Die oft hymn.-allegor. *Dramen* (z. T. Sprechchöre, Weihespiele u. a.) bedienen sich expressionist. Mittel (E. Grisar: »Opferung«; B. Schönlank: »Erlösung. Weihespiel«, »Der Moloch«, »Der gespaltene Mensch« u. a.). Für *Romane* und *Autobiographien* sind Milieustudien und die Darstellung der individuellen Emanzipation vom Proletarierstand charakteristisch (Bröger: »Der Held im Schatten«, 1919; Petzold: »Das rauhe Leben«, 1920).

2. Der in dieser ständ. und formalästhet. definierten A. meist auch mehr oder weniger deutl. artikulierte Aufruf zur geist. und polit. Selbstbesinnung des Proletariats verbindet sie mit der funktional-themat. definierten *A.* der marxist. *Literaturtheorie* als einer spezif. proletar. Literatur *für* Arbeiter (die auch von linksbürgerl. Schriftstellern verfaßt sein kann). Sie entsteht im 19. Jh. mit der sich verstärkenden Industrialisierung und der Bildung (und Organisation) des sog. vierten Standes. Entsprechend der Konzeption einer proletar. Kunst (F. Engels, Clara Zetkin, F. Mehring) liegt ihre Funktion in der Erziehung zu einem polit. motivierten Klassenbewußtsein: nach Mehring als Waffe im Klassenkampf, nach neueren Definitionen als Selbstvergewisserung, um »sich durch die kulturelle Übermacht des Bürgertums durchzusetzen« (Stieg/Witte). Diese Funktion bedingt a) eine themat. Eingrenzung der A. (Darstellung der kollektiven sozialen Probleme, der kämpfer. Ideologie und Strategie, Appelle zum Kampf um polit. Emanzipation u. a.) und b) den Primat des Inhalts über Stil und Form (gefordert ist eine realist.-volkstüml. Darstellungsweise). – Diese A. ist weitgehend dem bürgerl. Literaturvertriebssystem entzogen, sie wird von den Arbeiterorganisationen (vgl. 1863 Gründung des Allgem. Dt. Arbeitervereins, 1869 der Sozialdemokrat. Arbeiterpartei verstreckt (in Veranstaltungen, Parteipresse, speziellen Anthologien). Praktikabel sind daher sog. operative Kleinformen: 1. *Lyrik,* insbes. tendenzhafte Kampf- und provokativ-satir. oder moritatenhafte Erzähllieder. Hervorzuheben sind neben zahlreichen anonymen Liedern (z. B. Weberlieder, 1844) als Lyriker: G. Herwegh, nach Engels der erste und bedeutendste Dichter des dt. Proletariats (»Lieder aus Lancashire«, 1845 u. a.), F. Freiligrath (»Neuere polit. u. soziale Gedichte«, 1849–51 u. a.), der auch der sozialankläger. Gedichte Th. Hoods durch Übersetzungen bekannt macht, G. Herwegh

(Bundeslied des Allgem. Dt. Arbeitervereins, 1863), J. Audorf (»Arbeitermarseillaise«, 1864), A. Geib, A. Otto-Walter, M. Kegel, E. Klaar, H. Kämpchen, E. Weinert, E. Hoernle, J. R. Becher, B. Brecht. Wichtige Anthologien sind »Die Dt. A.« (5 Bde. 1883), »Buch der Freiheit« (1893), »Unter roten Fahnen« (1930/31). – 2. Im *Drama* dominieren zunächst kurze Einakter: komödiant.-satir. oder kämpfer. ausgerichtete Agitations- und Lehrstücke (z. B. J. B. v. Schweitzer, Präsident des Allgem. Dt. Arb. Vereins, »Ein Schlingel«, 1862 u. a.; M. Kegel, »Die Wahlschlacht«, 1874, »Preßprozesse«, 1876; H. Goldstein, »Die Sozialdemokraten«, 1877 u. a.), die während der Dauer des Sozialistengesetzes (1878–90: Versammlungs-, Organisations- und Publikationsverbot) histor. getarnt wurden (M. Wittich, »Ulrich von Hutten«, 1887 u. a.). Von Karl Marx als »maßloses und brillantes literar. Debut der dt. Arbeiter« ausdrückl. begrüßt, wurden die Stücke auf improvisierten Bühnen in einfachster Ausstattung in Arbeitervereinslokalen als Laienspiele aufgeführt. – Einen Aufschwung nahm die Theaterarbeit durch die sozialdemokrat. Kulturpolitik Ende des 19.Jh.s, insbes. durch die Gründung der Freien ∕Volksbühne (1890, seit 1914 mit eigenem Haus), des ∕Dt. Arbeitertheaterbundes« (1908) und eines Arbeitertheaterverlags in Leipzig. Aufgeführt wurden die zeittyp. naturalist. Stücke (z. B. G. Hauptmanns »Weber«, 1893), später Stücke in expressionist. Stil- und Darstellungsformen, in denen jedoch die soziale Problematik ästhetisiert (oft allegorisiert) wurde (vgl. A. 1). Der für die A. konstitutive sozialrevolutionäre Impetus wurde nach wie vor vom Laientheater, seit 1919 im sog. ∕Agitproptheater weitergetragen. Insbes. innerhalb der kommunist. Partei entstanden bis 1933 zahlreiche Spieltrupps, die sich seit 1928 im ›Arbeiter-Theaterbund Deutschland‹ organisierten (Sektion der Internat. Arbeitertheaterbundes, Sitz Moskau, Zeitschrift: ›Arbeiterbühne‹). – *Höhepunkt* ist das polit. Theater E. Piscators, der seit 1924 die Formen des proletar. Agitprop-Laientheaters und die expressionist. Theaters mit neuen Techniken zu einem eindrucksvollen Theaterstil verband (Filmdokumentationen, ep. Kommentierung, Mischung von Einzelszenen, Liedern, Rezitativen, Sprech- und Singchören, Einbeziehung des Publikums usw.), wie seine polit. Revuen »Roter Rummel«, 1924, »Trotz alledem«, 1925, Formen, welche die Theaterentwicklung insgesamt beeinflußten. Vertreter des (mehrakt.) polit. Dramas sind ›Dt. (›Arbeiter, Bauern, Soldaten«‹, 1921 u. a.), E. Toller (»Maschinenstürmer«, 1922), Berta Lask (»Leuna 1921«, 1927 u. a.), Friedrich Wolf (»Die Matrosen von Cattaro«, 1930 u. a.), F. Jung, E. Mühsam, B. Brecht, G. von Wangenheim. – 3. *Romane, Erzählungen.* Nach der Aufhebung des Sozialistengesetzes (1890) und nach einer theoret. Funktionsbestimmung (Naturalismusdebatte) wurden auch (Prosa-)Erzählungen (Darstellungen proletar. Gegenwartsprobleme in Roman, Dokumentation, Autobiographie) zur polit. Erziehung eingesetzt. Als wichtigster Faktor soll ∕Parteilichkeit angestrebt werden (vgl. F. Mehring: »Kunst und Proletariat«, 1898), wie sie etwa die Romane von Minna Kautsky (»Stefan vom Grillenhof«, 1879 u. a.) oder R. Schweichel (»Um die Freiheit«, 1898 u. a.) verwirklichten, im Ggs. zu den naturalist. Romanen, die anstelle klassenkämpferischer Argumentation vornehml. Milieustudien bieten (vgl. M. Kretzer, »Meister Timpe«, 1888). Gefördert und angeregt wird die proletar. Prosaliteratur durch den russ. ∕Proletkult (seit 1917) und durch (bes. von der KPD initiierte) schriftsteller. Organisationen wie die Arbeiterkorrespondentenbewegung (seit 1925: agitator. und sachl.-realist. Berichte aus Industriebetrieben für die Parteipresse), die ›Arbeitsgemeinschaft kommunist. Schriftsteller« und der ›Bund proletar.-revolutionärer Schriftsteller‹ (1928), der auch die Theoriediskussion wieder aufgriff (G. Lukács, 1931), oder die Zeitschrift ›Linkskurve‹ (1929–33), die zum wichtigsten

Organ der A. wurde (Nachdruck Frkft. 1971). Durch ein parteieigenes Vertriebssystem wurden billige Reihen sog. proletar. Massenliteratur (Rote-Eine-Mark-Romane) veröffentlicht. Als proletar.-revolutionäre Autoren sind zu nennen: J. R. Becher, K. Kläber (»Passagiere der Dritten Klasse«, 1927), K. Grünberg (»Brennende Ruhr«, 1926–28), H. Marchwitza (»Sturm auf Essen«, 1930), W. Bredel (»Maschinenfabrik N & K«, 1930), K. Neukrantz (»Barrikaden am Wedding«, 1931), W. Schönstedt (»Kämpfende Jugend«, 1932) u. a. Nach 1933 brach diese Entwicklung ab. Auch Versuche, in der Illegalität oder im Exil (Paris, Prag, Moskau; Bredel, »Die Prüfung«, 1934 u. a.) weiterzuwirken, versiegen um 1935/36. Nach 1945 wurde in der DDR im sog. ∕Bitterfelder Weg ein offizielles kulturrevolutionäres Bildungsprogramm im Anschluß an die Tendenzen und Methoden der Arbeiterkorrespondentenbewegung entwickelt. – In der BRD versuchte die ∕Gruppe 61, z. T. an die Bestrebungen des ∕Nylandkreises anknüpfend, eine ›künstler. Auseinandersetzung mit der Arbeitswelt«. Von ihr spaltete sich 1970 (mit stärker gesellschaftspolit. Konzept) der ∕Werkkreis Literatur der Arbeitswelt ab, von diesem seit 1972 wiederum die ›Produktion Ruhrkampf‹, eine Verlagskooperative, die eine Emanzipation vom Einfluß etablierter Literaturvertriebssysteme anstrebt. – □ Ashraf, P. M.: Engl. A. vom 18.Jh. bis z. Ersten Weltkrieg. Bln. (Ost) 1980. – Trempenau, D.: Frühe sozialdemokrat. u. sozialist. Arbeiterdramatik (1890–1914). Stuttg. 1979. – Schütz-Güth, G.: Typen des brit. Arbeiterromans. Grossen-Linden 1979. – Arnold, H. L. (Hrsg.): Handb. zur dt. A. Mchn. 1977. – Möbius, H.: Progressive Massenlit.? Revolutionäre Arbeiterromane 1927–1932. Stuttg. 1977. – Fähnders, W.: Proletar.-revolutionäre Lit. der Weimarer Republik. Stuttg. 1977. – Ludwig, M. H.: A. in Deutschland. Stuttg. 1976. – Heist, W.: Die Entdeckung des Arbeiters. Mchn. 1974. – Stieg, G./Witte, B.: Abriß einer Gesch. der dt. A. Stuttg. 1973. – Arbeiterdichtung. Analysen, Bekenntnisse, Dokumentation. Hrsg. v. d. Österr. Ges. für Kulturpolitik. Wuppertal 1973. – Rüden, P. von: Sozialdemokrat. Arbeitertheater 1848–1914. Frkft. 1973. – Lit. der Arbeiterklasse. Hrsg. v. der Dt. Akad. der Künste Berlin. Bln./Weimar 1971. – Fähnders, W./Rector, M. (Hrsg.): Lit. im Klassenkampf. Mchn. 1971. – Rülcker, Ch.: Ideologie der Arbeiterdichtung 1914–1933. Stuttg. 1970. – Münchow, U./Knilli, F. (Hrsg.): Frühes dt. Arbeitertheater (1847–1918). Mchn. 1970. – Hoffmann, L./Hoffmann-Ostwald, D.: Dt. Arbeitertheater 1918 bis 1933. 2 Bde. Bln. 1970. *Bibliographie:* Bibliographie der A. Hrsg. v. Archiv für Arbeiterdichtung u. soziale Lit., bearb. v. F. Hüser. 7 Bde. 1973 f. IS

Arbeitslied, das zu körperl. Arbeit gesungene Gemeinschaftslied, das Rhythmus, Tempo, z. T. auch Geräusche der Arbeit aufnimmt, koordiniert und diese damit fördert. A.er gibt es v. a. zu bäuerl. und handwerkl. Tätigkeiten. Formal anspruchslos, häufig Zweizeiler, oft mit z. T. nur lautmalendem Kehrreim (auch als Einsatzsignale wie »Hau-Ruck«-Rufe), wird es endlos auf einfache Melodien fortgesungen, oft im Wechsel von Vorsänger und Chor, z. T. auch in Verbindung mit gesprochenen Partien. Inhaltl. stellt das A. einen z. T. erot.-derben oder witzigen Bezug zur Arbeit her. – A.er sind schon aus kulturellen Frühstufen bezeugt (Flachsbereitungslieder, Spinn-, Dresch-, Hirsestampf-Lieder); literar. Spuren finden sich im altnord. Dichtung (ein »Mühlenlied« und »Walkürenlied« bewahren Teile alter Mahl- und Weblieder); Gottfried von Neifen (13.Jh.) verarbeitet in einem seiner Gedichte Elemente eines Flachsschwingerliedes (Kehrreim *wan si dahs/wan si dahs, si dahs, si dahs, si dahs*). – Zu trennen vom echten A. ist das ›unechte‹ A., meist ein ∕Volkslied, das nur lautmalend und rhythm. zu einer bestimmten Arbeit paßt. Zu unterscheiden ist ferner das künstler. gestaltete A., in dem konstituierende Elemente des echten A.s wie Rhythmus und Lautmalerei bewußt zur Versinnbildlichung eines Arbeitsvorganges eingesetzt sind, z. B. G. Engelke, »Lied der Kohlenhäuer«.

□ Schopp, J.: Das dt. A. Hdbg. 1935. – Bücher, K.: Arbeit u. Rhythmus. Lpz. [6]1924. – RL.   IS

Arbiter litterarum, m. [lat.], Richter (Sachverständiger) in literar. Fragen; wohl in Anlehnung an »arbiter elegantiae« (= Richter in Sachen des guten Geschmacks: Tacitus, Annalen XVI 18 über Petronius) gebildet.   UM

Archaismus, m. [zu gr. archaios = alt, altertüml.], Bez. für den Rückgriff auf veraltete, altertüml. Wörter, Wendungen, syntakt. Eigenheiten oder Schreibungen als *bewußtes Stilmittel.* Es wird eingesetzt:
1. um die als altehrwürdig empfundenen Formen wiederzubeleben, so z. B. bes. in der Antike bei Lukrez, Vergil und v. a. Sallust (der den Stil des älteren Cato nachahmte).
2. in satir., parodierender oder ironisierender Absicht: vereinzelt erstmals im 16. Jh. bei J. Fischart (»Geschichtklitterung«, 2. Kap.), dann häufiger im 20. Jh. (Arno Holz, »Dafnis«, ›barocke‹ »Freß-, Sauf- und Venuslieder«, 1904; Th. Mann, »Dr. Faustus«, 1947 [Lutherdt.], »Der Erwählte«, 1951, [Mhd.]).
3. um einem Text eine poet. Altertümlichkeit, ein sprachl.-histor. Kolorit zu geben, so bes. häufig seit dem Aufkommen histor. Perspektiven, vgl. z. B. den /Göttinger Hain (Aufnahme mhd. Wörter wie *minne* u. a. aus J. J. Bodmers Veröffentlichung mhd. Werke), die gelegentl. Anleihen Goethes bei Hans Sachs oder der Lutherbibel (»Götz«, »Faust I« u. a.) oder Schillers bei Abraham a Sancta Clara (»Wallensteins Lager«), weiter die Romantiker (von C. Brentano, »Chronika des fahrenden Schülers«, über L. Uhland bis zum Spätromantiker R. Wagner), bes. aber den /histor. Roman und die histor. Erzählung (W. Raabe, Th. Storm, G. Keller, W. H. Riehl, W. Alexis, F. Dahn, G. Freytag, »Die Ahnen«, 1872/80) und das /Geschichtsdrama (G. Hauptmann, »Florian Geyer«, 1896).
4. wird mit sprachl. Archaismen auch ein moderner Text als alt ausgegeben (literar. /Fälschung), vgl. im 18. Jh. bes. die ›gäl.‹ Gesänge Ossians von J. MacPherson (1760), die ›mal.‹ Gedichte Th. Chattertons (1777), im 19. Jh. W. Meinholds »Bernsteinhexe« (angebl. aus dem 17. Jh., 1843). Um *unabsichtl. A.* handelt es sich bei veralteten Reimbindungen in (früh-)mhd. Reimdichtungen, die bei der Umsetzung der Werke in spätere Sprachformen beibehalten wurden.

□ Leitner, I.: Sprachl. Archaisierung. Diss. Frkf. 1978.   S

Archebuleus, m. [gr.-lat.], nach dem griech. Dichter Archebulos (3. Jh. v. Chr.) benanntes /äol. Versmaß der Form ⌣-|⌣⌣-⌣⌣-⌣ ⌣-⌣-; selten.   UM

Archetypus, m. [lat.-gr. = Urform, eigentl. das zuerst Geprägte, zu gr. arché = Ursprung, typos = (durch Schlag) Geformtes],
1. in der /Textkritik Bez. für eine aus den erhaltenen Textzeugen (Handschriften, gelegentl. auch Drucken) erschlossene *älteste Überlieferungsstufe* als Basis für das /Stemma (den Stammbaum) vorhandener Handschriften.
2. in der Literaturwissenschaft wird der Begriff im Anschluß an die Archetypenlehre C. G. Jungs (»Über die Archetypen«, 1937) für *archaische Bildvorstellungen* der Menschheit verwendet. Vor allem die angelsächs. sog. mytholog. Literaturkritik will hinter den Dichtungen, als Produktion eines kollektiven Unbewußten, urtüml. Mythen entdecken (als A.en begriffen auch Goethes /Urbilder (»Metamorphose der Tiere«, 1820) verstanden werden; vgl. auch philosoph. mundus archetypus = Welt der Ideen.

□ Bodkin, M.: Archetypal patterns in poetry. Ldn. 1963. S

Archiloch. Strophen, s. /Odenmaße.

Archilochische Verse, antike metr. Formen, die auf den griech. Lyriker Archilochos (7. Jh. v. Chr.) zurückgehen:

Kombinationen aus verschiedenen jamb. oder daktyl. Versen (wie daktyl. /Hexameter, jamb. /Trimeter, jamb. /Dimeter) oder zäsurbedingten Teilen dieser Verse wie dem /Hemiepes (d. h. dem halben daktyl. Hexameter bis zur /Penthemimeres), dem daktyl. /Tetrameter (d. h. dem daktyl. Hexameter bis zur bukol. /Dihärese) oder dem /Ithyphallikus (d. h. dem 2. Teil des katalekt. jamb. Trimeters) usw. Es sind 18 verschiedene Verskombinationen bezeugt. Kombiniert wird stets so, daß einem längeren Vers(teil) ein kürzerer folgt. Es gibt drei Kombinationsarten: 1. Ohne Pause (oder Periodenende), jedoch mit Dihärese gefügte Kombinationen ergeben *Asynarteten,* die z. T. eigene Bezz. tragen wie z. B. der /Archilochius (daktyl. Tetrameter + Ithyphallikus), der /Enkomiologikus (Hemiepes + jamb. Trimeter bis zur Penthemimeres). 2. Kombinationen mit einer Pause (durch Periodenschluß) zwischen dem ersten und zweiten Teil ergeben die sog. / *Epoden,* die als Zweizeiler (Disticha) aufgefaßt werden; sie wurden gedoppelt (als Vierzeiler) bes. von Horaz verwendet. 3. Kombinationen von Asynarteten mit einem weiteren Vers(teil) ergeben größere Epoden, z. B. Archilochius + jamb. katalekt. Trimeter.   UM*

Archilochius, m., /archiloch. Vers der Form –⌣⌣–⌣⌣–⌣⌣–⌣⌣|–⌣–⌣–⌣; Kombination aus daktyl. Tetrameter und /Ithyphallicus, Asynarteton; erscheint meist in Verbindung mit dem jamb. (a)katalekt. Trimeter als /Epode (Archilochos, Horaz), bei Prudentius und Boëthius auch stich. verwendet.   IS

Aretalogie, f. [gr. = Tugendrede, zu gr. aretai = Wundertaten), hellenist. Sammelbez. für Wundererzählungen (auch Hymnen, Gebete), die das Wirken der Götter in der Gegenwart bezeugen sollen; meist in der Form von Visionen und Träumen öffentl. von *Aretalogen* vorgetragen. Von den röm. Stoikern ironisch auch im Sinne von ›Geschwätz‹, ›lügenhaftes Fabulieren‹ gebraucht.

□ Weinreich, O.: Fabel, A., Novelle. Hdgb. 1931.   HFR*

Argumentatio, f. [lat. = Beweisführung (im Verlauf der Rede)], s. /Rhetorik, /Disposition.

Argument(um), n. [lat., eigentl. = was der Erhellung und Veranschaulichung dient, zu arguere = erhellen, beweisen], einem literar. Werk (auch einzelnen Büchern, Kapiteln, Akten) vorangestellte Erläuterung oder kurze Zusammenfassung des Inhalts (im Ggs. zum auch weitere Themen ansprechenden /Prolog); verbreitet v. a. in Renaissance, Humanismus und Barock, vgl. z. B. die A.e in Ben Jonsons »Volpone« (Vers-A.), J. Miltons »Paradise Lost« (Prosa-A. vor jedem Buch), A. Gryphius' »Papinian« (Prosa-A.e zu jedem Akt), A. Popes »Essay on Man« (Prosa-A. vor jeder Epistel). In der /Commedia dell'arte auch Vorlage, nach der aus dem Stegreif gespielt wird.   S

Arie [it. aria; frz. air, engl. ayre; Etymologie ungeklärt].
1. Im 16. Jh. Bez. der einer bestimmten Strophenform zugeordneten Melodie; von daher im 17. Jh., namentl. in Deutschland Bez. des *strophisch* (seltener in ungleiche Versikel) gegliederten und häufig durch Ritornelle (Zwischenspiele) aufgelockerten *(Solo)liedes* (z. B. H. Albert: »Arjen oder Melodeyen Etlicher theils Geistlicher theils Weltlicher . . . Lieder«, mit Texten von S. Dach, Ch. Kaldenbach und anderen Mitgliedern des Königsberger Kreises; 7 Bde., 1638–1648).
2. Seit dem 17. Jh. setzt sich, zunächst in Italien, die Bez. A. für den kunstvollen, instrumental begleiteten, *unstroph.,* durch Reprisen mehrfach gegliederten *Sologesang* durch; die A. tritt damit in Gegensatz zum unstroph. Lied als auch zum Rezitativ. Beliebteste Form ist die dreiteilige »Da-capo-A.« (ABA mit zahlreichen Variationen). In der /Oper, in der sie (wie auch im Oratorium) vornehml. Verwendung findet, bedeutet die A. eine Unterbrechung des Handlungsablaufs; sie trägt damit bei zur Auflösung der dramat. Handlung in eine bloße Nummernfolge. Mit Glucks Opernreform beginnt daher eine Reihe von Versu-

chen, die A. in das dramat. Geschehen zu integrieren; dies geschieht meist in der Form der Szene in enger Verbindung mit liedhaften und rezitativen Partien (vgl. Beethovens »Leonoren-A.«, Webers »Agathen-A.«; Verdi); Wagner und R. Strauss verzichten in ihren ↗Musikdramen auf die Form der A. fast ganz; sie ersetzen sie durch den Monolog. – RL.   K

Aristonym, n. [gr. aristeus = Fürst + onoma = Name], Form des ↗Pseudonyms: ein Adelsname wird als Deckname verwendet, z. B. Wolfgang von Willenhag für Johann Beer (1655–1700).   S

Aristophaneus, m. [gr.-lat.], zwei nach dem griech. Komödiendichter Aristophanes benannte Verse:
1. ein aus ↗Choriambus + ↗Bacchius bestehender, wahrscheinl. ↗äol. Vers, den auch Horaz verwendet:

–◡◡–◡–◡

2. ein Dialogvers, griech. ein anapäst. ↗katalekt. ↗Tetrameter = lat. ein anapäst. ↗Septenar:

◡◡–◡◡–◡◡–◡◡–◡◡–◡◡–◡◡–◡ ''' Dt. Nachahmung z. B. bei Platen (»Die verhängnisvolle Gabel«; »Der romantische Ödipus«).   UM*

Aristotelische Dramatik s. ↗ep. Theater

Arkadische Poesie, Bez. für die Hirten- und ↗Schäferdichtung: geht auf »Arcadia« zurück, eine auf dem Peloponnes liegende Gebirgslandschaft, die als Land der Hirten und Jäger und als Heimat des Hirtengottes Pan gilt. Seit Vergils »Bucolica« wird Arkadien meist als Schauplatz der Hirtenpoesie gewählt (bei dem Griechen Theokrit, 2. Jh. v. Chr., u. a. war es Sizilien). Arkadien wird dabei zum utopischen, Mythos und Wirklichkeit verbindenden Wunschbild eines Landes der Liebe, der Freundschaft, des idyll. Friedens (↗locus amoenus) und des goldenen Zeitalters. V. a. in den Schäferromanen der Renaissance findet sich der Name der Landschaft programmatisch bereits im Titel, vgl. z. B. bei J. Sannazaro (1504), Ph. Sidney (1590), Lope de Vega (1598) u. a. – Toposhafte a. P. ist auch die Rokokodichtung (↗Anakreontik).
📖 Snell, B.: Arkadien. Die Entdeckung einer geist. Landschaft. In: B. S.: Die Entdeckung des Geistes, Hdbg. ³1955, S. 371–400. – Petriconi, H.: Das neue Arkadien. In: Antike u. Abendland 3 (1948) 187–200.   RSM*

Arlecchino, m. [arlɛ'ki:no, it. von frz. harlequin = Teufel, geht auf afrz. mesnie Hellequin = Hexenjagd, lustige Teufelschar, zurück], eine der vier kom. Grundtypen der ↗Commedia dell'arte, ursprüngl. nur als *zweiter Zane* (↗Zani) bez.; naiv-schelmischer, gefräß., aber auch gerissener Diener, durch seine *lazzi* (Späße, Akrobatenstücke usw.) stets der Liebling des Publikums; er spricht bergamask. Dialekt und trägt ein graues, mit farb. Flecken besetztes Wams (später ganz aus bunten Romben zusammengesetzt) und eine schwarze Halbmaske, hinter der im geschorener Kopf steckt. – In Frankreich nannte man ihn, seit er durch italien. Theatertruppen dort populär wurde (2. Hä. 16. Jh.) nach einer kom. Teufelsmaske ›Harlequin‹; dieser Name wurde in der Form ›A.‹ vom 18. Jh. ab auch für Italien verbindl.   PH*

Armenbibel, dt. Bez. für ↗Biblia pauperum.

Ars dictandi, a. dictaminis, f. [lat. = Kunst des Schreibens], im lat. MA. 1. die Kunst, Briefe und Urkunden abzufassen, im 12. Jh. von Adalbertus Samaritanus als Wissenschaftszweig (Epistolographie) in Bologna etabliert, 2. Bez. (auch Titel) der die ↗Formelbücher ablösenden Lehrbücher (theoret. und prakt. Briefstil-Lehren, ↗Briefsteller) zur Erlernung eines mustergült. Briefstils; die erste A. stammt von Alberich von Monte Cassino (»Breviarium de dictamine«, 1105), weitere von Thomas von Capua (»Summa dictaminis«, 1230), Peter von Vinea (»Dictamina«, 1248) u. v. a.   IS

Arsis, f. [gr. = Hebung], Begriff der Verslehre, s. ↗Hebung.

Ars moriendi, f. [lat. = Kunst des Sterbens], auch: Sterbebüchlein, Anfang 15. Jh.s unter dem Eindruck der Pest aufkommende Literaturgattung, die im Ggs. zur ›Memento-mori‹-Literatur und zum ↗Totentanz nicht für ein ›heilsames Leben‹ wirbt, sondern das rechte Sterben lehrt. Zunächst als pastoral-katechet. Handreichung für den Klerus konzipiert, dann (volkssprachig) mit stärker asket. Zügen auch für Laien. Vorläufer finden sich schon im 12. Jh., z. B. Anselms von Canterbury mehrfach ins Deutsche übersetzte »Admonitio moriendi« oder das 21. Kap. aus Heinrich Seuses »Büchlein der ewigen Weisheit« (Anf. 14. Jh.), das als Sterbebüchlein gesondert verbreitet war. Die in vier Teile (*exhortationes, interrogationes, orationes, observationes* [= Ratschläge für den Sterbehelfer]) gegliederte A.m. (1408) des franz. Mystikers Johannes Gerson übte dann durch mehrere Übersetzungen bes. als volkssprachl. Laienunterweisung, einen bed. Einfluß aus (vgl. Thomas Peutner, »Kunst vom heilsamen Sterben«, 1434, Nikolaus von Dinkelsbühl, Geiler von Kaisersberg, Martin Luther). Manche Handschriften sind mit Bildfolgen (Kampf der himml. u. höll. Mächte um die Seele, vgl. die sog. Bilder-Ars von 1450/60) ausgeschmückt. Später wurde die A.m. in Erbauungsbücher integriert.
📖 Rudolf, R.: A.m. Von d. Kunst des heilsamen Lebens und Sterbens. Köln, Graz 1957.   HSt*

Arte mayor, f. [span., eigentl. verso de a.m. = Vers der höheren Kunst], Bez. für einen vielgestaltigen, in seiner Deutung umstrittenen span. Vers, ursprüngl. (im 14. Jh.) ein nicht-silbenzählender Langvers (8–16 Silben), der mehr und mehr zu einem regelmäß. 12-Silbler mit vier Akzenten entwickelt wurde. Blütezeit im 15. Jh. durch das allegor. Epos »Laberinto« (1444) von Juan de Mena, das aus 297 sog. Coplas de a.m. (auch: Octavas de Juan de Mena), Strophen aus 8 versos de a.m., meist mit dem Reimschema abba acca oder abab bccb, besteht.
📖 Saavedra Molina, J.: El verso de a.m. Santiago de Chile 1946.   DJ*

Arte menor, f. [span., eigentl. verso de a.m. = Vers der geringeren Kunst, auch: verso de arte real], sehr alter (seit dem 11. Jh. belegter) achtsilb., zäsurloser, sehr volkstüml. Vers der span. Dichtung; meist nicht gebunden, rhythm. sehr variabel; wird stroph. in der 8zeil. Copla de a.m. verwendet, mit vielen Reimschemata, am häufigsten ist abbaacca, so in den ↗Cancioneiros des 15. Jh.s. Vgl. auch verso de ↗arte mayor.   DJ

Artes, f. Pl. [lat. = Fertigkeiten, Künste], mal. Bez. für die profanen Wissenschaften. Sie waren in Systeme, sog. A. reihen zusammengefaßt. Am bedeutendsten waren die A. liberales (die freien Künste): in der röm. Antike wurden so die Wissenschaften bez., die von freien (*liber*) Bürgern gepflegt wurden, und die nicht dem Broterwerb dienten. Vorbild war die Vorstellung der griech. enzyklopäd. Bildung, wie sie etwa von Isokrates als Propädeutik zur Philosophie vorausgesetzt wurde. In der Spätantike bildete sich ein fester Kanon von *sieben* Fächern heraus, nachdem zunächst ihre Zahl zwischen vier und elf Disziplinen geschwankt hatte: Varro (116–27 v. Chr.) zählt in seinen »Disciplinae« insgesamt neun Fächer auf. Einer der ältesten Belege für die Siebenerzahl der A. liberales findet sich bei Seneca d. J. (4–65 n. Chr.). Vor allem durch die philosoph. Allegorie des Martianus Capella »De nuptiis Mercurii et Philologiae« (5. Jh.) wurde dann das Siebensystem (*septem a. liberales*) für das ganze MA. verbindl. Der Kanon der sieben A. liberales wurde in zwei Gruppen systematisiert: die einführenden grammat.-literar. Fächer *Grammatik, Rhetorik, Dialektik* wurden im *Trivium* (Dreiweg) zusammengefaßt, die höheren mathemat. Disziplinen *Geometrie, Arithmetik, Astronomie, Musik* entsprechend im *Quadrivium* (Vierweg, erster Beleg bei Boëthius, 5. Jh.). – Die A. liberales wurden im MA. in der Artistenfakultät gelehrt; sie bildeten die Propädeutik für die höheren Fakultäten (Theologie, Recht,

Medizin). Erst im Humanismus erhielt die Artistenfakultät als philosoph. Fakultät den gleichen Rang wie jene. Der Schwerpunkt lag in den mal. Artistenfakultäten auf dem Trivium; oft nahm die Rhetorik eine zentrale Stelle ein. Analog den A. liberales wurde auch das der prakt. Berufsausbildung dienende Wissen in den sieben *A. mechanicae* (dt. ›Eigenkünste‹): *Handwerk, Kriegskunst, Seefahrt, Landbau, Jagd, Heilkunde, Hofkünste* zusammengefaßt, aber erst im 12., 13.Jh. den A. liberales wissenschaftstheoret. gleichgestellt. Schließlich wurden auch die von Kirche und weltl. Behörden ›verbotenen Künste‹ *Magie, Mantik, Gaunerwesen, Betrugskunst* als *A. magicae* oder *incertae* systematisiert. Zur Erläuterung der drei A.reihen entstand eine umfangreiche Fach-, Gebrauchs- und Zweckliteratur, die sog. *A.literatur,* aus antiken Quellen teils direkt, teils über arab. Zwischenstufen vermittelt, erst spät an der erlebten Wirklichkeit orientiert. Zunächst in Latein, der mal. Gelehrtensprache, schon von 9.Jh. an auch dt. (Basler Rezepte, um 800, dt. Übersetzung des Martianus Capella durch Notker Teutonicus um 1000), größtenteils in Prosa *(Fachprosa),* zuvörderst im Bereich der A. mechanicae. Die Erforschung der A.literatur hat erst begonnen. Da es sich trotz einzelner Ansätze zu geformter Sprache um Texte ohne primär literar. Interesse handelt, wird als Wertungskriterium der Grad der Wirkung vorgeschlagen (Eis). ⟐ Wagner, D. L. (Hg.): The seven liberal arts in the MA. New York 1983. – Fachprosa-Studien. Beitr. zur mal. Wissenschafts- u. Geistesgesch. Hg. v. G. Keil u.a. Bln. 1982. – Fachprosaforschung. 8 Vorträge zur mal. A.–Lit. Hg. v. G. Keil u. P. Assion. Bln. 1974. – Eis, G.: Forschungen z. Fachprosa. Bern u. Mchn. 1971. – Eis, G.: Mal. Fachlit. Stuttg. ²1967 (Slg. Metzler 14.) – A. liberales. Von der antiken Bildung zur Wiss. des MA.s. Hg. v. J. Koch, Leiden ²1976. – Thorndyke, L.: A history of magic and experimental science. 8 Bde., New York, London 1923–1958, Repr. 1964–1966. – RL. HSt*

Articulus, m. [lat. = Glied],
1. lat. Bez. f. griech. ⟋Komma;
2. rhetor. Figur, lat. Bez. f. griech. ⟋Asyndeton.

Artikel, m. [lat. articulus = Gelenk, Glied],
1. themat. und formal geschlossener Beitrag zu einer Zeitung, Zeitschrift, einem Lexikon oder sonst. Sammelwerk (Zeitungs-A., Leit-A., Lexikon-A., Gesetzes-A. usw.);
2. grammat. Bez. ursprüngl. für Demonstrativpronomen, seit dem Ahd. für das dem Substantiv beigefügte sog. ›Geschlechtswort‹, das Genus (das gramat. ›Geschlecht‹), Numerus und Kasus anzeigt: bestimmter A. *der, die, das,* unbestimmter A. *ein, eine.* S

Artikulation, Koartikulation, f., aus der Phonetik übernommene Bez. für lautverschmelzende, bzw. einzelne Laute herausstellende literar. Texte (⟋akust. Dichtung), entwickelt Ende der 50er Jahre von F. Mon und Cf. Claus im Anschluß an R. Hausmann und die Lettristen (⟋Lettrismus). Ausgangspunkt ist die Auffassung, daß »unmittelbar an der artikulationsschwelle, wahrnehmbar im genauen, kauenden bewegen der sprechorgane« bereits «die schicht von ›kernworten‹ . . . diesseits der bildhaftigkeit« . . . liege. Der als A. bez. Text kehre das »sprechen zur poesie um«, will »des selbstverständlichsten, das unter den kompliziertesten und aufreibenden arbeiten der sprache vergessen wurde, habhaft werden« (Mon). ⟐ Mon, F.: A.en. Pfullingen 1959. D*

Art nouveau, m. [arnu'vo:; frz. = neue Kunst], internat. Bez. für ⟋Jugendstil, nach dem 1895 in Paris von S. Bing eröffneten Galerie »Maison de l'a. n.«, in der einer ihrer bedeutendsten Vertreter, der Maler und Architekt H. van de Velde, ausstellte. PH*

Artusdichtung, erzählende Dichtungen des hohen und späten MA.s, deren Helden dem Kreis um König Artus angehören *(matière de Bretagne).* Übertrifft die älteren Zweige der mal. Erzähltradition (nationale ⟋Heldendich-tung und Neuformung antiker Stoffe) an Umfang und Wirkung. Ihre Beliebtheit beruht auf heroisch-sentimentaler Stilisierung des Rittertums, das in der Schöpfung des Artushofes den idealen Ausdruck seines so nirgends realisierten Lebensgefühls und seines Führungsanspruches fand, und auf der durch ihre besondere Struktur bedingten Offenheit für stoffl. Erweiterung und phantast. Erfindung. Die geschichtl. Herkunft des Königs Artus/Arthur ist dunkel. Die »Historia Britonum« des Nennius (um 800) erwähnt ihn als britann. Heerführer (dux bellorum) im Sachsenkrieg (um 500). Zur glanzvollen Heldenfigur wird er bei Geoffrey von Monmouth; dessen »Historia regum Britanniae« (1130/35) enthält die Grundzüge der später kanon. Artusvita. In die frz. Dichtung tritt er durch die Eleonore von Poitou gewidmeten »Roman de Brut« in Reimversen des Anglonormannen Wace (um 1155), in die engl. durch die »Historia Britonum (Brut)« in mittelengl. Stabreimversen des Laȝamon (um 1200). Wace stilisiert Artus zum feudalhöf. Kriegsherrn und berichtet als erster von der Tafelrunde auserwählter und vorbildlicher Ritter. Woher die Gestalten und die Einzelzüge der Artussage und der ihr zugewachsenen Episoden *(contes)* stammen, ist ungeklärt. Myth. und sagenhafte Traditionen, besonders kelt. Ursprungs, wirken mit literar. Überlieferungen zusammen. Den ersten, für die weitere *Geschichte der A.* entscheidenden Höhepunkt bilden die u.a. am Hofe der Marie de Champagne aus dem Geiste der ritterl.-höf. Kultur Nordfrankreichs konzipierten Versromane Chrestiens de Troyes (ca. 1140–90): »Erec«, »Cligès«, »Yvain«, »Lancelot«, »Perceval«. In diesen und den immer abhängigen ⟋höf. Romanen der mhd. Blütezeit ist Artus mehr Orientierungszentrum als selbst handelnder Held. Sein Hof ist Ausgangspunkt und Ziel der ⟋*Âventiuren* der jeweiligen Romanfiguren; an seinem Minne- und Tugendkodex wird ihre Bewährung gemessen. Das erlaubt die Integration ursprüngl. selbstständ. Stoffe (Tristan) und die Verbindung der A. mit der myst.-relig. ›Geschichte vom heiligen Gral‹ in Chrestiens »Perceval«. Erst in den großen frz. Prosa-Kompilationen, die die verschiedenen Zweige der A. und die Gralsthematik unter betont metaphys. Aspekt zu einem homogenen Gesamtbild zu vereinen suchen (Lancelot-Gral-Zyklus, um 1225, und »Roman du Graal«, um 1240), rückt das Schicksal des Königs selbst wieder stärker in den Mittelpunkt. Artus ist hier jedoch nicht mehr Idealbild, sondern trag., durch eigene Schuld und fremde Verstrickung zum Untergang bestimmte Figur einer sich auflösenden Ritterwelt (»Mort Artu«). Zykl. Darstellungen finden sich bes. in England (Thomas Malory) und Italien (»Tavola rotonda«); *in Deutschland* bleibt trotz früher Übertragung des ersten Zyklus (Prosa-Lanzelot, vor 1250) die Tradition des höf. Versromans stärker. Schon neben Hartmann von Aue, Wolfram von Eschenbach und Gottfried von Straßburg und v. a. nach ihnen bilden sich eine Fülle von Artusromanen immer phantastischerer Erfindung (sog. niedere A., Epigonendichtung). Sie reicht in der Form der Prosaauflösung bis in die ⟋Volksbücher und an die Anfänge des frühnhd. Prosa-⟋Romans heran. *In der Neuzeit* blieb der A. trotz zahlreicher Wiederbelebungsversuche (A. Tennyson, William Morris, A. Ch. Swinburne, J. C. Powys; Fouqué, E. Stucken; J. Cocteau; E. A. Robinson) eine weiterreichende Wirkung zumindest im dt. Sprachbereich versagt; Ausnahmen sind der Parzival- und Tristanstoff durch die Musikdramen R. Wagners. Erst seit den 70er Jahren ist im Rahmen einer international zu beobachtenden Nostalgiewelle (evtl. auch der Friedensbewegung) ein (in den USA ausgehendes) neues Interesse am Artusstoff bemerkenswert, das vielleicht durch die mit diesem verbundene Zukunftsvision der wiederkehrenden Friedensfürsten Artus erklärt werden kann, vgl. die Romane von T. H. White (schon 1958), Mary Stewart (4 Bestseller 1970–79), W. Percy, R. Monaco. M. Bradley, Th. Berger u.a., die

Artus-/Comics (u. a. »Prinz Eisenherz«, 1974), -Musicals (»Camelot« v. Lerner u. Loewe, 1960/61), - Filme (u. a. R. Bresson, »Lancelot«, 1974; E. Rohmer, »Perceval le Gallois«, 1978; J. Boorman, »Excalibur«, 1981) u. -Dramen (F. Delay/J. Roubaud, »Graal Théâtre« 1977/81, T. Dorst, »Merlin«, 1981, Ch. Hein, »Die Ritter d. Tafelrunde« 1989).
Bibliographie: Bulletin bibliographique de la Société Internationale Arthurienne 1 ff. Paris 1949 ff., ab 1969 London. The Arthurian Bibliography. 2 Bde. Hg. v. C. E. Pickford u. a., Cambridge 1981/83. – Reiss, E. u. L.: Arthurian Encyclopedia. New York 1984.
□ Gottmann, C. L.: A. Stuttg. 1989 (SM 249). – Dies.: Dt. A. Frankf. 1986. – Müller, U.: Our man in Camelot. In: Forum I. 1986. – Lacy, N. J. (Hg.): The Arthurian Encyclopedia. New York 1985. – Mertens, V.: Artus. In: V. M. u. a. (Hg.): Ep. Stoffe d. MA.s. Stuttg. 1984. – Wolfzettel, F. (Hg.): Artusrittertum im späten MA. Gießen 1984. – Schultz, J. A.: The Shape of the Round Table. Toronto 1983. – Müller, U.: Lanzelot am Broadway u. in New Orleans. In: De Poeticis Medii Aevi Quaestiones. Hg. v. J. Kühnel u. a. Göpp. 1981. – Schmolke-Hasselmann, B.: Der arthur. Versroman v. Chrestien bis Froissart. Tüb. 1980. – Brogsitter, K. O.: Artusepik. Stuttg. ²1971 (SM 38). – Köhler, E.: Ideal u. Wirklichkeit in d. höf. Epik. Tüb. ²1970. – Wais, K. (Hg.): Der arthur. Roman. Darmst. 1970. – Loomis, R. S. (Hg.): Arthurian Lit. in the Middle Ages. Oxf. 1959 u. ö. – RL.   HSt*

Arzamas, auch Arsamás, m., russ. progressiver, provokativ nach der russ. Provinzstadt A. benannter Dichterkreis (1815–1818/20), der die Bindung der Literatur und Sprache an die sog. ›Archaisten‹ (Hauptvertreter A. S. Schischkow) an altruss., kirchenslaw. Traditionen ablehnte und satir.-humorist. parodierte. Der A. führte dagegen die von N. M. Karamsin eingeleitete neue literar. Bewegung fort, die eine *Orientierung der Literatur an westl. Kulturströmungen* (/Empfindsamkeit, /Anakreontik) und eine Erneuerung der Literatursprache nach franz. Muster forderte. Der A. steht so als *präromant. Bewegung* am Beginn der russ. Romantik, des sog. goldenen Zeitalters der russ. Literatur (vgl. russ. /Pleiade). Bedeutendste Vertreter waren W. A. Schukowski, K. N. Batjuschkow, P. A. Wjasemski, A. Puschkin.   IS

Ascensus, m. [lat. = Aufstieg], lat. Bez. für gr. /Klimax.

Ascetonym, n. [gr. askētēs = Büßer, onoma = Name], auch Hagionym oder Hieronym (hagios, hieros = heilig), Form des /Pseudonyms: Heiligenname als Deckname, z. B. San Marte für Albert Schulz (1802–1893; Literarhistoriker).   S

Aschug, m., Pl. Aschughen [tatar. = Liebhaber, Verliebter], kaukas. wandernder Volkssänger (Bez. seit dem 16. Jh.), der ep. Erzählgut (Heldenlieder), lyr. und didakt. Gedichte zu Instrumentalbegleitung vortrug, z. T. selbst verfaßte. Blüte im 17. u. 18. Jh. (zahlreiche A.ghenschulen, auch Gründung einer Volkstheaters), weite Verbreitung bis Armenien, Persien usw. Berühmt waren der Georgier Sajath Nova (1717–95) und seine Schule in Tiflis.   S

Asianismus, m. [zu gr. zelos Asianos, lat. dictio Asiatica = Asian. Stil], Bez. für einen spätantiken Redestil (im Ggs. zum klass. griech. Stil: /Attizismus). Der Begriff taucht im 1.Jh. v. Chr. in Rom auf (erste Belege bei Cicero) als Schlagwort der ›Attizisten‹ für eine Stilhaltung, die den Römern zuerst bei Rednern ihrer Studienprovinz Asia und deren älteren Vorbildern (altoriental. Traditionen, Gorgias, Heraklit) begegnet war. A. ist jedoch nicht der Stil Kleinasiens schlechthin (Dionysios von Halikarnass z. B. war radikaler Attizist); er war für die Verehrer der griech. Klassiker gleichbedeutend mit schlechtem Stil (z. B. Quintilian 8, 3, 57: A. = corrupta oratio). – Man unterscheidet zwei Phasen des A.: die erste mit Blüte im 3. Jh. v. Chr. (Hegesias v. Magnesia am Sipylos; galt als Urheber des A.), die zweite

im 1.Jh. v. Chr. (Grabinschrift für Antiochos von Kommagene). Die Asianer (Asiani, Asiatici) erkannten zwar wie die Attizisten die Klassiker (bes. Demosthenes) als Meister der Rede an, jedoch nicht als Norm. Bewußter Verzicht auf philosoph. Gedankentiefe, Aufnahme von Neuprägungen und Elementen der Gegenwartsprache, v. a. aber Freiheit des Autors in der Wahl seiner Manier trennten sie von den z. T. bis zum Purismus archaisierenden Attizisten. Der A. war in zwei Erscheinungsformen ausgeprägt, die sich auch vermischten: einerseits geistreiche Eleganz, weiche Rhythmen, durchgängige Rhythmisierung, damit zusammenhängend Aufgliederung der Rede in kurze Sätze, andererseits prunkvolle Rhetorik und grandioses Pathos. – Der Hauptteil der Zeugnisse des A. ist nur fragmentar. in attizist. Schriften als negative Stilmuster überliefert. Trotz höherer Bewertung des Attizismus in der röm. Lit.-Kritik (z. B. später Cicero, Quintilian) gibt es vollendete Ausformungen des A. auch bei röm. Schriftstellern (Seneca, Tacitus). – Die Begriffe A.-Attizismus sind wissenschaftsgeschichtl. bedeutsam wegen ihrer Einbeziehung in die Forschungsdiskussion um /Barock und /Manierismus. Schon U. v. Wilamowitz bezeichnete gegenüber E. Norden (der den A. als Dekadenzerscheinung ansah) beide Phasen des A. als notwendige Folge auf eine Klassik, entzog sie als ›Barockstile‹ negativer Bewertung durch klass. Stilkriterien und verstand die attizist. Beurteilungen des A. als Äußerungen einer klassizist. Geisteshaltung. E. R. Curtius führte die Begriffe dann in die vergleichende Literaturwissenschaft ein (offenbar ohne direkten Bezug auf Wilamowitz): A. als »erste Form des europäischen Manierismus«, Attizismus als erste Form des »europäischen Klassizismus« (von seinem Schüler Hocke auf die Formel gebracht: attizistisch = klassisch, asianisch = manieristisch). /Geblümter Stil.
□ Roetzer, H. G.: Traditionalität u. Modernität in der europ. Lit. Darmst. 1979. – Curtius, E. R.: Europ. Lit. und lat. MA. Bern u. Mchn. ⁸1973. – Hocke, G. R.: Manierismus in der Lit. Reinbek bei Hbg. 36.–40. Tsd. 1967. – Norden, E.: Die antike Kunstprosa. 2 Bde. Lpz. ³1915–18; Nachdr. Darmst. 1961. – Wilamowitz-Möllendorff, U. von: A. und Attizismus. In: Hermes 35 (1900) 1 ff.   HFR*

Asklepiadeische Strophen, s. /Odenmaße.

Asklepiadéus, m. [gr.-lat.], zwei nach dem griech. Dichter Asklepiades (3. Jh. v. Chr.) benannte /äol. Versmaße, die durch einfache bzw. doppelte Wiederholung des /Choriambus in der Versmitte des /Glykoneus entstehen; seit Horaz haben sie geregelte /Zäsur(en) und Basis (Verseingang):

$$\overline{\smile\smile}\,|\!-\!\smile\smile\!-\!|\!-\!\smile\smile\!-\!|\,\smile\overset{\smile}{-} = \text{Askl. minor;}$$

$$\overline{\smile\smile}\,|\!-\!\smile\smile\!-\!|\!-\!\smile\smile\!-\!|\!-\!\smile\smile\!-\!|\,\smile\overset{\smile}{-} = \text{Askl. maior. A.en erschei-}$$
nen /stichisch (Catull, Horaz, Seneca), meist aber in Strophen (vgl. askl. Str., /Odenmaße).   UM

Assonanz, f. [frz. assonance = Anklang, aus lat. assonare = übereinstimmen], Gleichklang zwischen zwei oder mehreren Wörtern, auf die der Vokale beschränkt, meist am Versende. Unterschieden werden 1. A. als unvollkommener /Reim (/unreiner Reim, Halbreim), häufig in frühen Stilperioden (ahd., frühmhd., altspan., altfrz. usw. Dichtung), 2. A. als eigenständ. Formprinzip neben dem Reim, bes. in vokalreichen Sprachen ausgebildet; v. a. in span. Dichtung stehen Reim und A. bis heute gleichberechtigt nebeneinander. A. ist kennzeichnend für bestimmte Dichtungsgattungen (Romanzen, Laissen). Im Gefolge der Nachbildung span. Romanzen auch in die dt. Dichtung übernommen, vgl. z. B. Brentano, »Romanzen vom Rosenkranz« (*Büschen : entschlafen : verblühen : Atem,* »Rosablankens Traum«), Eichendorff, Rückert, Platen, Heine (»Donna Clara«), George (»Jahr der Seele«, »Teppich des Lebens«, »Der siebente Ring«).   S

Asterisk, Asteriskus, m. [gr. = Sternchen], sternchenförmiges Zeichen in einem Text, 1. als Verweis auf eine /Fußnote (sofern diese nicht numeriert sind), 2. zur Kennzeich-

nung textkrit. Besonderheiten (einer ⁄Konjektur oder ⁄Crux); 3. als Verweiszeichen bei Vertauschungen, Wiederholungen, Einschüben (2 und 3 schon bei den griech. Grammatikern und frühen Kirchenvätern oder in mhd. Handschriften, z. B. Vorauer Hs., Manessische Lieder-Hs.); 4. in der Sprachwissenschaft zur Bez. erschlossener Wortformen (z. B. nhd. fahl, ahd. falo aus germ. *falwo-); 5. anstelle eines Verfassernamens (Asteronym), Personennamens (z. B. Schiller, »Der Geisterseher. Aus den Memoiren des Grafen von O**«) oder eines Tabuwortes (des Teufels usw.); 6. statt nicht ›literaturfähiger‹, »unaussprechl.« Wörter (Goethe, »Götz« III, 17, hier häufig auch andere Zeichen, z. B. Punkte); als Entschlüsselungshilfe wird bisweilen für jeden unterdrückten Buchstaben ein A. gesetzt (vgl. Wieland, »Geschichte der Abderiten«, I, 5: »... in einem Augenblick sah man den Saal, wo sich die Gesellschaft befand, u**** W*****/ g******« (= unter Wasser gesetzt [durch unmäß. Lachen]). HFR*
Asteronym, n. ⁄Pseudonym
Asynaphie, f. [gr. = Unverbundenheit], herrscht in Versfolgen, bei denen die Form der Versschlüsse (Kadenzen) und der Verseingänge der einzelnen Verse keinen durchlaufenden Versfluß (⁄Synaphie) erlaubt. S
Asynarteten, n. Pl., auch Asynarteta, Sgl. Asynarteton [gr. = nicht zusammenhängend], s. ⁄archiloch. Verse.
Asyndeton, n. [gr. Unverbundenheit, lat. articulus = Glied, Abschnitt], ⁄rhetor. Figur: Reihung gleichgeordneter Wörter, Wortgruppen oder Sätze *ohne* verbindende Konjunktionen (asyndetisch). Dient, wo es nicht einfach Ausdruck einer unkomplizierten Sprechweise ist, pathet. Stilerhöhung, z. B. als ⁄Klimax: »es muß auf unser Fragen ein Vieh, ein Baum, ein Bild, ein Marmor Antwort sagen« (Gryphius, Cardenio und Celinde 2, 218) oder als ⁄Antithese: »der Wahn ist kurz, die Reu ist lang« (Schiller, Lied von der Glocke); häufig sind asyndet.-syndetisch gemischte Fügungen: » ... Vieh, Menschen, Städt *und* Felder« (P. Gerhardt). Gegensatz: ⁄Polysyndeton. HSt
Atektonisch, Bez. für Kunstwerke, die keinen strengen Aufbau (Akte im Drama, Strophenformen etc.) zeigen; ⁄offene Form. Gegensatz: tektonische, ⁄geschlossene Form.
Atellane, f. [lat., eigentl.: fabula Atellana], altital., ursprüngl. unterliterar. improvisierte Volksposse. Name vom Ursprungsort, der osk. Stadt Atella in Kampanien abgeleitet. Neben derb-drast. Szenen aus dem ländl. oder kleinstädt. Alltagsleben lassen sich auch Mythentravestien erschließen (vgl. ähnl. die ⁄Phlyaken der dor. Kolonien Unteritaliens). Konstituierend waren vier feststehende Typen *(Oscae personae)* in bizarren Masken: der Narr *Maccus,* der Vielfraß *Bucco,* der geizige Alte *Pappus,* der Scharlatan *Dossennus.* Die Darsteller waren freie Bürger (nicht Berufsschauspieler wie im ⁄Mimus). – Nach Plautus (Asin. II) wurde die A. schon früh latinisiert und in Rom beliebt; seit Ende des 3. Jh.s v. Chr. z. B. als ⁄Nachspiel (⁄Exodium) der Tragödien (Cicero, Epist. 9.16.7). – Die *literar.* Ausprägung zu einem Zweig der röm. Komödie erfolgte durch Lucius P. Pomponius und Novius (1. Jh. v. Chr.); von beiden sind insges. etwa 114 Titel und rund 300 Verse (in jamb. Septenaren) erhalten. Nach dem 1. Jh. v. Chr. fällt die A. allmähl. mit dem ähnl. strukturierten Mimus zusammen. – Die A. beeinflußte die plautin. Komödie; ihre Elemente sind bis in die Commedia dell'arte zu verfolgen.
📖 Frassinetti, P.: Atellanae fabulae. Rom 1967. IS
Athetese, f. [gr. athetesis = Tilgung], Bez. der ⁄Textkritik für die Tilgung einzelner Wörter, Sätze, Abschnitte aus einem vom Verfasser beglaubigten (meist nur handschriftl. überlieferten) Text als spätere Zusätze (⁄Interpolationen); auch ganze Gedichte oder epische Werke können einem Autor abgesprochen, athetiert (für unecht erklärt) werden. S
Attizismus, m. [zu gr. Attikos zelos, lat. dictio Attica =

attischer Stil], konservative literar. Strömung in der röm. Antike bes. seit der 2. H. des 1. Jh.s v. Chr. Die Vertreter des A. erhoben als Gegenbewegung zum ⁄Asianismus die Nachahmung der klaren, bündigen Stils der griech. (attischen) Klassiker wie Thukydides, Demosthenes zum Programm (mimesis, Naturnachahmung, Imitation statt phantasiai, stilist. Eigenständigkeit, Manier). Hauptvertreter der Attizisten (Attici) waren u. a. Dionysios v. Halikarnass, der späte Cicero (bei ihm erste Belege des Begriffs), Quintilian, Herodes Atticus, Aelius Aristeides. Im 2. Jh. n. Chr. entstanden eine Reihe von Lexika (von Aelius Dionysius, Phrynichos, Pollux u. a.), welche im attizist. Sinne stilbildend sein sollten. ⁄Asianismus.
📖 H. Heck: Zur Entstehung des rhetor. A., Diss. Mchn. 1917; – ⁄auch Asianismus. – W. Schmidt: Der A. in seinen Hauptvertretern, 4 Bde. u. Reg.-Bd. Stuttg. 1887–97. HFR*
Aubade, f. [frz. o'bad], Morgenständchen, von afrz. aube = Morgendämmerung, ⁄Alba
Audition colorée, f. [odisjōkɔlɔ're; frz. = farbiges Hören, Farbenhören], Form der ⁄Synästhesie (Doppelempfindung), bei der sich ein Klangeindruck mit einer Farbvorstellung verbindet. Erwähnungen solcher Ton-Farbe-Wahrnehmungen sind schon in der Antike bezeugt. Erste wissenschaftl. Untersuchungen stammen von den Musiktheoretikern und Mathematikern A. Kircher (»Musurgia Universalis«, 1650) und L. B. Castel, dem Erfinder des sog. Farbenklaviers, der sich experimentell mit einer Musik der Farben beschäftigte (»Clavecin pour les yeux«, 1725, »Optique des couleurs«, 1740). – In der Dichtung werden Erlebnisformen der a. c. zum Ausdruck für Entgrenzung, Unendlichkeitsgefühl, Allverbundenheit eingesetzt, bes. in der Romantik und im ⁄Symbolismus. Spezieller wird unter a. c. eine wahrnehmungsintertierte Zuordnung von Farbwerten zu Vokalen, überhaupt zu Sprachlauten, verstanden; bekanntestes Zeugnis ist A. Rimbauds Sonett »Voyelles«: »A noir, E blanc, I rouge, U vert, O bleu ...« Theoret. setzten sich mit diesen Phänomenen auseinander: A. W. Schlegel, R. Ghil (»Traité du verbe«, 1886) und E. Jünger (»Lob der Vokale«, 1934).
📖 Mahling, F.: Zur Gesch. des Problems wechselseit. Beziehungen zw. Ton u. Farbe. Diss. Bln. 1923; ⁄Synästhesie. DJ*
Aufbau, dt. Bez. für die ⁄Komposition, ⁄Struktur (auch Gliederung) eines literar. Werkes.
📖 Kayser, W.: Das sprachl. Kunstwerk. Bern [16]1973.
Aufgesang, erster Teil der mal. ⁄Stollen- oder Kanzonenstrophe (⁄Minnesang, ⁄Meistersang): besteht aus zwei metr. und musikal. gleichgebauten ⁄Stollen: Grundform ab ab: diese kann nach Verszahl, Vers- und Reimgestaltung vielfach variiert werden, z. B. Wiederholung des Grundschemas (doppelter A.-kursus, etwa bei Johansdorf, MF 87, 29). ⁄Abgesang. Bez. aus der Meistersingerterminologie. S
Aufklärung, Epochenbez. für die gemeineurop., alle Lebensbereiche beeinflussende geist. (u. vorübergehend auch gesellschaftskrit.) Bewegung des (17. u.) 18. Jh.s, die den Säkularisierungsprozeß der modernen Welt einleitete. Sie basiert auf dem alle geistigen Lebensbereiche beeinflussenden optimist. Glauben an die Macht der menschl. Vernunft, die fähig sei, durch log. Schlüsse (rational) und bestätigt durch die Erfahrung der Sinne (empirisch) in fortschreitender Entwicklung alle Erscheinungen zu durchdringen und gemäß den jeweils erkannten Bedingtheiten durch vernünftig-richtiges Handeln alle Probleme und Schwierigkeiten sowohl gesellschaftlicher, wirtschaftl., naturwissenschaftl. als auch geistiger, bes. auch religiöser Art zu beseitigen. Die *Bez.* ›A.‹ entstammt der Pädagogik (geprägt am Ende des 18. Jh.s) und umriß zunächst deren damals neu formulierte Aufgabe, durch Erhellung und Erweiterung der menschl. Vernunft die Entwicklung der Menschheit voranzutreiben. Dieser spezielle, der metaphys. Lichtmetaphorik

entlehnte Begriff wurde dann für die ganze Bewegung gesetzt. Den entscheidenden Durchbruch zur Entwicklung der A.sbewegung bildete einerseits der Autoritäts- und Machtverlust der (konfessionell gespaltenen) Kirche. Andererseits die Entwicklung der sog. *Naturrechtslehre* (J. Althusius, H. Grotius, S. v. Pufendorf) mit den Ideen einer Volkssouveränität, einer Selbstverantwortung des Menschen und ihrem Widerspruch gegen herrschaftl. organisierte Staatsgewalt. Hinzu kam ein seit Anfang des 17. Jh.s einsetzender *Umbruch in den Naturwissenschaften* (Astronomie, Physik; Newton), der zur Begründung und zum Aufbau des die A. grundlegend mitbestimmenden mechanist.-mathemat. Weltbildes führte. Konstitutiv wurde aber v. a. die Grundüberzeugung von der *Autonomie* (der absoluten Selbständigkeit, Eigengesetzlichkeit und Eigenverantwortung) *der Vernunft.* Sie wurde Motor für die Emanzipationsbestrebungen des Bürgertums, das im 18. Jh. seinen endgültigen Durchbruch zur kulturtragenden Schicht erkämpfte. Ausgangspunkt des Autonomiestrebens war die Kritik an überkommenen Autoritäten, die Lösung des Denkens aus den Bindungen der Theologie (deren Weltbild, Gesellschaftsordnung und eth. Normen) und die Ablehnung jegl. Metaphysik. (Utop.) Ziel war die Herbeiführung des ›Zweckmäßigen‹, d. h. für alle Menschen vernünftig. Bedingungen als Voraussetzung ihrer Selbstverwirklichung in einer »herrschaftsfreien bürgerl. Gesellschaft«, die an die aus dem Naturrecht hergeleiteten Menschenrechte gebunden sein sollte (Theorie des *Gesellschaftsvertrags:* staatl. Gewalt nur zu Selbstverwirklichung des einzelnen, zur Sicherung gleicher bürgerl. Freiheiten, d. h. Umwandlung des Absolutismus in konstitutionelle Verhältnisse). Diese Ideen werden getragen von der Philosophie G. W. Leibniz' und von den philosoph. Richtungen des *Rationalismus* (bes. in Frankreich: R. Descartes, N. Malebranche, P. Bayle, Voltaire, die ∕Enzyklopädisten) und des v. a. in England ausgeprägten *Empirismus* (ausgerichtet nach den naturwissenschaftl. Erkenntnissen und Errungenschaften: F. Bacon, Th. Hobbes, J. Locke, D. Hume). Die erkenntnistheoret. Auseinandersetzung zwischen Empirismus und Rationalismus über den Zusammenhang zwischen Erfahrung und Vernunft war für das gesamte Denken der A. bestimmend. In *Deutschland* wird die A. erst mit Verzögerung wirksam (spezif. Beharren auf alten Autoritäten an den Landesuniversitäten). Die Verarbeitung des europ. aufklärer. Gedankengutes geschah weitgehend unter Verzicht auf theolog. und philosoph. Gehalte und wurde zunächst in einer gewissen Vereinfachung und Enge verbreitet (Betonung des Nützlichen als Wertkategorie, bürgerl. ›Zufriedenheit‹ als Ziel der Fortschrittshoffnungen; von G. E. Lessing als »Flickwerk von Stümpern und Halbphilosophen« kritisiert). Es wurde jedoch gerade in dieser pragmat. Ausrichtung auch vom Bürgertum verstanden und akzeptiert. Vermittelnd wirkte in diesem Zusammenhang Ch. Thomasius, der durch die Einführung der dt. Sprache in den Unterricht an den Universitäten seinen Lehren eine breite Wirkung sicherte (er schuf z. B. auch eine dt. wissenschaftl. Terminologie). Ch. Wolff und seine Schule (G. B. Bilfinger, J. Ch. Gottsched, A. G. Baumgarten) entwickelten ein praktikables eklekt. System des rationalist. und empir.-sensualist. Gedankengutes, das durch den vielgelesenen M. Mendelssohn eine weitreichende Rezeption erfuhr. Erst durch I. Kant gewann die A. in Deutschland Profil. Seine krit. Philosophie wurde zum *Höhepunkt der A.*sepoche, für die er die vielzitierte Kennzeichnung prägte: »A. ist der Ausgang des Menschen aus seiner selbstverschuldeten Unmündigkeit. Unmündigkeit ist das Unvermögen, sich seines Verstandes ohne Leitung eines anderen zu bedienen« (Antwort auf die von der Berlin. Monatsschrift gestellte Frage »Was ist A.?«, 1783). Kants »Kritiken« (Kritik der reinen, der prakt. Vernunft, 1781 und 1788) wiesen zugleich über die A. hinaus, indem sie Möglichkeiten,

Bedingtheiten und Grenzen von Rationalismus und Empirismus aufzeigten. *Kennzeichnend für die dt. A.* sind neben einem fortschrittsgläubigen Elan (z. B. dynam. Aneignung der popularisierten naturwissenschaftl. und philosoph. Erkenntnisse durch das gebildete Bürgertum – aber auch den Adel) großer Lebensernst und hoher moral. Anspruch, der zur Herausbildung eines neuen Wert- und Tugendsystems führte, das die früheren höf.-ständ. Wertungen verdrängte. Neben einer streng rationalist. Ausprägung mit dem Leitbild des ›nur‹ vernünftig, zur eigenen Glückseligkeit (Zufriedenheit) handelnden sog. ›polit.‹ Menschen entstand daneben etwa seit 1730 aus der Identifizierung mit den moral. Theoremen, die das ›nur‹ vernünftig. Selbst- und Vollkommenheitsgefühl umschlug, ein moral. motivierter Emotionalismus, eine alle Lebensbereiche umfassende ›vernünft.‹ affektfreie) *Gefühlskultur* (∕Empfindsamkeit). Sie wird soziolog. gedeutet als Reaktion des in der absolutist. Gesellschaft zu polit. Abstinenz gezwungenen – und damit auf die Kräfte der eigenen Innerlichkeit zurückgeworfenen – Bürgertums, als ›nach innen gewendete A.‹ (A. Hirsch). Rationalist. und emotionalist. Strömung galten (nicht wie in der früheren Forschung als Oppositionen, sondern) als sich bedingende Erscheinungen auf Grund derselben geist. Voraussetzungen. Gemeinsam ist beiden Strömungen z. B. ein neues soziales Verantwortungsgefühl, das seine vornehmste Aufgabe darin sah, ein *Erziehung* ein aufgeklärtes Gesamtbewußtsein zu schaffen, den Menschen zum Selbstgebrauch der Vernunft zu führen. Damit erhält die Pädagogik eine zentrale Funktion. Die Entwicklung eines Erziehungskonzeptes, der proportionalen (gleichgewichtigen) Entwicklung von Vernunft und Gefühl, von ›Kopf‹ und ›Herz‹, führte zur Reform des Erziehungswesens (Zentren: das protestant. Norddeutschland, die Schweiz: Hallescher ∕Pietismus; J. B. Basedow, G. K. Pfeffel, J. H. Campe, J. H. Pestalozzi). Von großem Einfluß waren dabei die kulturphilosoph. Ideen J. J. Rousseaus, bes. sein Erziehungsroman »Émile« (1762), in dem das Modell einer freiheitl. Erziehung im aufklärer. Sinne gestaltet ist. Darüber hinaus evozierten die aufklärer. Ideen erstmals in der dt. Kultur- und Geistesgeschichte eine immense *Bildungsbereitschaft.* Es entstehen zahllose private und öffentl. Lesezirkel, wissenschaftl., philantrop. und polit. Gesellschaften (sog. ›Tischgesellschaften‹, ›Orden‹ u. ä.); es formiert sich ein neues, aufgeklärtes Lese- und Theaterpublikum, das sich durch Bildung und ästhet. Erfahrung (nicht mehr nur durch soziale, ständ. Merkmale) auszeichnete. Dies wirkte in vielfält. Weise auf das öffentl. kulturelle Leben zurück: Die literar. Produktion nahm in ungeahntem Maße zu, es entwickelte sich ein vielschicht. (wissenschaftl., literar. bis trivial-populäres) Zeitschriftenwesen (allein über 500 ∕moral. Wochenschriften); eine Fülle von ∕Taschenbüchern, ∕Almanachen, ∕Kalendern wurde herausgegeben. Entsprechend nahm die Zahl der Verlage und Verleger zu (ebenso die Buchmessen), ferner die Zahl der wandernden und festen Schauspieltruppen (die z. T. auch eine soziale Umwertung erfuhren). Erstmals wird der Versuch eines freien Schriftstellerstandes gewagt (Klopstock, Lessing), eine eigene, ›aufgeklärte‹ Kinderliteratur geschaffen (Basedow, J. C. A. Musäus, F. J. Bertuch). V. a. aber wurde auch der *Dichtung* ein wichtiger Platz im Bildungssystem zugewiesen und in zahlreichen poetolog. Abhandlungen *didakt.* definiert. Bedeutender Literaturkritiker und Organisator war J. Ch. Gottsched. Sein »Versuch einer crit. Dichtkunst vor die Deutschen« (1730), wiewohl streng normativ klassizist. orientiert (an Boileau u. a.), zielt auf Einheit von Bildung, Sprache und Literatur im gesamten dt. Sprachraum (»Sprachkunst«, 1748, wird bedeutsam für die Bildung einer dt. Hochsprache). Gottscheds Schlüsselbegriffe ›Witz‹ (als produktive Kraft), ›Geschmack‹ und ›Kritik‹ (als Urteilskräfte, geregelt durch die Vernunft) bestimmen auch die weitere (zunehmend allerdings gegen Gottsched gerichtete) ästhet. Diskussion, in der v. a. dem Primat der Vernunft und des Witzes das ›Herz‹ (Gefühl) und die ›Einbildungskraft‹ entgegengesetzt werden (A. G. Baumgarten, G. F. Meier, J. A. und J. E. Schlegel, J. G. Sulzer, M. C. Curtius, M. Mendelssohn, G. E. Lessing, Ch. F. Nicolai u. a., s. ∕Poetik). Insbes. der sog. ∕Literaturstreit, in welchem die Schweizer J. J. Bodmer und J. J. Breitinger unter dem Einfluß des engl. Sensualismus das ›Wunderbare‹, d. h. die schöpfer. Einbildungskraft gegen Gottscheds Vernunftsprinzip hervorheben, trägt zur Selbstklärung der Literatur bei und prägt deren fernere Entwicklung. Wichtiges Forum dieser (und anderer) literaturtheoret. Diskussionen werden die ∕moral. Wochenschriften, die in Nachahmung des engl. »Tatler« und »Spectator« (hrsg. von R. Steele und J. Addison) seit 1713 in Deutschland erscheinen und eine öffentl. Meinung konstituieren und so zum wichtigen Erziehungsfaktor bei der literar. Geschmacksbildung werden. In ihnen manifestiert sich der Wandel von der funktional begründeten Lehrdichtung der Früh-A. hin zu einer aus Moral- und Vernunftfesseln befreiten Dichtung (vgl. z. B. die ∕Bremer Beiträger, in deren Zeitschrift 1748 die drei ersten Gesänge des »Messias« von F. G. Klopstock erschienen). Die literar. Werke der A. sind deutl. didakt. geprägt. Das gilt auch für die *Lyrik* der Früh-A. (z. B. für B. H. Brockes 9teil. Gedichtsammlung »Ird. Vergnügen in Gott«, 1721–48, für die Lyrik F. v. Hagedorns, E. v. Kleists, J. N. Götz', K. W. Ramlers, G. E. Lessings oder der Karschin), während die spätere Lyrik v. a. empfindsame Züge aufweist (Klopstock, M. Claudius, ∕Göttinger Hain). Lieblingsgattungen der A. werden *lehrhaft-ep. Kleinformen* wie ∕Fabeln, ∕Epigramme, ∕Idyllen, ∕Epyllien (die z. T. auch mit der literar. Konvention brechen wie M. A. v. Thümmels Prosa-Epyllien), Patriarchaden, kleine Versepen, Briefe, Dialoge, sog. ›Gemälde‹, in denen philosoph. Begriffe und eth. Normen lebensnah entwickelt und ein aufgeklärter Eudämonismus propagiert werden. Der berühmteste und meistgelesene Autor solcher Kleinformen ist Ch. F. Gellert (seine »Fabeln und Erzählungen« 1746/48 u. 1754 wurden geradezu kanonisch). Weitere Vertreter sind J. Ch. Gottsched, A. v. Haller, W. G. Rabener, A. G. Kästner, Ch. N. Naumann, J. P. Uz, Ch. D. v. Schönaich, J. E. W. Zachariä, G. E. Lessing, S. Geßner, K. A. Kortum u. a. Beliebt war auch die ∕*Satire*, meist nach engl. Vorbild (A. Pope, J. Swift) in der Form des kom. Heldengedichts (Zachariä, »Der Renommiste«, 1744) oder als Prosasatire (Ch. L. Liscow, Rabener, F. J. Riedel, L. v. Heß u. a.), deren Zeit- und Gesellschaftskritik (gegen ›vernunftloses‹ Verhalten) wegen der Zensur oft nur durch kompliziert-kaschierende Verfahrensweisen artikuliert werden konnte. Daneben wird v. a. der *Prosaroman* populär, der bis zum 18. Jh. nicht zur etablierten (formal definierten) Gattungstrias gezählt wurde. Seit etwa 1740 wird er (auf Grund seiner großen Beliebtheit beim Publikum) immer stärker in literaturtheoret. Überlegungen einbezogen und als der sittl.-moral. Erziehung dienl. Kunstgattung akzeptiert und inhaltl. definiert (erste umfassende Theorie: Ch. F. v. Blanckenburg, »Versuch über den Roman«, 1774). – Im Roman konnten alle aufklärer. Tendenzen (die realist. Beobachtung und ihre rationale Deutung, sittl. und prakt. Welterfahrung, utop. Gesellschaftsentwürfe nach den Vernunftmustern usw.) in unterhaltsam bildender Einkleidung vereinigt werden. Bestimmend werden franz. *Vorbilder* (Abbé A.-F. Prévost, J. F. Marmontel, J. J. Rousseau) und ebenfalls wieder v. a. engl. (S. Richardson, H. Fielding, T. G. Smollett, L. Sterne, D. Defoe). Beliebte aufklärer. Romangattungen sind die ∕*Robinsonaden* im Gefolge von Defoes »Robinson Crusoe« (1719), die den Aufbau einer besseren, auf Vernunft gegründeten Welt schildern und rationale bürgerl.-emanzipator. Utopien oder aus Rousseaus Ideen gespeiste anti- oder vorzivilisator. Idyllen entwerfen (im ganzen 18. Jh. vielgelesen und nachgeahmt z. B.

J. G. Schnabels »Wunderl. Fata einiger Seefahrer . . .«, 4 Bde. 1731–43, seit 1828 u. d. T. »Insel Felsenburg«), ferner ∕Reiseromane und -beschreibungen, deren ungeheure Verbreitung (etwa 10 000 Titel im 18. Jh.) auf der Fiktion des Dokumentarischen, der belehrenden, z. T. auch empfindsamen oder satir. Beobachtung der (Natur-)Erscheinungen und ihrer rationalen Analyse basiert (J. Th. Hermes, J. G. Schummel, J. C. A. Musäus, M. A. Thümmel u. a.). Die erfolgreichsten Romane der A. tragen deutl. empfindsame Züge (Hermes, Gellert, S. von La Roche), z. T. auch satir. (J. C. Wezel, »Hermann und Ulrike«, 1780). Ihr Hauptanliegen, die Bewährung bürgerl. Tugenden, wird meist gekoppelt mit Erziehungsfragen, mit utop. Entwürfen, auch der beliebten Reisethematik, so daß sich die Romane der A. mehreren Kategorien zuordnen lassen (Erziehungsroman, Staatsroman, Reiseroman usw.). Hervorzuheben sind der an die Adresse Friedrichs II. nach Preußen gerichtete Roman »Der redl. Mann am Hofe« (1740) von J. M. v. Loen, eine der ersten bedeutsamen Staatsutopien in der dt. Literatur, ferner die ∕Staatsromane von A. v. Haller (»Usong«, 1771 u. a.), Ch. M. Wieland (»Der goldene Spiegel«, 1772) oder F. L. Stolberg (»Die Insel«, 1788). Eine neue bedeutende Rolle im Rahmen der aufklärer. Erziehungs- und Bildungstendenzen nahm das *Theater* zu. V. a. Gottsched erkannte die Bühne als wichtiges Mittel zur öffentl. Artikulation der aufklärer. Leitideen und der Darstellung vernünftig-moral. Verhaltens. Er unternimmt es, das seit Ende des 16. Jh.s in allen sozialen Schichten beliebte Theater (von der höf., franz.-italien. Oper über bürgerl. Schul- und Liebhaberaufführungen bis zu den possenhaften Wanderbühnen) einer Reform zu unterziehen. Er sucht das soziale Prestige der Schauspieler zu heben (Verbürgerlichung des Schauspielerstandes), Urteilskriterien für das Publikum zu entwerfen und v. a. ein neues Drama (Theorie bes. in der 3. Aufl. seiner »Crit. Dichtkunst«, 1742) zu schaffen: Forderung einer aus der Sprache gestalteten Idee, Vers oder Prosa von Ernst und Würde, tekton. Aufbau gemäß den drei Einheiten (allerdings auch Beachtung der ∕Ständeklausel), Wahrscheinlichkeit und ›gesunder Menschenverstand‹ in der Handlungsführung. Er reformiert die traditionelle Aufführungspraxis auf der seit 1727 in Leipzig zusammen mit Caroline Neuber unterhaltenen Musterbühne (Eliminierung allen barocken Schaupruncks und aller possenhaften Elemente: berühmte allegor. Vertreibung des ∕Hanswurst von der Bühne, 1737). In Gottscheds Umkreis entsteht (nach seiner Theorie und nach Vorbildern wie Molière und v. a. Th. N. Destouches) die sog. ∕*sächs. Komödie,* die erste dt. bürgerl. Komödie: ein satir.-moralkrit. Typus in Prosa, der unter Verzicht auf Sprachwitz unvernünftige Handlungen verlacht (Luise Adelgunde Gottsched, J. E. Schlegel, J. Ch. Krüger, auch G. E. Lessing, »Der junge Gelehrte«, 1748). Sie sind z. T. gesammelt in Gottscheds »Deutscher Schaubühne« (6 Bde. 1741–45). Die sächs. Komödie wird abgelöst von der empfindsamen rührenden oder ∕*weinerl. Komödie,* die trägt dem empfindsamen Selbstbewußtsein der bürgerl. Gesellschaft Rechnung, die sich auf der Bühne nicht mehr komisch in ihren Irrtümern, sondern nachahmenswert in ihren Tugenden dargestellt wissen wollte. Damit treten kom. Elemente immer mehr zurück: Es entsteht eine ›Komödie ohne Komik‹, die über die kom. Gattung hinausweist und daher vielfach zur theoret. Reflexion anregt (Gellert, 1751). Vorbild ist die franz. ∕Comédie larmoyante, Hauptvertreter wiederum Gellert (»Das Los in der Lotterie«, 1746; »Die zärtl. Schwestern«, 1747). Auch Lessing greift in die Diskussion ein und plädiert für ein ausgewogenes Verhältnis zwischen komischen und rührenden Elementen und liefert in »Minna von Barnhelm« (1767) das erste dt. bürgerl. Lustspiel von Rang. Lessing wird überhaupt zur herausragenden Gestalt der dt. literar. A., welche die dt. Literatur aus der pedantisch-regelgebundenen Enge im Gefolge

Gottscheds herausführte. Unter Rückgriff auf Ansätze der Schweizer Bodmer und Breitinger und v. a. J. E. Schlegels, der bereits gegen Gottscheds Regeldrama auf Shakespeare verwiesen hatte (vgl. seine Trauerspiele »Hermann«, 1741; »Canut«, 1746), liefert Lessing nicht nur eine neue Definition des Tragischen und der trag. Wirkungen (↗Katharsis; »Literaturbriefe«, 1759–65; »Hamburg. Dramaturgie«, 1767–69), sondern entwickelt mit »Miß Sara Sampson« (1755) und »Emilia Galotti« (1772) auch prakt. einen neuen Tragödientypus, das ↗bürgerl. Trauerspiel, in dem die früheren poetolog. Forderungen (insbes. Ständeklausel, Verssprache) abgelöst werden und das Trag. als innere, nicht soziale Bedingtheit gestaltet wird, das auch bürgerl. Menschen treffen kann. Mit seiner viele Bereiche erhellenden Literaturkritik (Beiträge zur Fabel 1759, zum Epigramm 1761, zum ↗Laokoon-Problem 1766, Rezensionen usw.) und seiner allgemeinen Religions- und Kulturkritik (»Erziehung des Menschengeschlechts«, 1780; »Ernst und Falk. Gespräche für Freimäurer«, 1780) steht Lessing zugleich wegweisend im Austausch mit Vertretern von Parallelströmungen (Hamann, Herder, Wieland, Winckelmann). Mit der in dem ›dramat. Gedicht‹ »Nathan der Weise« (1779) gestalteten Idee der Toleranz, eines Leitbegriffes der A., führt ein direkter Weg zum Humanitätsideal der ↗Weimarer Klassik. Auf dem Höhepunkt der A. war Europa von gelehrter und publizist. Diskussion erfüllt. Ein ungeheurer Optimismus hinsichtl. der Realisierbarkeit aufklärer. Zielsetzungen beherrschte alle Bereiche. Die Zeitgenossen der A. fühlten sich als Weltbürger einer gemeinsamen Gelehrtenrepublik (vgl. auch Klopstock, 1774). Die Wissenschaft galt als höchste Ausprägung der menschl. Vernunft. In den Hauptstädten Europas entstanden wissenschaftl. ↗Akademien (erstes dt. Beispiel die Preuß. Akademie der Wissenschaften, 1700, Präsident Leibniz). In Deutschland vollzog sich in vielen Staaten der Schritt zum aufgeklärten Absolutismus, wobei der Widerspruch zwischen der naturrechtl. Staatstheorie und der tatsächl. Anerkennung absolutist.-monarch. Herrschaft hingenommen wurde mit Hoffnung auf die erzieherische Wirkung des aufklärer. Gedankengutes in der Zukunft (als Signale wirkten: Freundschaft Friedrichs II. von Preußen mit Voltaire, Beziehungen Diderots zum russ. Zarenhof), zumal das Ziel einer Rechtsstaatlichkeit bürgerl. Freiheit nicht gegen die Monarchie, sondern mit ihr verwirklicht werden sollte. Diese aufklärer. Euphorie gipfelte und endete zugleich in der Französ. Revolution, während welcher die aufklärer. Maximen durch terrorist. Gewalt pervertiert wurden. Letztlich scheiterte die A. des 18. Jh.s an der optimist. Überschätzung von Funktion und Leistungsfähigkeit der menschl. Vernunft.

Bibliographie: Grotegut, E. K./Leneaux, G. F.: Das Zeitalter der A. Bern/Mchn. 1974 (Hdb. der dt. Lit.Gesch. I, Bd. 6). ⌑ Jamme, Ch./Kurz, G. (Hg.): Idealismus und A. Stuttg. 1988. – Wessels, H. F. (Hg.): A. Königstein/Ts. 1984. – Europ. A. Hrsg. v. W. Hinck. Wiesb. 1974 *(dt. A.)*, II. Hrsg. v. H.-J. Müllenbrock. Wiesb. 1983 *(engl. A.)*, III. Hrsg. v. J. v. Stackelberg. Wiesb. 1980 *(frz. A.)*; in: Hdb. der Lit. Wiss., Bd. 11–13. – Kopper, J.: Ethik der A. Darmst. 1983. – Gabler, H.-J.: Geschmack u. Gesellschaft. Rhetor. u. sozialgeschichtl. Aspekte d. frühaufklärer. Geschmackskategorie. Bern/Frkft. 1982. – Vierhaus, R. (Hrsg.): Bürger u. Bürgerlichkeit im Zeitalter der A. Hdbg. 1982. – im Hof, U.: Das gesellige Jh., Gesellsch. u. Gesellschaften im Zeitalter der A. Mchn. 1982. – Merker, N.: Die A. in Dtschld. (dt. Übers. aus d. Ital.), Mchn. 1982. – Mass, E.: Lit. und Zensur in der frühen A. Frkft. 1980. – Grimminger, R. (Hrsg.): Dt. A. bis zur frz. Revolution 1680–1780. 2 Bde Mchn. 1980; in: Hansers Sozialgesch. der dt. Lit. Bd. 3/1 und 3/2 *(mit ausführl. Bibliogr.)*. – Pütz, P. (Hrsg.): Erforschung der dt. A. Königstein 1980. – Toellner, R. (Hrsg.):

A. und Humanismus. Hdbg. 1980. – Pütz, P.: Die dt. A. Darmst. ²1979 *(krit. Übersicht über d. Forschungslit.).* – Kopper, J.: Einf. in die Philosophie d. A. Darmst. 1979. – Koopmann, H.: Drama der A. Zürich/Mchn. 1979. – Stackelberg, J. von: Themen der A. Mchn. 1979. – Siegert, R.: A. und Volkslektüre. Frkft. 1979. – Brockmeier, P. (Hrsg.): Voltaire u. Deutschld. Quellen u. Unters. zur Rezeption der frz. A. Stuttg. 1979. – Kaiser, G.: A., Empfindsamkeit, Sturm und Drang. Mchn. ³1979. – Schalk, F.: Studien zur frz. A. Frkft. ²1977. – Kiesel, H./Münch, P.: Gesellsch. und Lit. im 18. Jh. Mchn. 1977. – Kimpel, D.: Roman der A. Stuttg. ²1977. – Haas, N.: Spät-A. Kronberg 1975. – Hirsch, A.: Bürgertum u. Barock im dt. Roman. Ein Beitr. zur Entstehungsgesch. des bürgerl. Weltbildes. Köln/Graz ²1957; s. auch die entsprechenden Kap. in den ↗Lit.geschichten; – RL.   IS

Auflage, Summe der gleichzeitig hergestellten Exemplare einer Zeitung oder eines Buches. Die Höhe der A. bemißt sich nach der Verkaufserwartung (bei Büchern 500–5000). *Neu-Auflagen* belletrist. Literatur sind unverändert, wissenschaftliche vom Verfasser oder einem Bearbeiter ergänzt. Gezählt wird nach der Anzahl der A. oder der Summe aller Exemplare (in Tausend). Von Ausgaben für ↗Bibliophile wird meist nur eine in der Stückzahl beschränkte A. gedruckt *(limitierte A.).* Unverkäufl. Bestände werden eingestampft oder im ›modernen Antiquariat‹ abgesetzt *(Rest-A.),* gelegentl. auch umgebunden und mit neuem Titelblatt wieder angeboten (Titel-A.). ↗Neudruck   HSt

Aufreihlied, von F. R. Schröder erschlossene Form der idg. Heldendichtung: knappe, andeutende Aneinanderreihung der Taten eines Gottes bzw. Helden; die entsprechenden Mythen werden bei den Hörern als bekannt vorausgesetzt. Altind., avest., altnord. und lat. Belege (z. B. Vergil, »Aeneis«, Buch VII, v. 287–303 als mutmaßl. Rest eines alten A.s von Herakles). Die Möglichkeit der Rückführung der Gattung in gemeinidgm. Zeit durch J. de Vries (Altnord. Literaturgeschichte, Bd. 1, 2. Aufl. Berlin 1964, S. 204, Anm. 245) bezweifelt.
⌑ Schröder, F. R.: Eine indogerm. Liedform. Das A. In: GRM 35, NF 4 (1954) 179 ff.   K

Aufriß, Vorform des Rundfunk-↗Feature.

Auftakt, Bez. der ↗Taktmetrik für eine oder mehrere unbetonte Silben, die vor der ersten Hebung liegen; im 19. Jh. aus der musikal. Terminologie übernommen. Antike Bez. ↗Anakrusis.   S

Auftritt ↗Szene.

Aufzug, dt. Bez. für den ↗Akt im Drama. Ursprüngl. Aufmarsch zu festl. Prozessionen und Umzügen (↗Trionfi an den Höfen der Renaissance- und Barockzeit; Goethes Maskenzüge); Einzug der Mitwirkenden bei festl. Tanzaufführungen sowie der Schauspieler auf die bei Aktbeginn leere Bühne. Von daher, aber auch im Hinblick auf das Aufziehen des Vorhangs bei Aktbeginn, vereinzelt seit dem 17. Jh. (A. Gryphius, Lustspiele), allgemein seit dem 18. Jh. (J. E. Schlegel, G. E. Lessing) Bez. für den Akt; im 17. Jh. seltener auch für den einzelnen Auftritt innerhalb des Aktes.   K

Augenreim, Reim zwischen orthograph. ident., aber verschieden ausgesprochenen Wörtern, die entweder in einer älteren Sprachstufe lautl. noch übereinstimmen (↗histor. Reim), z. B. frz. *ours* [urs]: *toujour* [tu'ʒu:r] (Perrault, im 17. Jh. noch rein) oder sich von vornherein nur an das Auge richteten, z. B. engl. *love:prove, good:blood* (Tennyson, »In memoriam H. H.«, 1850).

Auktoriales Erzählen [auktorial: neugebildetes Adjektiv zu lat. auctor = Autor], Bez. F. K. Stanzels für eine Erzählstruktur aus der ↗Perspektive einer ›allwissenden Überschau‹, als *external view point* (Lubbock), *vision par derrière* (Pouillon) oder *Sicht von oben* (Todorov) bez.: der *Erzähler* berichtet über Innen- und Außenwelt der Personen in der von ihm geschaffenen fiktiven Welt (dagegen

↗personales Erzählen); er mischt sich oft auch (in ↗Ich-form) in das Erzählte ein, kommentiert es im Gespräch mit dem Leser oder erörtert mit ihm erzähltechn. u. a. (z. B. moral.) Probleme. Er bestimmt so auch die Leserperspektive. – Während nach Stanzel dieser Erzähler ebenfalls fiktiv (nicht mit dem Autor ident., aber auch kein Charakter der erzählten Geschichte) ist, seine Funktion die Subjektivierung der objektiven Erzählform sei, spricht nach K. Hamburger in den Ich-Einmischungen der Autor, der die fiktionale Aussageform (die Er-Erzählung) in spieler. Absicht durch nicht fiktionale Äußerungen durchbreche, wodurch er jeweils den Anschein erwecke, das fiktionale Geschehen sei real (histor.) erzählt (»Die Fiktion wird einen Augenblick als Wirklichkeitsbericht fingiert«). Dabei werde (vergleichbar der Funktion der ↗lust. Person im Drama) jedoch die Illusion der Fiktion nicht nur nicht gestört (auch nicht subjektiviert), sondern erst recht als solche bewußt gemacht. Das a. E. ist so gesehen ein iron. Spiel mit Wirklichkeitsaussage und fiktionalem Erzählen und (als eine Ausdrucksmöglichkeit des ↗Humors) kennzeichnend für die Struktur des humorist. Romans. Es findet sich bei Cervantes, bei H. Fielding, L. Sterne, J. Swift, Ch. M. Wieland, bes. in der Romantik (v. a. Jean Paul), weiter etwa bei W. Raabe und Th. Mann, aber auch in nicht-humorist. Sinne (A. Gide, »Les faux monnayeurs«).
📖 Stanzel, F. K.: Theorie des Erzählens. Gött. 1979. – Stanzel, F. K.: Typ. Formen des Romans, Gött. ⁷1974. – Hamburger, K.: Die Logik der Dichtung. Stuttg. ²1968. – ↗Perspektive. GS*

Aulode, f. [zu gr. aulos, einem Blasinstrument mit doppeltem Rohrblatt, Schalmei, Pfeife], in der griech. Antike der vom Aulos begleitete *chor.* Gesangsvortrag, z. B. Elegien und (wegen seines als anfeuernd, orgast. empfundenen Klanges) von Trink-, Hochzeits-, Arbeits- und Kriegsliedern. Erster histor. belegter Aulode war Klonas von Tegea (Anf. 7. Jh. v. Chr.). IS

Ausgabe, vgl. ↗Einzel-A., ↗Gesamt-A., ↗Erst-A. (editio princeps), ↗A. letzter Hand, ↗krit. A., ↗histor.-krit. A., ↗Edition, ↗Editionstechnik, ↗Editio definitiva, ↗Editio spuria, ↗Editio castigata, ↗ad usum delphini.

Ausgabe letzter Hand, Bez. für die letzte vom Dichter selbst redigierte und überwachte Ausgabe seiner Werke, die die Texte in ihrer endgült. Gestalt bietet; wertvoll v. a. für ↗histor.-krit. Ausgaben. Durch Wielands »Ausgabe von der letzten Hand« (1794–1802 bzw. 1811) und bes. durch Goethes »Vollständige Ausgabe letzter Hand« (Bd. 1–40, 1827–1830) als Begriff üblich geworden. ↗Edition, ↗Redaktion. HS

Aushängebogen, einzelne Bogen eines Buches, die während des Ausdruckens dem Verfasser oder Verleger nur noch zur Orientierung über die Qualität des Druckes (nicht mehr zur Korrektur) vorgelegt werden; dienen auch der vorzeitigen Information von Rezensenten. Früher zur Ankündigung von Neuerscheinungen öffentl. ausgehängt. HSt

Ausländerliteratur, Sammelbegriff, der die nicht immer scharf abgrenzbaren Teilbereiche und Bezeichnungen *Gastarbeiterliteratur, Migrantenliteratur* und *Exilantenliteratur* umfaßt. Die Kriterien für die Zuordnung sind nicht eindeutig, meist jedoch handelt es sich um literar. Texte von Ausländern, die sich unbefristet (Exilanten, Arbeitsmigranten oder deren Kinder, mit Deutschen verheiratete Ausländer/innen) oder vorübergehend (meist zu Arbeits- oder Studienzwecken) in dt.-sprach. Ländern aufhalten, ihre Werke direkt in dt. Sprache schreiben oder sie im Zusammenhang mit dem Entstehungsprozeß übersetzen oder übersetzen lassen und die dt. Sprachgebiet veröffentlichen. Von der Thematik her spiegeln viele dieser Texte die Identitätssuche und die Auseinandersetzung mit der Situation als Fremder in Deutschland (dt. Sprachgebiet) und deren individuelle und sozialpolit. Probleme und Erfahrun-

gen. Aber auch diese themat. Aussage ist kein eindeutiges Zuordnungskriterium, da die Autoren, die aus der Ausländersituation schreiben, sich nicht auf die Ausländerthematik festlegen lassen. Noch weniger kann diese Literatur, auch wenn sie von »Gastarbeitern« geschrieben ist, als Ausländerbeitrag zur ↗Arbeiterliteratur angesehen werden.
Bis Mitte des 20. Jh.s gibt es nur ganz wenige Autoren anderer Muttersprache, die einen Platz in der dt. Literatur einnehmen (Adelbert von Chamisso, Elias Canetti). Die Entwicklung einer *eigenständ. A.* steht im Zusammenhang mit der Migrationsbewegung in die dt.-sprach. Länder durch Exil und Arbeitsmigration. Von der Ausgangsposition ist dabei zu unterscheiden nach Autoren, die bereits in ihrer Heimat und in ihrer Muttersprache einen Status als Autoren erworben hatten (Ota Filip, Milo Dor, Antonio Skármeta, Fakir Baykurt, Aysel Özakin, Tezer Kiral und andere Autoren, meist in der Exilsituation) und solchen, die erst in oder durch die Erfahrung der Fremde zum Schreiben kommen und sich dann meist gleich der dt. Sprache bedienen (Franco Biondi, Gino Chiellino, Suleman Taufiq, Şinasi Dikmen und fast alle Autoren der zweiten Generation). Nachdem Aras Ören bereits seit Anfang der siebziger Jahre der Situation der Ausländer in Berlin eindringlichen literar. Ausdruck verschafft hat, konnte die A., bis dahin auf muttersprachl. oder versteckte dt.-sprachige Publikationen beschränkt, in stärkerem Maße seit dem Ende der siebziger Jahre auch an die dt. Öffentlichkeit treten. Eine Reihe von Anthologien, meist mit Autoren verschiedener Nationalität, aber in zunehmendem Maße auch selbständige Publikationen einzelner Autoren, machen das breite Spektrum dieser Literatur sichtbar. Literar. Preisausschreiben bringen manche dieser Autoren als Licht. 1984 wurde ein ↗Literaturpreis für Autoren nichtdeutscher Muttersprache (Adelbert-von-Chamisso-Preis) eingerichtet, der 1989 an den Türken Yüksel Pazarkaya, 1990 an Cyrus Atabay aus dem Iran verliehen wurde. Neben Romanen (Güney Dal, Fakir Baykurt, Hisako Matsubara, Libuše Moníková, Torkan u. a.), Erzählungen (Franco Biondi, Aysel Özakin, Alev Tekinay, Jusuf Naoum, Kemal Kurt u. a.) und Gedichten (Gino Chiellino, Said, Suleman Taufiq, Zafer Şenocak, Yüksel Pazarkaya u. a.) sind auch Märchen (Rafik Schami), Satiren (Şinasi Dikmen, Osman Engin), ep. Gedichtformen, als »Poeme« bez. (Aras Ören) und dokumentar. Texte (Saliha Scheinhardt, Vera Kamenko, Dursun Akçam u. a.) vertreten.
Der Beitrag der A. zur dt. Literaturszene und zur dt. Alltagswirklichkeit liegt auf mehreren Ebenen: in dem anderen Blickwinkel, der sich aus dem Erlebnis der Spannung zwischen den Kulturen und Sprachen ergibt; in der Sensibilisierung für die Sprache, die durch sprachl. Distanz, Bereicherung durch die Muttersprache und sprachl. Differenzierung gestützt wird; in der Übernahme und Weiterentwicklung von Formen der Erzähltradition oder literarischer Gestaltung, die in der dt. Literatur weniger bekannt sind; in der literar. Realisierung eines multikulturellen Gesprächs mit dem Ziel der Öffnung für eine multikulturelle Gesellschaft.
📖 Ackermann, I. und Weinrich, H. (Hg.): Eine nicht nur dt. Literatur. Zur Standortbestimmung der »A.«. Mchn. 1986. – Heinze, H.: Migrantenliteratur in der Bundesrepublik Deutschland, Berlin 1986. – Frederking, M.: Schreiben gegen Vorurteile. Literatur türk. Migranten in der Bundesrepublik Deutschland. Berlin 1985. – Ausländische deutsche Literatur. Info DaF 1985, Nr. 3. – ...aber die Fremde ist in mir. Migrationserfahrung und Deutschlandbild in der türk. Lit. der Gegenwart. Zs. für Kulturaustausch 1985, Nr. 1. – Gastarbeiterliteratur. LiLi 1984, Heft 56. IA

Ausstattungsstück, Bühnenstück, das in erster Linie durch reiche Ausstattung (↗Bühnenbild, Kostüme, perfektionist. Theatermaschinerie) wirkt. Züge des A.s haben die höf. Gattungen des Barockdramas (∕Barock) mit ihrer Tendenz zum ∕Gesamtkunstwerk (Oper, ∕Festspiel; oft mit effektvollem Einsatz von Flugapparaten, Versenkungen, Bühnenfeuerwerken, Wasserspielen, Donner, Blitz und Wetterleuchten, prunkvollen Kostümen, Balletteinlagen); durch sie angeregt auch das ∕Jesuitendrama, dessen lat. Text dem Laienpublikum, zu dessen Erbauung die Aufführungen dienen sollten, ohnehin nicht verständlich war. In dieser Tradition stehen auch die ∕Haupt- und Staatsaktionen des 18.Jh.s, das ∕Wiener Zauberstück (E. Schikaneder, J. N. Nestroy, F. Raimund) und die Grand opéra des 19.Jh.s (G. Meyerbeer). Durch die Überbetonung der ›histor. echten‹ Dekorationen und Kostüme bei den ∕Meiningern gerieten vor allem histor. Dramen in die Nähe von A.en. Jüngere Formen des A.s sind Operette, ∕Revue und Musical. K

Auto, n. oder m. [span., aus lat. actus = Handlung], spätmittelalterl. einaktiges ∕geistl. Spiel des span. Theaters, aufgeführt an den Festtagen des Kirchenjahres (Weihnachten, Fronleichnam, Marien-Festtage, Tage der Heiligen usw.): Versdrama mit gesungenen, z. T. auch getanzten Einlagen. Die Entwicklung der Gattung zum bühnenwirksamen Drama im 16.Jh. verlief parallel zur Entwicklung der weltl. Comedia: Erweiterung des Umfangs, Loslösung von den bibl., liturg. und hagiograph. Vorlagen der Anfangszeit, zunehmender Reichtum der Versmaße, der gesungenen Einlagen, der Themen und Personen, dramat. lebendigere Handlungen und Dialoge. Die Beliebtheit der A.s bei allen Schichten des Volkes zeigt die große Zahl der Aufführungen: allein in den 50 Jahren der Schaffenszeit Lope de Vegas (gest. 1635) schätzungsweise 2000. Vor Calderón (1600–1681) wurden nur wenige Texte gedruckt. Eine berühmte Sammlung ist der »Codice de Autos Viejos« der Nationalbibliothek Madrid, 96 Stücke). Seit dem Ende des 16.Jh.s verdrängte das ∕Auto sacramental fast ganz die anderen Formen geistl. Einakter. ∕Moralität. GR

Autobiographie, f. [zu gr. autos = selbst, bios = Leben, graphein = schreiben], literar. Darstellung des eigenen Lebens oder größerer Abschnitte daraus (Lebensbeschreibung, Lebenserinnerungen). *Die Bez.* prägte als erster vermutl. R. Southey (in »The Quarterley Review« I, 1809: *Auto-biography*); im dt. Sprachbereich findet sich 1796 *Selbstbiographie* (als Titelbestandteil einer von Herder angeregten, von D. Ch. Seybold in Tübingen edierten Sammlung von Lebensbeschreibungen). – Die *Definition* und terminolog. Scheidung der ›A.‹ von der älteren Bez. ∕Memoiren leistete die Aufklärung, die mit der Ergründung rationaler und emotionaler Kräfte nicht nur das Interesse an biograph. Darstellungen, sondern auch die theoret. Reflexion darüber förderte. Als A. gilt seit dem 18.Jh. die Aufzeichnung v.a. der Persönlichkeitsbildung durch Entfaltung geist.-seel. Kräfte im Austausch mit der äußeren Welt. Allgemein ist die A. gekennzeichnet durch eine einheitl. Perspektive, von der aus ein Leben als Ganzes überschaut, gedeutet und dargestellt ist (dagegen ∕Tagebuch, ∕Chronik). Diese meist in höherem Alter oder von einem abgeklärten Standpunkt aus vorgenommene Retrospektive bedingt innerhalb eines chronolog. Aufbaus eine unbewußte oder bewußte (oft sentenziöse) Systematisierung, (Neu)ordnung, Auswahl und einheitl. Wertung der biograph. Fakten, eine sinngebende Verknüpfung einzelner Lebensstationen. Diese kann motiviert sein von der Suche nach der eigenen Identität, vom Wunsch nach Selbstergründung, nach Zeugenschaft, moral., polit., religiöser Rechtfertigung (∕Apologie), vom Drang zu Bekenntnis oder Enthüllung, von erzieherischen Impulsen usw.; charakterist. sind weiter Subjektivismus, ein oft relativer histor., polit. oder kulturhistor. Wahrheitswert, andererseits aber Authentizität bes. im Bereich der Gefühle und Meinungen. Berühmte A.n zeigen Ausgewogenheit zwischen der Darstellung des eigenen Ich und der formenden äußeren Ein-

flüsse und sind zugleich Analysen der geist. und kulturellen Strömungen einer Zeit. Dennoch sind die Grenzen zu mehr privaten, unreflektierten Lebenserinnerungen oder Schilderungen v.a. zeitgeschichtl. öffentl. Ereignisse (Memoiren), zur Reihung nur äußerer Lebensdaten oder -leistungen (Lebensabriß, Chronik) oder rein seel. Erlebnisse (Bekenntnisse) fließend: Letztl. bedingen Aufrichtigkeit der Verfasser und Unmittelbarkeit der Darstellung den Wert einer A. – Eine bestimmte *Form* eignet der A. nicht. Übl. ist Ich-Form, es gibt aber auch Darstellungen in der 3. Person (S. O'Casey), Brief- (Platon, Holberg) und Dialogform (Cicero), die Mischung von Vers und Prosa (Dante), Versform (Ovid, »Tristia« IV, 10, W. Wordsworth, »The Prelude«, 1805), die essayist. Trennung zwischen biograph. Fakten und theoret. Äußerungen (S. T. Coleridge) u. a.

Geschichte: Die A. setzt eine sich selbst reflektierende Individualität voraus, die sich v.a. in der Renaissance entwickelte. Autobiograph. Zeugnisse sind daher *in Antike und MA.* selten, und toposhaft stilisiert: so Platons Apologie eines Lebensabschnittes (7. Brief) oder Isokrates' A. in Form einer fingierten Gerichtsrede (d.h. einer rhetor. Übung mit dem eigenen biograph. Material). Auch die Äußerungen Caesars, Ciceros oder Augustus' über ihr polit. Wirken sind toposhaft objektiviert, eher den ∕Hypomnemata und Commentarii zuzurechnen; die sog. A.n von Marc Aurel († 180 n.Chr.), P. Aelius Aristides († 190 n.Chr.) oder Boëthius († 523) bis hin zu denen mal. Mystiker (z.B. Seuses »Vita«, 1327, gilt als 1. dt.-sprach. A.) legen nur einen erreichten philosoph. oder religiösen Standpunkt dar. Häufiger Formtypus solcher relig.-philosoph. Bekenntnisse sind Selbstgespräche, sog. *Soliloquien* (u.a. von Augustinus, 386/87). Die erste eigentl. A. und die »Confessiones« Augustins (13 Bücher, 397), die freimütige Darstellung seiner geist. und sittl. Entwicklung und subtile Analyse der eigenen Persönlichkeit, verbunden mit reIigiös.-philosoph. Reflexionen (berühmt ist die Bekehrungsszene, 10. Buch). Ähnl. Rang erreicht erst wieder die A. Abaelards (in Briefform, 1135), die ebenfalls Lebens- und Bildungsgeschichte mit intensiven Reflexionen über das eigene Ich verbindet. Dantes »Vita Nova« (1292/95) gilt als ein objektive und subjekt. Tendenzen umfassendes (als A. umstrittenes) Zeugnis der im MA. erreichten Entwicklung. – In der *Renaissance* verweisen eine Fülle chronikartiger, v.a. kulturhistor. bedeutsamer A.n (eher Reise-, Kriegs-, Lebenserinnerungen) auf eine Hinwendung zur äußeren Lebenswirklichkeit, so z.B. die bürgerl. Selbstdarstellungen A. Mussatos (Padua, 14.Jh.), G. Morellis (Florenz, 15.Jh.), H. Weinsbergs (Köln, 16.Jh.) oder im 16.Jh. die Aufzeichnungen krieger. (Götz von Berlichingen, Blaise de Monluc), höf. (H. von Schweinichen) oder religiös ausgerichteter Lebensbilder (Th. Plattner). Die in dieser Zeit voll erwachte Ichbewußtheit führt zu einer *ersten Blüte der A.*: Dabei wird v.a. versucht, den Prozeß wissenschaftl., philosoph., eher künstler. Schaffens oder religiöser Erfahrungen zu analysieren. Bedeutsam für die europ. Geistesgeschichte sind die A.n B. Cellinis (1558/66), des Arztes G. Cardano (1575) oder der Hl. Teresa von Avila (1561/62). Im 17.Jh. ragen die A. von R. Descartes, die polit. A. des Kardinals de Retz (1662, hg. 1717), die relig. A.n J. Bunyans (1666) oder von Madame Guyon (1694, hg. 1720) aus der Fülle der damals beliebten Memoiren heraus. In der Tradition relig. A.n entstehen im 18.Jh. bes. in Deutschland eine Fülle autobiograph. Seelenanalysen (∕Pietismus, ∕Empfindsamkeit; z.B. von J. G. Hamann (1758) oder Jung-Stilling (1. Bd. 1777, hg. von Goethe). Erwähnenswert sind ferner die A.n D. Humes (1776) und E. Gibbons (1789: in beiden zentral die literar. Entwicklung), die aufklärer.-moralisierende A. von B. Franklin (1791), die psychologisierende von V. Alfieri (1803) und die memoirenhafte von G. Casanova (1791–98, vollst. hg. 1960/62), aber auch die A.n einfacher Leute wie U. Bräker oder P. Prosch (beide

1789). Von entscheidender geistesgeschichtl. Wirkung sind die »Confessions« J. J. Rousseaus (1782/89: Begründung des modernen Individualismus). Goethes A. »Dichtung und Wahrheit« (1811/32) mit ihrer universalhistor. Auffassung und Weite des Weltverständnisses wird zum Gipfel autobiograph. Darstellungen, mit der sich danach am ehesten die A.n von Stendhal (1835, hg. 1890), Chateaubriand (1848/50), E. Renan (1883) vergleichen lassen. Das Interesse des 19. Jh.s an nationalen, histor. oder kulturhistor. Ereignissen fördert eher stofforientierte Memoiren. Hervorzuheben sind die bekenntnishaften Selbstanalysen Th. de Quinceys (1821), Kardinal Newmans (1864), A. Strindbergs (1886), H. James' (1913 ff.), die philosoph. A.n von J. S. Mill (1873), H. Adams (1918), B. Croces (1918?) oder im 20. Jh. die sachl. Darstellungen einer Berufslaufbahn (bes. als Politiker oder Künstler) von L. Trotzki (1930), A. Schweitzer (1931), H. G. Wells (1934), A. Koestler (1934/54), St. Spender (1946/51), S. de Beauvoir (1958), J. Osborne (1981), A. Robbe-Grillet (1986/89) oder A. Miller (»Timebends«, 1987). – In neuerer Zeit lassen die Überzeugung der Determiniertheit des Menschen und eine damit verbundene Identitätsproblematik, auch Pessimismus und Skepsis gegenüber Werten und Leitbildern das Unternehmen einer A. fragwürdig erscheinen. Neue verfremdende, objektivierende oder fiktionale Formen (↗autobiograph. Roman) versuchten G. Moore (1911/13), G. Stein (1933), S. O'Casey (1939/54), W. B. Yeats (1926, hg. 1955), P. Weiss (1961/62) u. a.; beliebt sind daneben autobiograph. Lebensausschnitte (Jugend-, Kriegserlebnisse u. ä., auch Exilschicksale: Th. Fontane, 1894; M. Gorki, 1913/22; W. Benjamin (»Berliner Kindheit um 1900«, 1930, ersch. 1950); M. Halbe, 1933; E. Toller, 1933; G. Hauptmann, 1937; G. Weissenborn, 1948; A. Andersch, 1952; M. v. Dönhoff, 1988 u. a.) oder Tagebuchformen, die der als facettenhaft gebrochen empfundenen Wirklichkeit eher zu entsprechen scheinen.

⊞ Niggl, G. (Hg.): A. Darmst. 1989. – Lehmann, J.: Bekennen – Erzählen – Berichten. Studien zu Theorie u. Gesch. d. A. Tüb. 1988. – Pfotenhauer, H.: Literar. Anthropologie. Selbstbiographien u. ihre Gesch. Stuttg. 1987. – Pilling, J.: Autobiography and imagination. London 1981. – Frerichs, P.: Bürgerl. A. u. proletar. Selbstdarstellung. Frkft. 1980. – May, G.: L'autobiographie. Paris 1979. – Niggl, G.: Gesch. d. dt. A. im 18. Jh. Stuttg. 1977. – Wuthenow, R.-R.: Das erinnerte Ich. Europ. A. und Selbstdarstellung im 18. Jh. Mchn. 1974. – Neumann, B.: Identität u. Rollenzwang. Zur Theorie der A. Wiesb. 1971. – Bode, I.: Die A.n zur dt. Lit., Kunst u. Musik 1900–1965, Stuttg. 1966. – Pascal, R.: Design and truth in autobiography. London 1960. Dt. Übers. Stuttg. u. a. 1965. – Misch, G.: Gesch. der A. 4 Bde. Frkft. 1907–1969. – RL (Selbstb.). IS

Autobiographischer Roman, literar. Transposition der Biographie (oder auch nur biograph. Erlebnisse) des Autors in ein fiktionales Geschehen. Im Ggs. zur ↗Autobiographie unterliegt die Darstellung damit nicht mehr nur der Forderung unbedingter Wahrhaftigkeit, sondern künstler. Strukturgesetzen, d. h., die biograph. Vorgänge werden nicht um ihrer selbst willen berichtet, sondern einer Symbolstruktur unterworfen, das stoffl. Material wird zudem auf einen Höhepunkt und Schluß hin geordnet, Entwicklungen und Sinnstrukturen durch Stilisierungen, Umgruppierungen und Auslassungen von biograph. Fakten, durch Einfügung erfundener Ereignisse, Personen, Motive usw. verdeutlicht. So kann der Autor im a. R. z. B. alle im Charakter (s)einer Person liegenden Möglichkeiten aufzeigen, die im realen Leben oft durch zufällige Umstände nicht zur Entfaltung kommen konnten, etwa Liebeserfüllung (Ch. Brontë), Keller oder Tötungsbereitschaft (D. H. Lawrence); ein a. R. kann sogar mit dem Tod des Helden abschließen (H. Hesse, »Unterm Rad«, 1906). Ferner erlaubt die (oft gewählte) Erzählform der 3. Person eine perspektiv. Mehrschichtigkeit, durch die z. B. auch verdeckte Motive, Gedanken usw. einzelner Personen sichtbar gemacht, das eigene Ich in anderen gespiegelt werden kann, oder ein funktionales Schalten mit Stoff und Zeit (Joyce, »Portrait of the Artist . . .«, 1917). Häufig sind aber auch a. R.e in Ich-Form (mit einsinniger Perspektive: Ch. Brontë, G. Keller). Bedeutende a. R.e sind K. Ph. Moritz, »Anton Reiser« (1785/90, große Nähe zur Autobiographie, vornehml. Selbstanalyse), A. de Musset, »La confession d'un enfant du siècle« (1836), Ch. Brontë, »Villette« (1853), G. Keller, »Der grüne Heinrich« (1. Fassung 1854/55, 2. Fassung in Ichform 1879/80), D. H. Lawrence, »Sons and Lovers« (1913), G. Stein, »The autobiography of Alice B. Toklas« (1933), A. Kolb, »Die Schaukel« (1934), F. v. Unruh, »Der Sohn des Generals« (1957), P. Weiss, »Abschied von den Eltern«, »Fluchtpunkt« (1961/62) u. a. Seit den 80er Jahren wird die Aufarbeitung des eigenen Lebens oder eines Lebensabschnitts in Roman (Novelle, Erzählung) zunehmend beliebt (A. Brandstetter, B. Schwaiger, M. Wimscheider u. v. a.). – Nur bedingt als a. R. können M. Prousts »A la recherche du temps perdu« (1913/27; Versuch, durch intuitives Erinnern ein gelebtes Leben wiederzufinden) oder etwa Dantes »Vita Nova« (um 1293; Vers und Prosa, das äußere Geschehen wird relig.-philosoph. spiritualisiert) und Ulrichs von Lichtenstein »Frauendienst« (um 1255) bezeichnet werden.

⊞ Müller, Klaus-Detlef: Autobiographie u. Roman, Tüb. 1976. IS

Autograph, n. [gr. autógraphos = selbstgeschrieben], vom Verfasser eigenhändig geschriebenes Schriftstück (heute auch authent. maschinenschriftl. Text), ↗Manuskript. Als A.en gelten ferner vom Autor redigierte Handschriften und Drucke. A.en von mal. Dichtern bilden in der Überlieferungsgeschichte die Ausnahme, so mutmaßl. die Wiener Otfriedhandschrift, 9. Jh. (wahrscheinl. vom Dichter redigiert), das sog. A. von Rulman Merswins »Neun-Felsen-Buch«, 14. Jh. (von Merswin selbst geschrieben), die Heidelberger Handschrift A des Michel Beheim. Der Wert des A.en liegt für den Forscher in der Authentizität, für den Sammler in der Seltenheit und Bedeutung der Stücke. Einer der frühesten und größten dt. A.en-Sammler war Goethe. A.en-Sammlungen gibt es seit dem 17. Jh., von Frankreich ausgehend, zuerst durch private Liebhaber, seit dem 18. Jh. zunehmend durch öffentl. Bibliotheken. A.en-Sammlungen, meist Nachlässe, befinden sich auch in den Literatur-↗Archiven. Die frühere Preußische Staatsbibliothek hatte mit 430 000 A.en (Stand 1939) die größte A.en-Sammlung in dt. Sprachraum, sie befindet sich heute zum größten Teil in der Staatsbibliothek Preuß. Kulturbesitz Berlin (West; etwa 300 000 A.en) und z. T. in der Dt. Staatsbibliothek Berlin (Ost).

⊞ Mecklenburg, G.: Vom A.en sammeln. Marburg 1963. – Hamilton, Ch.: Collecting autographs and manuscripts. Norman (Okla.) 1961. HFR*

Automatische Texte, Sammelbez. für eine durch automat. Niederschrift entstandene Literatur; von der Intention her lassen sich unterscheiden 1. eine an der Bloßlegung unterbewußter, vorästhet. Prozesse interessierte Tendenz (G. Stein, frz. ↗Surrealismus, ↗écriture automatique, als Grenzfall ↗stream of consciousness), 2. eine bei völliger Ausschaltung des personalen poet. Bewußtseins nur noch an mechan. zufälligen Textergebnissen interessierte Tendenz (↗aleator. Dichtung, ↗Würfel-, ↗Computertexte).

⊞ Bense, M.: Theorie d. Texte. Eine Einführung in neuere Auffassungen u. Methoden. Köln/Bln. 1962. D*

Autonome Dichtung, synonym zu ↗absolute Dichtung gebraucht.

Autonym [gr. autos = selbst, onoma = Name] ↗anonym.

Auto sacramental, n. oder m. [span. auto = Handlung, sacramental = auf das Sakrament der Eucharistie bezüglich], span. Bez. für das ↗Fronleichnamsspiel, aufgeführt am Corpus-Christi-Fest, im Freien (auf öffentl. Plätzen) auf Festwagen (*carros;* ↗Wagenbühne), v.a. in den großen Stadtzentren (Madrid, Toledo u.a.): Darstellung des christl. Heilsgeschehens im Gewand bibl., mytholog., histor., literar. Stoffe; daher reiche Verwendung von Allegorien und Personifikationen (↗lebende Bilder). Höhepunkt des A.s. ist die Verherrlichung der Eucharistie im Schlußbild (die Altarsakramente dabei auf der Bühne im Schaubild vergegenwärtigt). Seit Ende des 16.Jh.s Aufführungen mit immer größerem Prunk und Aufwand an Bühnenmaschinerien und Schaubildern, oft folgten mehrere verschiedene A.s.s.es hintereinander. Blüte bei Lope de Vega, Tirso de Molina, Mira de Amescua, Valdivielso und bes. Calderón (am bekanntesten »Das Große Welttheater« durch Hofmannsthals Nachdichtung im »Salzburger Großen Welttheater«, 1922). 1765 Verbot der Aufführungen unter den Bourbonen.

📖 Parker, A. A.: The allegorical drama of Calderón. An introduction to the A.s.s.es. Oxford u. London ²1961. – Shergold, N. D., Varey, J. E.: Los A.s.s.es en Madrid en la época de Calderón (1637–1681). Madrid 1961.   GR*

Avantgarde, f. [a'vãːgardə; frz. = Vorhut], ursprüngl. militär. Begriff, seit Mitte des 19.Jh.s, d.h. seit dem Entstehen einer bewußt antibürgerl., autonomen Kunst, auf die jeweils neuesten künstler. und literar. Entwicklungen angewendet. Als *Avantgardisten* verstehen sich Künstler und Literaten, die mit einem progressiven Programm formal und inhaltl. in Opposition zu den bestehenden literar. und gesellschaftl. Konventionen treten. Die Überspitzung des Dranges nach Neuem wird erfaßt durch den Begriff ›Avantgardismus‹. ↗Futurismus, ↗Dadaismus, ↗Surrealismus oder etwa der ↗nouveau roman, die ↗konkrete Dichtung entstanden als avantgardist. Bewegungen, ebenso die Formen des Happening oder des ↗Living Theatre.

📖 Hardt, M. (Hg.): Literar. A.n. Darmst. 1989. – Bürger, P.: Theorie der A. Frkf. 1974. – Poggioli, R.: The theory of A. Cambr./Mass. 1968. – A., Gesch. und Krise einer Idee, hrsg. v. der Bayer. Akad. der Schönen Künste. Mchn. 1966.
DJ*

Avanturierroman [frz. avanturier, Nebenform zu aventurier = Abenteurer, Glücksritter, von aventure = Abenteuer], Bez. für ↗Abenteuerromane, die *im 18. Jh.* in der Nachfolge von Heinsius' holländ. ↗Schelmenroman »Den Vermakelijken Avanturier« (Der fröhliche Abenteurer, 1695) im Titel das Wort ›Avanturier‹ führen. Vor Heinsius tauchte der Begriff ›Avanturier‹ auch schon in de la Geneste's frz. Übersetzung (»L'avanturier Buscón«, 1644) des span. Schelmenromans »Historia de la vida del Buscón« (1626) von Quevedo auf. Der Held (bzw. die Heldin) des A. ist, oft in Anlehnung an den Picaro des span. Schelmenromans, der aus kleinen Verhältnissen stammende Typ des Glücksjägers, der von einem launischen Geschick in der Welt umhergetrieben, sich in mancherlei Berufen und gewagten Unternehmungen versucht und unzählige Abenteuer zu bestehen hat, ehe er als angesehener bürgerl. Biedermann sein Leben beschließen kann. Icherzählung, typisierende Personenzeichnung, häufiger Ortswechsel, histor. Hintergrund, das Milieu der unteren Stände sowie feststehende Motive, vor allem Reisen (↗Reiseroman), Liebesabenteuer, Zweikämpfe, Überfälle, Gefängnis, Schiffbruch charakterisieren den A. formal und inhaltlich. Je nach Thematik unterscheidet man den mit dem Schelmenroman verwandten A. (z. B. »Der lustige Avanturier«, 1738) von dem der ↗Robinsonade nahestehenden (z. B. »Der durch Zauberey aus einem Welt-Theil in das andere gebrachte Bremische Avanturier«, 1751). Mit dem anonym erschienenen »Kurtzweiligen Avanturier« (1714), einer Übersetzung Heinsius', wird der A. in Deutschland heimisch. Ihm folgen bis 1769 etwa 20 A.e, alle von unbekannten Verfassern, u.a. »Des seltsamen Avanturiers sonderbare Begebenheiten«

(1724), »Die Teutsche Avanturiere« (1725) etc. Ihre außerordentl. Beliebtheit wird durch die ›Pseudo-Avanturiers‹ belegt (z. B. »Der Würtembergische Avanturier«, 1738), die, ohne in irgendeiner themat. Beziehung zu den A.n zu stehen, sich deren Namen als Käuferfang zunutze machten.

📖 Mildebrath, B.: Die dt. »Avanturiers« des 18.Jh.s. Diss. Würzb. 1907.   PH

Âventiure, f. [avɛn'tyːrə; mhd., über frz. aventure von mlat. adventura = Ereignis], *in mhd. Literatur* (bes. in der ↗Artusdichtung) vorkommende Bez. für ritterl. Bewährungsproben in Kämpfen mit Rittern, Riesen und and. gefahrvollen Begegnungen mit Fabelwesen (Drachen, Feen u. a.), deren Bestehen Werterhöhung und Ruhm bedeuten. Der Held ›reitet aus auf A.‹ entweder, weil er seine Tüchtigkeit erproben will oder weil er von Schwachen und Verfolgten um Hilfe gebeten wird. Bevorzugte A.-Orte sind der Wald (forest avantureuse, bei Chrétien de Troyes, »Erec et Enide«, v. 65 ff.), der Wundergarten (Hartmann v. Aue, »Erec«, v. 8698 ff.), der Zauberbrunnen (»Iwein«, v. 3923 ff.) und das Zauberschloß (Schastel marveil in Wolframs v. Eschenbach »Parzival«, v. 562, 21 ff.). Bereits in der mhd. Blütezeit treten die märchenhaften A.-Motiven solche aus der ↗Helden- und ↗Kreuzzugsdichtung (z. B. der böse Heide, das wilde Waldweib in Wirnts v. Grafenberg »Wigalois«, v. 3652 ff. und v. 6285 ff.), die zur wildwuchernden A.-Phantastik späthöf. Artusepik (z. B. Heinrich v. dem Türlîn, »Der Â. Crône«) überleiten. – In der Heldenepik bedeutet A. ein Handlungsabschnitt; als Kapitelüberschrift zuerst nachweisbar in den Hss. A und C des Nibelungenliedes. Erst in der späteren Heldenepik (2. Hä. 13. Jh.) tauchen der Artusepik verwandte aventiurehafte Züge auf (»Virginal« v. 110, 8 ff.). – A. wird im MA. weiter allgemein als *Bez. für erzähl. Werke* verwendet (vgl. z. B. Wolfram, »Parzival«, v. 140, 13: dirre aventiur hêrre = der Held dieser Erzählung). Auch die Quelle einer solchen Erzählung wird A. genannt (»Herzog Ernst« v. 3891: nach der â. sage). – Daneben erscheint »Frau A.« als Personifikation der Erzählung, z. T. als Dialogpartnerin des Dichters, erstmals bei Wolfram (»Parzival« v. 433, 1 ff.), dann bei Rudolf von Ems (»Willehalm«, v. 2143 ff.) u. a. bis hin zu Hans Sachs. – Im 19.Jh. knüpfen M. v. Strachwitz mit »Fräulein Aventür« (»Märchen«, in: »Gedichte eines Erwachenden«, 1842) und V. v. Scheffel mit seiner Gedichtsammlung »Frau A.« (1863) an die mal. Tradition an. – RL   PH*

Bacchius, Bakcheus, m. [gr.-lat.], antikes Versmaß der Form ∪–– (amábō), Bez. nach seiner Verwendung in Liedern auf den griech. Gott Bakchos; in *griech. Dichtung* meist nur als Abschluß jamb. Verse gebraucht (z. B. im katalekt. jamb. ↗Trimeter); *in lat. Dichtung* häufig in der Komödie, am gebräuchlichsten als akatalekt. bakcheischer Tetrameter (∪–́– | ∪–́– | ∪–́– | ∪–́–). Auch seine Umkehrung: ––∪ (gr. = *Palim-B.*, lat. *Antibacchius*), ist als selbständ. Metrum selten.   UM*

Badezellenbühne ↗Terenzbühne.

Baguenaude, f. [ba'gnoːd; frz. = hohle Frucht des ›baguenadier‹ (= südfrz. Strauchart), übertragen = ohne Inhalt, Lappalie], frz. Gedichtform, die in beliebig langen Strophen (häufig aus assonierenden oder nachlässig [unrein] gereimten Achtsilblern) paradoxe Einfälle zusammenhanglos aneinanderreiht. Erstmals bezeugt in der »Art de Rhétorique« v. J. Molinet (1493); Vertreter u. a. Jehan de Wissocq. Vgl. auch ↗Coq-à-l'âne, ↗Fatras, ↗Frottola.
PH*

Balada, f. [prov. = Tanz, Tanzlied, von prov. balar aus mlat. ballare = tanzen], Gattung der Trobadorlyrik: Tanzlied mit Refrain, gesungen von Solisten und Chor (vgl. afrz. ↗Rondel) zum Reihen- und Kettentanz; bevorzugtes Thema: Liebessehnsucht. Charakterist. sind Durchreimung und Anbindung des Refrains an die Strophe durch den Reim (Refrainverse z.T. auch im Innern der Strophe wiederholt): einfache Ausprägung (Guiraut d'Espanha und anonyme Überlieferung): AA bAba AA; die Ausprägung der Blütezeit (14., 15. Jh.: Guillaume de Machault, F. Villon) besteht i. d. Regel aus drei 8-10-zeil. Strophen aus Acht- bzw. Zehnsilblern, Geleit und Refrain von der Länge einer halben Strophe und meist 3 Reimklängen. Verwandte Liedformen in prov. Dichtung: ↗Dansa, Retroensa, in afrz. Dichtung: ↗Chanson de toile, ↗Virelai, ↗Rotrouenge.

PH*

Ballade, f. [it. ballata, prov. balada, engl. ballad: ursprüngl. = Tanzlied, zu mlat. ballare = tanzen], die ursprüngl. Form der europ. B. ist vermutl. die italien.-prov. ↗Ballata/↗Balada, ein Tanzlied mit Refrain, gesungen zum Reihen- und Kettentanz. Von Nordfrankreich aus gelangt, im Rahmen der Ausbreitung der ritterl. Kultur, der höf. Reihen- und Kettentanz und mit ihm die roman. B. nach Deutschland, England-Schottland und Skandinavien; hier wird die lyr. Form des Tanzliedes mit ep. Inhalten verknüpft. Es entsteht die anonyme *Volks-B.* als (gesungenes) Erzähllied, dessen Stellung innerhalb des Kanons der poet. Gattungen dadurch charakterisiert ist, daß es die »drei Grundarten der Poesie« (die »Naturformen« ep.-lyr.-dramat.) »wie in einem lebend. Ur-Ei« in sich vereint (Goethe, »Über Kunst und Altertum«, III, 1, 1821); wie im ↗Heldenlied der Völkerwanderungszeit, bes. in der Form des doppelseit. ↗Ereignisliedes, verbindet sich der B. ep. Erzählweise mit dramat. Gestaltung (Konzentration auf die Höhepunkte des Geschehens, Dialogform); hinzu kommt – und hierin unterscheidet sich die B. vom älteren Heldenlied – der Refrain, der, vom eigentl. Erzähllied streng getrennt, dem objektiven Geschehen gegenüber die subjektive Anteilnahme der Singenden zum Ausdruck bringt und der B. oft einen weichen und eleg. Ton verleiht. Die altertümlichste Gestalt der B. als Erzähllied zeigen die skandinav. ↗Folkeviser (Blütezeit 13./14. Jh., Aufzeichnungen seit dem 15. Jh.), die als Volks-B.n bis in die Neuzeit hinein weite Verbreitung gefunden haben: sie werden (auf den Färöer z. T. bis heute) zum Gruppentanz chor. gesungen und zeigen ausnahmslos Refrain. Gegenstände der Folkeviser sind nord. Göttermythen *(Götter-B.n),* german.-dt. und nord. Heldensagen *(Helden-B.n,* sog. ↗Kaempeviser), Naturmagisches *(numinose B.n),* Legenden, literar. Stoffe *(Ritter-B.n)* und histor. Ereignisse v. a. des 12./13. Jh.s *(histor. B.n):* Wichtige Typen der späteren Kunst-B. sind damit hier vorgebildet. – Auf formal jüngerer Stufe stehen die engl.-schott. und dt. Volks-B.n des Spät-MA.s, bei denen Volks-B.n des Spät-MA.s, bei denen die ep.-dramat. Momente vorherrschen; Aufführung zum Tanz ist hier nicht nachgewiesen, vielmehr ist mit Einzelvortrag zu rechnen; der Refrain fehlt häufig; die Strophenformen entsprechen jedoch denen der skandinav. B.n; bei den dt. *Volks-B.n* kommen typ. ep. Strophenformen (Abwandlungen der ↗Nibelungenstrophe) hinzu. Auch die Stoffkreise decken sich weitgehend mit denen der skandinav.; bes. Beliebtheit erfreuen sich neben Stoffen aus der (Helden-)Sage (meist mit Verzicht auf den trag. Ausgang; z. B. »Jüngeres Hildebrandslied«; B. vom Herzog Ernst) histor. Stoffe, z. T. schon frei gestaltet (B.n vom Lindenschmied, von der Bernauerin); die Grenzen zum ↗histor. Lied (etwa aus den Befreiungskämpfen der Schweiz) sind oft fließend. An Gestalten der mal. Dichtungsgeschichte knüpfen die B.n vom »Moringer« und vom »Tannhäuser« an; Beispiel einer B. mit literar. Stoff ist die B. von den »zwei Königskindern« (Hero und Leander). Relativ selten ist in Deutschland die naturmag. und Geisterb. (z. B. die B. von der »schönen Lilofee«). Die *engl.-schottische B.* bevorzugt trag.-heroische Stoffe aus Sage und Geschichte (der »Edward«). – Neuzeitl. Nachfahren der Volksb., deren Tradition mit dem Humanismus abreißt, sind ↗Zeitungslieder und Moritaten des ↗Bänkelsangs. – Die system. Sammlung der alten Volksb.n beginnt in der zweiten Hälfte des 18. Jh.s (in England Bischof Th. Percy,

»Reliques of Ancient English Poetry, Old heroic Ballads«, 1765; in Deutschland J. G. Herder, »Volkslieder«, 1778/79, mit Nachdichtungen engl.-schott. und dän. Volksb.n); Höhepunkt der Sammeltätigkeit in der Romantik (A. von Arnim, C. Brentano, »Des Knaben Wunderhorn«, 1806–08; W. Grimm, »Altdän. Heldenlieder, B.n und Märchen«, 1811); im dt. Sprachraum werden etwa 250 B.n gesammelt. – Im 18. Jh. wird der Begriff ›B.‹ auch gattungsmäßig im Sinne von ›Erzähllied‹ eingegrenzt, erstmals in einer 1723 anonym erschienenen engl. Sammlung »A Collection of old Ballads«, dann bei Percy (s. oben), seit etwa 1770 auch bei F. v. Hagedorn, J. G. Herder und Goethe. – Der Glaube des 18. Jh.s, in der neuentdeckten Volksb. manifestiere sich nicht nur Geschichtsüberlieferung und kollektiver Seelenzustand, sondern auch eine geschichtsübergreifende ästhet. Norm, beeinflußte die Stil- und Kunstformen der dt. *Kunstb.,* die, als streng literar. Form, die wesentl. Stilmerkmale der Volksb. übernimmt (Stellung zwischen den Gattungen, meist stroph. Gliederung, Reime, weitgehender Verzicht auf bes. kunstvolle Formen wie z. B. freie Rhythmen): Die B.n L. Ch. H. Höltys stellen in der dt. Dichtung den ersten Reflex auf Percys Sammlung dar, sie sind indes noch in schäferl. Milieu angesiedelt (z. B. »Adelstan und Röschen«, 1774). Epochemachend ist G. A. Bürgers »Lenore« (1774), die auch stimmungsmäßig den Ton der alten numinosen B. trifft; neben dem Einfluß Percys macht sich hier die Wirkung der Ossiandichtung bemerkbar. In Bürgers Nachfolge wird die naturmag. und Geisterb. zum vorherrschenden B.ntyp des ↗Sturm und Drang; ihr wichtigster Vertreter ist, neben Bürger, der junge Goethe (»Der untreue Knabe«, »Der Erlkönig«, letztere durch Herders Nachdichtung der dän. B. von Herrn Oluf und den Elfen angeregt). – Im sog. ›B.njahr‹ 1797 (1798) entwickeln Goethe und Schiller den klass. Typus der ↗Ideenb., die formal und themat. in äußerstem Ggs. zur Volksb. steht. – Die Romantiker (L. Tieck, Brentano, J. v. Eichendorff) kehren zu schlichteren und volksliedhaften Formen zurück; lyr. Stimmung und klangl.-musikal. Form überlagern die ep. Handlung und regen zu zahlreichen Vertonungen an (F. Schubert, C. Loewe). – Die Kunstb. wird v. a. in der Romantik mit mehr oder weniger Erfolg auch in anderen europ. Literaturen gepflegt, so in der engl. Literatur (W. Scott, S. T. Coleridge, J. Keats, R. Browning, M. Arnold u. a.) und in den skandinav. Literaturen (A. Oehlenschläger und J. L. Heiberg in Dänemark, E. Tegnér und G. Fröding in Schweden, B. Björnson in Norwegen). – Das. 19. Jh. setzt z. T. die Tradition der naturmag. und numinosen B. fort (E. Mörike, »Die Geister am Mummelsee«, »Der Feuerreiter«; A. von Droste-Hülshoff, »Der Knabe im Moor«); zum charakterist. B.ntyp des 19. Jh.s wird jedoch die histor. (Helden-)B. mit vorwiegend dem MA. entnommenen Themen (L. Uhland, »Graf Eberhard der Rauschebart«, »Bertrand de Born«, »Taillefer«; M. von Strachwitz, »Das Herz von Douglas«; Th. Fontane, »Gorm Grymme«, »Archibald Douglas«; C. F. Meyer, »Die Füße im Feuer«); neu sind bibl. Themen (H. Heine, »Belsazar«); neu ist weiter die Auseinandersetzung mit sozialen Problemen (A. v. Chamisso, »Das Riesenspielzeug«; Heine, »Die schlesischen Weber«) und mit der modernen Technik (Fontane, »John Maynard«, »Die Brück' am Tay«). Die Neuromantik bezieht die B. in ihr gegen Realismus und Naturalismus gerichtetes literar. Programm ein (B. als »aristokrat.« Form bei B. von Münchhausen – »Das ritterliche Liederbuch«, »Das Herz im Harnisch« –, L. von Strauß und Torney und A. Miegel); ihre vermeintl. ›Erneuerung‹ der dt. Kunstb. zeigt im wesentl. epigonale Züge. Die Stilisierung der B. zur ›deutschen‹ Gattung (W. Kayser, 1936) wird hier durch das Pathos des Heroischen und der nationalist. Pose vorbereitet. Die Skepsis gegenüber der B. in der jüngeren Lit. (Poetologie etwa bei K. Hamburger) liegt darin begründet. – Dennoch leistet gerade auch das 20. Jh. auf dem Gebiet der

B.ndichtung Bedeutendes. Der Expressionismus erschließt der histor. B. neue Themenkreise (frz. Revolution; G. Heym, »Robespierre«; G. Kolmar, B.nzyklen »Robespierre«, »Napoleon und Marie«) und erneuert traditionelle B.ntypen durch Subjektivierung der Themen (E. Lasker-Schüler, »Hebräische Balladen«, 1913); kunstvolle lyr. Formen (u. a. das ∕Sonett) werden bevorzugt. – An die Form des Bänkelliedes knüpft, nach F. Wedekinds Vorgang, B. Brecht an; er macht die B. zum Forum akzentuierter Sozialkritik (»B. von der Kindesmörderin Marie Farrar«) und krit. Auseinandersetzung mit dem aktuellen polit. Geschehen (»Legende von der Entstehung des Buches Taoteking auf dem Weg des Laotse in die Emigration«, »Kinderkreuzzug«); er wird damit zum Schöpfer der polit. B., für die sich die iron.-distanzierende, desillusionist. Bänkelton als bes. geeignet erweist. Seit den Protestbewegungen der 60er Jahre ist eine Neubelebung dieses sozial-krit. B.ntyps zu beobachten. Die von K. Riha (1965) und W. Hinck (1968) eingeleitete gattungsgeschichtl. Neubesinnung stellt die B. in den sozialen Kontext (formale und gehaltl. Aktualität) und erweitert den B.nbegriff grundsätzl. in Richtung auf Groteskpoesie, Bänkelsang, ∕Zeitungslied, polit. (frz.) ∕Chanson (Béranger) und ∕Couplet und allgem. auf das polit. engagierte Lied, den ∕Protestsong (Mittel zur Aufhellung zeitgenöss. Zustände). Vertreter dieser modernen B. sind u. a. W. Biermann, F. J. Degenhart, P. Hacks (Tendenz zum Protestsong), Ch. Reinig (Tendenz zur Moritat: »B. vom blutigen Bomme«), G. Grass, H. C. Artmann, R. Tranchirer (artist.-surrealist. Formen). Geradezu als neues B.njahr⁺ gilt das Jahr 1975 mit den B.n-Sammlungen von F. C. Delius (»Ein Bankier auf der Flucht«), H. M. Novak (»B.n vom kurzen Prozeß«, »B. von der kastrierten Puppe«), H. C. Artmann (»Aus meiner Botanisiertrommel«) und H. M. Enzensberger (»Mausoleum, 36 B.n aus der Geschichte des Fortschritts«). – Auch ∕Romanze.

📖 Weißert, G.: B. Stuttg. 1980. – Müller-Seidel, W. (Hrsg.): B.nforschung. Königstein 1980. – Laufhütte, H.: Die dt. Kunst-B. Grundlegung einer Gattungsgeschichte. Hdbg. 1979. – Köpf, G.: Die B. Probleme in Forschung u. Didaktik. Kronberg 1976 (mit ausführl. Bibliogr. auch zur ausländ. B.ndichtung, zu Song, Bänkelsang, Anthologien, Texten, Schallplatten, didakt. B.nlit.).   K

Ballad opera, f. ['bæləd 'ɔpərə; engl.], satir. Anti-Oper, die Ende 17., Anf. 18.Jh. in England als Reaktion gegen die Vorherrschaft der italien. opera seria (Hauptvertreter Händel) entstand. Die B. o. greift einfache Komödienstoffe auf, in deren oft possenhaft derbe Prosadialoge, Tanzszenen, (Strophen-)Lieder (ballads) nach bekannten volkstüml. Melodien, z. T. auch parodierte Arien eingestreut sind. Der balladeske Stil oder ∕Bänkelsang-Ton herrscht vor. B. o.s waren meist auf Vorstadtbühnen und Jahrmärkte beschränkt, wurden aber, von den ∕engl. Komödianten verbreitet, bes. in Deutschland bedeutsam für die Entwicklung des deutschen ∕Singspiels (1. dt. Übersetzung einer B. o. 1743 in Berlin). Berühmt und von durchschlagendem Erfolg war die von J. Gay und J. Ch. Pepusch zusammengestellte »Beggar's opera« (1728), 1929 von B. Brecht/K. Weill mit ähnl. Tendenz umgeformt, 1948 von B. Britten, 1953 von Ch. Fry/A. Bliss (als Film), 1960 von H. M. Enzensberger neu bearbeitet.   IS

Ballad stanza ['bæləd 'stænzə; engl. = Balladenstrophe, meist als ∕Chevy-Chase-Strophe bez.].

Ballata, f. [von it. ballare = tanzen],
1. in der ital. Lyrik Tanzlied mit Refrain; seit dem 13.Jh. in einfachen Ausprägungen, entsprechend der prov. ∕Balada und afrz. ∕Ballade, bezeugt; Schema: A̲A̲ bbb̲a̲, meist 7-, 8- oder 11-Silber; gesungen von Solisten u. Chor zum Reihen- und Kettentanz; Inhalt: Scherz, Liebe, Frühlings- und Sommerpreis, aber auch als Strophe der ∕Lauda verbreitet (Jacopone da Todi). Die volkstüml. B wurde zur *Kunstform*

entwickelt von den Vertretern des ∕dolce stil nuovo (Dante, G. Cavalcanti); klass. Grundform ist die *b. maggiore (grande):* 4zeil. Refrain und 8zeil. ∕Stollenstrophe aus Elf- oder Siebensilbern (oder beiden gemischt), Anreimung der ∕Coda an den Aufgesang, Wiederholung des letzten Refrainreimes als abschließender Reim der Coda: Schema: XYY̲X̲ abab bcc̲x̲ – dedeeff̲x̲ . . . zahlreiche Variationsmöglichkeiten durch unterschiedl. Versmischungen, variable Vers- und Strophenzahlen, durch mögliche Wiederholungen des Refrains. Höchste Blüte im 14.Jh. neben ∕Sonett und ∕Kanzone (F. Petrarca, G. Boccaccio, F. Sacchetti); im 15.Jh. noch von Lorenzo de Medici und Poliziano gepflegt (aber Rückkehr zur einfacheren, volkstüml. Ausprägung der ∕Barzelletta), Mitte des 16.Jh.s in Vergessenheit geraten, kurzes Aufleben im 19.Jh. durch D'Annunzio, G. Pascoli, G. Carducci und seine Schule u. a.
2. Ballata *romantica,* ital. Bez. für die Nachbildungen der engl. ∕Ballade.   IS

Bänkelsang [nach der Bank, die die Vortragenden als Podium benutzten], Bez. für Lied und Prosageschichte der Bänkelsänger, auch *Moritat* genannt, sowie für deren spezif. Darbietungsweise. Der B. kommt, den Zeitungssang allmähl. ablösend, im 17.Jh. auf (erste Belege bei B. Neukirch: »Bänklein-Sänger«, 1709 und J. Ch. Gottsched: »Bänkchensänger«und »Bänkelsänger« [mit thüring.-erzgebirg. Diminutiv], »Crit. Dichtkunst«, 1730); seine Blütezeit ist das 19.Jh., v. a. in Hamburg, Schleswig-Holstein, Rheinland, Rheinpfalz, Zentren waren Schwiebus (Hermann Reiche-Verlag), Schurgast und Liegnitz. Die *Bänkelsänger,* meist fahrende Schausteller (darunter häufig Frauen, seit Anfang des 19.Jh.s auch ganze Familien), trugen v. a. auf Märkten und Messen, gewöhnl. zur Drehorgelmusik, auf eingängige und verbreitete Melodien Lieder vor, die von sensationellen, rührsel. oder schauerl., wahren für wahr gehaltenen Ereignissen handeln (Naturkatastrophen, Unglücksfälle, Verbrechen, Liebes- und Familientragödien, seltener histor.-polit. Ereignisse). Kennzeichnend sind formelhafte Vereinfachung der Sprache, Typisierung der Personen, Situationen und Gefühlsäußerungen; sie geben eine verallgemeinernde, kommentierende und wertende Darstellung der Ereignisse. Das Bänkellied gehört in die Tradition des Ereignisliedes und ist mit dem ∕histor. Lied und dem ∕Zeitungslied verwandt. Bänkellieder werden jedoch darüber hinaus stets zusammen mit einer ausführlicheren, erklärenden Prosafassung dargeboten und illustriert durch in mehrere Felder aufgeteilte Bildtafeln (Schilde), auf die der Bänkelsänger, auf einer Bank stehend, während des Vortrags mit einem Zeigestock weist. Während und nach der Darbietung werden Drucke, sog. Moritatenblätter (Fliegende Blätter), die den vorgetragenen Text und die Prosageschichte und meist auch einen (ähnl. wie die Bilder grob ausgeführten) Holzschnitt enthalten, zum Verkauf angeboten. Die Darbietung der Bänkelsänger richtet sich nach den Bedürfnissen des kleinbürgerl. Publikums, sie will den Stoffhunger befriedigen, starke Gefühlswirkung erzielen, die anerkannte Moralauffassung bestätigen durch die moralisierende Grundtendenz der Moritat, die stetige Aktualisierung des Schemas: Störung der Ordnung (durch ein Verbrechen oder Unglück) und deren Wiederherstellung (durch Bestrafung oder glückl. Fügung). *Die Texte* stammen von anonym bleibenden Verfassern, sind meist im Auftrag bestimmter Verlage geschrieben, selten von den Bänkelsängern selbst.

Literar. Bedeutung gewinnt der B. Mitte des 18.Jh.s mit dem Erwachen des Interesses gebildeter Kreise an volkstüml. Kunst; er beeinflußt die ∕Balladen- und ∕Romanzendichtung W. L. Gleims, dann J. F. Löwens, D. Schiebelers, G. A. Bürgers, Ch. H. Höltys u. a. (»Salon-B.«, teils parodist.). A. v. Arnim und C. Brentano planten 1802 aus volkserzieher. Gründen eine Bänkelsängerschule. Im 19.Jh. dichteten H. Heine und Hoffmann von Fallersleben

polit. Lieder im B.stil; B.-Parodien schrieben F. Th. Vischer (unter dem Pseudonym U. Schartenmeyer) und L. Eichrodt. Die in diesem reflektierten literar. B. liegenden Möglichkeiten iron.-distanzierter (sozialkrit.) Aussagen wurden im 20. Jh. programmat. genützt. F. Wedekind schuf den *polit. B.*, welcher der Entwicklung der modernen Lyrik insgesamt, bes. aber der modernen ↗Balladendichtung starke Impulse gab (B. Brecht, O. J. Bierbaum, Ch. Morgenstern, E. Mühsam, W. Mehring, E. Kästner u. a.). Bes. das polit. engagierte Lied (↗Protestsong) seit den Protestbewegungen der 60er Jahre bedient sich bewußt der rezeptionsorientierten Elemente des B. (W. Biermann, F. J. Degenhardt, H. C. Artmann u. a.). Auch die *bildende Kunst* empfing Anstöße vom B.: Die Bildtafeln (insbes. von dem gesuchten Schildermaler A. Hölbing, 1855–1929) beeinflußten u. a. O. Dix, G. Grosz, M. Beckmann und H. Vogeler (u. a. sog. Komplexbilder oder Agitationstafeln über polit. Lehren und Erfahrungen). – Die originale naive B. dagegen starb im 20. Jh. aus; seine Funktionen werden z. T. vom Film, der Regenbogenpresse und dem Schlager übernommen. In Italien ist der B. in verschiedenen Regionen noch lebendig.
Texte: Braungart, W. (Hg.): B.: Texte, Bilder, Kommentare. Stuttg. 1985. – Riha, K. (Hg.): Das Moritatenbuch. Frankf. 1975. – Petzoldt, L. (Hg.): Die freudlose Muse. Texte, Lieder, Bilder zum histor. B. Stuttg. 1978. ◫ Hinck, W. (Hg.): Gesch. im Gedicht. Texte u. Interpretationen. Frkft. 1979. – Riha, K.: Moritat, Bänkelsong, Protestballade. Königstein ²1979. – Petzoldt, L.: B. Stuttg. 1974. – RL　　　　　　　　　　　　　　　　　　RSM*

Bar, Par, m., auch n. (J. Grimm), Meistersinger-Bez. für mehrstroph. Lied; die häufigste Form ist der sog. *gedritte B.,* ein Lied aus drei Gesätzen (Strophen; ↗Stollenstrophe). B. scheint als Kurzform aus anderen Gedichtbezz. der Meistersinger wie *parat* (Wiltener Hs.), *parat don, barant wíse* (Kolmarer Hs.) abgeleitet zu sein, die ihrerseits vielleicht aus der Fechtersprache übernommen sind (*parat* = erfolgreiche Abwehr) und auf die besondere Kunstbeherrschung bei der Erschaffung eines B. abhoben.
◫ Petzsch, Ch.: Parat(Barant-)Weise, B. u. B.form. Eine terminolog. Studie. In: Arch. f. Musikwiss. 28 (1971). ↗Meistersang. ↗Meistersangstrophe.　　　　　　　　　　S

Barbarismus, m. [zu gr. *barbaros* = der nicht gr. sprechende Fremde (im Ggs. zum Hellenen), aus sumer. *barbar* (onomatopoiet. Bildung im Sinne von ›unverständl.‹ Murmelnder‹) = Fremder], Bez. der antiken ↗Rhetorik (vgl. Quintilian, Inst. I 5, 4 ff.) für den Verstoß gegen die *puritas,* d. h. gegen idiomat. Korrektheit (im Ggs. zu Fehlern der Syntax, dem ↗Solözismus). Als Barbarismen galten falsch ausgesprochene oder verstümmelte Wörter, Phantasie- und Fremdwörter, bes. aus Sprachen kulturell unterlegener Völker. B. war dagegen erlaubt in poet. Funktion (↗Metaplasmus), bes. in bestimmten Literaturgattungen (Komödien). – Heute bez. B. allgem. eine sprachl. Unkorrektheit (vgl. ↗Anti-B., auch ↗Purismus.　　　　　　　　　　IS

Barde, m. [altir. *baird,* neuir. *bard,* walis. *bardd* = Sänger],
1. Kelt. Hofdichter, bezeugt für die Gallier, Iren, Gälen, Waliser und Bretonen (älteste Belege im 1. Jh. v. Chr. bei Poseidonios, Timagenes und Strabo). Aufgabe der B.n war der Vortrag von Fürsten- und Helden(preis)liedern und Spottliedern bei Hoffesten; daneben wirkten sie als Ratgeber der Häuptlinge u. besaßen oft großen polit. Einfluß. – In Gallien starb ihr Stand mit der Romanisierung aus, in Wales bestand er bis ins 16., in Irland und Schottland bis ins 18. Jh. fort. Die ir. und walis. B.n des MA.s waren in Zünften organisiert, deren Mitglieder einen festen sozialen Rang einnahmen und über besondere Privilegien verfügten, den ir. B.n wurden die *filid* (= Gesetzessprecher) zugerechnet. – Die jährl. Zunftversammlungen der walis. B.n (Eisteddfodau, ↗Eisteddfod) wurden im 19. Jh. als Dichterwettbewerbe wiederbelebt.

2. Seit dem 17. Jh. auf Grund von frz. *barde* (metonym. für jeden ehrwürd. Sänger) und lat. *barditus* (bei Tacitus) Gleichsetzung des kelt. B.n mit dem altnord. ↗Skalden und dem westgerm. ↗Skop (Schottelius, 1663: Barden »die alten Tichtere und Poeten bey den Teutschen«); poet. Niederschlag dieser Gleichsetzung in der ↗Bardendichtung des 18. Jh.s.
◫ Vries, J. de: Kelten u. Germanen. Bern u. Mchn. 1960. K

Bardendichtung, Sammelbez. für eine Gruppe dt. Gedichte, vornehml. lyr.-ep. Art aus der Zeit um 1770, deren Dichter sich als ›Barden‹ bezeichneten und deren Motive und Formen vorgebl. ›altgerman.‹ bzw. ›altdt.‹ Ursprungs sind. – Die B. wurzelt im erwachenden dt. Nationalismus (v. a. seit dem 7jähr. Krieg) und dem damit zusammenhängenden Interesse am german. und dt. Altertum. Zentrum ist zunächst in Dänemark; Quellen u. a. die frühgeschichtl. Werke von P. H. Mallet (1755/56, dt. 1765) und G. Schütze (1758); charakterist. für diese frühe Forschung ist, daß zwischen nord., dt. und kelt. Altertümern nicht streng geschieden wird, daher die Gleichsetzung der kelt. ↗Barden mit den altnord. ↗Skalden u. ä. – Poet. Niederschlag findet dieses Interesse an der ›nationalen‹ Frühgeschichte zunächst in den Arminius-Dramen und -Dichtungen seit J. E. Schlegel; die eigentl. B. wird durch die Oden F. G. Klopstocks (›teuton.‹ Motive seit 1749) und die ↗ossian. Dichtung (1. dt. Übersetzung 1762) angeregt. Am Anfang der B. steht W. v. Gerstenberg (»Gedicht eines Skalden«, 1766); es folgen Klopstock (mit Einschränkung, da seine ↗Bardiete eine Sonderstellung einnehmen und er sich nachdrückl. von der »Bardenmode« distanziert) und K. F. Kretschmann (»Gesang Ringulphs des Barden, als Varus geschlagen war«, 1768, »Klage Ringulfs des Barden«, 1771 u. a.). Die dt. B. wendet sich dann roman. und antiken Elemente in der dt. Dichtung, gegen die »Fessel« der antikisierenden Metren, denen sie die »Naturwüchsigkeit« ihrer eigenen Formen (freier Wechsel ep. und lyr. Partien, ↗freie Rhythmen, häufig aber mit Reim) entgegenhält; sie wendet sich gegen die »Frivolität« der Anakreontik und der Wieland'schen Dichtungen, denen gegenüber sie die german. Sittenstrenge (Tacitus) betont. Da die B. (abgesehen von Klopstocks Bardieten) jedoch Rollendichtung ist, unterscheidet sie sich gerade von der Anakreontik nur oberfläch. (Ersatz der griech.-röm. Requisiten durch sog. altdt.: Barde statt Dichter, Eichenlaub statt Lorbeer, Walhalla statt Olymp usw.). Die Vertreter der B. trugen sog. Bardennamen (Gerstenberg = Thorlaug, Klopstock = Werdomar, K. W. Ramler = Friedrichs Barde, Ch. F. Weiße = Oberbarde an der Pleiße usw.). – Ihren Höhepunkt erreichte die B. mit M. Denis (= Barde Sined. Übersetzungen Ossians, Gelegenheitsgedichte im bard. Gewand am Wiener Hof, z. B. »Bardenfeier am Tage Theresiens« u. a.) und dem ›Göttinger Hain‹ (Zus.künfte in einem Eichenhain, Bardennamen, 1773 symbol. Verbrennung der Werke Wielands). – Kritik und Spötteleien brachten die B. bereits im 18. Jh. wieder zum Verstummen; Nachklänge finden sich jedoch noch nach 1800 (1802 Kretschmanns »Bardiet«, »Hermann in Walhalla«). – RL　　　　　　　K

Bardiet, m. Bez. F. G. Klopstocks für seine vaterländ. Dramen »Hermanns Schlacht« (1769), »Hermann und die Fürsten« (1784) und »Hermanns Tod« (1789), gebildet in Anlehnung an das als »Bardengesang« interpretierte ↗barditus bei Tacitus. – Formal nähert sich Klopstock in seinen B.en der griech. ↗Tragödie (Einheit von Ort, Zeit und Handlung, Prosadialoge; ↗Botenbericht und ↗Teichoskopie stehen den Konnex zwischen Bühne und Handlungsraum außerhalb der Bühne her; der Chor ist nicht »idealischer« Zuschauer, sondern der Handlungsträger schlechthin), die Bardenchöre sind stroph. gegliederte Gesänge in eigenrhythm. Versen. Die Tradition des pseudo-german.-kelt. Altertums, an die Klopstock anknüpfen will, ist nur im kulturhistor. Detail gegenwärtig. – Klopstocks B.e wurden trotz mehrerer Pläne (Wien, Paris, Freilichttheater auf der Roßtrappe im Harz) nicht nachweisbar aufgeführt; die Kompositionen der Bardengesänge durch Ch. W. Gluck sind verschollen.

⊞ Beissner, F.: Klopstocks vaterländ. Dramen. Weimar 1942.   K*

Barditus, m. [lat.], nach Tacitus (Germania, cap. 3) Schlachtgesang der Germanen, mit dessen »Vortrag, den sie als *barditus* bezeichnen, sie den Mut entflammen« (Übers. E. Norden). – Im 17. u. 18.Jh. wurde *b.* als »Bardengesang« interpretiert (↗Barde, ↗Bardendichtung, ↗Bardiet) und als bes. literar. Gattung aufgefaßt; in der jüngeren Forschung wurde *b.* auf die Vortrags*weise (relatu!)* hinter vorgehaltenen Schilden bezogen und als »Schildgesang« übersetzt (Meißner, zu altnord. barði = Schild), von J. de Vries auf Grund sprachgeschichtl. und sachl. Einwände angezweifelt; er und H. Hubert stellen *b.* zu kymr. *barddawd* = »Bardenkunst« und kehren damit zur Auffassung des 17. und 18.Jh.s zurück. – RL.

⊞ Vries, J. de: Kelten u. Germanen. Bern/Mchn. 1960. K*

Barock, m. oder n. [portugiesisch barocco = unregelmäßig, schiefrund (von Perlen); danach frz. baroque, metaphorisch für »exzentrisch, bizarr«, zuerst bei G. Ménage]. *Der Barockbegriff in der (dt.) Literaturwissenschaft:* Die Bez. »B.« wird im 18.Jh. von Winckelmann und seinen Schülern im kunstkrit. Sinne abwertend für bizarre, effektvolle, vom Standpunkte der klassizist. Kunst als regelwidrige Formen gebraucht; im 19.Jh. (J. Burckhardt) wird sie auf die it. (Bau)kunst des Seicento eingeengt; seit H. Wölfflin (»Renaissance u. B.«, 1888) dient sie als *neutraler kunsthistorischer Begriff* zur Bez. der Kunst des 17. (und 18.) Jh.s (bei Wölfflin selbst auch der vorausgehenden, etwa mit Michelangelo einsetzenden, heute allerdings mit ↗Manierismus bezeichneten Epoche von ca. 1530–1630; ›Vorbarock‹, ›Frühbarock‹). In seinen späteren Arbeiten (»Kunstgeschichtl. Grundbegriffe«, 1915) weitet Wölfflin den B.begriff von der Bez. eines Zeitstils außerdem zu einer *überzeitl. Stilkategorie* aus; er leitet damit eine phaseolog. Betrachtung der Kunstgeschichte ein, nach der die Stilentwicklung in der bildenden Kunst nicht linear fortschreitet, sondern zwischen den polaren Gegensätzen von ›Klassik‹ und ›B.‹ pendelt; jeder abendländ. Stil hat danach seine ›klassische‹ Phase, die, an ihrem Höhepunkt angelangt, in eine ›barocke‹ Phase umschlägt (Romanik – Gotik, Renaissance – Barock); den Gegensatz ›Klassik‹ – ›B.‹ reduziert Wölfflin dabei auf 5 ›Grundbegriffe«: plastisch – malerisch, Fläche – Tiefe, tektonisch – atektonisch, vielheitliche Einheit – einheitliche Einheit, Klarheit – Unklarheit. Beide Begriffe Wölfflins überträgt, im Rahmen der ↗wechselseitigen Erhellung der Künste, F. Strich auf die (dt.) Dichtung. Strich faßt zunächst (»Der lyr. Stil des 17.Jh.s«, 1916) unter der Bez. ›B.‹ die literar. Strömungen des 17.Jh.s zusammen. Strich begründet damit die B.forschung in der dt. Literaturwissenschaft. Später (»Dt. Klassik und Romantik«, 1920) wendet Strich Wölfflins kunstgeschichtl. Phaseologie unter teilweisem Rückgriff auf Schiller (›naiv‹ – ›sentimentalisch‹), Nietzsche (›apollinisch‹ – ›dionysisch‹) und Worringer (›Abstraktion‹ – ›Einfühlung‹) auf die allgemeine Stilgeschichte an, die sich in diesem Schema zwischen den Polen ›Vollendung‹ (= ›Klassik‹) und ›Unendlichkeit‹ (= ›B.‹, ›Romantik‹) hin- und herbewegt. – E. R. Curtius ersetzte dann, zur Vermeidung histor. Assoziationen, den doppelten B.begriff Wölfflins und Strichs durch den Begriff des ↗›Manierismus‹; er bezeichnet damit eine »Komplementär-Erscheinung zur Klassik aller Epochen«; ›Klassik‹ ist ihm gleichbedeutend mit der »zur Idealität erhobenen Natur«, ›Manierismus‹ mit der Überwucherung der Natur durch Künstlichkeit. G. R. Hocke ersetzt Wölfflins und Strichs Stilfolge ›Renaissance‹ – ›B.‹›in der bildenden Kunst wie in der Literatur durch die Folge ›Renaissance‹ – ›Manierismus‹ – ›B.‹; er

sieht im ›B.‹ eine neue ›klassische‹ Kunst, die zwar formale Manierismen verwendet, diese aber in einer neuen Ordo-Vorstellung (Triumph der Gegenreformation und des Absolutismus) bändigt. A. Hauser differenziert ›Manierismus‹ und ›B.‹ soziolog.; als ›Manierismus‹ bezeichnet er den esoter. Stil einer internationalen Geistesaristokratie, während er im ›B.‹eine mehr volkstümliche und national abgestufte Stilrichtung sieht. – A. Schöne versucht mit der Bez. ›B.‹ wieder die dt. Dichtung des 17.Jh.s in ihrer Gesamtheit zu erfassen, indem er das ›Barocke‹ dieser Zeit gerade in ihrer stilist. Uneinheitlichkeit und spannungsreichen Gegensätzlichkeit erkennt.

Sozioökonom. und geistesgeschichtl. Grundlagen der Epoche: *Träger* der dt. B.dichtung ist der humanist. geschulte Beamtenadel bürgerl. Provenienz, der seinen Aufstieg der im 17.Jh. erfolgenden Umgestaltung der dt. Territorien zu absolutist. Staaten verdankt. Der Grundsatz rationaler Verwaltung, der zu den Prinzipien des Absolutismus gehört, läßt den Bedarf an (jurist.) geschulten Beamten stark ansteigen; damit ist dem bürgerl. Gelehrtenstand die Möglichkeit der Emanzipation vom Beruf des Predigers und (kirchl. beaufsichtigten) Erziehers gegeben; erst diese Emanzipation ist die gesellschaftl. Voraussetzung für eine Umwandlung der dt.sprachigen Gelehrtenliteratur von der konfessionellen Tendenzdichtung, auf die sie im 16.Jh. (Reformation) weitgehend eingeschränkt war, zu einer überkonfessionellen und nationalen weltl. Kunstdichtung, die den durch die Reformation verzögerten Anschluß an das europ. Niveau gewinnt. *Zentren* der dt. B.dichtung sind zwar die absolutist. Fürstenhöfe, aber auch die traditionsreichen und wirtschaftl. starken, von einem selbstbewußten Großbürgertum getragenen Städte (Nürnberg, Leipzig, Breslau, Hamburg, Königsberg); man kann daher nicht eigentlich von einer ›höf.‹ Literatur sprechen; vielmehr handelt es sich um eine höf. orientierte und auf eine exklusive Gruppe des Bürgertums begrenzte Phase der bürgerl. Literatur. Der Bindung der bürgerl. Gelehrtendichtung des 17.Jh.s an den Absolutismus entspricht nicht nur die Vorliebe für enkomiast. und panegyr. Gattungen (↗Panegyrikus; fürstl. Mäzenatentum), die Bevorzugung repräsentativer und prunkvoller Formen, die Prachtentfaltung in den höf., zum Gesamtkunstwerk hin strebenden Gattungen des Dramas, sondern auch das starre Festhalten an den ↗Genera dicendi, (Drei-Stil-Lehre). – Geistesgeschichtl. ist die dt. B.dichtung vor allem dem im Rahmen der geschilderten polit.-gesellschaftl. Entwicklung auch in Deutschland säkularisierten Humanismus verpflichtet. Die dt.sprachige Rezeption der antiken Dichtung erfolgt nicht mehr unter vorwiegend religiös-moral. Gesichtspunkten, sondern, nach dem teilweisen Vorgang der ↗neulat. Dichtung des 16.Jh.s, unter ästhet. Aspekten. Der humanist. Kult des Wortes steht nicht mehr im Dienste der christl. Glaubensverkündigung, sondern richtet sich auf die Pflege der dt. Sprache, die von Fremdwörtern, mundartl. Wendungen und Grobianismen (↗Grobianismus) gereinigt werden soll – eine Aufgabe, der sich vorzüglich die ↗Sprachgesellschaften widmen (nach dem Vorbild der it. Accademia della Crusca: 1617 »Fruchtbringende Gesellschaft« oder »Palmenorden«, zunächst in Weimar, später in Köthen; 1633 »Aufrichtige Tannengesellschaft« in Straßburg; 1643 »Teutschgesinnte Genossenschaft« in Hamburg; 1644 »Pegnesischer Blumenorden« in Nürnberg; 1658 »Elbschwanenorden« u. a.). Damit sind zugleich die Voraussetzungen für die Anfänge der dt. Philologie gegeben (Schottel, Morhoff, Leibniz als Sprachforscher; erste Editionen ma. dt. Texte durch Goldast, Opitz, Schilter; ↗Germanistik). Humanist. Tradition entstammen außer ↗Poetik und ↗Rhetorik ein großer Teil des Bild- und Motivschatzes der B.dichtung (Emblematik) und die ganze Komparserie der mytholog. Figuren (mit latinisierten Namen gr. Götter und Heroen). – Neben dem Humanismus üben die religiösen Strömungen des 17.Jh.s

Einfluß auf die dt. B.dichtung aus: Im Süden und Südwesten (Habsburg) dominiert der in der Gegenreformation neu erstarkte Katholizismus, auf dessen Basis der süddt. Bildbarock entsteht, der aber (vom lat. ∕Jesuitendrama abgesehen) kaum nennenswerten literar. Niederschlag findet. Im Rahmen des Protestantismus, der die festen sakralen und rituellen Bindungen des Gläubigen an die Institution der Kirche gelöst und damit den Weg zur Verinnerlichung und Individualisierung des Glaubens geöffnet hat, kommen myst. Strömungen zum Durchbruch (J. Böhme: »Morgenröte im Aufgang«, 1612; J. V. Andreae: »Chymische Hochzeit Christiani Rosenkreutz anno 1549«, 1616; A. von Franckenberg u.a.; Zentrum in Ostmitteldeutschland). Deren Subjektivismus findet seine Fortsetzung im Pietismus (A. H. Francke; Ph. J. Spener) und mündet dann in den bürgerl. Individualismus des 18. Jh.s. Diese Entfaltung des Ich steht in diametralem Gegensatz zur strengen Objektivität der Gelehrtendichtung und trägt mit zur Auflösung der B.dichtung bei. – Ihr besonderes Signum erhält die dt. B.dichtung durch die Katastrophe des 30jährigen Krieges, der gleichermaßen Pessimismus und Todesangst wie auch eine gesteigerte Lebensgier entspringen; das Gegengewicht bietet der christl. Stoizismus: die stoische Philosophie, im 16. Jh. in einem überkonfessionell christl. Sinne neu interpretiert (J. Lipsius) und mit ihrer asket. Tugend- und Pflichtenlehre die charakterist. Ethik des aufsteigenden Beamtentums (A. Gryphius, »Papinianus«), wird mit der Vanitas-Idee verknüpft; die stoische Kardinaltugend der constantia (ataraxia) wird so zum festen Halt in einer vergängl. Welt des Leidens und der Anfechtungen. *Poetik:* Die (dt.) Poetik des 17. Jh.s steht in der Tradition der ∕Rhetorik. Stoff und Form entspringen dieser Tradition gemäß nicht einem intuitiv-schöpfer. Akt; der Dichter wird vielmehr als virtuoser artifex gesehen. Stoffl. ist er an die Topik gebunden; er strebt nicht nach ›Originalität‹, sondern beleuchtet amplifizierend traditionelle Motive und Themen von verschiedenen Seiten. Die sprachl. Ausgestaltung richtet sich nach der Dreistillehre, mit der spezif. ›barocken‹ Tendenz zum genus grande. Der Gattungslehre der B.poetik liegt noch nicht die moderne Dreiteilung in ∕Lyrik, ∕Epik und ∕Dramatik zugrunde. Die Poetik gibt vielmehr Regeln für Stoff, metr. Form, Stilhöhe usw. einzelner Gattungen. Nicht alle praktizierten Formen werden dabei erfaßt; die Poetik beschränkt sich vielmehr auf die der antiken und humanist. Tradition entstammenden Gattungen. Typische (aber unterliterarische) Formen des B.dramas und der Roman entziehen sich der poetolog. Erörterung fast ganz. Am Anfang der dt. B.poetik steht M. Opitz mit seinem »Buch von der Deutschen Poeterey« (1624; nach dem Vorbild des Niederländers D. Heinsius), der Opitzens Ruhm als Wegbereiter und Organisator der dt. B.dichtung beruht (nicht zuletzt auf Grund des hier formulierten Betonungsgesetzes, nach dem der Versakzent im dt. Dichtung mit dem natürl. Sprachakzent übereinstimmen muß; ∕Akzent, ∕akzentuierendes Versprinzip). Opitz fordert unter Berufung auf die mal. Blütezeit der dt. Dichtung eine Erneuerung der Kunstdichtung im Geiste des europ. Humanismus (Petrarca, Ronsard und die ∕Pléiade, Heinsius). Das poetolog. Werk Opitzens wird durch A. Buchner (»Kurzer Wegweiser zur Deutschen Tichtkunst«, 1663; »Anleitung zur Deutschen Poëterey«, 1665), Ph. von Zesen (»Deutscher Helicon«, 1640), J. P. Titz (»Zwey Bücher von der Kunst Hochdeutsche Verse und Lieder zu machen«, 1642), J. Klaj (»Lobrede der Teutschen Poëterey«, 1644), Ph. Harsdörffer (»Poetischer Trichter«, ¹1647–1653) u.a. fortgesetzt. Neue Wege geht erst Ch. Weise (»Curiöse Gedancken von Deutschen Versen«, 1692), der durch die Ablehnung des genus grande und die Forderung nach ›Natürlichkeit‹ des Stils die Poetik der ∕Aufklärung einleitet. – *Lyrik:* Die dt. B.lyrik setzt nicht unmittelbar die neulat. Lyrik der dt. Humanisten des 16. Jh.s fort (neulat. Dich-

tung), sondern knüpft an die it., frz. und niederl. Kunst- und Gelehrtendichtung an, die den Übergang vom Lateinischen zur Volkssprache früher gefunden hatte als die deutsche; auch dort, wo die dt. B.dichter sich in der Tradition der gr.-röm. Dichtung fühlen, steht zwischen antikem Vorbild und dt. Nachbildung in der Regel die roman. Adaption. *Die geläufigsten Versmaße* der dt. B.lyrik sind daher der auf Grund der festen ∕Dihärese antithet. ∕Alexandriner, der den gr.-lat. ∕Hexameter wie auch den ∕Pentameter vertritt, und der ∕vers commun; nur selten werden antike Versmaße direkt nachgebildet (sapphische und alkäische ∕Oden, allerdings gereimt). – Einzelne Formen roman. Lyrik finden bereits gegen Ende des 16. Jh.s Eingang in die dt. Lyrik, so die ∕Villanelle bei J. Regnart (1576) und das ∕Madrigal bei H. L. Hassler (1596); Ansätze zu einer gelehrten Kunstdichtung vor und neben Opitz zeigen Th. Höck (»Schönes Blumenfeld«, 1601), G. R. Weckherlin (»Oden und Gesänge«, 1618/19; ∕Sonette, ∕Pindarische Oden u.a.) und J. W. Zincgref. Bahnbrechend wirkte allerdings erst das Werk Opitzens (»Teutsche Poemata«, 1624; »Acht Bücher Deutscher Poematum«, 1625; »Geistliche Poemata«, 1638; »Weltliche Poemata«, 1644). Bei Opitz finden sich fast alle typ. *Formen der dt. B.lyrik:* das »Heroische Gedicht« (Lehrgedicht im ›heroischen Stil‹, dem genus grande, z. B. »Trost Gedichte im Widerwärtigkeit Dess Krieges«, »Zlatna« u. a.), die ∕Pindarische Ode, ∕Sonett (»Klinggedicht«; in Alexandrinern), das ∕Epigramm (das sich besonderer Beliebtheit erfreut), das Madrigal (bei Opitz Verse von 3 bis 13 Silben) und die bes. artifiziellen Gattungen der ∕Echogedichtes (»Echo«, »Widerhall«). Neue Formen der nachopitzian. Lyrik des 17. Jh.s sind ledigl. das ∕Rondeau (»Rundumb«, ∕Ringelgedichte«; zuerst bei Ph. von Zesen und J. G. Schottel) und die ∕Figurengedichte nach alexandrin. und mittellat. Vorbildern, bes. gepflegt durch Zesen, Schottel und die Nürnberger. Auch die stilist. Mittel der späteren B.lyrik (Substantivhäufung, Summationsschema, Antithese, Pointierung des Schlusses, ∕Hyperbel, ∕Apostrophe) finden bei Opitz Verwendung. – In der Metrik seiner Gedichte beschränkt er sich auf ∕alternierende Versmaße; erst A. Buchner, Ph. von Zesen und den Nürnbergern gelingen zweisilbige Senkungen. – *Namhafte Dichtergruppen und Dichter* sind bei Opitz und der ∕Königsberger Dichterkreis der »Kürbishütte« (H. Albert; S. Dach u.a.; Pflege des Gesellschaftsliedes in der mittleren Stillage; »Anke van Tharaw«), P. Fleming (»Teutsche Poemata«, posthum 1642; Sonette, Motivschatz des ∕Petrarkismus), die Nürnberger »Pegnitzschäfer« (G. Ph. Harsdörffer, J. Klaj, S. von Birken; Pegnesisches Schäfergedicht«, 1644; Friedensdichtungen 1648/49; Klangmalereien, häufiger Rhythmuswechsel, amphibrach. Verse), Ph. von Zesen (virtuose Bewältigung artifizieller Formen), F. von Logau (Epigramme), A. Gryphius (»Lissaer Sonette«, 1637; »Sonundt Feyrtags Sonette«, 1639; »Oden«, 1643; »Kirchhofsgedanken«, 1657; Epigramme, 1663; religiöse Thematik), Ch. Hofmann von Hofmannswaldau (verschiedene Gedichtsammlungen posthum erschienen; Hauptvertreter der galanten Lyrik; Einflüsse des ∕Marinismus; erotische Oden, »Helden-Briefe« in der Tradition der Ovidischen ∕Heroiden, Epigramme, bes. »Grabschriften«; virtuose Beherrschung der Form) und D. Casper von Lohenstein (»Blumen«, 1680; Steigerung der rhetor. Mittel, Allegorien). – Außerhalb der barocken Kunstlyrik, die im wesentl. Gesellschaftsdichtung ist, stehen die religiöse Lyrik der Mystiker mit ihrem Ich-Kult (A. von Franckenberg, D. von Czepko, Angelus Silesius, Ch. Knorr von Rosenroth, Qu. Kuhlmann) und das ∕Kirchenlied (F. von Spee, P. Gerhardt), wenngleich auch beide Gattungen immer wieder auf Formen und Stilmittel der weltl. Kunstdichtung zurückgreifen. Der nüchterne Ton der im genus mediocre (»Stylus Politicus«) gehaltenen Gedichte Ch. Weises deutet auf das

18. Jh. und die ↗Aufklärung voraus. *Theater und Drama:* Das Theater erlebt im 17. Jh. einen ungeheuren Aufschwung. Man baut feste Theaterhäuser (1626 Theater in der Wiener Hofburg; 1677 Hamburger Oper), die ↗Illusionsbühne mit ihren austauschbaren ↗Kulissen und ↗Prospekten und komplizierten ↗Theatermaschinen (Flug- und Schwebeapparate u. a.) setzt sich durch, neben dem Laientheater in der Tradition des MA.s und dem fürstl. Liebhabertheater entsteht ein professioneller Theaterbetrieb (↗Wanderbühne, ↗Oper). – Von den *traditionellen Dramentypen* besteht das ↗Geistliche Spiel unverändert fort (1633 Oberammergauer Passionsspiele); das Meistersingerdrama, das lat. ↗Humanistendrama und das protestant. Schuldrama (↗Reformationsdrama) erfahren z. T. tiefgreifende Umgestaltungen; die entscheidenden Anregungen kommen dabei von außen. – Das Spiel der ↗engl. Komödianten (in Deutschland seit 1586 nachweisbar) bleibt zwar, wie auch seine dt. Fortsetzung in den ↗Haupt- und Staatsaktionen und ↗Hans-Wurstiaden der Wanderbühne (um 1680 Johannes Velten), weitgehend unterliterarisch (Prosatexte als unverbindl. Spielunterlage, zunächst nach Elisabethanischen Dramen), wirkt aber entscheidend auf den Aufführungsstil des dt. Theaters ein (naturalist. Spiel, grelle Effekte; der ↗Hans-Wurst, ↗Pickelhering usw. als Bühnentyp). Einflüsse der Engländer zeigen bereits die Meistersingerdramen des Nürnbergers J. Ayrer; im Stil der Engländer gehalten sind die Stücke Hzg. Heinrich Julius' von Braunschweig (1593/94; u. a. »Vincentius Ladislaus«); auch die Prosalustspiele des A. Gryphius und die ↗Schuldramen Ch. Weises lassen Einwirkungen v. a. der engl. Wanderbühne erkennen. – Aus Italien stammen die spezif. *höf. Formen* des B.dramas: das ↗Festspiel (↗Trionfi; J. G. Schottel: »Neu erfundenes Freuden Spiel genannt Friedens Sieg«, 1648), das Schäferspiel (↗Schäferdichtung) und die Oper (dramma per musica; 1627 »Daphne«, Text von Opitz, der damit auch am Anfang der dt. Oper steht, nach dem Vorbild des Italieners O. Rinuccini, Musik von H. Schütz); alle drei Gattungen sind, im Zusammenwirken von Musik, Tanz, Pantomime, Dichtung, Malerei und Architektur, Formen des ↗Gesamtkunstwerkes, dessen repräsentativer Charakter der »Extravertiertheit« der Epoche (Flemming) entgegenkommt (nach Gottsched kam um 1700 auf 12 Opern ein Schauspiel!). Der Oper verwandt ist das ebenfalls aus Italien kommende, zunächst auf geistl. Stoffe beschränkte Oratorium. – Von den literar. Hochformen des B.dramas in Deutschland zeigen das lat. ↗Jesuitendrama (J. Bidermann: »Cenodoxus«, 1602, dt. durch J. Meichel, 1635; »Philemon Martyr«, 1618; N. Avancini), das das lat. Humanistendrama des 16. Jh.s im Dienste der Gegenreformation fortsetzt, und das ebenfalls lat. sog. Benediktinerdrama (S. Rettenbacher) Einwirkungen der eigentl. unliterar. Oper, namentl. im prunkvollen Inszenierungsstil. Unter Einfluß des Oratoriums entstanden auf der Basis des protestant. Schuldramas die dt. ›Redeoratorien‹ des Nürnbergers J. Klaj (»Höllen- und Himmelfahrt Jesu Christi«, 1641). Ebenfalls im Rahmen des Schuldramas entwickelten Opitz, Gryphius und Lohenstein das dt. *B.trauerspiel* (↗Schlesisches Kunstdrama), das sich formal, wie die gleichzeitige frz. ↗haute tragédie Corneilles und Racines, an Seneca anschließt (1625 Übertragung der »Trojanerinnen« des Seneca durch Opitz): 5 Akte, Aktgliederung durch Chöre (↗Reyen), Alexandriner als Verse der ↗Rhesis, ↗Stichomythien. – Die Trauerspiele von Gryphius (»Leo Armenius«, 1650; »Catharina von Georgien«, gedruckt 1657; »Carolus Stuardus«, 1657; »Papinianus«, 1659) sind Märtyrerdramen im Geiste des christl. Stoizismus und als solche protestant. Gegenstücke zum kathol. ↗Jesuitendrama. Die Trauerspiele D. Caspers von Lohenstein führen unter Ausnützung aller verfügbaren rhetor. Mittel und techn. Errungenschaften der B.bühne das dt. B.trauerspiel seinem

Höhepunkt zu: »Ibrahim Bassa«, 1653; »Cleopatra«, 1661, 1680; »Agrippina«, 1665; »Epicharis«, 1665; »Ibrahim Sultan«, 1673; »Sophonisbe«, 1680 sind im innerweltl. Bereich angesiedelte polit. Stücke; dem vernunftgeleiteten Ideal des absolutist. Herrschers wird der Despot gegenübergestellt, der am Übermaß seiner Leidenschaften zugrunde geht. Während das Trauerspiel stilist. wie ständ. dem genus grande zugeordnet ist, gehört das *Prosalustspiel* zum genus humile. Höhepunkte sind Gryphius' »Peter Squentz« (nach engl. Vorbild, 1658) und »Horribilicribrifax« (in der Nachfolge des Plautus, 1663); sein Doppelspiel, »Verliebtes Gespenste« – »Die gelibte Dornrose« (nach niederl. Vorbild, 1660) stellt in ästhet. reizvoller Weise das genus mediocre und das genus humile (Alexandriner – Prosa, Verwendung der schlesischen Mundart) gegenüber; dem genus mediocre verpflichtet ist auch sein ›bürgerl. Schauspiel‹ »Cardenio und Celinde« (1657), das den »Weg der Protagonisten aus jugendl. affektbedingter Verwirrung zur tugendhaften Lebensweise« schildert (Szyrocki). – Nicht mehr im geist. Raum des 17. Jh.s angesiedelt sind die Schuldramen Ch. Weises (»Masaniello«, 1683) und die unter dem Einfluß Molières entstandenen Lustspiele Ch. Reuters (»L' Honnête Femme Oder Die ehrliche Frau zu Pliszine«, 1695); diese Stücke wirken bereits im Sinne der Aufklärung (Erziehung zu bürgerl. Tugenden).

Roman: Auch die Typen des dt. B.romans, die in einer europäischen Tradition stehen, lassen sich nach den genera dicendi unterscheiden: Dem genus grande entspricht der ↗*Heroisch-galante Roman* (höf. Roman, Staatsroman; europ. Prototyp: der ↗Amadis-Roman; dt. Vertreter: A. H. Buchholtz: »Herkules und Valiska«, 1659; Hzg. Anton Ulrich von Braunschweig, »Aramena«, 1669–73; »Römische Oktavia«, 1677–1707; H. A. von Ziegler und Kliphausen, »Asiatische Banise«, 1689; D. Casper von Lohenstein, »Arminius und Thusnelda«, 1689/90); er bewegt sich ausschließl. auf der höchsten Ebene der gesellschaftl. Hierarchie (Fürsten, Prinzessinnen, Heerführer, Oberpriester usw.); im Mittelpunkt des Geschehens steht ein Liebespaar, dessen (gewaltsame) Trennung eine zweisträngige Handlung auslöst, und das, über zahllose Hindernisse hinweg, unter dauernder Bewährung von Beständigkeit und Tugend, schließl. wieder zusammenfindet; dieses Grundschema wird in der Regel ins Vielfache gesteigert (in der »Römischen Oktavia« sind es 24 Paare; die Handlung ist damit 48strängig); eine weitere Komplikation erfährt die Handlung dadurch, daß der Erzähler mitten im Geschehnisablauf beginnt und die Vorgeschichte erst an späterer Stelle nachholt. Dem genus mediocre zugeordnet ist der *Schäferroman* (auch: Hirtenroman; Tradition seit der Antike). Dt. Vertreter sind: Opitz (»Schaefferey von der Nimpfen Hercinie«, 1630 – gelehrte und belehrende Erzählung, kein eigentl. Roman) und Ph. von Zesen (»Adriatische Rosemund«, 1645). Der Schäferroman hat deutl. bürgerl. Züge; die Helden sind Angehörige des niederen Adels, Bürgermädchen, Studenten; Tugend und Vernunft siegen über die Liebe; das Liebespaar findet in der Regel nicht zusammen. – Zum genus humile schließl. gehört der ↗*Schelmenroman* (pikaresker Roman; europ. Prototyp: J. Ortega Mendoza – ? –: »Lazarillo de Tormes«, 1554; später: Lesage, »Gil Blas«, 1715). Dt. Vertreter ist: H. J. Christoffel von Grimmelshausen (»Der abentheurliche Simplicissimus Teutsch«, 1669, Fortsetzung in den »Simplicianischen Schriften«) und J. Beer; der Schelmenroman ist in den untersten Schichten der Gesellschaft angesiedelt (Soldaten, Komödianten, Dirnen usw.); die in Episoden gegliederte Handlung entspricht der Lebensgeschichte des ›Helden‹ (in der Regel Ich-Form) mit ihrem ständigen Auf und Ab, das sich der ›Held‹ am Ende durch Entsagung und Weltflucht entzieht. Während der heroische Roman die Welt idealisiert, wird sie durch den Schelmenroman schonungslos desillusioniert und demaskiert. – Auf der

Basis des Picaroromans entwickelt gegen Ende des 17. Jh.s Ch. Weise den sog. polit. Roman, der das bürgerl. Bildungsideal der Aufklärung vorwegnimmt.
Bibliographie: Dünnhaupt, G.: Bibliograph. Hdb. d. B.lit. 100 Personalbibliographien dt. Autoren des 17. Jh.s 3 Tle. Stuttg. 1980/81. – Bibliographie zur dt. Lit.Gesch. des B.zeitalters. Begr. von H. Pyritz; Tl. 1: Allgem. Bibliogr., bearb. v. R. Böllhoff; Tl. 2: Dichter, Schriftsteller, Anonymes, Textsammlungen, bearb. v. I. Pyritz. Bern/Mchn. 1980 ff.
☐ Hoffmeister, G.: Dt. u. europ. B.-Lit. Stuttg. 1987 (SM 234). – Meid, V.: B.lyrik. Stuttg. 1986 (SM 227). – Kühlmann, W.: Gelehrtenrepublik u. Fürstenstaat. Entwicklung u. Kritik d. dt. Spät-Humanismus in d. Lit. des B.zeitalters. Tüb. 1982. – Herzog, U.: Dt. B.lyrik. Eine Einf. Mchn. 1979. – Wiedemann, C.: Lit. u. Gesellsch. im dt. B. Hdbg. 1976. – Hankamer, P.: Dt. Gegenreformation u. dt. B. In: Epochen d. dt. Lit. II,2. Stuttg. ⁴1976. – Barner, W. (Hrsg.): Der literar. B.begriff. Darmst. 1975. – Meid, V.: Der dt. B.roman. Stuttg. 1974 (SM 128). – Dyck, J.: Ticht-Kunst. Dt. B.poetik u. rhetor. Tradition. Mchn. ²1969. – Fischer, L.: Gebundene Rede. Dichtung u. Rhetorik in d. literar. Theorie des B. in Dtschld. Tüb. 1968. – Schöne, A.: Emblematik u. Drama im Zeitalter des B. Mchn. ²1968. – Szyrocki, M.: Dt. Lit. des B. Reinbek 1968. – Hocke, G. R.: Manierismus in der Lit. Reinbek (1959). 36–40. Tsd. 1967. – Windfuhr, M.: Die barocke Bildlichkeit u. ihre Kritiker. Stuttg. 1966. – Alewyn, R. (Hrsg.): Dt. B.forschung. Köln/Bln. 1965. – Müller, Günther: Dt. Dichtung v. der Renaiss. bis zum Ausgang des B. Darmst. ²1957. – Viëtor, K.: Probleme der dt. B.lit. Lpz. 1928. – Cysarz, H.: Dt. B.dichtung. Lpz. 1924. – RL.
Texte u. Zeugnisse: Schöne, A. (Hrsg.): Das Zeitalter des B. In: Die dt. Lit. Texte u. Zeugnisse. Bd. 3. Mchn. ²1968.   K
Barzelletta, f., auch: Frottola-barzelletta, ital. volkstüml. Sonderform der ⁄Ballata, beliebt im 15. Jh., Tanzlied (in Florenz Karnevalslied): 2–3(4)zeil. eröffnender Refrain und 8zeil. Strophe aus 8-Silblern und Wiederholung des Refrains nach jeder Strophe, z. B.: XYYX abab|byyx XYYX oder: XX abab|bccx XX. – Vertreter in Florenz Lorenzo de Medici, den als Begründer der Gattung gilt, L. Pulci, Poliziano, in Neapel F. Galeota.   IS
Basoche, f. [ba'zɔʃ; frz., Etymologie unsicher, evtl. von lat. basilica als Bez. für den Justiz-Palast], mal. Korporation der Pariser Parlaments- oder Gerichtsschreiber, wahrscheinl. 1302 durch Philipp den Schönen gegründet. Auf den alljährl. stattfindenden Festen der B. wurden seit dem 15. Jh. Theateraufführungen brauch. Aufgeführt wurden ⁄Farcen, ⁄Sottien (»Pour le cry de la Bazoche«, 1548) und ⁄Moralitäten, die häufig im Gerichtsmilieu spielten, am *mardi gras* (Fastnachtsdienstag) wurde z. B. gewöhnl. eine *cause grasse,* d. h. ein fiktiver, das Justizwesen parodierender Prozeßfall dargeboten (G. Coquillart, »Playdoyer d'entre la Simple et la Rusée«, 15. Jh.). Die einfach gehaltene, derb-kom. Dialoge enthielten zahllose polit. und oft rüde private Anspielungen (Margarete von Navarra z. B. als Furie dargestellt), die nicht selten Maßregeln durch den König nach sich zogen. Ab 1538 wurden die Stücke zensiert, nach 1540 die Verspottung lebender Personen verboten; nach 1582 ist das *théâtre de basoche* nicht mehr nachweisbar. Die Korporationen, die auch in einigen Provinzstädten (Toulouse, Bordeaux, Grenoble u. a.) entstanden waren, existierten aber noch bis 1790.
☐ Harvey, H.: The theatre of the B. Cambridge (Mass.) 1941.   PH*
Bathos, n. [gr. = Tiefe], bez. bei A. Pope den unfreiwilligen Umschlag vom Erhabenen (⁄Pathos) ins Banale, vgl. die Prosasatire »Peri bathos or of the art of sinking in poetry« (1727), eine Travestie der spätantiken literarästhet. Schrift »De sublimitate« (fälschl. Longinus, 1. Jh. n. Chr., zugeschrieben), in der Pope aus der Polemik gegen zeitge-

nöss. Schriftsteller eine Art negativer ars dictandi entwikkelt.   S
Bauerndichtung, poet. Gestaltung der bäuerl. Welt- und Lebensform in allen Gattungen. Verfasser und Rezipienten von B. gehören bis zum 19. Jh. nicht dem Bauernstand an. Bauern-/Kalender u. a. (z. T. mit unterhaltenden und erbaul. Texten aufgelockerte) Sach- und Hilfsbücher für bäuerl. Leser gelten nur bedingt als B. – Die Art der Darstellung des Bauern in der Literatur seit der Antike spiegelt zugleich die histor. Entwicklung eines sozialen Standes: Jahrhundertelang verachtet oder ignoriert, findet er erst (nach mehreren Akten der Emanzipation v. a. des Bürgertums) Anfang des 19. Jh.s Anerkennung und Achtung und wird damit um seiner selbst willen literaturfähig. Bis dahin erscheint der Bauer in der Literatur nicht als real wahrgenommene Existenz, sondern als *funktional eingesetzte Kunstfigur,* seine funktional stilisierter Kunstraum: In Antike und MA. ist der Bauer Spottfigur in (ep. und dramat.) Schwänken, Komödien und mal. Spielen (⁄Neidhart-, ⁄Fastnachtsspiele; Hans Sachs), eine Tradition, die in den derb trivialen Bauernpossen des ⁄Bauerntheaters bis heute lebendig ist. Daneben erscheint der Bauer in mal. Werken in unterschiedl. Funktionen: Positiv gesehen als *meier* (Pächter) im »Armen Heinrich« Hartmanns v. Aue, als Typus des Unhöfischen im »Parzival« (569,30) Wolframs von Eschenbach, als Vertreter eines durch soziale Aufstiegsambitionen gefährdeten Standes im »Helmbrecht« Wernhers des Gartenære (um 1250) oder im »Seifried Helbling« (gegen 1300), als didakt. eingesetzte Kontrastfigur im »Ring« von Heinrich Wittenwiler (1400). Dagegen ist der von Neidhart in die Literatur eingeführte *dörper* keine Bauernkarikatur, sondern eine satir. Kunstfigur, eine Persiflierung des höf. Ritters (s. ⁄dörperl. Dichtung). Abgesehen vom *Volkslied,* das in Arbeits-, Jahreszeiten- u. a. Liedern überzeitl. konkrete bäuerl. Tätigkeiten besingt, werden nur die sog. *Bauernklagen* des 16. u. 17. Jh.s einer bäuerl. Wirklichkeit gerecht: Es sind einfache Gedichte über die Not der Bauern, die bes. zur Zeit der Bauernkriege und des 30jähr. Krieges als Flugblätter in Süddeutschland verbreitet sind. Aber sie bleiben, wie die Hinweise auf die desolate Situation der Bauern bei Grimmelshausen und Moscherosch, vereinzelt. Auch im Barock bleibt der Bauer Kunstfigur; er wechselt nur seine Funktion: an die Stelle des Tölpels tritt der (nun positiv gezeichnete) tändelnde Hirte und Schäfer. Der Bauer wird zum Versatzstück der *Schäfer- und Hirtendichtung,* dem literar.-ästhet. Gegenentwurf zur zeremoniellen höf.-städt. Existenzform. Die reale bäuerl. Welt wird nicht wahrgenommen. – Top.-stilisierte Kunstfigur bleibt der Bauer auch in der *Idyllik* (S. Geßner) und *Lyrik des 18. Jh.s,* wandelt sich jedoch mit der Emanzipation des Bürgertums vom höf.-tändelnden Hirten in arkad. Umwelt zum tugendhaften Landmann in einer ungekünstelten Naturlandschaft. Seine ästhet. Moralität weckt das bürgerl., aufklärer.-philantrop. Interesse auch für seine realen Lebensbedingungen (»Pfälzer Idyllen« von Maler Müller, 1775). Von Einfluß sind dabei die Kulturphilosophie J. J. Rousseaus und J. G. Herders und der Sozialreformer. Bestrebungen J. Mösers, E. M. Arndts u. a., die v. a. vom Göttinger Hain (bes. J. H. Voß, »Die Pferdeknechte«, 1775) und dem Jungen Deutschland aufgegriffen werden (Leibeigenschaft, Aberglaube u. a.). Führend wurde die Schweiz seit A. v. Hallers kulturkrit. Lehrgedicht »Die Alpen« (1729/32); großes Echo in ganz Europa infolge die physiokrat., sozial-utop. oder sozialpädagog. Schriften J. C. Hirzels (»Die Wirtschaft eines philosoph. Bauers«, 1761, mit dem Idealbild des vernünft.-selbständ. denkenden, autarken Musterbauern Kleinjogg) und J. H. Pestalozzis (»Lienhard und Gertrud«, 1781/87) oder die naive »Lebensgeschichte . . . des Armen Mannes im Tockenburg« (1789) von U. Bräker, dem ersten und lange Zeit einzigen Autor aus dem Bauern-

stand selbst. – Entsprechend den aufklärer.-liberalen Bildungsideen entstand seit Ende des 18. Jh.s eine Fülle volkstüml., Belehrung und Unterhaltung mischender *Ratgeber, Sach- und Hilfs-Bücher* für Bauern, die aber diese kaum je erreichten (Analphabetentum auf dem Lande) und mehr zum modischen Lesestoff für das Bürgertum wurden (J. P. Hebel, »Schatzkästlein«, 1811). Die Romantik entdeckt dann das Land auch als literar.-ästhet. Raum und macht mit ihrem Interesse am Volkstümlichen auch den Bauern (wenn auch weitgehend noch unter idealist. oder sentimental-utop. Aspekten) literarfähig: Erstmals erscheint er als trag. Figur (C. Brentano: »Geschichte vom braven Kasperl . . .«, 1817, H. v. Kleist, A. v. Droste-Hülshoff). – Als *erste eigentl. B.* gilt die in K. L. Immermanns Zeitroman »Münchhausen« (1838/39) eingefügte »Oberhof«-Erzählung, die realist. Schilderung der traditionsgebundenen kraftvoll eigenständ. Welt des Hofschulzen. Aber auch sie ist v. a. funktional als idealisiertes Kontrastmodell dem »Pferch der Zivilisation« mit seinen bindungslosen Menschen gegenübergestellt. Frei von solcher Tendenz und Funktion sind die Romane von J. Gotthelf (u. a. »Uli, der Knecht«, 1841, »Geld und Geist«, 1843, »Anne Bäbi Jowäger«, 1843/44, »Uli der Pächter«, 1849). In ep. Breite gestaltet er ohne jede Sentimentalisierung eine von innen (nicht wie bisher von außen) erlebte bäuerl. Welt mit ihren Sitten und Bräuchen, ihren Vorzügen und Schwächen, Nöten und ihren immanenten und zeitbedingten Gefährdungen, denen er mit sozialreformer. Vorschlägen zu begegnen sucht. Populärer als Gotthelfs Werk wird jedoch seit Mitte des 19. Jh.s die ∕ *Dorfgeschichte* (B. Auerbach, J. Rank, M. Meyr u. v. a.), die Immermanns Ansatz und damit den traditionellen zivlsationskrit. Topos weiterführend, eine idealist.-verklärte bäuerl. Welt entwirft, die durch regionale Begrenzung, detailliertes Lokalkolorit und realist. Milieuzeichnung (oft auch Mundart) Wahrheitsanspruch erhebt. Dorfgeschichte und Bauern- oder Heimatromane werden mit der fortschreitenden Entwicklung des Agrarstaats zum Industriestaat immer agrar.-konservativer – und immer populärer (Höhepunkt 1870), indem sie einem bürgerl. Publikum einen scheinbar unproblemat. Identifikations- und Fluchtraum vor der andrängenden Zeitproblemen der Frühindustrialisierung (städt. und ländl. Proletariat, Landflucht, Verstädterung, Verelendung in beiden Bereichen, Wert- und Normverluste usw.) anbieten. Diese Ideologisierung der bäuerl. Welt wird in der ∕ Heimatkunst einseitig kulturkrit. und nationalist. intensiviert (H. Federer, A. Huggenberger, L. von Strauß u. Torney, H. Löns, H. E. Busse, P. Dörfler, F. Griese u. a.). Sie bereitet damit die polit. rass.-völk. Vereinnahmung des Bauerntums in der ∕ Blut- und Bodendichtung vor. Im Trivialbereich wird der Bauer und seine konkrete Lebensproblematik bis in die Gegenwart nicht wahrgenommen (bäuerl. Heimatliteratur nach L. Ganghofer). – Außerhalb dieser Entwicklung stehen G. Kellers trag. Novelle »Romeo und Julia auf dem Dorfe« (1856, die Übertragung eines Stoffes der Weltliteratur auf bäuerl. Verhältnisse, die sozialkrit. Werke F. Reuters (das Versepos »Kein Hüsung«, 1858, der Roman »Ut mine Stromtid«, 1862/64), F. M. Felders oder L. Anzengrubers (Romane »Der Schandfleck«, 1876/84, »Der Sternsteinhof«, 1885 u. a.), der auch ein psycholog. scharf gezeichnetes Bauerndrama begründet, das zu aktuellen gesellschaftspolit. Fragen Stellung nimmt (»Der Meineidbauer«, 1871, »Die Kreuzlschreiber«, 1872 u. a.), eine Tradition, der u. a. J. Ruederer, K. Schönherr, F. Stavenhagen, L. Thoma und neuerd. F. X. Kroetz verpflichtet sind. – Im ∕ *Naturalismus* werden dann die desolaten bäuerl.-ländl. Verhältnisse in realen Dimensionen gesehen und mit sozialem Pathos geschildert, u. a. von C. Viebig, W. v. Polenz (sein Roman »Der Büttnerbauer«, 1895, wurde u. a. auch von Tolstoj und Lenin geschätzt), G. Hauptmann, G. Frenssen, L. Thoma (»Andreas Vöst«, 1906) u. a. – In die-

ser Tradition stehen *im 20. Jh.* die distanziert krit., exakt beschreibenden Werke von Lena Christ, O. M. Graf, H. Fallada (»Bauern, Bonzen und Bomben«, 1931), J. R. Becher (»Die Bauern von Unterpreißenberg«, 1932), A. Seghers (»Der Kopflohn«, 1933), A. Scharrer (»Maulwürfe«, 1934), Ehm Welk (Kummerow-Romane seit 1937). In manchen dieser Werke wird nicht nur die Existenzproblematik der Bauern – sondern auch des besitzlosen Landproletariats – gestaltet (›proletar. Landerzählungen‹, Kühn), sondern es werden auch gesellschaftl. Anklagen formuliert und Methoden der Selbstbefreiung diskutiert (revolutionäre Dorfgemeinschaften u. ä.). – *Nach 1945* trat (abgesehen von der Trivialliteratur) in der Literatur der Bundesrepublik die bäuerl. Thematik zunächst ganz zurück. Dagegen knüpfte *die DDR* an die Tradition der proletar. Landerzählung an, stellt jedoch statt deren klassenkämpfer. Anklagen die literar. Widerspiegelung der sozialist. Umgestaltungen auf dem Lande in den Mittelpunkt, sei es unter bewußtseinsbildenden, pragmat. oder chronikal. Aspekten, vgl. die ›sozialist. Landromane‹ von O. Gotsche, B. Voelkner, W. Reinowski, B. Seeger, E. Strittmatter (»Ole Bienkopp«, 1963) oder die ›Agrodramen‹ u. a. von H. Sakowski, E. Strittmatter (»Katzgraben«, 1953) und sozialist. ∕ Dorfgeschichten. Dabei wird die Bez. ›B.‹ durch ∕ Landleben-Literatur‹ ersetzt, da sie Teil einer sozialist. Nationalliteratur am überschaubaren Modell eines Dorfes Veränderungen widerspiegele, die für die gesamte sozialist. Gesellschaft typ. seien. – In der *Bundesrepublik* wurde erst in jüngster Zeit der ländl. Raum als poet. Stoff wieder aufgegriffen als ein für Autor und Rezipienten nachprüfbarer und zugängl. Erfahrensraum, dessen sozio-ökonom. Wandlungen und vielfält. Verflechtungen und Kollisionen mit anderen Lebensbereichen (Stadt, Industrie, Tourismus, Gastarbeiter) beschrieben werden, wobei integrierende, urban-liberale Perspektiven vorherrschen, vgl. ∕ Heimatliteratur, ∕ Dorfgeschichte. Die *europ. B.* folgt den für die dt. Literatur aufgezeigten Entwicklungslinien: zur eigenwert. Thematik wird das Bauerntum allgem. seit dem 19. Jh., meist ebenfalls in konservativ-agrar. Ausprägung trotz der fortschreitenden Industrialisierung; allerdings fehlt oft die für die dt. B. typ. Ideologisierung, vgl. *in Frankreich* George Sand (»Die kleine Fadette«, 1849), H. de Balzac (»Die Bauern«, 1844 u. 1855), É. Zola (»Mutter Erde«, 1887), F. Jammes, J. Giono, in der *Schweiz* Ch. Ramuz, in *Italien* G. Verga, I. Silone, in *Norwegen* B. Björnson, K. Hamsun (»Segen der Erde«, 1917), T. Gulbranssen, in *Schweden* S. Lagerlöf, in *Island* G. Gunnarson, H. Laxness (»Salka Valka«, 1931/32), in *Finnland* A. Kivi, F. E. Sillanpää (»Silja, die Magd«, 1931), in *Polen* W. S. Reymont, in *Rußland* J. S. Turgenjew, A. Tschechow, M. Gorki, J. A. Bunin; das *fläm.* Bauerntum schildern St. Streuvels, F. Timmermans, das *chinesische* P. S. Buck.

◨ Jäckel, G. (Hg): Kaiser, Gott u. Bauer. Bln. ²1983. – Mecklenburg, N.: Erzählte Provinz. Königstein/Ts. 1982. – Schäfer, E.: Der dt. Bauernkrieg in der neulat.Lit. Daphnis 9 (1980). – Dedner, B.: Vom Schäferleben zur Agrarwirtschaft. In: Europ. Bukolik u. Georgik. Hg. v. K. Garber. Darmst. 1976. – Zimmermann, P.: Der Bauernroman. Stuttg. 1975. – Brackert, H.: Bauernkrieg u. Lit. Frkf. 1975. – Kühn, G.: Welt u. Gestalt d. Bauern in der dt.sprach. Lit. Diss. Lpz. 1970. – Martini, F.: D. Bauerntum im dt. Schrifttum v. d. Anfängen bis z. 16. Jh. Halle 1944. – RL.

Bauerntheater, Theateraufführungen bäuerl. (meist in Vereinen zusammengeschlossener) Laienspieler. Es geht vielfach auf Traditionen des barocken ∕ Volksschauspiels zurück und war ursprüngl. an saisonale Ereignisse (Gedenktage, Weihnachten, Fastnacht usw.) geknüpftes Volkstheater vor einheim. Publikum. Heute ist das B. meist zeitl. und in seinen Rezeptionsbedingungen auf die Fremdenverkehrssaison abgestimmt. – Die im 19. Jh. beliebten Schauer- und Ritterstücke (u. a. vom »Bauernshakespeare«, dem Kiefersfeldener Kohlenbrenner Josef Schmalz, 1793–1845) sind heute weitgehend von Mundartschwänken, Lokalpossen oder Kolportagestücken abgelöst, die oft auf derbe Pointen, aber auch vordergründ. Moralisieren abzielen. Jedoch finden sich auch Stücke von L. Anzengruber, L. Thoma, K. Schönherr, F. Kranewitter in den Programmen. Darstellung und Ausstattung des B.s ist realist., oft grell, meist musikal. umrahmt, im Rahmen des Tourismus heute jedoch auch stilist. und techn. ans moderne Berufstheater angepaßt, z. T. auch von Berufsschauspielern realisiert. Dies gilt z. T. auch für den *zweiten Typus* bäuerl. Theaterspielens, für die von einzelnen bäuerl. Gemeinden seit dem 17. Jh. gepflegten ↗Passionsspiele (Erl, seit 1610, Oberammergau, seit 1634). B. sind bes. im süddt. und österr. Raum verbreitet, v. a. in Fremdenverkehrsgebieten. Ältestes ist das »Kiefersfeldener B.« (gegr. 1618, noch heute Ritterspiele), international bekannt sind das »Schlierseer B.« (gegr. 1892; Gastspiele bis Amerika unter X. Terofal) und die Innsbrucker »Exl-Bühne« (literar. anspruchsvollere ↗Volksstücke); zu nennen sind ferner die B. von Berchtesgaden, Partenkirchen, Tegernsee, die »Ganghofer-Thoma-Bühne« in Rottach-Egern (früher »Denggsches B.«, für das L. Thoma z. B. die »Lokalbahn« verfaßte) u. a. Das Fernsehen erweiterte den Bekanntheits- und Beliebtheitsgrad des B.s beträchtlich (»Komödienstadl«).

📖 Nied, E. G.: Almenrausch u. Jägerblut. Kitz. 1986 (= Münchner Beitr. zur Theaterwiss. 17). – Feldhütter, W. (Hg.): B. Rosenheim 1979. IS

Bearbeitung, Veränderung eines literar. Werkes durch fremde Hand, im Ggs. zur Umgestaltung durch den Autor selbst (↗Fassung). Gründe für B.en können u. a. sein: (vermeintl.) Verbesservollere (Eliminierung veralteter Ausdrücke, stilist. oder metr. Glättungen, vgl. z. B. E. Mörikes B. der Gedichte W. Waiblingers, 1844), Erschließung neuer Leserkreise (Reduzierung schwieriger Werke auf den erzähler. Kern, bes. für die Jugend: Schulausgaben, ↗ad usum delphini), Rücksichtnahme auf bestimmte Moralvorstellungen (vgl. z. B. die Shakespeare-B. durch T. Bowdler, 1818, seither engl. *to bowdlerize* = von Anstößigem reinigen, verballhornen). Neuerdings ist am häufigsten die B. von Romanen, Erzählungen usw. für Bühne, Film, Funk, Fernsehen, vgl. ↗Bühnenbearbeitung, ↗Dialogisierung, ↗Dramatisierung, ↗Adaptation, auch ↗Redaktion, ↗Rezension. S

Beat generation, f. [biːt dʒenəˈreiʃən; engl./amerik. beat = Schlag, speziell: im Jazz der Grundschlag der Rhythmusgruppe], Bez. einer Gruppe junger amerikan. Schriftsteller; sie erwuchs seit etwa 1950 aus der Opposition gegen die saturierte Konsumgesellschaft und ihre Scheinmoral und suchte durch betont anarch. (oft nomadisierende) Lebensform (Kommunen, eigenes Idiom, Armutsideal, Alkohol, Drogen, Sex, aber auch Versenkung in Musik [Jazz] und myst. Lehren wie den Zen-Buddhismus u. a.) ein intensiveres Lebensgefühl und neue schöpfer. Impulse zu erlangen. Die Pflege des Jazz führte zur Bez. ›B. g.‹ (spött. auch *Beatniks*), nach L. Lipton von der B. g. zugleich als Abkürzung von *beatific* (= glückselig) verstanden, nicht, wie auch angenommen, aus *beaten* (= geschlagen, analog zur ↗*Lost generation* der 20er Jahre). – Die literar. Versuche der B. g., ekstat.-obszöne, betont improvisiert wirkende Gedichte in surrealist. Bildersprache (Vorbilder: themat. H. D. Thoreau, W. H. Davies, W. C. Williams, D. H. Lawrence, D. Thomas, formal Surrealisten; W. Whitman, E. E. Cummings), wurden zunächst innerhalb der Gruppe zum Jazz rezitiert. 1958 wurde die literar. Öffentlichkeit auf die B. g. aufmerksam und der Gruppe als sozialer und literar. Phänomen für kurze Zeit große Beachtung zuteil (Förderung durch K. Rexroth, H. Miller, N. Mailer). Die damit verbundene Etablierung und Kommerzialisierung (Lesungen, Schallplatten, ries. Auflagen durch

entsprechende Werbung) bedeutete jedoch zugleich das Ende der B. g., vgl. nach 1960 die nachdrängenden Strömungen (↗Underground-, ↗Pop-Literatur). Wortführer der B. g. waren A. Ginsberg, insbes. durch »Howl and other poems« (1956) und J. Kerouac, dessen planlos-episodenhafte Romane »On the Road« (1957) und »The Dharma Bums« (1958) ein Bild des Milieus, der Sprache und des Lebensgefühls der B. g. vermitteln, ferner G. Corso, G. Snyder, L. Ferlinghetti, M. McClure, Ph. Whalen u. a. – Die B. g. wurde auch in Europa, bes. in der Bundesrepublik, Frankreich und Skandinavien stark beachtet.

📖 Betz, G.: Die B. g. als literar. u. soziale Bewegung. Frkft./Bern 1977. – Lipton, L.: Die heiligen Barbaren (1959). Dt. Übers. Düsseld. 1961. – Corso, G./Höllerer, W. (Hrsg.): Junge amerikan. Lyrik. Dt. u. engl. Mchn. 1961. IS

Beichtformel, auch: Beichte, im frühen MA. entstandener besonderer Typ des Sündenbekenntnisses in vorgeprägter sprachl. Form: meist vierteilig: Anrufung; (Stichwort-)Katalog von Tat- und Gedankensünden; Aufzählung von Unterlassungssünden (in ganzen Sätzen); nochmalige Anrufung. – Die altdt. B.n gehen (nach Eggers) mit wenigen Ausnahmen auf eine rekonstruierbare dt. »Urbeichte«, eine Übersetzung einer erhaltenen lat. B. des 8. Jh.s zurück. Die meisten der altdt. B.n dürften in ihren ältesten Formen im Kloster Lorsch auf Anregung Karls d. Gr. entstanden sein. Sehr früh finden sich Variationen und Erweiterungen, u. a. durch Aufnahme des Sündenverzeichnisses aus dem Galater-Brief 5,19–21. Gereimte B.n repräsentiert die Upsalaer B. (Hs. 12. Jh.).

📖 Eggers, H.: Die altdt. Beichten. In: Beitr. 77 (1955) 89; 80 (1958) 372; 81 (1959) 78. – RL. GS*

Beiseite(sprechen), nach frz. *à part,* it. *a parte,* Kunstgriff der Dramentechnik: eine Bühnenfigur spricht, von den übrigen Bühnenfiguren scheinbar unbemerkt, unmittelbar zum Publikum *(ad spectatores).* Dieses Heraustreten aus der Bühnensituation soll die Illusion durchbrechen, oft von kom. Wirkung, daher beliebtes Stilmittel der Komödie seit Aristophanes, Plautus, Terenz (↗Parabase, auch ↗lust. Person); im Funktion der krit. Kommentierung des Bühnengeschehens im modernen Drama wieder häufiger verwendet, vgl. den ›Heutigen‹ bei M. Frisch (»Die chines. Mauer«), den ›Sprecher‹ bei J. Anouilh (»Antigone«), das ↗ep. Theater B. Brechts. – Von den Verfechtern der klassizist. Dramentheorien und von den Naturalisten abgelehnt. DJ/HS

Beispiel, Mittel der Erhellung, Illustration oder Begründung eines allgemeinen Sachverhaltes durch einen konkreten, meist bekannteren, leicht faßl. Einzelfall, als didakt. Hilfe zur Lebendigen, anschaul. Darstellung seit der Antike (↗Exempel). – Die nhd. Form ›B.‹ (belegt bereits bei Luther) entstand aus mhd. *bi-spel,* ›Bei-Erzählung‹ (↗Exempel) durch irrtüml. Analogie zu ›Spiel‹. B. wird (wie mhd. *bîspel*) oft für abgeschlossene kleine Erzähleinheiten (in B.-Sammlungen für Predigten, ↗Predigtmärlein) gebraucht. IS

Beit [arab. = Haus], vgl. ↗Ghasel.

Bekenntnisdichtung, jede Dichtung, in der innere und äußere Erfahrungen und Erlebnisse des dichtenden Individuums zum Ausdruck kommen und (wenn auch verarbeitet, d. h. indirekt) einem Publikum ›bekannt‹ werden. Zwar wird jede Dichtung mehr oder weniger von der Persönlichkeit und Weltanschauung eines Autors geprägt (Goethes Werke als »Bruchstücke einer großen Konfession«, »Dichtung und Wahrheit«, II), doch gilt als B. in engerem Sinne meist nur die sog. ›Erlebnisdichtung‹ oder autobiograph. (wenn auch formal objektivierte) Offenbarungen seelischer Erschütterungen, Selbstdarstellungen oder Enthüllungen, z. B. innerhalb der Liebes- und religiösen Dichtung oder in autobiograph. Werken (z. B. E. P. de Sénancours »Oberman«, 1804, G. Hauptmanns »Buch der Leidenschaft«, ersch. 1930 u. a.); B. ist weitgehend die Literatur des Pietismus, der Empfindsamkeit, des Sturm und Drang. GS*

Belletristik, f. [frz. belles lettres = schöne Wissenschaften], zusammenfassende Bez. für nicht-wissenschaftl., sog. ›schöne‹ oder ›schöngeist.‹ Literatur (Dichtungen, Essays und Erörterungen künstler. Fragen), neuerdings v. a. Bez. für sog. ⁄Unterhaltungsliteratur. Die Bez. entstand im 18. Jh. (unter Einengung der frz. Bedeutung, die auch Musik und Malerei umfaßte, im Ggs. zu den lettres humaines = den Schulwissenschaften); vgl. bei Goethe auch *Belletrist* (= Liebhaber der schönen Literatur, »Werther« 2. Buch), »mein belletristisches und sentimentales Streben« (»Dichtung und Wahrheit« III, 13) oder den »Almanach der Belletristen und Belletristinnen (hg. v. J. C. Schulz und Erbstein, 1782). IS

Bergmannslied ⁄Bergreihen.

Bergreihen, m. (auch: Berglied, Berggesang), seit dem 16. Jh. bezeugte Bez. für ⁄Ständelieder der Bergleute (Bergmannslied), auch allgem. für ⁄Volkslieder, welche die Bergleute in ihrer berufstätig. Gemeinschaft und (v. a. in Krisenzeiten) als wandernde »Bergreyer« (Fischart, 1572), »Bergsinger« (belegt 1597) oder Bergmusikanten auf Messen in Städten und Dörfern der Montangebiete und der benachbarten Gegenden vortrugen (z. B. »Glück auf, Glück auf, der Steiger kommt«, seit 1531). ›B.‹ bez. ursprüngl. einen Rundtanz (mdh. *reien*) zu einem Chorlied der Bergleute (in Dtschld. nur ein Beleg: ›langer Tanz‹ von Goslar, verboten 1536). Die älteste erhaltene Sammlung von 36 B. (v. a. Volks- u. geistl. Lieder) stammt aus Zwikkau: »Etliche hubsche bergkreien, geistlich und weltlich« (1531, 2. Aufl. 1533, Nachdrucke 1536/37, erweiterte Auflagen mit 100 Liedern, Nürnberg 1547 und 1574; neu hrsg. v. G. Heilfurth u. a. Tüb., 1959). Den Höhepunkt der B.-pflege liegt (gemäß dem Aufblühen der Bergbau-Industrie) zw. 1750 und 1850; fast die Hälfte aller bekannten B. entstammt dem sächs.-böhm. Erzgebirge (ca. 550 B.). Zentrum des B.singens war die Stadt Freiberg. Frühe Sammlungen von B. sind meist anonym; Verfasser sind bis Mitte des 19. Jh.s Bergleute (im 17. Jh. z. B. M. Wieser, M. Bauer; im 18. Jh. Ch. G. Lohse – vorwiegend religiöse Lieder) oder die in Montangebieten wirkenden Geistlichen (im 16. Jh. z. B. J. Mathesius, N. Hermann; im 18. Jh. Ch. G. Grundig, der wichtigste Vertreter des Bergmannchorals: »Geistl. Bergbau«, 1750, ³1781). Erst seit Mitte des 19. Jh.s verfassen (und sammeln) v. a. Bergbeamte und allgem. Arbeiterdichter (K. Bröger) Bergmannslieder, jetzt v. a., um der Auflösung der alten bergmänn. Lebens- und Sangesgemeinschaften entgegenzuwirken, die durch die moderne Bergbautechnik und die damit verbundene Fluktuation und Unterwanderung durch Berufsfremde bedingt war, vgl. auch den (vergebl.) Versuch einer Wiederbelebung der Bez. ›B.‹, die im 18. Jh. durch das von J. G. Herder geprägte ›Bergmannslied‹ abgelöst worden war (Kolbes »Neues B.-Buch«, Lpz. 1802, ²1830/31; Dörings »Sächs. B.«, 2 Bde. Grimma 1839/40). Diese von außen gelenkten Wiederbelebungsversuche der alten Musiziertraditionen in einzelnen Zechen sind heute auf Vereine beschränkt, gehören nicht mehr zu einem berufsständ. Gemeinschaftsleben.

📖 Heilfurth, G.: Das Bergmannslied. Wesen, Leben, Funktion. Kassel/Basel 1954. – RL. IS

Bericht, einfache Darstellung eines Handlungsverlaufs ohne ausmalende (⁄Beschreibung), vergegenwärtigende (⁄Szene) oder reflektierende Elemente (Erörterung). *In fiktionaler Literatur* Grundform ep. Erzählens, bes. zur Exposition oder als Verbindungsmittel zwischen ausführlicheren Phasen eines Romans oder einer Erzählung eingesetzt; vorherrschend bei chronikart. oder bewußt verhaltener Erzählweise (H. Hesse, U. Johnson). Im Drama Mittel zur Einbeziehung vergangener (⁄Botenbericht) oder gleichzeit. Ereignisse (⁄Teichoskopie). – *Im Journalismus* als Tatsachen-B. v. a. Darstellung auf Grund dokumentar. gesicher-

ten Materials (Kriegsberichterstattung u. a.). Die Bez. wird oft synonym mit ⁄Reportage verwendet, in der Regenbogenpresse häufig auch für Sensationsberichte. – Zur Verwendung von Tatsachen-B.en in fiktionalen Zusammenhängen vgl. ⁄Faction-Prosa, ⁄Dokumentarliteratur. HSt*

Berner Ton, Strophenform der mhd. Heldendichtungen, die zum Sagenkreis Dietrichs von Bern (daher der Name) gehören (»Eckenlied«, »Sigenot«, »Goldemar«, »Virginal«): 13 vierheb. Verse mit abschließender Waisenterzine: Reimschema aab ccb dede fxf, Kadenzschema mmk mmk mkmk mkm. S

Beschreibung, Schilderung von Personen, Sachen oder Sachverhalten durch Aufzählung sichtbarer Eigenschaften; bes. im Roman zur Kennzeichnung von Örtlichkeiten (z. B. Stifter, »Witiko«, Anfang) oder von Zuständen, von denen das Geschehen ausgeht (Boccaccio, »Decamerone«). – Begegnet seit der Antike oft als rhetor. ausgestaltete Einlage mit der Tendenz zur Verselbständigung (⁄Descriptio, Ekphrasis). Sie kann jedoch auch in den zeitl. Ablauf des ep. Erzählens integriert sein (⁄Laokoon-Problem; dagegen ⁄ut pictura poesis), indem die Beschreibung des Gegenstandes in Handlung umgesetzt wird (z. B. Schild des Achilles, beschrieben durch die Darstellung seiner Fertigung, »Ilias« XVIII), oder durch Charakterisierung z. B. einer Person aus dem Blick anderer Romanfiguren (z. B. Eduard und Charlotte über den Hauptmann in den »Wahlverwandtschaften«, I, 1). In der Lyrik entwickelt sich aus der B. eine eigene Gattung (⁄Bildgedicht, ⁄Dinggedicht).

📖 Lobsien, E.: Landschaft in Texten. Zur Gesch. u. Phänomenologie der literar. B. Stuttg. 1981. HSt*

Beschwerte Hebung, auf K. Lachmann zurückgehende Bez. für eine überdehnte Hebung (nach der ⁄Taktmetrik: einsilbig gefüllter Takt /-´/). Die b. H. dient im alternierenden Vers der mhd. Blütezeit als Kunstmittel zur Hervorhebung von Namen oder bedeutungsvollen Wörtern (»der was /Hárt/màn genant«); die Hebung im folgenden Takt wird der b.n H. als Nebenhebung untergeordnet (/-́/x̀). B. H.en können auch struktural eingesetzt sein, z. B. im letzten Abvers der ⁄Nibelungen- oder Kürenbergstrophe und in der klingenden ⁄Kadenz. GS*

Beschwörungsformel, festgeprägte mag. Formel, oft Teil eines (ep. ausgeweiteten) ⁄Zauberspruchs, mit deren Hilfe höhere Mächte, Dämonen, Geister, Götter zum Zweck der Abwendung von Unheil oder der Erlangung von Heil herbeigerufen oder abgewehrt, Tiere oder Naturerscheinungen gebannt werden sollen; ursprüngl. in gebundener Rede, dem sog. ⁄Carmenstil, gesungen, oft Befehlsform; bes. B. kann aber auch nur aus einem Wort oder einer Silbenfolge bestehen (z. B. hebr.-spätgriech. »Abracadabra«, seit 3. Jh. n. Chr., oder »Mutabor!« bei W. Hauff, Kalif Storch). Das Aussprechen oder Psalmodieren der B., deren Wirkkraft im Glauben an die Wortmagie gründet (bes. durch die Nennung des Namens soll Macht über dessen Träger gewonnen werden), ist oft von bestimmten rituellen Gesten oder Handlungen, auch von Bildzauber begleitet und an bestimmte Orte und Zeiten gebunden. – Weitverbreitet ist die B. im Volksglauben aller Zeiten; sie spielt eine große Rolle in den Kulten primitiver Völker und ist für die alten Kulturen Mesopotamiens, Ägyptens, der Juden, Griechen und Römer (*incantatio, incantamentum,* ⁄Carmen) reich belegt. In germ. Tradition mischt sich in den literar. Formen meist Heidnisches mit Christlichem: vorchristl.-germ. sind die beiden »Merseburger Zaubersprüche«, christl. die Wurm- und Blutsegen oder der »Lorscher Bienensegen«. Die B. lebt heute u. a. im volkstüml. Gesundbeten und im kirchl. Exorzismus fort. RSM

Bestiarium, n. (auch (liber) bestiarius, m. [von lat. bestia = das Tier], lat. Bez. für mal. allegor. Tierbuch, in dem meist legendäre phantast. Vorstellungen von Tieren heilsgeschichtl. und moral. gedeutet werden (z. B. das Einhorn, das sich nur von einer Jungfrau einfangen lasse, als Christus). Das älteste und bekannteste B. ist der »Physiologus«, entstanden wohl im 2. Jh. n. Chr. in Alexandrien, im 5. Jh. vom Griech. ins Lat. übersetzt, im MA. in mehreren Versionen sehr verbreitet, *in dt. Sprache* seit dem 11. Jh. überliefert (alemann. Prosa-Physiologus, Milstätter Reimphysiologus, 1130). Am Beginn der *frz.* Tradition steht das gereimte B. von Philippe de Thaon (1. Hälfte 12. Jh.), das neben Tieren auch Steine (↗Lapidarium) allegor. ausdeutet; aus dem 13. Jh. sind Bestiarien von Guillaume le Clerc (»Le Bestiaire divin«, um 1220, handelt von Tieren, Steinen u. Pflanzen) und Gervaise de Fontenoy zu erwähnen; Richard le Fournival übertrug Mitte des 13. Jh.s in seinem »Bestiaire d'amour« die Tiersymbolik auf die weltl. Minne. – In *Italien* entstand im 13. Jh. ein »Bestiario moralizzato«, ein Moralbuch in Sonetten. Auch in *England* sind zahlreiche, meist stärker naturkundl. orientierte Bestiarien überliefert (40 Handschriften). – Die Bildwelt der Bestiarien wirkte mannigfach auf die mal. Literaturen ein, bes. auch auf Lehrbücher und Predigten, vor allem aber auf die mal. Kunst (Buchschmuck, Bestiensäulen, Tierfriese, Kapitelle, Gestühl; auch Bestiarien-Handschriften waren meist illustriert). – *Moderne Nachfahren* der mal. Bestiarien sind Apollinaires »Le Bestiaire ou cortège d'Orphée«(1911) und Franz Bleis »Bestiarium literaricum« (1920; Pseudonym: Peregrinus Steinhövel; über G. und C. Hauptmann, Th. und H. Mann, Rilke, George, Hofmannsthal u. a.), erweitert 1924 unter dem Titel »Das große B. der modernen Literatur«. ↗Tierdichtung.

📖 Malaxecheveria, J.: Le bestiaire médiévale e l'archetype de la féminité. Paris 1982. – Schmidtke, D.: Geistl. Tierinterpretation in der dt.-sprach. Lit. des MA.s. 2 Bde. Diss. FU Bln. 1968. – McCulloch, F.: Medieval Latin and French bestiaries. Chapel Hill ²1962. – Calvet, J./Cruppi, M.: Le bestiaire de l'antiquité classique. Paris 1955.   S

Bestseller, m. [ˈbestselə; engl. aus best = am besten, to sell = verkaufen], seit 1905 belegte, zuerst in den USA gebräuchl. Bez. für ein Buch, das während einer Saison oder auch während eines längeren Zeitraumes *(steadyseller)* überdurchschnittl. Verkaufserfolge erzielt, meist belletrist. Werke, neuerdings aber auch populäre Sachbücher. Die Bez. ›B.‹ ist nicht unbedingt ein literar. Werturteil, sondern eine aus dem Warencharakter des Buches im Zeitalter der Massenkultur resultierende statist. Größe, so wurde die Bez. ursprüngl. auch lediglich retrospektiv zur Feststellung eines buchhändler. Erfolges gebraucht. Später wurden dann aber B. auch gezielt auf den Markt gebracht. Die Durchsetzung eines B. hängt sowohl von immanenten Voraussetzungen (leichte Lesbarkeit, echte oder vermeintl. Aktualität) ab, als auch von bes. günstigen äußeren Bedingungen (Nobelpreis, Indizierung, Verfilmung, Skandale) und in gewissem Sinne auch von einer geschickten Verlagspolitik (Werbungsaufwand, Rezensionen). Die von Zeitungen und Illustrierten geführten B.-Listen stimulieren das Kaufinteresse, da die Massenauflage als Garantie für Qualität und Aktualität aufgefaßt wird. Literatursoziolog. ist der Steadyseller ergiebiger als der B., da er weniger manipulierbar ist und eher auf tatsächl. Leserinteresse schließen läßt. B. der letzten Jahre in Deutschland: M. Ende, »Die unendl. Geschichte« (1979); U. Eco, »Der Name der Rose« (dt. 1980); M. Zimmer Bradley, »Nebel in Avalon« (dt. 1982); F. Capra, »Die Wendezeit« (1983); M. Kundera, »Die unerträgl. Leichtigkeit d. Seins« (1984); G. Wallraff, »Ganz unten« (1985); P. Süskind, »Das Parfüm« (1986); T. Wolfe, »Fegefeuer d. Eitelkeiten« (dt. 1988); Ch. Ramsmayr, »Die letzte Welt« (1988); U. Eco, »Das Foucaultsche Pendel« (dt. 1989). – Steady- oder Longseller: K. May, »Winnetou I« (1891); Th. Mann, »Die Buddenbrooks« (1901); H. Hesse, »Narziß und Goldmund« (1930); M. Mitchell, »Vom Winde verweht« (dt. 1937); C. W. Ceram, »Götter, Gräber und Gelehrte« (1949); J. R. R. Tolkien, »Der Herr d. Ringe« (dt. 1969/70).

📖 Faulstich, W.: Bestandsaufnahme B.-Forschung. Wiesb. 1983. – Arnold, H. L. (Hg): Dt. B. – dt. Ideologie. Stuttg. 1975.   HSt*

Beutelbuch, im 14.–16. Jh. übliche Einbandform für Erbauungsbücher: Der Lederbezug der Buchdeckel wird am unteren Schnitt so verlängert, daß sich aus ihm eine Schleife zur Befestigung am Gürtel binden läßt (vgl. das B. in der Hand der Holzfigur des Hieronymus am Isenheimer Altar).

📖 Alker, L. u. H.: Das B. in d. bildenden Kunst. Mainz 1966.   HSt

Bewußtseinsstrom ↗Stream of consciousness.

Bibelepik, ep. Dichtungen, in denen bibl. Stoffe behandelt sind. In der frühen B. sind meist größere Teile der Bibel in Verse umgesetzt (z. B. das NT als ↗Evangelienharmonie oder einzelne Bücher des AT, z. B. die Genesis, ↗Reimbibel), es finden sich aber auch poet. Bearbeitungen einzelner Kapitel der Bibel (z. B. die Jünglinge im Feuerofen u. a.). Versbearbeitungen bibl. Stoffe begegnen im Gegensatz zum ↗geistl. Spiel und zum ↗biblischen Drama schon früh: Die lat. B. setzt ein mit der Evangelienharmonie des span. Klerikers Juvencus (um 330) in 3211 Hexametern nach dem stilist. Vorbild Vergils. Auch die ältesten überlieferten dt. Epen sind Evangelienharmonien, so der um 830 entstandene altsächs. »Heliand« (in Stabreimversen) und das in Reimversen abgefaßte Evangelienbuch Otfrieds von Weißenburg, vor 870. Aus derselben Zeit sind auch Teile einer altsächs. »Genesis« erhalten. Teilweise älter ist die angelsächs. B. in Stabreimversen, so die sogenannte »Caedmon-Genesis« (7. Jh.), Cynewulfs »Crist« (8. Jh.), ein »Exodus«-Epos (9. Jh.). Bibelausschnitte sind gestaltet in der ahd. Reimerzählung »Christus und die Samariterin«, in der angelsächs. »Judith« u. a. – Bes. in frühmhd. Zeit (11. u. 12. Jh.) ist die B. (in Reimversen) reich vertreten: z. B. die »Wiener Genesis«, die »Vorauer Bücher Mosis«, die »Makkabäer«, das »Leben Jesu« der Frau Ava, »Friedberger Christ und Antichrist« (↗Antichristdichtung). Auch in mhd. Zeit bleibt neben der dominierenden weltl. Epik die B. verbreitet, so die apokryphen Quellen folgende »Kindheit Jesu« Konrads von Fußesbrunnen (um 1200) oder die anonym überlieferte »Erlösung«(um 1300) oder Lutwins »Adam und Eva« (14. Jh.). Gegen Ende des MA.s werden die poet. Bibelbearbeitungen mehr und mehr durch ↗Historienbibeln u. dann durch Bibelübersetzungen in Prosa verdrängt. In der Neuzeit ist als B. v. a. Miltons »Paradise Lost« (1667; in Blankversen) und Klopstocks »Messias« (1748–73; in Hexametern) zu nennen, in gewissem Sinne auch noch Thomas Manns Roman-Tetralogie »Joseph und seine Brüder« (1933–42).

📖 Masser, A.: B. u. Legendenepik des dt. MA.s. Bln. 1976. – Kartschoke, D.: Altdt. Bibeldichtung. Stuttg. 1975. (SM 135).   S

Bibelübersetzung, zu unterscheiden sind unmittelbare Übersetzungen aus den bibl. Ursprachen, dem Hebräischen (AT) und dem Griech. (NT) und mittelbare oder Tochterübersetzungen, denen eine Übersetzung (z. B. die »Vulgata«) als Vorlage dient. Neben vollständigen B.en gab es von Anfang an auch nur Teilübersetzungen, da die Übersetzertätigkeit vor dem Abschluß der Kanonbildung (AT: um 100 n. Chr.; NT: 4. Jh.) einsetzte und für die christl. Mission – deren Geschichte eng mit der Geschichte der B. verbunden ist – zur Verwendung in Liturgie und Predigt häufig auch Teilübersetzungen genügten. *Die antiken B.en* sind z. T. von bes. Bedeutung für die Textkritik (Herstellung des Urtextes). – 1. *Griech. B.en* (des AT): Älteste vorchristl. B. ist »Septuaginta« (LXX), im wesentl. im 3.–1. Jh. v. Chr. in Alexandria (Ägypten) für die jüd. Diaspora geschaffen, hieß nach der Legende der Aristeasbriefs, noch heute offizielle Bibel der griech.-orthodoxen Kirche. Im Anschluß an die Septuaginta werden wichtige theolog. Begriffe das NT und die christl. Theologie über-

*Biblia typologica, 15. Jh.
(Universitätsbibl. Heidelberg)
li.oben: Ausbruch Samsons aus Gaza
(Typus ante legem, Richter 16,3),
re.oben: Jonas entsteigt dem Walfisch
(Typus sub lege, Jona 2,1-11),
Mitte unten: Christi Auferstehung
aus dem Grab (Antitypus sub gratia),
flankiert von Prophetenbildern
und -sprüchen:
li: Jakob (1. Mose 49,9) –
Osee (Hosea 6,2),
re: David (Psalm 77/78,65) –
Sophonias (Zephanja 3,8).*

nommen. Aufgrund der Abweichungen der Septuaginta vom hebr. Urtext (fehlerhafte Übersetzungen, fehlende oder nur hier vorhandene Teile) entstehen Revisionen und neue B.en, so die des (sog.) Theodotion (früher ins 2.Jh. n.Chr., heute auf 30–50 n.Chr. datiert), des Aquila (um 130 n.Chr.) und des Symmachos (Ende 2.Jh.). Im bedeutendsten Bibelwerk der Antike, der sog. »Hexapla« (228–45), stellt Origenes den hebr. Urtext, eine griech. Umschrift, eine eigene Rezension der Septuaginta (5. Kolumne) und die drei genannten B.en nebeneinander (6000 Blatt in 50 Bden., Original seit dem 7.Jh. verschollen, z.T. überliefert,

u.a. in einer syr. Übersetzung, der sog. »Syro-Hexaplaris«, entstanden um 615/17). – 2. *Lat. B.en* (seit dem 2.Jh. n.Chr.): Die Gesamtheit der altlat. Texte wird als »Vetus Latina« oder »Praevulgata« bezeichnet (früher auch »Itala«). 383 beginnt Hieronymus die gesamte lat. Bibel zu revidieren (teils neu zu übersetzen); es entsteht die sog. »Vulgata« (so erst seit dem Spät-MA.; vorher steht die Bez. »Vulgata« für die Septuaginta oder auch Vetus Latina); sie wird 799–801 von Alkuin revidiert und 1546 vom Tridentiner Konzil für authentisch erklärt (Ausgaben: »Sixtina«, 1589; »Sixto-Clementina«, 1592 u.ö.); in Verwirklichung eines Auftrags des Zweiten Vatikan.Konzils erscheint 1979 die »Nova Vulgata« als autorisierte Bibel d. kath.Kirche. Eine große textkrit. Ausgabe der bibl. Bücher in lat. Überlieferung besorgt die vatikan. Abtei des Benediktinerordens (seit 1926, noch nicht abgeschlossen). – 3. Von großer textkrit. Bedeutung, jedoch hinsichtl. ihrer Entstehungsgeschichte im einzelnen noch weithin ungeklärt, sind die *syr. B.en*: v.a. die sog. »Peschīttā« (entstanden wohl Ende 4.Jh.), der eine Vetus-Syra-Tradition vorausgeht (z.T. auf das syrisch geschriebene Diatessaron, eine /Evangelienharmonie des Tatian, 2. Jh., zurückgehend). – 4. Zu verweisen ist auf *jüd.-aramäische B.en* (Targumim des AT) sowie auf kopt., arab., äthiop., armen., georg., iran. u.a. – 5. Die *B. des Westgoten Wulfila* (311–83) ist das erste bedeutende Zeugnis in einer german. Sprache. Sie ist nur in Teilen überliefert in ostgot. Handschriften des 5./6.Jh.s (umfangreichste: »Codex Argenteus« 6.Jh., heute in Upsala). – Die *B.en des MA.s* beruhen meist auf der Vulgata, die *der beginnenden Neuzeit* auf Texten in der Ursprache (Druckausgabe des NT durch Erasmus), auf der Vulgata und Luthers B. Sie sind von Bedeutung für die Geistes- und Kulturgeschichte der einzelnen Völker und tragen häufig wesentl. zur Entwicklung (und) oder Verbreitung einer einheitl. Schriftsprache bei. – 6. *Dt. B.en*: Am Anfang stehen Übersetzungen der Evangelien (Monsee-Wiener Fragment, Anfang 9.Jh.), einer lat. Version des Diatessaron des Tatian (um 830, in Fulda), der Psalmen (durch Notker Labeo, † 1022, St. Gallen) und Evangeliendichtungen (Otfried, Heliand, /Evangelienharmonie, /Bibelepik) u.a.; vgl. /Historien- u.a. bibeln. Zahlreiche B.en stammen aus dem 14.Jh. Bereits vor Luther erscheinen 14 vollständige hochdt. - und 4 niederdt. – Druckausgaben der Bibel (1. Druck 1466 bei Mentel in Straßburg). Eine *neue Epoche der B.* beginnt mit Luther, nicht nur, weil er aus den bibl. Ursprachen (AT: Ausgabe von Brescia, 1494; NT: zweite Ausgabe des Erasmus, 1519) übersetzt, sondern auch, weil er eine volksnahe, anschaul., dialektfreie Sprache schafft (auf der kurfürstl.-meißn. Kanzleisprache basierend), die die Verbreitung seiner B. erleichtert und wesentl. zur Schaffung einer einheitl. dt. Schriftsprache beiträgt. Das NT erscheint 1522 (1. Auflage: September-, 2.: Dezemberbibel), dann nacheinander Teile des AT, 1534 die gesamte Bibel mit /Apokryphen. Zahlreiche weitere, teils überarbeitete Ausgaben erscheinen noch zu Luthers Lebzeiten, wie auch meist von ihm abhängige Konkurrenzübersetzungen (u.a. durch L. Hätzer und H. Denk, Worms 1527; auf kath. Seite durch H. Emser, 1527; J. Dietenberg, 1534; J. Eck, 1537). Der Text der Luther-Bibel wird 1892, 1912 und 1956 (NT), 1964 (AT) sowie 1984 revidiert. Luthers B. wirkt auf schweizer., niederdt. u.a. B.en. – Seit dem 16.Jh. erscheinen immer neue B.en, die jeweils Tendenzen bestimmter Zeit stammen. auf krit. Textausgaben beruhend um zeitgemäßes Dt. bemüht, u.a. die Züricher Bibel (1931, in Nachfolge der B. von Zwingli und L. Jud, 1529), Übersetzungen von E. Kautzsch (1904), H. Menge (1923–26), A. Schlatter (1931), L. Thimme (1946). Unter den den kath. B.en gelangen zu größerer Bedeutung die Mainzer (oder Cathol.) Bibel (auf C. Ulenbergs B. von 1630 zurückgehend, beeinflußt von Dietenbergs B.), die B. von H. Braun (1788), verbessert von J. M. Feder (1803) und J. F. von Allioli (1830–37). Im Zuge der ökumen. Bewegung erscheinen in jüngster Zeit gemeinsame B.en: 1978 »Die gute Nachricht«; 1979 die sog. ›Einheitsübersetzung‹ (nur Psalmen und NT ökumen.) – 7. *Frz. B.en*: Seit dem 12.Jh., zunächst in normann. Sprache. Erste gedruckte Bibel 1477/78 (Lyon) nach einem Text des 13.Jh.s. Bedeutende B.en entstehen vom 16.–20.Jh. u.a. von Faber Stapulensius (1523/30, vorübergehend indiziert), A. und L. Isaac Le Maître (Bible de Sacy, 1667, trotz Verurteilung durch Rom zahlreiche Auflagen); neuere kath. B.en: Bible de Mared-

sous (1948/49), Bible de Jérusalem (1948–52) u.a. Die erste frz. prot. B. erfolgt 1535 durch P. R. Olivetanus (NT nach Faber Stapulensius), sog. Bible de Serrières, wegen der in Genf vorgenommenen Überarbeitung (u.a. durch Calvin und Th. Beza) später als Bible de Genève bez. – 8. *Engl. B.en:* Nach Anfängen in ags. (Caedmon, Bibeldichtung, um 670, u.a.) und mittelengl. Zeit beginnt die engl. B. mit J. Wyclif und N. von Hereford (ges. Bibel, 1380–84). 1525 erscheint der erste engl. Bibeldruck (NT von W. Tyndale) in Worms, es folgen M. Coverdales B. (Zürich, 1535), The Great Bible (1539), The Genevan Bible (1560, NT 1557) u.a. Von bed. Einfluß auf die engl. Sprache und Literatur ist die von der Hampton Court Conference 1611 hg. Authorized (oder King James) Version. Eine Überarbeitung erscheint in England 1881/85 als Revised Version, in N-Amerika mit etwas anderem Text 1900/01 als American Standard Version (von fast allen prot. Kirchen angenommen, neubearbeitet 1946–57: Revised Standard Version). In England wird 1970 die New English Bible (NT 1961) hg. – B.en gibt es bis zur Erfindung des Buchdrucks in 33, um 1800 in 71, heute in über 1200 Sprachen.

☐ Fortlaufende Veröffentl. in: The Bible translator. London 1950 ff.; Bulletin of the United Bible Society, seit 1950 (seit 1966 u.d.T.: United Bible Soc.); Biblica. Vjschr. des Päpstl. Bibelinstituts. Rom 1920 ff. – Greenslade, S. L. (Hrsg.): The Cambridge History of the Bible. Cambridge 1963. – Darlow, T. H./Moule, H. F.: Historical catalogue of the printed editions of holy scripture in the library of the British and foreign Bible Society. 4 Bde. London 1903–11; Nachdr. New York 1963. – Walther, W.: Die dt. B. des MA.s. 3 Bde. Braunschweig 1889–92. – RL.   GS

Biblia pauperum, f. [lat. = Bibel der Armen), ungesicherte mal. Bez. für meist schmale, unbebilderte Faszikel mit Bibelauszügen in lat. Sprache, in welchen v.a. das AT in leicht faßlicher, erzählender Form dargeboten wird, evtl. für Scholaren und Kleriker, die sonst eine vollständ. Bibel nicht leisten konnten. – Auf Grund eines (schon von Lessing aufgedeckten) bibliothekar. Irrtums des 17.Jh.s wurde die Bez. auf die /Biblia typologica übertragen, obwohl diese sowohl der meist kunstvollen Illustrationen als auch der geist. Anforderungen wegen kaum für *pauperes* (materiell u. geist. Arme) gedacht sein konnte.   S

Biblia typologica, f. [mlat. typicus = vor-bildlich], neuzeitl. Bez. für typolog. angelegte bibl. Bilderzyklen, in denen die wichtigsten Heilsstationen Christi (in den frühen Fassungen 34, nach den Lebensdaten Christi, im Spät-MA z.T. erweitert bis auf 50, mit ikonograph. Varianten) mit entsprechenden Vorausdeutungen (/Präfiguration) aus dem AT zusammengestellt, um Verlauf und Erfüllung des göttl. Heilsplanes zu verdeutlichen. Im Zentrum einer Bildgruppe steht eine Szene aus dem NT (Antitypus – *sub gratia,* Zeit der Gnade), der zwei Vorausdeutungen aus dem AT (Typus, meist nach dem Schema *ante legem,* vor der Gesetzgebung auf dem Sinai, und *sub lege,* Zeit des Gesetzes) und vier Prophetenbilder zugeordnet sind (z.B. NT: Auferstehung; AT: 1. Samsons Ausbruch aus Gaza, 2. Jonas' Befreiung aus dem Fischrachen; umgeben von den Propheten Jacob, Hosea, David, Sophonias [Zephanja]. Die drei Szenen (Miniaturen, später Holzschnitte) werden durch stichwortart. /Tituli erklärt, die Prophetenbilder durch Prophetensprüche, die ganze Bildgruppe durch Lektionen.

Das lat. Original dieser Bildzyklen, wohl als schemat. Hilfsmittel zur Ausbildung in Homiletik (Bibelauslegung) und Katechese (relig. Unterweisung) gedacht, wird in der Mitte des 13.Jh.s in Bayern vermutet. Als mögl. Vorläufer gelten typolog. Bildzusammenstellungen wie im sog. ›Stammheim-Missale‹ (nach 1150) oder auf dem Verduner Altar in Klosterneuburg (um 1180), die ebenso wie die Freskenzyklen in Kirchen die im MA. bedeutsamen bildhaften Belehrung dienten. – Lat. Hss. sind seit 1300 erhalten, zwei-

sprach. (lat.-dt.) oder dt. Fassungen etwa seit Mitte des 14.
Jh.s. In dieser Zeit wurde die B.t. auch zu umfassenderen
↗Heilsspiegeln erweitert. Im 15.Jh. ist die B.t. in ↗Block-
büchern verbreitet und wird schließl. durch gedruckte
Bibelübersetzungen verdrängt. Vgl. auch ↗Bilderbibel.
□ Wirth, K. A.: Biblia pauperum. In: VL 1, ²1978. – Berve,
M.: Die Armenbibel. Beuron 1969. – F. Unterkircher, G.
Schmidt (Hg.): Die Wiener Biblia pauperum. Graz 1962
(Faks.). – Schmidt, Gerh.: Die Armenbibeln d. 14.Jh.s.
Graz u. a. 1959.   S

Bibliographie f. [gr. biblos = Buch, graphein = (be-)
schreiben: Buchbeschreibung]. Früher = Lehre vom Buch
(Buchgewerbe, Bibliothekswesen, Bibliophilie), dann speziell literar. Quellenkunde: Hilfswissenschaft zur Ermittlung, Beschreibung (Verfasser, Titel, Ort, Jahr, Band- u. Sei-
tenzahlen) u. Ordnung (alphabetisch, chronolog., systemat.) des Schrifttums, sowohl von Texten wie sekundärer
Literatur; schließl. auch das Produkt dieser Tätigkeit, das
selbständige oder einer Abhandlung beigegebene bibliograph. Verzeichnis (zuerst so gebraucht von Louis Jacob de
St-Charles, »Bibliographia Gallica universalis«, Paris
1644/54). Als *älteste B.* gelten die ›Pinakes‹ des Kallimachos, Gelehrter u. Bibliothekar in Alexandria, 3.Jh. v. Chr.:
›Tafeln derer, die sich in verschiedenen Disziplinen hervor-
getan haben, und ihrer Schriften‹ in 120 Bänden. *Vorläufer
der modernen B.* sind die handschriftl. Bibliothekskataloge
des MA.s, die Verlagsprospekte aus der Frühzeit des Buchhandels (↗Meßkatalog), enzyklopäd. Werksverzeichnisse
(↗Biobibliographie) u. die Kataloge f. bibliophile Sammler. Zu unterscheiden sind allgemeine B.n u. solche zu
bestimmten Themen *(Fach-B.)* oder Autoren *(↗Personal-
B.);* sie können einen festen Zeitraum erfassen *(abgeschlossene B.)* oder auf *kontinuierl.* Ergänzung angelegt sein
(period. B.). Vollständigkeit erstrebende oder eine Auswahl
des Wichtigsten; das bloße Titelverzeichnis kann durch
knappe Inhaltsangaben *(analyt. B.)* oder Wertungen
ergänzt werden *(krit. oder referierende B., B. raisonnée).* Da
Versuche, das gesamte Weltschrifttum in einer B. zu sammeln (zuerst Konrad Gesner, »Bibliotheca universalis«,
1545/55), an den Stoffmassen scheitern, sind die allge-
meinsten B.n die *National-B.n,* die das gesamte im Buchhandel erschienene Schrifttum erfassen (›Gesamtverz.‹ des
dt.-sprach. Schrifttums 1700–1910‹, 1979 ff.; dass.
›1911–1965‹, 1976–1981; ›Dt.-B.‹, Frkft. 1945 ff.) und die
gedruckten Kataloge der National-Bibliotheken (bes. der
British Library London, der Bibliothèque Nationale Paris
und ›The National Union Catalogue‹ Washington; in
Deutschland nur bruchstückhafte Ansätze: ›Dt. Gesamtkatalog‹, 1931–39). Nichtöffentl. Publikationen sind in *Spe-
zial-B.n* verzeichnet (›Jahresverzeichnis der dt. Hochschulschriften‹, Bln./Lpz. 1887 ff.; ›Hochschulschriften-
Verz.‹, Frkf. 1972 ff.), die nicht selbständig erschienene Lit.
in *Zss.-B.n* (F. Dietrich: ›Intern. B. der Zss.-Lit.‹,
1896–1964, fortgef. v. O. Zeller, 1965 ff.). Die wichtigsten
Fach-B.n zur dt. Literaturwissenschaft sind: K. Goedeke:
›Grundriß z. Gesch. d. dt. Dichtung‹ (bis 1830), ²1884 ff.,
N. F. (1830–1880) 1955 ff.; W. Kosch: ›Dt. Literatur-Lexikon‹, ³1966 ff.; C. Köttelwesch: ›Bibliograph. Handb. d. dt.
Literaturwissenschaft 1945–1969/72‹, 1973–1979; ›Intern.
B. z. Gesch. d. dt. Lit.‹, 1969–1984. – *Period. B.n:* ›Jahresbe-
richt f. dt. Sprache u. Lit.‹ (1940–45, 1969 ff., vorher: ›Jah-
resber. über d. Erscheinungen auf d. Gebiete der german.
Philol.‹, 1880–1954); ›B. d. dt. (Sprach- u.) Literaturwissensch.‹, begr. v. H. W. Eppelsheimer, 1957 ff.; Zs. ›Germanistik‹, 1960 ff.; H. A. Koch: ›Intern. Germanist. B.‹,
1981 ff. – *Reihen:* U. Pretzel u. W. Bachofer: ›B.n z. dt. Lit.
d. MA.s‹, 1966 ff.; J. Hansel: ›B.n z. Studium d. dt. Sprache
u. Lit.‹, 1968 ff. – Über *die Technik des Bibliographierens*
unterrichten Bücherkunden, die zugleich B.n von B.n sind:
W. Totok u.a., ›Handb. d. bibliograph. Nachschlagewerke‹, ⁶1984/85; J. Hansel, ›Bücherkunde f. Germani-

sten. Studienausg.‹, ⁸1983; P. Raabe: ›Einführung in die
Bücherkunde z. dt. Literaturwissenschaft‹, ¹⁰1985; H.
Blinn: ›Informationshandb. Deutsche Literaturwissenschaft‹, ²1990; Periodisch unterrichtet C. Paschek: ›B. germanist. B.n‹, Jahrb. f. Intern. Germanistik 9 ff., 1977 ff. –
Mit dem beständigen Anwachsen der wissenschaftl. Literatur und der Entwicklung neuer Vermittlungs- u. Reproduk-
tionsmedien entstehen für die B. neue Aufgaben und Probleme, die im Rahmen der wissenschaftl. ↗Dokumentation
zu lösen sind.
□ Diese, U./Hülsewiesche, R.: B. Archiv f. Begriffsgeschichte 25 (1981). – Krummacher, H. (Hg.): Beitr. zur
bibliograph. Lage der germanist. Literaturwissenschaft.
Boppard 1981. – Bartsch, E.: Die B. Einf. in Benutzung, Herstellung, Geschichte. Mchn. u. a. 1979. – Batts, M. S.: The
Bibliography of German Literature. Bern 1978. – RL   HSt

Bibliophilie, f. [gr. biblos = Buch, philia = Liebe], Buch-
liebhaberei, die sich in der Hochschätzung, Sammlung u.
Herstellung kunsthandwerkl. hervorragender, dann auch
aus anderen Gründen (Seltenheit, Erstausgaben, Wid-
mungsexemplare) bemerkenswerter Bücher äußert. Dabei
überwiegt das ästhet. Interesse am exklusiven Gegenstand
meist das literarische oder wissenschaftliche. Im Extrem
wird B. zur nicht mehr wählenden u. wertenden Sammellei-
denschaft um jeden Preis *(Bibliomanie).* Bibliophile gibt es,
seit Bücher existieren: in der Antike (Cicero), im MA. (die
Mäzene der Prachtcodices), bes. unter den Humanisten (de
Bury, Petrarca, Poggio). Seit dem 19.Jh. wird die B. von
Gesellschaften (Roxburghe Club, London 1812; Ges. d.
Bibliophilen, Weimar 1899; Maximilian-Ges., 1911) mit
eigenen Zeitschriften u. Jahrbüchern (Zs. f. Bücherfreunde,
1897–1936; Imprimatur, 1930 ff.; Philobiblon, 1928 ff.;
Marginalien der Pirckheimer-Ges., 1957 ff.) und durch private Offizinen (»Doves Press« London, »Cranach Presse«
Weimar, »Bremer Presse« Mchn., »Trajanus Presse« Frkft.
u. a.) gefördert. Ihre allgemeinere Funktion liegt in der
geschmackspflegenden Wirkung auf den Buchmarkt (seit
1951 Wettbewerb »Die schönsten Bücher«).
□ Bogeng, G. A. E.: Einf. in die B. Lpz. 1931, Nachdr. Hildesheim 1968. – Hölscher, E.: Hdwb. für Büchersammler.
Hamb. 1947.   HSt

Bibliothek, f. [gr. biblos = Buch, theke = Behältnis]. Ort
zur Aufbewahrung von Büchern, die zur Benutzung, nicht
zum Verkauf bestimmt sind, dann auch die Büchersamm-
lung selbst, schließl. Reihentitel für Sammelausgaben (›B.
der Kirchenväter‹). Sammelobjekte sind außer Büchern u.
Zeitschriften auch Handschriften (Nachlässe), Noten u.
neuerdings Schallplatten. Nach der Art des Bestandes u.
dem Benutzerkreis unterscheiden sich allgemeine *(Volksbü-
cherei)* und wissenschaftl. B.n; diese sind entweder *Univer-
salb.n* (National- oder Staatsb., Landes-, Stadtb., Universi-
tätsb.) oder *Spezialb.n* (Institutsb. in Universitäten,
Fachb.). Das Angebot der staatl. finanzierten öffentl. B.n
ergänzen halböffentl. (Vereinsb., Werkb., B. des Borro-
mäusvereins, B. der Amerika-Häuser), private (Samm-
lerb.n: Bibliotheca Bodmeriana, Genf-Coligny) u. kommerzielle B.n *(Leihbücherei).* – Nach der Benutzungsweise
sind Ausleih- u. Präsenzb.n zu trennen, nach der Organisation Magazin-, Freihand- u. Lesesaalb.n. Die Erschließung
des systematisch oder (bei Magazinierung) in der Reihenfolge der Erwerbung aufgestellten Bestandes geschieht
über Namens-, Sach- u. Schlagwortkataloge. Nicht vorhandene Titel werden im auswärt. Leihverkehr besorgt (Fernleihe). Dem Schutz wertvoller Einzelstücke (Unika, Rara)
u. der Vereinfachung der Fernleihe dienen Mikrofilm- u.
Xerokopien. Das *B.s-Personal* wird in Deutschland seit
1893 (Frankreich: 1879, England: 1885) wissenschaftl. ausgebildet; einen Lehrstuhl für B.s-Wissenschaft gibt es seit
1926 (Berlin). *Zentralorgan* für das B.s-Wesen ist das ›Jahrbuch der Deutschen B.n‹ (Leipzig 1902 ff.), die wichtigsten
Periodica: ›Zentralblatt für B.swesen‹ (Leipzig 1884 ff.) u.

›Zeitschrift für B.swesen u. Bibliographie‹ (Frkft. 1954 ff.). Gesamtverzeichnis von B.n im ›Internationalen B.sadressbuch‹ (München-Pullach 1966).

Bereits im frühen Altertum gab es bibliotheksart. Sammlungen von Keilschrifttafeln und Papyrusrollen in Babylon u. Ägypten. In Athen gründete vermutl. Peisistratos (6. Jh. v. Chr.), in Rom Asinius Pollio (39 v. Chr.) die *erste öffentl. B.* Die bedeutendsten B.n der Antike waren die von Alexandria, die vor ihrer Zerstörung (47 v. Chr.) über eine halbe Million Papyrusrollen besessen haben soll, und von Pergamon. Größere private B.n besaßen Aristoteles u. Cicero. Das Modell einer solchen Privatb. wurde 1752 in Herculanum gefunden. – Im MA. gab es bis ins 13. Jh. B.n fast nur in Klöstern. In ihnen wurden die für Gottesdienst, Unterricht u. Erbauung benötigten Pergamentcodices geschrieben (im Scriptorium) u. aufbewahrt (im Armarium). Da bes. die Benediktiner auch antike Autoren lasen, wurden die Klosterb.n zur Überlieferungsstätte der klass. Literatur (Montecassino, Vivarium, Bobbio, Corvey u. a.). Auch die frühe dt. Literatur ist in Klosterb.n geschrieben u. überliefert worden (St. Gallen, Reichenau, St. Emmeram, Fulda, Lorsch, Tegernsee, Benediktbeuren, Melk, Millstatt, Vorau). – An den seit Mitte des 13. Jh.s aufblühenden Universitäten entstanden die ersten B.n außerhalb des Klosters (Paris: Sorbonne, Bologna, Prag, Wien, Heidelberg, Erfurt). Unter dem Einfluß der Humanisten errichteten italien. Fürstenhäuser ihre Prunkb.n in Florenz (Marciana, Medicea Laurenziana) u. Venedig (Marciana), mit denen die Vaticana in Rom konkurrierte. In Deutschland führte die Reformation zur Gründung konfessionell getrennter Landesuniversitäten mit eigenen, z. T. aus Klosterbeständen bestückten B.n (Wittenberg, Marburg, Königsberg, Jena; Würzburg, Graz, Innsbruck). Sie profitierten bereits von der Erfindung des Buchdrucks, der auch bedeutende Privat- (Fugger), bes. aber Gelehrtenb.n ermöglichte (Reuchlin, Schedel, Pirckheimer; im 16. u. 17. Jh. entstanden reich ausgestattete Fürstenb.n in Wien, Heidelberg (Palatina), München, Wolfenbüttel, in denen verstreute ältere Bestände zusammengebracht und durch eine oft skrupellose Erwerbungspolitik vermehrt wurden. Höhepunkt solcher Zentralisierungsbestrebungen war die Überleitung zahlreicher Dom-, Stifts- u. Klosterb.n nach der Säkularisation (1803) bes. in München, Breslau u. Karlsruhe. Die allgemein zugängliche, nach wissenschaftl. Gesichtspunkten eingerichtete Gebrauchs-B. ist ein Produkt der Aufklärung. Sie wurde von Leibniz postuliert u. zuerst in Halle (1694) u. Göttingen (1737) realisiert. – Dem Ziel, die gesamte Literaturproduktion eines Landes zu sammeln, dienen die nationalen *Zentralb.*n (in Paris seit 1735, London 1759, Leipzig 1913, Frkft. 1948). – Zu den größten B.n der Welt zählen heute die Lenin-B. in Moskau, die Library of Congress in Washington, die British Library des British Museum in London, die Österreichische Nationalb. in Wien; die *größten deutschen B.*n sind die ›Deutsche Bücherei‹ in Leipzig, die ›Dt. B.‹ in Frkft., die Bayrische Staats-B. in München u. die Deutsche Staats-B. in Berlin.

ⅢMeyer, H.: *Bibliographie* d. Buch- u. B.s-gesch. 1 ff., 1982 ff. – Fabian, B.: Buch, B. u. geisteswissenschaftl. Forschung. Gött. 1983. – Hacker, R.: Bibliothekar. Grundwissen. Mchn. ⁴1983. – Krieg, W.: Einführung in die B.skunde. Darmst. 1982. – Buzas, L.: Dt. B.sgeschichte (1–3), Wiesb. 1975/78. – Hobson, A.: Große B.n der Alten u. Neuen Welt. Mchn. 1971. – Lexikon des B.swesens. Hrsg. v. H. Kunze und G. Rückl. Lpz. 1969. – Vorstius, J.: Grundzüge der B.sgesch. Bearb. v. S. Joost, Wiesb. ⁶1969.   HSt

Biblisches Drama, dramat. Darstellung biblischer Stoffe. – Das b. D. steht nicht in der Tradition des ⁄geistlichen Spiels des MA.s; es entwickelt sich im 16. Jh. im Dienste der Reformation als wichtigster Typus des ⁄Reformationsdramas. Luther empfahl die dramat. Darstellung bibl. Stoffe und Themen, lehnte aber die herkömml. Typen des geistl. Spiels, namentl. das ⁄Passionsspiel, ihrer Bindung an die kirchl. Liturgie wegen ab. Formal schließt sich das b. D. des 16. Jh.s (lat. und dt.) an das ⁄Humanistendrama an (Aktgliederung durch Chöre, häufig in der Form des protestant. Kirchenliedes; Prolog, Epilog); Forum ist die Schulbühne (⁄Schuldrama). Beliebte Stoffe: die Geschichte Josefs und seiner Brüder, Jephthas Tochter, Saul, David, Judith (Aktualisierung in den Türkenkriegen), Tobias, Esther, Susanna, Johannes der Täufer, die Gleichnisse Jesu vom reichen Mann und armen Lazarus, vom barmherzigen Samariter, vom verlorenen Sohn. – Mit dem Ende der konfessionellen Auseinandersetzungen tritt im 17. Jh. das Interesse an bibl. Stoffen zurück. Eine Erneuerung des bibl. D.s im großen Stil versuchen im 18. Jh. F. G. Klopstock (»Der Tod Adams«, 1757; »Salomo«, 1764; »David«, 1772) und J. J. Bodmer, ohne nachhaltigen Erfolg. Im 19. Jh. verwenden bibl. Stoffe v. a. die Grande Opéra (Verdi, »Nabucco«) und das histor. Drama (O. Ludwig, »Die Makkabäer«, 1852); z. T. wird die bibl. Thematik bewußt umgedeutet (Hebbel, »Judith«, 1840 – gegen Schillers »Jungfrau von Orleans«). Eine letzte kurze Blüte erlebte das b. D. im 20. Jh. (St. Zweig, »Jeremias«, 1915–17; R. Beer-Hofmann, »Jaákobs Traum«, 1918, »Der junge David«, 1933).   K

Biedermeier, als literar. Epoche meist »zwischen Romantik und Realismus« angesetzt, mit Bezug auf die polit. Entwicklungen zwischen 1815 und 1848 bisweilen auch als ⁄Vormärz oder ›Restauration‹ bezeichnet. Die Epoche 1815–1848/50 umfaßt mehrere sich z. T. widerstreitende ideengeschichtl. und literar. Strömungen (Spätromantik, ⁄Byronismus, das ⁄Junge Deutschland, die spezif. B.-dichtung, die Junghegelianer). Sie ist auch literar. geprägt durch die *gesellschaftl.-soziale Situation:* die geschichtl. Krise nach der Jahrhundertwende, hervorgerufen durch eine allgemeine nationale Enttäuschung, Ernüchterung und Hoffnungslosigkeit nach den Befreiungskriegen, eine polit. Unfreiheit und zunehmende wirtschaftl. Verarmung, und, als Folge, durch einen existentiellen Pessimismus aufgrund einer Unsicherheit in Wert- und Sinnfragen, eine (bei allem Glauben an das Bestehen einer universalen Ordnung) prinzipielle Skepsis, eine weltschmerzler. Gesamtstimmung (⁄Weltschmerz), die sich von sich selbst genießender Tränenseligkeit (H. Clauren) bis zu religiösem Schwärmertum (der alte C. Brentano) und Lebensüberdruß (häufige Selbstmorde: Mayrhofer, Raimund), steigern konnte – Phänomene, die die einzelnen Strömungen auf verschiedene Weise verarbeiteten. Als *typ. biedermeierl.* Konsequenz gilt der resignierende Rückzug in die beschränkteren Bereiche der unpolit., staatsindifferenten, konservativen Konventikelbildung (vgl. dagegen das Junge Deutschland): Häuslichkeit, Geselligkeit in Familie und Freundeskreis werden zur geist.-geist. Grundlage der B.kultur: *Private Zirkel,* die sich (ebenso wie die daraus hervorgehenden Gesang-, Musik- und literar. Vereine) der Pflege von Wissenschaft, Musik und Literatur widmen, so sicher der eigenen Vergangenheit als »Erbe der Klassik und Romantik« (Lieblingsautor: Jean Paul). Während die ältere B.forschung deshalb die Zeit als »bürgerl. gewordene dt. Bewegung« (Kluckhohn) wertete, wird heute das Zurückgreifen der B. auf die (durch die ⁄Weimarer Klassik unterbrochenen) Tendenzen der ⁄Aufklärung betont (vgl. die ⁄Empfindsamkeit mit ebenfalls künstler.-literar. ausgerichteter Geselligkeit). Tatsächl. kehrt das B. z. B. zum Empirismus der Aufklärung des 18. Jh.s zurück, zur »Beobachtung der Nächstliegenden«, etwa zur *Erforschung der Natur,* ausgehend nicht mehr von einer einheitl. Idee (Goethe), sondern von der Erfassung des Vielfältigen; das Sammeln (z. B. von Steinen u. a. Naturalien etc.) ist Ausdruck eines handfesteren Verhältnisses zur Wirklichkeit. Eine Art Materialbesessenheit zeigt sich auch bei anderen Wissenszweigen, z. B. *der Geschichte:* auch sie soll durch Versenkung in Quellen und Details als nah-verwandtes Ahnenerbe begriffen und entdämonisiert werden, soll wie die Natur eine Art Trost, Sicherheit und Hilfe bieten, die seel. Abgründe, deren man sich bewußt ist, zu überbrücken, denn (im Gegensatz zum gleichzeitigen ⁄Byronismus) will die typ. biedermeierl. Haltung die als existentiell gefährdet empfundene Lebens-Situation rational bewältigen, will die ›dämon. Mächte‹ durch Organisation, Ordnung und Vernunft bannen, das eigene Dasein zu einem durch Verzicht und Entsagung geläuterten »reinen Sein« (Stifter) führen. Diese zeitgeschichtl. Gefühlslage, ihre Vorlieben und Tendenzen finden sich auch in den Werken einer Gruppe zeitgenöss. Musiker (F. Schubert), Maler (L. Richter, F. G. Waldmüller, C. Spitzweg, M. v. Schwind u. a.) und Schriftsteller, z. T. in deren Gesamtwerk, z. T. in einer bestimmten Periode (wie bei den meisten der bedeutenderen Dichter dieser Zeit: F. Grillparzer, J. Nestroy, N. Lenau, E. Mörike, A. von Droste-Hülshoff, auch bei einigen Spätromantikern: L. Tieck) oder in bestimmten Gattungen (z. B. in der unpolit. Dichtung der Jungdeutschen, etwa bei A. H. Hoffmann v. Fallersleben u. a.). Die *B.dichtung* gestaltet das sittl. Ziel der Zeit; genügsame Selbstbescheidung, Seelenstärke, Einfalt und Innerlichkeit, Zähmung der Leidenschaften, stille Unterordnung unter das Schicksal, Haltung der Mitte und des Maßes, den inneren Frieden im Zusammenklang mit einer äußeren, als harmon.-gütig empfundenen Natur, das kleine Glück, die Liebe zu den Dingen, zu Geschichte und Natur. Sie setzt dem bewußt erlebten Zwiespalt zwischen Ideal und Wirklichkeit durch Auswahl des Positiven *eine heile poet. Welt* entgegen, die die organ. Gesetze allen Seins, die für die Zeit verschüttet zu sein scheinen, widerspiegelt. Als »zentrales B.zeichen« wertet Sengle die »Landschaftsgebundenheit« der bedeutendsten B.dichter: Lenau, Stifter (Österreich), Droste (Westfalen), Mörike (Schwaben), J. Gotthelf (Berner Land), W. Alexis (märk. Land). – B.dichtung versteht, anders als z. B. die der ⁄Romantik oder später des ⁄Realismus ohne ästhet. oder theoret. Programm. Typisch ist daher eine *stilist. Diskontinuität*, die naive Nebeneinander verschiedenster Darstellungsformen, ebenso eine Neigung zur Vermischung der Gattungen, überhaupt eine Geringachtung des Formalen, der ›Kunst‹, der man die ›Poesie‹ als das Ungekünstelte, Lebensnahe, Echte entgegensetzt. In ihr wird versucht, eine höhere Ordnung durch die Dinge transparent werden zu lassen (Hochschätzung der Bildlichkeit, ›Detailrealismus‹, Reflexion, noch nicht Dingsymbolik). Diese Literaturauffassung ermöglicht eine Flut dilettant. Belletristik, die in einer Unzahl von ⁄Almanachen, Taschen- und Stammbüchern, Haus-, Familien- und Intelligenzblättern gedruckt wurde (sog. ›*Trivial-B.*‹) und der B.dichtung den Beigeschmack des philisterhaft Biederen, gemüthaft Harmlosen eintrug. Beliebt und auch von allen bedeutenden Vertretern gepflegt wurden die *kürzere Erzählprosa* (weniger die streng gebaute ⁄Novelle als vielmehr »Studien«, vgl. Stifter, 1844 ff.) u. ä., ⁄Märchen, episch-lyr. Kurzformen wie humorist. genrehafte Erzählgedichte, ⁄Balladen, ⁄Verserzählungen (Vorbild: Ch. M. Wieland), auch kleine Hexameterepen und andere klassizist. Kleinformen (Mörike) mit histor.-idyll. Stoffen. Die ⁄Idylle selbst als Form ist selten (Mörike: »Der alte Turmhahn«, Droste: »Des alten Pfarrers Woche«), vielmehr führt eine Affinität zum Idyllischen zu einer ›idyll. Überformung aller Gattungen« (Sengle). Die *lyr. Formen* sind einfach-volksliedhaft, ebenso die Themen: Liebe, Entsagung, häusl. Glück, Vergänglichkeit, religiöse Gefühle (Droste, »Das geistl. Jahr«, 1820/1839/40; K. J. Spitta, »Psalter und Harfe«, 1833), aber auch oft reflektierend, didaktisch (z. B. F. Grillparzer, »Tristia ex ponto«, 1835). Bevorzugt werden lyr. Zyklen, Rollenlieder (W. Müller, vertont u. Schubert). Singspiele (K. v. Holtei) usw. Zur *Romanliteratur* des B. zählt Sengle (neben der reichen Trivialliteratur, meist im Gefolge W. Scotts, z. B. von

C. Spindler, W. Meinhold, A. v. Tromlitz, H. Koenig, W. Blumenhagen u. v. a.) Stifters »stilisierte Epen« und die histor. Romane von W. Hauff, Levin Schücking, W. Alexis', dann v. a. auch die Romane von J. Gotthelf und z. T. Ch. Sealsfield. Die wichtigste Leistung des B. ist das *Volkslustspiel* (meist Märchen- oder ⁄Zauberstücke, Sitten- oder Familien-⁄Rührstücke) und die ⁄Salon- oder Konversationskomödie, die sich in Österreich entwickelten, das neben Schwaben die ausgeprägteste literar. B.landschaft ist. Entscheidend wurde hier die immer lebendig gebliebene Tradition des Barock, an die die österreich. B.-Komödie mit ihren handwerkl. geschickten, wenngleich naiven, oft mundartl. Stücken über das gute und schlechte Glück und a. biedermeierl. Themen anknüpfen konnte (A. Bäuerle, J. A. Gleich, K. Meisl, dann v. a. F. Raimund und J. Nestroy, für das Salonstück E. von Bauernfeld). Ihre Wirkung ging weit über Österreich hinaus (Austausch zwischen Wiener u. Hamburger Theater, E. A. Niebergall in Darmstadt, A. Glassbrenner in Berlin). Im Schaffen des größten österreich. Dramatikers der Zeit, F. Grillparzers, zeigt sich z. T. das biedermeierl. Lebensgefühl der Resignation, Schwermut und Stille (z. B. »König Ottokars Glück und Ende«, 1832; »Der Traum ein Leben«, 1834; »Weh dem, der lügt«, 1838). Größere Erfolge hatten jedoch die histor. Trivialstücke von F. Halm (z. B. »Griseldis«, 1835), E. Raupach, Charlotte Birch-Pfeiffer u. a. Der *Begriff* ›*B.*‹ für die Zeit zwischen Romantik und Realismus war seit P. Kluckhohns Versuch, ihn für diese Zeit einzuführen (erstmals 1927) umstritten, vgl. die B.diskussion 1935 in den ›Vierteljahrsschr.‹ und in ›Dichtung und Volkstum‹ (Euphorion). – Das *Wort* ›*B.*‹ entstammt der Kritik des Realismus an Haltung und Literatur der Restaurationszeit, die L. Eichrodt und A. Kußmaul repräsentiert sahen in ›biederen‹ Reimereien eines schwäb. Dilettanten, Samuel Friedrich Sauter die mit eigenen Parodien als »Gedichte des schwäb. Schulmeisters Gottlieb Biedermaier . . .« seit 1855 in den »Fliegenden Blättern« veröffentlichten (1869 zusammengefaßt in ›Biedermaiers Liederlust‹). Erst Ende des 19. Jh.s wandelte sich der Begriff positiv im Sinne von ›guter alter Zeit‹ (W. H. Riehl) und setzte sich etwa nach der Jahrhundertausstellung in Berlin (1906) als Stilbez. für Mode, Möbel etc. durch. R. Hamann und P. F. Schmidt versuchten ihn auf die Malerei anzuwenden (1922); Kluckhohns Anregung wurde z. T. von der Philosophie und Musikwissenschaft und von anderen Literarhistorikern aufgegriffen (z. B. für die Lit. der Schweiz e. Korrodi, 1935; der Niederlande von Th. v. Stockum, 1935; Ungarns von B. Zolnai, 1940 u. a.). In dt. Literaturgeschichten wurde außer bei K. Viëtor (Dt. Dichten und Denken von der Aufklärung bis zum Realismus, 1936, ²1949) der Begriff ›B.‹ bis zu F. Sengles großer dreibänd. Darstellung als literar. Epochenbez. nicht recht heimisch.

📖 Brandmeyer, R.: B.roman u. Krise der ständ. Ordnung. Tüb. 1982. – Sengle, F.: B.zeit. 3 Bde. Stuttg. 1971, 1972, 1980. – Hermand, M. (Hrsg.): Zur Lit. der Restaurationsepoche 1815–1848. Forschungsreferate u. Aufsätze. Fs. F. Sengle. Stuttg. 1970. – Hermand, J.: Die literar. Formenwelt des B. Gießen 1958. – Greiner, M.: Zw. B. u. Bourgeoisie. Gött. 1953. – DVjs 13 (1935): Beitr. zum B.; Dichtung u. Volkstum (Euphorion) 36 (1935): Zum B. – RL.   IS

Bild,

1. Unscharfe Sammelbez. der Stilanalyse für die verschiedensten Formen bildl. Ausdrucksweise, v. a. für die sprachl. Umsetzung eines Ausschnittes der belebten und unbelebten Welt, einer Natur- oder Genreszene (z. B. E. Mörike »Jägerlied«: »Zierlich ist des Vogels Tritt im Schnee, / wenn . . .« oder der Eingang der Elegie Hölderlins »Brot und Wein«). – Ein sprachl. Bild kann sich auf Andeutungen beschränken oder in mehr oder weniger detaillierten Umrissen ausgeführt sein, es kann eine eigenwertige geschlossene ⁄Be-

schreibung sein, Ausgangspunkt für einen ↗Vergleich oder symbol. Vergegenwärtigung von sinnl. nicht Faßbarem. Sprachl. B.er können sowohl opt. Eindrücke in der Sprache widerspiegeln, als auch einen abstrakten Sachverhalt, einen Gedankengang oder seel. Regungen veranschaulichen. – Die Bildlichkeit ist ein wesentl. Kennzeichen poet. Sprache; sie dient der Verdichtung des Gehaltes, sie assoziiert die Welt in ihrer Fülle (Ambiguität). Das B. eignet der lyr.-sinnbildhaften Sprache ebenso wie der beschreibend-epischen und der expressiv-dramatischen. Bildlichkeit ist sowohl vom individuellen Darstellungsstil als auch von gewissen Epocheneigentümlichkeiten abhängig (vgl. z. B. die barocke Bildlichkeit mit der des Naturalismus). – Auch die Alltagssprache ist voll von (meist verblaßten) B.ern, z. B. be-sitzen. Vgl. Metaphorik (↗Metapher), ↗Symbol, ↗Personifikation, ↗Allegorie.
2. dramaturg. Bez. für ↗Akt oder ↗Szene (vgl. Max Frisch, »Andorra«, Stück in 12 Bildern).

□ Pongs, H.: Das B. in d. Dichtung. 3 Bde., Marburg ¹⁻³1963–69. – Killy, W.: Wandlungen des lyr. B.es. Göttingen ⁷1978. – Clemen, W.: Shakespeares B.er. Bonn 1936. S

Bildbruch ↗Katachrese.

Bilderbibel (biblia picta), Bibel mit Bildern; im engeren Sinn: Bilderfolgen ohne vollständ. Bibeltext, auch nur mit knappen Erläuterungen (vgl. z. B.: Dt.B. aus d. späten MA. Hg. v. J. H. Beckmann u. I. Schroth. Konstanz 1960). – Illustrierte Bibel-Hss. finden sich schon früh, so die Quedlinburger Itala-Fragmente (spätes 4.Jh., jetzt Berlin-Ost), die griech. geschriebene Wiener Genesis (5.–6.Jh.), die sog. Alkuinbibel (nach 830, jetzt London), die Riesenbibel aus Stift Admont (1. Hä. 12.Jh., jetzt Wien). – Seit dem 13.Jh. gibt es besondere Formen der illustrierten Bibelbearbeitungen: ↗Reim-, ↗Historienbibel, ↗Biblia typologica, ↗Heilsspiegel u. a., die seit Anfang 15.Jh. in Blockbüchern (mit Holzschnitten) verbreitet waren. Holzschnitte finden sich auch später in gedruckten B.n (die mutmaßl. erste dt. Holzschnittbibel 1478/79 in Köln bei Quentell). Vor allem zu bestimmten bibl. Themenkreisen wurden graph. Bilderreihen geschaffen (Dürer: Holzschnittpassionen, Apokalypse, 1498; Dürer und Schongauer: Kupferstichpassionen, letztere 1480). Bibelbilder schufen im 16.Jh. auch H. S. Beham, L. Cranach d. Ä. und H. Holbein d. J. Im 19.Jh. sind von Bedeutung die Bibelillustrationen J. Schnorr von Carolsfeld (1852–62), G. Doré (Tours, 1867), im 20.Jh., außer graph. Folgen von Corinth, Beckmann, Chagall u. a., Volks- und Schulbibeln (z. B. Seewald-Bibel, 1957 und Ravensburger NT, 1957). GS*

Bilderbogen, einseitig bedrucktes Blatt mit Bild oder Bilderfolge und kurzen Textkommentaren (vorwiegend in Reimpaaren, gelegentl. auch in Prosa), stets mit handfester religiöser, moral. oder polit. Tendenz. Die Bilder sind meist naiv volkstüml. angelegt und kräftig koloriert. – B. gehen vermutl. auf spätmal. Andachtsbilder und Altartücher (mit Tituli) zurück. Sie wurden zunächst handschriftl. von gewerbl. organisierten ›Briefmalern‹ hergestellt. Die große Nachfrage nach den die Schaulust einer überwiegend ungebildeten Menge befriedigenden B. konnte dann durch die drucktechn. (serielle) Herstellung befriedigt werden (zunächst ↗Einblattdrucke, ältester die sog. Brüsseler Madonna von 1418); seit Mitte des 15.Jh.s erlaubte dann der Druck mit bewegl. Lettern auch längere Textbeigaben. – Die frühesten B. zeigen überwiegend relig. Motive wie Heiligenbilder und -geschichten (z. B. »Christus und die minnende Seele«, mit Versdialogen), Totentänze usw., mit Beginn der auf Publikumswirkung bedachten Massenproduktion kommen erbaul.-belehrende (Ständepyramiden, Altersstufen u. a.) und v. a. satir.-witzige Motive (Karikaturen, Altweibermühle, Verkehrte Welt) und Bilderfolgen mit Sensationsberichten hinzu (letztere bestimmen bis ins 19.Jh. den Charakter der B.); im Zeitalter der Reformation wird die B. auch als Informations- und Kampfmittel einge-

setzt (z. T. als ↗Flugblatt verbreitet). In dieser Zeit arbeiteten selbst bedeutende Künstler und Autoren für B., z. B. Lukas Cranach, A. Dürer; S. Brant (Teile des »Narrenschiff« als B.), H. Sachs, Th. Murner, U. v. Hutten, M. Luther, Melanchthon u. a. – Im 17.Jh. werden die traditionellen gröberen Holzschnitte z. T. durch künstler. anspruchsvollere Kupferstiche ersetzt; sie sprachen mit ihren oft auch literar. anspruchsvolleren Texten (u. a. von J. M. Moscherosch) vorwiegend ein städt. Publikum an. Führender Verleger der Kupferstich-B. wird P. Fürst in Nürnberg (*Nürnberger B.*). – Bis ins 19.Jh. erschienen B. in großen Auflagen, ermöglicht durch neue Bildtechniken (Lithographien) und rationalisierte Fabrikfertigung. Berühmt wurden die *Neuruppiner B.* des Verlegers G. Kühn (seit 1775), die mehrsprach. *B. von Pellerin* in Epinal (seit 1796 bis heute nach alten Methoden und Vorlagen) und die *Weißenburger B.* von J. W. Wentzel (seit 1831). Die *Münchner B.* von K. Braun (seit 1844) gewannen künstler. Niveau durch die Mitarbeit von W. Busch, M. v. Schwind, F. v. Stuck, F. v. Pocci u. a.; ihre pädagog.-didakt. Ausrichtung dokumentiert de symptomat. Entwicklung der B. im frühen 20.Jh.: sie bieten v. a. kulturhistor. Anschauungsmaterial und humorvolle Bildergeschichten, hauptsächl. für Kinder. Heute ist der B. durch Illustrierte, Witzblätter, das Fernsehen zurückgedrängt, Elemente des B.s leben weiter in Bildergeschichten der ↗Comics und Fotoromane.

□ Neuruppiner B. Bearb. v. Th. Kohlmann u. a. Schriften d. Museums f. Dt. Volkskunde. Bd. 7. Bln. 1981. – Mistler, J. u. a.: Épinal et l'imagerie populaire. Paris 1961. – Rosenfeld, H.: Der mal. B. ZfdA 85 (1954) 66 ff. – RL. IS

Bilderbuch, illustriertes Kinderbuch (für ca. 2- bis 8jährige) mit farbigen, oft gestalteten Bildern. Entsprechend den jeweiligen Altersstufen bieten die Bilderbücher einfache Gegenstände (und Tiere) aus der Erfahrungs- und Phantasiewelt des Kindes (ohne Text), ↗Bildergeschichten oder Illustrationen zu längeren Texten (zum Vorlesen). Die Texte (Kinderreime, Lieder, Verse und Prosa) entsprechen dem jeweiligen Erziehungsprogramm und reichen von moralisierender Belehrung über phantasievolle Märchen bis zu sachl. Information. Die *Geschichte des B.s* fällt bis ins 19. Jh. zus. mit der der illustrierten ↗Kinder- u. Jugendlit. bzw. des Schulbuches: die illustrierten A-B-C- und Elementarbücher des *späten MA.s* (vgl. ↗Fibel, älteste 1477) und des *16. und 17.Jh.s* (z. B. illustrierte Fabelausgaben, u. a. von Burkhard Waldis, 1548 und öfter, dann v. a. der »Orbis sensualium pictus« von J. A. Comenius, 1658) dienten bereits der schul. Bildung. Auch die in großer Zahl in der ↗Aufklärung entstehenden, ausdrückl. für Kinder bestimmten Werke (z. B. J. S. Stoy, »Bilder-Academie f. die Jugend«, 1780/84; F. J. Bertuch, »B. für Kinder«, 24 Bde. 1790–1822 [1830], die Elementarbücher J. B. Basedows, 1770/74 und Ch. G. Salzmanns, 1785/95, beide mit Kupfern von D. Chodowiecki) wollen den kindl. Geist ›aufklären‹, ihm eine moral.-vernünftige Anschauung der Welt vermitteln (vgl. auch Raffs »Naturgesch. für Kinder«, 1792; K. A. Musäus' »Moral. Kinderklapper«, 1788). *Im 19.Jh.* (bes. im ↗Biedermeier) entstanden v. a. Bearbeitungen von urspüngl. für Erwachsene gedachten Märchen und Sagen (illustriert u. a. von Th. Hosemann, L. Richter, C. Speckter); sie wurden aber an Beliebtheit überflügelt von dem moralisierenden (pädagog. umstrittenen) »Struwelpeter«(1845) von H. Hoffmann oder den Bildergeschichten W. Buschs (z. B. »Max und Moritz«, 1865), F. Poccis u. a. Eine neue *Blüte des B.s* brachte die Jahrhundertwende, gefördert einerseits durch die weitere Entwicklung der Farbdruckverfahren, v. a. aber durch die Erkenntnisse der Kinderpsychologie (Berücksichtigung der Eigenwelt des Kindes, Bedeutung des Anthropomorphismus für die kindl. Entwicklung). Stilist. z. T. vom Jugendstil geprägt sind die phantasieanregenden Tier- und Blumenmärchen von E. Kreidolf (1898 ff.), E. Beskow (»Hänschen im Blau-

beerenwald«, aus dem Schwed. 1903/04), S. von Olfers (»Etwas von den Wurzelkindern«, 1906) u. a. Eine weitere kindergerechte, unsentimentalere Richtung verfolgten die Kinderreime R. und Paula Dehmels (»Fitzeputze«, 1901, ill. von E. Kreidolf; »Rumpumpel«, 1903, illustriert von K. Hofer), die bes. durch die graph. Gestaltung bis in die 30er Jahre wirkten (vgl. Ch. Morgenstern/J. L. Gampp, »Klein-Irmchen«, 1921; E. Kästner, »Das verhexte Telephon«, 1931 u. a.). In derselben künstler. (expressionist.) Tradition stehen die Bilderbücher von T. Seidmann-Freud (z. B. »Das Wunderhaus«, 1927, »Das Zauberboot«, Ende der 20er Jahre), in denen zum erstenmal dem Kind eine aktiv-tätige Rolle bei der Bildbetrachtung zugewiesen wird. Unauffällig staatspolit. Erziehung versuchen die beliebten »Babar«-Bilderbücher von Jean de Brunhoff (1931–1938; fortgesetzt seit 1946 von L. de Brunhoff). Diese Idee wurde in krasseter Abwandlung im Dritten Reich aufgegriffen (vgl. das antisemit. B. von E. Bauer, »Trau keinem Fuchs auf grüner Heid . . .«, 1936). In der *B.produktion nach 1945* lassen sich grob gesehen drei internationale Richtungen unterscheiden: 1. *phantasievoll-märchenhafte B.er.*Hier sind v. a. die künstler. Ausgestaltungen der Märchen der Brüder Grimm, H. Ch. Andersens u. a. von G.Oberländer, F. Hoffmann, J. Grabianski zu nennen, weiter die B.er von L. Lionni (»Frederick«, 1969) und bes. M. Sendak (»Wo die wilden Kerle wohnen«, 1967; »König Drosselbart«, 1974 u. a.). – 2. mehr oder weniger *wirklichkeitsnahe Bildergeschichten* (die umfangreichste Gruppe) u. a. von S. Chönz/A. Carigiet (»Schellen-Ursli«, 1946; »Der große Schnee«, 1955 u. a.), L. Fatio/E. Duvoisin (»Der glückl. Löwe«, 1955 und viele Fortsetzungen), C. Piatti (»Eulenglück«, 1963), J. Krüss (»Die kleinen Pferde reiten Fohlen«, 1962; »3 mal 3 an einem Tag«, 1963; »Der kleine schwarze Weißfellkater«, 1974; Internat. Jugendbuchpreis 1968), J. Guggenmos/G. Stiller (»Was denkt die Maus am Donnerstag«, 1966 u. a.), B. Wildsmith (»Wilde Tiere«, 1968). 3. *Fotobilderbücher*, z. T. bereits als Kinder-Sachbücher (u. a. A. Lamorisse, »Der rote Luftballon«, 1957; A. Lindgren/A. Riwkin, »Sia wohnt am Kilimandscharo«, 1958). Neuerdings werden auch gesellschaftl., sozialist. oder andere aktuelle Erziehungsanliegen (z. B. Verkehrserziehung, Körperpflege usw.) im B. aufbereitet (vgl. u. a. Egner/Thorbjörn, »Karius und Baktus«). Bemerkenswert ist weiter, daß auch Autoren anspruchsvoller Erwachsenen-Literatur zusammen mit renommierten bildenden Künstlern B.er schaffen, z. B. P. Bichsel (»Kindergeschichten«, 1969), P. Härtling (» . . . und das ist die ganze Familie«, 1970), G. Herburger, (»Birne kann alles«, 1971), R. Kunze (»Der liebe Leopold«, 1970; Jugendbuchpreis 1971), S. Lenz (»So war das mit dem Zirkus«, 1971) u. a.
Bibliographie: Wegehaupt, H.: Alte dt. Kinderbücher. Bibliogr. 1507–1850. Hamb. 1979.
Handbücher s. ⁄Kinder- u. Jugendlit.
📖 Mattenklott, G.: Zauberkreide. Kinderlit. seit 1945. Stuttg. 1989. – Doderer, K. (Hrsg.): Aesthetik der Kinderlit. Weinheim 1981. – Richter, D./Vogt, J. (Hrsg.): Die heiml. Erzieher. Kinderbücher u. polit. Lernen. Reinbek 1976. – Doderer, K./Müller, Helmut (Hrsg.): Das B. Gesch. u. Entwicklung. Weinheim ²1975. – Richter, D.: Das polit. Kinderbuch. Darmst. 1973. – Künnemann, H.: Profile zeitgenöss. B.macher. Weinheim 1972.   IS

Bildergeschichten, Auflösung und Darstellung einer Geschichte in Bilderfolgen, beigefügte Texte (z. T. ins Bild integriert, oft als sog. ›Sprechblasen‹ beschränken sich auf kurze Dialoge, äußere Daten, knappe Kommentierungen, können aber auch ganz fehlen (die Übergänge zum Bilderzyklus sind fließend). – Die Praxis, eine Geschichte aus dem zeitgebundenen Nacheinander im Wort ins räuml. Nebeneinander im Bild umzusetzen, findet sich – ursprüngl. für Schriftunkundige (wie heute noch im Bilderbuch) – schon seit der ägypt. Kunst, in der griech. und röm.

Antike (Friese), im MA. in Freskenzyklen, auf Teppichen (Bayeux, 11.Jh.: Geschichte der Eroberung Englands durch die Normannen), Altartüchern, in den sog. Bilderbibeln, und, seit dem Buchdruck, dann v. a. auf den bis ins 19. Jh. beliebten ⁄Bilderbogen oder etwa auf den Schildern (Moritatentafeln) der Bänkelsänger. Bilder, oft auch die Texte, stammen nicht selten von bekannten Künstlern (Dürer, Hogarth, Chodowiecki, Goya, Daumier, Rethel u. a.). Der Höhepunkt ihrer Entwicklung liegt im 19.Jh., wo B. v. a. in den zahllosen Familienblättern u. a. Zeitschriften, aber auch gesondert in sog. Alben ediert, sehr beliebt waren: es sind meist humorist. Ereignisfolgen, oft jedoch auch mit pädagog. oder satir.-gesellschafts- oder ständekrit. Tendenz, vgl. z. B. die humorist. ›Bilderromane‹ des Schriftstellers und Zeichners R. Toepffer, die pädagog. B. d. Arztes u. Schriftstellers H. Hoffmann, die entlarvenden Kleinbürgersatiren des Malers A. Schroedter (»Taten und Meinungen des Herrn Piepmeyer«) oder des Malers und Zeichners W. Busch (»Max und Moritz«, 1865; »Der Heilige Antonius von Padua«, 1871, »Die fromme Helene«, 1872; die »Knoop-Trilogie«, 1875/77 u. a.), dessen epigrammat. witzige Texte eigenes Leben. Gewicht haben. Im 20. Jh. wurden die Adamson-Bilderserien von O. Jacobson (dt. 1923), die Vater-und-Sohn-B. von O. E. Plauen (1933 ff.) beliebt, in jüngster Zeit etwa die satir. B. über Links-Intellektuelle von Claire Bretécher. Es überwiegen jedoch heute die von anonymen Werbegraphikern nach amerikan. Muster im Team verfertigten ⁄Comics oder sog. Fotoromane (Fotos statt gezeichneter Bilder), die v. a. Trivialromane aller Sparten (aber auch auf ein simplifiziertes Handlungsgerüst reduzierte Hochliteratur) zu klischeehaft banalen Bildfolgen aufbereiten, die meist in Groschenheften oder Magazinen massenhaft vertrieben werden (vgl. ⁄Comics der 2. Phase, ⁄Trivial-, ⁄Schundliteratur).   IS

Bilderlyrik, unscharfe Bez.
1. für ⁄Figur(en)gedichte (Bilderreime, Technopaignia),
2. für ⁄Bild- (oder Gemälde-)gedichte.

Bildgedicht, auch: Gemäldegedicht, Umsetzung des Inhalts, der Stimmung, des Gedankengehalts einer bildl. Darstellung (Gemälde, Graphik, auch Plastik) in lyr. Sprachform; die Ausprägungen reichen von sachl. Beschreibung über anekdot. Verlebendigung bis zur symbol. Beseelung oder ästhet. Analyse. Grenze zum ⁄Dinggedicht oft unscharf (C. F. Meyer, Rilke). Immer wieder als künstler. Problem diskutiert (⁄ut pictura poesis, ⁄Laokoonproblem), gepflegt im Barock (Nähe zum Epigramm, J. v. d. Vondel, Harsdörffer, S. v. Birken) und bes. in der Romantik, wo neben liedhaft emanfundenen Beispielen v. a. B.e in strenger Form und mit ausgewogener Wiedergabe des äußeren und inneren Bildgehaltes programmiert. ausgebildet wurde (Gemäldesonette v. A. W. Schlegel u. seinen zahlr. Nachahmern im 19. Jh., u. a. im ⁄Münchner Dichterkreis), ferner im Impressionismus (D. v. Liliencron, »Böcklins Hirtenknabe«, M. Dauthendey) und der Neuromantik (R. Schaukal). – Ältere verwandte Formen sind die antike Bildepigrammatik und die (stets mit dem Bild verbundenen) mal. Tituli, der Bilder auf spätmal. Bilderbogen, Einblattdrucken usw. und bes. der barocken Emblemkunst. Vgl. dagegen ⁄Figurengedicht.
📖 *Texte:* Gedichte auf Bilder. Hrsg. v. G. Kranz, Mchn. ²1976.
Kranz, G.: Das B. in Europa. Z. Theorie u. Gesch. einer literar. Gattung. Paderborn 1973 (mit ausführl. Bibliogr.).
                                                IS

Bildreihengedicht, ein Gedanke, der in der Überschrift, am Anfang oder Schluß eines Gedichts (oder einer Strophe) formuliert sein kann, wird durch eine Reihe (oft nur in jeweils einem Vers) angedeuteter Bilder veranschaulicht. Entsprechend der dualist. Struktur bes. häufig im Barock (z. B. Gryphius, »Menschliches Elende«, Hofmannswal-

dau, »Die Welt«). Findet sich vereinzelt auch im Volkslied und in der Lyrik von der Romantik (Brentano) bis zur Moderne (Th. Storm, G. Heym, R. Schaumann).
📖 Maier, Rudolf N.: Das B. In: Wirk. Wort 3 (1952/53) 132. IS

Bildungsdichtung, setzt zu ihrem Verständnis ein bestimmtes Bildungsniveau voraus: sog. Bildungsgüter aus Sage, Mythologie, Philosophie, aus Antike, Geschichte, bildender Kunst, Literatur und Naturwissenschaft können durch Anspielungen, Vergleiche, Zitate etc. in ein dichter. Werk integriert sein als selbstverständl. Ausdruck der Geisteswelt des Autors und der Traditionen, in denen er sein Werk sieht (z. B. Rilke, »Duineser Elegien«, T. S. Eliot, »The Cocktail-Party«, H. Broch, »Der Tod des Vergil«), aber auch nur zur Belehrung des Publikums ›aufgesetzt‹ sein (✓antiquar. Dichtung). Ein ursprüngl. einem breiteren Leserkreis verständl. Werk kann durch Wandel der Bildungsvoraussetzungen auch erst im Laufe der Zeit zur schwerer zugängl. B. werden (z. B. antike Werke oder auch z. B. die mytholog. Verserzählungen Wielands). Um auch weniger orientierten Leserschichten den Zugang zu B.en zu ermöglichen, sind B.en oft mit Kommentaren versehen, z. B. Scheffel, »Ekkehard« (1855) oder T. S. Eliot, »Waste Land« (1923). S

Bildungsroman, Bez. für einen in der ✓Weimarer Klassik entstandenen spezif. dt. Romantypus, in welchem die innere Entwicklung (Bildung) eines Menschen von einer sich selbst noch unbewußten Jugend zu einer allseits gereiften Persönlichkeit gestaltet wird, die ihre Aufgabe in der Gemeinschaft bejaht und erfüllt. Dieser Bildungsgang, gesehen als gesetzmäßiger Prozeß, als Entelechie, führt über Erlebnisse der Freundschaft und Liebe, über Krisen und Kämpfe mit den Realitäten der Welt zur Entfaltung der natürl. geist. Anlagen, zur Überwindung eines jugendl. Subjektivismus, zur Klarheit des Bewußtseins. Jede Erfahrungsstufe ist zwar eigenwertig, zugleich aber Grundlage für höhere Stufen und erscheint sinnvoll zur Erringung des ebenfalls stets klar ausgeprägten Zieles, der Reifung und Vollendung, der harmon. Übereinstimmung von Ich, Gott und Welt. Diese Grundkonzeption des B.s bedingt einen zwei- bis dreiphasigen *Aufbau* (Jugendjahre – Wanderjahre – Läuterung, bzw. Bewußtwerden des Erreichten, Anerkennung und Einordnung in die Welt). Wendepunkte sind oft durch Erinnerungen, Retrospektiven gekennzeichnet, oft auch durch immer harmonischer, ruhiger werdenden Sprachgestus, bes. bei den B.en in Ichform. Die *Gestaltung* ist typisierend, symbolhaft, häufig ist die Reifung zum Künstler Gegenstand des B.s (✓Künstlerroman), er ist zugleich oft ✓autobiograph. Roman (z. B. »Anton Reiser«, 1785/90, v. K. Ph. Moritz). Die für den B. konstituierende Idee der gesetzmäßig-organ. Entfaltung des inneren Menschen entstammt der ✓Aufklärung; vorbildhaft wirkten z. B. J. J. Rousseaus Erziehungswerk »Émile« (1762) oder die autobiograph. Seelenschilderungen des Pietismus. – Die *Bez.* ›B.‹ wurde von W. Dilthey für die Romane der dt. Klassik und Romantik geprägt und definiert (»Das Leben Schleiermachers«, 1870, »Das Erlebnis und die Dichtung«, 1906) im Anschluß an die Bedeutung von »Bildung« in der Kultur des Individualismus des 18. Jh.s: ›Bildung‹ meinte sowohl ›vollendete Humanität‹ (als Ziel allen menschl. Strebens) als zugleich auch den Weg zu diesem Ziel. *B.e in diesem Sinne* sind: »Wilhelm Meister« (1795/96 und 1821/29, von Goethe), »Hesperus« (1795), »Titan« (1800/03), »Flegeljahre« (1804/05), von Jean Paul, »Franz Sternbalds Wanderungen« (1798, v. L. Tieck), »Heinrich von Ofterdingen« (1802 von Novalis), »Hyperion« (1797/99, von F. Hölderlin). – Die Bez. ›B.‹ wird in der Literaturwissenschaft auch für spätere Romane verwendet, in denen die organ. Entfaltung eines Menschen gestaltet ist, wobei jedoch Bildungsweg und Ziel gemäß den jeweiligen Bildungsidealen der den Roman bestimmenden

geistesgeschichtl. Situation oder nach dem Weltbild des Dichters weiter oder anders gefaßt sein können als bei Dilthey (vgl. schon die differierenden Bildungsziele im »Wilhelm Meister« und in dem als Gegenstück konzipierten »Heinrich von Ofterdingen«). Als *B.e in diesem weiteren Sinn* werden etwa die Romane »Agathon« (1773 u. 1794, von Ch. M. Wieland), »Maler Nolten« (1832, von E. Mörike), »Der grüne Heinrich« (bes. die 2. Fassung 1879/80 von G. Keller), »Der Nachsommer« (1857, von A. Stifter), »Der Hungerpastor« (1864, von W. Raabe), »Das Glasperlenspiel« (1943, von H. Hesse) und sogar »Der Mann ohne Eigenschaften« (1930/52, von R. Musil) bezeichnet. Für diese Romane werden jedoch die umfassenderen Bezeichnungen ✓Entwicklungsroman oder ✓Erziehungsroman als zutreffender angesehen.
📖 Jacobs, J./Krause, M.: Der dt. B. Mchn. 1989. – Selbmann, R. (Hg.): Zur Gesch. des dt. B.s. Darmst. 1988. – Ders.: Der dt. B. Stuttg. 1984. Swales, M.: The German B. from Wieland to Hesse. Princeton 1978. – Schrader, M.: Mimesis u. Poiesis. Poetolog. Studien zum B. Bln./New York 1975. – Jacobs, J.: Wilhelm Meister und seine Brüder. Unterss. zum B. Mchn. 1972. ✓Entwicklungsroman. – RL
IS

Binnenerzählung, die in eine (✓Rahmen-)Erzählung eingelagerte Erzählung.

Binnenreim, im engeren Sinne ein Reim innerhalb eines Verses (auch: innerer Reim): »Sie *blüht* und *glüht* und leuchtet« (Heine, »Die Lotosblume«); auch als zusammenfassende Bez. für andere Reimstellungen im Versinnern gebraucht (✓Zäsurreim, ✓Schlagreim, ✓Mittelreim) und für Reime, bei denen nur ein Reimwort im Versinnern steht (✓Inreim, ✓Mittenreim). S

Biobibliographie, f. [zu gr. bios = Leben], ✓Personalbibliographie, in neben den Werken der Autoren v. a. Veröffentlichungen über deren Leben zusammengestellt sind (z. B. E. M. Oettinger: Bibliographie biographique universelle, ²1866) oder die neben dem Verzeichnis der Werke (und gegebenenfalls der Sekundärliteratur) auch biograph. Angaben enthält, z. B. Kürschner, Dt. Literatur- (1879 ff.) und Dt. Gelehrtenkalender (1925 ff.). ✓Literaturkalender.
HSt*

Biographie, f. [gr. = Lebensbeschreibung], Darstellung der Lebensgeschichte einer Persönlichkeit, v. a. in ihrer geist.-seel. Entwicklung, ihren Leistungen und ihrer Wirkung auf die Umwelt. Genauigkeit in der Wiedergabe der Fakten, Objektivität in der Wertung sowie Verzicht auf romanhafte Ausschmückung gelten erst seit der Neuzeit als wesentl. Merkmale der Gattung, die sowohl von der Geschichts- als auch von der Literaturwissenschaft beanspruchten Gattung. Zum engeren Umkreis der B. gehören der kurze Lebensabriß (✓Vita), der ✓Nekrolog, die ✓Autobiographie und ✓Memoirenliteratur. – *Geschichte:* Neben den in Epos, Lyrik, Drama, Redekunst und Geschichtsschreibung enthaltenen biograph. Elementen lassen sich bei den Griechen schon im 4. Jh. v. Chr. selbständl. B.n nachweisen, zunächst in der als Sammelwerk angelegten Dichter- und Philosophen-B., die, von Aristoteles angeregt, bes. von den Peripatetikern (z. B. Aristoxenos, 4. Jh. v. Chr.) gepflegt wurde. Charakterist. sind moralisierende Tendenz, »Halbwahrheit, Kombinationslüge«, oft auch »systemat. Fälschung« (Leo 104, 126). Die histor. B. begründen nach unbedeutenderen Vorläufern Plutarchs »Bioi paralleloi« (Parallel-B.n), die je einen berühmten Römer einem berühmten Griechen gegenüberstellen. Die röm. B. entwickelte sich aus der griechischen: Suetons Lebensläufe röm. Kaiser (»De vita Caesarum«) und die Philosophen-B.n des Diogenes Laertios sind Muster der Sammel-B. Den Typus der Parallel-B. verwirklichte schon vor Plutarch Cornelius Nepos (»De viris illustribus«). Die Einzel-B. ist meisterhaft vertreten in Tacitus' »Agricola«. Sie leitet *in christl. Zeit* über in die stark legendär. und exemplar. ausgerichtete Heiligen- und (seltenere) Fürstenvita (z. B. J. de Joinvilles »Livre des saintes paroles et des bons faits de notre saint roi Louis«, 13. Jh., mit Zügen der Heiligenvita). ↗Dichter-B.n sind in den ↗Vidas der Trobadorhandschriften des 13. u. 14. Jh.s überliefert; sie sind meist anonym und romanhaft ausgeschmückt, z. T. aus der Trobadorpoesie entnommen. – Weitläufige biograph. Sammelwerke von erstaunl. Objektivität, nur den biograph. Lexika der Neuzeit vergleichbar, bietet die *mal. arab. Literatur:* im 11. Jh. eine 14bänd. Gelehrten-, Dichter- und Politiker-B. des »Pilgers von Bagdad«, im 13. Jh. Ibn Hallikans »Nekrologe hervorragender Männer«, im 14. Jh. as-Ṣafadīs Personenlexikon, das ein umfassendes Sammelwerk für den Zeitraum der ersten 700 Jahre des Islam sein will. – Die neuzeitl. stark das Individuelle akzentuierende B. wird in der *Renaissance* begründet. Beispiele sind Boccaccios (histor. anfechtbare) »Vita di Dante« (um 1360) und G. Vasaris Sammel-B. der bildenden Künstler Italiens (»Vite de' più eccellenti architetti, pittori et sculptori italiani . . .«, 1550/58). In den berühmten Lebensbeschreibungen des engl. Biographen J. Walton (17. Jh.) tritt die Einzelpersönlichkeit hinter dem den Quietismus verkörpernden Menschentypus zurück, während in Voltaires »Histoire de Charles XII« (1731) romanhafte Ausschmückung gegenüber histor. Faktizität dominiert. Dem setzt J. Boswell die auf Authentizität gegründete B. »The Life of Samuel Johnson« (1791) entgegen. Die viktorian. Biographen sehen die wesentlichste Aufgabe der Lebensbeschreibung in der Glorifizierung genialer Individualität (z. B. Th. Carlyle, »History of Friedrich II of Prussia«, 1858/65). Parallel zu dieser von England ausgehenden heroisierenden Biographik entsteht v. a. in Deutschland die auf fundiertem Quellenstudium basierende, bis heute maßgebl. histor.-krit. B. (J. G. Droysen, »Leben des Feldmarschalls York v. Wartenburg«, 1851/52; C. Justi, »Winckelmann«, 1866/72; W. Dilthey, »Leben Schleiermachers«, 1870, H. Düntzer, »Goethe«, 1880; R. Haym, »Herder«, 1880/85; E. Schmidt, »Lessing«, 1884/92; F. Muncker, »Klopstock«, 1888; H. v. Srbik, »Metternich«, 1925–54; C. J. Burckhardt, »Richelieu«, 1935/66). Im 20. Jh. setzt F. Gundolf der positivist. B. wieder die heroisierende entgegen, die ihren Helden mehr als Mythos begreift und als zeitloses, gült. Monument gestaltet (»Goethe«, 1916; »George«, 1920; »Kleist«, 1922), während L. Strachey in England den Typus der iron. B. ausbildet (»Eminent Victorians«, 1918; »Queen Victoria«, 1921). R. Rolland stellt die sittl. Persönlichkeit in den Mittelpunkt der B. (»Vie de Beethoven«, 1903), St. Zweig verleiht seinen B.n psychologisierende Züge (»Fouché«, 1929 u. a.), die sich auch in den zahlreichen B.n E. Ludwigs finden (»Napoleon«, 1925, »Wilhelm II.«, 1926 u. a.). Seine und A. Maurois' romanhafte B.n (»Ariel ou la vie de Shelley«, 1923; »La vie de Disraeli«, 1927) leiten über zum ↗biograph. Roman. Nach vorübergehenden Tendenzen, die B. zur Hilfswissenschaft abzuwerten, hat nach dem 2. Weltkrieg eine Renaissance der B. eingesetzt, die Leben, Umwelt, Zeit und z. T. auch Werkinterpretation zur Gestaltung einer Persönlichkeit bemüht, vgl. z. B. F. Sengle, »Wieland«, 1949; H. Troyat, »Puschkin«, 1953; R. Ellmann, »Joyce«, 1959; R. Friedenthal, »Goethe«, 1963; »Luther«, 1967; »Marx«, 1980; G. Mann, »Wallenstein«, 1971; W. Hildesheimer, »Mozart«, 1977; A. Muschg, »G. Keller« 1977; M. Gregor-Dellin, »R. Wagner«, 1980; K. Harpprecht, »Georg Forster«, 1987; R. Ellman, »Oscar Wilde«, 1987. Bemerkenswert sind auch B.n von Frauen, z. B. I. Drewitz, »Bettine v. Arnim«, 1969; E. Kleßmann, »Caroline Schlegel«, 1975; U. Naumann, »Charl. v. Kalb«, 1985. *Biographische Lexika:* B.n im weitesten Sinn sind auch die auf eine lange Tradition zurückgehenden internat., nationalen, regionalen oder nach Berufen und Fachgebieten gegliederten biograph. Nachschlagewerke; *international:* S. Fischer-Lex. Biograph. Lex. zur Welt-

gesch. Hg. v. H. Herzfeld, Frkft. 1970; *für Deutschland* u. a. die »Allg. Deutsche B.« (= ADB, 56 Bde., 1875–1912); das »Biogr. Jahrbuch und deutscher Nekrolog«, 18 Bde., 1897–1917, das »Deutsche biogr. Jahrbuch«, 11 Bde., davon 3 nicht erschienen, 1925–32; »Die großen Deutschen«, 5 Bde., 1966; die »Neue Deutsche B.« (= NDB, 1953 ff.); für *Österreich* C. v. Wurzbachs »Biogr. Lexikon des Kaisertums Österreich«, 60 Bde., 1856–1891, Nachdr. N. Y. 1966; das »Österr. biogr. Lexikon 1815–1950«, 1957 ff.; für *Großbritannien* »Dictionary of national b.«, hg. v. Stephen-Lee, 64 Bde. und 2 Suppl.-Reihen zu je 3 Bden., 1885–1913; für *Frankreich* die »B. universelle ancienne et moderne«, hg. v. L. G. Michaud, 45 Bde., ²1843–65, ³1854–65, Nachdr. der Ausg. v. 1854–65, Graz 1966–70, den »Dictionnaire de b. française«, hg. v. J. Balteau u. a., 1932 ff.; für die *Sowjetunion* die »Russkij biografičeskij slovar«, 25 Bde., 1896–1918. – Zu ihren bedeutenderen *Vorläufern* zählen u. a. R. Stephanus' »Dictionarium nominum proprium«, 1541 und das auf der Grundlage von L. Moréris »Grand dictionnaire historique« (1674) beruhende Nachschlagewerk Ladvocats, der »Dictionnaire historique portatif . . .« (1752). ↗Bibliographie, ↗Personalbibliographie, ↗Literaturkalender, ↗Literaturlexikon.

☐ *Bibliographie:* Dimpfel, R.: Biograph. Nachschlagewerke, Adelslexika, Wappenbb. Lpz. 1922, Nachdr. Wiesb. 1969.
Gestrich, A. (Hg.): B. – sozialgeschichtl. Gött. 1988. – Nadel, I.: Biography. Fiction, fact and form. New York 1984. – Kohli, M./Robert, G. (Hg.): B. u. soziale Wirklichkeit. Stuttg. 1984. – Buck, A. (Hg.): B. u. Autobiographie in d. Renaissance. Wiesb. 1983. – Scheuer, H.: B. Stuttg. 1980. – Kendall, P. M.: The art of biography. New York 1965. – Leo, F.: Die griech.-röm. B. nach ihrer lit. Form. Lpz. 1901. Nachdr. Hildesheim 1965. – Romein, J. M.: Die B., Einf. in ihre Gesch. u. ihre Problematik. Dt. Übers. Bern 1948, ²1960. – Edel, L.: Literary biography. London 1957. – Sengle, F.: Zum Problem der modernen Dichter-B. DVjs 26 (1952) 100.   PH

Biographischer Roman,
1. Lebensbeschreibung einer histor. Persönlichkeit in romanhafter Form unter freier Verwertung historisch-biograph. Daten und meist mit dem Ziel, die Hauptfigur als Repräsentanten einer bestimmten Idee, Epoche, Gesellschaftsschicht, Kunstrichtung herauszustellen und in unmittelbar anschaulicher Weise zu gestalten (z. T. erfundene Nebenfiguren, Gespräche, Erlebnisse, Gedanken; vgl. ↗autobiograph. Roman). Der biograph. R. entwickelte sich als eigene Gattung erst im 20. Jh., nachdem die ↗Biographie, von der er vordem nicht immer scharf zu trennen ist, objektiviert wurde. Unter dem Einfluß der Psychoanalyse (Freud) wurde er zum literar. Versuch, v. a. die Motivationen des Handelns und des Erfolges histor. Gestalten aus ihrer psych. Struktur abzuleiten. Zu nennen sind die biograph. Erfolgsromane E. Ludwigs über Goethe (1920), Napoleon (1925), Wilhelm II. (1926), Rembrandt, Lincoln, Kleopatra u. a. (siehe auch Biographie), ferner die biograph. Romane von E. G. Kolbenheyer (»Amor Dei« – Spinoza, 1908; »Paracelsus«, 3 Bde. 1917–25); J. Wassermann (»Kaspar Hauser«, 1909); Klabund (»Pjotr« – Peter der Große, 1923; »Rasputin«, 1929); L. Feuchtwanger (»Die häßl. Herzogin« – Margarete Maultasch, Gräfin von Tirol, 1923; »Jud Süß«, 1925); W. von Molo (»Deutscher ohne Deutschland« – F. List, 1931); St. Zweig (»Marie Antoinette«, 1932 u. a.). Bes. gepflegt wurde der b. R. innerhalb der Exilliteratur und der Literatur der inneren Emigration, v. a. als Schlüsselroman, vgl. die Romane von A. Neumann (»Neuer Caesar«, 1934; »Kaiserreich« – Napoleon III., 1936), H. Kesten (»König Philipp II.«, 1938), H. Mann (»Henri Quatre«, 1935/38). – Aus neuerer Zeit sind v. a. die b. R.e über Lenau (1964), Hölderlin (1976) u. Waiblinger (1987) von P. Härtling zu nennen. Bedeutende außerdt.

b. Romane schrieben u. a. A. Maurois (»Ariel ou la vie de Shelley«, 1923; »La vie de Disraeli«, 1927), M. Yourcenar (»Mémoires d'Hadrien«, 1951); R. v. Ranke-Graves (»I, Claudius«, 1934), Irving Stone (»Lust for Life« – van Gogh, 1934; »The Agony and the Ecstasy« – Michelangelo, 1961; »The Passions of the Mind« – S. Freud, 1971); A. Tolstoi (»Peter I.«, 3 Bde. 1919/45). – *Vorläufer* im 19. Jh. sind relativ selten, so kann der Künstlerroman »Friedemann Bach« von A. E. Brachvogel (1858) auch als b. R. bez. werden. Die Grenzen zum ⁄histor., kulturhistor. oder ⁄psycholog. Roman sind fließend.
2. Bez. für Romane, in denen die *Lebensgeschichte eines fiktiven Helden* dargestellt ist, z. B. die »biograph. Romane« oder »Lebensbeschreibungen« Jean Pauls (»Siebenkäs«, »Quintus Fixlein«, »Hesperus«), auch »Kater Murr« von E. T. A. Hoffmann oder die biograph. Novellen A. Stifters (»Hagestolz«, »Die Mappe meines Urgroßvaters«), in neuerer Zeit W. Hildesheimers »Marbot« (1981) als Versuch einer Parodie auf die histor. Biographie.
⬚ Zeller, R.: Biographie u. Roman. Lili 10 (1980): – Michel, G.: Biograph. Erzählen. Tüb. 1985. PH*

Bispel, n. [mhd. bî-spel = Bei-Erzählung, Kompositum zu spel = Erzählung, Bericht, Rede, weitergebildet zu ⁄Beispiel], spezielle Darbietungsform der mhd. kleineren episch-didakt. Reimpaardichtung (⁄Lehrdichtung), bei der sich an einen meist kürzeren Erzählteil, der Erscheinungen der Natur oder des menschl. Lebens behandelt, eine meist umfangreichere Auslegung anschließt; dabei ist die Erzählung auf die Lehre hin ausgerichtet: diese Beziehung wird in der Grundbedeutung von mhd. *bîspel* faßbar. Charakterist. für das B. ist seine Kürze (nach Fischer, der dieses Kriterium für die Abgrenzung gegenüber dem ⁄Märe verwendet, bis zu 100 Versen). Eng verwandt sind ⁄Fabel, ⁄Parabel, ⁄Exempel, ⁄Rätsel; eine Abgrenzung ist im Einzelfall nicht immer möglich. Die Quellen für den B.-Typus sind wohl hauptsächl. in der antiken und oriental. Fabeldichtung, in der Bibel, der Physiologus-Tradition, in verschiedenen Arten didakt. Dichtung (Parabel, Exempel, ⁄Predigtmärlein) zu suchen, rein stoffl. auch in unterliterar. internat. Erzählgut. – Eingestreut in größere Werke finden sich B. etwa im »Renner« Hugos vom Trimberg (um 1300); der erste bedeutende Gestalter des B. als eines selbständ. Typus ist der Stricker (um 1220/50); weiter ist das B. in der Literatur des späten MA.s mit ihrer ausgeprägten Tendenz zum Belehren und Moralisieren reich vertreten.
⬚ Fischer, H.: Studien zur dt. Märendichtung. Tüb. ²1983. – Grubmüller, K.: Meister Esopus. Mchn. 1977. – RL.
RSM

Bitterfelder Weg, Kulturprogramm der DDR, beschlossen auf der ›ersten Bitterfelder Konferenz‹ (in Bitterfeld, Sachsen) am 24. 4. 1959. Die wesentl. Voraussetzungen waren 1. die Gründung des ›Literaturinstituts Johannes R. Becher‹ 1955 in Leipzig, in dem v. a. Industrie- und Landarbeiter (in einem gleichsam zweiten Bildungsweg) zu Schriftstellern ausgebildet werden sollten: an die Stelle des lesenden sollte der »schreibende Arbeiter« treten. 2. Die Lukács-Kritik in der DDR 1957/58, in der man Lukács wesentl. eine »revisionist«, auf ideolog. Koexistenz hin tendierende Konzeption« vorwarf und sich gegen eine Fortsetzung des von Lukács vertretenen, in den 30er Jahren histor. legitimen Bündnisses zwischen sozialist. und krit. Realismus wandte. 3. Der im 30. ZK-Plenum (30. 1.–1. 2. 1957) erhobene Führungsanspruch der SED auch in kulturellen Fragen, verbunden mit den konkreten Forderungen an die Intelligenz, sich mit den Werktätigen zu verbinden, alle den sozialist. Realismus in Frage stellenden Auffassungen abzulehnen und bei der Schaffung einer sozialist. Massenkultur mitzuwirken. – Der Einladung des Mitteldeutschen Verlages Halle ins Elektron. Kombinat folgten zur ›ersten Bitterfelder Konferenz‹ hohe SED-Funktionäre wie Ulbricht und Kurella (Mitbegründer und erster Direktor des ›Literatur-

instituts J. R. Becher«, seit 1957 Vorsitzender der Kulturkommission beim Politbüro der SED), Autoren, Künstler, Verlags- und Pressevertreter sowie Arbeiter der sozialist. Brigaden. Themat. wurde für die Literatur der Fortschritt von den Nachkriegsthemen (Weltkrieg, antifaschist. Widerstand etc.) zu den »eigentl. Gegenwartsproblemen« (Kurella) gefordert, z. B. die Behandlung des Lebens und der Kämpfe in den Schwerpunkten des sozialist. Aufbaus in der Großindustrie und in den LPGs. Entsprechend forderte Regina Hastedt den »Weg vom Dichter zum Arbeiter«; zum Schlagwort »Kumpel, greif zur Feder« gesellte sich das »Dichter in die Produktion«. Trotz großzügigster staatl. Unterstützung dieses Programms mußte die »zweite Bitterfelder Konferenz‹ (24./25. 4. 1964) einräumen, daß die Ergebnisse weit hinter den Erwartungen zurückgeblieben waren, daß die gewollte Überwindung der Entfremdung von Künstler und Gesellschaft, von Kunst und Leben durch eine »Volkskultur« nicht vollständig gelungen war. Von den Autoren, die »in die Produktion« gegangen waren, übte Franz Fühmann Kritik; die Arbeiten Peter Hacks und Heiner Müllers wurden nicht einmal der Öffentlichkeit zugängl. genacht, während die Arbeiten der »schreibenden Arbeiter«, vor allem H. Kleinadams, E. Neutschs und H. Salomons trotz weitestgehender Unterstützung unbefriedigend blieben. – Die Möglichkeiten, die im Bitterfelder Programm mit seiner radikalen Abwendung von den traditionellen Schreibweisen einer bürgerl. Literatur (themat. und formal) liegen, lassen sich so auch heute noch höchstens prospektiv-potentiell formulieren. Bei einer Literatur, deren Material wesentl. Tatsache und Dokument und deren poetolog. Möglichkeiten vor allem Montage, Reportage und Lehrstück sein können, läge »der Wahrheitsgehalt ... nicht in ihrer Transzendenz zum gesellschaftl. Leben, sondern in ihrer krit. Immanenz, die im Wirklichen das konkret Mögliche reflektiert ... Diese Literatur hätte Zeugnis abzulegen von den lösbaren und noch nicht lösbaren Widersprüchen, die die geschichtl. Phase vor dem realisierten Kommunismus durchziehen« (H.-P. Gente). Zu vergleichsweise ähnl. Tendenzen in der Bundesrepublik vgl. ⁄Gruppe 61 und ⁄Werkkreis Literatur der Arbeitswelt; auch ⁄Arbeiterliteratur.
⬚ Gerlach, I.: Bitterfeld. Kronberg/Ts. 1974. – Gente, H.-P.: Versuch über Bitterfeld. In: Alternative 7, 1964. D

Blankvers, m. [engl. = reiner, o. h. reimloser Vers], reimloser jamb. Vers, in der Regel mit 5 Hebungen und männl. oder weibl. Versschluß, z. B. »Die schönen Táge vón Aránjuéz« (Schiller, »Don Carlos«; männl. Versschluß), »Heráus in éure Schátten, rége Wípfel« (Goethe, »Iphigenie«; weibl. Versschluß). – Der B. wurde in der engl. Literatur entwickelt; seine Vorform ist der gereimte ⁄heroic verse (z. B. Chaucers), der im 14. Jh. als Nachbildung des frz. ⁄vers commun in die engl. Literatur eingeführt wurde; der B. wurde im 16. Jh. aus diesem älteren Vers durch Aufgabe des Reims (vielleicht nach dem Vorbild der gr.-lat. Dichtung, eventuell aber auch nach dem Vorbild des it. ⁄versi sciolti) und durch Aufgabe der festen ⁄Zäsur (im vers commun als feste männl. Zäsur nach der 4. Silbe bzw. 2. Hebung) entwickelt; der erste Beleg findet sich in der »Äneis«-Übersetzung H. H. of Surreys (1557). Als *Dramenvers* begegnet der B. zuerst in »Gorboduc or Ferrex and Porrex« von Th. Sackville und Th. Norton (1562). Th. Kyd (»Spanish Tragedy«, 1585), Ch. Marlowe (»Tamburlaine«, 1586) und v. a. Shakespeare nehmen ihn auf und machen den B. zum Vers des ⁄Elisabethan. Dramas schlechthin. Während Kyd, Marlowe und der frühe Shakespeare ihn (»Commedy of Errors«) den B. noch relativ steif handhaben (selten ⁄Enjambements, keine Verteilung der Verse auf mehrere Sprecher, Einmischung zahlreicher Reimpaare), entwickelt ihn der spätere Shakespeare zu einem bewegten und durch Prosanähe für das Drama bes. geeigneten Vers (häufig Verse ohne Eingangssenkung, weibl. und männl. Versschlüsse, Doppelsenkungen und fehlende Senkungen, einzelne 6- und 4-Heber, Enjambements, Verteilung der Verse auf mehrere Sprecher, Zäsuren an allen Stellen des Verses). Im 17. Jh. findet der B. auch Eingang in das engl. Epos (J. Milton, »Paradise Lost«, 1667; »Paradise Regained«); im folgenden muß der B. jedoch im Trauerspiel (Dryden) und Lehrgedicht (Pope) wieder dem gereimten und strenger gebauten heroic verse, in der Komödie der Prosa weichen. Zu einer Renaissance des engl. B.es kommt es im 18. und 19. Jh.: als *Vers ep. Dichtung* z. B. in den Verserzählungen J. Thomsons (18. Jh.), im 19. Jh. bei A. Tennyson (»Idylls of the King«) und R. Browning (»The Ring and the Book«); als *Vers lyr. Dichtungen* bei W. Wordsworth und S. T. Coleridge; als Dramenvers bei G. G. N. Byron (»Cain«) und Tennyson (»Becket«) u. a.; dabei begegnet neben relativ freien B.en (z. B. bei Browning) auch ausgewogene Gestaltung (z. B. bei Tennyson), jedoch ohne Einhaltung der strengen Regeln der frühen Elisabethaner B.es. Die reimlosen Verse unterschiedl. Länge und unterschiedl. rhythm. Gestalt im engl. Drama des 20. Jh.s (T. S. Eliot, »Murder in the Cathedral«; Ch. Fry, »Curtmantle«) können nur noch bedingt als B.e bezeichnet werden (Prinzip der Reimlosigkeit). Erste *dt. Nachbildungen* des B.es finden sich im 17. Jh. (im Drama nach Elisabethan. Vorbild versuchsweise bei Johannes Rhenanus, 1615; dann in der Milton-Übersetzung E. G. von Bergs, 1682), jedoch ohne größere Wirkung. Im 18. Jh. verweist J. Ch. Gottsched auf die Natürlichkeit und Prosanähe des engl. B.es und empfiehlt seine Nachahmung (»Kritische Dichtkunst«, I, XII. Hauptstück, § 30); seiner Anregung folgt 1748 J. E. Schlegel in seiner (fragmentar.) Übertragung von W. Congreves »Braut in Trauer«; nach deren Vorbild verwendet G. E. Lessing den B. in seinem Dramenfragment »Kleonnis« (1755). Mit Ch. M. Wielands »Lady Johanna Gray« (1758) gelangt der B. zum erstenmal auf die deutschsprach. Bühne; nach ihm greifen F. G. Klopstock (»Salomo«, »David«) und Ch. F. Weisse (»Befreiung von Theben«, »Atreus und Thyest«) den B. auf. Lessings »Nathan der Weise« (1779) schließt. verdrängt den /Alexandriner endgültig als Hauptvers des dt. Dramas und setzt den B. als Vers des klass. dt. Dramas durch. Während die B.e Lessings und die frühen Schiller (»Don Carlos«) zahlreiche Freiheiten nach Art der B.e des späteren Shakespeare aufweisen, streben Schiller (seit »Maria Stuart«) und Goethe (»Iphigenie auf Tauris«, »Torquato Tasso«, »Die natürliche Tochter«) nach strenger, möglichst prosaferner Gestaltung der B.es (wenig Lizenzen; Verwendung von /Stichomythien, bei Schiller auch von gereimten Versen); Goethe gibt in seinen spätklass. Dramen (»Pandora«, Helena-Akt in »Faust II«) den B. sogar zugunsten des noch strengeren jamb. /Trimeters auf. Der B. bleibt im 19. Jh., in epigonalen Werken z. T. noch im 20. Jh., der vorherrschende dt. Dramenvers (H. v. Kleist, F. Grillparzer, F. Hebbel, E. v. Wildenbruch, G. Hauptmann u. a.); B. Brecht verwendet den B. gelegentl. zum Zwecke der /Verfremdung (»Die heilige Johanna der Schlachthöfe«, »Der aufhaltsame Aufstieg des Arturo Ui«). In der dt. Epik findet sich der B. u. a. bei Wieland (»Geron der Adelige«, nach Thomsons Vorbild) und G. A. Bürger (Homer-Übersetzung); seltener ist er in lyr. Gedichten (R. M. Rilke, 4. Elegie). – RL   K

Blason, m. [bla'zõ; frz. = Wappen, Schild; herald. Wappenbeschreibung], frz. Preis- oder Scheltgedicht, verbreitet im 15. u. 16. Jh., das eine Person oder einen Gegenstand detailliert beschreibt; beliebt sind Frauen, Pferde, Waffen, Wein u. a.; meist in acht- bis zehnsilb. Versen mit Paarreim und Schlußpointierung. Von G. Alexis 1486 in die frz. Literatur eingeführt (»B. de faulses Amours«), fand es rasch zahlreiche Nachahmer, u. a. R. de Collerye, M. Scève, M. de Saint-Gelais, P. Gringore (B.s mit satir. Zügen) und C. Marot, der als Meister des B.s mit ihrem »B. du beau

tétin« (B. vom schönen Busen, 1535) zahllose B.s auf die Schönheiten des weibl. Körpers einleitete (1. Sammlung: »B.s anatomiques du corps féminin«). Marot machte auch mit dem Gegenstück, einer Beschreibung des Häßlichen, dem sog. *Contre-B.* Schule (»B. du laid tétin«, 1536), das bei seinen Nachfolgern oft deftige Formen annahm. – Zum /Hymne-B. umgeformt kehrte der B. bei den Dichtern der /Pléiade wieder.

📖 Aurigny, G. de u. a.: B.s auf den weibl. Körper. Dt. Übers. u. Bearb. von L. Klünner. Bln. 1964.   PH*

Blaue Blume, in Novalis' (fragmentar.) Roman »Heinrich von Ofterdingen« (1802, hrsg. v. L. Tieck) Symbol für die »Apotheose der Poesie« als einer alles Getrennte (Traum, Wirklichkeit, Zeitlichkeit, Zeitlosigkeit, Leben, Tod) einigenden und transzendierenden inneren Macht des Gemüts. Da Novalis in diesem Roman das philosoph. Ideengut, bes. die Dichtungsauffassung der (Früh-)/Romantik, formulierte, wurde die b. B. (bes. die Suche nach ihr) auch zum Symbol der Sehnsucht der Romantiker nach dem entgrenzenden Erlebnis kosm. und geist. All-Einheit.   IS

Blockbuch [Bez. seit dem 19. Jh. (nach engl. block-book) für die ältere Bez. ›Holztafeldruck‹], aus einzelnen Holztafeldrucken zusammengefügtes Buch; in China schon seit dem 7. Jh. bezeugt, in Europa eigenständige Anfänge Ende 14. Jh., in Deutschland und den Niederlanden B.er etwa seit 1430. – Ein B. bestand entweder aus einseitig (durch Anreibung) bedruckten Blättern (anopisthograph. B.), deren leere Seiten zusammengeklebt wurden, oder aus beidseitig (mit Presse) bedruckten Seiten (opisthograph. B.). Die *ältesten B.er* bringen auf einer Seite bis zu vier meist grobe und stark kolorierte Holzschnittbilder mit handschriftl. eingefügtem Text (chiroxylograph. B.), später wird der Text entweder mit auf die Bildtafel (den Block) geschnitten oder der Bildtafel steht eine gedruckte Texttafel gegenüber. Selten enthalten B.er nur Texte (das bekannteste ist der »Donat«, ein Auszug aus der Sprachlehre des röm. Grammatikers Aelius Donatus; noch 1475 in Ulm als B. hergestellt). Auch Datierungen in B.ern sind selten (ältester 1470, jüngste 1530). *Erhalten* sind etwa 30 Werke in rund 100 Ausgaben, v. a. spätmittelalterl. Gebrauchs- und Erbauungsliteratur (/Biblia typologica, /Ars moriendi, /Totentanz, Chiromantia, Planetenbuch, Wunderwerke Roms). B.er wurden schließl. durch den Buchdruck mit beweg. Lettern verdrängt. – RL   HFR*

Bloomsbury group ['blu:mzbəri 'gru:p; engl.], nach Bloomsbury, einem Stadtteil Londons, benannter, von 1906 bis etwa 1930 bestehender Kreis von Schriftstellern, Kritikern, Verlegern, Malern, Wissenschaftlern, der – mit vorwiegend kunsttheoret., eth., kultur- und sozialkrit. Zielsetzung – Konversation und Diskussion als eine Art Kunst pflegte und dessen Mitglieder vielfältig auf die kultur- und geistesgeschichtl. Entwicklung Englands einwirkten. Zur B. g. gehörten Leonard Woolf (Hogarth-Press) und Virginia Woolf (Ablösung des viktorian. Romans, frühe Würdigung Prousts und Joyces: »Modern Fiction«, 1919 u. a.), Clive und Vanessa Bell, L. Strachey (neue Konzeption der /Biographie: »Eminent Victorians«, 1918), J. M. Keynes (einer der bedeutendsten Wirtschaftswissenschaftler des 20. Jh.s), E. M. Forster (»Aspects of the novel«, 1927: Romantheorie), G. E. Moore (Begründer des sog. Neu-Realismus in der Philosophie), F. Fry, D. Garnett, die Maler D. Grant und Dora Carrington u. a. Ihre Exklusivität und eine gewisse Einseitigkeit in literar. Urteil (z. B. Ablehnung D. H. Lawrences) brachte der B. g. auch Anfeindungen und Kritik ein (vgl. z. B. den satir. Roman von W. Lewis, »The Apes of God«, 1930).

📖 Antor, H.: The B.g. Its philosophy, aesthetics, and literary achievement. Hdbg. 1986. – Edel, L.: Bloomsbury: A House of Lions. London 1979. – Bell, Qu.: Bloomsbury. London 1968. – Johnson, H. K.: The B.g. New York ²1963.   MS*

Blues, m. [blu:s; engl.-amerikan., nach den sog. *blue notes* (blauen Noten), der Bez. für die erniedrigten Noten (Terz und Septime), welche die typ. Melodiefärbung bewirken], weltl. Volkslied der Negersklaven der nordamerik. Südstaaten von schwermüt. getragener Grundstimmung; entstand seit etwa 1870/80 wie das etwas ältere geistl. *Negrospiritual* aus der Verbindung afrik. Rhythmen und Elementen des einheim. Kirchen- und Volksliedes; in der Regel dreizeil. Strophen (3mal 4 Takte); Vers 1 wird, oft mit leicht abgewandeltem Text, wiederholt und enthält eine Feststellung oder Frage, die im 3. Vers ihre Bestätigung oder Antwort erhält. Ursprüngl. nur gesungen (ländl. B.), oft von Vorsänger und Chor. Die eindrucksvoll lapidaren Texte, meist in Dialekt, wurden auch *als literar.* Form (ohne Musik) gestaltet, u. a. v. L. Hughes (Slg.»The weary B.«, 1926, ebenfalls in Dialekt, in 6 Sprachen übers. und erst nachträgl. auch vertont). ⁄ Spiritual.

⟐ Jahn, B.: B. and worksongs. Dt. Übers. Frkft. 1964. – Charters, S. B.: Die story vom B. Dt. Übers. Mchn. 1962. – *Texte:* Folk-B. Hrsg. v. J. Silverman. New York 1968.   IS

Bluette, f. [bly'ɛt; frz. = Fünkchen; übertragen: Einfall], kurzes, meist einakt. Theaterstück oder kleine Gesangsszene, auf eine witzige Situation zugespitzt, ⁄ Sketch.

Blumenspiele [frz. Jeux Floraux], seit 1324 alljährl. Anfang Mai in Toulouse unter den Dichtern der »Langue d'oc« stattfindender Wettbewerb, auf dem die siegreichen Poeten mit goldenen und silbernen Blumenpreisen geehrt werden. Ins Leben gerufen von der 1323 gegründeten Dichtergesellschaft »Consistori de la Subregaya Companhia del ⁄ Gai Saber«. Nachdem Ludwig XIV. 1694 diese poet. Gesellschaft in den Rang einer Akademie (»Académie des Jeux Floraux«) erhoben hatte, wurden in den B.n bis 1895 nur noch frz. Gedichte zugelassen. Seit dem 19.Jh. halten auch andere südfrz. Städte (z. B. Béziers) nach dem Vorbild von Toulouse ähnl. Spiele ab. 1899 führte J. Fastenrath diesen Brauch für kurze Zeit für die rhein. und westfäl. Dichter in Köln ein.

⟐ Ségu, F.: L'Académie des Jeux floraux et le romantisme de 1818–1824. 2 Bde. Paris 1935–36. – Gélis, F. de: Histoire critique des Jeux floraux depuis leur origine jusq'à leur transformation en académie (1323–1694), Toulouse 1912. – Jb. der Kölner B. Hg. v. der Literar. Ges. in Köln. Jg. 1–10 (1899–1908), Köln 1900–1908.   PH*

Blütenlese, dt. Übertragung von ⁄ Anthologie (gr.) oder ⁄ Florilegium (lat.); auch ⁄ Kollektaneen, ⁄ Analekten, ⁄ Katalekten.

Blut-und-Bodendichtung (Blubo), Sammelbez. für die vom Nationalsozialismus geförderte Literatur, in der dessen kulturpolit. Idee einer ›artreinen‹ Führungsrasse mehr oder weniger offen zutage tritt. Umfaßt v.a. (histor.) Bauern-, Siedler-, Landnahmeromane, aber auch Lyrik, Versdichtungen und Dramen (darunter sog. Thing-Spiele). Themen, Strukturen und Tendenzen sind im Gedankengut der ⁄ Heimatkunst vorbereitet, deren nationalist.-antisemit., jedoch polit. diffuses Programm propagandist. vereinseitigt und radikalisiert wurde (Darstellung eines ›völk. Lebensgesetzes‹ in ›schollenverhafteter Blutsgemeinschaft‹, Forderung ›völk. Erneuerung durch Kampf gegen ›Entartung‹, gegen Liberalismus und die ›Hypertrophie des Intellekts‹« [F. Koch] usw.). Typ. für die B. ist neben einer planen, kolportagehaften Handlungsführung eine altertümelnde pathet. Sprache (Nachahmung des ⁄ Saga-Stils) und die Verwendung der nationalsozialist. Phraseologie. Vorbilder waren die von der Reichsschrifttumskammer (gegr. 1933) akzeptierten Werke von H. Stehr, R. Billinger, P. Dörfler, E. G. Kolbenheyer und v. a. der Heimatkunst (H. Löns, L. v. Strauß und Torney, G. Schröer, H. Burte u. a.), deren Vertreter nach 1933 (überzeugt oder konjunkturbedingt) vielfach reine B. verfaßten (J. Schaffner, H. F. Blunck, F. Griese, H. E. Busse, J. Berens-Totenohl) wie G. Schumann, H. Anakker, H. Menzel, W. Beumelburg u. a.

⟐ Bohnen, K./ Bauer, C. (Hrsg.): Nationalsozialismus u. Lit. Mchn./ Kopenhagen 1980. – Bresslein, E.: Völk.-faschistoides u. nationalsozialist. Drama. Kontinuitäten u. Differenzen. Frkft. 1980. – Schnell, R. (Hrsg.): Kunst u. Kultur im dt. Faschismus. Stuttg. 1978. – Loewy, E.: Lit. unterm Hakenkreuz. Das 3. Reich u. seine Dichtung. Frkft. ³1977. – Waldmann, G.: Kommunikationsästhetik. I. Die Ideologie d. Erzählform. Mit einer Modellanalyse von NS.-Lit. Mchn. 1976. – Ketelsen, U. K.: Völk.-nationale u. nationalsozialist. Lit. in Deutschland 1890–1945. Stuttg. 1976. – Denkler, H./ Prümm, K. (Hrsg.): Die dt. Lit. im Dritten Reich – Themen, Traditionen, Wirkungen. Stuttg. 1976. – Gilman, Sander L.: NS-Literaturtheorie. Frkft. 1971 (mit Bibliogr.).   IS

Boerde, f. ['bu:rdə, niederländ. = Spaß], ⁄ Posse, ⁄ Schwank, insbes. die mittelniederländ. gereimte Schwankerzählung, auch für ⁄ Fabliau.

Bogenstil, von A. Heusler (Dt. Versgesch. I, 1925) vorgeschlagene Bez. für ⁄ Hakenstil.

Bohème, f. [bo'ɛm, frz., zu mlat. bohemas = Böhme, seit dem 15.Jh. auch: Zigeuner (offenbar, weil die Zigeuner über Böhmen eingewandert sind)], Bez. für Künstlerkreise, die sich bewußt außerhalb der bürgerl. Gesellschaft stellen. Zum ersten Mal in diesem Sinne faßbar um 1830 in Paris (Quartier Latin, Montmartre) im Umkreis des frz. romanticisme. Junge Künstler, Schriftsteller (z. B. Théophile Gautier, Gérard de Nerval), Studenten (meist Söhne wohlhabender Familien) demonstrierten ihre Opposition gegen die Vätergeneration der Bourgeoisie durch einen ungebundenen, extravaganten Lebensstil, allerdings nur während ihrer jugendl. Entwicklungsphase. – Die Bez. ›B.‹ wurde nach der Mitte des 19.Jh.s auch übertragen auf das Künstlerproletariat, dem der Aufstieg in die verachtete bürgerl. Welt verwehrt blieb, bzw. das diesen gar nicht erstrebte (z. B. Rimbaud, Verlaine). – So schillernd wie die Bez. ›B.‹ sind deren verschiedene Erscheinungsformen, die im 19. Jh. auch in anderen Großstädten entstanden: z. B. in London, München (Schwabing), Berlin, Mailand (⁄ Scapigliatura). Zur Nachfolge der B. des 19.Jh.s werden im 20. Jh. bisweilen sowohl die unprogrammat. student. Libertinage als auch neuere antibürgerl. Bewegungen gezählt, z. B. die B. der Existentialistenkeller, die ⁄ Beat generation, die Hippiekulturen, Kommunarden etc. Breiteren Kreisen bekannt wurde das B.leben durch H. Murgers romantisierende und idealisierende Beschreibung »Scènes de la B.« (1851) und dann v. a. durch Puccinis darauf fußende Oper (1896). Realitätsnähere, z. T. autobiograph. gefärbte Gestaltungen der B.-Existenz und -Problematik in den verschiedensten Ausprägungen finden sich in den Romanen von Strindberg, »Das rote Zimmer« (1879), O. J. Bierbaum, »Stilpe« (1897), K. Martens, »Roman aus der Décadence« (1898), Peter Hille, »Mein heiliger Abend« (um 1900), H. Jaeger, »Kristiania-B.« (1921), Faulkner, »Mosquitoes« (1927), R. Dorgelès, »Quand j'étais Montmartrois« (1936), J. Vallès, »Jacques Vingtras« (1950 ff.), Henry Miller, »Plexus« (1965).

⟐ Kreuzer, H.: Die B. Stuttg. 1968. – RL.   S

Bohnenlied, Arbeits- und Fastnachtslied, dessen Kehrreim *Nu gang mir aus den Bohnen* anzügl. auf Bohnen anspielt (Fruchtbarkeitssymbol, Blüte soll närrisch machen); im 16. Jh. mehrmals in Schweizer Urkunden erwähnt. In einer Straßburger Sammlung von 1537 sind drei B.er überliefert, die vermutl. nur harmlose Varianten der moral. Gegendichtungen ursprüngl. deftigerer Fassungen sind; vgl. noch heute die Redensart *Das geht übers B.* (= das ist zu arg).   IS

Bonmot, n. [bõ'mo:; frz. bon = gut, mot = Wort], treffende, geistreiche Bemerkung, kann sich mit dem gedankl. meist anspruchsvolleren ⁄ Aphorismus berühren. Literar. vor allem kennzeichnend für ⁄ Konversationskomödien, z. B. von E. Scribe, O. Wilde, C. Goetz.   S

Bontemps, m. [bõ'tã; frz. = gute Zeit], unter dem Namen ›Roger-B.‹ in der franz. Literatur bes. im 15. und 16. Jh. auftretende allegor. Gestalt der guten alten oder einer glückl. neuen Zeit; nachweisbar u. a. in René d'Anjous »Livre du cuer d'amours espris« (1457) sowie in den anonymen Farcen »Mieulx que devant« und »La venue et resurrection de B.« (16. Jh.). Daneben auch der Typus des sorglos und genüßl. in den Tag hinein Lebenden (so z. B. bei dem Renaissancepoeten R. de Collerye; ↗Blason), ähnl. figuriert er als Titelheld einer zwischen 1670 und 1797 in zahlreichen Ausgaben erschienenen Schwanksammlung »Roger-B. en belle humeur . . .«; schließl. erscheint er in einem ↗Chanson von J. P. de Béranger (»Roger-B.«, 1814).   PH

Börsenverein des Deutschen Buchhandels ↗Verlag, ↗Buchhandel.

Botenbericht, dramentechn. Mittel v. a. des antiken und, nach seinem Vorbild, des klassizist. Dramas der Neuzeit: für die Handlung wichtige Ereignisse, die sich außerhalb der Bühne abspielten oder die auf der Bühne techn. schwer darzustellen wären (Schlachten, Naturkatastrophen, Grausamkeiten), werden durch ep. Bericht auf der Bühne vergegenwärtigt. Der B. erfüllt zugleich den Zweck, äußeres Geschehen im dichter. Wort aufzuheben (Drama in klassizist. Auffassung in erster Linie als *sprachl.* Kunstwerk). – In der antiken ↗Tragödie leitet der B. häufig die ↗Peripetie ein (vgl. Aischylos, »Die Perser«: B. über die Vernichtung des pers. Heeres). Das zu (vordergründ.) Bühnenrealismus neigende 19. Jh. (histor. Drama) und der Naturalismus beurteilen den B. negativ. ↗Teichoskopie.   K*

Boulevardkomödie [bula'va:r, frz.], publikumswirksame Komödie, die auf den kommerziellen Privattheatern der Pariser Boulevards gespielt wurde und wird. Charakterist. ist das Milieu (meist neureiches Großbürgertum mit Affinität zur Halbwelt), die immer wiederkehrende Thematik (Liebesaffären aller Art), eine raffinierte Handlungsführung, der spritzige, oberflächl., manchmal anzügl., fast immer geistreiche Dialog und die jeweils der Zeitsituation angepaßte Ausstattung (Moden, Möbel, Accessoires). – Die Entstehung der B. ist mit dem Aufschwung der ↗Vaudevilles zu Anfang des 19. Jh.s verknüpft. Zwischen 1820 und 1850 trug E. Scribe zur Ausbreitung des leichten Theaters bei, ihm folgten V. Sardou und E. Labiche. Die eigentl. B. blühte gegen 1900 auf (A. Capus, G. Feydeau und G. Courteline); Hauptvertreter nach 1918 waren A. Savoir, M. Pagnol, J. Deval, T. Bernard und M. Rostand, in den 30er Jahren S. Guitry, nach dem 2. Weltkrieg M. Achard und A. Roussin. – Die B. ist typ. Großstadttheater und hat sich in ähnl. Weise auch in anderen Ländern entwickelt, so in England (F. Lonsdale, S. Maugham, N. Coward), in Deutschland (Axel v. Ambesser, Curt Goetz), in Österreich (H. Bahr, A. Schnitzler), in Ungarn (F. Molnar), jedoch sind Abgrenzungen gegenüber der ↗Konversationskomödie nicht immer mögl.

⊞ Steinmetz, A: Scribe, Sardou, Feydeau. Unters. z. frz. Unterhaltungskomödie im 19. Jh. Frkf. u. a. 1984. – Leisentritt, G.: Das eindimensionale Theater. Beitr. z. Soziologie des Boulevardtheaters. Mchn. 1979.   DJ*

Bouts-rimés, m. Pl. [bu ri'mé; frz. = gereimte Enden], beliebtes Gesellschaftsspiel der frz. ↗Salons im 17. Jh., bei dem zu vorgegebenen Reimwörtern (oft auch zu einem bestimmten Thema) ein Gedicht, meist ein ↗Sonett, verfaßt werden mußte (vgl. z. B. die Anthologie »Sonnets en b. r.«, 1649); auch der ›Mercure galant‹ (1672 ff.) stellte seinen Lesern solche B.r. als Aufgabe. Dieses Spiel, das auch in England Eingang fand, lebte bis ins 19. Jh. fort (1865 z. B. gab A. Dumas eine Sammlung von B. r. heraus).   DJ*

Brachykatalektisch, Adj. [gr. brachykatalektos = kurz endend], in der antiken Metrik Bez. für Verse, die um das letzte Metrum gekürzt sind; ↗katalektisch.

Brachylogie, f. [gr. = kurze Redeweise, lat. brevitas],

Bez. der antiken ↗Rhetorik und Stilistik für einen gedrängten, knappen Stil, der das zum Verständnis nicht unbedingt Notwendige, oft aber auch Notwendiges wegläßt; neigt zur Dunkelheit. Als künstler. Gestaltungsmittel typ. für Sallust, Tacitus, in der Neuzeit H. von Kleist. – Mittel der B. sind u. a. die Figuren der Worteinsparung, ↗Ellipse, ↗Aposiopese, ↗Apokoinu u. a.   S

Brachysyllabus, m. [gr.-lat. = kurzsilbig], Versfuß, der nur aus Kürzen, bzw. kurzen Silben besteht, z. B. ↗Pyrrhichius (◡◡), ↗Tribrachys (◡◡◡), ↗Prokeleusmatikus (◡◡◡◡).   UM

Bramarbas, m., Bez. für die kom. Bühnenfigur des Maulhelden, Aufschneiders und insbes. des prahler. Soldaten. Der *Name* ›B.‹ findet sich erstmals in dem anonymen Gedicht »Cartell des B. an Don Quixote«, das J. B. Mencke 1710 im Anhang seiner »Vermischten Gedichte« veröffentlichte. Die *Bühnenfigur* des *bramarbasierenden* Soldaten gehört zu den ältesten des europ. Theaters: am bekanntesten sind der »Miles Gloriosus« (Plautus, um 200 v. Chr.), Falstaff (Shakespeare, »Heinrich IV.«, 1597/8 und »Die lust. Weiber von Windsor«, 1600), »Horribilicribrifax« (A. Gryphius, 1663) sowie der ↗Capitano und ↗Skaramuz der italien. ↗Commedia dell'arte.   UM

Brauchtumslied, in jahreszeitl. oder sozial-gesellschaftl. Bräuche integriertes (↗Volks-)Lied, z. B. Neujahrs-, Dreikönigs-, Fastnachts-, Oster-, Ernte-, ↗Martinslied – Tauf-, Hochzeits-, Trauerlied, Wallfahrtslied usw., aber oft auch Lieder, die inhaltl. nicht (mehr) eindeutig auf die dem Brauch zugrundeliegenden Vorstellungen bezogen sind, z. B. Kirchenlieder anstelle alter B.er. B.er werden meist chor. oder im Wechsel von Chor und Einzelsänger, auch mit Tanz und Instrumentalbegleitung vorgetragen. – Ihre Wurzeln werden in der heidn., kult.-chor. apotropäischen Poesie gesehen (so bezeugt bei Tacitus, 1. Jh., Jordanes, 6. Jh., Gregor dem Großen, um 600, u. a.), die dann in Funktion und Wortlaut christl. übertüncht, umgeprägt und unter mannigfachen Beeinflussungen weiterentwickelt wurde. – Ausprägung und Auftreten der B.er ist landschaftl. reich gefächert und differenziert. In jüngster Zeit werden Sinn- und Funktionsverlust oder -verlagerung, Umprägungen und mögliche neue Trägerschichten des B.s untersucht.

⊞ Schmidt, Leopold: Volksgesang u. Volkslied. Bln. 1970.   IS

Brautlied, Bestandteil volkstüml. Hochzeitsbräuche, ↗Brauchtumslied; meist chorisch und mit (ursprüngl. kult.) Tanzgebärden vorgetragen: durch Gestus, Wort und Klangmagie sollen Segen und Fruchtbarkeit für die neue Gemeinschaft beschworen werden (vgl. den griech. ↗Hymenaeus). Bereits für die german.-heidn. Zeit indirekt bezeugt bei Apollinaris Sidonius (5. Jh., carm. 5, 218); die Übernahme in christl. Traditionen wird belegt durch ahd. und mhd. Glossen (*brûtliet, brûtgesang, brûtleich*), oder etwa durch das frühmhd. Gedicht »Die Hochzeit« (1. Hä. 12. Jh., v. 301–306).

⊞ Schröder, E.: Brautlauf und Tanz. ZfdA 61, 1922, 17–34. – RL.   IS

Brautwerbungssagen gehören zum – zunächst mündl. tradierten – Erzählgut aller Völker und Zeiten; in ihnen verbindet sich Histor., Märchenhaftes und Myth. in vielfält. Ausprägungen. Den *literar. Ausformungen,* welche die B. in der dt. Überlieferung erfahren, liegt etwa folgendes Schema zugrunde: Wunsch eines Fürsten, eine Gattin zu gewinnen (polit. motiviert); Werbung durch den Helden persönl. oder stellvertretend durch Werber oder Boten); Gewinnung der Braut, meist unter schwierigen Bedingungen oder Gefahren; Überwindung dieser Schwierigkeiten, mit Glück oder List, oft auch durch Kampf (Gegenspieler ist meist der Vater oder ein Verwandter des Mädchens); Heimführung und Hochzeit. Vier Typen des Schemas lassen sich unterscheiden: 1. Einfache Werbung (a. ohne Komplikationen, rein höf.-zeremonieller Ablauf; b. Erwerbung durch Taten); 2. Schwierige Werbung, Entführung (a. mit Einverständnis der Braut; b. ohne deren Einverständnis: Raub). Variiert und erweitert wird w. a. durch das Prinzip der Wiederholung: Rückentführung der Frau und deren abermalige Gewinnung. – Das Thema der Brautwerbung erlangt in der 2. Hälfte des 12. Jh.s und im 13. Jh. in Deutschland außerordentl. Beliebtheit, so daß das Schema zum beherrschenden strukturellen Bauprinzip der sog. ↗Spielmannsdichtung (z. B. »König Rother«, »Oswald«) wird, teils auch der mhd. ↗Heldenepik (»Kudrun«, »Nibelungenlied« u. a.); vgl. auch die »Tristan«-Dichtungen.

◻ Bräuer, R.: Literatursoziologie u. ep. Struktur der dt. ›Spielmanns‹- u. Heldendichtung. In: Dt. Akad. d. Wiss. zu Bln. Veröff. des Inst. für dt. Sprache u. Lit. 48, Bln. 1970. – Siefken, H.: Überindividuelle Formen u. der Aufbau des Kudrunepos. In: Medium Aevum. Philol. Studien 2, Mchn. 1967. – Geißler, F.: Brautwerbung in d. Weltlit. Halle (Saale) 1955. RSM

Brechung, Bez. der mhd. Metrik für die Durchbrechung einer metr. Einheit durch die Syntax. Unterschieden werden:

1. *allgemein: Vers-B.*: das Überschreiten einer Versgrenze durch die Syntax (z. B. F. v. Hausen, MF 47, 12 f.), auch ↗Enjambement; vgl. auch ↗Hakenstil (Bogenstil).

2. *speziell: Reim-B.* (auch Reimpaar-B.): ein Reimpaar wird so aufgeteilt, daß der 1. Vers syntakt. zum vorhergehenden Vers, der 2. zum folgenden gehört; begegnet schon in ahd. Dichtung, dient vom 12. Jh. an mehr und mehr dazu, Reimpaarfolgen beweglicher und spannungsreicher zu gestalten; bes. ausgeprägt bei Gottfried von Straßburg und Konrad von Würzburg; zum Begriff vgl. Wolfram von Eschenbach *rîme . . . samnen unde brechen* (»Parzival«, 337, 25 f.).

3. Aufteilung eines Verses auf zwei oder mehrere Sprecher (↗Antilabe). – RL. S

Bremer Beiträger, Sammelname für die Gründer und Mitarbeiter (meist Leipziger Studenten) der von 1744–1748 im Verlag des Bremer Buchhändlers N. Saurmann erschienenen Zeitschrift »Neue Beyträge zum Vergnügen des Verstandes und Witzes« (kurz »Bremer Beiträge«). Die B. B. waren urspüngl. auch Gottscheds und (seit 1741) Mitarbeiter der von J. J. Schwabe hrsg. moral. Wochenschrift »Belustigungen des Verstandes und Witzes«, in der Gottscheds poetolog. Vorstellungen propagiert wurden. Mit der Gründung einer eigenen Zeitschrift distanzierten sie sich von der im Gottschedschen Parteiorgan gepflegten Polemik gegen die Schweizer Bodmer und Breitinger. Zwar blieben die B. B. Gottsched verpflichtet (strenge Beachtung der Regeln, Vorliebe für lehrhafte, moralisierende Dichtung), doch trug die Tatsache, daß sie in ihrer Zeitschrift Polemik zugunsten der dichter. Produktion ausschlugen, stark zur Minderung von Gottscheds Einfluß bei. Persönl. und in ihren ästhet.-krit. Anschauungen näherten sich die B. B. immer mehr den Schweizern; ihr poet. Schaffen wurde nachhaltig von A. v. Haller und F. v. Hagedorn beeinflußt, zudem schloß sich F. G. Klopstock 1746 dem Freundschaftsbund der B. B. an. In ihrer Zeitschrift wurden 1748 die ersten drei Gesänge des »Messias« veröffentlicht. Das Neuartige der in der Zeitschrift publizierten Beiträge (v. a. Fabeln, Satiren, Lehrgedichte, Oden, anakreont. Lieder, Schäfer- und Lustspiele, Abhandlungen) besteht darin, daß sie einer neuen, bürgerl. Welt- und Lebensanschauung Ausdruck verleihen, geschmacksbildend wirkten und die Erziehung des Bürgertums förderten; sie zeichnen sich aus durch größere Natürlichkeit und Subjektivität der Sprache, stärkere Lebensnähe, mehr Phantasie, Empfindung und Gefühl. Damit trugen die B. B. wesentl. zur schließlichen Überwindung der rationalen Phase der Aufklärung bei. – Hrsg. der »Bremer Beiträge« war zunächst K. Ch. Gärtner, seit 1747 N. D. Giseke; weitere Mitarbeiter waren J. A. Cramer, J. A. Ebert, G. W. Rabener, J. A. und J. E. Schlegel, F.

W. Zachariä, Ch. F. Gellert, F. G. Klopstock u. a. Die Beiträge erschienen anonym, über ihre Aufnahme wurde gemeinsam entschieden. Insgesamt kamen 4 Bände zu je 6 Stücken heraus. Außerdem veröffentlichten die B. B. 1748–57 (in einem Leipziger Verlag) eine »Sammlung Vermischter Schriften von den Verfassern der Bremischen neuen Beyträge zum Vergnügen des Verstandes und Witzes«. Mit den von J. M. Dreyer 1748–59 hrsg. zwei weiteren Bänden der »Bremer Beiträge« haben die früheren Mitarbeiter nichts zu tun.

◻ Steigerwald, J.: Die B. B.: Ihr Verhältnis zu Gottsched u. ihre Stellung in d. Gesch. d. dt. Lit. Diss. Univ. of Cincinnati 1975. – Schröder, Ch. M.: Die Bremer Beiträge. Vorgesch. u. Gesch. einer dt. Zeitschrift des 18. Jh.s. Bremen 1956. – RL. RSM

Brevier, Breviarium, n. [lat. breviarium = kurzes Verzeichnis, Auszug, zu brevis = kurz],

1. Titel für Berichte und Übersichten polit., statist. oder rechtl. Charakters (z. B. B. imperii, B. Alaricianum).

2. Bez. für das bei den tägl. Horen (Stundengebeten) verwendete Gebets- und Andachtsbuch der röm.-kath. Kirche und für die darin enthaltenen Texte (Gebete). Nach Kirchenjahr, Woche und Tag geordnet, enthält das B. die für die jeweilige Hore vorgesehenen Psalmen und Lesungen (aus der Bibel, den Kommentaren der Kirchenväter u. a.), sowie Hymnen, Gebete, Antiphone, Segenssprüche, Responsorien. ↗Stundenbuch. GS

Brief [von lat. breve (scriptum) = kurzes Schriftstück], schriftl. Mitteilung an einen bestimmten Adressaten als Ersatz für mündl. Aussprache, »Hälfte eines Dialogs« (Aristoteles). – Allgemeineres Interesse gewinnt B.e als Äußerungen bedeutender Verfasser oder als Zeugnisse menschl. Denkens und Empfindens. *Editionsformen* sind dementsprechend die Sammlung von B.en eines einzelnen (mit oder ohne Antwortschreiben), B.wechsel zweier Autoren und die Anthologie aus B.en gleicher Thematik, gleicher Epochen oder gleicher Absendergruppen. Als Autographe sind B.e beliebtes Sammelobjekt. Zum eigentl. privaten B. tritt der *offizielle* für Mitteilungen oder Anweisungen, die der dokumentierenden Schriftform bedürfen (Rund-B.e, Erlasse), und der nur scheinbar an einen einzelnen Empfänger gerichtete, auf polit. Wirkung berechnete *›offene‹ B.* Die B.form kann sich unabhängig von mögl. Adressaten, oft als rhetor. Kabinettstück, verselbständigen: als Essay, zur Einkleidung für Satiren, Polemiken, Literaturkritik oder als literar. Kunstform zur indirekten Darstellung fiktiver Korrespondenten (↗Briefroman). Der Anspruch des B.s als authent. Zeugnis von dem Willen oder die Meinung seines Verfassers begünstigt die Entstehung von ↗Fälschungen. Die *Geschichte des B.s* ist fast so alt wie die der Schrift. Der *älteste erhaltene längere B.* stammt von Pharao Pepi II. (um 2200 v. Chr.), geschrieben an einen Gaufürsten von Assuan. Aus dem 3.–1. Jt. sind zahlreiche Original-B.e auf Papyrus (aus Ägypten) und auf Tontafeln (aus Mesopotamien) erhalten. *Das AT* hat viele B.e überliefert, z. B. den B. Davids an Joab, den sog. Urias-B. (2. Sam. 11, 14); *im NT* sind die Apostel-B.e (Episteln) nach den Evangelien der wichtigste Bestandteil der urchristl. Literatur. *Das klass. Altertum* schrieb B.e auf Papyrus oder auf wachsbezogene Holztäfelchen (Diptycha, lat. codicelli tabellae). Größere B.sammlungen sind erst aus lat. Zeit überliefert; von großer Bedeutung sind die polit. B.wechsel Ciceros (über 900 B.e in 37 Büchern) und der des jüngeren Plinius: seine eher Abhandlungen ähnelnden B.e sind an ein breiteres Publikum gerichtet und leiten die bewußte Stilisierung des Prosa-B.es der Spätantike ein (Symmachus, Ausonius, Sidonius, Apollinaris, Cassiodor). Mit dieser Stilisierung geht die Verengung des allgemeinen ↗Rhetorik zu einer speziellen B.lehre (↗ars dictandi) einher. – Die *B.e des MA.s* sind vorwiegend von Klerikern an den Höfen und Klöstern, stilist. meist nach berühmten Vorbildern (Ambrosius, Augustinus,

Hieronymus, Gregorius) verfaßt. Sie dienen polit. Zwecken (Kaiser-B.e) ebenso wie dem geistl. und persönl. Meinungsaustausch ihrer gelehrten Schreiber (Sammlungen in ›Monumenta Germaniae Historica‹ und ›Patrologia Latina‹). Eine eigene B.tradition entsteht seit dem 12. Jh. in den Mystiker-B.en, die vom Wunsch nach der Vermittlung metaphys. Erfahrungen geprägt sind. Zeichen des wachsenden Bedürfnisses nach briefl. Verständigung im späten MA. sind ⁄B.steller aus echten oder eigens verfaßten Muster-B.en. – Mit der Erweiterung des Kreises der Schreibkundigen auf Laien beginnt der B., sich allmähl. vom Latein zu lösen. Den ersten Höhepunkt in der Geschichte des deutschen B.s bildet die kraftvolle, in persönl. Ton gehaltene Korrespondenz Luthers. Neben und nach ihr dominiert aber weiter die lat. B.: in den an Cicero geschulten wissenschaftl. *B.wechseln der Humanisten* (Petrarca, Erasmus), in deren Gefolge der gelehrte B. bis ins 18. Jh. lat. bleibt, und in den formelhaft erstarrten Schriftsätzen der Kanzleien. – Eine eigenständ., bis in die Gegenwart fortdauernde B.kultur bildet sich *seit dem 17. Jh.* in Frankreich (Mme de Sévigné, Voltaire, Mme de Staël, Flaubert, Proust, Gide); auch in Deutschland schreibt man im 17. Jh. gewöhnl. franz. B.e, ohne immer den eleganten Stil der nachgeahmten Vorbilder erreichen zu können; eine Ausnahme bildet der persönl. Stil der dt. B.e Liselottes von der Pfalz (17. Jh.). Gegen die zunehmende sprachl. Überfremdung und Verkünstelung auch des B.stils wenden sich die ⁄Sprachgesellschaften des Barock, überwunden wird sie jedoch erst im 18. Jh. mit den Reformen Gottscheds und Gellerts (»Sammlung vorbildl. B.e nebst einer prakt. Abhandlung von dem guten Geschmacke in B.en«, 1751). Von hier an entspricht die Geschichte des B.stils derjenigen der allgem. literar. Entwicklung. Nebeneinander entsteht eine subjektive, oft künstl. erregte B.sprache, die von Pietismus (Spener) und Empfindsamkeit (Klopstock) über den Sturm und Drang bis zu den ›Herzensergießungen‹ der Romantiker reicht (Brentano) und ein rationalerer, dabei doch von der Persönlichkeit des Autors individuell geprägter B.stil; ihm sind die B.e aus dem Umkreis der Aufklärung (Lessing, Winckelmann, Lichtenberg), der dt. Klassik (Goethe, Schiller; Humboldt, Kant, Hegel) und die der Realisten verpflichtet (Storm, Keller, Fontane). Auch *im 20. Jh.* gehört die Veröffentlichung der B.e zu den Gesamtausgaben literar., polit. oder wissenschaftl. bedeutender Autoren; unter ihnen sind viele, deren Korrespondenz einen eigenen Rang beanspruchen kann (Rilke, Hofmannsthal, Musil, Th. Mann, G. Benn, Kafka, E. Lasker-Schüler). *Der fingierte B.* als Einkleidung ist seit der Antike gebräuchl., z. B. als Einlagen in Geschichtswerken seit Thukydides (Pausanias an Xerxes, 1, 128); sie werden zum Gegenstand rhetor. Übungen und nachträgl. häufig als echte Dokumente mißverstanden (Phalaris-B.e). Fiktive B.e erot. Inhalts verfaßten die Hellenisten (Alkiphron, Philostratos), ⁄B.gedichte die röm. Klassiker. Philosoph., meist isagog. Traktate in Form von B.en an ihre Schüler publizierten Empedokles, Aristoteles, Epikur; von ihnen sind Senecas »Epistulae morales« beeinflußt. Auch offene B.e als Mittel polit. Auseinandersetzung sind der Antike geläufig (Isokrates an König Philipp, Sallust an Caesar). – Im MA. tauchen fingierte B.e auf: so ein apokrypher B.wechsel des Apostels Paulus mit Seneca und ein B. des Aristoteles an Alexander, der eine Gesundheitslehre enthält. Traktatart. Formen kennzeichnen die B.e der Humanisten, satir. Absichten verfolgen z. B. die ›Dunkelmänner-B.e‹ »Epistolae obscurorum virorum«, 1515/17. An die geistl. Lehrschreiben des NT und der Kirchenväter (⁄Epistel) knüpfen die ›Send-B.e‹ Luthers an. In der Neuzeit ist der literar. B. als Instrument zur Darstellung polit., moral. und ästhet. Probleme bes. im 18. Jh. beliebt. Er findet sich zuerst in Frankreich: Pascal, »Lettres à un provincial« (1656/57), Montesquieu, »Lettres persanes« (1721), Voltaire, »Letters concerning

the English« (1733), dann auch in Deutschland: Lessing, »B.e die Neueste Literatur betreffend« (1759–65, ⁄Literatur-B.e), Herder, »B.e zur Beförderung der Humanität« (1793–1797), Schiller, »B.e über die ästhet. Erziehung des Menschen« (1795). – Parallel dazu entsteht die Gattung des ⁄Briefromans, zuerst in England, dann auch in Frankreich und Deutschland. Im 19. und 20. Jh. verliert der Kunstb. an Bedeutung; bekannter geworden sind die satir. »Filser-B.e« L. Thomas. Eine Neubelebung versuchte im Anschluß an Camus (»Lettres à un ami allemand«, 1944), H. Böll (»B. an einen jungen Katholiken«, 1958).

Ausgaben: Dt. B.e 1750–1950. Hg. v. G. Mattenklott, Hannel. u. Heinz Schlaffer. Frkf. 1988. – Erot. B.e der griech. Antike. Hg. u. übers. v. B. Kytzler. Mchn. 1967. – B.e des Altertums. Hg. u. übers. v. H. Rüdiger. Zürich ²1965. – Das Buch dt. B.e. Hg. v. W. Heynen. Wiesbaden 1957. – Dt. Mystikerb.e des MA.s 1100–1500. Hg. v. W. Oehl. Mchn. 1931. – Dt. Privatb.e des MA.s. Hg. v. G. Steinhausen. Bln. 1899–1907. 2 Bde. ⌑ Müller, Wolfg.: Der B. In: Weißenberger, K. (Hg.): Prosakunst ohne Erzählen. Tüb. 1985. – Frühwald, W. (Hg.): Probleme der B.edition. Boppard 1977. – Schlawe. F.: Die B.-Sammlungen des 19. Jh.s. 2 Bde. Stuttg. 1969. – Steinhausen, G.: Gesch. d. dt. B.es. 2 Bde.Bln. ²1902, Neudr. Dublin/Zürich 1968. *Bibliographie* der B.ausgaben u. Gesamtregister der B.-schreiber u. -empfänger. 2 Bde. Stuttg. 1969. – RL.   HSt

Briefgedicht, Sammelbez. für echte oder fingierte ⁄Briefe in Versen, auch für Gedichte, die in Briefe eingefügt oder Briefen beigelegt sind. Als literar. Kleinform schon in der Antike: Lucilius, Catull, Persius; Höhepunkt die graziös belehrenden ⁄Episteln des Horaz und Ovids eleg. »Briefe aus der Verbannung«, sowie seine ⁄Heroiden, die den fiktiven Briefwechsel begründen (⁄Briefroman). Das MA. pflegt den in Verse gefaßten lat. Widmungsbrief, den volkssprachl. poet. Liebesgruß (⁄Minnebrief, ⁄Salut d'amor), der selbständig, in Briefstellern und als Einlage in ep. Dichtungen vorkommt. Die Gattung lebt wieder auf im Barock (»Heldenbriefe« Hofmanns von Hofmannswaldau) und bei den Anakreontikern (Goekingk, Gleim). Satir. B.e verfaßte Rabener, moral. Wieland. – Zahlreiche private B.e enthält der Briefwechsel Goethes mit Frau von Stein (»Verse an Lida«), auch mit Marianne von Willemer und anderen (»Sendeblätter«). Nach der Romantik (Geschwister Brentano) wird das B. seltener (Heine, Liliencron, Rilke). – RL.   HSt

Briefroman, besteht aus einer Folge von Briefen eines oder mehrerer fingierter Verfasser ohne erzählende Verbindungstexte, allenfalls ergänzt durch ähnliche fingierte Dokumente (Tagebuchfragmente etc.). Anders als im ⁄Ich-Roman wird nicht vom Ende her erzählt, sondern scheinbar ohne Kenntnis des weiteren Handlungsverlaufs. Bei mehreren Briefschreibern wird die Erzähl-⁄Perspektive zudem auf die Romanfiguren verteilt (poly-perspektivisches Erzählen). Die Form der direkten nuancierten Selbstaussage macht den B. zum Mittel differenzierter Seelenschilderung; gegenüber dem Tagebuchroman weist aber der Briefsituation eigene Wendung an einen Adressaten objektivierend aus. Der eigentl. B. ist – nach vielfältigen, aus Ovids ⁄Heroiden abzuleitenden Vorstufen – ein Produkt der ⁄Empfindsamkeit des 18. Jh.s: am Anfang stehen S. Richardsons »Pamela« (1740), ein einfacher B., »Clarissa« (1747) und »Charles Grandison« (1753), mehrperspektivische B.e; in Frankreich folgen Rousseaus »Nouvelle Héloïse« (1761) u. Laclos' »Les liaisons dangereuses« (1782). *Der dt. B.* erlebt nach dem Vorgang von A. Musäus' »Grandison der Zweite« (1760/62) u. Sophie de La Roches »Das Fräulein von Sternheim« (1771) seinen Höhepunkt in Goethes »Die Leiden des jungen Werther« (1774), wo allerdings durch das Hinzutreten eines ›Herausgebers‹ die strenge

Form aufgegeben ist; sie ist bewahrt in L. Tiecks »William Lovell« (1795/96). Hölderlins »Hyperion« (1797) entspricht formal dem B., doch sind die Briefe an Bellarmin aus der Erinnerung an vergangenes Geschehen geschrieben und stehen insofern dem Ich-Roman näher. Im 19. Jh. tritt der B. hinter dem dialogisierten Roman zurück (Ausnahme z. B. W. Raabe, »Nach dem großen Kriege«, 1861), im 20. Jh. gibt es einzelne Versuche zur Neubelebung: E. v. Heyking, »Briefe, die ihn nicht erreichten« (1903), A. Gide, »École des femmes« (1929), W. Jens, »Der Herr Meister« (1963).

📖 Duyfhuizen, B.: Epistolary narration of transmission and transpassion. Comparative Lit. 37 (1985). – Altman, J.: Epistolarity. Columbus/Ohio 1982. – Jeske, W.: Der B. In: Formen d. Lit. in Einzeldarstellungen. Hg. v. O. Knörrich. Stuttg. 1981. HSt

Briefsteller, ursprüngl. professioneller Schreiber, der für andere Briefe schrieb, ›erstellte‹, dann übertragen: schriftl. Anleitung zum Briefeschreiben; enthält meist neben allgemeinen Ratschlägen auch Formeln und fingierte Musterbriefe für unterschiedl. Anlässe und Adressaten. Seine Tradition setzt ein mit dem B. des Demetrios (1. Jh. n. Chr.: 21 Musterbriefe) setzt sich fort in den ⁄Formelbüchern des frühen MA.s und wird im 12. Jh. bes. in Bologna im Rahmen der ⁄Ars dictandi (Wissenschaft der Briefkunst, der Epistolographie) als theoret. und prakt. Anleitung im heutigen Sinne entwickelt: Der in diesen *(lat.) B.*n propagierte einfache, dem prakt. Bedürfnis der administrativen und jurist. Praxis angepaßte Stil (sermo simplex nach dem Vorbild Suetons, nicht mehr der rhetor. ausgeschmückte Stil Ciceros) wirkte auch auf die Poesie (Dante). *Verfasser* sind u. a. Buoncompagno da Signa (15 B., darunter die »Rota Veneris«, ein Liebes-B., 1215), Hugo von Bologna, Konrad von Mure, Johannes von Garlandia. Im 14. Jh. entstehen die ersten *volkssprachl.* B. (ital.: Guido Fava). Weite Verbreitung fanden B. dann mit dem Aufkommen privater Briefwechsel im 16. Jh. und erreichen ihre *Blütezeit im Barock,* dessen starr konventionelle und hierarch. gestufte Verhaltensnormen bes. für Briefe, Widmungen, Gesuche usw. ein minutiös differenziertes System rhetor. verbrämter Titulaturen, Einleitungs-, Bitt-, Gruß-, Schlußformeln usw. forderten, die die B. bereithielten, vgl. die B. von G. Ph. Harsdörffer (»Der Teutsche Secretarius«, 2 Bde., 1656), C. Stieler (1688), B. Neukirch (1695; 1745), J. Ch. Beer (1702) u. v. a., vgl. ⁄Komplimentierbücher. Das *18. Jh.* lehnt dann den rhetor. vorgeformten konventionellen Briefstil zugunsten eines ›natürlichen‹, persönlichen ab. Dennoch wurden B. weiterhin für nötig erachtet: sie geben nun Ratschläge und Muster für den ›individuell‹ geprägten sog. ›Bekenntnisbrief‹. Vorbild ist Gellerts »Sammlung vorbildl. Briefe nebst einer prakt. Abhandlung von dem guten Geschmack in Briefen« (1751). Seitdem lehren B. den (dem Zeitgeschmack entsprechend) ›angemessenen‹ Briefstil für alle Anlässe oder, wie in neuerer Zeit, für eine Berufsgruppe oder einen Brieftypus (Geschäftsbriefe). Den wohl umfangreichsten B. schrieb J. F. Heynatz (5 Bd.e, 1773–93), weiteste Verbreitung fand der B. v. O. F. Rammler (⁵²1882); bis heute viel benutzt wird z. B. auch der B. »Erfolg im Brief. Eine programmat. Unterweisung«. 3 Bd.e, Stuttg. 1970.

📖 Nickisch, R. M. G.: Die Stilprinzipien in den dt. B.n des 17. u. 18. Jh.s. Gött. 1969 *(mit Bibliogr.).* S

Brighella, m. [bri'gɛlla; it. zu brigare = intrigieren, Streit suchen], eine der vier kom. Grundtypen der ⁄Commedia dell'arte, auch 1. Zane (⁄Zani): verschlagener Diener, der die Ausführung der von ihm angezettelten Intrigen meist der zweiten Bedientenrolle, dem ⁄Arlecchino, überläßt; er tritt in weißer Livree mit grünen Querborten, weißem Umhang und schwarzer Halbmaske mit Bart auf; spricht meist Bergamasker Dialekt. Vgl. ⁄Scapin. DJ*

Brouillon, m. [bru'jõ; frz.], Fremdwort seit 1712; erster

vorläufiger Entwurf für eine Schrift, Skizze, Konzept; verdrängte zeitweilig die ältere Bez. ⁄›Kladde‹.

Buch.
1. *Etymologie.* Ahd. buoh (= nhd. Buch) bez. ursprüngl. eine Tafel (lat. tabella) aus Buchenholz, in welche Schriftzeichen (⁄Runen) geritzt wurden; vgl. im 6. Jh. Venantius Fortunatus: »barbara fraxinis pingatur rūna tabellis« (die fremdländ. Runen werden auf Tafeln von [Eschen-]Holz gemalt). – Für mehrere zusammengehörige Buch(en)tafeln wurde anfangs der Plural verwendet (ahd. diu buoh); bereits in der Karolingerzeit ist aber auch der singular. Gebrauch von buoh für ⁄Kodex (entsprechend lat. ›liber‹) überliefert. Die ursprüngl. Form eines B.es wirkt in Wendungen wie »lesen *an* den buohen« (= *in* Büchern lesen) bis ins Mhd. nach. Die *Anfänge der dt. literar. Kultur* sind überwiegend an lat. Vorbildern orientiert: So wie ahd. buoh-stab im Sinne von lat. ›littera‹ gebraucht wird, so ahd. buoh für lat. ›liber‹. Auch das lat. Wort liber ist vom ursprüngl. Beschreibstoff abgeleitet (liber = Baumbast), ebenso griech. byblos (= Bast der Papyrusstaude). – Das Wort byblos (= Bast der Papyrusstaude) bezeichnete schließl. auch den *Inhalt* eines Kodex: ein selbständ. Schriftwerk oder eine Dichtung (z. B. »Buch Salomonis«, »Buch der Lieder«) oder auch nur einen in sich geschlossenen Teil eines Werkes (vgl. Goethes »Dichtung und Wahrheit«, eingeteilt in 20 ›Bücher‹).
2. *Geschichte.* Über die Anfänge des B.es ist wenig bekannt. Neben kürzeren Inschriften sind jedoch auch aus den frühen Kulturen schon Aufzeichnungen längerer Texte auf verschiedenen *Beschreibstoffen* bezeugt. Im Vorderen Orient (vom Zweistromland bis Ägypten) wurden seit dem 3. Jt. v. Chr. 2–4 cm dicke *Tontafeln* benutzt (und waren fast 3000 Jahre lang gebräuchl.); bedeutendster Fund die Tontafel-›Bibliothek‹ des Assyrerkönigs Assurbanipal († 627 v. Chr.) in Ninive. Ein weiterer Beschreibstoff der Alten Welt ist *Leder* (auch in Griechenland und Italien benutzt); herausragende Zeugnisse sind die Rollen von Qumrān (jüd. religiöse Handschriften von 220 vor bis 70 n. Chr.). Im Orient wurde Leder noch bis ins 10. Jh. n. Chr. verwendet; die jüd. Tempelrollen sind noch heute aus Leder. In Indien wurden *Blätter* als Beschreibstoff benutzt (Palmblattbücher), in China mindestens seit 1300 v. Chr. mit Bändern zusammengehaltene *Bambus- oder Holzstreifen.* Die Verwendung von Baumbast ist durch die etymolog. Wurzel der gr. und lat. Bez. für ›B.‹ → ›byblos‹, ›biblos‹ und ›liber‹ belegt (siehe Etymologie). – Die frühesten erhaltenen Dokumente auf pflanzl. Beschreibstoff sind die Papyri. *Papyrus* wurde in Ägypten seit dem 4./3. Jt. v. Chr. aus dem Mark der Papyruspflanze hergestellt, indem dieses in Quer- und Längsschichten übereinandergelegt und dann gepreßt wurde. Zunächst wurden Einzelblätter verwendet, seit dem 2. Jt. v. Chr. findet sich die *Rolle* (lat. rotulus) aus aneinandergeklebten Einzelblättern. Bis zum 4./5. Jh. n. Chr. war Papyrus der gebräuchlichste Beschreibstoff des Mittelmeerwelt. Die Rolle wurde in Kolumnen (Spalten) senkrecht zur Längsseite beschrieben, z. T. auch illustriert (zwischen den Kolumnen oder am unteren und oberen Rand). Eine Rolle war etwa 10 m lang und noch mit einer Hand zu umspannen. Zum Lesen wurde sie in der Breite von einer bis zwei Kolumnen geöffnet, die Linke rollte dabei (bei rechtsläufiger Schrift) das Gelesene auf, die Rechte hielt die Rolle. Für umfangreichere Texte waren oft mehrere Rollen nötig; eine Rolle, die ein abgeschlossenes Werk enthält, wird als *Monobiblos* bez. – Die berühmte Ptolemäerbibliothek von Alexandria war mit über 700 000 Rollen die größte der Antike (bis zum Brand 48 v. Chr.). Warum sich frühe Mittelmeerkulturen für die Rollenform des B.es entschieden, ist nicht geklärt (Anlehnung an die schon vor dem Papyrus verbreitete Lederrolle?). Erst spät gab es auch Papyruskodizes. In Kleinasien wurde seit dem 2. Jh. v. Chr. *Pergament* (Membrana) zur

B.herstellung verwendet. Nach Plinius d. Ä. hatte Ptolemaios Epiphanes die Papyrusausfuhr aus Ägypten gesperrt, um den König von Pergamon, Eumenes II., daran zu hindern, seine Bibliothek zu vergrößern und evtl. Alexandria zu überflügeln. Nach der Stadt erhielt dann das dort verwendete Schreibmaterial aus Tierhäuten seinen Namen. Zeugnisse über die Herstellungstechnik von Pergament (die Tierhäute werden im Unterschied zum Leder nicht gegerbt, sondern in Kalklauge präpariert) gibt es aus dem MA. (z. B. eine Lucceser Handschrift des 8. Jh.s, Miniatur der Ambrosius-Handschrift aus der Abtei Michelsberg bei Bamberg, 12. Jh.). Auch Pergament wurde zunächst in Rollenform verwendet; berühmt ist die 15 m lange Josua-Rolle der Bibliotheca Vaticana. Die Rollenform erhielt sich bis ins MA. bei /Itineraren und Theaterrollen. Pergamentrollen finden sich auch auf Miniaturen der Großen Heidelberger Liederhandschrift (wobei es sich aber auch um Bildtopoi handeln kann, denn auf Miniaturen der frühchristl. Kunst begegnet auch noch lange die B.rolle, obwohl nachweisbar damals schon der Kodex bevorzugt wurde). *Getünchte* oder *mit Wachs bezogene Holztafeln* wurden in Griechenland und Rom für Notizen, amtl. Beglaubigungen u. dgl. benutzt (und blieben für Konzepte, Register und Rechnungen über das MA. hinaus bis ins 18. Jh. gebräuchlich). Sie sind schon bei Homer und Herodot bezeugt. Diese Tafeln wurden dann auch an der linken Längsseite verknüpft oder mit Scharnieren, Riemen oder Ringen zusammengehalten, so daß man in ihnen blättern konnte, sog. *Diptychon* (d. h. das doppelt Gefaltete = zwei Tafeln), Triptychon (aus dreien) oder Polyptychon (aus mehreren Tafeln); das größte erhaltene Polyptychon besteht aus 9 Tafeln (staatl. Museen, Berlin; vgl. auch die Darstellung einer pompejan. Dame im Museo Nazionale, Neapel). – Nach diesem System wurden seit etwa Christi Geburt auch Papyrus- und Pergamenthefte (Kodizes) angelegt. Diese kann man als die *Anfänge unseres heute üblichen B.es* bezeichnen. In größerem Maße wurden solche Kodizes erstmals bei den frühen Christen verwendet, da sie wesentl. billiger, haltbarer und für das tägl. Bibelstudium auch leichter zu handhaben waren. Auch allgemein wurde für den einfachen Haus- und Schulgebrauch der Kodex (auch für umfangreichere Texte) neben der teureren Rolle üblich: man konnte in ihm eher hin- und herblättern, wodurch z. B. der Vergleich von Textstellen erleichtert wurde. Seit dem 4. Jh. verdrängte der Pergament-Kodex die Rolle immer mehr; neben den großen Bibelkodizes (z. B. Codex Sinaiticus, 4. Jh. British Museum, London) gab es auch schon Kodizes für weltl. Literatur (z. B. Fragment der »Kreter« des Euripides, 2. Jh.). – Aus Mittel- und Nordeuropa sind von Anfang an nur Kodizes überliefert. – Die *aus dem Kodex entwickelten Bücher* bestehen aus einer Vielzahl gleichgroßer Blätter, die in der Mitte gefaltet, ineinandergelegt und mit Faden geheftet sind. Die Blattanzahl innerhalb einer sog. *Lage* schwankt zwischen 2 und 6; der Umfang der einzelnen Lagen kann innerhalb eines B.es variieren. Die Lagen (der ›Buchblock‹) werden durch den Bucheinband geschützt, an dem sie durch Heftung befestigt sind. *Seitenzählungen* waren für Kodizes zunächst nicht gebräuchlich; die richtige Ordnung der Lagen wurde ledigl. durch /Kustoden (Zahlen oder Buchstaben), meist auf der letzten Seite einer Lage, angegeben. Erst seit dem 13./14. Jh. wird die Seitenzählung übl.: zunächst *eine* Ziffer für zwei aufgeschlagene Seiten. Pergament war nicht billig; je nach dem Zweck eines B.es wählte man die *Qualität*: am kostbarsten waren das sog. ›Jungfernpergament‹ (aus der Haut ungeborener Lämmer) und purpurgefärbtes Pergament (z. B. der Codex argenteus, 6. Jh., Wulfilas Übersetzung). Nicht mehr benötigte Texte wurden häufig abgeschabt und das Pergament neu beschrieben (codex rescriptus, / Palimpsest). – Die meisten Kodizes sind unhandlich; für den tägl. Gebrauch wurden aber auch kleine Formate geschaffen. Für Luxusausgaben,

liturg. und wissenschaftl. Bücher ist bis ins 16. Jh. das große *Format* die Regel, für wissenschaftl. Werke noch im 19. Jh. häufig (Folianten = Bücher in Folio-Format, mit bis zu 45 cm Höhe größtes Buchformat, Bez. 2°). Erst als der B.druck auch kleine Lettern entwickelte (Venedig, 2. Hä. 15. Jh.), wurden die heute übl. *B.-formate* Quart (4°), Oktav (8°), Sedez (16°) gängig (Bez. nach der Zahl der beim Falten eines Druckbogens entstehenden Blätter). *Papier* wurde bereits im 2. Jh. v. Chr. in China erfunden, aber erst im 8. Jh. n. Chr. gelangte die Technik der Papierherstellung über die Araber nach Südeuropa. Die ältesten dt. Papiermühlen wurden mit Hilfe italien. Arbeiter eingerichtet (erste bezeugte dt. Gründung die Gleismühle bei Nürnberg, 1389). Die *älteste erhaltene dt. Papierhandschrift* ist das 1246 begonnene Registerbuch des Passauer Domdechanten Behaim, geschrieben auf span. Papier. – Papier wurde schon früh mit *Wasserzeichen* versehen. Das älteste nachweisbare Wasserzeichen stammt aus der ältesten italien. Papiermühle in Fabriano aus dem Jahre 1282. Wasserzeichen sind von Bedeutung für die Herkunftsbestimmung, Qualität und Datierung des Papiers. Im 15. Jh. bestand ein Großteil der Handschriften bereits aus Papier; nach der *Erfindung des Buchdrucks* wurde das Pergament rasch durch das billigere Papier verdrängt: Von Gutenbergs 42zeiliger Bibel wurden noch etwa 30 Exemplare auf Pergament, 165 Exemplare auf Papier gedruckt. – Die Verwendung des Papiers änderte zunächst die Buchformen kaum. Seit 1500 etwa erhielt das B. im gedruckten seine heute noch übl. Gestalt mit Titelblatt, Druckerzeichen, Datierung und Angabe des Druckortes, Kapitelüberschriften, Register, durchgehender Bezifferung und z. T. Illustrationen (erstes dt. B. mit Vollendungsdatum [14. 8. 1462] u. Druckerzeichen: die 48zeil. »Biblia Latina« von Fust u. Schöffer). Das handgeschriebene B. des Altertums und des MA.s war in der Regel ein einmaliges Exemplar, das jeweils für einen bestimmten Auftraggeber angefertigt wurde oder das der B.-Interessent selbst abschrieb. Von Euripides ist bekannt, daß er dafür einen schreibkundigen Sklaven namens Kephisophon hielt. Aristophanes kann Euripides (in den »Fröschen«) noch wegen seiner Neigung zum Büchersammeln (Bibliophilie) verspotten. Neben sachl. orientierten privaten und öffentl. *Büchersammlungen* finden sich auch schon im Altertum solche von Sammlern, welche die Bücher nicht ihres Inhaltes wegen zusammentrugen, sondern als »Zimmerdekoration«, wie Seneca (»Dialog« 9, 9, 4) kritisierte. Bereits in der Antike wird auch die illegitime (d. h. vom Autor nicht autorisierte) B.verbreitung beklagt (Cicero, De oratore; vgl. die /Nach-[Raub-]Drucke seit Erfindung des B.drucks). Mit der Antike endet die erste Blütezeit des Buches. Im Früh-MA. war die B.produktion weitgehend den Kloster- und Palastskriptorien vorbehalten. Erst im Hoch-MA. entfaltet sich mit der zunehmenden Säkularisierung der Bildungseinrichtungen die literar. Kultur auf breiterer Basis. Bücher werden nun auch in weltl. Schreibstuben, durch Lohnschreiber angefertigt (v. a. im Umkreis der seit dem 12. Jh. entstehenden Universitäten und in den höf. Kanzleien der sich nun stärker für Literarisches interessierenden höf. Gesellschaft). Die B.produktion nimmt dadurch merkbar zu und wird somit auch weiteren Kreisen zugängl. Der nicht-adl. Bamberger Schulrektor Hugo von Trimberg berichtet um 1300, er besitze 200 Bücher, eine für die damalige Zeit stattl. Bibliothek. Ein repräsentatives Buch stellte einen beträchtl. Wert dar: Noch 1427 konnte ein Eichstätter Domherr für den Erlös einer Abschrift des Geschichtswerkes von Livius ein Landgut bei Florenz erwerben. Größere Schreiberwerkstätten entstanden gegen Ende des MA.s, so die bek. Werkstatt Diebold Laubers in Hagenau (1427–67). – Erst die *Erfindung des /B.drucks* eröffnete auch dem Bürgertum einen breiteren Zugang zum B.; deshalb wurde Gutenbergs Erfindung v. a. v. ihm begrüßt, während es höf. Bereich z. T. als unfein galt, ein mechan. hergestelltes B. zu kaufen. Die Reihe der »Bücher, die die Welt bewegten«, wird im Früh-MA. eröffnet durch Bibelhandschriften. Ebenso beginnt die Neuzeit der B.geschichte mit Gutenbergs Bibeldruck (1455). Die Reformation stellte nicht nur die Bibel ins Zentrum ihrer geist. Welt, sie stützte sich auch wesentl. auf die techn. Möglichkeiten des B.drucks zur Verbreitung ihrer Ideen. Welche Ausbreitung die B.kunst durch die Erfindung des B.drucks fand, zeigt sich z. B. in der zunehmenden Zahl der Inkunabel-Auflagen: Gutenberg druckte in der Regel Auflagen von 150–200 Exemplaren. Nach 1480 stieg teilweise die Auflagenhöhe auf 1000; von Luthers Übersetzung des NT wurden 1522 dann schon 5000 Exemplare gedruckt (Septemberbibel), ein Neudruck wurde bereits im Dezember desselben Jahres notwendig (Dezemberbibel). Von 1522–1534 gab es 85 Ausgaben von Luthers NT. Zwischen 1534–1574 wurden 100000 Exemplare der vollständigen Bibelübersetzung Luthers verkauft. Neben den vielen religiösen Inkunabeln wie Augustins »De Civitate Dei« (1467) und den »Confessiones« (1470) oder Thomas a Kempis' »De Imitatione Christi«(1473) traten bald wissenschaftl. Werke und Dichtungen, so das Handbuch des röm. Rechtes von Justinian (»Institutiones«, 1468), ein Handbuch der Medizin von Avicenna (»Canon Medicinae«, 1473), ein Renaissance-›Baedeker‹ (»Mirabilia Romae«, 1473), ein dt.-ital. Wörterb. (1477), die Werke Vergils (1469), Joh. von Tepl »Der Ackermann« (1460), Wolframs »Parzival« (1477), Dantes »Divina Commedia« (1472). Das moderne B.wesen begann in Ausstattung und Auswahl der Werke auf einem solch hohen Niveau, wie es in dieser Komprimierung in den folgenden Jahrhunderten selten erreicht, kaum übertroffen wurde. Das B. ist bis heute der wichtigste Träger der geist. Kommunikation, des Austausches von Ideen und Informationen, trotz der techn. Medien (Rundfunk, Fernsehen, Datenverarbeitung). Das B. war v. a. lange Zeit das wichtigste Mittel, geist. Traditionen zu begründen: Die Wiederentdeckung der antiken Philosophie und Dichtung schon im MA. und dann v. a. in der Renaissance wäre ohne die fleißige Abschreibtätigkeit v. a. der Mönche nicht mögl. gewesen. Jede höhere Entwicklung in der Kulturgeschichte der Menschheit war an Schrift und B. gebunden. Ohne B. gäbe es kein histor. Wissen, wäre die stürm. Entwicklung der Kultur- und Geistesgeschichte der Neuzeit nicht denkbar. – Neben Zeiten der absoluten Hochschätzung der literar. Kultur gab es immer wieder auch Perioden einer gewissen Bücher- (und damit Geistes-)feindlichkeit, oft geradezu als Reaktionen auf kulturelle Hoch-Zeiten; berühmtes Beispiel ist die allmähl. Zerstörung der Bibliothek von Alexandria von den Kriegen Caesars bis zur Eroberung der Stadt 642 n. Chr. durch die Mohammdaner. ⌑ *Lexika:* Corsten, S. (Hg.): Lexikon des gesamten B.wesens. Bd. 1 u. 2 Stuttg. 1987/89 (auf 5 Bde. geplant). – Hiller, H.: Wörterbuch d. B.es. Frkft. ⁴1980. – Kirchner, J. (Hrsg.): Lexikon des B.wesens. 4 Bde. Stuttg. 1952–56. Mummendey, R.: Von B.ern u. Bibliotheken. Darmst. ⁶1984. – Funke, F.: B.kunde. Ein Überblick über die Gesch. des B.- u. Schriftwesens. Lpz. ³1969. – Levarie, N.: The art and history of books. New York 1968. – Schottenloher, K.: B.er bewegten die Welt. Eine Kulturgesch. des B.es. 2 Bde. Stuttg. ²1968. – Kleberg, T.: B.handel u. Verlagswesen in der Antike. Dt. Übers. Darmst. 1967. – Putnam, G. H.: Books and their makers during the middle ages. 2 Bde. New York ²1962. – Schubart, W.: Das B. bei den Griechen u. Römern. Hdbg. ³1962. – Hunger, H./Stegmüller, O. u. a.: Gesch. der Textüberlieferung. 2 Bde. Zürich 1961 u. 1964. – Wattenbach, W.: Das Schriftwesen im MA., Lpz. ³1896. Nachdr. Graz 1958. – Lange, W. H.: Das B. im Wandel der Zeiten. Wiesbaden ⁶1951. – RL. S

Buchdrama ↗Lesedrama.

Buchdruck, Verfahren zur mechan. Herstellung von Büchern, bei welchem eingefärbte Druckformen auf Pergament oder Papier gepreßt werden. Im Prinzip bereits im frühen China üblich (4. Jh.: Inschriftensteine, 8.–10. Jh.: Holzplatten, 11.Jh.: beweg. Lettern); ebenso schon im ägypt.-röm. Altertum (eingefärbte Stein- bzw. Metallstempel mit figürl. Darstellungen, Buchstaben oder ganzen Wörtern, Namen) und wohl auch im MA. (eine Tontafel in Prüfening von 1199 zeigt eine 17zeil. Weihinschrift, die mit einem Holzstempel hergestellt wurde). Handabzüge von Holz- und Metalltafeln auf Papier (Holztafel- oder Plattendrucke, meist anopisthograph.) werden seit der 1. Hälfte des 15. Jh.s mit den jeweils leeren Seiten zusammengeklebt und die so entstandenen Blätter zu Büchern gebunden (vgl. ↗Blockbuch). Holztafelabzüge für ↗Einblattdrucke und Blockbücher sind noch bis 1530 zu verfolgen; sie wurden schließl. durch den *B. mit beweg. Lettern* verdrängt. Als Erfinder dieses Verfahrens gilt Johannes Gutenberg. Seine Leistung lag weniger in der (damals bereits naheliegenden) Idee der bewegl. Lettern, als in der Bewältigung des komplizierten techn. Problems des Letterngusses und des Pressens. Die Typenstempel waren zunächst aus Holz, wurden aber bald ersetzt durch Metallstempel aus Blei, später Eisen oder Kupfer. Mit dieser umwälzenden Erfindung arbeitete Gutenberg dann in Mainz, 1450–1455 zusammen mit Johannes Fust, der sich nach der Trennung von Gutenberg mit dem Drucker Peter Schöffer verband. Von diesen ersten Mainzer Offizinen verbreitete sich die neue Technik schnell über ganz Europa: um 1500 in 60 dt. Städten insgesamt 200 Druckereien: seit 1458 in Straßburg (Johann Mentelin), 1462 in Bamberg (A. Pfister), 1466 in Köln (Ulrich Zell, H. Quentell), 1468 in Augsburg (Günther Zainer), 1470 in Nürnberg (Regiomontanus, A. Koberger) u. v. a. – Italien überflügelte Deutschland bald in der Verwertung der neuen Technik: um 1500 hatte z. B. allein Venedig bereits 150 Druckereien; berühmt sind die Offizinen von Nikolaus Jenson und Aldus Manutius. Weitere Druckereien entstanden, oft zunächst von sog. Wanderdruckern eingerichtet, in Paris (Antoine Vérard, Geofroy Tory, Claude Garamond), Antwerpen (Ch. Plantin, J. und B. Moretus, Gerard Leeu), Leiden und Amsterdam (Familie Elzevier), Basel (Johann v. Amerbach, Johann Bergmann von Olpe), London (William Caxton) u. v. a. – Der B. mit beweg. Lettern veränderte nicht sofort das *Aussehen der Bücher;* vielmehr bemühten sich die ersten Drucker, die bisher üblichen handgeschriebenen Bücher genau nachzuahmen. Viele *Frühdrucke* (↗Inkunabeln, Drucke bis 1550) sind von sorgfältig geschriebenen Handschriften kaum zu unterscheiden. Die Vorlagen für die Schrifttypen wurden aus den Schreibertraditionen entnommen (z. B. die Textura für Prunkbücher, die italien. Rotunda für gelehrte lat., Bastardschriften für volkssprachl. Bücher, ↗Schrift). Die Seiten wurden oft mit Silberstift liniiert, nach dem Druck wurde das Buch von Hand rubriziert und mit farbigen Initialen, Federzeichnungen, Bordüren u. a. Schmuckformen versehen. Erst in den folgenden Jahrzehnten wurde es allgem. üblich, alle Elemente des Buches mechan. zu vervielfältigen. Weiter entstanden *besondere Druck-Schriften,* die den techn. Problemen des B.s entgegenkamen: Gutenberg brauchte für seine 42zeil. Bibel (1455) neben Interpunktionszeichen etc. 47 Groß- und 243 Kleinbuchstaben, um der Tendenz der got. Schrift zur Verschmelzung (den verschiedenen Ligaturen) gerecht zu werden. N. Jenson (Venedig) entwickelte demgegenüber eine Schrift (die Antiqua), deren isolierte Lettern den Schriftguß wesentl. erleichterten (allg. üblich seit ca. 1520; noch heute der wichtigste Schrifttypus). In der 1. Hälfte des 16. Jh.s entstand ferner eine leichter lesbare und herstellbare got. Druckschrift, die Fraktur, die in Deutschland und im westslaw. Bereich bis ins 20. Jh. im Gebrauch war. Der frühe B. schuf mit der Ausbildung von Antiqua und Fraktur die Grundschriften Europas, die nur Abwandlungen gemäß dem

jeweiligen Zeitgeschmack erfuhren, z. B. im 18. Jh. durch P.
S. Fournier, F. A. Didot (Frankreich), J. Baskerville (England), G. Bodoni (Italien); J. G. J. Breitkopf und J. F. Unger
(Deutschland). Um 1570 ist die Umstellung von der Handschrift auf den B. vollendet. Von nun an vervollkommnet
sich vor allem das techn. Verfahren des Buchdrucks, bes.
seit Ende des 19. Jh.s. – *Die frühesten Drucke* sind bereits
von vollkommener Qualität, so z. B. die 36zeilige sog. Mainzer Bibel oder die 42zeilige Bibel von Gutenberg (1455) mit
großen Missaltypen (Textura) und handschriftl. verziert
wie die 48zeilige Bibel P. Schöffers (1462). – Die revolutionäre Erfindung Gutenbergs wirkte sich zunächst weniger
auf die bisherige Form des Buches aus als *soziolog. und kulturell:* Die alten Klosterschreibschulen und die weltl.
Schreibstuben (z. B. von Diebold Lauber in Hagenau)
lösten sich auf, neue Berufe entstanden, so der des (meist
humanist. gebildeten) Verlegers und Druckers, um den sich
Buchstabenzeichner, Stempelschneider, Schriftgießer, -setzer, -drucker, ferner Bildreißer (Holz- und Metallschneider)
und Illuminatoren versammelten. Anton Koburger, der als
»König der Buchdrucker« galt, z. B. beschäftigte für den
Druck (1491–93) der Schedelschen Weltchronik mit 1800
Bildern auf 652 Bildstöcken in zwei Sprachen und damit
zwei Typen (lat. = Rotunda, dt. = Bastarda) einen
umfangreichen B.-Betrieb und zog noch die Hilfe zweier
Malerwerkstätten (M. Wolgemuts und H. Pleydenwurffs)
hinzu. – Mit Gutenbergs Erfindung war eine raschere, in
Maßen auch billigere Vervielfältigung wichtiger und eben
auch umfangreicherer Werke in vielen Exemplaren (meist
Auflagen bis 300, Manutius 1000) möglich, die zu einer
stärkeren Verbreitung gerade auch zeitgenöss. Gedankengutes führte und durch einen intensiveren Austausch unter
den lesekundigen Schichten Europas die geistige Entwicklung vorantrieb und befruchtete.
📖 *Bibliographie:* Dictionary catalogue of the history of
printing. 6 Bde. Boston (Mass.) 1962. – McMurtie, D. C.:
The invention of printing. Chicago 1942.
Berry, W. T./Poole, H. E.: Annals of printing. A chronological encyclopaedia. Toronto 1967. – Bass, J.: Das B.erbuch. Stuttg. ⁵1953. – McMurtie, D. C.: The book. The story
of printing and bookmaking. London u. a. ³1943. – Bogeng,
G. A. E.: Gesch. der B.erkunst. 2 Bde. Lpz. 1930–42.   S
Bücherverbrennung, symbol. Demonstration eines aus
polit., relig. oder moral. Gründen von Staat, Kirche oder
gesellschaft. Gruppen verfügten Verbreitungsverbots von
Druckwerken (↗Zensur). B.en sind schon seit der Antike
bezeugt (Tacitus) und kennzeichnen v. a. relig. und ideolog.
fixierte Bewegungen, vgl. z. B. die B.en der Inquisition,
der Dominikaner (Savonarolas ›Opferbrand‹ in Florenz
1497) oder Wiedertäufer, die Verbrennung reformator.
Bücher 1522 in Freiburg, reaktionärer Bücher am 18. 10.
1817 auf dem Wartburgfest; sie kulminiert in der B. der
Nationalsozialisten am 10. 5. 1933 (↗Exilliteratur). Von
Anfang an entwickelte die Symbolik der B. eine Dialektik,
einen Umschlag ins Gegenteil des Beabsichtigten: Es ist
nicht nur Zeichen unterdrückter geist. Freiheit, sondern
auch der Angst (und damit untergründig des Respekts für
das gedruckte Wort). Von den Zensoren verstanden als Zeichen der Macht, wird B. zur Geste der Ohnmacht, da nicht
nur jede zensurierte Schrift die Leser um so mehr anzieht,
sondern das Stigma des Verfolgten jedem Autor Ruhm und
Ansehen garantiert: Die 1933 verbrannten Bücher gelten
als »Ehrenliste der Menschheit«. Die B. und ihr kulturpolit. Umfeld wird erst in jüngster Zeit aufgearbeitet (Ausstellung der Akademie d. Künste, Berlin 1983).
📖 Friedrich, Th. (Hrsg.): Das Vorspiel. Die B. am 10. Mai
1933. Verlauf, Folgen, Nachwirkungen. Eine Dokumentation. Bln. 1983. – Sauder, G. (Hrsg.): Die B. Mchn. 1983. –
Schöffling, K. (Hrsg.): »Dort wo man Bücher verbrennt«.
Stimmen d. Betroffenen. Frkft. 1983. – Berger, F. (Hrsg.):
»In jenen Tagen«. Schriftsteller zw. Reichstagsbrand und

B. Eine Dokumentation. Lpz. 1983. – Schiffhauer,
N./Schelle, C. (Hrsg.): Stichtag der Barbarei. Anmerkungen zur B. 1933. Hannover 1983. – Walberer, U. (Hrsg.): 10.
Mai 1933 – B. in Deutschland u. die Folgen. Frkft. 1983. –
Speyer, W.: Büchervernichtung u. Zensur des Geistes bei
Heiden, Juden u. Christen. Stuttg. 1981.   IS
Buchgemeinschaft, verlagsartige Unternehmen, die auf
der Grundlage eines festen Abonnenten-Systems ihre meist
im Lizenzvertrag produzierten Bücher an ihre Mitglieder im
Direktversand abgeben. Daneben existiert auch die Vertriebsform, die Mitglieder über den Buchhandel oder
eigene Club-Center zu beliefern (zweistufiges Vertriebssystem). Die Mitglieder zahlen einen festen Betrag und erhalten dafür entweder einen vorher bestimmten Titel, den sog.
›Vorschlagsband‹, oder können frei aus dem B.skatalog
ihre Bücher auswählen. Charakterist. für B.en sind die Auswahl aus der ›Vorauswahl‹ des Katalogs, der wohlfeile
Preis und der regelmäß. Bezug zum Aufbau einer Privatbibliothek. – Die ideellen Wurzeln der B. gehen auf die ↗Lesegesellschaften des Bürgertums und die Bildungsbestrebungen der Arbeiterklasse im 19. Jh. zurück. Volkserziehung und Aufklärung waren deren ursprüngl. Ziele. Als
Vorläufer der B.en gelten die engl. *bookclubs,* die zu Beginn
des 19. Jh.s als bibliophile Vereinigungen entstanden, als
mäzenat. Unternehmen zur Herausgabe wertvoller Manuskripte und vergriffener Werke. Etwa um 1830 wurden in
Deutschland erste konfessionelle ›Büchervereine‹ zur Verbreitung von »guten Schriften« gegründet; 1876 entstand
die ›Bibliothek der Unterhaltung und des Wissens‹, die im
Abonnementsbezug die »neuesten Schöpfungen der
bedeutendsten Schriftsteller in Verbindung mit treffl. Beiträgen aus allen Gebieten des Wissens« vermitteln wollte.
Als *eigentl. Gründungsjahr der B.* gilt das Jahr 1891, das
Gründung des ›Vereins der Bücherfreunde‹. Diese Organisation entsprang dem Arbeiterbildungsgedanken, ihre Leitsätze waren »Wissen ist Macht« und »Das Buch dem
Volke«. Gedruckt wurden »Volksklassiker«, die für die
Abonnenten aus der Arbeiterschicht das bürgerl. Bildungsgut erschließen sollten. In diesem Zusammenhang steht
auch die Initiative von Hugo Storm, der 1912 für den Verlag
Scherl das Konzept einer ›Emporlesebibliothek‹ entwarf:
Zunächst sollten billige Ausgaben von Unterhaltungsbüchern erscheinen, denen dann anspruchsvollere Literatur
folgen sollte, bis hin zur ›Dichtung‹ als Vollendung der
Geschmacksbildung – ein Projekt, das nicht verwirklicht
wurde. Im Jahre 1924 entstanden drei B.en, die bereits das
Spektrum heutiger B.en verzeichnen: Die gewerkschaftl.
orientierte ›Büchergilde Gutenberg‹, die sozialist. orientierte ›Bücherkreis‹ und die ›Deutsche Buchgemeinschaft‹,
die nicht gemeinnützig war, sondern bereits nach marktwirtschaftl. Kriterien auf ein Massenpublikum ausgerichtet
wurde. Während der nationalsozialist. Diktatur wurden die
B.en entweder sofort aufgelöst, der »Deutschen Arbeitsfront« angegliedert oder in den letzten Kriegsjahren aus
ökonom. Gründen eingestellt. Die eigentl. *Blütezeit der B.*
setzte erst mit dem Beginn der fünfziger Jahre ein. Eine bes.
Stellung kam dabei der ›Büchergilde Gutenberg‹ zu, die
1948 aus dem Exil zurückkehrte und sich weiter dem Volksbildungsgedanken verpflichtet fühlte, ferner der 1949
gegründeten ›Wissenschaftl. B.‹ (später ›Wissenschaftl.
Buchgesellschaft‹), die unter Verzicht auf jeden Gewinn
vornehml. geisteswissenschaftl. Werke veröffentlicht oder
zur Subskription ausschreibt. Typischer dagegen im Sinne
der Verbreitung von populärer Literatur waren drei Neugründungen im Jahre 1950: der ›Bertelsmann-Lesering‹,
die B. ›Bücher für alle‹ und der ›Europäische Buchklub‹.
Eine Besonderheit und auch Grundlage des Erfolgs war bei
Bertelsmann das Konzept, von Anfang an die breiten
Buchhandel in die Mitgliederwerbung und -belieferung einzubeziehen. Dennoch rief der große Aufschwung
der B.en in den fünfziger/sechziger Jahren beim Sortiment

und in der krit. Öffentlichkeit heftige Reaktionen hervor. Beklagt wurden die aggressiven Werbemethoden, bemängelt wurde das niedrige Niveau der Bücher, das sich hauptsächl. an Bestseller-Listen orientiere und jedes Experiment scheue. Haben inzwischen Sortimentsbuchhandel und B.en in einer friedl. Kooperation und Duldung zueinander gefunden, so bleibt die öffentl. Kritik über die mangelnde Risikobereitschaft der meisten B.en heftig diskutiert, weil sie sich vorrangig nach dem ökonom. Erfolg richte und den Bildungsgedanken mehr und mehr vernachlässige. Die B.en haben aber zumindest ganz neue Leserschichten an die Literatur herangeführt, die früher aus Schwellenangst einen Buchladen nie betreten hätten. In der Bundesrepublik wird die Zahl der Mitglieder (1988) auf 6,9 Millionen geschätzt, d.h. jeder zehnte Bundesdeutsche ist Mitglied einer B., in jedem vierten Haushalt besteht eine B.-Mitgliedschaft.

📖 Hutter, M./Langenbucher, W.R.: B.en und Lesekultur. Bln. 1980. – Meyer-Dohm, P./Strauß, W. (Hg.): Handbuch d. Buchhandels. Bd. 4. Hamburg 1977, S. 406 ff. – Hiller, H./Strauß W.: Der dt. Buchhandel. Hamburg ⁵1975. LS

Buchhandel, gliedert sich in herstellenden (↗Verlage) und *verbreitenden B.* Dieser bezieht heute die fertigen Verlagserzeugnisse direkt beim Verlag oder über den *Zwischen-B.* Die am meisten verbreitete Form ist der *Sortiments-B.* mit offenem Ladengeschäft, der über 60 % der Verlagsprodukte absetzt. Weitere Vertriebsformen sind der *Versand-B.*, der durch Anzeigen und Prospekte wirbt, der *Reise-B.*, der seine Kunden durch reisende Vertreter anspricht, und sonstige Formen wie Warenhaus-, Bahnhofs- oder Supermarkts-B. Der alte volksaufklärer. Bildungsgedanke des B.s droht dem immensen Angebot von heute etwa 500 000 lieferbaren Titeln zum Opfer zu fallen; die Tendenz nimmt zu, das Sortiment nach ↗Bestsellern auszurichten oder aber sich nach Fachgebieten zu spezialisieren. Insgesamt gibt es in der Bundesrepublik 4000 Buchhandlungen u. mehr als 100 weitere Buchverkaufsstellen, 80 % davon sind Klein- und Mittelbetriebe mit höchstens fünf Angestellten. – Bei den Ägyptern, Römern u. Griechen wurden Texte bei schreibkundigen Sklaven in Auftrag gegeben, kalligraphiert auf Papyrus oder Pergament. War im MA. die Vervielfältigung von Texten weitgehend den Klöstern überlassen, so entwickelte sich Ende des 14. Jh.s durch billigeres Papier in der Nachfolge des Pergaments ein regeres Interesse an schriftl. Überlieferungen. In Universitätsstädten vertrieben sog. ›stationarii‹ Abschriften von Andachts-, Gebets- oder Arzneibüchern. Erst mit der Buchdruckerkunst Mitte des 15. Jh.s bekam der B. kommerziellen Umfang. Sogen. *Buchführer* reisten über die Märkte und Messen und priesen ihre Bücher an. Verlag und Sortiment waren vorerst noch in einer Hand (↗Verlag) und trennten sich erst im Laufe des 18. Jh.s. Wichtig war *Frkft.* (Messen) der Hauptumschlagsplatz für Druckerzeugnisse, nach der Reformation übernahm Leipzig diese Funktion. 1825 wurde in *Leipzig* der »*Börsenverein des dt. B.s*« als Schutzorganisation (v.a. gegen ↗Nachdruck) gegründet, der 1888 für den B. einen festen Ladenpreis als wichtiges Instrument gegen unlautere Konkurrenz durchsetzte. Neue Käuferschichten wurden für den B. Ende des 19. Jh.s durch das sog. moderne ↗Antiquariat erschlossen; nach dem I. und II. Weltkrieg erweiterte die Bildung von ↗*Buchgemeinschaften* wesentlich die Leserschicht. Nach dem II. Weltkrieg wurde 1948 der Börsenverein in Frkft. neu gegründet, der heute wieder das Organ »Börsenblatt für den dt. B.« (1. Ausg. 1834) herausgibt und der Buchhändlerschule« sowie die »Fachschule des Dt. B. und des B.-Seminars« trägt. Er organisiert ferner ↗Buchmessen (jährl. die internat. Frkft. Buchmesse als bedeutendste der Welt), Ausstellungen (auch im Ausland) u.a. Buchwerbeaktionen. Er verleiht seit 1951 den »Friedenspreis des Dt. B.s«.

📖 Meyer-Dohm, P./Strauß, W. (Hrsg.): Hdb. des B.s. 4

Bde. Hamb. 1974–77. – Hiller, H./Strauß, W.: Der dt. B. Wesen, Gestalt, Aufgabe. Hamb. ⁵1975. – Kleberg, T.: B. und Verlagswesen in d. Antike. Darmst. 1967. – Buch u. B. in Zahlen. Hrsg. vom Börsenverein des dt. B.s. Jg. 1 ff. Frkft. 1952 ff. LS

Buchillustration, neben geschriebene Texte treten schon früh Illustrationen u. Ornamente, teils zur lehrhaften Veranschaulichung des Textes, teils als Schmuck, teils auch für Leseunkundige. Die *Anfänge* der Textillustrationen reichen zurück bis ins 18. Jh. v. Chr. (Bildreliefs neben assyr.-babylon. Inschriften, Illustrationen in ägypt. ↗Totenbüchern, griech. Papyrusfragment mit Illustrationen zur »Ilias«). Illustrierte Pergamenthandschriften sind erst seit dem 4. Jh. n. Chr. erhalten (Quedlinburger Italafragmente, sog. Älterer Vatikan. Vergil u. a.). – Die mal. B. beginnt mit den irischen phantast. Pflanzen- u. Tierornamenten auf der einen und der byzantin. zeremoniellen Stilisierung auf der anderen Seite. Bedeutende frühmal. illustrierte Kodizes sind das »Book of Kells« (um 800), der Regensburger »Codex Aureus« (9. Jh.) oder der Utrechter Psalter (mit Federzeichnungen). Um 1000 ist v. a. die Reichenauer Malschule berühmt (Evangeliar Ottos III.). Die *mal. B.* folgte im Rahmen bestimmter Bildtopoi der allgem. europ. Stilentwicklung. Sie umfaßte Miniaturen, Kanonesbögen, Initialen (oft mit ganzen Szenen oder sog. Autorenbildern) und Randleisten. Handwerksmäß. B. findet sich dann bes. im SpätMA., wo Schreib- und Malstuben den großen Bedarf an illustrierten Handschriften zu befriedigen suchten. – Nach der *Erfindung des Buchdrucks* wurden die Bücher zunächst noch von Hand illustriert (berühmtes Beispiel: das Gebetbuch Kaiser Maximilians aus der Offizin H. Schönspergers, Augsburg, mit Randzeichnungen von Dürer, H. Burgkmaier, Baldung Grien, L. Cranach d. Ä. u. a., 1513/15). Früh setzte sich aber die Tendenz durch, auch die B. mechan. zu vervielfältigen, zunächst durch *Holzschnitte* im Anschluß an die Technik der ↗Einblattdrucke, die dann in die Bücher eingeklebt oder nachträgl. eingedruckt und von Hand koloriert wurden. A. Pfister in Bamberg druckte zum ersten Male die Illustrationen mit dem Text gemeinsam, indem er den Letterndruck mit dem Holzstockdruck verband (Ausgabe des »Ackermann aus Böhmen«, 1460). Nach dem »Mainzer Psalter« (1457) versuchte dann Günther Zainer (Augsburg, Ausgabe der »Legenda aurea« des Jacobus de Voragine), nicht nur die Bilder, sondern auch Initialen und Randleisten im Holzschnitt zu verfertigen. Mehrfarbige Holzschnitte druckte Erhard Ratdolt (Augsburg) als erster. *Die am reichsten illustrierte* ↗ *Inkunabel* ist Schedels »Weltchronik« mit 1809 Holzschnitten von M. Wolgemut und W. Pleydenwurff (1491/93 bei Koburger in Nürnberg). Ungefähr ein Drittel aller Inkunabeln ist illustriert; Bilder, Initialen und Randleisten bilden dabei zusammen mit dem Text meist reichgegliederte ornamentale Einheiten. – Neben der Holzschnittillustration trat dann früh der Versuch mit *Kupferstichillustrationen* (Konrad Sweynheim, Rom 1473). Breitere Anwendung fand die techn. schwierigere Kupferstich als B. erst in der 2. Hälfte des 16. Jh.s, und zwar v. a. in Italien. Mit der Verwendung von Kupferstichen änderte sich das Illustrationsverfahren (da der im Tiefdruck gedruckte Kupferstich nicht wie der Holzschnitt mit dem Hochdruckverfahren des Schriftsatzes zu verbinden war): ›Kupfer‹ wurden ganzseitig eingefügt, oder man wußte für sie am Kapitelanfang Platz gelassen; das Titelblatt wurde ganz in Kupfer gestochen (*Kupfertitel*), das Titelbild ebenfalls als gesondertes Blatt dem Titelblatt vorangestellt (*Frontispiz*). Dennoch hatte gegen Ende des 16. Jh.s der differenziertere Kupferstich den Holzschnitt verdrängt und erlebte bes. im Frankreich des 18. Jh.s seine höchste Blüte. Zu dieser Zeit wurde aber auch die bereits im 16. Jh. entwickelte *Radierung* in breiterem Rahmen für die B. verwendet und wieder auch der Holzschnitt, nachdem der Engländer Th. Bewick das

Holzstichverfahren erfunden hatte, das feinere Strichelungen erlaubte (wegen seiner neuen Tonwirkungen auch ›*Tonschnitt*‹ genannt). Zu gleicher Zeit erfand Senefelder in München den *Steindruck*, die Lithographie, die eine reiche und billige B. erlaubte und bes. für die Bücher des Biedermeier kennzeichnend ist. Trotz der Beliebtheit illustrierter Bücher setzte im 19. Jh. nach einer langen Zeit künstler. B. insgesamt ein Niedergang der Buchkunst ein, obwohl neben die vielfältigen älteren Illustrationstechniken nun auch das *photomechan. Verfahren, Siebdrucke* u. a. graph. Methoden traten und von bekannten Künstlern gepflegt wurden. Erst Ende des 19. Jh.s wurde auf die Buchausstattung allgemein wieder Wert gelegt, gefördert v. a. durch die *Buchkunstbewegung* (W. Morris): Papier, Typographie, B. und -einband sollten eine Einheit von künstler. Niveau bilden und in engem Bezug zum Inhalt des Buches stehen. Vorbild für diese Bestrebungen war das spätmal., ›got.‹ Buch; geprägt wurde die neue Buchkunst jedoch v. a. durch den ⁄Jugendstil. Literar. Zentrum war die Zeitschrift »Pan«, ihr erster Repräsentant M. (vgl. seine Ausgabe der Werke St. Georges). Wie in England wirkten seit dem frühen 20. Jh. Verlage (Insel, Cassirer), Druckereien (Haag-Drugulin, C. E. Poeschel), bibliophile Gesellschaften und Privat- und Liebhaberpressen (Bremer Presse, Cranachpresse, Trajanus Presse u. a.) unterstützend und stilbildend. ⁄Buch, ⁄Schrift, ⁄Buchdruck.

☐ Geck, E.: Grundzüge der Gesch. der B. Darmst. 1982. – Grimme, E. G.: Die Gesch. der abendländ. Buchmalerei. Köln 1980. – Die B. im 18. Jh. Hrsg. v. d. Arbeitsstelle 18. Jh. d. Ges. Hochschule Wuppertal. Hdbg. 1980.   S

Büchlein, in mhd. Zeit zunächst quantitative Bez. (*büechel, büechlín* im Text, aber auch im Titel) für ein kleines Buch oder Abschneidheitstopos für umfangreiches Werke, dann auch als qualitative Kennzeichnung gewisser moral.-didakt. Schriften verwendet, v. a. für ⁄Minnereden und (didakt. ausgerichtete) ⁄Minnebriefe (gereimte ⁄Minnelehren), vgl. z. B. Hartmanns von Aue »B.« oder das »Ambraser (sog. »zweite«) B.«. – Eine Verbindung beider Bedeutungen: die Bez. ›B.‹ im Titel als Hinweis auf den Inhalt (nicht den Umfang) findet sich häufig in der Erbauungsliteratur, z. B. »B. der ewigen Weisheit« (H. Seuse, 1330), »B. vom Leben nach dem Tode« (G. Th. Fechner, 1836), auch Sterbe-B. (⁄Ars moriendi). – RL.   S

Buchmessen, Ende des 15. Jh.s entwickelten sich erste Ansätze im Rahmen der allg. Handelsmessen, die gedruckte Bücherproduktion vorzustellen. Die B. wurden zum wichtigen Ort für die Buchhändler, ihre Verkäufe abzurechnen und neue Bücher einzukaufen. Im 16. Jh. bildete sich *Frankfurt* zum wichtigsten Umschlagplatz für Bücher heraus. 1564 erschien der erste ⁄Meßkatalog zur Frankfurter B., herausgegeben von dem Augsburger Buchhändler Georg Willer, der allerdings nicht sämtliche Messeneuigkeiten, sondern nur eine Auswahl daraus verzeichnete. Erst die offiziellen Meßkataloge, herausgegeben vom Rat der Freien Reichsstadt Frankfurt seit 1598, boten dann alle Meßnovitäten; der private Druck von Katalogen wurde verboten.

Parallel zu Frankfurt entstand in *Leipzig* ein zweites Zentrum für B.; der erste Meßkatalog erschien 1594, besorgt von dem Leipziger Buchhändler Henning Grosse. Während Frankfurt im 16. Jh. erster Platz für den Bücherumschlag war, gewann das regionale Leipzig im 17. Jh. zusehends an Bedeutung: Hier sammelten sich – unbehelligter von der Zensur – die Verleger, hier wurden fortan die großen Geschäfte getätigt. Während z. B. 1730 der Leipziger Meßkatalog 700 Titel verzeichnete, fiel der Frankfurter Katalog auf 100 Titel zurück; die Leipziger B. wurden zu Beginn des 18. Jh.s von über 3000 Besuchern frequentiert, nach Frankfurt kamen nur noch 800. Der Frankfurter Meßkatalog wurde bis zum Jahr 1750 fortgeführt, der Leipziger Katalog erschien zum letzten Mal 1860.

Bis zum II. Weltkrieg blieb Leipzig national wie international der wichtigste Ort für B. Nach 1945 setzte sich die Rivalität zwischen beiden Messestädten unter polit. Vorzeichen fort. Seit 1949 findet in Frankfurt wieder jährl. im Herbst die B. statt, die inzwischen zur größten internationalen B. geworden ist. 1989 stellten auf der Frankfurter B. 8189 Verlage rund 378 700 Bücher aus. In Leipzig wurde die alte Tradition fortgesetzt, die B. im Rahmen der allgem. Handelsmesse im Frühjahr anzusiedeln, jedoch die alte Bedeutung als B.-Stadt konnte nicht behauptet werden: die meisten berühmten Verleger verließen die Stadt und gründeten ihre Verlagshäuser im Westen neu. 1990 erschienen in Leipzig nur 400 Verlage aus Ost und West mit ihrer Buchproduktion. Ab dem Jahr 1991 soll die Leipziger B. unabhängig von der Handelsmesse als selbständige B. organisiert werden.

☐ Der dt. Buchhandel. Wesen, Gestalt, Aufgabe. Hg. von H. Hiller und W. Strauß, Hamburg ⁵1975.   LS

Bühne, die gegenüber den Zuschauern deutlich abgegrenzte und meist erhöhte Spielfläche zum Zwecke der dramat. Darstellung. – Die B. hat mimetische Funktion und bildet damit einen festen, aber nichtliterar. Bestandteil des dramat. Kunstwerks; ihre Abgrenzung gegenüber den Zuschauern bedeutet die Trennung der fiktiven raum-zeitl. Wirklichkeit des Dramas von der realen raum-zeitl. Wirklichkeit der Zuschauer; diese Funktion zu erfüllen, genügt eine räuml. durchaus neutrale B. (primitive Formen: der Teppich des Gauklers, eine durch Pflöcke abgesteckte Spielfläche, ein Podest). Die verschiedenen Formen der Dekorations- und Illusions-B., namentl. der Neuzeit, versuchen über diese Trennung hinaus mit den Mitteln der Malerei und Architektur und mit Hilfe von Requisiten die fiktive räuml. Wirklichkeit des Dramas selbst darzustellen (⁄Bühnenbild). – *Die B. des antiken Dramas* ist ursprüngl. der runde Tanzplatz (⁄*Orchestra*) vor dem Tempel des Dionysos mit dem Altar des Gottes als Mittelpunkt; die B. ist dem sakralen Charakter der frühen ⁄Tragödie entsprechend, noch kult. Raum. Die Ästhetisierung des Dramas (seit Aischylos, parallel der Hinzufügung des zweiten und dritten Schauspielers) führt zur Trennung von B. und eigentl. Kultstätte: die ⁄Epeisodia der Schauspieler erfolgen vor der ⁄Skene, einem am Rande der Orchestra befindl. Gebäude, in dem die Schauspieler sich umziehen und ihre Masken und Kostüme aufbewahren; als Spielfläche dient ein einfaches Podest (⁄Proskenion); der ⁄Chor hält sich nach wie vor in der Orchestra auf, zu der er auf zwei Aufmarschstraßen (⁄Parodos) Zugang hat. Die Skene rückt mehr und mehr in das Zentrum des Theaters; sie schließt in klass. Zeit die einen Halbkreis reduzierte Orchestra nach rückwärts ab; die Verwendung von Theatermaschinen ist nachweisbar, eventuell wurden auch schon illusionist. Mittel eingesetzt. Die älteren Theaterbauten der Antike sind aus Holz; Steinbauten gibt es seit dem 4. Jh. v. Chr. (Theater des Lykurg in Athen). – Auch das ⁄geistl. Spiel des MA findet zunächst im sakralen Raum (Kirche) statt; die Zunahme weltl. Elemente bedingt jedoch seine Verlegung auf Straßen und öffentl. Plätze. Typische *mal. B.n-Formen* sind, neben dem neutralen Podium, die ⁄ *Wagen-B.* (nachweisbar in England seit 1264; die verschiedenen Schauplätze auf einzelne Wagen verteilt) und die ⁄Simultan-B., insbes. als ⁄ *Simultan-Raum-B.* (die Schauplätze an verschiedenen Plätzen in der Stadt aufgebaut; in beiden Fällen bewegen sich Schauspieler und Zuschauer von Schauplatz zu Schauplatz; jünger ist die *Simultan-Flächen-B.* (die einzelnen Schauplätze nebeneinander auf einem größeren Podium; Kölner »Laurentius«-B., 1581). – Die *B.n-Formen des 16. Jh.s* sind z. T. Weiterbildungen der neutralen B.n-Podiums: die *Meistersinger-B.* grenzt die Spielfläche auf dem Podium seitl. und nach rückwärts durch Vorhänge ab; bei der ⁄ *Terenz-B.* (Badezellen-B.) des Humanistendramas bilden den rückwärtigen Abschluß des

Podiums durch Säulen oder Pfeiler getrennte »Häuser«, die entweder verhängt sind oder, geöffnet, Einblick in kleine Innenräume (»Badezellen«) gewähren; die niederl. *Rederijker-B.* (↗Rederijker; B.n-Form übernommen vom dt. Schuldrama des 17. Jh.s: Ch. Weise) teilt die Spielfläche durch einen Vorhang in Vorder- und Hinter-B., wobei die Hinter-B. v. a. der Andeutung der Innenräume dient; die engl. ↗Shakespeare-B. (zuerst 1576; Globe-Theater 1599; durch die ↗englischen Komödianten nach Deutschland gebracht) verwendet außerdem eine Ober-B. über der Hinter-B. zur Andeutung von Balkonen u. a. – Neue B.n-Formen entwickelt die *it. Renaissance* im Rahmen der Versuche, das antike Drama wiederzubeleben, die schließl. zur Entstehung der Oper führen: das klassizist. Teatro Olimpico in Vicenza (begonnen 1580 durch Palladio) ist eine Nachbildung röm. Theaterbauten (in Anlehnung an Vitruv, »De architectura«, bekannt seit 1414); die *Winkelrahmen-B.* (in Ferrara seit 1508; Sebastiano Serlio) besteht aus einer breiten Vorder-B. (Spiel-B.) und einer schmalen, nach hinten ansteigenden Hinter-B. (Bild-B.), auf der mit Hilfe zweier rechts und links angebrachter, mit bemalter Leinwand bespannter, stumpfwinkliger Winkelrahmen und eines nach rückwärts abschließenden perspektiv. gemalten ↗Prospekts die Illusion einer Straßenflucht o. ä. vorgetäuscht wird. Die Winkelrahmen-B., die nicht verhängbar ist und einen Bildwechsel während des Stückes nicht zuläßt, teilt eine Vorform der sich im 17. Jh., gleichzeitig mit dem Entstehen fester Theaterbauten, allgemein durchsetzenden neuzeitl. *Guckkasten-B.*– Beim Guckkastensystem sind Zuschauerraum und B.n-Raum architekton. getrennt; den Zuschauern wird, durch einen in die Architektur des Hauses einbezogenen Rahmen hindurch (B.n-Rahmen, B.n-Portal), nur ein Teil des B.n-Raumes sichtbar; während der Verwandlung ist der Rahmen durch einen Vorhang verschlossen. Die *Frühform* der Guckkasten-B. arbeitet mit dem *Telari-System* (seit 1589; anstelle der Winkelrahmen sog. Telari: mehrere entlang der linken und rechten B.nseite aufgestellte drehbare Prismen, bei denen jeweils die dem Publikum abgewandten Seiten mit neuer Leinwand bespannt werden können; die Prospekte aufrollbar). Normalform ist bis ins späte 19. Jh. die *Kulissen-B.* (seit 1620; Erfinder G. B. Aleotti; an Stelle der Winkelrahmen bzw. Telari die paarweise nach rückwärts gestaffelten, seitl. verschiebbaren ↗Kulissen; der Prospekt im Schnürboden aufgehängt und vertikal auswechselbar). Der rasche Fortschritt der Technik im 19. Jh. ermöglichte neue Formen der Guckkasten-B.: die *Dreh-B.* (1896 für das Münchener Residenztheater durch K. Lautenschläger entwickelt), die *Schiebe-B.* (F. Brandt) und die *Versenk-B.* (A. Linnebach). Die B.n-Maschinerie moderner Theaterbauten kombiniert diese B.n-Typen (Untermaschinerie: der B.n-Boden ganz oder teilweise drehbar, seitl. verschiebbar, versenkbar, häufig doppelstöckig; Obermaschinerie: Schnürboden mit Arbeits- und Beleuchtungsbrücken, Vorhangzügen, Flugwerken, Rundhorizont). – Eine besondere Rolle in der neuzeitl. Theaterbauten spielt neben der Guckkasten-B. die *Freilicht-B.*, entstanden im Zusammenhang der Versuche, das antike Drama im Sinne eines (kult.) ↗Festspiels wiederzubeleben; der Rückgriff auf die Freilicht-B. erfolgt dabei häufig in bewußter Gegnerschaft zum vordergründigen Illusionstheater des ↗Barock und des 19. Jh.s (↗Ausstattungsstück) (Klopstock plante seine ↗Bardiete, Wagner seinen »Ring des Nibelungen« für ein Freilichttheater; im 20. Jh. »Festspiele« in Salzburg – Domplatz, Felsenreitschule –, Hersfeld, Schwäbisch Hall u. a.). Als »Naturtheater« dient die Freilicht-B. den Aufführungen höf. ↗Liebhabertheater des 17./18. Jh.s (z. B. Goethes Singspiele der Weimarer Zeit) sowie volkstüml. Laientheater des 19./20. Jh.s.

📖 B.nformen, B.nräume, B.ndekorationen. Beitr. zur Entwicklung d. Spielorts. Fs. H. A. Frenzel. Hrsg. v. R. Baden-

hausen und H. Zielske. Bln. 1974. – Wickham, G.: Early English Stages, 1300–1660. London 1969. – Kindermann, H.: B. und Zuschauerraum. Ihre Zueinanderordnung seit der griech. Antike. Wien 1963. – Michael, W. F.: Frühformen der dt. B. Bln. 1963. – Hewitt, B. W. (Hrsg.): The Renaissance Stage. Documents. Coral Gables (Fla.) 1958. – Eckardt, E. J.: Studien zur dt. B.ngesch. der Renaissance. Lpz. 1931. – Köster, A.: Die Meistersingerb. des 16. Jh.s. Halle/S. 1920. – Chambers, E. K.: The Medieval Stage. 2 Bde. London 1903. – Schmidt, E.: Die B.nverhältnisse des dt. Schuldramas und seiner volkstüml. Ableger im 16. Jh. Bln. 1903.   K

Bühnenanweisungen (Szenenanweisungen), die durch den Autor in den Dramentext eingeschobenen Bemerkungen über die von ihm gewünschte Realisierung des Dramas auf der Bühne; gedacht als Anleitungen für Regisseur, Bühnenbildner, Schauspieler, aber auch als Vorstellungshilfe für den Leser. B. betreffen v. a. ↗Bühnenbild und Dekoration, Masken und Kostüme, die Bewegungen der Schauspieler und die Bühnenmusik. – Die B. spiegeln das Verhältnis des dramat. Dichters zur Bühne wider: wo das Drama in erster Linie als sprachl. Kunstwerk aufgefaßt ist (Antike, Klassizismus, frz. ↗haute tragédie, Gottsched, dt. Klassik, aber auch im ↗Humanistendrama und bei Shakespeare), sind die B. relativ spärlich oder fehlen z. T. ganz; wo die Bühnenkunst dagegen gleichwertig neben die dramat. Fiktion mit rein sprachl. Mitteln tritt oder dieser gegenüber gar selbständ. Charakter annimmt (↗Ausstattungsstück), sind die B. relativ umfangreich; dies gilt namentl. für die Oper, v. a. aber für die zu einem vordergründ. Bühnenrealismus tendierenden histor. Dramen des 19. Jh.s und für das Drama des Naturalismus.

📖 Steiner, J.: Die Bühnenanweisung. Gött. 1969. – RL.   K

Bühnenbearbeitung, Umgestaltung von Bühnenstücken durch Streichungen oder Ergänzungen im Text, durch Auswahl und Umstellung von Szenen usw. im Hinblick auf bestimmte Erfordernisse einer Aufführung (Ggs. ↗Fassung). Anlaß für B.en sind theaterprakt. Notwendigkeiten (Kürzung auf eine bestimmte Aufführungsdauer, Reduzierung der Personenzahl, Vereinheitlichung der Schauplätze), Rücksichten auf gesellschaftl. Konventionen oder Zensur (Streichungen polit. oder moral. anfechtbarer Stellen), Aktualisierung von Anspielungen (bes. in der Komödie), aber auch die Intentionen des Regisseurs (Dramaturgen). – Häufige B.en erfuhren (v. a. auch bei Übersetzungen) u. a. Dramen Shakespeares, Calderóns, Molières, Racines, aber auch Goethes und Schillers; bes. bekannt ist die mißglückte B. von H. v. Kleists »Der zerbrochene Krug« durch Goethe. – Die Bez. ›B.‹ wird häufig auch im Sinne von ↗Adaptation verwendet. – RL.   GS*

Bühnenbild, Darstellung der fiktiven räuml. Wirklichkeit des Dramas auf der ↗Bühne mit den Mitteln der Malerei und Architektur und mit Hilfe von Requisiten. Während die Bühne selbst nur die Funktion hat, die fiktive raum-zeitl. Wirklichkeit des Dramas von der realen raum-zeitl. Wirklichkeit des Zuschauer zu trennen (eine Funktion, die durch eine neutrale Bühnengestaltung durchaus erfüllt wird), versucht das B., die Fiktion des Raumes, in dem das dramat. Geschehen abrollt, nicht allein am dichter. Wort zu überlassen (Drama als sprachl. Kunstwerk), sondern diesen fiktiven Raum entweder vorzutäuschen oder doch symbol. anzudeuten. Der Einsatz illusionist. Mittel enthält dabei immer die Gefahr einer Verselbständigung des B.s gegenüber dem dramat. Kunstwerk (↗Ausstattungsstück). – Ob die *antike Bühnenkunst* bereits mit den Mitteln der Illusion arbeitete, ist nicht ganz sicher, wird aber allgemein angenommen. Die Bühnen des *MA.s* und zum größten Teil auch noch des *16. Jh.s* begnügen sich meist mit der Andeutung der räuml. Verhältnisse (z. B. Teilung des neutralen Podiums durch einen Vorhang in Vorder- und Hinterbühne, wobei letztere der Andeutung von Innenräumen dient), daneben verwenden sie Requisiten (Thron, Tisch u. a.). Die *neuzeitl. Illusionsbühne* (als Guckkastenbühne) wird im Italien der Renaissance entwickelt, v. a. für die prunkvolle Multi-Media-Show der Opern und ↗Trionfi; die Szene (rückwärtiger Abschluß durch den ↗Prospekt, seitl. ↗Kulissen; Vorform des Kulissensystems das Telari-System) ist perspektiv. gemalt (zunächst Zentralperspektive mit einem zentralen Fluchtpunkt: G. Torelli in Paris, L. Burnacini in Wien, seit dem *18. Jh*. Winkelperspektive mit mehreren Fluchtpunkten: Ferdinando Galli da Bibiena); die Theatermaschinerie wird ausgebaut (Flugapparate, Versenkungen u. a. m.). Klassizist. Strömungen (frz. ↗haute tragédie, Gottsched; K. F. Schinkel im frühen 19. Jh.) versuchen immer wieder, gegen die Illusionsbühne eine möglichst neutrale, schlichte Bühnengestaltung durchzusetzen; Ausgangspunkt ist u. a. die Forderung der Einheit des Orts (↗Drei Einheiten). Das Theater des *19. Jh.s* ersetzt den älteren Bühnenillusionismus durch den Bühnenrealismus der ↗Meininger (die sich um die histor. Authentizität der Dekorationen und Kostüme bemühen) und des ↗Naturalismus (der die photograph. exakte Wiedergabe der Wirklichkeit erstrebt). Trotz perfektionist. Bühnentechnik (Drehbühne, Schiebebühne, Versenkbühne) kehrt das Theater des 20. Jh.s mehr und mehr zu neutraler oder symbol. Bühnengestaltung zurück: Rückgriff auf die klassizist. Bühnenarchitektur Schinkels bei E. G. Craig – »Craigism«; einfache geomet. Figuren als Grundformen der Spielfläche – Scheiben in Quadrat-, Rechteck-, Kreis- oder Ellipsenform –, Lichtregie anstelle gemalter Dekorationen (↗Stilbühne), parallel zu choreographischer Stilisierung der Bewegung auf der Bühne bei G. Appia und in seiner Nachfolge in Wieland Wagners Bayreuther und Stuttgarter Inszenierungen; Treppenbühnen seit dem Expressionismus, heute bei J. Svoboda; Pop-Bühne bei W. Minks; Verzicht auf jede Gestaltung der Bühne bei P. Weiss in seinen letzten Stücken; z. T. arbeitet das moderne Theater sogar mit bewußt desillusionist. Mitteln (Brechtbühne; häufig Offenlegung der Bühnenmaschinerie als Durchbrechung des Guckkastensystems). ◻ Zielske, H.: Handlungsort u. B. im 17. Jh. Unterss. zur Raumdarst. im europ. Barocktheater. Mchn. 1965. – Niessen, K.: Das B. von der Renaissance bis zur Romantik. Emsdetten 1963. – Schuberth, O.: Das B. Gesch., Gestalt, Technik. Mchn. 1955.   K

Bühnendichter ↗Theaterdichter.

Bühnenmanuskript, von einer ↗Inszenierung zugrundeliegende Text eines Theaterstückes (›Spieltext‹) der entweder von der Druckfassung abweicht (↗Bühnenbearbeitung) oder überhaupt noch nicht gedruckt ist.   S

Bukolische Dichtung (Buk̲o̲lik) [von lat. bucolicus = zu den Hirten gehörig, ländlich, aus gr. boukolikós, zu boukolos = Rinderhirt], Hirtendichtung, ↗Schäferdichtung, ↗arkad. Poesie.

Bukolische Dihärese, f., Verseinschnitt (↗Dihärese) nach dem 4. Versfuß des ↗Hexameters; bei Homer sowie in der griech. und lat. ↗bukol. Dichtung häufig, z. B. »Pollio et ipse facit nova carmina://pascite, taurum« (Vergil, »Bucolica« III, 86: ‿‿–‿‿–‿‿ | ‿‿–): zerlegt den Hexameter in einen daktyl. ↗Tetrameter und einen ↗Adoneus.   UM

Bürgerliches Trauerspiel, dramat. Gattung der dt. ↗Aufklärung, gestaltet das trag. Schicksal von Menschen bürgerl. Standes. Mit der Entwicklung einer bürgerl. Tragödie vollzog sich eine entschiedene Abwendung von den seit ↗Renaissance und ↗Barock vertretenen poetolog. Anschauungen, nach denen die Tragödie das Medium zur Darstellung der Schicksale höherer Standespersonen sei, während der Bürger, da ihm die Fähigkeit zu trag. Erleben fehle, nur in der Komödie als Hauptfigur auftreten könne (↗Ständeklausel). – Die Entstehung des b. T.s ist damit eine Folge der Emanzipationsbewegung des Bürgertums, das während der Aufklärung in neuem Selbstgefühl die bestehenden Ordnungen einer krit. Analyse unterzog und anstelle der ständ. Wertungen ethische Werte (der Tugend, Sittlichkeit, Würde etc.) setzte, als deren Vertreter und Hüter es sich begriff. Trag. Perspektiven sind nach diesen Kategorien nicht mehr durch die soziale ↗Fallhöhe (Ch. Batteux) bedingt, sondern durch die Infragestellung und den Verlust dieser Werte, eine für das Selbstverständnis des Bürgertums existentielle Gefährdung. *Theoret. Grundlegungen* lieferten Philosophie und aufklärer. Poetik, z. B. F. Nicolai, M. C. Curtius (Anmerkungen zur Poetik des Aristoteles, 1753) und vor allem G. E. Lessing, der das b. T. sowohl theoret. rechtfertigte (»Literaturbriefe«, 1759–65, »Hamburgische Dramaturgie«, 1767–69: neue Definition des Tragischen als innere, nicht soziale Bedingtheit), als auch prakt. begründete: Nach einem *ersten dt. b. n. T.* von Ch. L. Martini (»Rhynsolt und Sapphira«, 1753), dessen viele rührenden Elemente noch die Nähe zu und die Herkunft vom ↗weinerl. Lustspiel verraten, schreibt Lessing mit »Miß Sara Sampson« (1755) und »Emilia Galotti« (1772) die *ersten bedeutenden b.n T.e*, deren Grundthematik, die Konfrontation des Bürgertums mit der Adelswillkür, der Widerspruch zwischen Gewissensfreiheit und moral.-sittl. und sozialer Ordnung, das b. T. der Folgezeit bestimmt. Lessing löste die neue Gattung zugleich aus formalen poet. Traditionen: Bei strengem dramat. Aufbau (5 Akte gemäß den Forderungen der franz. Poetik) ersetzt er die bisher in der Tragödie übliche Versform (Alexandriner) durch Prosa. *Vorbilder* bot die engl. Literatur, in welcher (entsprechend der dort früher einsetzenden Aufklärung) die bürgerl. Emanzipation auch literar. früheren Niederschlag gefunden hatte, so in G. Lillos b. T. »The London Merchant« (1731, dt. 1752 durch H. A. v. Bassewitz) u. a. oder in den Romanen S. Richardsons, z. B. in »Clarissa Harlowe« (1747/48), die das direkte Vorbild für Lessings »Miß Sara Sampson« wurde. Beeinflußt war Lessing auch von den kunsttheoret. Äußerungen D. Diderots, der in Frankreich eine dem b. T. ähnl. Gattung (le drame) schuf: Die Entwicklung führte in Frankreich über die klassizist. Komödie, die durch das Zurückdrängen des Komischen und Satirischen zur rührseligen ↗Comédie larmoyante geworden war: Diderot machte diese zu einem Forum aufklärer. Gedankengutes, indem er sie von ihren rührseligen Zügen befreite (»Le fils naturel«, 1757; »Le père de famille«, 1758). Nach Lessings b.n T.n gilt F. Schillers »Kabale und Liebe« (1783) als in Form und Sprache geschlossenste Beispiel dieser Gattung. Auch im ↗Sturm und Drang wurde die Thematik des b. T.s in zahlreichen Dramen aufgegriffen. Während aber der Konflikt bei Lessing und Schiller auf die sittl. Selbstentscheidung hinführt, stellt der Sturm und Drang die soziale Anklage und die Auflehnung des Individuums gegen die Gesellschaft in den Vordergrund (H. L. Wagner: »Die Kindermörderinn«, 1776; J. M. R. Lenz: »Der Hofmeister«, 1774; »Die Soldaten«, 1776; F. M. Klinger u. a.). Das b. T. leitet den Prozeß der Humanisierung in der Literatur ein. Rezipient ist v. a. der bürgerliche, aufgeklärte ›Mensch‹, dessen Ideen im b. T. Gestalt gewinnen, ihn rechtfertigen und zugleich seinen erziehen. Absichten genügen. Das b. T. negiert oder bekämpft keineswegs eine ständ. Ordnung: adlige Personen treten durchaus auch positiv auf. Wertkriterium ist jedoch für alle Stände die Anerkennung bürgerl. Lebensvorstellungen, die auf Humanität basieren. Der Typus des b. T. traf genau die Anschauungen und das Lebensgefühl der Zeit, wie die Fülle von b.n T.en zeigt. In zahlreichen Werken wurden schließlich jedoch, bedingt auch durch den aufklärer. Vernunfts- und Fortschrittsoptimismus, die trag. Aspekte banalisiert und zu bloßen Verirrungen verharmlicht, die durch Vernunft und Einsicht wieder zur Herstellung der (gebilligten) bürgerl. Ordnung im Happyend führten. Diese erfolgreichen, besser als ↗Rühr- oder Hausvaterstücke zu klassifizierenden Dramen mündeten in die Tradition der ⁄sächs. oder weinerl. Komödie (seit Gellert nach frz. Vorbild) ein und lebten bis weit ins 19. Jh. fort. Während im 18. Jh. das b. T. hauptsächlich der Selbstbehauptung des Bürgertums gegenüber dem Adel diente, wurde die bürgerl. Tragödie im 19. Jh., nachdem sich das Bürgertum konsolidiert hatte, zum Ort der Kritik am bürgerl. Stand und seiner moral. Verhärtung. In F. Hebbels oft als b. T. bez. Drama »Maria Magdalena« (1844) entsteht der trag. Konflikt aus der tödl. Enge der kleinbürgerl. Verhältnisse mit ihrer pedant. Sittenstrenge. Nur noch bedingt in diese Tradition lassen sich im ⁄Naturalismus die Trauerspiele stellen, die zwar im Bürgermilieu spielen, in denen aber entweder eine allgemeine sozialkrit. Tendenz überwiegt oder die zu Pathologien der Familie werden (wie etwa G. Hauptmanns »Friedensfest«, 1890, oder »Einsame Menschen«, 1891). Noch stärker in eine allgemeine und menschliche Problematik führen dann expressionist. Dramen, bei denen Bürger im Zentrum stehen (z. B. G. Kaiser: »Von morgens bis mitternachts«, 1916); ⁄soziales Drama.

☐ *Bibliographie:* Meyer, Reinhardt: Das dt. Trauerspiel des 18. Jh.s. Eine Bibliographie. Mchn. 1977.
Schulz, G.-M.: Tugend, Gewalt u. Tod. Das Trauerspiel d. Aufklärung. Tüb. 1988. – Walach, D.: Der aufrechte Bürger, s. Welt und s. Theater. Zum b. T. im 18. Jh. Mchn. 1980. – Guthke, K. S.: Das dt. b. T. Stuttg. ⁴1984. – Szondi, P.: Die Theorie des b.n T.s im 18. Jh. Hrsg. v. G. Mattenklott (mit einem Anhang über Molière von W. Fietkau). Frkft. 1973. – Wiese, B. v.: Die dt. Tragödie von Lessing bis Hebbel. Hamb. ⁸1973. – Wierlacher, A.: Das bürgerl. Drama. Seine theoret. Begründung im 18. Jh. Mchn. 1968. – Pikulik, L.: B. T. und Empfindsamkeit. Köln/Graz 1966. – Daunicht, R.: Die Entstehung des b.n T.s in Dtschld. Bln./New York ²1965. – RL. IS

Burleske, f. [von it. burlesco = spaßhaft, spöttisch], im 18. Jh. von dt. Literaturkritikern angewandte Bez. für derbkom. Improvisationsstücke in der Art der ⁄Commedia dell'arte, von der im 19. Jh. auch von Autoren selbst Werken beigelegt, die der ⁄Posse und ⁄Farce nahestehen, so bei A. Bode und J. N. Nestroy. – Die Gattungsbez. B. geht zurück auf das Adj. *burlesk,* das sich als Bez. für eine neue Stilart grobsinnl. Spotts seit Mitte des 16. Jh.s in Italien (F. Berni u. a., »Opere burlesche«, 1552), seit 1643 auch in Frankreich (P. Scarron, »Recueil de quelques vers burlesques«) durchsetzte. Durch Scarrons Aeneis-Parodie »Le Virgile travesti en vers burlesques« (1648–53) wird die Bez. burlesk bis zu Marivaux in Frankreich kennzeichnend für das *Verfahren der Epenparodie:* die skurrile Verwandlung des Erhabenen ins Niederalltägliche, die Reduktion des Geist.-Seel. aufs Physiologische. Dieser burleske Stil greift seit der 2. Hä. des 17. Jh.s auf England über (S. Butler, »Hudibras«, 1663–78, oder J. Gay, »Beggar's Opera«, 1728). In Deutschland wird der Begriff burlesk seit D. G. Morhof (1682) diskutiert und als eine *Form des Komischen* bestimmt, die, ohne satir. Absicht, die hohen und erhabenen Seiten menschl. Handelns durch Beziehung auf eine natürl.-physiolog. Wirklichkeit relativiert. – In der Literaturkritik wird *burlesk* auch auf andere und viel ältere Werke der Weltliteratur übertragen, z. B. auf die »Batrachomyomachia«, die antipetrarkist. Lyrik u. a. Die Begriffsgeschichte von burlesk und B. überschneidet sich mit der von ⁄Groteske, ⁄Parodie, ⁄Travestie.

☐ Werner, D.: Das B., Versuch einer literaturwiss. Begriffsbestimmung, Diss. FU Berlin 1968. – Bar, F.: Le genre burlesque en France au XVIIᵉ s. Paris 1960. DJ

Burletta, f., [ital. = kleiner Scherz; Diminutiv von burla = Scherz], Singspiel ital. Ursprungs, im 18. und 19. Jh. bes. in England als burleske Spielart der kom. Oper mit witzigen Sprechdialogen, Gesangseinlagen und Musikbegleitung beliebt. Den Stoff lieferte meist die antike Mythologie oder die Geschichte. Als Schöpfer der engl. B. gilt Kane O'Hara,

der seinem 1762 erstmals aufgeführten »Midas« den Untertitel »a burlesque b.« gab. – Die Ausweitung des Begriffs auf *musikal. begleitete Theaterstücke jeder Art* geht auf die Aktivität der kleineren engl. Theater zurück, die mit der Form der B. das ausschließl. den öffentl. Bühnen vorbehaltene Recht des Sprechtheaters *(Patent Theatre Acts)* unterliefen. PH

Burns stanza [bə:nz stænzə; engl.], auch ›Standard Habbie‹ genannte sechszeil. jamb. Strophenform mit dem Vers- und Reimschema 4a4a4a2b4a2b; häufig verwendet schon von den prov. Trobadors, dann in mittelengl. Lyrik und im Drama (York Plays); lebte bes. in Schottland weiter und wurde im 18. Jh. recht beliebt, v. a. bei R. Burns (daher die Bez.; vgl. z. B. »To a Mountain-Daisy« u. v. a.); sie wurde deshalb auch für Burns gewidmete Gedichte gewählt (W. Wordsworth, W. Watson). MS*

Bustrophedon-Schreibung [bustrophedón, Adv., gr. = in der Art der Ochsenkehre (beim Pflügen)], auch: Furchenschrift, Wechsel der Schreibrichtung in jeder Zeile eines Textes, typ. für altgriech. und altlat. Inschriften (die Gesetze Solons z. B. sind so überliefert); eventuell Zwischenstadium zw. phöniz. Linksläufigkeit und europ. Rechtsläufigkeit der Schrift. Begegnet vereinzelt auch in Runen-Inschriften. UM

Butzenscheibenlyrik [Butzenscheiben = mal. Fensterglas], vonP. Heyse 1884 (Vorwort zu Gedichten E. Geibels) geprägte abschätz. Bez. für eine zeitgenöss. Gruppe ep.-lyr. historisierender Dichtungen (Lieder, Balladen, Verserzählungen), die in mal. Kulissen eine ideologisierte national-heroische Welt der Kaiserherrlichkeit und Ritterkultur, des Minnesangs und einer launigen Wein-, Burgen- und Vagantenromantik entwirft. Formale Kennzeichen sind dekorative Rhetorik, Aufputz mit lat. oder mhd. Vokabeln (die z. T. Anmerkungsapparate notwendig machen), altertümelnde Wendungen und Reime. Voraussetzungen der B. liegen in den restaurativen dt.-nationalen Tendenzen vor und nach der Gründung des 2. Kaiserreiches und dem damit zusammenhängenden Interesse an dt. MA. als einem Hort reiner Nationalgesinnung. Sie popularisierte Ergebnisse (v. a. kulturhistor.) der seit der Romantik sich entwickelnden Geschichtswissenschaft (die auch andere Lit.zweige prägte, ⁄histor. Roman, Drama). – Vorläufer sind G. Kinkel (»Otto der Schütz«, 1846), O. v. Redwitz (»Amaranth«, 1849), O. Roquette (»Waldmeisters Brautfahrt«, 1851), B. Sigismund (»Lieder eines fahrenden Schülers«, 1853); anerkanntes Vorbild war V. v. Scheffel (»Trompeter von Säckingen«, 1845, »Frau Aventiure«, 1863, »Gaudeamus«, 1868); ihm folgten R. Baumbach (»Lieder eines fahrenden Gesellen«, 1878, »Spielmannslieder«, 1881), J. Wolff (»Sing uf. Rattenfängerlieder«, 1881, »Der fahrende Schüler«, 1900 u. a.), O. Kernstock (»Aus dem Zwingergärtlein«, in Pseudo-Mhd., 1901) u. a. – Der B. nahe stehen W. Jordan, F. W. Weber (»Dreizehnlinden«, 1878), K. Stieler. Seit 1890 wurde die B. v. a. von den Naturalisten, bes. v. H. Conradi und A. Holz, bekämpft. (Vgl. ⁄Epos, 20. Jh.). IS
☐ RL.

Bylinen, f. Pl. [russ. bylina = Ereignisse (der Vergangenheit)], von V. Sacharow (1839) nach der Formel im »Igorlied« po bylinam (= in Übereinstimmung mit den Ereignissen) geprägte Bez. für die russ. Heldenlieder (auch: *Starinen),* die im Ggs. zum übrigen europ. ⁄Heldenlied bis in die Gegenwart als mündl. Vortragskunst gepflegt und weiterentwickelt wurde. Die B.-sänger (Skomorochi, seit dem 19. Jh. auch Frauen) gestalten ein tradiertes Erzählgerüst und einen vorgegebenen Formel- und Toposbestand nach den ⁄ep. Gesetzen der Volksdichtung improvisierend zu einer Byline aus. B. umfassen etwa 500–600 rhythm. freie, langschwingende reimlose Verse mit deutl. Mittelzäsur und werden im Sprechgesang, begleitet von einem Saiteninstrument, rezitiert. Das Repertoire einer der berühmtesten

B.-sängerinnen, Marfa Kryukowa, umfaßte 130 B. – Die *Stoffe* der B. kreisen um histor. Ereignisse und Gestalten, so um Person und Tafelrunde Wladimirs des Großen (10. Jh.), um die Taten Iwans des Schrecklichen oder Boris Godunows (16. Jh.), um Peter den Großen oder Potemkin (17./18. Jh.), neuerdings auch um Lenin. *Die frühesten B.* entstanden im 11. u. 12. Jh. in Kiew, dem damaligen höf. Kulturzentrum. Nach dem Mongoleneinfall in S-Rußland (1250) wurde das Zentrum nach Nowgorod, seit dem 15. Jh. nach Moskau verlagert, wo die B.kunst eine Hochblüte erlebte (1. Hälfte 16. Jh.). Seit dem 17. Jh. verfiel der B.vortrag als aristokrat. Unterhaltung und wurde von nun an v. a. als bäuerl. Volkskunst gepflegt: Zentren lagen am Weißen Meer (Archangelsk) und am Onegasee (Pudoschsk). Dabei wurden die B. in Ethos und Gehalt (nicht in der Form) der Vorstellungswelt der neuen Rezipientenschicht angepaßt. – Die *ersten Aufzeichnungen* von B. stammen nicht von den B.sängern, sondern von gelehrten Sammlern (vgl. z. B. die 1. B.-Slg. 1619 von R. James, dem engl. Pfarrer in Moskau, weitere von P. N. Ribnikow 1860, A. F. Hilferding, 3 Bde. 1873, B. und J. Sokolow 1918 und 1948). Eine *berühmte Ausnahme* ist das »Igorlied« um den unglückl. Feldzug des Fürsten Igor 1185, das evtl. noch im 12. Jh. als B.ausformung von höchstem poet. Rang aufgezeichnet wurde (erhalten Hs. von etwa 1500, Druck 1800). – Heute wird der B.vortrag als proletar. Kunst gefördert; die B. werden jetzt aber (nach den alten Kompositionsgesetzen) schriftl. konzipiert (vgl. die Sammlungen der Sänger-Familie Ryabinin-Andejew, 1938 oder der Sängerin M. Kryukowa, 2 Bde. 1939). Eine artist.-brillante B.nachahmung ist M. J. Lermontows »Lied vom Zaren Iwan Wassiljewitsch« (1838).
📖 Bowra, C. M.: Heldendichtung. Dt. Übers. Stuttg. 1964. – Trautmann, R.: Die Volksdichtung der Großrussen. Bd. 1: Das Heldenlied (B.). Hdbg. 1935. – Chadwick, N. K.: Russian Heroic Poetry. Cambridge 1932.   IS

Byronismus, m. [baironismus], nach dem engl. Dichter George Gordon M. Lord Byron (1788–1824) benannte pessimist. Lebens- und Stilhaltung innerhalb der europ. ↗Romantik zu Beginn des 19. Jh.s; spezif. Ausprägung des sog. ↗Weltschmerzes, des Ausdrucks einer allgemeinen metaphys. Enttäuschung durch die romant. Lebensstimmung, deren (als letzte existentielle Sicherheit proklamierte) Gefühlskultur sich als nicht tragfähig erwiesen hatte. Eine Unsicherheit hinsichtl. bestehender Ordnungen, Skepsis gegenüber Wert- und Sinnfragen erzeugte allgemeine Resignation, Trauer und ↗Melancholie (gefördert auch durch sich anbahnende gesellschaftl.-soziale Umwälzungen). Während aber gleichzeitige Strömungen diesen »Weltriß« (H. Heine) zu bewältigen suchen (durch Ironie, Humor, christl. und klass. Traditionen, Flucht in Idylle oder Utopie, vgl. ↗Biedermeier, ↗Junges Deutschland), wird er im B. zum Kult und ästhet. Thema. Leben und Dichten der ›Byroniden‹ sind gekennzeichnet durch demonstratives Auskosten von Kulturmüdigkeit (Europamüdigkeit) und Lebensüberdruß, zyn. Verachtung traditioneller Moralbegriffe, durch narzist. Verherrlichung des eigenen immoral. Individualismus, durch stolze Hingabe an Einsamkeit, Heimat- und Glaubenslosigkeit, oft an die ›Mächte des Bösen‹ (↗Satanismus). *Vorbild* wurden Leben und Werk Lord Byrons, der in ganz Europa bewundert und nachgeahmt wurde (Italienflucht, Außenseitertum, Todessehnsucht; W. Waiblinger, A. v. Platen, D. Grabbe u. a.). Als einzig lebensmögl. Bereich galt die Kunst: entsprechend der nihilist. Grundstruktur des B. ein konsequenter Ästhetizismus (↗l'art pour l'art): Gestaltet werden v. a. dämon. oder empörer. Außenseiter wie Prometheus, Ahasver, Kain, Faust, Don Juan, vorwiegend in Dramen, Versepen und Lyr. Gedichten (die in ihrem ästhet. Wert noch umstrittene Erzählprosa wird gemieden) und in klassizist. Formvollendung (Rückgriff auf antike und oriental. Formen, Neigung zu starken Metaphern, Kürze, heroisch-kal-ter Ton usw.), vgl. bes. Byron, »Cain« und »Sardanapal« (1821), »Don Juan« (1819/24). Anknüpfen konnte Byron an frz. Werke, die ein ähnl. Persönlichkeitsideal gestalten wie F. R. de Chateaubriand, »René« (1803), E. P. de Sénancour, »Oberman« (1804), B. Constant, »Adolphe« (1816). Zum B. gehören weiter P. B. Shelley (»Prometheus Unbound«, 1818/19) und J. Keats, Th. Gautier, A. de Musset, G. Leopardi, A. Mickiewicz, A. Puschkin (»Eugen Onegin«, 1825/33 u. a.), M. J. Lermontow und viele andere. – Bes. *in Deutschland* war das pessimist. Weltgefühl seit der »Werther« (1774) und L. Tiecks »William Lovell« (1795/96) u. a. latent vorhanden (vgl. Weltschmerz). In den meisten dichter. Werken der Zeit finden sich Züge des B., z. B. bei A. von Droste-Hülshoff, F. Grillparzer, dem jungen E. Mörike, dem frühen K. Immermann und sogar F. Th. Vischer (»Ein Traum«, etwa 1825). Typ. Dichter des B. sind N. Lenau (»Faust«, 1836; »Savonarola«, 1837; »Die Albigenser«, 1842; »Don Juan«, 1844), A. von Platen, W. Waiblinger (»Phaëton«, 1823) und Ch. D. Grabbe (»Herzog Theodor von Gothland«, 1824; »Don Juan und Faust«, 1829; »Napoleon«, 1832 u. a.). – G. Büchner und H. Heine überwinden dagegen ihre ›Zerrissenheit‹ durch Witz und das Bewußtsein metaphys. Ungenügens, J. Nestroy und F. Raimund durch satir. Humor (jedoch nur in ihren Werken, vgl. Selbstmord Raimunds). Nestroys »Zerrissener« (1844) parodiert dann die seit etwa 1820 einsetzende Trivialisierung des B., die »Modemisanthropie« (G. Gervinus), wie sie etwa auch von weibl. Byroniden (›Faustinen‹ (z. B. Ida Gräfin Hahn-Hahn, »Gräfin Faustine«, 1841 u. a.) mit großem Erfolg gepflegt wurde.
📖 Hoffmeister, G.: Byron und der europ. B. Darmst. 1983. – Sengle, F.: Weltschmerzpoeten und die Traditionen der Empfindsamkeit und der Romantik, des Klassizismus. In: Biedermeierzeit. Bd. 1. Stuttg. 1971, S. 221–256. – Hof, W.: Pessimist.-nihilist. Strömungen in der dt. Lit. vom Sturm und Drang bis zum Pessimist. Werken der Zeit finden sich Züge des B. Tüb. 1970.   IS

Caccia, f. [ˈkatʃa; it. = Jagd], italien. lyr. Gattung des 14. und 15. Jh.s, die ohne festes metr. Schema, in freier Reimbindung und lebhaftem Rhythmus onomatopoiet. eine Jagd oder andere turbulente Szenen des Volkslebens nachahmt; sie wurde stets musikal. als Kanon (von zwei Stimmen und einer instrumentalen Baß-Stimme) dargeboten. Vertreter sind die toskan. Dichter-Komponisten N. Soldaniere, da Cascia, J. da Bologna, G. da Fiorenza und Franco Sacchetti (berühmt wurde v. a. seine C. »Donne nel bosco«). – In der 2. Hälfte des 15. Jh.s erscheinen auch Cacce in homophonen Sätzen und z. T. doppeldeutigen Texten (obszöne Ausdeutungen der Jagd) und münden so in die Tradition der Karnevalslieder ein. – Die C. blühte bis zum Ende des 16. Jh.s in ganz Europa. Die Bez. ›C.‹ ist nicht eindeutig geklärt; die ältere Forschung (Carducci) leitet sie von den Jagdtexten ab, die neuere (Pirrotta) bezieht sie auf die damals neu entwickelte polyphone Stimmführung.
📖 Marrocco, W. T.: Fourteenth century Italian cacce. Cambridge (Mass.) ²1961. – Pirrotta, N.: Per l'origine e la storia della c. In: Rivista Musicale Italiana 48 (1946). – Carducci, G.: Cacce in rima dei sec. XIV e XV. Bologna 1896.   IS

Calembour, m. [kalɑ̃ˈbuːr; frz. = ↗Wortspiel], scherzhaftes Spiel mit der unterschiedl. Bedeutung gleich oder ähnl. lautender Wörter (↗Homonyme, Homophone), z. B. *vers blanc* (reimloser Vers) und *ver blanc* (Engerling); *la lettre* / *–la laiterie.* – Das Wort ›C.‹ findet sich im Frz. seit dem 18. Jh. (Diderot); seine Herkunft ist ungewiß: es wurde in Verbindung gebracht mit dem dt. Volksbuch »Der Pfarrer vom Kalenberg«, einem Pariser Apotheker namens Calembourg, der zu Beginn des 18. Jh.s durch Wortspiele geglänzt haben soll, mit einem westfäl. Grafen Calemberg, dessen fehlerhafte Aussprache am Hofe Ludwigs XV. Lachen erregt habe und mit *calembredaine* (= lächerl. Bemerkung); ↗Kalauer.   S

Camouflage, f. [kamu'fla:ʒ = Tarnung, Maskierung], sprachl. Verhüllung einer Aussage, die v. a. von eingeweihten, mit dem Verfasser gesinnungsverwandten Lesern oder Hörern in ihrem beabsichtigten Sinn verstanden werden kann; auch als ›Lesen zw. den Zeilen‹, ›Blumensprache‹, ›latente Aussage‹ bez. – Der Begriff ›C.‹ für dieses seit frühester Zeit geübte literar. Verfahren wurde vermutl. von R. Pechel, Hg. der ›Dt. Rundschau‹, für die Schreibstrategien der gegen das ›Dritte Reich‹ insgeheim opponierenden Publizistik eingeführt; er wurde auch für die verschleiernde Schreibpraxis vieler DDR-Schriftsteller verwendet. – Sprachl. Kunstgriffe der C. zum Transfer des ›eigentl.‹ Gemeinten waren sog. Sprachverstecke durch semant. Mehrsinnigkeit, Metaphorik, scheinbar naiv eingebrachte Zitate und v. a. die histor. Einkleidung (oft mit ↗Anachronismen als versteckte Hinweise), krit. Stellungnahmen (in Rezensionen, Essays, Reiseberichten usw.) zu analogen histor. oder zeitgenössischen ausländ. Zuständen. (Vgl. ↗Innere Emigration).

◻ Mirbt, K. W.: Theorie u. Technik der C. In: Publizistik 9 (1964). S

Canción, f. [span. = Lied], Bez. für zwei span. lyr. Kunstformen mit stolligem Strophenbau: 1. die mal. C., auch C. *trovadoresca,* in 8- oder 6-Silbern, verwendet in der Liebeslyrik und der religiösen Lieddichtung, meist als Einzelstrophe mit voraufgehendem kurzem Motto, das toposhaft den Inhalt der C. angibt. Charakterist. ist die Übereinstimmung zwischen Motto und Abgesang der Strophe(n) in Zeilenzahl und Reimschema, z. T. auch in einzelnen Reimwörtern und Verszeilen. Vom 13. Jh. bis Anfang 15. Jh. begegnet sie nur vereinzelt, Blüte im 15. Jh. (Santillana, Juan de Mena; unter Einfluß der späten prov. Lyrik?). Im Laufe des 16. Jh.s wird sie v. a. von italien. Dichtungsformen verdrängt. – 2. die Renaissance-C., auch C. *petrarquista,* aus meist vier bis zwölf gleichgebauten Strophen aus 11- und 7-Silbern und einer abschließenden Geleitstrophe. Zwischen Auf- und Abgesang der Strophe ist ein Überleitungsvers mit Reimbindung an den Aufgesang eingeschaltet; zwischen Auf- und Abgesang besteht dagegen keine Reimbindung; verwendet für eleg. und bukol. (Liebes-)Lyrik, religiöse und heroisch-nationale Stoffe. Die Renaissance-C. wurde in der 1. Hälfte des 16. Jh.s aus Italien übernommen (J. Boscán Almogáver) und ist in ihrer strengen Form eine Nachahmung des von Petrarca bevorzugte Typs der ↗Kanzone (bes. das Schema der 14. Kanzone Petrarcas [»Chiare fresche e dolci acque«: 7a7b ll c/ 7a7b ll c/ /7c/7d7e7e ll d7f ll f] wurde immer wieder aufgenommen); Blüte im 1. Drittel des 17. Jh.s (Cervantes, Lope de Vega). Daneben sind von bes. Bedeutung die seit der 2. Hälfte des 16. Jh.s entstandenen freieren Formen (Luis de León, F. de Herrera) und die Kompromißformen zwischen der petrarchist. C. und den antiken ↗Odenmaßen, die im 17. Jh. dominierten. GR*

Cancioneiro, m. [portugies. = Liederbuch, zu canción = Lied, span. Cancionero], portugies. und span. Lyriksammlung. – Die wertvollsten C.s der span.-portugies. Literatur sind die mit Miniaturen geschmückten *Sammelhandschriften* mit der mal. höf. galiz.-portugies. Lyrik von der 2. Hälfte des 12. Jh.s bis zur 1. Hälfte des 14. Jh.s (↗Cantiga): 1. als älteste, unvollständ. gebliebene Handschrift der »C. da Ajuda« (Ende 13. Jh. oder Anfang 14. Jh., überliefert, ohne Verfassernennung und z. T. fragmentar., 310 Gedichte des 12. und 13. Jh.s, überwiegend Cantigas de amor),
2. der »C. da Vaticana« (italien. Handschrift des 15./16. Jh.s, 1205 meist ebenfalls anonyme Gedichte des 12.–14. Jh.s),
3. der »C. da Biblioteca Nacional« (italien. Handschrift des 16. Jh.s, auch »C. Colocci-Brancuti«, 1567 Gedichte des 13./14. Jh.s, ergänzt durch Nachträge und einen Dichterkatalog, eingeleitet durch ein Poetikfragment des 14. Jh.s, in

dem als Gattungen der höf. Lyrik Cantigas de amigo, Cantigas de amor und Cantigas de escárnio y de mal dizer unterschieden werden). Insgesamt überliefern die Handschriften u. a. mehr als 700 Cantigas de amor, 510 Cantigas de amigo und rund 400 Cantigas de escárnio. – Der um 1445 von Juan Alfonso de Baena für span. Hofkreise zusammengestellte und nach ihm benannte »C. de Baena« führt z. T. in Sprache und Thematik die Tradition der galiz.-portugies. Lyrik weiter, enthält aber schon überwiegend Dichtungen in kastil. Sprache: Liebeslyrik und moralisierend-didakt. Lyrik vom Ende des 14. Jh.s u. v. frühen 15. Jh. – Unter den zahlreichen *gedruckten* span. C.s ist der bedeutendste der »C. General« von 1511, zusammengestellt von Hernando del Castillo, mit Dichtungen des 15. Jh.s (Santillana, Juan de Mena) und des frühen 16. Jh.s: neben gelehrter Lyrik, höf. Gelegenheitspoesie und ↗Canciones auch volkstüml. Gattungen (↗Romanzen). – Nach seinem Vorbild wohl stellte der Portugiese Garcia de Resende seine Sammlung »C. Geral« (1516) knüpft an die Tradition der galiz.-portugies. Trobadordichtung an (daneben auch starker italien. Einfluß: Dante, Petrarca); er enthält Lyrik aus der 2. Hälfte des 15. Jh.s und dem Anfang des 16. Jh.s von portugies. und span. Dichtern aus der Umgebung der portugies. Könige (Francisco de Sá de Miranda, Gil Vicente, Bernardim Ribeiro). – Unter dem Titel C. wurden im 15./16. Jh. auch Lyriksammlungen einzelner Dichter (Juan del Encina, »C.«, 1496) und Sammlungen einer einzigen lyr. Gattung (»C. de romances«, erschienen 1548 in Antwerpen) oder Thematik veröffentlicht.

◻ *Ausgaben:* C. da Biblioteca Nacional. Antigo Colocci-Brancuti. Hg. v. E. Pacheco Machado und I. Pedro Machado. 7 Bde. 1949–1960. – C. da Ajuda. Hg. v. M. Braga. 2 Bde. Lisboa 1945. – Il canzoniere portoghese della Biblioteca Vaticana. Hg. v. E. Monaci. Halle 1875. GR*

Canso, f. [prov. = Lied, Kanzone, von lat. cantio = Gesang], lyr. Gattung, die nach der Definition der Trobadorpoetik der »Leys d'amors« (14. Jh.) hauptsächl. von Liebe und Verehrung handelt; in der prov. Dichtung häufig belegt (über 1000 C.s in einem überlieferten Corpus von 2542 Liedern) und von den Trobados selbst am höchsten eingeschätzt. Besteht durchschnittl. aus 5–7 gleichgebauten, kunstvoll verknüpften Strophen (↗Coblas) von belieb. Verszahl (überwiegend 8 oder 9), meist mit Geleit (↗Tornada). Die mehr als 70 Variationen der C.-Strophe lassen sich auf zwei Grundtypen zurückführen: die ↗Periodenstrophe (Reimschema z. B. aab ab), bes. von den ersten Trobadors (Wilhelm IX. v. Aquitanien, Marcabru) verwendet, und die von den nachfolgenden Dichtern neben der Periodenstrophe gebrauchte ↗Stollenstrophe (gängigstes Reimschema, in insgesamt 114 C.s überliefert: ab ab ccdd, Silbenzahl der Verse schwankt u. d. Regel zwischen 7 und 8). Klass. Vertreter dieser höchst anspruchsvollen Liedgattung des prov. Minnesangs sind u. a. Bernart de Ventadorn, Giraut de Bornelh (2. Hä. 12. Jh.), Gaucelm Faidit (Ende 12., Anfang 13. Jh.) und Arnaut Daniel (Ende 12. Jh.). – Synonymbez. zur C. sind *Vers* (Bez. bes. von den ersten Trobadors gebraucht, evtl. auch für einfacher gebaute [Vierheber mit männl. Reim] Lieder) und *Cansoneta.* Die *Mieia C.* (= Halbkanzone) unterscheidet sich nur durch geringere Strophenzahl von der C. Die C.-*Sirventes,* oft nur schwer abgrenzbar vom ↗Sirventes, vermischt Liebesthematik mit der Kommentierung polit.-histor. Ereignisse. Sie ist vor allem durch Peire Vidal (um 1200) überliefert.

◻ Mölk, U.: Riquiers ›c. s.‹ und ›vers‹. Ein Beitr. z. Problem d. altprov. lyr. Gattungsbezeichnungen. In: Riquier, G.: Las c.s. Krit. Text u. Komm. Hg. v. U. Mölk. Hdbg. 1962, S. 121. PH*

Cansoneta, f. [prov. = Liedchen], ↗Canso.

Cantar, m. [span. = Lied],
1. Span. volkstüml. lyr. Form, vgl. ↗Copla 1.

2. C. (de gesta), Bez. der span. Heldenepen, gestalten auf dem Hintergrund der Kämpfe zwischen Mauren und Christen die Taten geschichtl. (Cid, Fernán González) und sagenhafter Helden (Bernardo del Carpio, Sieben Infanten von Lara). Erhalten ist nur das anonyme »Cid«-Epos (in einer nicht ganz vollständ. Abschrift aus dem Jahre 1307) und 100 Verse eines »Roncesvalles«-Epos. Von einer ehemals reicheren Tradition zeugen jedoch in den Chroniken des 13.–15.Jh.s Prosafassungen vermutl. älterer Heldenepen mit gelegentl. Spuren ursprüngl. Versgestaltung (z. B. die »Primera crónica general« Alfons' des Weisen, begonnen um 1270), sowie die seit dem 15.Jh. entstandenen Romanzenzyklen. – C.es entstanden vermutl. bald nach den histor. Ereignissen (der histor. Cid starb 1099, das »Cid«-Epos wohl [nach Menéndez Pidal] um 1140 oder [nach E. R. Curtius] nach 1180). Dieser »Cid« umfaßt in 3 Gesängen 3731 Langverse (meist assonierende 14-, 15-oder 13-Silber mit Zäsur), eingeteilt in 152 ⁄Laissen von unterschiedl. Länge. Die Blütezeit der C.es wird im 12./13.Jh. vermutet. – Umarbeitungen oder Nachahmungen älterer C.es sind zu sehen im »Poema de Fernán Gonzáles« (Mitte 13.Jh., Geschichte der Rückeroberung des span. Territoriums durch die Christen bis ins 10.Jh., verwendet die ⁄Cuaderna Vía) und im »C. de Rodrigo« (2. Hälfte 14.Jh., Jugendtaten des Cid). ⁄Chanson de geste.

📖 Catalán, D.: Crónicas generales y C.es de gesta. Hispanic Review 31 (1963) 195, 291. – Mettmann, W.: Altspan. Epik, ein Forschungsbericht. GRM, NF. 11 (1961) 129.
GR*

Cantica, n. Pl., Sg. canticum [lat. = Gesang, zu canere = singen],
1. Die gesungenen Partien des röm. Dramas: in den Tragödien des Seneca im wesentl. Chorlieder nach att. Vorbild, in der altröm. Komödie, namentl. bei Plautus, Monologe und Dialoge, die musikal.-gesangl. in Monodien (»Arien«), Duette, Terzette usw. aufgelöst sind, die von den gesprochenen Partien (⁄Diverbia) streng geschieden sind. Gegenüber ihren spät-att. Vorlagen überwiegen in der röm. Komödie die Gesangspartien; ihre komplizierten rhythm. Formen scheinen durch die Kompositionsformen der nicht überlieferten Melodien bedingt zu sein. Die von Flötenmusik begleiteten C. wurden z. T. nicht durch die Schauspieler, sondern durch hinter der Bühne postierte Sänger (cantores) vorgetragen, während die Schauspieler sich auf pantomim. Ausdruck beschränkten. Die Bedeutung der musikal. Gestaltung der altröm. Komödie erhellt auch daraus, daß in amtl. Festurkunden neben den Namen der Dichter häufig auch die der Komponisten aufgeführt sind.
2. Spät- und mittelalt. Bez. für monod. Gesangsstücke von verschiedener musikal. Gestalt mit vorwiegend geistl. Texten; insbes. die lyr. Texte des Alten und Neuen Testaments, die seit dem 4./5.Jh. Aufnahme in die lat. und griech. Stundengebetsliturgie fanden, z. B. Ex.15 (Canticum Mosis, Lobgesang des Moses nach dem Durchzug durch das Rote Meer), Dan.3 (Canticum trium puerorum, Gesang der drei Jünglinge im Feuerofen) u. a.
3. Canticum canticorum: nach hebr. šîr haššîrîm (= Lied der Lieder) gebildete lat. Bez. des »Hohen Liedes«.
K*

Cantiga, f. [span.-portugies. = Lied, Lobgesang, von lat. cantica = Lieder], zusammenfassende Bez. für iber. Volks-und Kunstlieder, im engeren Sinne für die rund 2000 hauptsächl. in den drei großen ⁄Cancioneiros der 14. und 15.Jh.s gesammelten Zeugnisse der galiz.-portugies. Lyrik des MA.s. Nach ihrem Inhalt in vier Gattungen gegliedert:
1. C.s de amigo, Lieder an den Freund, Frauenklagen über unerwiderte Liebe, zu strenge Bewachung, Untreue des Freundes u. a.; 2. C.s de amor, Liebeslieder in Stil und Ton der Minnelyrik der Trobadors (⁄Canso), handeln in zahllosen Variationen vom hoffnungslosen Liebeswerben des Mannes; 3. C.s de escárnio y de mal dizer, in die Form der C.s de amor gekleidete Rügelieder auf führende Persönlich-

keiten, soziale Gruppen, polit. Ereignisse oder allgemeinen Sittenverfall; iber. Variante des prov. ⁄Sirventes, in der Thematik aber weitgehend auf die lokalen Verhältnisse Spanien-Portugals beschränkt. – Dichter dieser drei Gattungen sind Nuno Fernandes de Torneol (1. Hälfte 13.Jh.), Pero García Burgalés (2. Hälfte 13.Jh.), Dom Dinis (1261–1325). 4. religiöse C.s, ep. und lyr. Gedichte über Marienpreis und Marienwunder (z. B. die »C.s de Santa Maria« von König Alfons X.).
📖 Ausgaben: C.s d'amor dos trovadores galego-portugueses. Hg. v. J. J. Nunes. Coimbra 1932. – C.s d'amigo dos trovadores galego-portugueses. Hg. v. J. J. Nunes. 3 Bde. Coimbra 1926–28.
PH*

Cantilène, f. [frz. = Singsang, viell. aus ital. cantilena = Singerei (< lat. cantilena)], in der mal. frz. Literatur 1. ein für den Gesang bestimmtes Gedicht, das der Verehrung von Heiligen gewidmet ist, z. B. die anonyme »C. de Sainte Eulalie« (um 880). 2. das von einem Teil der frz. ⁄Chanson de geste-Forschung (u. a. d'Héricault, 1860 und G. Paris, 1865) hypothet. angenommene, inzw. aber bestrittene ep.-lyr. Heldenlied als Vorform des frz. Heldenepos.
PH

Cantio, f., Pl. Cantiones [lat. = gesungenes Lied], lat., geistl. einstimm. Lied des MA.s was mehreren Stollenstrophen, meist mit Refrain; löste im 13.Jh. den einstimm. ⁄Conductus ab, wurde wie dieser ohne liturg. Bindung bei Gottesdiensten, Prozessionen u. a. relig. Anlässen gesungen. Die Texte waren bisweilen lat. Übersetzungen volkssprachl. ⁄Leise (z. B. die C. »Christus surrexit« nach dem Leis des 12.Jh.s »Krist ist erstanden«, der seinerseits eine Übersetzung einer Oster-⁄Sequenz des 11.Jh.s ist). Der Vortrag erfolgte meist als Doppellied, d. h. zwei C.nes, oft mit nicht aufeinander bezogenen Texten, wurden abwechselnd strophenweise gesungen. Als berühmter Dichter-Komponist wird Philipp de Grevia, Kanzler der Pariser Universität, erwähnt. Blütezeit der C., die dem volkssprachl. ⁄Kirchenlied den Weg bereitete, war das 14. und 15.Jh., bes. in Böhmen. Die zahlreichen (handschriftl. und gedruckten) Sammlungen, seit dem 16.Jh. als Kantionale bez., enthalten neben C.nes auch volkssprachl. Kirchengesänge, z. T. mit Melodien. Wichtig ist das handschriftl. Kantional von Jistebnice (Südböhmen) von 1420 (lat. Texte ins Tschech. übersetzt).
IS

Canto, m. [it. = Gesang], Bez. für einen längeren Abschnitt einer ep. Versdichtung; ursprüngl. vielleicht Bez. für ein gesungenes Vortragspensum. Findet sich bei italien. Epikern, z. B. bei Dante (»Divina Commedia«), Ariost, Tasso; in ihrem Gefolge auch bei Voltaire, Byron (»Don Juan«), E. Pound (»Cantos«), übersetzt als ›Gesang‹ bei Klopstock (»Messias«), E. Mörike (»Idylle vom Bodensee«), G. Hauptmann u. a.
S

Canzoniere, m. [it. = Liederbuch, zu canzone = Lied], Sammlung von Liedern oder anderen lyr. Gedichten; am berühmtesten ist der »C.« F. Petrarcas auf Madonna Laura (um 1350, gedruckt 1470, vgl. ⁄Kanzone); auch ⁄Cancioneiro, ⁄Chansonnier.
UM

Capitano, m. [ital. = Hauptmann], Typenfigur der ⁄Commedia dell'arte: der prahlsüchtige Militär (⁄Bramarbas), der seine Wirkung aufs Publikum aus dem Kontrast zwischen rhetor. vorgetäuschtem Heldentum und tatsächl. Feigheit zieht. Die zahlreichen C.-Varianten (»C. Spavento« [= Schrecken], »C. Coccodrillo« [= Krokodil], »C. Rodomonte« [= Prahlhans], »C. Spezzaferro« [= Eisenbrecher], »C. Matamoros« [= Mohrentöter] u. a.) sprechen für die außerordentl. Beliebtheit dieser Maske; auch ⁄Skaramuz.
PH

Capitolo, m. [it. = Kapitel],
1. Bez. für italien. Satire in ⁄Terzinen, gebräuchlichste Form der italien. klass. Verssatire. Ursprüngl. v. a. für didakt.-polit., aber auch idyll., eleg. und erot. Themen verwendet, bes. von den Petrarkisten (15.Jh.); im 16. Jh. dann zunächst für Parodien des ⁄Petrarkismus, dann allgemein

für Burlesken und v. a. Satiren. Neben F. M. Molza, B. Varchi oder L. Tansillo sind die berühmtesten Vertreter L. Ariost (»Capitoli«) und F. Berni (nach ihm auch: *Poesia Bernesca*). Die Bez. C. stammt aus den ↗»Trionfi« F. Petrarcas, die in Terzinen abgefaßt und in Kapitel (it. = capitolo) eingeteilt sind.
2. ↗Kapitel IS

Capriccio, n. [ka'pritʃo, it. m. = Laune, unerwarteter Einfall], seit Mitte des 16. Jh.s Titelbez. für scherzhafte musikal. Komposition in freier Form, dann für phantast. karikierende graph. Zyklen (J. Callot, Goya), seit dem 19. Jh. auch gelegentl. für phantasievolle literar. Werke, z. B. E. T. A. Hoffmanns »Prinzessin Brambilla. Ein C. nach Jakob Callot« (1820), E. Jünger, »Das abenteuerl. Herz. Figuren und C.s« (2. Fassung 1938/42). IS

Captatio benevolentiae, f. [lat. = Haschen nach Wohlwollen], Redewendung, durch die sich ein Redner zu Beginn seines Vortrages oder ein Autor am Anfang seines Werkes des Wohlwollens des Publikums versichern will. Ausführlichere Formen finden sich in Vorreden oder Prologen zu literar. Werken, vgl. z. B. Cervantes, »Don Quichotte«, Peter Weiss, »Die Verfolgung und Ermordung Jean Paul Marats«. ↗Devotionsformel. S

Caput, n. [lat. = Kopf], ↗Kapitel; aus dem c von *caput* entstand das sog. *alinea*-Zeichen ℭ, mit dem in mal. Handschriften und in Frühdrucken der Beginn eines neuen Absatzes markiert wurde. HSt

Carmen, n. [lat., Pl. carmina; ursprüngl. = Rezitation, aus *can-men*, zu canere = singen].
1. altlat. Carmina: Kultlieder (c. Arvale, c. Saliare), rituelle Gebete (z. B. Gebet des *pater familias* bei den Suovetaurilia – Cato, De agr. 141; Gebet des P. Decius Mus – Livius 8, 9, 6–8), Zauber- und Beschwörungsformeln, Prophezeiungen, Schwurformeln, Gesetzes- (z. B. *Leges duodecim tabularum*) und Vertragstexte. Zur Form vgl. ↗Carmenstil.
2. In klass. lat. Zeit allgem. Bez. für ein (insbes. lyr.) Gedicht; häufig begegnet C. = Ode (z. B. die *carmina* des Horaz); dient auch zur Bez. der ↗Elegie, der ↗Satire u. a.; *C.amabile:* erot. Gedicht (z. B. die *carmina* Catulls, Tibulls und Properz'). – Auf lat. C. = lyr. Gedicht spielt P. Valéry im Titel seiner Gedichtsammlung »Charmes« (1922) an.
3. Mittellat. Gedicht weltl. oder geistl. Inhalts, insbes. auch Vagantenlied; vgl. z. B. die »Carmina Cantabrigiensia« und »Carmina Burana«. K

Carmen figuratum, lat. Bez. für gr. Technopaignion, ↗Figurengedicht, Bilderreime, Bilderlyrik.

Carmenstil, Bez. für den Stil archaischer Kultlieder, Zaubersprüche, Beschwörungsformeln usw., die sich als älteste Dichtungsformen in fast allen Sprachen nachweisen lassen. Die Bez. ›C.‹ wurde geprägt von dem niederländ. Indologen J. Gonda in Anlehnung an die Bez. der altlat. Vertreter (↗Carmen). *Hauptkennzeichen* des C.s: 1. Dichtungen im C. lassen sich weder als Poesie noch als Prosa im herkömml. Sinne klassifizieren; 2. auffallend ist die im mag. Zweck begründete Tendenz zu Symmetrie und zwei- oder mehrgliedrigem Parallelismus (Gonda: »balanced style«); 3. daraus resultiert die Formelhaftigkeit des Stils, insbes. die Verwendung von ↗Zwillingsformeln; 4. Parallelismus und Formelhaftigkeit des C.s ziehen die verschiedenen Formen der Wiederholung und des Gleichklangs nach sich (↗Anapher und ↗Epipher, Annominatio und ↗figura etymologica, ↗Homoioptoton und ↗Homoioteleuton, ↗Alliteration und ↗Reim). Der archaische C. enthält damit keimhaft Formen der höheren Poesie, die sich durch Abstraktion vom mag. Zweck und durch Unterwerfung unter ästhet. Prinzipien aus diesem entwickeln. – *Texte im C.* finden sich in größerem Ausmaß in der altind. und altiran. Lit., die diesen Stil in kultischen Gesängen und rituellen Beschwörungsformeln bewahrt haben (vor allem im Ṛig-Veda und im Awesta); selten sind dagegen gr. Zeugen (z. B. bei Hesiod, Erga kai hemerai 3–7). Die altitalischen, altir. und germ.

Beispiele (altlat. carmina; umbr. Tabulae Iguvinae; eine paelignische Weihinschrift; kelt. und germ. ↗Zaubersprüche, altnord. und altfries. Gesetzestexte u. a.) sind durch die relativ häufige Verwendung der ↗Alliteration neben anderen Figuren des Gleichklangs charakterisiert; die Ursache dafür liegt im starken Initialakzent der altital., kelt. und germ. Mundarten. Beispiele für C. außerhalb des indog. Sprachraums finden sich im Ägyptischen und Akkadischen, im Hebräischen (u. a. in den Psalmen) und Arabischen (Koran) u. a.
🕮 Schmitt, R.: Dichtung u. Dichtersprache in indog. Zeit. Wiesbaden 1967. – Gonda, J.: Stylistic Repetition in the Veda. Amsterdam 1959. – Norden, E.: Die antike Kunstprosa vom VI. Jh. v. Chr. bis in die Zeit der Renaissance. 2 Bde. Lpz. u. Bln. ³1915–18. K

Carol, n. ['kærəl, engl. = Lied, von altfrz. carole, mlat. carola aus gr.-lat. choraúlēs = ein den Chor(tanz) begleitender Flötenspieler], in der engl. Lyrik des 14. u. 15.Jh.s volkstüml. Tanzlied mit Refrain, im Wechsel zwischen Solisten und Chor an jahreszeitl. Festen (bes. Weihnachten) zum Tanz vorgetragen; häufig sind 4heb. Verse und Reimfolge AA (Refrain) bbba/AA, damit strukturell der prov. ↗Balada, dem afrz. ↗Virelai und der italien. ↗Ballata verwandt; schon im 15. Jh. bez. C. allgemein ein gesungenes Refrainlied (häufig mit weihnachtl. Thematik), seit Mitte des 16. Jh.s dann bes. ein Weihnachtslied, unabhängig von der Form (vgl. span. ↗Villancico). – Durch den Einfluß der Puritaner wurde das Singen von C.s im 17. Jh. stark zurückgedrängt; seit Mitte des 19. Jh.s gelangen sie im Gefolge der Oxfordbewegung zu neuer Beliebtheit (1853 erscheinen J. M. Neales »C.s for Christmastide«). ↗Lullaby, ↗Noël.
🕮 Dearmer, P. u. a.: The Oxford book of C.s. New York u. London 1928, Neuaufl. 1964. – Routley, E.: The English C. London 1958. GS

Catch, m. [kætʃ; engl. = Fangen, Haschen, auch: Ineinandergreifen; die Ableitung von A. ↗caccia (Jagd) ist umstritten; in England des 17. und 18. Jh.s äußerst beliebter, metr. freier Rundgesang, vorgetragen als Kanon oder mehrstimm. Chorlied: dabei werden durch die Verflechtung der verschiedenen Stimmen einzelne Wörter oder Satzteile so hervorgehoben, daß sich heitere Wortspiele, Doppelsinnigkeiten und oft derbe Scherze ergeben. – Das C.-singen löste im 17. Jh. das kunstvollere Madrigalsingen als gesellschaftl. Unterhaltung ab. C.es sind in zahlreichen Einzeldrucken und Sammlungen erhalten (1. Sammlung 1609, hrsg. v. Th. Ravenscroft; berühmt sind die Sammlungen »The Musicall Banquett«, hrsg. v. J. Playford 1651, und »C. that C. can«, hrsg. v. J. Hilton 1652 u. 1658); auch von H. Purcell sind C.es, z. T. zu sehr obszönen Texten, überliefert. Im 18. Jh. machen sich C.-Clubs (z. B. »Noblemen and Gentlemen's C.Club«, seit 1761) um die C.Sammlungen verdient. Obwohl im späten 18. Jh. der C. von einfacheren Chorliedern (Glees) verdrängt wurde, ist ein C.-Club noch 1956 bezeugt. IS

Cauda, f. [prov. = Schweif] vgl. ↗Coda.
Cause grasse, f. [koz'gra:s, frz. = fetter Fall], s. ↗Basoche.
Causerie, f. [kozə'ri:, frz. = Unterhaltung, Geplauder], leichtverständliche, unterhaltend dargebotene Abhandlung über Fragen der Literatur, Kunst etc., Bez. im Anschluß an Sainte-Beuves Sammlung literaturkrit. Aufsätze unter dem Titel »Les C.s du Lundi« 1851–62 (15 Bde.). S

Cavaiola, f. [it., eigentl.: farsa C.], volkstüml. süditalien. Dialektposse des 16. Jh.s, die die sprichwörtl. Einfältigkeit der Bewohner von Cava de' Tirreni (bei Salerno) verspottete. Charakterist. sind binnengereimte Elfsilbler und feststehende Typen (häufig z. B. der *maestro*, ein C. oder fer. Lehrer). Neben anonymen Werken, z. B. »La Ricevuta dell' Imperatore alla Cava« (nach 1536) stehen die *farse Cavaiole* von Vincenzo Braca (1566 – nach 1625), z. B. »La maestra di cucito«, »Lo maestro de scola«, »Processus criminalis« u. a. Die Aufführungen, meist an Karnevalstagen im Freien, beeinflußten die neapolitan. Karnevalskomödie des 17. Jh.s.

📖 Baldi, R.: Saggi storici introduttivi alle farse Cavajole. Neapel 1933. IS

Cavalier poets [kævə'liə pouits, engl. cavalier = Ritter, Höfling], engl., dem Hof Charles' I. nahestehende Dichtergruppe der 1. Hälfte des 17. Jh.s, als deren Hauptvertreter R. Herrick, Th. Carew, Sir J. Suckling und R. Lovelace gelten. Merkmale ihrer von B. Jonson und J. Donne beeinflußten Lyrik, großenteils Gesellschafts- und Gelegenheitsdichtung, sind sprachl. Glätte, Anmut und kultivierte Eleganz, intellektuell-spieler. Witz, aber auch ein sich naiv-burschikos gebender Umgangston, vgl. z. B. Herricks Gedichtsammlung »Hesperides« (1648), Carews Gedicht »The Rapture«, Lovelaces Gedichte »To Lucasta« u. a.

📖 Clayton, Th. (Hg.): C. P.: Selected Poems. Oxf. 1978. – Miner, E.: The Cavalier Mode from Jonson to Cotton. Princeton 1971. – Skelton, R.: C. P. London 1960. MS

Cénacle, m. [se'nakl; frz. von lat. cenaculum = Speisesaal, zu cenare = speisen], Bez. der verschiedenen, einander ablösenden romant. Dichterkreise in Paris. Der erste C. wurde seit etwa 1820 vorbereitet im Freundeskreis um E. Deschamps, der 1823 zusammen mit V. Hugo die Zeitschrift »La Muse française« (bis 1824) gründete, die zum offiziellen Organ der romant. Bewegung wurde. Die Mitarbeiter (Ch. Nodier, A. Soumet, A. Guiraud, A. de Vigny u. a.) trafen sich im Speisesaal (cénacle) der ›Bibliothèque de l'Arsenal‹, deren Bibliothekar Nodier war (daher die Bez.). – 1827/28 gründete V. Hugo, der zum Haupt der romant. Schule geworden war (Manifest der Romantiker: das »Préface de Cromwell«, 1827), den berühmten C. in der rue de Notre-Dame-des-Champs. Neben Gästen und Mitgliedern des C.s Nodiers (Deschamps, de Vigny) gehörten den C. Hugos bis 1830 die bedeutendsten frz. Romantiker an, so Th. Gautier, A. Brizeux, A. de Musset, A. Lamartine, P. Merimée, G. de Nerval, Ch. A. de Sainte-Beuve, der 1829 einen eigenen C. gründete, ebenso Th. Gautier. – Als Petit-C. (oder Jeune France) wird der exzentr. Romantikerkreis (seit 1830) um P. Borel bez., in dem auch Nerval und Gautier (der den p. c. in »Les Jeune France«, 1833, satir. darstellte) verkehrten.

📖 Martino, P.: L'époque romantique en France. Paris 1945. – Séché, L.: Le C. de la »Muse française« 1823–1827. Paris 1908. GS*

Centiloquium, n. [zu lat. centum = hundert, loqui = sprechen], in der antiken Literatur Sammlung von 100 Aussprüchen, Sentenzen u. ä. (z. B. »C.« = eine Ptolemäus zugeschriebene astrolog. Sentenzensammlung, gedruckt Venedig 1484); die Bez. begegnet gelegentl. auch im MA. (z. B. »C. theologicum« von Wilhelm von Ockham, 1. Hälfte 14. Jh.) und wurde auch auf größere didakt. Werke übertragen, z. B. auf Hugos von Trimberg »Der Renner« (vgl. die Wolfenbüttler Handschrift Cod. August. 6.2. fol. vom Jahre 1388). S

Cento, m. [lat. = Flickwerk], aus einzelnen Versen bekannter Dichter zusammengesetztes Gedicht, in der Antike z. B. aus Versen Homers und Vergils. C.-Dichtungen wurden verfertigt aus parodist. Absicht (z. B. die »Gigantomachie« des Hegemon von Thasos, 5. Jh. v. Chr.) oder aus Freude an artist. Spiel, wie der aus lat. Klassikerversen kombinierte »C. nuptialis« des Rhetorikers Ausonius (4. Jh.); christl. Dichter wandten überdies die C.technik an, um klass. Verse heidn. Dichter mit christl. Inhalt zu versehen, so die aus Hexametern Vergils zusammengestellte Schöpfungs- und Heilsgeschichte der Römerin Proba Falconia (4. Jh.) oder die im 12. Jh. verfaßten Erbauungsgedichte aus Versen der »Eklogen« Vergils und der Oden des Horaz von dem Tegernseer Mönch Metellus. Von Oswald von Wolkenstein ist ein C. aus Freidank-Versen überliefert

(Anf. 15. Jh.); Petrarca-Verse verwertete H. Maripetro im »Petrarca spirituale« (1536); noch im 17. Jh. schuf Etienne de Pleure aus Versen Vergils eine Lebensgeschichte Christi (»Sacra Aeneis«, 1618), ebenso der schott. Geistliche Alexander Ross (»Virgilius Evangelizans«, 1634). Eine C.-Parodie findet sich bei Klabund (»Dt. Volkslied«). – Zu modernen Weiterentwicklungen der C.technik s. ∕Collage.

📖 Delepierre, J. O.: Tableau de la littérature du centon chez les anciens et chez les modernes. 2 Bde. London 1874–75. S

Chanson, n. [∫ã'sõ:; frz. f. = Lied, aus lat. cantio = Gesang],
1. in der frz. Literatur des MA.s jedes volkssprachl., gesungene ep. oder lyr. Lied. Der Oberbegriff Ch. umfaßt mehrere Gattungen: ∕Ch. de geste, ∕Ch. de toile, Ch. balladée (∕Virelai), Ch. de croisade (Kreuzzugslied) u. a. – Im engeren Sinne wird unter Ch. das Minnelied der nordfrz. Trouvères verstanden, dessen Form und Thematik von der ∕Canso der prov. Trobadors übernommen ist und bis zum 14. Jh. in Frankreich gepflegt wurde.
2. Dem grundsätzl. einstimm. Ch. des Hoch-MA.s tritt gegen Ende des 13. Jh.s das mehrstimm. Ch. (teils mit Refrain) zur Seite; ihm ordnen sich u. a. die Gattungen ∕Motet, ∕Ballade, ∕Rondeau und ∕Virelai unter (z. T. bereits bei Adam de la Halle und Jehannet de L'Escurel [13. Jh.], dann bei Guillaume de Machaut [14. Jh.]). – Als höf., satir. und polit. Ch. erlebt es im 15. Jh. seine zweite Blüte, vgl. die zahllosen Sammlungen mit Ch.s u. a. von Ch. de Pisan, A. Chartier, Charles d'Orléans und ihren Komponisten G. Dufay, Josquin des Prés u. a. Im 16. Jh. dominieren Ch.s über die genußfreudige Liebe (M. de Saint-Gelais, C. Marot und M. Scève), daneben entstehen unzähl. namenlose Abenteuer-Ch.s. Im 17. und 18. Jh. stehen galante, tändelnde Ch.s neben stark polit. akzentuierten, meist anonymen Ch.s mit scharfer Kritik am absolutist. Regime (Kriege, Finanzmisere, Skandale des Hofes u. a.). Die Frz. Revolution stellt einen Höhepunkt der polit. Ch.-Dichtung dar: zwischen 1789 und 1795 entstanden nahezu 2300 Ch.s. Besungen wurden die Generalstände, der Bastillesturm, die Menschenrechte, der Kampf gegen Adel und Klerus, die Republik, die führenden Revolutionäre, die Guillotine u. a. (Die wichtigsten der revolutionären Ch.s wie »Ça ira«und »La Carmagnole« lebten in den Mai-Unruhen 1968 mit leicht modifiziertem Text wieder auf.) An das polit. Ch. der Frz. Revolution knüpfte J. P. de Béranger an, der früh zum »Chansonnier national« erhobene Volksdichter, an, der in seinen Ch.s die Abschaffung des Bourbonen-Regimes, danach dasjenige des Bürgerkönigtums propagierte, z. B. »Le marquis de Carabas« (1816). Sein umfangreiches Liedercorpus enthält aber auch einen Großteil lebensfroh-sentimentaler Ch.s, z. B. »Roger Bontemps« (1814).
3. Heute umfaßt im Frz. die Bez. ›Ch.‹ alle Arten des ein- und mehrstimmigen Liedes; im engeren Sinn bez. es eine spezif. literar.-musikal. Vortragsgattung: den rezitativen oder gesungenen Solovortrag (meist nur von einem Instrument begleitet), der durch Mimik und Gestik des Vortragenden unterstützt wird. Zur Vortragssituation gehören der intime Raum mit engem Hörerkontakt und eine fortwährend variierte mim. Animation des Publikums durch den Vortragenden (z. B. durch Refrain, pointierten Strophenschluß usw.). Typ. stilist. Einzelzüge des Ch.s sind starke Strophengliederung und Vorliebe für den Refrain, es überwiegen Rollengedichte (Ansprechen des Publikums in der ersten Person, sog. Selbstdarstellungs-Ch.). Das Ch. behandelt Themen aus allen Lebensbereichen, bes. solche mit aktuellem Bezug, die es witzig, iron., satir. oder aggressiv interpretiert, aber auch Gefühlserlebnisse. Zu unterscheiden sind vier sich vielfach überschneidende Varianten: a) das mondäne Ch., weltstädt.-kultiviert, geistreich und frivol (bes. im Berlin der Jh.wende, z. B. F. Hollaender, »Ich bin

von Kopf bis Fuß auf Liebe eingestellt«, R. Nelsons »Ladenmädel«); b) das v. a. aus dem Possen-/Couplet entwickelte *volkstüml. Ch.* über das arbeitende Bürgertum (z. B. O. Reutters »Kleine-Leute-Ballade«, Klabunds »Meine Mutter liegt im Bette«, W. Mehrings »Die Linden lang! ›Galopp! Galopp!‹«, K. Tucholskys »Wenn die Igel in den Abendstunden . . .«); c) das *polit. Ch.,* das entweder die polit. Aktion zur Beseitigung sozialer Mißstände fordert, oft auch auf direkte Systemüberwindung abzielt (z. B. E. Buschs »Revoluzzer« oder »Lied der Arbeitslosen«, K. Tucholskys »Rote Melodie« und »Graben«) oder auch nur die Mißstände aufzeigt, oft im Reportagestil (z. B. E. Kästners »Marschlied 45« und »Hotelzimmergedichte«, M. Morlocks »Ballade von einem, der keinen Standpunkt hatte«); d) das *lyr. Ch.,* eine Augenblicksstimmung oder ein Liebesmoment einfangend, meist die Vertonung eines lyr. Gedichtes (z. B. K. Tucholskys »Parc Monceau« oder das »Japanlied«). Die Entstehung des modernen Ch.s geht auf das seit der Mitte des 19. Jh.s in Pariser Cafés (Béranger, Beuglant u. a.) gepflegte aktuelle Gesellschaftslied zurück. Ein erster bedeutender Sammelpunkt der »Chansonniers« stellte das 1881 von R. Salis gegründete »Cabaret artistique Chat Noir«, ein zweiter A. Bruants 1885 gegründetes »Cabaret Mirliton« dar. Spätere berühmte Interpreten: M. Chevalier, J. Prévert, G. Brassens, B. Vian, Ch. Aznavour, G. Bécaud, E. Piaf, J. Gréco u. a. In Deutschland wurde das Ch. zur Jh.wende in den vom Naturalismus, Jugendstil und Neuromantik geprägten Kabaretts der »Elf Scharfrichter« und des »Überbrettls« eingeführt. Frz. Einflüsse waren neben denen des Bänkelsangs, der Moritat, des polit. und des Operettenliedes maßgebend. Heutige Verbreitung des Ch.s auch im Film, der Show, in Rundfunk und Fernsehen. In den letzten Jahren bes. Betonung des polit. Ch.s (W. Biermann, D. Süverkrüp und F. J. Degenhardt).

Ausgaben: Rieger, D.: Frz. Ch.s. Stuttg. 1987. – Ça ira. 50 Ch.s, chants, couplets u. vaudevilles aus der Frz. Revolution 1789–1795. Frz. u. dt., hg. v. G. Semmer. Bln. ²1962. – Lieb war der König, oh-la-la! Satir. u. patriot. Ch.s von P. J. de Béranger. Frz. u. dt., hg. v. Jan Otokar Fischer, Bln. ²1961. – Ch.s populaires des XVᵉ et XVIᵉ siècles. Hg. v. Th. Gerold. Strasbourg, New York 1913. – Dt. Ch.s (Brettl-Lieder) v. Bierbaum, Dehmel, Falke u. a. Hg. v. O. J. Bierbaum. Lpz. 1902.

Rieger, D. (Hg.): La ch. française et son histoire. Tüb. 1988. – Schmidt, Felix: Das Ch. Herkunft, Entwicklung, Interpretation. Frkft. ²1982. – Schulz-Koehn, D.: Vive la ch. Kunst zw. Show und Poesie. Gütersloh 1969. – Ruttkowski, W. V.: Das literar. Ch. in Deutschland. Bern u. Mchn. 1966. – Barbier, P./Vernillat, F.: Histoire de la France par les ch.s. 8 Bde., Paris 1957–61. – RL.   PH*

Chanson balladée /Virelai

Chanson de geste, f. [ʃãsõdʒɛst; frz. = Heldenlied, eigentl. Tatenlied, zu geste aus lat. gesta = Taten (eines Helden, Heerzugs usw.)], Bez. der frz. »Heldenepen des MA.s, denen zur /Heldensage umgestaltete Stoffe aus der nationalen Geschichte, insbes. aus der Karolingerzeit, zugrunde liegen, daher auch Bez. als ›nationales Epos‹. Ihre Form ist die Tiraden- oder /Laissen-Strophe, der eine wechselnde Anzahl von Versen (zwischen 2 und 1443!) durch *einen* Reimklang (in älteren Gedichten meist eine /Assonanz) verbunden sind; beliebteste Versformen sind der 10-Silber mit Zäsur nach der 4. Silbe (/Vers commun) und der 12-Silber mit Zäsur nach der 6. Silbe (/Alexandriner). Gesangsvortrag wird allgemein angenommen; die Vortragenden waren Spielleute (afrz. jogler, jogleor; trouvère; ménéstrel); Begleitinstrument war die viële (4saitige Geige), seit dem 14.Jh. die cifonie (Drehleier). Die Geschlossenheit der Laissenstrophe, durch melismat. ausgestaltete Kadenzen auch im musikal. Vortrag hervorgehoben, bedingt eine blockhafte Erzählweise, die, wie auch die Tendenz zur Verwendung ep. Formelgutes, dem Stil der Ch.

archaisierenden Charakter verleiht. – Insgesamt sind etwa 80 Ch.s de g. überliefert, die meisten anonym; bei den Gedichten, deren Verfasser namentl. bekannt sind (Bertrant de Bar-sur-Aube, Adenet le Roi u. a.), handelt es sich um bewußt kunstvolle, oft im Stil dem höf. Roman angenäherte Bearbeitungen älterer Fassungen. Die *Handschriften,* meist Sammelhandschriften (manuscripts cycliques), sind größtenteils Prunkhandschriften, angefertigt für die Bibliotheken fürstl. Literaturliebhaber; nur 7 Handschriften mit insgesamt 13 Gedichten können als spielmänn. Gebrauchshandschriften gelten. – Die *Vorgeschichte der Ch. d. g.* ist in der Forschung umstritten; die ältesten erhaltenen Denkmäler fallen frühestens ins 11.Jh.; die ältere Forschung, die sich bes. in Deutschland größerer Resonanz erfreute, schloß u. a. aus der Anonymität der Ch. d. g. auf eine jahrhundertelange, letztl. in fränk. Heldenliedern der Merowingerzeit wurzelnde volkstümliche ep. Tradition, deren mündl. überlieferte Produkte erst kurz vor dem »Verklingen« von sog. /Diaskeuasten gesammelt und aufgezeichnet worden seien (Ch. d. g. als »Erbpoesie«, als »Volksepos«); nur den späteren Gedichten des 13./14.Jh.s wird literar. Charakter im engeren Sinne zugestanden. Dem hält die jüngere, vor allem frz. Forschung das Fehlen eindeutiger Zeugnisse dieser ep. Tradition entgegen; sie sieht in der Ch. d. g. eine deutl. literar. Gattung, die im 11. Jh. neu geschaffen wurde (Ch. als »Buchpoesie«); als Quellen werden in Betracht gezogen: 1. chronist. Aufzeichnungen, denen der oft recht magere histor. Kern einer Ch. d. g. entnommen wird; 2. lokale Sagen- und Legendenbildungen um Karl den Großen, um seine Pairs, um volkstüml. Helden aus den (Glaubens)kriegen gegen die Heiden, gebunden an Gedenkstätten, insbes. entlang der großen Heeresund Pilgerstraßen; und 3. ep. Phantasie (Märchenmotive usw.). Für die Entstehung im 11.Jh. spricht auch, daß in den Ch.s d.g. die histor. Folie von aktuellen polit. Problemen des HochMA.s überlagert ist (Kämpfe gegen die Heiden als Spiegelung der Kreuzzüge; Kämpfe zwischen König bzw. Kaiser und aufrührer. Vasallen als Spiegelung der hochmittelalterl. Verfassungskonflikte zwischen Zentralgewalt und Territorialherren). – Die Ch. d. g. zeigt, ähnlich wie den skandinav. /Fornaldarsögur und auch den dt. Heldenepen, eine Tendenz zur zykl. Verknüpfung, oft nach genealog. Gesichtspunkten. Man unterscheidet *3 große Zyklen,* sogenannte »Gesten«:

1. den Zyklus um das Karolingische Herrschergeschlecht *(geste Pépin, Königsgeste):* Zentralfiguren sind Karl der Große und seine 12 Pairs; älteste Gedichte des Zyklus, der insgesamt ca. 15 Werke umfaßt, sind das Rolandslied (»Chanson de Roland«, datiert zwischen 1060 und 1130) und die Karlsreise (»Pèlerinage de Charlemagne«, datiert zwischen 1080 und 1150);

2. den Zyklus um das Vasallengeschlecht Garins de Monglane, zu dem u. a. Wilhelm von Orange gehört *(geste Garin,* Wilhelmsgeste): Zentralfiguren sind neben Wilhelm, dessen Neffe Vivien und der zum Christentum bekehrte heidn. Riese Rainoart; ältestes und bedeutendstes Gedicht des Zyklus ist das Wilhelmslied (»Chançun de Guillelme«, entdeckt 1903, datiert zwischen 1075 und 1140); relativ alt ist auch das Epos von der Krönung Ludwigs (des Frommen) (»Li coronemenz Looïs«, um 1130); insgesamt ca. 20 Gedichte;

3. die *Empörergeste(n):* gemeinsames Grundmotiv: ein vom König oder Kaiser vermeintl. oder wirkl. begangenes Unrecht veranlaßt einen Vasallen zur Auflehnung und zur Verbündung mit inneren oder äußeren Feinden des Reiches; die Kämpfe ziehen sich über mehrere Generationen hin; wichtig ist gerade bei diesen Gedichten ihre Aktualität; ältestes Werk ist »Gormont et Isembart« (Fragment, datiert zwischen 1070 und 1130); weitere Empörerepen: »Raoul de Cambrai« (Ende 12.Jh.), das Gedicht von den 4 Haimonssöhnen (»Quatre fils Aymon«, anderer Titel:

»Renaut de Montauban«; Ende 12. Jh.), »Girart de Ros-silho« (provenzal.), »Doon de Mayence« (13. Jh.). – Wichtige Epen und kleinere Gesten außerhalb der großen Zyklen: »Amis und Amile« (Ende 12. Jh.), »Huon de Bordeaux« (um 1200), der Zyklus um Ereignisse des 1. Kreuzzuges (einschl. der märchenhaften Epen vom Schwanenritter), das Epos vom Albingenserkrieg (»Canso de la crozada«, provenzalisch). – Die Stoffe der Ch. fanden (z. T. schon sehr früh) Eingang in andere literar. Gattungen: Prosabearbeitungen, umfangreiche kompilator. Werke in Reimpaaren, später auch in Prosa, span. /Romanzen, it. Kunstepen der Renaissance (Ariost, »Orlando furioso«). – Ein selbständiges, von der frz. Ch. d. g. (einschließl. der wenigen prov. Epen) unabhängiges Heldengedicht hat in der mittelalterl. Romania nur noch Spanien mit dem »Cantar de mio Cid« aufzuweisen (/Cantar). Bei den anderen span. Heldenepen und insbes. den zahlreichen it. Heldenepen handelt es sich dagegen entweder um Bearbeitungen frz. Chansons d. g. oder um phantasievolle Neuschöpfungen nach deren Vorbild.

📖 *Ausgaben:* d'Aigremont, M.: Ch. d. g. Edition critique avec introduction, notes et glossaire par Ph. Vernay. Bern/Mchn. 1980. – de Riquer, M.: Les ch.s d. g. françaises. Traduction française par I. Cluzel. Paris ²1957. Bomba, A.: Ch.s d. g. und frz. Nationalbewußtsein im MA. Wiesb. 1987. – Ryncher, J.: La ch. d. g. Genève/Lille 1955. – Siciliano, I.: Les origines des ch.s d. g. Théories et discussions. Traduit de P. Antonetti. Paris 1951. – Crossland, J.: The old French epic. Oxford 1951. – Bédier, J.: Les légendes épiques, recherches sur la formation des ch.s d. g. 4 Bde. Paris ³1926–29. – Paris, G.: Histoire poétique de Charlemagne. Paris ²1905. – Gautier, L.: Les épopées françaises. 4 Bde. Paris ²1878–94.   K

Chanson de toile, f. [ʃãsodə'twal; frz. chanson = Lied, toile = Leinwand], auch: Ch. d'histoire, nach dem Gesang beim Weben benannte Gattung der afrz. Liebeslyrik, die eine einfache Liebesgeschichte, meist zwischen Ritter und Mädchen, in ep.-histor. Rahmen erzählt. Form: meist Strophen von des fünf durch dieselbe Assonanz gebundenen Zehnsilbern, abgeschlossen durch eine assonanzfreie Zeile oder zwei in sich assonierenden Refrainzeilen. Spärliche, ausschließl. anonyme Überlieferung: zehn Ch.s d. t. im wesentl. erhalten, sieben bruchstückhaft. *Berühmtes Beispiel:* das von P. Heyse u. d. T. »Schön Erenburg« ins Deutsche übersetzte »Bele Erembors«. Die Entstehung der Ch. d. t. ist umstritten: aus volkstüml. Wurzeln (K. Bartsch, A. Jeanroy, G. Paris) unter Einfluß höf. Elemente oder Genese aus einer bewußt archaisierenden Richtung der höf. Dichtung (Faral)?

📖 Sabe, G.: Les Ch.s d.t. o ch.s d'histoire. Modena 1955. – Faral, E.: Les Ch.s d. t. In: Romania 69 (1946/47) 433.   PH*

Chanson d'histoire [frz. ʃãsodis'twa:r] /Chanson de toile

Chansonnier, m. [ʃãsɔni'e; frz. = Liederdichter, Sänger], 1. Bez. Liederdichter des 12.–14. Jh.s (/Trobador, /Trouvère), im Ggs. zu Ependichtern.
2. Liedersammlung, z. B. der berühmte »Ch. du roi«, (13. Jh.), eine Pracht-Handschrift mit provenzal. Trobadorliedern.
3. In der Neuzeit Sänger von /Chansons.   S

Chantefable, f. [ʃãt'fa:bl.; frz. aus chanter = singen und fable = Fabel], Mischform der frz. mal. Literatur aus rezitierten erzählenden Prosapartien und gesungenen monolog. oder dialog. Versabschnitten (/Laissen aus assonierenden Siebensilbern). Das einzige überlieferte Beispiel, das auch die Bez. ›Ch.‹ enthält, ist die anonyme Liebesnovelle »Aucassin et Nicolette« (Anfang 13. Jh.); ob weitere Werke dieses Formtypus' verlorengingen, ist ungewiß. – In der Neuzeit versuchte L. Tieck in der »Sehr wunderbaren Historia von der schönen Melusine« (1800) die Form der Ch. nachzubilden.

Chant royal, m. [ʃãrwa'jal; frz. = königl. Lied], frz. Gedichtform des 14.–16. Jh.s, schwierigere Sonderform der /Ballade (1): fünf 8–12zeil. Strophen (aus Zehn-, seltener Achtsilbern mit jeweils gleichen Reimen) mit /Geleit (/Envoi); der letzte Vers der 1. Strophe taucht als Refrain an Strophen- und Geleitende auf: ababccddedE, Geleit: ddedE; behandelt v. a. moral.-didakt., polit., zeitkrit. und relig. Themen (Marienpreis), oft in allegor. Einkleidung. Dichter des Ch. r. sind G. de Machaut, E. Deschamps, J. Froissart, J. und C. Marot, sowie im 19. Jh. bes. Th. de Banville. – Herkunft des Namens zweifelhaft: vielleicht nach der häufig im Geleit genannten Anrede »Roi« oder »Prince« (Fürst oder ein in einem /Puys gekrönter Dichter), vielleicht auch wegen der komplizierten Reimform als »royal« (königlich) apostrophiert.   PH*

Chapbooks, Pl. ['tʃæpbuks; engl. aus chap < aengl. ceap = Handel, books = Bücher], seit dem 19. Jh. in England belegte Bez. für populäre /Flugblätter, /Broschüren und Bücher von kleinem Umfang und Format, meist mit einfachen Illustrationen (Holzschnitten), die bes. durch fliegende Händler (chapmen) in England und Nordamerika vertrieben wurden (/Kolportageliteratur). Neben verschiedenen literar. Kleinformen (Kinderreime, Scherzgedichte, Balladen, Pamphlete, Schwänke, Bibelgeschichten) und Gebrauchsliteratur (Almanache, Kalender, Traktate) wurden in dieser Form vor allem /Volksbücher verbreitet (Hug Schapler, Guy of Warwick, Tom Thumb, Fortunatus, Dr. Faustus, The Beautiful Melusina). – Bedeutende Ch.-Sammlungen in England (British Museum, London; Bodleian Library, Oxford) und in den USA (New York Public Library; Harvard University Library).   HFR

Charakterdrama, entfaltet sich aus der Darstellung eines durch individuelle Eigenschaften geprägten, meist komplexen und widersprüchl. Charakters. Keine fest umrissene dramat. Gattung – die Grenzen zu anderen Formen des Dramas sind fließend: F. Schiller (Egmont-Rezension) stellt dem Ch. einerseits das Handlungs- und Situationsdrama, andererseits eine Form des Dramas, die auf der Darstellung von Leidenschaften beruht, gegenüber; R. Petsch unterscheidet neben dem Ch. Handlungsdrama / Ideendrama; W. Kayser subsumiert das Ch. unter den umfassenderen Begriff des /Figurendramas, dem er Raumdrama und Geschehensdrama entgegensetzt. – Das Ch. setzt die Entdeckung der menschl. Individualität voraus, insofern ist es eine spezif. neuzeitl. Form dramat. Dichtung; man findet es daher auch überwiegend in den Epochen, die die Autonomie des menschl. Individuums bes. betonen, in der Renaissance (Shakespeare: »Hamlet«, »König Lear«) und im /Sturm und Drang (Goethe: »Götz von Berlichingen«).

📖 Petsch, R.: Drei Haupttypen des Dramas. In: DVjs 11 (1933). – RL.   K

Charakterkomödie, ihre kom. Wirkung beruht im Ggs. zur /Situationskomödie weniger auf Verwicklungen der Handlungsstränge, als vielmehr auf der (oft einseitig übertriebenen) Darstellung eines kom., komplexen individuellen Charakters. Die Grenzen zur /Typenkomödie sind fließend (vgl. z. B. die Komödien der Aufklärung). Ch.n sind z. B. Shakespeare, »Die lustigen Weiber von Windsor« (Sir John Falstaff), »Der Kaufmann von Venedig« (Shylock), Molière, »Der Geizige«, »Der eingebildete Kranke«, »Tartuffe«, H. v. Kleist, »Der zerbrochene Krug« (Dorfrichter Adam, Schreiber Licht), G. Hauptmann, »Biberpelz«, »Der rote Hahn« (Frau Wolff).   K*

Charakterrolle, Rollenfach im Theater: Darstellung eines individuell profilierten, oft komplexen und widersprüchlichen Charakters, z. B. Othello, Hamlet; Wallenstein; Falstaff; Dorfrichter Adam u. a.   K

Charaktertragödie, /Tragödie, die sich (vorwiegend) aus den oft extrem individuell geprägten Charaktereigenschaften des (oder der) Helden entwickelt. Der trag. Konflikt beruht dabei meist auf einem durch den Charakter des Helden bedingten Mißverhältnis zur Umwelt oder zur Gesellschaft, das häufig in einer Fehleinschätzung der Situation zum Ausdruck kommt. – Beispiele: Shakespeare: »Othello« (Othellos Eifersucht), »Hamlet« (Hamlets Zögern), »König Lear«; Goethe: »Götz von Berlichingen«, »Egmont«, der ›Titanismus‹ der Sturm- und Drang-Helden. K

Charge, f. [ʃarʒə; frz. = Bürde (eines Amtes)], im Theater eine Nebenrolle mit meist einseitig gezeichnetem Charakter, z. B. der Derwisch in Lessings »Nathan« oder der Kammerdiener in Schillers »Kabale u. Liebe«. Die Gefahr der Übertreibung (↗Karikatur), die in der Darstellung dieser Rollen liegt, prägte die Bedeutung des Verbums *chargieren* = mit Übertreibung spielen. S

Charonkreis [ˈcaːrɔn; Charon = myth. Fährmann über ›Urgewässer‹ ins ›Seelenreich‹], Berliner antinaturalist. Dichterkreis um den Lyriker O. zur Linde und seine Zeitschrift »Charon« (begr. mit R. Pannwitz, 1904–1914, danach »Charon-Noftefte«1920–22). Programmat. Ziel des Ch.es war es, durch einen in der Dichtung neu zu erschaffenden, nord. geprägten Urweltmythos eine gesellschaftl. Erneuerung herbeizuführen – weg von der materialist. »Totschlagwelt« hin zur Rückbesinnung auf innerseel. und kosm. Kräfte. Die Dichtungen (die Züge des ↗Expressionismus vorwegnehmen) gestalten subjektive, gedankenund bildbefrachtete kosm. Erlebnisse in visionär-ekstat. Sprache; feste metr. Formen werden zugunsten der »Eigenbewegung« eines sog. »phonet. Rhythmus« abgelehnt (vgl. das poetolog. Programm in der Streitschrift »Arno Holz und der Charon«, 1911). Neben O. zur Linde (»Die Kugel, eine Philosophie in Versen«, 1909, »Thule Traumland«, 1910, »Charont. Mythus«, 1913 u. a.) gehörten zum Ch. R. Pannwitz (bis 1906), K. Röttger, B. Otto, R. Paulsen, E. Bockemühl.
Ⓛ Hennecke, H. (Hrsg.): O. zur Linde: Charon. Auswahl aus seinen Gedichten. Mchn. 1952. IS

Charta, f. [lat.; aus gr. chartes = Blatt], ursprüngl. Blatt aus dem Mark der Papyrusstaude (zur Herstellung vgl. Plinius d. Ä., 23–79 n.Chr.: »De papyro capita«; gedruckt 1572); dann verallgemeinert für alle Arten von Schreibmaterialien (vgl. auch dt. *Karte*) und für Buch. – Im MA. bes. in der Bedeutung ›Urkunde‹ (neben Diploma), vgl. z. B. »Magna Charta libertatum« (1215, die älteste europ. Verfassungsurkunde); auch noch in der Neuzeit, z. B. »Ch. der Vereinten Nationen«. S

Chaucer-Strophe [tʃɔːsə-], auch rhyme royal, von dem engl. Dichter G. Chaucer (14.Jh.) möglicherweise nach prov. Vorbildern in die engl. Dichtung eingeführte Strophenform aus 7 jamb. Fünfhebern (↗heroic verses), Reimschema ababbcc. Sie ist die dominierende Strophenform der engl. Epen und Lehrgedichte des 15.Jh.s (Chaucer: »Troilus and Criseyde«, »The Parlament of Foules«, Teile der »Canterbury Tales«); auch im 16.Jh. noch sehr beliebt (Shakespeare, «The Rape of Lucrece«), tritt jedoch dann an Bedeutung hinter die ↗Spenser-Stanze zurück, nach deren Vorbild sie von einzelnen Autoren (J. Donne, später J. Milton) gelegentl. variiert wird (Reimschema ababccc, Schlußzeile im Alexandriner); im 17. und 18.Jh. selten, z. B. bei Th. Chatterton, zwar mit dem von Chaucer eingeführten Reimschema, aber dem abschließenden Alexandriner nach dem Vorbild der Spenser-Stanze: sog. *Chatterton-Strophe.* Im 19. und 20.Jh. verschiedene Versuche, die Ch.St. wiederzubeleben (W. Morris, J. Masefield); neue Varianten finden sich bei R. Browning (Reimschema ababcca) und J. Thomson (Reimschema ababccb: sog. *Thomson-Strophe*). K

Chevy-Chase-Strophe [ˈtʃɛviˈtʃɛis, engl.], auch: Balladenstrophe, Ballad-Stanza, Ballad-metre; Strophenform zahlreicher engl. Volksballaden; Bez. nach der ↗Ballade von der Jagd auf den Hügeln von Cheviot, welche die Balladensammlung Th. Percys (»Reliques of Ancient English Poetry«, 1765) eröffnet. Die Ch.-Ch.-St. ist eine 4zeil. Strophe, bei der 4-Heber (1. u. 3. Zeile) und 3-Heber (2. u. 4. Zeile) abwechseln; die Versfüllung ist frei, die ↗Kadenzen sind durchgehend männl., meist nur Vers 2 und 4, daneben findet sich auch Kreuzreim; Abweichungen vom Grundschema (z. B. 6zeil. Strophen mit Reimschema abxbxb und Strophen mit ausschließl. 4heb. Versen) sind häufig und finden sich in der Chevy-Chase-Ballade selbst. – Die Ch.-Ch.-St. erscheint seit mittelengl. Zeit (z. T. mit variierten Kadenzen) auch sonst in der Lyrik, häufig im Volkslied und im Kirchenlied, hier mit der Tendenz zur Alternation *(Servicestanza);* seit dem 18.Jh. auch in der Kunst-Ballade (S. T. Coleridge, »The Ancient Mariner«). Sie findet sich aber auch in der dt. und skandinav. Dichtung des Spät-MA.s (Hugo von Montfort, dt. und skandinav. Volksballaden, z. B. »Ballade von der schönen Lilofee«, Kirchenlieder); ihr Schema liegt auch der isländ. ↗Rima zugrunde. – Im 18.Jh. wird die Ch.-Ch.-St. nach engl. Vorbild in die dt. Dichtung erneut eingeführt, zunächst v. a. in Gedichten vaterländ. Inhalts (F. G. Klopstock, »Heinrich der Vogler«, 1749, J. W. L. Gleim, »Preuß. Kriegslieder von einem Grenadier«, 1758). Klopstocks und Gleims Ch.-Ch.-St.n haben streng jamb. Gang; Klopstock verwendet sie ohne Reim; im 19. Jh. wird die Ch.-Ch.-St. zu einer beliebten Form der Kunstballade (z. B. M. v. Strachwitz, »Das Herz von Douglas«; Th. Fontane, »Archibald Douglas«, – hier jeweils mit freier Versfüllung). Häufig begegnet in der neueren Balladendichtung auch eine Strophenform, die durch Verdoppelung des Schemas der Ch.-Ch.-St. entsteht (z. B. Goethe, »Der Fischer«; Th. Fontane, »Gorm Grymme«). K

Chiasmus, m. [lat. = in der Form des griech. Buchstabens chi = χ, d. h. in Überkreuzstellung], ↗rhetor. Figur, überkreuzte syntakt. Stellung von Wörtern zweier aufeinander bezogener Wortgruppen oder Sätze, dient oft der sprachl. Veranschaulichung ↗Antithese, z. B. » *Eng* ist die *Welt* und das *Gehirn* ist *weit*« (Schiller, »Wallenstein«). Gegensatz ↗Parallelismus. S

Chiave, f. [it. = Schlüssel] ↗Stollenstrophe.

Chiffre, f. [ˈʃifr; frz. = Ziffer, Zahlzeichen, aus mlat. cifra aus arab. sifr = Null],
1. Namenszeichen, Monogramm.
2. Geheimschrift, bei der jeder Buchstabe (Zeichen) nach einem bestimmten System (Code) durch einen anderen ersetzt wird (Chiffrierung).
3. Stilfigur der modernen Lyrik, seltener des Romans: einfache, meist bildhaft-sinnfällige Wörter oder Wortverbindungen, die ihren selbstverständlichen Bedeutungsgehalt verloren haben u. ihren Sinn aus der Funktion in einem vom Dichter selbst gesetzten vieldeutigen System von Zeichen u. Assoziationen erhalten; z. B. ›Flug‹ für den als Aufbruch in Unbekanntes, Unendliches verstandenen Prozeß des Dichtens bei Loerke.
Ⓛ Marsch, E.: Die lyr. Ch. Ein Beitrag zur Poetik des modernen Gedichts. In: Sprachkunst 1 (1970), 207. HSt

Chiffre-Gedicht, ein aus einzelnen Versen anderer Gedichte zusammenzustellender Text, für den statt der Verse selbst nur ihr Fundort (Band, Seite, Zeile) zitiert wird. Beispiele im Briefwechsel Marianne von Willemers mit Goethe. – vgl. auch ↗Cento. HSt

Choliambus, m. [lat.-gr. = Hinkiambus, zu gr. cholos = lahm], antikes Versmaß; iambischer ↗Trimeter, dessen letzter Halbfuß durch einen ↗Trochäus ersetzt ist: ∪–∪–|∪–∪–|∪––ʊ. Auf Grund der durch den unerwarteten Rhythmuswechsel verursachten Verzerrung des iamb. Ganges (daher »Hinkiambus«) eignet sich der Ch. bes. für den Gebrauch in kom. und satir. Gedichten. – Der Ch. findet sich zuerst in den Spottgedichten des Hipponax von Ephesos (6.Jh. v.Chr.), in hellenist. Zeit begegnet er bei Kallimachos und in den ↗Mimiamben des Herondas; Eingang in die röm. Dichtung erhält er durch die ↗Neoteriker und durch Catull, dessen acht in Choliamben abgefaßte Gedichte immer wieder zu Nachahmungen anregen (u. a. Vergil, Petronius, Martial). – Der älteste Versuch einer *dt. Nachbildung* des Ch. stammt von Ph. von Zesen (»Deutscher Helikon«, ⁴1656): choliamb. Verse auf der Grundlage des ↗Alexandriners, mit ↗Kreuzreim (daher ↗Quatrains): z. B. »Der éulen schöner tóon / muss déinen réim zíren«. Genauer sind die Nachbildungen bei A. W. Schlegel (Spottgedicht »Der Choliambe«: »Der Chóliámbe schéint ein Vérs für Kúnstrichter / . . .«) und F. Rückert. Neben ›Hinkiamben‹ begegnen gelegentl. ›Hinktrochäen‹, in antiker Dichtung bei Varro (trochäische Hink-↗Tetrameter), in dt. Dichtung bei Rückert (z. B. »Seelengeschenk«: »Méine Séele zú verschénken, wénn ich Mácht hätte«) und Platen (z. B. »Falsche Wanderjahre«: »Wólltest gérn im Díchten déine Lúst súchen, / Kléiner Pústkúchen«). K

Chor, m., griech. *choros* bez. ursprüngl. die für die Aufführung kult. Tänze abgegrenzte Fläche, wurde dann (metonym.) auf den mit Gesängen verbundenen Tanz, weiter auf die Gesamtheit der an Gesang und Tanz beteiligten Personen und den Text des beim Tanz vorgetragenen Gesangs (↗Chorlied) übertragen. *Der altgr. Ch.* bestand aus einem Ch.führer (↗koryphaios, exarchon, hegemon) und einer wechselnden Anzahl von Sängern / Tänzern (↗Choreuten); bezeugt sind Chöre von 7–12, 15, 24, 50 bis 100 Personen. Bei der Aufführung war der Ch. im Viereck, gegliedert in Reihen *(stoichoi)* und im Kreis *(kyklios)* aufgestellt, letzteres ist v. a. für den ↗Dithyrambus bezeugt. Älteste Form einer chor. Aufführung war wohl der Vortrag durch den *exarchon,* unterbrochen durch die refrainart. Rufe des Ch.s; es gab Doppelchöre, abwechselnd singende oder respondierende Halb- und Drittelchöre. – In chor. Aufführungen dieser Art liegt die Wurzel des *antiken Dramas:* während sich die ↗Komödie aus phall. Gesängen anläßl. der Phallophorien (Phallusumzüge) entwickelte, ist die ↗Tragödie aus dem dionys. Dithyrambus entstanden, der bereits die Grundformen zeigt, die den äußeren Rahmen der späteren trag. Spiels bilden: ↗Parodos (Gesang beim Einzug des Ch.s), ↗Stasimon (Standlied) und ↗Exodos (Gesang beim Auszug des Ch.s). Der entscheidende Schritt von der chor. Aufführung zum Drama wird dann durch die Einführung des Schauspielers (↗Hypokrites) vollzogen. Auch im Drama befindet sich der Ch. während der ganzen Aufführung auf der Bühne; bei Aischylos bleibt er noch wesentl. Bestandteil der Tragödie und ist fest in die Handlung integriert (vgl. v. a. »Die Perser« und »Die Hiketiden«), bei Sophokles dagegen zeichnet sich bereits die Tendenz ab, die Ch.partien zugunsten der Dialogpartien einzuschränken, hier steht der Ch. schon außerhalb des dramat. Geschehens und hat nur noch deutend-betrachtende und allenfalls mahnende, warnende und bemitleidende Funktion. Bei Euripides schließl. sind die Ch.lieder zu lyr. Intermezzi geworden, die die einzelnen Epeisodia voneinander scheiden; an ihn schließt sich Seneca an, bei dem der Ch. aktgliedernde Funktion hat (↗Akt). In den Komödien des Aristophanes ist der Ch. (insbes. durch den Ch.führer) weitgehend in die Handlung einbezogen, andererseits wendet er sich jedoch, die dramat. Handlung unterbrechend, in der ↗Parabase unmittelbar ans Publikum; die jüngere Komödie verzichtet, aus finanziellen Gründen, meist auf den (kostspiel.) Ch.; sofern sie Chöre verwendet, haben diese den Charakter lyr. Einlagen; dies gilt auch für die röm. Komödie. Außerhalb dramat. Aufführungen sind lyr. Ch.-Darbietungen bis in die Kaiserzeit bezeugt (↗Chorlied, Dithyrambus). – *Der Ch. in MA. und Neuzeit.* Im ↗geistl. Spiel des MA.s ist der Ch. Bestandteil des festl. liturg. Rahmens. – Die Chöre im Drama des 16.Jh.s (↗Humanistendrama) dienen, nach dem Vorbild der Tragödien des Seneca, einer Aktgliederung (können aber auch durch Zwischenaktmusik ersetzt sein); Seneca verpflichtet sind auch die ↗Reyen in den Trauerspielen von A. Gryphius und D.

C. v. Lohenstein (↗schles. *Kunstdrama),* die häufig, insbes. bei Lohenstein, zu umfangreichen allegor. Zwischenspielen ausgeweitet sind. Shakespeare und in seiner Nachfolge die ↗engl. Komödianten in Deutschland bez. als »Chorus« nurmehr den kommentierenden Prolog- und Epilogsprecher. – Das *klassizist. Drama* lehnt den Ch. als unnatürlich ab; es ersetzt ihn als beratendes, warnendes, bemitleidendes Organ durch die Figur des oder der Vertrauten; J. Racine verwendet (aktgliedernde) Chöre ledigl. in seinen bibl. Dramen (»Athalie«, »Esther«). Sieht man von der Oper als einem Versuch, die griech. Tragödie grundsätzl. zu erneuern ab, sind die – meist gescheiterten – Ansätze zur Einführung des Ch.s in das moderne (dt.) Drama nach griech. Vorbild nicht zu trennen von der Diskussion seiner *Funktion* in der Wirkungsästhetik der Tragödie; die unterschiedl. Standorte, die bei dieser Diskussion bezogen wurden, erweisen sich dabei als abhängig vom jeweil. Bezugspunkt (Euripides / Sophokles oder Aischylos). Eine Sonderstellung nimmt F. G. Klopstock ein, in dessen ↗Bardieten der Ch. als Verkörperung eines nationalen Volkswillens *(volonté générale)* im Befreiungskampf der german. Völker eigentl. Träger der Handlung ist. Für A. W. Schlegel und F. Schiller (orientiert v. a. an Euripides) ist der Ch. der griech. Tragödie ein idealisierter Zuschauer; er begegnet der dramat. Handlung durch Reflexion, durch »beruhigende Betrachtung«, in der »Sturm der Affekte« aufgehoben und die Harmonie wiederhergestellt ist; er leitet dadurch die ↗Katharsis ein (Schiller, »Über den Gebrauch des Ch.s in der Tragödie«). Schiller sieht in der Wiedereinführung des Ch.s in die Tragödie darüber hinaus ein entscheidendes Mittel, dem »Naturalismus in der Kunst« entgegenwirkend, das idealist. Drama zu schaffen, in dem die »moderne, gemeine Welt« in eine Welt poet. Freiheit verwandelt wird. Für G. W. F. Hegel, der im wesentl. von Sophokles ausgeht, bedeutet der Ch. nicht nur das Allgemeine im Sinne der »Reflexion über das Ganze« gegenüber den »in besondern Zwecken und Situationen befangenen« Individuen, sondern ist selbst notwend. Teil der dramat. Handlung, allerdings nur, insofern er das »geistig gesamte Bewußtsein« darstellt, vor die individuellen Konflikte erst sichtbar werden (Hegel, Vorlesungen über Ästhetik). Im Ggs. zu den idealist. Deutungen des Ch.s sieht eine kathart. Funktion F. Nietzsche, vom Ursprung der Tragödie im dionys. Dithyrambus ausgehend, die Wirkung des Ch.s in der »apollin.« Reflexion, sondern im dionys. »Rausch«, der, von den Choreuten ausgehend, die »Masse« der Zuschauer erfaßt (Nietzsche, »Die Geburt der Tragödie«). W. Schadewaldt weist mit Bezug v. a. auf Aischylos, auf den Choreuten, auf die religiöse Bedeutung des Ch.s in der griech. Tragödie hin (Schadewaldt, »Antike Tragödie auf der modernen Bühne«). Trotz der intensiven Diskussion hat sich der Ch. im neueren dt. Drama kaum durchzusetzen vermocht; er erscheint z. B. in Schillers »Braut von Messina« (1803, nach einzelnen Versuchen der Brüder Stolberg und J. G. Herders), in Goethes Festspiel »Pandora«, in »Faust II« und in A. v. Platens Literaturkomödien (nach aristophan. Vorbild). Auch im jüngsten Drama ist seine Reihe bemerkenswerter Experimente mit dem Ch. zu verzeichnen (↗Expressionismus, T. S. Eliot, »Murder in the Cathedral« – deutl. mit kult. Charakter; M. Frisch, P. Weiss, »Gesang vom lusitan. Popanz«, »Vietnam-Discurs«). Schadewaldts Deutung des Ch.s hat v. a. in neueren Versuchen Niederschlag gefunden, das »Ch.problem« bei der Rezeption griech. Tragödien auf dem modernen Theater zu lösen, in Zusammenarbeit v. a. mit dem Komponisten C. Orff (Bearbeitungen von »Ödipus der Tyrann«, »Antigonae«, »Prometheus«) und Regisseuren wie G. R. Sellner.

▯ Webster, Th. B. L.: The Greek Chorus. London 1970. – Uhsadel, Ch. A.: Der Ch. als Gestalt. Seine Teilnahme am Geschehen sophokleischer Stücke. Köln-Sülz 1969. –

Fischer, R.: Der Ch. im dt. Drama von Klopstocks »Hermannsschlacht« bis Goethes »Faust II«. Diss. Mchn. 1917. – Stachel, P.: Seneca und das dt. Renaissancedrama. Bln. 1907, Nachdr. New York/London 1967. – RL.   K

Choral, m. [nach mlat. cantus choralis = Chorgesang], einstimmiger Kultgesang der christl. Kirchen: 1. der (unbegleitete) gregorian. Gesang (oder Ch.) der kath. Kirche; 2. das von der evangel. Gemeinde gesungene ↗Kirchenlied (Melodie aus gleichen rhythm. Werten, meist halbe Noten, akkord. begleitet).   IS

Choreg, m. [gr. choregos = Chorführer], in der griech. Antike vermögender Bürger, der bei kult. Festen die (kostspieligen) Pflichten der *choregia* übernimmt, d. h. die Aufstellung, Ausbildung, Ausstattung und Unterhaltssicherung des ↗Chors, oft auch die künstler. Leitung der chor. Aufführung. Bei Wettkämpfen wie z. B. den jährl. Dramenwettkämpfen anläßl. der att. ↗Dionysien werden die Ch.en gleichermaßen geehrt wie die Dichter; auf den Siegerlisten (↗Didaskalien) werden Dichter und Ch.en nebeneinander genannt. Die allgemeine Verarmung nach den Peloponnesischen Kriegen (Ende 5. Jh. v. Chr.) hatte zunächst die Übernahme der *choregia* durch die Staatskasse, später den weitgehenden Verzicht auf Chöre im Drama überhaupt zur Folge.   K

Choreus, m. ↗Trochäus.

Choreut, m. [gr. choreutes], maskierter Chorsänger oder -tänzer im altgr. ↗Chor.; ihre Zahl wechselte stets nach Art des Chors: sie betrug bei Tragödien zunächst 12, seit Sophokles 15, bei Komödien 24, bei Satyrspielen 12, bei Dithyramben oft 50; sie waren während der chor. bzw. dramat. Aufführung (zwischen ↗Parodos und ↗Exodos) in Reihen oder im Kreis in der ↗Orchestra aufgestellt.   K

Choriambus, m. [lat.-gr.], antiker Versfuß der Form –◡◡–, von antiken Metrikern gedeutet als Zusammensetzung aus einem Choreus (= Trochäus) und einem Jambus; neben der äol. Basis der wichtigste rhythm. Baustein der ↗äol. Versmaße. Rein choriamb. Verse sind selten; sie begegnen vereinzelt in der griech. Chorlyrik und in den Plautin. ↗Cantica (z. B. »Menander«, v. 110). *Dt. Nachbildungen* finden sich in Goethes »Pandora«, z. B. »Mühend versenkt/ängstlich der Sinn/ Sich in die Nacht . . .« (v. 789 ff.). Die Nachbildungen der durch die zwei bzw. drei Choriamben charakterisierten ↗Asklepiadeen in der dt. und engl. Dichtung werden dabei in engl. Terminologie auch einfach als ↗Choriamben/ bez.; sie finden sich u. a. bei J. H. Voß, A. v. Platen (»Serenade«), J. Weinheber und bei A. Ch. Swinburne (»Choriambics«); choriamb. Charakter zeigen auch Varianten dieser Verse (z. B. St. George, »An Apollonia«).   K

Chorlied (chor. Poesie), lyr. Dichtung für den (ursprüngl. meist mit rituellen Tänzen, Märschen oder Prozessionen verbundenen) Gesangsvortrag durch einen ↗Chor. Ggs.: die von einem einzelnen vorgetragene ↗Monodie. – Das Ch. kommt als Kultlied, Arbeitslied, Marschlied, Hochzeitslied und Totenklage bei fast allen Völkern schon auf primitiver Stufe vor. Erste literar. Entfaltung auf höchstem Niveau erfährt es v. a. im antiken Griechenland. *Die griech. Chorlyrik* ist kult. Ursprungs; ihre Anfänge reichen in vorhomer. Zeit. Frühformen waren wohl die refrainart. Rufe des Chores während bzw. am Ende eines Einzelvortrags durch den Chorführer (exarchon, ↗koryphaios). Ihre kunstmäß. Ausbildung beginnt im 7. Jh.; sie ist im wesentl. das Werk ion. Dichter; Zentren sind zunächst Sparta (Gestaltung von Jungfrauenchören durch Terpander und die 1. spartan. Katastasis = »Schule«; Gestaltung von Männer- und Knabenchören durch Thaletas und die 2. spartan. Katastasis; Tyrtaios; Alkman) und Korinth (erste literar. Gestaltung des ↗Dithyrambus durch Arion?); wesentl. Neuerungen bei der kunstmäß. Ausgestaltung der Gattung sind die Aufnahme ep. Stoffe und die persönl. Aussage (die altgriech. Chorlyrik ist also nicht an kollektiv erfahrbare Inhalte

gebunden!). Zentren der Chorlyrik des 6. Jh.s sind die Tyrannenhöfe, insbes. der Hof des Peisistratos in Athen (Stesichoros; Ibykos). Die Neuordnung der athen. Dionysien nach dem Sturz der Peisistratiden gegen Ende des 6. Jh.s und die damit verbundenen Chorwettbewerbe führen zu einer Blüte des *Dithyrambos,* aus dem dann, durch die Einführung der Schauspieler und die Aufnahme mimet. Elemente in die chor. Aufführung, die ↗Tragödie entwickelt wird. Im Rahmen der nationalen Sportfeste (olymp., pyth., nemeische, isthm. Spiele), deren Bedeutung mehr und mehr wächst, entfaltet sich, ebenfalls seit Ende des 6. Jh.s, das ↗Epinikion. Durch diesen doppelten Aufschwung vorbereitet, erlebt die gr. Chorlyrik im 5. Jh. ihren Höhepunkt (Simonides; Bakchylides; Pindar – letzterer pflegt vor allem das Epinikion). Die Pflege des Ch.es dauert im hellenist. Zeit fort (u. a. sogenannter neuer Dithyrambus). – Die röm. Chorlyrik schließt sich, von den altlat. Kultgesängen des carmen Arvale und carmen Saliare (↗Carmen) abgesehen, an die hellenist. Tradition an. – *Wichtige Gattungen des griech. Ch.es* sind: Hymnos (Festgesang zu Ehren der Götter oder eines Gottes, vgl. ↗Hymne), Dithyrambos (enthusiast.-ekstat. Festgesang auf Dionysos), ↗Päan (Männerchor zu Ehren Apollons), Daphnephoriakon (Mädchenchor zu Ehren Apollons und der Daphne), Adonidion (auf Adonis), ↗Threnos (Totenklage und Totenpreislied), Jalemos (leidenschaftl. Klage um einen Verstorbenen); Linos (auch: ailinos; ländl.-bäuerl. Klagelied, ursprüngl. auf Linos bezogen); ↗Hymenaeus (Hochzeitslied); ↗Enkomion (Lied beim Festzug); Embaterion (Marschlied); ↗Epinikion (Siegesgesang anläßl. eines Sieges im sportl. Wettkampf), ↗Skolion (Trinklied) u. a. *Formen des griech. Ch.es* in der Tragödie sind: ↗Parodos (Einzugslied), ↗Stasimon (Standlied), ↗Exodos (Auszugslied); hinzu kommen ↗Amoibaion und ↗Kommos als Wechselgesänge zwischen Chor und Schauspieler(n). Neben stroph. Ch.en begegnen triad. Kompositionen mit ↗Strophe (↗Stollen), Antistrophe (Gegenstollen) und ↗Epode (↗Abgesang) (Höhepunkt bei Pindar; daher diese Form u. a. als ↗Pindarische Ode bezeichnet) und Gedichte aus Strophenpaaren mit eigenen metrischen Schemata (v. a. in der Tragödie); seit dem Ende des 5. Jh.s kommen fortlaufende astrophische, oft polyrhythm. Kompositionen hinzu; grundsätzl. hat jedes Ch. sein eigenes metr. und musikal. Schema. Wichtigstes Begleitinstrument ist der aulos (Flöte). – *Altgerm. Ch.er* sind mehrfach bezeugt, jedoch nicht überliefert; eine typ. und dem Ch. durchaus vergleichbare Form war vermutl. die Frühform des ↗Leichs als Verbindung von Tanz, mimet. Spiel und vokal. Gesang. – *Im MA.* entfaltet sich eine reiche Chorlyrik v. a. im liturg. Bereich (Choral, Kirchenlied). *In der Neuzeit* bevorzugt gepflegte Formen des Ch.es sind, neben Kirchenlied und Prozessionslied, das Soldatenlied (Marschlied), Tanzlied und Trinklied, Gesellschaftslied u. a.
📖 Bowra, C. M.: Greek lyric Poetry. From Alcman to Simonides. ²Oxford 1961. – Flach, H.: Geschichte der gr. Lyrik nach Quellen dargestellt. 2 Bde. Tüb. 1883/84.   K

Chrestomathie, f. [aus gr. chrestos = brauchbar und manthánein = lernen (wissen)], für den Unterricht bestimmte Sammlung ausgewählter Texte oder Textauszüge aus den Werken bekannter Autoren. Spezif. Sammlungen für die Schule erwähnt als erster Platon, die Bez. ›Ch.‹ taucht jedoch erst in der röm. Kaiserzeit auf. Bez. für Werke des Strabon (63 v.–19 n.Chr.), des Grammatikers Proklos oder des Johannes Stobaios (5. Jh.). Ch.n sind, z. T. auch unter anderen Bez., im Abendland in allen Jahrhunderten verbreitet. In Deutschland findet sich die Bez. ›Ch.‹ seit dem 18. Jh. in der wissenschaftl. Terminologie. ↗Anthologie.   GS

Chrie, f. [gr. chreia = Gebrauch, Anwendung], 1. Sentenz, prakt. Lebensweisheit, moral. Exempel (↗Gnome, ↗Apophthegma, auch ↗Anekdote); früheste

Belege bei den Sokratikern, Sammlungen von Ch.n waren bes. in der Stoa beliebt.

2. Bez. der antiken ∕Rhetorik für die detaillierte Behandlung (expolitio) eines solchen Exempels in der Rede, oft nach vorgegebenem Gliederungsschema (z. B. dem ›Inventionshexameter‹ quis, quid, cur, contra, simile et paradigmata testes); gehörte als Einführung in die Kunst des Redens (Schreibens) zur Propädeutik des antiken und mal. Rhetorik-Unterrichts. Nachwirkungen bis in den Schul-(aufsatz)unterricht des 19. Jh.s.
▣ Wartensleben, G. v.: Der Begriff der griech. Chreia und Beitr. zur Gesch. ihrer Form. Hdbg. 1901. S

Christlich-Deutsche Tischgesellschaft, Dichterkreis der ∕Romantik, begründet Anfang 1811 von A. von Arnim, Mitglieder u. a. C. Brentano, J. F. Reichardt, H. v. Kleist, Adam Müller, J. G. Fichte, F. K. von Savigny, J. von Eichendorff, A. von Chamisso, F. de la Motte Fouqué, A. N. von Gneisenau. V. a. polit. orientiert, wandte sich die Ch.-Dt. T. publizist. gegen Napoleon I. (finanzielle Unterstützung des Berliner Landsturms 1813, Teilnahme Savignys, Arnims, Fichtes), gegen K. A. Hardenbergs Reformen und die Metternichsche Restaurationspolitik (Brentano: »Der Philister vor, in und nach der Geschichte. Scherzhafte Abhandlung«, 1811). Die Ch.-Dt. T. wurde seit 1816 als ›Christlich-Germanische T.‹ von Brentano und den Brüdern E. L. und L. von Gerlach weitergeführt. Wesentl. konservativer, vertrat sie die Ideen K. L. von Hallers (»Staatswissenschaften«, 1816 ff.: patriarchal.-legitimist. Staatstheorie auf christl. Grundlage) und fand auch beim späteren König Freidrich Wilhelm IV. Unterstützung. IS erschien als ihr Organ das »Berliner Polit. Wochenblatt«. IS

Christmas Pantomimes ['krismǝs 'pæntǝmaimz, engl.], in England zur Weihnachtszeit aufgeführte burleske ∕Ausstattungsstücke: Harlekinaden nach Themen aus Märchen, Sage und Geschichte mit musikal. und akrobat. Einlagen, Zauber- und Lichteffekten; Blütezeit im 18. und beginnende 19. Jh., auch heute noch beliebt.
▣ Wilson, A. E.: Ch. P. The story of an English institution. London 1934. MS

Chronik, f. [gr. chronicon, lat., mlat. chronica = Zeitbuch], Gattung der Geschichtsschreibung, begegnet seit der Spätantike bis zum 16., 17. Jh. Im Ggs. zu den ∕Annalen mit ihrem reihenden Prinzip fassen die Ch.en größere Zeitabschnitte zusammen und versuchen, sachl. und ursächl. Zusammenhänge zwischen den Ereignissen und chronolog. Phasen herzustellen. Die histor. Dokumentation ist oft vermengt mit dem Schulwissen der Zeit und sagen- und legendenhaften Erzähltraditionen. Die erzähler. Einschiebsel verdichten sich bisweilen zu selbständ. poet. Formen wie ∕Anekdote, ∕Novelle (vgl. z. B. die Lukrezia-Novelle in der »Kaiserch.«). – Ch.en gehen häufig von den Anfängen der Welt aus und ordnen die Geschehnisse in den Rahmen der Heilsgeschichte ein, sind Welt-Ch.en, in denen Welt- und Heilsgeschichte von der Schöpfung an dargestellt wird. Gegliedert sind sie meist nach der durch Augustin eingebürgerten Einteilung der Geschichte in sechs Weltalter (das letzte mit Christi Geburt beginnend) und nach der auf Hieronymus und Orosius zurückgehenden Lehre von den vier Weltreichen. – Die Grenzen zwischen den verschiedenen Formen der frühen Geschichtsschreibung (∕Annalen, Ch., ∕Historie) sind fließend, die Bez. häufig sinnverwandt verwendet: die »Annalen« des Tacitus (1. Hä. 2. Jh., so betitelt erst im 16. Jh.) oder die »Annales« Lamperts v. Hersfeld (11. Jh.) tendieren stark zur Ch. und Historie. – Nach den Anfängen in der Spätantike, der »Chronikoi kanones« des Eusebios von Caesareia (4. Jh.) und deren erweiternder Bearbeitung durch Hieronymus (4./5. Jh.), nach der »Chronica maiora« Isidors von Sevilla (6./7. Jh.) und den lat. Welt-Ch.en von Regino von Prüm (9./10. Jh.) oder von Frutolf v. Michelsberg (um 1100) erlebt die chronist. Geschichtsschreibung ihre Blütezeit im

Hoch-MA. v. a. durch Ekkehards v. Aura »Chronicon universale« (ca. 1120) und Ottos von Freising »Chronica sive historia de duabus civitatibus« (Mitte 12. Jh.), dem Höhepunkt der lat. Weltchronistik. In dt. Sprache sind zu nennen die niederdt. »Sächs. Welt-Ch.« (ca. 1237, vermutl. von Eike v. Repgow, die älteste Welt-Ch. in dt. Prosa), die »Christherre-Ch.« (13. Jh.), die Welt-Ch.en in Reimversen (∕Reim-Ch.en) von Rudolf v. Ems (um 1250, nur bis zum Tode Salomons gediehen, damit eine ∕Reimbibel geblieben), Jansen Enikel (Ende 13. Jh.), Heinrich von München (Anf. 14. Jh.) oder die spätmal., mit Holzschnitten illustrierte W.-Ch. des Hartmann Schedel (lat. u. dt. Ausgabe, gedruckt 1493). Die Fülle der überlieferten Ch.n läßt sich ordnen 1. nach der Sprache (lat. u. volkssprachl. Ch.en), 2. nach der Form (Prosa-, Reim-Ch.en), 3. nach dem Inhalt: Welt-Ch.en, Kaiser-Ch.en (älteste dt.sprach. Beispiel die »Kaiser-Ch.« um 1150), Landes-Ch.en (z. B. Ottokars »Österr. Reim-Ch.«, Anf. 14. Jh., die »Braunschweiger Fürsten-Ch.«, um 1300, Ernsts v. Kirchberg »Mecklenburg. Reim-Ch.«, 14. Jh.), Deutschordens-Ch.en (»Livländ. Reim-Ch.«, Ende 13. Jh.; Nikolaus' v. Jeroschin »Krönike von Pruzinlant«, 1331 ff.), Kloster-Ch.en (z. B. Priester Eberhards »Gandersheimer Reim-Ch.«, 1216/18), Stadt-Ch.en (z. B. Gotfrid Hagens »Boich van der stede Colne«, 1270 oder die »Magdeburger Schöppen-Ch.«, Ende 14. Jh.) und Geschlechter-Ch.en (z. B. die »Zimmerische Ch.«, 1566), ferner 4. nach der Ausstattung Bilder-Ch.en (seit 14. Jh., z. B. Ulrichs v. Richenthal Ch. des Konstanzer Konzils, 1414–18).
▣ Wichtige Ausgabenreihen sind: Die Ch.en der dt. Städte vom 14.–16. Jh. Hg. durch die histor. Komm. d. Bayer. Akad. d. Wiss. Gött. 1862 ff., ²1961 ff. – Die Geschichtsschreiber der dt. Vorzeit. Hg. v. G. H. Pertz u. a. Bln. 1848 ff. (bisher 104 Bde.). – Monumenta Germaniae Historica. Ed. Societas aperiendis fontibus rerum Germanicarum medii aevi, Hannover u. a. 1826 ff. – Freiherr vom Stein-Gedächtnisausgabe. Ausgewählte Quellen zur dt. Gesch. des MA.s. Hg. v. R. Buchner. Darmst. 1955 ff.
Wenzel, H.: Höf. Geschichte. Literar. Tradition u. Gegenwartsdeutung in den volkssprach. Ch.en des hohen u. späten MA.s. Bern, Frkft. 1980. – Grundmann, H.: Geschichtsschreibung im MA. Gött. (Neuausg.) ²1969. – RL. HFR/MS

Chronikale Erzählung, Sonderform der ∕histor. Erzählung: ein in der Vergangenheit spielendes Geschehen wird so dargestellt, als sei der Bericht darüber in unmittelbarer zeitl. Nähe zum Vorfall abgefaßt worden. Der Autor tritt angebl. nur als Hrsg. einer (fiktiven) Chronik oder eines chronikähnl. Manuskripts (Tagebuch, Briefe u. a.) auf; die Rolle des Erzählers wird einem nahestehenden ›Chronisten‹ zugewiesen. Der Autor berichtet (oft in einer Rahmenhandlung) über den Zustand des Textes, greift bisweilen ›überarbeitend‹ und ›erklärend‹ ein oder ›ergänzt Lücken‹ im fiktiven Manuskript. Eine breit ausgestaltete Geschichte des Textfundes oder ein sich vom Rahmen abhebender archaisierender Stil verstärken die Fiktion der ch.n E. Die ch. E. nähert sich der histor. E., wenn sich der Autor nur kurz zu Wort meldet, überhaupt nicht auftritt oder statt des Erzählers nach angebl. vor wirklicher, erst bearbeiteter Überlieferung fungiert (z. B. Stendhal, »Chroniques italiennes«, 1839, Th. Fontane, »Grete Minde«, 1880). Nach dem satir. »Auszug aus der Chronike des Dörfleins Querlequitsch, an der Elbe gelegen« (1742) von G. W. Rabener, wird die ch. E. (wie überhaupt die histor. Erzählung allgemein) in der Romantik beliebt (C. Brentano, E. T. A. Hoffmann) und erreicht ihre Blüte im 19. Jh.: Großen Erfolg hatte W. Meinholds (effektvoll die Sprache des 17. Jh.s imitierende) »Maria Schweidler, die Bernsteinhexe, . . . nach einer defecten Handschrift ihres Vaters . . .« (1843, im selben Jahr noch dramatisiert von H. Laube), gepflegt wurde die ch. E. auch von H. W. Riehl, A. Stifter, W. Raabe (»Die Gänse von Bützow«, 1865), und bes. Th.

Storm (»Aquis submersus«, 1876, »Renate«, 1878, »Zur Chronik von Grieshuus«, 1884 u. a.) und C. F. Meyer (»Das Amulett«, 1873, »Der Heilige«, 1879; »Plautus im Nonnenkloster«, 1882, »Die Hochzeit des Mönches«, 1884 u. a.).

📖 Leppla, R.: W. Meinhold u. die ch. E. Bln. 1928. – RL.
HFR*

Chronogramm, n. [gr. = Zahl-Inschrift], lat. Inschrift oder Aufzeichnung, in der bestimmte lat. Großbuchstaben, die auch als Zahlzeichen gelten, herausgehoben sind und die in richtiger Ordnung die Jahreszahl eines histor. Ereignisses ergeben, auf das sich der Satz direkt oder indirekt bezieht, z. B. »IesVs nazarenVs reX IVDaeorVM« (M = 1000, D = 500, X = 10; 4mal V = 20, 2mal I = 2 = 1532, das Jahr des Religionsfriedens in Nürnberg). – Ein Ch. in Versform (meist Hexametern) wird auch als *Chronostichon* bzw. als *Chronodistichon* (2 Verse) bez.
S

Ciceronianismus, m., Verwendung der lat. Sprache im Stile Ciceros, v. a. in Wortwahl und Satzbau. Die Bez. ist abgeleitet von ›Ciceronianus‹ (= Anhänger des Cicero; so zuerst um 400 bei Hieronymus, Episteln 22, belegt), sie wird meist auf die italien. Humanisten der Renaissance bezogen, die – zumindest zeitweise – fast alle den C. als Ideal erstrebten; Kritiker eines übertriebenen C. waren Laurentius Valla (15. Jh.) und Erasmus von Rotterdam (»Ciceronianus sive de optimo genere dicendi«, Basel 1528).

📖 Sabbadini, R.: Storia del ciceronianismo. Turin 1885/6.
UM

Circumlocutio, f. Circumitio, f. [lat. = Umschreibung], vgl. ⁄Periphrase.

Cisiojanus, m., zwischen dem 13. u. 16. Jh. gebräuchl. kalendar. Merkverse, in denen die meist nur durch Anfangssilben angedeuteten Namen und Daten der unbewegl. kirchl. Festtage u. Kalenderheiligen festgehalten waren. Die Silbenzahl der zwei für einen Monat bestimmten Verse (ursprüngl. Hexameter) entsprach der Zahl der Tage dieses Monats, die Stelle der Anfangssilbe eines Festes oder Heiligennamens im Vers zeigte den Feiertag an: So deutet *cisio* (aus *circum-cisio* = Beschneidung) an 1. Stelle des Verses *Cisio Janus* (= Januar; daher der Name ›C.‹) *Epi sibi vendicat . . .* auf den 1. Januar das Fest der Beschneidung Christi, *Epi* (= Epiphanias) an 6. Stelle auf den 6. Januar für das Erscheinungsfest, usw. Die dt. Cisiojani weichen z. T. in Umfang, Inhalt und Versmaß von ihren lat. Vorbildern ab. Statt einer Silbe kann hier ein Wort oder ein Vers einen Tag bez.; statt des Hexameters wird der Reimvers gebraucht; statt der abgekürzten stehen meist ausgeschriebene Heiligennamen, die oft in einen deutlicheren Sinnzusammenhang gestellt sind. Ein C. ist überliefert vom Mönch v. Salzburg (Ende 14. Jh.), Oswald v. Wolkenstein, M. Luther (»Ein Betbüchlein mit eynem Calender und Passional«, 1529), Ph. Melanchthon (in Luthers »Enchiridion piarum precationum cum passionali . . . novum calendarium cum Cisio jano vetere novo . . .«, 1543), dazu noch einige Anonymi auch aus Frankreich, den Niederlanden und Böhmen. Hugo v. Trimbergs »Laurea sanctorum« (Ende 13. Jh.) und Konrad Dangkrotzheims »Hl. Namenbuch« (Anf. 15. Jh.) sind keine Cisiojani im strengen Sinn, da sich beide Verf. bei der Aufzählung ihrer Kalenderheiligen nicht an die vorgeschriebene Silben-, bzw. Wort- oder Verszahl des C. halten.

📖 Hilgers, H. A.: Versuch über dt. Cisiojani. In: Poesie u. Gebrauchslit. im dt. MA. Würzburger Colloquium 1978. Hg. v. V. Honemann u. a. Tbg. 1979, S. 127–163.
PH*

Clavis, f. [lat. = Schlüssel], Bez. für lexikograph. Werke, bes. zur Erläuterung antiker Schriften oder der Bibel, z. B. Wahl, ›C. Novi Testamenti‹, 1843; auch verdeutscht: E. Nestle, ›Sprachl. Schlüssel zum griech. NT‹, ¹⁰1960; die Bez. findet sich gelegentl. auch für andere Gebiete (z. B. ›C. linguarum semiticarum‹, 1930 ff. oder ›C. mediaevalis‹. Kl. Wörterbuch der MA.-Forschung‹, 1962).
S

Clerihew, n. [ˈklɛrihjuː; engl.], von Edmund Clerihew Bentley (1875–1956) erfundene, dem ⁄Limerick nahestehende Form des Vierzeilers mit verbindl. Reimschema (aabb), aber freiem Metrum. Im C. werden Gestalten der Welt- und Kulturgeschichte auf kom., groteske, iron. oder unsinnige Weise (⁄Unsinnspoesie) charakterisiert. Spätere Sonderformen sind C.s mit ⁄Augenreim und der *Short-C.,* bei dem zwei Zeilen aus nur je einem Wort bestehen, denen eines der Name des Opfers ist. Bentleys C.-Sammlungen (erste: »Biography for Beginners«, 1905) fanden u. a. bei W. H. Auden Nachfolge (»Homage to Clio«).

📖 Thielke, K.: Mehr Nonsense-Dichtung: Der C. und s. Spielarten. In: D. neueren Sprachen N. F. 5 (1956).
MS*

Cobla, f. [prov. = Strophe, von lat. copula = das Verknüpfende, Band], in der Trobadordichtung 1. die *Strophe;* die Vielfalt der Strophenbindungen sind kennzeichnend für die Formvirtuosität der Trobadorlyrik; entsprechend werden mit dem Plural ›C.s‹ bestimmte Formtypen der ⁄Canso unterschieden: z. B. a) als häufigste *C.s unissonans:* Wiederaufnahme der Reime der ersten Strophe in den folgenden, evtl. in unterschiedl. Anordnung (auch: *canso redonda),* Sonderform: *C.s doblas* oder *C.s ternas:* zwei oder drei unmittelbar aufeinanderfolgende Strophen sind durch dieselbe Reimstruktur verbunden. b) *C.s singulars:* Reimwechsel von Strophe zu Strophe, relativ selten, dagegen häufiger: c) *alternierende C.s:* die erste und dritte, die zweite und vierte Strophe zeigen jeweils dieselben Reime; d) *C.s capfinidas:* Wiederholung des Schlußwortes einer Strophe im ersten Vers der nächsten; e) *C.s capcaudadas:* der Schlußreim einer Strophe wird im ersten der folgenden aufgegriffen (⁄Sestine). f) *C.s retrogradadas:* Reime der ersten Strophe werden in der folgenden in umgekehrter Reihung wiederholt. – Weniger auffällige Bindeglieder zwischen den Strophen sind die Refrain-Reime, die ⁄grammat. Reime (rimas derivativas, maridatz, entretraytz) und die ⁄Kornreime *(rimas dissolutas).*
2. die isolierte *Einzelstrophe (C. esparsa),* die als epigrammat. verkürztes ⁄Sirventes eine eigene Gattung gnom.-didakt., polit. oder persönl. Inhalts darstellt. Ihr satir., aggressiver, z. T. auch beleidigender Ton forderte den Angegriffenen oft zur Replik heraus, so daß sich Strophe und Gegenstrophe zur *Cobla-Tenzone,* einer Kurzform der ⁄Tenzone verbanden. Beliebte C.-Motive waren der Geiz des Gastgebers, die Feigheit vor dem Feind, die Prahlsucht und als Waffe polit. Propaganda die Schmähung des Gegners. Als erster C.-Dichter gilt Folquet de Marselha († 1231; vgl. den mhd. ⁄Scheltspruch.
PH*

Coda, f. [ital. = Schweif],
1. in prov. und ital. Dichtung der ⁄Abgesang in der ⁄Stollenstrophe (⁄Canso, ⁄Kanzone; s. Dante, »De vulgari eloquentia«, 2, 10). In der ital. Lyrik ist auch eine Aufspaltung der C. in zwei gleiche Teile (Volten) möglich. Im Ital. neben C. auch die Bez. *Sirima* und *Sirma,* im Prov. *Cauda.*
2. Im ital. ⁄Serventese (caudato) die Kurzzeile am Strophenende, die den Reim der nächsten Strophe vorwegnimmt.
3. Im ital. Sonetto colla coda oder caudato (= Schweif-⁄Sonett) das nach der zweiten Terzine stehende ⁄Geleit in den Formen: a) Elfsilbler, die mit dem vorhergehenden reimt, b) ein oder mehrere Elfsilblerpaare mit jeweils eigenen Reimen, c) ein mit dem vorhergehenden Vers reimender Siebensilbler und folgendes Elfsilblerpaar mit eigenem Reim.
PH

Collage, f. [kɔˈlaːʒə; frz. = Aufkleben], aus dem Bereich der bildenden Kunst übernommene Bez. 1. für die Technik der zitierenden Kombination von (oft heterogenem) vorgefertigtem sprachl. Material, 2. für derart komponierte literar. Produkte (vgl. auch ⁄Cross-Reading). Die Bez. ⁄C. wurde anfängl. meist synonym für die bis dahin übl. Bez. ⁄Montage gebraucht; Ende der 60er Jahre setzt sie sich mit Betonung des durch sie ermöglichten engeren Realitätsbezuges

(= sprachl. vermittelte Realität) v. a. für größere literar. Gebilde immer mehr durch. – Die *Geschichte der literar. C.* datiert, sieht man von einer möglichen Vorgeschichte (∕Cento, satir. Zitatmontagen u. a.) ab, seit der sog. ∕Literaturrevolution (Anf. 20. Jh.). Die ästhet. Voraussetzungen sind markiert durch Lautréamonts Formel von der Schönheit als der zufälligen Begegnung einer Nähmaschine und eines Regenschirms auf einem Operationstisch (»Chants de Maldoror, VI«), bzw. Max Ernsts Verallgemeinerung dieser Formel (»Durch Annäherung von zwei scheinbar wesensfremden Elementen auf einem ihnen wesensfremden Plan die stärksten poet. Zündungen provozieren«). Im Gefolge kubist. Bild-C.n entstehen erste literar. C.n als ausgesprochene ∕Mischformen in ∕Futurismus, ∕Dadaismus und ∕Surrealismus (»Ich habe Gedichte aus Worten und Sätzen so zusammengeklebt, daß die Anordnung rhythm. eine Zeichnung ergibt. Ich habe umgekehrt Bilder und Zeichnungen geklebt, auf denen Sätze gelesen werden sollen«, K. Schwitters). – Wie die Zitate von Realitätsfragmenten in der kubist. Bild-C. sind auch die C.-Elemente in Romanen zu werten, die oft futurist.-dadaist. Techniken verpflichtet sind (z. B. J. Dos Passos, »Manhattan Transfer«; A. Döblin, »Berlin Alexanderplatz«, vgl. hier auch die Hörspielfassung; James Joyce, »Ulysses«, »Finnigans Wake«, u. a.); ferner können die in der längeren Tradition der satir. Zitat-Montage stehenden »Letzten Tage der Menschheit« (Karl Kraus) als C. bezeichnet werden. Insbes. zeitgenöss. Hörspiele erweisen sich als »Dokumentation und C.«(H. Vormweg), z. B. L. Harigs »Staatsbegräbnis«. Außerdem finden sich C.n im Bereich der Mischformen, in der ∕visuellen Dichtung (mit Übergängen zu Bild-C.n etwa bei F. Mon und Jiří Kolař), dann als Gedicht (Heissenbüttel, »Deutschland 4944«) oder als Prosa (z. B. Michel Butor, »Mobile«). Vorhandene Kompositionsmethoden (z. B. der ∕Permutation) finden dabei ebenso in modifizierter Form Verwendung wie neue, z. B. die ∕Cutup-Methode.

📖 Vormweg, H.: Dokumente und C.n In: Neues Hörspiel, hrsg. v. K. Schöning. Frkft. 1970, S. 153 ff. – Tzara, T.: Le papier collé ou le proverbe en peinture. In: Cahiers d'Art 6 (1931).   D

College novel ('kɔlidʒ'nɔvəl; engl. = Universitäts-Roman], Bez. für eine erfolgreiche moderne, bes. amerikan. Romanart; spielt in Colleges und an Universitäten und handelt von aktuellen Problemen einer sich von den Vorstellungen älterer Generationen emanzipierenden Jugend und ihren psych., sozialen und sexuellen Schwierigkeiten; bekannte Beispiele sind M. McCarthy, »The Group«, 1954 (dt. »Die Clique«), E. Segal, »Love Story«, 1970 (dt. 1971).

📖 Weiß, W.: Der anglo-amerikan. Universitätsroman. Darmst. 1988.   S

Colombina, f. [it. = Täubchen], Typenfigur der ∕Commedia dell'arte, kokette Dienerin, oft als Geliebte oder Frau des ∕Arlecchino dessen weibl. Pendant, gelegentl. auch im selben buntscheck. Wams und schwarzer Halbmaske (Arlecchinetta) in der ∕Comédie italienne trägt sie ein weißes Kostüm. Fortleben in der franz. Soubrette.   PH*

Comedia, f. [span.], in der span. Literatur Bez. für das v. a. im 16. u. 17. Jh. entwickelte dreiakt. Versdrama ernsten oder heiteren Inhalts (∕Schauspiel, ∕Komödie); wichtigster Typus ist die *C. de capa y espada* (∕Mantel- und Degenstück), die alltägl. Geschehnisse auf der Adelsschicht ohne großen Dekorationsaufwand behandelt, im Ggs. zur *C. de ruido* (= Prunk, auch: *C. de teatro* [= Spektakel] oder *de cuerpo* [eigentl. = Handgemenge]), Schauspiele um Könige, Fürsten usw. mit histor., exot., bibl. oder mytholog. Schauplätzen, großem Ausstattungsaufwand und zahlreichen Mitwirkenden. Von der C. unterschieden werden die

einakt. Vor-, Zwischen- und Nachspiele (∕Loa, ∕Entremés, ∕Sainete) einerseits und das religiöse ∕Auto (sacramental) andererseits.   IS/HR

Comédie, f. [kɔme'di; frz.], in der franz. Literatur Bez. für ∕Komödie, aber auch für ein Schauspiel ernsten Inhalts, sofern es nicht trag. endet; vgl. auch ∕Commedia, ∕Comedia.   IS

Comédie ballet [kɔmediba'lε, frz. = Ballettkomödie], franz. Komödienform, in der die Handlung durch mehr oder weniger in das Bühnengeschehen integrierte musikal. Zwischenspiele und Balletteinlagen unterbrochen wird. Eingeführt von Molière und J. B. Lully, die damit an die seit dem 16. Jh. an franz. Höfen beliebte und zuletzt an ∕Intermezzi anknüpften. In c.s b.s wie »Les fâcheux« (1661), »Mélicerte«, »La pastorale comique«, »Le Sicilien« (1666/67) pflegte die Hofgesellschaft selbst mitzuwirken. – Als c.s b.s konzipiert sind auch spätere Komödien Molières, so »Le bourgeois gentilhomme« (1670), »Le malade imaginaire« (1673, Musik von M. A. Charpentier); in modernen Aufführungen wird hier das szen.-musikal. und choreograph. Beiwerk gewöhnl. weggelassen. – Die Bez. C. b. ist heute eher für Werke der kom. Oper üblich, in denen Balletteinlagen großen Raum zugestanden wird (z. B. A. C. Destouches, »Le mariage de carnaval et de la folie«, 1704).

📖 Böttger, F.: Die C. b. von Molière-Lully. Bln. 1931.   IS

Comédie de moeurs [kɔmedid'mœrs; frz.] ∕Sittenstück

Comédie italienne [kɔme'di ita'ljεn; frz.], auch: théâtre italien, Bez. für die seit der 2. Hä. d. 16. Jh.s in Paris sporad. auftretenden italien. ∕Commedia dell'arte-Truppen, insbes. für die seit 1660 fest in Paris ansässige ›Ancienne troupe de la C. i.‹ unter D. Locatelli, T. Fiorilli u. G. D. Biancolelli; die C. i. spielte (in ital. Sprache) abwechselnd mit Molières Truppe im Theater des Palais Royal, ab 1683 im Hôtel de Bourgogne u. bestand mit kurzer Unterbrechung (Vertreibung durch Ludwig XIV. 1697–1716) bis 1762, ihrer Fusion mit der Opéra comique. – Sie wurde wie die Comédie française und die Oper vom König subventioniert und war ein wicht. Element im Pariser Theaterleben; ihr virtuoses, gestenreiches ∕Stegreifspiel beeinflußte nachhaltig die Entwicklung der franz. Komödie; seit 1682 wurden allerdings mehr und mehr franzöz. Szenen eingeflochten, im 18. Jh. schließl. Stücke franz. Autoren (u. a. Marivaux') in turbulent-operettenhaftem Stil und üppiger Ausstattung aufgeführt, die von E. Gherardi gesammelt wurden (»Théâtre Italien«, 1694–1741). ∕Vaudeville.

📖 Brenner, D.: The théâtre italien. Berkeley/Los Angeles 1961.   IS

Comédie larmoyante, f. [frz. kɔmedilarmwa'jã:t], frz. Variante eines in der 1. Hälfte des 18. Jh.s verbreiteten Typus der europ. Aufklärungskomödie; Bez. durch den Literaturkritiker de Chassiron; dt. Bez. ∕»weinerliches Lustspiel«, »rührendes Lustspiel«. Die C. l. spielt in bürgerl. Milieu. Sie ist nicht einseitig am krit. Verstand orientiert, sondern räumt dem Gefühl breiten Raum ein; ihre pädagog. Wirkung beruht nicht auf der Herausstellung des Lasterhaft-Lächerlichen; sie will das Publikum vielmehr »rühren« und berührt sie, indem sie bürgerl. Glück und Tugenden wie Treue und Freundschaft, Großmut, Mitleid, Selbstlosigkeit und Opferbereitschaft demonstriert. Sie wird dadurch zu einer ernsten Form des Komik«, bei der das herkömml. Gattungsgrenzen aufgebrochen sind; als Zwischenform zwischen den traditionellen Gattungen der ∕Komödie und der ∕Tragödie ist sie ein wichtiger Vorläufer des ∕bürgerl. Trauerspiels und zugleich ein erster Modellfall für die schrittweise Ablösung der normativen Poetik des (frz.) Klassizismus (Boileau, in der Nachfolge der Renaissancepoetik und der Aristoteles) im Laufe des 18. Jh.s. Sie ruft eben dadurch einen über die Grenzen Frankreichs hinausgehenden Literaturstreit hervor (s. weinerl. Lustspiel). Vorbild ist die engl. *sentimental comedy* (C.

Cibber, R. Steele). Nach Anfängen bei P. C. de Marivaux und Ph. N. Destouches ist als Hauptvertreter P. C. Nivelle de La Chaussée zu nennen (»Mélanide«, 1741, »L'école des mères«, 1744). Einflüsse auf Voltaire (»Nanine«) und die dt. Komödie (weinerl. Lustspiel). K*

Comédie rosse [kɔmedi'rɔs; frz. = freche Komödie], naturalist. Schauspiel, in dem menschl. Leben in den krassesten Formen dargestellt wird; zw. 1887 und 1894 bes. am ⁄Théâtre libre von André Antoine aufgeführt; Vertreter u. a. J. Julien, P. Alexis.

🕮 Weber, H.: Die C. r. In: Arch. f. d. Studium d. neueren Sprachen u. Lit. Jg. 105, Bd. 190 (1954) 243–263. S

Comedy of humours [kɔmidiəv 'hju:məz; engl.], engl. Komödientypus des 16. und frühen 17. Jh.s, der extreme Charaktere realist. bis satir. überzeichnet darstellt. Die Bez. beruht auf der seit dem MA. gebräuchl. Systematisierung der menschl. Charaktere durch die Zuordnung zu vier Säften (lat. (h)umores, engl. *humours*), deren spezif. Mischung die einzelnen Charaktere (engl. ebenfalls *humours*) bedingen sollten. – Die C. o. h. wurde von Ben Jonson auf antiker Grundlage entwickelt (z. B. »Every man in his humour«, 1598, »Every man out of his humour«, 1599, »Volpone«, 1605 u. a.) und wurde äußerst beliebt, obwohl sie sich durch das Bestreben, die *humours* deutl. hervortreten zu lassen, oft zur ⁄Typenkomödie verengte (im Ggs. etwa zu Shakespeares Charakterkomödien). Weitere Vertreter sind J. Fletcher, F. Beaumont, Ph. Massinger und G. Chapman. – Nach der Unterbrechung der literar. Entwicklung durch die Restauration erfuhr die C. o. h. eine Neubelebung v. a. durch Th. Shadwell (u. a. »The sullen lovers«, 1668), der sie aber bereits mit einer Sittenschilderung verquickte, wie sie für die erfolgreiche ⁄Comedy of manners charakterist. war, welche die C. o. h. schließl. ablöste. IS

Comedy of manners ['kɔmidi əv 'mænəz, engl. = Sittenkomödie], auch: Restaurations-Komödie, beliebter Komödientyp der engl. Restaurationszeit (17. Jh.) in der Tradition des europ. ⁄Sittenstücks nach dem Vorbild Molières (»Les précieuses ridicules«, 1658); verspottet die äußerl. Imitation der aristokrat. Anschauungen und Lebensformen durch die neu entstandene bürgerl. Klasse. Neben derbpossenhaften Überzeichnungen stehen Komödien mit sprühenden Dialogen und von großer Treffsicherheit bei der Wiedergabe des gesellschaftl. Unterhaltungstones (s. ⁄Salonstück). Oft nachgeahmte Vertreter sind J. Dryden (u. a. »The wild Gallant«, 1663, »Marriage à la mode«, 1672, »The Spanish friar«, 1682), G. Etherege, W. Wycherley und W. Congreve, dessen ⁄Old bachelor« (1693), »Love for love« (1695) und bes. »The Way of the world« (1700) den abschließenden Höhepunkt dieser Gattung im 17. Jh. bilden. Vertreter im 18. Jh. sind O. Goldsmith und R. B. Sheridan (»School for scandal«, 1777). Die C. o. m. wird im 18. Jh. jedoch von der *sentimental comedy* abgelöst. Eine Anknüpfung erfolgte wieder Ende des 19. Jh.s zur Verspottung viktorian. Sitten und Scheinwerte; berühmtester Vertreter dieser neuen C. o. m. oder ⁄Konversationskomödie ist O. Wilde, der den leichtflüssigen Konversationston aufgriff, der z. T. auch in den ⁄Boulevardkomödien von S. Maugham, F. Lonsdale, N. Coward u. a. nachgeahmt wurde. Ein Rückgriff auf die (gereimten) Formen des 17. Jh.s ist C. Churchills Komödie »Serious Money« (1987) über Sprache u. Lebensstil der sog. Yuppies.

🕮 Hirst, D. L.: C. o. m. Ldn. 1979. IS

Comics, m. Pl. ['kɔmiks, engl./amerik. eigentl. comic strips = komische (Bild)streifen], Ende des 19. Jh.s in den USA entstandene spezielle Form der ⁄Bildergeschichte (stories told graphically): kom. Bilderfolgen (panels), denen erklärende oder ergänzende Texte zunächst unterlegt waren, die dann zunehmend (v. a. als Sprechblasen, balloons) in die Bildfläche eingeschrieben wurden. C. wurden lange Zeit pauschal als trivial und sogar jugendgefährdend abqualifiziert. Erst in den letzten Jahren hat sich all-

mähl. eine differenzierende literatur- und kunsthistor. und -soziolog. Betrachtungsweise durchgesetzt, und zwar einerseits im Gefolge der amerikan. Pop-Art (Roy Lichtenstein), des avantgardist. Films (Jean-Luc Godard, Federico Fellini u. a.), der sog. ⁄Pop-Literatur (H. C. Artmann, E. Jandl, »Sprechblasen« u. a.), andererseits durch den gezielt gesellschaftskrit. und polit. Einsatz der C. in der ⁄Underground-Literatur. Gleichzeitig avancierten die C. zum Gegenstand wissenschaftl. Analysen. Danach lassen sich für die *Geschichte* der C. deutl. *drei Phasen* unterscheiden: »Unmittelbarer *Ursprung* der C. ist die im Sog der Aufklärung entstehende polit. Karikatur vom Beginn des 18. bis hinauf ins späte 19. Jh.« (Riha). Dazu kommen als *Vorläufer* die Moritaten mit ihren stationären Illustrationen (⁄Bänkelsang), die ⁄Bilderbogen und v. a. die ⁄Bildergeschichten des 19. Jh.s (W. Buschs »Max und Moritz« findet z. B. in den »Katzenjammer Kids« von R. Dirks [1897 ff.] ihre ungereimte Imitation. J. H. Detmolds/A. Schroedters »Taten und Meinungen des Herrn Piepmeyer« kritisieren typ. Verhaltensweisen des damaligen Kleinbürgers vergleichsweise ähnl. wie O. Soglows »The little King« den amerikan. Durchschnittsbürger). Karikatur vom Beginn des 18. bis ... *Entstehung und Verbreitung* der C. fallen mit der Erfindung des Films als Stummfilm zusammen, in dem eine Bildfolge ebenfalls durch zwischengeschaltete Texte bedingt und kommentiert werden muß (Riha). Für die *1. Phase* der C. sind graph. groteske Übersteigerung, satir. Verzerrung, karikaturist. Züge kennzeichnend, der verrückten Welt entspricht oft eine verrückte Sprache, vgl. dazu v. a. die »Kid-« und »Animal Strips«, aber auch R. F. Outcaults »The Yellow Kid« (1896, noch ohne durchgehende Handlung), W. McDougalls »Fatty Felix«, W. McCays »Little Nemo« (1905 ff., mit Anleihen bei »Gullivers Reisen« und »Alice im Wunderland«), Bud Fishers »Mutt und Jeff« (1907 ff.) und G. Herrimans »Krazy Kat« (1913 ff.). In diesen Rahmen gehören Lyonel Feiningers Beiträge »The Kin-der-Kids« und »Wee Willie Winkies World« (1906), das Auftreten Mutt und Jeffs als ›Mute‹ und ›Jute‹ in James Joyces »Finnigans Wake«, E. E. Cummings Vorwort zu einer Sammlung der »Krazy Kat«-C. Die *2. Phase* setzt Anfang der 30er Jahre ein: Sie ist vom reinen Verkaufsinteresse bestimmt. Jetzt erst erfolgt die Trivialisierung zum simplifizierten Märchen (Walt Disney, »Mickey Mouse«, 1930 ff., »Donald Duck«, 1938 ff. u. a.), der Rückfall in die pseudorealist. Welt der Kriminal-, Wild-West-, Science Fiction- und Horror-C. Kleinbürgerl.-häusl. Verhältnisse, Verbrechen, Natur und Tiere, Armee und Krieg, Liebe und Romanzen sind die vorherrschenden Themen, die zwischen 1943 und 1958 in den C. auftauchen. Die eindeutige Trivialisierung wird als Gewinn gegenüber der ersten Phase erklärt: Die Existenz der Helden in einer realen Welt. Aber die neuen Titelhelden (›Phantom‹, ›Superman‹, ›Tarzan‹) sind »keine Ausgeburten des Witzes mehr, nicht mehr Satire, Komik oder Humoreske, sondern Personifikationen unströmiger Wunschbilder, Projektionen irrationaler Verführung, aufgeladen durch Zukunftsvision oder Erinnerung an dunkle myth. Vergangenheit«. Die *Autoren* sind nicht mehr »Karikaturisten vom Beruf«, sondern hauptsächl. »kommerzielle Illustratoren und Gebrauchsgraphiker aus der Werbebranche ... Sie werden von Agenturen unter Vertrag genommen, die den Markt beherrschen und ein strenges Diktat ausüben: die Serien werden auf ganz bestimmte Leserschichten angesetzt. Finanzieller Erfolg wird zum wesentl. Kriterium« (Riha): 1932 erscheinen die ersten Buchzusammenstellungen der bisher nur in Zeitungsfortsetzungen erschienenen C. Mit ihren Klischee reduzierten Lebensmodellen ist C. in zunehmendem Maße die Möglichkeit, sich der Auseinandersetzung mit immer komplizierter werdenden gesellschaftl. Zusammenhängen zu entziehen, dementsprechend wurden sie z. B. als Mittel der psycholog. Kriegsführung im Zweiten Weltkrieg eingesetzt, wurden und werden sie v. a. von der industriellen Werbung genutzt. Gegen diese auch heute noch marktbeherrschende Art der C.-Literatur richten sich in *der 3. Phase* die Intentionen der Pop-Art, Pop-Literatur, der Filme der ›Neuen Welle‹ und vor allem die Underground-Literatur. In der *Pop-Art* (R. Lichtenstein, R. Hamilton, G. Brecht) werden die C. zitierend und parodierend aufgenommen, vgl. die in diesem Zusammenhang zu sehenden C.-Serien »Little Annie Fanny« von H. Kurtzmann und W. Elders (1967), »Barbarella« von J. C. Forest (dt. 1966), »Jodelle« von G. Peellaert und P. Bartier (dt. 1967) und »Pravda« von Peellaert (dt. 1968) – eine »Sex-Kunst mit Witz und Schärfe« (P. Zadek). Ihre Tendenz ist jedoch kaum als gesellschaftskrit. anzusprechen. – *Bei den C. der Undergroundliteratur*, die Sex und Sadismus grotesk übersteigern und damit den versteckten Zynismus der kommerziellen C. deutl. zu machen versuchen, lassen sich v. a. zwei Tendenzen erkennen: »Zum einen versucht man, . . . mit Hilfe der Pornographie zu wirksamer Kritik an der Gesellschaft«zu kommen; »zum anderen ist man auf die Darstellung eines revolutierenden Lebensgefühls aus, das eben in der neuen Auffassung der Sexualität kulminiert« (Riha). Beide Tendenzen sind nicht strikt zu trennen, jedoch herrscht z. B. bei F. O'Haras und J. Brainards »Hard Times« (nach Dickens) die letztere vor, in einer Anzahl der Serien aus R. Crumbs »Head Comix« (1967/68, dt. 1970) die erstgenannte Tendenz. Daß dabei Crumb nicht an den Inhalt, wohl aber an den Stil der frühen C. noch einmal anschließt, unterscheidet ihn von anderen Anknüpfungsversuchen, etwa von Ch. M. Schulz' »Peanuts« (1950ff.) oder F. O'Neals »Short-Ribs« oder »Comix-Mix«. Der Katalog der Berliner C.-Ausstellung (1969/70) betont über den »progressiven Comic«der 3. Phase dessen Bereitschaft, sich »mit seinem Leser auf Dialoge einzulassen, wo der konservative Comic befiehlt« und sieht »erst im *Agitations-Comic*, dem kommerziellen Comic die Stilmittel entlehnt, um sie gegen ihn zu verwenden«, den »histor. Auftrag des Kommunikationsmediums Comic Strip vollzogen« (M. Pehlke).

🕮 Holtz, Ch.: C., ihre Entwicklung u. Bedeutung. Mchn. 1980. – Skodzik, P.: Dt. C.-Bibliographie 1946–70. Bln. 1978. – Krafft, U.: C. lesen. Unters. zur Textualität von C. Stuttg. 1978. – Wermke, J. (Hrsg.): C. und Religion. Mchn. 1976. – Kempkes, W.: Bibliographie der internat. Lit. über C. Mchn./Bln. ²1974. – Fuchs, W. J./Reitberger, R. C.: C. Anatomie eines Massenmediums (Mchn. 1970). Reinbek 1973. – Daniels, L./Peck, J.: Comix. A History of Comic Books in America. New York 1971. – Brück, A./Künnemann, H.: Sex u. Horror in den C. Hamb. 1971. – Metken, G.: C. Frkft. 1970. – Riha, K.: Zock roarr wumm. Zur Gesch. der C.-Literatur. Steinbach 1970.   D

Commedia, f. [italien.], in der mal. italien. Literatur ursprüngl. jedes Gedicht in der Volkssprache (im Ggs. zu lat. Gedichten) mit glückl. Ausgang, z. B. Dantes »(Divina) C.«, 1307; später Einengung der Bez. auf das Drama allgemein und auf Komödie im besonderen.   IS

Commedia dell'arte, f. [it. aus commedia = Schauspiel, Lustspiel und arte = Kunst, Gewerbe], im 16. Jh.s in Italien entstandene Stegreifkomödie, im Ggs. zur höf. ⟋Commedia erudita von Berufsschauspielern aufgeführt (*arte* = Gewerbe, daher der Name C. d. a.). Statt eines wörtl. festgelegten Textes ist im ⟋Szenarium oder Kanevas nur Handlungsverlauf und Szenenfolge vorgeschrieben; Dialog- und Spieldetails, Scherzformeln, Tanz- und Musikeinlagen, Akrobatenakte, Zauberkunststücke und v. a. eine ausdrucksstarke Gebärdensprache werden von den Schauspielern improvisiert. Vorgefertigte Monologe und Dialoge mit mim. Effekten und Scherzen (*lazzi*), kom. Zornausbrüchen, Wahnsinns- und Verzweiflungsszenen waren in den *zibaldoni*, einer Art Hilfsbücher zur Dialog-Improvisation, gesammelt; sie lieferten ein weit gefächertes Repertoire typ. Spielmomente, die, vielfält. variiert, in den Aufführungen

immer wiederkehren. Die *Schauspieler* verkörpern Typen. Den ernsten unter ihnen, v. a. dem jungen Liebespaar *(amorosi)*, stehen in den Hauptrollen die stets gleichbleibend kostümierten und mit Halbmasken maskierten kom. Figuren gegenüber, in denen sich menschl. Schwächen widerspiegeln, karikiert und fixiert in Bewohnern gewisser italien. Landschaften. Zu unterscheiden sind vier Grundtypen, die z. T. den Masken der röm. ⟋Atellane entsprechen: in den Rollen der Alten der ⟋*Dottore*, der leer daherschwatzende gelehrte Pedant aus Bologna, und der ⟋*Pantalone*, der geizige Kaufmann und unermüdl. Schürzenjäger aus Venedig, in den Rollen der Diener, der *erste und der zweite* ⟋*Zani*, beide aus Bergamo stammend, der eine ein Ausbund an Schlauheit und ein Meister der Intrige *(⟋Brighella)*, der andere, anfangs naiv-tölpelhaft angelegt, entwickelt sich zum geistreichen und gerissenen Schelm *(⟋Arlecchino)*. Zu ihnen gesellen sich der prahlsücht. Militär ⟋*Capitano* und die kokette Dienerin ⟋*Colombina.* Zwischen der ernsten und der kom. Typengruppe bewegt sich singend und tanzend die *Canterina,* die v. a. die musikal. Zwischenspiele bestreitet. *Geschichte:* Zur Entstehung der C. d. a. haben das ital. Karnevalsspiel (Masken, Kostüme, Mimik, Akrobatik), die Stegreif-Wettkämpfe der sich im rhetor. Improvisieren übenden höf.-akadem. Laiendarsteller der commedia erudita und die von A. Beolco (Ruzzante) und A. Calmo geprägte ital. Mundartkomödie beigetragen. Eine erste C. d. a.-Truppe, die »Compagnia di Maffio«, ist 1545 in Padua belegt. Ihr folgen die Vielzahl weiterer Gesellschaften, unter denen die »Gelosi«, die »Confidenti«, die »Uniti« und die »Fedeli« auch im Ausland Berühmtheit erlangen. Mit Goldonis Reform des ital. Theaters im 18. Jh., welche die Masken und improvisierten Späße sowie die Akrobatik und Phantastik des Stegreifspiels von der Bühne verbannte und an ihre Stelle Wahrheit und Natürlichkeit durch lebensnahe und volkstümliche Charaktere in realem Milieu setzte, beginnt der Niedergang der C. d. a., den C. Gozzi mit von der C. d. a. inspirierten Märchenkomödien *(fiabe)* vergebl. aufzuhalten sucht. Die letzten C. d. a.-Gesellschaften sind 1782 belegt. – Seit 1947 setzt sich das »Piccolo Teatro« in Mailand erfolgreich für eine Wiederbelebung der C. d. a. ein. *Verbreitung und Einfluß:* Die europäische Komödie des 16., 17. und 18.Jh.s wird nachhalt. von der ital. C. d. a. beeinflußt. Ital. Wanderbühnen gastieren in ganz Europa von Spanien bis Rußland. Paris besitzt von 1653 bis 1697 und von 1716 bis 1793 in der ⟋Comédie italienne ein eigenes ital. Ensemble, das nicht nur auf Autoren wie J.-François Regnard und Ch. Dufresny, sondern auch auf Molière einwirkt. Das span. Theater übernimmt aus der C. d. a. Handlungsmotive, Dialogimprovisationen, *lazzi* und Teile der Inszenierungstechnik, die sich bes. in den ⟋Entremeses, z. T. auch in Lope de Vegas ⟋Comedias (u. a. in »Filomena« und in »El hijo pródigo«) wiederfinden. Im Schauspiel des elisabethan. England legen die *lazzi* verwandten Scherze in den kom. Zwischenspielen und das Auftreten der it. Typenfiguren einen Zusammenhang mit der C. d. a. nahe. Shakespeares Gremio in »Der Widerspenstigen Zähmung« (1594) ist eine typ. Pantalone-Figur und wird als solche auch apostrophiert (III, 1). »Die Komödie der Irrungen« (1594?), »Die lustigen Weiber von Windsor« (1600?) und »Der Sturm« (1611?) bieten Stilelemente der C. d. a. Im deutschen Sprachraum wirkt sich der Einfluß der C. d. a. zunächst vor allem auf A. Gryphius aus, der in seinen »Horribilicribrifax. Teutsch«(1663) die Capitano-Maske übernimmt. Weiter lassen sich Impulse im österr. Theater nachweisen, bes. in Stranitzkys ⟋Hanswurstiaden, Schikaneders »Zauberflöte« (1791), Raimunds »Barometermacher auf der Zauberinsel« (1823) und »Verschwender« (1834) und in Nestroys Zauberstücken (»Der böse Geist Lumpacivagabundus oder das liederliche Kleeblatt«, 1833, »Einen Jux will er sich machen«, 1842), in Grillparzers Komödie »Weh dem, der lügt« (1838) und in H. v. Hofmannsthals »Rosenkavalier« (1911). Genauso lebt ihre Tradition auch in Goethes Masken- und Singspielen (»Jahrmarktsfest zu Plundersweilern« 1773, »Scherz, List und Rache« 1784/85) fort, sowie in seiner Farce »Hanswursts Hochzeit oder der Lauf der Welt« (1773), in Tiecks Lustspiel »Verkehrte Welt« (1798), in Brentanos Singspiel »Die lustigen Musikanten« (1802), Paul Ernsts »Pantaleon und seine Söhne« (1916), aber auch in Novellen, z. B. in E. T. A. Hoffmanns »Prinzessin Brambilla« (1820) oder P. Ernsts »Komödiantengeschichten« (1920).

⌑ Krömer, W.: Die italien. C. d. a. Darmstadt ²1987. – Oreglia, G.: The c. d. a. London 1968. – Dshiwelegow, A. K.: C. d. a. Die italien. Volkskomödie. Dt. Übers. Bln. 1958. *Geschichte:* La C. d. a. Storia e testo. Hg. v. V. Pandolfi. 6 Bde. Florenz 1957–61.

Verbreitung und Einfluß: Hinck, W.: Das dt. Lustspiel des 17. u. 18.Jh.s u. die italien. Komödie. C. d. a. u. Théâtre italien. Stuttg. 1965. – Duchartre, P. L.: La C. d. a. et ses enfants. Paris 1955. – Kindermann, H.: Die C. d. a. u. das dt. Volkstheater. Lpz. 1938. – Lea, K. M.: Italian popular comedy. A study in the c. d. a. 1560–1620, with special reference to the English stage. 2 Bde. Oxford 1934.   PH

Commedia erudita, f. [it. = gelehrte Komödie], Intrigen- u. Verwechslungskomödie des italien. höf. Renaissancetheaters; entwickelt von Humanisten in bewußtem Ggs. zu den an den Höfen übl. vergröberten Plautus- und Terenznachahmungen und deren prunkvoller Aufführungspraxis. Die c. e. folgt den normativen Regeln der Renaissancepoetik (geschlossener Bau, 3 Einheiten usw., s. ∕Komödie), entnimmt Motive und Handlungsschablonen den antiken Mustern, Personen und Sittenschilderungen jedoch dem Leben der Gegenwart, auch ist sie z. T. (erstmals) in Prosa. Die Aufführungen (durch Laien) beschränkten sich auf betont einfache Ausstattung (meist nur ein Straßenprospekt, statt der übl. zahlreichen ∕Intermezzi nur Zwischenaktmusik). *Vertreter der c. e.* sind L. Ariosto mit »I Suppositi« (Die Vermeintlichen, 1509), »Il Negromante« (Der Schwarzkünstler, 1528, die erste satir. Charakterkomödie Italiens) und »La Lena« (1529), B. D. Bibbiena mit »La Calandria« (1513), P. Aretino mit »La Cortigiana« (Die Kurtisane«, 1534/37), »La Talanta« (1542) und »Il filosofo« (1546), N. Macchiavelli mit »Mandragola« (1520) u. »Clizia« (1525) und G. Bruno mit »Il Candelaio«(»Der Kerzenmacher«, 1528). – Im Ggs. zu diesem gebildeten höf. Laientheater auf der Grundlage traditionsgeprägter ausformulierter Texte entstand zur gleichen Zeit die populäre ∕Commedia dell'arte mit den freien Improvisation durch Berufsschauspieler.

⌑ Kremers, D.: Die it. Renaissancekomödie und die Commedia dell'arte. In: Renaissance u. Barock I, hrsg. v. A. Buck, Frkft. 1972.   IS

Commentarius, m., meist Pl. Commentarii, Kommentarien, lat. Lehnübersetzung von gr. ∕Hypomnema = Erinnerung, Denkwürdigkeit, auch ∕Kommentar.

Common metre [ˈkɔmən ˈmiːtə; engl. = gewöhnl. Versmaß], ∕Vierzeiler.

Complainte, f. [frz. kõˈplɛ̃:t = Klage], lyr. Gattung der franz. Dichtung des MA.s: Klagelied über ein allg. oder persönl. Unglück (z. B. Tod eines Königs, Freundes, krieger. Niederlage, Sittenverfall, Verlust des Hl.Grabes, unerwiderte Liebe), oft vermischt mit anderen Gattungen (z. B. ∕Dit, ∕Salut d'amour, ∕Sirventes); große Formfreiheit. – *Berühmte C.s* sind der »Sermon« Robert Sainceriaux' auf den Tod Ludwigs VIII. v. Frankreich (1226), die anonymen »Regrès au roi Loëys« auf seinen Nachfolger, Ludwig den Heiligen († 1270), Rutebeufs Totenklagen z. B. auf Thibaut V. v. d. Champagne, König von Navarra, oder seine auf den Kreuzzug bezogenen »C.s d'outre-mer«. Die C. lebt fort in der Renaissancepoesie C. Marots und Roger de Colleryes sowie in den bitteren persönl. C.s vom Hof verdrängten

Pléiade-Dichters P. Ronsard (»C. contre Fortune«, 1559) und seines den Romaufenthalt als Verbannung empfindenden Freundes J.du Bellay (»C. du Désespéré«, 1559). – Daneben weite Verbreitung volkstüml., aggressiv-burlesker C.s anonymer Verfasser bes. in den Religionskriegen, im ›Ancien Régime‹ und in der Franz. Revolution. Berühmtheit erlangten die C.s auf die Ermordung des Herzogs Franz v. Guise (1563), auf den Tod Ludwigs XIV., sowie die zahllosen auf die Führer der Franz. Revolution (Marat, Hébert u. a.). – Im 14.Jh. wurde die C. von Geoffrey Chaucer durch Übersetzungen in die engl. Lit. eingeführt (»The Compleynt of Venus«, ins Satir. gewendet in der »Klage« seine leere Börse«); als Welt- oder persönl. Klage findet sie sich bei E. Spenser (»Complaints«, 1591) und v. a. im 18.Jh. bei E. Young. Vgl. ∕Klage, ∕Planh, ∕Planctus.

⌑ Peter, J. D.: C. and satire in early English Literature. Oxford 1956.   PH

Complexio, f. [lat. = Umfassung, gr. ∕Symploke].

Computerliteratur, [kɔmˈpjuːtər, zu lat. computare = berechnen], Sammelbegriff für Computer-erzeugte Texte, v. a. solche, die durch gewisse Poetizitäts-Merkmale wie Reim, Dunkelheit etc. literar. Texte simulieren sollen. Bei den Programmen, mit denen sie generiert werden können, handelt es sich im wesentlichen um Textproduktionssysteme, deren Regelsatz, je nach der gewünschten Merkmals-Palette, mehr oder minder erweitert wurde, wobei für die Varianz des textlichen ›Output‹ durch einen Pseudo-Zufallsgenerator gesorgt ist. – Computer-Lyrik, Computer-Romane (z. B. »Racter«) gibt es schon seit geraumer Zeit (∕Computertexte). Auch bei der Produktion von Fernsehserien soll der Computer inzwischen Einsatz finden. Neue Möglichkeiten der Rezeption jenseits der Lektüre eröffnen Computer-Programme zur Animation bzw. Adaption gespeicherter Romane. – Neben kommerziellem Interesse finden C. und Computerkunst (Computer-Graphik, -Musik, -Film) besondere Aufmerksamkeit in Teilgebieten der ästhet. Theorie (∕Informationsästhetik), Theorien experimenteller ∕aleator. Dichtung sowie im Urheberrecht.

⌑ Schmitz-Emans, M.: Maschinen-Poesien. Über dichtende Automaten als Anlässe poetolog. Reflexion. In: Oellers, N. (Hg.): Vorträge d. Germanistentage 1987. Bd. 1. Tüb. 1988. – Claus, J.: Expansion der Kunst. Beitr. zur Theorie u. Praxis öffentl. Kunst. Reinbek 1970. – Bense, M.: Einf. in die informationstheoret. Ästhetik. Reinbek 1969. – Kreuzer, M./Gunzenhäuser, R.: Mathematik u. Dichtung. Mchn. 1965. ∕Computertexte.   VD

Computertexte, die seit 1959 mit Hilfe digitaler elektron. Rechenanlagen verfertigten Texte; dabei wird das schon länger bekannte und praktizierte Verfahren der automat. Herstellung von Konkordanzen und ∕Indices zu umfangreichen Textcorpora prakt. umgekehrt, indem der Computer angewiesen wird, »mit Hilfe eines eingegebenen Lexikons und einer Anzahl von syntakt. Regeln Texte zu synthetisieren und auszugeben« (G. Stickel). Der Rechenanlage kommt dabei wie bei ihrem Einsatz im Bereich anderer Kunstarten (Computergrafik, -musik) bisher lediglich die Rolle eines leistungsfähigen Versuchsgeräts zu. Die Resultate, veröffentlicht unter wechselnden Bez. als »stochast. Texte« (Th. Lutz, 1959), »Monte-Carlo-Texte«, »Autopoeme« (Stickel), »Verbale Blockmontagen«(Stickel/O. Beckmann), auch als »Computer-Lyrik« (M. Krause, F. G. Schaudt), sind noch wenig komplex; ihre Qualität hängt wesentl. von der Qualität des Programms und den Sprachverständnis des Programmierers ab (Umfang und Art des eingegebenen Lexikons, Vielzahl und Art der Verknüpfungsmöglichkeiten bzw. -regeln). Trotz der bisher relativ einfachen Programme ist es theoret. heute schon mögl., bei einem immer weiteren Ausbau des Regelsystems »Texte zu erhalten, die der normalen Sprache allmähl. ähnlicher werden. Das bedeutet allerdings nichts anderes als einen ande-

ren Weg zu den vollständigen sprachl. Regeln, die die Computerübersetzung anstrebt« (H. W. Franke). Die ersten C. stehen in der Tradition der bislang meist individuell erzeugten Zufalls- oder ∕Würfeltexte und damit in dem größeren Problemzusammenhang der Erneuerung einer »poésie impersonelle« (Lautréamont) und ihrer Entwicklung im 20. Jh. zu einer »künstl. Poesie« (M. Bense). Für den Augenblick scheinen dabei die Versuche u. a. Alan Sutcliffes, Marc Adrians, Edwin Morgans, Alison Knowles und James Tenneys am interessantesten, deren Ergebnisse sich einer ∕konkreten Dichtung annähern. Auch das Hörspiel (Georges Perec, »Die Maschine«, 1968) und der Roman (Robert Escarpit, »Le Littératron«, 1965) haben sich Ende der sechziger Jahre des textezerlegenden Computers bzw. der ›Wortmaschine‹ themat. angenommen, vgl. dazu aber bereits die von J. Swift in »Gulliver's Travels« (1726) beschriebene Maschine von Laputa.
🕮 Schmidt, S. J.: Computerlyrik. In: S. J. Sch.: Elemente einer Textpoetik. Mchn. 1974. – Franke, H. W.: Computergraphik, Computerkunst. Mchn. 1971 (mit umfangreichem Lit.verzeichnis). – Bense, M.: Die Gedichte d. Maschine der Maschine d. Gedichte. In: M. B.: Die Realität d. Lit. Köln 1971. – Krause, M./Schaudt, G. F.: Computerlyrik. Düsseld. 1967. – Stickel, G.: Computer-Dichtung. In: DU 18, H. 2 (1966) 120 ff.   D

Computerunterstützte Literaturforschung (auch: Computerphilologie), deren Geschichte heute bereits einen Zeitraum von mehreren Jahrzehnten umspannt, gewinnt zunehmend an Bedeutung. Neben der techn. ist dies u. a. auch durch die wissenschaftl. Entwicklung bedingt. – Die neueren ›Computer-Disziplinen‹ (Informatik, Informationswissenschaft, Cognitive Science, Künstliche Intelligenz-Forschung) teilen mit den älteren geisteswissenschaftl. Fächern das Interesse an den Möglichkeiten der Verwaltung, Verarbeitung und Darstellung von Text-Daten und Informationen. Daneben gibt es Einflüsse in Spezialgebieten wie Didaktik (Computer assisted Learning), Methodologie, Text-Herstellung und Publikation (Electronic Publishing), die sich über den Gesamtbereich der geisteswissenschaftl. Forschung erstrecken. Bei den sich abzeichnenden Innovationen kommt bes. das Dokumentations- und Bibliothekswesen in Betracht. In Folge der rapiden techn. Fortschritte entsteht hier ein Schwerpunkt der Modernisierung. Für die einzelnen Disziplinen geht es dabei u. a. um die Einrichtung ›elektronischer‹ Infrastrukturen. Dem Aufbau von Fachinformationssystemen (Verbund-Systemen fachspezif. Text- und Referenz-Datenbanken, deren Konzeption und Planung für die Literaturwissenschaften Köpp 1980 anregte) steht technisch nichts mehr im Wege. Eine wichtige Rolle spielt ferner die Modernisierung der Forschungs-Arbeitsplätze: Vernetzung und Telekommunikation, Dezentralisierung von Speicher- und Rechenkapazitäten ermöglichen den Zugriff auf Text- und Daten-Archive vom Schreibtisch aus. Auf Grund der Fortschritte im Bereich der Speicher-Medien werden ›elektron.‹ Editionen verfügbar – und damit die Verwendung computerisierter Bibliographien, Anthologien, Handbücher, Werkausgaben, Lexika (vgl. etwa das Oxford English Dictionary oder Grollier's American Encyclopedia auf CD-ROM), die im Hinblick auf Platzbedarf, Schnelligkeit und Effizienz des Zugriffs den Bedürfnissen der Forschung wesentl. besser als das Medium Buch anzupassen sind. – Zu den *Schwerpunkten* c.r L. gehört seit geraumer Zeit die *Editionswissenschaft*. Hier stehen bereits ausgereifte Software-Programme zur Verfügung (TUSTEP = Tübinger System von Textverarbeitungs-Programmen; OCP = Oxford Concordance Program). Wichtige Hilfsmittel (»Lesemaschinen«, die zeitraubend-fehlerträchtige manuelle Text-Eingaben erübrigen) werden zunehmend verfügbar. Zu den Forschungs-Schwerpunkten zählt ferner die *Lexikographie*. Programme zur Erstellung von Indices, ∕Konkordanzen,

Autoren-Enzyklopädien sind in größerer Auswahl z. T. auch für Mikrocomputer (WORD CRUNCHER, ECO-INDEX etc.) vorhanden. In Verbindung mit statist. Programm-Paketen werden quantitative Untersuchungen im Rahmen *klassischer literargeschichtl. Fragestellungen* (Texterschließung, Stilstatistik, Stilvergleich, Stilwandel) unterstützt. Daneben sind die techn. Voraussetzungen für neuartige oder bisher eher vernachlässigte Unternehmungen, etwa umfangreiche Feld-Studien, die automat. bzw. semi-automat. Erschließung größerer Textmengen (z. B. metrische, stilist., motivl., strukturelle, themat. Analyse von Text-Corpora) gegeben. – Gleichwohl ist das Angebot an philolog. Software in manchen Bereichen noch begrenzt. Für die bisweilen weiterhin erforderliche Programmier-Arbeit (Anpassung der vorhandenen Systeme an spezif. Fragestellungen etc.) herrschen jedoch in der Regel bereits günstige Bedingungen. – Unter den Erträgen c.r L. sei, stellvertretend für vieles, auf die Ergebnisse bei der Lösung von Problemen strittiger Autorschaft hingewiesen. – Der Begriff ›Anwendung‹, der sich zur Beschreibung solcher Richtungen computerphilolog. Arbeit anbietet, ist allerdings kaum geeignet, das Verhältnis von Informations- und Literaturwissenschaft erschöpfend zu fassen. Zu berücksichtigen ist vielmehr, daß sich als Folge der Berührung mit der Informationswissenschaft in einzelnen Bereichen der Literaturwissenschaft (wie Literaturtheorie, Methodologie) auch Veränderungen ergeben. Solche Veränderungen sind zu erwarten v. a. in den Gebieten, in denen sich die Fragestellungen der beiden Disziplinen partiell überlappen: etwa bei der literaturwissenschaftl. Formalisierung von Textverstehen und der Simulation desselben auf Computern, in der informationstheoret. Ästhetik und der Computerkunst, in der generativen Poetik und den Text-Produktions-Systemen, bei der strukturalen Textanalyse und Wissensrepräsentation in künstl. Sprachen.
🕮 Rudall, B. H./Corns, T. N.: Computers and Literature Cambridge Mass. 1987. – Haag, R.: Nocheinmal: Der Verf. der Nachtwachen von Bonaventura. Euph. 1987. – Keren, C./Perlmutter, L.: The Application of Mini- and Micro-Computers in Information, Documentation and Libraries. Amsterdam 1983. – Ott, W./Gabler, H./Sappler, P.: EDV-Fibel für Editoren. Stuttg. 1982. – Oakman, R. L.: Computer Methods for Literary Research. Columbia 1980. – Hockey, S.: A Guide to Computer Applications in the Humanities. London 1980. – Köpp, C. F.: Literaturwissenschaftl. Fachinformationssystem. Lit.-wiss. Bln. 1980. – Bergenholtz, H./Schaeder, B.: Empir. Textwissenschaft. Aufbau u. Auswertung von Text-Corpora. Kronberg 1979.
                                                                          VD

Conceptismo, m., auch conceptualismo [span. zu concepto = ∕concetto], Ausprägung des span. ∕Manierismus, in der die gesucht-raffinierte Verwendung der Sinnfigur des concetto kennzeichnend ist. Obwohl in Italien ausgebildet (∕Marinismus), wird der Konzettismus in Spanien zum Höhepunkt geführt und für ganz Europa vorbildhaft. Wichtigster *Theoretiker* des C. ist B. Gracián (»Agudeza y Arte de Ingenio«, 1648). Bedeutendster *Vertreter* ist neben Alonso de Ledesma (»Conceptos espirituales«, 1600) und L. Vélez de Guevara »der Satiriker F. G. de Quevedo y Villegas (»Los Sueños«, 1627), der sich auch satir. gegen den ∕Gongorismus (Cultismo) wendet (»La culta latiniparla«, »Aguja de navegar cultos«), dessen entlegene Bildungsstoffe, gelehrte Wortneuschöpfungen und absurd-alog. Metaphorik er (zugunsten des effektvollen concetto aus vorhandenem Sprachmaterial) ablehnte (indessen besteht zwischen beiden Stilrichtungen kein scharfer Gegensatz).   IS

Concetto, m., Pl. concetti, [konˈtʃɛto; it. aus lat. conceptus = Begriff], geistreich pointierte Sinnfigur, die in artifizieller Weise gegensätzl. Ideen oder Begriffe (›Licht ist Dunkel‹) durch ebenfalls heterogene Bilder zu einer höheren, überraschenden Korrespondenz kombiniert. Dies geschieht (nach Hocke) meist durch »irrationale Trugschlüsse (sophist. Paralogismen) und durch die Verwendung irregulärer rhetor. Figuren« (und Tropen) wie z. B. Oxymoron, Aprosdoketon, Ellipse; Synekdoche, Katachrese, Hyperbel, ⁄Metalepsis und v. a. dunkle, absurde Metaphern, Wortspiele u. a. – Ziel ist ein absichtsvolles Verbergen der unmittelbar natürl. Bezüge, eine Verrätselung der Aussage, eine Chiffrierung, die sich nur dem scharfsinn. Leser erschließt. – Der C. ist die *Kernfigur des manierist. Stils*. Er findet sich in Ansätzen in alexandrin. Epigrammen, im ⁄trobar clus der Trobadors, bei ⁄Dante und Petrarca. Programmat. ausgebildet wird er im ⁄Manierismus, zuerst in Italien (⁄Marinismus), wo in Poetiken Bilder- und Begriffsreihen, Kombinations- und Ableitungstabellen zur Verfertigung kunstreicher concetti bereitgestellt werden (C. Pellegrini: »Del C. poetico«, 1598, E. Tesauro, 1654 u. a.). Höchste *Blüte* erreicht der C. dann in Spanien, insbes. durch B. Gracián (Poetik 1648; »El Criticón«, Roman 1651/57), Góngora (⁄Gongorismus), Quevedo y Villegas (⁄Conceptismo), Cervantes (der geradezu el conceptuoso genannt wurde). Concettisten vor Rang genossen höchstes Ansehen. Der C. (engl. conceit) wurde auch bedeutsam für die ⁄metaphysical poets (⁄Euphuismus). – Der C. taucht dann wieder auf in der Romantik (Brentano, Novalis), im ⁄Symbolismus und den von ihm ausgehenden Richtungen (⁄Surrealismus u. a.) und in der modernen Lyrik (Benn, Celan, Krolow u. a.).

Ω Hocke, G. R.: Manierismus in der Lit. Reinbek bei Hbg. 1959 (mit kennzeichnender Beispielsammlung und Lit.-hinweisen). IS

Conclusio, f. [lat. = (Ab)Schluß], 1. in der ⁄Rhetorik Schlußteil einer Rede, auch Peroratio, vgl. ⁄Rhetorik, ⁄Disposition. 2. Bez. für die abgerundete *(geschlossene)* Formulierung eines Gedankens, einer der vielen lat. Übersetzungsversuche für griech. *periodos* = ⁄Periode (vgl. z. B. Cicero, Orator 61, 204, Quintilian, Institutio oratoria IX 4, 22). 3. Bez. der lat. Philosophie für die log. Schlußfolgerung.
UM

Conductus, m. [mlat. = Geleit], mal. lat. Lied in rhythm. (gereimten) Strophen (z. T. auch mit durchkomponierter Melodie), bei Gottesdiensten und im weiteren geistl. Bereich gesungen, jedoch nicht liturg. gebunden; ursprüngl. wohl den Gang des Priesters zum Lesepult begleitend (s. Bez.); auch als weltl. Lied moral.-satir. oder polit. Inhalts bezeugt, z. T. als ⁄Kontrafaktur geistl. C.; umgekehrt ist der geistl. C. »Syon egredere« eine Kontrafaktur und Übersetzung von Tannhäusers Leich IV (13. Jh.). – Zunächst einstimmig (11. Jh.), wurde der C. seit dem 12. Jh. zu einer der wichtigsten Gattungen der mehrstimm. lat. Kunstliedes; den einstimm. C. ersetzt seit dem 13. Jh. die ⁄Cantio. Wichtigstes Zentrum war das Kloster St. Martial in Limoges. IS

Confessiones, f. Pl. [lat. = Bekenntnisse], Titel bekenntnishafter ⁄Autobiographien, dt. oft als ›Bekenntnisse‹.

Conflictus, m. [lat. = Zusammenstoß (der Meinungen)], mittellat. Streitgedicht, meist in Hexametern oder Vagantenzeilen, z. B. Alkuin, «C. veris et hiemis« (Streitgespräch zwischen Frühling und Winter, 8. Jh.); als Übung zur Schärfung des Verstandes oder der Redekunst beliebt. Auch: ⁄Altercatio, ⁄Contrasto, ⁄Tenzone. IS

Congé, m. [kō˙ʒe; frz. = Abschied], afrz. Abschiedsgedicht, geschaffen von dem Trouvère Jehan Bodel, der 1202 als Aussätziger seine Freunde und seine Vaterstadt Arras verlassen mußte (»Li Congie«, 41 Strophen aus je 12 Achtsilblern). Weitere Vertreter sind die ebenfalls leprös gewordene Baude Fastoul (um 1260) und Adam de la Halle, dessen Verse auf seinen (harmloseren) Abschied von Arras (1269) jedoch satir. Züge tragen. – Vorbild der C.s waren evtl. »Les Vers de la mort« des Trouvères und späteren

Zisterziensermönchs Hêlinand (1166–1230); Einflüsse der Gattung auf das »Große Testament« von F. Villon (1460) sind möglich. Auch ⁄Apopemptikon. S

Connecticut wits [kə'nɛtikət 'wits; engl. wit = geistreicher Kopf, kluger Mensch], nordamerikan. polit. und literar. Kreis ehemal. Yale-Studenten um den Dichter (und einflußreichen Präsidenten der Yale-Universität) T. Dwight; sammelte sich Ende des 18. Jh.s in Hartford (der Hauptstadt Connecticuts, daher auch: *Hartford wits*) mit dem Ziel, durch polit. Engagement und v. a. durch eine eigenständ. nat. Dichtung im öffentl. Leben New Englands ein nationales Eigenwertgefühl zu wecken. Die C. w. gestalteten v. a. patriot. Stoffe aus der amerikan. Geschichte; formal blieben sie jedoch engl. Vorbildern (Pope, Swift) verpflichtet. Der bedeutendste Vertreter dieses *ersten amerikan. Dichterkreises* ist der Lyriker und Satiriker J. Trumbull (»The Progress of Dulness«, 1772/73 u. a.); neben dem Gründer Dwight (»America«, 1772, »Columbia«, 1777: patriot. Gedichte, »The Conquest of Canaan«, 1785: erstes amerikan. Epos) ist v. a. noch J. Barlow (»The Columbiad«, 1807) zu nennen.

Ω Howard, L.: The C. w. Chicago 1943. IS

Consolatio, f. [lat. = Tröstung], Bez. für die antike literar. Gattung der Trostschrift, verfaßt entweder zu einem individuellen Trauerfall für die Hinterbliebenen (vgl. in Prosa z. B. Seneca, C. ad Marciam, ad Helviam matrem, ad Polybium, in Versen die dem Ovid zugeschriebene »C. ad Liviam«) oder allgemein als oft philisoph.-eth. bestimmter Trost und Zuspruch (z. B. Cicero »Cato maior de senectute« oder Plutarchs Abhandlung über die Verbannung). Von großer Wirkung das ganze MA. hindurch war die spätantike, im Gefängnis verfaßte »C. philosophiae« des Boëthius (523/4 n. Chr.). – Viele Elemente der antiken C. finden sich auch in christl. Trostschriften sowie bis heute in Kondolenzschreiben. – Eine C.-parodie schrieb L. Sterne im »Tristram Shandy«, II, 3.

Ω Kassel, R.: Unterss. zur griech. u. röm. Konsolationslit. Mchn. 1958. UM*

Conspectus siglorum, m. [lat. = Übersicht über die ⁄Siglen], Bez. der ⁄Textkritik für die Übersicht über die Überlieferung eines literar. Werkes, geordnet nach den Handschriften-Siglen. Textkrit. ⁄Apparat. S

Constructio ad sensum, f. [lat. = Konstruktion nach dem Sinn, gr. Constructio kata synesin, auch Synesis], syntakt. Konstruktion, bei der die Kongruenz der Satzglieder durch den Sinn, nicht die grammat. Regel bestimmt ist, z. B. kann bei grammat. singular. Subjekt mit plural. Bedeutung das Prädikat im Plural stehen: häufig in gr. u. lat. Sprache *(uterque insaniunt)*, im Mhd., gelegentl. auch im Nhd.: »gewiß *würden eine Menge* die Gelegenheit benützen« (A. Zweig), vgl. auch engl. »the people were . . .«. S

Constructio kata synesin [lat.-gr. = Konstruktion nach dem Sinn], ⁄Constructio ad sensum.

Conte, m. [kō˙t; frz. = Erzählung, Märchen], in der frz. Literatur 1. Bez. für Erzählformen, die meist zwischen Roman und Novelle stehen und oft erst durch Attribute näher bestimmt werden. vgl. z. B. »Contes moraux« (1761–86, von J. F. Marmontel) »Contes drôlatiques« (1855, von H. de Balzac). 2. ⁄Dit, ⁄Fabliau. S

Contrasto, m. [it. = Gegensatz, Streit], italien. Spielart des mal. ⁄Streitgedichts, bei der die Dialoge zweier Personen oder allegor. Figuren auf einzelne Strophen (oft Sonette) verteilt sind. Berühmtes Beispiel ist der einem Ciullo d'Alcamo zugeschriebene »Rosa fresca aulentissima« (13. Jh.); häufig verwendet wird er auch von Jacopone da Todi (2. Hä. 13. Jh.); beeinflußt von den verwandten Formen ⁄Conflictus, ⁄Altercatio, ⁄Disputatio, ⁄Jeuparti, ⁄Partimen (Joc partit). MS

Copla, f. [span. = Strophe], 1. span. volkstüml. Strophenform (auch Cantar): Vierzeiler aus achtsilb. oder kürzeren Versen, Assonanz nur im 2. und

4. Vers, daher wird angenommen, daß die Strophenform aus einem assonierenden Langzeilenpaar entstand. Verwendung in der Volksdichtung (z. B. als Thema von ↗Villancicos) und der volkstüml. Kunstdichtung, z. B. der Romantik.

2. Variantenreiche Strophenform der span. Kunstdichtung, v. a. des 15. Jh.s, meist acht-, zehn- oder zwölfzeil., zweigeteilte Strophen, häufig aus Achtsilblern. Bis ins 17. Jh. vielfach nachgeahmt wurde die von J. Manriques in seinen »C.s por la muerte de su padre« (1476) verwendete C.: ein Zwölfzeiler, gegliedert in zwei sechszeil. Halbstrophen aus je zwei symmetr. Terzetten aus 2 Acht- und einem Viersilbler; die Terzette jeder Halbstrophe haben jeweils dasselbe Reimschema, während zwischen den Halbstrophen keine Reimbindung besteht; übl. sind insgesamt sechs Reimelemente pro Strophe. – Neue Blüte in der Romantik.   GR*

Coq-à-l'âne, m. [kɔka'la:n; frz., nach dem Sprichwort »saillir du coq en l'asne« = vom Hahn auf den Esel überspringen, d. h. zusammenhangloses Gerede], satir. Gattung der frz. Renaissancedichtung, Dichtin in paargereimten Acht- (selten Zehn-)Silbern zusammenhanglos teils offene, teils versteckte Anspielungen auf die Laster der Zeit oder berühmte Persönlichkeiten sowie auf aktuelle polit., militär. und religiöse Ereignisse aneinanderreiht. Als ihr Begründer gilt C. Marot (C.s in Briefform v. a. über den Papst, den korrumpierten Klerus und die Frauen, z. B. »L'épistre du Coq en l'Asne à Lyon Jamet de Sansay en Poictou«, 1531); weitere Vertreter im 16. Jh.: E. de Beaulieu, Ch. de Sainte-Marthe und M. Régnier; vereinzelt tritt die Gattung auch noch im 17. Jh. auf.

⟡ Mayer, C. A.: C. Définition, invention, attributions. In: French Studies 15 (1962).   PH*

Corpus, n. [lat. = Körper, Gesamtheit], Bez. für Sammelwerke (»C. iuris civilis«), wissenschaftl. Gesamtausgaben von Texten (»C. inscriptionum latinarum«, Berlin 1862 ff.; »C. der altdt. Originalurkunden«, Lahr 1932 ff.) und Dokumenten (»C. der Goethezeichnungen«, Leipzig 1958 ff.).
                                                                HSt

Correctio, f. [lat. = Verbesserung], auch: Metanoia, f. [gr. = Sinnänderung], ↗rhetor. Figur: unmittelbare Berichtigung einer eigenen Äußerung (oder, in der Gerichtsrede, auch einer Äußerung des Gegners); dient meist nicht zur Abschwächung der Aussage, sondern zur Steigerung: »Ich trinke nicht, nein, ich saufe«, oft mit Wiederholung (↗Anadiplose) des zu verbessernden Ausdrucks: »Ich trinke; trinke? nein, ich saufe!«   UM

Corrigenda, f. Pl. [lat. = zu Verbesserndes], auch: ↗Errata.

Couplet, n. [ku'ple:; frz. m. = Strophe, Lied, Diminutiv zu couple = Paar], Bez. der frz. Metrik und Musikwissenschaft für:
1. Strophe, gebräuchl. v. a. vom MA. bis zum 17. Jh., in einigen Verslehren (z. B. Suberville, Jeanroi, Lote) bis heute;
2. ↗Reimpaar (C. de deux vers), seit dem 16. Jh. verwendet in Epos, Epigramm, Satire, Epistel, Elegie, Lehrgedicht, z. T. auch im Drama; eine Variante ist das C. brisé (das ›gebrochene‹ C., vgl. Reim–↗Brechung), in England das nach frz. Vorbild entwickelte heroic c.;
3. die durch ungereimte Refrainzeilen markierten Abschnitte im ↗Rondeau;
4. das meist kurze, pointierte Lied (mit Refrain) in Vaudeville, Opéra comique, Singspiel, Operette, Posse, Kabarett usw. mit witzigem, satir., auch pikantem Inhalt, häufig auf aktuelle polit., kulturelle oder gesellschaftl. Ereignisse anspielend. Der Schlußrefrain bringt oft durch Wortveränderungen oder -umstellungen eine überraschende Pointe; Sonderformen sind C.s dialogués und C.s d'ensemble, in denen die Strophen abwechselnd von zwei Partnern gesungen werden, bes. im ↗Vaudeville. Berühmte dt.sprach. C.s schrieb J. N. Nestroy, z. B. Knieriems Kometenlied (»Lumpazivagabundus«, 1833) oder das Lied des Lips (»Der Zerrissene«, 1844). Auch ↗Chanson.   PH*

Cour d'amour, m. [kurda'mu:r; frz. = Liebes-, Minnehof], von Nostradamus 1575 eingeführte Bez. für Minnegerichtshöfe im Zeitalter der Trobadors (12., 13. Jh.), deren Realitätscharakter jedoch umstritten ist: F. Raynouard (1817), E. Trojel (1888) u. a. vermuten eine gesellschaftl. Institution, die unter dem Vorsitz adl. Frauen Streitfragen um angemessenes Minneverhalten durch Prozeßurteil (jugements) entschieden habe; dagegen sieht man neuerdings im Anschluß an F. Diez und G. Paris darin so etwas wie eine gesell. Unterhaltungsform. Direkte Anspielungen der Trobadors auf C.s d'a. sind selten (evtl. Gaucelm Faidit, Lied 5, Ausg. Mouzat). Musterbeispiele für Minneurteile liefert Ende 12. Jh. der Traktat »De amore« des Andreas Capellanus.

⟡ Peters, U.: C. d'a. – Minnehof. ZfdA 101 (1972), 117–133.   PH*

Creaciónismo, m. [kreaθio'nizmo; span. von crear = (er)schaffen], lateinamerikan. und span. literar. Strömung, begründet 1917 von dem chilen. Lyriker V. Huidobro (»Altazor«, 1919 u. a.), der eine von literar. Traditionen und von Bindungen an die reale Wirklichkeit freie Dichtung forderte, die als völlig neue, absolute Schöpfung (creacion) entstehen müsse: »hacer un poema como la naturaleza hace un árbol« (ein Gedicht machen wie die Natur einen Baum). Mittel dazu ist eine autonome, eigene Realitäten schaffende Sprache (v. a. assoziative Bilder, Metaphern, Spiel mit Wörtern, Silben, Buchstaben). Wie der nahe verwandte ↗Ultraismo ist der C. stark vom ↗Symbolismus beeinflußt; seine Vertreter wurden z. T. Vorläufer des ↗Surrealismus, so der Peruaner J. M. Eguren, der Franzose P. Reverdy, der Spanier G. Diego, der Mexikaner J. Torres-Bodet.   IS

Crepidata, f. [lat., eigentl. fabula c., nach lat. crepida = Sandale, dem zur griech. Tracht gehörenden Schuh], antike Bez. der seit 240 v. Chr. von Naevius in Rom eingeführten Nachahmung ›oder Bearbeitung der griech. Tragödie (mit Stoffen aus der griech. Mythologie oder Geschichte und griech. Kostümen, vgl. Bez.). Da nur Titel und wenige Bruchstücke überliefert sind, läßt sich ein spezif. Werktypus (bzw. das Verhältnis zum griech. Vorbild) nicht rekonstruieren. Vgl. dagegen ↗Praetexta.   S

Crepuscolari, f. m. Pl. [it. von crepuscolare = dämmerig], Bez. für eine Gruppe italien. Dichter zu Beginn des 20. Jh.s, die – als Reaktion auf die pathet., rhetor. prunkvolle Dichtung G. D'Annunzios und seiner Anhänger – in bewußt einfacher, unartist. Sprache und Form die unscheinbare Welt der kleinen Dinge gestalteten; charakterist. sind eine Vorliebe für leise, gedämpfte Töne, für Andeutungen, ›dämmerige‹ Farben und eine melanchol. Resignation (auch Klagen über die Beschränktheit der eigenen Empfindungs- und Aktionsmöglichkeiten). Vorbilder waren C. Pascoli und F. Jammes, z. T. die frz. und belg. ↗Dekadenzdichtung. – Die Bez. ›C.‹ wurde gebildet in Anlehnung an den Ausdruck poesia crepuscolare, mit dem der Turiner Kritiker G. A. Borgese 1911 die Dichtungen M. Morettis (»Poesie di tutti i giorni«, 1911), F. M. Martinis und C. Chiaves charakterisiert hatte; er wurde von der Literaturwissenschaft auch auf andere Vertreter dieser Stilhaltung angewandt, so auf die wichtigsten Repräsentanten S. Corazzini und G. Gozzano (»La via del rifugio«, 1907, »I colloqui«, 1911), auf C. Govoni und den frühen A. Palazzeschi (»L'incendiario«, 1910) u. a.

⟡ Savoca, G./Tropea, M.: Pascoli, Gozzano e i c. Rom ²1988. – Maggio-Valveri, G.: I C. Palermo 1949. – Gennarini, E.: La poetica dei C. Siena 1949.   IS

Crispin, m. [kris'pɛ̃; frz.], Typenfigur der frz. Komödie, Mitte des 17. Jh.s von dem Schauspieler Raymond Poisson aus dem Aufschneider ↗Skaramuz und dem 1. Zane (↗Zani) der ↗Commedia dell'arte entwickelt: witzig-einfallsreicher, oft skrupelloser Diener mit typischem leichtem Stottern. C. wurde zur beliebten zentralen Gestalt vieler

Komödien und ↗Nachspiele (z. B. »C. rival de son maître«, »C. musicien«, »C. gentilhomme«); die berühmteste Verkörperung fand er in J.-F. Regnards »Le légataire universel« (1708).　　IS

Cross-reading ['krɔsri:diŋ; engl. (a) cross = quer, reading = Lesen], ursprüngl. halbliterar. witziges Gesellschaftsspiel, bei dem ein in zwei oder mehreren Kolumnen geschriebener Text nicht kolumnenweise, sondern quer über die Kolumnengrenzen hinweg gelesen wird. Literarisiert wurde diese spielerische, teils unsinnige, teils satir. Text-↗Montage durch Caleb Whitefoord (»New Foundling Hospital for Wit«. New Edition. London 1784, Bd. II, S. 235 ff.), z. B.: »This day his Majesty will go in state to / sixteen notorious common prostitutes«. In Deutschland versuchte G. Ch. Lichtenberg eine »Nachahmung der engl. C. r.s« (Vermischte Schriften. Göttingen 1844 ff., Bd. II, S. 63 ff.). Darüber hinaus haben die C. r.s allerdings keine eigentl. literar. Tradition ausgebildet. Erst die sogenannte ↗Cut-up-Methode beruft sich wieder direkt auf die Technik des C. r.s (z. B. Carl Weissner), wobei bes. die satir. Wirkungen des C. r.s hervorgehoben werden. ↗Collage.

□ Riha, K.: C.-r.- und Cross-Talking. Zitat-Collagen als poet. u. satir. Technik. Stuttg. 1971.　　D*

Crux, f. [lat. = Kreuz], unerklärte Textstelle, in krit. Ausgaben durch ein Kreuz (†) markiert. Eine C. kann auf einer Textverderbnis (Korruptel) oder einem ↗hapax legomenon beruhen. – Im übertragenen Sinne: unlösbare Frage.　K

Cuaderna vía, f. [span. = vierfacher Weg], auch: Mester de clerecía, span. Strophenform: Vierzeiler aus einreimigen span. ↗Alexandrinern, Verwendung in der gelehrten Dichtung des 13. und 14. Jh., z. B. im »Libro de Alexandre« (Alexanderepos, um 1240), in den Heiligenleben der Marienlyrik G. de Berceos (13. Jh.), im »Poema de Fernán González« (13. Jh., ↗Cantar) und überwiegend auch im »Libro de buen amor« des Arcipreste de Hita Juan Ruiz (Traktat über die Liebe in autobiograph. Form, 14. Jh.). – Neubelebung seit Ende des 19. Jh.s im ↗Modernismus. in Lateinamerika.

□ Barcia, P. L.: El mester de clerecía. Buenos Aires 1967.　　GR

Cultismo, m. auch: Culteranismo ↗Gongorismus.

Cursus, m., Pl. Cursus [lat. = Lauf], in der lat. (seltener volkssprachl.) ↗Kunstprosa der Spätantike und des MA.s gebräuchl. rhythm. Formel für Kola- und Periodenschlüsse. Die C.-Formeln lösen seit dem 4. Jh., verursacht durch den lat. Akzentwandel und die damit verbundene Verwischung der Quantitätsunterschiede, die durch die Silbenquantitäten geregelten ↗Klauseln ab; sie beruhen, im Ggs. zu diesen, auf der Regelung des (dynam.) Wortakzents und der Wortgrenzen. C.formeln sind nachweisbar zuerst bei Augustin; regelmäßig beachtet werden sie – in bewußter Anknüpfung an den rhythm. Vorbildl. empfundenen Briefstil Papst Leos I., des Großen (5. Jh.) – seit dem 11. Jh. in der päpstlichen, seit dem 13. Jh. in der kaiserl. Kanzlei (sog. C. *leoninus, leonitas*). Die auf das klass. Latein zurückgreifenden Humanisten lehnen den C. ab und ersetzen ihn wieder durch Klauseln. – Man unterscheidet 4 C.-Typen:

1. C. *planus* (gleichmäßiger C.): ....x́x/ x́xx (retribui) ómne merétur;
2. C. *tardus* (langsamer C.): ....x̀x / x́xxx (felici)tátis percípiunt;
3. C. *velox* (rascher C.): ....x́xx / x́xxx (ex)híbitum repu-tábo;
4. C. *trispondiacus* (C. aus drei Spondeen; Bez. nach der Quantitätenfolge!): ....x́xx / x́xxx dolóres detulérunt.

□ Thieme, K. D.: Zum Problem des rhythm. Satzschlusses in der dt. Lit. des Spät-MA.s. Mchn. 1965 (mit Bibliogr.). – Nicolau, M. G.: L'origine du »C.« rhythmique. Paris 1930.　　K

Curtal Sonnet ['kɔ:təl 'sɔnit; engl. = gekürztes Sonett], von G. M. Hopkins (1844–89) geprägte 11zeil. Sonderform

des ↗Sonetts: die klass. Sonettform (8 + 6) ist proportional verkürzt auf ein Sextett (abc abc) und ein Quartett (bcbd, auch dbcd oder bddb) mit abschließender Halbzeile (tailpiece) mit c-Reim; z. B. »Pied Beauty«, »Peace« u. a.　GS*

Cut-up-Methode ['kʌtʌp, engl. cut-up-method zu to cut up = zerlegen], Kompositions-Technik der literar. ↗Collage; entwickelt gegen 1960 von B. Gysin (»Minutes to Go«, 1960, zus. mit W. S. Burroughs, S. Beiles, G. Corso: »The Exterminator«, 1960, zus. mit Burroughs) zur Erzielung einer traum- und rauschähnl. Bewußtseinserweiterung (»nobody experience«). »Eine Textseite (von mir selbst oder von einem anderen) wird in der Mitte der Länge nach gefaltet und auf eine andere Textseite gelegt. Die beiden Texthälften werden ineinander ›gefaltet‹, d. h. der neue Text entsteht, indem man halb über die eine Texthälfte und halb über die andere liest« (Burroughs). Ähnlich können Texte mit Hilfe des Tonbandgeräts hergestellt werden. Außer von Gysin und Burroughs (»Soft Machine«, 1961, dt. 1971) ist diese Methode auch von deutschsprachigen Autoren (Jürgen Ploog, Carl Weissner) angewandt worden. »Das Engagement der Cut-up-Autoren besteht darin, zur Aufhellung der neuen Bewußtseinslagen des elektron. Zeitalters beizutragen und die massiven Zwangsmaßnahmen einer offiziellen ›Information‹ & Literatur in Frage zu stellen« (Weissner). ↗Pop-Literatur.

□ Weissner, C. (Hrsg.): Cut up. Darmst. 1969.　　D*

Cynghanedd, f. [kəŋha:neð; kymr. = Übereinstimmung], zusammenfassende Bez. für die verschiedenen Formen der ↗Gleichklangs (mit Ausnahme des ↗Endreims) und ihre Kombination in der (kymr.) Dichtung. Grundformen der C. sind ↗Alliteration und konsonant. ↗Binnenreim (↗Hending); aus ihnen wird im Laufe des 13. Jh.s bei wachsendem Formbewußtsein 4 verschiedene Systeme (nach Art, Anzahl und Stellung der Gleichklänge im Vers) entwickelt, die in insges. 24 walis. Metren (u. a. im ↗Cywydd) Verwendung finden. Der C. vergleichbare Formen des Gleichklangs und der Kombination von Gleichklängen zeigen die altir. und altnord. (skald.) Poesie.

□ Travis, J.: Intralinear Rhyme and Consonance in Early Celtic and Germanic Poetry. Germanic Review 18 (1943) 136.　　K

Cywydd, m. [kóuið; kymr., Pl. cywyddau], beliebtes Metrum der walis. (kymr.) Lyrik des SpätMA.s: paarweise gereimte, siebensilb. Verse (↗silbenzählendes Versprinzip), wobei der jeweils erste Reim eines Reimpaares betont, der zweite unbetont ist (unebene Bindung); meist kommt die ↗Cynghanedd, d. h. Alliteration, häufig auch konsonant. Binnenreim, hinzu. – Als Begründer der C.-Dichtung gilt Dafydd ap Gwilym (14. Jh.), dessen Cywyddau themat. von der mlat. Klerikerdichtung und der frz. Trouvère-Poesie beeinflußt sind. In der jüngeren C.-Dichtung (16. Jh.) überwiegen polit. Themen (Kritik an der wachsenden Kollaboration des walis. Adels mit der Tudormonarchie). Neubelebung im 18. Jh. im Rahmen der Renaissance der walis. Dichtung.　　K

Dadaismus, internationale Kunst- und Literaturrichtung, entstanden 1916 in Zürich unter dem Eindruck des 1. Weltkrieges im Rahmen der sog. ↗Literatur- bzw. Kunstrevolution als Synthese aus kubist., futurist. und expressionist. Tendenzen. Zentrum war das Züricher ›Cabaret Voltaire‹, ursprüngl. als Kabarett von H. Ball gegründet (eröffnet 5. 2. 16). Etwa seit März 1916 wurde es zu einer »Experimentierbühne aller derjenigen Probleme, die die moderne Kunst bewegten« (R. Huelsenbeck). Die in Zürich im Exil lebenden und an den Programmen des Kabaretts beteiligten Künstler H. Arp, H. Ball, R. Huelsenbeck, M. Janco und T. Tzara versuchten, eine selbständ. Literatur- und Kunstrichtung unter dem Gruppensymbol ›Dada‹ zu entwickeln (Publikation »Cabaret Voltaire«, 1916). Wer dieses Gruppensymbol erfunden hat, ist nicht zu klären (Tzara? Ball?). Die Gemeinsamkeit der Dadaisten bestand

v. a. in einer künstler.-polit. Haltung: Das Kabarett wurde zu einem Ort des künstler. Widerstandes gegen den »Wahnsinn der Zeit« (Arp), wobei man v. a. gegen ein Bildungsbürgertum zielte, das man für »die grandiosen Schlachtfeste und kannibalischen Heldentaten« (Ball) verantwortl. machte. Das führte zur Negation jegl. Kunstideals, zur Verschärfung der von Kubismus und italien. ↗Futurismus eingeführten »drei Prinzipien des Bruitismus, der Simultaneität und des neuen Materials in der Malerei« (Huelsenbeck). Alle bisher geltenden ästhet. Wertmaßstäbe und Spielregeln wurden für ungült. erklärt und die absolute Freiheit der künstler. Produktion proklamiert; dies führte zu immer provokativeren Programmen im ›Cabaret Voltaire‹ und bald auch außerhalb (Zeitschrift ›Dada‹, seit 1917 hrsg. von T. Tzara): Experimentiert wurde mit ↗Collagen, Zufallstexten (↗aleator. Dichtung), ↗reduzierten Texten, mit ↗Lautgedichten, sog. »Versen ohne Worte« (Ball) und sog. Geräuschkonzerten. Bei der Suche nach eigenen und neuen Wegen und Möglichkeiten, um über reine Anti-Kunst, über Protest und pure Negation hinauszugelangen, wurde jedoch deutl., daß der D. zu keinem Gruppenstil fand; zu unterschiedl. waren die Intentionen seiner Mitglieder, die ledigl. durch die Verpflichtung zu gemeinsamen Programmen im ›Cabaret Voltaire‹ und den sog. Dada-Soireen und durch die polit.-sozialen Gegebenheiten des gemeinsamen Exils zusammengehalten wurden. Nach Ende des Krieges löste sich folgerichtig der Züricher D. in einzelne Richtungen auf. Es bildeten sich überall dadaist. Gruppierungen mit jeweils spezif. Gesicht: So praktizierte der *Berliner D.* (1918–20 mit Huelsenbeck, den Brüdern Herzfelde, George Grosz, Raoul Hausmann, Walter Mehring und Johannes Baader) in den Veranstaltungen des ›Club Dada‹, in einer ›Internationalen Dada-Messe« (Eröffnung 5. 6. 1920) und der von Hausmann herausgegebenen Zeitschrift »Der Dada« eine zwischen anarchist. und kommunist. Argumentation pendelnde Spielart, bis er (in sich völlig zerstritten) zerfiel. Der *Kölner D.* (1919/20 mit Max Ernst, Johannes Baargeld und Arp) war vor allem eine Angelegenheit der bildenden Kunst und gipfelte in der polizeil. geschlossenen Ausstellung »Dada-Vorfrühling« im April 1920 (die aber wieder geöffnet werden durfte: »Dada siegt«). Der *Pariser D.* (mit Tzara, Arp und v. a. zahlreichen späteren Surrealisten wie Louis Aragon, André Breton, Paul Eluard u. a.) wiederum war trotz mancher Kunst-Ausstellungen wesentl. eine literar. Angelegenheit, bis schließl., nach zahlreichen Auseinandersetzungen v. a. zwischen Tzara und Breton, 1923 der Surrealismus das Erbe des D. antrat. Von längerer Dauer blieb schließl. nur ein nach dem Kriege von Kurt Schwitters in Hannover proklamierter und bis zu seiner Emigration nach Norwegen (1937) praktizierter *Privat-D.*, dem er den Namen ›Merz‹ gegeben hatte, unter welchem Namen er seit 1923 auch eine eigene Zeitschrift publizierte. Wirkungsgeschichtl. bedeutsam war der D. jedoch durch seine theoret. und prakt. Beiträge zur ↗abstrakten (↗konkreten), v. a. ↗akust. Dichtung.

📖 Philipp, E.: D. Einf. in den lit. D. u. die Wortkunst des Sturmkreises. Mchn. 1980. – Hansmann, R.: Am Anfang war Dada. Stuttg. 1971. – Döhl, R.: D. In: W. Rothe: Expressionismus als Lit. Bern/Mchn. 1969. – Döhl, R.: Das literar. Werk Hans Arps 1903–1930. Zur poet. Vorstellungswelt des D. Stuttg. 1967. – Dada, Monographie einer Bewegung. Hrsg. v. W. Verkauf. Teufen (AR) ³1965 *(mit Bibliogr.).*   D*

Daina, f. [litauisch], Pl. Dainos, altlitau. Volkslied; Form und Stil zeigen altertüml. Züge (Strophen aus 4-heb., meist trochäischen Versen; je 2 Verse durch Figuren der Wiederholung oder des ↗Parallelismus membrorum und der dabei frei auftretenden Alliterationen und Endreime gebunden). Je nach Thematik unterscheidet man Arbeits-, Jahreszeiten-, Brautlieder, Totenklagen u. a. – Erste Veröffentlichungen im 18. Jh. (Ph. Ruhig, Litau. Wörterbuch,

1745), aufgegriffen durch Lessing (33. Literaturbrief), Herder (»Volkslieder«), Goethe (»Die Fischerin«). Breiteres Interesse fanden die Dainos im 19. Jh. im Rahmen der Indogermanistik (Schleicher, Brugmann, Leskien). – Der altlit. D. verwandt ist die *lett. D.* (Pl. Dainas), von ihr sind bis heute etwa 900 000 Beispiele aufgenommen, davon etwa 60 000 (und 100 000 Varianten) veröffentlicht.   K

Daktyl(o)epitrit, m. [aus gr. ↗Daktylus und ↗Epitrit], moderner Begriff für altgriech. Verse, in denen daktyl. und epitrit. Glieder abwechseln; von A. Rossbach und R. Westphal (Griech. Metrik, 1856) eingeführt. Ein D. wird als Kombination aus den sog. Elementargliedern –◡◡– –◡◡– (entspricht dem Hemiepes) und –◡– (entspricht dem Kretikus), auch –◡◡– und ◡◡–, erklärt, die durch eine weitere, in der Regel lange Silbe verbunden sind, welche die Folge –◡– zum ↗Epitrit (––◡–) ergänzt. Im einzelnen sind verschiedenerlei Kombinationen möglich (z. B. Verdoppelung der einzelnen Teile oder des Grundschemas, An- oder Einfügung weiterer langer Silben usw.). Die D.en lassen sich evtl. aus dem ↗Enkomiologikus ableiten, unterscheiden sich aber von diesem ↗archiloch. Versmaß dadurch, daß die daktyl. und epitrit. Versteile ohne Pause verbunden sind. Daktyl(o)epitrit. Verse erscheinen stets in Strophen und werden für feierl. und ernste Inhalte verwendet; sie finden sich vor allem in der Chorlyrik, zuerst bei Stesichoros, dann bes. bei Pindar und Bakchylides, seltener in den Chorliedern der griech. Tragödie.   UM

Daktylus, m. [lat. nach gr. daktylos = Finger, Zehe, übertragen = Zoll, Maß(einheit)], antiker Versfuß der Form –◡◡; mit kontrahierter Senkung ⏓– (↗Spondeus); Auflösung der Hebung ist nicht üblich (Ausnahmen in der röm.-klass. röm. Dichtung bei Ennius). Wichtige *daktyl. Versmaße* der gr. und lat. Dichtung sind der *daktyl.* ↗*Hexameter* und der *daktyl.* ↗*Pentameter.* – In den akzentuierenden Versen (↗akzentuierendes Versprinzip) der dt., engl. usw. Dichtung gilt als D. die Folge einer betonten u. zweier unbetonter Silben (x́xx), wobei die Bez. ›D.‹ gewöhnl. auch dort angewandt wird, wo histor. kein Bezug zur gr.-röm. Verskunst vorliegt. Dies gilt insbes. für die sog. *mittelhochdt. Daktylen,* die sich im dt. Minnesang des 12./13. Jh.s finden, zuerst bei Kaiser Heinrich (MF 5, 16 ff.; hier neben dem Doppelsenkungen auch einfache Senkungen, sogenannte gemischt-daktyl. Verse). Sie sind beliebt bei den rhein. Minnesängern (Heinrich von Veldeke, Friedrich von Hausen, Graf Rudolf von Fenis, u. a.), v. a. aber bei Heinrich von Morungen; auch Walther von der Vogelweide verwendet sie (z. B. L 39, 1 ff. »Úns hât der wínter geschât über ál«); im 13. Jh. werden sie seltener (Ulrich von Lichtenstein). In der jüngeren Forschung (F. Gennrich) werden sie dem 3. ↗Modus gleichgesetzt (♩♪♩). In neuhochd. Reimstrophen begegnet der D. seit dem 17. Jh., zuerst bei A. Buchner und Ph. von Zesen, auch hier ohne direkten Bezug zur gr.-röm. Verskunst (Buchner beruft sich auf Ulrich von Lichtenstein!). Der bewegte Gang des D. dient häufig dem Ausdruck festl. Hochstimmung (z. B. Schiller, »Dithyrambe«: »Nímmer, das gláubt mir, erschéinen die Götter, / Nímmer alléin . . .«) oder innerer Unruhe (z. B. B. A. Gryphius, Sonett »Mitternacht«: »Schrécken und Stílle und dúnkeles Gráusen / finstere Kälte bedécket das Lánd«); auch der Ton lebendiger Erzählung verbindet sich oft mit (gemischt-)daktyl. Rhythmus (Wieland: häufig Doppelsenkungen in den Stanzen des »Oberon«; Schiller: »Die Bürgschaft«, »Der Taucher«). Bes. durch die Adaption des daktyl. Hexameters und Pentameters in der dt. Dichtung seit J. Ch. Gottsched und F. G. Klopstock wurde der D. in der neuhochdt. Verskunst eingebürgert.   K

Dandyismus, m. [dǽndi . . ., zu engl. dandy = Stutzer, Elegant; Etymologie ungeklärt], gesellschaftl. Erscheinung, ausgebildet Mitte des 18. Jh.s in England in einer Gruppe junger reicher Aristokraten (dandies), die sich im exklusiven ›Macaroniclub‹ (seit 1765 Clublokal ›Almack's‹) zusammenfand. Charakterist. war eine ausgeklügelte Extravaganz des Lebensstils, v. a. eine äußerst raffinierte (zu Beginn des D. unauffällige, später exzentrische) Eleganz der Kleidung, ein geistreich-zyn. Konversationston, blasierte Gleichgültigkeit gegenüber der sozialen Wirklichkeit und ihren Problemen (↗Eskapismus), die sich in provokant zur Schau getragenem Müßiggang und arroganter Unmotiviertheit und Ziellosigkeit der eigenen Existenz dokumentierte. Interessant war nur das eigene, als ›absolutes‹ Kunstwerk zelebrierte Leben. *Berühmtester Vertreter* des D. war George Brummell (seine Glanzzeit: 1794–1816). – *Literar. Relevanz* erhielt dieser *gesellschaftl. D.* in den sog. ↗Fashionable novels, in denen die Welt des D. gestaltet ist. Eine philosoph.-existentielle Deutung erfuhr der D. etwa seit 1830 durch die franz. Romantiker (grundlegend: J. Barbey d'Aurevilly, »Du dandysme et de George Brummell«, 1845). Der D. wird erklärt als eine Form der Reaktion auf den Niedergang der aristokrat. Gesellschaft und die Übernahme (und Vulgarisierung) ihrer Normen durch die Bourgeoisie mit ihrer nützl.-prakt. Lebensauffassung. Anders als der ↗Byronismus (der gegen diesen Prozeß der Umwertung aggressiv reagiert) oder die Décadence (die den Prozeß intellektuell leidend reflektiert) oder die Bohème (die sich außerhalb jegl. Gesellschaft stellt) ist der D. der Versuch, durch unzeitgemäße Hypertrophierung der aristokrat. äußeren Formen die neue bürgerl. Gesellschaft als absurdum zu führen. Obwohl auch einem solchen *existentiellen D.* das bloße Da-Sein als ästhet. Repräsentation seiner selbst genügen mußte, wurde doch eine Anzahl von Dandies bedeutende Schriftsteller: Sie entwickelten einen *literar. D.*, der auch von Nicht-Dandies gepflegt wurde (z. B. von den Symbolisten, von P. Merimée, z. T. auch von H. de Balzac und G. Flaubert). Er berührt sich vielfach mit anderen romant. Strömungen (↗Byronismus, Décadence) und ist gekennzeichnet durch sein Bekenntnis zum Aesthetizismus (↗l'art pour l'art): einen artist.-prätentiösen Stil von iron. Eleganz und Distanz, durch leidenschaftslose Analysen, absichtsvolle Mystifikationen, Paradoxa, Provokationen usw., der bei aller vorgeführten Verachtung bürgerl. Werte doch allgemeine Aufmerksamkeit zu erwecken versucht. *Vertreter* sind in England etwa B. Disraeli, E. G. Bulwer-Lytton (»Pelham«, 1828 u. a), Oscar Wilde (»The Picture of Dorian Gray«, 1890 u. a.), R. Firbank u. a.; in Frankreich Ch. Baudelaire, J.-K. Huysmans (»A Rebours«, 1884), A. de Musset, M. Barrès, P. Bourget, A. Gide u. a. In Deutschland waren sowohl der gesellschaftl. D. (Fürst Pückler-Muskau) als auch die literar. Ausprägung selten: D. wird gesehen in Leben und Werk St. Georges und im Werk E. Jüngers oder Th. Bernhards. Einen neuen Dandytypus (ohne Eskapismustendenzen) repräsentiert seit einigen Jahren der amerik. Journalist Tom Wolfe (»Fegefeuer d. Eitelkeiten« 1987).

📖 Gnüg, H.: Kult d. Kälte. Der klass. Dandy im Spiegel d. Weltlit. Stuttg. 1988. – Ihrig, W.: Literar. Avantgarde und D. Frkf. 1988. – Albérès, F. M.: Le dernier des dandies: Arsène Lupin. Etude de mythes. Paris 1979. – Neumeister, S.: Der Dichter als Dandy. Mchn. 1973. – Schaefer, O. (Hrsg.): Der Dandy. Mchn. 1964. – Mann, O.: Der Dandy. Hdbg. ²1962. – Moers, E.: The Dandy. Brummell to Beerbohm. Ldn. 1960. – Prévost, J. C.: Le Dandysme en France (1817–1839). Genf 1957. IS

Dansa, f. [prov. = Tanz, Reigen], Tanzlied, Gattung der Trobadorlyrik; entspricht formal und inhaltl. weitgehend der ↗Balada. Unterschiede nur in der Refraingestaltung (Verzicht auf Binnenrefrain). Dichter: Guiraut d'Espanha, Cerveri de Girona und einige Anonymi. Im 15. Jh. werden neben der charakterist. volkstüml. Liebesthematik auch geistl. Stoffe behandelt (z. B. in den »D.s de Nostra Dona«). PH

Danse macabre [dã:s ma'kabr; frz. = ↗Totentanz].

Darmstädter Kreis (1), ›empfindsamer‹ Freundeskreis

(↗Empfindsamkeit) in Darmstadt, etwa 1769–73 um J. H. Merck (u. a. Herausgeber [1772] und Mitarbeiter der ›Frankfurter Gelehrten Anzeigen‹). Zum ständigen Zirkel gehörten J. G. Herder, Goethe (›Wanderer‹ oder ›Pilger‹), F. M. Leuchsenring, Herders Braut Caroline Flachsland (›Psyche‹) und die Hofdamen H. von Roussillon (›Urania‹) und L. von Ziegler (›Lila‹). Der D. K. war darüber hinaus mit vielen Vertretern der zeitgenöss. geist. Kultur freundschaftl. verbunden, so v. a. mit F. G. Klopstock, Ch. M. Wieland, J. W. L. Gleim, Sophie von La Roche, den Brüdern F. und G. Jacobi, J. C. Lavater u. a.; er fand zudem Unterstützung durch die interessierte Landgräfin Caroline von Hessen-Darmstadt. Die *Bedeutung des Kreises* bestand neben der Pflege des zeittyp. Freundschafts-, Gefühls- und Naturkults in seiner literar. Aufgeschlossenheit und dem z. T. aktiven Eintreten für die zeitgenöss. dt. und die europ. Literatur (v. a. Klopstock, aber auch Shakespeare, Cervantes, Petrarca, Rousseau, L. Sterne, O. Goldsmith, S. Richardson, E. Young, den »Ossian« u. a.). Der D. K. veranstaltete die erste Edition Klopstockscher »Oden und Elegien« (1771) und regte (insbes. durch Herder) zu Übersetzungen (Shakespeare, Shaftesbury, europ. Volksdichtung) und eigener literar.-krit. oder dichter. Tätigkeit an (Merck, Herder, Goethe: 1. Lesungen von »Faust« und »Götz« im D. K.). Auf Erlebnisse im D. K. gehen Goethes »Wanderers Sturmlied« (»Der Wanderer« »Felsweihegesang, an Psyche« (1772, vgl. auch Herders Gegendichtung), »Elysium« (an Urania) und »Pilgers Morgenlied, an Lila« zurück, jedoch auch die »Pasquinaden« (so Merck an Nicolai, 18. 8. 1774) gegen eigennützige, geheuchelte Empfindsamkeit wie das »Jahrmarktsfest zu Plundersweilern«, das »Fastnachtsspiel, . . . vom Pater Brey . . . .« (1773, gegen Leuchsenring) und »Satyros« (gedruckt erst 1817). Auch die Kritik an zu einseitiger Hingabe an Herzensempfindungen im »Werther« zielt u. a. auf die »Darmstädter Heiligen«. Anschaul. Quellen über den D. K. sind die zahlreichen Briefe der Mitglieder und Goethes Erinnerungen in »Dichtung und Wahrheit«, Buch 12 und 13.

📖 Merk, G.-P.: Wahrheiten dem Publikum der Welt. Die Empfindsamkeit des Aufklärers J. H. Merck. Frankfurter Hefte 34 (1979) 57–64. – Gunzert, W.: Darmstadt u. Goethe. Darmst. 1949. – Rahn-Bechmann, L.: Der D. Freundeskreis. Diss. Erlangen 1934. – Tornius, V.: Die Empfindsamen in Darmstadt. Lpz. 1911, ²1920 u. d. T.: Schöne Seelen. – RL IS

Darmstädter Kreis (2), Freundeskreis internationaler Künstler in Darmstadt 1957–59 um C. Bremer, D. Spoerri (damals beide am Landestheater Darmstadt) und Emmet Williams; weitere Mitarbeiter an den gemeinsamen Publikationen u. a. Diter Rot (Reykjavik) und A. Thomkins (Essen). Der D. K. versuchte in Fortsetzung von Berner Theaterexperimenten auf dt. Bühnen experimentelles Theater zu praktizieren (Stücke von Tardieu, Ionesco, Schéhadé u. a.), vgl. »neue Forum. Darmstädter Blätter für Theater und Kunst« (1957–61, Redaktion C. Bremer), wo das Konzept eines »dynam. theaters«, das »das fortwährende stellungnehmende seiner zuschauer« und Mitspielen fordert, entwickelt wurde. – Der D. K. ist ferner bedeutsam für die Geschichte der ↗konkreten Dichtung durch die von Spoerri edierte Publikationsfolge »material« (1959–60): Bd. 1, mit Beiträgen von J. Albers, C. Bremer, C. Belloli, E. Gomringer, H. Heissenbüttel, D. Rot, D. Spoerri u. a., ist die erste international konkreten Dichtung; »material 2« (D. Rot, »ideogramme«, 1959) und »material 3« (E. Williams, »konkretionen« 1959) zählen zu den ersten selbständigen Publikationen konkreter Autoren.
D*

Datierung [zu lat. datum est = gegeben (am)],
1. Angabe des Jahres, z. T. auch des Tages (Monats), an dem ein Schriftwerk abgeschlossen, veröffentlicht oder eine Urkunde ausgestellt wurde.

2. Bestimmung der Entstehungszeit und ggf. des Erscheinungsjahres nicht datierter literar. Werke, z. B. der nur handschriftl. überlieferten antiken und mal. Literatur oder, in neuerer Literatur, von literar. Kleinformen (z. B. lyr. Gedichten, die oft erst einige Zeit nach ihrer Entstehung in Sammlungen veröffentl. werden). Anspielungen auf Zeitereignisse oder Verknüpfungen mit biograph. Daten erlauben manchmal die Festsetzung eines frühestmögl. (*terminus a quo* oder *post quem*, lat. = Zeitpunkt, von dem an bzw. nach dem gerechnet wird) oder spätestmöglichen Zeitpunkts (*terminus ad quem* oder *ante quem* = Zeitpunkt, bis zu dem bzw. vor dem etwas geschehen sein muß). Ebenso ermöglichen die Art des Schreibmaterials (z. B. Wasserzeichen), der Schriftduktus oder die Sprachgestaltung eines Werkes, seine Metrik oder die Analyse der literar. Abhängigkeiten die Festlegung einer relativen Chronologie.   RG*

Débat, m. [de'ba; frz. = Streit, Wortwechsel], in der franz. Lit. didakt. Ausprägung des mal. ⁄Streitgedichts (Nebenform des ⁄Dit), meist allegor. Dialoge über theolog., moral., aber auch amouröse Themen, z. B. zwischen Seele und Körper (»Desputeison del cors et de l'ame«), Enthaltsamkeit und Völlerei (»Bataille de Caresme et de Charnage«), Geistlichem und Ritter (»D. du clerc et du chevalier«). Überwiegend anonym. D.s finden sich aber auch bei Rutebeuf (»Desputizon dou croisie et dou descroisie« u. a.), 13. Jh. u. F. Villon (»D. du Cœur et du Corps«), 15. Jh. u. a.   PH*

Deckname, fingierter Name, der die eigentl. Identität von Personen ›verdecken‹ soll. D.n stehen 1. für reale Personen, die in literar. Werken genannt werden, in der Antike z. B. Lesbia (für Clodia) bei Catull, im MA. v. a. in der Trobadorlyrik (⁄Senhal), in der Neuzeit z. B. Diotima (für Susette Gontard) bei Hölderlin oder Lida (für Charlotte von Stein) bei Goethe; begegnen v. a. in der ⁄Schlüsselliteratur. 2. anstelle von Autorennamen: ⁄Pseudonym.   S

Dedikation, f. [lat. dedicatio = Weihung], bei den Römern ursprüngl. der Akt der Zueignung einer Sache, v. a. einer Kultstätte, an eine Gottheit. Dieser Gebrauch wird in der Spätantike christianisiert und von der Kirche übernommen. Schon früh gewann D. eine Bedeutungserweiterung über den sakralrechtl. Akt hinaus und bez. die *Widmungsinschrift* an einem Gebäude oder in einem Buch. Im allg. wurde Heldenepik, Historisches und Geographisches nicht dediziert. In der frühen Neuzeit, als es kein festes Autorenhonorar gab, gewann die D. dadurch Bedeutung, daß ein Autor durch ein einem hochmögenden Herrn gewidmetes Werk Gegengaben erwarten konnte. Heute nennt der *D.stitel* (auch Zueignungs-, Präsentations- oder Widmungstitel) den Anlaß zur Veröffentlichung einer Schrift; er findet sich deshalb bes. bei Gelegenheitsschriften (z. B. Festschriften). Steht der D.stitel auf besonderem Blatt hinter dem Haupttitel, gilt er nur als ⁄Widmung und wird bibliograph. nicht berücksichtigt.   RG

Dekabristen, m. Pl. [russ. von dekabr' = Dezember], Gruppe von Angehörigen des russ. Adels, v. a. des Offizierskorps, die in der Folge der Napoleon. Kriege soziale und polit. Änderungen in Rußland anstrebten. Nach dem Tode Alexanders I. versuchten sie am 26. (bzw. 14.) Dezember 1825 durch einen Aufstand in Petersburg ihre Ziele zu verwirklichen. Der Aufstand wurde von Nikolaus I. niedergeschlagen; fünf D. wurden hingerichtet, viele nach Sibirien verbannt. Zu den D. zählten auch eine Reihe von revolutionär-romant. Dichtern (vgl. ⁄Plejade), wie der zum Tode verurteilte K. F. Rylejew, W. Küchelbecker, A. A. Bestuschew-Marlinski und A. Odojewski. A. S. Puschkin und A. S. Gribojedow sympathisierten mit den D. – Vgl. auch den Roman von D. S. Mereschkowski, »Der 14. Dez.« (1918, dt. 1921).

📖 Lemberg, H.: Die nationale Gedankenwelt der D. Köln/Graz 1963 (mit Bibliogr.).   S

Dekade, f. [von gr. deka = zehn], Größe oder Anzahl von zehn Einheiten, z. B. ein Zeitraum von 10 Jahren (Jahrzehnt), 10 Wochen oder 10 Tagen (= D. in der Frz. Revolution, eingeführt um die siebentäg. Woche zu ersetzen, danach damals Bez. für ›Kalender‹: *Décadier*). Begegnet auch *in der Literatur* als Gliederungsprinzip, z. B. G. Boccaccio, »Decamerone« (10 Tage mit je 10 Geschichten).   S

Dekadenzdichtung [frz. décadence = Verfall], Sammelbez. für eine vielschichtige Tendenz innerhalb der europäischen Literatur gegen Ende des 19. Jh.s; entstanden aus dem Bewußtsein einer Überfeinerung als Zeichen einer späten Stufe kulturellen Verfalls; gilt als letzte Übersteigerung der subjektiv-individualist. Dichtung des 19. Jh.s; sie verabsolutiert die Welt des Sinnlich-Schönen, das moral. freie Kunsthafte gegenüber einer Welt normierter bürgerl. Moral- und Wertvorstellungen, das Seelische, das Unbestimmte, die Sensibilität und das morbid Rauschhafte. – Die philosoph.-histor. Auseinandersetzung mit dem Phänomen kulturellen Verfalls (speziell am Beispiel des röm. Staates) war in der europ. ⁄Aufklärung neu belebt worden (G. Vico, 1725; Montesquieu, »Considérations sur les causes de la grandeur des Romains et de leur décadence«, 1734; E. Gibbon, »History of the decline and fall of the Roman empire«, 1776 ff.; J. J. Rousseau 1750/62). Während jedoch z. B. Gibbon aus histor. Abstand die Verfallserscheinungen kulturell positiv sieht, wertet F. Nietzsche rund hundert Jahre später die europäischen Kulturerscheinungen seiner Zeit negativ als Erschöpfungs- und Auflösungszustände und erklärt z. B. Richard Wagner zu einem typ. *Décadent* (»Der Fall Wagner«, 1888). Ihm folgen Oswald Spengler (»Der Untergang des Abendlandes«, 1918) u. a. – Diese doppelte Einschätzung von *décadence* einerseits positiv, andererseits als Symptom der Auflösung, des Verfalls, läßt sich auch in der sog. D. beobachten. *Vorbereitet* wurde sie durch die Weltschmerzdichtung Lord Byrons (⁄Byronismus), z. T. H. Heines. N. Lenaus, A. de Mussets, G. Leopardis u. a., durch die Dichtungen E. A. Poes und Ch. Baudelaires (»Les Fleurs du mal«, 1857) mit ihrem Stimmungswechsel zwischen Sinnenekel und Sinnenkitzel, Lebenslust und Lebensüberdruß, in der Hingabe an exot. Reize und narkot. Genuß (Th. de Quincey: »Confessions of an English Opium-Eater«, 1821/22), in der Verfeinerung des sinnl. Genusses bis zur Perversion (L. Sacher-Masoch). Die *eigentl.* D. entsteht in den achtziger Jahren zunächst in Frankreich aus der Auseinandersetzung mit dem ⁄Naturalismus vor allem eines E. Zola. – Gegen diesen stellt J.-K. Huysmans (»Là-bas«, 1891) sein Programm eines gleichsam »spirituellen Naturalismus« (F. Martini) mit der Forderung des Ausblicks über die Sinne in ferne Unendlichkeiten und der Darstellung von Seelenstürmen. Ähnl. setzt O. J. Bierbaum Seelenoffenbarungen über alles. – Nur schwer läßt sich die D. von anderen zeitgenöss. Strömungen und Stilrichtungen trennen, z. B. wird M. Maeterlinck mit seiner Dichtung des »leisen feinen Übergangs, des halben Klangs« auch dem ⁄Impressionismus zugeordnet. Auch der große österreich. Beitrag zur D. (P. Altenberg, A. Schnitzler, R. Beer-Hofmann, R. von Schaukal u. a., der frühe Hofmannsthal und der junge Rilke) wird gelegentl. als ›Wiener Impressionismus‹ zusammengefaßt. Umgekehrt begegnet für die französ. Symbolisten (⁄Symbolismus) um die Zeitschriften »Revue indépendante« (»Revue Wagnérienne«, »Le Symboliste«, »Le Mercure de France«) die Bez. ›Décadents‹, da sie an Poe und Baudelaire anknüpfen und am deutlichsten eine Stilrichtung innerhalb der D. ausprägten. Diese Stilrichtung ist am reinsten in der Lyrik ausgeformt, z. B. bei St. Mallarmé, M. Du Plessys, J. Laforgue, A. Rimbaud, H. de Régnier, ferner Ph. A. Villiers de l'Isle-Adam und P. Verlaine. In den anderen Ländern Europas werden oft nur einzelne Autoren oder gar Werke der D. zugerechnet, so A. P. Tschechow (Rußland), H. Bang und als Vorläufer J. P. Jacobsen (Dänemark), O. Wilde, aber auch A. Beardsley (England), M. Maeterlinck und E. Verhaeren (Belgien) und G. D'Annunzio (Italien). In Deutschland wären vor allem Th. Mann zu nennen (»Buddenbrooks«, 1901, »Tonio Kröger«, »Tristan«, 1903, »Der Tod in Venedig«, 1913), der bis in sein Spätwerk das Problem des Kulturverfalls immer wieder aufgreift, ferner H. Mann (»Im Schlaraffenland«, 1900) und F. Huch (»Mao«, 1907, »Enzio«, 1911). Gegen die D. wenden sich nach 1900 vor allem die ∕Heimatkunst und, innerhalb der ∕Literaturrevolution, ∕Futurismus und ∕Expressionismus.

☐ Frodl, H.: Die dt. D. der Jh.wende. Diss. Wien 1963. – Ein umfangreiches Lit.verz. bietet bis 1955 F. Martini: D. in: RL I, Bln ²1958.   D*

Dekasyllabus, m. [lat. nach gr. dekasyllabos = Zehnsilbler], zehnsilb. Vers, insbes.:
1. in der gr.-röm. Metrik: *alkäischer D.* ($-\cup\cup\stackrel{\perp}{-}\cup\cup\stackrel{\perp}{-}\cup\stackrel{\perp}{-}\cup$), 4. Vers einer alkäischen Strophe (∕alk. Verse, ∕Odenmaße).
2. in der roman. Verskunst: 10silbiger Vers mit fester Zäsur nach der 4. Silbe und männl. Reim, 4. und 10. Silbe dabei regelmäßig betont (Nebenform: 11silb. Vers mit weibl. Reim). In der strengen Form (∕vers commun) ist der frz. D. neben dem ∕Alexandriner der wichtigste Vers der altfrz. ∕Chanson de geste (»Rolandslied« u. a.). Die freiere Variante des Verses – ohne feste Zäsur (in frz. Dichtung selten) – wurde als Nebenform des gängigeren ∕Endecasillabo in die ital. Dichtung übernommen. – Die dt. Nachbildungen des roman. D. (seit dem 17. Jh.; Opitz) erscheinen als 5hebige jamb. Verse mit männl. Kadenz, zunächst mit, später (19.Jh.) häufig auch ohne die feste Zäsur nach der 2. Hebung.   K

Dekonstruktivismus, s. ∕Poststrukturalismus.

Demutsformel, auch: Devotionsformel [lat. devotio = Verehrung, Ergebenheit], formelhafte Selbsterniedrigung, häufig christl. gefärbt. In offizieller Amtssprache bes. in Titeln *(von Gottes Gnaden, servus servorum Dei)* oder in konventioneller Gesellschaftssprache *(Ihr Diener, Ihr sehr ergebener)* zur programmat. oder fiktiven Bekundung des eigenen Selbstverständnisses. In der Literatur meist im Prolog oder Epilog (Beteuerung der Unwürdigkeit und Herabsetzung der eigenen Leistung mit Bitte um Nachsicht an das Publikum) als eine Form der ∕Captatio benevolentiae. Inwieweit D.n echten Bekenntnischarakter tragen, ist auch im Einzelfall meist schwer zu entscheiden (∕Topos).

☐ Schwietering, J.: Die D. mhd. Dichter. Bln. 1921; wieder in: J. Sch.: Philolog. Schriften. Mchn. 1969, S. 140.   HFR

Denkspruch, einprägsam formulierte, ›bedenkenswerte‹ Lebensweisheit, die als Wahlspruch, ∕Devise, ∕Maxime, Richtschnur des Handelns sein soll, z. B. *vivitur ingenio, caetera mortis erunt* (Man lebt durch den Geist, das andere fällt dem Tode anheim). Auch ∕Apophthegma, ∕Gnome, ∕Spruchdichtung.   S

Deprecatio, f. [lat. = Abbitte, Fürbitte], ∕rhetor. Figur: eindringl. Bitte um wohlwollende Beurteilung einer vorgebrachten schwierigen Sache (ursprüngl. in der Gerichtsrede eines Vergehens), oft – anstelle von Gründen – mit Hinweisen auf frühere Verdienste und mit ∕Apostrophe des Publikums oder anderer Instanzen.   S

Descort, m. [prov. = Zwiespalt, von lat. discordare = uneinig sein], prov. Spielart der Minneklage, deren Abschnitte in Umfang, Versmaß u. Melodie voneinander abweichen, um so die innere Zerrissenheit des nicht erhörten Trobadors formal auszudrücken. Im Provenzal. sind 28 solcher D.s überliefert. Die wichtigsten Vertreter sind Raimbaut de Vaqueiras, der in einem seiner D.s abweichend von der Gattungsnorm zwar alle Strophen gleich baut, dafür aber jede Strophe in einer anderen Sprache verfaßt (je eine prov., ital., frz., gask. und galic.-portugies.), und Pons de Capduelh (beide Ende 12., Anf. 13. Jh.). Nachahmer sind u. a. die Franzosen Gautier de Dargies und Colin Muset, die Italiener Giacomino Pugliese, Giacomo

da Lentini und Dante Alighieri (dreisprach. D.), sowie der Portugiese Nun'Eanes Cerzeo. Als Ursprung der Gattung gilt die lat. Sequenz; vgl. ∕Lai (lyrique).

☐ Köhler, E.: D. u. Lai. In: GRLMA II,1 (1980).   PH*

Descriptio, f. [lat. ∕Beschreibung, gr. Ekphrasis], in der antiken Rhetorik die kunstmäßige, detaillierte Beschreibung, die mittels bereitgestellter Topoi nach einer bestimmten Technik verfertigt wurde (z. B. Aussparung des Negativen, Idealisierung und Typisierung einer konkreten Wirklichkeit und realist. Einzelzüge, vgl. z. B. ∕locus amoenus). Während die D. in der Antike noch sachl. oder künstlerisch (-affektivisch) motivierter Teil der Rede, insbes. der ∕Epideixis (Preisrede) war, wuchs sie sich im lat. MA. als weitaus beliebteste rhetor. Kunstform überhaupt zur selbständ. virtuosen Gattung aus (Sidonius, Ennodius, Orosius, Johannes v. Gaza, Paulos Silentiarios, Otto v. Freising).   S

Detektivroman [engl. to detect = aufdecken], Sonderform des ∕Kriminalromans und nicht immer stringent von ihm zu trennen. Er erzählt nicht das innere oder äußere Schicksal eines Verbrechers oder die Geschichte eines Verbrechens, sondern dessen Aufhellung (Detektion). Am Anfang des fest umrissenen, auf Spannung berechneten Erzählschemas steht ein geheimnisvolles, scheinbar unerklärliches Verbrechen, das die Ermittlungsarbeit des Detektivs, meist eines exzentr. Einzelgängers, veranlaßt und diesen wie den Leser mit falschen Spuren und verdeckten Indizien und einer Reihe verdächt. Unschuldiger und unverdächt. Schuldiger konfrontiert, um am Schluß mit Hilfe log. oder intuitiver Analyse die Rekonstruktion des Tathergangs und die Überführung des Täters gelingt. In der Strenge der Kalkulation ist der D. der Novellenform verwandt. Literarhistor. läßt sich als Trivialisierung des detektor. Erzählmodells verstehen, das die Novellistik der dt. Romantik charakterisiert (E. T. A. Hoffmann, H. v. Kleist). Wie dort wird nach dem verborgenen Hintergründen eines rätselvollen Geschehens gefragt, doch steht nicht die Erfahrung der ∕Ambivalenz von Mensch und Welt im Zentrum des Erzählinteresses, sondern der Spannungsreiz einer Verrätselung, die am Ende ohne Rest entschlüsselt wird. Der Mechanismus dieser rein stoffl. orientierten Struktur macht den D. geeignet für die Massenproduktion in Heft- und Fortsetzungsserien. Ansätze, ihn zu einer künstler. Form auszugestalten, finden sich beim *Erfinder des D.s,* E. A. Poe (»The Murders in the Rue Morgue«, 1841), bei Ch. Dickens und W. Collins. Seine endgült. Prägung als gehobene Unterhaltungsliteratur erhält er durch E. Gaboriau und Conan Doyle. Seit diesen Anfängen ist er vorwiegend im engl.-amerikan. und im franz. Sprachgebiet zuhause. Charakterist. für die dominierende Rolle des Detektivs wie für die Nähe zur Kolportage ist die Übung der D.-Autoren, einen Fall von immer den gleichen Helden lösen zu lassen, um den sich dann eine feste Lesergemeinde bilden kann. Am bekanntesten wurden nach Auguste Dupin (Poe) und Sherlock Holmes (Doyle) v. a. Hercule Poirot (Agatha Christie), Lord Peter Wimsey (Dorothy Sayers), Pater Brown (G. K. Chesterton), Lemmy Caution (P. Cheney), Philip Marlowe (R. Chandler), James Bond (I. Fleming; Agentenroman), Kommissar Maigret (G. Simenon) und – im deutschen Fernsehen – Kommissar Keller (H. Reinecker). Ohne eine stereotype Detektivfigur arbeitete der bis heute erfolgreichste Verfasser von D.en, Edgar Wallace (ca. 170 D.e und Kriminalromane, u. a. »Der Hexer«, 1925). – Individualität und Niveau des D.s hängen weniger von der Komplikation und Stringenz des einzelnen Falles und seiner Aufklärung als von der Konzeption der Zentralfigur und der Einbeziehung von Umwelt in das eigentliche Kriminalgeschehen ab. Ein detektor. Erzählschema findet sich auch in einigen Romanen Th. Fontanes (»Unterm Birnbaum«, 1885) und W. Raabes (»Stopfkuchen«, 1891), bei J. Wassermann (»Der Fall Maurizius«, 1928), W. Bergengruen (»Der Großtyrann und das

Gericht«, 1935), H. H. Jahnn (»Das Holzschiff«, 1949), F. Dürrenmatt (»Der Richter und sein Henker«, 1952) und M. Frisch (»Stiller«, 1954), bei W. Faulkner (»Light in August«, 1932) und im ↗Nouveau roman (A. Robbe-Grillet) und, als Parodie, bei P. Handke (»Der Hausierer«).

📖 Buchloh, P. G./Becker, J. P.: Der D. Darmst. ³1989. – Kracauer, S.: Der D. Frkft. 1979. – Buchloh, P. G./Becker, J. P. (Hrsg.): Der Detektiverzählung auf der Spur. Darmst. 1977. – Egloff, G.: D. und engl. Bürgertum. Düsseld. 1974. – Boileau, P./Narcejac, Th.: Der D. Dt. Übers. Neuwied 1967. – Bloch, E.: Philosoph. Ansicht des D.s. In: E. B.: Gesamtausg. Bd. 9: Literar. Aufsätze. Frkft. 1965, S. 242–263.   HSt

Deus ex machina, m. [lat. = der Gott aus der Maschine], künstliche, nicht aus der inneren Entwicklung des dramat. Geschehens heraus notwendige Lösung des dramat. Knotens durch unerwartetes Eingreifen meist einer Gottheit oder des absoluten Monarchen als deren säkularer Entsprechung (aber auch anderer Personen) von außen. Bez. nach der mechane (gr., latinisiert machina), der kranähnl. Flugmaschine des antiken Theaters, die das Herabschweben der Gottheit von oben techn. ermöglichte, eingeführt von Euripides (»Andromache«, »Elektra«, »Helena«). Ein älteres Verfahren ist die Göttererscheinung im *Theologeion* (= Ort der Götter), einer verborgenen Öffnung im Dach der ↗Skene. – Der D. e. m. ist wieder beliebt im Barocktheater; in neuerer Zeit gelegentl. in parodist. Verwendung (B. Brecht, »Dreigroschenoper«: ›des Königs reitender Bote‹). – Sprichwörtl. bez. der Ausdruck ›D. e. m.‹ eine plötzl. und unmotiviert eintretende Lösung von Verwicklungen und Konflikten in Dichtung und Wirklichkeit.

📖 Fösel, K. R.: Der D. e. m. in der Komödie. Erlangen 1975. – Spira, A.: Unterss. zum D. e. m. bei Sophokles und Euripides. Kallmünz/Opf. 1960.   K*

Deuteragonist, m. [gr.] ↗Protagonist.

Deutsche Bewegung, von H. Nohl geprägte Bez. für die dt. Geistesgeschichte zwischen 1770 und 1830 (»Die D. B. und die idealist. Systeme«, Logos II, 1911); in der Idee vorgebildet bei W. Dilthey (Basler Antrittsvorlesung 1867: »Die dichter. und philosoph. Bewegung in Deutschland 1770–1800«). Im Unterschied zu der übl. Gliederung dieser Epoche in eine philosoph. Phase des dt. Idealismus und die literar. Perioden ›Sturm und Drang‹, ›Klassik‹, ›Romantik‹ betont der Begriff D. B. die Einheit der literar., pädagog., polit. und religiösen Strömungen dieser Zeit, in welcher (nach Dilthey) die Systeme Schellings, Hegels, Schleiermachers als logisch und metaphys. begründete Darstellung der von Lessing, Schiller und Goethe ausgebildeten Lebens- und Weltansicht erscheinen und in welcher die einseitige Rationalismus der ↗Aufklärung überwunden werde.   S

Deutsche Gesellschaften, literar. Vereinigungen zur Pflege der (zeitgenöss.) Poesie und Sprache; entstanden Anfang d. 18. Jh.s im Gefolge der erzieher. Impulse der dt. ↗Aufklärung (z. T. auf den älteren Traditionen der ↗Sprachgesellschaften fußend). Richtunggebend war die *Leipziger D. Gesellschaft* (vormals ›Deutschübende poet. Gesellschaft‹), 1724–38 durch J. Ch. Gottsched nach dem Muster der Académie française organisiert (Plan eines Wörterbuches, feste, von Gottsched erarbeitete Regeln und Normen für eine einheitl. dt. Hochsprache, deren Orthographie und für die literar. Produktion). Die meisten Deutschen G., v. a. die Neugründungen, folgten Gottscheds Satzungen, so die D. G. in *Jena* (1728), *Nordhausen* (1730), *Weimar* (1733), *Halle* (1736), *Göttingen* (1738; berühmte Mitglieder: Justus Möser, später Bürger, Gleim, Hölty, Ch. F. Weiße, Raspe, Heyne, Schlözer, Büttner, Spittler), *Königsberg* (1741), *Erlangen* (1755), *Wien* (1760). In Widerspruch zu Gottscheds Bestrebungen entwickelte sich die *D. Gesellschaft Mannheim* (1775), welche die berühmtesten Mitglieder (Klopstock, Wieland, Lessing, Herder, Schiller) in sich vereinigte. Die D. G. förderten in der Regel weniger

die Dichtkunst als vielmehr das Sprachbewußtsein und Bildungsniveau im allgemeinen, z. T. auch über die ↗moral. Wochenschriften oder eigene Zeitschriften (z. B. die Leipziger »Beyträge zur Crit. Historie der dt. Sprache, Poesie und Beredsamkeit«, 1732–44). Manche D.n G. sanken nach der Aufklärung zur Bedeutungslosigkeit herab, andere (z. B. Königsberg) bestanden als Vortragsgesellschaften bis ins 20. Jh. fort. – RL   IS

Deutsche ↗Philologie, Wissenschaft von dt. Sprache und Literatur, seit dem 20. Jh. mit ↗Germanistik gleichgesetzt; als eigenständige Wissenschaft entwickelt in der Romantik. Bez. gebildet im Anschluß an ›klass. Philologie‹ (›Altphilologie‹). Mit unterschiedl. Bedeutungsschwerpunkten wird die Bez. verwendet: 1. als umfassender Begriff für dt. Sprach- und Literaturgeschichte (von den Anfängen bis zur Gegenwart), Literaturwissenschaft und Volkskunde, als nationalsprachl. und histor. umgrenztes Teilgebiet der ↗german. Philologie im Unterschied zu anderen nationalsprachl. Philologien wie engl., franz. Philologie (↗Neuphilologien); als Universitäts-Disziplin oft noch unterteilt in *Ältere D. Ph.* (Mittelalter, ↗Mediaevistik) und *Neuere D. Ph.* (dt. Literatur und Sprache der Neuzeit seit dem 16. Jh.). 2. in engerem Sinne und im Unterschied zur neueren mehr geistesgeschichtl. orientierten ↗Literaturwissenschaft als ausgesprochene Textwissenschaft (Textphilologie, ↗Textkritik), so wie sie von Karl Lachmann (1793–1851) begründet wurde (der als erster die Methoden der dt. Antike erforschende klass. Philologie auf die deutschsprach. Literatur übertrug) oder als wissenschaftl. Technik zur Aufschließung literar. Texte (↗Interpretation). Programmat. Verwendung im Titel der »Zeitschrift f. D. Ph.«, seit 1868 oder des Sammelwerks »D. Ph. im Aufriß«, hrsg. v. W. Stammler, 3 Bde., 1. Aufl. 1952–57.
📖 ↗Germanistik.   S

Deutscher Sprachverein (auch: Allgemeiner Dt. Sp.), gegründet 1885 von H. Riegel zur Pflege der dt. Sprache, strebte Normbildung für Reinheit, Richtigkeit, ›Schönheit‹ der dt. Sprache an; war von Anfang an nicht frei von Übertreibungen (Kampf gegen »Verwelschung« und ›falsche Sprachgesinnung«) und Pedanterie (bes. in der Fremdwortbekämpfung, vgl. die Gegenerklärung von 41 Gelehrten in den Preuß. Jahrbüchern vom 28. 2. 1889). Positiv gewertet wird seine Einwirkung auf die Sprache der Behörden (z. B. Post, Heeres- u. a. Erlasse, Gesetze etc.). Neue Aktivität bis etwa 1933 durch Versammlungen, Wanderredner, Preisausschreiben (z. B. 1930: »Die Schäden der Zeitungssprache«) und Veröffentlichung von Verdeutschungsbüchern (nach Sachgruppen, z. B. »Gewerbe«, »Sport«, »Amtsstellen« etc.) u. a. sprachregelnden Reformvorschlägen in der »Zeitschrift des Allgemeinen Deutschen Sp.s« (seit 1886, ab 1891 mit wissenschaftl. Beiheften seit 1925 unter dem Titel »Muttersprache«). Auf dem Höhepunkt seiner Entwicklung (um 1930) hatte der Deutsche Sp. ca. 50000 Mitglieder in 450 Zweigvereinen. – Neugründung des Vereins 1947 in Lüneburg unter der Bez. *Gesellschaft f. dt. Sprache,* Sitz seit 1965 in Wiesbaden. Publikationsorgan ist seit 1949 wieder die Zeitschrift »Muttersprache« (seit 1968 mit Beiheften); seit 1957 erscheint zudem »Der Sprachdienst«, ein Auskunfts- und Vorschlagsblatt für den ›richtigen‹ Sprachgebrauch, wobei frühere purist. Bestrebungen (Fremdwortfrage) zurücktreten. Die Gesellschaft widmet sich vordringl. der Registrierung u. Erforschung der Sprache und ihrer Entwicklung, ferner arbeitet sie an einer Dokumentation zum Wortschatz der Gegenwartssprache.   IS

Deutschkunde, Bez. für das erweiterte Schulfach ›Deutsch‹, v. a. nach dem 1. Weltkrieg propagiert. Das Ziel war, alle Erscheinungen des dt. Lebens in Vergangenheit und Gegenwart in einer Gesamtdarstellung der dt. Kultur (›Kulturkunde‹) zu erfassen (bes. im Rahmen der Richertschen Reform der Gymnasien, 1925). Neben der Beschäftigung mit dt. Sprache und Literatur sollten Volkskunde,

Kunst, Musik, polit. Geschichte, Philosophie, Religion, aber auch Mathematik und Naturwissenschaften in ihrer »deutschkundl.« Bedeutung und in ihren Abhängigkeiten (z. B. von der Antike) und in ihren Wechselbeziehungen zu benachbarten Kulturen einbezogen werden. Das Hochschulfach ›Germanistik‹ sollte entsprechend zur ›Deutschwissenschaft‹ erweitert werden. Programmat. Publikationen waren das »Sachwörterbuch der Deutschkunde«, hg. v. W. Hofstaetter und U. Peters (1930) und die ›Zeitschrift für D.‹ (hg. v. W. Hofstaetter und F. Panzer] Jg. 1, 1920 ff. bis Jg. 57, 1943 (als Fortsetzung der 1827 gegründeten ›Zeitschrift für den dt. Unterricht‹).

🕮 Hofstaetter, W. (Hrsg.): D. Ein Buch von dt. Art u. Kunst. Lpz./Bln. ³1921; erweitert zu: Grundzüge der D. Lpz./Bln. 1925–29. 2 Bde.　　　　　　　　　　　　　S

Deutschordensdichtung, Sammelbez. für mhd. u. lat. Dichtungen von Angehörigen des Deutschen Ordens oder ihm nahe stehenden Verfassern. Blüte der D. am Ende des 13. und im 14. Jh. – Entsprechend der polit. Situation des Deutschen Ordens (christl. Ritterorden als Territorialherr über ehemals heidn. Gebiet) und seiner besonderen Struktur (mönch. Lebensführung von Adligen, die häufig nicht lateinisch verstanden) diente die D. v. a. den Erfordernissen des in den Ordenshäusern vorgeschriebenen Tagesablaufs (erbaul. und unterrichtende rel. Dichtungen) und der Verherrlichung der Taten des Ordens (Geschichtsdichtung). – Die noch am Ende des 13. Jh. verfaßte »Livländische Reimchronik« verherrlicht die Eroberung Livlands durch den Schwertbrüderorden und den Deutschen Orden. Den Höhepunkt der glorifizierenden Geschichtsdichtung bildet die »Krônike von Pruzinlant« des Nikolaus von Jeroschin (1. H. 14. Jh.). Dieser umfangreichen Ordensgeschichte (rd. 27 800 Verse) liegt die kurz zuvor vollendete »Chronica terrae Prussiae« des Petrus von Dusburg (in lat. Prosa) zugrunde, das erste bedeutende Geschichtswerk des Ordens. Ganz aufs Militärische und auf ritterl. Glanz ausgerichtet ist die Ordensgeschichte des Wappenherolds Wigand von Marburg (Ende 14. Jh., nur in wenigen Versen und in lat. Übersetzung erhalten). – Die Bibeldichtungen bevorzugen das AT mit seinen Glaubenshelden (»Daniel«, »Hiob«, »Esra und Nehemia«, alle 1. H. 14. Jh.). An Umfang und Bedeutung ragen die »Makkabäer« hervor (1. H. 14. Jh., rd. 14 400 Verse) und Heinrichs von Hesler »Apokalypse« (Anf. 14. Jh., rd. 23 000 Verse), ein stark allegor. geprägter Kommentar der Offenbarung. Rein allegor. sind das myst. Gedicht »Der Sünden Widerstreit« (Ende 13./Anf. 14. Jh.) und Tilos von Kulm Abriß der Heilsgeschichte, »Von sieben ingesigeln« (1. H. 14. Jh.). Im Unterschied zur »Martinalegende« des Hugo von Langenstein (Ende 13. Jh.) ist es unsicher, ob die beiden großen Legendendichtungen »Passional« und »Väterbuch« (vor 1300, beide wohl vom selben Verfasser, mit rd. 110 000 und 41 000 Versen die umfangreichsten mhd. Legendensammlungen) trotz ihrer Beliebtheit in Ordenskreisen und ihres Einflusses auf die D. der D. zuzurechnen sind.

🕮 Helm, K./Ziesemer, W.: Lit. des dt. Ritterordens. Gießen 1951. – RL.　　　　　　　　　　　　　HFR

Devêtsil ↗Poetismus.

Devise, f. [von afzr. deviser = teilen], ↗Sinn-, Wahlspruch, Losung, v. a. in der Heraldik, z. B. »Attempto« (ich wag's, Graf Eberhard im Bart, 15. Jh.); ursprüngl. Bez. für ein abgeteiltes Feld auf einem Wappen, dann für den darin stehenden Sinn-(Wappen-)spruch.　　　　　　　S

Devotionsformel ↗Demutsformel.

Dexiographie, f. [gr. dexios = rechts, graphein = schreiben], Schreibrichtung von links nach rechts, rechtsläufige ↗Schrift; wurde bei den Griechen und Römern zur Regel; die ältesten griech. Schriftdenkmäler zeigen noch neben Rechtsläufigkeit auch Linksläufigkeit (wie u. a. in der etrusk., semit. und phönik. Schrift) und Wechsel von Links- und Rechtsläufigkeit (↗Bustrophedon).　　　　S

Dezime, f. [span. décima = Zehntel], span. Strophenform aus 10 sog. span. ↗Trochäen (x̊xxxxx̊(x)); gäng. Reimschema abbaa ccddc; bei der klass. Form, den sog. *Espinelas* (nach dem Dichter V. Espinel, der sie Ende des 16. Jh.s in die span. Dichtung einführte), wird das Zerfallen in zwei Hälften (quintillas, Fünfergruppen) durch einen festen syntakt. Einschnitt hinter der 4. Zeile (abba accddc) vermieden. – Dt. Nachbildungen v. a. in der Romantik (L. Tieck, L. Uhland). Vgl. ↗Glosa, Glosse.　　　　　　　K*

Dialog, m. [gr. dialogos = Gespräch], Zwiegespräch, schriftl. oder mündl. Gedankenaustausch in Frage und Antwort oder Rede und Gegenrede zwischen zwei oder mehr Personen. *Der literar. geformte D.* begegnet (1) als selbständ. Kunstform oder (2) als Bauelement der mimet. Gattungen. Grundtypen sind das gebundene, diszipliniert reflektierende und das offene, impulsive Gespräch, die auf Erkenntnis gerichtete dialekt. Erörterung und die gesellige Konversation. – Zu (2): Für das *Drama* ist der D. – neben ↗Monolog, Gebärde und ↗Chorlied – konstitutiv. Der D. bestimmt hier den Aufbau und Fortgang der verdeckten Handlung, in ihm werden die Personen charakterisiert und die Konflikte entwickelt und ausgetragen. In der *Epik* gehört der direkt oder als Bericht wiedergegebene D. zu den Grundformen des Erzählens (Homer, »Edda«, Wieland, Fontane). Er dient der Belebung und der ep. Integration, da sich in ihm die Sache, von der die Rede ist, selbst äußert. Der berichtende Erzähler kann in Zwischenbemerkungen spürbar bleiben, sich aber auch auf die bloße ↗inquit-Formel zurückziehen oder streckenweise ganz fehlen (Goethe, »Unterhaltungen«); im Extrem entsteht die Form des ↗Dialogromans. In der reinen *Lyrik* ist der D. selten; er findet sich in Formen, die der Epik nahestehen, wie Ekloge, Volkslied, Ballade. – Zu (1): Im philosoph. oder literar. D. als selbständiger Gattung wird die Grundsituation der Wechselrede auf verschiedene Weise und mit unterschiedl. Zielsetzung genutzt. Der Schwerpunkt kann im Erkenntnisprozeß selbst liegen (dialekt. D.), in der Vermittlung von Lehrinhalten (protrept. D.), in der Darstellung des Überredungsvorgangs (↗Disputatio), schließl. in der Gestaltung der redenden Personen oder der Situation, aus der oder über die sie sprechen.
Die Geschichte des D.s als Kunstform beginnt mit dem sokrat. D. en Platons für das Wechselspiel von Frage, Antwort und Widerlegung als Methode philosophischer Erkenntnis demonstriert (↗Eristik). Aus ihnen entwickelt sich seit Aristoteles der bes. von Cicero entfaltete *peripatet. D.,* dessen Partner jeweils verschiedene Denkpositionen und philosoph. Schulen vertreten, und das *Lehrgespräch* aus längeren, nur gelegentl. von Zwischenfragen unterbrochenen Abhandlungen (bes. im MA.). Lukian bedient sich der D.form zur satirischen Zustandsschilderung, ähnlich – mit stärker moralisierenden Zügen – Seneca. Die D.e der Kirchenväter sind formal an Cicero geschult; ihr Inhalt ist die Auseinandersetzung um das rechte Verständnis der Schrift, ihr Argument das Schriftzitat (Minucius Felix, Augustinus, Gregor der Große, Hugo von St. Victor, Abaelard). Die beherrschende volkssprachl. D.form der MA. ist das ↗Streitgedicht, ihm verwandt, aber in Sprache und Gedankenführung eigenständig, das Streitgespräch »Der Ackermann und der Tod« des Johannes von Saaz (um 1400). – Die reiche D.literatur des Humanisten knüpft an Cicero (Petrarca, Ebreo, Galilei, Erasmus) und an Lukian an (Aretino); von ihm wird auch Ulrich von Hutten zu seinen zunächst lat., dann auch ins Deutsche übertragenen D.en angeregt (»Gesprächsbüchlein«), die eine Flut von polem. Streitschriften in Gesprächsform im Gefolge der Reformation hervorrufen (Hans Sachs, Jörg Wickram, Vadian). Die europäische Aufklärung bedient sich des D.s als eines Instruments der vernunftbestimmten geist. Auseinandersetzung (Malebranche, Diderot; Berkeley, Hume; Galiani; Mendelssohn, Lessing, Wieland). Auch in der Fol-

gezeit verläuft die Tradition des D.s parallel zur allgemeinen Entwicklung der Literatur- und Geistesgeschichte: neben dem emphat. Gedankenaustausch des Sturm und Drang (Herder) steht der gemessenere der Klassik (Fichte); er wird abgelöst durch die weit ausgreifenden schwärmer. D.e der Romantik (A. W. u. F. Schlegel, Schelling, Solger). Im 19. Jh. wird der D. seltener, im 20. erfährt er als Einkleidung für den Essay eine gewisse Wiederbelebung in Frankreich (A. Gide, P. Valéry, P. Claudel) und Deutschland (R. Borchardt, P. Ernst, H. v. Hofmannsthal, R. Kassner). Essayist. D.e schrieben nach 1945 G. Benn (»Drei alte Männer«) und Arno Schmidt (»Dya Na Sore«, »Belphegor« u. a.), polit.-satir. B. Brecht (»Flüchtlingsgespräche«). Weitere dialog. Literaturformen sind Katechismus und /Totengespräche.

□ Best, O.: Der D. In: Prosakunst ohne Erzählen. Hg. v. K. Weissenberger. Tüb. 1985. – Lachmann, R. (Hg.): Dialogizität. Mchn. 1982. – Hess-Lüttich, E. W. B.: Grundlagen d. D.-Linguistik. Bln. 1981. – Bauer, Gerh.: Zur Poetik des D.s. Darmst. ²1977. – Mukařovsky, J. M.: D. und Monolog. In: J. M. M.: Kapitel aus der Poetik. Frkft. 1967. – Hirzel, R.: Der D. Ein literarhistor. Versuch. 2 Bde. Lpz. 1895, Nachdr. Hildesheim 1963. – RL.   HSt

Dialogisierung, Umformung ep. Texte für eine szen. Darbietung, z. B. G. Bernanos, »Dialogues des Carmélites« (1949) nach G. von le Forts Novelle »Die Letzte am Schafott« (1931), vgl. /Bühnen-/Bearbeitung, /Adaptation. Aufteilung eines fortlaufenden essayist. Textes auf mehrere Sprecher zum Zweck der Belebung des Vortrags, bes. im Rundfunk-/Feature. Zur eigenständigen literar. Form entwickelt von Arno Schmidt (»Dya Na Sore, Gespräche in einer Bibliothek«, 1958).   HSt*

Dialogismus, m. [gr. dialogismos = Überlegung, Zweifel], /rhetor. Figur: Gestaltung einer Rede als Selbstgespräch mit fingierten Fragen des Redners an sich selbst, im Ggs. zu Fragen an seine Zuhörer (/Dubitatio), z. B. Terenz, »Eunuchus«1, 1, 1; Schiller, »Wallensteins Tod« I, 4, 1. Form der /Sermocinatio.   HSt*

Dialogizität, von M. Bachtin (in ›Ästhetik d. Worts‹) entwickelte Vorstellung, die Wörter eines Textes seien nicht als monologische, sondern als dialogische Äußerungen zu lesen: d. h. im Bezug auf andere Texte, bzw. auf den Konsens einer Kommunikationsgemeinschaft. Auf dieser Theorie der D. der Textelemente fußt der Begriff der /Intertextualität, der (seit ihn J. Kristeva 1966 einführte) u. a. zur Bez. der vielfält. textkonstitutiven Beziehungsstrukturen zw. Texten dient.

□ Lachmann, R. (Hg.): D. Mchn. 1982. – Todorov, T.: Mikhail Bakhtine. Le principe dialogique suivi de Ecrits de Cercle de Bakhtine. Paris 1981. – Bachtin, M.: Die Ästhetik des Worts. Hg. v. F. Gröbel. Frkf. 1979.   VD

Dialogroman, besteht ganz oder doch überwiegend aus Dialogen, weitgehend ohne verbindende Erzählerbemerkungen, so daß die Handlung allein aus dem Gespräch der Romanfiguren erschlossen werden muß. Beliebt im 18. Jh., z. B. C. P. Crébillon d. Jüngere, »La nuit et le moment« (1755), Diderot, »Jacques le Fataliste« (hg. 1796), Ch. M. Wieland, »Peregrinus Proteus« (1791). Dem D. nähern sich durch die weitgehende Auflösung der Handlung in Gespräche manche Romane Th. Fontanes (»Poggenpuhls«, »Stechlin«) oder Th. Manns (»Zauberberg«).

□ Winter, H.-G.: Dialog und D. in d. Aufklärung. Darmst. 1974.   HSt

Diaphora, f. [gr. = Unterschied],
1. in der antiken Rheotrik der Hinweis auf die Verschiedenheit zweier Dinge.
2. /rhetor. Figur (auch Antistasis, lat. Contenio, Copulatio, Distinctio): Wiederholung desselben Wortes oder Satzteiles mit emphat. Verschiebung der Bedeutung: »Spricht die Seele, so spricht, ach! schon die Seele nicht mehr« (Schiller, Votivtafeln). D. in Dialogform: /Anaklasis.   S

Diaskeuast, m. [gr. diaskeuastes = Bearbeiter], Redaktor eines literar. Werkes; der Begriff des D.en spielt insbes. in der Theorie der /Heldenepik eine Rolle. Nach der durch F. A. Wolf für die homer. Epen aufgestellten, von K. Lachmann, W. Grimm u. a. für das »Nibelungenlied« und die anderen dt. Heldenepen übernommenen (inzwischen aufgegebenen) /Liedertheorie sollen die großen Heldenepen der Antike und des MA.s durch Addition einzelner kleinerer, mündl. tradierter Episoden-Lieder entstanden sein, die ein D. »kurz vor dem Verklingen« zu Epen zusammengefügt und aufgezeichnet habe. Einziges histor. Beispiel eines D.en dieser Art ist der Finne E. Lönnrot, der im 19. Jh. aus alten lyr.-ep. Volksliedern das finn. National-Epos »Kalevala« kompilierte, angeregt freilich erst durch die Schriften Wolfs, Lachmanns usw.   K

Diastole, f. [gr. = Dehnung, Trennung], s. /Systole.

Diatessaron, n. /Evangelienharmonie.

Diatribe, f. [gr. = Zeitvertreib, Unterhaltung], antike Bez. für eine volkstüml. Moralpredigt, die in witziger Weise, unter Verwendung von Anekdoten und fingierten Dialogen, ein breites Publikum ermahnen und belehren will; keine fest umrissene literar. Gattung; aus der Popularphilosophie der kyn. Wanderredner des Hellenismus entstanden, literar. geformt wahrscheinl. zuerst durch den Freigelassenen Bion von Borysthenes (3. Jh. v. Chr.). – Die aggressive D., zumeist in Prosa (Teles), aber auch in Versen (Meliamben des Kerkidas von Megalopolis) oder gemischt (Menippos von Gadara) beeinflußte evtl. die Ausbildung der röm. /Satire. – Popularphilosoph. D.n oder diatribenähnl. Abhandlungen verfaßten Philon von Alexandria (1. Jh. n. Chr.), Seneca, Plutarch, Epiktet, Lukian; auch die Paulus-Briefe des NT.s werden dazu gerechnet. Viele Elemente der antiken D. leben in der christl. /Predigt (bes. der Moralpredigt) weiter.   UM

Dibrachys, m. [gr. = der zweimal Kurze], /Pyrrhichius.

Dichten, das Verbum ›d.‹ findet sich bereits in ahd. Zeit *(tihtôn),* im Unterschied zu den erst später belegten Substantiv-Ableitungen wie *tihtære* (/Dichter), *getihte* (/Dichtung). Die german. Grundbedeutung ›ordnen‹, ›herrichten‹ (vgl. angelsächs. *dihtan*) ändert sich im Ahd. unter dem Einfluß von lat. *dictare* (= diktieren) in ›schreiben‹, ›schriftl. abfassen‹, erweitert zu ›darstellen in poet. Form‹, so z. B. bei Otfried von Weißenburg in der Vorrede an Ludwig den Deutschen *(themo dihtôn ih thiz buoh,* v. 87). Dazu treten in mhd. Zeit noch die Bedeutungen ›ersinnen‹, ›ausdenken‹.   S

Dichter, Verfasser von Sprachkunstwerken (/Dichtung).
1. Das Wort ›D.‹ begegnet im heutigen Sinne in der Lautform *tihtære* zum 1. Mal im 12. Jh. im »König Rother« (v. 4859) und im »Liet von Troye« Herborts von Fritslar (v. 17880, 18455). Im 13. Jh. bez. sich als tihtære Rudolf von Ems »Der guote Gerhard«, v. 6915), Wernher der Gartenaere (»Meier Helmbrecht«, v. 933) u. a. Daneben finden sich im Mhd. für ›D.‹ v. a. die Bez. *Meister* (z. B. Meister Heinrich von Veldeke) neben *Singer, Minnesinger, Meistersinger* oder *Poet* (nach lat. *poeta:* Herbort von Fritslar, v. 17868). Im ahd. »Abrogans« (8. Jh.) sind ferner belegt: *scaffo* (= *Schöpfer,* griech. poietes) und *liudâri* (zu ahd. *liod:* Lied = got. liuþareis zu griech. aoidos = Sänger, /Aöde). Im Spät-MA. wird *tihtære* mehr u. mehr durch ›Poet‹ im Aufkommen gedrängt; im 15. Jh. steht ›D.‹ gelegentl. auch für ›Verfasser von Zweckliteratur‹. Erst im 18. Jh. wurde ›D.‹ durch Gottsched, Bodmer und Breitinger im ursprüngl. Sinne wieder gebräuchlichen und vom abgewerteten Wortes ›Poet‹. Heute besteht von neuem eine Tendenz, das Wort ›D.‹ zu meiden, zugunsten von Bez. wie *Autor* (lat. auctor), /Schriftsteller (im 18. Jh. eingeführt), *Verfasser, Texter, Stückeschreiber* (Brecht).
2. *Das Bild des D.s* war im Laufe der Jahrhunderte mannigfachen Wandlungen unterworfen. Am Anfang der antiken und german. Traditionen steht der *D. mythos:* der griech.

D.-Sänger Orpheus, angebl. Sohn Apollons und der Muse Kalliope, bezwang mit seinem Gesang Menschen, Tiere, Bäume, Felsen, sogar die Unterwelt (Eurydike). Nach der nord. Mythologie soll Bragi, ein Sohn Odins, der in manchen Überlieferungen mit dem ältesten Skalden (9. Jh. n. Chr.) gleichgesetzt wird, den Menschen die Dichtkunst gebracht haben. Auch die frühzeitl. D. gehören als gottbegnadete, priesterl.-prophet. Sänger (lat. ↗poeta vates) noch in eine archaische Vorstellungswelt, so der ›blinde‹ Homer (8. Jh. v. Chr.) oder die sagenumwobene Gestalt des Lyrikers Arion (7. Jh. v. Chr.). Auch die ältesten D. des german. Kulturkreises galten als unmittelbar von Gott erleuchtet, so der angelsächs. Hirte Caedmon (2. Hälfte 7. Jh.) oder der altsächs. »Heliand«-D. (9. Jh.). – Mit den *histor. greifbaren Gestalten* differenziert sich das Bild des D.s. Die *erste faßbare D.persönlichkeit* des Abendlandes ist der Epiker Hesiod, der sich, im Ggs. zu dem hinter seinem Werk noch verborgenen Homer, mit seiner Dichtung bereits sozial engagiert. Beginn und Auftrag seines Dichtertums hat er indes selbst noch myth. stilisiert. Die frühen *griech.* D. stammen nicht nur aus verschiedenen sozial. Schichten (aus dem Adel kommen die Lyriker Alkaios [um 600 v. Chr.] und Pindar [um 500 v. Chr.], Bauernsohn ist Hesiod, ehemalige Sklaven sind der Lyriker Alkman [2. Hälfte 7. Jh.] und der Fabel-D. Äsop [6. Jh.]); sie stellen sich auch von Anfang an unterschiedl. zur herrschenden Gesellschaft: Neben Autoren mit fester Funktion in Staat und Polis (so der Staatsmann Solon oder Sophokles) finden sich in höf. Diensten stehende D. wie der Lyriker Anakreon (der u. a. am Fürstenhofe des Polykrates war), daneben begegnen fahrende Sänger wie Ibykos und der ↗Rhapsode und Wanderphilosoph Xenophanes oder soziale Außenseiter wie der aus polit. Gründen vertriebene Bettelpoet Hipponax (alle 6. Jh.). Neben Epiker wie Hesiod treten Hymniker wie Pindar, epikureische Sänger wie Anakreon, der Spötter Archilochos, der Didaktiker Solon, der ↗poeta doctus Euripides. Auch *in der röm. Literatur* finden sich Autoren aller Stände u. Herkunft: der Komödiant. Terenz war ein freigelassener Sklave aus Karthago, Vergil ein Bauernsohn aus Mantua, Horaz der Sohn eines apul. Freigelassenen. V. a. diesen Nichtrömern kam die röm. *D.-Patronage* zugute; der Name eines der bedeutendsten Förderer von Dichtung und Kunst, Maecenas, wurde zum Begriff (Mäzen, *Mäzenatentum*). – *Im frühen MA.* verschwinden die D. wieder hinter ihrem Werk. Die Autoren der erhaltenen lat. und volkssprachl., zumeist geistl. Dichtung waren meist Mönche, so auch der *erste namentl. bekannte dt.sprach.* D., Otfried von Weißenburg. Ausnahmen bilden im Nordgerman. der ↗Skalde (der D.-Sänger im Gefolge eines Fürsten) und der Sagaerzähler auf dem isländ. Thing oder am norweg. Königshof, im Westgerman. der ↗Skop (der Berufs- und Volkssänger), bei den Kelten der ↗Barde, ferner in allen Literaturen der anonyme, sozial schwer faßbare ↗Spielmann. – Während die religiöse Literatur des frühen MA.s von den Vertretern des geistl. Standes stammte, erscheinen bei der weltl. höf. Poesie (nach 1100) wieder Mitglieder aller sozialen Schichten. Trobadors z. B. waren im 12. Jh. nicht nur Wilhelm IX., Graf von Poitou und Herzog von Aquitanien, sondern u. a. auch das Findelkind Marcabru und Bernart von Ventadorn, der Sohn eines Ofenheizers. Über die sozialen Verhältnisse der dt. D. des Hoch-MA.s ist nicht so viel überliefert wie über provenzal. D., deren vidas sich auf biograph. Daten stützen. Dem Ministerialenstand haben angehört Wolfram v. Eschenbach, Hartmann von Aue; Kleriker (meister) waren vermutl. Heinrich von Veldeke und Gottfried von Straßburg, bürgerlich war Konrad von Würzburg. Bei Walther v. d. Vogelweide, Reinmar dem Alten u. a. ist eine soziale Zuordnung auf Spekulation angewiesen. Die Vaganten-D. bleiben weitgehend anonym. Eine der ersten mal. D.gestalten, zu der es außerhalb ihres Werkes genauere biograph. Daten gibt, ist Oswald von Wolken-

stein. Ähnl. wie in der Antike lebten die mal. D. entweder an einem Hof, waren in städt. Diensten oder zogen als Fahrende von Hof zu Hof, von Stadt zu Stadt; z. T. sind in den Werken Auftraggeber und Gönner genannt (z. B. bei Heinrich von Veldeke, Konrad von Würzburg). Eine Standesdichtung, in der Publikum und Verfasser weitgehend derselben sozialen Schicht angehörten, war der vorzügl. von Handwerkern betriebene ↗Meistersang, welcher auf der bis ins 18. Jh. fortdauernden Vorstellung von der Erlernbarkeit der Dichtung gründete. Auch noch in der Renaissance, im Barock und 18. Jh. übten die D. meist einen Beruf aus (häufig vertreten sind Gelehrte und Theologen) oder standen als Hof-D. in höf. Diensten. Als *die ersten (zeitweiligen) Berufs-D.* gelten Lessing und Klopstock. Erst seit Mitte des 19. Jh.s konnten einz. D. von ihren Werken leben. Im ↗Sturm und Drang wurde das dann v. a. im 19. Jh. herrschende Bildklischee des D.s als eines Originalgenies geprägt; Goethe kennzeichnet den D. im »Wilhelm Meister« als Lehrer, Wahrsager, Freund der Götter und der Menschen. – Dem ›naiven‹ *D.typus* stellt Schiller den ›sentimentalischen‹ gegenüber. Neben diesen klass. Kennzeichnungen finden sich im 19. und 20. Jh. auch die anderen, in früheren Epochen verkörperten D.-Auffassungen, so der D., der das Bleibende stiftet (Hölderlin), der geist. Führer (George), der Sozialkritiker (v. a. im Naturalismus), der Intellektuelle (poeta doctus), der im 20. Jh. in den Vordergrund tritt. Seit der Frühzeit stehen sich als Extrempositionen der weltzugewandte bejubelte Publikumsliebling und der Verkannte und Unbehauste (›Bohème‹) gegenüber; der D. kann anerkanntes Sprachrohr einer bestimmten Gesellschaftsschicht, einer geist. Strömung, einer religiösen Überzeugung, einer Massenideologie oder aber individualist. introvertierter Einzelgänger (in der Antike z. B. Pindar, im frühen MA. Gottschalk, 9. Jh., in der Neuzeit Mörike). Neben den Unzeitgemäßen, die erst spät Erkannten wie Hölderlin, Kleist, Büchner, Kafka, Musil gibt es die in ihrer Zeit überschätzten wie Geibel oder Heyse (1910 Nobelpreis!). Die noch nicht geschriebene Geschichte der D. als einer des. Ausprägung des schöpfer. Menschen zeigt eine Fülle von verschiedenen divergierenden, sich wandelnden und in den Grundzügen doch auch durch die Jh.e hindurch konstanten Aspekten.

📖 Kreuzer, H. (Hrsg.): Der Autor. LiLi 42 (1981). – Kommerell, M.: Der D. als Führer in der dt. Klassik. Frkft. ³1981. – Arnold, H. L.: Als Schriftsteller leben. Reinbek 1979. – Engelsing, R.: Der literar. Arbeiter. Gött. 1976. – Bienek, H.: Werkstattgespräche mit Schriftstellern. Mchn. ³1976. – Wysling, H.: Zur Situation des Schriftstellers in der Gegenwart. Bern/Mchn. 1974. – Conrady, K. O.: Gegen die Mystifikation der Dichtung u. des D.s. In: K. O. C.: Lit. u. Germanistik als Herausforderung. Frkft. 1974, S. 97–124. – Mörchen, H.: Schriftsteller in der Massengesellschaft. Stuttg. 1973. – Hauser, A.: Sozialgesch. der Kunst u. Lit. Mchn. ³1969. – Kluckhohn, P.: D.beruf und bürgerl. Existenz. Tüb./Stuttg. 1949. – RL.   S

Dichterfehde, Bez. für literar. Auseinandersetzungen zwischen mal. Dichtern, mehr oder weniger eindeutig erschließbar aus ihren Werken (polem. Gegendichtungen, Anspielungen, Parodien, Streitgedichte, Scheltsprüche). Klar erkennbar ist z. B. die D. zwischen Reinmar dem Alten und Walther v. d. Vogelweide (und evtl. Heinrich v. Morungen und Wolfram v. Eschenbach) um die rechte Art der Frauenpreises (ca. 1200); umstritten ist dagegen eine D. über Stil- und Darstellungsfragen zwischen Wolfram und Gottfried v. Straßburg. Ebenso nicht sicher einzuordnen ist auch die D. zwischen Frauenlob, Regenbogen und Rumzlant (um 1300). – In den roman. Literaturen standen in den ↗Streitgedichten eigene Gattungen für D.n zur Verfügung (vgl. als ältestes Beispiel einer D. zwischen Trobadors die gegen Raimbaut d'Aurenga gerichtete ↗Tenzone Guirauts de Bornelh (1168) über den dunklen Stil. Zu trennen von diesen realen Formen der D. ist die *poetisierte, fiktive D.* (der Sängerwettstreit) wie der mhd. »Wartburgkrieg«, die schon Vorläufer in der Antike hatten, z. B. »Agon Homers und Hesiods«. – Auch in der neueren Literatur finden sich gelegentl. ähnl. Formen polem. (Gegen-)Dichtungen, z. B. die Epigramme im ↗Xenien-Kampf, die Gedichte zur Frage des polit. Engagements von F. Freiligrath, Herwegh, G. Keller, H. Heine (1841/42) oder programmat. gegen bestimmte Literaturauffassungen konzipierte Zeitschriften (Schillers »Almanach auf das Jahr 1782« gegen Stäudlin, H. v. Kleists »Phöbus«, evtl. gegen Goethe). ⌑ Schweikle, G. (Hg.): Parodie u. Polemik in mhd. Dichtung. Stuttg. 1986.   S

Dichterische Freiheit, auch: poetische Lizenz, in dichter. Werken 1. Abweichungen vom übl. Sprachgebrauch (in Wortfolge, Lautung etc.) des Versmaßes oder Reimes wegen, aus stilist. Gründen (z. B. durch ↗Anakoluth, ↗Enallage, ↗Hyperbaton, vgl. bes. H. v. Kleist); 2. Abänderung histor. Gegebenheiten (Personencharakter, Ereignisfolgen) einer dichter. Idee zuliebe (z. B. in Schillers »Don Carlos«, »Jungfrau v. Orleans«u. a.).   S

Dichterkreis, Gruppenbildung von Dichtern; die Bez. umfaßt die verschiedensten Formen von zwanglosen Freundschaftsbünden über nur gesellige oder auch Kunstfragen diskutierende Zirkel bis hin zu programmat. ausgerichteten Zusammenkünften. D.e können an einen bestimmten Ort gebunden, um eine zentrale Persönlichkeit gruppiert (Mäzen, Dichter, Verleger), oft auch anderen Künstlern, Kritikern, Wissenschaftlern usw. offen sein. Bedeutung gewinnen D.e je nach der Intensität und Wirkung der in ihnen gepflegten krit. Diskussionen zur Förderung poet. Schaffensprozesse. Durch neue dichtungstheoret. Programme, oft in eigenen Zeitschriften publiziert und exemplar. realisiert, gaben D.e der Literaturentwicklung vielfach neue Impulse (die romant., naturalist., symbolist., expressionist. D.e). Für solche ›schulemachenden‹, jeweils avantgardist. oder doch progressiven Keimzellen neuer literar. Entwicklungen wurde in der Literaturwissenschaft z. T. auch die Bez. ›Dichterschule‹ verwendet. D.e sind schon aus der Antike bekannt: vgl. z. B. die ↗Pleias in Alexandria (3. Jh. v. Chr.), die D.e um Messalla (Tibull, Ovid), um Maecenas (Vergil, Horaz) u. a.; sie finden sich in allen europ. Literaturen: bemerkenswert sind z. B. im 16. Jh. die ↗Pléiade in Frankreich, im 17. Jh. die ↗Sprachgesellschaften, im 18. Jh. D.e wie die ↗Bremer Beiträger oder der ↗Göttinger Hain, die romant. D.e (Ende 18. und 19. Jh.) in Jena, Berlin, Heidelberg, die engl. ↗Lake-School, die franz. ↗Cénacles, die schwed. ↗Phosphoristen oder die antiromant. ↗Parnassiens, die geselligen D.e des 19. Jh.s wie die Wiener ↗Ludlamshöhle, der Berliner ↗Tunnel über der Spree, der Bonner ↗Maikäferbund und der einflußreich-konservative ↗Münchner D., die bedeutenden naturalist. D.e von Médan (E. Zola), ↗Durch u. a. und die wiederum daggegen gerichteten D.e um St. George (↗Georgekreis) und Otto zur Linde (↗Charonkreis) u. a. Bedeutend sind im 20. Jh. dann die D.e des ↗Expressionismus, bes. der ↗Sturmkreis. In ihrer Bedeutung z. T. noch ungeklärt sind die zahlreichen jeweils avantgardist. D.e seit 1945 wie die ↗Gruppe 47, das Grazer ↗Forum Stadtpark, die experimentell ausgerichtete ↗Stuttgarter Schule, ↗Wiener Gruppe oder der ↗Darmstädter Kreis und die italien. ↗Gruppe 63 oder die gegensätzlich (sozialpolit.) ausgerichtete ↗Gruppe 61 und der ↗Werkkreis Literatur der Arbeitswelt u. a. – RL.   IS

Dichterkrönung ↗poeta laureatus.

Dichtung, allgemein: die Dichtkunst, speziell: das einzelne Sprachkunstwerk. In diesem doppelten Sinne erscheint das Substantiv (zum Verbum tihten = ↗dichten) zum ersten Mal in Glossaren des 15. Jh.s für lat. poēsis und poēma. Die mhd. Bez. für ›D.‹ war getihte (in dieser allgemeinen Bedeutung auch später noch in ›Lehrgedicht‹, ›dramat. Gedicht‹). Erst im 18. Jh. wird das Wort ›D.‹ gebräuchlicher, zunächst in der Bedeutung ›Fiktion‹ (Erdachtes, Erfundenes im Ggs. zu Tatsächlichem, vgl. Goethe, »D. und Wahrheit«), die geläufigere Verdeutschung von Poesie war damals noch ›Dichtkunst‹ (nach ars poetica). Das alte Wort ↗Poesie wurde dann im 19. Jh. mehr und mehr auf lyr. Werke eingeschränkt. Daneben wurden verwendet: Dichtkunst, schöne, schöngeist. Literatur (für frz. belles lettres), ↗Belletristik, Sprach-, Wortkunst(werk), literar. Kunstwerk, im 20. Jh. v. a. noch fiktionale Literatur, aber auch wieder Poesie oder D. (konkrete, konsequente D. oder Poesie). – ›D.‹ ist ein typ. dt. Wort wie ›Geist‹, ›Stimmung‹, das in den anderen europ. Sprachen keine unmittelbare Entsprechung hat (vgl. zum allgem. Begriff D.: frz. poésie, littérature; engl. poetry, ital. poesia). – Bei der *Bestimmung des Begriffsinhaltes* kann D. je nach den angewandten Kriterien enger oder weiter gefaßt sein. Von den anderen Künsten unterscheidet sie sich prinzipiell dadurch, daß sie ein von Natur aus sinntrachtiges Medium, die *Sprache,* gebunden ist, weshalb D. im Unterschied zur bildenden Kunst und Musik auch stärker national geprägt sein kann. Die philosoph. und literaturwissenschaftl. Überlegungen über das *Wesen der D.* können immer nur Annäherungen erbringen, je nach den Werken, an denen exemplifiziert wird. Jedes Dichtwerk schafft phänomenolog. und essentiell das Wesen der D. neu, setzt neue Kategorien und Dimensionen, die vom musiknahen, stimmungsgetragenen Klangbereich (↗Reim, ↗Rhythmus) bis in die höchste philosoph. Geistigkeit reichen können. Zur Eigenart der D. gehört die ↗Metaphorik, die ↗Ambiguität, die Vieldimensionalität, die Tiefenschichtung der Sprachgestalt, so daß bei jeder Begegnung mit einer D. immer wieder neue Aspekte und andere Akzente ins Blickfeld treten können. D. gehört wesensmäßig in das Gebiet der Ästhetik, des Gestaltens, des Schöpferischen, Kreativen. D. schafft eine eigene Welt (Jean Paul: »die einzige zweite Welt in der hiesigen«), eine autonome Realität, ein besonderes Sein mit einer spezif. Logik und eigenen Gesetzen, die mit dem Sein der naturgegebenen Wirklichkeit konvergieren, aber auch divergieren können. Auch wo D. als Naturnachahmung erscheint, ist sie nicht bloßes Abbild, bloße Wirklichkeitskopie, sondern vielmehr in aristotelischem Sinne ↗Mimesis, d. h. neugeschaffene, neuentworfene, mögl. Wirklichkeit (↗Fiktion). Diese Vielfältigkeit erschwert auch die *literaturwissenschaftl. Klassifikation* der D. seit dem 18. Jh. (Gottsched) übl. Dreiteilung der D.sgattungen in ↗Lyrik, ↗Epik, ↗Dramatik wird immer wieder durch Grenzphänomene in Frage gestellt, so durch epische Formen, welche zum Drama hinüberweisen (z. B. Dialogroman) oder Arten der Lyrik mit dramat. Einschlag (z. B. Balladen) oder durch einzelne Dichtarten wie das ↗Epigramm, dessen Einordnung in der Gattung Lyrik, wenn diese allzu eng gefaßt ist, problemat. wird. Es gibt Epochen, die nach einer gewissen Reinheit der Gattungsformen streben (Klassik), andererseits solche, die bewußt solche Grenzen überschreiten (Romantik). – Neben die formale Einteilung in Lyrik, Epik, Dramatik tritt eine Unterscheidung nach ontolog. Begriffen: lyrisch, episch, dramatisch, die in verschiedenen Graden an den formalen Kategorien Lyrik, Epik, Dramatik beteiligt sein können. Der Versuch, D. auf diese ›Naturformen‹ (Goethe) oder ›Grundbegriffe‹ (Staiger) zurückzuführen, geht von der Erkenntnis aus, daß es gattungstyp. Reinformen nicht gebe, sondern immer nur Mischungen verschiedener Grundhaltungen: neben einem lyr. oder epischen Drama begegnen dramat. oder lyr. Romane, jeweils in verschiedenen Mischformen etc. – Schwierigkeiten bereitet bisweilen auch die *Abgrenzung* zwischen dichter. und anderen, nicht-fiktionalen sprachl. Formen. Der Begriff ↗›Literatur‹ impliziert v. a. die schriftl. Fixierung (Geschriebenes, Gedrucktes) im Gegensatz zur D., die es auch unabhängig von der Niederschrift geben kann (Volksdichtung, unterliterar. D.). Nach der Definition der D. als fiktionaler Sprachschöpfung sind aus der Klassifikation der D. die reinen Zweckformen der Didaktik, der Rhetorik (Predigt, Rede) und Kritik ausgeschlossen, auch wenn sie sprachl. ebenfalls höchsten ästhet. Ansprüchen genügen. Die von Batteux, Sulzer u. a. im 18. Jh. verfochtene Forderung, eine vierte Gattung ›Didaktik‹ einzuführen, wird neuerdings wieder diskutiert (↗Formenlehre). Der Gegensatz zwischen sprachl. zweitrangigen D.en und sprachl. erstklass. nichtfiktionaler Literatur (etwa den philosoph. Schriften Schopenhauers oder Nietzsches, den krit. Werken eines Karl Kraus oder der wissenschaftl. Prosa Sigmund Freuds) hat die Literaturwissenschaft bei ihren Klassifizierungen immer wieder irritiert, zumal es auch in diesem Bereich schwer einzuordnende Grenzformen gibt, wie z. B. die Werke der Mystiker. Bis zum 18. Jh. bestimmte meist äußerl. die Versform (die ↗gebundene Rede gegenüber der ungebundenen, der Prosa) die Grenze zwischen D. und ›Literatur‹. Auch für Schiller war z. B. der Prosaroman-Schreiber nur der ›Halbbruder‹‹ des Dichters (»Über naive und sentimentalische D.«). Durch die Entwicklung des Prosaromans im 19. Jh. wurde aber schließl. eine kategoriale Erweiterung des D.s-Begriffs notwendig: seit dem 19. Jh. werden Prosaromane selbstverständl. im Begriff der D. mitverstanden. – Zwischen den verschiedenen Gattungen und Formen der D. gab es immer wieder veränderte *Rangordnungen*: im MA. z. B. galt das Epos als höchste Kunstform (Wolfram v. Eschenbach, Dante), im frühen 18. Jh. wurde der Prosaroman als reine Unterhaltungsgattung eingestuft, im Sturm und Drang und im 19. Jh. galt dem Drama, um 1900 der Lyrik die höchste Bewunderung. In der ↗Romantik wurde die Volks-D. (Volkslied, Volksmärchen), als den Urformen der Poesie nahestehend, oft höher eingeschätzt als die Kunst-D. Horaz (»Ars poetica«) prägte für die *Funktion* der D. die Formel ›prodesse et delectare‹; zwischen diesen beiden Bezugspunkten finden sich die verschiedensten Spielarten. Die Wirkung einer D. kann sich zudem innerhalb dieses Spannungsbogens je nach Zeit und Publikum verlagern (vgl. z. B. die revolutionären Jugenddramen Schillers, deren gesellschaftskrit. Impetus nach der Interpretation sekundär erscheinen kann, oder die sozial engagierte Lehr-D. Brechts, die auch nur ›kulinar.‹ erlebt werden kann). Die Tendenzen können von der absolut zweckfreien D. des ›l'art pour l'art bis zur didaktischen D. reichen (verbreitet bes. im MA.; für die Neuzeit z. B. Goethes »Metamorphose der Pflanzen«). D. kann religiös, weltanschaul., ideolog. mehr oder weniger ausgerichtet sein, ihr Verhältnis zur Wirklichkeit kann von der Nachahmung (↗ut pictura poesis) bis zur Naturferne (↗Dadaismus, ↗konkrete D.) reichen. – Die *Sprache der D.* kann sich mehr oder weniger von der Alltagssprache entfernen. Zeiten mit einer bes. geprägten Dichtersprache (mhd. Blütezeit, Barock, Goethezeit) wurden von Zeiten abgelöst, in denen die möglichst getreue Anlehnung an die Umgangssprache und Dialekte, dichter. Wahrheit gewährleisten sollte (↗Naturalismus). Verschiedene Stilschichten wurden schon in der antiken Rhetorik unterschieden: hohe, mittlere, niedere Stilart (↗genera dicendi, ↗Stilistik). – Die *Entstehung von D.* wurde in verschiedenen Zeiten verschieden aufgefaßt: als Inspiration (Sturm und Drang, Romantik; auch ›poeta vates) oder als lehr- und lernbar (Meistersang, Barock). Unter dem Aspekt der Wahrhaftigkeit konnte D. bisweilen auch abgewertet werden, vgl. schon Platon (↗Mimesis) oder im MA. Hugo von Trimberg (»Renner«: gegen höf. Romane). Nach den Anlässen ihrer Entstehung kann D. geschieden werden in ↗Gelegenheits- u. ↗Erlebnis- oder Bekenntnis-Dichtung. Sie kann sozial mehr oder weniger stark geprägt sein wie die höf. D., die humanist. Gelehrtend. oder bestimmte Formen der bürgerl. D. (Meistersang oder Literatur der Aufklärung). – Das Verhältnis der Dich-

ter zu ihrem Werk läßt sich pauschal so wenig auf einen Nenner bringen wie das Wesen der D. oder ihre gesellschaftl., menschl., psycholog., erlebnismäßigen Voraussetzungen, Bedingtheiten und Hintergründe. Hier sind sinnvolle Deutungen jeweils nur am einzelnen Werk möglich.
📖 Literatur und D. Versuch einer Begriffsbestimmung. Hrsg. v. H. Rüdiger, Stuttg. 1973. – Dilthey, W.: Das Erlebnis u. die D. Gött. [15]1970. – Wellek, R./Warren, A.: Theorie d. Lit. Dt. Übers. Frkft./Bln. [6]1968. – Pfeiffer, J.: Umgang mit D. Hamb. [11]1967. – Seidler, H.: Die D. Wesen, Form, Dasein. Stuttg. [2]1965.   S

Dichtungsgattungen, ↗Dichtung, ↗Gattungen, ↗Epik, ↗Lyrik, ↗Dramatik, ↗Naturformen der Dichtung.
Dichtungswissenschaft, eine v. a. nach dem 2. Weltkrieg vertretene Richtung innerhalb der umfassenderen ↗Literaturwissenschaft, die sich bewußt auf die wissenschaftl. Analyse dichter. Werke beschränkt; Dichtung soll als Sprachkunstwerk (nicht als Sprach- oder Geschichts*dokument*) unter aesthet. Aspekten und mit dichtungsadäquaten Methoden (↗werkimmanente ↗Interpretation) erforscht werden. Die D. stellt sich zwischen ↗Poetik, ↗Philologie und Geistesgeschichte; sie greift als *Dichtungsontologie* über die Grenzen der nationalsprachl. Philologien (z. B. die deutsche Philologie) hinaus.
📖 Kluckhohn, P.: Lit.wissenschaft, Lit.gesch., D. In: DVjs 26 (1952), 112–118.   S
Dictionarium, n. [mlat. = Sammlung v. Wörtern, zu lat. dictio = das Sagen], spätmal. Bez. (neben Glossarium, Vocabularium) für die verschiedensten Arten von Wörterbüchern zum Schulgebrauch; die Bez. findet sich erstmals ca. 1225 als Titel einer nach Sachgruppen geordneten lat. Wortsammlung von John Garland (mit gelegentl. engl. ↗Glossen); im 17. Jh. wurde ›D.‹ durch ↗Lexikon‹ oder ›Wörterbuch‹ ersetzt (vgl. aber noch engl. dictionary, frz. dictionnaire).   IS
Didaktische Dichtung [didaktisch = lehrhaft, zu gr. didáskein = lehren], s. ↗Lehrdichtung.
Didaskalien, f. Pl. [gr. didaskalia = Lehre, Unterweisung],
1. anfängl. Bez. für das Einstudieren eines antiken Chores durch den *didaskalos* (Chormeister).
2. Bez. für die seit dem 5. Jh. v. Chr. angelegten chronolog. Listen über die Aufführungen chor. Werke, Tragödien und Komödien bei den jährl. ↗Dionysien u. a. staatl. ↗Agonen; sie enthielten die Titel der aufgeführten Werke, den Namen des ↗Choregen, des Didaskalos, die Schauspieler, das Urteil der Preisrichter, die Preise und Honorare. Diese Listen wurden von Aristoteles systematisiert in einem (fragmentar. erhaltenen) Werk »D.«, das dann von alexandrin. Gelehrten (von Kallimachos bis Aristophanes v. Byzanz) ausgewertet wurde: darauf beruhen die heutigen Kenntnisse der antiken Spielpläne und der Bewertung der aufgeführten Werke. – Mitte des 3. Jh.s v. Chr. wurden in Athen u. a. Städten solche D. über Agone bis zurück ins 5. Jh. mit ähnl. Angaben in Stein gemeißelt und im Theater aufgestellt (Fragmente einiger nacharistotel. Tafeln erhalten). – Auch aus dem antiken Rom sind ausführl. D., u. a. zu Aufführungen der Komödien des Terenz und zum »Stichus« und »Pseudolus« des Plautus, erhalten.   IS
Digression, f. [lat. digressio = Abschweifung], ↗Exkurs.
Dihärese, f. [gr. di-(h)airesis = Auseinanderziehung, Trennung].
1. In der Orthophonie (= richtige Aussprache): getrennte, nicht diphthong. Aussprache zweier aufeinanderfolgender Vokale, in der Regel bei einer Morphemgrenze (z. B. be-inhalten), begegnet v. a. in Fremdwörtern (Re-inkarnation, na-iv) und wird gelegentl. graph. durch ein Trema (¨) bezeichnet (naïv).
2. In der griech.-lat. Prosodie: Zerlegung einer einsilbigen Lautfolge in zwei Silben aus metr. Gründen; häufigste Fälle im Lat.: Vokalisierung des konsonant. bzw. halbvokal. i (j)

oder u (v), z. B. Gă-ĭ-ŭs für Gă-iŭs, sŏ-lŭ-ō für sōl-uō, archaisierendes -ā-ī für -ǣ, meist im Hexameterschluß (z. B. Vergil, »Aeneis«, 7, v. 464: . . .áqua̅-ĭ), zweisilb. Messung der griech. Endung -eus (z. B. Pro-mē-thĕ-ŭs für Prŏ-mētheŭs). Gegensatz ↗Synizese.
3. In der antiken Metrik: Verseinschnitt, der mit dem Ende eines ↗Versfußes (bei daktyl. Versen, z. B. nach dem 4. Versfuß des Hexameters: ↗bukol. D.), einer ↗Dipodie (bei iamb., trochäischen, anapäst. Versen) oder einer anderen metr. Einheit (z. B. im daktyl. Pentameter am Ende des ersten ↗Hemiepes) zusammenfällt. Gegensatz ↗Zäsur.
4. ↗Rhetor. Figur der koordinierenden Häufung (lat. ↗Accumulatio). Als D. wird in der Rhetorik auch die der propositio oder argumentatio einer Rede (↗Disposition) vorangestellte einleitende Aufzählung der zu behandelnden Punkte bezeichnet.   K*

Dijambus, m. [gr. = Doppel-↗Jambus].

dikatalektisch, Adj. Adv. [gr. = doppelt ↗katalektisch (= vorher aufhörend)], in der antiken Metrik Bez. für Verse, deren letzter Versfuß sowohl vor der ↗Dihärese als auch vor dem Versschluß katalektisch, d. h. unvollständig ist, z. B. der daktyl. ↗Pentameter (aus zwei katalekt. daktyl. Trimetern: ‒◡◡/‒◡◡/‒, sog. ↗Hemiepes).   K

Dikretikus, m. [gr.-lat. = zweifacher Kretikus], moderne Bez. für einen doppelten ↗Kretikus (‒◡‒/‒◡‒) in den Kolonschlüssen lat. Prosa (↗Klausel); in verschiedenen Varianten die häufigste Klauselform bei Cicero und seinen Nachfolgern. In der akzentuierenden Kunstprosa der Spätantike und des MA.s entstand daraus der ↗Cursus tardus.
                                                                         UM

Diktum, n., Pl.-ta [lat. dictum = Gesagtes], pointierter Ausspruch, ↗Bonmot, ↗Sentenz. Häufig im Titel von Sentenzensammlungen (z. B. »Dicta Graeciae sapientium, interprete Erasmo Roterodamo«, Nürnberg um 1550/51).
                                                                        HFR

Dilettant, m. [it. dilettare von lat. delectare = ergötzen], heute vorwiegend umgangssprachl. v. a. für Nichtfachmann, Halbwissender, Laie; wahrscheinl. auf dem Umweg über die 1734 in London gegründete »Society of Dilettanti«, die sich für italien. Kunstgeschichte und klass. Archäologie interessierte, nach Deutschland gelangt, wird ›D.‹ zunächst zumeist in negativer, gelegentl. aber auch positiver Einschätzung als Fremdwort für den passiven, aber auch aktiven »Liebhaber, Kenner der Musik und anderer schönen Künste« (Ch. G. Jagemann) verwandt. Im Anschluß an die popularisierende Auseinandersetzung K. Ph. Moritz' mit dem »unreinen Bildungstrieb« verstehen Goethe und Schiller (v. a. in ihrem Entwurf eines Schemas über Dilettantismus, 1799) den D.en dann als ›Symbolfigur« eines problemat. gewordenen »Verhältnisses zur Kunst«, als »negativen Gegenpol zu dem (. . .) für vorbildl. gehaltenen Typ des großen Künstlers, dem Meister« (Vaget). Gegen Ende des 19.Jh.s tritt schließl. an die Stelle dieser Auffassung zum einen eine aus volkspädagog. Impuls heraus erfolgende Bejahung dilettant. Kunstpraxis (u. a. A. Lichtwark: Wege und Ziele des Dilettantismus, 1894). Zum anderen begegnet der D. jetzt als spezif. Typ des Intellektuellen, eines Individualisten mit einer »sehr freien, sehr ungewöhnlichen Beziehung zwischen dem Genie und der Welt« (R. Kassner: Der Dilettantismus, 1910): der Dilettantismus wird als existentielle Lebensproblematik dichter. gestaltet von H. v. Hofmannsthal, H. und Th. Mann u. a.; ferner Cl. Viebig (Dilettanten des Lebens, 1898), C. Einstein (Bebuquin oder Die Dilettanten des Wunders, 1912, auf den sich H. Ball noch 1916 zur Charakterisierung des von ihm gegründeten Cabaret Voltaire beruft).
   ☐ Vaget, H. R.: Dilettantismus u. Meisterschaft. Mchn. 1971.   D

Dimeter, m. [gr. = Doppelmaß], in der antiken Metrik ein aus zwei metr. Einheiten (Versfüßen, Dipodien) bestehen-

der Vers. Jamb. D. (◡‒◡‒/◡‒◡‒) finden sich z. B. schon bei Alkman und v. a. als Teil ↗archiloch. Verse, insbes. in den ↗Epoden des Horaz (Ep. 1‒10, 13 u. a.).   K*

Dinggedicht, lyr. Formtypus: poet. Darstellung eines Objekts (Kunstwerk, alltägl. Gegenstand, aber auch Tier, Pflanze), wobei das lyr. Ich zurücktritt zugunsten distanziert-objektivierender Einfühlung in das ›Ding‹; durch die Auswahl, Anordnung und sprachl. Struktur der nachgestalteten Einzelzüge wird das Objekt in seinem Wesen erfaßt und zugleich symbol. gedeutet. – Das D. gilt als eine typ. Spät- und Durchgangsform innerhalb der Geschichte der Lyrik, ausgeprägt erstmals bei E. Mörike (»Auf eine Lampe«), dann bei C. F. Meyer (»Der röm. Brunnen«) und v. a. bei R. M. Rilke (»Neue Gedichte«, u. a. »Archaischer Torso Apollos«, »Das Karussell«, »Der Panther«). – Zu unterscheiden ist das D. von beschreibender Stimmungslyrik, vom idyll. Genregedicht, vom sog. Beschreibungsgedicht (mit didakt., allegor., humorist. etc. Auslegung) und vom ↗Epigramm, in dem der (oft nur im Titel genannte) Gegenstand Anlaß zur deutenden Erklärung ist. Dagegen ist die Grenze zum ↗Bild- oder Gemäldegedicht fließend.
   ☐ Oppert, K.: Das D. DVjs 4 (1926) 747–783. – RL.   IS

Dionysien, n. Pl. [gr. dionysia], altgriech. Feste zu Ehren des Dionysos, eines wohl aus Kleinasien stammenden Vegetationsgottes, Gottes der Fruchtbarkeit, des Weins und der Verwandlung (lat. Bacchus), begleitet von einem lärmenden Schwarm efeubekränzter Nymphen, Mänaden und Satyrn (Silenen), daher *dionys.* = rauschhaft, begeisternd, ekstat. Sein Kult (ursprüngl. wohl agrar. Fruchtbarkeitsriten bei improvisierten orgiast. nächtl. Feiern) wurde seit dem 6.Jh. v. Chr. zu offiziellen Kultfesten. *Die bedeutendsten D.* waren die jährlichen 4- jeweils mehrtäg. dionys. Feiern Athens:
1. als älteste die 3täg. Anthesteria (Jan./Febr.), ursprüngl. Frühlingsriten, die dem Wein und den Toten geweiht waren;
2. die Lenäen (Lenaia nach *lenai* = Mänaden) im Monat Gamelion (Dez./Jan.);
3. die sog. ländl. D. der einzelnen Gemeinden *(demoi)* Athens im Monat Poseidon (Nov./Dez.);
4. die städt. oder großen D., die Ende des 6.Jh.s v. Chr. nach dem kult. Vorbild der ländl. D. von Peisistratos eingeführt wurden (im Monat Elaphebolion = Febr./März) und die zum bedeutendsten Fest des antiken Griechenland wurden. Die D. waren von fundamentaler Bedeutung für das abendländ. Theater; die Grundbestandteile der kult. Feiern waren jeweils
1. sakrale Phallusumzüge (Phallophorien, Komoi) unter ekstat.-ausgelassenen Gesängen (Phallika) vermummter Chöre, die als eine der Keimzellen der ↗Komödie gelten,
2. ein (Bock?)-Opfer mit tänzer. und mimet. vergegenwärtigter symbol. Todes- oder Auferstehungsfeier des Gottes, d. h. mag.-relig. Verwandlungsspiele, die Keimzellen für ↗Dithyrambus und ↗Tragödie. Dramat. Agone wurden immer mehr zum 3. (wichtigsten) Bestandteil der D. (Dreigliederung: Umzug, Opfer, Agon). So gehörten (nach Aristoteles) Komödienagone zu den Lenäen; dithyramb. und dramat. Wettbewerbe standen im Mittelpunkt der ländl. und städt. D.; bei letzteren wurden seit Ende des 6.Jh.s v. Chr. an drei aufeinanderfolgenden Tagen drei ↗Tetralogien dreier konkurrierender Dichter, seit 486 v. Chr. zusätzl. fünf Komödien, im Dionysostheater am Südhang der Akropolis aufgeführt und anschließend prämiert. – Die D. erloschen im wesentlichen gegen Ende des 1.Jh.s v. Chr.; sie wurden in der Kaiserzeit vorübergehend wiederbelebt.
   ☐ Deubner, L.: Att. Feste, Darmstadt [3]1969. – Pickard-Cambridge, A. W.: Dramatic festivals of Athen, Oxford [2]1968.   UM/IS

Dionysisch, ↗apollinisch.

Diplomatischer Abdruck [aus frz. diplomatique = urkundlich, von lat. diploma = Urkunde], buchstäbl.

genaue Druckwiedergabe eines handschriftl. Textes ohne Normalisierungen oder sonstige Eingriffe des Herausgebers. /Textkritik. HSt

Dipodie, f. [gr. = Doppel-(Vers)fuß], zwei zu einer metr. Einheit zusammengefaßte /Versfüße. Die D. gilt in der griech. Metrik (und bei den strengen Nachbildungen griech. Verse auch in lat. Dichtung) als Maßeinheit bei jamb., trochä. und anapäst. Versen; z. B. besteht ein jamb. /Trimeter aus 3 jamb. D.n (oder Dijamben) = 6 jamb. Versfüßen. Im Unterschied dazu ist bei daktyl. u. a. mehrsilb. Versfüßen (z. B. dem /Choriambus) in der Regel die Maßeinheit die /Monopodie; so setzt sich z. B. ein daktyl. /Hexameter aus 6 daktyl. Versfüßen zusammen. In den freieren lat. Nachbildungen griech. Versmaße herrscht durchweg Monopodie; demgemäß entspricht einem griech. jamb. Trimeter ein lat. jamb. /Senar (›Sechser‹) oder einem griech. trochä. /Tetrameter ein lat. trochä. /Oktonar (›Achter‹). In der dt. Verslehre wird die Bez. D. angewandt: 1. auf Verse mit regelmäßig abgestuften Hebungen, z. B. Goethe »Der Fischer«: »Das Wásser ráuscht, das Wàsser schwóll« = eine sog. steigende D. (Kauffmann), 2. in der /Taktmetrik auf einen Vierertakt (Langtakt: x́xxx) als Zusammenfassung von zwei Zweiertakten (Kurztakten) – nach A. Heusler u. a. ein Kennzeichen german. Verse im Ggs. zu roman. monopod. Versen, z. B. dem lat. /Hymnenvers; Nachwirkungen wurden in volkstüml. /Vierhebern vermutet: »Bácke, bàcke Kúchen . . .«. K*

Dirae, f. Pl. [lat. = Verfluchungen; Unheilzeichen], Verfluchung einer Person oder Sache, entspricht gr. /Arai, z. B. Didos Fluch in Vergils »Aeneis« oder, als selbständ. Gedicht, Properz III 25, Ovid, »Ibis« u. a. Begegnet auch noch bei J. C. Scaliger (Poetik I, 53, 1561) als lit. Gattung. – Bedeutet im Ggs. zu Arai oder ›Unheilzeichen‹, was bereits in der Antike Mißverständnisse hervorrief. UM

Direkte Rede [lat. oratio (di-)recta = wörtliche Rede], gibt im Gegensatz zur /indirekten Rede die Äußerungen eines Sprechers Wort für Wort so wieder, wie er sie geformt hat, also ohne Änderung von Pronomen, Modus und Wortstellung: er sagte: »bald bin ich bei dir«.
□ Günther, W.: Probleme der Rededarstellung. Unters. zur direkten, indirekten und ›erlebten‹ Rede im Deutschen, Französischen und Italienischen. Die neueren Sprachen, Beiheft 13. Marburg 1928. HSt

Dirge [engl. dɔ:dʒ, von lat. dirige = leite], nach dem ersten Wort einer beim Totenamt gesungenen Antiphon, »Dirige, Domine, Deus meus, in conspectu tuo viam meam«, zunächst. Bez. für Grabgesang oder /Totenklage, später übertragen auf Klagelieder jegl. Art, vgl. das als »Fidele's D.« bez. Lied aus Shakespeares »Cymbeline« (IV, 2, 259 ff.: »Fear no more the heat o' th' sun . . .«). MS

Dirigierrolle, eine Art Regiebuch mal. Schauspiele, Papierrolle, an den Enden mit Holzstäben zum Aufrollen versehen, mit welcher der *regens ludi* oder *magister ludi* (Spielleiter) die Aufführung »dirigierte«. Die D. konnte einen Bühnenplan, Dekorationshinweise, im Verzeichnis der Personen, Stichwörter (Texteinsätze) für die Schauspieler u. a. enthalten. Am bekanntesten sind die D. des 2täg. Frankfurter Passionsspiels von 1350 (Länge über 4 m, geschrieben vom Kanonikus am St. Bartholomäus-Stift, Baldemar von Peterweil), die D. des Friedberger Prozessionsspiels von 1465 und das sog. Sterzinger Szenar, eine D. des /Neidhartspiels. MS

Discordo, m. [it. veraltet f. discordia = Uneinigkeit], /Descort.

Diskurs, m. [frz. discours, it. discorso aus lat. discursus = das Umherlaufen, Sich-Ergehen (über einen Gegenstand)], erörternder Vortrag oder method. aufgebaute Abhandlung (Erörterung) über ein bestimmtes Thema (z. B. Machiavelli, »Discorsi sopra la prima deca di Tito Livio«, 1531; Descartes, »Discours de la méthode«, 1637) oder Sammlung solcher Abhandlungen (z. B. »Discourse der Mahlern«, 1721–23, eine von Bodmer und Breitinger herausgegebene /moral. Wochenschrift). Zur Verwendung d. Begriffs in d. jüngeren Literaturtheorie vgl. /D.-Analyse. HFR*

Diskursanalyse. Als ›Diskurs‹ bezeichnet M. Foucault institutionalisierte Aussageformen spezialisierten Wissens, Rede- und Schweigordnungen, wie sie etwa in den Wissenschaften vom Menschen (Medizin, Psychiatrie, Jurisprudenz) produziert u. eingeübt werden, um so eine ›Ordnung der Dinge‹ nach Oppositionen wie wahr/falsch, normal/pathologisch, vernünftig/wahnsinnig, männl./weibl. usw. durchzusetzen. *Objekt der D.* ist damit sowohl das Regelsystem, welches den Diskurs generiert, als auch der soziale Rahmen (etwa der Zusammenhang von Praktiken u. Ritualen) und die mediale Basis, in dem er sich verwirklicht. – Literatur erscheint aus der Sicht der D. einerseits als Treff- und Kreuzungspunkt der Diskurse (J. Kristeva), eine Art Interdiskurs (J. Link), ein Ort der Inszenierung bzw. Dekonstruktion von Diskursen, andererseits als ein eigener Diskurs einer spezif. Regelhaftigkeit u. sozialen Konkretion. Der Begriff des individuellen Autors bzw. Werks wird durch die D. relativiert; vgl. /Diskurs-Diskussion.
□ Fohrmann, J./Müller, H. (Hg.): Diskurstheorien u. Lit.-wissenschaft. Frkf. 1988. – Kittler, F. A./Schneider, M./Weber, S. (Hg.): D.n I: Medien. Opladen 1987. – Link, J.: Elementare Lit. u. generative D. Mchn. 1983. – Woetzel, H.: »D. in Frankr.« In: D.Argument 22 (1980). – Barthes, R.: Leçon/Lektion. (1977), dt. Frkf. 1980. – Foucault, M.: Die Ordnung des Diskurses. (1971), dt. Frkf. u. a. 1977. – Ders.: Die Ordnung d. Dinge. (1966), dt. Frkf. 1971. VD

Diskurs-Diskussion, I. Die D. der 70er und 80er Jahre bezeichnet eine *Forschungs-Kontroverse* der Geisteswissenschaften, die mit dem Positivismus-Streit der 60er Jahre insofern vergleichbar ist, als sie ebenfalls Probleme betrifft, die an das traditionelle Selbstverständnis der beteiligten Disziplinen rühren. Zwar ist an der Schwierigkeiten der D. die Bedeutungsvielfalt des »schillernden Begriffs Diskurs« (Gumbrecht) nicht ganz unschuldig. So bedeutet der Begriff *in der Frankfurter Schule* Argumentationen, die zur »Begründung problematisierter Geltungsansprüche von Meinungen und Normen« dienen (Habermas), in der *Linguistik* Texte, Reden überhaupt (die sich durch ihre diskursive Struktur von zusammenhanglosen Reihen von Einzelsätzen unterscheiden), in der /*Diskursanalyse* Rede- und Schweigordnungen, die z. B. in den Wissenschaften hervorgebracht werden und die »Ordnung der Dinge« (Foucault) nach Oppositionen wie Gesundheit/Krankheit, Vernunft/Wahnsinn, Männlichkeit/Weiblichkeit bezwecken. Doch ist es in erster Linie der Gegensatz der strukturalist./poststrukturalist. und hermeneut. Positionen, der in der D. ausgetragen wird. Reiz-Punkte der Diskussion bilden die Begriffe wie ›Sinn‹, ›Subjektivität‹, ›Spontaneität‹, ›das Humanum‹, deren Verlust im Objekt-Bereich der Human-Wissenschaften von marxist. wie bürgerl. Stimmen in unterschiedlicher Weise eingeklagt wird. In den poststrukturalistischen Diskursen über die Diskurse des Unbewußten (des Begehrens und des Anderen, Lacan) und der Wissenschaften (M. Foucault, J. Derrida) ist das Subjekt nicht mehr Grund und Ursprung, sondern nur mehr Ort und Schauplatz, den die anonymen Gewalten der Diskurse durchziehen. – /Poststrukturalismus.
II. Von der Grundsatz-Debatte ist *in der Literaturwissenschaft* eine (z. T. bereits ältere) Diskussion zu unterscheiden, der es um Anwendung, Klärung und Integration der importierten Begrifflichkeit zu tun ist. Diese Differenzierungsarbeit, die sich z. T. in Modellanalysen niederschlägt, erstreckt sich inzwischen von der Gattungstheorie bis in Gebiete der Poetik (Literatur-Begriff) und allgemeinen Methodenlehre.
1. *Narrativer Diskurs:* Die Ausdifferenzierung des traditionellen Terminus ›Erzählkunst‹ in die Analyse-Einheiten

discours und *histoire* ist »hinsichtl. ihres theoret. Status kaum ausreichend geklärt« (Hempfer): Die auf Benveniste zurückgehende Abgrenzung von *histoire* (bzw. *récit, sujet*) und *discours* (bzw. *narration*) ist mit dem Gegensatzpaar »Geschichte«/»Text der Geschichte« (Stierle) zu übersetzen, wobei unter ›Diskurs‹ (nach einem Vorschlag Hempfers) »in Opposition zu ›Geschichte‹ alle Vertextungsverfahren syntaktischer, semantischer und pragmatischer Dimension« zusammengefaßt werden können.

2. *Diskurs versus Dialog:* Elemente der Diskurstheorie Foucaults, die in Abwehr hermeneut. Sinnerwartungen »hinter den formativen Zwängen des Diskurses die anarchische Freiheit einer ursprüngl. Kommunikation aufscheinen« läßt (Stierle), werden über Gesprächs-Konzepte der Hermeneutik u. Bachtins Begriff der ∕›Dialogizität‹ in zentrale Bereiche der Dramenpoetik und allgemeinen Poetik (Poetizität) eingebettet.

3. *Diskurs versus Literatur:* In Anlehnung an das Theorem der ∕Intertextualität literar. Texte lassen sich diese als eine Art ›Treffpunkt der Diskurse‹ (Kristeva) betrachten und analysieren. Die literarwissenschaftl. ∕Diskursanalyse verfolgt die Spuren, Inszenierungen und die Dekonstruktion von Diskursen in literar. Texten.

⌑ Fohrmann, J./Müller, H. (Hg.): Diskurstheorien u. Lit.wiss. Frkf. 1988. – White, H.: Auch Klio dichtet, oder die Fiktion des Faktischen. Studien zur Tropologie des histor. Diskurses. Stuttg. 1986. – Kittler, F. A.: Diskursanalyse. Ein Erdbeben in Chile u. Preußen. In: Wellbery, D. E. (Hg.): Positionen d. Lit.wiss. Mchn. 1985. – Stierle, K.: Gespräch u. Diskurs. In: Stierle, K./Warning, R. (Hg.): Das Gespräch. Mchn. 1984. – Warning, R.: Der inszenierte Diskurs. In: Henrich, D./Iser, W. (Hg.): Funktionen des Fiktiven. Mchn. 1983 – Geier, M./Woetzel, H. (Hg.).: Das Subjekt des Diskurses. Beitr. zur sprachl. Bildung v. Subjektivität u. Intersubjektivität. Bln. 1983. – Gumbrecht, H.: Rekurs, Distanznahme, Revision: Klio bei den Philologen. In: Cerquiglini, B./Gumbrecht, H. (Hg.): Der Diskurs d. Literatur- u. Sprachhistorie. Frkf. 1983. – Hempfer, K. W.: Die potentielle Autoreflexivität des narrativen Diskurses. In: Lämmert, E. (Hg.): Erzählforschung. Stuttg. 1982. – Habermas, J.: Vorbereitende Bemerkungen zu einer Theorie der kommunikativen Kompetenz. In: Habermas, J./Luhmann, N. (Hg.): Theorie der Gesellschaft oder Sozialtechnologie. Frkf. 1971. – Foucault, M.: L'Ordre du discours. Paris 1971. – Ders.: Was ist ein Autor? 1969. In: M. F.: Schr. z. Lit. Frkf. 1988. – Barthes, R.: Einführung in die strukturale Analyse von Erzählungen. (1966). In: R. B.: Das semiolog. Abenteuer. Frkf. 1988.   VD

Dispondeus, m. [gr. = Doppel-∕Spondeus].

Disposition, f. [lat. dispositio = planmäßige Aufstellung, Anordnung], Auswahl, Gliederung und Ordnung des stoffl. Materials, der Gesichtspunkte und Gedankenabläufe für eine Abhandlung, Rede o. ä. In der antiken ∕Rhetorik wichtigste Stufe (neben *inventio* = Stoff-findung, *elocutio* = Ausschmückung, *memoria* = Memorieren und *pronuntiatio* = Vortrag) beim Verfertigen einer Rede. Die *dispositio* besteht aus drei (evtl. wieder untergliederten) Teilen: 1. dem *exordium* (Anfangsteil, der das Publikum für die Sache gewinnen muß), 2. dem zweiteiligen Kernstück aus a) *propositio* (der Darlegung eines zu beweisenden Sachverhalts, oft mit einer *narratio*, griech. *diegesis*, einer beispielgebenden oder unterhaltenden Erzählung) und b) *argumentatio* (der Durchführung des Beweises, der entweder mehr durch *argumenta* = Tatsachen oder *rationes* = Vernunftgründe geführt wird), 3. der *conclusio* oder *peroratio* (Schlußteil, der abschließend das Ergebnis rekapituliert und an das Publikum appelliert). Innerhalb dieser Teile werden Fakten, Argumente usw. wieder nach Zweck und Absicht der Rede (belehren, erfreuen, rühren = *docere, delectare, movere*) mit Hilfe der Affektenlehre und der ∕Genera dicendi ausgewählt und angeordnet.   S

Disputatio, f. [lat.], öffentl. Streitgespräch zwischen Gelehrten (Respondent oder Defendent – Opponent) zur Klärung theolog. oder anderer wissenschaftl. Streitfragen, schon in der spätantiken Rhetorik von größerer Bedeutung, gewann im MA. als scholast. Unterrichtsform neben der Texterklärung *(lectio)* neues Gewicht. Die literar. D. nahm in der Reformationszeit einen neuen Aufschwung (vgl. Leipziger D. zwischen Luther und J. Eck, 1519). In der Form der Doktor-D. hat sich der mal. Brauch lange erhalten. ∕Dialog, ∕Streitgespräch.   RG

Distichisch [zu gr. dis = zweimal, doppelt, stichos = Reihe, (Vers-)zeile], metr. Begriff: paarweise Zusammenfassung gleicher oder meist verschiedenartiger Verse (vgl. ∕Distichon; so auch tristichisch, Tristichon = Dreizeiler usw.). Ggs. mono∕stichisch.   S

Distichon, n. [gr. = Zweizeiler, zu gr. dis = zweimal, stichos = Reihe, (Vers-)zeile], Gedicht oder Strophe von zwei Zeilen. Die bekannteste Form ist das sog. *elegische D.* (auch Elegeion), die Verbindung eines daktyl. ∕Hexameters mit einem daktyl. ∕Pentameter zu einer zweizeiligen Strophe: »Im Hexámeter stéigt des Springquells flüssige Säule, / Im Pentámeter dráuf fällt sie melódisch heráb« (Schiller, »Das D.«). – Das eleg. D. ist mit der griech.-röm. ∕Elegie entstehungsgeschichtl. verbunden (Ursprung in ekstat. Klagesängen vorderasiat. Kulte). Es wird später auch zur beliebtesten Strophenform des ∕Epigramms. Die Struktur des eleg. D.s entspricht dem reflektierenden Charakter beider Gattungen, insbes. durch den stauenden, antithet. Pentameter. – *Dt. Nachbildungen* des eleg. D.s gibt es seit dem 16./17.Jh., erstmals bei J. Fischart (1575): quantitierend-silbenzählend und mit Kreuzreim versehen, ähnl. bei J. Klaj und A. Bachmann, jedoch mit leonin. Reimen. Akzentuierend, allerdings immer noch mit Reimen versehen, finden sie sich dann im 17.Jh. bei S. v. Birken und Ch. Weise. Bis weit in das 18.Jh. hinein wird aber meist anstelle des antiken eleg. D.s als ›Ersatzmetrum‹ der eleg. ∕Alexandriner gebraucht. Erst mit J. Ch. Gottsched (1742, Übersetzung des 6. Psalms in Distichen) und F. G. Klopstock (1748 »Die künftige Geliebte«, »Elegie«) setzt sich das nun reimlose eleg. D. in der dt. Dichtung durch. V. a. durch das klass. Elegien Goethes (»Röm. Elegien«, »Alexis und Dora«, »Euphrosyne«), Schillers (»Der Spaziergang«, »Nänie«) und Hölderlins (»Brot und Wein«) und die »Xenien« Goethes und Schillers wurde das eleg. D. zum festen Bestandteil dt. Verskunst.

⌑ Beißner, F.: Gesch. der dt. Elegie. Bln. ³1965.   K*

Distributio, f. [lat. = Verteilung], ∕rhetor. Figur, s. ∕Accumulatio.

Distrophisch [gr. = zweistrophig], aus zwei Strophen oder zwei Zeilen bestehend; auch Distrophon.

Dit, m. [di:, frz. = 1. Spruch, 2. Erzählung, von dire = sagen], kurze Erzählung mit satir.-moral. Tendenz, verbreitet in der frz. Literatur vom 13.–15.Jh., zunächst in Versen, vom Ende des 13.Jh.s an auch in Vers-Prosa-Mischformen, bisweilen als Dialog, bzw. Disput gestaltet, so daß sich die Gattung nicht immer gegen den Dialog (∕Débat abgrenzen läßt; auch gegenüber ∕Conte und ∕Fabliau sind die Grenzen fließend. – Die Themen stammen aus dem Alltagsleben (z. B. »Blasme des dames«: Laster der Frauen, »D. de l'herberie«: Quacksalber, »D. de sainte Église«: Pseudopriester usw.). Neben zahlreichen anonymen D.s (z. B. der noch in Lessings Ringparabel fortlebende lehrhafte »Diz dou vrai aniel«) stehen im 13.Jh. D.s von Rutebeuf (z. T. mit polit. Propaganda, z. B. gegen die Staufer: »D. de Pouille«) und Baudoin de Condé (80 D.s erhalten, u. a. eine der 5 Redaktionen des im MA. in Legende und Totentanz häufig gestalteten »D. des trois Morts et des trois Vifs«, vor 1280), im 14.Jh. von J. Froissart, G. de Machaut, Christine de Pisan (»D. de la Rose«) und E. Deschamps u. a.   PH*

Dithyrambus, m. [lat. nach gr. dithyrambos; Etymologie ungeklärt], *allgemein:* enthusiast.-ekstat. (Chor-)lied; spe-

ziell: Form der altgriech. Chorlyrik: mehrteil. chor. Aufführung zu Ehren des Dionysos, gesungen und getanzt von einem (evtl. vermummten) Chor, angeführt von einem Chorführer (/Koryphaios, *exarchon*). Die Überlieferung der griech. D.dichtung ist spärl., so daß die Forschung weitgehend auf sekundäre Zeugnisse angewiesen ist. – *Herkunft und Anfänge* des D. liegen im dunkeln. Vermutl. ist er jedoch (wie der Kult des Dionysos, mit dem er bis zuletzt verbunden ist) kleinasiat. Ursprungs, evtl. ein improvisiertes mag. Tanzspiel. Das älteste Zeugnis stammt aus dem 7. Jh. v. Chr. (Selbstaussage des ion. Lyrikers Archilochos, er sei *exarchon* eines D. gewesen). – *Die kunstmäßige Ausbildung* des D. fällt nach zwei Herodotstellen (I, 23; V, 67) ins 6. Jh. v. Chr. Seine klass. Form beruht auf Chorliedern stroph.-epod. Baus (Gruppen von Ode-Antode-Epode), gegliedert in die Grundformen, die auch den äußeren Rahmen des späteren trag. Spiels bilden: /Parodos (Gesang beim Einzug des Chors), /Stasimon (Standlied) und /Exodos (Auszugslied). Sie wird auf den am Hofe des Tyrannen Periandros von Korinth wirkenden Arion aus Methymna zurückgeführt(?); die Aufnahme ep. Stoffe aus dem Bereich der griech. Heldensage, die eine breite Entfaltung der zunächst ausschließl. auf Dionysos bezogenen D.-Dichtung überhaupt erst ermöglicht, soll auf die Anregung des Tyrannen Kleisthenes von Sikyon zurückgehen (dithyramb. Gestaltung der *pathea* [Widerfahrnisse] seines Vorfahren Adrastos). Mit der Aufnahme ep. Stoffe ist zugleich die Vorform der /Tragödie erreicht, die, ebenfalls noch im 6. Jh., im Athen der Peisistratiden aus dem D. entwickelt wird. Neben der Tragödie als einer Fortentwicklung des D. werden jedoch auch rein chor. Dithyramben aufgeführt, ebenfalls im Rahmen der mit den att. /Dionysien verbundenen Wettkämpfe; als Begründer der dithyramb. Agone gilt Lasos von Hermione, Ende 6. Jh.; der Aufwand bei diesen Aufführungen überstieg sogar z. T. den bei Tragödien üblichen; diese Zahl der /Choreuten betrug beim D. 50, bei der Tragödie nur 12–15. Wichtige D.dichter des 5. Jh. v. Chr. sind Bakchylides und Pindar. Ebenfalls ins 5. Jh. v. Chr. gehört Melanippides, der Schöpfer des sog. *jungatt. oder neuen D.*, bei dem der stroph. Bau durch fortlaufende astroph., oft polyrhythm. Kompositionen ersetzt ist und der in erster Linie als musikal. Virtuosenstück aufzufassen ist. *Dt. Nachbildungen* des griech. D. im engeren Sinne gibt es nicht; als dithyramb. im allgem. Sinne lassen sich allenfalls, auf Grund des hymn.-ekstat. Tones und der astroph. und polyrhythm. Form (jungatt. D.!), einige aus /freien Rhythmen komponierte Gedichte F. G. Klopstocks, des jungen Goethe (»Ganymed«, »Wanderers Sturmlied«) u. a. bez. Diese Einschränkung gilt auch für Gedichte, die im Titel ausdrückl. Bezug nehmen auf den griech. D., z. B. F. Schillers »Dithyrambe« (abgefaßt in 7zeil. Reimstrophen mit daktyl. Versgang) oder F. Nietzsches »Dionysos-Dithyramben« (abgefaßt in freien Rhythmen, Stil des »Zarathustra«).
□ Pickard-Cambridge, A. W.: Dithyramb, tragedy, comedy, Oxford ²1962. K*

Ditrochäus, m. [gr. = Doppel-/Trochäus].

Dittographie, f. [gr. = Doppelschreibung],
1. Fehlerhafte Wiederholung eines Buchstabens, einer Silbe oder eines Wortes in einem handschriftl. oder gedruckten Text (Gegensatz: /Haplographie);
2. Bez. für eine doppelte /Lesart oder /Fassung einzelner Stellen in antiken Texten. RG*

Divan, Diwan, m. [di'va:n; pers. = Polsterbank, Versammlung], Sammlung oriental. lyr. u. bez. panegyr. Gedichte. Seit dem 7. Jh. sind solche meist durch arab. Philologen veranstaltete Sammlungen überliefert, in denen entweder Gedichte eines bestimmten Autors oder der Autoren eines bestimmten Stammes zusammengefaßt wurden. Erhalten sind arab., pers., türk., afghan., hebr. D.e. Der bekannteste D. ist der des pers. Dichters Schamsod-Din Muhammed,

genannt Hafis (ca. 1320–1390, dt. Übers. von J. von Hammer-Purgstall, 1812/13), auf den Goethe in seinem Gedichtzyklus »Westöstlicher Divan« (1819) Bezug nimmt. S

Diverbia, n. Pl., Sg. diverbium [lat. = Dialog; Lehnübersetzung von gr. dialogos], Bez. der *gesprochenen,* in /Senaren abgefaßten (Dialog)partien des röm. Dramas. Ggs.: die zur Flötenbegleitung gesungenen /Cantica. K

Dizain, m. [di'zɛ̃, auch Dixain; frz. = Zehnzeiler], in der frz. Verslehre Strophe oder Gedicht von 10 zehnsilb., seltener achtsilb. Versen, meist mit dem Reimschema ababbccdcd; begegnet v. a. in der Lyrik des 16. Jh.s, so bei C. Marot und seiner Schule, bes. aber in der »Délie« (1544) von M. Scève. Als Einzelgebilde steht es dem /Epigramm nahe, kann aber auch Bestandteil der /Ballade und des /Chant royal sein. Die Dichter der /Pléiade verfassen D.s mit 5 Reimen (ababccdeed) und solche mit Versen verschiedener Länge. MS

Dochmius, m. [gr.-lat. = der Schiefe], fünfgliedr. antiker Versfuß der Form ◡– –◡–; zahlreiche Varianten auf Grund von Auflösungen der Längen und neuer Zusammenziehungen dabei entstehender Doppelkürzen; die wichtigsten dieser Varianten sind der anaklast. *Hypo-D.* (–◡◡–◡–; Bez. durch Wilamowitz) und der /Adoneus. Verwendung in der Chorlyrik und als Klausel. K

Document humain [dɔkymä'mɛ̃; frz. = menschl. Dokument], von den Geschichtsphilosophen H. Taine 1866 (»Nouveaux essais de critique et d'histoire«) geprägte Bez. für die Romane Balzacs; sie wurde zum Schlagwort für die von den Brüdern Goncourt schon 1864 (»Journal«, 24. 10.) umrissene Forderung, der moderne Romanschriftsteller müsse seinen Stoff mit naturwissenschaftl. Methoden analysieren und darstellen (vgl. auch E. de Goncourt, »Chérie«, Vorwort, 1884). /Naturalismus. IS

Doggerel (verse, rhyme) [engl. 'dɔgərəl (və:s, raim)], engl. Bez. für /Knittelvers, auch allgem. für schlecht gebauten und gereimten Vers, so schon bei G. Chaucer (14. Jh.): »in rym dogerel«. Herkunft der Bez. unklar, evtl. ähnl. Bildung wie dog-Latin → /Küchenlatein. IS

Dokumentarliteratur (auch dokumentar. Lit.), Sammelbez. für gesellschaftskrit. und polit. orientierte Theaterstücke, Hör- und Fernsehspiele, Filme, Prosa, Gedichte; entstand Anfang der 60er Jahre in Opposition zu den damals übl. fiktiven Schreibweisen u. a. des /absurden Theaters, des (Brechtschen) Parabelstücks, des /Zeitstücks, des /Zeitromans, des literar. Hörspiels, denen u. a. polit. Wirkungslosigkeit angelastet wird. Die D. greift auf Dokumente und Fakten zurück, ersetzt die Fabel durch den histor. vorgegebenen Geschehensablauf und will damit die Frage nach dem Verhältnis von Literatur und Realität neu beantworten. Dabei geht es der D. in ihren überzeugenden Beispielen nicht um eindeutig polit., ideolog. fixierte Aussagen (auf die allerdings einzelne Autoren, z. B. Peter Weiss, ihre Beiträge zeitweilig verkürzen), sondern um das Aufzeigen von Zusammenhängen, wobei die Auswahl, Anordnung und Aufbereitung des dokumentar. gesicherten Materials »den Fakten eine Art Spielraum«gibt, »der Widersprüche und Alternativen erkennen läßt«und zugleich sichtbar macht, »daß Fakten manipuliert werden können« (J. D. Zipes). Bevorzugte Formen sind /Reportage, /Bericht, Drama, d. h. das Nachspielen von Verhör und Verhandlung *(Dokumentarspiel, Dokumentartheater);* eine häufige Technik ist die /Montage bzw. /Collage. – Vorstufen im 19. Jh. finden sich in G. Büchners »Dantons Tod« (1835; wörtl. Zitate aus den Verhandlungsprotokollen) im Umkreis der /Neuen Sachlichkeit, v. a. in E. Piscators Konzept und Versuch eines dokumentar. Theaters 1919–31 (fortgeführt 1933 in den USA, wo sich ihm 1935 mehrere vom Federal Theater Project in New York gegründete Gruppen, u. a. das /Living Newspaper, zugesellten), in der Reportage der 20er Jahre (u. a. E. Kisch), in der speziellen Hörspielform »Aufriß« der Berliner Funkstunde um 1930. Dokumentarspiel ist auch A. Seghers' (1956 von B. Brecht für das Berliner Ensemble adaptierte) Hörspiel »Der Prozess der Jeanne d'Arc zu Rouen 1471« (1936; nach dem erhaltenen Gerichtsprotokoll sowie den Gutachten und Berichten von Zeitgenossen). Nach 1945 knüpfte zunächst das v. a. vom NWDR gepflegte ⁄Feature (u. a. E. Schnabel, »Der 29. Januar«, 1947) auf neue Weise wieder an den »Aufriß« an, wurde aber in den 50er Jahren fast vollständ. vom fiktiven Hörspiel verdrängt. Von großer Wirkung, aber ohne eigentl. Nachfolge blieb Th. Pliviers dokumentar. Roman »Stalingrad« (1945). Erst in den 60er Jahren gelangte die D. zu breiterem Durchbruch. A. Kluges »Lebensläufe« (1962), v. a. »Schlachtbeschreibung« (1966) weisen mit ihrer spezif. Mischung von Dokumentarischem und Fiktivem auf die Versuche Pliviers zurück. In den USA wird eine sog. ⁄Faction-Prosa entwickelt (T. Capote, N. Mailer u. a.), im Umkreis der ⁄Gruppe 61 werden Reportage und Protokoll zu bevorzugten Schreibweisen (u. a. E. Runge, »Bottroper Protokolle«, 1968; G. Wallraff, »13 unerwünschte Reportagen«, 1969, »Ganz unten«, 1985). Auch Gedicht (F. C. Delius, »Wir Unternehmer«, 1966) und Hörspiel (L. Harig, »Ein Blumenstück«, 1968) montieren dokumentar. Material, z. T. als Collage von ausschließl. authent. Tonzitaten (Harig, »Staatsbegräbnis«, 1969). Für das Dokumentarspiel sind v. a. zwei, jedoch nicht immer genau zu trennende Formen unterschieden worden: Die Prozeß-Form (z. B. H. Kipphardt »In der Sache J. Robert Oppenheimer«, 1964, P. Weiss, «Die Ermittlung«, 1965, Rolf Schneider, »Prozess in Nürnberg«, 1968 und Hans Magnus Enzensberger, »Das Verhör von Habanna«, 1970; auch als Hörspiel), und die Berichtform, die Dokumente und Fiktion mischt (v. a. R. Hochhuth, »Der Stellvertreter«, 1963 und »Soldaten – Nekrolog auf Genf«, 1967). Auch in den USA (Arthur Kopit, N. R. Davidson, Donald Freed, »The United States vs. Julius and Ethel Rosenberg«, 1969), England (Charles Chilton, David Wright, Peter Cheeseman u. a.), Russland u. a. werden in den 60er Jahren dokumentar. Theaterstücke geschrieben und Aufführungsmöglichkeiten dokumentar. Literatur erprobt. Der ⁄Bitterfelder Weg (1959) fordert in radikaler Abwendung von den traditionellen Denk- und Schreibweisen einer bürgerl. Literatur zwar eine Literatur, deren »Wahrheitsgehalt (. . .) auf eine neue Weise im ›Dokumentarischen‹« (H.-P. Gente) liege, doch bleiben seine Ergebnisse mit wenigen, bisher z. T. unterdrückten Ausnahmen hinter den Erwartungen zurück. In der Bundesrepublik läßt sich für das dokumentar. Theater Ende der 60er Jahre eine zeitweilige Erstarrung beobachten (Weiss, »Viet Nam Diskurs«, 1968), doch deutet sich zugleich mit Tankred Dorsts »Toller – Szenen aus einer deutschen Revolution« (1968; als Fernsepiel 1969 u. d. T. »Rotmord«), mit Weiss' »Trotzki im Exil« (1970) und »Hölderlin« (1971) in der Aktualisierung histor. Figuren eine Neuorientierung, ein Übergang zu einer neuen Art histor. Theaters an, zu dem F. Lassalles »Franz von Sickingen« (1859) eine frühe Vorstufe darstellt.

📖 Barton, B.: Das Dokumentartheater. Stuttg. 1987 (SM 232). – Miller, N.: Prolegomena zu einer Poetik der D. Mchn. 1982. – Hilzinger, K. H.: Die Dramaturgie des dokumentar. Theaters. Tüb. 1976. – Arnold, H. L./Reinhardt, St. (Hrsg.): D. Mchn. 1973.   D*

Dokumentarspiel, Dokumentartheater, ⁄Dokumentarliteratur.

Dolce stil nuovo, m. [ˈdoltʃe ˈstil ˈnuɔːvo; it. = süßer neuer Stil], (Stil)richtung der italien. Liebeslyrik in der 2. Hälfte des 13. Jh.s, die einerseits formal und z. T. inhaltl. noch in der Tradition der höf. Trobadordichtung und ihrer italien. Epigonen (z. B. Giacomo da Lentini und Guittone d'Arezzo) steht, so durch ihren hermet. Sprachstil, die Gedichtformen der Kanzone (⁄Canso) und ⁄Balada und

eine Reihe von Minnekonventionen (Idealisierung der Geliebten, läuternde Kraft der Liebe); sie setzt sich aber andererseits durch Aufnahme philosoph. und religiöser Elemente aus Platonismus, Thomismus und franziskan. Mystizismus sowie durch eine unmittelbar aus dichter. Inspiration resultierende Aussage bewußt von der Trobadordichtung ab: Die verklärte, aber durchaus noch als Adressatin sinnl. Liebeswünsche in ird. Bereichen beheimatete Trobadorgeliebte nimmt im d. st. n. engelgleiche Züge an und wird als religiös-myst. Symbol in kosm. Fernen entrückt. Ihr sich in unerfüllbarer Liebe verzehrender Liebhaber erklimmt, losgelöst vom feudalen Kontext der Trobadorlyrik, die Sprossen einer ausschließl. eth. und geist. motivierten Tugendleiter, die in der ›gentilezza‹, dem »Geistes-, Seelen- und Gesittungsadel« (H. Friedrich), der keinen Geburtsadel voraussetzt, ihr Ziel findet. Diese Lösung aus feudalen Bezügen deutet auf die urbane Entstehung des d. st. n. (Bologna und Florenz, wo sich der Herrschaftswechsel zwischen Adel und Bürgertum am frühesten vollzieht). Die *Bez.* dieser von der toskan.-bologneser Dichterschule gepflegten Stilrichtung stammt von Dante (»Göttl. Komödie«, Purgat., 24, v. 57); als Vater des d. st. n. nennt er den Bolognesen Guido Guinizelli (Purg. 26, v. 97), dessen Kanzone »Al cor gentil« den ›neuen Stil‹ einleitet. Höher wertet er aber Guido Cavalcanti und sich selbst (Purgat., 11, v. 97 ff.). Cavalcantis Ruhm gründet in seiner vom dunklen Sprachstil der Trobadors (⁄Trobar clus) geprägten philosoph. Liebesdoktrin »Donna mi prega«; Dantes Beitrag ist seine Jugenddichtung »Vita nova« (1295). Neben den Genannten sind ferner Gianni Alfani, Lapo Gianni, Dino Frescobaldi und Cino da Pistoia zu nennen. Ihr Einfluß wirkt in der lyr. Dichtung des 14. Jh.s bes. bei Petrarca nach, der ihn an das übrige Europa weitergibt, ferner bei Michelangelo, Pietro Bembo, Torquato Tasso, sogar noch bei Ugo Foscolo im 19. und Ezra Pound im 20. Jh.

📖 Ewert, W. Th.: Guido Cavalcanti als Schöpfer des »süßen neuen Stils«. In: Dt. Dante-Jb., NF 20/21 (1952), 185 ff. – Cordié, C. (Hrsg.): D. st. n. Mailand 1947. – Voßler, K.: Die philosoph. Grundl. zum »süßen neuen Stil« des Guido Guinicelli, Guido Cavalcanti und Dante Alighieri. Hdbg. 1904.   PH*

Donquichottiade, f., ⁄Abenteuerroman in der Tradition von Miguel de Cervantes-Saavedras »El ingenioso hidalgo Don Quijote de la Mancha« (1605 und 1615), der noch vor Erscheinen des zweiten Teils von A. F. de Avellaneda (1614) nachgeahmt wurde. Die D.n folgen dem Vorbild nicht so sehr in stoffl. Hinsicht als in der parodist. Grundtendenz; als gelungenste dt.-sprach. D. gilt Ch. M. Wielands »Don Sylvio von Rosalva« (1764).   RG

Doppelbegabung,

1. Voraussetzung bei Künstlern, deren Werke zwei Kunstarten *miteinander* verbinden (z. B. Dichtung/Musik: ⁄Minne-, ⁄Meistersang, ⁄Kirchen-, barockes Kunstlied, ⁄Couplet, ⁄Chanson).

2. Sammelbez. für Künstler, die sich, zunehmend im 19./20. Jh., in mehr als einer Kunstart *nebeneinander* auszudrücken versuchen. Dabei sind fast alle Kombinationen mögl., v. a. *Dichtung/bildende Kunst* (u. a. Ulrich Füetrer, Niklaus Manuel, Michelangelo, Jörg Wickram, H. B. Brokkes, ›Maler‹ Müller, Goethe, Ph. O. Runge, C. Brentano, E. T. A. Hoffmann, R. Toepffer, V. Hugo, Th. Gautier, A. Stifter, F. Graf vonPocci, Heinrich Hoffmann, G. Keller, J. V. von Scheffel, W. Raabe, A. Strindberg, G. Hauptmann, H. Hesse, J. Schlaf, Else Lasker Schüler, A. Kubin, P. Picasso, O. Kokoschka, G. de Chirico, Max Ernst, H. Michaux, W. Hildesheimer, Peter Weiss, G. Grass, André Thomkins, Diter Rot), *Dichtung/Musik* (u. a. W. H. Wakkenroder, E. T. A. Hoffmann, F. Graf von Pocci, O. Ludwig, P. Cornelius, A. Schönberg, John Cage, Gerhard Rühm), *Schauspieler/Dichter* (u. a. Shakespeare, F. Raimund, J. Nestroy, F. Wedekind, J. Osborne, F. X. Kroetz),

aber auch *Dichtung/Architektur* (Max Frisch), *Architektur/ Musik* (C. F. Zelter), *Musik/bildende Kunst* (A. Schönberg, L. Feininger). – Zu unterscheiden sind Künstler, bei denen die Tätigkeit in der anderen Kunstart eine oft nur dilettant. Nebenbeschäftigung bleibt (vgl. z. B. Mörikes Zeichnungen oder die Zeichnungen und musikal. Versuche A. von Droste-Hülshoffs), und solche, deren Arbeiten in den verschiedenen Kunstarten ebenbürtig sind (u. a. E. Barlach, W. Kandinsky, Hans Arp). Manche Künstler können sich Zeit ihres Lebens nicht für eine Kunstart entscheiden (u. a. der Dichter, Musiker, Maler E. T. A. Hoffmann). Oft fällt die Entscheidung erst nach längerem Schwanken und inneren Kämpfen (R. Schumann, G. Keller: »Der grüne Heinrich«) oder eine Kunstart löst während der künstler. Entwicklung die andere ab (Salomon Gessner, Jiří Kolář). W. Buschs Bildergeschichten, R. Wagners Wort-Tondichtungen, F. Busonis »Dichtungen für Musik«, K. Schwitters' Konzept eines »Merzgesamtkunstwerks« versuchen eine Verbindung verschiedener Kunstarten (/Gesamtkunstwerk). Mit der seit der Romantik zu beobachtenden Zunahme der D.n geht Hand in Hand ein Vordringen der Kunstarten zu ihren gegenseit. Grenzen, kommt es zu Grenzverwischungen zwischen bildender Kunst und Literatur, Literatur und Musik, Musik und bildender Kunst (/Mischformen).

📖 Böttcher, K./Mittenzwei, J.: Dichter als Maler. Stuttg. 1980. – Günther, H.: Künstler. D.en. Mchn. ²1960.   D

Doppelreim, Reimbindung aus zwei aufeinanderfolgenden, jeweils unter sich reimenden Wortpaaren: *lind wiegt: Wind schmiegt* (St. George), vgl. dagegen /gespaltener Reim. Sonderform: /Schüttelreim.   S

Doppelroman.

1. Seit Jean Paul (»Flegeljahre«, Kap. XIV) Bez. für den in seinen einzelnen Teilen von verschiedenen Autoren verfaßten *Kollektivroman*, bes. der Romantik, z. B.: »Die Versuche und Hindernisse Karls«, von K. A. Varnhagen, Fouqué, Wilhelm Neumann, A. F. Bernhardi, 1808. Im 20. Jh. als Formexperiment zur Ausschaltung des vorweg disponierenden Erzählers wieder aufgenommen: vgl. »Roman der Zwölf« (1909, u. a. von H. H. Ewers, G. Meyrink, G. Hirschfeld, O. J. Bierbaum, H. Eulenburg), »Der Rat der Weltunweisen« (1965), »Das Gästehaus« (1965, entstanden im /Literar. Colloquium, Berlin).

2. Roman mit zwei oder mehr in der Darstellung zwar verschränkten, in Raum, Zeit und Hauptfiguren aber *selbständigen Erzählsträngen,* die so aufeinander bezogen sind, daß sie einander spiegeln und sich gegenseitig erhellen oder relativieren. E. T. A. Hoffmann, »Kater Murr«, (1820–22); Multatuli, »Max Havelaar (1860); Uwe Johnson, »Das dritte Buch über Achim« (1961).

3. *Zyklus* aus mehreren in sich geschlossenen Romanen, die das gleiche Geschehen aus verschiedener Perspektive erzählen, um die Vielfalt nebeneinander bestehender Wahrheiten offenzulegen: Lawrence Durrell, »Alexandria Quartet« (1957–1960).

📖 Maatje, F. C.: Der D. Eine lit.-systemat. Studie. Groningen ²1968. – Rogge, H.: Der D. der Berliner Romantik. 2 Bde. Lpz. 1926.   HSt

Doppelseitiges Ereignislied, /Ereignislied.

Dorfgeschichte, Erzähltyp des 19. Jh.s, in dem ein Geschehen durch eine spezif. Wertung des bäuerl.-dörfl. Milieus geprägt ist; formal und stoffl. Teil der /Heimatliteratur: sie wird dort suggeriert Landschaftsgebundenheit, Lokalkolorit und Detailrealismus eine genaue Kenntnis der dörfl.-bäuerl. Wirklichkeit, die als ganzes jedoch idealisiert als zeitlose, von Natur und Tradition geprägte, harmon. Daseinsform erscheint, in der also die tatsächlichen, im 19. Jh. desolaten sozialen und ökonom. Verhältnisse (wirtschaftl. Rückständigkeit, Verarmung, Bildungsmisere, Landproletariat, Landflucht, Aberglaube usw.) ausgespart sind. Kennzeichnend für die D. ist damit eine bestimmte

zivilisationskrit. Erzählintention: das idealisierte ländl. Dasein wird eine städt., als bindungslos gesehenen Existenzform als realer Raum der Wertebeständigkeit und Geborgenheit gegenübergestellt, dessen Kräfte allen andrängenden Verunsicherungen und Veränderungen trotzen. Auch die D. kommt damit der Sehnsucht des 19. Jh.s nach Stabilität und Sicherheit (vor dem Hintergrund der sozialen und ökonom. Probleme der Frühindustrialisierung) entgegen, ebenso einem seit dem 18. Jh. zunehmenden Interesse an der volkstüml.-ländl. Welt. Die D. löst damit die /Idylle ab. Sie übernimmt deren Stoff-, Motivund Topos-Reservoir und führt deren Intention (sentimental. Preis eines myth.-archaischen Landlebens im Gegensatz zur Stadt) fort, setzt jedoch an die Stelle der stilisierten Natur (und der Versform) die realist. Milieuschilderung und die Eingrenzung des Geschehens auf eine bestimmte Landschaft (in Prosa, Erzählungen bis zu 200 S.). Wie die Idylle setzt die D. als Leser ein *städt. Publikum* voraus. Dies unterscheidet sie von der volkstüml., didakt.-pädagog. (nicht sentimental.) /Kalendergeschichte (J. P. Hebel) und von der aufklärer., sozialkrit. und reformerischen Bauernerzählung der Schweizer J. C. Hirzel, J. H. Pestalozzi, J. R. Wyss, J. Gotthelf u. a. (die auch für die Landbevölkerung gedacht war), jedoch sind hier vielfache Grenzüberschreitungen beider Erzähltypen zu beobachten: Insbes. die D.n H. Zschokkes, die frühen D.n B. Auerbachs (der die Gattung begründete) oder F. M. Felders entsprangen dem liberalen Bildungsglauben und volkserzieher., utop., (neu)humanist. Ideen. – Als *Vorläufer* der D. gilt K. L. Immermanns »Oberhof« (Funktion als kontrastives Modell zur Zeitsatire im Roman »Münchhausen«, 1838/39). Aber erst Auerbachs »Schwarzwälder D.n« (1. Bd. 1843, weitere 1848, 1852–76; 1856 »Barfüßele« mit sensationellem Erfolg) lösten eine Flut von D.n aus, so z. B. elsäß. D.n von A. Weill, böhm. D.n von J. Rank, »Erzählungen aus dem Ries« (1852) von M. Meyr, schwäb. (Mundart)-D.n von K. und R. Weitbrecht, bayr. D.n von H. Hopfen, schles. von F. Uhl, österr. von M. von Ebner-Eschenbach, L. Anzengruber, P. Rosegger u. v. a. (vgl. Bibliogr. bei Hein). In den meisten D.n sind jedoch die anfänglichen vielschicht. reform- oder sozialpädagog. Aspekte verschwunden. Erfolgreicher waren rührselig-sentenziöse, oft klischeehaft-triviale Erzählungen, in denen die Grundspannungen der Zeit auf einen Antagonismus ›Schreckbild Stadt – Heilsraum Land‹ verengt wurden, und die, auch formal konservativ, immer mehr zur ideolog. belasteten Unterhaltungsliteratur abglitten. Nur wenige D.n überwanden den provinziellen Charakter (F. Reuter, Th. Storm, A. Stifter, G. Keller, L. Anzengruber). – Abgelehnt vom Jungen Deutschland oder etwa F. Hebbel (»Das Komma im Frack«, 1858) erlosch die D.nmode gegen Ende des Jh.s, als einerseits der /Naturalismus den Blick für die wahren bäuerl. Verhältnisse öffnete, andererseits die /Heimatkunst die restaurative Intentionen und zivilisationskrit. Tendenzen der D. ideolog. einseitig steigerte. – Eine *sozialist.* D. wurde in der sog. Landlebenliteratur entwickelt, die besonders seit etwa 1970 die Landlebenromane (s. /Bauerndichtung) in den Vordergrund drängten. Wie diese soll die sozialist. D. in konkreten Einzelaspekten die revolutionären gesellschaftl. u. ökonom. Prozesse auf den Dörfern illustrieren und darstellen. Dafür werden die auch für die traditionelle D. kennzeichnenden formalen, sprachl. u. bes. ideolog. Elemente (v. a. Polarisierungen Stadt – Land usw.) funktional eingesetzt (E. Strittmatter, M. Stade, A. Schulze, A. Stolper, Kl. Meyer, E.-G. Sasse u. a.).

📖 Lehmann, J.: Das erzählte Dorf. Anm. z. Funktion von Landlebenlit. in der DDR. In: Akten d. 7. intern. Germanisten-Kongresses. Bd. 10. Tüb. 1986. – Baur, U.: D. Mchn. 1978. – Hein, J.: Die D. Stuttg. 1976 (SM 145). – Sengle, F.: Wunschbild Land u. Schreckbild Stadt. In: Europ. Bukolik u. Georgik. Hg. v. K. Garber. Darmst. 1976. - RL.   IS

Dörperliche Dichtung, literaturwissenschaftl. Bez. für mhd. lyr., aber auch ep. Werke, in welchen sog. *dörper* in meist grotesk verzerrt dargestellten Liebes-, Zank- und Prügelszenen ihr (Un)wesen treiben. Die Figur des *dörpers* wurde vermutl. von Neidhart geschaffen und mit dem aus dem Niederdt. stammenden Importwort benannt: im Niederdt. bez. *dörper* den Dorfbewohner, den Bauern, mhd. *bûre.* Neidhart verwendet dagegen das Wort zur Kennzeichnung von fiktiven Kunstfiguren, die zwar wie Ritter ausstaffiert sind, sich aber unhöfisch, unritterlich (täppisch bis grob-gewalttätig) gebärden. – Neidhart setzt diese d.D. ein als satir. Mittel 1. zur innerliterar. Minnesangtravestie, 2. aber v. a. zur sozialkrit. Persiflage einer als brüchig empfundenen, idealhöf. Werte verratenden Adelswelt, der mit den *dörpern* ein poet. Spiegel vorgehalten werden soll, in dem sich ihr tatsächl. Wesen zeigt. Rezipiert wurde die d.D. von einem höf. Publikum; nur dieses konnte aus der Kenntnis der literar. und gesellschaftl. Traditionen die satir. Stoßrichtung dieser Dichtung verstehen. – Die frühere Forschung setzte dagegen das Wort *dörper* mit *bûre* gleich und sah in der Lyrik Neidharts eine poet. Umsetzung bäuerl. Treibens, eine ⁄höf. Dorfpoesie zur Unterhaltung des Adels. Die Metaphorik der dörperl. Kunstwelt, signalisiert durch die markante Abweichung vom übl. Sprachgebrauch bei der Bez. der Figuren, wurde lange nicht beachtet. Nach Neidhart findet sich d.D. z. T. vergröbert bei Steinmar und J. Hadloub. Stoff und Motive wirkten weiter bis ins 15. Jh. in Schwänken (die sich z. T. um die literar. Figur Neidharts gruppieren, vgl. das Schwankbuch »Neidhart Fuchs«, um 1500), aber auch in ep. Werken wie dem »Ring« des Heinrich Wittenwîler (um 1400). Im Unterschied zur Ritter-Persiflage werden bei Wernher dem Gartenære (»Helmbrecht«) oder im »Seifried Helbling« bäuerl. Problemfälle dargestellt (hier ist dann auch nicht von *dörpern,* sondern von *bûren, gebûren* die Rede). ⁄Bauerndichtung, ⁄Gegensang.
□ Schweikle, G.: Neidhart. Stuttg. 1990 (SM 253). – Mohr, F.: Das unhöf. Element in d. mhd. Lyrik von Walther an. Diss. Tüb. 1913. – RL.   S

Dottore, m. [it. = Doktor], eine der vier kom. Grundtypen der ⁄Commedia dell'arte: der pedant. Gelehrte (Jurist, Arzt, Philosoph) aus Bologna, dessen leeres, mit lat. Zitaten gespicktes Geschwätz den Widerspruch zwischen Sein und Schein aufzeigt. Seine Aufmachung: das zeittyp. schwarze Professoren- oder Advokatengewand mit weißem Kragen und Gürtel, in dem Taschentuch und Papiere stecken, weiße Perücke, Halbmaske mit weingeröteter Nase und roten Backen; als Arzt meist noch mit großem hochgekrempten Hut. Vgl. auch ⁄Tartaglia.   PH

Douzain, m. [du'zɛ̃; frz. = Zwölfzeiler], in der franz. Verslehre Strophe oder Gedicht von 12 Verszeilen; begegnet v. a. in der Lyrik des 16.Jh.s, so als Grenzform des Epigramms, bei C. Marot und seiner Schule und bei den Dichtern der ⁄Pléiade; Reimschema meist ababbcbccdcd.   MS

Doxographie, f. [gr. doxa = Lehre, graphein = schreiben], systemat. oder chronolog. Darstellung der altgriech. philosoph. Lehren bis hin zur Zeit des jeweiligen *Doxographen* (= Wissenschaftshistorikers). Übl. seit Aristoteles; v. a. die D.n seiner Schüler Eudemos und bes. Theophrast wurden die Grundlagen der gesamten späteren D., z.T. umgewertet (Epikuräer), erweitert (Poseidonios), häufig auch in Handbüchern komprimiert, z. B. von Aëtios (Ende 1.Jh. v.Chr., u.a. von Plutarch und weiter bis ins 5.Jh. n.Chr. benutzt), auf denen wiederum jüngere doxograph. Kompendien fußen; so die *einzige vollständ. erhaltene D.* von Diogenes Laertios (Ende 2.Jh. n.Chr., 10 Bücher). – Die D. ist noch heute die Hauptquelle für die Lehren der Vorsokratiker.
□ Doxographie graeci. Hrsg. v. H. Diels. Bln. 1879, Nachdruck 1965.   IS

Drama, n. [gr. = Handlung], literar. Großform, in der eine in sich abgeschlossene Handlung durch die daran unmittelbar beteiligten Personen in Rede und Gegenrede (⁄Dialog) und als unmittelbar gegenwärtig auf der Bühne dargestellt wird. Das D. gehört damit zum Bereich des ⁄Dramatischen als der dritten der ⁄Naturformen der Dichtung; es verwirklicht sich in der Regel erst mit der szen. Aufführung. Es wendet sich damit nicht wie das ⁄Epos an den Zuhörer oder wie der moderne ⁄Roman an den Leser, sondern an den Zuschauer; das sog. ⁄Stegreifspiel, einen Grenzfall dar. – Wie alle literar. Gattungen ist das D. den Gesetzen histor. Entwicklung unterworfen. Daran scheitern abstrakte Gattungsdefinitionen und Gattungstypologien ebenso wie der Versuch, allgemeine Gesetze und Regeln für das D. aufzustellen. Der Begriff des D.s resultiert vielmehr aus der Gesamtheit des histor. Prozesses, in dem die Gattung D. sich entfaltet. – Die *dramat. Handlung* beruht auf der Kollision polarer Kräfte und Willensrichtungen, die durch die ⁄dramatis personae repräsentiert werden und in deren gegensätzl. Gruppierung zum Ausdruck kommen; sie umfaßt den Spannungsbogen von den Verhältnissen und Zuständen, denen der Konflikt entspringt (⁄Exposition, ⁄erregendes Moment), über die Entfaltung dieses Konflikts in mannigfacher Steigerung und Verwicklung bis hin zu seiner Auflösung. Dieser Spannungsbogen spiegelt sich in der Einteilung der dramat. Handlung in 3 bzw. 5 ⁄Akte. Die dramat. Handlung hat dabei sowohl objektiven wie subjektiven Charakter; sie ist objektiv in der Perspektive des Zuschauers; sie ist subjektiv, insofern sie sich durch die Personen darstellt, aus denen sie sich entfaltet. Die sprachl. Form, die dieser Struktur gerecht wird, ist der Dialog; nur nebengeordnete Bedeutung haben Kommentare der Handlung durch einen ⁄Prolog (oder ⁄Argumentum; häufig im D. des MA.s und der Renaissance) oder einen durch die Handlung führenden Erzähler (in einigen Formen des modernen ep. Theaters) oder den ⁄Monolog bzw. das ⁄Beiseite-Sprechen. Die Möglichkeit der Darstellung auf der Bühne erfordert eine äußere Beschränkung der dramat. Handlung; das D. kann daher nicht wie Epos oder Roman die Totalität der Welt darstellen bzw. in ihrer Brüchigkeit sichtbar werden lassen; es muß von dieser Totalität abstrahieren; sie kann im D. allenfalls symbol. gegenwärtig sein (so im ⁄Chor der gr. ⁄Tragödie). Dem entspricht auch, daß im D., wieder im Gegensatz zu Epos und Roman, weniger äußere Verhältnisse sichtbar werden als die inneren Zustände und Leidenschaften der Personen. Die klassizist. Forderung der Einheiten des Orts und der Zeit ist, ebenso wie die Vermeidung von ⁄Massenszenen im klassizist. D., die äußerste formale Konsequenz aus diesem abstrakteren Charakter der dramat. Handlung; ebenso die Form des ⁄analyt. D.s. *Die Personen* als Träger der dramat. Handlung können ⁄Charaktere im Sinne individueller Persönlichkeiten sein (als solche begegnen sie im neuzeitl. D. seit der Entdeckung des Individuums; ⁄Charakter), sie können ebenso als feste ⁄Typen (z. B. in der ⁄Typenkomödie) oder als Repräsentanten abstrakter Wesenheiten und Ideen (häufig im D. des MA.s oder des Barock) aufgefaßt sein; im klassizist. D. genügt die Reduktion auf bloße ⁄Situationsfunktionen.
Ursprünge: Das D. wurzelt einerseits im menschl. Spieltrieb und hat seine Vorform im vorliterar. ⁄Mimus, in der improvisierten Darstellung einfacher, meist derb-kom. Handlungen und den damit verbundenen Vermummungen und Tänzen. Eine andere Wurzel des D.s liegt im kult. Bereich; hier knüpft das D. an liturg. Begehungen und chor. Aufführungen an. Durch die Aufnahme mimet. Elemente in die liturg. Feier entsteht dabei das eigentl. D. In der weiteren Entwicklung löst sich das D. aus dem Bereich des Kult. heraus; dieser Säkularisierungsprozeß läßt sich zunächst innerhalb des antiken D.s verfolgen; er wiederholt sich im mittelalterl.-neuzeitl. D.

Das griech.-röm. D. Das. griech. D. entsteht im Rahmen des Dionysos-Kults; möglicherweise haben bei seiner Entstehung Vorbilder aus kleinasiat.-oriental. Kulten mitgewirkt. – Vorform der ↗ *Tragödie* ist der ↗ Dithyrambus, die chor. Aufführung zu Ehren des Dionysos. Die Tragödie entsteht aus diesen liturg. Begehungen durch die Aufnahme von Stoffen aus der gr. Heldensage und die Einführung der Schauspieler. Sie läßt sich damit als dramat. Gestaltung von Stoffen der gr. Heldensage durch Chor und Schauspieler definieren (Wilamowitz). Das Gegenüber von Chor und Schauspieler bedingt dabei die charakterist. Spannung zwischen den lyr.-emotionalen, oft ekstat. Chorgesängen mit ihren vielgestaltigen Rhythmen und der rationalen, durch die Verwendung des jamb. ↗ Trimeters prosanahen Sprache der Dialoge. Die Tragödie bleibt äußerl. an den Dionysos-Kult gebunden (Aufführung im Rahmen der jährl. att. ↗ Dionysien; Verwendung der dionys. ↗ Maske) ist aber in ihrem Gehalt durch zunehmende Säkularisierung und Rationalisierung gekennzeichnet. Dem entspricht die formale Entwicklung: der Chor tritt gegenüber den Partien der Schauspieler mehr und mehr in den Hintergrund. Eine gewisse Endstufe ist bei Euripides erreicht. Entstehungsgeschichtl. (und auch durch die Aufführungspraxis im 5. Jh. v. Chr.) mit der Tragödie verknüpft ist das ↗ *Satyrspiel.* – Scharf geschieden werden muß vom Satyrspiel die ↗ *Komödie,* die ihren Ursprung im Komos hat, dem dionys. Festzug berauschter junger Leute, die unter grotesken Masken derbe Späße treiben. Durch die Verbindung dieser Maskenzüge mit vorliterar. Stegreifspielen entstand das kom. Spiel. In Athen ist die Komödie seit 486 v. Chr. neben der Tragödie staatl. anerkannt. Literar. greifbar ist sie erst in der 2. Hälfte des 5. Jh.s bei Aristophanes, dessen Komödien polit.-satir. Charakter haben und Menschen- wie Götterwelt in respektloser Weise karikieren. Die nacharistophan. Entwicklung der Komödie ist, eine Parallele zur Geschichte der Tragödie, durch das Zurücktreten des chor. Elements gekennzeichnet; zugleich verschwinden die polit.-satir. Züge. Den Endpunkt der Entwicklung zeigt die sog. neue att. Komödie (Menander, 4. Jh.), die in ihrer Form der neuzeitl. Schauspiel entspricht.

Das röm. D. (lat. ↗ *Fabula*) ist, von dem volkstüml., unliterar. Stegreiflustspiel der ↗ *Atellane* abgesehen, im wesentl. Adaption der gr. D.s. Die röm. Tragödie des Seneca ist literaturgeschichtl. bedeutsam als formales Vorbild für die Ausgangsform des D.s der Renaissance und des Barock.

Das D. des MA.s. – Das ↗ *geistl. Spiel* des MA.s, das den Gläubigen christl. Heilsgeschehen in dramat. Gestaltung vorführt, entwickelt sich im Rahmen der kirchl. Liturgie aus dem ↗ Tropus. Der Ostertropus, greifbar erstmals im 10. Jh. in St. Gallen bei Tutilo, der den Gang der Marien zum Grabe gestaltet, bildet auf Grund seiner dialog. Gliederung den Ausgangspunkt für die Entstehung des ↗ *Osterspieles.* Ostertropus und -spiel sind zugleich Vorbilder für einen Weihnachtstropus und das daraus entstehende ↗ *Weihnachtspiel.* Andere Formen der geistl. Spieles entwickeln sich im Rahmen von Prozessionen. Die wachsende Verselbständigung des Spiels innerhalb der liturg. Feier, evtl. auch die Zunahme burlesker Szenen (Wettlauf der Jünger zum Grabe, Krämerszene) führen schließl. zur Verbannung des geistl. Spiels aus der Kirche auf Marktplätze und in weltl. Säle; gleichzeitig setzt sich die Volkssprache an Stelle des klerikalen Latein durch. – Der Übergang zur Nationalsprache zeitigt nationale Sonderentwicklungen des geistl. Spieles. Die typ. Form des dt. geistl. Spiels im SpätMA. ist ↗ *Passionspiel.* In Frankreich bildet sich das ↗ *Mysterienspiel* heraus, das verschiedene Stoffe des AT und NT und der Heiligenlegende dramat. gestaltet. Hauptgattungen des engl. geistl. Spiels sind das ↗ *Prozessionspiel,* das im Rahmen der Fronleichnamsprozession in zahlreichen kleinen Szenen die gesamte Heilsgeschichte darstellt, und die ↗ *Mo-*

ralität, deren Thema das Ringen guter und böser Mächte um die Seele des einzelnen Menschen ist (1395 »Every Man«). – Die bedeutendste Ausprägung des span. geistl. Spiels ist das ↗ *Fronleichnamsspiel* im Rahmen des ↗ *auto sacramental,* das bis ins 18. Jh. hinein lebendig ist (Blüte Ende des 16. u. im 17. Jh.; Lope de Vega, Tirso de Molina, Calderón). Neben dem geistl. Spiel entwickelt sich im SpätMA. ein kurzes, derb-unflätiges oder auch possenhaftsatir. weltl. Lustspiel. Seine wichtigsten Ausprägungen sind die dt. ↗ *Fastnachtspiele,* die niederländ. ↗ *Kluchten* und die frz. ↗ *Sottien:* Gattungen, die z. T. bis ins 17. Jh. fortleben. Ansätze zu einem ernsten weltl. D. finden sich im SpätMA. nur in den Niederlanden (↗ *Abele spelen*).

Das neuzeitl. Kunstd. von der Renaissance bis ins 18. Jh. Das D. der Neuzeit beginnt im 15./16. Jh. mit der Wiederentdeckung des gr.-röm. D.s und des antiken Theaters im Rahmen des Humanismus und der Renaissance. Direkte Vorbilder sind dabei zunächst nur die Werke der röm. Dramatiker: Plautus, Terenz, Seneca; der griech. Einfluß beginnt erst später (Euripides und Sophokles seit dem 17. Jh., Aischylos erst im 20. Jh.). – Die Anfänge des neuzeitl. Kunstd.s nach antikem Vorbild liegen in Italien; unter dem Einfluß der Komödien des Plautus und Terenz entstehen die Renaissancekomödie (↗ *Commedia erudita*) (L. Ariost, Bibbiena, N. Macchiavelli) und nach dem Vorbild Senecas die Renaissancetragödie (G. G. Trissino, »Sofonisba«, 1515). Hier finden sich zum ersten Male die Formelemente vereint, die die europ. Kunstd. bis ins 18. Jh. (und z. T. darüber hinaus) charakterisieren: Einteilung der Handlung in 5 (seltener 3) Akte; äußerl. Hervorhebung der Akteinteilung durch Chöre, allegor. ↗ Zwischenspiele (auch in Gestalt von Pantomimen) oder Zwischenaktmusiken, später nur durch den Vorhang; die ↗ drei Einheiten des Orts, der Zeit und der Handlung, die ↗ Ständeklausel. Die Renaissancekomödie ist darüber hinaus durch die schablonenhafte Handlung und die Verwendung von Typen gekennzeichnet; dies verbindet sie mit der ↗ *Commedia dell'arte.* Neben Tragödie und Komödie tritt in der 2. Hälfte des 16. Jh.s als dritte Form des D.) Renaissanced.s das *Schäferspiel* (1573 T. Tasso, »Aminta«, vgl. ↗ *Schäferdichtung*). Die auf der antiken Rhetorik fußende Renaissancepoetik bezieht diese drei Gattungen (unter Einbeziehung der Ständeklausel) auf die drei ↗ *Genera dicendi.* Weitere neue Dramenformen, die im Rahmen der it. Renaissance entwickelt werden, sind die *Oper,* das *Ballett* und das *höf.* ↗ *Festspiel* (↗ *Trionfi*). Die Rezeption der in der Renaissance entwickelten neuen Formen des D.s verläuft in den einzelnen Nationalliteraturen unterschiedl., je nach gesellschaftl. und geistesgeschichtl. Situation. So bleibt im Spanien der Gegenreformation die Tradition des mittelalterl. *Auto sacramental* bis ins 18. Jh. dominierend; ein weltliches D. (Blüte im 17. Jh. unter Philipp IV.) spielt ihm gegenüber nur eine untergeordnete Rolle (bedeutendster Vertreter Calderón). – Auch in *Deutschland* und in den *Niederlanden* dominieren während des 16. Jh.s, das durch Reformation und Glaubenskämpfe beherrscht wird, noch die überlieferten Formen des D.s. Die neuen Formen finden sich zunächst nur im humanist. und kirchl. Bereich (lat. ↗ *Humanistend.,* ↗ *Reformationsd.,* ↗ *Jesuitend.*). Die eigentl. Rezeption des Renaissanced.s findet in Deutschland erst im 17. Jh. statt, allerdings immer noch ohne breite Wirkung und auf den Schulbereich begrenzt (↗ *Schlesisches Kunstd.* [Barocktrauerspiel]). Entsprechend bleibt das D. in Deutschland bis ins 17. Jh. weitgehend Laientheater. Dagegen entstehen in *Frankreich* und *England* bereits im 16./17. Jh. Formen eines von Berufsschauspielern getragenen Nationaltheaters, die die spätere Entwicklung des europ. D.s entscheidend beeinflussen. In der frz. ↗ *haute tragédie* des 17. Jh.s erhält die Renaissancetragödie durch P. Corneille und J. Racine ihre klassizist. Ausprägung: 5 Akte bei streng symmetr. Bau der Handlung; weitgehender

Verzicht auf Zwischenakte u. ä.; Beachtung der Einheiten des Orts und der Zeit; wenige Personen; symmetr. Figurenkonstellationen, ausschließl. Verwendung des *genus grande* und des Verses, in der Regel des ⊅ Alexandriners, der als Ersatzmetrum für den antiken iamb. Trimeter gilt; Verinnerlichung der Handlung. Dieser höf. orientierten und artifiziellen Form des frz. Nationaltheaters (frz. Absolutismus!) steht das von einer breiten und wohlhabenden bürgerl. Schicht getragene ⊅ *elisabethan. D.* Englands gegenüber, dessen Blütezeit ins ausgehende 16. Jh. fällt (Th. Kyd, R. Greene, Ch. Marlowe, W. Shakespeare). Auch hier steht am Anfang die von Seneca beeinflußte Renaissancetragödie nach it. Vorbild (Th. Sackville); die Aufnahme histor. Stoffe (v. a. aus der nationalen Geschichte Englands, aber auch aus der antiken Geschichte und Literatur) in die Tragödie bedingt jedoch einen Formwandel; es entsteht die ⊅ *Historie,* eine Art geschichtl. Bilderbogen mit lockerer Szenenfolge. Im elisabethan. D. sind die Personen weder zahlenmäßig noch ständ. beschränkt; entsprechend stehen sprachl. hoher und niederer Stil, Vers und Prosa nebeneinander (Stilmischung; als Vers wird dabei der ⊅ Blankvers verwandt. Die Einheiten des Orts und der Zeit werden nicht gewahrt; selbst die Einheit der Handlung ist nicht immer gegeben. Die frz. Tragödie des 17. Jh.s und das elisabethan. D. stellen, als D. der ⊅ geschlossenen Form und als D. der ⊅ offenen Form, die beiden gegensätzl. Dramentypen dar, an denen sich die dt. Poetologen und Dramatiker des 18. Jh.s bei ihren Bemühungen um ein dem frz. und engl. Nationaltheater gleichwertiges dt. Nationaltheater orientieren. Dabei halten sich J. Ch. Gottsched (»Sterbender Cato«, 1731) und in wesentl. Punkten später Goethe und Schiller in ihrer Weimarer Zeit (Goethe, »Iphigenie auf Tauris«, »Torquato Tasso«, Schiller, »Maria Stuart«) an das klassizist. Formmuster der Franzosen, während die Dichter des ⊅ Sturm und Drang (J. M. R. Lenz, F. M. Klinger, der junge Goethe u. Schiller) sich an den elisabethan. Shakespeare (Prosaübersetzung durch Ch. M. Wieland) als Vorbild halten. Als eigentl. Schöpfer des dt. Nationaltheaters im 18. Jh. kann G. E. Lessing gelten, der, von pedant. Nachahmung frei, mit »Minna von Barnhelm«(1767), »Emilia Galotti« (1772) und »Nathan der Weise« (1779) je ein Musterbeispiel für ein Lustspiel, ein Trauerspiel und ein ⊅ Schauspiel in dt. Sprache geschaffen hat.

Das D. seit dem 18. Jh. – Das 18. Jh. bedeutet in der europ. Geistesgeschichte und mithin auch in der Geschichte literar. Gattungen eine entscheidende Wende durch die Abkehr vom normativen Denken, die Emanzipation des (bürgerlichen) Individuums und den Durchbruch zum histor. Denken. Für die Geschichte des D.s bedeutet dies die Abwendung von der normativen Poetik und ihren Regeln für Stoff, Form und Stilhöhe der einzelnen dramat. Gattungen (im Sinne verbindl. Formmuster). – Den entscheidenden Durchbruch dieser neuen Poetik bringt in Deutschland der Sturm und Drang mit der Rezeption Shakespeares, dessen D. der offenen Form zum Inbegriff einer von allen einengenden Regeln befreiten, allein dem Originalgenie verpflichteten Dramatik wird. Seit dem Ausgang des 18. Jh.s gibt es in der dt. (und europ.) Dramatik kein verbindl. Formmuster mehr. Vielmehr sind jetzt alle Typen des europ. D.s seit der Antike frei verfügbar und werden, neben neu entstehenden Typen, bis in die jüngste Gegenwart immer wieder verwandt. Das bedeutendste Beispiel für den Formenpluralismus in der Geschichte des europ. D.s der letzten beiden Jahrhunderte stellt Goethes »Faust« (vollendet 1832) dar, dessen Formprinzip gerade in der Fülle der verwendeten Formen beruht, die insgesamt die Einheit der europ. Geistesgeschichte repräsentieren und gerade in ihrer Vielfalt die Einheit des Werkes formal konstituieren. Das neuzeitl. D. seit 1800 schreitet vom Idealismus zum Realismus fort; Ausgangs- und Endpunkt dieser Entwicklung sind das ⊅ *Ideend.* der Weimarer Klassik (Goethe, Schiller,

mit zahlreichen Epigonen im 19. Jh.) und das ⊅ *Milieud.* des ⊅ Naturalismus; dem entspricht eine Entwicklung vom ⊅ Geschichtsd.(Schiller, »Wallenstein«, 1798/99; im 19. Jh. F. Grillparzer, F. Hebbel) zum ⊅ *sozialen D.* (G. Hauptmann, »Vor Sonnenaufgang«, 1889; »Die Weber«, 1892). Das D. im frühen 20. Jh. ist dann durch eine Reihe antirealist. Versuche gekennzeichnet, bei denen auch die soziale Thematik entsprechend zurückgenommen wird; dabei spielen, neben der Wiederbelebung traditioneller Dramentypen wie der antiken Tragödie (P. Ernst), dem mittelalterl. Moralität (H. v. Hofmannsthal, »Jedermann«) oder des span. Auto sacramental (Hofmannsthal, »Das Salzburger Große Welttheater«; P. Claudel, »Der seidene Schuh«) und der Orientierung an außereurop. Formen des D.s wie des japan. ⊅ Nô-Spieles (W. B. Yeats), die verschiedenen Arten der Aufnahme lyr. (Hofmannsthal, »Der Tor und der Tod«, 1893) und ep. Strukturen in das D. eine besondere Rolle. Als besonders fruchtbar hat sich dabei das ⊅ ep. Theater erwiesen, dessen wichtigste Ausprägung die ⊅ *Lehrstücke* B. Brechts und seiner Nachfolger (vor allem P. Weiss) sind, die in ihren Tendenzen durchaus die Traditionen des Humanismus und der dt. Idealismus fortsetzen. Ähnliches gilt für das *Dokumentartheater* (⊅ Dokumentarliteratur) der letzten Jahre und für das sozialkrit. ⊅ *Volksstück* (Ö. v. Horváth u. a.). Den extremen Gegenpol zu diesen Formen des modernen D.s stellt das ⊅ *absurde Theater* dar, das die innere Leere und Sinnlosigkeit der menschl. Existenz in der gegenwärtigen Gesellschaft als ausweglos darstellt.

📖 *Handbuch:* Hinck, W. (Hrsg.): Hdb. des dt. D.s. Düsseld. 1980.
Allgemeines: Asmuth, B.: Einf. in die Dramenanalyse. Stuttg. 1980. – Arnold, H. L./Buck, Th. (Hrsg.): Positionen des D.s. Mchn. 1977. – Pütz, P.: Die Zeit im D. Gött. ²1977. – Franzen, E.: Formen des modernen D.s. Mchn. ³1974. – Dietrich, M.: Das moderne D. Stuttg. ³1974. – Schlaffer, H.: Dramenform u. Klassenstruktur. Stuttg. 1972 – Petsch, R.: Wesen u. Formen des D.s. Halle/S. 1945. – Gregor, J.: Weltgesch. des Theaters. Wien 1933.
Theorie: Zapf, H.: Das D. in der abstrakten Gesellsch. Zur Theorie und Struktur des mod. engl. D.s. Tüb. 1988. – Pfister, M.: Das D. Theorie und Analyse. Mchn. ³1982. – Grimm, R. (Hrsg.): Dt. Dramentheorien, 2 Bde. Wiesbaden ³1981. – Keller, W. (Hrsg.): Beitr. zur Poetik des D.s. Darmst. 1976. – Martino, A.: Gesch. der dramat. Theorien in Deutschland im 18. Jh. I. Dt. Übers. Tüb. 1972. – Szondi, P.: Theorie des modernen D.s. 1880–1950. Frkft. ⁷1970.
Antikes D.: Seeck, A. (Hrsg.): Das griech. D. Darmst. 1979. – Lefèvre, E. (Hrsg.): Das röm. D. Darmst. 1978. – Bieber, M.: The history of the Greek and Roman theater. Princeton (N. J.) ²1961.
Mal. Drama: Davidson, C. (Hrsg.): D. in the Middle Ages. New York 1982. – Tydeman, W.: The theatre in the Middle Ages. London 1978. – Brett-Evans, D.: Von Hrotsvit bis Folz und Gengenbach. Eine Gesch. des mal. dt. D.s 2 Bde. Bln. 1975. – Borcherdt, H. H.: Das europ. Theater im MA. und der Renaissance. Reinbek 1969.
Dt. D.: Cowen, R. C.: Das dt. D. im 19. Jh. Stuttg. 1988 (SM 247). – Steinmetz, H.: Das dt. D. v. Gottsched bis Lessing. Stuttg. 1987. – Irmscher, H. D./Keller, W. (Hrsg.): D. u. Theater im 20. Jh. Gött. 1983. – McInnes, E.: Das dt. D. des 19. Jh.s. Bln. 1982. – Buddecke, W./Fuhrmann, H.: Das dt.sprach. D. seit 1945 (Schweiz, Bundesrepublik, Österr., DDR). Mchn. 1981. – Martini, F.: Geschichte im D., D. in der Gesch. Stuttg. 1979. – Koopmann, H.: D. der Aufklärung. Mchn. 1979. – Hoefert, S.: Das D. des Naturalismus. Stuttg. ³1979. – Motekat, H.: Das zeitgenöss. dt. D. Stuttg. 1977. – Szarota, E. M.: Geschichte, Politik u. Gesellschaft im D. des 17. Jh.s. Bern. u. a. 1976. – Mennemeier, F. N.: Modernes dt. D. 2 Bde. Mchn. 1975. – Hinck, W.: Das moderne D. in Deutschld. Gött. 1973. – Schanze, H.: D. im bürgerl. Realismus. Frkft. 1973.

Engl. D.: Steiger, K. P. (Hg.): Das engl. D. nach 1945. Darmst. 1983. – Plett, H. F. (Hrsg.): Das engl. D. von Bekkett bis Bond. Mchn. 1982. – Thomsen, Ch. W.: Das engl. Theater d. Gegenwart. Düsseld. 1980. – Kosok, H. (Hrsg.): Das engl. D. im 18. und 19. Jh. Bln. 1980. – Oppel, H. (Hrsg.): Das engl. D. d. Gegenwart. Bln. 1976. – Fehse, K.-D./Platz, N. H. (Hrsg.): Das zeitgenöss. engl. D. Wiesb. 1975. – Nünning, J. (Hrsg.): Das engl. D. Darmst. 1973. – Mehl, D. (Hrsg.): Das engl. D. von MA. bis zur Gegenwart. 2 Bde. Düsseld. 1970.

Amerik. D.: Schäfer, J.: Gesch. des amerik. D.s und Theaters im 20. Jh. Stuttg. 1981. – Lohner, E./Haas, R. (Hrsg.): Theater und D. in Amerika. Bln. 1978. – Goetsch, P.: Bauformen des modernen engl. und amerikan. D.s. Darmst. 1977. – Grabes, H. (Hrsg.): Das amerikan. D. d. Gegenwart. Wiesb. 1976. – Itschert, H. (Hrsg.): Das amerikan. D. von den Anfängen bis zur Gegenwart. Darmst. 1972.

Frz. D.: Blüher, K. A. (Hrsg.): Modernes frz. Theater. Darmst. 1982. – Grimm, J.: Das avantgardist. Theater Frankreichs 1895–1930. Mchn. 1981. – Petermann, R./Springborn, P.-V. (Hrsg.): Theater u. Aufklärung. Dokumentation zur Aesthetik des frz. Theaters im 18. Jh. Darmst. 1979. – Arnott, P. D.: An introduction to the French theatre. London 1977. – Heitmann, K,: Das franz. Theater des 16. u. 17. Jh.s. Wiesb. 1977. – Pabst, W. (Hrsg.): Das moderne franz. D. Bln. 1971.

Span. D.: Müller, Hans-Joachim: Das span. Theater im 17. Jh. Bln. 1977.   K

Dramatisch,
1. D. im engeren Sinne bezieht sich auf die *d.e Fiktion,* bei der eine in sich abgeschlossene Handlung durch die daran beteiligten Personen in Rede und Gegenrede und als gegenwärtig auf der Bühne dargestellt wird. Die der d.en Fiktion zugeordnete poet. Gattung ist das ↗Drama.
2. D. in einem weiteren Sinne meint die dritte der Goetheschen ↗Naturformen der Dichtung (episch, lyrisch, d.); diese sind nicht an bestimmte Darbietungsformen gebunden, vielmehr können in jeder Dichtung alle drei »Naturformen« zusammenwirken. So ist z. B. die gr. ↗Tragödie ↗episch (= »klar erzählend«) in den breiten rhemat. Partien (↗Rhesis), die sich auf frühere Ereignisse oder auf ein Geschehen außerhalb der Bühne beziehen, v. a. also im ↗Botenbericht, ↗lyrisch (= »enthusiastisch aufgeregt«) in den Chorpartien, d. (= »persönlich handelnd«) durch die unmittelbare Gegenwart der handelnden Personen auf der Bühne (vgl. Goethe, Naturformen der Dichtung. In: Noten und Abhandlungen zu besserem Verständnis des West-östl. Divans). – Nur teilweise mit Goethes »Naturformen der Dichtung« decken sich E. Staigers anthropolog. fundierte »Grundbegriffe der Poetik« (»lyrischer Stil«, »epischer Stil«, »d.er Stil«), die ebenfalls von der Darbietungsform einer Dichtung absehen. Das Wesen des »d.en Stiles« bei Staiger ist die ›Spannung‹; seine bedeutendsten Ausprägungen sind der »pathetische Stil« (↗Pathos), gekennzeichnet durch leidenschaftl. erregte Sprache und feurige Rhythmen, als vergleichbar dem *genus grande* der Rhetorik (↗Genera dicendi), und der »problemat. Stil«, gekennzeichnet durch Pointierung und Ausrichtung auf ein Ziel (»Problem« nach Staiger = »das Vorgeworfene, das der Werfende in der Bewegung einholt«). Beispiele für »pathet. Stil« in Staigers Sinne sind die ↗Ode und die Chorgesänge der gr. ↗Tragödie (Staigers »pathet. Stil« entspricht also weitgehend Goethes als »enthusiast. aufgeregt« definierter lyr. »Naturform«), Beispiele für »problemat. Stil«: das ↗Epigramm, die ↗Fabel und die kurze Verserzählung. Diese beiden Ausprägungen des »d.en Stiles« wirken in der Form des Dramas (v. a. im streng gebauten klassizist. Drama der ↗geschlossenen Form) oder der ↗Novelle (etwa bei H. v. Kleist) zusammen; sie zeichnen sich durch eine bewegte und erregte Sprache und eine konzentrierte, rasch auf ihr Ende hin drängende Handlung (↗Funktionalität

der Teile; Antizipation des Endes, vor allem im ↗analyt. Drama, z. B. Sophokles, »König Ödipus«, H. Ibsen) aus. – Dem Staigerschen »Grundbegriff« des »d.en Stiles« entspricht in gewisser Hinsicht Schillers Begriff der »satir. Dichtung«, die, als eine der drei Ausprägungen der »sentimentalischen Dichtung«, in »energischer Bewegung« die Kluft zwischen Ideal und Wirklichkeit überwinden will, und der Schiller auch Tragödie und Komödie zuordnet (vgl. Schiller, »Über naive und sentimentalische Dichtung«), und F. Hölderlins »heroischer Ton«, der durch »Energie und Bewegung« gekennzeichnet ist (vgl. Hölderlins Lehre vom »Wechsel der Töne« im Aufsatz »Über den Unterschied der Dichtarten«).
📖Staiger, E.: Grundbegriffe der Poetik. Zürich ⁸1971. ↗Gattungen.   K

Dramatisierung, ↗Bearbeitung eines in der Regel ep. Stoffes für das Theater, d. h. Anpassung an die Gesetze der dramat. Gattung und der Bühne, etwa die Reduzierung einer meist umfangreicheren Handlung auf wenige Hauptmomente und eine entsprechende Begrenzung der Zahl der handelnden Personen; auch Episodisches (Nebenhandlungen wie Nebenpersonen) läßt sich mit der notwendig. äußeren Begrenztheit des dramat. Kunstwerks und der dramat. ↗Funktionalität der Teile nicht vereinbaren. Gelungene D.en sind z. B. R. Wagners Musikdramen »Tristan und Isolde« und »Parsifal«, in denen die komplexe Handlung der umfangreichen Romane Gottfrieds von Straßburg und Wolframs von Eschenbach auf je drei Akte konzentriert ist; vgl. etwa auch G. Hauptmanns Drama »Elga« (1896) als D. der Novelle »Das Kloster bei Sendomir« (1827) oder M. Brods D.en (1955 und 1964) des Romans »Das Schloß« von F. Kafka. – Von der D. zu unterscheiden ist die ↗Bühnenbearbeitung, die Bearbeitung eines dramat. Dichtung für eine aktuelle Aufführung.   K*

Dramatis personae, f. Pl. [lat], die Personen (des) eines Dramas; seit den Editionen antiker Dramen durch die Humanisten wird ein Verzeichnis der d. p. dem Text vorausgeschickt oder, seltener (v. a. im 16. Jh., in der dt. Dichtung z. B. bei H. Sachs), nachgestellt (ohne Verzeichnis der d. p. ist jedoch z. B. Goethes »Faust«). Meist sind diese Kataloge ständ. gegliedert, häufig (Shakespeare) werden männl. und weibl. d. p. getrennt aufgeführt. V. a. in jüngerer Zeit (B. Brecht) findet sich die Anordnung der d. p. nach der Reihenfolge ihres Auftretens im Stück. Gelegentl. (Schiller, »Fiesko«, v. a. aber im Drama des Naturalismus) ist der Katalog doch mehr oder weniger detailliert mit Angaben über Persönlichkeit und Erscheinung der d. p. (einschließl. Alter, Physiognomie, Kleidung usw.) erweitert.   K*

Dramaturg, m. [gr. dramaturgos = Verfasser bzw. Aufführungsleiter eines Dramas], literatur- und theaterwissenschaftl. Berater der Theaterleitung. Seine wichtigsten Aufgaben sind die Aufstellung des Spielplans; die Beschaffung der Texte, die Sichtung der Neuerscheinungen an Originalwerken, Übersetzungen und ↗Bearbeitungen, und die ↗Bühnenbearbeitung der für die Aufführung ausgewählten Stücke, ferner die Redaktion der vom Theater herausgegebenen Programmhefte und Theaterzeitschriften, die Beratung der Regisseure, Bühnenbildner, Kostümbildner usw. im Sinne einer werkgetreuen Wiedergabe des Stükkes. – Der Beruf des D.en wurde durch J. E. Schlegel angeregt (Schreiben von Errichtung eines Theaters in Kopenhagen, 1747); 1767 wurde Lessing als ›D. und Konsulent‹ an das neu gegründete (1768 bereits wieder aufgelöste) Hamburger Nationaltheater verpflichtet. Als D.en waren ferner zeitweilig tätig: L. Tieck (in Dresden), J. Schreyvogel und H. Bahr (in Wien). B. Brecht, C. Zuckmayer u. H. Kipphardt. Größere Entfaltungsmöglichkeiten für den D.en bot vor allem das Theater des 19. Jh.s, das sich um historisch getreue Aufführungen bemühte (Historismus); dem gegenüber spielt der D. in dem durch modernes Management und die Regisseure beherrschten Theater der jüngsten Zeit nur noch eine untergeordnete Rolle.

☐ Dürr, E.: Der Aufgabenkreis des D.en. In: Die Bühne 2 (1936), 484. – RL. K

Dramaturgie, f. [neuzeitl. Kunstwort, gebildet zu gr. dramaturgos = Verfasser, Aufführungsleiter eines Dramas],
1. Die Tätigkeit des Dramaturgen (und Regisseurs).
2. Die auf die Praxis der Verfertigung und Aufführung von Stücken bezogene ∕Poetik und Ästhetik des Dramas. Gegenstand der D. sind die Regeln für die äußere Bauform und die Gesetzmäßigkeiten der inneren Struktur des Dramas. Meist werden diese am konkreten Einzelfall aufgezeigt (vgl. z. B. die Poetik des Aristoteles), häufig in der Form von Rezensionen und Theaterkritiken (G. E. Lessing, »Hamburgische D.«: 52 Theaterkritiken über Aufführungen des Hamburger Nationaltheaters, 1767/68 in unregelmäßiger Folge in 100 »Stücken«, 1769 in Buchform herausgegeben; der Begriff der D. in diesem Sinne findet sich hier zuerst); seltener beschränkt sich die D. auf einen bloßen Katalog von Regeln im Sinne einer normativen Poetik (so v. a. in Renaissance und Klassizismus). – Am Anfang der europ. D. steht die Poetik des Aristoteles; deren entscheidende Aussagen über Wirkstruktur und Bauprinzipien der ∕Tragödie wurden in der Neuzeit z. T. in irrtüml. Interpretation wiederaufgegriffen und zu einem Kodex verbindl. Regeln umgestaltet in den Poetiken des Humanismus (J. C. Scaliger, »Poetices libri septem«, 1561; D. Heinsius, 1611), der it. und frz. Renaissance (it.: A. S. Minturno, 1563, L. Castelvetro, 1570; frz.: P. de Ronsard, 1565), des dt. Barock (M. Opitz, Buch von der dt. Poeterey, 1624) und des Klassizismus (frz.: N. Boileau, »L'Art poétique«, 1674; dt.: J. Ch. Gottsched, »Versuch einer critischen Dichtkunst vor die Deutschen«, 1730). Durch J. G. Herder und den ∕Sturm und Drang verlor die aristotel. Poetik zwar grundsätzl. an Bedeutung, blieb aber weiterhin, z. T. bis in die Gegenwart (W. Schadewaldt; in ganz anderem Sinne bei B. Brecht) ein wichtiger Bezugspunkt dramatur. Diskussion. Eine geringere Rolle spielte dagegen die ebenfalls aus der Antike überkommene »Epistola ad Pisones« des Horaz (sog. Ars poetica). Immer wieder erörtert wurden vor allem die folgenden Punkte der Poetik des Aristoteles:
1. der Begriff der ∕Mimesis (= Darstellung, K. Hamburger: »Fiktion«), der in der Poetik der Renaissance und des Klassizismus als »Nachahmung« mißverstanden wurde und in diesem Sinne zu einer Reihe von Irrtümern grundsätzl. Art geführt hat (z. B. das Argument der Wahrscheinlichkeit bei der theoret. Grundlegung der Einheiten des Orts und der Zeit);
2. die aristotel. Wirkungsästhetik der Tragödie mit ihren Grundstrukturen Furcht und Mitleid und ∕Katharsis, deren Auslegung bis heute umstritten ist; Hauptpositionen (neben anderen) in der gegenwärtigen Diskussion sind die im wesentl. auf G. E. Lessing zurückgehende humanist.-philanthrop. Interpretation und die von W. Schadewaldt (Furcht und Mitleid, 1956) vertretene psycholog. Deutung. Von der aristotel. Wirkungsästhetik der Tragödie geht auch B. Brecht bei der Formulierung der Grundsätze seines ∕ep. Theaters aus;
3. die Regeln über die Ausdehnung und Gliederung der dramat. Handlung; auf die Forderung der Geschlossenheit »Einheit«) und äußeren Begrenztheit der dramat. Handlung durch Aristoteles geht der zuerst von Castelvetro formulierte, z. T. auf einem Mißverständnis des Aristotelestextes fundierte Grundsatz der ∕drei Einheiten des Orts, der Zeit und der Handlung zurück. Die aristotel. Lehre von der notwendigen Dreiteilung einer dramat. Handlung (Ausgangssituation [∕Exposition], Entwicklung und Auflösung der Handlung) bildet die Grundlage für die im neuzeitl. Drama (v. a. Spaniens) beliebte dreiakt. Bauform, während die noch häufigere fünfakt. Bauform auf eine Forderung des Horaz zurückgeführt wird (∕Akt; ∕Dreiakter; ∕Fünfakter). Beiden Bauformen gemeinsam ist die (von Aristoteles nicht ausdrückl. formulierte) Symmetrie der dramat.

Handlung, die noch von der epigonalen D. des 19. Jh.s als unabdingbar gefordert wurde (G. Freytag, Die Technik des Dramas, 1863);
4. die Regeln über die Charaktere, die nach Aristoteles der Handlung untergeordnet sind. Die aristotelische Forderung der Darstellung des Schicksals hervorragender Persönlichkeiten, an denen die trag. ∕Fallhöhe sichtbar werden könne, führte zur ∕Ständeklausel der Poetik der Renaissance und des Klassizismus, nach der in der Tragödie fürstl. Personen handeln, während die Komödie nur in den unteren Gesellschaftsschichten spiele; in Verbindung mit der Lehre von der ständ. Gebundenheit der ∕Genera dicendi bestimmt die Ständeklausel die Typologie des neuzeitl. Kunstdramas vom 16. bis 18. Jh. entscheidend mit (Tragödie – hoher Stil, Komödie – niederer Stil). Die andere aristotel. Forderung, nach der die vom trag. Fall betroffene Person eth. den menschl. Durchschnitt verkörpern und damit weder als Verbrecher noch als absolut tugendhaft konzipiert sein solle, hat in der Neuzeit bes. Lessing hervorgehoben, v. a. in seiner Polemik gegen die (stoizist.) Märtyrertragödien in barocker Tradition. – Insgesamt stellt die auf Aristoteles (und Horaz) bezogene D. des 16.–18. Jh.s eine D. des Dramas der ∕geschlossenen Form mit seinen idealisierenden Tendenzen dar, die in der Weimarer Klassik einen von aller Dogmatik freien vorläufigen Abschluß erreicht (Schiller, »Über die tragische Kunst«, 1791; Goethe, »Nachlese zu Aristoteles' Poetik«, 1827). Die wichtigsten Gegenströmungen gegen diese Tradition sind die D. des Sturm und Drang, die gegen das Muster des Dramas der geschlossenen Form Shakespeares Drama der ∕offenen Form stellt (Herder, »Shakespeare«, 1773; J. M. R. Lenz, »Anmerkungen übers Theater«, 1774), das bereits Lessing als seine Grundstrukturen durchaus mit Aristoteles konform erkannt hatte (17. Literaturbrief, 1759), und die v. a. an H. Ibsens analyt. Gesellschaftsstücken geschulte D. des Naturalismus, die nach realist. sprachl. und szen. Gestaltung strebt (A. Kerr, »Technik des realistischen Dramas«, 1891). B. Brecht verwendet auch für diese Richtungen der neuzeitl. D. die Bez. »aristotelisch«, und zwar im Hinblick auf die Wirkstruktur des Dramas, die nach wie vor den Zuschauer auf emotionale Wege erreichen will, wogegen Brechts ∕ep. Theater bewußtseinsverändernd wirken will.

☐ Wiese, B. v. (Hrsg.): Dt. D. 3 Bde. Tüb. 1956 (vom Barock bis z. Klassik), 1969 (Dt. D. des 19. Jh.s), 1970 (vom Naturalismus zur Gegenw.). ∕Drama. – RL. K

Drápa, f., Pl. drápur [altnord. = Preislied, zu drepa = (die Saiten eines Instruments) schlagen], kunstvolle dreiteil. Form des skald. (∕Skaldendichtung) Preisliedes, bei dem auf einen Eingangsteil (upphaf) ein umfangreicher Mittelteil (von mindestens 20 Strophen) folgt (stefja-bálkr), der durch eine Art Refrain (stef) gegliedert ist, d. h. eine Gruppe von Versen, die in bestimmter Folge wiederkehren und die zentralen Gedanken der D. zusammenfassen; der anschließende Schlußteil (slœmr) hat in der Regel dieselbe Strophenzahl auf wie der Eingangsteil. Gängigste Strophenform ist das ∕Dróttkvætt. Berühmte Beispiele sind die »Ragnars-D.« von Bragi Boddason (Bruchstücke 9. Jh.) und »Höfuðlausn« (Haupteslösung) von Egill Skallagrimsson (10. Jh.). – Die ungegliederte, refrainlose, kürzere Form des Preisliedes ist der Flokkr, auch dræplingr = kleine D. K*

Drehbuch, schriftl. fixierter Gesamtplan für die Herstellung eines Films. Entsteht in einzelnen Phasen aus der in einem kurzen Exposé niedergelegten Filmidee über das sog. Treatment, in dem der Handlungsablauf bereits szen. gegliedert und die wichtigsten opt. und akust. Vorstellungen aufgezeichnet sind; danach werden gesonderte Regie- und Produktionsdrehbücher verfertigt, die zunächst zu einem Roh-D. vereinigt und endl. zum produktionsreifen D. verarbeitet werden: Dieses stellt in einer schemat. sog.

Bildpartitur synchron und synopt. (linke Spalten optische, rechte akust. Elemente) in einzelne szen. Einheiten gegliedert den Text, Angaben zu Bewegungen, Ton, Beleuchtung, Kulissen, Requisiten, zu der Aufnahmetechnik etc. dar. Als zweckhaftes kollektives Produkt mit vorherrschend handwerkl.-techn. Details meist ohne literar. Eigenanspruch, obwohl oft mit Hilfe von Schriftstellern (W. Faulkner) hergestellt; in neuerer Zeit werden jedoch auch ab u. zu Drehbücher veröffentlicht (I. Bergmann, A. Robbe-Grillet u. a.). ◻ Krecker, V.: Das D. als künstler. Substanz u. Gestaltungsplan des Films. Diss. F. U. Bln. 1956. – Zglinicki, F. v.: Der Weg des Films. Bln. 1956. – Wolf, F. u. a.: Von der Filmidee zum D. Bln. 1949. IS

Dreiakter, ↗Drama in drei ↗Akten. – Die Gliederung eines Dramas in drei Akte entspricht der bereits von Aristoteles (Poetik, Kap. 7) und dem röm. Terenz-Kommentator Donat (4. Jh.) als notwendig erkannten Dreiteilung der dramatischen Handlung:
1. Darstellung der Verhältnisse, denen der dramat. Konflikt entspringt (↗Exposition, ↗erregendes Moment = 1. Akt),
2. Entfaltung dieses Konfliktes (↗Epitasis = 2. Akt),
3. seine Auflösung (↗Katastrophe = 3. Akt). – Der D. ist nach dem ↗Fünfakter (bei dem dann die Entfaltung des dramat. Konflikts durch mannigfache Steigerungen und Verwicklungen auf drei Akte ausgedehnt ist) die häufigste Bauform des europ. Dramas; er findet sich vor allem in der span. Literatur (Cervantes; F. García Lorca), in der it. Dramatik bes. bei R. Wagner in seinen Musikdramen; hier repräsentieren die drei Akte drei ›Hauptsituationen‹ der dramat. Handlung, die insgesamt als dialekt. Prozeß aufgefaßt ist (am deutlichsten in ›Tannhäuser‹ und ›Parsifal‹). Auch Ibsen in seinen konzentrierten Gesellschaftsstücken (»Nora«, »Gespenster«, »Baumeister Solneß«) bevorzugt den D. (daneben allerdings auch Vierakter). K

Drei Einheiten, die d. E. des Orts, der Zeit und der Handlung gehören seit dem Aristoteles-Kommentar L. Castelvetros (1576) zu den Grundforderungen für die Gattung ↗Drama in der normativen Poetik der (it.) Renaissance und des (frz.) Klassizismus (Corneille, »Discours sur les trois unités«, 1660; Boileau). *Einheit des Orts* bedeutet die Unverrückbarkeit des Schauplatzes einer dramat. Handlung (kein Szenenwechsel während eines Stückes), *Einheit der Zeit* die (angestrebte) Kongruenz von Spielzeit und gespielter Zeit (die Handlung eines Stückes darf allerhöchstens einen Zeitraum von 24 Stunden umfassen), *Einheit der Handlung* die Geschlossenheit und Konzentration der dramat. Handlung selbst im Sinne einer strengen ↗Funktionalität der Teile (keine Episoden oder Nebenhandlungen, die nicht mit der Haupthandlung kausal verknüpft sind, keine Nebenpersonen; Gegensatz: die ep. Selbständigkeit der Teile). Während die Einheit der Handlung nie bestritten wurde, waren die Einheiten des Orts und der Zeit Gegenstand mannigfacher Auseinandersetzungen (berühmt die »Querelle du Cid« des 17. Jh.s, die von der Académie française ausging; Corneille wurde vorgeworfen, er habe in seinem »Cid« gegen die Einheit der Zeit verstoßen). Die neuzeitl. Forderung dieser Einheiten kann histor. als Reaktion auf die Probleme verstanden werden, die sich für die ↗Dramaturgie durch die im 16. Jh. neu entstandene Guckkastenbühne ergaben: Der Zuschauer war nicht mehr (wie beim antiken und mal. Drama) in den Ablauf des dramat. Geschehens einbezogen, sondern diesem gegenübergestellt. Die Frage nach dem Verhältnis des Zuschauerraums zur Bühne, der realen Zeit zur Zeit des Bühnengeschehens wurde durch die Forderung der Einheiten des Orts und der Zeit beantwortet und rationalist. mit der »Wahrscheinlichkeit« begründet. Diese Auffassung beruht auf der kategorialen Verwechslung des fiktiven Raumes und der fiktiven Zeit der dramat. Handlung einerseits und des realen (Zuschauer)raumes und der realen Zeit (der Aufführung) andererseits: Raum und Zeit auf der Bühne

sind fiktiv. – Die Rückführung der Einheiten des Orts und der Zeit auf Aristoteles (so schon bei Castelvetro) basiert auf einem philolog. Irrtum: Von einer Einheit des Orts ist bei Aristoteles nirgends die Rede (tatsächl. kennt die griech. Tragödie den Szenenwechsel); die Forderung der Einheit der Zeit wird mit Aristoteles' Poetik, Kap. 5 begründet, wonach die Handlung einer Tragödie sich »so weit als mögl.‹... »in einem einzigen Sonnenumlauf oder doch nur wenig darüber« vollziehen solle. Aristoteles spricht hier jedoch nicht von der Einheit der Zeit im Sinne der Kongruenz von Spielzeit und gespielter Zeit, sondern von der zur ep. Handlung notwendigen äußeren Begrenztheit der dramat. Handlung. Die zeitl. Beschränkung auf einen 24-Stunden-Tag ist also ledigl. eine Funktion der Handlung, die Aristoteles, Poetik, Kap. 7/8, fordert. Die Einheiten des Orts und der Zeit bewirken im Drama der Renaissance und des Klassizismus (Trissino; Corneille, Racine) eine äußerste Konzentration des Geschehnisablaufs und eine Verinnerlichung der Handlung (auch die zahlenmäßige und ständ. Begrenzung der Personen tragen dazu bei). – In der deutschen Dramaturgie fordert J. Ch. Gottsched als erster die d. E. nach dem Vorbild des frz. Klassizismus (»Versuch einer critischen Dichtkunst vor die Deutschen«, 1730); er hält sich auch als erster streng an diese Forderung (»Sterbender Cato«, 1731). Bereits G. E. Lessing wandte sich dann gegen Gottscheds Dogmatismus und die mechan. Anwendung der d. E., die oft zu sinnlosen Verrenkungen des Handlungsablaufes führe (»Hamburgische Dramaturgie«, 1767–69, 44.–46. Stück); seine eigenen Stücke (»Minna von Barnhelm«, »Emilia Galotti«) folgen jedoch noch weitgehend dem frz. Muster. Mit J. G. Herder (»Shakespeare«, 1773) und der Dramaturgie des Sturm und Drang, die sich auf Shakespeare und dessen Drama der ↗offenen Form beruft, verschwindet die Forderung nach den Einheiten des Orts und der Zeit aus den Poetiken; sie werden jedoch, unabhängig von allem Regelzwang, im Sinne ihrer oben angedeuteten ästhet. Funktion (Drama der geschlossenen Form) auch später immer wieder beachtet (Goethe, »Iphigenie auf Tauris«, »Torquato Tasso«; F. Hebbel, »Maria Magdalena«; Ibsen). K

Dreikönigsspiel, auch Magierspiel, ↗geistl. Spiel, ursprüngl. aufgeführt an Epiphanias (6. Jan.). Im 11. Jh. in Frankreich ausgebildet: einfache szen. Gestaltungen und Teilen der Epiphaniasliturgie (*D.e von Limoges* und *Besançon*) wurden schon im 11. Jh. textl. und szen. angereichert (*D. von Rouen*), so daß sich das liturg. Magierspiel zum Herodesspiel wandelte (*D. von Nevers*, 12. Jh.), auch verschiedene andere Spiele (Hirten- u. Botenszenen, Bethlehemit. Kindermord) wurden eingefügt (*D.e von Compiègne, Laon, Straßburg,* Ende 12. Jh.). Umfangreichste dramat. Ausgestaltung im 11. Jh. in den *D.en von Bilsen* (Belgien) und *Freising,* im 12. Jh. in den *D.en von Orléans* und *Montpellier.* Wegen ihres Realismus (Herodes Prototyp des Theaterbösewichts) und ihrer Komik wurden die D.e schon früh von geistl. Seite kritisiert (ca. 1160 durch Gerhoch von Reichersberg, ca. 1170 durch Herrad von Landsberg, seit 1210 Verbote gegen Aufführungen innerhalb der Kirche in den Trierer Synodalbeschlüssen). Durch die Ausweitung ging das D. im 12. Jh. Weihnachtsspiel auf, blieb aber auch später noch selbständ. bestehen, in England und Deutschland bis ins 16. Jh. (z. B. *Erlauer D.,* 15./16. Jh.). – Die meisten Texte sind mit Regieanweisungen und z. T. auch mit Noten überliefert. HFR*

Dreireim, Reimbindung, die drei aufeinanderfolgende Verse zusammenfaßt (aaa), z. B. in mhd. Dichtung in der Lyrik zur Kennzeichnung von Strophenschlüssen (MF 159, 1), in der Epik zur Markierung von Abschnittsgrenzen, so auch noch im Drama des Hans Sachs. S

Dreistillehre ↗Genera dicendi.

Dreiversgruppe, bez. im mhd. Minnesang die reimtechn. Zusammenfassung von drei (isometr. oder hetero-

metr.) Versen, v. a. im ↗Abgesang, entweder durch ↗Dreireim (aaa, z. B. MF 5, 20 ff.) oder mit reimlosem mittlerem Vers (Waisenterzine; axa, z. B. MF 150, 7 ff., vgl. ↗Waise).
S

Dróttkvætt, n., auch: dróttkvæðr háttr, m. [altnord. = (Strophen)maß (háttr) der in der (königl.) Gefolgschaft (drótt) gesungenen (Preis-)Gedichte (kvæði)], wichtigstes, äußerst kunstvolles Strophenmaß der ↗Skaldendichtung, »Hofton« (A. Heusler) aus acht 3heb., in d. Regel 6silb. Versen mit fester Kadenz (-́x) und festem syntakt. Einschnitt nach dem 4. Vers; jede Strophenhälfte (↗Helming) ist durch eine komplizierte Verteilung von ↗Stab- und Binnenreim (↗Hending) wiederum in zwei Teile gegliedert. – Als Erfinder des D. gilt in skald. Überlieferung Bragi Boddason (9. Jh.); er pflegt jedoch, wie auch die Skalden der älteren Zeit, noch eine freiere Form des D.; die strenge Version setzt sich erst im 10. Jh. durch; diese jüngere Skaldendichtung verwendet das D. in zahlreichen Variationen, Snorri beschreibt in der »Jüngeren Edda« über 60 solcher Formen. K*

Dubitatio, f. [lat. = Zweifel, gr. aporia], ↗rhetor. Figur, fingierte Unsicherheit eines Redners (oder Erzählers), der das Publikum wegen der scheinbar unlösbaren Schwierigkeiten bei Anlage und Durchführung seiner Rede (Erzählung usw.) um Rat fragt und ihm z. T. Entscheidungen (z. B. die Wahl zwischen mehreren Benennungen einer Sache) überläßt. In der Literatur bes. Stilmittel des ↗auktorialen Erzählens (vgl. Ch. M. Wieland, »Novelle ohne Titel«), aber auch im Drama (vgl. Sprecher in Anouilhs »Antigone«). S

Duma (auch: Dumka), f., Pl. Dumi, Dumen, Bez. für *ukrain.* volkstüml. histor. Lieder, in denen in balladesker, ep.-lyr. Form die Kämpfe gegen die Türken, die Krim-Tataren, die Polen und bes. die Ereignisse unter dem Hetmann Bohdan Chmelnicki (17. Jh.) besungen werden. Entstanden seit dem 16. Jh., wurden von Berufssängern, den Kobsaren, zu den nationalen Volksinstrumenten Kobsa und Bandura rezitativ. und improvisator. (metr. frei, reimlos) vorgetragen. Berühmt sind die Dumi der Saporoger Donkosaken. Durch Vortragsstil und Stoffe Ähnlichkeit mit den großruss. ↗Bylinen.
□ Horbatsch, A.-H.: Die ep. Stilmittel der ukrain. D. Diss. Mchn. 1950. S

Dumb show, f. ['dʌm 'ʃou; engl. = stumme Schau(stellung)], im engl. Theater des 16. Jh.s allegor. Pantomime mit Musik, die vor dem Beginn der Aufführung eines Stückes (auch vor jedem Akt oder vor wichtigen Szenen) den Inhalt oder den Sinn des Folgenden verdeutlichen sollte; manchmal von Erläuterungen eines Sprechers (presenters) begleitet und oft mit großem Kostüm- und anderem Schauprunk, Gesang und Tanz verbunden. Einfluß der italien. Intermezzi; vgl. z. B. die d. sh. vor der Theateraufführung in 3. Akt von Shakespeares »Hamlet« (1601). ↗Intermezzo, ↗Zwischenspiel. IS

Dunciade, f. [dʌntsi'a:də; engl. Dunciad von dunce = Dummkopf, Wortbildung analog zu Jeremiade, Iliade, Donquichottiade u. a.], Bez. für Spottgedichte im Gefolge der literar.-krit. Verssatire »The Dunciad« (4 Bde. 1728/43) von A. Pope; vgl. auch »The Popiad« (dt. Popiade) von E. Curl, eine satir. Antwort auf Popes D. Gelegentl. auch Bez. für primitive dichter. Ergüsse. IS

Duodrama, f. [duo, lat. = zwei], ↗lyr. Drama mit zwei redenden und handelnden Personen (z. B. S. v. Goué: »Der Einsiedler«, »Dido«, 1771, Hofmannsthal »Der Tor und der Tod«, 1899). – RL. IS

Duplicatio, f. [lat. = Verdoppelung], rhetor. Figur, s. ↗Geminatio.

Durch, naturalist. literar. Verein, 1886 in Berlin von K. Küster, L. Berg und Eugen Wolff gegründet, Mitglieder waren u. a. die Brüder H. und J. Hart, B. Wille, W. Bölsche, A. Holz, J. Schlaf, J. H. Mackay, G. Hauptmann, K.

Henckell, H. Conradi. Bedeutung gewann er durch seine Bemühungen um Konzentration, Klärung, Systematisierung und theoret. Fundierung der zahlreichen, vielfach diskutierten literar. Programme, die für das neue (naturwissenschaftl.) Zeitalter eine neue Literatur forderten. Durch maßvolle Kritik sowohl an idealisierter als auch an zu krasser Wirklichkeitsdarstellung und durch die Forderung einer zwar sozial engagierten, aber objektiv nach naturwissenschaftl. Methoden vorgehenden Kunst (als »ideeller Realismus« bez.) lieferte der Verein D. die (neben den früheren ästhet. Grundlegungen der Brüder Hart bedeutendste Fundierung des literar. ↗Naturalismus (W. Bölsche: »Die naturwissenschaftl. Grundlagen der Poesie«, E. Wolff: »Die Moderne, zur Revolution und Reform der Literatur«, beide 1887).
□ Verein D. Protokolle. Hrsg. v. W. Liepe. Neumünster 1932. ↗Naturalismus. IS

Dyfalu, n. [dəv'a:li], wallis. (kymr.) Bez. für die poet. Technik der Vergleichung oder Umschreibung eines (oft nicht direkt genannten) dichter. Objekts durch eine phantasiereich ausgeklügelte Reihung ambiguoser oder metaphor. Bilder, meist aus der Natur; neben der metr. Form des ↗Cywydd und den Schmuckformen der ↗Cynghanedd kennzeichnend für die kymr. Lyrik des 14.–16. Jh.s (v. a. Liebesgedichte oder Bittgedichte). Begründer und bedeutendster Meister dieser dicht. Technik ist Dafydd ap Gwilym (14. Jh.). Neubelebung des D. im Rahmen der wallis. Renaissance im 18. Jh. (↗Eisteddfod). IS

Echogedicht, seine Verszeilen bestehen gewöhnl. aus Fragen, die (oftmals witzig-verblüffend) im sog. Echoreim, einem ↗Schlagreim, beantwortet werden: »Ach, was bleibt mir nun noch offen? – Hoffen!« (L. Tieck, aus »Kaiser Octavianus«, 1804). – Bezeugt schon im Altertum (Gauradas, Anthologia Planudea 152), wurden die E.e im 15. Jh. durch A. Poliziano wiederbelebt und waren bis ins 18. Jh. in der europ. Lyrik sehr beliebt (vgl. ihre Behandlung in den Poetiken von J. C. Scaliger 1561, M. Opitz 1624, Ph. v. Zesen 1640, G. Ph. Harsdörffer 1647–53, J. Ch. Gottsched [4]1751); Blüte im Barock (insbes. Echolieder in der ↗Schäfer- und Hirtendichtung). Über meist nur virtuose Klangspielereien hinaus gehen in der dt. Literatur die E.e des Nürnberger Dichterkreises (J. Klaj, S. v. Birken, Harsdörffer) und die religiösen E.e F. v. Spees. Seit dem 18. Jh. finden sich E.e gelegentl. als polit. oder soziale Satiren (J. Swift, H. Zschokke) und, dichtungstheoret. neu fundiert (A. F. Bernhardi, »Sprachlehre«, 1801–03), in der romant. Lyrik (A. W. Schlegel, »Waldgespräch«, L. Tieck, C. Brentano). IS

Echoreim, ein das ↗Echogedicht konstituierender ↗Schlagreim.

École fantaisiste [ekɔlfãtɛ'zist; frz. école = Schule, fantaisiste < fantaisie = Phantasie, Laune, Einfall], Gruppe franz. Lyriker, die sich vor dem 1. Weltkrieg um den Dichter und Literaturkritiker F. Carco zusammenfand in heiter-iron. oder elegie-melanchol. Dichtungen das einfache, alltägl. Leben, insbes. die dekadente Welt des Montmartre und der Bohème gestaltete. Sprachl. z. T. von den Symbolisten beeinflußt (Verlaine, Mallarmé), folgten sie in der Versgestaltung streng klassizist. Traditionen (Vorbilder Ronsard, Chénier, insbes. J. Moréas und seine ↗École romane). *Vertreter* waren neben Carco (»La bohème et mon cœur«, 1912 u. a.) v. a. J.-M. Bernard (u. a. »Sub tegmine fagi«, 1913), dessen Zeitschrift ›Les Guêpes‹ (seit 1909) zum Sammelpunkt der Neoklassizisten und ›Fantaisisten‹ wurde; weiter J. Pellerin, T. Derème, P. Camo, Ch. Derennes und P.-J. Toulet, dessen »Contrerimes«, 1920 als typischstes Werk der E. f. gilt. S

École Lyonnaise [ekɔlljo'nɛ:z, frz. = Lyoner Schule], Bez. für die Lyoner Dichter M. Scève = Louise Labé, Pernette du Guillet und den frühen P. de Tyard, die in der ersten Hälfte des 16. Jh.s Themen des Neuplatonismus ita-

lien.Prägung und des ↗Petrarkismus in die franz. Dichtung einführten, sich allerdings weder als Gruppe noch als Schule verstanden. Das bekannteste Werk der E.L. ist »Délie« (1544) von Scève, der erste franz. Gedichtzyklus, der sich, nach Petrarcas Vorbild, an eine einzige Person richtet. Titel (evtl. Anagramm von l'idée = Idee) und die Gliederung der 449 10zeil. Gedichte (Dizains) nach einem klar proportionierten Zahlenschema verweisen auf das Hauptthema, die Bewegung des Makrokosmos. – L. Labé, die einen ↗Salon unterhielt, wurde in Deutschland bes. durch Rilkes Übersetzungen ihrer Sonette und Elegien bekannt. Vgl. auch die ↗Pléiade in Paris.
⊓ Aynard, J.: Les poètes lyonnais, précurseurs de la Pléiade. Paris 1924. DB

École romane, f. [ekɔlrɔ'man; frz. = romanische Schule], franz. Dichterkreis, gegründet 1891 von dem vom ↗Symbolismus herkommenden Dichter Jean Moréas mit dem Ziel, Werke zu schaffen und anzuregen, die im Gegensatz zum Symbolismus an klassizist. Formtraditionen und in klarer Gedankenführung an Ideen und Motive der griech. Antike anknüpfen sollten, insbes. in ihrer Spiegelung oder Verarbeitung in der franz. Dichtung des 16.Jh.s (↗Pléiade; vgl. das Manifest der E.r. von Moréas im ›Figaro‹ am 14.9.1891). Wegweisend für die E.r. wurde Moréas' »Pèlerin passionné« (1891, Vorbild P. de Ronsard). Obwohl sich eine ganze Anzahl bekannter zeitgenöss. Dichter wie M. Du Plessys, Ch. Maurras, E. Reynaud, R. de la Tailhède zur E.r. bekannten, blieb sie ohne literaturerneuernde Wirkung, sie wird bisweilen sogar ledigl. als Epilog zum Symbolismus gewertet. IS

Écriture automatique, f. [ekrityrɔtɔma'tik; frz. = automat. Schreiben], bevorzugtes Schreibverfahren des ↗Surrealismus zum Sichtbarmachen vor- bzw. unbewußter psych. Prozesse, von Philippe Soupault und André Breton in den gemeinsam verfaßten (gelegentl. noch dem ↗Dadaismus zugerechneten) »Champs magnétiques« (1919) vorgestellt; von Breton in seinem ersten »Manifest des Surrealismus« (1924) unter ausdrückl. Bezug auf S. Freud als »psych. Automatismus«theoret. begründet und gerechtfertigt, der den wirkl. Ablauf des Denkens als ›Denk-Diktat‹ auszudrücken sucht, ohne jede Vernunft-Kontrolle u. außerhalb aller ästhet. oder eth. Fragestellungen. H. Arp betrachtete schon die gemeinsam verfaßten Simultangedichte der Züricher Dadaisten als »Poésie automatique«. Die Surrealisten sehen Vorläufer und erste Beispiele für ↗automat. Texte bereits in Lautréamons »Chants de Maldoror«, in der deutschen Romantik (u.a. Achim von Arnim), in Edward Youngs »The Complaint, or Night Thoughts« u.a.m. Hierher gehören auch die den dadaist. Versuchen vorangehenden wissenschaftl. Experimente Leon M. Solomons und Gertrude Steins über »spontaneous automatic writing« (1896).
⊓ Miller, George, A.: Automatic Writing. In: G. A. M.: Language and Communication. New York u.a. 1951. D

Écriture féminine, f. [ekrityr feminin; frz. = weibl. Schreibkunst], feminist. inspirierte Textpraxis, welche die dominante Kultur auf bestimmte Ausschlußmechanismen hin befragt. Formierte sich in Frankreich vor dem Hintergrund polit. Proteste, wissenschaftl. Kritik an herrschenden Symbolsystemen (J. Derrida, M. Foucault, J. Lacan) und der aktiven Frauenbewegung. Im Mittelpunkt steht die Metapher des Weiblichen, wobei die Autorinnen der é.f. keineswegs auf neue Definitionen des Weibl. hinarbeiten: Vielmehr versuchen sie auf unterschiedl. Weise, herrschende Frauenbilder, Positionen des Weiblichen im gegenwärtigen Diskurs und tradierte Denkstrukturen anzugreifen. Dies geschieht als Kritik an der Sprache, wobei nicht nur der Inhalt, sondern auch der Stil dekonstruiert (entlarvt, s. ↗Poststrukturalismus) werden sollen. In den *Texten der é.f.* mischen sich theoret. und histor. Analyse mit poet. und polem. Stilmitteln, wodurch sowohl die

Finalität, Eindeutigkeit und Normativität sprachl. Äußerungen als auch der angestammte Ort der Weiblichkeit kritisiert werden. Ziel dieser Textpraxis ist es, Facetten des Weiblichen in den tradierten Diskurs einzubringen. Diese Zielsetzung wird mit der fakt. Schreibtätigkeit von Frauen verbunden (wodurch die é.f. teilweise der Kritik des Biologismus ausgesetzt ist). Unter Berufung auf psychoanalyt. Erkenntnisse über die Produktivität des Unbewußten meinen einige Autorinnen (Hélène Cixous, Luce Irigaray) eine spezif. weibl. libidinöse Ökonomie postulieren zu können. Demgegenüber vertritt Julia Kristeva den Standpunkt, Weiblichkeit könne sich nicht isoliert im Sprachprozess artikulieren, sondern sei herzuleiten aus präsymbol. Elementen in der Sprachgebung in der Form von rhythm. und akust. Aspekten. Soweit die é.f. sich mit der Psychoanalyse beschäftigt, versucht sie zweigleisig zu verfahren: Zum einen kritisiert sie die traditionelle Beschreibung von Weiblichkeit und die ›Hegemonie des Phallus‹ als zentrale Metapher, zum anderen macht sie Gebrauch von den Erkenntnissen über das Unbewußte, um verdrängte Formen des Weiblichen artikulieren zu können. Innerhalb der é.f. stößt man jedoch auch auf generelle Ablehnung der Psychoanalyse. Monique Wittig schreibt wohl in einem assoziativ, fragmentar. Stil, der auf die Traumarbeit hinweist, versucht aber, durch weibl. Umbenennung und utop. Inhalte der Weiblichkeit einen konkreteren Aktionsradius zu eröffnen. Die Philosophin Sarah Kofman kritisiert die Arbeiten von L. Irigaray als zu einspurig und macht Erkenntnisse der Psychoanalyse produktiv für die feminist. Textkritik. – So unterschiedl. die Forschungsergebnisse und Textpraxen der é.f. auch sein mögen, gemeinsam ist ihnen eine Kulturkritik in Hinsicht auf den Ort des Weiblichen, ohne daß dieser neuerlich festgeschrieben würde.
⊓ Cixous, H.: Le Rire de la Méduse. In: L'Arc 61 (1975). – Dies.: Sorties. In: H. C./Clément, C.: La Jeune Née. Paris 1979 – Irigaray, L.: Speculum, de l'autre femme. Paris 1974. – Dies.: Ce Sexe qui n'est pas un. Paris 1977. – Kristeva, J.: Polylogue. Paris 1977. – Dies. (Hg.): Folle Vérité. Paris 1979. – Kofman, S.: L'Énigme de la femme. Paris 1980. – Dies.: Le Respect des femmes. Paris 1982. MB

Eddische Dichtung, altnord. Götter- und Heldenlieder und Spruchdichtung, zum größten Teil überliefert in einer Handschrift aus der 2. Hälfte des 13.Jh.s, welche 1643 von dem isländ. Bischof Brynjólfr Sveinsson auf Island entdeckt wurde. Er hielt sie für die Quelle eines (in der Uppsala-Handschrift ›Edda‹ [Etymologie ungeklärt] genannten) Lehrbuchs der Skaldendichtung (1223 verfaßt von dem isländ. Schriftsteller und Staatsmann Snorri Sturluson) und übertrug deshalb den Namen ›Edda‹ auch auf die Liedersammlung: Sie wurde hinfort als ältere oder poetische oder *Lieder-Edda* oder (nachdem sie ursprüngl. fälschl. für ein Werk des ersten bekannten isländ. Historikers Sæmund, 1056–1133, gehalten worden war) auch Sæmundar-Edda bez.; von ihr unterscheidet man das Skaldenlehrbuch als jüngere oder Prosa- oder Snorra-Edda. 1662 schenkte Brynjólfr die Handschrift dem dän. König Friedrich III., seither auch die Bez. Codex regius. 1971 wurde sie von Kopenhagen nach Reykjavik zurückgegeben. – Der Codex enthält auf 45 Blättern 29 Lieder. Eine Lücke von 8 Blättern betrifft die Sigurdlieder. Zur e.n D. werden auch verwandte Lieder gezählt, die in Vorzeitsagas und anderen nord. Prosawerken eingestreut sind (u.a. das »Hunnenschlachtlied«, »Baldrs draumar«, »Rigsþula«). Sie sind in der Ausgabe der ›Eddica minora‹ gesammelt. Die e.D. ist die dritte große Gattung der altnord. Literatur neben der Prosa-↗Saga und der stroph. ↗Skaldendichtung, von der sie nach Form und Inhalt deutlich abweicht. Sie ist zwar wie diese strophisch, in Strophenmaß, Strophenschmuck und Verssprache jedoch einfach und ungekünstelt (erst Spätformen e.r D. ahmen die skald. Formkunst nach). Die Strophen bestehen aus ↗Stabreimversen, 8 (oder 6) Kurzzeilen, die zu german. /Langzeilen gefügt sind (z. T. mit Füllungsfreiheit). Charakterist. für die Spruchdichtung ist der /Ljóðaháttr, für Götter- und Heldenlieder das /Fornyrðislag und der schwerere /Málaháttr. Nur ein Lied (die »Atlamál«) ist länger als 200 Langzeilen. Nach der *Struktur* der Lieder können ein wohl älteres doppelseitiges und ein jüngeres einseitiges /Ereignislied und ein sog. /Situationslied unterschieden werden, daneben der /Katalog (z. B. »Rígsþula«, »Hyndluljóð«), weiter Mischformen, auch mit Prosa-Einschüben (Helgilieder u. a.). Im Ggs. zur Skaldendichtung ist die e. D. *anonym* überliefert. Während das skald. Preislied aus aktuellem Anlaß entstand und gesprochen vorgetragen wurde, behandelt die e. D. in *rhapsod.* Vortrag die Vergangenheit, Schicksale von Göttern und Vorzeithelden. Die Sammlung der »Edda«läßt eine *deutl. Gliederung* erkennen: Am Anfang stehen die *Götterlieder,* in die z. T. die *Spruchweisheit* integriert ist. Die »Völuspá« (einer Seherin Vision) gibt Kunde vom Geschick der Götter, der Schöpfung und dem Untergang der Erde. In der »Hávamál« (= Reden des Hohen) folgt eine Sammlung von Lebensregeln, Zauberliedern und Abenteuern Odins. Die übrigen Götterlieder handeln von Fehden zwischen Thor und den Riesen (»þrymskviða«, »Hymiskviða«), Skirnirs Werbungsfahrt für Freyr (»Skirnismál«), von Odins Fahrt in die Unterwelt, um Baldrs Schicksal zu erfahren (»Baldrs draumar«), von Schelt- und Spottreden zwischen Göttern (»Hárbarðsljóð«, »Lokasenna«). In Götterlieder eingegliederte *Merkdichtungen* sind »Rígsþula« (Entstehung der Stände), «Hyndluljóð« (genealog. Stammtafeln), »Vafþrúðnismál«, »Grímnismál« (Lebensweisheit und Mythologie), »Alvíssmál« (poet. skald. Umschreibungen kosm. u. a. Erscheinungen). – Den Übergang zu den *Heldenliedern* bildet die »Völundarkviða«, das Lied von Wieland, dem Schmied. Zur *ältesten Schicht* gehören diejenigen Lieder, die süd- und ostgerman. Stoffe gestalten: Neben dem Wielandslied das Bruchstück (durch Blattverlust) eines Sigurdliedes (altes Sigurdlied »Brot af Sigurðarkviðu« über Sigurds Tod), die »Atlakviða« (altes Atlilied, Zug der Burgunden an den Hunnenhof), die »Hamðismál« (aus der got. Ermanarichsage), das bruchstückhaft in der »Hervararsaga« überlieferte »Hunnenschlachtlied« (auf westgot. Überlieferung beruhend). Aus der nord. (dän.) Heldensage stammen die drei Helgilieder. Die übrigen jüngeren Lieder bringen z. T. eigenständ. Zudichtungen zu den alten Stoffen (weitere Sigurdlieder: Vorgeschichte des Hortes, Sigurds Jugend; die evtl. grönländ. »Atlamál«: Burgundenuntergang; u. a.). Sie unterscheiden sich in der Darstellungsform (Aufschwellung, Redelieder, Situationslieder) und teilweise in der seel. Haltung ihrer Gestalten (Gudrunlieder, »Brynhildes Helreið«, Hjalmars oder Hildebrands Todeslied). Mit diesen Liedern repräsentiert die e. D. einen formal hoch entwickelten Typus des international verbreiteten /Heldenliedes. Die frühere *Forschung* hat die ausgereifte ›klass.‹ Form (stroph. geordnete, geregelte Stabreimverse) bereits für die Völkerwanderungszeit, als dem ›heroic age‹ der german. Stämme, angesetzt und als Form des german. Heldenliedes schlechthin erklärt: A. Heusler u. H. Schneider setzten eine gemeingerman. ›Heldenliedklassik‹ um 600 an, analog zur ›stauf. Klassik‹ des 12. und der Weimarer Klassik des 18. Jh.s. – Bis in jene Zeit läßt sich jedoch keines der edd. Lieder zurückführen. Nach der heutigen Forschung können auf Grund formaler und sprachl. Gesichtspunkte die ältesten in D.en nicht vor dem 10. Jh. angesetzt werden. Der Großteil der Lieder gehört erst ins 12. (evtl. 13.) Jh. Sie werden entstehungsgeschichtl. mit den dt. und dän. Heldenballaden (/Ballade, /Folkevise, /Kaempevise) des Hoch-MA.s in Verbindung gebracht.

📖 *Ausgaben:* Edda. Die Lieder des Codex regius nebst verwandten Denkmälern. Hrsg. v. G. Neckel. I. Text' 4. umge-

arb. Aufl. v. Hans Kuhn. Hdbg. ⁴1962; II. Kommentierendes Glossar. Hdbg. ³1962. – Saemundar Edda. Hrsg. u. erl. von F. Detter u. R. Heinzel. 2 Bde. Lpz. 1903. – Eddica minora. Dichtungen edd. Art aus den Fornaldar-sögur u. a. Prosawerken. Zus.gestellt u. eingeleitet v. A. Heusler u. W. Ranisch. Dortmund 1903. Nachdr. Darmst. 1974. *Übersetzung:* Edda. Übertr. von F. Genzmer. I. Heldendichtung; II. Götterdichtung. 5. Aufl. mit Nachwort v. Hans Kuhn Köln ⁵1979. *Wörterbuch u. Kommentar:* Gering, H.: Vollständ. Wb. zu den Liedern der Edda. Halle 1903, Nachdr. Hildesheim 1971. – Gering, H.: Kommentar zu den Liedern der Edda. Hrsg. u. B. Sijmons. 2 Bde. Halle/S. 1927–31. *Bibliographie:* Hermansson, H.: Bibliography of the Edda. In: Islandica 13 (1920) 74 ff.; ergänzt von J. S. Hannesson, ebda, 37 (1955) 93 ff. Bronstest, M. (Hrsg.): Nord. Lit.Gesch. Bd. 1 (1972). Dt. Übers. 1982. – Klingenberg, H.: Edda-Sammlung und Dichtung. Basel/Stuttg. 1974. – Ebel, U.: Studien z. Rezeption der ›Edda‹ in der Neuzeit. In: LJb 14 (1973) 123–182. –Vries, J. de: Altnord. Lit. Gesch. 2 Bde. Bln. ²1964–67.   S

Editio castigata, f. [lat. castigare = zurechtweisen, beschränken], auch e. castrata, expurgata, purificata: ›gereinigte‹ Ausgabe eines Werkes, bei der moral. oder polit. unerwünschte Stellen vom Herausgeber ausgelassen oder von der Zensur gestrichen (geschwärzt) sind, z. B. die ›Edizione dei deputati‹ von Boccaccios »Decamerone«, Florenz 1573, die Erstausgabe der E. T. A. Hoffmanns »Meister Floh« (1822), die nach 1945 ausgelieferten Exemplare von G. Baesecke, »Das Hildebrandlied«(1945). Aus pädagog. Gründen bearbeitete, gereinigte oder gekürzte Ausgaben heißen ›in usum scholarum‹ oder /‹ad usum delphini‹.   HSt

Editio definitiva, f. [lat. definire = abschließen], letzte vom Verfasser selbst überwachte oder nach seinen letztgültigen Änderungswünschen eingerichtete Ausgabe eines Werks; durch sie kann gegebenenfalls eine /›Ausgabe letzter Hand‹ korrigiert und überholt werden.   HSt*

Edition, f. [lat. editio = Herausgabe],
1. Ausgabe (eines literar., wissenschaftl. oder musikal. Werkes), auch Bez. für eine Serie (›edition suhrkamp‹) oder einen Verlag (E. Musica, Bayreuth);
2. Herausgabe eines (meist älteren oder fremdsprachigen) Textes, bes. eines solchen, für den verschiedene Fassungen vorliegen, nach den Methoden der /Editionstechnik und /Textkritik. – RL.   HSt

Editionstechnik, Verfahren zur Veröffentlichung von älteren Texten in wissenschaftl. Form. Umfaßt die Textherstellung und die Druckeinrichtung der Ausgabe. Die Methoden der Textherstellung richten sich danach, ob es sich um ein Werk handelt, von dem authent. Fassungen (Handschriften, Drucke) vorliegen, oder ob eine dem Willen des Autors entsprechende oder doch nahekommende Fassung mit Hilfe der /Textkritik aus späteren Abschriften ermittelt werden muß. Hauptaufgabe der E. ist dann der den Grundsätzen der Ökonomie und Durchschaubarkeit folgende Darstellung der Überlieferungsgeschichte (/krit. Ausgabe, /Lesarten), im andern Falle die Verdeutlichung der Entstehungsgeschichte von frühen Entwürfen bis zur letztgült. Fassung (/historisch-kritische Ausgabe; /Varianten). Darüber hinaus zählt zur E. die Entscheidung über den Umfang des abzudruckenden Materials (vollständige *Archivausgabe, Parallelausgabe, Apparatausgabe, Studienausgabe, Leseausgabe),* eine Präsentation (Revision von Rechtschreibung u. Interpunktion, Kennzeichnung von Herausgeberzusätzen, Zeilenzählung) und das Bestimmen von Beigaben (Überlieferungsbericht, /Apparat, /Kommentar, /Register). Da die überprüfbare Zuverlässigkeit der Texte Voraussetzung für die wissenschaftl. Beschäftigung mit ihnen ist, gehört die E. zu den Grundlagendisziplinen der Philologien. Ein publizist. Forum für die Diskussion von Editionsproblemen ist seit 1987 die Zs. ›editio. Intern. Jb. f. Editionswissenschaft‹ (Hg. W. Woesler). 🕮 Oellers, N. u. a. (Hg.): Probleme neugermanist. Edition. ZfdPh-Sonderheft 1983. – Hay, L. u. a. (Hg.): Edition u. Interpretation. Jb. f. Intern. Germanistik A11, 1981. – Fabian, B. (Hg): Theorie u. Technik d. Edition. Hildesh. 1972. – Martens, G. u. a. (Hg.): Texte u. Varianten. Mchn. 1972 – Seiffert, H. W.: Unters. zur Methode d. Herausgabe dt. Texte. Bln. ²1969. – Beißner, F.: Editionsmethoden d. neueren dt. Philol. ZfdPh 83 (1964). – Luschnat, O.: Zur E. der klass. Philol. In: Wiss. Annalen 1 (1952).   HSt

Editio princeps, f. [lat. ⟋Erstausgabe].

Editio spuria, f. [lat. spurius = unehelich, unecht], ohne Kenntnis oder Zustimmung des Verfassers verbreiteter ⟋Nachdruck.   HSt

Egofuturismus, m., vgl. russ. ⟋Futurismus.

Egotismus [lat. ego = ich], neulat. Form der von Stendhal geprägten Bez. égotisme für eine philosoph. begründete Form des Egoismus, die das Glück der Menschheit dadurch herbeizuführen trachtet, daß der einzelne (einer auserwählten Elite) zum Höchstmaß persönlichen diesseitigen Glücks hinarbeitet. Die »auf Logik aufgebaute prakt. Methode« zu diesem Ziel nennt Stendhal beylisme (nach seinem eigentl. Namen, H. Beyle; vgl. »Souvenirs d'égotisme«, hrsg. posthum 1892). – Eine Wirkung des E. auf literar. Gestaltungen ist erst zwischen 1880–1890 durch Nietzsches Bekenntnis zu Stendhals E. (1885) greifbar, vgl. v. a. die Werke von Maurice Barrès (z. B. die Romantrilogie »Le Culte du Moi«, 1888–1891). 🕮 Moutote, D.: Égotisme français moderne. Paris 1981. – Kayser, R.: Stendhal oder d. Leben eines Egotisten. Bln. 1928.   IS

Ehestandsliteratur, Sammelbez. für volkssprachl. Werke in Vers u. Prosa im Gefolge lat. geistl. Traktate, die u. a. von den Aufgaben und Pflichten in der Ehe handeln, gelegentl. mit satir. Unterton. Bes. im 15. u. 16. Jh. beliebt. Bekanntere Beispiele sind das »Ehebüchlein«(1472) des Domherrn Albrecht v. Eyb (nach italien. Vorbildern), der dem Kurfürsten Friedrich von Sachsen gewidmete »Spiegel des ehlichen Ordens« (1487) des Leipziger Dominikaners Markus von Weida und das »Philosophische Ehezuchtbüchlein« von J. Fischart (1578).   S

Ehrenrede, Sonderform der mal. ⟋Heroldsdichtung, Preisdichtung anläßl. des Todes eines Ritters, Fürsten oder Dichters, gelegentl. auch an noch Lebende gerichtet. Das feste Aufbauschema verbindet Elemente der lyr. Totenklage mit der Wappenbeschreibung, in die die rühmende Aufzählung von Turnier- und Kriegserfolgen eingelassen ist, mit einer Fürbitte am Schluß. Da es sich um Gelegenheitsdichtung handelt, war die tatsächl. Verbreitung (im 14. Jh., bes. im Rheinland) wohl größer als die Überlieferung anzeigt. Eine Spielart der E. ist der ›Ehrenbrief‹ Püterichs von Reichertshausen an die Pfalzgräfin Mechthild von Österreich (1462). 🕮 Helm, K.: Zu Suchenwirts E.n. In: PBB 62 (1938) 383–390.   HSt

Eidformeln, die im Ritual der Eidesleistung zur Bekräftigung und Beteuerung gebrauchten, oft als bedingte Selbstverfluchung gestalteten Invokationen Gottes, dämon. Wesen, mag. Kraft tragender Gegenstände u. dgl. wie »bei Gott dem Allmächtigen«, »bei allen Teufeln«, »bei meinem Schwerte«. Auch für bes. Spielarten des Eides wie Bündniseid, Vasalleneid, Priestereid sind E. kennzeichnend. – Als E. im weiteren Sinne gelten auch literar. Denkmäler wie die Straßburger Eide von 843, der bair. Priestereid aus dem 9. Jh. und die mhd. Erfurter Judeneide.   MS

Eigenrhythmische Verse, von F. Beißner (Dichtung u. Volkstum 38, 1937, S. 352) eingeführte Bez. für ⟋freie Rhythmen.

Einakter, ⟋Drama in einem ⟋Akt. Meist kürzeres Büh-

nenwerk mit konzentrierter Handlung ohne Szenenwechsel (G. E. Lessing, »Philotas«; A. Strindberg, »Fräulein Julie«; O. Wilde, »Salome«) oder Spiel mit lyr. Grundhaltung ohne eigentlichen dramat. Handlungsablauf (H. v. Hofmannsthal, »Der Tor und der Tod«). Beliebt auch bei den Vertretern des ⟋absurden Theaters (Beckett, Ionesco). 🕮 Pazarkaya, Y.: Die Dramaturgie des E.s, Göppingen 1973. – Schnetz, D.: Der moderne E. Bern 1967.   K

Einblattdruck, einseitig bedrucktes Einzelblatt (bzw. nur auf den Innenseiten bedrucktes Doppelblatt) der Frühdruckzeit (15., 16. Jh.), hergestellt zunächst in Holzschnitttechnik, später im Buchdruckverfahren; verdrängte gegen Ende des 14. Jh.s das serienmäßig gemalte Heiligenbild (ältester datierter E. die ›Brüsseler Madonna‹, 1418). E.e enthielte daneben bald auch Ablaßbriefe (älteste: Mainzer Briefe zum Türkenablaß 1451–1455), amtl. Bekanntmachungen, Kalenderblätter (älteste Mainz 1448 und 1457), Verlagsverzeichnisse (z. B. das des Peter Schöffer in Mainz von 1469), ferner Traktate, Gebete, Lieder, Berichte von geschichtl. und aktuellen Ereignissen, Kuriositäten (oft in Bilderfolgen, sog. ⟋Bilderbogen); in den Religionskriegen auch polit., relig. und satir. Gedichte, Traktate, Aufrufe usw. E.e wurden meist als ⟋Flugblätter vertrieben. – Trotz Auflagenhöhen zwischen 200 und 300 Stück sind E.e nicht zahlreich überliefert (E.e des 15. Jh.s sind Unika). 🕮 Ecker, G.: E.e. Von den Anfängen bis 1555. Göpp. 1981. – RL   HFR*

Einfache Formen, von A. Jolles geprägte Bez. für Grundtypen sprachl. Gestaltens (⟋Mythe, ⟋Märchen, ⟋Sage, ⟋Legende, ⟋Kasus, ⟋Memorabile, ⟋Sprichwort, ⟋Witz, ⟋Rätsel); charakterist. sind einfache Verknüpfungstechniken, Erzählhaltungen, Grundmotive, schlichter Sprachduktus. Die vor- und außerliterar. e.n F. finden sich in verschiedenen Variationen auch im Rahmen literar. Kunstformen, teils durch unbewußte oder bewußte Nachahmung und Übernahme der Form-Topoi und -Schemata, teils als einer stets gleichbleibenden Eigengesetzlichkeit sprachl.-dichter. Gestaltens heraus. Bis zu einem gewissen Grade lassen sich dichter. Gattungen phänomenolog. auf die Grundstrukturen e. r F. zurückführen. Vgl. auch ⟋Carmenstil. 🕮 Jolles, A.: E. F., Halle/S. 1930, Nachdr. Darmst. ⁶1982. – RL   HFR*

Einfühlung, Begriff der neueren psycholog. Aesthetik für 1. intuitives Erfassen einer Dichtung, eines Kunstwerkes überhaupt, im Unterschied zum rationalen Verstehen, dem die E. vorausgehen, aber auch entgegengesetzt sein kann. Über das Problem der Einfühlung haben seit der Romantik v. a. reflektiert: Novalis, R. H. Lotze, F. Th. Vischer, J. J. Volkelt, Th. Lipps. 2. eine Welthaltung, die spezif. schöpfer. Prozessen zugrundeliegt, näml. die beseelte (erfühlte) Darstellung der Natur, im Unterschied zu ihrer abstrahierenden Reduktion; als Kennzeichen ganzer Kunstepochen von W. Worringer aufgezeigt: z. B. E. bei der griech.-antiken Kunst im Gegensatz zur ägyptischen, abstrahierenden Kunst. 🕮 Worringer, W.: Abstraktion u. E. Mchn. ⁴1964. – Stern, P.: E. und Association in der neueren Ästhetik. Hbg./Lpz. 1898.   S

Eingangssenkung, veraltete Bez. der Verslehre für ⟋Auftakt.

Einleitung (auch: Einführung), dient in der Regel dazu, den Leser in die Problematik eines literar. oder wissenschaftl. Werkes einzuführen, im Unterschied zum Vorwort, in dem der Autor gewöhnl. mehr von sich oder den Problemen spricht, die sich bei der Abfassung und Veröffentlichung des Werkes ergaben, auch ⟋Prolegomena, in poet. Werken ⟋Exposition, ⟋Prolog, ⟋Proömium.   S

Einreim, auch: Reihenreim, Tiradenreim, Bindung einer Strophe oder eines Abschnittes durch einen Reimklang; ältester Beleg bei Augustinus (»Rhythmus gegen die Donatisten«), später v. a. in der franz. mal. Literatur (Eulalia-Sequenz, Chansons de geste), der prov. Lyrik, auch bei Walther von der Vogelweide (L 75, 25); in der Neuzeit gelegentl. bei Heine, G. Keller (»Abendlied«) u. a.   S

Einzelausgabe, einzeln käufl. Ausgabe eines Textes, im Unterschied zu einer nur im Rahmen einer Gesamt- oder Serienedition erhältlichen Ausgabe. Eine Zwischenstufe bilden die bes. bei modernen Klassikern üblichen ›Gesammelten Werke in Einzelausgaben‹, deren Bände (mit oder ohne Bandzählung) einzeln erworben werden können. HSt

Eisteddfod, n. [aisˈtɛðvɔd; walis. = Sitzung, Versammlung; Pl. Eisteddfodau], Bez. für die Versammlungen und öffentl. Wettbewerbe walis. ↗Barden, seit dem 10. Jh. belegt; sie dienten zunächst der Kodifizierung der Regeln bard. (Vers)kunst, später (15./16. Jh.) v. a. dem Kampf gegen den zunehmenden Verfall der Bardendichtung. Als erstes E. im engeren Sinn gilt der am Weihnachtstag 1176 in Cardigan von Lord Rhys ap Gruffyd veranstaltete Dichter- und Musikerwettbewerb. – Um 1800 wird, im Rahmen der nationalen Erweckungsbewegung in Wales auch die Pflege des E. wiederaufgenommen (1789 E. von Bala, veranstaltet von der London Welsh Society; 1819 E. von Carmarthen durch die Cambrian Society of Dyfed). Ein erstes nationales E. findet 1858 in Llangollen statt. Seit 1860 werden jährlich abwechselnd in Süd- und Nord-Wales E.au veranstaltet. Es handelt sich dabei um Dichterwettbewerbe, Rezitationen, Konzerte, Aufführungen und Ausstellungen. Die angesehensten der bei diesen E.au verliehenen Titel sind der eines *bardd y gadair* (»Barde vom Stuhl«; für Gedichte in ↗Cynghanedd-Metren) und eines *bardd y goron* (»Barde mit der Krone«; für Gedichte in freien Metren).   K

Ekkyklema, n. [gr., nach ekkyklethron; zu ekkykleo = herausdrehen, herausrollen], Theatermaschine des antiken Theaters: Ein hölzernes Gestell auf Rädern, das v. a. der Darstellung von Innenräumen diente und bei Bedarf durch eine der portalartigen Öffnungen in der Rückwand der ↗Skene (Thyroma) auf die Spielfläche herausgeschoben werden konnte. Wahrscheinl. erst eine Einrichtung der hellenist. Bühne.

□ Bethe, E.: E. u. Thyroma. In: Rhein. Museum 83 (1934), 21.

Eklektizismus, m. [gr. eklegein = auswählen, auslesen], Verfahren, das aus verschiedenartigen Vorlagen und Vorbildern, Gedanken, Theorien, Anschauungen oder Stileelementen auswählt und sie, meist ohne Rücksicht auf den originalen Kontext oder die tieferen Zusammenhänge, kompiliert, ohne eigene geist. Durchdringung und ohne eigenschöpfer. Leistung; oft kennzeichnend für Epigonentum. – Die Gefahr des E. zeichnet sich zum ersten Mal im Hellenismus ab (vgl. die von Diogenes Laertios, 2. Jh. n. Chr., als ›Eklektiker‹ bezeichneten griech.-röm. Philosophen seit dem 1. Jh. v. Chr.); bes. offenkundig ist der E. in der Baukunst des 19. Jh.s (Neo-Romanik, Neo-Gotik, Neo-Barock etc.). – E. **als krit. Kunstmittel** findet dagegen in der modernen Kunst und Literatur, z. B. bei Picasso, Strawinski, Brecht, vgl. ↗Collage.   S

Ekloge, f. [von gr. eklegein = auswählen], in der röm. Lit. ursprüngl. Bez. für ein kleineres »auserlesenes« (Hexameter)gedicht beliebigen Inhalts, später eingeengt auf bukol. Dichtungen (Hirten- oder ↗Schäferlieder) in der Art Theokrits (entsprechend wurde die »Bucolica« Vergils auch als »Eclogae«, E.n bez.). Bis ins 18. Jh. wurden die Bez. E., Schäfer-, (Hirten)gedicht, ↗Idylle synonym für lyr.-dramat. Hirten(wechsel)gesänge oder allgem. für kürzere (auch ep.) Hirtendichtungen verwendet: vgl. G. R. Weckherlin, »Eclogen oder Hürtengedichte« (1641), J. Ch. Gottsched (Crit. Dichtkunst, 1730): »Von Idyllen, Eclogen und Schäfergedichten«. – Nach dem großen Erfolg der »Idyllen« (1756) S. Geßners wurde ›E.‹ durch das vormals seltenere Wort ›Idylle‹ abgelöst.

□ ↗Schäferdichtung.   IS

Ekphrasis, f. [gr. = Beschreibung, lat. ↗Descriptio].

Elegantia, f. [lat. = Gewähltheit, Feinheit],
1. in der antiken ↗Rhetorik (bes. Ad Herennium, Quintilian) die sprachl. Ausgestaltung (↗Ornatus) des am häufigsten benutzten genus humile und einer einfacheren Ausprägung des genus mediocre (↗Genera dicendi); dazu gehörten idiomat. Korrektheit (puritas), sprachl. und gedankl. Klarheit (perspicuitas) und einfache, v. a. klangl.-rhythm. Schmuckmittel; E. oft auch als ↗Konzinnität bez.
2. in Humanismus und Barock allgem. stilist. Meisterschaft, die in der Nachahmung der antiken ↗Kunstprosa (insbes. des genus grande!) gesehen wurde (vgl. u. a. die Lehrbücher von L. Corvinus, »Hortulus elegantiarum«, 1505, J. Wimpheling, »Elegantia majores«, 1513). E. wurde als eth. fundiertes Bildungsideal auch zum Vorbild der Sprachpflege in den Nationalsprachen (vgl. z. B. die Poetiken von G. G. Trissino, it. 1529), Du Bellay oder P. de Ronsard, frz. 1549 bzw. 1565); insbes. die ↗Sprachgesellschaften förderten ein E.ideal (dt. ›Wohlredenheit‹, ›Zierlichkeit‹), das bald über die bloße Nachahmung der rhetor. Muster hinaus zu einem eigenständ. bilder- und metaphernreichen antithet. Stil führte (dt. die Poetiken von M. Opitz, 1624, J. G. Schottel, 1641 u. 1663, G. Ph. Harsdörffer, 1647–53).   IS

Elegeion, n. (eigentl. metron e.), elegisches ↗Distichon.

Elegiac stanza [eliˈdʒaiak ˈstænzə; engl. = eleg. Strophe], Bez. der ↗heroic stanza im 18. Jh.

Elegiambus, m.
1. griech. Vers, s. ↗Enkomiologikus,
2. röm. Vers der Form –∪∪–∪– | ∪–∪–∪–∪͝; Zus.setzung eines ↗Hemiepes mit einem jamb. ↗Dimeter; von Horaz als Epodenvers in der 11. Epode verwendet. Die in der 13. Epode verwendete Umkehrung des E. heißt *Iambelegus.*   K*

Elegie, f. [gr., Etymologie unsicher], lyr. Gattung; nach der rein *formalen* Bestimmung ein Gedicht belieb. Inhalts in eleg. ↗Distichen, nach einer *inhaltl.* Bestimmung ein Gedicht im Tone verhaltener Klage und wehmüt. Resignation. Beide Begriffe der E. finden sich bereits in der antiken Dichtungstheorie; in der Geschichte der E. überwiegt teils der eine, teils der andere Gattungsbegriff. Der E. verwandt und nicht immer von ihr zu trennen ist das ↗Epigramm. Die Ursprünge der *griech.* E. liegen im Dunkeln. Die ältesten erhaltenen E.n (7. Jh. v. Chr.; Kallinos von Ephesos, Tyrtaios, Archilochos von Paros, Mimnermos von Kolophon) zeigen bereits die voll ausgebildete Gestalt der E.: Gedichte in eleg. Distichen, die zur Flötenbegleitung gesungen wurden; charakterist. ist bereits hier die *Themenvielfalt:* Vaterland, Krieg und Politik, die Macht der Liebe; dazu kommen im 6. Jh. v. Chr. philosoph. und menschl.-persönl. Themen (Solon), auch pointierte Gnomik (die oft nicht von epigrammat. Dichtung zu trennen ist), ferner Trinklieder und Liebesgedichte (Theognis), aber auch Erziehungslehren (Mahnung zu adeliger Zucht). – Während im 7. und 6. Jh. v. Chr. die E. universelles Ausdrucksmittel ist, tritt sie in klass. Zeit hinter anderen lyr. Gattungen zurück. Die Flötenbegleitung wird zunehmend als düster und traurig empfunden: neue monierende Inhalte der Dichtung in eleg. Distichen sind daher Klage und Trauer; unter E. wird im engeren Sinne nur noch das sog. *threnet. E.* (E. als Trauergesang) verstanden. Aus dieser Zeit sind nur wenige E.n erhalten; im 4. Jh. v. Chr. verstummt die E.n-Dichtung zunächst sogar ganz. – In hellenist. Zeit sind E.n meist kunstvolle kurze Gedichte gelehrt-höf. Anstrichs; wichtige Themen sind Mythos (unter erot. Aspekt) und Aitiologie (Kallimachos von Kyrene), dazu kommen Enkomien (Preislieder) in eleg. Distichen. Einen individuellen Ton zeigen die Liebes-E.n des Philetas von Kos. – *Die röm. E.* (Blütezeit etwa ein halbes Jh., Hauptvertreter G. Cornelius Gallus; Catull, Tibull, Properz; Ovid) greift die Tradition der griech., v. a. der hellenist. E. auf. Ihre bedeutendste Ausprägung ist die *erot. E.,* bes. in der von Ovid neu geschaffenen Form der ↗Heroide. In der röm. Spätzeit (Ausonius, Boëthius) ist die dem Epigramm verwandte Form der epikedeischen E. (E. als Klage oder Grablied) beliebt. Zwischen der spätröm. E. und der *E. des lat. MA.s* gibt es so gut wie keinen Bruch. Die Form des eleg. Distichons bleibt das ganze MA. hindurch für die lat. E. verbindl. Hauptinhalte der mlat. E. sind *Trauer und Klage;* Hauptvertreter sind Venantius Fortunatus (6.Jh.; »De excidio Thoringae« – in der Form der Heroide, u.a.), Hildebert von Lavardin (um 1100; »De Roma«, 2 E.n, »De exilio suo«) und Alanus von Lille (12.Jh.). Im SpätMA. wächst die Vorliebe für die »ovid.« Form des eleg. Distichons, es dringt auch in ep. und dramat. Dichtung ein. Demgegenüber beschränken die *Humanisten des 16.Jh.s* das Distichon wieder auf E. und Epigramm. Ihr Vorbild ist die klass. röm. E. (auch hier bes. erot. Themen; Hauptvertreter K. Celtis, Petrus Lotichius Secundus, Johannes Secundus), insbes. die Heroide, die jetzt auch allegor. und christl. Personen in den Mund gelegt wird (Eobanus Hessus, »Christl. Heroiden«). Auch sonst wird in der neulat. E.n-Dichtung christl. Thematik verarbeitet (es gibt Weihnachts-, Oster- und Pfingst-E.n; Psalmparaphrasen in der Form der klass. E. finden sich bei J. Stigel). – Die Geschichte der *volkssprachl. E.* beginnt mit der Gelehrtendichtung des 16./17.Jh.s; in Frankreich mit P. de Ronsard und C. Marot, in den Niederlanden mit D. Heinsius, in Deutschland mit M. Opitz, die alle auf die Tradition der neulat. E. der Humanisten zurückgreifen. Die Bez. einiger volkssprachl. Dichtungen des MA.s, so mehrerer Gedichte der altengl. Exeter-Handschrift (10.Jh.; »Der Wanderer«, »Der Seefahrer«, »Deors Klage«, »Die Ruine« u.a.), der Rückblickslieder der Edda (»Gudruns Gattenklage«, »Gudruns Lebenslauf«, »Gudruns Sterbelied«) und verwandter Denkmäler oder der sog. »E.« Walthers von der Vogelweide (L 124, 1 ff.) als E.n ist nur bedingt mögl., insofern sie im Tone wehmüt. Klage gehalten sind; diese Dichtungen sind nur schwer in den großen gattungsgeschichtl. Zusammenhang der Geschichte der E. einzuordnen; v.a. entwickelt sich die volkssprachl. E. der Neuzeit vollkommen unabhängig von diesen mal. Formen. Gattungskennzeichen der *dt. E. des 17.Jh.s* ist ihre metr. Form, der sog. eleg. ↗Alexandriner (Kreuzreim mit abwechselnd weibl. und männl. Kadenz), der als dt. Ersatzmetrum für das eleg. Distichon gilt. Charakterist. für die E. des 17.Jh.s ist ihre Themenvielfalt. Allerdings zeigen die einzelnen Dichter individuelle Vorlieben für bestimmte Themen: so dominiert bei Opitz selbst die erot. E., bei J. Rist die paränet. (ermahnende, erbaul.) E., bei P. Fleming das Rückblicksgedicht, bei S. von Birken die threnet. E.; C. Ziegler schreibt vorwiegend geistl. E.n, J.Ch. Hallmann bevorzugt die panegyr. E. (E. als Fürstenpreislied); Ch. Hofmann von Hofmannswaldau und H. A. von Ziegler und Kliphausen pflegen die Heroide. *Im 18.Jh.* setzt J. Ch. Gottsched im wesentl. die von Opitz begründete Tradition fort; doch begegnen bei ihm neben E.n in eleg. Alexandrinern auch solche in ↗vers commun u.a. Versen (Gottscheds Versuche, das gr.-lat. eleg. Distichon in dt. Sprache nachzubilden, sind unabhängig von seiner E.n-Dichtung). – Bes. Formen der E. im 18.Jh. sind das Tier-Epikedeion der Anakreontik (J. W. L. Gleim, »Auf den Tod eines Sperlings«; K. W. Ramler, »Nänie auf den Tod einer Wachtel«) und L. Ch. H. Höltys Kirchhofgedichte (»E. auf einen Dorfkirchhof«, »E. auf einen Stadtkirchhof«, nach dem Vorbild des Engländers Th. Gray). – Mit der Nachbildung des griech.-lat. eleg. Distichons in dt. Sprache, im Ansatz gelungen bei Gottsched, v. a. aber bei F. G. Klopstock (»Die künftige Geliebte«, 1748, »E.«, 1748, »Rotschilds Gräber«, 1766 u. a.), ist die formale Voraussetzung für die *klass. dt. E.* geschaffen. An ihrem Anfang stehen Goethes »Röm. E.n« (entstanden 1788/89, veröffentlicht 1795), 20 (24) sehr persönl. gestimmte erot. E.n in der Tradition

Ovids und Properz'. Die E.n Schillers (»Die Ideale«, »Das Ideal und das Leben«, beide in Reimstrophen!, »Der Spaziergang«, in Distichen u.a.) sind durch die Diskrepanz zwischen Natur und Ideal einerseits, Wirklichkeit andererseits geprägt, die nach Schiller charakterist. für die moderne »sentimentalische« Dichtung ist; ihr Ton ist der der Trauer über die verlorene Natur und das unerreichte Ideal. Auch Goethes spätere E.n (»Alexis und Dora«, »Der neue Pausanias und sein Blumenmädchen«, »Euphrosyne« u.a.) sind durch ihren rückwärts gewandten Blick und den Ton wehmüt. Erinnerung unwiederbringl. Glücks gekennzeichnet (eine Ausnahme bildet die »Metamorphose der Pflanzen«, die nur auf Grund der Form des eleg. Distichons in den Kreis der E.n Goethes gehört). Goethes »Marienbader E.« (1828, im Rahmen der »Trilogie der Leidenschaft«, Stanzen) zeugt von Resignation ohne Hoffnung. Den Höhepunkt der klass. dt. E. bilden die E.n F. Hölderlins (»Menons Klage um Diotima«, »Der Wanderer«, »Der Gang aufs Land«, »Stutgard«, »Brod und Wein«). Ihrer distich. gegliederten Form (3mal 3 Distichen) entspricht ein dialekt. Gedankengang: eine götterlose Gegenwart wird als »Nacht zwischen zwei Göttertagen« empfunden (Beißner); der Erinnerung an ein goldenes Zeitalter entspricht die Hoffnung auf seine Wiederkehr. Durch diesen Aspekt der Zukunftshoffnung hat P. Hölderlins E.n hymn. Töne. Die *E.n-Dichtung des 19. und 20.Jh.s* zeigt im wesentl. epigonale Züge; E. Mörikes »Bilder aus Bebenhausen« weisen idyll., E. Geibels E.n mehr ep. Charakter; bei A. v. Platen dominiert akrib. Bemühen um die Form über den Inhalt. R. M. Rilke mit seinen hymn.-ekstat. »Duineser E.n« (1922) knüpft unmittelbar an Hölderlin an; sie sind in eigenrhythm. Versen gehalten, durch die hindurch jedoch das Muster des klass. eleg. Distichons immer wieder spürbar wird. Einen sehr persönl., oft epigrammat. pointierten Ton zeigen B. Brechts »Buckower E.n« (1953).

□ Weissenberger, K.: Formen der E. von Goethe bis Celan. Bern/Mchn. 1969. – Beißner, F.: Gesch. der dt. E. Bln. ³1965. – RL.   K*

Elementare Dichtung, oft synonym mit abstrakte, konkrete, konsequente, materiale Dichtung gebrauchte Bez. für ↗reduzierte Texte, die bis weitestgehender Reduzierung alles Inhaltlichen auf das eigentl. zu gestaltende, *elementare* Material der Dichtung (einzelne Wörter, Silben, Buchstaben, Zahlen) beschränken. Bez. erstmals 1922 von K. Schwitters für eine Reihe v. a. von Buchstaben- und Zahlengedichten; sie bilden eine Vorstufe zu der später von ihm auch bevorzt. begründeten ↗konsequenten Dichtung.   D*

Elfenbeinturm, populäre moderne Bez. für das geist. Refugium eines Künstlers (Philosophen, Wissenschaftlers), der sich vom gesellschaftl.-polit. Leben abschließt und in einer ästhet. oder allgem. ideellen Welt nur seinem Werk lebt. Erster literar. Beleg für den Gebrauch des Wortes in diesem Sinne bei Sainte-Beuve in Bezug auf Vigny (»A M. Villemain«, 1845). – Bis dahin war ›E.‹ nur in relig. Bedeutung belegt: Wurzel ist »turris eburnea« im Hohen Lied Salomons 7, 5. Durch die allegorisierende heilsgeschichtl. und mariolog. Exegese (u.a. Turm = Zufluchtsort, Symbol der Standfestigkeit; Elfenbein = Symbol der Reinheit, Keuschheit, später Schönheit) findet sich das Bild des E.s bes. seit dem 12. Jh. in der Marien-Literatur und -Ikonographie. Das Verblassen des Bewußtseins der religiösen Wurzel und Bedeutung des E.s und (damit zusammenhängend) die in der Romantik beliebte Verwendung relig. Bilder für profane Vorgänge erklären die Übertragung der Vorstellung des E.s in die Künstlersphäre in vielen europ. Literaturen. ↗Eskapismus.

□ Bergmann, R.: Der elfenbeinerne Turm in der dt. Lit. ZfdA 92 (1963), 292–320.   IS

Elision, f. [lat. elisio = Ausstoßung], Ausstoßung eines auslautenden unbetonten Vokals vor einem vokalisch anlautenden Wort, v. a. zur Vermeidung des ↗Hiats, z. B.: *Da steh' ich.* Vgl. ↗Apokope.   S

Elizabethanisches Drama, zusammenfassende Bez. für das dramat. Schaffen während der Regierungszeit Elizabeth's I. von England (1558–1603) bis zum Ende der Stuarts (1642): eine der bedeutendsten literarhistor. Epochen am Beginn der Neuzeit, die bis zur Moderne die engl. und auch die europ. Literatur in allen Gattungen, bes. aber im Drama befruchtete. *Äußere Bedingungen* waren eine polit. und wirtschaftl. Stabilität und allgemeiner Wohlstand, die eine breite kulturelle Entfaltung ermöglichten: und zwar (traditionsgemäß) beim Adel (prunkvolle, tänzer.-musikal. Aufführungen an den Höfen, z. T. durch die Hofgesellschaft selbst, ∕Masque u. a.), sodann in Humanistenkreisen (Schulen, Universitäten: Übersetzungen, Nachahmungen und Aufführungen klass. und moderner ital. und franz. Autoren; ∕university wits), v. a. aber nun auch im *Bürgertum:* Für die Etablierung des Theaters in diesem Bereich waren dramengeschichtl. bedeutsam 1. die Konsolidierung eines sozial anerkannten berufsmäß. Schauspielerstandes (1572), 2. die Errichtung fester (privater) Theaterbauten (neben den Wanderbühnen, vgl. ∕Shakespearebühne), 3. die Herausbildung eines alle Schichten (auch den Adel) umfassenden ständigen krit. Publikums, 4. (damit zusammenhängend) die Notwendigkeit publikumsbezogener Theaterpraxis und publikumswirksamer Dramen. – Diese Konstellation begünstigte die Erprobung und Übernahme des aus der Antikenrezeption der ital. Renaissance entwickelten Dramentypus (in Versen, mit Beachtung der ∕Ständeklausel, der ∕drei Einheiten, der Aktgliederung) und seine Verarbeitung oder Verschmelzung mit altheim. Traditionen (personenreiche, locker gereihte Bilderfolgen in Prosa, ∕Historie, ∕Moralität). Das E. D. entwickelt sich auf diese Weise als ein spezif. Typus der offenen Dramenform, z. T. mit (allerdings oft nur äußerl.) Aktgliederung, v. a. aber charakterist. *Mischungen* von Vers (Blankversen) und Prosa, von hohem und niederem Stil, meist ohne Beachtung der Einheiten und mit beliebiger, weder ständ. noch zahlenmäßig beschränkter Personenzahl. – Die *Theorie* der roman. Muster lieferte die ital. Renaissance-∕Poetik, bes. L. Castelvetro (1576). Das bevorzugte Vorbild für die elizabethan. *Tragödie* wurde Seneca. Das erste Beispiel der für das E. D. typ. Verschmelzung klass. und heim. Tradition ist »Gorboduc«von Th. Sackville und Th. Norton (1562, ein szenenreiches Affektgemälde in 5 Akten, Blankversen, antikem Chor, aber ohne Beachtung der drei Einheiten und noch mit allegor. Pantomimen, sog. ∕dumb shows). Ähnl. sind die Tragödien von G. Whetstone, J. Pickeryng, Th. Kyd (»The Spanish Tragedy«, 1586/89). Einen ersten Höhepunkt bildet das Werk Ch. Marlowes (»Tamburlaine«, 1587; »The Jew of Malta«, 1588; »Dr. Faustus«, 1588/89 u. a.), der den Blankvers endgültig in der engl. Literatur etabliert und (indem er das dramat. Geschehen zwingend mit dem Charakter des Helden verknüpft) die ∕Charaktertragödie begründet. Sie wird von G. Peele, R. Greene, Th. Lodge, Th. Nashe u. a. nachgeahmt und durch Shakespeare vollendet (»Hamlet«, 1601; »Othello«, 1604; »King Lear«, 1605; »Macbeth«, 1606). Nach ihm nehmen grelle und hypertroph. Züge in den Tragödien zu (F. Beaumont und J. Fletcher, J. Marston, C. Tourneur und bes. J. Webster, »The white Devil«, 1611; »The Duchess of Amalfi«, 1617), Ph. Massinger, Th. Middleton, J. Ford und J. Shirley). Gerade hier aber knüpfte die engl. Romantik für die Darstellung menschl. Abgründe wieder an. Die Senecatragödie wirkte umgekehrt auch auf heim. Spieltraditionen, bes. auf die ∕Historien, die ebenfalls durch Shakespeare auf Höhe und Abschluß gebracht werden (»Richard II.«, »Richard III.«; die ›antiken Historien‹ »Julius Caesar«, 1601; »Antony and Cleopatra«, 1607). Eine entscheidende Entwicklung erfährt auch die *Komödie:* In Eton entsteht das erste engl. Werk mit klass. Akteinteilung, N. Udalls »Ralph Roister Doister«, 1553; daneben entwickelt J. Lyly statt der beliebten Nachahmungen des Terenz und Plautus heitere Traum- und Identitätsspiele in eleganter Prosa anstelle der meist schwerfälligen ∕doggerel verses (Knittelversen; »Alex und Campaspe«, 1579; »Sapho and Phao«, 1581; »Endimion«, 1585); seine Nachahmer sind u. a. G. Peele, R. Greene, Th. Dekker. Vollender war wiederum Shakespeare (»Much Ado about Nothing«, »As you like it«, »Midsummer-Night's Dream«, »Twelfth Night«). Parallel zur Entwicklung dieser sog. romant. Komödie durch Lyly und Shakespeare entsteht als neuer Typus die realist. ∕*Comedy of humours,* nach anonymen Vorläufern mit moral.-eth. Absicht neu geschaffen und gleich zu formstrenger Meisterschaft entwickelt von Ben Jonson (»Every man in his humour«, 1598; »Volpone«, 1605; »The Alchimist«, 1610). Zukunftsweisend ist ferner die Aufnahme und Weiterentwicklung der ∕*Tragikomödie,* bedingt durch einen (seit Shakespeares Spätwerken wie »The Tempest«, 1611, zu beobachtenden) Bewußtseinswandel (Problematisierung der erfahrbaren Wirklichkeit, gebrochene Weltsicht, Resignation usw.); Vertreter sind u. a. Beaumont, Th. Heywood, Massinger und Fletcher (»Philaster«, 1609; »A King and No King«, 1611; »The Two Noble Kinsmen«, viell. unter Mitarbeit Shakespeares, 1612). Die Betonung der bürgerl. Realität macht viele Tragikomödien (und Tragödien) zu Vorläufern des ∕bürgerl. Trauerspiels des 18.Jh.s (vgl. schon die anonymen »Mr. Arden in Kent«, 1586 und »The Yorkshire Tragedy«, 1605, oder Th. Dekkers »The Honest Whore«, 1604 u. a.). In der kurzen Periode von etwa 50 Jahren wurden (in über 100 Dramen) alle die dramat. Formen erschlossen (und durch Shakespeare z. T. zur Vollendung geführt), auf die nachfolgende Dramatiker zurückgreifen konnten: die Charaktertragödie, die roman. (Prosa-)Komödie, die Comedy of humours, die Tragikomödie, insgesamt ein spezif. Drama der ∕offenen Form, das die Normen der Renaissancepoetik (Ständeklausel, drei Einheiten, Aktschema, Verssprache) zwar erprobte, aber nicht schemat., sondern stoff-adäquat neben älteren dramat. Formen einsetzte. Als durch Parlamentsbeschluß der Puritaner 1642 die Schließung der Theater angeordnet wurde, hatte das E. D. – nach einer Blüte um 1600 immer greller im Gehalt und von äußerster formaler Virtuosität – aus sich selbst gleichsam eine hypertrophe Endstufe erreicht.

⊓ Suerbaum, U.: Das elisabeth. Zeitalter. Darmst. 1989. – The Elizabethan Theatre. Papers given at the 1st–7th intern. conference on Elizabethan theatre held at the University of Waterloo, Ontario. Bd. I–VII 1968–1981 (wechselnde Hrsg. u. Erscheinungsorte). – Weiß, W.: Das Drama der Shakespeare-Zeit. Stuttg. 1979. – Cunningham, J. E.: Elizabethan and Early Stuart Drama. London ²1970. – Kaufmann, R. J. (Hrsg.): E. D. London 1968. – Brown, J. R./Harris, B. (Hrsg.): Elizabethan Theatre. London 1966. – Wilson, F. P.: Elizabethan und Jacobean. Oxford 1945. – Harrison, G. B.: Elizabethan Plays and Players. London 1940. – Wells, H. W.: Elizabethan and Jacobean Playwrights. London 1939. – Schelling, F. E.: E. D. 2 Bde. Boston 1908.　　　　　　　　　　　　　　　IS

Ellipse, f. [gr., lat. ellipsis = Auslassung], ∕rhetor. Figur, Mittel d. Sprachökonomie oder der stilist. Expression: Weglassen von Satzgliedern, die zum Verständnis nicht unbedingt notwendig sind (vgl. dagegen ∕Aposiopese), z. B. »Woher so in Atem?« (Schiller, »Fiesco III, 4); dient in der Dichtung oft als Mittel der gesteigerten Expression. Bes. häufig in konventionalisierter Alltagssprache, z. B. »zweiter Stuttgart« (= ich möchte eine Fahrkarte zweiter Klasse nach St.) oder bei Grußformeln, Sprichwörtern (»Jung gewohnt, alt getan«), Kommandos u. a.　　　S

Eloge, f. [e'lo:ʒ, frz., aus lat. ∕*elogium*], Lobrede, Lobschrift; in der franz. Lit. des 17. und 18.Jh.s bedeutsame Gattung der Beredsamkeit: in kunstreicher Rhetorik gestaltete Rede zur öffentl. Würdigung eines hervorragenden Mannes (als Grabrede: É. funèbre). Bes. gepflegt von der

Académie française für verstorbene Mitglieder, meist durch den jeweiligen Nachfolger (É. académique oder É. historique), vgl. z. B. die Sammlungen von Fontenelle (»É.s des Académiciens«, 2 Bde. 1731) und Cuvier (»Recueil d'é.s historiques«, 2 Bde. 1812). É.s académiques sind noch heute Teil des traditionsbestimmten Aufnahmeverfahrens in die Académie française. É. begegnet auch als Titel panegyr. Gedichte (z. B. Saint-John Perse, »É.s«, 1911). ↗Panegyricus, ↗Enkomion, ↗Laudatio funebris.
🕮 Durry, M.: É. funèbre. 1950.   IS

Elogium, n. [lat. = Spruch, Aufschrift, Inschrift], in der röm. Antike kurze Grab- (Sarkophag-)Inschrift; in frühester Zeit in Prosa, später auch in poet. Form (↗Epigramm); enthielt zunächst nur Name u. Ämter, später auch Preis der Toten (vgl. z. B. Sarkophage der Scipionen). – Begegnet auch auf den Ahnenbildnissen *(imagines)* im Atrium der Häuser adl. Geschlechter, dann auch auf öffentl. aufgestellten Büsten, Hermen usw. (vgl. z. B. die Statuen myth. Römergestalten auf dem Augustusforum in Rom). – Literar. Nachbildungen sind die »Imagines« von Terentius Varro (39 v. Chr.) mit epigrammat. Elogii zu 700 Bildnissen hervorragender Griechen und Römer.   IS

Emblem, n., Pl. Emblemata [gr. emblema = das Eingesetzte, Mosaik- oder Intarsienarbeit], aus Bild und Text zusammengesetzte Kunstform, bestehend 1. aus einem meist allegor. *Bild* (Ikon [gr. eikon], auch Pictura, Imago [lat. = Bild] oder Symbolon [gr. = sinnl. Zeichen]): meist ein sinnfälliges, oft merkwürd. Motiv aus Natur, Kunst, Historie, bibl. Geschichte oder Mythologie, häufig auch nur daraus Einzelheiten, z. B. einzelne Körperteile oder aus verschiedenen kombinierte Figuren nach dem Vorbild der Hieroglyphik. 2. aus dem *Lemma* (gr. = Titel, Überschrift, auch ↗Motto, Inscriptio) über oder im Bild: ein knappes Diktum in lat. oder gr. Sprache, häufig ein Klassikerzitat. Unter dem Bild steht 3. die *Subscriptio* (lat. = Unterschrift), oft als ↗Epigramm, aber auch in anderen gebundenen Formen oder in Prosa. Die Subscriptio erläutert den im Bild häufig verschlüsselt oder allegor. dargestellten Sinn des E.s, der sich auf ein moral., relig., erot. Thema beziehen kann oder eine allgemeine Lebensweisheit beinhaltet (Abb.). Emblemata waren in Europa vom 16.–18. Jh. außerordentl. beliebt, auch in der Malerei (bes. Fresken). E.bücher mit ihren Holzschnitten oder Kupferstichen wurden oft geradezu Hausbücher (vgl. ↗E.literatur); jedes Thema, auch z. B. die Bibel oder antike Sagen, wurde emblemat. verarbeitet (dabei oft moralisiert). E.-Anspielungen prägten nicht nur die barocke Bildersprache in Kunst und Literatur entscheidend mit, sondern auch die Gestaltungstechniken des barocken Schauspiels und des Romans. Viele dieser Anspielungen in der barocken Dichtung sind heute nur mit Hilfe der Kenntnis der Emblematik verständlich; sie bildet für die Literaturhistorie einen wichtigen Bereich der Toposforschung. – Die Grenzen zur ↗Imprese oder ↗Devise sind fließend; demzufolge findet sich die Bez. ›E.‹ in der älteren Literatur häufig auch auf diese Formen bildl.-literärer Gestaltung angewandt; erst seit E. R. Curtius wird unter E. nur die streng dreigeteilte Kunstform verstanden, wie sie A. Alciatus in seinem »Emblematum liber« (1531, Nachdruck 1967) ausgebildet hat.
🕮 Höpel, J.: E. u. Sinnbild. Darmst. 1987. – Höltgen, K. J.: Aspects of the E. Kassel. 1986. – Schilling, M.: Imagines Mundi. Metaphor. Darstellungen d. Welt in d. Emblematik. Frkf./Bern 1979. – Daly, P. M.: Literature in the light of the e. Structural parallels between the e. and literature in the 16th and 17th centuries. Toronto 1978/79. – E. und Emblematikrezeption. Vergleichende Studien z. Wirkungsgesch. vom 16. bis 20. Jh. Hg. v. S. Penkert. Darmst. 1978. – Emblemata. Hdb. z. Sinnbildkunst des 16. u. 17. Jh.s. Hg. v. A. Henkel und A. Schöne, Stuttg. ²1976 (mit umfangr. Bibl.).   HFR*

STVDIO ET VIGILANTIA.

Qui VIGILI STVDIO Sapientem scripta volutat,
Hic dici doctus, Cur mereatur, habet.

Durch Eifer und Wachsamkeit
Wer in unermüdlichem Eifer die Bücher studiert,
der nur verdient es, ein Gelehrter zu heißen.

Emblematik, ↗Emblem, ↗Emblemliteratur.

Emblemliteratur, Emblemsammlungen in der Nachfolge des »Emblematum liber« des Andrea Alciatus (Augsburg 1531). Blütezeit vom 16. Jh. bis zum 18. Jh., mit Schwerpunkt in Mittel- und Westeuropa. Der »Emblematum liber« fand ungeheuren Anklang (über hundert Neuauflagen, Übersetzungen und Bearbeitungen) und gab den Anstoß zu einer wahren Flut von Emblembüchern (über 600 Verf. emblemat. Werke bekannt). Teilweise wurde das von Alciatus geprägte Schema des ↗Emblems übernommen (Mathias Holtzwart, »Emblemata Tyrocinia«, 1581; Gabriel Rollenhagen, »Nucleus emblematum selectissimorum«, 1611 u. a. m.), in der Regel aber in verschiedenen Graden variiert bis fast zur Auflösung der eigentl. Form durch Ausweitung nach der bildner., lyr. oder erzähler. Seite hin (z. B. Laurens van Haecht Goidtsenhouen, »Mikrokosmos«, 1579, 1613 neu bearbeitet von Joost van den Vondel). Früh schon theoret. Erörterungen über die Emblematik, so Alciatus' Vorrede zu seiner Ausgabe, J. Fischarts »Vorred vom Ursprung, Gebrauch und Nutz der Emblematen« zu Holtzwarts Werk oder G. Ph. Harsdörffers »Frauenzimmer-Gesprechspiele« (1641 ff.). Bei späterer E. der roman. Länder überwiegt die Tendenz zu geistreicher Symbolspielerei, in Deutschland und den Niederlanden eher zu bürgerl. Morallehre. Das eth. polit. Emblembuch, dem ↗Fürstenspiegel verwandt, findet sich v. a. in Deutschland. Im 17. Jh. nimmt die religiöse E. einen gewaltigen Aufschwung: etwa ein Drittel der E. sind religiöse Emblembücher (das wichtigste Werk mit rd. 40 lat. Ausgaben zwischen 1624 und 1757 und zahlr. Übersetzungen ist die »Pia desideria« des Jesuiten Hermann Hugo; vgl. auch die zahlr. Trost- und ↗Sterbebüchlein, ↗Ars moriendi). Von Holland ausgehend erscheinen seit Anf. 17. Jh. auch erot. Themen in Emblematen, dialekt. behandelt z. B. in D. Heinsius' »Emblemata amatoria« (1616), eth.-moralisierend in Jakob Cats »Emblemata amores moresque spectantia« (1622). Die Emblematik fand Eingang in alle Lebensbereiche, so sind auch zahlreiche Gelegenheitsproduktionen wie ↗Stammbuchemblemata, Hochzeitsemblemata u. a. bezeugt.

◻ ↗Emblem. – RL.   HFR*

Embolima, n. Pl. [gr. = Einschübe], im antiken Drama Chorlieder, gesungen als bloße Einlagen, ohne Zusammenhang mit der Handlung, zwischen den Schauspielerszenen (↗Epeisodion); sie verdrängten seit Ende des 5. Jh.s den ↗Chor in seiner ursprüngl. Funktion als Kommentator der vorgeführten Ereignisse. In der ↗Tragödie bei Agathon (5. Jh. v. Chr.) bezeugt (Aristoteles, Poetik 18, 1456), in der Komödie erstmals bei Aristophanes (»Plutos«, 388 v. Chr.) nachweisbar. Vgl. dagegen ↗Stasimon.   S

Emendation, f. [lat. = Verbesserung, Berichtigung], textkrit. Bez. für bessernde Eingriffe in einen nicht authent. überlieferten Text bei offensichtl. Überlieferungsfehlern (Fehler orthograph. Art, Haplographien, Dittographien, Wortauslassungen u. a.); vgl. dagegen ↗Konjektur; auch ↗Textkritik. Ferner Bez. für Druckfehlerkorrektur.   S

Empfindsamkeit, gefühlsbetonte geist. Strömung innerhalb der europ. ↗Aufklärung (ca. 1730 bis Ende 18. Jh.). *Wortbildung* nach der von G. E. Lessing vorgeschlagenen Übersetzung des Wortes ›sentimental‹ mit ›empfindsam‹ im Titel von L. Sterne's »Sentimental Journey . . .« (1768; übersetzt noch im selben Jahr durch J. J. Ch. Bode), ein Werk, in dem die Tendenzen dieser Strömung zusammengefaßt sind. Die E. gilt als eine der »Manifestationen bürgerl. Emanzipationsbestrebungen im 18. Jh.«. Sie wurde in der früheren Forschung v. a. als säkularisierter ↗Pietismus gedeutet. Neuere Untersuchungen (Sauder) sehen in ihr jedoch keine Opposition gegen rationalist. Vernunft, sondern eine »nach innen gewendete Aufklärung«, die versuche, »mit Hilfe der Vernunft auch die Empfindungen aufzuklären«, sich zur Erlangung *moral. Zufriedenheit* (als höchstem Zweck) der Leitung der ›guten Affekte‹ (Sympathie, Freundschaft, [Menschen]-Liebe, Mitleid, ›vermischte‹ d. h. zärtl.-moral. Empfindungen) zu überlassen. E. als »Selbstgefühl der Vollkommenheit« erhält so, sozialgeschichtl. gesehen, eine »zentrale Bedeutung« für die »Herausbildung der privaten Autonomie des bürgerl. Subjekts«. Die forcierte Gefühlskultur tritt – z. T. als Modeströmung – in vielen Lebensbereichen in Erscheinung. Sie zeitigt pädagog. (J. H. Campe) und allgem. philantrop. Einrichtungen, v. a. aber empfindsame Freundschaftszirkel, die (mit dem Ziel gegenseit. sittl.-moral. Erziehung) im Gespräch, in gemeinsamer Lektüre, in Tagebüchern, Briefen, autobiograph. Aufzeichnungen einen schwärmer. Gedankenaustausch pflegten. Ein neu entdecktes Naturgefühl erweckte den Sinn für idyll.-heitere wie eleg.-düstere Stimmungen und Reflexionen. Zur Artikulation dieser Gefühlsintensität, der verfeinerten seel. Empfindungen, Selbstbeobachtung und -analysen entsteht zugleich ein neuer, differenzierter und nuancenreicher psycholog. Wortschatz, entstehen neue Metaphern und Bildkomplexe, die die Sprache um eine irrationale Komponente bereichern. Literar. relevant wurden in dieser Hinsicht v. a. die Freundschaftszirkel um F. G. Klopstock, um J. W. L. Gleim, der ↗Göttinger Hain, der ↗Darmstädter Kreis oder auch die Briefwechsel der Brüder J. G. und F. H. Jacobi oder J. G. Herders mit seiner Braut u. a. Entscheidende Bedeutung gewann damit die *Literatur*, welche die neue Gefühlskultur ästhetisierte: Die Empfindungsbereitschaft und -fähigkeit zeigte sich zwar durchaus moral. orientiert, jedoch nicht naiv, sondern höchst bewußt und reflektiert, genoß sich z. T. letztlich selbst und folgte auch in der ›empfindsamen‹ Lebensgestaltung literar. Mustern. Diese Muster lieferte v. a. England, zunächst in der ↗moral. Wochenschriften, dann mit den Naturdichtungen von J. Thomson bis zur empfindsamen ↗Gräberpoesie (Th. Gray, E. Young, »Night-Thoughts«, 1742; dt. 1751), dem »Ossian« (1760), aber v. a. mit den moralisierenden

Tugend-(Brief)romanen von S. Richardson (»Pamela«, 1740; »Clarissa«, 1748; »Grandison«, 1753), später auch den humorist.-idyll. Romanen von O. Goldsmith, L. Sterne u. a. Auch Frankreich gab mit Romanen (Abbé Prévost u. v. allem Rousseau, »Julie ou la Nouvelle Héloïse«, 1761) und mit der ↗comédie larmoyante literar. Anregungen. In dt. Literatur der E. wurden diese Muster allseits aufgenommen und mit großen Publikumserfolgen nachgeahmt. Das Theater beherrschten Ch. F. Gellerts ↗weinerl. Lustspiel (nach frz. Muster), das ↗bürgerl. Trauerspiel und die tränenseligen Familien- oder ↗Rührstücke (von F. L. Schröder, O. H. v. Gemmingen, A. W. Iffland, A. v. Kotzebue u. a.). Gellert eröffnete auch die Flut von Romanen in der Richardson-Nachfolge, meist ebenfalls Briefromane mit schmalem Handlungsgerüst und reichen gefühlig-moralisierenden Exkursen und Betrachtungen (vgl. z. B. Gellert, »Leben der schwed. Gräfin von G.«, 1746; S. von La Roche, »Geschichte des Fräuleins von Sternheim«, 1771; J. T. Hermes, »Geschichte der Miß Fanny Wilkies«, 1766 u. v. a.). – Hermes führte mit der Nachahmung von Sterne's »Sentimental Journey« den empfindsamen ↗Reiseroman in die dt. Literatur ein (»Sophiens Reise von Memel nach Sachsen«, 1769/73; der ebenfalls sofort viele Nachahmer fand (z. B. J. G. Schummel, »Empfindsame Reisen durch Deutschland«, 1772, rezens. von Goethe; M. A. v. Thümmel, A. v. Knigge u. a.). Eine eigene Form- und Ausdruckssprache entwickelt die Lyrik durch eine programmat. Abwendung von der traditionellen normativen Poetik (Gottsched): Pyra und Lange nutzen den schwärmeriesch-beseelten Sprachschatz des pietist. geistl. Liedes für ihre »Freundschaftl. Lieder« (1745; neu und richtungweisend auch durch den teilweisen Verzicht auf den Reim). Klopstock schuf dann die Gefühlssprache des Erhabenen, der religiösen Ergriffenheit, der seel. Bewegung (»Messias«, Gesänge 1–3, 1748 und »Oden«, 1771, meist in freien Rhythmen und von weitreichender Wirkung; Goethe). Daneben stehen die nicht weniger gefühlsintensiven Dichtungen im Gefolge »Ossians« (H. W. v. Gerstenberg) oder des idyll.-heiteren, einem empfindsamen Natur- und Freundschaftsgenuß huldigenden Dichtungen, die sich z. T. unter der ↗Anakreontik berühren (A. v. Kleist, S. Gessner, J. P. Uz, L. Hölty, Gleim u. a.). *Höhepunkt* und zugleich Überwindung der empfindsamen Dichtung ist Goethes »Werther« (1772/74), in dem das individuelle Gefühlserleben zeittyp. gestaltet ist. Er evozierte nicht nur eine Großzahl empfindsamer (auch dramat.) sog. ›Wertheriaden‹(z. B. J. M. Miller, »Siegwart«, 1776), sondern auch Nachahmungen im Lebenswirklichkeit (Werthertracht, Wertherfieber, sogar Selbstmorde). Goethe hatte im »Werther« auch die Gefahren der unbedingten Gefühlshingabe aufgezeigt; er selbst schloß mit diesem Werk eine persönl. Entwicklungsphase ab und wandte sich (im Gefolge Rousseaus) einer weniger reflektierten, unmittelbareren Gefühlsaussprache (↗Hymnen, ↗Sturm und Drang) zu. Auch zahlreiche zeitgenöss. Satiren und Parodien enthalten krit. Urteile über den Gefühlskult, die ›Empfindelei‹, vgl. z. B. Goethes »Triumph der E.« (1777). Aber nicht nur für Goethes Entwicklung, sondern für den gesamten Bereich der dt. Literatur stellt die E. durch die Freisetzung der Gefühlskräfte, die Verschärfung und Vertiefung der psycholog. Beobachtung, die Beseelung des Naturgefühls und allgem. durch eine Verinnerlichung einen wichtigen Schritt dar hin zum Irrationalismus und ästhet. Individualismus.

◻ Wegmann, N.: Diskurse der E. Stuttg. 1988. – Pikulik, L.: Leistungsethik contra Gefühlskult. Über d. Verhältnis von Bürgerlichkeit und E. in Deutschld. Gött. 1984. – Sauder, G.: E. Auf 3 Bde. berechnet: Stgt. Bd. 1 1974. Bd. 3 1980. – Hohendahl, P. U.: Der europ. Roman der E. Wiesb. 1977. – Jäger, G.: E. und Roman. Stuttg. 1969. – Miller, N.: Der empfindsame Erzähler. Mchn. 1968. – Boeschenstein, H.: Dt. Gefühlskultur. Studien zu ihrer dichter. Gestaltung. Bern 1954. – RL.   IS

Emphase, f. [gr. emphasis = Verdeutlichung],
1. semant. E., Figur des uneigentl. sprachl. Ausdrucks,
↗Tropus; ein Tatbestand wird dadurch ausgedrückt, daß
ein Begriff genannt wird, der diesen Tatbestand unaus-
drückl. *auch* enthält, z. B. »Er ist ein *Mensch*« (= *schwach,
irrend,* jedoch auch je nach Kontext: *gut, edel, ›menschlich‹,
vernünftig*); verwandt mit ↗Synekdoche (totum pro parte,
Undeutliches statt dem Deutlichen) und ↗Litotes (rede-
takt. Verhüllung), Mittel der ↗Diaphora und ↗Anaklasis. –
Da diese Figur als überflüssige Aussage mißverstanden
werden konnte, wurde sie durch Tonfall, Tonstärke und
Gestik hervorgehoben und allmähl. ident. mit Ausdrucks-
verstärkung durch Stimme und Gestik. Heute bez. E.
2. allgem.: Nachdruck, Eindringlichkeit durch Stimme und
Gestik oder durch hyperbol. oder stark metaphor. Wortwahl auch ohne semant. Wortumwertung.   S
Enallage, f. [gr. = Vertauschung] auch Hypallage, ↗rhe-
tor. Figur, Verschiebung der log. Wortbeziehungen, bes.
Abweichung von der erwarteten Zuordnung eines Adjek-
tivs; dies wird zu einem anderen als dem semant. passenden
Substantiv gestellt: »Dennoch umgab ihn *die gutsitzende
Ruhe* seines Anzugs« (R. Musil; auch umgangssprachlich
in fehlerhaften Sätzen wie »in baldiger Erwartung Ihrer
Antwort«), oder ein unpassendes Adjektiv-Attribut wird
statt einem passenden Genitiv Attribut gesetzt: »der *schuldige Scheitel*« (Goethe, statt: Scheitel des Schuldigen;
umgangssprachl. z. B.: reiterl. Darbietungen, jagdl. Aus-
drücke).   S
Enchiridion, n. [gr. eigentl. = in der Hand (Gehaltenes)],
Handbuch, Lehrbuch, Leitfaden, Quellensammlung; vgl.
Luthers »Kl. Katechismus«, der bis 1546 den Obertitel ›E.‹
trug, oder Erasmus von Rotterdam, »E. militis Christiani«,
1503/04.   MS*
Endecasillabo, m. [it., auch lat.-gr. hendekasyllabus =
Elfsilbler], in der italian. Verskunst 11silb. Vers mit weibl.
Versausgang und zwei Haupttonstellen: ein Haupton fällt
dabei regelmäßig auf die 10. Silbe, während der andere
bewegl. ist, meist jedoch auf der 4. oder 6. Silbe liegt. Nach
dem Wort mit dem bewegl. Haupton fällt der Vers eine
männl. oder weibl. Zäsur, die den Vers in zwei ungleiche
Abschnitte teilt; geht dabei der kürzere Abschnitt voraus,
spricht man von einem *E. a minore,* im umgekehrten Falle
von einem *E. a maiore,* z. B. »Tu lascerai/ ogni cosa diletta«
(Dante, »Paradiso« XVII, 55: E. a. minore mit männl.
Zäsur), »Nel mezzo del cammin/ di nostra vita« (Dante,
»Inferno« I, 1: E. a maiore mit männl. Zäsur). – Der E. ist
eine freie Adaption des franz. Zehnsilbers (↗Vers commun); er ist der älteste belegte italian. Vers überhaupt (Iscri-
zione ferrarese, 1135) und als Vers des ↗Sonetts, der ↗Ter-
zine, der ↗Stanze, der ↗Sestine u. a. der wichtigste Vers der
italian. Dichtung (verwendet u. a. von Dante, Petrarca,
Ariost, Tasso). – Dt. *Nachbildungen,* fünfheb. jamb. Verse
mit männl. Zäsur nach der 4. oder 6. Silbe (bzw. weibl.
Zäsur nach der 5. oder 7. Silbe), finden sich seit der 2. Hälfte
des 18. Jh.s v. a. bei Ch. M. Wieland, J. J. W. Heinse, Goethe
(»Schillers Reliquien«, »Faust«, Zueignung), bei den
Romantikern, bei A. v. Platen, später noch bei St. George.
                                                          K
Endecha, f. [en'detʃa; span. = Klage], span. eleg.
Gedicht, meist in Form einer ↗Romanze aus vierzeil. Stro-
phen (meist 6- oder 7-Silber); verschiedene Ausprägun-
gen: bei der *E. real* ist z. B. der letzte Vers jedes Quartetts ein
Elfsilber (u. a. von Cervantes und der mexikan. Dichterin
Sor Juana Inés de la Cruz [17. Jh.] gepflegt); daneben fin-
den sich auch E.s aus gereimten Vierzeilern oder reimlosen
Versen (Cervantes).   GR*
Endreim, a) auf die Stellung im Vers bezogen: Reim am
Versende, im Unterschied etwa zum ↗Binnenreim; b) gelegentl. auch auf die Stellung im Reimwort bezogen: Reim,
der vom Hauptvokal bis zum Wortende reicht, im Unterschied zum Anfangsreim (↗Alliteration); vgl. auch ↗End-
silbenreim.   S

Endsilbenreim, Reimbindung zwischen nebentonigen
oder unbetonten Endsilben; im Unterschied zum ↗Stamm-
silben- oder Haupttonsilben-Reim. E. ergibt sich in griech.
und lat. Dichtung durch syntakt. Parallelismus öfters spontan, begegnet in ahd. Dichtung als vollwertiger Reim, da
die Endungssilben noch vollvokal. sind und in der ↗Ka-
denz einen bes. Akzent tragen *(Hludwíg : sálig, rédinon :
giwídaron);* im *gestützten* E. reimt noch die vorhergehende
Konsonanz mit *(zíti : nóti).* Nach der spätahd. Abschwächung des Endsilbenvokalismus ergeben E.e in frühmhd.
Dichtung oft nur noch unzulängl. Reimbindungen, z. B.
lufte : erde (»Altdt. Genesis«). E.e begegnen gelegentl. auch
noch in mhd. Dichtung *(Hagene : degene,* »Nibelungenlied«) und in nhd. Dichtung *(denn : Furien* bei Liliencron).
                                                          S
Enfants sans souci, Pl. [ãfãsãsu'si; frz. = Kinder ohne
Sorgen], auch: Galants sans souci, zwischen 1485 und 1594
in Paris u. a. frz. Städten belegter Name für Gruppen von
Laienschauspielern oder Gauklern, die sich auch *sots* (Narren) nannten; sie zeigten im Narrenkostüm Pantomimen,
Gauklerstücke und Parodien, vor allem aber *soties* (↗Sot-
tie, in Allegorien dargestellte Laster sitten und polit.
Ereignisse). Bekanntes Mitglied einer E. s. s.-Gruppe war P.
Gringoire, der z. B. in einer Sottie die Politik Ludwigs XII.
gegen Papst Julius II. unterstützte. Der junge Marot, der die
E. s. s. besucht hatte, schrieb auf sie Gedichte. Andere
Aussagen über den sozialen Stand der Mitglieder (Söhne
privilegierter Familien z. B.) sind Hypothesen.   DB
Engagierte Literatur, in weitestem Sinne alle Literatur,
die ein religiöses, gesellschaftl., ideolog., polit. Engagement
erkennen läßt, bzw. aus einem solchen resultiert. Eine
Abgrenzung gegenüber sog. ↗Tendenzlit. ist daher schwierig; im
engeren Sinne ↗Littérature engagée.   D
Englische Komödianten, engl. Berufsschauspieler, die
sich, in Wandertruppen organisiert, seit etwa 1590 in
Deutschland aufhalten und, auf Grund ihres spezif. Theaterstils, das dt. Theater und Drama des 17. Jh.s nachhaltig
beeinflussen. – Während das dt. Theater des 16. Jh.s noch
ausschließl. Laientheater ist, wird das engl. Theater dieser
Zeit schon weitgehend von Berufsschauspielern getragen;
um die Mitte des 16. Jh.s lassen sich in England bereits ca.
150 Truppen nachweisen. Der etwa 1570 einsetzende
Kampf der Puritaner gegen das zunehmende Theaterbetrieb veranlaßt einige dieser Truppen zur Auswanderung
nach Holland, Dänemark und Deutschland. Das erste
urkundl. bezeugte Gastspiel einer engl. Wandertruppe in
Deutschland findet 1586/87 am kursächs. Hof Chri-
stians I. in Dresden statt. Seit 1592 (Frankfurter Messe) hält
sich die Truppe R. Brownes in Deutschland auf, von der
sich die Truppen Th. Saxfields, J. Bradstreads und Th.
Sackvilles abzweigen; letztere beiden gastieren im selben Jahr am Braunschweiger Hof in Wolfenbüttel. Weitere
belegte Stationen der Sackvilleschen Truppe sind Nürnberg
(1595, 1597), Kopenhagen (1596), Stuttgart, Augsburg,
München (alle 1597). Zu diesen Truppen kommen später
die J. Websters, J. Greenes, J. Spencers hinzu. Die erste
nachweisbare Truppe engl. K. in Deutschland ist die J. Jolliphus'(seit 1648). – Die meisten Gastspiele englischer K. in
Deutschland finden anläßl. der großen Messen, Jahrmärkte oder höf. Feste statt. Spielort sind Festsäle in
Schlössern und Rathäusern, aber auch Wirtshäuser, Reit-
schulen u. ä. Ihre *Bühne* ist eine Variante der ↗Shake-
speare-Bühne, bestehend aus Vorderbühne und 2stöck.
Hinterbühne, dazu kann eine Versenkung kommen. Die
Szene wird ledigl. durch einfache Requisiten angedeutet;
Frauenrollen werden, wie auch im ↗Elisabethan. Theater
Englands, von Männern gespielt (weibl. Darsteller sind erst
in der Truppe des J. Jolliphus nachweisbar). Die *Aufführun-
gen* erfolgen zuerst in engl., seit etwa 1605 in dt. Sprache. –
Die Stücke sind freie Bearbeitungen elisabethan. Dramen,

namentl. Shakespeares (»Hamlet«, »König Lear«, »Der Kaufmann von Venedig«) und Marlowes (»Dr. Faustus«, »Der Jude von Malta«); dazu kommen ↗bibl. Dramen (»Susanna«); später werden auch Stücke dt. Autoren (Herzog Heinrich Julius von Braunschweig, J. Ayrer, Gryphius, Lohenstein) aufgeführt. – Die *Bedeutung* der e. K. für die dt. Theatergeschichte liegt in ihrem spezif. Theaterstil, charakterisiert durch: 1. Das Spiel ist in erster Linie *Aktionstheater;* der Text des Stücks verliert gegenüber der Bühnenaktion, die durch derbe Realistik und drast. Gestik gekennzeichnet ist, an Bedeutung; Fechtszenen, Tanzeinlagen, artist. Kunststücke sind den Aufführungen fest integriert. Es unterscheidet sich damit grundsätzl. vom Humanistendrama und vom protestant. Schuldrama des 16.Jh.s, die v.a. Deklamationstheater waren. 2. Die Stücke sind größtenteils in schlichter, umgangssprachl. gefärbter *Prosa* (sogar unter teilweiser Verwendung der Mundart) abgefaßt; das bedeutet, daß zum szen. Realismus eine in Ansätzen realist. Sprachgestalt kommt. Mit den e. K. setzt die Geschichte des dt. Prosadramas ein. 3. Durch die englischen K. (namentl. durch Th. Sackville) wird in das dt. Theater die *Figur des Clowns* (Pickelhering, ↗Hanswurst) als stehende Figur eingeführt, deren zotenhafte Possen in Form von Stegreifeinlagen die eigentliche dramat. Handlung immer wieder unterbrechen. – Die Wirkung der e. K. auf das dt. Drama zeigt sich zunächst bei Herzog Heinrich Julius von Braunschweig und J. Ayrer. Ihr realist. Theaterstil beeinflußt auch das dt. Schuldrama; v.a. bei Ch. Weise (»Bäurischer Machiavellus«, 1679; »Masaniello«, 1682) macht sich ihr Vorbild bemerkbar (viel szen. Aktion, Prosa, Clown-Figur des Pickelherings, vgl. auch ↗Haupt- und Staatsaktionen). – Neben den e. K. gastieren im 17.Jh. in Deutschland niederländische und it. Wandertruppen; seit der 2. Hälfte des 17.Jh.s gibt es dann auch dt. Schauspieltruppen von Bedeutung (A. Paulsen; J. Velten).
📖 *Textsammlung:* Creizenach, W. (Hg.): Die Schauspiele der e. K. Lpz. 1884, Nachdr. 1967 (Dt. Nat.-Lit. Bd. 23). Baesecke, A.: Das Schauspiel der e. K. in Deutschland. Halle 1935. – RL. **K**

Englyn, m. [ɛŋlin; kymr., Pl. englynion], Strophenform der walis. (kymr.) Dichtung aus 3 oder 4 Zeilen mit Alliteration, Binnenreim oder deren Kombination (↗Cynghanedd). E.ion dieser Art finden sich seit dem 9.Jh., es handelt sich um Strophen mit religiöser Thematik, um Gnomik und um Heldengesänge in eleg. Ton (z.B. die Klage Llywarchs über den Schlachtentod seiner 24 Söhne). – Im engeren Sinne der seit dem 12.Jh. belegte *E. unodl union,* ein vierzeil., heterometr. (10-6-7-Silbler) »einreim. durchgereimter E.«, der bis heute beliebteste der strengeren bard. Strophenformen. **K***

Enjambement, n. [ãjãb´mã; frz. = das Überschreiten; dt. = Zeilensprung], Übergreifen des Satzgefüges über die Versende hinaus in den nächsten Vers: z.B. Mörike, »An die Geliebte«: »Dann hör ich recht die leisen Atemzüge / Des Engels ...«. Der in den nächsten Vers verwiesene Satzteil *(des Engels)* heißt *rejet.* – Die durch das E. bedingte Überschneidung von Vers- und Satzgliederung findet sich schon in antiker und mal. Dichtung. – Seine *Funktionen* sind:
1. die Integrität der einzelnen Verszeilen wird aufgehoben; die Folge ist entweder ein lockerer, prosanaher Parlandostil zur Vermeidung einer ermüdenden Eintönigkeit, v.a. in Texten größeren Umfangs, wie sie eine ständige Wiederholung desselben Versschemas mit sich brächte (z. B. Lessings Blankverse in »Nathan der Weise«), oder das musikal. Ineinanderfließen der Verse, vielfach in lyr. Texten, häufig in der Romantik und bes. bei Rilke (z.B. »Die Flamingos«, hier sogar mit Überschreitung der Strophengrenze).
2. die Integrität der einzelnen Verszeilen wird nicht aufgehoben, Versende und Versanfang werden vielmehr emphat. herausgehoben, so v.a. in (reimlosen) Gedichten

hymn.-ekstat. Tones, bei Klopstock, Hölderlin, dem späten Rilke (z.B. 1. Elegie: »Wer, wenn ich schriee, hörte mich denn aus der Engel / Ordnungen?...«.
3. Das E. hat bildhafte Funktion, vgl. schon Walther von der Vogelweide: »Sæhe ich die megde an der stråze den bal / werfen ...«.» (L 39,5 f.): das E. gestaltet hier den Gestus des Werfens mit sprachl. Mitteln. – Das E. kann durch Reimklänge verstärkt werden. Eine gesteigerte Form des E.s liegt weiter vor, wenn die Versgrenze mitten in ein Wort fällt (z.B. Rilke, 2. Elegie: »... hochauf = /schlagend erschlüg uns das eigene Herz«). Wird, in gereimter Dichtung, durch das E. ein Reimwort getroffen, spricht man von ↗gebrochenem Reim. Dem E. verwandte Stilmittel sind ferner der ↗Haken- (oder Bogen)stil in angelsächs. und altsächs. Stabreimdenkmälern und die Technik der ↗Brechung (Reimbrechung) in mhd. Reimpaargedichten. **K***

Enkomiologikus, m. [gr. = preisender (Vers)], gr. ↗archiloch. Vers der Form –∪∪–∪∪–|∪–∪–∪; als Zusammensetzung aus einem ↗Hemiepes und dem ersten Teil eines jamb. ↗Trimeters bis zur ↗Penthemimeres gedeutet, Asynarteton. Zuerst bei Alkman (2. Hälfte 7.Jh. v.Chr.) und Alkaios (um 600 v.Chr.) belegt; histor. eine Vorform der v.a. bei Pindar beliebten ↗Daktyloepitriten. Bez. nach seiner Verwendung v.a. im ↗Enkomion (Preisgedicht); auch als *Elegiambus* in Umkehrung (jamb. Trimeter + Hemiepes) als *Jambelegus* bez. (vgl. aber den röm. ↗Elegiambus.) **K***

Enkomion, n. [Lobgedicht, Lobrede], altgriech., auf Festzügen gesungenes chor. Preislied auf hervorragende Männer, meist vom Aulos begleitet; wichtigste Versform der ↗Enkomiologikus. Als literar. Gattung evtl. von Simonides (6.Jh. v.Chr.) entwickelt; bedeutendste *Vertreter* Pindar und Bakchylides. – Prosaische Enkomien, meist mit iron.-satir. Spitze, schufen u.a. Gorgias und Isokrates (4.Jh. v.Chr.); diese Tradition wirkte bis in die Neuzeit fort, vgl. z.B. Erasmus von Rotterdams »Morias e.« (Lob der Torheit, 1509). Sonderform des E.s: ↗Epinikion, auch ↗Panegyrikus. **IS**

Enoplios, m., altgr. Vers der Form ∪–∪∪–∪∪––; gilt als Ausprägung eines vermuteten griech. Urverses aus festen Längen und mehreren freien Kürzen, wie evtl. auch ↗Paroimiakus, ↗Prosodiakus und das ↗Hemiepes; erscheint auch in ↗Daktyloepitriten, ↗Asynarteten und als ↗äol. Versmaß. **S**

Ensenhamen, m. [prov. = Unterweisung, Erziehung], prov. Lehrdichtung, die der Unterweisung der mal. Gesellschaft in standesgemäßer Lebensführung dient. Entsprechend der sozialen Schichtung existieren E.s für Adlige und Nichtadlige beiderlei Geschlechts. Ihre Anstandsregeln, mit allgemeinen Moralgrundsätzen und Hygienevorschriften vermischt, sind teils auf alle Lebensbereiche ausgedehnt, teils auf bestimmte Situationen (Verhalten in Liebe, Benehmen bei Tisch) beschränkt. Der Komposition nach lassen sich unterscheiden: 1. E.s, die die Didaxe direkt erteilen und 2. solche, die sie in ep. Einkleidung vermitteln. Die metr. Form besteht überwiegend aus unstroph. Sechssilber-Reimpaaren. – Eine Gattungsvariante stellen die als Berufs- und Verhaltensanleitung für Joglars gedachten E.s dar. – *Dichter:* Garin lo Brun, Arnaut de Maruelh, Arnaut Guilhem de Marsan, Raimon Vidal de Bezalù, Sordel, N'At de Mons, Amanieu de Sescas. – Als Zeugen zeitgenöss. Sitten-, Moral- und Geschmacksvorstellungen sind die E.s von hohem kulturhistor. Wert. **PH**

Enthüllungsdrama, dt. Bez. für ↗analyt. Drama.

Entremés, m., Pl. entreméses [span. = Zwischenspiel, von frz. entremets = Zwischengericht; im span. Theater kurzer, meist schwankhaft.-realist. oder satir. Einakter, oft mit Tanz, der zwischen den Akten der ↗Comedia oder zwischen Vorspiel und ↗Auto sacramental eingeschoben wurde. Ursprüngl. wohl Unterhaltung zwischen verschiedenen Gängen eines Banketts (s. Etymol., auch ↗Intermezzo, ↗Interlude). Die meisten E.es entstanden während der Blütezeit der Comedia im 16./17. Jh. Als Meister gelten M. de Cervantes (»Ocho comedias y ocho e.es nuevos«, 1615), Lope de Vega, F. de Quevedo und L. Quiñones de Benavente (soll etwa 900 E.es geschrieben haben). Der E. wurde Ende des 17. Jh.s vom ↗Sainete abgelöst.

◫ *Texte:* Cotarelo y Mori, E.: Colección de e.es, loas, bailes, jácaras y mojigangas desde fines del siglo XVI á mediados del XVIII, Bd. 1: E.es; Madrid 1911. **GR***

Entwicklungsroman, Romantypus, in dem die geist. Entwicklung der Hauptgestalt (meist eines jungen Menschen) dargestellt wird. Bez. in die Literaturwissenschaft eingeführt von Melitta Gerhard (1926) für Romane, die zwar dem klass. ↗Bildungsroman (geist. Entwicklung unter dem Aspekt einer Entelechie und eines bestimmten Bildungsideals) verwandt sind, in Ziel und Weg aber entsprechend der zeittyp. und individuellen Auffassung ihrer Autoren verzeichnend abweichen. Diese Begriffsscheidung ist jedoch nicht allgem. durchgeführt: die umfassendere Bez. ›E.‹ wird vielfach mit ›Bildungsroman‹ und ↗›Erziehungsroman‹ synonym gebraucht. In der modernen Literaturwissenschaft wird deshalb versucht, die Bez. ›E.‹ formal zu fixieren als überhistor., immer und in jeder Literatur möglicher Bautyp; entscheidend für die Zuordnung zum E. sind neben dem Inhaltl. (Konzeption eines individuellen Lebensganges) bestimmte *strukturale Kriterien,* z. B. die *Funktion der Stoffverteilung:* Held als Zentrum der dargestellten Welt (Ggs. etwa die ↗Abenteuer-, ↗histor. oder ↗Zeitroman), eine spezif. *Erzählsituation:* bes. typ. ist z. B. die ↗Ichform (erzählendes im Ggs. zum erlebenden Ich), die in der Nähe der ↗Autobiographie und der Problematik des ↗autobiograph. Romans stellt (zwei Bewußtseinsebenen des Ich) oder das *chronolog. fortschreitende Zeitgerüst.* Je nachdem, welche strukturalen und inhaltl. Elemente als relevant angesehen werden, finden sich (oft nicht unwidersprochen) als E.e neben den ›eigentl.‹ Bildungsromanen (s. dort) Werke klassifziert wie »Parzival« (von Wolfram v. Eschenbach), »Simplizissimus« (1668, von H. J. Ch. v. Grimmelshausen), »Agathon« (1767, 1773 u. 1794, von Ch. M. Wieland), »Hermann und Ulrike« (1780, von J. C. Wezel), »Ahnung und Gegenwart« (1815, von J. v. Eichendorff), »William Lovell« (1795/96, von L. Tieck), »Der Nachsommer« (1857, von A. Stifter), »Der grüne Heinrich« (1854/55 und 1879/80, von G. Keller), »Andreas oder die Vereinigten« (entst. 1907/13, ersch. postum 1930, Fragm. v. H. v. Hofmannsthal), »Berlin Alexanderplatz« (1929, von A. Döblin), »Der Zauberberg« (1924) und »Dr. Faustus« (1947, von Th. Mann) und seit dem »Demian« (1919) alle Romane H. Hesses; als jüngsten E. bez. H. M. Enzensberger »Die Blechtrommel« (1959, von G. Grass). – Auch »Tom Jones« (1749, von H. Fielding), »Sartor Resartus« (1833/34, von Th. Carlyle), »Jean-Christophe« (1904–12, von R. Rolland) werden z. T. als E.e bez. – Als Parodie auf den E. wollte Th. Mann seinen »Felix Krull« (1954) verstanden wissen.

◫ Esselborn-Krumbiegel, H.: D. ›Held‹ im Roman. Formen des dt. E.s im frühen 20. Jh. Darmst. 1983. – Tiefenbacher, H.: Textstrukturen des E.- und Bildungsromans. Königstein/Ts. 1982. – Köhn, L.: Der E.- und Bildungsroman. Ein Forschungsbericht. DVjs 42 (1968), 427–473. – Gerhard, M.: Der dt. E. bis zu Goethes ›Wilhelm Meister‹. (1926). Bern ²1968. – Kobi, E. E.: Die Erziehung zum einzelnen. Eine Skizze z. Problem existentieller Erziehung, ausgehend von R. Rollands »Jean-Christophe«. Frauenfeld 1966. **IS**

Enumeratio, f. [lat. = Aufzählung], ↗rhetor. Figur, s. ↗Accumulatio.

Envoi, m. [ā°vwa; frz. = Geleit, Zueignung, Widmung], abschließende Geleitstrophe in roman. Liedgattungen wie ↗Kanzone, ↗Chant royal, ↗Ballade; entspricht in Form und Funktion der prov. ↗Tornada, kam mit der ↗Canso in die afrz. Dichtung. **PH***

Enzyklopädie, f. [Kunstwort, von gr. enk'yklios = im Kreislauf des Jahres immer wiederkehrend, alltägl. und paid'eia = Bildung], von dem griech. Sophisten Hippias von Elis (5. Jh. v. Chr.) geprägter *Begriff* für universale Bildung, dann allgem. als Alltagsbildung definiert, die nach Isokrates (436?–338 v. Chr.) auf die wahre, d. h. die durch die Philosophie erlangte Bildung nur vorbereitet. Diese Bedeutung einer Propädeutik der Philosophie, im MA. auch der Theologie, behält der Begriff bis zum Beginn der Neuzeit. Der röm. Gelehrte M. Terentius Varro (116–27 v. Chr.) hat ihn erstmals in einem geschlossenen System, dem der ↗Artes liberales, dargestellt und damit die röm. Schultradition auf fest umrissene Bildungsinhalte festgelegt. – Das MA. steht in antiker enzyklopäd. Tradition. Die Artes liberales, in der Spätantike auf 7 (Grammatik, Rhetorik, Dialektik, Arithmetik, Geometrie, Astronomie, Musik) festgelegt, bilden das Fundament mal. Schulbildung der und geben das klass. Gliederungsschema mal. E.n ab. – Der *Name* ›E.‹ tritt als Titel erst am Ausgang des MA.s auf, erstmals wahrscheinl. in J. Philomusus' »Margarita philosophica encyclopaediam exhibens« (1508). – Die Neuzeit sucht über den mal. Bildungskanon hinaus in der E. die Gesamtheit des menschl. Wissens zu erfassen und stellt die verschiedenen Wissensgebiete in einen neuen, dem gewandelten Weltbild entsprechenden Zusammenhang. Unter E. ist jetzt ein umfassendes Werk zu verstehen, das die Gesamtheit des Wissens entweder systemat., d. h. nach Themenkreisen, oder alphabet. nach Stichwörtern sammelt. Demnach sind 2 Grundtypen enzyklopäd. Literatur zu unterscheiden: die systemat. und die alphabet. Letztere tritt oft unter den Namen ›Allgemein-‹, ›Universal-‹, ›Real‹-E. oder ›Reallexikon‹, ›Sachwörterbuch‹ und, bes. im 19. Jh., ›Konversations-Lexikon‹. Eine *Sonderform* repräsentiert die auf nur ein Sachgebiet beschränkte Fach- oder Spezial-E. Alle Varianten der E. suchen jeweils nur gesichertes Wissen zu vermitteln. Dieses wird im Hinblick auf den unterstellten großen Benutzerkreis in leicht verständl. und dennoch wissenschaftl. Ansprüchen genügender Darstellung (meist) von einem großen Stab von Fachgelehrten angeboten. Tabellar. Übersichten, Bildbeigaben, Tafeln und Karten sind heute fester Bestandteil jeder E. *Geschichte.* 1. Die *systemat. E.:* Ihre Anfänge werden auf den Platon-Schüler Speusippos (†399 v. Chr.) zurückgeführt, von dessen Werk nur wenige (naturhistor., mathemat. und philosoph.) Fragmente erhalten sind. Unter den röm. Gelehrten liefern der ältere Cato, Varro, Celsus und C. Plinius Secundus ähnl. Arbeiten, alle in Form von Lehrbüchern. – Der Begründer der mal. E. ist Martianus Capella (5. Jh.). Sein teils in Versen, teils in Prosa abgefaßtes Werk »De nuptiis Mercurii et Philologiae« (Von der Hochzeit Merkurs mit der Philologie) ist die für das ganze MA. maßgebende Darstellung der Artes liberales. Als Grundbuch mal. Bildung gelten die »Institutiones divinarum et saecularium litterarum« Cassiodors (6. Jh.), die kirchl. Wissen mit den weltl. Artes verbinden. E.n von kaum geringerer Ausstrahlung schufen Isidor von Sevilla (um 570–636, ca. 1000 Hss.), Hugo von St. Viktor (um 1096–1141), Lambert von St. Omer (1120), Honorius Augustodunensis (um 1080–1137), Herrad von Landsberg (1125–95, »Hortus deliciarum«, wahrscheinl. die 1. E. einer Frau), Alexander Neckam (1157–1217), Alanus ab Insulis (um 1120–1202), Arnoldus Saxo (1. Hä. 13. Jh.), Thomas de C(h)antimpré (1201–1263?), Bartholomaeus Anglicus (13. Jh.; seine E., eine Art enzyklopäd. Bestseller, wurde bereits im MA. ins Ital., Frz., Provenz., Engl., Span., Fläm. und Anglo-Norm. übersetzt), Vinzenz von Beauvais (†1264; Höhepunkt populär-gelehrter Literatur, ebenfalls mit Übersetzungen ins Frz., Span., Dt., Fläm. und Katalan.). – Mit dem vor 1320 entstandenen anonymen »Compendium philosophiae« kündigt sich die 1. moderne E. an, die Objektivität in der Wissensvermittlung anstrebt und ihren Leser auch über die neuesten naturwiss. Entdeckungen informiert. – *Nationalsprachl. E.n* (meist vulgarisierte Bearbeitungen oder Kompilationen lat. Vorlagen) erscheinen seit dem 13. Jh., so von Pierre de Beauvais (»Mappemonde«, 1218), Gossuin de Metz (»Image du monde«, vor 1250), beide auf Honorius Augustodunensis fußend, von Konrad von Megenberg (»Buch der Natur«, 1350) und Peter Königschlacher (1472) nach Thomas de C(h)antimpré, der dt. »Lucidarius (1190–95) und frz. »Sidrach« (nach 1268 oder 1291), ferner Brunetto Latini mit der ersten, auf ein bürgerl. Publikum zugeschnittenen Laien-E. »Livres dou trésor« (um 1250). – In der Neuzeit entstehen nur noch wenige bedeutende systemat. E.n, u. a. J. H. Alsteds »Encyclopaedia septem tomis distincta« (1630), ferner die in systemat. Ordnung gebrachte und erweiterte E. Diderots und d'Alemberts, die als »Encyclopédie méthodique par ordre des matières« von Panckoucke und Agasse (1782–1832) in 166 Bd.en herausgegeben wurde. Im 20. Jh. bemüht sich das ›Comité de l'Encyclopédie Française‹ (jetzt ›Société Nouvelle de l'Encyclopédie Française‹) um eine Erneuerung der systemat. E. Andere Wege beschreiten die beiden systemat. Taschenbuch-E.n: »Rowohlts dt. E.« (1955 ff.) stellt monograph. Abhandlungen über Einzelprobleme aus allen Wissenschaftsdisziplinen mittels beigegebener ›enzyklopäd. Stichwörter‹ und Register in einen enzyklopäd. Zusammenhang. »Das Fischer Lexikon« (1957–66) ist eine Sammlung von 40 Spezial-E.n, von denen jede aus wenigen größeren, alphabet. angeordneten Überblicksartikeln besteht, in die eine Fülle von Stichwörtern systemat. eingearbeitet ist. Den systemat. sind auch sog. *philosoph. oder formale E.n* zuzurechnen, die der Frage nach dem organ. Zusammenhang der Wissenschaften und Künste nachgehen und diesen philosoph. begründen. Ihre namhaftesten Vertreter sind F. Bacon, D. G. Morhof, J. G. Sulzer, J. J. Eschenburg und G. W. F. Hegel.

2. Die *alphabet. E.:* Während Antike und MA. die systemat. E. favorisierten, dominiert in der Neuzeit die alphabet. E. Vorläufer im Altertum sind meist schlecht oder gar nicht überliefert. Die mutmaßl. älteste alphabet. E., »De significatu verborum« von Verrius Flaccus ist nur teilweise (Buchstaben M–V) in der epitomierten Fassung des Sextus Pompeius Festus (2. Jh.) überliefert. Ein Vorläufer des Konversationslexikons des 19. Jh.s ist die zu ihrer Zeit populäre »Polyanthea nova« des Domenico Nani Mirabelli (1503, noch im 17. Jh. neu aufgelegt). Das 17. Jh. verzeichnet drei herausragende E.n: Moréris »Grand dictionnaire historique« (1674, histor., geo- und biograph. ausgerichtet), A. Furetières »Dictionnaire universel des sciences et des arts« (1690, das erste Beispiel einer nach heutigen Vorstellungen modernen E.) und P. Bayles »Dictionnaire historique et critique«, der die von blinder Autoritätsgläubigkeit diktierten Zitatenschätze früherer E.n durch krit., bereits von aufklärer. Geist bestimmte Stellungnahmen ersetzte (12 Ausgaben, die letzte 1820–24, zahlreiche Übersetzungen, u. a. eine ›entschärfte‹dt. von J. Ch. Gottsched 1741–44). Im 18. Jh. erscheint die erste neuere dt. E. von Bedeutung, das sog. Zedler'sche »Gr. vollständ. Universal-Lexikon aller Wissenschaften und Künste« (1732–54), an dem bekannte Fachgelehrte, bes. Leipziger und Hallenser Professoren (auch Gottsched) mitarbeiteten. Seine genealog. und zeitgenöss. biograph. Artikel (mit Literaturangaben) sind bis heute unersetzl. Nahezu gleichzeitig (1728) erschien in England E. Chambers' »Cyclopaedia or Universal Dictionary of Arts and Sciences«. Der buchhändler. Erfolg (7 Ausgaben in 25 Jahren) dieser in stärkerem Maß auch Technik und Naturwissenschaften berücksichtigenden E. gab den äußeren Anstoß zu Diderots und d'Alemberts 35bänd. »Encyclopédie ou Dictionnaire raisonné des sciences, des arts et des métiers« (1751–80), die ursprüngl. eine Übersetzung des »Chambers« werden sollte. Durch Diderot wurde sie das Standardwerk der franz. Aufklärung, das »Einleitungskapitel der Revolution«(Robespierre). Er gewann dem Unternehmen die führenden Philosophen und Wissenschaftler der Zeit (/ Enzyklopädisten) als Mitarbeiter, die dieser E. den antiklerikalen und antiabsolutist. Impetus verliehen, sowie die zahllosen Handwerker und Techniker, die sie in enger Kooperation mit Diderot zum ersten namhaften Lexikon der Technik machten. Intention und Organisation der »Encyclopédie« sind in Diderots »Prospectus de l'Encyclopédie«(1750) und in seinem Artikel »Encyclopédie«, ferner in d'Alemberts »Discours préliminaire« niedergelegt. Erst dieses epochemachende Werk bürgert die Bez. ›E.‹für umfassende Nachschlagewerke ein. Bleibende internationale Bedeutung errang auch die »Encyclopaedia Britannica or a dictionary of arts and sciences«, die erstmals zwischen 1768–71 in 3 Bdn. erschien (14. Ausg. 1929, 24 Bde.). Die bislang umfangreichste europ. E., Ersch und Grubers »Allgem. E. der Wissenschaften und Künste« (1818–89) ist trotz ihrer 167 Bde. unvollendet geblieben. (A–Ligatur und O–Phyxios). Diese Kollektivarbeit bekannter dt. Gelehrter beschließt eine Epoche der E.-Geschichte: die der großen wissenschaftl. E. An ihre Stelle tritt das für das 19. Jh. typ. *Konversationslexikon,* das sich unter Preisgabe der aufklärer. Funktion einer allgem. Interessenidentität zwischen Gelehrten und gebildeten Laien vornehml. an die letzteren wendet. Zwei dt. Verlagshäuser haben diese Entwicklung maßgebl. bestimmt: F. A. Brockhaus und C. J. Meyer. Das erste Nachschlagewerk dieser Art, das 6bänd. »Conversationslexikon mit vorzügl. Rücksicht auf die gegenwärt. Zeiten« (1796–1808, hg. v. K. G. Löbel) wird nach mehrmal. Verlegerwechsel 1808 von F. A. Brockhaus erworben, der es mit verändertem Titelblatt 1809 neu auf den Markt bringt. Löbel hat sein Lexikon in einer »Vorrede« wie folgt charakterisiert: » . . . ein vollständ. Handwörterbuch . . . , welches eine Art von Schlüssel sein soll, um sich den Eingang zu gebildete Cirkel und in den Sinn guter Schriftsteller zu eröffnen, aus den wichtigsten Kenntnissen . . . bloß diejenigen enthalten, welche ein jeder als gebildeter Mensch wissen muß, wenn er an einer guten Conversation theilnehmen und ein Buch lesen will . . .«. Diese Charakterisierung gilt auch für die folgenden von Brockhaus besorgten Neuauflagen. Bes. Erwähnung verdient die 5. Aufl. (1819/20), die erstmals unter Zugrundelegung einer wissenschaftl. Systematik von einer großen Anzahl Fachgelehrter bearbeitet wird. – Das in 46 Bdn. und 6 Supplementbd.en (1840–55) erschienene »Große Conversations-Lexicon für die gebildeten Stände« (hg. v. C. J. Meyer) sollte umfassender (bes. über Naturwissenschaften, Technik, Gewerbe und Handwerk) informieren als der »Brockhaus«, billiger und schneller abgeschlossen sein als Ersch und Grubers E. Darüber hinaus verfocht der engagierte liberale Hrsg. auch ein polit. Ziel: die intellektuelle Emanzipation breiter Volksschichten. Der »Meyer« wurde in der Folgezeit gleich dem »Brockhaus«zur enzyklopäd. Institution. – Neben diesen wollte das seit 1854 erscheinende »Herders Conversations-Lexicon« (1854–57 in 5 Bd.en, 1902–07 in 8, 1931–35 in 12 Bd.en) eine erschwingl. Lebenshilfe für die ärmeren kath. Bevölkerungsschichten sein. – In der 2. Hälfte des 20. Jh.s knüpften die lexikograph. Großverlage an alte enzyklopäd. Tradition an: Brockhaus mit einer 20 Bd.e umfassenden »E.« (1966–74) und Meyer mit einem 25bänd. »Enzyklopäd. Lexikon« (1971–1979). – Eine systemat. Übersicht über die wichtigsten europ. und außereurop. E.n bietet »Meyers Enzyklopäd. Lexikon«, Bd. 8. PH*

Enzyklopädisten, im weiteren Sinn die nahezu 200 Mitarbeiter an der von Diderot und d'Alembert herausgegebenen »Encyclopédie« (1751–80; / Enzyklopädie). Im engeren Sinn die franz. Philosophen, die die »Encyclopédie« zum Sprachrohr der Aufklärung machten: Diderot (Sachgebiete: Geschichte der Philosophie, Handwerk und Technik, daneben aber auch Beiträge zu Grammatik, Rhetorik, Poetik, Ästhetik, Metaphysik, Logik, Moral, Politik und Ökonomie, u. a. die berühmten Artikel »autorité«, »encyclopédie«, »néant« [Nichts]), d'Alembert (Mathematik), Rousseau (Musik, bedeutsamer aber sein Artikel »économie politique«, der die wesentl. Elemente des »Contrat social«vorwegnimmt), Holbach (Chemie), Voltaire (u. a. die Beiträge »esprit« und »histoire«), Montesquieu (»goût« [Geschmack]), Quesnay (»fermiers« [Pächter] und »grains« [Korn], die den Physiokratismus begründen), Turgot (»foire« [Markt] und »fondations« [Stiftungen]), Condorcet (naturwissenschaftl. Beiträge in den Supplementbänden). Neben den Philosophen sind zu nennen: der ›Polyhistor‹ Jaucourt, der nach Diderot die meisten Artikel schrieb, der Rechtsgelehrte Boucher d'Argis, der Naturforscher Daubenton, der Grammatiker Du Marsais, der Theologe Mallet, der Schriftsteller und Literaturkritiker Marmontel. Dt. bzw. Schweizer Beiträger waren der Baron von Grimm (»poème lyrique«) und J. G. Sulzer (»beaux arts« [schöne Künste]).

🕮 Proust, J.: Diderot et L'Encyclopédie. Paris 1967.　　PH

Epanadiplosis, f. [gr. = Wiederholung], weitere Bez. für ⁄Anadiplose oder ⁄Kyklos.

Epanalepsis, f. [gr. = Wiederholung], rhetor. Figur, Wiederaufnahme eines Wortes oder Satzteiles innerhalb eines Verses oder Satzes, jedoch nicht unmittelbar wie bei der ⁄Gemination; z. B. »Und atmete lang und atmete tief« (Schiller, »Der Taucher«). Vgl. auch ⁄Anadiplose.　S

Epanastrophe, f. [gr. = Wiederkehr],
1. ⁄rhetor. Figur, s. ⁄Anadiplose (lat. reduplicatio);
2. Bez. der Verslehre: eine Strophe beginnt mit demselben Vers, mit dem die vorige endete, z. B. H. Heine »Donna Clara«, J. v. Eichendorff »Jäger und Jägerin«.　S

Epanodos, f. [gr. = Rückkehr, lat. reversio, regressio], rhetor. Figur: nachdrückl. Wiederholung eines Satzes in umgekehrter Wortfolge: »Ihr seid müßig, müßig seid ihr« (2. Mose 5, 17).

Epeisodion, n., Pl. Epeisodia [gr. = das Hinzutreten], eines der Bauelemente der griech.(-röm.) Tragödie: die zwischen zwei Chorlieder eingeschobene Dialogszene. – Die Bez. enthält einen Hinweis auf den Ursprung der Tragödie: eine dreiteil. chor. Aufführung, bestehend aus ⁄Parodos (Einzugs-), ⁄Stasimon (Stand-) und ⁄Exodos (Auszugslied) wird dadurch zum Drama, daß (der Überlieferung nach zuerst bei Thespis) ein Schauspieler, evtl. mit einem ⁄Botenbericht, zum Chor »hinzutritt«. In der weiteren Entwicklung der somit entstandenen Bauform Parodos – E. – Stasimon – Exodos wird die Folge E.-Stasimon wiederholt; die überlieferten Tragödien haben 3–6 Epeisodia. Parallel dazu wird die Zahl der Schauspieler auf 2 (Aischylos) bzw. 3 (Sophokles?) erhöht. In der Folge gewinnen die Epeisodia mehr und mehr an Gewicht gegenüber den Chorliedern, die schließl., als lyr. Einlagen (⁄Embolima) zwischen den einzelnen Epeisodia nurmehr handlungsgliedernde Funktion haben. Der Aufbau der griech. Tragödie bei Euripides und später der röm. Tragödie bei Seneca aus einzelnen, durch chor. Einlagen getrennten Epeisodia (bei Seneca regelmäß. 5) ist das antike Vorbild für die Aktgliederung des neuzeitl. Dramas (⁄Akt). – Der *Vers* des E. in der griech. Tragödie ist der jamb. ⁄Trimeter, neben dem jedoch auch, v. a. in älterer Zeit (Aischylos, »Die Perser«), später auch in bewußt archaisierenden Werken (Euripides, »Die Bakchen«), der trochä. ⁄Tetrameter vorkommt; in der röm. Tragödie tritt an die Stelle des jamb. Trimeters der jamb. ⁄Senar.　K

Epenthese, f. [gr. = Einfügung], Einschub eines Lautes oder einer Silbe in ein Wort aus artikulator (z. B. mhd. fiur – nhd. Feuer), metr. oder archaisierenden Gründen oder des Wohlklangs wegen (induperator statt imperator, Lukrez 4, 967); eine der erlaubten Formen des ⁄Metaplasmus.　S

Epexegese, f. [gr. epexegesis = beigefügte Erklärung], rhetor. Bez. für einen eingeschobenen Satz, der wie eine Apposition das Bezugswort näher erläutert: »Eduard, – *so nennen wir einen reichen Baron* . . . – Eduard hatte . . .« (Goethe, »Wahlverwandtschaften«).　S

Ephemeriden, f. Pl. [gr. = Tagebücher, zu ephemérios = für einen Tag, flüchtig], Bez. für offizielle chronolog. Aufzeichnungen über den Tagesablauf an oriental., später hellenist. Königshöfen. Berühmt sind die (evtl. propagandist.) E. aus dem Umkreis Alexanders des Großen; in Auszügen überliefert bei Plutarch und Arrian (Authentizität heute bezweifelt).　S

Epideixis, f. [gr. = Schaustellung, Prunkrede, lat. Oratio demonstrativa, laudativa], eine der drei Arten der antiken ⁄Rede (neben der Gerichts- und der Staatsrede): rhetor. reich ausgeschmückte Fest- und Preisrede, insbes. zur Begrüßung, zum Abschied, als Glückwunsch (aber auch zur Tadelung); älteste Muster bei Gorgias (5. Jh. v. Chr.), berühmter Vertreter Isokrates (436–338 v. Chr.). Nach dem Niedergang republikan. Staatsformen überflügelte die Epideiktik die anderen Redegattungen und erhielt v. a. im MA. eine bes. Bedeutung für die Gestaltung des idealtyp. ⁄Descriptio. ⁄Rhetorik.

Epigonale Literatur [gr. epigon = Nachkomme], Bez. für Dichtungen, die geistig und formal im Gefolge der als ›klass.‹ empfundenen Muster stehen, z. B. literar. Werke des 13.–15. Jh.s, die sich am Vorbild der stauf. klass. Dichtung orientieren (Rudolf von Ems u. a.) oder die Dichtungen des 19. Jh.s, die im Banne der Weimarer Klassik und der Romantik blieben (Platen, Rückert, Geibel, ⁄Münchner Dichterkreis, Heyse u. v. andere). – Die e. L. fand meist infolge ihrer virtuosen Handhabung der klass. Formmuster und der Nachempfindung deren idealer Werte (z. B. Humanitätsidee) große zeitgenöss. Anerkennung; trotzdem impliziert die Bez. e. L. eine ästhet. Abwertung, bedingt durch einen gerade im Vergleich mit den Vorbildern deutl. werdenden Mangel an Originalität, durch oft provinzielle Verflachung der Gehalte, hohles Pathos (statt eigenständiger Formensprache), fehlende krit. Auseinandersetzung mit den jeweiligen Zeitproblemen; kennzeichnend für die e. L. ist allgem. eine Flucht in bewährte Denk- und Formmodelle (⁄Eklektizismus), vgl. z. B. die Flut von historisierenden und antikisierenden Dramen und Romanen (im Gefolge Schillers, ⁄antiquar. Dichtung, z. B. F. Dahn) im 19. Jh. – In früheren Literaturgeschichten wurden nach W. Scherers Entwicklungsschema (nach dem auf Phasen der Hochblüte gesetzmäßig ein Abfall folge), ganze Literatur-Perioden als ›epigonal‹ klassifiziert. – Von e. L. zu scheiden sind der ⁄Klassizismus und selbständige Adaptionen von Bildungs- und Kulturgütern aus anderen Literaturen (z. B. die Übernahme und eigenständ. Verarbeitung frz. Quellen durch stauf. mhd. Dichter). – Das Epigonentum wurde im 19. Jh. durch den Übermacht der Weimarer Klassik zu einer ebenfalls erfahrbaren Lebensproblematik, programmat. gestaltet von Immermann in »Die Epigonen« (1836). – Die Bez. ›Epigonen‹ wurde in übertragenem Sinne aus der antiken Sage von den »Sieben gegen Theben« übernommen, in der die Söhne die »Epigonen« genannt wurden. Verdeutschungsversuche von Grillparzer (»Nachtreter«) und Heine (»Spätgeborene«).

🕮 Windfuhr, M.: Der Epigone. In: Archiv f. Begriffsgesch. 4 (1959). – David, C.: Über den Begriff des Epigonischen. In: Tradition und Ursprünglichkeit. 1966. – RL.　S

Epigramm, n. [gr. = Aufschrift, Inschrift], poet. Gattung, in der auf gedankl. und formal konzentrierteste Art meist antithet. eine geistreiche, oder überraschende oder zugespitzt formulierte Sinndeutung zu einem Gegenstand oder Sachverhalt gegeben wird (dt. auch ›Sinngedicht‹); häufigste Form: das eleg. ⁄Distichon. – Die heute übl. Definition geht zurück auf G. E. Lessing (»Zerstreute Anmerkungen über das E.«, 1771), der von dem antiken

Satiriker Martial ausgeht: konstituierende Elemente des E. sind nach Lessing ›Erwartung‹ (über die Aufklärung eines Sachverhalts) und ›Aufschluß‹ (= Aufklärung in einer überraschenden Schlußwendung). Dieser inhaltl.-strukturalen Definition stellte J. G. Herder eine histor. gegenüber (»Über Geschichte und Theorie des E.s«, 1785), die die Herkunft des E.s und seine verschiedenen histor. (inhaltl. und formalen) Ausprägungen mit einbezieht. Er fand sieben Typen des E.s, deren letzter, das »rasche flüchtige E.« Lessings E.-Definition entspricht (gemeinsam sei allen Ausprägungen die ›Darstellung‹ und deren Sinndeutung, die ›Befriedigung‹). Eine Abgrenzung gegen ⁄Sinn- oder Weisheitsspruch ist nach der histor. Auffassung nicht eindeutig mögl. – E. e. waren in der griech. Antike ursprüngl. kurze zweckbestimmte Aufschriften auf Weihgeschenken, Standbildern, Grabmälern u.a.; sie wurden bereits Ende des 6. Jh.s v. Chr. gehaltl. erweitert (Zufügungen von Würdigungen, Wünschen, Empfindungen usw.) und poet. geformt (meist in eleg. Distichen) und zugleich nicht mehr nur als Aufschrift verstanden, sondern allgemein als Sinnspruch (z. B. auf Orte, Gebäude, Bücher, Personen, später auch Taten, Begebenheiten, Zustände). Als Begründer des E.s als Dichtungsgattung gilt Simonides von Keos (556–466 v. Chr.), weitere Vertreter sind Leonidas von Tarent, Asklepiades von Samos, Meleagros aus Gadara. Die berühmteste Sammlung antiker E.e findet sich in der hellenist.»Anthologia Graeca«(oder Anthologia Palatina: 3700 E.e verschiedenster inhaltl. und formaler Ausprägung). – Im antiken Rom wurde bes. das satir. E. entwickelt, speziell durch Martial (40–102 n. Chr.), dessen gedrängt witzige E.e auch für das E. des Humanismus und Barock vorbildhaft wurden: Im 16. Jh. wurde das E. von Cl. Marot in Frankreich eingeführt und dort später bes. als Mittel der polit. Opposition gehandhabt; in England wurde es von dem Humanisten J. Owen aufgegriffen, dessen lat. E.e (neben den klass. Quellen) für das E. des dt. Barock vorbildlich wurden. Die Struktur des E.s kam der barocken Vorliebe für Antithesen entgegen und führte zu einer gesammteurop. Blüte, in der dt. Literatur dokumentiert in den E.-Sammlungen von M. Opitz, J. Rist, D. von Czepko, P. Fleming, J. M. Moscherosch, A. Gryphius, Ch. Hofmann von Hofmannswaldau und v. a. F. v. Logau (»Deutscher Sinngedichte Drei Tausend«, 1654) und Ch. Wernicke (Sammlungen 1697, 1701/04), den bedeutendsten Epigrammatikern des dt. Barock. Themat. sind alle Bereiche vertreten, auch Religiös-Mystisches (A. Silesius, »Cherubin. Wandersmann«, 1675), formal herrscht der Alexandriner vor, der als Ersatzmetrum für das eleg. Distichon galt (s. ⁄Elegie). – Der Verstandeskultur der dt. Aufklärung entsprach v. a. das satir. E. nach dem Vorbild Martials. Es wurde allseits gepflegt, bes. von A. G. Kästner (1. Sammlung 1775) und Lessing, dessen scharfer und beißender Witz, seine Ironie und Technik des Andeutens und Verschweigens bei knappster Form (oft mit Reim) das satir.-pointierte E. zu einer weiteren Blüte führte. – Die ersten dt. E.e in Distichen finden sich (neben reimenden) erst wieder bei F. G. Klopstock, der v. a. dichtungstheoret. Themen, bewußt ohne geistreichen Abschluß behandelt; ähnl. verwendet Herder gemäß seiner histor. Einstellung Distichen für meist pointenlose E.e über Kunst, Dichtung, Leben, Liebe. Beide Aspekte des E.s finden sich in den E.en Goethes und Schillers: Goethe schrieb E.e sowohl in Distichen, aber pointenlos ausmalend, so der ⁄Elegie – als auch in Reimform, aber mit zugespitztem Schluß, so dem Sinnspruch sich nähernd. Ebenso sind Schillers E.e zwar in Distichen verfaßt, jedoch ebenfalls mehr philosoph. Lebensweisheit als antithetisch zugewendete Aussage. Nur Goethes »Venetian. E.e« (1790) und v. a. die literaturkrit. ⁄»Xenien« (1796, beide Sammlungen in Distichen) Goethes und Schillers folgen Lessings Theorie, z. T. mit vertieft philosoph.-literar. Gehalt. Sie werden den Muster für fast alle späteren Epigrammatiker, z. B.

(mit polit. Tendenz) für das Junge Deutschland. – Eine Rückbesinnung auf die ursprüngl. Funktion des E. als Aufschrift zeigen nur Mörikes E.e, z. B. »Inschrift auf eine Uhr mit den drei Horen« (in Trimetern), »Weihgeschenk« (in Distichen) u. a., jedoch können sie durch die Darstellung des Stimmungshaften auch als Kurzelegien angesehen werden. – Während konservative und klassizist. Dichter immer wieder das E. pflegten (A. v. Platen), findet es sich in der modernen Literatur selten, bevorzugt werden die formal indifferenteren ⁄Aphorismen, Aperçus oder ⁄Sentenzen. 🕮 *Texte:* Dt. E.e aus 5 Jh.en. Hrsg. v. K. Altmann. Mchn. 1969 (dtv 632).

Hess, P.: E. Stuttg. 1989 (SM 248). – Weisz, J.: Das dt. E. des 17. Jh.s. Stuttg. 1979. – Erlebach, P.: Formgesch. des engl. E.s von der Renaissance bis zur Romantik. Heidlb. 1979. – G. Pfohl (Hrsg.): Das E. Zur Gesch. einer inschriftl. u. literar. Gattung. Darmst. 1968. – Weinreich, O.: E.-Studien. Hdbg. 1948. – RL   IS

Epigraphik, f. [gr. epigraphein = daraufschreiben, einritzen], ⁄Inschrift

Epik, f. [nach dem gr. Adj. epikós gebildetes, seit dem 19. Jh. gebräuchl. Kunstwort], allgemeinste Sammelbez. für jede Art fiktiver Erzählung in Versen oder Prosa, eine der literar. Grundgattungen, von der neueren Poetik im Anschluß an Goethe (Noten und Abhandlungen zum besseren Verständnis des West-östlichen Divans 1819) oft eingestuft als die mittlere der drei ›Naturformen der Poesie‹, als die »klar erzählende«, d.h. weniger subjektiv als die »enthusiast. aufgeregte« ⁄Lyrik, aber auch nicht so objektiv wie die »persönl. handelnde« ⁄Dramatik. Die E. vergegenwärtigt äußere und innere Geschehnisse, die als vergangen gedacht sind, und verwendet daher als Erzähltempus vorwiegend das ⁄ep. Präteritum, seltener das ⁄histor. Präsens. Als Vermittler zwischen dem dargebotenen Vorgängen und den Zuhörern oder Lesern fungiert der *Erzähler,* der nur in den wenigsten Fällen mit dem Autor ident. ist. Er begründet von seinem Erzählerstandpunkt (oder viewpoint) her die jeweilige sog. *Erzählhaltung.* Die Art, wie er Vorgänge und Gestalten sieht, wie er über ihr Äußeres (Außensicht) oder auch über ihr Inneres (Innensicht) Auskunft gibt, wie er über sie urteilt, bestimmt die (opt., psycholog., geist.) Erzähl-⁄Perspektive. Erzählhaltung und Erzählperspektive können innerhalb eines Werkes gleichbleiben, häufiger jedoch sind stete Veränderungen. Ein *Rollenerzähler* ist weder jeder *Ich-Erzähler* an den dargestellten Vorgängen als *erlebendes Ich* mehr, als *erzählendes Ich* weniger intensiv beteiligt; zahlreicher sind freilich *Er-Erzähler* und Formen der ep. Einkleidung (⁄Rahmenerzählung, fingiertes ⁄Tagebuch, fingierter ⁄Brief u. a.), weil sie größere Flexibilität erlauben. So ergibt sich jeweils eine bestimmte *Erzählsituation;* sie ist ⁄auktorial, wenn der Erzähler allwissend ist und gestaltend in das Geschehen eingreift, ⁄personal, wenn es durch das Medium einer oder mehrerer Figuren erschlossen wird, *neutral,* wenn weder ein Erzähler noch ein personales Medium erkennbar sind. Neutrale und personale Erzählsituationen traten erst in einem relativ fortgeschrittenen Stadium der E. auf und entwickelten entsprechende Darbietungsformen wie ⁄erlebte Rede, ⁄inneren Monolog, komplizierte Einkleidungen, Veränderungen der Chronologie u. ä. Ein wesentl. Zug alter E. ist v. a. die *Zeitgestaltung.* Sie ergibt sich aus dem Verhältnis von ⁄Erzählzeit zu erzählter Zeit und führt zur Bildung von Erzählphasen je nachdem, ob zeitraffend, zeitdehnend oder zeitdeckend erzählt wird. Zur Zeitgestaltung gehört auch die Einbeziehung von Vorgängen, die als Vorzeithandlung der Gegenwartshandlung vorausgehen, mit Hilfe von Rückwendungen, ferner die mehr oder minder deutl. Vorwegnahme zukünftiger Ereignisse oder Ergebnisse durch ⁄Vorausdeutung, die oft auch der ⁄ep. Integration dienen. Die Darbietung der E. vollzieht sich in sog. *ep. Grundformen* (Erzählweisen; Grundformen des Erzählens), die meist nicht einzeln, sondern vermischt auftreten und sich nur nach dem Vorwiegen der einen oder anderen bestimmen lassen. Basis aller E. ist der mehr oder minder zeitraffende ∕Bericht. Zeitdehnend wirken ∕Beschreibung und Erörterung. Annähend zeitdeckend ist die ep. ∕Szene, zu der neben dem Gespräch in direkter Rede auch indirekte Redeformen, ∕erlebte Rede und ∕innerer Monolog gehören. Gelegentl. werden die ep. Grundformen auf zwei gegensätzl. Erzählweisen reduziert (O. Ludwig: eigentl. und szen. Erzählung, F. Spielhagen: reflektierende und konkrete Darbietung, O. Walzel: subjektiver und objektiver Vortrag, F. K. Stanzel: berichtende und szen. Darstellung), gelegentl. werden sie um spezielle Formen wie ∕Bild (R. Petsch) und ∕Tableau (R. Koskimies) erweitert. Teils mündl. überliefert und erst im Nachhinein schriftl. fixiert, teils aber (v. a. auf späterer Kulturstufe) als literar. Buch-E. konzipiert, umfaßt die E. ∕einfache Formen wie ∕Legende, ∕Sage, ∕Memorabile, ∕Märchen u. a., sowie Kunstformen in einzeln differenzierten ep. Gattungen, die als histor. Erscheinungsweisen der E. unter bestimmten Voraussetzungen und zu sehr unterschiedl. Zeiten ihre jeweils eigenen Gesetze ausgebildet und tradiert haben. Nach äußeren Kriterien gliedern sie sich in Vers-E. und Erzählprosa, nach inneren Kriterien in Lang- oder Großformen wie ∕Epos (in Versen), ∕Saga (in Prosa) als frühe Formen, ∕Roman (in Versen, aber vorwiegend in Prosa) als spätere Form, sowie in Klein- oder Kurz-E. wie ∕Novelle, ∕Kurzgeschichte, ∕Anekdote, ∕Fabel, ∕Parabel, daneben auch (überwiegend in Versen) ∕Idylle, ∕Romanze, ∕Ballade und allgemein die ∕Verserzählung; die Bez. ∕Erzählung, insbes. für Prosawerke, ist bewußt unspezifisch, doch wird sie eher mit Kurzformen verbunden. Die Großformen ergeben sich meist aus der Auffächerung der erzählten Vorgänge in Vordergrundshandlung und Hintergrundgeschehen, oft auch in mehrere Handlungsstränge oder selbständige ∕Episoden; dazu kommen Figurenreichtum (selbst bei Konzentration auf eine Hauptgestalt), eine Fülle von Ereignissen, gelegentl. auch rein gedankl. Einlagen und große Ausführlichkeit im einzelnen (die sog. epische Breite). Die Kurzformen werden oft auch mit anderen Grundgattungen in Verbindung gebracht, so Romanze, Ballade und Idylle mit der Lyrik, die Novelle mit dem Drama. Ansätze zu einer *Theorie der E.* finden sich schon bei Platon und insbes. Aristoteles, doch bleibt sie bis ins 18. Jh. auf normative oder beschreibende Angaben zum ∕Epos im engeren Sinne beschränkt. Seitdem wurde sie entweder als Abgrenzung der E. von anderen Grundgattungen, insbes. von der Dramatik versucht, so schon von Goethe und Schiller (Über ep. und dramat. Dichtung, 1797 und im Briefwechsel) oder im Blick auf einzelne Erscheinungsformen und Gattungen ausgebaut. Dazu kommt neuerdings auch die wirkungsästh. und rezeptionsästh. orientierte Beobachtung von Erzählabläufen. Die Entwicklung einer allgemeinen und umfassenden Erzähltheorie steht noch in ihren Anfängen.

  📖 Erzgräber, W./Goetsch, P. (Hrsg.): Mündliches Erzählen, Tüb. 1987. – Erzählforschung. Hrsg. v. E. Lämmert. Stuttg. 1982. – Krückeberg, E.: Der Begriff d. Erzählens im 20. Jh. Bonn 1981. – Stanzel, F. K.: Theorie des Erzählens. Gött. 1979, ³1985. – Haubrichs, W. (Hrsg.): Erzählforschung, 3 Bde. Gött. 1976/78. – Kanzog, K.: Erzählstrategie. Hdbg. 1976. – Booth, W. C.: Die Rhetorik der Erzählkunst. Chicago 1961; dt. 2 Bde. Heidelberg 1974. – Todorov, T.: Die Kategorien d. literar. Erzählg. In: Strukturalismus in der Lit.wiss. Hrsg. v. H. Blumensath. Köln 1972. – Doležel, L.: Die Typologie d. Erzählers. In: Lit.wiss. u. Linguistik. Hrsg. v. J. Ihwe. Bd. 3, Frkft. 1972, S. 376–392. – Lämmert, E.: Bauformen des Erzählens. Stuttg. ⁵1972. – Friedemann, K.: Die Rolle des Erzählers in der E. Lpz. 1910. Nachdr. Darmst. 1969. – Hamburger, K.: Die Logik d. Dichtung. Stuttg. ²1968. – Lubbock, P.: The craft of fic-

tion. Ldn. 1921, Neudr. New York 1955. – Ludwig, O.: Formen d. Erzählung. In: O. L.: Ges. Schr. Bd. 6. Hrsg. v. A. Stern, Lpz. 1891, S. 202–206. – Spielhagen, F.: Über Objektivität im Roman. In: F. Sp.: Verm. Schr. Lpz. 1864. RS

Epikedeion, n. [gr. epikēdeios = zur Bestattung gehörig], im klass. Griechenland Klagegesang bei einer Trauerfeier oder Bestattung; seit der hellenist. Zeit Bez. für Trauer- und Trostgedichte in eleg. Distichen oder Hexametern und Grabepigramme (auch ∕Threnos). Vgl. im antiken Rom die ∕Nänie, aus der sich unter griech. Einfluß die literar. ∕Totenklagen (von Properz, Ovid u. a.) entwickeln. MS*

Epilog, m. [gr. epilogos = Schlußrede], rhetor. Bez. für den Schlußteil einer Rede (auch ∕Conclusio). In dramat. Werken Schlußwort nach Beendigung der Handlung, von einer oder mehreren Figuren des Stücks oder einem eigens eingeführten Sprecher direkt ans Publikum gerichtet, meist mit Bitte um Beifall und Nachsicht, auch mit moralisierender Nutzanwendung, in mal. Spielen auch mit Hinweisen auf weitere Aufführungen etc. Seine Geschichte entspricht weitgehend der des ∕Prologs: er begegnet in der antiken Komödie seit Wegfall des Chors (erstmals belegt in Plautus' »Goldtopfkomödie« u. Terenz' »Mädchen von Andros«); er ist der formelhafte Abschluß des mal. ∕geistl. Spiels und des ∕Fastnachtspiels bis zu Hans Sachs; er gehört zum ∕Schuldrama (wo er Hinweise auf die klass. Kunstgesetze enthält, oder, wie im ∕Reformationsdrama, auf Gegenwartsbezüge hinweist), zum Drama des Barock (im elisabethan. Drama enthält er meist ein Gebet, vgl. Shakespeare, »Heinrich IV.«). Verdrängt durch Theaterzettel und Vorhangbühne, wird er kurz durch L. Tieck nochmals belebt (»Genoveva«, u. a.). Das moderne, illusionsfeindliche Theater verwendet ihn wieder häufiger (u. a. B. Brecht, »Kaukas. Kreidekreis«, T. S. Eliot, P. Claudel). In gleicher Funktion finden sich E.e auch in mal. Epen und Chroniken (Helmold, »Slawenchronik«), später auch in Romanen (z. B. Grimmelshausen, »Simplizissimus«, Ch. M. Wieland »Don Silvio«).

  📖 ∕Prolog. – RL. S

Epimythion, n. [gr. = Nachwort, Nachüberlegung], Nutzanwendung, Lehre (oft als ∕Sprichwort), die eine Erzählung (v. a. ∕Fabel, ∕Exempel, ∕Gleichnis, ∕aitiolog. Sagen usw.) abschließt; wird diese einer Erzählung vorangestellt (ursprüngl. wohl zum Gebrauch für Redner und Schriftsteller), heißt sie *Promythion*. S

Epinikion, n. [gr. = Siegesgesang], altgriech. chor. Siegeslied, seit Ende des 6. Jh. s v. Chr. dem Sieger in einem der großen griech. Sportwettkämpfe (∕Agon), etwa bei der Rückkehr in die Heimatstadt, gesungen; meist in triad. Form (∕Pindar. Ode) und in ∕Daktyloepitriten; Blütezeit im 5. Jh. v. Chr. (Bakchylides, Pindar: von ihm neben Fragmenten 14 olymp., 12 pyth., 11 nemëische und 8 isthm. Epinikien erhalten). Die erhabene Feierlichkeit der Epinikien Pindars wirkte bis in die Neuzeit (P. de Ronsard, F. Hölderlin).

  📖 Hamilton, R.: E. General form in the odes of Pindar. The Hague 1974. UM*

Epiparodos, f. [gr. = zusätzl., zweite ∕Parodos].

Epipher, f. [gr. epiphora = Zugabe], auch: Epistrophe, f. [gr. = Wiederkehr], ∕rhetor. Figur, nachdrückl. Wiederholung eines Wortes oder einer Wortgruppe jeweils am Ende aufeinanderfolgender Satzteile, Sätze, Abschnitte oder Verse (hier als Sonderform ∕ident. Reim), z. B. »Ihr überrascht *mich nicht,* erschreckt *mich nicht*«(Schiller, »Maria Stuart«). Vgl. dagegen ∕Anapher. S

Epiphrasis, f. [gr. = Nachsatz], ∕rhetor. Figur: Nachtrag zu einem abgeschlossenen Satz zur emphat. Steigerung oder Verdeutlichung, z. B. »Dreist muß ich tun, *und keck und zuversichtlich*« (Kleist, »Amphitryon«). Mittel der ∕Amplificatio. S

Epiploke, f. [gr. = Anknüpfung], 1. ∕rhetor. Figur, Wiederaufnahme des Prädikats eines Sat-

zes durch das Partizip des gleichen Verbums im Folgesatz: »... quaerit; quaerenti ... (Ovid, »Metam.« 6, 656, vgl. ↗Polyptoton); auch Wiederaufnahme in einem Nebensatz (konjunktionale E.).
2. in der antiken Metrik die Verbindung verwandter Kola zu einem Vers (z. B. Verbindung von Daktylen und Trochäen).

S

Epirrhēma, n. [gr. = das Dazugesprochene], im altgriech. Drama solist. Sprech- oder Rezitativpartie, meist in stich. Versen (oft in ein ↗Pnigos endend), die jeweils auf eine gesungene Chorpartie folgte, vorgetragen von einem Schauspieler (im Dialog auch von zweien) oder den Chorführern. Die *epirrhemat. Syzygie* (= Verbindung), d. h. die Folge von gesungenem Chorlied (Ode) – E. – Ant-Ode – Ant-E. ist v. a. ein wichtiges Strukturelement der alten att. Komödie: sie konstituiert ↗Parodos, ↗Agon und ↗Parabase.
S

Episch [gr. epikós], 1.Adj. zur Bez. der Zugehörigkeit eines Werkes zur Gattung ↗Epos im engeren Sinne und zur ↗Epik allgemein; außerdem neben dem Gattungsbegriff auch gebraucht, um über Gattungsgrenzen hinaus eine *Grundhaltung literar. Aussage* und Gestaltungsweise zu kennzeichnen, die (nach Staiger) als eine der »fundamentalen Möglichkeiten des menschl. Daseins überhaupt« gilt. Von Goethe und Schiller (Über ep. und dramat. Dichtung, 1797) als eine der drei »Naturformen der Poesie« verstanden, und zwar als die »klar erzählende« (Goethe, Naturformen der Dichtung. In: Noten und Abhandlungen zum besseren Verständnis des Westöstl. Divans, 1819), die eine Fülle von Welt in ruhiger Gelassenheit der Anschauung und des Gegenübers einem Zuhörer- oder Leserpublikum zur »Vorstellung« (Staiger) bringe und dabei auch große Ausführlichkeit *(ep. Breite),* ein Verweilen »mit Liebe bei jedem Schritte« (Schiller) und eine gewisse *Selbständigkeit der Teile* nicht scheue. Diese Grundhaltung kann sich in jeder Dichtungsart verwirklichen, etwa im ↗ep. Theater oder in lyr.-ep. Versdichtungen, während umgekehrt auch Werke der Epik von dramat. und lyr. Elementen durchsetzt sein können; vgl. ↗dramat., ↗lyr.
📖 Staiger, E.: Grundbegriffe der Poetik. Zür. ⁹1971. RS
Epische Gesetze der Volksdichtung, Kompositionsprinzipien volkstüml., meist anonymer, oft nur mündl. überlieferter Erzählungen, ↗Märchen, ↗Sagen, ↗Schwänke usw. Zu den ep. G. d. V. gehören Eingangs- und Abschlußformeln *(Es war einmal ..., ... so leben sie noch heute),* Wiederholung, Steigerung, Dreizahl (3 Brüder, 3 Rätselfragen, 3 Ringe usw.), das Prinzip des Gegensatzes und der szen. Zweiheit bei Dialogen, auf- oder absteigende Reihung der Figuren, d. h. Toppgewichtung nach einer hierarch. Ordnung (Kaiser, König, Edelmann, Bürger, Bauer, Bettler) oder Achtergewichtung mit der Zentralgestalt am Ende einer Reihe (jüngster von drei Brüdern als Haupteld), einsträngige Handlung und Konzentration um eine Hauptperson. Einige dieser Gesetze gelten auch für das Epos, insbes. das ↗Volksepos, viele erscheinen bewußt oder unbewußt, unverändert oder abgewandelt auch in literar. Kunstgebilden.
📖 Olrik, A.: E. G. d. V. ZfdA 51 (1909), 1–12. RS
Epische Integration, erzählkünstler. Verfahren: in ein Geschehen werden Parallel- oder Kontrasterzählungen (Märchen, Träume, Bekenntnisse, Rückblicke usw.), auch Lied- und Verseinlagen eingeschaltet und meist wiederholt, um Handlungsstränge zu verknüpfen, Sinnbezüge und Sachzusammenhänge zu verdeutlichen, auf die Allgemeingültigkeit und Welthaltigkeit der Vordergrundhandlung hinzuweisen. Die Verbindung wird oft zusätzlich durch ↗Zitate, ↗Leitmotive, Vorausdeutungen, Schlüsselwörter, Anspielungen usw. betont. – Beispiele sind »Die wunderl. Nachbarskinder« in Goethes »Wahlverwandtschaften«, Klingsohrs Märchen in Novalis' »Heinrich von Ofterdingen«, der Schwanentraum des Grafen F. in Kleists »Mar-

quise von O. ...«, das Schwalbenlied in Arnims »Majoratsherren«, das Tagebuch des Oheims in Mörikes »Maler Nolten«, die Erzählungen des angebl. Mr. White in M. Frischs »Stiller«.
📖 Meyer, Hermann: Zum Problem der ep. I. In: H. M.: Zarte Empirie, Studien z. Lit.gesch. Stuttg. 1963, S. 12–32.
RS*
Epischer ↗Zyklus (Kyklos), Bez. für eine fragmentar. erhaltene, nicht genau feststellbare Anzahl griech. Epen aus dem 7./6. Jh. v. Chr., die schon in der Antike als e. Z. aufgefaßt und verschiedenen Dichtern, den *Zyklikern* (oder *Kyklikern)* Arktinos, Eugammon, Hagias, Hegesias, Kinaithon, Lesches, Stasinos zugeschrieben wurden; die Überlieferung nennt auch Homer als alleinigen Verfasser. – Der e. Z. gliedert sich in drei Hauptkreise:
1. *Göttergeschichte* mit *Theogonie* (Ursprung der olymp. Götter und des Kosmos, wohl in Anlehnung an Hesiod) und *Titanomachie* (Kämpfe zwischen Göttern und Titanen).
2. *der theban. Stoffkreis* mit vier Werken: *Ödipodie* (über die Sphinx und das Schicksal des Rätsellösers Ödipus), *Thebais* (Kämpfe der Sieben gegen Theben und Wechselmord der Söhne Ödipus'), *Epigonen* (Untergang Thebens in der nächsten Generation), *Alkmeonis* (die weiteren Geschicke des Thebenzerstörers Alkmaion);
3. *der troische Stoffkreis* über die Vor- und Nachgeschichte der »Ilias« mit *Kypria* (Hochzeit der Thetis mit Peleus bis zur Landung in Kleinasien), *Aithiopis* (Kämpfe und Ende Achills), *Iliupersis* (sog. Kleine Ilias: Untergang Trojas) und *Thesprotis, Nostoi, Telegonie* (um Odysseus bis zu seinem Tode). Zum e. Z. zählten außerhalb dieser Stoffkreise u. a. ein *Theseus-Epos,* eine *Danais* und eine *Argonautika.* Der e. Z. ist als Ganzes nur aus der Überlieferung der griech. Götter- und Heldensagen erschließbar; er war insbes. Stoffgrundlage für die antike ↗Tragödie. – Unabhängig vom e. Z. wurden im HochMA. die altfranz. ↗Chansons de geste und einige mhd. ↗Heldenepen zu größeren Zyklen zusammengefaßt, z. B. die Dietrichepen oder der Ornit- und Wolfdietrichepen. Auch spätere, insbes. religiöse oder weltanschaul. Buch-Epen folgen zuweilen einer zykl. Konzeption, so Miltons »Paradise Lost« (1667) und »Paradise Regain'd« (1671) oder V. Hugos »La Légende des siècles« (1859–1883). Zyklusbildungen hat man ferner in der erst neuerdings aufgezeichneten ep. Volksdichtung (etwa des Balkans oder Südamerikas) festgestellt. – Von der Übertragung zykl. Anordnungsprinzipien der Epik auf den Prosaroman zeugen Balzacs »Comédie humaine« (1829/54), Th. Manns Joseph-Tetralogie (1926–43) oder die Romane W. Faulkners, außerdem die zahlreichen Novellenzyklen seit Boccaccios »Decamerone«.
📖 Daus, R.: Der e. Z. der Cangaceiros in d. Volkspoesie Nordostbrasiliens. Bln.1969. – Bethe, E.: Der troische Epenkreis. Lpz. ²1929, Nachdr. Darmst. 1966. – Ders.: Theban. Heldenlieder. Lpz. 1891. RS*
Episches Präteritum, n., vorherrschende Tempusform der erzählenden Gattungen (dt. und engl.: Imperfekt, franz.: imparfait und passé simple). Da das e. P. keine Wirklichkeitsaussage ist, sondern eine fiktionale, kann man mit Zukunftsadverb zu verbinden: »morgen ging das Schiff«.
📖 Hamburger, K.: Das e. P. DVjs 27 (1953), 329–357. HSt
Episches Theater, vor allem durch B. Brecht entwickelte und (in marxist. Sinne) theoret. fundierte Form des modernen Theaters und Dramas. – Ausgangspunkt der Brecht'schen Theorie des epischen Th.s ist die »aristotelische« Wirkungsästhetik des neuzeitl. Dramas (Brecht: »aristotel. Dramatik«), deren »Hauptpunkt« nach Brecht der psycholog. Akt der »Einfühlung« des einzelnen Zuschauers in die handelnden Personen ist (Furcht und

Mitleid, /Katharsis). Brecht sieht einen Zusammenhang zwischen dieser »Einfühlung«und der bürgerl.-liberalen Vorstellung der »freien« Einzelpersönlichkeit; er fordert parallel zur Emanzipation der Produktivkräfte von ihrer Bindung an die »Einzelpersönlichkeit« des bürgerl. Unternehmers im Zuge einer Sozialisierung der Produktionsmittel) eine Emanzipation der Emotionen der Zuschauer von der individuell ausgerichteten Einfühlung; die Emotionen, die damit nicht ganz aus der Wirkungsästhetik des Dramas verbannt werden, sollen durch ihre Koppelung mit rationalen und krit. Reaktionen der Zuschauer an ein spezif. Klaseninteresse gebunden werden und damit kollektiven Charakter erhalten. Dies bedeutet zugleich eine Änderung der pädagog. Zielrichtung des Dramas: während das neuzeitl. Drama das bürgerl. Individuum durch »Furcht und Mitleid« moralisch bessern will, geht es Brecht um eine Veränderung der gesellschaftl. Verhältnisse in marxist. Sinne; der Zuschauer soll im Bühnengeschehen nicht ein unabänderliches Fatum sehen, dessen Wirkung ihn allenfalls persönl. erschüttern kann, vielmehr soll er mit einer veränderb. Welt konfrontiert werden und daraus Konsequenzen für die eigene polit. Entscheidung ziehen. Das Drama wird damit zu einem Vehikel sozialer und polit. Revolution und ist entschieden polit. (marxist.) Weltanschauungstheater. Diese neue »nichtaristotelische« Wirkungsästhetik des Brecht'-schen Dramas bedingt eine dramat. Bauform, deren Strukturen von Brecht, z. T. im Anschluß an Goethes und Schillers Erörterungen der ep. und dramat. Dichtung (Briefwechsel aus dem Jahr 1797), als »episch« bezeichnet werden. Grundstruktur ist dabei die /Verfremdung der dramat. Handlung; sie soll eine emotionelle Verwicklung des Zuschauers in das Bühnengeschehen verhindern und an ihrer Stelle Distanz als Voraussetzung krit. Betrachtung schaffen. Für die Anlage der dramat. Handlung bedeutet dies, daß zur unmittelbaren Darstellung auf der Bühne die argumentierende Kommentierung der szen. Aktion durch einen Erzähler, durch eingeschobene Lieder und Songs, durch Spruchbänder bzw. auf den Bühnenvorhang projizierte Texte u. a. tritt. Auf Grund der ständigen Kommentierung der dramat. Handlung fehlt dieser auch das für das neuzeitl. Drama charakterist. Kriterium der Spannung und Konzentration; an die Stelle des streng gebauten fünf- bzw. dreiaktigen Dramas tritt eine lockere Montage einzelner Szenen, deren jede für sich steht (Selbständigkeit der Teile an Stelle der /Funktionalität der Teile im neuzeitl. Drama) und an denen dem Zuschauer jeweils paradigmat. etwas gezeigt wird. Der Schluß des Dramas bleibt in einem dialekt. Sinne offen – der Zuschauer muß die Antwort auf die im Drama aufgeworfenen Fragen selbst finden; erst durch seine (polit.) Entscheidung kommt das Drama zu einem eigentl. Abschluß. – Brecht entwickelte sein e. Th. in mehreren Stufen; am Anfang stehen die »epischen Opern« (»Die Dreigroschenoper«, 1928; »Aufstieg und Fall der Stadt Mahagonny«, 1928/29); es folgen die provokativen marxist. Lehrstücke (»Der Jasager und der Neinsager«, 1929/30; »Die Maßnahme«, 1930; »Die Mutter«, 1930, u. a.); den Höhepunkt des ep. Th.s Brechts bilden die großen Dramen der Emigrationszeit (»Mutter Courage und ihre Kinder«, 1937/38; »Leben des Galilei«, 1938/39; »Der gute Mensch von Sezuan«, 1938/40; »Der kaukasische Kreidekreis«, 1944/45). – Brechts e. Th. wird in jüngster Zeit vor allem durch P. Weiss weitergeführt (»Die Verfolgung und Ermordung Jean Paul Marats«, 1964; »Hölderlin«, 1971). Ep. Strukturen finden sich auch sonst im modernen Drama, z. B. bei Paul Claudel (»Le Soulier de Satin«, 1919–24) oder Th. Wilder (»Our Town«, 1938).
📖 Knopf, J.: Brecht-Handbuch. 2 Bde. Stuttg. 1980/84. – Eckhardt, J.: Das ep. Th. Darmst. 1983. – Kesting, M.: Das ep. Th. Zur Struktur d. modernen Dramas. Stuttg. u. a. ⁷1978. – Hinck, W.: Die Dramaturgie des späten Brecht. Gött./Zürich ⁵1971. –Brecht, B.: Über eine nicht-aristotel.

Dramatik (1933–1941). In: Brecht, Ges. Werke (ed. suhrkamp), Bd. 15, Frkft./M. 1967, S. 227 ff.   K

Episode, f. [gr. epeisodion = Dazukommendes], Nebenhandlung (z. B. Max- und Thekla-E. in Schillers »Wallenstein«) oder in sich abgeschlossener Einschub (z. B. Helfenstein-Szene in Goethes »Götz«) in dramat. oder ep. (/ep. Integration) Werken. Die E. kann auch die Grundstruktur ganzer Werke bestimmen (z. B. Manzoni, »Die Verlobten«, auch im Film: E.-Film). – Die Bez. ›E.‹ ist hergeleitet von der gr. Bez. /Epeisodion für die in Chorgesänge eingeschobenen Sprechpartien. Die Funktion der E. besteht in der Vermittlung eines meist antithet. strukturierten Gegenbildes zum Hauptgeschehen oder zur Hauptgestalt.
📖 Wertheim, U.: Fabel u. E. in Dramatik u. Epik. NDL 12 (1964), 87–107.   S

Epistel, f. [gr. epistole, lat. epistula = Brief],
1. allgemein /Brief, dann speziell die im NT gesammelten Apostelbriefe, auch die Lesung aus ihnen im Gottesdienst (gesammelt im /Epistolar).
2. dem /Briefgedicht verwandte, aber nicht mit ihm ident. Dichtungsform, in der Regel in Versen. Moralisch, philosoph. oder ästhetisch belehrend, im Stil plaudernd, oft satirisch (z. B. Horaz, »Epistula ad Pisones« = seine Ars poetica). Sonderformen sind die lyr., der Elegie nahe E. (Ovid, »Epistulae ex Ponto«) und die ep. E. als Kunstmittel individualisierender Ereignis- oder Charakterschilderung (/Heroiden). Nach kurzer Blüte in der lat. Antike bes. vom Humanismus gepflegt, dann im Barock; bis ins 19. Jh. üblich, wiederbelebt durch Brecht (z. B. »E. an die Augsburger«, 1945 u. a.).
📖 Motsch, M.: D. poet. E. Bern u. a. 1974. – Rückert, G.: Die E. als literar. Gattung. In: WirkWort 22 (1972) 58–70.   HSt

Epistolar, n. [mlat. epistolarium = Sammlung von Briefen], Sammlung von Abschnitten (/Perikopen) aus den Apostelbriefen, die seit dem 4. Jh. zum Zweck der gottesdienstl. Lesung zusammengestellt wurde; E. und /Evangelistar bilden zusammen das Lektionar.   S

Epistolographie, f. [gr. epistole, graphein = Brief, schreiben], Lehre vom Briefschreiben. In der Antike Teil der Rhetorik, im MA. verselbständigt (/Ars dictandi) und von starker Wirkung auf die Poetiken, später durch Mustersammlungen zum prakt. Gebrauch (/Briefsteller) abgelöst.   HSt

Epistrophe, /Epipher.

Epitaph, n. [epitáphios, gr. = zum Grab, Begräbnis gehörig], im Altertum Grabinschrift in dichter. Form (meist als /Epigramm), auch in christl. Zeit bis ins Hochmittelalter üblich, dann wieder seit dem 15. Jh. gepflegt. Zur Zeit des Humanismus übertrug man den Begriff ›E.‹ auch auf das Gedächtnismal (Grabmal oder anderes Erinnerungsmal) als Ganzes. Auch der vom ursprüngl. Bestimmungsort losgelöste poet. Nachruf auf einen Verstorbenen kann als E. bezeichnet werden.
📖 Lattimore, R.: Themes in Greek and Latin E.s. Urbana ²1962.   MS

Epitaphios, m. [epitáphios, gr. = zum Grab, Begräbnis gehörig], E. (lógos), in Athen öffentl. Leichenrede (meist auf Kriegsgefallene) mit dem traditionellen Schema: Totenpreis, Trost für die Angehörigen, Mahnung an die Überlebenden. Berühmte Beispiele: Reden des Perikles (431 v. Chr.; bei Thukydides); Gorgias, Lysias, Demosthenes. Später finden sich Epitaphien auf große Persönlichkeiten der christl. Kirche in den Werken Gregors v. Nazianz, Gregors v. Nyssa und bei Johannes Chrysostomos.   MS

Epitasis, f. [gr. = (An)spannung], nach Donat (Terenz-Kommentar, 4. Jh.) der mittlere der drei notwendigen Teile der dramatischen Handlung: die Entfaltung des dramat. Konflikts (/Drama, /Dramaturgie, /Dreiakter). Der E. geht voraus die /Protasis, die Ausgangssituation, der dramat. Konflikt entspringt; der E. folgt die /Katastrophe, seine Auflösung. Bei J. C. Scaliger (»Poetices libri septem«, 1561), der gegenüber Donat (im Anschluß an Horaz) eine Fünfteilung der dramat. Handlung empfiehlt (↗Fünfakter), meint E. nur die beiden ersten Phasen der sich entfaltenden dramat. Handlung (Akt II und III), auf die dann noch,als dritte Phase (Akt IV), die ↗Katastasis folgt, eine Scheinlösung des Konflikts, deren alsbaldiger Zusammenbruch dann die Katastrophe (Akt V) herbeiführt. **K**

Epithalamium, n. [lat. von gr. thalamos = Brautgemach], ↗Hymenaeus.

Epitheton, n. [gr. = Zusatz, Beiwort], das einem Substantiv oder Namen beigefügte Adjektiv oder Partizip (Attribut); in der Dichtung bisweilen nachgestellt (Mägdlein traut, Röslein rot). Zu unterscheiden sind: 1. *das sachl. unterscheidende (notwendige) Beiwort:* rote Rosen (im Unterschied zu gelben Rosen); 2. das *schmückende oder typisierende Beiwort* (das eine dem zugehörigen Substantiv inhärente Bedeutung enthält); gehörte in der antiken ↗Rhetorik zum ↗Ornatus, daher neuzeitl. Bez. auch *E. ornans:* findet sich seit Homer in der Dichtung, in der Epik insbes. als feststehende Verbindung zum ep. Formelschatz gehörend (wasserliebende Pappeln), auch in der Lyrik (silberner Mond), bes. im Volkslied (grüner Klee, rotes Gold,kühles Grab); 3. *das individualisierende Beiwort* (epithète rare): »das heilig-nüchterne Wasser« (Hölderlin); es gilt ebenso als Kennzeichen der neueren Dichtung wie 4. das (oft zum ↗Oxymoron tendierende) *unerwartete Beiwort:* »türmende Ferne« (Goethe), »rotaufschlitzende Rache« (A. Ehrenstein), »das schlagflüssige Kleid« (Arno Schmidt), »marmorglatte Freude« (R. Musil). **S**

Epitome, f. [gr. = Ausschnitt, Auszug], Auszug aus einem umfangreicheren wissenschaftl. Werk, Ausschnitt aus einer Dichtung (z. B. Metzer Alexander-E. zum spätantiken Alexanderroman, Kurzfassung zum »Renner« Hugos von Trimberg, um 1300), auch Abriß (Zusammenfassung) eines Wissensgebietes aus mehreren Quellen: in Antike (seit dem 4. Jh. v. Chr.) und MA. verbreitet; Wiederaufleben im Humanismus (häufig als Titelwort: z. B. Melanchthons ↗E. Ethices«, 1538). ↗Exzerpt, ↗Perioche. **HFR***

Epitrit(os), m. [gr. = Vier-Drittel-(Vers)], antike Bez. einer metr. Folge aus 1 Kürze (= 1 Zeiteinheit) und 3 Längen (= 6 Zeiteinheiten), die im Verhältnis 3 : 4 (‒⌣‒‒) oder 4 : 3 (‒‒⌣‒) angeordnet sind; erscheint vor allem in den ↗Daktyl(o)epitriten. **UM**

Epizeuxis, f. [gr. = Hinzufügung], rhetor. Figur, s. ↗Geminatio.

Epoche, f. [gr. = Haltepunkt], ursprüngl. Zeitpunkt eines bedeutsamen, ›epochemachenden‹ Ereignisses, dann auch Bez. für den dadurch geprägten geschichtl. Zeitraum, schließl. allgem. für *Entwicklungseinheiten* in der polit. Geschichte, in der Literatur- oder Kunstgeschichte; daneben auch Bez. wie Periode, Zeitalter. **S**

Epochenstil, Epochalstil, s. ↗Stil.

Epode, f. [gr. epodē, f., epodós, m. = das Dazugesungene, Zauber-, Bannspruch],
1. der Epodos (sc. stichos): a) ursprüngl. Bez. für einen kurzen Vers, der in einem ↗Distichon auf einen längeren folgt, dann auch Bez. für solche von Archilochos gefügte Disticha (vgl. ↗archiloch. Verse). Horaz gestaltete nach solchen archiloch. E.n seine »Jambi« (als jeweils 2 zu einer Strophe verbundenen archiloch. E.n), die von antiken Metrikern auch »E.n« genannt wurden. Man unterscheidet folgende *Horazische E.nformen: Jamb. E.:* zweimal jamb. Trimeter + jamb. Dimeter (E.n 1–10), die beliebteste E.nform, auch bei Vergil, Ausonius, Prudentius; *elegiamb. E.:* zweimal jamb. Trimeter + ↗Elegiambus (E. 11); *daktyl. E.:* zweimal daktyl. Hexameter + katalekt. daktyl. Tetrameter (E. 12; ohne Synaphie auch als ↗Odenmaß benutzt); *jambeleg. E.:* zweimal daktyl. Hexameter + ↗Jambelegus (E. 13); *erste daktyl.-jamb. E.:* zweimal daktyl. Hexamter + jamb. Dimeter (E.n 14, 15); *zweite daktyl.-jamb. E.:* zweimal dak-

tyl. Hexameter + jamb. Trimeter (E.16). – b) Bez. für einen Vers, der in bestimmten Abständen wiederkehrt (↗Refrain);
2. die E.: Bez. der dritten Strophe im griech. triad. Chorlied, die auf ↗Strophe und ↗Antistrophe folgt und im rhythm. Bau von diesen abweicht und stets vom ganzen Chor gesungen wurde, typolog. vergleichbar dem ↗Abgesang in der mal. ↗Stollenstrophe. Epod. Kompositionen finden sich in der antiken Lyrik seit Stesichoros (ca. 630–555 v. Chr.), häufig dann bei Pindar (daher diese Form auch als ↗Pindar. Ode bez.), und im Chorlied des antiken Dramas. **RS**

Epopöe, f. [gr. epopoiia = ep. Dichtung], veraltete Bez. für ↗Epos, bes. für Helden- oder Götter-Epos; häufig im 18. Jh. **RS**

Epos, n., Pl. Epen [gr. = Wort, Erzählung, Lied, Gedicht], in der dt. Dichtungslehre seit dem 18. Jh. gebräuchl. Bez. der Großform erzählender Dichtung in gleichartig gebauten Versen oder Strophen, meist mehrere Teile (Gesänge, Bücher, Fitten, Aventiuren, Cantos) umfassend. Charakterist. für das E. sind gehobene Sprache, typisierende Gestaltungsmittel, eine Zentralfigur oder ein Leitgedanke, Objektivität durch Distanz zur Fülle der breit dargebotenen Geschehnisse sowie der Anspruch auf Allgemeingültigkeit der Aussage. Das E. hat seinen *Ursprung* im jeweiligen Reifestadium einer frühen Kulturepoche, wenn neben einem zuvor rein myth. Weltbild das spezif. Geschichtsbewußtsein eines Volkes (od. doch seiner herrschenden, d. h. kulturtragenden Gruppen) immer mehr hervortritt. Diesen Vorgang spiegelt das E. in Heroengestalten, meist verstanden als von Göttern stammend od. doch von diesen beschützt; sie stehen zwischen diesen u. der menschl. Welt, wo sie sich (u. darin zu bewähren haben u. als Vorbild gelten, sei es als Kämpfer, Herrscher, Stadt- oder Staatsgründer, als Sieger oder im Untergang. Um einen solchen Heroen oder um eine Gruppe von Heroen, meist mit einem oder zwei Haupthelden (oft Gegnern), spielt insbes. das frühe ↗ Helden-E. Seine Voraussetzung u. zugleich sein Publikum ist eine einheitl. strukturierte, vorwiegend hierarch. aristokrat., oft feudal gegliederte Gesellschaft, die als »eine noch nicht aus geschlossene Lebenstotalität« (Lukács) gestaltet wird. Ereignisse aus den Anfängen solcher Lebensformen, insbes. Staatenbildungen, Eroberungen, Wanderbewegungen u. Grenzsicherungen, sind die realgeschichtl. Grundlage des frühen E. Stoffl. basiert es auf Götter- u. ↗Heldensagen, für die das E. andererseits zur wichtigsten Quelle wird. Als literar. Vorstufe gelten kult. Einzelgesänge (Götter-, Helden-, Schöpfungs-, Preis- u. Opferlieder, die z. T. auch selbständig erhalten sind). Nach heute vorherrschender Auffassg. sind diese im E. nicht nur lose aneinander gereiht (↗Liedertheorie), vielmehr wurden sie von Dichterindividualitäten zu eigengesetzl. Großformen ausgestaltet. Das sog. ↗ Volks-E. ist also kein sich selbst dichtendes Werk des unbewußt schaffenden Volksgeistes (J. Grimm u. a.), unterscheidet sich aber doch vom jüngeren Kunst-E. insbes. durch die Anonymität der Verfasser (oder doch ihr Zurücktreten als Individuum), durch die lange Vorgeschichte seiner Stoffe, durch die Öffentlichkeit des Vortrags durch traditionsgebundene ↗Rhapsoden, ↗Barden o. ä., sowie durch seine zunächst nur mündl. Überlieferung. In deren Verlauf bildeten sich (z. T. in Übereinstimmg. mit den sog. ↗ep. Gesetzen der Volksdichtung) bereits alle wesentl. *Darbietungsweisen* des E. heraus: formelhafte Elemente in Sprache u. Aufbau (↗Epitheton ornans, ↗Gleichnisse, ↗Sentenzen, ↗Topoi), Anruf von Göttern, Musen od. Ahnen, ↗Kataloge, Heerschauen, Ansprachen, Hochzeits-, Rüstungs-, Sterbe-, Fest- und Zweikampfszenen; Wiederholungen einzelner Wendungen u. Verse oder ganzer Szenen, Motiv- u. Themenkomplexe; Beglaubigungen durch Berufung auf myth. oder histor. Autoritäten; weitgehende Beliebigkeit von Erzähleinsatz u. Erzählschluß; Beschränkg. von Dialogpartien auf zwei – oft gegnerische –

Hauptredner; Episodentechnik u. große Ausführlichkeit im einzelnen (sog. *ep. Breite*). Im späteren *Buch-E.* tritt die Individualität von Gestalten u. Autoren deutlicher hervor, sein Publikum sind zunehmend private Hörer- u. schließl. Leserkreise od. Einzelleser; es differenziert sich in *Einzelgattungen:* Das ↗*National-E.*,anknüpfend an das frühe Helden- u. Volks-E., aber bewußt auf Geschichte, Kultur u. Sprache einer Einzelnation bezogen; das relig. oder philosoph. *Lehrgedicht* (↗Lehrdichtung), dann auch komischsatir. u. parodist. Formen wie das *Tier-E.*, u. das ↗*kom. oder Scherz-E.*, diese oft erhebl. kürzer als die ursprüngl. Großform u. damit angenähert an den spätesten Ausläufer der Gattung, das Klein-E. oder ↗*Epyllion*, das (vielfach als ↗Idylle greifbar) auf Typisierung, Objektivität u. Allgemeingültigkeit weitgehend verzichtet. Die *späten Formen* des E. überschneiden sich oft mit Nachbargattungen, etwa mit ↗Verserzählung, Versroman oder Versnovelle, bes. auch mit ↗Romanze und ↗Ballade. Neben Versuchen zur Wiederbelebung früherer Formen kommt es zu ↗Prosaauflösungen der alten E.n u. schließl. zur Konkurrenz des E. mit den Prosagattungen der ↗Epik, insbes. mit ↗Roman und ↗Novelle. Heute werden als E. gelegentl. auch weitgespannte Romanwerke (Balzac, Tolstoi, Dos Passos) und Filme (Film-E.) bezeichnet. Erste Zeugnisse zur *Theorie* des E. finden sich gleichztg. mit der schriftl. Fixierung des frühen E. in Hellenismus u. Spätantike sowie in Renaissance, Barock u. Aufklärung, vorwiegend in der Form einer beschreibenden oder normativen ↗Poetik; an deren Stelle tritt seit dem 19. Jh., also etwa gleichztg. mit dem Rückgang des E. als aktueller Literaturgattung, die philolog., histor., geschichtsphilosoph., ästhet. u. gattungsorientierte Erforschg. u. Beurteilg. des E.

Geschichte. Seine reichste Entfaltung erfuhr das E. im Raum der indoeurop. Sprach- und Völkergruppe. Im alten *Orient* findet sich ein Hauptzeugnis des E. schon in vorarischer Zeit: das *babylon.* »Gilgamesch-E.« um den gleichnam. König von Uruk aus dem 2. Jt. v. Chr. auf der Grundlage von mindestens 5 sumer. Einzelliedern aus dem 3. Jt. v. Chr. geschaffen wurde. – Spuren eines *hebräischen* Simson-E. enthält das AT (Richter 13–16). In *Indien* entstand im 5. Jh. v. Chr. (etwa ein Jt. nach dem Einbruch der Arier) das volkstüml. E. »Mahābhārata« um die Kämpfe von Göttersöhnen u. Königsgeschlechtern, das in verschied. Rezensionen bis ins 4. Jh. n. Chr. immer reicher ausgestaltet wurde, daneben das eher höfische E. »Rāmāyana« (4. Jh. v.–2. Jh. n. Chr.). Auf die *altpers.* Königsgeschichte von den myth. Kämpfen zwischen Turān u. Irān bis zur islam. Invasion (651 n. Chr.) bezieht sich das neupers. E., das um 1000 im »Schāh-nāmé« (Königsbuch) des Ferdousi gipfelt und die weitere Entwicklg. des E. in Mittel- und Vorderasien beeinflußte. In der *Antike* entstand am Ende der dor. Wanderung *das älteste westl. E.,* das stoffl. auf Zustände u. Ereignisse vor dieser letzten griech. Wanderbewegung zurückgreift. Früheste und zugleich bedeutendste Zeugnisse sind 2 Hexameterdichtungen aus der 2. Hälfte des 8. Jh. v. Chr.: das um Achill u. den Untergang Trojas konzentrierte »Ilias« u. die um etwa 1 Generation jüngere »Odyssee« über die Irrfahrten u. Heimkehr des Odysseus; mit einigen Einschränkungen werden beide dem Dichter Homer aus dem ion. Kleinasien zugeschrieben. Ihm verpflichtet sind dann die ↗Homeriden, der ↗ep. Zyklus u. die zahlr., nur dem Namen nach bekannten E.n aus dem 7.–5. Jh. v. Chr. sowie schließl. *im Hellenismus* das gelehrt verfeinerte u. psychologisierende Buch-E., insbes. seit den »Argonautika« des Apollonios v. Rhodos (3. Jh. v. Chr.). Etwa gleichztg. überträgt Livius Andronicus die »Odyssee« in latein. ↗Saturnier u. begründet Nävius mit dem im selben Versmaß abgefaßten E. üb. den 1. punischen Krieg das geschichtl. orientierte *römische E.,* für das um 180 v. Chr. Ennius mit seinen »Annalen« den daktyl. ↗Hexameter verbindl. macht. Seinen nach Homer zweiten Höhepunkt

erreicht das antike E. 29–19 v. Chr. in der »Äneis« des Vergil, die myth.-religiöse u. histor.-reale Elemente sowie eine trag. Liebeshandlg. verbindet u. auf die augusteische Rom- u. Staatsidee bezieht. Sie ist Vorbild für die vielen latein. E.n der Kaiserzeit, z. B. die mythologisierende »Thebais« des Statius u. Geschichts-E.n wie die »Pharsalia« des Lukan od. die »Punica« des Silius Italicus (alle 1. Jh. n. Chr.). In der *Spätantike* erlebte das an Homer u. dem hellenist. Buch-E. geschulte griech. E. eine letzte Blüte, so bes. in den »Dionysiaka« des Ägypters Nonnos (5. Jh. n. Chr.). Seit dem 4. Jh. gestaltete das latein. u. griech. E. aber auch schon christl. Stoffe (Juvencus, Prudentius, Nonnos u. a.). – Nur wenig später als das homer. E. beginnt um 700 v. Chr. *das antike Lehr-E.* mit den beiden Hexameterdichtungen des Hesiod üb. Ursprung u. Entwicklg. v. Göttern u. Kosmos (»Theogonie«) sowie über die Ordnung menschl. u. göttl. Dinge (»Erga«, Werke). Vom Hellenismus bis in die Spätantike lebt das didakt. u. als gelehrtes Buch-E. u. schließl. Schullektüre weiter. Eigenwert gewinnt im 1. Jh. v. Chr. das latein. Lehr-E. mit dem philosoph. Gedicht üb. das Wesen des Universums (»De rerum natura«) von Lukrez. Röm. Natur-, Staats- u. Lebenslehre gelten die »Georgica« des Vergil, der Kunstlehre die »Ars poetica« des Horaz. Lehrhaft sind auch die christl. E.n der ausgehenden Antike. Als *Parodie* auf das homer. Helden-E. u. zugl. früheste Kurzform gilt die anonyme »Batrachomyomachia«, das antike Tier-E. über den Krieg zw. Fröschen u. Mäusen. Weitere Kurzformen bot seit dem Hellenismus (3. Jh. v. Chr.) das Epyllion (Kallimachos, Theokrit).

Im Mittelalter und darüber hinaus lebte das *griech. u. latein. E.* fort: so in den byzantin.Geschichts- u. Preis-E.n (7. Jh., 12. Jh.), dem mittellatein. Bibel-E., der Herrscher- u. Heiligenvita, der Chronik oder der Bearbeitung oft sonst nicht erhaltener Stoffe wie dem »Waltharius« (um 830) u. dem »Ruodlieb« (Mitte 11. Jh.), beide in leonin. Hexamtern; schließl. im neulatein. E. dann Petrarcas antikisierender »Africa« (um 1340). – Daneben stehen volkssprachl. Parallelen wie die ahd. Evangelienharmonie Otfrieds v. Weißenburg (9. Jh.), die frühmhd. »Kaiserchronik« (um 1145), auch der frühmittelengl. »Brut« des Layamon (um 1200) od. die Reineke-Fuchs-Dichtungen. In den Volkssprachen brachte das MA. aber auch *neue Zweige des E.* hervor, so das german., roman. u. schließl. slaw. Helden-E., teils mit liedhaften, oft nur fragmentar. erhaltenen Vorstufen wie dem ags. »Finnsburhlied«, dem ahd. »Hildebrandslied« (7./8. Jh.) u. dem slaw. ↗Bylinen. Das *german. Helden-E.* verarbeitet Erfahrungen u. Stoffe aus der Zeit der Völkerwanderung (4.–6. Jh.), der Eroberungen in England (5./6. Jh.) u. der Christianisierung (4.–8. Jh.). Um 700 entstand der ags. »Beowulf« (1. schriftl. Fassung 10. Jh.), um 1200 das mhd. »Nibelungenlied«, das zum formalen Vorbild fast der gesamten, vorwiegend donauländ. ↗Heldendichtung wird, aber auch noch für das rhein. »Lied vom Hürnen Seyfried« (um 1500, Erstdruck 1530), das in späteren Prosafassungen bis ins 18. Jh. als ↗Volksbuch lebendig blieb. Das roman. *Helden-E.* basiert auf dem karoling. Grenz- u. Glaubenskämpfen gegen den Islam u. ist geprägt vom Kreuzzugsgeist des hohen MA.s. Es entstand gegen 1100 mit dem altfranz. »Rolandslied« u. lebt dem altspan. »Cid« (um 1140) vor allem in den ↗Chansons de geste vertreten. Die meisten *slaw. Volks-E.n* u. ihre Vorstufen wurden erst im 19. u. 20. Jh. schriftl. fixiert, so etwa die russ. Texte um den Fürsten Wladimir (mit Ausnahme des wohl schon um 1200 schriftl. fixierten, eher höf. »Igor-Lieds«, Erstdr. 1800), ebenso aus der reichen, noch heute mündl. geübten südslaw. Tradition das E. um den Königssohn Marko u. seine Türkenkämpfe. Mit Volks- u. Helden-E. konkurriert im hohen MA. der ↗höf. Roman in Versen, z. B. der byzantin. »Belthandros« (12./13. Jh.), im Westen die ↗Artusdichtung, auch die Romanfassungen antiker Stoffe wie der Aeneas-, Troja- oder Alexanderroman, fer-

ner die zw. Helden-E. u. höf. Roman stehende ⟋Spielmannsdichtung, die wie das satir. Tier-E. in Volksbüchern u. Dramatisierungen bis in die Neuzeit weiterlebte. Neben der weitgehend didakt. Bibel- u. Heiligendichtung kennt das hohe MA. ein eigenes *volkssprachl. Lehr-E.*, so Thomasins »Welschen Gast« (1215), Hugos von Trimberg »Renner« (1300), als Allegorie den altfranz. »Rosenroman« (Mitte 13. Jh.) u. insbes. Dantes »Divina Commedia« (um 1306–21), die das Weltbild des MA.s noch einmal zusammenfaßt.
15.–18. Jahrhundert: Seit der Renaissance trat (begleitet von der Einschätzung des E. als höchster Dichtart in vielen Poetiken) als volkssprachl. Buch-E. u. bewußte Kunstschöpfung das *National-E.* hervor; antike Vorbilder, Elemente des höf. Romans u. des anonymen Helden-E. werden zu einem neuen, auf das Selbstbewußtsein der jeweil. Nation bezogenen Ganzen verbunden. Voll ausgebildet ist es in den Rolands-E.n von M. M. Boiardo u. Ariost (»Orlando furioso«, 1516–32), erweitert u. religiös vertieft in Tassos »Gerusalemme liberata« (1570–75), dann manierist. gewendet u. stilist. schulbildend in Marinos »Adone« (1623), alle in achtzeil. Stanzen. Diesen Mustern folgen: in *Portugal* die »Lusiaden« (um 1570) von Camões über die Entdeckung des Seewegs nach Indien; in *Spanien* die »Araucana« (1570–90) von A. de Ercilla u Zuñiga über die Eroberung von Chile; in *Frankr.* die unvollendete »Franciade« von P. de Ronsard (1572), die bibl. E.n des Hugenotten Du Bartas, das Alexandriner-E. »Clovis« des strenggläubigen Desmarets de Saint-Sorlin (um 1655) u. noch Voltaires aufklärer. »Henriade« (1723); in *England* Spensers »Faerie Queene« (1590–96) und als späte Ausläufer die »Columbiade«des *Amerikaners* Joel Barlow (um 1800) u. *in Dtschld.* um u. nach 1750 das sog. vaterländ. E. über histor. Figuren (wie Arminius in Ch. O. Schönaichs »Hermann«, 1751) oder über Zeitgenossen (wie Friedr. d. Gr. in B. von Jenischs »Borussia«, 1794). Gleichztg. löst Wieland das National-E. im überlegenen Spiel mit seinen Formen u. Inhalten von allen realhistor. Bezügen u. schafft so, insbes. mit seinem »Oberon« (1780), das sog. *romant. E.*, dessen parodist. Züge es der neueren Form des kom. E. annähern. Eine *dt. Sonderform* ist seit J. H. Voß (»Der 70. Geburtstag«, 1781, »Luise«, 1782–84) die Hexameter-Idylle, die Goethe in »Hermann u. Dorothea« (1797) zum sog. bürgerl. Klein-E. ausbaute, ebenso wie er im »Reineke Fuchs« (1793) das Tier-E. aufgriff. Das *Lehr-E.* erhielt neue Impulse durch J. Miltons Blankvers-E. »Paradise Lost« (1667) und »Paradise Regain'd« (1671). Dem entsprechen seit 1750 die dt. ⟋Patriarchaden in Hexametern und v. a. F. G. Klopstocks »Messias« (1748–73) und zahlreiche ihm nachfolgende ⟋Messiaden. – Das eigentl. didakt. E. neigt zur Kleinform, so N. Boileaus »L'art poétique« (1674) und A. Popes »Essays« (1711–1735). Ch. M. Wielands »Musarion« (1768), Goethes Fragment »Die Geheimnisse« (1784/85) und Schillers »Spaziergang« (1795) markieren den Übergang zum sog. Weltanschauungs-E. – Im 18. Jh. vollzieht sich zugleich eine theoret. Abwendung von der überkommenen Großform. Außerdem wird in Anlehnung an H. Fieldings Vorwort zum »Joseph Andrews« (1742) der Begriff ›episch‹ theoret. immer öfter auch auf Erzählprosa bezogen. Die Literaturtheorie der europ. Romantik, allen voran die Brüder Schlegel sowie Schelling (»Philosophie der Kunst«, 1802), sieht dann das E. nur noch als histor. Gattung und grenzt sie nicht allein gegen Lyrik und Drama, sondern auch gegen den Prosaroman ab, den dann Goethe als »subjektive Epopöe« (Maximen und Reflexionen 938) kennzeichnete und der nach Hegel (Vorlesungen über Ästhetik, veröffentl. 1835) als »bürgerl. Epopöe«das alte E. ablöst. Zugleich beginnt die Philologie, sich wissenschaftl. mit dem E. zu befassen. – Dennoch finden sich *im 19. und 20. Jh.* zahlreiche Wiederbelebungsversuche. Nachgeholtes National-E.

sind A. Puschkins eigenwillig subjektiver »Eherner Reiter« (1833 über Peter d. Gr.), mehr noch die poln. E.n von A. Mickiewicz (»Konrad Wallenrod«, 1828, »Pan Tadeusz«, 1834), die schwed. »Frithiofs-Saga« (1825) von E. Tegnér u. in Finnland das »Kalevala« (1833–49) von E. Lönnrot; auch A. Fergusons gälischer »Congal« (1872) u. noch die »Odysseia« (1938) des neugriech. Dichters Nikos Kazantzakis. Ebenfalls nationalem Impuls entspringen *im dt. Sprachraum* neben den Übersetzungen von altdt. E.n die freien Bearbeitungen von Sagen u. Märchen im E., etwa »Hugdietrichs Brautfahrt« (1860) von W. Hertz oder R. Baumbachs »Frau Holle« (1880), außerdem Gebilde wie W. Jordans zweiteiliges Stabreim-E. »Nibelunge« (1868–74) u. vaterländ. Geschichts-E.n, z. B. Anastasius Grüns »Letzter Ritter« (1830, über Maximilian I.), A. Schlönbachs »Hohenstaufen« (1859), H. Linggs »Völkerwanderung« (1866–68) u. als Nachzügler Paul Ernsts »Kaiserbuch« (1922–28, über die dt. Geschichte von 919–1250), aber auch zeitbezogene Werke wie noch G. Frenssens »Bismarck« (1913/1923), ferner Brauchtums- u. Landschafts-E.n wie das »E. vom Rhein« (1855) von Wilh. Schulz. Daneben entsteht unter dem Einfluß des histor. Romans, aber auch benachbart zur Vers-⟋Idylle, das kulturgeschichtl. Unterhaltungs-E., vertreten durch Werke wie J. V. v. Scheffels »Trompeter von Säckingen« (1853) u. F. W. Webers »Dreizehnlinden« (1878). Eine *freie Sonderform* des E. im 19. u. 20. Jh. ist *die lyr.-ep. Versdichtung:* Sie tritt zuerst *in England* auf in W. Scotts Versromanzen (»The lay of the last minstrel« (1805 u. a.), auch in den Fragmenten des kontemplativen Werkes »The Recluse« (um 1800) von W. Wordsworth; vgl. ferner die philosoph.-symbol. Dichtungen von R. Southey, P. B. Shelley u. bes. J. Keats (»Hyperion«, 1818/20), vor allem Byrons bekenntnishaftes Werk »Childe Harold's Pilgrimage« (1812–18), Ausdruck des romant. Gegensatzes von Enthusiasmus u. Weltschmerz, u. sein ebenso selbstiron. wie zeitsatir. »Don Juan« (1819–23), beide von großer europ. Wirkung, etwa auf N. Lenau, auf das Don Juan-E. des Spaniers Espronceda y Delgado (1839), auf M. Lermontovs »Dämon« (1840) sowie erkennbar in Puschkins Versroman »Eugen Onegin« (1825–32). In England selbst geht die Entwicklung weiter über Matthew Arnold, William Morris, A. Tennyson »Idylls of the King«, 1859–85) u. R. Browning (»The Ring and the Book«, 1868) bis zu J. Masefield (»The Everlasting Mercy«, 1911, »The Land Workers«, 1943) u. David Jones (»Anathema«, 1952). Daneben steht eine selbständ. *amerikan. Tradition*, die von Walt Whitmans »Leaves of Grass« (1855–81) bis zu Ezra Pounds über 100 »Cantos« (1915–1970) und dem Stadt-E. »Paterson« (1946–58) von William C. Williams reicht. Ein eigenes metaphys.-spekulatives E. gibt es auch *in Frankr.* bei A. de Lamartine (»Jocelyn«, 1836, »La chute d'un ange«, 1838), Victor Hugo (»La légende des siècles«, 1859–83) u. noch Saint-John Perse (»Anabase«, 1924, »Vents«, 1946, »Amers« 1957), eine roman. Spielart des Canto *in Spanien* (Rubén Darío) u. *Südamerika* (Pablo Neruda, »Canto General«, 1950). All dem entspricht *in Dtschld.* das Weltanschauungs-E. Auf Vorläufer wie C. Brentanos »Romanzen vom Rosenkranz« (1804–12) folgen Lenaus »Savonarola« (1837), J. v. Eichendorffs »Julian« (1853), H. Harts »Lied der Menschheit« (1888–96), C. Spittelers »Olympischer Frühling« (1900–06; 1910) u. »Prometheus der Dulder« (1924), R. Dehmels »Zwei Menschen« (1903), Th. Däublers »Nordlicht« (1910), A. Döblins »Manas« (1927), der kulturkrit. »Kirbisch« (1927) von A. Wildgans u. noch G. Hauptmanns »Der große Traum« (1942/43). Letzter Versuch sind B. Brechts Fragmente zu einem »Lehrgedicht von der Natur des Menschen« (um 1941–47), am ausführlichsten der folgenreiche Partie üb. »Das Manifest«. Nach der Mitte des 20. Jh. sind keine neuen Formen des E. mehr aufgetreten.
📖 *Allgemeines:* Madelénat, D.: L'épopée. Vendôme 1986.

– Bartels, H.: E. Die Gattung in der Geschichte. Hdbg.
1982. – Honti, J.: Studies in oral epic tradition. Budap.
1975. – Merchant, P.: The Epic. London 1971. – Schröder,
W. J. (Hrsg.): Das dt. Vers-E. Darmst. 1969. – Dumézil, G.:
Mythe et épopée. Bd. 1–3. Paris 1968, 71, 73 (auf mehrere
Bände berechnet). – Pollmann, L.: Das E. in den roman.
Literaturen. Stuttg. u. a. 1966. – Tillyard, E. M. W.: The
English epic and its background. London 1954. Nachdr.
1966. – Lord, A. B.: Der Sänger erzählt. Dt. Übers. Stuttg.
1965. – Hägin, P.: The Epic Hero and the Decline of Heroic
Poetry. Bern 1964. – Bowra, C. M.: From Vergil to Milton.
London 1945; Nachdr. London/New York 1962. – Schir-
munski, V. M.: Vergleichende E.enforschung. Dt. Übers.
Bln. 1961.
Theorie: Koster, S.: Antike E.-Theorien. Wiesb. 1970. –
Swedenberg, H. T. jr.: The Theory of the Epic in England
1650–1800. Berkeley/ Los Angeles 1944. – Neustädter, E.:
Versuch einer Entwicklungsgesch. der ep. Technik in
Dtschld. v. d. Anfängen bis zum Klassizismus. Kronstadt
1927.
Orient: Jensen, P.: Assyr.-babylon. Mythen und E.en. Bln.
1900, Nachdr. Amsterdam 1970. – Thomas, P.: Epics,
myths, and legends of India. Bombay 1957.
Antike: Burck, E. (Hrsg.): Das röm. E. Darmst. 1979. –
Schetter, W.: Das röm. E. Wiesbaden 1978. – Bowra, C. M.:
Homer u. seine Vorläufer. Dt. Übers. Stuttg. 1968. – Zieg-
ler, K.: Das hellenist. E. Lpz. ²1966. – Schadewaldt, W.:
Von Homers Welt u. Werk. Stuttg. ⁴1965. – Whitman, C. H.:
Homer and the Heroic Tradition. Cambridge, Mass. 1958.
MA.: Gottzmann, C. L.: Heldendichtung des 13. Jh.s. Frkft.
1987. – Surles, R. L.: Roots and branches. Germanic epic,
Romanic legend. Frkft. 1987. – Haymes, E. R.: Das mündl.
E. Stuttg. 1977. – Auerbach, E.: Dante. Chicago 1961. –
Ker, W. P.: Epic and romance. London ²1908, Nachdr.
New York 1957. – Heusler, A.: Lied und E. in german.
Sagendichtung. Dortmund 1905, Nachdr. Darmst. 1956.
15.–18. Jh.: Maler, A.: Der Held im Salon. Zum antiheroischen Programm dt. Rokoko-Epik. Tüb. 1973. – Mai-
worm, H.: Neue dt. Epik. Bln. 1968. – Pierce, F. W.: La poesia epica del siglo d'oro. Madrid 1961.
19. u. 20. Jh.: Vogler, Th. A.: Preludes to vision. The epic
venture in Blake, Wordsworth, Keats, and Hart Crane. Ber-
keley/Los Angeles, Cal. 1971. – Schneler, H. J.: The German verse epic in the 19th and 20th centuries. Den Haag
1967. – Haenicke, D.: Unters. zum Vers-E. des 20. Jh.s.
Diss. Mchn. 1961. – RL. RS
Epyllion, n. [gr., im 19. Jh. geschaffenes Kunstwort als
Diminutiv zu ⁄Epos; Pl. Epyllien, Epyllia], kürzeres Epos
in daktyl. Hexametern, gelegentl. auch in eleg. Distichen,
100–800 Verse umfassend. – Im Hellenismus von Kallimachos (dem Führer der alexandrin. Gelehrten- und Dichterschule) als Gegenstück zu dem seiner Ansicht nach unzeitgemäßen großen Epos gefordert und erstmals in seinem
(nur fragmentar. erhaltenen) Kleinepos »Hekale«und in
den (verlorenen) »Aetia« verwirklicht; behandelt anfangs
mytholog. Stoffe, meist Liebesgeschichten, oft psychologi-
sierend und für ein gebildetes Publikum gedacht, das für stilist. und metr. Feinheiten, gelehrte Anspielungen und
Abschweifungen empfängl. ist. Theokrit rückt dann mit seinen Epyllien (»Thalysia«, »Hylas«, »Herakliskos«,
»Dioskuren«) die Gattung in die Nähe der Bukolik und
damit der ⁄Idylle. – Durch Euphorion von Chalkis den
röm. ⁄Neoterikern vermittelt, wird das E. wichtig v. a. für
Catull (insbes. Gedicht 64 über die Hochzeit von Peleus
und Thetis, und Gedicht 66), für Vergil (»Bucolica«) und
für Ovid (Mehrzahl der »Metamorphosen« und »Heroiden«). Ein Musterstück der Gattung ist das spätantike E.
»Hero und Leander« von Musaios (5./6. Jh.). – Die Übertragung bukol. Elemente auf die Heiligendichtung bei Pau-
linus von Nola (4./5. Jh.) und das lat. E. »Medea« des Afri-
kaners Dracontius (5. Jh.) mit der Verurteilung der olymp.

Götter sind bereits dem Christentum verpflichtet. Die
byzantin. Literatur überliefert aus dem 12. und 13. Jh.
einige längere, dem Versroman angenäherte Epyllien, z. B.
von Prodromos und insbes. den anonymen »Belthandros«.
Neben Wiederbelebungsversuchen bildeten sich seit der
Renaissance neue Formen des E. heraus, z. B. stroph. bei
W. Shakespeare (»Venus and Adonis«, »The Rape of
Lucrece«). Anlehnung an antike Muster zeigen etwa Goethes »Alexis und Dora« (1796) oder die dt. Hexameter-
Idyllen seit J. H. Voß (1780). Eine klare Abgrenzung des
neueren E. gegenüber anderen Arten der ⁄Verserzählung
ist dabei meist nicht mehr mögl.
☐ Agostino, V. de: Considerazioni sull' epillio. In: Rivista
di studi classici 4 (1956). – Allen jr., W.: The E. In: Transac-
tions and Proceedings of the American Philological Association 71 (1940). RS
Erbauungsliteratur, seit dem 16. Jh. belegte Bez. für
christl. Vortrags- und Leseliteratur mit dem Zweck, die
Gemeinde sowie den einzelnen in Frömmigkeit und Glauben zu bestärken, z. T. illustriert. Die Bez. ›E.‹ als Gattungsbegriff strittig: Von ihrer Verwendung her ist die Bibel in
Luthers Übersetzung protestant. E.; Legenden, myst.
Visionsberichte, auch theolog. Werke oder religiöse Dichtungen (F. v. Spees »Trutznachtigall«, 1649, Angelus Silesius' »Cherubin. Wandersmann«, 1675, Klopstocks »Messias«, 1748–73 u. a.) wurden als E. gelesen. *Im engeren
Sinne* wird als E. jenes Schrifttum bez., welches das individuelle relig. Empfinden anspricht, zu prakt. Christentum
anleitet und in faßl. Form theolog.-dogmat. Lehre vermittelt. – E. gibt es seit dem MA., sie ist jeweils bestimmt von
den relig. Strömungen ihrer Entstehungszeit (Mystik,
Reformation, Gegenreformation, Pietismus usw.) und
reicht von der Reihung von Heilstatsachen (geistl. ABC-
Bücher) über Meditationsanweisungen bis zur Anleitung zu
subjektiv-innerl. Seelenschau und Selbstprüfung. Wichtige
Gattungen sind neben Gebets-, Beicht- und Andachtsbü-
chern ⁄Traktat und Predigtsammlung (⁄Postille), ⁄Histo-
rienbibel, Trost- und Sterbebüchlein (⁄Ars moriendi); oft
wurden mehrere Arten zu relig. ⁄Spiegeln (seit der Reformation ›Hausbücher‹) vereinigt: berühmt u. oft verdeutscht
z. B. das »Speculum humanae salvationis« (anonym 1324).
Seit dem Pietismus gibt es auch erbaul. Zeitschriften. – *Charakterist. sind* volkstüml. Sprache u. Darstellungsweise,
beliebt Gesprächs- oder Briefform, Allegorie, Emblematik,
blumige Titel (so um 1500: ›Seelenwurzgärtlein‹, ›Schatz-
behalter‹, ›Die 24 güldenen Harfen‹ u. a.). Die E. war bis
ca. 1750 in Deutschland der am weitesten verbreitete Lite-
raturzweig, der internat., bes. span., holländ., engl. Anregungen aufnahm und weiterführte. Sie wirkte auch auf
nicht-relig. Werke ein (bes. durch den Wortschatz). Neben
einer Fülle von Tagesprodukationen stehen Werke von lang
anhaltender Wirksamkeit und überregionaler Verbreitung:
so die »Theologia Teutsch« (aus dem 14. Jh., hg. v. M. Luther, 1516); bis ins 19. Jh. lebendig blieben die Schriften J.
Taulers, Veit Dietrichs Hausbuch »Summaria über die
gantze Bibel« (1541), Martin Mollers kath.-myst. »Christl.
Sterbekunst« (1593) und »Soliloquia de passione Jesu
Christi« (1587), J. J. Landspergers »Anleitung zur Gottse-
ligkeit«(1590) oder L. Goffinès »Hand(Haus)Postille«
(1690), bis ins 20. Jh. Thomas a Kempis' »De imitatione
Christi« (1410/20, bei Katholiken u. Protestanten) und J.
Arndts »Vier Bücher vom wahren Christentum«
(1605–10), die neben Ch.Scrivers pietist. »Seelenschatz« (5
Bde., 1675–92) bis heute zu den gelesensten Erbauungsbü-
chern überhaupt gehören.
☐ Schmidtke, D.: Studien z. emblemat. E. des Spät-MA.s.
Tüb. 1980. – Grosse, C.: Die alten Tröster. Ein Wegweiser
in die E. der ev.-luther. Kirche des 16.–18. Jh.s. Hermanns-
berg 1900. – RL. HFR*
Ereignislied, von A. Heusler geprägte Bez. für einen Typ
des germ. ⁄Heldenliedes, in dem ein ep. Geschehen (Ereig-

nis) unmittelbar vorgeführt wird, im Ggs. zum sog. ⟋Situationslied oder Rückblickslied. Wichtigste Form des E.es ist das *doppelseit. E.*, in dem das Ereignis in doppelter Perspektive dargestellt wird: in der eines Erzählers (als ep. Bericht) und in der der am Geschehen unmittelbar beteiligten Personen (als Dialog u. Monolog); Beispiele: das ahd. »Hildebrandslied«, die älteren Heldenlieder der »Edda« (Hunnenschlachtlied, Hamðismal, Atlakviða, die beiden Lieder von Sigurðr, Völundarkviða). Seltener und gattungsgeschichtl. jünger ist das *einseit. E.* oder reine *Redelied,* das keine ep. Partien, sondern nur den dramat. Dialog kennt (z. B. »Skinirlied«, »Hervörlied«).

⟐ Heusler, A.: Die altgerm. Dichtung. Potsdam ²1943.   K

Eristik, f. [von gr. eristikós = zum Streit geneigt, zänkisch], Kunst des Streitens und Disputierens; von den Sophisten ausgebildete Technik des Dialogs, mit deren Hilfe alles bewiesen und alles widerlegt werden konnte. Beispiele bei Platon, z. B. im »Enthydemos«. Die Anhänger der megarischen Schule wurden später »Eristiker«genannt.   MS

Erlebnisdichtung, gestaltet v. a. persönl.-subjektive (reale oder irreale, traumhafte) Erlebnisse eines Autors, sei es indirekt in einer das ›Erlebnis‹ verarbeitenden, ›umsetzenden‹ Dichtung (z. B. Goethes »Werther«) oder in (scheinbar) unmittelbar bekennender, direkter (Gefühls-) aussprache (z. B. Goethes Liebeslyrik). Wertkategorie ist jedoch nicht die Intensität oder Bedeutung des persönl. Erlebten oder Gefühlten, sondern der Grad ihrer künstler. Objektivierung und symbol. Verdichtung in der Sprache. Je nach der Definition des Begriffes ›Erlebnis‹ (als biograph. Ereignis, als philosoph. Terminus) kann E. enger oder weiter gefaßt werden. Jedoch entsteht sie in breiterem Maße erst mit der Emanzipation des individuellen Gefühls im 18. Jh. (J. Ch. Günther, F. G. Klopstock, Goethes Jugendlyrik, Romantik). – Der Literaturtheorie des 19. Jh.s galt die an Goethe orientierte E. als höchste Wertkategorie, gegen die frühere, gesellschaftl. orientierte Form- und Gehaltstraditionen (Gesellschafts-, Rollendichtung v. a. der Renaissance, des Barock und Rokoko, aber auch die sog. Gedankenlyrik) abgewertet wurden. Die positivist. Literaturbetrachtung mißverstand E. zudem als direkte biograph. oder psycholog. Äußerungen eines Dichters. In der neueren Literaturtheorie wird der Begriff E. histor. eingeschränkt verwendet und als Aussagemöglichkeit neben artifiziellen und gesellschaftl.-öffentl. poet. Ausdrucksformen gewertet.

⟐ Dilthey, W.: Das Erlebnis und die Dichtung. Gött. ¹⁴1965. – RL.   S

Erlebte Rede, ep. Stilmittel, steht zwischen ⟋direkter und ⟋indirekter Rede, zwischen Selbstgespräch und Bericht: Gedanken oder Bewußtseinsinhalte einer bestimmten Person werden statt in zu erwartender direkter Rede oder in zu erwartenden Konjunktiv der indirekten Rede im Indikativ der 3. Person und meist im sog. ⟋ep. Präteritum ausgedrückt, das damit atemporale Funktion annimmt (als Zitat einer anderen Person in den Mund gelegt), z. B.: »Der Konsul ging . . . umher . . . Er hatte keine Zeit. Er war bei Gott überhäuft. Sie sollte sich gedulden« (Th. Mann, »Buddenbrooks«). Die e. R. hat oft mimische Funktion, suggeriert z. B. die genaue Wiedergabe einer bestimmten Denkweise oder eines bestimmten Tonfalles oder dient der Ironisierung; sie gilt nach K. Hamburger als »kunstvollste Mittel der Fiktionalisierung des ep. Erzähllens«. – Die e. R. begegnet in verschiedenen Formen schon in der antiken und mal. Literatur, sie wurde aber in der neueren europ. Literatur besonders ausgeprägt (F. Kafka, V. Woolf) und theoret. fixiert. – Die Bez. ›e. R.‹ ist eine der vorgeschlagenen Verdeutschungen (erstmals bei E. Lorck) der frz. Bez. ›style indirect libre‹ (Kalepsky), andere Bez. dafür, die bisweilen auch von verschiedenen linguist.-psycholog. Deutungen ausgehen, sind ›halbdirekte Rede‹ (Lips, Spitzer), ›uneigentl. direkte Rede‹ oder ›Tatsachen-

rede‹ (Lerch). Vgl. auch ⟋innerer Monolog, ⟋Stream of consciousness.

⟐ Martin, J.-M.: Unters. zum Problem der e. R. Bern/Frkf. 1987. – Hamburger, K.: Die Logik der Dichtung. Stuttg. ²1968. – Stanzel, F. K.: Ep. Präteritum, e. R., histor. Präsens. DVjs. 33 (1959) 1–12. – Lerch, E.: Ursprung u. Bedeutung der sog. ›E.n Rede‹. GRM 16 (1928). – Spitzer, L.: Zur Entstehung der sog. ›e.n R.‹. Ebda. – Lips, M.: Le style indirect libre. Paris 1926. – Lorck, E.: Die E. R. Hdbg. 1921.   S

Erörterung, eingehende, method. aufgebaute Untersuchung eines Problems, Grundform jeder Art wissenschaftl. Darstellung (dagegen ⟋Essay); findet sich jedoch auch in Epik und, seltener, Dramatik als fiktiv dargebotene Einschaltung von Reflexionen in die Handlung: so schon bei Fielding, Diderot, speziell aber in den Romanen des 20. Jh.s (Th. Mann, R. Musil, H. Broch).   RS*

Erotikon, n. [gr. erotikos = die Liebe betreffend], antike Bez. für Liebeslied.

Erotische Literatur, auch amouröse oder galante Literatur, Sammelbez. für literar. Werke aller Gattungen (bevorzugt der erzählenden Prosa), in denen das Sinnl.-Körperl., die sexuelle Komponente der Liebe besonders oder ausschließl. betont wird. Ihre *Abgrenzung* gegenüber einer das Gefühlhafte, den seel.-geist. Bereich der Liebe artikulierenden Liebesdichtung, v. a. aber gegenüber einer ⟋pornograph. oder obszönen, ›ausschließl. zum Zweck geschlechtl. Erregung« (I. Bloch) geschriebenen Literatur ist gelegentl. schwierig, bes. durch terminolog. Unschärfen: so unterscheidet P. Englisch bei e. r L. 1. pikante, 2. galante, 3. frivole, 4. obszöne, 5. pornograph., 6. sotad. Literatur. H. M. Hyde benutzt dagegen nur das Begriffspaar »Pornography and Obscenity« und unterscheidet zwischen einer pornograph. Literatur, der »literar. und künstler. Wert« zukomme und einer solchen, bei der, »ästhet. kaum befriedigend«, die »sexuellen Details in der Hauptsache oder vielleicht als einziges ihre Anziehungskraft« ausüben. – Eine derart *ästhet. anspruchsvolle erot. L.* (Englisch u. a.) bzw. pornograph. L. (Hyde u. a.) beinhaltet bevorzugt alle Spielarten normaler Heterosexualität, bezieht aber auch Homosexualität (in der Antike als Päderastie schon bei Anakreon, 6. Jh. v. Chr., O. Wilde, J. Genet u. a.) und lesb. Liebe (P. d. B. Brantôme, »Vies des dames galantes«, 1665, »Anandria«, anonym ca. 1770/80), die Abarten des Flagellantismus (in der Antike; A. C. Swinburne, »Lesbia Brandon«, ca. 1859/66, ersch. 1952), der Zoophilie bzw. Zooerastie (Apuleius, »Der goldene Esel«, 2. Jh.) u. a. mit ein, wobei der Marquis de Sade und L. Sacher-Masoch zugleich zwei Arten ihren Namen gaben. – E. L. erschien oft unter der Vorgabe, von einer Frau verfaßt zu sein (im Brief form: J. Cleland, »Memoirs of Fanny Hill«, 1750, in Form von Hetären- bzw. Kurtisanengesprächen: Lukian, P. Aretino, »Ragionamenti«, 1536); sie ist aber mit der bedeutenden Ausnahme der Marguerite de Navarre (»L'Heptaméron«, 1559) von Männern geschrieben und stellt (überwiegend) in der Hervorhebung der »Unersättlichkeit des weibl. Sexualbedürfnisses« die Frau so dar, »wie der Mann wünscht, daß sie sein möge« (A. C. Kinsey). Entsprechend erreicht die e. L. auch ein ausgesprochen männl. Lesepublikum. Ventilfunktionen sind z. T. sichtbar, z. T. anzunehmen. – Die *Intention* der e. L. reicht von der Darstellung reiner Sinnenfreude bis zur Kritik gesellschaftl. Verhaltensweisen. Zur *Beurteilung* wird man in jedem Fall den histor. Stellenwert, den Zeitgeschmack, wechselnde Moralvorstellungen und sittl. Anschauung, Intention und Leserschicht der einzelnen Autors bzw. einer ganzen Epoche berücksichtigen müssen. Gleichzeit. ist die Geschichte der e.n L. aufs engste mit der Geschichte ihrer öffentl. Billigung oder Mißbilligung, ihrer inoffiziellen oder offiziellen Zensur und gerichtl. Verfolgung vor dem Hintergrund einer wechselhaften Tabuisierung der Sexualsphäre verknüpft. Die immer wieder versuchte Unterdrückung e.r L., ein daraus resultierendes Ausweichen auf den bibliophilen Druck mit Titel-, Autor-, Verleger- und Ortsfiktionen und Handel unter dem Ladentisch förderte wesentl. den Eindruck der Rarität und damit einen zeitweise hohen Sammlerwert. Berühmte *Beispiele e.r L.* stammen aus Indien (»Kâmasûtra«), China (»Chin-P'ing-Mei«, Jukao Li Yü, »Shikchungchü«), Japan (Ibara Saikaku, »Yonosuke, der dreitausendfache Liebhaber« u.a.), dem Orient (»Tausendundeine Nacht«) und Teilen des ATs (»Das Hohelied Salomos«). Die abendländ. Literatur bietet seit der Antike v.a. in den roman. Ländern eine Fülle e.r L.: Sie wird *in Griechenland* eingeleitet um 100 v.Chr. durch die von Aristeides von Milet verfaßten (oder herausgegebenen) Novellen, die als »Milesiaka« reiche Nachfolge fanden; als Einlagen noch bei Petronius (»Satiricon«, 1.Jh.) und Apuleius; vgl. ferner die Romane der sog. Erotiker (nach abenteuerl. Reisen und Gefahren zumeist glückl. endende Liebesgeschichten): Antonius Diogenes, Xenophon von Ephesos, Heliodoros (»Aithiopika«, 3.Jh.), Achilleus Tatios, Longos (»Daphnis und Chloe«, 2./3.Jh.), den anonymen »Apollonius von Tyros«oder Lukians »Hetärengespräche« (2.Jh.). In der *röm. Literatur* sind neben Petronius und Apuleius Catull, Ovid (»Ars amatoria«, 1 v.Chr.) und der Epigrammatiker Martial zu nennen. *Das MA.* kennt eine reichhalt. Schwankliteratur (vgl. bes. die frz. ∕Fabliaux). In der Renaissance schrieben e.L. neben Boccaccio (»Il Decamerone«, 1348/53) und Aretino v.a. M. Bandello (»Novelle«, ersch. 1554/73), *in Frankreich* M. de Navarre, Brantôme, F.V. Béroalde de Verville (»Le moyen de parvenir«, ersch. 1610) und J. de La Fontaine (»Contes et nouvelles en vers«, 1664/74). Das sog. galante Zeitalter (18.Jh.) verzeichnet eine reichhalt. e.L.: C.P.J. de Crébillon (»Le Sopha«, 1742), P.A.F. Choderlos de Laclos (»Les liaisons dangereuses«, 1782), J.B. Louvet de Couvray (»Les amours du chevalier de Faublas«, 1787/90), A.R. Andréa de Nerciat (»Félicia ou mes fredaines«, 1775) und N.E. Restif de la Bretonne (»Monsieur Nicolas«, 1794/97), der sich in »L'Anti-Justine« (1798) scharf gegen den Marquis de Sade wendet (»La Nouvelle Justine«, 1797, »La philosophie dans le boudoir«, 1795, »Les 120 journées de Sodome«, 1785, ersch. 1904), ferner Voltaire und H.-G. de Mirabeau. Die e.L. wurden bis ins 20.Jh. auch die Memoiren des Italieners G. G. Casanova (1790ff., im Originaltext ersch. 1960/62) gelesen. – Verfasser *engl. e.r L.* sind G. Chaucer (»Canterbury Tales«, 1478), J. Wilmot, Earl of Rochester, J. Cleland, J. Wilkes; im 19.Jh. v.a. E. Sellon (»The Ups and Downs of Life«). *In Deutschland* wären zu nennen die zweite schles. Schule, J. W. Happel (»Academ. Roman«, 1690), A. Bohse, J. Ch. Rost, J. G. Schnabel (»Insel Felsenburg«, 1731/43, »Der im Irrgarten der Liebe herumtaumelnde Kavalier«, 1738) und Celander (Pseud., »Der verliebte Studente«), in der Klassik Goethe (»Röm. Elegien«, 1788/90, ersch. 1795, »Venezian. Epigramme«, 1795; »Das Tagebuch«, 1810) und Schiller (»Venuswagen«, 1781/82). – Nach H. de Balzac (»Contes drôlatiques«, ersch. 1832/53) wird in der sog. ∕*Dekadenzdichtung* die Erotik psycholog. begründet, so u.a. bei Ch. Baudelaire, P. Verlaine, A. Schnitzler (»Der Reigen«, ersch. 1900 als Privatdruck), A. Sacher-Masoch. Mit A. Strindbergs »Okkultem Tagebuch« (ersch. 1963) setzt eine sog. Selbstentblößerliteratur in einer spezif. Mischung von Tagebuch und Autobiographie ein, vgl. u.a. H. Miller (»Tropic of Cancer«, 1934, »Tropic of Capricorn«, 1939, »The Rosy Crucifixion«, 1945/57). Im 20.Jh. liegt eine Vielzahl von Romanen vor, die weise oder ganz einer e.n L. zuzurechnen sind, u.a. von J. Joyce, D.H. Lawrence (»Lady Chatterley's Lover«, 1928), V. Nabokov (»Lolita«, 1955), L. Durrell, J. Genet (»Notre-Dame-des-Fleurs«, ersch. 1948), Ch. Rochefort u.a.

📖 Brockmeier, P.: Lust u. Herrschaft. Stuttg. 1972. – Schlaffer, H.: Musa iocosa. Gattungspoetik u. Gattungs-

gesch. der erot. Dichtung in Deutschland. Stuttg. 1971. – Hyde, H.M.: Gesch. der Pornographie. Dt. Übers. Stuttg. 1970 *(dort ausführl. Bibliogr.).* – Wedeck, H.E.: Dictionary of erotic literature. New York 1962. D*

Errata, n. Pl. [lat. = Irrtümer],
1. = ∕Druckfehler;
2. Verzeichnis von Druckfehlern, die, während des Ausdruckens entdeckt, im letzten Bogen oder auf einem Beiblatt berichtigt werden; auch *Corrigenda* (lat. = zu Verbesserndes). Eine nur aus Vorrede und E. bestehende Broschüre veröffentlichte Jean Paul: Ergänzblatt zur Levana, 1807; Zweite mit neuen Druckfehlern vermehrte Auflage 1817. HSt

Erregendes Moment, dramaturg. Begriff, geprägt von G. Freytag (»Technik des Dramas«, 1863) zur Bez. der in der ∕Exposition aufgedeckten inneren oder äußeren Bedingung, die die »bewegte Handlung«, den dramat. Konflikt, auslöst. ∕Drama. HD*

Erscheinungsjahr, Datum der Veröffentlichung eines Buches; neben der Angabe von Verlag und ∕Erscheinungsort wichtiger Bestandteil des Erscheinungsvermerks auf dem Titelblatt oder im Impressum. Wo es fehlt, steht in Bibliographien ›o.J.‹ = ohne Jahr. Das Datum des Copyright (Vervielfältigungsrechte) und das Druckjahr sind nicht immer mit dem E. identisch. Erster Beleg für die Angabe von E. und Druckort: das Psalterium von Johann Fust und Peter Schöffer, Mainz 1457. HSt

Erscheinungsort, Ort der Veröffentlichung eines Buches, heute der Sitz des Verlages, früher der Druckort; Teil der genauen bibliograph. Beschreibung (o.O. = ohne [Angabe des Erscheinungs-]Ort[es]). Falsche oder fingierte E.e stehen aus polit. oder satir. Gründen, z.B. in Fischarts »Geschichtklitterung« (1590): Gedruckt zur Grensing im Gänsserich; Schillers »Räuber«: Frankfurt und Leipzig (statt: Stuttgart) 1781.

📖 Weller, E.: Die falschen u. fingierten Druckorte. 2 Bde. u. Nachtrag. Lpz. ²1864–67, Nachdr. Hildesheim 1970. HSt

Erstaufführung (Premiere), s. ∕Uraufführung.

Erstausgabe, erste selbständ. Buchveröffentlichung eines literar. Werkes. Wichtig für die Textphilologie und als bibliophiles Sammelobjekt. – Als E. (oder lat. *editio princeps*) bezeichnen die Humanisten die erstmals nach Handschriften verfertigten Drucke antiker Autorentexte (berühmt sind die 28 griech. editiones principes des Aldus Manutius [die sog. Aldinen um 1500]). Die ältesten E.n (∕Inkunabeln, Frühdrucke) repräsentieren öfters eine verlorene handschriftl. Überlieferung.

📖 Wilpert, G. v./Gühring, A.: E.n dt. Dichtung. Eine Bibliogr. zur dt. Lit. 1600–1960. Stuttg. 1967. HFR*

Erstdruck,
1. der erste Druckabzug eines Werkes (= Korrekturabzug);
2. die erste Veröffentlichung in einer Zeitschrift, im Ggs. zur ∕Erstausgabe;
3. die frühesten Buchdrucke (bis 1500 = ∕Inkunabeln, bis 1550 Frühdrucke). HSt

Erstlingsdruck,
1. erstes Druckerzeugnis einer Stadt oder eines Landes;
2. erster Abzug einer Druckform bei graph. Techniken (Stich, Radierung). HSt

Erwartungshorizont, von H.R. Jauß in die Literaturwissenschaft eingeführter Begriff, der den Hintergrund der literar. und lebenswirkl. Erfahrungen bezeichnet, vor dem ein Rezipient ein neues Werk im Augenblick seines Erscheinens wahrnimmt. Das Erkennen der ästhet. Distanz, des Abstands zwischen dem vorgegebenen E. und dem neuen Werk, führt zu einem *Horizontwandel.* Literar. Evolution vollziehe sich demnach jeweils in der Ablösung eines E.s durch einen anderen. In der durch Jauß angeregten Diskussion wird eine Differenzierung in autor-, epochen-, gattungs- und werkbezogene E.e vorgeschlagen und auf die

Problematik der Rekonstruktion und der Objektivierbarkeit von E.en hingewiesen.

⊡ Anz, H.: E. Euph. 70 (1976). – Jauß, H. R.: Literaturgeschichte als Provokation der Literaturwiss. Frkft. 1970. ⟋Rezeption   MS

Erweiterter Reim, auch: Vorreim, Reim, der vor dem eigentl. Reimwort noch Präfixe, unbetonte Satzpartikel, bisweilen selbst mehrere Wörter gleichlautend oder assonierend umfaßt. Beliebt v. a. in der mal. Lyrik, z. B. *unde klagen : kumber tragen* (Reinmar der Alte), *alle frowen var : alle frowen gar* (Walther v. d. Vogelweide).   S

Erzähler, ⟋Epik, ⟋auktoriales, ⟋personales Erzählen, ⟋oral poetry.

Erzählforschung, Erschließung fiktiver oder auf die Realität bezogener Erzählverfahren und Erzählwerke in dreifacher Sicht.

Die *historische E.* befaßt sich mit der Herkunft und dem Wandel von Erzählstoffen und Erzählweisen, die meist anonym, anfangs oft nur mündl. überliefert sind und vielfach auf eigene ⟋epische Gesetze der Volksdichtung zurückgehen. Bevorzugt werden dabei vergleichende Methoden, z. B. bei der Erforschung von Sagen oder Tierfabeln.

Die *volkskundlich kulturwissenschaftliche E.* ging von der Märchenforschung aus, bezieht heute aber auch anderes volkstüml. Erzählgut ein wie die ⟋Kalendergeschichte, neuerdings v. a. triviale und massenhaft verbreitete Erzählprosa von gehobener ⟋Unterhaltungsliteratur bis zur Kolportage und ⟋pornograph. Literatur. Dabei geht es weniger um die Eigenart als vielmehr um die meist sozialen, auch (sozial-)psycholog. Ursachen und Wirkungen dieser Produkte ohne hohen Kunstanspruch.

Die *literaturtheoretische E.* dagegen befaßt sich in erster Linie mit der Erzähl*kunst.* Ausgehend von Fragen nach der »Rolle des Erzählers in der Epik« (K. Friedemann, Lpz. 1910, Nachdr. 1967) und nach »Wesen und Formen der Erzählkunst« (R. Petsch, Halle 1934, ²1942), wurden zum einen die Erzählgattungen wie ⟋Roman, ⟋Novelle, ⟋Kurzgeschichte prinzipiell und histor. untersucht, zum anderen morpholog. a-historisch »Bauformen des Erzählens« (E. Lämmert, Stuttg. 1955, ⁸1983) herausgearbeitet, schließl. Ansätze zu einer strukturalist. »Poetik der Prosa« (T. Todorov, 1971, dt. Frkf. 1972) entwickelt. Weithin unerforscht sind Erzählstrukturen in nicht-fiktiver Prosa wie Reportage, Geschichtsschreibung, Sach- und Fachliteratur. Auch ⟋Diskurs-Diskussion.

⊡ Lit.: Picard, H. R.: Der Geist der Erzählung. Frkf. 1987. – Schmeling, M.: Der labyrinth. Diskurs. Vom Mythos zum Erzählmodell. Frkf. 1987. – Uther, H.-J. (Hg.): Katalog zur Volkserzählung. 2 Bde. Mchn. 1987. – Bal, M.: Narratology. Toronto 1985. – Genette, G.: Nouveau discours du récit. Paris 1983. – Kermode, F.: The Art of Telling. Cambridge, Mass. 1983. – Prince, G.: Narratology. Berlin/Amsterdam 1982. – Lämmert, E. (Hg.): E. Stuttg. 1982. – Kloepfer, R./Janetzke-Dillner, G. (Hg.): Erzählung u. E. im 20. Jh. Stuttg. 1981. – Sparmacher, A.: Narrativik u. Semiotik. Frkft. 1981. – Holloway, J.: Narrative and structure. Cambridge 1979. – Stanzel, F. K.: Theorie des Erzählens. Gött. ³1985. – Haubrichs, W. (Hg.): E. 3 Bde. Gött. 1976–1978. – Bremond, C.: Logique du récit. Paris 1973. – Ros, A.: Zur Theorie literar. Erzählens. Frkf. 1972.   RS

Erzähllied, lyr.-ep. Gattung, »Erzählung in Liedform« (Singer, VL), im Unterschied zur ⟋Ballade jedoch ohne dramat. Elemente. In Ansätzen schon bei Neidhart, ausgebildet dann um 1300 von Johannes Hadloub (der im E. den höf. Minnekult in fiktiv-realist. Umwelt ausmalt); begegnet u. a. auch bei Oswald von Wolkenstein. Die Grenze zu Volksballaden und Volkslegenden (belegt seit dem 14. Jh.) ist fließend.   S

Erzählung,
1. mündl. oder schriftl. Darstellung von realen oder fiktiven

Ereignisfolgen, vorwiegend in Prosa, aber auch in Versform.
2. selbständ. Einzelgattung innerhalb der Grundgattung ⟋Epik, die sich mit den übrigen ep. Gattungen häufig überschneidet und noch weniger als diese exakt bestimmbar ist. Ihre Formgesetze werden daher oft negativ umschrieben: die E. ist kürzer, weniger welthaltig, weniger figurenreich und weniger komplex in Handlung und Ideengehalt als der ⟋Roman; nicht so knapp und andeutend wie ⟋Skizze und ⟋Anekdote; im Unterschied zur ⟋Novelle weniger scharf profiliert, weniger verschränkt und durchgestaltet, nicht so streng um ein oder zwei Hauptereignisse und Überraschungsmomente zentriert; weniger pointiert und weniger konsequent auf den Schluß hin komponiert als die ⟋Kurzgeschichte; nicht wie ⟋Märchen und ⟋Legende auf Bereiche des Unwirklichen und Wunderbaren bezogen. – Die *Prosa-E.* ist v. a. in der Literatur des 19. und 20. Jh.s zu finden (A. Stifter, W. Raabe, Th. Mann u. a.). Eigene Formgesetze und eine differenziertere Geschichte hat die ⟋Verserzählung.

⊡ Kloepfer, R./Janetzke-Dillner, G. (Hrsg.): E. u. Erzählforschung im 20. Jh. Stuttg. 1981. – Polheim, K. K. (Hrsg.): Handbuch der dt. E. Düsseld. 1981.   RS

Erzählzeit, die zum Erzählen oder Lesen realer oder fiktiver Vorgänge benötigte Zeit. Im Unterschied zur E. umfaßt die *erzählte Zeit* alle Zeiträume, von denen erzählt wird. Das Verhältnis der E. zur erzählten Zeit ist in der ⟋Epik konstitutiv für die Zeitgestaltung eines Werkes, für die Bildung von Erzählphasen und für die Verteilung der sog. ep. Grundformen. Am häufigsten ist *zeitraffendes Erzählen*, d. h. der Aufwand von relativ wenig E. für die Darstellung längerer Ereignisfolgen, was zu Zeitsprüngen, Aussparungen, Raffungen führt. In der neueren Erzählkunst wird oft *zeitdeckendes Erzählen* (Übereinstimmung von E. und erzählter Zeit) angestrebt und durch szen. Darbietungsweisen und Formen der Bewußtseinsdarstellung wie ⟋Dialog, ⟋indirekte Rede, ⟋erlebte Rede und ⟋inneren Monolog realisiert. Zeitdehnung, d. h. Fortgang der E. unter gleichzeitigem Stillstand der erzählten Handlung, dient der Einschaltung von Beschreibungen und Reflexionen oder auch der ⟋Erörterung. Erforscht wurde das Phänomen der E. in der Epik insbes. von Günther Müller und seiner Schule.

⊡ Ritter, A. (Hrsg.): Zeitgestaltung in der Erzählkunst. Darmst. 1978. – Müller, Günther: E. und erzählte Zeit. In: Festschr. f. P. Kluckhohn u. H. Schneider. Tüb. 1948, S. 195–212. ⟋Epik.   RS

Erziehungsroman, Bez. für Romane, in denen die Erziehung eines jungen Menschen, meist als bewußt geleiteter Prozeß, aber auch nur durch die Mittel der umgebenden Kultur gestaltet ist; häufig Entwurf oder exemplar. Veranschaulichung eines Erziehungsprogramms, auch Diskussion pädagog. Einzelfragen. Abgrenzung zu ⟋Entwicklungsroman und ⟋Bildungsroman meist schwierig, die Bez. ›E.‹ wird oft synonym für dieselben Werke gebraucht, zumal in allen dieselbe formale Struktur dominiert. Als E.e gelten z. B. Xenophons »Kyropädie« (ein ⟋Fürstenspiegel, 4. Jh. v. Chr.), J. Lylys »Euphues« (1578/80), F. Fénelons »Télémaque« (1699), J. J. Rousseaus »Émile« (1762), J. H. Pestalozzis »Lienhard und Gertrud« (1780–87), bedingt auch die Romane J. Gotthelfs und solche ›Entwicklungsromane‹, in denen das Erziehungsziel repräsentierende Führer- oder Erziehergestalt wichtig ist, z. B.: Goethe, »Wilhelm Meisters Lehrjahre« (1795/96, der Oheim), Ch. M. Wieland, »Agathon« (Fassung v. 1794, Archytas), A. Stifter, »Nachsommer« (1857, Freiherr von Riesach), etc.

⊡ Granderoute, R.: Le roman pédagogique. Paris. 1985. – Germer, H.: The German novel of education 1792–1805. A complete bibliography and analysis. Bern 1968. ⟋Bildungsroman, ⟋Entwicklungsroman.   IS

Esbatement, m. ⟋Klucht.

Eskapismus, m. [von engl. to escape = entfliehen],

1. allgemein Flucht aus der sozialen Verantwortung oder Abkehr von der Wirklichkeit. 2. im bes. Begriff v. a. der engl. Literaturkritik *(escapism)* zur Bez. dieser Tendenzen in der modernen Literatur (und Kunst) bes. zwischen den beiden Weltkriegen, z. B. bei M. Proust, A. Gide, P. Éluard, aber auch bei expressionist. und v. a. surrealist. Schriftstellern. In der marxist. Literaturtheorie wird E. insbes. als Vorwurf gegen den ↗Formalismus verwendet. ↗Elfenbeinturm.

3. in therapeut. Sinne kann E. auch als Funktion der Kunst gesehen werden: Kunst als Mittel der Ersatzbewältigung (↗Katharsis) oder der Sublimierung von Schuld- und Lebensproblemen (Flucht in eine Harmonie des schönen Scheins). ↗Identifikation. S

Esoterisch [von gr. esoterikos = innen, innerhalb], Bez. für Lehren und Schriften, die nur für einen ausgesuchten Kreis bes. Begabter oder Würdiger bestimmt, für Laien unzugängl. sind. Der Begriff wurde in der Antike als Gegenbegriff zu ↗exoterisch gebildet und bezog sich auf die streng schulmäßige, nicht literar. fixierte Philosophie (z. B. die Platons; früheste Belege bei Lukian und Galen, 2. Jh. n. Chr.), er wurde jedoch schon in der Antike (im Anschluß an Mysterienkulte und die pythagoreische Tradition) erweitert zur bewußten Geheimhaltung bestimmter Lehren (und in diesem Sinne unhistor. auf Platons mündl. Philosophie angewandt). Analog wurde e. auf neuzeitl. Literatur übertragen im Sinne von bewußter oder fakt. Geheimhaltung, die man entweder (etwa in der Lessing-Forschung) durch die fehlende Veröffentlichung erklärt aber (z. B. in der Beurteilung bestimmter Werke des Symbolismus und insbes. Georges und des George-Kreises) durch eine nur für Eingeweihte verständl., gleichsam kult. kodifizierte Geheimsprache gewahrt sieht.

⮡ Wippern, J. (Hrsg.): Das Problem der ungeschriebenen Lehre Platons. Darmst. 1972 (WdF 186). HD*

Espinelas, f. Pl. (span.), s. ↗Dezime.

Essay, m. [ésə, ɛsɛi: engl., frz. essai = (Kost-)Probe, Versuch; aus vulgärlat. exagium = das Wägen], im modernen Sprachgebrauch unpräzise Bez. für meist nicht zu umfangreichen, stilist. anspruchsvollen Prosatext, in dem ein beliebiges Thema unsystemat., aspekthaft dargestellt ist, vgl. ↗Feuilleton. – Die Literaturwissenschaft zählt den E. zu den literar. Zweckformen in Prosa wie Bericht, Abhandlung, Traktat, Feuilleton; mit diesen berührt er sich in manchen realen Ausprägungen, ist jedoch grundsätzl. durch eine spezif. geist. Haltung und eine dadurch bedingte formale Struktur von diesen unterschieden. Eine präzise *Definition* ist schwierig, neuere Ansätze dazu gehen aus von allgem. phänomenolog. Überlegungen (Lukács, Bense, Adorno) oder von konkreten Merkmalsammlungen (Friedrich, Traeger: bei Montaigne). Wesensbestimmend für den E. ist danach eine skept.-souveräne Denkhaltung, eine Einsicht in die Komplexität der Erfahrenswirklichkeit und, daraus resultierend, ein Mißtrauen gegenüber festen Ergebnissen, eine Offenheit des Fragens und Suchens, eine eigene Methode der Erkenntnisvermittlung: Im E. werde Denken während des Schreibens als Prozeß, als Experiment entfaltet (Bense, Friedrich), werde zur »Möglichkeitserwägung« (Haas), zur unabgeschlossen fragenden Wahrheitssuche, die das gedankl. Fazit dem Leser überläßt. Diese Offenheit des Denkens bedingt die gattungsspezif. Struktur des E.s: die »doppelte Bewegung des Gedanken« (Haas), das Widerspiel von Aussage oder log. Schluß und wieder zweifelnder Überprüfung, das Erwägen der Möglichkeiten, eine dialekt. Sichtung der Wirklichkeit. Häufige *Gestaltungsmittel* sind assoziative Gedankenführung, Abschweifungen, variationsartiges Umkreisen eines Fragekomplexes, Wechsel der Perspektiven, bisweilen einseitige Standpunktwahl, Durchspielen von Denkmöglichkeiten, Paradoxa, Provokationen, stets absichtsvoller Subjektivismus immer mit dem Ziel, Reaktionen, Denkanstöße beim

Leser auszulösen. *Inhaltl.-themat.* ist der E. nicht gebunden; er bringt jedoch in der Regel keine neuen Fakten oder Erkenntnisse, sondern sichtet krit. das Vorhandene. Eine weitere Voraussetzung für den Essayisten und seine Leser sind daher eine fundierte geist. Bildung und kulturelle Übersicht. Entsprechend der anspruchsvollen Thematik und ihrer gattungsspezif. Behandlung gehört zum E. auch die stilist. Vollendung, d. h. eine geschliffene, pointierte, oft aphorist. oder iron. Diktion und formale Geschlossenheit, die aus der gedankl.-strukturalen Offenheit bewußt eine reizvolle künstler. Spannung zieht.

Geschichte: Dem E. strukturell verwandte Darstellungsformen finden sich schon in der Antike bei Plutarch, Cicero, Seneca, Horaz, Catull, Marc Aurel u. a. (vgl. Brief, Tagebuch, Exempel, Dialog, Diatribe). Die Geschichte des E.s als eigenständ. literar. Form beginnt jedoch erst mit M. de Montaigne, der die Bez. ›E.‹ für das method. Verfahren seiner Reflexionen gebraucht (»Essais«, 1580–95). 1597 übernahm F. Bacon die Bez. ›E.‹ zur formalen Kennzeichnung seiner philosoph.-religiösen Betrachtungen (»Essayes«, letzte Ausg. 1625), die sich in ihrer Bestimmtheit jedoch dem Traktat nähern. Bes. in England, (aber auch in Frankreich) setzt sich zunächst die traktatnahe Ausprägung des E.s durch: zu nennen sind im 17. Jh. neben dem einen eigenen Stil suchenden W. Cornwallis u. a. O. Feltham, Lord Chandos, Th. Fuller, A. Cowley; zu europ. Wirkung gelangt die angelsächs. Tradition im 18. Jh. durch die Verbreitung der ↗moral. Wochenschriften (»The Tatler«, 1709–11, »The Spectator«, 1711–13, hrsg. v. den sog. Essayisten R. Steele und J. Addison), in denen der E. gepflegt wurde. Sie läßt sich bis ins 19. Jh. verfolgen, etwa bei Engländern wie Ch. Lamb, L. Hunt, W. Hazlitt, Th. Macaulay, J. Ruskin, M. Arnold, W. Pater oder dem Amerikaner R. W. Emerson u. a., aber auch bei den Franzosen F. Brunetière, Ch. A. Sainte-Beuve, H. Taine, Stendhal u. a. m. – In *Deutschland* finden sich Abhandlungen in essayist. Denk- und Darstellungsformen erstmals im 18. Jh., wohl unabhängig von der engl. und frz. Tradition (J. G. Herder, J. J. Winckelmann, G. Forster, W. und A. v. Humboldt, Goethe, Schiller, F. Schlegel, H. Heine, L. Börne, H. v. Kleist, A. Stifter, A. Müller u. a.). Erst mit den »E.s« von Hermann Grimm (1859–90), die bewußt im Anschluß an die E.s Emersons konzipiert wurden, gewinnt den dt. Essayistik den Anschluß an die europ. Tradition. Auch sie benutzt von nun an den weiteren, bereits von Montaigne und Bacon ausgeschrittenen Spielraum der Gattung. – *Blütezeiten der Essayistik* wurden Perioden gesteigerter geist.-gesell. Kultur, andererseits Krisen- und Umbruchzeiten, in denen im E. versucht wird, vor dem Hintergrund umgreifender geistesgeschichtl. Aspekte zur Klärung und Deutung der erreichten Position beizutragen (z. B. Jh.-wende, Ende des 2. Weltkrieges). Die E.s der Gegenwart, die sich wieder mehr dem E.-stil Montaignes anschließen, bemühen sich z. B. um die Wiederannäherung von Geistes- und der (oft im Spezialistentum isolierten) Naturwissenschaften (Weizsäcker, Heisenberg). – Essayisten von Rang seit der Mitte des 19. Jh.s sind z. B. die Philosophen und Kulturkritiker F. Nietzsche, A. Huxley, M. de Unamuno, J. Ortega y Gasset, R. Kassner, O. Spengler, W. Benjamin, J. Hofmiller, K. Jaspers, E. Bloch, R. Guardini, Th. Adorno, G. Lukács, M. Bense, die Historiker Gervinus, Julian Schmidt, K. Hillebrand, F. Kürnberger, J. Burckhardt, J. Heer u. a., die Dichter oder Literaturhistoriker O. Wilde, T. S. Eliot, P. Valéry, A. Gide, H. und Th. Mann, R. Borchardt, H. Bahr, H. v. Hofmannsthal, R. A. Schröder, J. Wassermann, G. Benn, M. Rychner, E. R. Curtius, R. Musil, H. Holthusen, W. Jens, D. Wellershoff u. a. – Essayist. gestaltete Prosa findet sich auch in andere literar. Formen (bes. in Romane) eingelagert. Ansätze begegnen seit dem 18. Jh., z. B. bei Wieland (als »Abschweifungen«), Jean Paul (als »Digressionen«), F. Schlegel, Goethe, Immermann u. a., sie sind dann bes.

kennzeichnend für den modernen Roman als ein Mittel, die vielfält. gebrochene Wirklichkeitserfahrung inhaltl. und formal (Zersprengung einer einheitl. Romanform) widerzuspiegeln. Die Verwendung des Essayistischen im Roman reicht von der völligen Integrierung (sog. ›Essayifizierung‹, Bez. v. R. Exner, z. B. in den Romanen Th. Manns) bis zu der von der fiktiven Romanhandlung mehr oder weniger deutl. Absetzung (als eigene Kapitel z. B. bei Musil, typograph. ausgewiesen in H. Brochs »Schlafwandler«); es ist oft auch durchwaltendes Gestaltungsprinzip (z. B. bei A. Gide, U. Johnson: sog. *Essayismus*).
📖 Weissenberger, K.: Der É. In: K. W. (Hg.): Prosakunst ohne Erzählen. Die Gattungen d. nicht-fiktionalen Kunstprosa. Tüb. 1985. – Haas, G.: E. Stuttg. 1969 (mit Bibliogr.). – RL. IS

Estampie, f. [frz., abgeleitet aus vorahd. *stampôn = stampfen], altfrz. Tanz, dessen Rhythmus durch Aufstampfen der Füße markiert wird (s. Etymologie), oft nur (ein- oder mehrstimm.) instrumentales Vortragsstück, im Aufbau der ⟋Sequenz verwandt (einfache Setzung der Versikel in doppeltem oder dreifachem Kursus), aber auch mit Texten verschiedener Thematik, z. T. auch mit Refrain, als Tanzlied; verbreitet im 13. u. 14. Jh., verwandt ist die prov. Estampida; vgl. auch ⟋Descort, ⟋Leich (Tanzleich). S

Estilo culto, m. [span. = gepflegter (d. h. gelehrter) Stil], s. ⟋Gongorismus.

Ethopoeie, f. [gr. ethopoiía = Charakterdarstellung], 1. ⟋rhetor. Figur, Form der ⟋Sermocinatio: fiktive Rede, die einer histor., mytholog. oder erdichteten Gestalt in den Mund gelegt wird (z. B. zur Charakterisierung ihrer Gemütslage, vgl. Ovid, Niobes Klage, »Metamorphosen« VI, 170 ff.). Verwandt sind die *Prosopopoeie*, die Einführung konkreter Erscheinungen (bes. aus dem Bereich der Natur: Flüsse, Winde usw.) oder abstrakter Begriffe (Liebe, Alter) als redende (z. T. auch handelnde) Personen und die *Eidolopoeie*, die einem Toten beigelegte Rede. Auch ⟋Personifikation, ⟋Allegorie. 2. in der Rhetorik das Vermögen, eine Rede so zu gestalten, daß der Redner als Biedermann erscheint, bes. von Lysias (ca. 445–380 v. Chr.) geübt. HSt*

Etym, n. [von gr. étymon = das Wahre], Wurzelwort; von Arno Schmidt (»Der Triton mit dem Sonnenschirm«, 1969) eingeführter Begriff für sog. ›Wortkeime‹, die unter der kontrollierten Bewußtseinssprache liegen sollen; ihre Interpretation mittels phonet. Anklänge erlaube die Entschlüsselung des ›eigentlich Gemeinten‹ (z. B. Einfall – ein Phall(us)). Bewußtes Stilmittel in Schmidts »Zettels Traum« (1970). HSt

Eucharistikon, n. [gr. eucharistos = dankbar], antikes Dankgedicht, z. B. das panegyr. » Eucharisticon ad imp. Aug. Germ. Domitianum« des Statius (»Silvae« IV, 2; 1. Jh. n. Chr.). MS

Euhemerismus, m., rationale Mythendeutung, die in Göttern nur herausragende Menschen (Heroen) der Vorzeit sieht; schon in der Antike vertreten in der (nur fragmentar. erhaltenen) Schrift »Hiera anagraphé« (= Heilige Aufzeichnung) des griech. Philosophen Euhemeros (um 300 v. Chr.), die dann von dem röm. Satiriker und Historiker Ennius (239–169 v. Chr.) unter dem Titel »Euhemerus« ins Lat. übertragen wurde; auch von Cicero in seiner Schrift »De natura deorum« erwähnt. Von wechselnder Nachwirkung in der europ. Geistesgeschichte (s. ⟋Mythos). S

Euphemismus, m. [gr. euphemia = Sprechen guter Worte], beschönigende Umschreibung (⟋Periphrase) von Unangenehmem, Unheildrohendem, moral. oder gesellschaftl. Anstößigem, von Tabus, z. B. gr. *Eumeniden* (= Wohlgesinnte) für Erinnyen (= Furien), *Freund Hein* für Tod, *das Zeitliche segnen, heimgehen* für sterben; in moderner Propagandasprache: *Vorwärtsverteidigung* für Angriff, *Frontbegradigung* für Rückzug, *Minuswachstum* für Rezession. Euphemist. werden oft auch Fremdwörter gebraucht,

z. B. *transpirieren* für schwitzen (bes. auch für Bez. der Sexual- und Analsphäre), auch Wortentstellungen dienen euphemist. Zwecken, z. B. mundartl. *Deixel* für Teufel. S

Euphonie, f. [gr. euphonia = Wohlklang], Bez. für sprachl. Wohlklang und Wohllaut in der ant. Rhetorik (Gegensatz ⟋Kakophonie, auch Dissonanz). Die als euphon. empfundenen Laute und Lautverbindungen sind von Sprache zu Sprache verschieden. Einfluß euphon. Gesichtspunkte auf die Sprachentwicklung ist nicht auszuschließen, wissenschaftl. jedoch nicht greifbar. HFR

Euphuismus, m., engl. euphuism [ˈjuːfjuɪzəm], engl. Ausprägung des literar. ⟋Manierismus; Bez. nach dem Titel des (noch frühmanierist.) zweiteil. Romans »Euphues« (1578–80) von J. Lyly, evtl. nach span. Vorbild (»Libro Aureo de Marco Aurelio Emperador« von Antonio de Guevara, einem Vorläufer des ⟋Conceptismo). Weitere Vertreter sind Th. Lodge, R. Greene, W. Shakespeare (bes. »Love's Labour's Lost«, »Romeo and Juliet«) und, in gesteigerter Ausprägung, die ⟋Metaphysical poets (J. Donne, R. Crashaw u. a.). Durch die Shakespeare-Tradition blieben die sprachl. und stilist. Elemente des E. bis ins 20. Jh. lebendig; insbes. T. S. Eliot knüpfte an den formalen Manierismus an.
📖 Winny, J. (Hrsg.): The descent of Euphues. Cambr. 1957. – Raiziss, S.: The metaphysical Passion. Philadelphia 1952 (mit ausführl. Bibliogr.). – Feuillerat, A.: John Lyly and Euphuism. Cambridge 1910. IS

Eupolideion, n. [gr.], nach Eupolis (att. Komödiendichter, 5. Jh. v. Chr.) benanntes Metrum der griech. Lyrik: Verbindung eines ⟋Wilamowitzianus mit einem ⟋Lekythion:

$$\circ\overline{\circ}-\overline{\circ}|-\cup\cup-|-\cup-\cup-\cup\overline{\circ}.\qquad K^*$$

Euripideion, n., nach Euripides benanntes ⟋archiloch. Versmaß: distichische Verbindung eines jamb. ⟋Dimeters mit einem ⟋Lekythion oder einem ⟋Ithyphallikus zu einer ⟋Epode:

$$\overline{\circ}-\cup-|-\cup-|\cup-\cup\overline{\circ} \quad \text{bzw.} \quad \overline{\circ}-\cup-|\cup-\overline{\circ}.$$
$$-\cup-\cup-\overline{\circ}.\qquad K$$

Evangeliar, n. [mlat. liber evangeliarium = Evangelienbuch], ursprüngl. Bez. für das liturg. Buch mit dem vollständigen Text der vier Evangelien (die Hss. selbst sind meist ohne Bez.), später auch für das Perikopenbuch (Lektionar: ⟋Evangelistar und ⟋Epistolar). Bes. aus dem frühen MA. sind eine Reihe prachtvoll geschmückter E.e erhalten: ein karoling. E. aus der Ada-Gruppe (um 800; Trier, Stadtbibliothek), das Reichenauer E. Ottos III. (um 1000; München, Bayr. Staatsbibliothek) oder der berühmte Codex Aureus Epternacensis (aus Echternach, um 1030, Nürnberg, German. Nationalmuseum). S

Evangelienharmonie, f., von A. Osiander geprägte Bez. für eine vereinheitlichte Darstellung des Lebens und Wirkens Jesu nach den vier Evangelien und apokryphen Quellen in Prosa oder Versen. Die erste bekannte E. ist das »Diatessaron« des syr. Kirchenvaters Tatian, nach 172 (nach griech. tó dia tessaron = durch vier [Evangelien]; unsicher ist, ob der Urtext syr. oder griech. war. Das »Diatessaron« wurde bis ins 5. Jh. in der syr. Kirche im Gottesdienst anstelle der Evangelien verwendet und später ins Arab., Lat. (6. Jh.), Pers., Ahd. (9. Jh.), Mittelengl. übertragen. Weitere E.n stammen u. a. von Augustinus (4./5. Jh.), Jean de Gerson (14./15. Jh.), A. Osiander (1537), A. Vezin (1938, ⁴1958), poet. E.n u. a. von Juvencus (um 330) oder in altsächs. Anonymus (»Heliand«) und Otfried von Weißenburg (vor 870). Vgl. ⟋Bibelepik, ⟋Messiade. – RL. HFR

Evangelistar, n. [mlat. liber evangelistarium = zu den Evangelien gehöriges Buch], liturg. Buch, das die Abschnitte (⟋Perikopen) aus den Evangelien, die bei der Messe verlesen werden, enthält. Mittelalterl. E. waren meist kunstvoll ausgeschmückt, z. B. das Reichenauer Egbert-E. (Egbertkodex, um 980, Trier, Stadtbibliothek). S

Examinatio, f. [lat. = Abwägung], Teilschritt der ⟋Textkritik, auch: Rezension.

Exclamatio, f. [lat. = Aufruf, Aufschrei], ⁄rhetor. Figur; Umwandlung einer Aussage in einen Ausruf, entweder gestisch, durch Tonstärke und Satzmelodie oder mit Hilfe des Satzbaus (häufig apostrophische Vokative, Imperative, Interjektionen, Inversion u. a.): »O tempora! o mores!« (Cicero, Cat. 1.1.2), »Hoch soll er leben!«.   HD

Exegese, f. [gr. exēgēsis = Auseinanderlegung, Erklärung], Auslegung von Schriftwerken, insbesondere solchen mit Verkündigungs- oder Gesetzescharakter (bibl., jurist., seltener literar. Inhalts). Vorwiegend Gesetzesauslegung ist die E. des AT durch jüdische Schriftgelehrte. Mit der Diskussion des Verhältnisses von AT und NT beginnt – bereits innerhalb des NT-Corpus- die christl. Bibel-E. (⁄Typologie). Die E. der Patristik knüpft method. an die antike Homer- und Vergilkommentierung an und begünstigt damit die E. nichtbibl. Texte im späteren MA. – Kernproblem ist zunächst das Verhältnis von histor. und in ihm verborgenem geist. Sinn, das seit Origenes in der Lehre vom dreifachen, später vierfachen ⁄Schriftsinn systematisiert wird (⁄Allegorese). Die allegor. Ausdeutung einzelner Bibelstellen wird seit dem 5. Jh. in Handbüchern kompiliert (z. B. Hieronymus Lauretus, »Silva allegoriarum totius sacrae scripturae«, 1570). Nachwirkungen dieser Tradition reichen bis ins Barock. Sie beeinflussen auch die E. nichttheolog. Texte; Dante fordert sie im Widmungsbrief an Cangrande für das Verständnis der »Commedia«. Ansätze zu objektiverer E. streng nach dem Wortsinn ergeben sich aus der biblischen Textkritik seit Hieronymus. Die eigentl. histor.-philolog. E. beginnt mit Luther und den Humanisten. Konsequent wissenschaftl. orientierte Auslegungsnormen und -methoden (⁄Hermeneutik) setzen sich jedoch erst allmähl. mit wachsendem Geschichtsbewußtsein durch. In der Literaturwissenschaft ist der Begriff der E. weithin durch den der ⁄Interpretation ersetzt. Darbietungsformen der E. sind einfache Worterklärung (⁄Glosse), Anmerkungen (⁄Scholien), Kommentare, im MA. oft in Form des Lehrgesprächs, und ⁄Predigt (Homilie).   HSt

Exempel, n. [lat. exemplum = Probe, Muster, Beispiel, gr. Paradigma], bes. Form der vergleichenden Verdeutlichung und Veranschaulichung eines Sachverhaltes. In der antiken Rhetorik werden zwei Typen unterschieden:
1. ein kurzer Bericht über bestimmte Taten oder Leistungen, eingeschoben in eine Rede etc. als positiver oder negativer Beleg *(Paradigma)* für eine aufgestellte Behauptung;
2. die Berufung auf eine Gestalt aus Mythos, Sage, Geschichte, für die eine bestimmte Eigenschaft oder Verhaltensweise typ. ist (Beispielfigur, gr. eikon, lat. imago). Eine Sammlung antiker E. stellte Valerius Maximus (1. Jh. n. Chr.) zusammen (»De dictis et factis memorabilibus«). – Im MA. wurden allgemein kurze Erzählformen mit prakt. Nutzanwendung wie ⁄Anekdote, ⁄Fabel, ⁄Parabel, ⁄Legende, ⁄Gleichnis, auch der ⁄Schwank als E. bez. und in didakt., aber auch ep. Werke, v. a. aber in Predigten zur moral. oder religiösen Belehrung und Veranschaulichung eingefügt. Die Stoffe für die E. stammten aus allen Wissensund Erfahrungsgebieten, aus der Bibel (Gleichnisse), der antiken Literatur, aus theolog., hagiograph. Schriften, aus der histor. und volkstüml. Überlieferung und der Naturkunde. Die Bedeutung u. Beliebtheit des E.s im MA. dokumentiert sich in zahlreichen, z. T. recht umfangreichen *E.sammlungen.* z. B. dem »Dialogus miraculorum« des Caesarius von Heisterbach (nach 1200) oder der speziellen Natur-E.sammlung »Proprietates rerum moralizate« (Ende 13. Jh.), dem alphabet. geordneten »Liber exemplorum de Durham« (um 1275) oder dem sachl.-sigmund. geordneten »Tractatus de diversis materii praedicabilibus« von Stephan von Bourbon (Mitte 13. Jh.). Zu Fundgruben für E. wurden auch reich mit E.n (sog. ⁄Predigtmärlein) ausgestattete Predigtsammlungen (z. B. die »Sermones de tempore« und »Sermones vulgares« des Jacobus

von Vitriaco) oder Chroniken (wie das »Speculum historiale« von Vinzenz von Beauvais) und Geschichtenbücher wie die »Gesta Romanorum«. Im 14. Jh. wurden allegorisierende moral. E. beliebt (vgl. die E.sammlung »Solatium Ludi Scacorum« des Jacobus de Cessulis). Die mal. E. blieben bis in die Zeit des Barock lebendig (vgl. die Predigten von Abraham a Santa Clara u. a.). Es entstanden aber auch noch neue Sammlungen, so durch G. Ph. Harsdörffer (»Großer Schauplatz«, 1650ff.), H. A. v. Zigler und Kliphausen (»Tägl. Schauplatz«, 1695 ff.), Martin von Cochem (»Lehrreiches History- und E.buch«, 4. Bde. 1696–99) u. a. Das E. war ein wichtiges Instrument für die Tradierung des mal. Erzählgutes. Zur selbständigen literar. Gattung wurde das E. ausgebildet im mhd. ⁄bîspel. – RL   S

Exemplum, ⁄Exempel.

Exilliteratur, auch: Emigrantenliteratur, Sammelbez. für literar. Produktionen, die während eines (meist aus polit. od. religiösen Gründen) erzwungenen oder freiwilligen Exils entstanden. Als »Emigrantenliteratur« bezeichnete *erstmals* G. Brandes (1871) die Werke der zeitweilig von Napoleon I. aus Frankreich verbannten Madame G. de Staël und v. B. de Constant-Rebecque. Emigrantenliteratur oder E. in diesem Sinne gibt es jedoch seit frühesten Zeiten, wenn staatl. Unterdrückung, Zensur, Schreibverbot oder Verbannung Schriftsteller u. a. ins Exil zwangen (vgl. Hipponax, 6. Jh. v. Chr., Ovid, 8 n. Chr., Dante, 1302). E. ist zu großen Teilen anklägerisch und warnend politisch, oft apologetisch. Selbst über der Gegenwartsproblematik stehende Werke sind oft von den Erfahrungen des Exils (Mittellosigkeit, geist. und sprachl. Isolation) geprägt. Eine *erste moderne,* durch polit. Restriktionen erzwungene *Emigrationswelle* erfolgte in der Metternichära in der 1. Hälfte des 19. Jh.s. Im Exil (Zürich, Brüssel, Paris, London) entstanden z. T. die Werke G. Büchners, H. Heines und zahlreicher Vertreter des ⁄Jungen Deutschland und des ⁄Vormärz (L. Börne, G. Herwegh, F. Freiligrath, R. Prutz, K. Marx, F. Engels u. a.). Insbes. durch Börne wurde erstmals auch die *Zeitschrift* zum wichtigen Forum bes. der polit. ausgerichteten E. Wichtige publizist. Unternehmungen war z. B. die »Europ. Blätter« (hrsg. v. F. List, Zürich, 1824–25), die »La Balance« (hrsg. v. L. Börne, Paris 1836), die »Dt.-Franz. Jahrbücher« (hrsg. v. K. Marx und A. Ruge, Paris 1844), Marx' »Neue Rhein. Zeitung« (London 1850) und »Das Volk« (London 1859 mit Engels). Im Exil entstanden auch Marx' und Engels' weltgeschichtl. bedeutsame Werke. E. sind z. großen Teil die Werke des poln. Dichters A. Mickiewicz (Emigration mit vielen anderen nach den Polenaufständen 1830/31), weiter die Werke der während und nach der russ. Oktoberrevolution 1917 emigrierten russ. Dichter, z. B. V. und G. Ivanov, Z. Gippius, J. Bunin, D. S. Mereschkowskij, A. Remizow, B. Zajcev, V. Nabokov, J. Šmelev, M. Aldanov u. v. a. Zentren ihrer literar. Tätigkeit waren Berlin, später v. a. Paris, wo auch zwei kulturell wichtige Zeitschriften erschienen; die zweite Generation dieser E. ist jedoch sprachl. weitgehend ins Gastland integriert (vgl. z. B. schon V. Nabokov). – Es gibt ferner eine ital. E. (Emigration wegen Faschismus: I. Silone) und eine umfangreiche und vielseitige span. E. (seit dem span. Bürgerkrieg 1936/39: S. de Madariaga y Rojo, A. Machado y Ruiz, A. Casona, R. J. Sender u. v. a.). – Die größte Gruppe an E. bildet die literar. Produktion der während der Herrschaft des Nationalsozialismus aus rass. oder polit. Gründen gezwungenermaßen oder freiwillig im Exil lebenden, v. a. dt. und österr. Schriftsteller (über 2000), Wissenschaftler, Politiker u. a. *Diese größte Emigration* dt.-sprach. Intellektueller vollzog sich in zwei Wellen: 1933 (nach Machtergreifung, Reichstagsbrand und v. a. nach der national.sozialist. ⁄Bücherverbrennung am 10. 5. 1933 als Auftakt der Verfolgung verfemter Schriftsteller) und 1938/39 (Synagogenbrand, Angliederung Österreichs und der Tschechoslowakei und Kriegsausbruch; bes. österreich. Intellektuelle). Zugleich damit setzt eine zweite Flucht der in europ. kriegsbedrohten Ländern lebenden Emigranten nach Übersee ein. Unter schwierigsten äußeren und inneren Bedingungen wurde von Anfang an im Ausland der Fortbestand der dt. Literatur und Geisteskultur organisiert. In den Zentren Paris, Amsterdam, Stockholm, Zürich, Prag und Moskau (nach Ausbruch des Krieges in den USA, in Mexiko, Argentinien, Palästina) etablieren sich emigrierte oder neue dt.-sprach. *Verlage*, z. B. der Malik-Verlag (Prag, London) oder Bermann-Fischer (Wien, Stockholm); auch ausländ. Verlage veröffentlichen dt. Literatur, bes. z. B. Querido, Allert de Lange (Amsterdam), der Europa-Verlag (Oprecht, Zürich - New York u. a.). Ferner entstanden *Emigranten-Vereinigungen* (neben den großen polit. und zahlr. kleineren Parteien) z. B. die »Dt. Freiheitspartei« (gegr. Paris/London 1936/37), der »Freie dt. Kulturbund« (FDK, gegründet London 1938) oder als Neugründung der 1933 in Deutschland aufgelöste »Schutzverband dt. Schriftsteller« (SDS, in Prag, Paris, Brüssel, Kopenhagen, London und den USA) und der PEN (London 1934). Große integrierende Wirkung hatten v. a. zahlreiche *Emigrantenzeitschriften:* Wichtigste *Tageszeitung* war das »Pariser Tageblatt« (1933-36 Red. G. Bernhard, ab 1936-40 u. d. T. »Pariser Tageszeitung«, Red. C. Misch). Eine wichtige, in der ganzen freiheitl. Welt verbreitete *Wochenschrift* war »Der Aufbau« (hrsg. von M. George, New York 1934). Daneben gab es vorwiegend *parteipolit. ausgerichtete Zeitschriften*, z. B. die wissenschaftl. »Zeitschrift für Sozialismus« (Red. R. Hilferding, Karlsbad 1933-36), »Neuer Vorwärts« (sozialdemokrat. Wochenblatt, Red. F. Stampfer, ab 1938 C. Geyer, Karlsbad 1933-1938, ab 1938-40 Paris), die »Deutschland-Berichte der SoPaDe« (hrsg. v. E. Rinner, Prag 1934-40, seit 1938 Paris), die »Rundschau über Politik, Wirtschaft und Arbeiterbewegung« (Organ der Komintern, Basel 1932-39), »Die Internationale« (als Exilzeitschrift Prag 1933-39), die kommunist. Monatsschrift »Unsere Zeit« (hrsg. v. W. Münzenberg, Paris, Basel 1933-35); oder die »AIZ« (Allgem. illustr. Ztg., ab 1936 u. d. T. »Volksillustrierte«, hrsg. v. P. Prokop, Prag 1933-39), »Die Dt. Revolution« (hrsg. v. O. Strasser, Prag 1933-38, das Organ der sog. ›Schwarzen Front‹). *Konfessionell ausgerichtete Zeitschriften* waren »Der dt. Weg« (zuerst »Heimatblätter« genannt, hrsg. v. F. Muckermann, S. J., Oldenzaal 1934-40), »Abendland« (hrsg. v. H. Rokyta, Prag 1938). Über Parteien und Konfessionen stand »Das wahre Deutschland«(hrsg. v. K. Spiecker und H. A. Kluthe, London 1938-40, das Organ der ›Dt. Freiheitspartei‹). Weiter erschienen *natur- und geisteswissenschaftl. oder philosoph. Zeitschriften*, z. B. die »Zeitschrift für freie dt. Forschung« (hg. v. der Freien dt. Hochschule Paris, 1938), und v. a. *literar. und kulturkrit. Zeitschriften*, an denen die bedeutendsten Schriftsteller der Zeit mitarbeiteten: z. B. »Das neue Tagebuch« (hrsg. v. L. Schwarzschild, Paris, Amsterdam 1933-40), »Die Sammlung« (Hg. K. Mann, Amsterdam 1933-35), »Maß und Wert« (hrsg. v. Th. Mann und K. Falke, Zürich 1937-40), »Die neue Weltbühne« (Hg. W. Schlamm, H. Budzislawski, Prag, Zürich, Paris 1933-39); »Neue Dt. Blätter« (Red. O. M. Graf, W. Herzfelde, A. Seghers, Wien, Zürich, Paris, Amsterdam, eigentl. dem Prag: Malik-Verlag, 1933-35); »Das Wort« (Hg. u. Red. B. Brecht, L. Feuchtwanger, W. Bredel, Moskau 1936-39, geht dann auf in »Internationale Literatur. Deutsche Blätter«, Red. J. R. Becher, Moskau 1933-45); »Freies Deutschland« (Red. B. Frei, A. Abusch, Mexico 1941-46); »Dt. Blätter« (Hg. U. Rukser u. A. Theile, Santiago de Chile, 1943-46). Die in diesen Zeitschriften und in Einzelausgaben (vom mehrbänd. Buch bis zum maschinenschriftl. vervielfältigten Flugblatt) veröffentl. E. ist künstler., formal, inhaltl. und auch in ihren Zielen uneinheitl.; gemeinsam ist ihr jedoch die Idee der Humanität, ein Verantwortungsgefühl als Träger des dt. Kulturgutes (›human-

nist. Front‹) und die entschiedene, wenn auch polit. nicht einheitl. Opposition gegen den Nationalsozialismus. E. umfaßt *polit. Literatur* (Aufrufe, Warnungen, Anklageschriften, Analysen, Dokumentationen zu den Vorgängen in Deutschland, vgl. etwa Th. Manns Aufsätze zur Zeit »Achtung Europa!« (Stockholm 1938), »Dt. Hörer. 25 Radiosendungen nach Deutschland« (Stockholm 1942), *wissenschaftl. Werke*, von denen viele infolge der bes. Zeitsituation weit über die Fachkreise hinaus als Kundgebungen empfunden wurden, z. B. F. Jellinek, »Die Krise des Bürgers« (Zürich 1935), E. Bloch, »Erbschaft dieser Zeit« (Zürich 1935), A. Kerr, »Walther Rathenau« (Amsterdam 1935), B. Walter, »Gustav Mahler« (Zürich 1936), K. Heiden, »Europ. Schicksal« (Amsterdam 1937), F. Muckermann, S. J.: »Revolution der Herzen« (Colmar 1937), sodann *Autobiographien*, z. B.: E. Toller, »Eine Jugend in Deutschland« (Amsterdam 1933), Th. Wolff, »Der Marsch durch zwei Jahrzehnte« (Amsterdam 1936), C. Sternheim, »Vorkriegseuropa im Gleichnis meines Lebens« (Amsterdam 1936), A. Kolb, »Festspieltage in Salzburg« (Amsterdam 1938), C. Zuckmayer, »Pro domo« (Stockholm 1938), R. Schickele, »Heimkehr« (Straßburg 1939), W. Herzog, »Hymnen und Pamphlete« (Paris 1939), K. Mann, »The turning point« (London 1944; dt. 1952), St. Zweig, »Die Welt von gestern« (Stockholm 1944), H. Mann, »Ein Zeitalter wird besichtigt« (1941-44, gedr. Stockholm 1945); dann v. a. *poet. Werke*, in denen, bes. seit Kriegsausbruch, vielfältig *die Zeiterfahrungen gestaltet* wurden, v. a. in der Lyrik (z. B. v. B. Brecht, J. R. Becher, P. Zech, E. Lasker-Schüler, F. Werfel, M. Herrmann-Neiße, E. Weinert, W. Mehring, H. Adler, N. Sachs u. a.), aber auch im *Roman*, vgl. z. B. K. Mann, »Mephisto« (Amsterdam 1936); B. Frank, »Der Reisepaß« (Amsterdam 1937); Ö. v. Horváth, »Jugend ohne Gott« (Amsterdam 1938); Friedrich Wolf, »Zwei an der Grenze« (Zürich 1938); L. Feuchtwanger, »Exil« (Amsterdam 1940 u. a.); A. Neumann, »Es waren ihrer sechs« (Stockholm 1945), A. Seghers, »Das siebte Kreuz« (Amsterdam 1946), ferner die Romane von Th. Th. Heine, A. Döblin, B. Uhse, G. Regler, H. Kesten u. a. Auch im *Drama* wurde zur Zeitsituation Stellung bezogen, vgl. etwa B. Brecht, »Furcht und Elend des 3. Reiches« (gedruckt New York 1945); F. Werfel, »Jacobowsky und der Oberst« (Stockholm 1945); C. Zuckmayer, »Des Teufels General« (Stockholm 1946) und die Dramen von F. Bruckner, St. Lackner, Friedrich Wolf u. a. Daneben stehen bedeutsame *Werke ohne unmittelbaren Bezug zur Zeitsituation* wie: Th. Mann, »Josef und seine Brüder« (Bd. 3 und 4, Stockholm 1934), »Lotte in Weimar« (Stockholm 1939); F. Werfel, »Der veruntreute Himmel« (Stockholm 1939); »Das Lied von Bernadette« (Stockholm 1941); R. Musil, »Der Mann ohne Eigenschaften« (unvoll., Lausanne 1943); H. Broch, »Der Tod des Vergil« (New York 1945); ferner viele Werke von E. Weiss, J. Roth, L. Frank, ferner das dramat. Werk B. Brechts, Dramen von J. Hay, G. Kaiser, E. Toller u. v. a.; schließl. auch das Werk A. Momberts. Eine typ. Erscheinung der fiktiven E. ist die (z. T. getadelte: Kurt Hiller in »Profile«, Paris 1938) Zuwendung zur Vergangenheit in *Geschichtsromanen*, vgl. etwa A. Neumann, »Neuer Caesar« oder »Kaiserreich«(Amsterdam 1934 u. 1936), B. Frank, »Cervantes« (Amsterdam 1934), R. Neumann, »Struensee« (Amsterdam 1935), L. Marcuse, »Ignatius Loyola« (Amsterdam 1935), H. Mann, »Henri Quatre« (Amsterdam 1935-38); L. Feuchtwanger, »Die Söhne« oder »Der falsche Nero« (Amsterdam 1935 und 1936), H. Kesten, »Ferdinand und Isabella« und »König Philipp II.« (Amsterdam 1936 und 1938) u. a. Schließl. sind auch noch die zahlreichen *Anthologien* ausländ. und dt. Literatur (z. B. v. H. Mann, Zürich 1936, E. Alexander, Zürich 1938; A. Wolfenstein, Amsterdam 1937), *Übersetzungen und Nachdichtungen* ausländ. Dichter (z. B. von A. Neumann, H. Feist, N. Sachs) und die *Nach- oder Neu-*

drucke älterer, im nationalsozialist. Deutschland verbotener Bücher zur E. zu zählen.

Die E. führte die große europ. geist. Tradition fort: Sie galt als *die* repräsentative dt. Literatur; die nationalsozialist. Literatur wurde nicht anerkannt, die Werke der sog. ⁄inneren Emigration (Bez. geprägt v. F. Thiess, 1933, für oppositionelle Schriftsteller, die in Deutschland ausharrten, z. B. E. Wiechert, R. Schneider, W. Bergengruen, J. Klepper) wurden z. T. nicht gedruckt (und werden im allgem. nicht zur E. gezählt). Der dt. E. ist es zu verdanken, daß Deutschland mit der Rückwanderung vieler emigrierter Schriftsteller seit etwa Ende 1947 wieder den Anschluß an die internationalen künstler. Strömungen fand. – In den letzten Jahren rückt immer mehr auch die E. von ausländ. Exilanten im dt. Sprachgebiet (z. T. in dt. Sprache verfaßt) ins Blickfeld. Zur Abgrenzung gegenüber der E. 1933–45 kann sie mit ›Exilantenlit.‹ als Untergruppe der ⁄Ausländerlit. bez. werden. – Die wissenschaftl. Aufarbeitung der E. wurde in Deutschland nur zögernd in Angriff genommen. Erste Initiativen gingen von dem emigrierten dt. Germanisten W. A. Berendsohn aus. Bedeutende *Sammelzentren für E.* entstanden in der »Wiener Library« in London (gegr. 1945 v. Alfred Wiener), in der »Dt. Bibliothek Frankfurt« (1948 begr. als Sondersammlung ›Dt. E.‹ von H. W. Eppelsheimer nach dem verpflichtenden Vorbild der »Dt. Freiheitsbibliothek« in Paris, die am 10. 5. 34, dem Jahrestag der Bücherverbrennung, unter Mithilfe des SDS eingerichtet und 1940 von den Nationalsozialisten vernichtet worden war), im Institut f. Zeitgesch. München, im Dt. Lit. Archiv, Marbach, im Archiv d. Akad. d. Künste, Berlin und am Dt. Institut der Universität Stockholm (seit 1969). Seit 1969 besteht ferner eine Arbeitsstelle für dt. E. an der Universität Hamburg, deren Material Grundlage einer seit 1972 erscheinenden wissenschaftl. Gesamtübersicht und histor. Faktenanalyse ist (H.-A. Walter). Seit Ende der 70er Jahre geben einige Verlage sog. *Exilreihen* heraus (Verlag Georg Heintz, Worms, Reihe ›Dt. Exil 1933–45‹; Verlag europ. Ideen, Berlin, Reihe ›Bibliothek Anpassung u. Widerstand‹; Röderberg-Verlag, Frkft., Reihe ›Kunst und Lit. im antifaschist. Exil 1933–1945‹; Gerstenberg-Verlag, Hildesheim, Reihe ›E.‹u.a.).

Seit 1982 erscheint eine Zs. ›Exil 1933–45‹ (hg. v. Edita Koch), 1984 wurde eine ›Gesellschaft f. Exilforschung‹ (Marburg, 1. Vors. E. Loewy; Organ: Intern. Jb. z. Exilforschung) gegründet.

Handbücher: Dt. E.-Archiv 1933-45. Katalog d. Bücher u. Broschüren (Dt. Bibl. Frkf.). Hg. v. K. D. Lehmann. Stuttg. 1989. – Biograph. Hdb. d. dt.-sprach. Emigration nach 1933. 4 Bde. Mchn. 1980–85. – Biograph. Hdbuch der dt.-sprach. Emigration nach 1933. Hrsg. v. Institut f. Zeitgesch. Mchn. und der Research Foundation for Jewish Immigration, New York. 2 Bde. Mchn. 1980/82.

Bio-Bibliographie: Sternfeld, W./Tiedemann, E.: Dt. E. 1933–45. Hdbg. ²1970.

Koepke, W./Winkler, M. (Hg.): E. 1933-45. Darmst. 1989 (mit Bibliogr.). – Pfanner, H. F. (Hg.): Kulturelle Wechselbeziehungen im Exil. Bonn 1987. – Huss-Michel, A.: Literar. u. polit. Zss. des Exils. Stuttg. 1987 (SM 238). – Pohle, F.: Das mexikan. Exil. Stuttg. 1986. – Stephan, A./Wagner, H. (Hg.): Schreiben im Exil. Bonn 1986. – Bock, S./Hahn, M. (Hrsg.): Antifaschist. Romane 1933–45. Analysen. Bln. (O.) ²1981. – Durzak, M.: Die dt. E. 1933–45. Mchn. 1979. – Loewy, E. u.a. (Hrsg.): Exil. Literar. und polit. Texte aus dem dt. Exil 1933–45. Stuttg. 1979. – Badia, G. u. a.: Les barbelés de l'exil. Grenoble 1979. – Hardt, H./Hilscher, E./Lerg, W. B. (Hrsg.): Presse im Exil. Mchn. 1979. – Walter, H.-A.: Dt. E. 1933–1950 (geplant 7 Bde.): Bd. 1 Neuwied/Stuttg. 1972-1988. – Kantorowicz, A.: Politik u. Lit. im Exil. Hamb. 1978. – Berendsohn, W. A.: Die humanist. Front. Einf. in die dt. Emigrantenlit. 2 Bde. Worms 1976/78 (Bd. 1 Reprint von

1946). – Heeg, G.: Die Wendung zur Gesch. Konstitutionsprobleme antifaschist. Lit. im Exil. Stuttg. 1977. – Spalek, J. M./Strelka, J. (Hrsg.): Die dt. Lit. im Exil seit 1933. 1. Die dt. E. in Kalifornien. Bern/Mchn. 1976. – Arnold, H. L. (Hrsg.): Dt. Lit. im Exil 1933–45. 2 Bde. Frkft. 1974. – Durzak, M. (Hrsg.): Die dt. E. 1933–45. Stuttg. 1973. – Wegner, M.: E. und Lit. Frkft./Bonn ²1968. – E. 1933–45. Ausstellung der dt. Bibliothek (1965), hrsg. v. W. Berthold. Frkft. ³1967. – *Frühere Exilphasen:* Doblhofer, E.: Exil und Emigration. Darmst. 1987 (röm. Lit.). – Gerlach, A.: Dt. Lit. im Schweizer Exil. Frkft. 1975(1833-1845). – RL. IS

Existentialistische Literatur, literar. Werke, in denen die fragwürdige, sich selbst problemat. gewordene Existenz des Menschen dargestellt ist (u. a. schon G. Büchner, F. M. Dostojewskij, R. M. Rilke, F. Kafka u. v. a. m.). – Im engeren und eigentl. Sinne eine literar. Richtung, in den Vordergrund getreten Ende des 2. Weltkriegs in der Nachfolge der Existenzphilosophie S. Kierkegaards (M. Heidegger, K. Jaspers), hauptsächl. als literar. Exemplifizierung philosoph. Fragens (vgl. auch ⁄littérature engagée). Mittelpunkt der e.n L. ist der Mensch, der – bei Hinfälligkeit der klass. Unterscheidung von Subjekt und Objekt, von Welt und Ich – einen objektiv in der Welt enthaltenen Sinn nicht mehr zu erkennen vermag. Sein Leben ist »Sein zum Tode« (Heidegger), das er bejaht. Die trag. Grunderfahrung dieses Lebens ist die »Angst«. In der Darstellung existentieller Grenzsituationen sind allerdings nicht nur die Angst, das Nichts das eigentl. Anliegen e.r L., vielmehr das »défi à la mort« (Herausforderung an den Tod), der »Entwurf« (Heidegger) und eine in ihm liegende »Freiheit«; »Existenz aber, weil sie mögl. ist, tut Schritte zu ihrem Sein oder von ihm weg ins Nichts durch Wahl und Entscheidung« (Jaspers). Literar. Vertreter e.r L. sind v. a. J. P. Sartre, zus. mit S. de Beauvoir und A. Camus. Von J. P. Sartres atheist. Humanismus (u. a. »L'être et le néant«, 1943; »L'existentialisme est un humanisme«, 1946) und A. Camus' »Philosophie de l'absurde« (u. a. »Le mythe de Sisyphe«, 1942) hebt sich deutl. der christl. Existentialismus G. Marcels (u. a. »Homo viator«, 1945) ab. Einflüsse e.r L. und Philosophie sind nach 1945 auch im Werk dt. Autoren (u. a. H. Kasack, H. E. Nossack) nachzuweisen.

📖 Pollmann, E.: Sartre u. Camus. Lit. der Existenz. Stuttg. ²1971. D*

Exkurs, m. [lat. excursus = Ausfall, Abschweifung] auch: Digressio, Parekbasis, bewußte Abschweifung vom eigentl. Thema in der Rede, in ep. und wissenschaftl. Werken, sei es als ⁄Dubitatio (Hinwendung ans Publikum und Besprechung der Schwierigkeiten der Darstellung), sei es in Form illustrierender Exempla oder als in sich geschlossene Behandlung eines Nebenthemas (meist als Digressio bez.). In der antiken Rhetorik eine Form der ⁄Amplificatio. S

Exodium, n. [lat. = Ausgang],
1. ursprüngl. Bez. für den Schluß eines antiken Dramas.
2. Im röm. Theater heiteres, meist parodist. ⁄Nachspiel zu einer Tragödie, z. B. eine Satura (⁄Satire), ⁄Atellane oder ein ⁄Mimus. S

Exodos, f. [gr. = Auszug], im engeren Sinne das Auszugslied des ⁄Chors in gr. ⁄Dithyrambus und der gr. ⁄Tragödie, mit dem diese schließen; im weiteren Sinne der ganze auf das letzte Standlied (⁄Stasimon) des Chors folgende Schlußteil der Tragödie, der die Lösung des dramat. Konflikts bringt. K

Exordium, n. [lat. = Anfang (einer Rede)], vgl. ⁄Rhetorik, ⁄Disposition; auch ⁄Proömium, ⁄Prolog.

Exoterisch [von gr. exoterikos = außen, außerhalb], Bez. für Lehren und Schriften, die für ein breiteres Publikum bestimmt sind, zuerst bei Aristoteles belegt, mutmaßl. für Argumentationen propädeut. oder rhetor. Art, die zwar nicht literar. publiziert wurden, aber doch allgemein zugängl. waren. Diese Deutung wird von Andronikos von Rhodos, 1.Jh. v.Chr., bewahrt (vgl. Gellius XX, 5). Die heutige Beziehung des Begriffs auf allgemeinverständl. literar. Werke findet sich zuerst bei Cicero (De fin. V 5, 12; Ad Att. IV 16, 2), später ebenso bei den Aristoteles-Kommentatoren Ammonios, Simplikios u. a. HD*

Exotismus, m. [zu lat. exoticus = ausländisch, fremdartig], künstler. Stil- oder Darstellungsmerkmal: Verwendung oder Nachahmung ›exot.‹ Motive, Schmuckformen u. a. Elemente in den verschiedenen Künsten: *in der Literatur* bes. die Darstellung fremdart. Landschaften, Kulturen, Sitten, die Verwendung fremdklingender Namen und Ausdrücke u. a. – Die *Bez.* ›E.‹ für diese Merkmale wurde im 19. Jh. geprägt, das Phänomen selbst findet sich schon in den Literaturen des Altertums und des MA.s, vgl. z. B. im MA. die (allerdings fabulöse) Darstellung des Orients im Anschluß an die Kreuzzüge in den ⁄Spielmanns- und Alexanderepen. – In *der Neuzeit* belebten v. a. die Entdeckungsfahrten in außereurop. Ländern exot. Strömungen in allen Zweigen der Literatur wie allgem. der Kunst und des Kunstgewerbes (vgl. z. B. im 18. Jh. die ›Chinoiserien‹ in Porzelanmalerei, auf Stoff- und Tapetenmustern, bei Lack- und Lederarbeiten u. ä.). Stoffvermittler waren v. a. die Berichte von Missionaren und Reisenden. Die exot. Elemente werden dabei je nach den Intentionen der Künstler in verschiedener *Funktion* eingesetzt. Seit Ende des 16. Jh.s (Montaigne) bis ins 18. Jh. (J. J. Rousseau, Bernardin de Saint Pierre) wird z. B. das Motiv des edlen Wilden und sein natürl.-naives Dasein in unberührter Wildnis als idealische Menschheitsidylle gestaltet und der eigenen Zeit entgegengestellt, um neue erzieher. (Fénelon), philosoph. oder polit. (Ch. M. Wieland, A. v. Haller) Ideen zu demonstrieren oder in dieser Tarnung satir. der moral.-sentimentale Gesellschafts- und Kulturkritik zu üben, vgl. die *exotist. Romane* und Erzählungen von Marin Le Roy de Gomberville (»Polexandre«, 1629/37), Aphra Behn (»Oroonoko«, 1688), J.-F. Marmontel (»L'Amitié à l'épreuve« u. a. 1761), J. H. Bernardin de Saint-Pierre (»Paul et Virginie«, 1787) oder Chateaubriand, dem wichtigsten Vertreter der ›Europamüdigkeit‹ (»Atala«, 1801, »René«, 1802), die *Verserzählungen* von Th. Campbell (»Gertrude of Wyoming«, 1809), R. Southey (»A Tale of Paraguay«, 1825), H. W. Longfellow (»The Song of Hiawatha«, 1855), die *exotist. Dramen* von J. Dryden (»The Indian Emperor«, 1667), S. R. N. Chamfort (»La jeune Indienne«, 1764 u. a.) oder A. v. Kotzebue (»Die Sonnenjungfrau«, 1789 u. a.), die *exotist. Gedichte* von J. Warton (1760), W. Wordsworth (1798), J. G. Seume (»Der Wilde«, 1801) u. v. a., oder die *Totengespräche* von B. de Fontenelle (1683) oder G. Lyttelton (1760; auch ⁄Robinsonade, ⁄utop. Roman). – Seit dem europ. Romantik dienen die neuen stoffl. Bereiche des E. auch der Darstellung des eigenen Ich oder werden als noch unausgeschöpfte Ausdrucksformen für individuelle Stimmungen (Chateaubriand) oder übersteigerte Gefühle (A. Rimbaud, neuromant., expressionist. Dichter) genützt; ferner ergeben exot. Klanggestaltungen neue poet. Valenzen (bes. in der Lyrik: F. Rückert, A. v. Platen, F. Freiligrath, Klabund, G. Benn). – Schilderungen exot. Landschaften und Kulturen können schließl. auch der ethnograph. Belehrung oder nur selbstzweckhafter Unterhaltung dienen, vgl. die exot. Schauplätze des barocken heroisch-galanten Romans oder der seit Mitte des 19. Jh.s beliebten Reise-, Abenteuer- und ethnograph. Romane, bei denen (entsprechend der künstler. Potenz oder Wirkabsicht der Autoren) sich alle Übergänge von kunstvollen impressionist. Naturschilderungen (P. Loti) über realist. genaue Beschreibungen (J. F. Cooper, Ch. Sealsfield, Ethnographen wie S. Hedin, P. Freuchen u. a.) bis zur Kolportage in klischeehafter exot. Kulisse (K. May, B. Traven) und zur spannungsgeladenen Jugendliteratur (F. Steuben, B. Brehm, R. v. Zedtwitz u. a.) finden.

▭ Exot. Welten, europ. Phantasien. Hg. v. H. Pollig. Stuttg. 1987 (mit Bibliogr. zum E. S. 510–539). – Die andere Welt. Studien zum E. Hg. v. Th. Koebner u. a. Frkf. 1987. – Kohl,

K.-H.: Utopie, Erfahrung u. nüchterner Blick. Bln. 1981. – Maler, A. (Hrsg.): Der exot. Roman. Stuttg. 1975. – Reif, W.: Zivilisationsflucht u. literar. Wunschträume. Stuttg. 1975. – Chinard, G.: L'Amérique et le rêve exotique dans la littérature française au XVIIᵉ et au XVIIIᵉ siècles. Paris 1913; Nachdr. Genf 1970. – Jourda, P.: L'exotisme dans la littérature française depuis Chateaubriand. 2 Bde. Paris 1938–56, Nachdr.1970. IS

Experimentelle Literatur, umstrittene Sammelbez. für literar. Werke, die primär an der Erprobung neuer Aussagemöglichkeiten (formal, inhaltlich) interessiert sind. In dieser übertragenen aber uneigentl. Bedeutung kann im Grunde jedes stilbildende Werk als e. L. angesehen werden. Im engeren und eigentl. Sinne: Literatur, bei welcher literar. Herstellungsprozeß und naturwissenschaftl. Experiment vergleichbar sind. Eine derartige e. L. findet sich in verschiedenen Ausformungen schon in der deutschen ⁄Romantik: v. a. die Fragmente Novalis' und F. Schlegels stellen eine ausdrückl. Verbindung von Experiment und Literatur her: »Experimentieren mit Bildern und Begriffen im Vorstellungsvermögen ganz auf eine dem physikalischen Experimentieren analoge Weise. Zusammensetzen, Entstehenlassen – etc.« (Novalis). Eine zweite folgenreiche Begriffsübertragung nahm É. Zola in seinem Manifest »Le roman expérimental« (1880) vor: er fordert auch für den Dichter ein experimentelles Vordringen vom Bekannten ins Unbekannte (»aller du connu à l'inconnu«). Der Dichter solle provozierender Beobachter und Experimentator (»romancier expérimentateur«, »moraliste expérimentateur«) sein. Zola basierte dabei wesentl. auf der »Introduction à l'étude de la médecine expérimentale« (1865) des Mediziners C. Bernards und darüber hinaus auf der »Soziologie«A. Comtes und der Milieutheorie H. Taines. W. Bölsche popularisierte diesen Ansatz mit der weitverbreiteten Schrift »Die naturwissenschaftlichen Grundlagen der Poesie« (1887); etwa gleichzeit. führte F. Nietzsche in seiner sog. »Experimental-Philosophie« Begriff und Vorstellung des Artistischen, einer reinen Ausdruckswelt, folgenreich (vgl. z. B. G. Benn) ein. – Die Frage Zolas, ob das Experiment in der Literatur möglich sei, ist seither wiederholt gestellt und für die Inhalte von Literatur ebenso wie für ihre Darstellungsweisen bejaht und verneint worden, am radikalsten vielleicht im Umkreis M. Benses (»Die Programmierung des Schönen«, 1960), u. a. von H. M. Enzensberger, A. Andersch, G. Grass, P. Hamm. Pro und Contra spiegeln dabei – so scheint es – zugleich eine Polarisierung der Literatur in ⁄engagierte und e. L.

▭ Hartung, H.: E. L. und konkrete Poesie. Gött. 1975. – Schwerte, H.: Der Begriff d. Experiments in d. Dichtung. In: Lit. u. Geistesgesch. Festgabe f. H. O. Burger. Hrsg. v. R. Grimm u. C. Wiedemann. Bln. 1968, S. 387–405. D*

Experimentelles Theater, umstrittene Sammelbez.; umfaßt innerhalb der Theatergeschichte so unterschiedliche Tendenzen wie die ⁄Literaturrevolution so unterschiedliche Tendenzen wie die Theaterexperimente der Russen (v. a. W. E. Meyerhold), der Bauhausbühne, der Merzbühne K. Schwitters', des expressionist. Theaters, der ›Plays‹ G. Steins, sowie ihre jeweil. theatergeschichtl. Folgen: nach 1945 u. a. das ⁄absurde Theater, das ›dynam. Theater‹ das ⁄Darmstädter Kreises, das ›Mitspiel‹, das ⁄Happening u. a. Versuche, die Ausdrucksmöglichkeiten des Theaters zum alleinigen Spielgegenstand zu machen, das Theater in seiner gegenwärt. Form in Frage zu stellen (vgl. ⁄Anti-Theater, andererseits ⁄experimentelle Literatur). D

Explicit [= ›es ist beendet‹, in Angleichung an ⁄incipit entstandenes Kunstwort aus lat. explicitum est = es ist abgewickelt], Kennwort der Schlußformel (subscriptio) von ⁄Handschriften und Frühdrucken (⁄Kolophon), auch von einzelnen Kapiteln, z. B. »Titi Lucreti Cari de rerum natura liber tertius explicit feliciter; incipit liber quartus«. Ursprüngl. am Ende von Papyrusrollen in der Funktion des Titelblatts. HSt

Exposé, n. [εkspo'ze, frz., zu lat. exponere = auseinandersetzen, darstellen], (Rechenschafts-)Bericht, Darlegung eines Sachverhalts in Grundzügen, erläuternde Entwicklung eines Gedankenganges, Entwurf für eine literar. Arbeit.   S

Exposition, f. [lat. expositio = Darlegung], erster Teil einer dramat. Handlung: Darlegung der Verhältnisse und Zustände, denen der dramat. Konflikt entspringt (↗erregendes Moment), einschließl. ihrer Vorgeschichte (»Vorfabel«). – In der antiken ↗Tragödie ist die typ. Form der E. seit Sophokles der ↗Prolog; eine kurze Szene, die dem Einzugslied des Chors (↗Parodos, mit der die eigentl. Tragödie beginnt) vorausgeht; die E. ist bei Sophokles (z. B. »Antigone«) ein Dialog, bei Euripides dagegen ein Monolog bzw. ein ep. Bericht. – *Das neuzeitl.* Drama verwendet den von der eigentl. dramat. Handlung abgetrennten Prolog nur selten, v. a. im Drama des 16. Jh.s (lat. ↗Humanistendrama, dt.sprach. ↗Reformationsdrama u. Meistersingerdrama); hier führt meist ein Argumentator oder Prologus in die dramat. Handlung ein. Das moderne ↗ep. Theater greift auf diese Form d. E.gelegentl. zurück (z. B. Th. Wilder, »Our Town«: ein Erzähler kommentiert den gesamten Ablauf der dramat. Handlung). Im neuzeitl. Kunstdrama ist i. d. Regel die E. in die dramat. Handlung integriert; sie umfaßt beim fünfakt. Drama ungefähr den ersten Akt. Wicht. Ausnahmen sind F. Schillers »Wallenstein« und Goethes »Faust«: das Vorspiel »Wallensteins Lager«, dem auf zwei Abende berechneten »Wallenstein«-Drama vorangestellt, hat die Funktion, den Hintergrund des 30jährigen Krieges, vor dem das Drama sich entfaltet, und die Stimmung im Heerlager Wallensteins zu exponieren; Goethes »Prolog im Himmel« hat die Aufgabe, den metaphys. Rahmen für das ird. Faust-Drama zu gestalten. – Im ↗analyt. Drama (Sophokles, »König Ödipus«; H. v. Kleist, »Der zerbrochene Krug«; Ibsen) erstreckt sich die E. über die gesamte dramat. Handlung; hier besteht das Drama in der schrittweisen Offenlegung der »Vorfabel«. – Der Idealtypus des Dramas der ↗offenen Form hat (nach V. Klotz) keine E., da ihm die in sich geschlossene dramat. Handlung fehlt.

📖 Schultheis, W.: Dramatisierung von Vorgeschichte. Beitrag zur Dramaturgie des dt. klass. Dramas. Assen 1971.   K

Expressionismus, eine Phase (etwa 1910–20) innerhalb der sog. ↗Literatur-, allg. Kulturrevolution mit einer durch den ersten Weltkrieg deutlich gesetzten Zäsur. Die *Bez.* ›E.‹ ist als Stilcharakterisierung (»the expressionist school of modern painters«) als Gruppensymbol (»The Expressionists«) im Bereich von bildender Kunst und Literatur bereits 1850, 1878, 1880 in Amerika, als Titel eines Bilderzyklus (»Expressionismus«) 1901 in Frankreich belegt. Ohne erkennbaren Zusammenhang damit erscheint sie im April 1911 in Berlin als Sammelbez. für eine Gruppenausstellung franz. Maler des Fauvismus und Kubismus und wurde wahrscheinl. von dort aus die jüngste Literatur übertragen und verbreitet, vgl. zuerst K. Hiller: »Wir sind Expressionisten. Es kommt wieder auf den Gehalt, das Wollen, das Ethos an« (Juli 1911). Wie zur Malerei bestehen auch deutl. Verbindungen und Bezüge zur zeitgenöss. Musik (u. a. A. Schönberg). Das Gedankengut des E. ist *vorbereitet,* bzw. eingerahmt u. a. durch S. Freuds Entwicklung der Psychoanalyse, durch F. Nietzsches Kulturkritik (Gegenüberstellung von Dionysischem und Apollinischem), durch die Lebensphilosophie H. Bergsons (mit ihrer Auffassung subjektiv erfahrbarer Zeit, eines »geistigen« Gedächtnisses, eines »élan vital«, »L'évolution créatrice«, 1907, dt. 1912), durch die »Wesensschau« E. Husserls. Im Bereich der bildenden Kunst war der E. vordiskutiert im Umkreis der Brücke (Dresden), vor allem des Blauen Reiter (München): allmähliches Herausarbeiten vor allem der Korrelation von Ausdruck und Abstraktion (vgl. die theoret. Arbeiten W. Kandinskys; W. Worringers

»Abstraktion und Einfühlung«, 1908). *Literar. Vorbilder:* Als vorbildhaft empfand man die Entwicklung des ehemaligen Naturalisten Strindberg zum Dichter der Mysterien-, der Traum- und Visionsspiele und hob »Nach Damaskus« (1889/1904) als »Mutterzelle des expressionistischen Dramas« hervor (B. Diebold, 1921). Von Einfluß waren die lebensbejahenden hymn. Langverse W. Whitmans und – thematisch – vor allem die Gedichte Ch. Baudelaires (etwa bei G. Heym) und des französischen ↗Symbolismus, bes. P. Verlaines und J.-A. Rimbauds (z. B. in wörtl. Entsprechungen bei G. Trakl). Nachweisbar sind auch Auswirkungen F. T. Marinettis, des italien. ↗Futurismus (spez. auf den ↗Sturm-Kreis). Man interessierte sich für bestimmte Züge im Werk F. M. Dostojewskijs und entdeckte neu Mystik und Barock, die Dramen H. v. Kleists, Ch. D. Grabbes, G. Büchners, die Prosa Jean Pauls und die (vor allem späten) Gedichte F. Hölderlins (hist.-krit. Werkausgabe 1913 ff.). *Lit.-geschichtl.* stellt das »expressionistische Jahrzehnt« in der schnellen Abfolge der Stilphasen zu Beginn des 20. Jh.s einen radikalen Gegenschlag dar gegen das naturwissenschaftl.-materiale Wirklichkeitsbild des ↗Naturalismus, gegen den die äußeren Eindrücke ästhetisierenden ↗Impressionismus, die dekorative Formkunst des ↗Jugendstil, gegen ↗Neuromantik und ↗Neuklassik, obwohl das Werk einzelner Autoren durchaus die eine oder andere Phase gestreift hat (vgl. die frühen Gedichte E. Stadlers, die frühe Prosa A. Döblins, die frühen Dramen F. v. Unruhs). Abgelöst wird die E. Anfang der 20er Jahre von der ↗Neuen Sachlichkeit, einem krit. Realismus. *Literatursoziolog.* gesehen war der E. Protest gegen das auf alten Autoritätsstrukturen fußende, selbstgenügsame wilhelmin. Bürgertum mit seinen ausgehöhlten Bildungsidealen, gegen das kapitalist. Wirtschaftssystem mit seinen imperialist. Tendenzen, gegen eine zunehmende Industrialisierung und Mechanisierung des Lebens. Allerdings basierte dieser Protest zunächst nur bedingt auf ökonom. und polit. Einsichten. Er war Reaktion der jungen Generation auf eine allgemeine Selbstentfremdung, auf Geringschätzung und Unterdrückung des Menschen und seiner humanen Bedürfnisse. Er artikulierte sich als Schrei, in der Vision des Weltendes (vgl. J. v. Hoddis' Gedicht gleichen Titels, 1911), des jüngsten Tages (vgl. die gleichnamige Publikationsfolge, 1913–22), der Menschheitsdämmerung (vgl. die gleichnamige Anthologie, 1919). Und er war zugleich radikales und ekstat. Bekenntnis zu individuellem Menschsein, zum neuen Menschen und zur Hingabe an die als »Brüder« verstandenen Mitmenschen (vgl. das »ich« und »wir« vor allem in Lyrik und Drama), zur rauschhaften Hingabe an die Natur, den Kosmos, die Welt. Werfel nannte bezeichnenderweise seine ersten Gedichtsammlungen »Der Weltfreund« (1911), »Wir sind« (1912), »Einander« (1915). Ihre zunehmend religiöse Vertiefung – »Gesänge aus den drei Reichen«, 1917 – verweist zugleich auf den starken religiösen Zug des E., seine Tendenz zu myst. Versenkung (u. a. E. Barlach, R. Sorge, A. Brust).

Eine Vielzahl oft kurzlebiger, gelegentl. nur geplanter *Zeitschriften,* Publikationsfolgen (außer »Der jüngste Tag« vor allem »Lyrische Flugblätter«, 1907–1923, »Der rote Hahn«, 1917–25, »Tribüne der Kunst und Zeit«, 1919–23, »Die Silbergäule«, 1919–22) und *Anthologien* vor allem der Lyrik (außer »Die Menschheitsdämmerung« vor allem »Der Kondor«, 1912, »Kameraden der Menschheit«, 1919, »Verkündigung«, 1921) spiegeln dieses Selbstverständnis in immer neuen Einsätzen. Sie enthalten eine Fülle sich oft widersprechender Abgrenzungsversuche, Programme, Pamphlete, Manifeste und Aufrufe. Zahlreiche lokale *Dichtergruppierungen* bilden sich in Folge des von K. Hiller in Berlin gegründeten »Neuen Clubs« (1909), des »Neopathetischen Cabarets« als seines Podiums. Sie artikulieren zumeist über eigene Publikationsorgane (u. a. »Herder-Blätter«, Prag 1911–12, »Die Dachstube«, Darmstadt

1915–18). Überregionale Beiträge enthalten die frühen und *größten Zeitschriften* des E., »Der Sturm«, 1910–32, »Die Aktion«, 1911–32, »Die weißen Blätter«, 1913–21. Fast alle Zeitschriftentitel verstehen sich programmatisch: Die Aktion, Der Sturm, Der Orkan (1914/1917–19), Neue Blätter (1912–13), Das neue Pathos (1913–20), Die neue Kunst (1913–14), Neue Jugend (1914/1916–17), Das junge Deutschland (1918–20) u.a. Dieser »Aufbruch der Jugend« (vgl. E. W. Lotz' Gedicht gleichen Titels, 1913) war zugleich Auseinandersetzung mit den Vätern. Der *Vater-Sohn-Konflikt* wurde zum immer wieder gestalteten Thema der Zeit, in der Erzählung (F. Kafka: »Das Urteil«, 1912), im Drama (R. J. Sorge: »Der Bettler«, 1912; W. Hasenclever: »Der Sohn«, 1914), im Gedicht (J. R. Becher: »Oedipus«, 1916). Bis in den ersten Weltkrieg hinein war der E. wesentl. eine Sache der *Lyrik,* zum ersten Mal programmat. vorgestellt in »Der Kondor« (1912) von K. Hiller. Gedichtbände erschienen außerdem von F. Werfel (s. oben), G. Heym (»Der ewige Tag«, 1911; »Umbrae vitae«, 1912), G. Benn (»Morgue«, 1912), G. Trakl (»Gedichte«, 1913), W. Hasenclever (»Der Jüngling«, 1913), A. Lichtenstein (»Dämmerung«, 1913), A. Ehrenstein (»Die weiße Zeit«, 1914), E. Stadler (»Der Aufbruch«, 1914), A. Stramm (»Du«, 1915). Ihr nur auf den ersten Blick verwirrendes Stimmspiel ordnete K. Pinthus rückblickend in »Die Menschheitsdämmerung« als »Symphonie jüngster Dichtung« in die themat. Grundlinien »Sturz und Schrei«, »Erweckung des Herzens«, »Aufruf und Empörung«, »Liebe den Menschen«; er versammelte als expressionist. Lyriker außer den schon genannten J. R. Becher, Th. Däubler, I. Goll, K. Heynicke, J. v. Hoddis, W. Klemm, E. Lasker-Schüler, R. Leonhard, E. W. Lotz, K. Otten, L. Rubiner, R. Schickele, A. Wolfenstein, P. Zech. Ihnen zuzurechnen wären noch E. Blass (»Die Straßen komme ich entlanggeweht«, 1912), P. Boldt (»Junge Pferde! Junge Pferde!«, 1914), C. Einstein, F. Hardekopf, M. Herrmann-Neisse, W. Kandinsky (»Klänge«, 1913), H. Kasack, H. Lersch (»Herz, aufglühe dein Blut«, 1916) und E. Toller. Während des ersten Weltkrieges trat die *erzählende kurze Prosa* mehr in den Vordergrund; sie hatte schon 1912 in »Flut« (u. a. O. Baum, M. Brod, A. Döblin, A. Ehrenstein, L. Frank, E. Lasker-Schüler, P. Zech) eine erste, wenig beachtete Anthologie gefunden. Sie erreichte vor allem in »Der jüngste Tag« ein größeres Publikum. Nach A. Ehrensteins »Tubutsch«, 1911, C. Einsteins »Bebuquin oder die Dilettanten des Wunders«, 1912, A. Döblins »Die Ermordung einer Butterblume«, 1913 und G. Heyms »Der Dieb«, 1913, erschienen selbständige Prosabände von F. Kafka (»Der Heizer«, 1913; »Die Verwandlung«, 1916; »Das Urteil«, 1916), C. Sternheim (»Busekow«, 1914; »Napoleon«, 1915; »Schuhlin«, 1916), K. Edschmid (»Das rasende Leben«, 1916), G. Benn (»Gehirne«, 1916), ferner von R. Schickele, Mynona, M. Brod, F. Jung, O. Baum, K. Otten, A. Lichtenstein u. a.; auch Klabunds histor. Kurzromane stehen der expressionist. Prosa nahe. Auch hier gab bereits 1921 »Die Entfaltung« eine rückschauende Bestandsaufnahme einer Prosa, in welcher selbst in der Form der ∕ Groteske bevorzugt »der gebrochene und verstörte Mensch« zur »Mittelpunktfigur« wird. Vor allem das *Drama* aber war die wesentl. Leistung in der zweiten Phase des E. seit ca. 1915: Im weiteren Umkreis stehen: C. Sternheim mit seinen Komödien »Aus dem bürgerlichen Heldenleben« (seit 1911) zusammen mit G. Kaiser (u. a. »Die Koralle«, 1917; »Gas I«, 1918; »Gas II«, 1920), O. Kokoschka (»Mörder, Hoffnung der Frauen«, 1910/1913; »Der brennende Dornbusch«) zus. mit A. Döblin (»Lydia und Mäxchen«, 1906) und W. Kandinsky (»Der gelbe Klang«, 1912), Hauptvertreter sind R. J. Sorge (»Der Bettler«, 1912); W. Hasenclever (»Der Sohn«, 1914; »Menschen«, 1918), P. Kornfeld (»Die Verführung«, 1916), H. Johst (»Der junge Mensch«, 1916), R. Goering (»Seeschlacht«, 1917), F. v.

Unruh (»Ein Geschlecht«, 1917; »Platz«, 1920), E. Barlach (»Der tote Tag«, 1912; »Der arme Vetter«, 1918), E. Toller (»Die Wandlung«, 1919; »Masse Mensch«, 1921); ferner F. Jung, A. Brust, F. Wolf, H. H. Jahnn, I. Goll, A. Bronnen und, bereits über den E. hinausweisend, B. Brecht (»Baal«, 1922). In Folge der Kriegserschütterungen wurde v. a. »Wandlung« zu einem immer wiederkehrenden Schlüsselwort. Von »Bekenntnis- und Befreiungsdrama« spricht H. Stadelmann-Ringen 1917, von »dramatischer Sendung« R. J. Sorge, von »ekstatischem Szenarium« H. Johst. Zwischen Ich-Dramen, Bilderserien, Pflichtdramen, Passionen oder Schrei-Dramen unterscheidet B. Diebold und nennt G. Kaiser einen »Denkspieler«. In einem derartigen Drama mußte die traditionelle Architektur notwendigerweise aufgelöst werden in lose verknüpfte Bilderfolgen (∕ Stationendrama) oder chorisch-oratorisches Stimmenspiel. Ausgedehnte Monologe, lyr.-hymnische Sequenzen sind für dieses Drama ebenso kennzeichnend wie Gebärde, Tanz, Pantomime, wie zeitloses Kostüm und abstraktes Bühnenbild ohne charakterist. Attribute, wie schließl. eine neue Beleuchtungstechnik. Da es nicht um »Charakter«, sondern um »nichts als Seele« (P. Kornfeld) geht, erscheinen die Personen weitgehend typisiert, überindividuell und zugleich als totale Ich-Projektionen. Zuerst auf Privatbühnen, nach 1918/19 auch in die offiziellen Spielpläne mit großem Erfolg aufgenommen, erreichten diese Dramen selbst im Druck z. T. hohe Auflagen. Die *Sprache* der expressionist. Literatur ist – oft selbst innerhalb des Werkganzen eines Autors – nicht einheitl.: sie ist sowohl ekstat. gesteigert als auch Sektionsbefund; sowohl metaphorisch, symbol. überhöht als auch die traditionelle Bildersprache zerstörend. Auf Ausdruck drängend, betont sie der »Rhythmen«, die fließen, hämmern oder stauen können. Zu registrieren sind als auffallendste Merkmale: Sprachverknappung, Ausfall der Füllwörter, Artikel und Präpositionen ebenso wie Sprachhäufung, nominale Wortballungen, Betonung des Verbs, Wortneubildung und die Forderung einer neuen Syntax. Anfang der 30er Jahre erkannte man die Utopie vom neuen Menschen ebenso auch als Wirklichkeitsflucht. In Lyrik und Prosa erfuhr das »expressionistische Jahrzehnt« seine anthologische *Bestandsaufnahme.* Zu ihr gesellten sich (nachdem schon F. Pfemfert 1914, H. Bahr 1916 in Buchform über den E. gehandelt hatten und 1914/15 F. M. Huebner eine »Geschichte des literarischen E.« schreiben wollte) zahlreiche theoret. Rückblicke: K. Edschmid (»E. in der Dichtung«, 1918; »Stand des E.«, 1920), H. Kühn (»Das Wesen der neuen Lyrik«, 1919), R. Schickele (»Wie verhält es sich mit dem E.?«, 1920), B. Diebold (»Anarchie im Drama«, 1921), I. Goll (»Der E. stirbt«, 1921), P. Hatvani (»Der E. ist tot . . . es lebe der E.«, 1921) u. a. Der 1. Weltkrieg war dabei für den E. in mehrfacher Hinsicht Zäsur. Er verhinderte eine Anzahl wichtiger Theater- und Editionspläne der ersten Phase. A. Lichtenstein, E. Stadler, G. Trakl, R. Sorge, G. Sack u. a. fielen ihm zum Opfer. An die Stelle einer anfänglich ambivalenten Haltung (vgl. die genannten Gedichtbände E. Stadlers und H. Lerschs) trat zunehmend eine radikal pazifistische (vgl. die Rubrik »Verse vom Schlachtfeld« in »Die Aktion«). Schließl. begann sich für viele Autoren mit der utop. Prospekt von der Verbrüderung des neuen Menschen angesichts der russ. Oktoberrevolution zu konkretisieren (vgl. u. a. J. R. Bechers »Widmungsblatt an die russische Revolution 1917«, seinen »Gruß des deutschen Dichters an die russische Föderative Sowjet-Republik« aus dem gleichen Jahr). Schon vor Kriegsbeginn und während der ersten Kriegsjahre hatten sich andere Ismen herausgebildet, bzw. abgetrennt (Aeternismus, ∕ Aktivismus, ∕ Sturm-Kreis, ∕ Dadaismus), die nur schwer unter dem Oberbegriff E. zusammenzufassen sind und als jeweils eigenständige Bewegungen beschrieben werden sollten. Die zahlreichen Verwirrungen der E.forschung resultieren wesentl. aus dem Versuch einer derartigen Zusammenfassung. Selbst wenn man von ihnen absieht, scheint bis heute die Frage nicht geklärt, ob es sich bei dem E. um eine ›literar. Bewegung‹ oder ein »umfassenderes Phänomen des Lebens« handelte, nicht zuletzt vielleicht auch deshalb, weil E. schon 1914 ein »uniformes« (K. Pinthus), ein »viel mißbrauchtes Wort« (E. Stadler) war, »ein Schlagwort, das viel und nichts besagt« und das trotzdem »unentbehrlich« (H. Kühn, 1919) scheint.

Bibliogr. Handbuch: Raabe, P.: Die Autoren u. Bücher des literar. E. Stuttg. 1985.
◫ Anz, Th./Stark, M. (Hg.): E. Manifeste u. Dokumente z. dt. Lit. 1910–1920. Stuttg. 1982. – Stark, M.: Für u. wider den E. Stuttg. 1982. – Meixner, H./Vietta, S. (Hrsg.): E., sozialer Wandel u. künstler. Erfahrung. Mchn. 1982. – Brinkmann, R.: E. Intern. Forschung zu einem intern. Phänomen. Stuttg. 1980. – Knapp, G. P.: Die Lit. des dt. E. Mchn. 1979. – Rothe, W.: Der E. Frkft. 1977. – Hamann, R./Hermand, J.: E. Frkft. 1977. – Rötzer, H.-G. (Hrsg.): Begriffsbestimmung des literar. E. Darmstadt 1976. – Arnold, A.: Prosa des E. Stuttg. 1975. – Kemper, H.-G./Vietta, S.: E. Stuttg. 1975. – Martens, G.: Vitalismus und E. Stuttg. u. a. 1971. – Steffen, H. (Hrsg.): Der dt. E. Gött. ²1970. – Kolinsky, E.: Engagierter E. Stuttg. 1970. – Viviani, A.: Das Drama des E. Mchn. 1970. – Rothe, W. (Hrsg.): E. als Literatur. Bern 1969 (mit ausführl. Bibliogr.). – RL.   D

Extemporieren, [aus lat. ex tempore = nach Gelegenheit], ↗Stegreifspiel.

Exzerpt, n. [lat. = excerptio = Auszug], knappe Zusammenstellung der für den jeweiligen Benutzer oder einen bestimmten Leserkreis wichtigen Gesichtspunkte eines Buches oder einer Abhandlung; der Text der Vorlage kann auszugsweise wörtl. abgeschrieben oder zus.gefaßt sein. ↗Epitome, ↗Kollektaneen.   S

Fabel, f. [lat. fabula = Rede, Erzählung; dt. seit dem 13. Jh. zunächst in abschätziger Bed. als ›lügenhafte Geschichte‹; heutige Bed. seit dem Humanismus],
1. das einem erzähler. oder dramat. Werk zugrundeliegende *Stoff- und Handlungsgerüst.*
2. (äsop.) F., *Zweig der* ↗*Tierdichtung,* knappe lehrhafte Erzählung in Vers oder Prosa, in der vorwiegend Tiere in einer bestimmten Situation so handeln, daß sofort eine Kongruenz mit menschl. Verhaltensweisen deutl. wird und der dargestellte Einzelfall als sinnenhaft-anschaul. Beispiel für eine daraus ableitbare Regel der Moral oder Lebensklugheit zu verstehen ist. Diese allgem. Wahrheit ist meist an die Erzählung angefügt (sog. ↗Epimythion), kann aber auch vorangestellt (Promythion), in die Handlung integriert sein oder ganz fehlen. Beweiskraft und Reiz der F. beruhen auf der Doppelnatur von Erzählung und Lehre, auf dem relativ kleinen Kanon bestimmter Tiere (Fuchs, Wolf, Lamm usw.), der Beschränkung ihrer Anthropomorphisierung auf konstante Eigenschaften (Fuchs schlau, Wolf gierig, Lamm vertrauensselig usw.), einer meist dialekt. Erzählstruktur (Vorführung zweier Tiere, zweier polarer Verhaltensweisen, oft im Dialog) und auf der iron.-verfremdenden Spannung zwischen einer irreal-paradoxen Handlung und einer gleichwohl darin abgebildeten allgemeingült. Wahrheit. Die F. gehört damit zur didakt.-reflexiven Zweckdichtung; fehlt die Zweckausrichtung, nähert sie sich dem ↗Märchen, ↗Schwank, der ↗(Vers)erzählung, sind aber zu speziellen Verhältnisse dargestellt, die nur durch die angefügte Belehrung durchschaut werden, nähert sie sich der ↗Allegorie, ↗Parabel, dem ↗Gleichnis, auch der ↗Satire (z. B. viele polit. oder sozialkrit. F.n, vgl. auch ↗Tierdichtung). In ihren histor. Ausprägungen ist die F. in mannigfachen Spielarten und Grenzformen faßbar. In Antike und MA. war sie keine selbständ. Gattung: in der griech. Literatur wurde sie unter dem (auch Märchen, Schwänke, Novellen, Satiren usw. umfassenden) Begriff

mythos oder logos (= Erzählung, Vorfall, Geschichte), in der röm. Literatur ebenso unter ↗Apolog, im MA. unter ↗Bîspel subsumiert. Erst im Humanismus wird mit einer größeren Gattungsbewußtheit die Bez. ›F.‹ im heutigen Sinne üblich. Die früheren *Herkunftsthesen* zur F. (aus Indien oder dem Orient) sind zugunsten der Annahme einer Polygenese aufgrund gleicher oder ähnl. allgemeinmenschl. und sozialer Strukturen (z. B. niedere Klassen im Spannungsfeld zum Adel) aufgegeben. Tierdichtungen finden sich von jeher im volkstüml. Erzählgut aller Völker (z. B. schon in sumer. Zeit, 2. Jt. v. Chr.). – Als *Vater der europ. F.* gilt ein histor. nicht faßbarer phryg. Sklave Äsop (nach Herodot II, 134: 6. Jh. v. Chr.), vermutl. ein Erzähler oder Sammler griech. und vorderasiat.-ind. F.n. Auf diesen Äsop berufen sich alle späteren F.-Sammlungen. *Griech., angebl. äsop. F.* sind jedoch erst aus dem 2. Jh. n. Chr. überliefert: *Die ältesten erhaltenen Sammlungen gr. F.n* sind die sog. Augustana-Sammlung (Codex Monacensis 564: 231 Prosa-F.n) und die F.-Sammlung in Versen (Hinkjamben) von Babrios; beide Sammlungen gehen vielleicht auf eine (seit dem 10. Jh. verschollene) Sammlung von 100 äsop. F.n in Prosa (»Aisopia«) des Demetrios von Phaleron (4. Jh. v. Chr.) zurück. Entscheidend für die inhaltl. und formale Ausbildung der sog. äsop. F. wurde indes die *lat. F.-Sammlung* des thrak. Sklaven Phädrus, der *äsop. F.n* (evtl. nach der gr. »Aisopia«) und eigene Nachbildungen mit ausgesprochen lehrhafter Tendenz zur vermutl. *ersten röm.-lat. F.-Sammlung* überhaupt zusammenstellte (1. Jh. n. Chr., etwa 150 F.n in Senaren, 49 erhalten). Auf Phädrus fußen z. T. die spätantike Sammlung des Avianus (42 F.n in eleg. Distichen, 4. Jh. n. Chr.) und eine Prosa-Sammlung »Romulus« (entst. zw. 350–500). Dieser F.bestand war bis ins 16. Jh. als Schullektüre in ganz Europa verbreitet, wurde immer wieder neu bearbeitet und durch außereurop. F.n (u. a. aus dem ind. F.buch »Pantschatantra«, um 300 n. Chr., bzw. dessen arab. Bearbeitung »Kalila-wa Dimna«, 8. Jh.) und anderes Erzählgut (bes. Schwänke) angereichert. Die für die volkssprachl. F.dichtung wichtigste mal. lat. Sammlung dieser Art wird der sog. »Anonymus Neveleti«, der ›mal. Äsop‹ aus dem 12. Jh. (in Distichen).

Volkssprachl. F.n finden sich seit dem 12. Jh., zunächst vereinzelt (z. B. bei den mhd. Spruchdichtern) oder eingebaut in größere Werke, eine Tradition, die seit der Antike üblich ist (Hesiod, Horaz). Die älteste erhaltene dt. F. steht in der »Kaiserchronik« (12. Jh., v. 6854 ff.). Bes. in der Predigtliteratur ist die F. bis ins 18. Jh. beliebt (Abraham a Santa Clara, vgl. auch ↗Predigtmärlein, ↗Exempel). – In *Frankreich* entsteht bereits um 1180 eine eigenständ., höf. orientierte F.-Sammlung, der »Ysopet« (in Reimpaarversen) der Marie de France. In *Deutschland* dagegen erreichen F.-Sammlungen (nach vereinzelten F.-Bearbeitungen seit dem 13. Jh., z. B. beim Stricker) ihren Höhepunkt erst im Humanismus und Reformation: Typ. ist jetzt die breite religiös-moral. Ausrichtung entsprechend der spätmal. prakt.-sozialen Einstellung des sich herausbildenden Bürgertums. Die *erste dt. F.sammlung* ist der weitverbreitete, systemat. geordnete »Edelstein« von U. Boner (1350, in Reimpaaren, dem allerdings ndl. Fassung vorgeht). Ihr folgt jedoch das »Esop« (1476 ff., ca. 140 F.n und 10 ↗Fazetien) in lat. Fassung und dt. Prosaübersetzung (zahlreiche Neuauflagen und Drucke bis 1730, Übersetzungen in viele Sprachen) und die erste dt. Übersetzung des »Pantschatantra« (bzw. des »Kalila wa-Dimna« aus einer mlat. Bearbeitung) durch A. von Pforr (1480), ebenfalls mit weitreichender Wirkung (bis 1700 18 Drucke, Übersetzungen ins Dän., Holländ., Isländ.). Ebenso erfolgreich sind *im 16. Jh.* (entsprechend der Wertschätzung Luthers) die im Dienste der Reformation stehenden F.n von Erasmus Alberus (1534 und 1550) und v. a. der »Esopus« von Burkhard Waldis (1548, 400 F.n und Schwänke), der den gesamten damals bekannten F.schatz zusammenstellt. Zugleich setzt aber eine Tendenz zur Formauflösung ein, die bes. die F.n der Meistersinger (Hans Sachs u. a.) kennzeichnet (episierender, breit lehrhafter Stil, Nähe zu Erzählung, Schwank). – 1596 wird erstmals das F. corpus des Phaedrus ediert (P. Pithou in Troyes; weitere Editionen folgen 1598, 1599, 1610 etc.). *Im 17. Jh.* geht die Beliebtheit der F. in Deutschland zurück; in Frankreich erreicht sie mit J. de La Fontaine höchste künstler. Verwirklichung durch formale Virtuosität (Verse) und witzig-elegante, freie Ausgestaltung des Handlungsteils (12 Bücher 1668–94). La Fontaine und H. de la Motte bestimmen dann im 18. Jh. die Entwicklung in *England* (J. Gay, »Fables« 1727 und 1738) und *Deutschland,* wo sie ihren größten und letzten Höhepunkt als bevorzugte Gattung des vernünft.-moral. eingestellten Bürgertums der dt. Aufklärung erreicht. Neben Herausgeber- und Übersetzertätigkeit (bis 1800 ca. 100 Ausgaben u. 15 Übersetzungen des Phädrus; 1757 Ausg. der F.n Boners durch Bodmer und Breitinger) tritt nun auch der poetolog. Fixierung (Gottsched, Bodmer, Breitinger, Herder u. a.). Typ. für die *F.n des 18. Jh.s* ist die Betonung bürgerl. Lebensklugheit (anstelle der mal. moral-eth. Belehrung), die ep.-plaudernde, gefühlige oder galante Ausgestaltung in zierl. Versen, die Erweiterung und Neuerfindung von Motiven, Situationen und Figuren (z. B. Gegenstände des tägl. Lebens). Aus der Fülle der über 50 F.dichter zwischen 1740 und 1800 ragen F. v. Hagedorn (Slg. 1738), Ch. F. Gellert (1746–48), M. G. Lichtwer (1748) und J. W. L. Gleim (1756–95) heraus. Auch ihre F.n nähern sich jedoch heiter-lehrhaften Verserzählungen. Diesem Verblassen der äsop. Tradition stellt sich G. E. Lessing entgegen, der (nach eigenen Vers-F.n im Stile der Zeit, 1747) in einer theoret. Neubesinnung die F. neu zu definieren sucht und (gegen »die lustige Schwatzhaftigkeit« La Fontaines) wieder an die späthellenist. Äsoptradition anknüpft. Er fordert epigrammat. knappe, schmucklose Prosa-F.n mit treffsicherer Zuspitzung (vgl. seine Sammlung 1758). Lessing schließt die Entwicklung der F. des 18. Jh.s ab (ohne jedoch einen Neubeginn einzuleiten). Spätere F.n (z. B. die polit. und sozialkrit. F.n von G. K. Pfeffel, 1783 u. a.) neigen zu allegorisierender Gleichsetzung (z. B. Hund = ausbeutender Höfling) und damit zur Auflösung der F. in die /Satire. *Im 19. Jh.* erlebt die F. in Rußland einen Höhepunkt durch J. A. Krylow, der mit streng gebauten F.n (Sammlungen zwischen 1809 und 1834), unbehelligt von der Zensur, polit. und soziale Mißstände aufzeigen konnte. In Deutschland dagegen sind F.n weitgehend für Kinder und Jugendliche gedacht (J. H. Pestalozzi, 1803; W. Hey, »F.n für Kinder«, 1833/37). *Im 20. Jh.* (insbes. seit etwa 1950) sind Versuche festzustellen, die F. als Mittel aktueller Zeitkritik wiederzubeleben (in den USA v. a. J. Thurber, 1935 ff.; in der Bundesrepublik E. Weinert, 1950; F. Wolf, hrsg. 1957 u. 1959; W. D. Schnurre, 1957; H. Arntzen 1966; G. Anders 1968; in der DDR G. Branstner 1976).

Elschenbroich, A.: Die dt. u. lat. F. in der frühen Neuzeit. 2 Bde. Tüb. 1990. – Franke, F. in, Parabeln, Gleichnisse. Mchn. [8]1988. – Dicke, G./Grubmüller, K.: Die F.n des MA.s und der frühen Neuzeit. Mchn. 1987. – Peil, D.: Der Streit der Glieder mit dem Magen. Studien zur Überlieferungs- und Deutungsgesch. der F. des Menenius Agrippa von der Antike bis ins 20. Jh. u. a. 1985. – Fabula docet. Katalog der Herzog-Aug.-Bibliothek 41. Wolfenbüttel 1983 (mit wichtigen Beitr.). – Hasubek, P. (Hrsg.): F.-Forschung. Darmst. 1983. – Leibfried, E.: F. Stuttg. [4]1982. – Dithmar, R.: Die F. Gesch., Struktur, Didaktik. Paderborn/Mchn. [5]1982. – Hasubek, P. (Hrsg.): Die F. Theorie, Gesch. und Rezeption einer Gattung. Bln. 1982. – Leibfried, E./Werle, J. M. (Hrsg.): Texte zur Theorie der F. Stuttg. 1978. – Lindner, H. (Hg.): F.n der Neuzeit. Mchn. 1978. – Grubmüller,

K.: Meister Esopus. Unters. zu Gesch. und Funktion der F. im MA. Mchn. 1977. – RL. **IS**

Fabian Society ['feibiən sɔ'saiəti], 1884 gegründete Vereinigung brit. Sozialreformer, benannt nach dem röm. Konsul und Feldherrn Q. Fabius Maximus Verrucosus (»Cunctator«). Wie dieser durch Hinhaltetaktik und bewußtes (als »Zaudern« mißverstandenes) Abwarten Erfolg hatte, so lag es von Anfang an in der Zielsetzung der F. S., gesellschaftl. Veränderungen im Sinne eines freiheitl. Sozialismus nicht durch Revolution und von heute auf morgen, sondern durch allmähl., verfassungskonforme Evolution zu verwirklichen. Führende Vertreter waren v. a. Sidney Webb und seine Frau Beatrice sowie G. B. Shaw, der 1889 die »Fabian Essays« herausgab (1952 erschienen »New Fabian Essays«, hg. v. R. H. S. Crossman) und mit zahlreichen Veröffentlichungen zu polit. und wirtschaftl. Fragen für die Ideen der F.S. warb. Auch H. G. Wells war der Bewegung zeitweise eng verbunden. Seit die Labour Party sich 1918 die Ziele der F. S. zu eigen machte, ist diese so etwas wie die Bastion der Theoretiker der Arbeiterpartei geworden.

Britain, I.: Fabianism and culture. Cambr. u. a. 1982. – McKenzie, N. u. J.: The First Fabians. London 1977. – McBriar, A. M.: Fabian Socialism and English politics, 1884–1918. Cambridge 1962. – Pease, E. R.: History of the F. S. London 1925. **MS**

Fabliau, m., Pl. Fabliaux [fabli'o:; mal. pikard. Form zu afrz., mfrz. fablel = Diminutiv zu afrz. fable = Erzählung, Fabel], *pikard. Bez.* für mal. ep. Kleinformen wie /Lai, /Dit, /Fabel, /Exempel, /Schwank; sie wurde im 16. Jh. v. C. Fauchet wiederbelebt und eingegrenzt auf die *afrz.* anspruchslose Schwankerzählung in achtsilb. Reimpaaren (meist ca. 300 Verse, aber auch länger), auf Grund der Beliebtheit dieser Gattung im Pikardischen. Die derb realist. gestalteten Stoffe (vorwiegend erot. Themen) entstammen dem mal. internat. Erzählgut, einiges scheint jedoch auch franz. Ursprungs zu sein. F.x sind bezeugt seit Mitte 12. Jh.; überliefert sind 147 F.x, frühester ist der anonyme F. über die Dirne Richeut (um 1170); von F.x aus der Blütezeit im 13. Jh. sind z. T. auch die Verfasser bekannt, z. B. Henri d'Andeli (»Lai d'Aristote«), Huon le Roi, Philippe de Remi, Sire de Beaumanoir, Rutebeuf u. a. Ihre Standeszugehörigkeit und v. a. ihre sich in den F.x (und ihren anderen, z. T. relig. Werken) dokumentierende literar. Bildung weisen darauf hin, daß F.x, dem Zeitgeschmack entsprechend, auch von den höheren Gesellschaftsschichten als bewußt empfundene Gegendichtung zu den höf. Gattungen rezipiert wurden. F.x waren die stoffl. Fundgruben für Boccaccio, Chaucer, Rabelais, Molière u. a.

Textsammlung: Recueil général et complet des f.x. Hg. v. A. de Montaiglon u. G. Raynaud. Paris 1872–1890, 6 Bde.

Schenk, M. J. S.: The F.x. Amsterdam 1987. – Menard, D.: Les F.x. Paris 1983. – Kiesow, D.: Die F.x. Rheinfelden 1976. – Nykrog, P.: Les F.x. Kopenhagen [2]1973. – Rychner, J.: Contribution à l'étude des f.x. Neuchâtel, Genf 1960, 2 Bde. – Bédier, J.: Les f.x. Paris [6]1964. **IS**

Fabula, f. [lat. = Erzählung (die einer Dichtung zugrunde liegt), Schauspiel], das röm. Drama; man unterscheidet im einzelnen: F. /atellana (volkstüml. Posse), F. /palliata (Komödie, griech. Stoffe, griech. Kostüme), F. /togata (Komödie, röm. Stoffe, röm. Kostüme) und als deren Sonderformen F. trabeata (spielt in der gehobenen röm. Gesellschaft), F. tabernaria (spielt in den unteren Schichten der röm. Gesellschaft), F. /crepidata (Tragödie; Stoffe aus der griech. Mythologie oder Geschichte, griech. Kostüme) und F. /praetexta (Tragödie, Stoffe aus der röm. Geschichte, röm. Kostüme). **K**

Fachbuch, der Ausbildung und Fortbildung in einem bestimmten Beruf oder Berufszweig gewidmetes Lehrbuch; die Abgrenzung zum i. e. S. wissenschaftl. Buch einerseits, das den Akzent stärker auf eine systemat. Darstellung und die Diskussion von Forschungsproblemen legt, und dem für ein breiteres Laienpublikum aufbereiteten ↗Sachbuch andererseits ist nicht immer scharf zu ziehen. HSt

Fachprosa, 1. allgem.: die Sprache, in der nicht-dichter., also theolog., jurist., medizin., techn. Abhandlungen verfaßt sind. 2. speziell: volkssprachige Prosaliteratur des MA.s, die den Stoffkreisen der ↗Artes zuzuordnen ist. Ihre Untersuchung ist in den letzten Jahrzehnten zu einer eigenen Disziplin der Mediävistik geworden (Fachprosaforschung).
📖 ↗Artes (Artesliteratur). HSt

Faction-Prosa ['fækʃən; engl. zu fact = Tatsache], (auch Faktographie), nicht-fiktives, auf Tatsachen fußendes und zu dokumentar. Darstellung (↗Dokumentarliteratur) tendierendes Erzählen in der amerik. Nachkriegsliteratur, zunehmend in den 60er Jahren: v. a. J. R. Hersey (»The Algiers Motel Incident«, 1969), T. Capote (»In Cold Blood«, 1965) und N. Mailer (»The Armies of the Night«, 1968; »Miami and the Siege of Chicago«, 1968; »Of a Fire On the Moon«, 1970). In der Tradition des Tatsachenberichts (J. R. Hersey brachte bezeichnenderweise seine Erfahrungen als Kriegsberichterstatter in zahlreiche dokumentar. Romane ein) will die F. P. gegenüber der schöpfer.-subjektiven Welt fiktiven Erzählens die objektive, die konkrete Welt, in der wir leben, beschreiben (T. Capote), um ein ungenaues und verzerrtes Bild der Wirklichkeit zu verhindern (N. Mailer). *Faction* beinhaltet dabei immer auch ein Moment der Parteinahme, der Stellungnahme gegen Situationen und Bedingungen der gegenwärtigen Gesellschaft.
📖 Malin, I.: Truman Capote's »In Cold Blood«. A Critical Handbook. Belmont/Calif. 1968. – Clinpton, G.: The Story Behind a Nonfiction Novel. New York Times Book Review 71 (1966). – McCarthy, M.: The Fact in Fiction. In: Partisan Review 33 (1966) 438–58. D

Fado, m. [port. = Geschick, Verhängnis], auch Fadinho; portugies. volkstüml., wehmütiges zweiteil. (Tanz-)Lied; Thema meist Liebessehnsucht; die Moll-Melodie (2/4-Takt) des 1. Teils wird im zweiten in Dur wiederholt; oft mit einfacher Gitarrenbegleitung; bekannt seit dem 19. Jh., wurde der F. bes. in Städten (Café u. Straßen) getanzt und gesungen. Herkunft unbestimmt (viell. afrobrasilian. Ursprungs). IS

Fahrende, im MA. nichtseßhaftes Volk aller Bildungsstufen, das seinen Lebensunterhalt dadurch verdiente, daß es von Hof zu Hof, Stadt zu Stadt, Jahrmarkt zu Jahrmarkt zog (mhd. *varn*) und dort seine Dienste und Künste anbot als Gaukler, Bärenführer, Spaßmacher, Musikanten, als Sänger u. Dichter (vgl. auch ↗Spielmann), aber auch als Quacksalber, Händler usw. Die ältesten literar. Zeugnisse für das Auftreten von *varnden* (auch als *varndez volc, varndiu diet, gerndiu diet* bezeichnet) finden sich im 12. Jh. in dem sog. Spielmanns-Epos »Orendel« (v. 1359), in Veldekes »Eneit«, danach im »Nibelungenlied«, in Gottfrieds »Tristan«, Wolframs »Parzival«, bei Walther v. d. Vogelweide (L 84, 18), der selbst als F.r von Hof zu Hof zog. Den mhd. Bez. entsprechen lat. Bez. wie *mimus, joculator, vagabundus,* auch *vagantes* (↗Vaganten). In spätmal. Literatur umfaßt die Bez. auch den Bettelmönch und den fahrenden Schüler (vgl. auch Hans Sachs).
📖 Salmen, W.: Der fahrende Musiker im europ. MA. Kassel 1960. S

Faksimile, n. [lat. fac simile = mache ähnlich; Neubildung des 19. Jh.s], eine dem Original adäquate Wiedergabe eines Autographs, einer Handschrift, Zeichnung, seltener einer gedruckten Vorlage. Dabei werden unter Einsatz aller verfügbaren techn. Reproduktionsmittel (Lichtdruck, Spezialpapiere) auch alle Äußerlichkeiten wie Farbnuancen, Gebrauchsspuren (Randnotizen, Beschädigungen) und Einband bis ins einzelne nachgeahmt. – Eines der ersten F.s war die lithograph. Nachbildung der 1454 von Gutenberg gedruckten »Mahnung der Christenheit wider die Türken«, die nur in einem Exemplar überliefert ist (1808); berühmt wurden die F.-Ausgaben des Insel-Verlages von Gutenbergs 1452/55 erschienener 42zeil. Bibel (1914) und der Manessischen Handschrift des 14. Jh.s (1925/29). Mit der Vervollkommnung der Reproduktionstechniken nahm in den letzten Jahren die Zahl der F.-Ausgaben von zugleich bibliophilem und wissenschaftl. Wert durch spezialisierte Verlage zu. Bes. gelungene Beispiele sind die Nachbildungen eines Hauptwerks oberitalien. Buchmalerei des 14. Jh.s, des venetian. »Tacuinum Sanitatis in Medicina« (Graz 1966), der illuminierten Prachthandschrift der hebr. Bibelerzählungen »Goldene Haggadah« aus dem Brit. Museum (London 1969) und der Münchener Parzival-Handschrift aus dem 13. Jh. (Stuttg. 1971). – Nur im weiteren Sinne werden als F. auch Reproduktionen bezeichnet, die ihrer Vorlage allein in typograph. Erscheinungsbild gleichen, etwa fotomechan. hergestellte Schwarzweiß-Drucke. HSt

Falkentheorie, Novellentheorie, die sich auf eine Äußerung P. Heyses (Einleitung zum »Dt. Novellenschatz«, 1871) über die Falkengeschichte in Boccaccios »Decamerone« (5. Tag, 9. Gesch.) stützt, nach der von jeder ↗Novelle ein ›Falke‹ gefordert wird, d. h. ein (dem Falken jener Novelle vergleichbarer) erzähler. Mittelpunkt, ein klar abgegrenztes Motiv von besonderer Prägnanz. Während Heyse ohne Anspruch auf systemat. Darstellung die spezif. »Qualität des (Novellen-)Stoffes« betonte, wurde die F. vielfach unter vorwiegend formal-ästhet. Gesichtspunkten aufgefaßt; heute wird sie als zu einseitig in Frage gestellt.
📖 Locicero, D.: P. Heyses F. In: MLN 82 (1967). – Negus, K.: Paul Heyses Novellentheorie. In: Germ. Review 40 (1965). – Schunicht, M.: Der »Falke« am »Wendepunkt«. Zu den Novellentheorien Tiecks u. Heyses. In: GRM N. F. 10 (1960). GMS

Fallhöhe, dramaturg. Begriff, mit dem K. W. Ramler in seiner 1774 publizierten Übersetzung des poetolog. Werks »Traité de la poésie dramatique« von Ch. Batteux die dort formulierte wirkungsästhet. Rechtfertigung der ↗Ständeklausel zus.faßte: der trag. Fall eines Helden werde desto tiefer empfunden, je höher dessen sozialer Rang sei. Diese Vorstellung findet sich schon angedeutet in Renaissance-Kommentaren zur Aristotelischen »Poetik« (etwa bei F. Robortello und Madio); sie wurde in Deutschland v. J. Ch. Gottsched übernommen, aber schon von J. E. Schlegel und insbes. von G. E. Lessing im Rahmen seiner theoret. Rechtfertigung des ↗bürgerl. Trauerspiels zurückgewiesen. Eine neuerl. Aufwertung erfuhr der Begriff bei A. Schopenhauer. HD

Fälschungen, literarische: durch falsche Autornennung oder irreführende Gestaltung eines Werkes wird bewußt der Eindruck eines anderen als der tatsächl. Herkunft erweckt, um Absichten durchzusetzen, die nicht der künstler. Wirkung dienen, sondern außerhalb des Werkes liegen: z. B.

1. in der Apologetik: scheinbar authent. alte Zeugnisse sollen die Wahrheit von Glaubenssätzen belegen (↗Apokryphen);
2. zur Absicherung von polit. oder jurist. Privilegien durch angebl. echte Chroniken oder Urkunden (Konstantin. Schenkung);
3. aus Ruhmbegier, Sensationslust, gelehrter Eitelkeit etc. wird die Entdeckung unbekannter Handschriften oder ganzer Dichtungen vorgegeben (häufig seit dem Humanismus, bes. wirksam: MacPhersons »Gesänge Ossians« 1760 ff. und die angebl. karoling. »Ura-Linda-Chronik« des Frisomanen C. over de Linden, 1867 oder die angebl. von einem Südseehäuptling verfaßten Reden »Papalagi« von E. Scheuermann, 1920);
4. zur Diskriminierung von Gegnern, die durch den ihnen unterschobenen Text parodiert oder verunglimpft werden

sollen (W. Hauffs Roman »Der Mann im Mond«, veröffentl. 1826 unter dem Namen H. Claurens); 5. aus literar. Ehrgeiz und Erfolgsstreben, wenn unbekannte Autoren ihrem Werk dadurch mehr Geltung zu verschaffen hoffen, daß sie es mit einem bekannten oder aus anderen Gründen attraktiven Namen verbinden (Wilhelmine von Gersdorfs Romane »Redwood«, 1826 und »Mosely Hall«, 1825 waren als Übersetzungen von Werken J. F. Coopers deklariert; K. E. Krämer ließ 1952/53 eigene Gedichte als Nachlaß des Fremdenlegionärs George Forestier erscheinen). Materielle Gewinnsucht spielt dagegen als Fälschungsmotiv häufiger bei Autographen und Gemälden eine Rolle. – Nicht zur literarischen F. zu rechnen sind Werke, deren falsche Autornennung den Verfasser vor Verfolgung schützen soll (⁄Pseudonym), die Teil rhetor. Übung ist (⁄Pastiche), zur literar. Fiktion gehört (fingierte Quellen, Briefe, Reden in Geschichtswerken) oder der bloßen Freude an literar. Verhüllung dient (⁄Mystifikation). Der literarischen F. entgegengesetzt ist das ⁄Plagiat, bei dem ein Autor nicht ein eigenes literar. Produkt einem fremden Verfasser zuschreibt, sondern umgekehrt die geistige Leistung eines anderen als seine eigene ausgibt.
📖 Corino, K. (Hg.): Gefälscht! Betrug in Lit., Kunst, Musik, Wiss. und Politik. Nördl. 1988. – Frenzel, E.: Gefälschte Lit. AGB, 4 (1963) 711–740. – Fuhrmann, H.: Die F. im MA. Histor. Zs. 197 (1963) 529–601. – RL.   HSt

Familienblatt, die meist illustrierte, wöchentl. erscheinende Unterhaltungszeitschrift des 19. Jh.s für den bürgerl. Mittelstand. – Vorläufer sind die aufklärer. ⁄moral. Wochenschriften und die ⁄Kalender und ⁄Taschenbücher des 18. Jh.s. Die typ. Ausprägung erfährt das F. seit der Restaurationszeit, die das Bürgertum vom öffentl. polit. Leben ausschließt und zum Rückzug in die privaten Bereiche der Familie als dem Fundament ernster Lebensführung zwingt (vgl. ⁄Biedermeier). Konzipiert als Lesestoff für die ganze Familie, enthält das F. Ratschläge zur prakt. Lebensgestaltung, heitere und ernste Kleindichtungen und v. a. populärwissenschaftl. Beiträge aus allen Wissensbereichen, bes. der Natur und Technik zur fortschrittsgläubigen Aufklärung und Bildung in gründl., unpolem., tendenzfreier Darstellung. Polit. Aktualität wird zugunsten allgem. liberaler, patriot. Haltung vermieden. Mitarbeiter in Familienblättern waren u. a. gelegentl. F. Hebbel, Th. Fontane, W. Raabe, Th. Storm, P. Heyse; am erfolgreichsten waren E. Marlitt und ihre Nachahmer. – Die Entwicklung der Schnellpresse, engl. Vorbilder wie z. B. die *Penny-Magazines* (seit 1830), auch die Resignation nach der Revolution 1848 führten zu einem beispiellosen *Aufschwung des F.s um 1850:* vgl. z. B. Gutzkows »Unterhaltungen am häusl. Herd« (Lpz. 1853–64; ohne Illustr.), die bald von der breiteste Schichten ansprechenden illustrierten »Gartenlaube« (gegr. E. Keil, 1853 bis 1943) überflügelt wurden: sie gilt als die im 19. Jh. *verbreitetste Zeitschrift der Welt* (1853: 6000 Abonnenten, 1861: 100 000, 1875: 382 000). Dieses vom liberal-materialist. Geist getragene, bürgerl. Gemeinsinn und Humanität »in kleiner Münze« vermittelnde F. fand viele Nachahmungen, z. B. »Über Land und Meer« (1858), »Illustrierter Hausfreund« (1861), »Allgem. Familienzeitung«, »Der Familienfreund« (1868), »Dt. Familienblätter« (1876), »Die Familie« (1880), Reclams »Universum« (1884) u. v. a., ferner zahlr. *landschaftsgebundene* F.«, 1868; »Österr. Gartenlaube«, 1866; »Heimat«, 1876; 1882–85 Red. Anzengruber; u. v. a.) und *christl.* Familienblätter beider Konfessionen: Eine protestant. Gegengründung gegen die »Gartenlaube« war z. B. »Daheim« (1864), eine kath. der »Dt. Hausschatz« (1875 mit Erstabdrucken der Romane K. Mays). Auch Jahrbücher, Kalender usw. glichen sich dem F. an, Tageszeitungen ließen wöchentl. oder monatl. Familienbeilagen erscheinen. Insgesamt erschienen von 1854–1905 rd. 150 Familienblätter (Verlagszentrum war Stuttgart). – Die Blütezeit endete etwa um 1880 mit den neu aufkommenden Tendenzen, Ideen und Wertungen (Naturalismus, Sozialismus, mit Industrialisierung, Lockerung des Familienzusammenhalts usw.). Das Festhalten des F.s an den Idealen seiner Blütezeit ließ es nun rückständig und konservativ erscheinen. Die Abnahme der Abonnentenzahlen und eine Niveausenkung bedingten sich gegenseitig. Die meisten Familienblätter mußten ihr Erscheinen einstellen oder fusionierten (z. B. gingen das »Dt. Familienblatt«, die »Illustrierte Chronik« und »Vom Fels zum Meer« in der »Gartenlaube« auf). Die Unterhaltungspresse spaltete sich in die heute noch bestehenden Formen: einerseits in die zweckgebundenen Hausfrauen-, Jugend-, Mode-, Bastler- usw. -Zeitschriften oder den oberfläch. informierenden und mit groben Effekten unterhaltenden *Illustrierten* und Magazine, andererseits (zur Befriedigung höherer Bildungsansprüche) in sog. Monatshefte nach dem Vorbild der »Westermanns Monatshefte«(seit 1857), wie sie z. T. schon parallel zu den betreffenden Familienblättern monatl. erschienen waren, z. B. die »Monatshefte des Daheim« (1888; seit 1893 als »Velhagens und Klasings Monatshefte«), »Der Türmer« (1898), »Kosmos« (1904) u. a. Heute wird die Funktion des einstigen F.s z. T. auch durch die neuen Medien der Publizistik (Rundfunk, Film, Fernsehen) übernommen.
📖 Menz, G.: Familienzeitschriften: In: Hdb. d. Zeitungswiss. 1 (1940) 962–973. – RL.   IS

Familiendrama, Familienstück, auch: Hausvaterdrama, s. ⁄Rührstück.

Familienroman, stoffl. klassifizierende Bez. für Romane, in denen Probleme und Ereignisse einer Familie (oft über längere Zeiträume hinweg) gestaltet sind; beliebte Gattung der ⁄Trivialliteratur (z. B. W. v. Simpson »Die Barrings«, 1937–1956), oft aber auch Rahmen zur Darstellung umfassender Aspekte (Ehe-, Generations-, Erziehungs-, Standes-, Berufs-, insbes. Künstlerproblematik) oder Modell für histor., theolog., soziale, gesellschaftskrit. Anliegen oder für psycholog. Studien, so daß sog. F.e oft auch anderen Romankategorien (⁄histor., ⁄Gesellschafts-, ⁄Zeit-, ⁄Künstler-, ⁄psycholog. Roman) zuzuordnen sind. – Als F.e in diesem (weiteren) Sinne gelten manche der empfindsamen (meist weibl. Erziehungsfragen gewidmeten, vielfach auch von Frauen verfaßten) Romane der dt. Aufklärung (Sophie von La Roche, Johanna Schopenhauer), v. a. aber zahlreiche Romane seit der Mitte des 19. Jh.s: vgl. in Frankreich É. Zolas »Les Rougon-Macquart« (eine »Natur- u. Sozialgeschichte einer Familie«, 1871/93) oder den zeitkrit. F. von R. Martin du Gard »Les Thibault« (1922–40), in England die gesellschaftskrit. »Forsyte-Saga« von J. Galsworthy und ihre Fortsetzungen (1918/22), in Deutschland v. a. Th. Manns »Buddenbrooks« (1901 mit dem Untertitel »Verfall einer Familie«), die zeit- und kulturkrit. F.e von R. Huch (»Ludolf Ursleu«, 1892; »Vita somnium breve«, 1903), P. Dörfler (»Apollonia«, 1930/32, Nähe zum Heimatroman), I. Seidel (»Lennacker«, 1938; »Das unverwel. Erbe«, 1954), B. von Brentano (»Theodor Chindler«, 1936; »Franziska Scheler«, 1945), B. von Heiseler (»Versöhnung«, 1953). Internationalen Erfolg hat in jüngster Zeit der F. »Bellefleur« (1980) der Amerikanerin J. C. Oates.
📖 Bayer, D.: Der triviale F. und Liebesroman im 20. Jh. Tüb. 1963.   IS

Famosschrift [zu lat. famosus = berühmt, berüchtigt, ehrenrührig], Schmähschrift; in Humanismus u. Reformation gebrauchte Verdeutschung für lat. *libellus famosus* (vgl. auch *famosum carmen* = Schmähgedicht, ⁄Pasquill).   S

Fantasy, [fæntəsi; auch: heroic f.; engl. = Phantasie, Hirngespinst], moderne Abart der phantastischen Literatur. Enthält Elemente aller Literaturen, in denen Abenteuer, Übersinnliches und Mythisches eine Rolle spielen (⁄Heldenepos, ⁄Aventiure, ⁄Ritter- und ⁄Räuberromane, Voyages Imaginaires, ⁄Gothic Novel, ⁄Märchen, ⁄Sage,

↗Lügendichtung u.a.). Der ↗Science Fiction verwandt, mit der sie Zeit und Ort gemeinsam haben kann (ferne Planeten, Zukunft, die myth. Vergangenheit, sagenhafte Länder der Erde), von der sie sich aber in einem zentralen Punkt unterscheidet: »F. ist eine bes. Form der amerikan. phantast. Literatur, die sich mit der Erfindung imaginärer Welten beschäftigt, in der die Menschen ohne Naturwissenschaft und Technik leben« (M. Görden). Das Personal der F. benutzt nicht nur archaische Waffen, Geräte und Fortbewegungsmittel (Schwert, Lanze, Kochkessel, Weinschlauch, Pferd, Segelschiff), sondern es existiert auch in überholten Gesellschaftsformen (Monarchien, Militärdiktaturen, Theokratien). Die Grenzen zwischen ›Realität‹ und irrationalen bzw. magischen Welten sind aufgehoben: Nicht nur, daß die Helden mit Elfen, Kobolden, Riesen, Zwergen, Faunen, Feen, Dämonen und Gespenstern umgehen, auch sie selbst besitzen zumeist übersinnl. Fähigkeiten. Die Thematik reduziert sich klischeehaft auf den Kampf zwischen Gut und Böse. Hervorstechendes Mittel der Auseinandersetzung ist Gewalt, die in der auch ›Sword and Sorcery‹ (engl. = Schwert und Zauberei) genannten ›harten‹ F. bis zu blutiger Brutalität reicht. Symptomat. für diese Richtung sind die (sie begründenden) »Conan«-Romane des US-Autors Robert E. Howard (1906–1936; verfilmt mit dem österreich. Ex-Mr. Universum Arnold Schwarzenegger). Am Anfang der weniger violenten F. stehen die »Hobbit«-Geschichten des Briten J. R. R. Tolkien (1937 ff). Hier ist auch der Deutsche M. Ende anzusiedeln, der mit seinen F.-Romanen »Momo« (1973) und v.a. »Die unendliche Geschichte« (1979) Millionenauflagen erzielte. Ansonsten wird die F. von Autoren aus dem anglo-amerikan. Raum beherrscht, außer den bereits Genannten sind dies Marion Zimmer Bradley, Edgar Rice Bourroughs, Ursula K. LeGuin, Michael Moorcock und L. Sprague deCamp (der nach Howards Tod die »Conan«-Reihe in dessen Stil fortsetzte).

📖 Wunderlich, W.: Mythen, Märchen und Magie. Ein Streifzug durch die Welt der F.literatur. WW 36 (1986). – Pesch, H.: F. Theorie und Geschichte. Passau ²1984. – Görden, M.: Was ist F.? In: Das gr. Buch der F. Berg. Gladb. 1982. – Vellejo, B.: F. Rastatt 1980. –
Hahn, R. M./ Jansen, V./Stresau, N.: Lexikon des F.-Films, Mchn. 1986. – Stresau, N.: Der F.-Film, Mchn. 1984.

RK

Farce, f. [frz. = Füllsel, von lat. farcire = stopfen], derbkom. Lustspiel; Bez. in Frankreich seit Ende 14.Jh.s belegt für volkstüml. Einlagen (daher Bez.!) in geistl. ↗Mysterienund ↗Mirakelspielen, dann auch für selbständig aufgeführte, burlesk typisierende Szenen und kurze Stücke, meist in Versen; *die berühmteste F.* dieser Zeit ist die anonym überlieferte »F. de Maistre Pathelin« (1464; 1600 Verse, bis Ende 15.Jh. 25 Drucke). Die z. T. in den F.en geübte satir. Karikierung privater und öffentl. Mißstände ließ sie auf die Seite der ↗Sottie und ↗Moralität. – In Deutschland setzte sich der Begriff ›F.‹ erst im 18.Jh. durch für eine in Frankreich inzwischen durch Einfluß der ↗Commedia dell'arte erneuerte F. Aber die programmat. Ablehnung ›niederer‹ Literatur (↗Hanswurst) schränkte die F. in Deutschland alsbald weitgehend auf die Form der *Literatursatire* und Literaturparodie ein (Goethe »Götter, Helden und Wieland, eine F.«; im 19.Jh. A. W. Schlegel und L. Tieck), wobei sich die Literatur-F. in ihrer äußeren Form z. T. bewußt historisierend an dt. ↗Fastnachtsspiel orientierte. Heute wird ›F.‹ oft gleichbedeutend mit ↗Posse verwendet, jedoch tendenziell in die Nähe der ↗Groteske gerückt, wenn es sich um Stücke aus dem Umkreis des ↗Absurden Theaters handelt; zur ↗Satire tendiert z. B. M. Frisch, »Die chines. Mauer. Eine F.«, 1947).

📖 Guthke, K. S.: Die metaphys. F. im Theater der Gegenwart. In: Jb. d. Dt. Shakespearegesellschaft (West) 1970. – Levertin, O.: Studien zur Gesch. der F. u. Farceurs seit der Renaissance bis auf Molière. Greifswald 1890; Nachdr. Genf 1970. – RL.

HD

Fashionable novels, Pl. [ˈfæʃnəbl ˈnɔvəlz; engl. = Moderomane], Sammelbez. für (im einzelnen verschieden geartete) engl. Romane der Übergangsperiode zwischen Romantik und Realismus. *Themat.* sind sie der aristokrat. Sphäre, insbes. der Welt des ↗Dandyismus (diese z. T. kritisierend) zugewandt, *formal* sind sie durch ausgiebige Milieuschilderungen und Konversationen gekennzeichnet. *Hauptautoren* sind Th. Lister, R. P. Ward, Ch. Bury, B. Disraeli (»Vivian Grey«, 1826/27; »Contarini Fleming«, 1832; »Venetia«, 1837), E. G. Bulwer-Lytton (»Pelham«, 1826), C. Gore, C. Mulgrave, Countess of Blessington. Im Jahrzehnt zwischen 1825 und 1835 hatten die F.n. ihre Hochblüte und waren von nicht unbedeutendem Einfluß auf den Realismus der viktorian. Ära.

📖 Schubel, F.: Die ›F. N.‹ Ein Kap. zur engl. Kultur- u. Romangeschichte. Uppsala u. a. 1952.

MS

Fassung, die einem literar. Text vom Autor bei der Niederschrift (nicht notwendig der Drucklegung) gegebene Form. Durch Umarbeitung entstehen *Doppel-F.en* und *mehrfache F.en* des gleichen Werks, deren angemessene Wiedergabe in einer ↗histor.-krit. Ausgabe Gegenstand der ↗Editionstechnik ist. Ihr Vergleich kann Schlüsse über die Entwicklung des Autors und die dem Werk inhärenten Gestaltungsprobleme erlauben. Beispiele: Goethes »Faust«, C. F. Meyers Gedichte, Mörikes »Maler Nolten«, Stifters »Studien«, Frischs »Graf Öderland«. ↗Adaptation; dagegen ↗Bearbeitung.

HSt

Fasti, f. Pl. [lat. = Tage des Rechtsprechens, aus fas = (göttl.) Recht, Gesetz, Satzung],
1. Die Werktage (Gerichtstage) des röm. Kalenders *(dies fasti)* im Ggs. zu den Feiertagen *(dies nefasti)*.
2. Der röm. Kalender, d. h. Listen aller Tage des Jahres mit Angabe ihres jeweiligen Rechtscharakters und weiterer Kommentaren (eine dichter. Bearbeitung des kommentierten Festkalenders sind Ovids »Fastorum libri VI«).
3. Namenlisten der höchsten Jahresbeamten *(f. consulares, f. magistratuum),* der Priester *(f. sacerdotales)* und Verzeichnisse der röm. Siegesfeiern *(f. triumphales).* – Die Kodifizierung und Kommentierung der F. führte zur Entwicklung der Jahrbücher *(Annales maximi)* und damit zur Grundform der röm. Geschichtsschreibung (↗Annalen). HFR*

Fastnachtsspiel, im Rahmen literar. Fastnachtsfeiern ausgebildeter Typus des dt.-sprach. weltl. ↗Dramas, literar. greifbar etwa zwischen 1430 und 1600. – Fastnachtsfeiern sind im 15.Jh. im gesamten dt. Sprachgebiet belegt. Typ. Rahmen ist die Fastnachtsgesellschaft, zu der man sich verkleidet abends zusammenfindet. Hier erfolgte die Ausbildung des F.s, das literar. Gestaltung allerdings nur in einzelnen städt. Zentren, v. a. in Nürnberg und Sterzing, erfahren hat. – Ausgangspunkt für die Entwicklung des *Nürnberger F.s,* der bedeutendsten Ausprägung der Gattung, ist der *Einzelvortrag* derb-kom. Sprüche (im Umfang von etwa 2 bis 15 Reimpaaren). Den nächsten Schritt zur Ausbildung des F.s bildet die paratakt. *Reihung von Einzelvorträgen.* Die Übernahme der Vorträge durch eine ›Spielgruppe‹ führt schließl. zur ältesten belegten Form des F.s, zum *Reihenspiel:* Eine Gruppe junger Männer (Handwerksgesellen) zieht von Fastnachtsgesellschaft zu Fastnachtsgesellschaft, um dort jeweils ihr ›Spiel‹ aufzuführen. Es wird dabei durch einen *Praecursor* (»Vorläufer«, »Vorläufel«, »Einschreier« u. a.) eröffnet, der Gäste begrüßt, um Spielerlaubnis und Aufmerksamkeit bittet, evtl. auch die folgende Aufführung erläutert; am Ende der Darbietung richtet er (als »Ausschreier«) ein kurzes Schlußwort an das Publikum oder ruft (als »Tanzforderer«) zu einem allgemeinen Tanz auf. Zunächst stehen im Reihenspiel die einzelnen Vorträge noch unverbunden nebeneinander, dann werden die einzelnen Reden gedankl. aneinander geknüpft. Eine letzte Stufe des Reihenspiels ist mit dem Bezug der einzelnen Sprüche auf eine Mittelpunktsfigur gegeben, der Einzelvortrag somit aus dem Spiel selbst motiviert. Dies ist zugleich die Voraussetzung für das *Handlungsspiel*, das entwicklungsgeschichtl. auf das Reihenspiel folgt; in ihm werden einfache Handlungen mit einer begrenzten Personenzahl, die sich stoffl. meist an die spätmal. Schwankdichtungen anschließen, dargestellt. – Der älteste namentl. bekannte Verfasser Nürnberger F.e, H. Rosenplüt (genannt »Der Schneperer«, † 1470), verwendet ausschließl. die Form des Reihenspiels; seine Stücke sind noch ganz in den Rahmen der Fastnachtsunterhaltung eingefügt. Von dem jüngeren H. Folz (seit 1479 in Nürnberg) sind dagegen fast nur Handlungsspiele überliefert. Von Rosenplüt und Folz sind je etwa 30 Spiele im Umfang von etwa 300 Versen erhalten. Ihre F.e verfolgen weder moralisierende noch ständeasatir. Absichten; die häufige Verwendung des Bauern in ihren Stücken beruht auf literar. Tradition (Neidhart usw.) – der Bauer im F. ist ein mimischer Typus, der für das städt. Bürgertum Vitalität und Diesseitsbejahung verkörpert. – Die Tradition des Nürnberger F.s greift im 16. Jh. H. Sachs auf (85 F.e von je etwa 400 Versen aus den Jahren 1517–1560 überliefert, davon 81 im Druck erschienen). Für Sachs ist die Verselbständigung des Spiels gegenüber dem Aufführungsrahmen der Fastnachtsgesellschaft charakteristisch – Reihenspiele finden sich fast nur unter seinen frühen Stücken; der *Praecursor*, dessen Funktion im älteren F. die Vermittlung zwischen Spielrealität und Publikumssphäre war, entfällt häufig. Geblieben ist allerdings am Schluß die belehrende Hinwendung zum Publikum; entsprechend der moralisierenden und sozialkrit. Tendenz der Sachs'schen F.e fehlen sexuelle Obszönitäten, nicht aber fäkal. Späße. Mehr der Tradition des 15. Jh.s (Folz!) verhaftet sind die F.e P. Probsts (7 Spiele aus den Jahren 1553–56). – Der letzte Vertreter des Nürnberger F.s, J. Ayrer (36 F.e aus der Zeit um 1600, veröffentlicht zusammen mit anderen Dramen Ayrers in dessen »Orbis Theatricum« von 1618), führt die von Sachs eingeleitete Entwicklung fort; seine Stücke sind noch umfangreicher (durchschnittl. etwa 600 Verse) und durch eine realist. Aufführungspraxis und die stehende Figur des Clowns (»Jan Posset«) gekennzeichnet – hier zeigt sich der Einfluß der ⁄engl. Komödianten. – Das *Sterzinger F.* ist nur zwischen etwa 1510 und 1535 greifbar; überliefert sind 26 Spiele (aufgezeichnet durch den Spielleiter V. Raber). Vom Nürnberger F. unterscheidet es sich vor allem dadurch, daß es an andere Formen des mal. Dramas anknüpft, so an das ⁄geistl. Spiel (Arztspiele in der Tradition der Krämerszene der ⁄Passions- ⁄Osterspiele) und das ⁄Neidhartspiel (St. Pauler Neidhartspiel des 14. Jh.s, ein frühes weltl. Spiel ohne vergleichbares Gegenstück), ebenso durch die gelegentl. Verwendung literar. Stoffe. – Das *Lübecker F.* (überliefert sind aus den Jahren 1430–1515 73 Titel und ein Stück »Henselyns boek«) verarbeitet im wesentl. mytholog.-histor. Themen und scheint stark moralisierende Tendenz gehabt zu haben. – Die *Schweizer und Elsässer F.e* des 16. Jh.s haben keine Verbindung zum Fastnachtstreiben; es sind weltl. Stücke, die zur Fastnacht aufgeführt werden; sie verarbeiten Elemente des geistl. Spiels, des ⁄Humanistendramas, des ⁄bibl. Dramas des 16. Jh.s und der didakt. ⁄Narrenliteratur des SpätMA.s; oft handelt es sich um Propagandastücke im Dienste der Reformation (P. Gengenbach, N. Manuel). – Seit etwa 1550 wird das F. durch andere Gattungen des weltl. Dramas mehr und mehr verdrängt; mit dem Ende des 16. Jh.s endet die Geschichte des F.s als einer literar. Gattung. Im 18. Jh. veröffentlicht Gottsched auszugsweise einige F.e von Rosenplüt, Probst und H. Sachs (»Nöthiger Vorrath zur Geschichte der dt. dramat. Dichtkunst . . .«, 1757). Ende des 18. Jh.s greift die Literaturfarce des Sturm und Drang und der frühen Romantik auf das formale Vorbild des F.s zurück (Goethe, »Satyros oder der vergötterte Waldteufel«, »Ein Fastnachtspiel vom

Pater Brey«; A. W. Schlegel, »Ein schön kurzweilig Fastnachtsspiel vom alten und neuen Jahrhundert«). *Textsammlungen:* Wuttke, D. (Hg.): F.e des 15 u. 16. Jh.s. Stuttg. 1973 (mit Bibliogr.). – Keller, A. v. (Hg.): F.e aus dem 15. Jh. 4 Bde. Stuttg. 1853-58; Nachdr. Darmst. 1965 f. **ILK** Krohn, R.: Der unanständ. Bürger. Kronberg 1974. – Lenk, W.: Das Nürnberger F. als Dichtung. Bln 1973. – Catholy, E.: F. Stuttg. 1966 (SM 56). – Ders.: Das F. des Spät-MA.s. Tüb. 1961. – RL. (Spiele, mal. weltl.). **K**

Fatras, m. [fa'tra; frz. = Plunder, Wortschwall], Gattung der frz. Lyrik, ursprüngl. 11zeil., gereimte Strophen (Schema: aab aab babab), die zusammenhanglos paradoxe Einfälle oder absurde Vorgänge aneinanderreihen (auch als *Fatrasie*, f. bez.); bezeugt seit dem 13. Jh., meist anonym (in der Slg. »Les F. d'Arras«: 55 F.); aber auch von dem Dichter und berühmten Juristen Ph. de Rémi, Sire de Beaumanoir (13. Jh.) sind 11 F. überliefert. – Seit dem 14. Jh. wird jeder F.-Strophe ein Distichon vorangestellt, dessen zwei Zeilen jeweils deren 1. und 11. Vers bilden und Reim und Versform bestimmen (AB Aab aab babaB); im 15. Jh. entwickelt Baudet Herenc (»Doctrinal«, 1432) aus diesem sog. *F. simple* den *F. double* (nach der 1. Strophe wird in der zweiten das Distichon umgekehrt verarbeitet) und veröffentlicht neben dem übl. paradoxen F. (dem *F. impossible*) sog. *F. possibles* mit sinnvollem Text. Diese werden v. a. in den ⁄Puys gepflegt und bleiben bis ins 17. Jh. lebendig; überliefert sind 64 Beispiele, z. T. als Parodien, z. T. in andere Texte integriert oder als poet. Muster. Vgl. auch ⁄Baguenaude, ⁄Coq-à-l'âne. **ILK** Porter, L. C.: La fatrasie et le f. Paris, Genf 1960. **IS**

Faustverse, s. ⁄Madrigalverse.

Fazetie, f. [lat. facetia = Witz, Scherz, von facetus = fein, elegant, witzig], *Scherzrede, pointierte Kurzerzählung*, ⁄Anekdote *in lat. Prosa*, voll Spott und Ironie, oft erot. getönt. Im 15. Jh. als Produkt der italien. ⁄Renaissance durch den Florentiner G. F. Bracciolini, genannt Poggio, in die Weltliteratur eingeführt (»Liber facetiarum«, posthum ca. 1470). Durch Ausgaben und Übersetzungen (H. Steinhöwel, 1475) in Deutschland (und Frankreich) heimisch geworden, wird der Typus der F. Poggios bald eifrig nachgeahmt, doch erliegen die dt. Bearbeiter nicht selten der Gefahr des Moralisierens (vgl. A. Tünger, »Facetiae latinae et germanicae«, 1486, das erste dt.[-lat.] F.nbuch; S. Brant, 1500 u. a.). Der F.nstil dringt auch in ⁄Predigtmärlein (Geiler von Kaisersberg) und, z. T. vergröbert, in die ⁄Schwankliteratur ein (J. Wickrams »Rollwagenbüchlein«, 1555), ferner in die innerhalb der Universitätsdisputationen übl. gewordenen »Quaestiones de quodlibet«. In Deutschland wird H. Bebel zum Vollender der F. (»Libri facetiarum«, 1508–12, drei Bücher, lat.), die bei ihm zwar schwäb.-volkstüml. Züge trägt, doch mit ihrer heiteren Pikanterie der geschliffenen pointierten Form dem italien. Vorbild wesensverwandt wird. Eine weitere Sammlung mit eigenen lat. F.n und solchen von Poggio, Bebel u. a. stellte N. Frischlin zusammen (»Facetiae selectiores«, 1600). Mit der eigtl. F. wenig mehr als den Namen gemein hat die (wohl im 12. Jh. entstandene, »Facetus« oder ⁄Supplementum Catonis« genannte) *Slg. lat. Sprichwörter* (meist endgereimte Hexameter), »Cum nihil utilius humane credo saluti«. Trocken moralisierend, dient sie auf dt. Schulen lange zu Lehrzwecken und wird im 14. und 15. Jh. häufig übersetzt, so auch von S. Brant (1490). **ILK** Zatocil, L.: Cato a Facetus . . . Zu den dt. Cato- und Facetusbearbeitungen. Brünn 1952. – Vollert, K.: Zur Gesch. der lat. F.nsammlungen des 15. und 16. Jh.s. Bln 1912. – Schröder, C.: Der dt. Facetus. Bln. 1911. – RL. MS*

Feature ['fi:t∫ər; engl. = Aufmachung, von lat. factura = das Machen, die Bearbeitung], Bez. für einen auf die spezif. Bedingungen eines Mediums abgestimmten Bericht. Das *Rundfunk-F.* ist ein stärker als das ⁄Hörspiel an den medialen Möglichkeiten des Hörfunks orientierter Sendetyp, ein auf eine geschlossene Spielhandlung verzichtet. Er bereitet zumeist aktuelle Ereignisse oder Sachverhalte aus Zeitgeschehen und Politik (aber auch Reiseberichte) unter oft artifizieller Verwendung radiogener Ausdrucksmittel (Reportage, Dokument, Tonzitat, Kommentar, Statement, Dialog, Interview, elektro-akust. Effekte) publikumswirksam auf. Als »Zweckform« definiert (A. P. Frank), ist seine Bewertung abhängig von seiner Plazierung im Programm (Schulfunk, literar. Nachtprogramm, Hörspielprogramm u. a.). Eine Abgrenzung gegenüber dem Hörspiel ist, u. a. durch ein uneinheitl. Hörspielverständnis bedingt, nicht immer leicht möglich. Als *Vorform,* wenn nicht sogar erste Ausprägung des F. muß die seit ca. 1930 in Berlin erprobte Hörspielform des *Aufrisses* gelten, der Versuch, »ein Thema der Geschichte oder des Zeitgeschehens, eine Erscheinung des äußeren oder ein Problem des inneren Lebens in Variationen zu behandeln. Dokumentar. Zeugnisse standen neben Spielszenen, realist. Diskussionen neben literar. Spiegelungen, scheinbar ungeordnet, und doch innerl. gebunden und die Totalität anstrebend« (A. Braun). Während in Deutschland nach 1933 an die Stelle des Aufrisses der ⁄Hörbericht, das ⁄Hörbild traten, entwickelte sich vor allem in den angelsächs. Ländern die F. zu einer eigenständigen Funkform, zu deren wichtigsten Vertretern N. Corwin zählt. Nach dem Kriege wurde im NWDR nach dem Vorbild der BBC eine eigene Abt. »Talks and Features« eingerichtet; es begann eine zunächst am angelsächs. Vorbild orientierte umfangreiche F.-Produktion mit den Autoren P. v. Zahn (»London, Anatomie einer Weltstadt«, 1947), A. Eggebrecht (»Was wäre, wenn . . .«, 1947), E. Schnabel (»Der 29. Januar«, 1947; »Ein Tag wie morgen«, 1950). – A. Anderschs »Der Tod des James Dean« (1960) markiert hier ein vorläufiges Ende. Allerdings tauchen nach einem zeitweiligen Absinken des F.s zu lediglich einer Art von Stimmungsberichten (P. L. Braun: »Hühner«, 1967; »Catch as catch can«, 1968) seit Mitte der 60er Jahre (u. a. in Hörspielen J. Thibaudeaus, M. Butors, P. O. Chotjewitz', W. Wondratscheks) wiederum zunehmend Elemente des F.s auf, wobei der Begriff der Montage jetzt allerdings durch Collage ersetzt wird. – Das *F. im Zeitungswesen* arbeitet mit den Stilmitteln der ⁄Reportage, doch geht das F. durch Erläuterung und Aufhellung der Hintergründe und Zusammenhänge über die Reportage hinaus. Das *F. bei Film und Fernsehen,* das undramat. Stoffe, Tatbestände und Sachverhalte gestaltet, hat primär dokumentar. Charakter, gewinnt jedoch durch jeweils dem Stoff angepaßte Elemente und dramaturg. Mittel an Lebendigkeit und Eindringlichkeit und unterscheidet sich so von der reinen Dokumentation. □ Hülsebus-Wagner, Ch.: F. u. Radio-Essay. Aachen 1983. – Auer-Krafka, T.: Die Entwicklungsgesch. des westdt. Rundfunk-F.s v. d. Anfängen bis zur Gegenwart. Wien 1980. – Fischer, E. K.: Das F. In: Das Hörspiel. Stuttg. 1964. – Schwitzke, H.: Im Anfang war das F. In: Das Hörspiel. Köln/Bln. 1963. – Frank, A. P.: Das F. In: Das Hörspiel. Hdbg. 1962. – Harral, S.: The F. Writer's Handbook. Norman (Okla.) 1958.   D

Feengeschichten. 1. Mythen, ⁄Märchen, ⁄Sagen, in denen Feen, zauberkund. Naturmächte in Frauengestalt (z. T. in Gruppen) auftreten und im guten oder bösen in menschl. Geschicke eingreifen.
2. poet. Ausgestaltungen volkstüml. Feenstoffe, v. a. aus kelt. (ir.-walis. und breton.) und ind.-oriental. (»1001 Nacht«) Traditionen. Eine *erste Blüte* erlebten literarisierte F. im 12.Jh.: gestaltet werden Stoffe aus dem kelt. Artussagenkreis: vgl. den »Roman de Brut« des Anglo-Normannen Wace (1155), die Verserzählungen der Marie de France (1165/75: »Lai von Lanval«, »Lai von Guingamor«, »Lai von Yonec«), die vom gesamten Abendland rezipierten ⁄höf. Romane um König Artus (und seiner feenhaften Schwester Feimorgan; bes. »Iwein«), die Romane »Huon de Bordeaux« (13.Jh., Oberon-Motiv) oder »Bueve de Hantone«, die alle stoffl. Fundgruben für viele weitere F. wurden. Neben Nachahmungen finden sich bald sowohl literar. Kompilationen (später bes. als Volksbücher) als auch Ausformungen einzelner Motive zu neuen F. (»Aube-ron«, Turin 1311, »Wigamur«, »Gauriel« u. v. a.) oder F. als Episoden in verschiedenster Funktion integriert in bedeutende Dichtungen (z. B. in den Rolandepen Boiardos und A riosts, 1486 bzw. 1516/31, oder in Tassos »Gerusa-lemme liberata«, 1581: Die Episode um die Fee Armida lieferte Stoff für über 10 Opern, u. a. bei Lulli 1686, Händel 1711, Gluck 1778, Haydn 1784; Rossini 1817). *Ende des 16. Jh.s* wurden durch E. Spensers allegor. Versepos »Faerie Queene« (1590/96) arthur. F. in England wieder belebt (Feendramen von R. Greene, Shakespeares »Midsummer-night's dream«, 1595, B. Jonsons »Oberon, the fairy prince« 1610 u. a.). Seit *Mitte des 17. Jh.s* werden bes. in Frankreich F.n zur literar. Mode der frz. ⁄Salons, nunmehr ästhetisiert und zu galant-höf. ⁄Kunstmärchen ausgeschmückt (vgl. die »Contes des fées« der Mme M. C. d'Aulnoy [4 Bde. 1698–1711], die Sammlungen der Mme H. J. de Murat, Mlle Lhéritier, Mlle Ch.-R. de La Force, auch die mehr volkstüml. gehaltenen »Contes de ma mère l'Oye« von Ch. Perrault [1697] und die zahlreichen Feendramen, -opern, -ballette, -pantomimen, sog. ⁄Féerien). Stoffl. bereichert wurde die Gattung durch die erste europ. Übersetzung des gesamten Erzählschatzes von »1001-Nacht« durch A. Galland 1704 ff. Trotz der Ablehnung (Boileau) und Persiflierung dieser Feenmode (Lesage, A. v. Hamilton) verloren F. nichts von ihrer Beliebtheit: seit 1749 entstanden umfangreiche Sammlungen, deren Abschluß (und zugleich Ende der Feenmode) das 41bänd. »Cabinet des fées« (1785–89) darstellt. – In *Deutschland* erfolgt die Rezeption dieser literar. Mode in der 2. Hälfte des 18.Jh.s, insbes. durch Ch. M. Wielands »Don Sylvio«, 1764 (mit der damals *bekanntesten dt. F.geschichte* »Biribinker«) und »Oberon«, 1780; ferner durch Übersetzungen (erste 1761) und Sammlungen (u. a. »Dschinnistan«, 3 Bde. 1786–89 hrsg. von Wieland oder »Blaue Bibliothek«, 12 Bde. 1790–1800, hrsg. von F. J. Bertuch). Auch in der Romantik wurden Feenstoffe literar. gestaltet (z. B. der Undine-, Melusine-Stoff bei L. Tieck, C. Brentano, A. v. Arnim, E. T. A. Hoffmann, F. de la Motte Fouqué, H. Heine). – In *England* griffen u. a. P. B. Shelley (»Queen Mab«, 1813) und A. Tennyson (»Idylls of the King«, 1859/88) zur Einkleidung philosoph. oder kulturkrit. Ideen auf arthur. F. zurück. – Auch in modernen Dichtungen finden sich alte F. verarbeitet, z. B. bei G. Hauptmann (»Die versunkene Glocke«, 1897), J. Giraudoux (»Ondine«, 1939).
□ ⁄Kunstmärchen, ⁄Märchen.   IS

Féerie, f. [fe'ri:; frz.], szen. Aufführung einer ⁄Feengeschichte (auch als Singspiel, Oper, Ballett, Pantomime) unter Verwendung aller bühnentechn. Mittel mit großem Kostüm- u. Ausstattungsaufwand. – F.n waren im Rahmen der literar. Feenmode seit Mitte des 17. Jh.s v. a. in England (F.ausstattungen von Inigo Jones) und Frankreich (als sog. F.s à grand spectacle) beliebt; im 18. Jh. erregten die F.n von A. Sacchi (für die Feenmärchen C. Gozzis, 1761/62) oder von D. Garrick und dem berühmten Bühnenbilder de Loutherbourg (für das Drury-Lane-Theatre London, seit 1770) Aufsehen, ebenso die zu F.n ausgestalteten Shakespeareinszenierungen (insbes. des »Sommernachtstraums« der Romantik oder anfangs des 19.Jh. die F.n der Wiener Vorstadttheater (v. a. F. Raimunds Inszenierungen seiner ⁄Zauberstücke) oder die F.pantomimen von J.-B. G. Debureau.   IS

Félibrige, m. [feli'bri:ʒ; zu neuprov. félibre = Kenner, Gelehrter; von F. Mistral einem alten Kirchenlied entnommen; Etymologie umstritten], von Th. Aubanel, F. Mistral, J. Roumanille u. a. am 21.5.1854 gegründeter Dichterbund, der sich die »Ehrenrettung und Wiederherstellung der prov. Sprache und des prov. Kulturgutes« (Mistral) zur

Aufgabe machte. Als Vorbild diente die mal. tolosan. Dichtergesellschaft des »Consistori de la Subregaya Companhia del ╱ Gai Saber« (vgl. auch ╱ Blumenspiele). Die in prov. Sprache geschriebenen Dichtungen Roumanilles (»Li Nouvè«: Weihnachtsgedichte; »Li Conte Prouvençau e li Cascareleto«: Märchen und Schwänke), Aubanels (»La Mióugrano entreduberto« – Der halbgeöffnete Granatapfel u. a.) und bes. Mistrals (die Versepen »Mirèio«, »Calendau«, »Lis Isclo d'Or«, »Nerto« u. a.) waren sehr erfolgreich, ebenso ihr seit 1855 erscheinender prov. Almanach (»Armana Prouvençau«, eine Mischung aus Hauskalender, Dichteranthologie und polit. Regionalorgan). Mit der vorausgehenden Wiederentdeckung der Trobadordichtung durch die Gelehrten A. Fabre d'Olivet, H. P. Rochegude und F. Raynouard begründete der F. eine Renaissance der prov. Literatur in der 2. Hälfte des 19. Jh.s. Heute ist der F. im gesamten prov.-katalan. Sprachbereich verbreitet und in acht »Mantenenço« (Bezirke) gegliedert, in denen die örtl. Dichtervereine des F., sog. ›Schulen‹, zusammengefaßt sind. Die heute maßgebl. Publikationsorgane des F. sind neben dem Almanach die seit 1919 erscheinende Zeitschrift »Lo Gai Saber« und die wissenschaftl. anspruchsvolle »Revue des Langues romanes« (seit 1870). Weitere Dichter des F. sind A. Marin, C. Hugues, Ch. Rieu, V. Bernard, J. Arbaud, M. Camelat, P. Estieu, A. Perbosc, S. A. Peyre, B. Durand, P. L. Grenier, J. P. Tennevin. – Der F. ist heute (nach einem Jh. polit. und poetolog. Richtungskämpfe) z. T. in rituellem »Mistralismus« und bunter Folklore erstarrt. Die jüngeren, meist linksengagierten prov. Autoren wie S. Bec, P. Pessemesse und Y. Rouquette, die sich um das »Institut d'Études Occitanes«, das »Comité Occitan d'Études et d'Action« und R. Lafonts Zeitschrift »Viure« (seit 1965) formieren, stehen in scharfer Opposition zum F. *Texte:* Lyr. Auswahl aus der Félibredichtung. Hrsg. v. K. Voretzsch. 2 Bde. Halle/Saale 1934/36.
🕮 Lafont, R./Anatole, Ch.: Nouvelle histoire de la littérature occitane. 2 Bde. Paris 1971. – Jan, E. v.: Neuprov. Lit. gesch. 1850–1950. Hdbg. 1959.   PH*

Fermate, f. [it. fermata = Halt, Ruhepunkt], eine das metr. Schema sprengende Dehnung meist der letzten oder vorletzten Silbe eines Verses, z. B. im sog. ╱ Fermatenreim.   S

Fermatenreim, Dehnung von unbestimmter Dauer der letzten oder vorletzten Reimsilbe in gesungener Lyrik; von manchen Forschern (Heusler) in der Lyrik des MA.s, der Meistersänger und im ev. Kirchengesang des Barock vermutet.   S

Fernsehspiel, gelegentl. auch: Fernsehstück; Bez. für eine spezif. Sendeform im Fernsehen (auch Sammelbez. für formal verschiedenartige Sendeformen). Eine experimentelle und strikte Erprobung eigengesetzl. Möglichkeiten und Spielformen ist durch frühzeitige Übernahme von Techniken, Vorstellungen aber auch Vorurteilen aus der Theater-, vor allem der Filmdramaturgie wesentl. erschwert worden. Die bisherigen Versuche, das F. gegenüber dem Theaterstück bzw. Film abzugrenzen, beschreiben überwiegend nur äußerliche, zumeist ledigl. techn. bedingte Unterschiede und sind – darüber hinausgehend – oft nur bedingt haltbar: so können z. B. der Auffassung, die Funktion des Wortes sei im F. nicht wie im Film der Funktion des Bildes unter-, sondern gleichwertig zugeordnet, leicht Beispiele entgegengehalten werden, die weitgehend auf das gesprochene Wort verzichten. Ebenso unbefriedigend wie die Abgrenzungsversuche gegenüber Film und Theaterstück sind auch die Versuche geblieben, eine »Eigengesetzlichkeit der Gattung« F. zu beschreiben. Allgemein subsumiert man unter F. heute das *eigentliche Fernsehspiel*, die »eigens für dieses Medium konzipierte Form eines Stoffes, der bisher weder in Drama, Epik und Lyrik noch im Hörspiel oder Spielfilm seinen Niederschlag fand«(T. Schwaegerl), die *Fernsehspieladaption* eines Theaterstücks, eines Hörspiels

oder einer ep. Vorlage, den *Fernsehfilm* als einen »eigens für eine Wiedergabe auf dem Bildschirm gedrehten Filmstreifen, bei dessen Entstehung film. Hilfsmittel verwendet werden«(Schwaegerl) und das *Live-Spiel,* das auf die techn. aber auch aesthet. Möglichkeiten der Aufzeichnung verzichtet, neuerdings aber kaum noch im Programm erscheint. Das aus dem engl. »Semi-Documentary« hervorgegangene *dokumentar. F.* sollte gesondert und als selbständiger Typ des F. zwischen dem Information aufbereitenden *Fernseh-Feature* und dem eigentl. F., von dem es sich formal manchmal nur geringfügig unterscheidet, beschrieben werden. Als »szenische Dokumentation«, als »dokumentarisches Nachspielen der Wahrheit« (G. Sawitzki) definiert, erscheint es in dem Maße, in dem es sich durch Aufnahmen von Formelementen anderer Sendeformen wie Dokumentation, Bericht, Reportage, Interview, Kommentar u. a. dem Fernseh-Feature nähert, als die am ehesten medienspezifische Form des F. Unbestritten ist die Bedeutung des Fernsehens für die Vermittlung von wichtigen, sonst kaum oder nur schwer zugängl. Filmen, für die Verbreitung wichtiger Theaterinszenierungen, die entweder direkt übertragen oder mit (durch die bewegl. Kamera möglichen) leichten Stilisierungen aufgezeichnet und später gesendet werden. Bereits an der Grenze zur Fernsehspieladaption eines Theaterstückes sind Studio-Inszenierungen, die mit film. Techniken wie kurze Einstellung, Schwenk, Großaufnahme, Schnitt, Montage u. a. das Theaterstück den Bedingungen des Bildschirms von vornherein anpassen. Derartige Klassikeraufführungen, die ein »völlig heterogenes Millionenpublikum erreichen« wollen, lassen das Fernsehen zum »größten Theater Deutschlands«(G. Rohrbach) werden. Ihnen entspricht auf dem Unterhaltungssektor eine wachsende Serienproduktion von F.n mit stereotypen Handlungsabläufen, die zu festen Programmzeiten vom Zuschauer erwartet werden. Umstritten sind dabei die Auswirkungen von gezeigter Brutalität (etwa in Kriminalfilmund Wild-West-Film-Serien) auf v. a. jugendl. Zuschauer. Als wichtige und bekannte Autoren von F.n gelten u. a.: L. Ahlsen, W. Arden, S. Beckett, P. Chayefsky, H. v. Cramer, T. Dorst, R. W. Fassbinder, Ch. Geissler, W. Hall, F. v. Hoerschelmann, C. Hubalek, E. Ionesco, H. Kipphardt, P. Lilienthal, D. Meichsner, D. Mercer, E. Monk, J. Mortimer, T. Mosel, G. Oelschlaegel, K. Otsu, H. Pinter, T. Rattigan, R. Rose, T. Schübel, R. Stemmle, O. Storz, Th. Valentin, A. Wesker, K. Wittlinger, T. Willis.
🕮 Hickethier, K.: Das F. der Bundesrepublik. Stuttg. 1980. – Schneider, Irmela (Hrsg.): Dramaturgie des F.s. Mchn. 1980. – Waldmann, W.: Das dt. F. Wiesbaden 1977. – Rüden, P. v. (Hrsg.): Das F. Mchn. 1975. – Elghazali, S. R.: Lit. als F. Veränderungen literar. Stoffe im Fernsehen. Hamb. 1966. – Lingenberg, J.: Das F. in der DDR. In: Rundfunk u. Fernsehen 1966, H. 3, S. 296–323. – Weiß, M. R.: The TV Writer's Guide. London 1959.
Texte: Acht F.e. Ausw. und Nachw. von H. Schmitthenner. Mit drei Beitr. zur Ästhetik des F.s von H. Gottschalk, G. Rohrbach und R. Noelte. Mchn. 1966.   D*

Festspiel,
1. Aufführung eines Bühnenwerkes bei festl. Anlaß; ursprüngl. sakralen Charakters: wohl liturg. Begehungen im Rahmen kult. Feiern, wobei die Taten und Leiden der Götter und Heroen bzw. Christi und der Heiligen rituell nachvollzogen werden; aus diesen Begehungen entwickeln sich im Laufe der Zeit festl. Aufführungen dramat. Werke. *Kult. F.e* in diesem Sinne sind das antike Drama, das dem Dionysoskult entspringt und auch in klass. Zeit im Rahmen der jährl. att. ╱ Dionysien aufgeführt wird, und das ╱ geistl. Spiel des MA.s, das entstehungsgeschichtl. mit den hohen christl. Festtagen verbunden ist (╱ Passions- und ╱ Osterspiele, ╱ Weihnachtsspiele, ╱ Mysterienspiele an den Tagen der Heiligen usw.). – In Renaissance und Barock werden Fest und F. einem Säkularisierungsprozeß unter-

worfen. An die Stelle des kult. Festes mit der Feier des Gottes tritt das *höf. Fest* mit der Feier des absoluten Monarchen; an die Stelle des geistl. Dramas tritt das repräsentative F., das sich durch prunkvolle Ausstattung und durch das Zusammenwirken von Musik, Tanz, Pantomime, Dichtung, Malerei und Architektur auszeichnet (/Gesamtkunstwerk). Äußerer Anlaß solcher F.e sind Siegesfeiern, fürstl. Hochzeiten u. a. Besondere Formen des höf. F.s des 16.–18. Jh.s sind /Trionfi als allegor. Festzüge, die höf. /Oper und das große Ballett. – Im 18. Jh. wird die höf. F.idee durch den Gedanken eines *nationalen F.s*, das der glanzvollen Selbstdarstellung der bürgerl. Nation dienen soll, abgelöst. Hierher gehören J. E. Schlegels und G. E. Lessings Bemühungen um ein dt. /Nationaltheater, v. a. aber F. G. Klopstocks Versuche, mit seinen für festl. Freilichtaufführungen geplanten /Bardieten um den nationalen Heros Hermann den Cherusker die griech. Tragödie als Feier nationaler Freiheit in demokrat.-revolutionärem Sinne zu erneuern. Ähnl. Vorstellungen leiten im 19. Jh. R. Wagner bei der Gründung des Bayreuther F.e, die 1876 mit der ersten Gesamtaufführung von Wagners »Ring des Nibelungen« eröffnet werden; Wagners F.idee entsprang seiner Auseinandersetzung mit der bürgerl. Revolution von 1848; seine F.e sollten eine von jedem kommerziellen Theaterbetrieb streng unterschiedene Selbstdarstellung der durch die Revolution zu ihrem eigenen Begriff gekommenen Menschheit sein. In der Praxis wurden sie freilich zu Theateraufführungen, die sich vom gängigen Theaterbetrieb ledigl. durch ihre überdurchschnittl. künstler. und interpretator. Qualität auszeichnen. – Dies charakterisiert auch den *modernen F.begriff*: F.e als Aufführungen von Bühnenwerken (oder musikal. Werken) durch außerordentl. qualifizierte künstler. Kräfte, die sich, aus Anlaß der in der Regel mehrere Tage oder Wochen dauernden F.e, meist einmal im Jahr an einem bestimmten Ort treffen. Neben den Bayreuther F.en (den Werken Wagners vorbehalten) sind hier besonders die Münchener F.e (seit 1901; im Mittelpunkt stehen die Werke Wagners und R. Strauß'), die Salzburger F.e (seit 1920; begründet durch H. v. Hofmannsthal und M. Reinhardt), der Maggio Musicale Fiorentino (seit 1933) und das Glyndebourne Festival (seit 1934; im Mittelpunkt stehen die Werke Mozarts) zu nennen. –
2. Ein eigens für eine F.aufführung verfaßtes Bühnenwerk. – Das F. als dramat. Gattung spielt v. a. in Renaissance und Barock eine Rolle. In der dt. Dichtung sind besonders die zahlreichen F.e des 17. Jh.s anläßl. der Beendigung des 30jährigen Krieges zu nennen (z. B. J. G. Schottel, »Neu erfundenes Freuden Spiel genandt Friedens Sieg«, 1648; S. von Birken, »Margenis, oder das vergnügte, bekriegte und wieder befreite Deutschland«, 1650; J. Rist, »Das freudejauchzende Teutschland«, 1653). Höf. F.e sind auch Goethes »Palaeophron und Neoterpe« (1800, zu Ehren Anna Amalias) und Schillers »Huldigung der Künste« (1804, aus Anlaß der Ankunft der Erbprinzessin Maria Pawlowna in Weimar); in der Tradition der höf. Trionfi stehen Goethes allegor. Maskenzüge. – F.e aus Anlaß nationaler Feierlichkeiten sind Goethes »Des Epimenides Erwachen« (1814, geschrieben anläßl. des Einzugs Friedrich Wilhelms III. von Preußen in Berlin nach dem Sieg über Napoleon, aufgeführt erst 1815 anläßl. der Jahresfeier der Einnahme von Paris) und G. Hauptmanns »F. in dt. Reimen« (1913, anläßl. der Säkularfeier der Schlacht bei Leipzig), beides umstrittene Werke, da sie den nationalist. Vorstellungen des Publikums nicht genügten. – Wagner bezeichnet seinen »Ring des Nibelungen« als »Bühnenf.«, seinen »Parsifal« als »Bühnenweihf.«.

☐ Melchinger, S.: Sphären u. Tage. Städte, Spiele, Musik. Hbg. 1962. – RL. K

Feszenninen, f. Pl. (versus fescennini, altital., ursprüngl. improvisierte Gesänge voll derben Spotts, nach der Stadt Fescennium in Etrurien benannt; ursprüngl. wohl bei Ern-

tefesten, dann v. a. bei Hochzeiten gesungen (vgl. dagegen Epithalamium, /Hymenaeus), aber auch von Soldaten beim Triumphzug. Literar. geworden in den (nicht erhaltenen) F. des Annianus (2. Jh. n. Chr.), auf die sich Ausonius beruft. MS

Feuilleton, n. [fœj(ə)'tõ:; frz. = eigentl. Beiblättchen (einer Zeitung), von feuille = Blatt],
1. Bez. für den kulturellen Teil einer Zeitung; enthält Nachrichten und Kommentare aus dem Kultur- und Geistesleben, Buchrezensionen, belehrende, populärwissenschaftl. und unterhaltende Beiträge, Auszüge aus literar. Werken, Gedichte und meist einen /Fortsetzungsroman. – Vorläufer sind sogenannte »Gelehrte Artikel« in den Zeitungen der Aufklärung mit kulturellen Nachrichten, allgem. moral. Betrachtungen, z. T. auch literar. Kritik; berühmt ist z. B. der »Gelehrte Artikel« in den »Berlinischen privilegirten Nachrichten« (der sog. »Vossischen Zeitung«), dessen Mitarbeiter und späterer Redakteur Lessing war (1748 bzw. 1751–1755). Die *heutige Bez.* und die Form des F.s gehen zurück auf den frz. Abbé J. L. de Geoffroy, der 1800 einem dem »Journal des Débats« lose eingelegten Anzeigenblatt durch seine geistreich. beigefügten Betrachtungen zu Kunst, Literatur etc. so viele Leser gewann, daß dieses ›F.‹ 1801 in die Zeitung integriert und vom polit. Hauptteil durch einen dicken schwarzen Strich abgetrennt wurde. Während der napoleon. Pressezensur wurden solche F.s zum wichtigen, wenn auch verschlüsselten Organ freier (auch polit.) Meinungsäußerungen (Beiträge z. B. v. Chateaubriand, dem berühmten Kritikerkönig Jules Janin u. v. a.). Bez., Anlage, Stil und verhüllte polit. Funktion des frz. F.s wurden in die zensierte dt. Presse des Vormärz übernommen und, bes. durch das Junge Deutschland, wirkungsvoll eingesetzt (Heine, Börne, Glassbrenner, L. Schücking, F. Kürnberger u. a.); die Anordnung ›unterm Strich‹ findet sich in Deutschland erstmals im »Nürnberger Correspondenten«, 1831. – In seinen verschiedenen polit., weltanschaul. u. kulturkrit. Tendenzen ist seither das F. ein wichtiges Instrument geist. Auseinandersetzungen, insbes. auch der /Literaturkritik (vgl. z. B. um die Jh.wende die F.s der Berliner und Wiener Presse), und bis heute, trotz anderer Medien, durch die Mitarbeit bedeutender Publizisten als Vermittler neuer Ideen, Kunst- und Geschmacksrichtungen ein wichtiger kulturpolit. Faktor.
2. Bez. für den einzelnen, kulturelle Fragen behandelnden Beitrag im F. einer Zeitung; umgangssprachl. oft synonym mit /Essay verwendet, mit dem es grundsätzl. die themat. Freiheit und gewisse Strukturen (z. B. die subjektive, locker komponierte, unsystemat.-assoziative Darstellung) verbindet. Jedoch sind F.s meist wesentl. kürzer, skizzenhafter, für ein breiteres Publikum einer Zeitung weniger exklusiv in Thema, Problematik und log.-dialekt. Durchführung (z. B. meist Verzicht auf geistesgeschichtl. Voraussetzungen, gelehrte Anspielungen, Zitate) dafür stärker von Aktuellem ausgehend, suggestiver, ›interessanter‹, pointierter in der Sprachgebung. Als Begründer u. zugleich erster Meister des F.s in Deutschland gilt L. Börne. – Als *Feuilletonismus* bez. man abwertend die Gefahren dieser Denk- und Stilhaltung (wie sie bei manchen in der Tagesroutine flüchtig hingeworfenen F.s auftreten können): so die versierte Verwendung schablonisierter affektiver Sprachformeln, welche anstelle log. Argumentation nur brillant formulierte Scheinlösungen bieten, die eine emotionale Zustimmung, nicht die Überzeugung des Lesers beabsichtigen. Bes. K. Kraus bekämpfte solchen sprachl. und log. Feuilletonismus in seiner Zeitschrift »Die Fackel« (1899–1936); H. Hesse wertet im »Glasperlenspiel« (1943) das 20. Jh. als »feuilletonist. Zeitalter« ab. – Als bedeutende Meister des F.s (und oft zugleich des Essays) gelten u. a. D. Spitzer, P. Altenberg, H. Bahr, A. Polgar, F. Blei, E. Friedell, A. Kerr, V. Auburtin, K. Tucholsky, F. Sieburg, E. E. Kisch, H. Krüger, W. Haas, M. Rychner, W. Weber, B. Reifenberg, D. Sternberger,

Hans Mayer, M. Reich-Ranicki, W. Jens, P. Wapnewski, F. Raddatz.

📖 Jacoby, R.: Das F. des Journal des Débats von 1814–1830. Tüb. 1988. – Bender, H. (Hrsg.): Klassiker des F.s. Stuttg. 1965. – Knobloch, H.: Vom Wesen des F.s. Halle 1961. – Haacke, W.: Hdb. des F.s. 3 Bde. Emsdetten 1951/53.   IS

Fibel, f. [kindersprachl. entstellt aus ›Bibel‹, die anfangs den Lesestoff lieferte (im Kindermund Dissimilation von b zu f vor folgendem b)], Lesebuch für den Anfangsunterricht in der Schule, in übertragener Bedeutung auch Lehrbuch zur elementaren Einführung in bestimmte Wissensgebiete (z. B. Gesundheits-F., Verkehrs-F.); als Wort erstmals nach 1400 in Norddeutschland (fibele), schriftsprachl. geworden durch Luther (1525). Als *älteste dt. F.* gilt der handschriftl. »Modus legendi« von Christoph Hueber (1477, in dt. Sprache). Begünstigt durch die Erfindung des Buchdrucks entstehen in den folgenden Jh.en eine Vielzahl von F.n unter den verschiedensten Titeln (ABC-Buch, Buchstabierbüchlein, Grundbiechl, Tafel-, Figurenbüchel u. a.). Sie folgen alle der Buchstabiermethode und sind bestimmt durch vorwiegend relig. Inhalt; erst zu Beginn des 19. Jh.s geht man allmähl. zur Lautiermethode über. Gleichzeitig setzt sich die Forderung nach sog. Schreib-Lese-F.n durch, die das Erlernen von Schreiben und Lesen kombinieren. Inhaltl. tritt das religiöse, später auch das eth. Moment zurück zugunsten des Versuchs, den Inhalt sachl. und sprachl. stärker der kindl. Erlebnis- und Erfahrungswelt anzunähern. ⁄Bilderbuch ⁄Lesebuch.
📖 Gümbel, R.: Erstleseunterricht. Königstein/Ts. 1980. – Grömminger, A.: Die dt. F.n der Gegenwart. Weinheim 1970. – Gabele, P.: Pädagog. Epochen im Abbild der F. Mchn. 1962. – Muth, J. (Hrsg.): Fünf F.n aus fünf Jh.en. Bad Godesberg 1962. – Schmack, E.: Der Gestaltwandel der F. in vier Jh.en. Ratingen 1960.   S

Fiction [fikʃən; engl. = Erdichtetes], in der engl. und angloamerikan. Literaturwissenschaft Sammelbez. für fiktive *Erzähl*literatur (Prosadichtungen, Romane; vgl. z. B. science f.); dagegen ⁄Fiktion (Wesensmerkmal ep. und dramat. Gattungen).   S

Figur, f. [lat. figura = Gestalt],
1. sprachl. Kunstmittel, s. ⁄rhetor. Figuren;
2. (Neben-)Gestalt in einem literar. Werk (im Drama auch als Figurant bez.).   S

Figura etymologica, f. [lat. Kunstwort für griech. schéma etymologikón = etymolog. Figur], Wortspiel, Sonderfall der ⁄Paronomasie: Verbindung zweier oder mehrerer Wörter des gleichen Stamms zur Ausdruckssteigerung, oft unter Suggerierung eines dem lautl.-etymolog. Verhältnis entsprechenden inneren Zusammenhangs; auch als Mittel der Komik; z. B. einen schweren *Gang gehen; betrogene Betrüger*.   HSt

Figuraldeutung [lat. figura = Gestalt, Anspielung], typolog. Form mal. Exegese, bei der Geschehnisse oder Gestalten nicht allein aus sich heraus, sondern in ein umfassendes Bedeutungsnetz einbezogen werden, insbes. als Vorausdeutung im Rahmen der Heilsgeschichte, z. B. die Opferung Isaaks im AT wird als ⁄Präfiguration des Opfers Christi im NT gedeutet. Auch auf antike Texte angewandt. Vgl. auch ⁄Typologie, ⁄Biblia typologica.   S

Figurant, m. [lat. figurare = gestalten], älterer Fachausdruck der Bühnensprache: Statist, stumme (Neben)rolle; im Ballett: Corpstänzer (Ggs. Solotänzer).

Figurendrama, nach W. Kayser eine von drei idealtyp. Ausprägungen der Gattung ⁄Drama. – Im F. entfaltet sich der Ablauf des Geschehens aus dem Charakter der Hauptgestalt; es unterscheidet sich dadurch vom *Raumdrama*, bei dem der dramat. Konflikt dem (sozialen) Milieu entspringt, und vom *Geschehnis- oder Handlungsdrama*, das durch eine in sich geschlossene, gespannte dramat. Handlung gekennzeichnet ist, bei der die Figuren lediglich durch

Situationsfunktionen definiert sind. Kaysers Begriff des Handlungsdramas deckt sich damit weitgehend mit dem Idealtypus des Dramas der ⁄geschlossenen Form, während F. und Raumdrama zwei Ausprägungen des Dramas der ⁄offenen Form sind. Die Einheit des F.s liegt nach Kayser in der Einheit der Figur des Haupthelden; der Bau des F.s ist durch die lockere Aneinanderreihung einzelner Szenen (»Stationen«; ⁄Stationendrama) charakterisiert. Beispiele finden sich vor allem im ⁄Elizabethan. Drama (Ch. Marlowe, »Dr. Faustus«, »Tamburlaine«; Shakespeare, »Hamlet«, »King Lear«) und im Drama des ⁄Sturm und Drang, in dessen Mittelpunkt die »große Kerl« steht (Goethe, »Götz von Berlichingen«); dem gegenüber ist das Drama der Klassik und des Klassizismus im wesentl. Handlungsdrama (frz. ⁄haute tragédie; Goethe, »Torquato Tasso«), das Drama des Naturalismus in erster Linie Raumdrama. – Vgl. auch ⁄Charakterdrama.
📖 Kayser, W.: D. sprachl. Kunstwerk. Bern/Mchn. ¹⁶1973.   K

Figur(en)gedicht [nach lat. carmen figuratum], auch: Technopaignion (gr. = künstl. Spielerei). Gedicht, das durch entsprechende metr. Form (längere u. kürzere Zeilen) im Schrift- oder Druckbild einen Gegenstand im

Das Horn der Glückseligkeit.

    Schöne Früchte:
    Blumen / Korn /
    Kirschen / äpfel /
    Birn' und Wein /
    Und was
    sonst mehr
    kan seyn /
    sind hier
    in diesem
    HORN /
    das Glück /
    auf daß
    es uns
    erquickt' /
    hat selbst
    es so
    mit hüll
    und füll
    erfüllt.
    wol dem /
    dem es
    ist
    mild.

Umriß nachzeichnet, der (meist) zum Inhalt in direkter oder symbol. Beziehung steht. Sonderform: Heraushebung einer Figur aus einem fortlaufenden Text durch bes. markierte (rubrizierte) Buchstaben (die oft wieder in sich abgeschlos-

sene [Gedicht]Texte ergeben). – Vermutl. entstanden F.e als
raumnützende Aufschriften auf kleinen Weihe-Gegenstän-
den; früheste Ausbildung als Kunstform im Hellenismus
(3.Jh. v.Chr.) innerhalb der bes. vom ⁄Asianismus
gepflegten virtuosen Zahlen- und Buchstabenmystik als
Möglichkeit einer kryptolog.-kabbalist. Form-Wesenser-
gründung; überliefert sind F.e in Form einer Syrinx (Theokrit), eines Beils, Eis, Erosflügels (Simias v. Rhodos). – Wiederbelebt wurde diese manierist. Tradition bes. in konstantin. Zeit (4.Jh.) durch Porphyrius Optatianus. Seine F.e
sind Vorbild zahlr. mal. F.e mit christl. Figuren wie Kreuz,
Kelch, Altar. Blüte in karoling. Zeit durch Alcuin und Hrabanus Maurus (»Liber de laudibus sanctae crucis«: 28
rubrizierte F.e). Während F.e u. andere Wortkünsteleien in
der lat. Literatur bis in den Humanismus lebendig blieben
(Porphyrius und Hraban bis ins 16.Jh. mehrfach neu aufgelegt), wurden F.e in den Volkssprachen erst von J. C. Scaliger (Poetik 1561) wiederbelebt (bes. in Spanien und
Deutschland) und bes. im Rahmen der ⁄ut pictura poesis –
Problematik zu einem der wichtigsten Themen der Barock-
poetiken (erstmals bei J. G. Schottel, 1645). Es entsteht eine
Fülle von sog. »Bilderreimen« (beliebte Figuren: Herzen,
Lauten, Sanduhren, Becher, Brunnen, Waage, Palmblätter,
Pyramiden etc.), bes. gepflegt wurde es z. B. von den Peg-
nitzschäfern. Von dort kommt (im Gefolge von N. Boileau)
auch die erste Kritik an der immer oberflächlicher werden-
den, nur durch die Druckanordnung gegliederten Figuren-
spielereien (D. G. Morhof, 1682, Ch. Weise, 1691, M. D.
Omeis, 1704). F.e erhielten sich aber als volkstüml. Gele-
genheits- (Hochzeits-, Liebes-, Trauer-)Gedichte bis ins
19.Jh. Bewußter künstler. Rückgriff sind das »Trichter«-
Gedicht von Ch. Morgenstern (1904) und die F.e in den
»Daphnisliedern« von A. Holz (1904). Versuche mit den
Spannungs- und Beziehungsverhältnissen zwischen Text
und Typographie finden sich auch bei St. Mallarmé, G.
Apollinaire (»Calligrammes«, 1913), den Dadaisten u. italien. Futuristen. Auch die modernen Ausdrucksformen wie
skripturale Malerei, ⁄visuelle und ⁄konkrete Dichtung
sind den barocken F.en verpflichtet (vgl. C. Bremer, »Figurengedichte«). Vgl. dagegen ⁄Bildgedicht.
   □ Ernst, U.: Die neuzeitl. Rezeption des mal. F.s in Kreu-
zesform. In: MA.-Rezeption. Hg. v. P. Wapnewski. Stuttg.
1986. – Rosenfeld, H.: Das dt. Bildgedicht. Lpz. 1935.
                                              HFR*

Fiktion, f. [von lat. fingere = bilden, erdichten],
1. allgemeine Bedeutung: eine Annahme, für die (im
Gegensatz zur Hypothese) kein Wahrheits- oder Wahr-
scheinlichkeitsbeweis im Sinne eines logischen Realitätsbezuges angetreten wird.
2. lit.wissenschaftl. Begriff: Grundelement der mimet.
(erzählenden und dramat.) Dichtungsarten, die reale oder
nichtreale (erfundene) Sachverhalte als *wirkliche* darstellen,
aber prinzipiell keine feste Beziehung zwischen dieser Darstellung und einer von ihr unabhängigen, objektiv zugängli-
chen und verifizierbaren Wirklichkeit behaupten (wie etwa
die Geschichtsschreibung). Die Figuren eines Romans oder
Dramas sind fiktiv, d. h. sie sind Teile einer *als wirkl. erscheinenden* wirklichkeiten Welt, sie sind aber nicht fingiert,
d. h. = es wird nicht der Eindruck vorgetäuscht, als ob sie
wirklich existierten. Fiktionalisierende Mittel sind insbes.
der Dialog und (in der Erzählung) der fluktuierende Übergang vom ⁄Bericht zu ⁄direkter, ⁄indirekter und ⁄erleb-
ter Rede. Die für das Verständnis der Existenzweise von
Dichtung entscheidende Differenz zwischen der tatsächlichen Nicht-Wirklichkeit des Fiktiven und der behaupteten
(Als-ob-)Wirklichkeit des Fingierten ist erst in der Neuzeit
allmählich bewußt geworden; ihre Unkenntnis ist einer der
Gründe für den seit Platon erhobenen Vorwurf der
Unwahrheit fiktionaler Aussagen (»Dichter lügen«). ⁄Mi-
mesis, ⁄Poetik.
   □ Keller, U.: Fiktionalität als lit.wiss. Kategorie. Hdbg.

1980. – Henrich, D./Iser, W. (Hrsg.): Funktionen des Fikti-
ven. Mchn. 1982. – Hamburger, K.: Die Logik d. Dichtung.
Stuttg. ³1977. – Gabriel, G.: F. und Wahrheit. Stuttg. 1975.
– Höger, A.: Fiktionalität als Kriterium poet. Technik. In:
Orbis litterarum 26 (1971) 262–283. – Lubbok, P.: The craft
of fiction. New York ²1955. – RL.   HSt

Fin de siècle [fɛ̃d 'sjɛkl; frz. = Ende des Jh.s], literatur-
und kunsthistor. Epochenbegriff nach einem Lustspieltitel
von F. de Jouvenot und H. Micard (1888), in dem sich das
Selbstgefühl der Décadence des ausgehenden 19.Jh.s aus-
gedrückt fand; auch Bez. der ⁄Dekadenzdichtung zwi-
schen 1890 und 1906.
   □ Fischer, Jens M.: F. d. s. Kommentar zu einer Epoche.
Mchn. 1978. – Bauer, R., Heftrich, E. u. a. (Hrsg.): F. d. s.
Zu Lit. u. Kunst d. Jh.wende. Frkft. 1977. – Hinterhäuser,
H.: F. d. s. Gestalten u. Mythen. Mchn. 1977.   HD

Fitte, f. [altengl. fitte, altsächs. *fittia = Lied], ursprüngl.
selbständiges (Helden-?)Lied der ags. Dichtung, dann Bez.
für eine (Vortrags-)Einheit innerhalb größerer Verstexte
(etwa im »Beowulf«). Durch die Erwähnung in der lat.
Praefatio der altsächs. »Heliand« (omne opus *per vitteas*
distinxit, quas nos *lectiones* vel *sententias* possumus appel-
lare) fand die Bez. ⁄F.‹ Eingang in moderne formstruktu-
relle Untersuchungen und wird heute im Sinne von *Kompo-
sitionseinheit* auch für andere mal. Dichtungen gebraucht
(Eggers).
   □ Eggers, H.: Symmetrie u. Proportion ep. Erzählens.
Stuttg. 1956. – Müllenhoff, K.: vittea. In: ZfdA 16 (1873)
141–143.   HSt

Flagellantendichtung, ⁄Geißlerlieder.

Flickvers, inhaltl. und gedankl. überflüssiger Vers, der
nur zur Strophenfüllung dient.

Fliegende Blätter,
1. Seit G. E. Lessing belegtes Synonym für ⁄Flugblätter,
⁄Flugschriften oder andere unperiod. Publikationen.
2. Illustrierte humorist. Zeitschrift des Verlags Braun &
Schneider, München. Erschien von 1844–1944, karikierte
zeittyp. Verhaltensformen des dt. Bürgertums unter Wahrung einer national-konservativen, mehr auf Unterhaltung
als auf sozialkrit. Engagement gerichteten Einstellung. Graphiken und Texte lieferten bedeutende Mitarbeiter, u. a.:
W. Busch, A. Oberländer, F. v. Pocci, H. Schlittgen, M. v.
Schwindt, C. Spitzweg; F. Dahn, F. Freiligrath, E. Geibel,
V. v. Scheffel, H. Seidel.
   □ (2): Facsimilie-Querschnitt durch die F.n B. Hg. v. E.
Zahn. Mchn. u. a. 1966.   HW

Flores rhetoricales, f. Pl. [lat. = Redeblüten], rhetor.
Begriff zur Bez. derjenigen Stilmittel sprachl. und gedankl.
Ausschmückung (⁄Ornatus) der Rede, die bes. starke Wirkung haben und dem Stil Abwechslung (Varietas) und erhabenen Glanz verleihen.   HD

Florilegium, n., Pl. Florilegien [mlat. = Blütenlese, aus
floris = Blüten, legere = lesen], lat. Übersetzung von ⁄An-
thologie (gr.), Bez. übl. für Sammlungen lehrhafter oder
erbaul. Sentenzen oder von Bibelstellen und ihren Kommentierungen; waren v. a. als Zitatenschatz für Reden und
Predigten beliebt.   HD*

Floskel, f. [lat. flosculus = Blümchen], in der antiken Rhetorik (Cicero, Seneca) zunächst Redezier (›Redeblume‹),
Denkspruch, Sentenz, dann auch formelhafte Redewendung ohne Aussagequalität. *Flosculus* seit 1689, *F.* seit 1747
(Ch. F. D. Schubart) in Deutschland gebräuchl. als abwertende Bez. für nichtssagende Sprachfüllsel oder konventionelle ⁄Formeln, z. B. »wie ich bereits schon mehrfach ausgeführt habe«.   HW

Flugblatt, ein- oder zweiseit. bedrucktes, meist illustriertes
Blatt, das aus akutellem Anlaß hergestellt und vertrieben
wird. Die ersten, seit 1488 datierbaren F.er (⁄Einblatt-
drucke) enthielten Sensationsmeldungen, später häufig
Wallfahrtsgebete, Kalender, zeitgeschichtl. Volkslieder
(Zeitungslieder), polit. Aufrufe, satir. Betrachtungen usw.

Viele Holzschnitte und Kupferstiche Dürers, Cranachs u. a. wurden als F.er konzipiert und auf Märkten vertrieben. Auch Ablaßbriefe des 16.Jh.s ähneln nach ihrem äußeren Erscheinungsbild und ihrer Vertriebsart den F.ern. – Verfasser und Adressaten, stilist. Mittel und geschichtl. Entwicklung des F.s entsprechen denen der umfangreicheren /Flugschrift.

☐ Bangerter-Schmid, E.-M.: Erbaul. illustrierte F.er aus den Jahren 1570–1670. Frkf. u. a. 1986. – Harms, W./Paas, J. R. u. a. (Hg.): Dt. F.er des Barock. Tüb. 1983. – Wäscher, H.: Das illustrierte F. 2 Bde. Dresden 1955/56.   HW

Flugschrift, seit Ch. F. D. Schubart gebräuchl. Übersetzung des frz. feuille volante; drängte die bis dahin geltenden Bez. wie Broschüre, Büchlein, Pamphlet, Pasquill zurück oder engte sie in ihrer Bedeutung ein: ›F.‹ ist eine Bez. für aktuelle, nicht an bestimmte Inhalte oder Textgattungen gebundene literar. Produktionen sowie für deren (rasche) Vertriebsart. F.en umfassen etwa 3–40 Seiten meist kleineren Formats, sind ungebunden (geheftet), mit Ausnahme des Titelblatts ohne Illustrationen und werden unter Umgehung von Verlags- oder Buchhandlung und Zensur vertrieben. Zeiten polit.-militär. Auseinandersetzungen begünstigen diese publizist. Form: Reformation und Bauernkrieg, Dreißigjähr. und Siebenjähr. Krieg, Amerikan. und Frz. Revolution, Befreiungskriege, Revolution von 1848, Pariser Mairevolte 1968. Auch Samisdatdrucke in der Sowjetunion und Publikationen in Wahlkampfzeiten können den F.en zugerechnet werden. – Verfasser von F.en sind Personen oder Gruppen, denen die etablierten publizist. Organe nicht zur Verfügung stehen (z. B. sozial unterprivilegierte Gruppen, Emigranten); Adressaten sind Personen, um deren polit. Entscheidung geworben wird. Gelegentl. greifen aus Staatsmänner mit F.en in die publizist. Diskussion ein (z. B. H. Walpole, W. Pitt, Friedrich d. Große). – F.en bedienen sich vieler stilist. Mittel und literar. Formen: Artikel, Aufruf, Brief, Dialog, Formen akadem. Disputation, Gedicht, fiktives Interview, Manifest etc. Die frühesten F.en (Ende 15./Anfang 16.Jh.) enthielten vorwiegend »neue Zeitungen«und »Relationen« über wissensame Ereignisse, Prognostiken, Rezepturen, Heiligenfeste, auch Polizei- und Brauordnungen; in der Reformationszeit gewannen sie dann eine spezif. polit. Bedeutung. Luther, U. v. Hutten, Eberlin v. Günzburg, H. v. Kettenbach u. a. schrieben im protestant. Lager, Th. Müntzer, H. Hergot u. a. für den Bauernkrieg; J. Cochlaeus, H. Emser, Th. Murner auf kath. Seite F.en, die in zahlreichen Drucken in ganz Deutschland Verbreitung fanden. Trotz behördl. Eingriffe, Strafen (Enthauptung des Buchführers H. Hergot 1527 in Leipzig) und zweier Reichspolizeiordnungen (1548 und 1577) ließ sich der F.en-Vertrieb kaum einschränken. Im Dreißigjährigen Krieg erreichte die F.en-Produktion einen neuen Höhepunkt mit fortschreitender Literarisierung (Lieder, Reimsatiren, emblemat. Aufmachung. In der Folgezeit übernehmen die period. erscheinenden Tages-, Wochenzeitungen und Almanache weitgehend Funktionen der früheren Flugschriften und /Flugblätter. – Wegen ihrer Aktualität sind F.en wichtige histor. und literar. Quellen bis in die neueste und neueste Geschichte (G. Büchners ›Hess. Landbote‹ 1834; F.en der Geschwister Scholl 1943), darüber hinaus kulturgeschichtl. Dokumente von z. T. hohem künstler. Wert (Illustrationen der Dürer, L. Cranach u. a., Volks- und histor. Lieder). – Sammlungen deutschsprach. F.en befinden sich im Brit. Museum London, im Bundesarchiv Koblenz, in der Österreich. National-Bibliothek Wien, in der Stadt- und Universitätsbibliothek Frankfurt/M. (über 6000 Exemplare) und in der Dt. Staatsbibliothek Berlin.

☐ *Texte:* Dt. F.en zur Reformation. Hrsg. v. K. Simon. Stuttg. 1980.

Weigel, S.: F.enlit. 1848 in Berlin. Stuttg. 1979. – Ruckhäberle, H.-J.: F.enlit. im histor. Umkreis G. Büchners. Kronberg 1975. – Schottenloher, K.: F. und Zeitung. Bln. 1922. – RL.   HW

Folkevise, f., Pl. folkeviser [dän. = Volksweise, Volkslied], die skandinav., v. a. dän. Volksballade des MA.s; ep.-dramat. Gedicht mit lyr. Refrain, gesungen zum Reihen- und Kettentanz. – Die dän. F. als typ. Form der mal. höf. Dichtung Dänemarks hat doppelten Ursprung: Sie geht zurück auf frz. Balladen, Tanzlieder mit Refrain, die im 12.Jh. zugleich mit dem Tanz als Form höf. Gesellligkeit nach Dänemark importiert wurden, sie knüpft 2. an die heim. Tradition der /Helden- und Götterlieder edd. Art (v. a. Form des doppelseitigen /Ereignisliedes) an. Blütezeit ist das 13./14.Jh.; Zentren sind v. a. die Adelshöfe (Ereignisse aus bürgerl. und bäuerl. Milieu werden entsprechend erst in jüngeren f.r besungen). Typ. Strophenformen sind der (in der Regel 4heb.) endgereimte Zweizeiler mit Refrain (oft auch als Zwischenrefrain, vgl. /Balada) und der Vierzeiler (meist Wechsel von Drei- und Vierhebern, Kreuzreim) mit Refrain stets am Ende der Strophe; kennzeichnend sind rhythm. Freiheiten (freie Versfüllung) und altertüml. Reimformen (Assonanzen, Halbreime, ident. Reime). Als Gegenstände der f.r lassen sich 6 Gruppen unterscheiden:
1. nord. Göttermythen (relativ selten, z. B. Balladen vom Torekall = Thor, der seinen Hammer aus der Gewalt der Riesen heimholt),
2. german.-dt. und nord. Heldensagen (auch als /Kaempeviser bez., bes. Nibelungen- und Wikingersagenkreis),
3. volkstüml. Geschichten von jenseitigen und geisterhaften Naturwesen (z. B. Ballade von Herrn Oluf und den Elfen),
4. Legenden (z. B. Balladen von König Olaf dem Heiligen oder von der Jungfrauenquelle),
5. literar. Stoffe a. frz. Herkunft (z. B. Tristan-Stoff),
6. histor. Ereignisse v. a. des 12./13. Jh.s. – Vereinzelte und bruchstückhafte Aufzeichnungen dän. f.r finden sich in der 1. Hälfte des 15.Jh.s; die ersten größeren Sammlungen, meist Liederbücher junger Adliger, stammen aus dem 16. und 17.Jh. Eine erste Edition von 100 f.r erfolgte 1591 durch A. S. Vedel (»It hundrede vduaalde Danske Viser«), sie wurde 1695 von P. Syv um weitere 100 f.r erweitert. Syvs Ausgabe liegt W. Grimms Übersetzung von 1811 (»Altdän. Heldenlieder, Balladen und Märchen«) zugrunde. Die systemat. Sammlung dän. F.r erfolgte im 19.Jh. (»Danmarks gamle F.r«, 11 Bde. seit 1853; Hrsg.: S. Grundtvig, A. Olrik u. a.).   K

Form [lat. forma = Gestalt], unterschiedl. definierter, mit wechselndem Bedeutungsumfang gebrauchter Begriff für die äußere Erscheinung eines sprachl. Kunstwerkes, für die Gesamtheit der sprachl. Mittel, durch die ein Inhalt, ein Stoff gestaltet wird. Die Analyse der F. reicht von Fragen nach isolierbaren Elementen einer Dichtung wie /Rhythmus, /Metrum, /Reim, /Vers- und /Strophenformen, /rhetor. Figuren, /Metaphorik bis zur Gliederung eines Stoffes, eines Inhaltes in Szenen, Akte, Kapitel usw. Im 18. Jh. wurde, z. B. in Schillers idealist. Kunsttheorie (nach Shaftesbury im Anschluß an Plotin), von der ›äußeren Form‹ eine /innere Form im Sinne eines einem Stoff oder Inhalt inhärenten Formprinzips unterschieden. Nicht leicht bestimmbar wie der Begriff der inneren F. und das Wechselverhältnis von äußerer und innerer F. sind auch die Implikationen, die mit der Ersetzung des Gegensatzpaares ›F.-Inhalt‹ durch Begriffe wie ›Gestalt – Gehalt‹ verbunden sind. Bei Streitigkeiten, ob beide Sphären (/Gehalt und Gestalt, Inhalt und F.) überhaupt bei einem Kunstwerk getrennt werden können, wird übersehen, daß jede Abstraktion auch eine bestimmte Aspekt-Isolierung erlaubt. Die Überlegungen zu solchen Begriffsdifferenzierungen sind geprägt durch die jeweilige Dichtungs- und Literaturauffassung; insofern ist eine Fixierung des Bedeutungsgehaltes von F. nur jeweils im Rahmen einer bestimmten wissenschaftl. Darstellung mögl. – Die Einschätzung

der F. als konstituierendem Merkmal für ein dichter. Werk wechselte im Laufe der Epochen: Bis zum 18. Jh. lieferte die normative ↗Poetik Regeln für die äußere F. der verschiedenen Dichtungsarten. Erst mit dem Sturm und Drang (Herder) wurde der starre F.schematismus überwunden, wobei man dann bisweilen ins andere Extrem tendierte, näml. zur Mißachtung allgem. verbindl. formaler Regeln zugunsten eines organ. ›inneren Gesetzes‹ des Genies. – Die grundsätzl. Bedeutung der F. für die Konstituierung eines sprachl. Kunstwerkes wird immer wieder herausgestellt, gleichgültig wie der Begriff gefüllt ist, so z. B. in Kants »Kritik der Urteilskraft« (1790): »In aller schönen Kunst besteht das Wesentliche in der F.« oder in Schillers »Über die aesthet. Erziehung des Menschen« (1795): »das eigentl. Kunstgeheimnis des Meisters« bestehe darin, »daß er den Stoff durch die F. vertilgt«. In der modernen Literaturwissenschaft sucht bes. der ↗Strukturalismus den vieldeutigen F.begriff mit Hilfe einer log.-systemat. Theorie als ↗Struktur exakter zu erfassen (Funktion der [Text-]Elemente und ihre Relationen zueinander).
⌑ Prang, H.: F.geschichte der Dichtkunst. Stuttg. 1968. – Böckmann, P.: F.gesch. der dt. Dichtung. Hbg. ³1967. – Cassirer, E.: Freiheit und F. Bln. 1916, Nachdr. Darmst. ³1961. – Ingarden, R.: Das F.-Inhalt-Problem im literar. Kunstwerk. In: Helicon 1 (1939) 51–67. – Hamburger, M.: Das F.problem in der neueren dt. Ästhetik u. Kunsttheorie. Hdbg. 1915. – RL.   S

Formalismus, m., russ. literaturwissenschaftl. und literaturkrit. Schule, ca. 1915–1930, entstanden aus dem ›Moskauer Linguistik-Kreis‹ (gegr. 1915) und der ›Gesellsch. zur Erforschung der poet. Sprache‹ (später ›Opojaz‹) in Petersburg (gegr. 1916) in Wechselbeziehung zum ↗Futurismus (v. a. in Moskau) und im Ggs. zum russ. ↗Symbolismus. Der F. lehnte biograph., psycholog., soziolog. Methoden, »relig. und philosoph.« Tendenzien« ab und betonte zunächst eine strenge Trennung von Literatur und Leben, die Eigengesetzlichkeit des Kunstwerks. Das literar. Werk wurde als »die Summe aller darin angewandten stilist. Mittel« (V. Schklowski) aufgefaßt. Zum Schlüsselwort des F. wurde »Kunstgriff« (priëm), »verstanden als Technik des bewußten ›Machens‹ eines dichter. Kunstwerks, als Formung seines Materials, seiner Sprache, und als Deformierung seines Stoffes, näml. der ›Wirklichkeit‹« (V. Erlich). Zur Beschreibung der in einem literar. Werk jeweils aufgefundenen ›Kunstgriffe‹ und zur Erklärung ihrer »besonderen Funktion« entwickelte der F. neue Methoden der Analyse und zunehmend auch eine Theorie der Literaturgeschichte. Von wesentl. Bedeutung wurden die Beiträge zur Theorie der Prosa (Schklowski) und des Verses (R. Jakobson), zur literar. Evolution (J. Tynjanow, Schklowski) und zur Gattungsproblematik (B. Ejchenbaum). Weitere wichtige Vertreter des F. sind O. Brik, B. Tomaschewski und W. Schirmunski. In den 20er Jahren erreichte der F. seinen Höhepunkt, geriet aber gleichzeitig in eine langdauernde Auseinandersetzung mit dem Marxismus (u. a. L. Trockij und A. Lunatscharskij), der die formalist. Kritik als eine Form des ↗»Eskapismus« bezeichnete und im F. »eine letzte Zuflucht der noch nicht umgeformten Intelligenz, die verstohlen zur europäischen Bourgeoisie hinüberschielt«, sah. 1930 in Rußland unterdrückt, wurde das Gedankengut des F. im sogenannten Prager ↗Strukturalismus (u. a. B. Havránek, B. Trnka, D. Čiževskij, J. Mukařowský, R. Wellek u. R. Jakobson) sowie in der poln. »integralen Literaturbetrachtung« (u. a. M. Kridl, R. Ingarden) weiterentwickelt und gelangte schließl. durch emigrierte Wissenschaftler in die USA (↗New Criticism). Innerhalb einer orthodoxen marxist. Literaturwissenschaft sind der Vorwurf des »Eskapismus«, die ideolog. Anwürfe v. a. Lunatscharskijs zu immer wiederkehrenden Standardargumenten geworden, zuletzt bei der »Kampagne gegen den F.« im Anschluß an die 5. Tagung des ZK der SED in der DDR, bei der u. a. B. Brecht u. A. Zweig kritisiert wurden (sog. F.streit).

⌑ Striedter, J. (Hrsg.): Russ. F. Texte zur allgem. Lit.theorie u. zur Theorie d. Prosa. Mchn. ³1981. – Erlich, V.: Russian Formalism. 's-Gravenhage 1955; ⁴1980 (dt. Mchn. 1964). – Marxismus u. F. Dokumente einer literaturtheoret. Kontroverse. Hrsg. u. übers. v. H. Günther u. K. Hielscher. Mchn. 1973.   D

Formel, f. [lat. formula = kleine Form, Gestalt, Norm, Maßstab], Sprachf., sprachl. F., im Wortlaut mehr oder weniger fixierte, vorgeprägte Redewendung für einen bestimmten Begriff oder Gedanken (z. B. *Tag und Nacht* für *immer*). Sprachf.n sind allgemeinverständl. und allgemein verfügbar. Sie unterscheiden sich darin von neugeprägten formelhaften Stilelementen z. B. in Dichtungen, die später allerdings auch zu allgemeinen Sprachf.n werden können. Im Unterschied zum mehr inhaltl.-didakt. bestimmten ↗Sprichwort (und zur sprichwörtl. Redensart) enthält die Sprachf. häufig keine selbständ., in sich geschlossene Aussage. – Bes. verbreitet sind Sprachf.n auf archaischen Sprachstufen, im Rechts- und Kultbereich (Segens-, Zauber-, ↗Eidf., z. B. *So wahr mir Gott helfe*), in der Volksdichtung (Volkslied, Volksepos, Märchen, z. B. *Es war einmal* . ., ep. F.). Sprachf.n können auch für Gruppensprachen kennzeichnend sein (idiomat. Redensart, Modejargon, Schlagwort). – Man unterscheidet Sprachf.n
1. nach ihrer formalen Ausprägung a) ↗Zwillingsf.n *(Gold und Silber)*, Reimformeln (mit Alliteration: *Mann und Maus, Haus und Hof,* lat. *praeter propter*; mit Reim: *Stein und Bein, Sack und Pack,* lat. *nolens volens*), b) sprachl. weniger fixierte Wendungen *(wie* . . . *gesagt)* und als Grenzfälle c) in einen Text eingestreute, formelhaft verwendete Modewörter *(echt, effektiv, de facto* etc.).
2. nach ihrer Anwendung: Gruß-, Segens-, Gebets-, Brief-F.n, Eingangs-, Schluß-, Demuts-F.n usw. – Als formelhaft werden mit Sprachf.n durchsetzte Texte bezeichnet, aber auch nach bestimmten Formmustern geprägte Texte (z. B. Urkunden). Sprachf.n können positiv bewertet werden (z. B. in bestimmten poet. Ausprägungen, vgl. auch ↗Epitheton ornans), aber auch negativ (↗Floskel). – Die Sprachf. ist vom ↗Topos als einem inhaltl. bestimmten Vorstellungsschema zu unterscheiden. – RL.   S

Formelbücher, Formularbücher, mal. Sammlungen von Vorlagen (Formularen) für die korrekte Abfassung von Urkunden. Erstes Beispiel des MA.s ist Cassiodors Sammlung seiner Erlasse (6. Jh.); bezeugt sind F. auch bereits für die merowing. und karoling. Kanzleien und bis ins 16. Jh. (auch volkssprach. F.); bes. bed. waren die F. des Johann von Neumark für die Kanzlei Karls IV. (14. Jh., »Cancellaria«, »Summa cancellariae Caroli IV.«). Da als Vorlagen meist echte Urkunden benutzt wurden, sind die F. eine wichtige Geschichtsquelle. – Die frühesten F. sammelte K. Zeumer (Formulae Merovingici u. Karolini aevi, MGH, Leges, 1886), die späteren L. Rockinger (Briefsteller und F., 1863/64). Als *F. im weiteren Sinne* werden nach antikem Vorbild auch die zur Erlernung schulgerechten Briefstils angelegten Briefsammlungen des MA.s bez. (vgl. ↗Ars dictandi). Eine Kombination aus F. und eigenen Briefen stellte der St. Galler Dichter Notker Balbulus (†912) für Bischof Salomo III. v. Konstanz zusammen, ähnl. angelegt ist das Formelbuch zum Kanzleigebrauch und als Lehrmittel des Mönchs Froumund v. Tegernsee (10. Jh.).   HSt*

Formenlehre, Kategoriensystem für die wissenschaftl. Erfassung der gesamten literar. Formenwelt; von F. Sengle in die neuere Forschungsdiskussion eingeführt; soll über Dichtung im engeren Sinn und die traditionelle Gattungspoetik mit ihrer schemat. Dreiteilung (↗Lyrik, ↗Epik, ↗Dramatik) hinaus Theorien und Beschreibungskriterien bereitstellen sowohl für nicht-fiktive literar. Zweckformen wie Rede, Predigt, Essay, Brief, Tagebuch, Biographie, literaturkrit. Schriften als auch für poet. Formen, die zwischen den traditionellen Gattungen angesiedelt sind, wie z. B. das Epigramm. ↗Gattungen, ↗Dichtung, ↗Poetik.

⟐ Sengle, F.: Vorschläge zur Reform der literar. F. Stuttg. ²1969. S

Fornaldar saga, f., Pl. f. sögur [isländ. = Vorzeitgeschichte], Sammelbez. für etwa 30 altnord. Prosaerzählungen unterschiedl. Umfangs, die sich durch ihre Stoffe (german. ↗Heldensage der Völkerwanderungszeit und Wikingergeschichten aus der Zeit vor der Besiedlung Islands [vor 900]) mehr oder weniger deutl. von anderen Gattungen der altnord. Prosaerzählung (↗Saga) unterscheiden. Die Bez. stammt von dem Dänen C. Ch. Rafn (»F. sögur Nordrlanda«, 1829/30). – Unterschieden werden: 1. *Heldensagas* mit Stoffen südgerman. oder ostgerman. Ursprungs, meist jüngere Prosabearbeitungen älterer, z. T. wohl schon prosaumrahmter oder prosadurchsetzter ↗Heldenlieder, wie sie teilweise in der Sammlung der »Edda« überliefert sind. Bedeutendste Vertreter dieser Gruppe sind die »Völsunga saga« aus dem Sagenkreis der Nibelungen (wichtigste Quelle für die Rekonstruktion der durch eine Lücke im »Edda«-Codex verlorenen Gedichte) und die »Hervarar saga« (enthält u. a. das »Hunnenschlachtlied«). Zu den Heldensagas wird gelegentl. auch die auf niederdt. Quellen beruhende altnorweg. »þiðreks saga« (Geschichte Dietrichs von Bern) aus der Zeit um 1250 gerechnet. 2. *Wikingersagas,* abenteuerl. Kriegs- und Beutefahrten aus der Wikingerzeit. Trotz gelegentl. märchenhafter Ausschmückung (Kämpfe mit Riesen, Wiedergängern usw.) spiegeln sie die geschichtl. Realität der Wikingerzeit. Wichtigste Vertreter dieser Gruppe sind die »Hrólfs saga kraka«, die »Ragnars saga loðbróka« und die »Friðþiófs saga«. Auch die Wikingersagas enthalten Reste von Heldenliedern edd. Art (z. B. in der »Ásmundar saga kappabana« Hildebrands Sterbelied, das den für das ahd. »Hildebrandslied« vermuteten trag. Ausgang bietet). 3. *Kämpensagas:* auch sie enthalten Wikingergeschichten, jedoch weitgehend ohne geschichtl. Grundlage. Ihnen verwandt sind 4. die *Abenteuersagas* als jüngere, sehr freie Kompilationen von Motiven der älteren Helden- und Wikingersagas; Abenteuerliches und Märchenhaftes überwiegen. – Die Überlieferung der F. sögur setzt im Ggs. zur Überlieferung der Íslendinga sögur relativ spät ein; die ältesten Handschriften stammen aus dem 15. Jh., die meisten F.sögur sind nur in Papierhandschriften des 16. u. 17. Jh.s erhalten. Für ihre Popularität zeugen jedoch zahlreiche isländ. Rimur (↗Rima) und färing. Volksballaden. Die F. sögur hatten v. a. im 19. Jh. eine sehr starke Wirkung (E. Tegnér, »Frithiofssaga«, Fouqué, »Der Held des Nordens«, R. Wagner, »Der Ring des Nibelungen«). K

Fornyrdislag, n. [altnord. = Weise alter Dichtung, zu forn = alt, orð, yrðis = Wort, lag = Lage, Ordnung], verbreitetes altnord. Strophenmaß v. a. zahlreicher edd. Götter- und Heldenlieder, Bez. in Snorris »Jüngerer Edda« (»Hattatal«), dt. »Altmärenton« (A. Heusler). Das regelmäß. F. besteht aus 4 Langzeilen aus je zwei 2heb., in der Regel viersilb. Kurzzeilen, die durch Stabreim verknüpft sind. Neben dem 4zeil. F. begegnen v. a. in älteren Gedichten auch Strophen aus 2, 3, 5, 6, 7 Langzeilen. – Histor. gesehen setzen die Langzeilen des altnord. F. die Tradition des südgerman. ↗Stabreimverses fort, unterscheiden sich jedoch auf Grund der lautgeschichtl. Entwicklung von den altengl., altsächs. und ahd. Vertretern dieses Verses durch die mehr oder minder regelmäß. Silbenzahl der einzelnen Zeile und die stroph. Anordnung der Verse. Die reinste Ausprägung zeigt das »Hymirlied« (Hymiskviða). K*

Forschungsbericht, die Bez. ›F.‹ wird unterschiedl. gebraucht: in den Naturwissenschaften für eine Dokumentation des neuesten Standes in einem Spezialgebiet; in den polit. Institutionen für die Auflistung und Begründung subventionierter Forschungsaufträge; in universitären Schriftstücken für die Darstellung und Rechtfertigung projektierter oder laufender Forschungsziele. In den *Geisteswissenschaften* ist ein F. die zusammenfassende Darstellung der wissenschaftl. Bemühungen in einem begrenzten Fach- und Sachgebiet innerhalb eines abgeschlossenen Zeitraumes. Der meist in Zeitschriften publizierte F. faßt den Diskussionsstand zu einem Problem krit. zusammen, sichtet die Veröffentlichungen, liefert eine (Auswahl)-↗Bibliographie zum Thema und erörtert innovative Erkenntnisse oder Tendenzen. Er wird wegen der Fülle wissenschaftl. Schrifttums und der pluralist. Divergenz der Forschungsmethoden und -richtungen immer schwieriger und seltener. Im Unterschied zur kommentierenden Bibliographie ist der F. zugleich Darstellung des momentanen Selbstverständnisses einer Wissenschaft und somit wertende Analyse. Als normative Bestimmungen werden geltend gemacht: Überschau durch Kompression, Selektion durch Kritik, Synthese des Geleisteten und Formulierung der Forschungsaufgaben.

⟐ Jäger, F.: Der F. Begriff – Funktion – Anlage. In: Beitr. zur bibliograph. Lage der germanist. Literaturwissenschaft. DFG. Bonn 1981. HW

Fortsetzungsroman, in einzelnen, regelmäß. aufeinanderfolgenden Lieferungen oder abschnittweise in Zeitschriften und Zeitungen veröffentlichter Roman, der meist eigens für diese Publikationsform verfaßt ist, insbes. im Bereich der ↗Trivialliteratur. Die sukzessive Publikationsform und die Notwendigkeit, den Leser zum Kauf neuer Fortsetzungen anzuhalten, erzwingt eine handlungsstarke, an Höhepunkten reiche Darstellungsweise mit spannungssteigernden Elementen gegen Ende jedes Abschnitts; die Entwicklung der Handlung selbst wird nicht selten von der Reaktion des Publikums beeinflußt. – Auch künstler. bedeutsame Romane wurden als F.e veröffentlicht: z. B. Ch. M. Wielands »Abderiten« im ›Teutschen Merkur‹ (1774/80), Schillers »Geisterseher« in der ›Thalia‹ (1787/89). In Wochen- und Monatslieferungen zu je 32 Seiten erschienen die Romane von Ch. Dickens seit dem Erfolg seiner »Pickwick Papers« (1836/37). Für das ↗Feuilleton von Tageszeitungen schrieben seit 1836 H. Balzac, E. Sue, K. Gutzkow, für Wochenzeitungen und Familienblätter u. a. Th. Fontane und W. Raabe. Typ. F.e sind die bis zu 100 Lieferungen umfassenden ↗Kolportageromane K. Mays (»Das Waldröschen«, 1882/84 u. a.). Der einer Buchveröffentlichung vorausgehende Vorabdruck eines abgeschlossenen Manuskripts in einer Zeitung erscheint nur äußerl. als F., wenn die Zerteilung in kleine Abschnitte nicht schon die Niederschrift beeinflußt hat. Dem F. in Lieferungen verwandt sind die in sich abgeschlossenen, durch den gleichen Helden oder auch nur den Reihentitel zu einer Serie verbundenen Heftchenromane (Buffalo Bill, Loreromane), andererseits die Zyklen-Romane (E. Zola, »Rougon-Macquart«), die zunächst je für sich publiziert, doch erst als Serie ein künstler. Ganzes bilden.

⟐ Neuschäfer, H.-J. u. a.: Der frz. Feuilleton-Roman. Darmst. 1986. – Hollstein, W.: Der dt. Illustriertenroman der Gegenwart. Mchn. 1973. – Mayo, R. D.: The English Novel in the Magazines (1740–1815). Evanston 1962. HSt

Forum Stadtpark, auch Grazer Forum, Grazer Gruppe, Grazer Künstlerkreis, der sich 1958 mit dem Ziel zusammenschloß, das verfallene Grazer Stadtpark-Café in ein modernes Kunstzentrum umzuwandeln (›Aktion F.St.‹). Seit 1960 finden dort Lesungen, Ausstellungen u. a. künstler. Veranstaltungen (Theater, Film, Cabaret etc.) und Diskussionen statt, oft mit österreich. und internationalen Gästen. Im Programm wesentl. umfangreicher und vielfältiger als die ↗Wiener Gruppe, wurde das F. St. in den 60er Jahren zum wichtigsten Zentrum bes. der jungen österreich. Literatur (v. a. W. Bauer, Barbara Frischmuth, P. Handke). Als Publikationsorgan des F. St. erscheint seit 1960 mit z. T. internationalen Beiträgen die weit über Österreich hinaus verbreitete Zeitschrift »manuskripte« (Redaktion A. Kol-

leritsch: Literatur und G. Waldorf: bildende Kunst); Mitarbeit u. a. von Th. Bernhard, G. Jonke, E. Jandl, F. Mayröcker, P. Rosei; bildende Künstler neben Waldorf E. Maly, H. Staudacher, G. Moswitzer, F. Hartlauer.
📖 Wiesmayr, E.: Die Zeitschr. ›manuskripte‹ 1960–1970. Königstein 1980. – manuskripte 1960 bis 1980 – eine Auswahl, hrsg. v. A. Kolleritsch u. Sissi Tax. Basel/Frkft. 1980. D

Fotoroman, ↗Bildergeschichten.
Fragment, n. [lat. fragmentum = Bruchstück], Bez. für unvollendet vorliegendes Werk, im ästhet. Bereich erst für die bildende Kunst, seit dem Humanismus auch für literar. Werke gebraucht. Zu unterscheiden sind hier:
1. *unvollständig* (etwa ohne Anfang oder Schluß) *überlieferte* Werke, bes. aus Antike und Mittelalter (Aristoteles, »Poetik«; Tacitus, »Historien«; »Hildebrandslied«);
2. *unvollendet gebliebene* oder *aufgegebene* Werke, wobei die Unterscheidung nach äußeren Gründen, z. B. Tod des Autors, und innerer Notwendigkeit, etwa Scheitern an der formalen oder gedankl. Problematik, nicht immer mögl. ist. Künstler. bedeutende F.e dieser Art finden sich im Werk z. B. Wolframs von Eschenbach (»Willehalm«, »Titurel«) so gut wie bei Goethe (»Achilleis«, »Natürliche Tochter«), Schiller (»Demetrius«), Hölderlin (»Tod des Empedokles«), Kafka (sämtliche Romane) oder Thomas Mann (»Felix Krull«). Bes. im MA. ist es nicht ungewöhnlich, daß solche F.e von anderen Autoren vollendet wurden, so Gottfrieds von Straßburg »Tristan« durch Ulrich von Türheim und noch einmal durch Heinrich von Freiberg, Konrads von Würzburg »Trojanerkrieg« durch einen Unbekannten; in der Neuzeit gibt es philolog. Rekonstruktionsversuche mit Hilfe von Entwürfen aus dem Nachlaß (Büchners »Woyzeck«, Musils »Mann ohne Eigenschaften«);
3. die *bewußt gewählte literar. Form,* die sich als F. gibt und ihre Wirkung aus der vorgebl. Unabgeschlossenheit oder Unfertigkeit gewinnt. Sie entsteht unter dem Eindruck fragmentar. Überlieferung der antiken Autoren in der Renaissance. Herder (»F.e über die neuere dt. Literatur«), Lavater (»Physiognomische F.e«), Fallmerayer (»F.e aus dem Orient«) u. a. nutzen sie essayistisch. In der engl. Romantik erhält das literar. F. Bedeutung im Nachfolge der McPhersonschen »Fragments of Ancient Poetry« bei Coleridge (»Kubla Khan«), Keats (»Hyperion«) und Byron (»The Giaour«). Das aphorist. F. wird zum zentralen Ausdrucksmittel der Jenaer Frühromantik; F.e erscheinen in ihren Zeitschriften, so im »Athenäum« der Brüder Schlegel. Erzählerische F.e verfassen z. B. Fr. Schlegel (»Lucinde«), Novalis (»Heinrich von Ofterdingen«), Achim von Arnim (»Die Kronenwächter«), in der Neuromantik Hugo von Hofmannsthal (»Andreas oder die Vereinigten«).
4. Gelegentlich werden literarische Werke, die nur äußerlich abgeschlossen sind, als ›innere F.e‹ bezeichnet (Goethes »Faust«).
📖 Das Unvollendete als künstler. Form. Ein Symposion. Hrsg. v. J. A. Schmoll, gen. Eisenwerth. Bern/Mchn. 1959. – RL. HSt

Frankfurter Forum für Literatur e. V., 1965 von H. Bingel u. a. gegründet (Vorsitzender H. Bingel, 1981 ca. 30 Mitglieder); allen Interessierten offenstehend, hat sich das F. F. f. L. die Förderung der zeitgenöss. Literatur in ihren verschiedensten Ausprägungen zur Aufgabe gestellt. Es will dabei eine »Literatur im Dialog« und möchte der »zweiten literar. Nachkriegsgeneration eine ständige Diskussionsplattform eröffnen«. Die Bedeutung des F. F.s f. L. liegt neben der Breite des Angebots v. a. in den Versuchen verschiedenartigster, oft unübl. Präsentation und Diskussion zeitgenöss. Literatur in Schalterhallen von Banken, in Fabriken, auf Baustellen u. a. und damit in dem Bemühen, neue Publikumsschichten zu erreichen. D
Frauendienst, fiktives Dienstverhältnis zw. einem Ritter

(oder einem Sänger-Ich) und einer meist als höf. vorgestellten Dame (mhd. *frouwe*), poet. gestaltet im prov., franz. u. mhd. ↗Minnesang um im höf. Epos. Ist die erstrebte Belohnung durch die Liebesgunst der Dame im Minnesang i. d. Regel nicht erreichbar (*wân*-Minne), so führt im höf. Epos der F. dagegen meist zum gewünschten Erfolg (Heirat), vgl. Gawans F. für Orgeluse im »Parzival« Wolframs von Eschenbach; dort finden sich auch unerot. Formen des F.es (Parzivals Verhältnis zu Cunneware). Zentrale Bedeutung nimmt der F. in der fiktiven Biographie Ulrichs von Lichtenstein ein (»F.«, Mitte 13. Jh.). Der F. wird in seinen Erscheinungsformen als eine ins Erotische transponierte Sublimierung des lehensrechtl. Herrendienstes gedeutet (Wechssler, Köhler), der für den mal. Ritter und Ministerialen in der feudalen Gesellschaftsformation des Hoch-MA.s eine soziale Grunderfahrung war. Auch die im 12. Jh. sich ausbreitende Marienverehrung könnte bei der Ausbildung des poet. Formelschatzes des F.es mitgewirkt haben. Existentielle Basis des F.es kann aber überhaupt die Einbettung der mal. Gesellschaft in eine gradualist. Weltordnung sein. Inwieweit Real-Biographisches solchen poet. Darstellungen zugrundeliegt, läßt sich kaum ausmachen; z. T. sind aber umgekehrt poet. Vorbilder in der Wirklichkeit nachgespielt worden, z. B. in Minnehöfen (↗Cours d'amour), Minneturnieren etc. Parodiert findet sich der F. bei Neidhart und seinen Nachfolgern (↗dörperl. Poesie).
📖 Wechssler, E.: D. Kulturproblem des Minnesangs. Studien zur Vorgesch. der Renaissance. Bd. 1: Minnesang und Christentum. Halle/Saale 1909. Nachdr. Osnabrück 1966. – Köhler, E.: Vergleichende soziolog. Betrachtungen zur roman. und zum dt. Minnesang. In: Berliner Germanistentag 1968. Vorträge und Berichte. Hg. v. K. H. Borck und R. Henss. Hdb. 1970, S. 63–76. Kasten, I.: F. bei Trobadors und Minnesängern. Hdbg. 1986. S

Frauenliteratur,
1. Werke *über* Frauen, bes. Romane über ein Frauenschicksal (z. B. O. Flake, »Hortense«, 1933; meist Trivialliteratur).
2. *Von Frauen* verfaßte poet. Werke (oft eingeschränkt auf Werke, die die geist. u. polit. Emanzipationsbestrebungen der Frau widerspiegeln, v. a. Frauenromane seit der Aufklärung). – F. gibt es seit Beginn der abendländ. Literatur als Teil fast aller literar. Strömungen und Gattungen; sie reicht von höchstem literar. Rang über Nachahmungen zeittyp. Vorbilder bis zur ↗Trivialliteratur. Typisierungsversuche, etwa auf Grund des ›Wesens der Frau‹ sind problemat.: einer als ›typ. weibl.‹ bezeichneten einfühlsamen, bewahrenden, zart-empfindenden F. steht ausgesprochen intellektuell reflektierende, kämpfer. oder witzige F. gegenüber, ledigl. für F. im Trivialbereich lassen sich gemeinsame Erzähl- und Formmuster (Liebes-, Eheromane) herausstellen. Der soziolog. Aspekt, d. h. die langsam fortschreitende Frauenemanzipation, erklärt die relativ geringe Zahl an F. bis zum 19. Jh. *Geschichte:* Schon aus frühester Zeit ist F. von höchstem Rang überliefert, so die Gedichte der griech. Lyrikerin Sappho (600 v. Chr.) oder der (Tibull gleichgestellten) Römerin Sulpicia (um 1. Jh. v./1. Jh. n. Chr.), im MA. die Werke gebildeter Nonnen wie Hrotsvit von Gandersheim (10. Jh.) oder Frau Ava (12. Jh., der 1. Dichterin in dt. Sprache), die Werke der Mystikerinnen Hildegard von Bingen (12. Jh.), Mechthild von Magdeburg (13. Jh.), Christine Ebner, Katharina von Siena (14. Jh.), die eine Tradition myst. F. bis zum 18. Jh. begründeten (↗Mystik); im säkularen Bereich sind die Übersetzungen und Dichtungen hochadl. Frauen wie Marie de France (12. Jh.), Elisabeth von Nassau-Saarbrücken und Eleonore von Österreich (15. Jh.) zu nennen, für das 16. Jh. dann die Lyrik der Vittoria Colonna, Gaspara Stampa, Louise Labé oder das »Heptameron« der Margarete von Navarra, für das 17. Jh. die ↗heroisch-galanten Romane der Madame de Scudéry oder die psycholog. der Gräfin de La Fayette, die geistrei-

chen Briefe der Madame de Sévigné und die urwüchs. der Lieselotte von der Pfalz. – Erst die bürgerl.-liberalen Bildungsideen der *Aufklärung* führen zu breiterem Anwachsen der F. in allen literar. Bereichen: vgl. in Deutschland die Lyrik der Anna Luise Karsch(in), die Bearbeitungen und Neuschöpfungen von Komödien der Luise Adelgunde Gottsched, und v. a. die empfindsamen, moral.-didakt. Romane der Sophie von La Roche (»Die Geschichte des Fräuleins von Sternheim«, 1771, ist der 1. dt. Frauenroman) mit einer Flut von Nachahmungen (Amalie Ludecus, Friederike Lohmann, Benedikte Neubert u. v. a.), die durch Taschenbücher, Almanache, ∕ moral. Wochenschriften jetzt auch breitere weibl. bürgerl. Leserschichten erreichten und bes. auf der Ebene der Trivialliteratur bis in die ∕ Familienblätter des 19. Jh.s (Eugenie Marlitt, Nataly von Eschstruth, Hedwig Courths-Mahler), in Thema und Struktur sogar bis heute lebendig blieben. – Die v. a. moral.-geist. Emanzipationsbestrebungen seit der *Romantik* führen zu bekenntnishaften, leidenschaftl. bewegten F.en, z. T. nach dem Vorbild der Madame de Staël (Charlotte von Kalb, Caroline von Wolzogen, Sophie Mereau, Dorothea Veit-Schlegel, Therese Forster, Bettine von Arnim, Karoline von Günderode u. a.). – Aus der breiten, zur Trivialliteratur tendierenden F. des *Biedermeier* (Charlotte Birch-Pfeiffer) ragt bes. das Werk Annette von Droste-Hülshoffs heraus. Eine auch gesellschaftlich gleichberechtigte Stellung der Frau fordert die F. seit dem ∕ *Jungen Deutschland* nach dem Vorbild der George Sand (d. i. Aurore Dupin), vgl. die Romane von Ida von Hahn-Hahn, Malwida von Meysenburg, Fanny Lewald, Luise Otto-Petersen (Begründerin des Allgem. Dt. Frauenvereins, 1865) bis zur Friedensnobelpreisträgerin (1905) Bertha von Suttner u. a. Während des *19. Jh.s* wird die F. zu einem festen Bestandteil des literar. Lebens. Sie folgt den literar. Strömungen und Moden, vgl. die konservativen lyr. und erzähler. Werke von Luise von François, Marie von Ebner-Eschenbach, Isolde Kurz, Ricarda Huch, Lulu von Strauß und Torney, Agnes Miegel, Enrica von Handel-Mazzetti oder Ina Seidel, die religiös gestimmten Dichtungen von Gertrud von Le Fort, Ruth Schaumann, Elisabeth Langgässer, die expressionist. von Else Lasker-Schüler, die sozialkrit. von Lena Christ, Anna Seghers oder Marieluise Fleißer oder die humane Lyrik von Rose Ausländer, Nelly Sachs (Nobelpreis 1966) oder Hilde Domin. Mit Sprache, Formen und Aussageweisen (Kurzgeschichten, Hörspiele usw.) experimentieren Ingeborg Bachmann, Ilse Aichinger, Christa Wolf, Gabriele Wohmann, Gisela Elsner, Ingeborg Drewitz, Karin Struck, Gerlind Reinshagen, ferner die Lyrikerinnen Sarah Kirsch, Christa Reinig, Dorothee Sölle, Maria Menz; oder Barbara Frischmuth, Friederike Mayröcker, Friederike Roth, deren Versuche der abstrakten Dichtung zuzurechnen sind. In ähnl. Fülle ist seit dem 19. Jh. auch in der ausländ. Literatur die F. vertreten, z. B. in *Frankreich* A. de Noailles, Th. Monnier, S. G. Colette, N. Sarraute, S. de Beauvoir, M. Duras, F. Sagan u. a., in *Norwegen* S. Undset, in *Schweden* S. Lagerlöf, in *Finnland* M. Talvio, in *Polen* M. Dombrowska, in *Rußland* A. A. Achmatowa, in *England* V. Woolf, V. M. Sackville-West, K. Mansfield, E. Sitwell, H. Doolittle, Sylvia Plath, Doris Lessing, u. a., in den *USA* E. Wharton, E. Glasgow, G. Stein, W. Cather, P. S. Buck, M. Mitchell, K. A. Porter, C. McCullers, M. T. McCarthy, M. Moore, E. St. Vincent Millay, E. Wylie u. a., in *Kanada* M. de la Roche, in *Chile* G. Mistral, in *Italien* Grazia Deledda u. a.

▢ *Lexikon:* Friedrichs, E.: Die dt.sprach. Schriftstellerinnen des 18. u. 19. Jh.s. Ein Lexikon. Stuttg. 1981. Pataky, S.: Lexikon deutscher Frauen der Feder. Bln 1898, Nachdr. 1983. – Schindel, C. W. O. A. von: Die dt. Schriftstellerinnen des 19. Jh.s. 3 Teile. Lpz. 1823–25, Nachdr. 1978.
▢ *Bürger,* Ch.: Leben, Schreiben. B. v. Arnim, Ch. v. Kalb, S. Mereau u. a. Stuttg. 1990 – Brinker-Gabler (Hg.): Dt. Lit. von Frauen. 2 Bde. Mchn. 1988. – Baader, R. (Hg.): Das

Frauenbild im literar. Frankreich vom MA. bis zur Gegenwart. Darmst. 1988. – Becker-Cantarino, B.: Der lange Weg zur Mündigkeit. Frau und Lit. Stuttg. 1987. – Oppermann, H.: Das Engelsmuster. Zu Theorie, Gesch., Analyse und Interpretation eines kulturellen Deutungsmusters d. Weiblichen. Hildesh. 1986 – Gnüg, H. / Möhrmann, R. (Hg.): Frauen, Lit., Geschichte. Stuttgart. 1985. – Suhr, H.: Engl. Romanautorinnen im 18. Jh. Hdbg. 1983. – Schmidt, Ricarda: Westdt. Frauenlit. in den 70er Jahren. Frkft. 1982. – Ezergailis, I.: Women writers. Bonn 1982. – Cocalis, S. L. u. a.: Beyond the eternal Feminine. Critical essays on women in German literature. Stuttg. 1982. – Puknus, H. (Hrsg.): Neue Lit. der Frauen. Mchn. 1980. – Paulsen, W. (Hrsg.): Die Frau als Heldin u. Autorin. Bern/ Mchn. 1979. – Möhrmann, R.: Die andere Frau. Emanzipationsansätze dt. Schriftstellerinnen. Stuttg. 1977. *Texte:* Runge, A. (Hg.): Frühe F. in Deutschland Bd. 1–4. Hildesh. 1987/88 (auf 6 Bde. berechnet). IS

Frauenstrophe, ∕ Minnesang.

Freie Bühne, von M. Harden, Th. Wolff, den Brüdern Hart u. a. 1889 in Berlin nach dem Vorbild von A. Antoines ∕ »Théâtre libre« gegründeter Theaterverein, der in geschlossenen Vorstellungen v. a. (meist durch Zensur verbotene) naturalist. Dramen aufführte (H. Ibsen, G. Hauptmann, Holz/Schlaf, A. Strindberg u. a.). Vorsitzender war bis 1894 O. Brahm (bis 1898 P. Schlenther, ab 1898 L. Fulda), der auch die 1890 begründete Zeitschrift »Freie Bühne« (weitergeführt ab 1894 als »Neue dt. Rundschau«, ab 1904 als »Neue Rundschau«) herausgab. Die F. B. erlangte großen Einfluß auf das Theaterleben, indem sie den naturalist. Dramen den Weg bahnte und einen neuen Bühnenstil (natürl. Schlichtheit, Betonung von Mimik und Gestik als Darstellungsmitteln seel. Zustände). Ähnliche Vereine entstanden in Berlin (»Freie ∕ Volksbühne«, als Abspaltung der F. B. 1890; »Dt. Bühne«, 1890), München (»Akadem.-dramat. Verein«, 1894), Leipzig (»Literar. Gesellschaft«, 1895), London (»Independent Theatre«, 1891), Wien, Kopenhagen und Moskau (»Künstlertheater«, 1898).
▢ Schley, G.: Die F. B. in Berlin. Bln. 1967. – Schlenther, P.: Wozu der Lärm? Genesis der F. B., Bln. 1889. – RL. GMS

Freie Künste, ∕ Artes.

Freie Rhythmen, metr. ungebundene, reimlose Verse von beliebiger Zeilenlänge und meist beliebiger Zahl unbetonter Silben zwischen den betonten, ohne feste Strophengliederung, doch häufig sinngemäß in verschieden lange Versgruppen gegliedert. Im Gegensatz zur reinen Prosa folgen die Hebungen jedoch annähernd in gleichem Abstand, auch bestimmte rhythm. oder metr. Modelle kehren immer wieder (vgl. Rilke, »Duineser Elegien«: Hexameterschlüsse). Da die rhythm. Bewegung solcher ›Verse‹ der Aussage voll adäquat, wie von ihr diktiert erscheint, wurde auch die Bez. ›eigen-rhythm. Verse‹ vorgeschlagen. Die Gliederung in Verszeilen unterscheidet die freien Rh. schon opt. von der sog. ∕ rhythm. Prosa. – F. Rh. wurden entwikkelt unter dem Einfluß der Psalmen und der Dichtung der Antike, bes. als verweintl. Nachahmung des Pindarischen ∕ Dithyrambus, tatsächl. aber der jungattischen unstroph. polyrhythm. Dithyramben (nach Melanippides) mit hymn.-ekstat. Ton, erstmals von Klopstock (»Frühlingsfeier«, 1759, ∕ Bardiete u. a.), dann in der ∕ Bardendichtung u. vom jungen Goethe verwendet (»Wanderers Sturmlied«, »Ganymed«, »Prometheus«); sie begegnen weiter bei Hölderlin (Hymnen), Novalis (»Hymnen an die Nacht«), Heine (»Nordseebilder«), F. Nietzsche (»Dionysos-Dithyramben«), F. Werfel, G. Trakl, G. Benn, B. Brecht und den meisten Lyrikern der Gegenwart; in freien Rh. schrieben in Amerika Walt Whitman, in England T. S. Eliot und W. H. Auden, in Frankreich P. Claudel, in der Sowjetunion W. Majakowskij. – Gegenüber dem früheren feier-

ich-gehobenen Ton werden in neuerer Zeit häufig Versuche einer Annäherung der f. Rh. an den natürlichen Rhythmus der Alltagssprache unternommen (↗freie Verse).
☐ Enders, H.: Stil u. Rhythmus. Studien zum freien Rhythmus bei Goethe. Marbg. 1962. – Jünger, F. G.: Rhythmus u. Sprache im dt. Gedicht. Stuttg. 1952. – Closs, A.: Die f. Rh. n der dt. Lyrik. Bern 1947. – RL.   GMS*

Freie Verse, gereimte, metr. gebaute (hptsächl. jamb. und ᴛrochä.) Verse verschiedener Länge, die in beliebiger Mischung, freier Reimordnung und mit oder ohne stroph. Gliederung gereiht werden. F. V. fanden zuerst Verwendung im it. ↗Madrigal (sog. *Madrigalverse*), danach auch in ᴀnderen mit Musik verbundenen literar. Formen (Oper, Singspiel, Kantate). Sie wurden im 17. Jh. außerordentl. ᴃeliebt in der franz. Lyrik (sogar im Sonett), der frz. Komödie (Molière) und Fabeldichtung (La Fontaine; frz. Bez.: ᴠers libres, mêlés oder irréguliers), im 18. Jh. dann auch in ᴅt. Fabeln (Ch. F. Gellert), Lehrgedichten (B. H. Brockes, A. v. Haller) und Verserzählungen (Ch. M. Wieland). – Späᴛer wurde das feste regelmäßige Versmaß aufgegeben (z. B. ᴃei manchen frz. Symbolisten wie A. Rimbaud und J. Laforgue und dt. Expressionisten wie F. Werfel, E. Stadler u. a.), so daß sich diese f. n V. nur noch durch den Reim von ᴅen ↗freien Rhythmen unterscheiden.   GMS*

Freiheitsdichtung, unscharfe Bez. für ↗polit. Dichtung, ᴅie Freiheitsideen proklamiert oder verherrlicht. Die Bez. findet sich gleichermaßen für die patriot., antinapoleon. Lyrik der Befreiungskriege (1813–15: E. M. Arndt, Th. Körner, M. von Schenkendorf, F. Rückert u. a. – nationale Freiheit) wie auch für die polit.-satir., revolutionäre (aber auch nationale) polit. Lyrik des ↗Vormärz (A. Grün, G. Herwegh, F. von Dingelstedt, H. Hoffmann von Fallersleben u. a. – demokrat. Freiheit).
☐ Weber, E.: Lyrik der Befreiungskriege. Stuttg. 1990.   IS

Freilichttheater,
1. F. im weiteren Sinne waren das gr.-röm. Theater der Antike, das ↗geistl. Spiel des MA.s und das Theater des 16. Jh.s, sofern es, nach der Verbannung aus dem kirchl. Raum, auf Höfen, Plätzen oder Straßen stattfand.
2. Das F. im engeren Sinne, als bewußte Gegenkonzeption zum Theater des geschlossenen Raums mit Guckkasten- und Illusionsbühne, ist dagegen eine spezif. neuzeitl. Erscheinung. – Seine erste Ausprägung fand es im *Hecken- und Gartentheater des 17. und 18. Jh.s:* Theateraufführungen in den im Sinne der frz. Gartenarchitektur kunstvoll gestalteten Schloßparks waren integrierte Bestandteile höf. Feste des Barock und Rokoko. Man unterscheidet hölzerne Theater, die zu bes. Zwecken jeweils aufgestellt wurden, und feststehende Heckentheater, die das Schema der Dekorationsbühne des 17./18. Jh.s (Kulissensystem) mit kunstvoll beschnittenen Hecken, Lauben, Springbrunnen, kleinen Pavillons und Statuetten nachbildeten, mit festem (amphitheatral.) Zuschauerraum und dazwischenliegendem Orchestergraben (z. B. die Schloßparktheater in Versailles, Hannover-Herrenhausen, Schwetzingen, im Salzburger Mirabell-Garten). Eine weitere Ausprägung des Gartentheaters ist das *Ruinentheater* (mit steinernen Aufbauten), das der romantisierenden engl. Gartenarchitektur verpflichtet ist (z. B. Bayreuth, Eremitage). – Eine bes. Form des F.s in der 2. Hälfte des 18. Jh.s ist die von E. Schikaneder geleitete *Regensburger Pferdekomödie* (1787/88): auf der Donauinsel Oberer Wöhrd bei Regensburg wurden vor etwa 3000 Zuschauern zeitgenöss. Kriegsdramen sowie Ritterstücke aufgeführt. – Etwa gleichzeitig liegen die Anfänge des *modernen Naturtheaters,* das im Ggs. zum älteren Hecken- und Gartentheater die Natur nicht architekton. überformt, sondern die vorgegebene Landschaft als Stimmungsraum in das Spiel miteinbeziehen will. Erste Beispiele sind etwa der Weimarer F. im Ettersberger Wald (1780 Aufführungen von Einsiedels Walddrama »Adolar und Hilaria«) und im Park des Tiefurter Schlößchens an der Ilm

(1782 Aufführung von Goethes Singspiel »Die Fischerin«). Für ein Naturtheater plante auch Klopstock seine drei ↗Bardiete. Ganz durchsetzen konnte sich das Naturtheater allerdings erst zu Beginn des 20. Jh.s im Rahmen der ↗Heimatkunst-Bewegung (1903 Harzer Bergtheater, begründet durch E. Wachler; 1907 F. in Ötigheim, begründet durch J. Saier; 1909 Zoppoter Waldoper); bis 1932 wurden allein im deutschsprach. Raum mehr als 600 solcher Naturtheater begründet. – Das Gegenstück zum Naturtheater ist das *Architekturtheater,* als Theater in antiken Ruinen, seit der 2. Hälfte des 19. Jh.s zunächst in Südfrankreich, später auch in Italien (1869/74 Theater in Orange, begründet auf Anregung des provenzal. Dichters F. Mistral; es folgten Nîmes, Arles, Béziers, Fréjus, Limoges; Verona; die vorgegebene Architektur der antiken Ruinen wurde dabei oft durch kolossale Bühnenbauten ergänzt. Auch das Architekturtheater setzte sich im 20. Jh. durch: Histor. Bauwerke werden in Aufführungen vorwiegend lokalgeschichtl. Stücke einbezogen. – Das moderne Natur- und Architekturtheater ist z. T. berufsmäßiges Theater mit in der Regel festspielartigem Charakter. Aufführungen von hohem künstler. Niveau (Opernfestspiele in Verona; Festspiele in der Klosterruine von Bad Hersfeld, auf der Treppe v. St. Michael in Schwäbisch Hall; »Jedermann«-Aufführungen auf dem Salzburger Domplatz). Zum größeren Teil werden in modernen F. jedoch von Laien Volks- und Heimatstücke aufgeführt. Gegenüber dem Theater im geschlossenen Raum weist das F., Natur- wie Architekturtheater, einige Besonderheiten auf: die Abhängigkeit von klimat. und Witterungsverhältnissen gestatten Freilichtaufführungen in der Regel nur während der Sommermonate; die große räuml. Ausdehnung von Bühne und Zuschauerraum, die im Ggs. zum Theater im geschlossenen Raum nicht streng getrennt sind, erfordert ein großflächiges Spiel (kammerspielart. Feinheiten bleiben in F. ohne Wirkung); bes. geeignet erweisen sich Freilichtbühnen für Massenszenen und Volksauftritte; das natürliche Licht muß als raumgestaltender Regiefaktor miteinbezogen werden. Der Auswahl der Stücke werden durch diese Besonderheiten Grenzen gesetzt. – Eine Randerscheinung in der Geschichte des neuzeitl. F.s stellen die *Thingspiele des Dritten Reiches* dar, die durch den Reichsdramaturgen R. Schlösser 1934 als Massenveranstaltungen für bis zu 20 000 Zuschauer in eigens dafür gebauten »Thingstätten« ins Leben gerufen wurden und so etwas wie ein »völkisches« Theater sein sollten.
☐ Schöpel, B.: Naturtheater. Diss. Tüb. 1965. – Stadler, E.: Das neuere F. in Europa u. Amerika, Einsiedeln 1951. – Meyer, Rudolf: Das Hecken- und Gartentheater in Dtschld. im 17. u. 18. Jh. Emsdetten 1934.   K

Freimaurerdichtung, poet. Gestaltung des freimaurer. Ideengutes oder auch seiner äußeren Organisation (Rituale, Symbole usw.); von Bedeutung v. a. im 18. Jh., in dem sich die Freimaurer in Deutschland etablierten (1. Loge 1737 in Hamburg) und großen Einfluß gewannen. Seit etwa 1740 entstehen zahlreiche *Logenlieder* (u. a. von M. Claudius, J. H. Voß, Goethe), seit etwa 1780 auch *Freimaurer-Romane* (z. B. der als ›klass.‹ geltende Briefroman »Über das Ganze der Maurerey«, 1782, erweitert u. d. T. »Notuma . . .« 1788 von A. S. v. Goué) und *dramat.* Werke (z. B. »Die Zauberflöte«, 1791, Libretto zu Mozarts Oper von E. Schikaneder; »Die Söhne des Thals«, 1803/04, von Z. Werner u. a.). Die human.-sittl. Tendenzen des Freimaurertums finden sich auch in Lessings »Nathan« (1779), in Goethes Gedicht »Das Göttliche« (1783), dem Fragment »Die Geheimnisse« (1784/85), im »Wilhelm Meister« (Lehrjahre VII, 9, Wanderjahre III, 9), in Schillers »Lied an die Freude« (1786) u. a. Obwohl die Verfasser Logenmitglieder waren, bleibt die Zuordnung solcher Dichtungen zur F. problemat., da der in diesen Werken gestaltete Humanitäts- und Toleranzgedanke allgem. zum geist. Ideengut der Aufklärung gehörte, vgl. dazu auch die *für* die geist. Ziele, aber *gegen* die pseudosakrale äußere Form des Freimaurertums gerichteten theoret. Schriften G. E. Lessings (»Ernst und Falk«, 1778/80) oder J. G. Herders (Humanitätsbriefe, 2. Slg., 26. Stück, 1793 und Adrastea VI, 8, 1803). – Randerscheinungen des Freimaurertums und anderer geheimer Gesellschaften, etwa mißbrauchtes Geheimwesen (Cagliostro, Schrepfer u. a.) oder mag.-theosoph. Mystifikationen schildern die beliebten und weit verbreiteten, meist kolportagehaften /Geheimbundromane.

☐☐ *Handbuch:* Lennhoff, E./Posner, O: Intern. Freimaurerlexikon. Zürich u. a. 1932, Nachdr. 1980. – Großegger, E.: Freimaurerei u. Theater. Köln/Wien 1981. – Antoni, O.: Der Wortschatz der dt. Freimaurerlyrik des 18.Jh.s in s. geistesgeschichtl. Bedeutung. Mchn. 1968. – Schneider, Ferdinand, J.: Die Freimaurerei und ihr Einfluß auf die geist. Kultur in Deutschland am Ende des 18.Jh.s. Prag 1909. – RL

Freitagsgesellschaft, von Goethe 1791 gegründeter privater Vortrags- und Diskussionszirkel, in dem Weimarer und (als Gäste) Jenaer Gelehrte, Dichter, bildende Künstler etc. über eigene u. fremde wissenschaftl. und literar. Arbeiten berichteten. Zu den Mitgliedern zählten neben Goethe Ch. M. Wieland, J. G. Herder, J. J. Ch. Bode, C. L. v. Knebel, F. J. J. Bertuch, Ch. G. Voigt, Ch. W. Hufeland, G. M. Kraus, H. Meyer, W. v. Humboldt u. a.; tagte zunächst wöchentl., bald auch nur monatl. oder unregelmäßig; bestand nicht über den Winter 1796/97 hinaus. Zeugnisse: Goethes Tag- und Jahreshefte 1796; C. A. Böttiger: Literar. Zustände u. Zeitgenossen, Lpz. 1838, S. 23–47 und 81–87.

☐☐ Houben, H.: Die F. Goethe-Jb. 19 (1898) 14–19. IS

Friedrichshagener Dichterkreis, fluktuierende Gruppe von Naturalisten, die sich seit 1890 zunächst in den Häusern von W. Bölsche u. B. Wille trafen, nachdem diese beiden aus Berlin nach Friedrichshagen am Müggelsee (heute zu Berlin) fortgezogen waren, um Natur in der Natur statt im »steinernen Meer« der Großstadt zu suchen. Zu den Gästen zählten G. Hauptmann, M. Halbe, O. E. Hartleben, A. Strindberg, aber auch C. Hauptmann, R. Dehmel und F. Wedekind. Nach Bölsches Wegzug in die Schweiz (1893) wurde bis um die Jh.-Wende das Haus der Brüder H. und J. Hart zum neuen Mittelpunkt des Kreises.

☐☐ Scherer, H.: Bürgerl.-oppositionelle Literaten und sozialdemokrat. Arbeiterbewegung nach 1870. Die ›Friedrichshagener‹. Stuttg. 1974. HD

Fronleichnamsspiel, Prozessionsspiel, bedeutendste Ausprägung des gemeineurop. /geistl. Spiels im Spät-MA.: dramat. Aufführung im Rahmen der Prozessionen anläßl. des 1264 von Papst Urban IV. eingeführten Fronleichnamsfestes. Dargestellt wurden die einzelnen Stationen der christl. Heilsgeschichte von der Weltschöpfung bis zum Jüngsten Gericht. Seit dem 14.Jh. bes. in *England* verbreitet. Überliefert sind die »York Plays«, »Wakefield Mysteries«, »Chester Plays«, der »Ludus Coventriae« u. a. Die älteste Gestalt zeigen die »York Plays«, die die für Prozessionsspiele charakterist. /Wagenbühne verwenden: Die einzelnen Szenen wurden jeweils auf Wagen (engl. *pageants*) dargestellt, die in der Prozession mitgeführt wurden. Jede Szene wurde zunächst an der ersten Station des Prozessionsweges gespielt; der Wagen rollte dann weiter bis zur nächsten Station, wo die Szene wiederholt wurde, während an der ersten Station die folgende Szene aufgeführt wurde usw. Diese Aufführungstechnik bedeutete, daß alle Rollen, die über eine Szene hinausgriffen, in den verschiedenen Szenen von verschiedenen Darstellern gespielt werden mußten. Für die Dramaturgie ergab sich daraus eine strenge Trennung der Szenen voneinander. Die Gestaltung der Wagen war Sache der verschiedenen Gilden und Zünfte; so wurde z. B. der Wagen mit der Arche Noah traditionsgemäß von den Schiffszimmerern, der Wagen mit der Anbetung der Drei Könige von den Goldschmieden dekoriert. Einen jüngeren Typus des F.s stellen die »Wakefield

Mysteries« dar: hier sind längs des Prozessionsweges hölzerne Gerüste aufgebaut; dabei wird an jeder Station eine Szene gespielt. – Die jüngste Form des F.s repräsentiert der Coventry-Zyklus; er war ursprüngl. für 40 Wagen gedacht, der überlieferte Text setzt jedoch eine Simultanbühne voraus, da die einzelnen Szenen ineinander übergehen. Das älteste F. im dt.-sprach. Raum ist das *F. von Neustift/Tirol* (1391), das auch dem *F. von Bozen* zugrundeliegt (um 1470), vom Bozener F. wiederum abhängig ist das *F. von Freiburg/Breisgau* (1516). Während diese Spiele noch die Wagenbühne verwenden, sind beim *F. von Künzelsau* (1479) an drei wichtigen Stationen des Prozessionsweges Simultanbühnen errichtet, auf denen einzelne Szenenfolgen aus dem ganzen heilsgeschichtl. Zyklus dargestellt werden. Dieser jüngeren Aufführungspraxis folgt auch das *F. von Viterbo* (1462), für andere italien. Prozessionsspiele ist allerdings auch die Wagenbühne bezeugt. Eine bes. Eigenart des italien. F.s ist der szen. Prunk, demgegenüber der Text an Bedeutung verliert. – Seine literaturgeschichtl. bedeutsamste Ausprägung hat das F. in Spanien erfahren, wo es als /Auto sacramental oder Auto mit dem Corpus Christi bis weit in die Neuzeit lebendig war.

☐☐ Michael, W.: Die geistl. Prozessionsspiele in Deutschland. Baltimore 1947. K

Fronte, f. [it. = Stirn, Vorderseite], /Stollenstrophe.

Frontispiz, m. [mlat. frontispicium = Frontansicht, Vorderseite], /Buchillustration.

Frottola, f. [it. zu frotta = ungeordnete Anhäufung, Schwarm],

1. Gattung der italien. Lyrik, ursprüngl. unterliterar. Volksdichtung (*F. giullaresca* = F. der Gaukler), die zusammenhanglos Sprichwörter, absurde Einfälle, Wortspiele (sog. *motti*), unsinnig-scherzhafte Dialoge und Anspielungen auf Tagesereignisse aneinanderreiht; metr. sehr frei (meist unstroph. Kurzverse), mit Ketten-, Schlag- und Binnenreimen. Zeugnisse erst aus dem 14.Jh.; so entwickelt sich aus ihrer formal strengeren (z. T. stroph.) Kunstform *(F. letteraria, F. d'arte)* aus Sieben- oder Elfsilblern mit Paar- oder Dreireim, Schlag- und Binnenreim und moral. oder satir.-parodist. Tendenz. Die traditionelle unsinnige Reihung burlesker Einfälle erscheint als Sonderform des *Motto confetto* (= vervollkommnetes Witzwort) aus gereimten Siebensilbern und strikter Trennung von Sinn- und Reimpaareinheit. Vertreter der F. letteraria sind im 14.Jh. u. a. F. Sacchetti, F. Vannozzo, A. da Ferrara, im 15.Jh. J. da Bientina; auch Petrarca werden 3 Frottole zugeschrieben. – Eine Sonderform des 14.Jh.s aus binnengereimten Endecasillabi in *neapolitan. Dialekt* ist der sog. *Gliommero* (neapolitan. für it. gomitolo = Knäuel); Vertreter im 15.Jh. F. Galeota, J. Sannazaro.

2. Bez. für /Barzelletta (F. barzelletta). IS

Fruchtbringende Gesellschaft (Palmenorden), älteste und bedeutendste der dt. /Sprachgesellschaften.

Frühmittelhochdeutsche Literatur, umfaßt die literar. Zeugnisse in »deutscher« Sprache von der Mitte des 11. bis Mitte des 12.Jh.s, auch ›salische Literatur‹ genannt (nach dem Herrschergeschlecht der fränk. Salier-Kaiser 1024–1125). Es handelt sich um v. a. in Klöstern entstandene /Geistlichendichtung im Dienste der Laienmissionierung, teilweise durch cluniazens. Gedankengut geprägt (deshalb bisweilen auch als ›cluniazens. Literatur‹ bezeichnet). Formale Kennzeichen sind relativ freie Gestaltung des Reimes (unreine Reime) und der Vers- und Strophenformen. Das älteste Werk dieser Literaturepoche ist ein um 1060 entstandener Heilshymnus, das »Ezzolied«; den Abschluß bilden die »Kaiserchronik« (ca. 1150), das »Alexanderlied«des Pfaffen Lamprecht und das evtl. erst als Nachzügler um 1170 entstandene »Rolandslied«des Pfaffen Konrad. Neben dogmat. Dichtungen wie »Summa Theologiae« (oder »Ezzolied«) begegnen gereimte Buß- und Sittenpredigten (»Memento mori«),

Sündenklagen (»Milstätter«, »Vorauer Sündenklage« u.a.), Gebete (»Heinrichs Litanei«), Mariendichtungen (»Melker Marienlied« u.a.), Bibeldichtungen (aus dem AT: »Wiener Genesis«, aus dem NT: Gedichte der Frau Ava, der ältesten dt.sprach. Dichterin), Hohe-Lied-Übersetzungen (z.B. Willirams Paraphrase), Legenden (»Annolied«) und schließl. erste Anfänge naturkundl. Literatur (»Physiologus«, »Meregarto«). Die häufig anonymen Werke sind oft nur als zufäll. Einträge auf freien Seiten lat. Codices erhalten, aber auch schon in Sammelhandschriften (Vorauer, Milstätter Handschrift, 2. Hälfte 12. Jh.). Kunstgeschichtl. ist die Epoche durch die *Romanik* bestimmt (Speyrer Dom, Maria Laach, Alpirsbacher Klosterkirche; »Hirsauer Bauschule«; Fresken in Burgfelden u.a.). – RL.

S

Fugitives, Pl. [ˈfjuːdʒitivz; engl. = Flüchtlinge], Gruppe von Dichtern und Literaturkritikern, die sich seit 1922 an der Vanderbilt-Universität in Nashville (Tenn. USA) zusammenfanden. Kulturpolit. verband sie die Ablehnung der materialist. Großstadtzivilisation, des Fortschritts- und Wissenschaftsoptimismus, denen sie die Forderung zur Rückkehr zu den agrar.-ländl. Lebensformen und Wertvorstellungen des amerikan. Südens entgegenstellten (daher auch als *Agrarians, Southerners* bez., vgl. ihren manifestart. Sammelband «I'll take my stand. The South and the agrarian tradition by 12 southerners«, 1930). Literar. suchten die F. an die neue engl. Lyrik, insbes. die poet. Technik T.S. Eliots (im Gefolge Th. E. Hulmes und E. Pounds, vgl. /Imagismus) anzuknüpfen. Ihre Lyrik ist gekennzeichnet durch starke Gedanklichkeit, komplexe, oft kontrastive und assoziative Bildlichkeit und die Betonung traditioneller (klassizist.) Formen und Strukturen, die experimentell aufgelockert, verfremdet werden (z.B. die Sonettform bei M. Moore). Vertreten sind M. Moore, C. Brooks, D. Davidson und als bedeutendste J. C. Ransom, A. Tate und R. P. Warren, die auch das Organ der Gruppe, die Zeitschrift »The Fugitive« (1922–25) herausgaben; diese wurde zur einflußreichsten Literaturzeitschrift der Südstaaten, die insgesamt der F. eine literar. Renaissance verdanken. Von weitreichender Wirkung war auch die später im Kreis der F. entwickelte Literaturkritik des /New Criticism.
📖 Cowan, L. S.: The fugitive group. Baton Rouge (La) 1959. – Bradbury, J. M.: The F. A critical account. Chapel Hill (N.C.) 1958. IS

Fugung, dt. Bez. für /Synaphie.

Füllwort, in der Verssprache (oder poet. Prosa) ein für den Sinnzusammenhang unnötiges Wort, das aus metr. oder rhythm. Gründen (oder des Reimes wegen) eingefügt ist. Begegnet auch in gesprochener Sprache, um eine Aussage emotional abzutönen: geh' *doch* bitte weg! GMS*

Fünfakter, Drama in fünf Akten. – Die Fünfteilung der dramat. Handlung findet sich als poetolog. Forderung zuerst bei Horaz (Ars poetica, v. 189 ff.); verwirklicht ist sie zum 1. Mal in der röm. Tragödie bei Seneca. Im Anschluß an Horaz und Seneca erhebt die /Dramaturgie der Renaissance (insbes. J. C. Scaliger, 1561) und der Humanismus die Gliederung eines Dramas in 5 Akte zu einem poet. Gesetz, das als in der Natur des Dramas selbst liegend angesehen wird. Der F. wird damit zur typ. Bauform des europ., insbes. des frz., engl. und dt. Dramas der Neuzeit. – Während die Gliederung des dramat. Handlung beim /Dreiakter einen einfachen Spannungsbogen vom Ausgang des dramat. Konflikts über seine Entfaltung (/Epitasis) bis zu seiner Auflösung umfaßt, ist beim F. nach der /Exposition (I) die Entfaltung des dramat. Konflikts wiederum in einen aufsteigenden und einen fallenden Handlungsteil gegliedert: er steigert sich über mehrere Stufen bis zum Höhepunkt der /Krisis (II, III: Epitasis); auf diesem Höhepunkt schlägt die Handlung um (IV: /Katastasis, /Peripetie) und fällt, wieder über mehrere Stufen, bis zur Lösung des Konflikts in der /Katastrophe (V). Vom Standpunkt der handelnden Personen aus betrachtet, steht die steigende Handlung unter der Kategorie des Wollens, die fallende Handlung unter der Kategorie des Müssens.
📖 Freytag, G.: Die Technik des Dramas. Lpz. 1863. K

Funkerzählung, Sonderform des /Hörspiels, bei der das Erzählerische überwiegt. Die Bez. F. verwendet wahrscheinl. zum ersten Mal W. Brink 1933; er unterscheidet die F. als eine »auf dem Selbstgespräch aufgebaute Form«, die ein Geschehen indirekt vermitte, von der direkten Geschehensvermittlung im Hörspiel. Diese Unterscheidung wird von den Theoretikern der F. meist beibehalten, wenn auch weiter differenziert, etwa in einer zusätzl. Unterscheidung zw. sog. ep. Hörspiel mit überwiegendem Dialog und F. mit überwiegendem Sprechertext (O. H. Kühner) oder zw. »präsentierendem« und »referierendem Erzählen« (F. Knilli). Ansätze zur F. finden sich in den Versuchen um den sog. »akust. Roman« (ca. 1927) und in der Erzählerdiskussion auf der Kasseler Arbeitstagung ›Dichter und Rundfunk‹, 1929. Als *erste F.en* gelten Funkadaptionen ep. Vorlagen, v. a. H. Kessers »Schwester Henriette« (UA 1929; im Übergang zum sog. Monologhörspiel) und »Strassenmann« (UA 1930; mit der tragenden Stimme des Autor-Erzähler-Reporters). Einen festen Platz im Hörspielprogramm einzelner Rundfunkanstalten nimmt die F. jedoch erst seit Mitte der 50er Jahre ein. In der gattungsmäß. Einschätzung ist sie umstritten als »ep.-dialog. Mischform« (H. Schwitzke), bzw. als eine »eigene Weise des Erzählens, die ohne den Funk kaum in der heute feststellbaren Form aufgetreten wäre« (D. Hasselblatt).
📖 Döhl, R.: Vorläufiger Bericht über Erzähler und Erzähler im Hörspiel. In: Probleme des Erzählens in der Weltliteratur. Hrsg. v. F. Martini. Stuttg. 1971, S. 367–408 (Festschr. K. Hamburger). D

Funktionalität der Teile, Poetolog. Postulat: von einem als sinnvolle Einheit verstandenen literar. Kunstwerk wird erwartet, daß seine einzelnen Form- und Sinnelemente (Motive, Bilder, Gedanken, Handlungszüge) nicht nur um ihrer selbst willen da sind, sondern über ihren Eigenwert hinaus eine bestimmte Bedeutung und *Funktion* für das Werk als Ganzes haben. Die F.d.T. ist in einzelnen Dichtungsgattungen und Dichtungsformen von unterschiedl. Relevanz und besitzt auch verschieden streng durchgeführt, wenig deutl. z.B. in manchen ep. Werken (z.B. vielen Romanen, aber auch im /ep. Theater; man spricht hier geradezu von der *Selbständigkeit der Teile* als auszeichnendes Moment. Konstituierend für die F.d.T. jedoch in Novellen, im Kriminalroman und in dramat. Literatur. Strenge F.d.T. verlangt z.B. unter Berufung auf Aristoteles die frz. Klassik; sie fordert, daß alle Teile der Handlung einer Tragödie so voneinander abhängen, daß kein Teil verändert werden kann, ohne daß das Ganze Schaden leidet (/geschlossene Form). G. E. Lessing leitet die F.d.T. aus der Zweckbestimmung des literar. Werks selbst ab, das auf Gefühlswirkung zielt und diesem Zweck die Wahl des Stoffs und alle formalen Mittel unterordnet. *Absolute F.d.T.* liegt vor, wenn die Darstellungselemente außerhalb ihrer Funktion im Beziehungsgeflecht des Werkes keinerlei Realitätscharakter mehr behaupten (Emrich über Kafka).
📖 Emrich, W.: Zur Ästhetik der modernen Dichtung. In: Akzente 1 (1954) 371–387. Wieder in: W. E., Protest und Verheißung. Frkft./M. u. Bonn [3]1968, 123–134. HSt*

Furcht und Mitleid, /Katharsis.

Fürstenspiegel, Darstellung des histor. oder fiktiven Idealbildes eines Herrschers, seiner Pflichten und Aufgaben, von eth.-moral. Prinzipien der Staatslenkung bis hin zu polit.-sozialen, oft sogar privaten Verhaltensregeln, z. T. in utop.-krit., z. T. in prakt.-didakt. Absicht (als Erziehungslehre für Prinzen, oft an bestimmte Fürsten gerichtet) meist in Form eines Traktats, aber auch in Versform. F. finden sich der Sache nach schon in der Antike (Staatsschriften Platons und Aristoteles', Sendschreiben des Isokrates »An

Nikokles«); für die polit. Ideale des MA.s wurde insbes. bedeutsam Xenophons »Kyropädie« (Erziehung des Kyros, 4. Jh. v. Chr.), die aus Plutarch kompilierte »Institutio Traiani«, die Selbstbetrachtungen Marc Aurels und v. a. Augustins »De civitate Dei« (nach 410). Eine *Blütezeit* mit ersten Ansätzen zu selbständ. F.n war die Karolingerzeit (Sedulius Scotus, »Liber de rectoribus christianis«, Hincmar, »De regis persona et regio ministerio« [für Karl d. Kahlen]; Idealbild ist der *rex iustus et christianus*). Eine neue Epoche beginnt im 12. Jh. mit Johannes von Salisburys »Policraticus« (1159), in dem die eth. Interpretation der Macht und die Betonung des öffentl. Wohls im Mittelpunkt stehen, und Gottfrieds von Viterbo »Speculum regum« (1185, in Versen, für den engl. Thronfolger Heinrich), ein Papst- und Königskatalog, zugleich ein frühes Beispiel einer unterweisenden Fürstenlehre. Seit Thomas von Aquins »De regimine principum« (1265/66) wirkten einerseits die polit. Aristotelismus und das röm. Recht, andererseits nationale Realitäten in die F. hinein: Engelbert von Admont schrieb einen F. für die Söhne König Albrechts I., der F. des Aegidius Romanus wurde für Herzog Albrecht IV. v. Österreich, der des Philippus de Bergamo für mitteldt. Herrscherhäuser übersetzt (»Spiegel der regyrunge«, 15. Jh.). Die F.literatur gipfelt in Erasmus' von Rotterdam »Institutio principis christiani« (1516, Verbindung von christl. und antiker Ethik) und N. Machiavellis »Il principe« (1532), der mit der Trennung von eth. und polit. Pflichten zugleich den Bruch mit dem bisherigen Fürstenideal vollzieht: an die Stelle des *princeps christianus* tritt der nur polit. motivierte *princeps optimus*. – Die Thematik wird fortan einerseits in Staatslehren, Staatstheorien (J. Bodin, J. Lipsius u. a.), andererseits in fiktionalen F.n wie Fénelons »Télémaque« (1699) und /Staatsromanen (J. F. Marmontel, Ch. M. Wieland u. a.) weitergeführt.
📖 Berges, W.: Die F. d. hohen u. späten MA.s. Lpz. 1938, Neudr. 1952.   S

Fußnote, durch ein Verweiszeichen (Sternchen [/Asteriskus] oder hochgestellte kleine Ziffer) auf eine bestimmte Stelle im Text bezogene Erläuterung oder Ergänzung am unteren Rand (Fuß) einer Druckseite. Seit dem 16./17. Jh. in der Tradition spätantiker Scholiasten übliche Darstellungsform wissenschaftl. Arbeit; F.n wurden vom ›poeta doctus‹ des Barock in die schöngeist. Literatur übernommen und als literar. Kunstform bes. gepflegt von Jean Paul (»Des Feldpredigers Schmelzle Reise nach Flätz, mit fortgehenden Noten«, 1809). Die Tendenz der F. zu pseudogelehrter Wucherung parodiert G. W. Rabeners Prosasatire »Hinkmars von Repkow Noten ohne Text« (1745). /Anmerkungen, Marginalie.   HSt

Futurismus, m. Name wahrscheinl. in Anlehnung an G. Alomars »El Futurismo«, 1903; zunächst *italien. literar. Bewegung,* die von F. T. Marinetti proklamiert und in ihrer Geschichte wesentl. mit ihm verbunden ist. Die Vorgeschichte des F. ist ablesbar an den Veröffentlichungen der Zeitschrift »Poesia«, in der z. B. die Einführung des *verso libero* (/freien Verses) in die italien. Dichtung gefordert und vollzogen wurde. 1908 entsteht das Gründungsmanifest, das im Januar 1909 zunächst als Vorwort zu E. Cavacchiolis »Le Ranocchie Turchine« erscheint, dann in frz. Sprache am 20. 2. 1909 im »Figaro« veröffentlicht wird. Es folgte eine Manifest-Flut zu fast allen künstler. Bereichen(bildende Kunst, Varieté, Theater, Musik), aber auch zur Politik (vgl. u. a. das Manifest zur Wahl am 7. 3. 1909, von dem sich eine Linie zur später eindeutig faschist. Haltung des F. ziehen läßt, vgl. Marinetti, »Futurismo e Fascismo«, 1924). Autoren des F. neben Marinetti waren v. a. F. L. Altomare, M. Bètuda, P. Buzzi, E. Cavacchioli, A. D'Alba, L. Folgore, C. Govoni, G. Manzella-Frontini, A. Palazzeschi. Als weltanschaul.-künstler. Erneuerungsbewegung proklamierte der F. die Zerstörung des Alten, der gesellschaftl. und kulturellen Traditionen. Statt dessen

wollte seine Literatur das moderne Leben, die Welt der Technik als »Bewegung, als Dynamik« spiegeln, als »allgegenwärtige Geschwindigkeit, die die Kategorien Raum und Zeit aufhebt«. Eine derartige Literatur mußte sich ihre eigene Sprache, Syntax und Grammatik erst einmal schaffen (vgl. »Manifesto tècnico della letteratura futurista«, 11. 5. 1912 und »Distruzione della sintassi. Immaginazione senza fili. Parole in libertà«, 11. 5. 1913). In den sprachl. und formalen Neuerungen (v. a. den *parole in libertà*) liegt die wesentl. Bedeutung des F., durch sie beeinflußte er u. a. /Dadaismus und /Surrealismus (vgl. die Anthologie »Poeti futuristi«, hg. v. Marinetti, 1933).
Ähnl. Tendenzen verfolgte auch der *russ. F.*: Er wandte sich radikal von der durch Puschkin, Dostojewski, Tolstoi, aber auch den Symbolisten repräsentierten Traditionen ab und betonte in seinem von D. Burljuk, W. Chlebnikow, A. Krutschenych, W. Majakowski unterzeichneten Manifest »Eine Ohrfeige dem allgem. Geschmack« (1912) den »kompromißlosen Haß« auf die bisher gebräuchl. Sprache«, das Recht des Dichters auf Revolutionierung des poet. Stoffes, des Wortschatzes und der Syntax. Das Wort sollte in einer »sinnüberschreitenden Sprache« emanzipiert, die »Worte mit Bedeutungen‹versehen werden, »die von ihren graph. und phonet. Eigenschaften abhängen«, überzeugt, daß »eine neue Form ... auch einen neuen Inhalt« hervorbringe, daß die Form den Inhalt bestimme. Nicht nur hier deutet sich eine Wechselbeziehung zum /Formalismus an. – Der F. stellte sich zunächst der neuen Regierung zur Verfügung: Die offizielle Zeitschrift des Kommissariats für Volksbildung »Kunst der Kommune« wurde z. B. von den Futuristen redigiert. Als jedoch Majakowski 1923 die daraus hervorgegangene radikale Kunstzeitschrift /LEF herausgab, sah er sich zusehends der polit. Kritik ausgesetzt (vgl. u. a. L. Trockij, »Lit. und Revolution«, 1924). Der russ. F. hatte aber zu dieser Zeit seinen Höhepunkt bereits überschritten. Seine Einflüsse lassen sich bis in die Gedichte der /Proletkult-Bewegung nachweisen (Kosmisten).
In nur äußerl. Beziehung zum russ. F. steht der sog. *Ego-F.* Die Bez. prägte der Lyriker I. Severjanin für seine eigenen melod., manierist.-vulgären und v. a. extrem ich-süchtigen Dichtungen (1913): nur die schroffe Ablehnung literar. Traditionen und die experimentierende Neigung zu Neologismen verbindet ihn mit dem F., dessen ideell-programmat. Zielen er jedoch fern steht. Die Bez. ›E.-F.‹ wird gelegentl. auch auf Dichter wie Scherschenjewitsch angewandt.
📖 *italien.* F.: Blumenkranz-Onimus, N.: La poésie futuriste italienne. Paris 1984. – Finter, H.: Semiotik des Avantgardetextes. Gesellschaftl. und poet. Erfahrung im it. F. Stuttg. 1979. – Chiellino, C.: Die F.-Debatte. Zur Bestimmung des futurist. Einflusses in Deutschld. Frkf. 1978. – Apollonio, U. (Hrsg.): Der F., Manifeste u. Dokumente einer künstler. Revolution 1909–18. Köln 1972. – Baumgarth, Ch.: Gesch. des F. Reinbek 1966 *(mit Bibliogr.).* – *russ.* F.: Markov, V.: Russian Futurism. Berkeley (Calif.) 1968.   D*

Gai Saber, m. [prov. = fröhl. Wissenschaft], eigentl. »Consistori de la Subregaya Companhia del G.S.«, bürgerl. Dichtergesellschaft, gegründet 1323 in Toulouse zur Wiederbelebung der nach dem Albigenserkreuzzügen (1209–29) vom Niedergang bedrohten prov. Dichtungstradition. Ausgehend von der Lehrbarkeit der Dichtung, verfaßte ihr Kanzler Guilhem Molinier Mitte 14. Jh. eine eth. fundierte Regelpoetik, die sog.n »Leys d'Amors«, die als Dichtungsanleitung und Kriterienkatalog zur Beurteilung der Dichtung galt, die jedoch jetzt vornehml. auf religiöse und moral. Themen beschränkt war. Ihre Repräsentanten (u. a. Bernat de Panassac, Raimon de Cornet, Arnaut Vidal, Guilhem de Galhac) fanden sich alljährl. zu Dichterwettbewerben, den sog. /Blumenspielen, zusammen. Die dort preisgekrönten Dichtungen wurden unter dem Namen »Joias del G.S.« (Freuden der fröhl. Wissenschaft) gesam-

nelt. Die Ausstrahlung des Consistori im gesamten prov. Sprachraum war eine der wesentl. Ursachen dafür, daß sich das Prov. als Dichtersprache bis Ende des 15. Jh.s in Südfrankreich behauptete. – 1393 wurde in Barcelona auf Initiative König Johanns I. von Aragon ein katalan. »*Consistori de la Gaya Ciència*« von Jacme March und Lluis de Averço mit dem selben Ziel gegründet.
  ⌑ Anglade, J.: Bibliogr. des Leys d'Amors. In: Anglade, J.: A propos des troubadours toulousains. Toulouse 1917.

PH*

Galante Dichtung [zu frz. galant = (im 17. Jh.) mod. fein gekleidet, höfisch, zu it./span. gala = Festkleid(ung)],
1. zusammenfassende Bez. für literar. Werke mit erot.-spieler. Thematik (╱erot. Literatur);
2. Modedichtung in der Übergangszeit vom Spätbarock zu ╱Aufklärung und ╱Rokoko: neben ›galanten‹ Romanen vorwiegend poet. Kleinformen (Sonette, Oden, Lieder, Madrigale, Kantaten, ›galante‹ Briefe, Versepisteln u. a.), die – als pointiert-geistreiche ╱*Gesellschaftsdichtung mit erot. Thematik* – das Ideal des höf. »galant homme« und der ›galanten‹ »conduite«gestalten; Höhepunkt um 1700 (1680–1720). – Die g. D. wurde in der ╱Salon-Kultur Frankreichs im Rahmen der ╱preziösen Literatur entwikkelt. In Deutschland lassen sich, insbes. in der Lyrik, bei einheitl. (erot.-galanter) Thematik *zwei Richtungen* unterscheiden: Dem Stilideal der franz. preziösen Vorbilder und der 2. ╱Schles. Dichterschule (Lohenstein) folgten Ch. H. von Hofmannswaldau, A. Mühlpfort, H. A. von Abschatz, B. Neukirch u. a., deren Dichtungen durch formale Virtuosität (Wort-, Klangspiele, geistreiche Kombinatorik und Metaphorik, vgl. ╱Schwulst) gekennzeichnet sind. Gegen diese oft rein dekorative Verwendung manierist. Stilmittel wandte sich (z. T. polem.) eine von der Frühaufklärung beeinflußte Gruppe galanter Dichter wie Ch. Gryphius, Ch. G. Burghart, Ch. Hölmann, Ch. F. Hunold, gen. Menantes (vgl. »Die allerneueste Art, höfl. und galant zu schreiben«, 1702 u. öfter) u. a. Sie erstrebte einen »mittleren«, nüchterneren Stil, eine Leichtigkeit des Tons; ihre heiter-iron. Behandlung der Liebe leitete eine Entwicklung ein, die über J. Ch. Günther zu Rokoko, Anakreontik und Erlebnislyrik führte. Die *galante Lyrik*, meist »Produkte der Nebenstunden«, erschien in Anthologien wie z. B. B. Neukirchs »Herrn von Hoffmannswaldau u. andrer Deutschen auserlesene und bißher ungedruckte Gedichte« (1695; bis 1697 3 Aufl., erweitert, bis 1727 7 Teile) oder G. Stolles (gen. Leander) »Des Schles. Helicons auserlesene Gedichte« (1699/1700). – Der *galante Roman* knüpfte in der Fabel (ein getrenntes Liebespaar wird am Ende wieder glückl. zusammengeführt) an das labyrinth. Verwirrungsschema des ╱heroisch-galanten Romans an, vereinfacht aber Personenbestand und Handlungsführung, wirft den enzyklopäd. Ballast ab und reduziert die große hero. Staatsaktion auf eine Liebesintrige. Die Welt erscheint nicht mehr im theolog. Bezugsrahmen als ›Welt-Theater‹, sondern als »Schauplatz der Liebe«, auf dem Amor sein heiter-frivoles Spiel treibt. Wie im hero.-galant. Roman werden jedoch Werte u. Normen der höf. Gesellschaft bestätigt. Indem so die Gattung des ›hohen‹ Barockromans zum ›niederen‹Gesellschaftsroman umgewandelt wurde, entstand eine Übergangsform, die ihre Weiterentwicklung in der Erzählkunst Ch. M. Wielands fand. – Wegbereiter der Gattung wurde A. Bohse, gen. Talander (»Liebescabinett der Damen«, 1685, »Amor am Hofe«, 1689 u. a.); der bedeutendste Vertreter ist Ch. F. Hunold-Menantes (»Die liebenswürd. Adalie«, 1702), ferner sind J. L. Rost, gen. Mellaton, M. E. Franck, gen. Melisso (»Die galante u. liebenswürd. Salinde«, 1718 u. a.) und J. G. Schnabel (»Der im Irr-Garten der Liebe herumtaumelnde Cavalier«, 1738) zu nennen.
  ⌑ *Texte:* B. Neukirchs Anthologie. Bis jetzt 5 Teile ersch. in: Neudrucke dt. Lit.werke Bd. 1, 16, 22, 24 u. 29, Tüb.

1961, 1965, 1970, 1975 und 1981; Wiedemann, C. (Hrsg.): Der galante Stil 1680–1730. Tüb. 1969 (mit Bibliogr.); Singer, H.: Der galante Roman. Stuttg. ²1966. – RL.   KT*

Galliambus, m. [gr.-lat.], urspüngl. das Kultlied der vorderasiat. (phryg.) Magna Mater Kybele und des Attis; Bez. nach den Galloi, den Kultdienern der Göttin. Dann der Vers dieser Kultlieder, der seit alexandrin. Zeit (Kallimachos) in der antiken Kunstdichtung Verwendung findet. – Der G. gilt als katalekt. Tetrameter aus 4 Ionici a minore mit Diärese nach dem zweiten Versfuß und ╱Anaklasis zwischen den ersten beiden Versfüßen. Schema: ∪∪‑∪‑∪‑‑ |
∪∪‑∪∪∪‑∪; mannigfache Variationen durch Auflösung von Längen bzw. Zusammenziehung zweier Kürzen zu einer Länge. – Verwendung z. B. bei Catull (carm. 63, das von Attis und Kybele handelt).   K

Gallizismus, m. [lat. gallicus = zu Gallien gehörig], Nachbildung einer syntakt. oder idiomat. Eigenheit der franz. Sprache, z. B. ›das Bett hüten‹ (nach: garder le lit) oder ›den Hof machen‹ (nach: faire la cour).   S

Gassenhauer, m. [Kompositum aus Gasse und hauen = laufen (vgl. »hau ab«)], von städt., später bes. großstädt. Bevölkerung (Wien, Berlin) popularisiertes, leicht einprägsames, künstler. anspruchsloses Lied. Charakterist. sind ein allgem. wiederholungsreiche Melodik, knappe Texte, oft Refrainformen. G. waren nicht nur anonyme, dem ╱Bänkelsang nahestehende Volkslieder und Gesellligkeitsgesänge, vergleichbar heutigen Karnevalsschlagern, sondern ebenso Couplets, Singspiel-, Operetten- oder popularisierte Opernnummern (C. M. v. Webers »Jungfernkranz«); im Ggs. zum modernen, industriell produzierten und vertriebenen ╱Schlager entstanden G. spontan und ohne Steuerung. – G. bez. zunächst Personen (Pflastertreter, Nachtbummler) im 16. Jh. dann volkstüml. Tänze (seit 1517 belegt) und Lieder (Ch. Egenolff, »Gassenhawerlin vnd Reutterliedlin«, Frankf./M. 1535). Die lat. Übersetzung des G.s als carmen triviale (1561) bezeugt bereits abwertende Bedeutung, das Wort bleibt jedoch bis zum Ende des 18. Jh.s weithin auch ohne negativen Nebensinn. Dieser seit jedoch durch, nachdem J. G. Herder 1773 den Begriff ›Volkslied‹ einführte. Seit der Verbreitung von Radio und Tonfilm wird das Wort G. durch die erstmals 1869 belegte, negativ behaftete Bez. ›Schlager‹ verdrängt. – RL.   HW

Gastarbeiterliteratur, ╱Ausländerliteratur

Gattungen,
1. Kategorien, Ordnungsfaktoren zur Klassifikation von Dichtung und Literatur in der Literaturwissenschaft. Im 18. Jh. bildete sich in zahlreichen Theoriediskussionen die Gattungstrias ╱Lyrik, ╱Epik, ╱Dramatik heraus, die im 19. Jh. kanon. wurde. Ansätze zu einer Theorie der Dichtungsklassen finden sich schon bei Aristoteles. Die Tradition gattungspoetolog. Theorien im Rahmen der ╱Poetik reicht dann von Horaz, Quintilian über J. C. Scaliger, N. Boileau, M. Opitz, G. Ph. Harsdörffer bis zu J. Ch. Gottsched, J. G. Sulzer, J. J. Eschenburg u. a. Goethe unterschied als ╱Naturformen der Dichtung »Epos, Lyrik und Drama«, eine Typologie, die für die poetolog. Vorstellungen des 19. Jh.s bestimmend wurde. Darüber hinaus spitzte sich im 18. Jh. die Theoriediskussion auf die Frage zu, ob eine vierte Gattung, die Didaktik, gebe: von Goethe abgelehnt, von F. Schlegel dagegen anerkannt als eine »idealist. Poesie, deren Ziel das Philosophisch-Interessante« sei. – Im 19. Jh. lieferten v. a. G. W. F. Hegel (»Aesthetik«, hrsg. 1835–38), F. Th. Vischer (»Aesthetik«, 1846–57) und W. Scherer (»Poetik«, 1888) Beiträge zur philosoph. und poetolog. Grundlegung der G. In neuerer Zeit wird die überkommene Gattungstypologie unter wechselnden Aspekten in Frage gestellt, parallel mit einer Ausweitung und Änderung des Literaturbegriffes, der nun auch sog. Gebrauchstexte und andere, von den älteren Gattungsdefinitionen nicht berücksichtigte Literaturarten (╱Textsorten) umfaßt. Die neueren Vorschläge rücken dabei jeweils andere

Aspekte des Literarischen in den Vordergrund: E. Staiger setzte auf der Basis der Existenzphilosophie Heideggers an die Stelle formaler Klassen die Begriffe ›lyrisch‹, ›ep.‹, ›dramat.‹ als fundamentale Seinsmöglichkeiten, denen er als Kennzeichen die Reihen ›Silbe – Wort – Satz‹ und ›Erinnerung – Vorstellung – Spannung‹ zuordnet (»Grundbegriffe der Poetik«, 1946). K. Hamburger setzt an die Stelle einer Dreiteilung eine modifizierte Zweiteilung: fiktionalmimet. gegen existentielle Dichtung (»Die Logik der Dichtung«, 1957). Darauf aufbauend entwickelt R. Tarot die Dichotomie ›Mimesis und Imitation‹, die quer durch die bisherige Gattungstypologie verläuft (»Mimesis und Imitatio«, 1970). K. W. Hempfer schließt. ersetzt das Gattungskonzept rezeptionstheoret. durch ›Normen der Kommunikation‹ (»Gattungstheorie«, 1973). Zur alten Viererteilung kehrt F. Sengle (↗Formenlehre) zurück. Alle diese Vorschläge offenbaren die Problematik theoret. Gattungskonzepte. Sie bewegen sich in unterschiedl. Stringenz in dem sachgegebenen Spannungsfeld zwischen äußeren Merkmalen der Literatur, ihren semant. Strukturen und intentionalen Funktionen. Die Theorie der Gattungen kann letztl., will sie sachorientiert bleiben, nicht mehr sein als ein statist., phänomenolog. Ordnungsgefüge, besser noch eine Orientierungshilfe in der Fülle literar. Manifestationen nach erkenn- und benennbaren typ. und ont. Merkmalen und Präsentationsformen. Dabei ergeben sich naturgemäß Grenzfälle, Mischformen, welche die Grundstrukturen in Frage zu stellen scheinen. Ein solcher Grenzfall ist z. B. die postulierte Gattung der Didaktik, welcher nicht, wie den anderen G., bestimmte Darbietungsformen eignen, sondern die durch inhaltl., tendenzielle Kriterien bestimmt wird, welche jeweils die formal definierten Gattungen überlagern können (vgl. in der Lyrik z. B. die Spruchdichtung, in der Epik das Lehrgedicht).
2. als G. werden bisweilen auch (noch unschärfer) Untergruppen oder *Unterklassen der drei Hauptgattungen* benannt (von Goethe als ›Dichtarten‹ bez.), wobei sowohl formale Gesichtspunkte (im Rahmen der Lyrik z. B. Sonett, Elegie, im Rahmen der Epik Novelle) als auch inhaltl.-tendenzielle (Streitgedicht, Tenzone, Protestsong – histor. Drama u. a.) mitwirken können. Von den derart definierten G. setzt A. Jolles seine ↗einfachen Formen ab.
□ Schnur-Wellpott, M.: Aporien der Gattungstheorie aus semiot. Sicht. Tüb. 1983. – Willems, G.: Das Konzept der literar. Gattung. Tüb. 1981. – Rüdiger, H. (Hrsg.): Die G. in der vergleichenden Lit.wiss. Bln./New York 1974. – Fubini, M.: Entstehung u. Gesch. der literar. G.n. Tüb. 1971. – Ruttkowski, W. V.: Die literar. G.n. Bern/Mchn. 1968. – Scherpe, K. R.: Gattungspoetik im 18.Jh. Stuttg. 1968. – Behrens, I.: Die Lehre von d. Einteilung der Dichtkunst vornehml. vom 16. bis 19.Jh. Halle 1940.   S

Gaya ciencia ↗Gai saber.

Gebände, auch Gebende, Bez. der Meistersinger, 1. für die Art der Reimbindung, das Reimschema; 2. für die ↗Meistersangstrophe (↗Stollenstrophe), das Gesätz, ↗Gebäude.

Gebäude, Bez. der Meistersinger für die ↗Meistersangstrophe (Stollenstrophe), auch ↗Gebände, Stück, Gesätz.

Geblümter Stil [zu mhd. blüemen = mit Blumen schmücken, unter Einfluß von lat. flosculus = Blümchen, s. ↗Floskel]. Der ornatus difficilis (s. ↗Ornatus, ↗genera dicendi) der lat. ↗Rhetorik und dem ↗trobar clus der Provenzalen vergleichbare, wenn auch nicht einfach aus ihnen abzuleitende Stiltendenzen mhd. Dichter im 13. und 14.Jh., welche bestimmte Ausdrucksformen Wolframs von Eschenbach und der religiösen (Marien-) Dichtung durch gehäufte Anwendung und Systematisierung ins Extrem steigern: gesuchte Bilder und Assoziationen, oft in Form von Genitivumschreibungen und mit Ausnutzung von Klangspielerei, Wortumstellung, Katachrese (Satzbruch), Polysemie (Mehrdeutigkeit). ›Geblümte‹ Texte finden sich in fast

allen mal. Gattungen; da ihre Verfasser z. T. ganz verschiedene Elemente des ›blüemens‹ bevorzugen, entstehen heterogene Individualstile mit dem gemeinsamen Kennzeichen des ↗Manierismus. Die wichtigsten Vertreter sind der Verfasser des »Jüngeren Titurel« (Wolfram?, Albrecht) und Konrad von Würzburg (»Die goldene Schmiede«), dann Heinrich von Meißen, gen. Frauenlob, Egen von Bamberg und der Dichter der »Minneburg«, schließl. Heinrich von Mügeln (»Der Tum«). Erstarrte Reste reichen bis in den ↗Meistersang.
□ Nyholm, K.: Studien zum sog. »geblümten Stil«. Acta Academia Aboensis. Serie A, 39 (1971), Nr. 4.   HSt

Gebrauchsliteratur, ungenaue Sammelbez. für Literatur, die an einen bestimmten Zweck gebunden ist, umfaßt so Unterschiedliches wie Andachtsbücher, Kirchenlieder, Kalendergeschichten u. ä., aber auch Schlager- und Reklametexte, Albumverse sowie jede Art von ↗Gelegenheitsdichtung und Literatur im Dienste der Politik (↗Agitprop-theater; vgl. auch ↗engagierte Literatur). Den (gesellschafts-) polit. ›Gebrauchswert‹ der Literatur, speziell des Gedichts, betonen im 20.Jh. z. B. B. Brecht (vgl. u. a. seine »Hauspostille«) und, ihm folgend, H. M. Enzensberger. Als einen Gegenstand zum (ästhet.-) geist. Gebrauch faßt E. Gomringer (im Gefolge des Kunsttheoretikers M. Bill) das konkrete Gedicht (↗konkrete Dichtung) auf.
□ Hickethier, K. u. a. (Hg.): G. Stuttg. 1976.   D*

Gebrochener Reim, von W. Grimm geprägte Bez. für eine Reimbindung, bei der der erste Teil eines Kompositums im Reim steht, z. B. »Hans Sachs ist ein Schuh-/macher und Poet dazu«. Vgl. zur verstechn. Trennung des Kompositums ↗Enjambement.   S

Gebundene Rede, unterscheidet sich von der ↗Prosa durch bewußte Eingriffe in den natürl., *ungebundenen* Sprachfluß durch die Verwendung metr. und rhythm. Gestaltungsmittel. Als R. gelten bereits die ↗freien Rhythmen. Prosa (↗Kunstprosa) u. die ↗freien Rhythmen; sie bilden Übergangsformen zu der ausgeprägtesten Form der g.n R., der strengen Versform, die die Sprache in rhythm. sich wiederholende Grundmuster *einbindet,* indem sie entweder die Abfolge der Silben gesetzmäßig regelt (quantitierendes, akzentuierendes Versprinzip) oder eine bestimmte Zahl lautl. ausgezeichneter Akzentgipfel für eine Periode festsetzt (Stabreimvers).   KT*

Gedankenlyrik (auch: Ideenlyrik, philosoph. Lyrik), vorwiegend reflektierende Lyrik, die im Unterschied zur sog. Erlebnis- und Stimmungslyrik gedankl., vielfach weltanschaul. Zusammenhänge gestaltet. Wie jedoch die Erlebnislyrik als sprachl. Geformtes immer auch Gedankliches, nicht bloß Gefühl und Empfindung zum Ausdruck bringt, so findet umgekehrt in der G. das Ergriffensein von geist. Inhalten, das Erleben gedankl. Zusammenhänge Gestalt. Die erlebnismäß. Betroffenheit trennt die G. andererseits von der eher nüchtern-objektiven, vornehml. Inhalte vermittelnden Lehrdichtung. – In der Lyrik der Gegenwart nimmt der Anteil der Reflexion zu; zugleich wird der Begriff ›G.‹ aufgrund der implizierten problemat. Trennung von Denken u. Empfinden heute vielfach abgelehnt. – Die G. gilt als eine bes. Leistung der dt. Lyrik. Ihre Themen entstammen meist theolog. und philosoph. Denken, im MA. und in der Aufklärung oft mit didakt. Elementen durchsetzt. Ausdruck finden z. B. das Erleben der Spannung von. Diesseits und Jenseits, die Erfahrung harmon. Welteinheit, der Theodizeegedanke oder metaphys., aesthet., philosoph.-existentielle Grunderlebnisse. G. begegnet im MA. in der höf. Lyrik (Friedrich von Hausen, Reinmar der Alte, Walther v. d. Vogelweide) und in der Spruchdichtung (Walther, Freidank, dann v. a. im 16.Jh.), in den Sonetten und Epigrammen des Barock (Opitz, Gryphius, Fleming, Logau), in der Dichtung der Aufklärung (Brokkes, Haller, Klopstock, Lessing, Wieland u. a.) und in der Lyrik Goethes (»Geheimnisse«, 1784, »Metamorphose der

Pflanzen«, 1798, dann v.a. in den späten Sammlungen »Gott und Welt«, »Parabolisch«, »Epigrammatisch« und im »West-östl. Divan«). Höhepunkt der G. sind die sog. philosoph. Gedichte Schillers (u.a. »Die Götter Griechenlands«, 1783, »Das Ideal und das Leben«, 1795, »Der Spaziergang«, 1795, »Die Künstler«, 1789), es folgt die G. Hölderlins, Grillparzers, Hebbels, Rückerts, Nietzsches, Georges, Rilkes u.a. – Bedeutende Vertreter der G. sind in England Byron, Keats, Shelley, Tennyson, T. S. Eliot, in Frankreich Lamartine, de Vigny, Valéry, in Italien Leopardi. ⁄Lyrik.

📖 Todorow, A.: G. Stuttg. 1980.– RL.   GMS*

Gedicht, Verbalsubstantiv zu ›dichten‹, bez. ursprüngl. alles *schriftl. Abgefaßte* (vgl. ahd. *dihtōn, tihtōn* = schreiben; in der Bedeutung beeinflußt von lat. *dictare*), erst im Laufe des 18.Jh.s auf den poet. Bereich eingeengt; zugleich setzte sich, gegen die schon im Altertum (Platon) moralisierend immer wieder vorgebrachte Bedeutungsvariante ›lügenhafte Erfindung‹ (er-dichten), allmähl. die Bedeutung ›freie schöpfer. Erfindung eines Dichters‹ durch. G. konnte in dieser Bedeutung zunächst alle literar. Gattungen umfassen: in der Epik z. B. ›Lehr-G.‹, in der Dramatik ›dramat. G.‹ für Bühnendichtungen in Versen (übl. v. a. im 18.Jh., z. B. Lessings »Nathan«, Schillers »Wallenstein«). Heute bez. ›G.‹ v. a. Werke der lyr. Dichtung. ⁄Lyrik.   KT

Geflügelte Worte. Wörtliche, seit J. H. Voß (1781 und 1793) geläufige Übersetzung der 104mal in den homer. Epen wiederkehrenden Formel *épea pteroénta* = »vom Mund des Redners zum Ohr des Angeredeten fliegende Worte«. Durch Georg Büchmanns Sammlung »G. W. Der Citatenschatz des deutschen Volkes«, 1. Aufl. 1864, ³²1972, wurde die Wendung zur geläufigen Bez. für ⁄Zitate berühmter Dichter, Philosophen, Politiker u.a., die, aus ihrem Zusammenhang gelöst, als Bildungsnachweis, Anrufung einer histor. Autorität oder wegen ihrer rhetor. Wirksamkeit in Reden und Gespräche eingebracht werden. Im Gegensatz zur anonymen Herkunft des ⁄Sprichworts sind die Urheber der g.n W. bekannt. Der Bekanntheitsgrad, die Funktion als Redeschmuck und die vielseitig verwendbare Prägnanz der Formulierung unterscheiden die g.n W. vom wissenschaftl. ⁄Zitat; ⁄Sentenz.

📖 Spruchwörterbuch. Slg. dt. u. fremder Sinnsprüche. Hg. v. F. v. Lipperheide. Bln. 1907, Nachdr. Bln. 1976.   HW

Gegenrefrain, bes. Form des ⁄Refrains (Kehrreims): am Anfang jeder Strophe eines Liedes wiederholte Wortgruppe (⁄Anapher) oder Zeile, meist als strukturelles oder musikal. Gestaltungsmittel, vgl. z. B. bei Brentano (»Einsam will ich untergehn«, »O schweig nur Herz . . .«, »O, vergib . . .«).   KT*

Gegensang, von Ludwig Uhland geprägte Bez. für diejenigen mhd. lyr. Gattungen, welche sich bewußt vom klass. ⁄Minnesang eines Reinmars d. Alten, aber auch Walthers v. d. Vogelweide absetzen wollten. Hauptvertreter ist Neidhart (⁄dörperl.Dichtung), dazu stellen sich auch einzelne Lieder von Steinmar (⁄Tagelied-Persiflage), Hadloub (Dörperlied), Friedrich dem Knecht, Kol von Niunzen u.a.

📖 Uhland, L.: Der Minnesang. In: Uhlands Schriften zur Gesch. der Dichtung und Sage. Hg. von W. L. Holland/A. v. Keller/F. Pfeiffer. Bd. V. Stuttg. 1870.   S

Gegenstandsloser Roman, dt. (charakterisierende) Bez. für den franz. ⁄nouveau roman.

Gegenstrophe ⁄Antistrophe.

Gehalt und Gestalt, von O. Walzel geprägtes Begriffspaar zur Erfassung eines sprachl. Kunstwerkes. *Gehalt* bez. dabei den dichter. geformten Inhalt, Stoff, das, was eine Dichtung an Gedanken, Wollen und Fühlen enthalte oder bewirke, *Gestalt* dagegen die äußere, wahrnehmbare Erscheinungsform eines Kunstwerkes, die ästhet., stilist., strukturale Durchgestaltung eines literar. Stoffes, also äußere und innere Gliederungs- und Darbietungsmomente eines literar. Werkes (oft auch synonym mit ⁄Form gebraucht; vgl. weiter ⁄innere Form, ⁄Struktur).

📖 Walzel, O.: G. und G. im Kunstwerk des Dichters. Potsdam 1923, Nachdr. Darmst. 1957.   S

Geheimbundroman, Sonderform des Abenteuer- und ⁄Schauerromans, entstanden in der 2. Hä. des 18.Jh.s in engem Zusammenhang mit den zahllosen geheimen Orden und Gesellschaften dieser Zeit. Er gewinnt seine Spannung aus der Verstrickung des Helden in die Intrigen einer verschwörergruppe. Von großer Wirkung waren insbes. Schillers G. »Der Geisterseher« (1786/89) und L. F. Hubers Trauerspiel »Das heiml. Gericht« (1790) und in deren Nachfolge u.a. W. F. v. Meyern, »Dya-Na-Sore oder die Wanderer« (1787), K. Grosse, »Der Genius« (1794), H. Zschokke, »Die schwarzen Brüder« (1791/95), Ch. A. Vulpius, »Aurora« (1794) und zahlreiche Romane der Romantik (frühe Romane L. Tiecks, ferner Jean Pauls und E. T. A. Hoffmanns, Verwendung des Verschwörungsmotivs in A. v. Arnims »Kronenwächter«, 1817). Verspottet wird das Geheimbund-, speziell das Freimaurerwesen, in Th. G. Hippels satir. Roman »Kreuz- und Querzüge des Ritters A–Z« (1793/94).

📖 Thalmann, M.: Der Trivialroman des 18.Jh.s und der romant. Roman. Ein Beitr. zur Entw.gesch. der Geheimbundmystik. Bln. 1923. Nachdr. Nendeln 1967; Bussmann, W.: Schillers »Geisterseher« und seine Fortsetzer. Diss. Gött. 1961.   HSt*

Geißlerlieder, Gesänge der mal. Laienbruderschaften der Flagellanten (Geißler), in den Quellen meist als ⁄Leis, auch als ⁄Leich bez.; dem geistl. ⁄Volkslied zuzurechnen. Ausgehend von Italien (⁄Lauda), in Deutschland für die Jahre 1260–62 und 1296, v. a. aber für das Pestjahr 1349 bezeugt. Die auf dem Weg zum oder vom Akt der Geißelung gesungenen (z. T. neu geschaffenen, meist bereits vorhandenen) Lieder wechselten, der Leis bei der Bußhandlung selbst stand fest (»Nu tret her zuo der buossen welle«). Wichtigste dt. Quelle der Texte und aller Melodien ist Hugos von Reutlingen »Chronicon ad annum MCCCXLIX«.

📖 Die Lieder u. Melodien der Geißler des Jahres 1349 nach der Aufzeichnung Hugo's von Reutlingen. Hg. v. P. Runge. Lpz. 1900. Nachdr. Hildesheim u. Wiesb. 1969. – Müller-Blattau, J.: Die dt. G. In: Zs. f. Musikwiss. 17 (1935), 6. – Hübner, A.: Die dt. G. Studien z. geistl. Volksliede des MA.s. Bln. 1931.– RL.   MS

Geistesgeschichtl. Literaturwissenschaft, Untersuchung und Darstellung geschichtl. und bes. kulturgeschichtl. Phänomene, die den Schwerpunkt auf die geist. Kräfte (Ideen) einer Zeitströmung, Epoche oder Nation legt und das jeweilige polit., philosoph., künstler. und literar. Geschehen als Manifestationen einer einheitlichen geist. Grundhaltung, als »Auswirkungen des Gesamtgeistes« (Unger) zu verstehen sucht. Entsprechend interessiert das einzelne Kunstwerk primär nicht als Artefakt, sondern als Dokument des ›Zeitgeists‹, der es hervorgebracht habe, oder wird umgekehrt aus dem geist. Entwicklungszusammenhängen seiner Epoche gedeutet. Die geistesgeschichtl. Methode setzt sich von der auf strikt empir. Methoden festgelegten ⁄positivist. Literaturwissenschaft ab und ersetzt deren analytisch-individualisierende Verfahren durch spekulative Synthesebildungen. Kennzeichnend sind auf die Gesamtdarstellung einer zeit- oder raumübergreifenden Idee oder Problematik abzielende Untersuchungen wie »Der Geist der Goethezeit« (H. A. Korff, 1923–53), »Die Auffassung der Liebe in der Literatur des 18.Jh.s und in der dt. Romantik« (P. Kluckhohn, 1922), »Der Todesgedanke in der dt. Dichtung vom MA. bis zur Gegenwart« (W. Rehm, 1928). Sowohl der Begriff ›Geistesgeschichte‹ (belegt 1812 bei Fr. Schlegel) als auch die Zielsetzung einer geistesgeschichtl. Betrachtung wurzeln in der dt. Klassik und Romantik (Herder, Hegel, R. Haym). Systematisiert wurde die geistesgeschichtl. Methode mit den Arbeiten W. Diltheys (»Einführung in die Geisteswissenschaften«, 1883,

»Das Erlebnis und die Dichtung«, 1905). Weitere bedeutende Vertreter sind neben Korff, Kluckhohn, Rehm und Unger (»Aufsätze zur Prinzipienlehre der Literaturgeschichte« und »Aufsätze zur Literatur- und Geistesgeschichte«, 1929) E. Rothacker (»Logik und Systematik der Geisteswissenschaften«, 1927, und »Einleitung in die Geisteswissenschaften«, [2]1930), E. Troeltsch (»Aufsätze zur G. und Religionssoziologie«, 1925), F. Strich (»Dt. Klassik und Romantik«, 1922), K. Burdach (»Vorspiel. Ges. Aufsätze zur Gesch. des dt. Geistes«, 1925–27) u. a. Seit 1923 existiert die »Dt. Vierteljahrsschrift für Literaturwissenschaft und Geistesgeschichte«(begründet von Kluckhohn und Rothacker), seit 1958 eine »Gesellschaft für Geistesgeschichte « (Erlangen, Vorsitz: H. J. Schoeps).

🕮 Seiffert, H.: Einf. in die Wissenschaftstheorie. Bd. 2: Geisteswissenschaftl. Methoden. Mchn. [7]1978. – Rüdiger, H.: Zwischen Interpretation u. Geistesgesch. Euphorion 57 (1963) 227–244. – Wiese, B. von: Geistesgeschichte oder Interpretation? In: Die Wissenschaft von dt. Sprache und Dichtung. Fs. f. F. Maurer. Stuttg. 1963, S. 239–261; beide wieder in: Methodenfragen der dt. Literaturwiss. Hrsg. v. R. Grimm u. J. Hermand. Darmstadt 1973 (WdF 290). – RL.   HSt

Geistliche Dichtung, ↗geistl. Epik, ↗geistl. Lyrik, ↗geistl. Spiel, ↗Geistlichendicht., ↗Antichristdichtung, ↗Deutschordensdichtung, ↗Messiade, ↗Patriarchade.

Geistliche Epik, ep. Darstellung der christl. Heilsgeschichte und anderer kirchl. Überlieferungen (v. a. ↗Legenden). Reicht von naiver Erzählung über typolog. Betrachtung bis zur scholast.-theolog. Behandlung von Einzelfragen, spiegelt die jeweiligen geschichtl. Strömungen der christl. Kirche wider. – Bereits am Anfang der dt. Literatur stehen zwei große geistl. Epen, die im Dienste der damaligen Laienmissionierung die Heilsgeschichte gestalten: in german.-hero. Sicht der »Heliand« (9. Jh., in Stabreimversen), in gelehrt-theolog. Sicht der »Evangelienharmonie Otfrieds von Weißenburg (9. Jh., in Reimversen). Ausschnitte aus der Heilsgeschichte enthalten kleinere ahd. Gedichte wie »Christus und die Samariterin«. In der frühmhd. Periode (1050–1150) finden sich neben Darstellungen des gesamten Heilsplanes, sog. Summen (»Summa theologiae«, »Anegenge«), religiös-didakt. Geschichtsdichtungen (»Annolied«, »Kaiserchronik«) und Bibelnachdichtungen (z. B. die Werke der Frau Ava, vgl. ↗Bibelepik, ↗Reimbibel), ferner meist cluniazens. gefärbte, gereimte Buß- und Sittenpredigten, eschatolog. Visionen, lyr.-ep. Sündenklagen (Heinrich von Melk, Armer Hartmann). – Nach diesen Perioden der Sicherung des Glaubens trat in den folgenden Jh.en die g. E. hinter der reichen weltl.erzähler. Literatur (höf. Epik) zurück: es entsteht aber weiterhin eine reiche Zahl von Legendendichtungen, bes. Marienleben (↗Mariendichtung) und Heiligenviten, die formal und themat. oft die Grenzen zur weltl. Epik durchbrechen, v. a. wenn ihre Verfasser keine Geistlichen waren wie Heinrich von Veldeke (»Servatius«), Konrad von Fußesbrunnen (»Kindheit Jesu«), Hartmann von Aue (»Gregorius«), Konrad von Würzburg (Legenden) u. a. Sie werden seit Ende des 13. Jh.s in großen Legendenkompendien gesammelt (z. B. im »Passional«). Die g. E. der ↗Deutschordensdichtung ist wie die frühmhd. Dichtung nochmals durch das Streben nach Totalität in der Darstellung relig. Zusammenhänge in der Bibelepik (Tilo und Kulm) und in eschatolog. Werken (Heinrich von Hesler) charakterisiert. Seit *Humanismus und Reformation* wird die kirchl.-dogmat. g. E. weiter zugunsten einer allgemein religiösen, persönl. bestimmten Bekenntnisliteratur zurückgedrängt, sie ist in den folgenden Jh.en meist Zweckdichtung für Seelsorge und christl. Glaubensstärkung, d. h. ↗Erbauungsliteratur. Als letzte großangelegte, dichter. gestaltete Heilspläne können die vielgelesenen und übersetzten Glaubenszeugnisse des Protestantismus (Du Bartas Alexandri-

nerepos »La Semaine ou Création du monde« 1578; dt. »Erste Woche«, 1631), bedingt Miltons Blankversepos »Paradise Lost« (1667; dt. 1682 »Das verlustigte Paradies«), Bunyans Prosa-›Roman‹»The Pilgrim's Progress« (1678; dt. »Die Pilgerreise«, 1853) gelten. Die Grenzen zur religiösen Dichtung werden *in der Neuzeit* immer offener, wie etwa Klopstocks Hexameterepos »Der Messias« (1748–73) zeigt. ↗Antichristdichtung, ↗Patriarchade, ↗Messiade.

🕮 Rupp, H.: Dt. relig. Dichtungen des 11. u. 12. Jh.s. Unters. u. Interpretationen. Bern/Mchn. [2]1971. – Religiöse dt. Dichtung des MA.s. Hg. u. erl. v. H. J. Gernentz. Hdbg. 1965. – Kemp, F.: Dt. geistl. Dichtung aus tausend Jahren. Mchn. 1958. – RL.   S

Geistliche Lyrik, gestaltet christl. dogmat. Glaubensinhalte im Unterschied zu religiöser Lyrik, die individuelles relig. Erleben auch außerhalb der Dogmatik gestaltet, die Grenzen zwischen den beiden Gattungen sind jedoch fließend. – Entscheidend für die volkssprachl. Entwicklung ist die lat. g. L. (↗Hymne, ↗Sequenz, ↗Conductus, ↗Cantio); nach ihrem Vorbild entstehen (z. T. als Nachdichtungen) die ahd. u. frühmhd. Gebete, Heiligenpreislieder (auf Gallus, Petrus, Georg, 9. Jh.), Marienhymnen (frühestes Zeugnis: Melker Marienlied, 1140), poet. Heilslehren (»Ezzolied«, 1060), Sündenklagen u. v. a. der stroph. ↗Leis, im Spät-MA. vielfach auch als ↗Kontrafakturen weltl. Volkslieder. – Neben diesen formal einfacheren Formen entstand, etwa parallel zum ↗Minnesang, oft von denselben Verfassern, eine anspruchsvollere *geistl. (Kunst-)lyrik,* z. B. der relig. ↗Leich, Marienlyrik, Kreuzzugslyrik (F. v. Hausen, Walther v. d. Vogelweide), geistl. ↗Spruchdichtung (Reinmar v. Zweter), geistl. Tagelieder (Peter v. Arberg, 14. Jh.) und meistersingerl. Strophen geistl. Inhalts (Frauenlob, um 1300, Mönch v. Salzburg, 14. Jh.). – Diese Tradition einer geistl. Kunst-Lyrik wird auch in Humanismus und Renaissance weitergeführt, jedoch tritt (bedingt durch neue religiöse Seh- und Erlebnisweisen) bei den bedeutenden Lyrikern neben den dogmat. Aspekt stets auch subjektive Empfindung – die eigene Individualität –, so im Barock (A. Gryphius, P. Fleming, P. Gerhardt auf protestant., D. Czepko, F. v. Spee, Angelus Silesius auf kath. Seite), im Pietismus (Zinzendorf, Tersteegen), bei Gellert, Klopstock, Novalis (»Geistl. Lieder«, 1802), C. Brentano (»Romanzen vom Rosenkranz«, entst. 1809/10) oder A. von Droste-Hülshoff (»Das geistl. Jahr«, 1851). – Weitere Verbreitung fand seit dem Barock eine der ↗Erbauungsliteratur zuzurechnende g. L., die entweder volkstüml. Liedformen benutzte (Versifizierungen von Glaubensartikeln, Psalterbearbeitungen) oder den jeweils zeittyp. Formenschatz der weltl. Lyrik adaptierte, so bes. im Barock und wieder im 19. Jh. (Ch. Sturm, Ch. v. Pfeil, A. Knapp, Ph. Spitta, v. a. K. Gerock, »Palmblätter«, 1857 u. J. Sturm, »Fromme Lieder«, 1852–1892 u. a.). – Nach Formen unverbindl. ästhetisierender relig. Stimmungslyrik (Rilke, »Stundenbuch«, 1905) entstand etwa seit 1930 wieder eine überpersönl. Aussagen anstrebende g. L.: auf protestant. Seite (bekennende Kirche) von R. A. Schröder (»Geistl. Gedichte«, veröff. 1949), J. Klepper (»Kyrie. Geistl. Lieder«, veröff. 1950), D. Bonhoeffer u. a., auf kath. Seite von G. v. Le Fort (»Hymnen an die Kirche«, 1924), R. Schneider (»Sonette«, 1939, 1946, 1954), W. Bergengruen (»Dies irae«, gedr. 1945). – Wichtigster Zweig der g. L. ist der von M. Luther geschaffene Gemeindegesang für den Gottesdienst, das ↗Kirchenlied, das als eigenständ. Schöpfung der dt. Literatur gilt.

🕮 Dronke, P.: Die Lyrik des MA.s, Bd. 2: Die Entwicklung der g. L. Mchn. 1973. – Janota, J.: Studien zu Funktion und Typus des dt. geistl. Liedes im MA. Mchn. 1968. – Pfeiffer, J.: Über die geistgem. Situation des geistl. Liedes. In: Neue Dt. Hefte 7 (1960), 119 ff. – Berger, K.: Barock u. Aufklärung im geistl. Lied. Marburg a. d. L. 1951.   IS

Geistlichendichtung, literaturwissenschaftl. Sammelez. für die Dichtung v. a. des frühen MA.s, die vorwiegend von Angehörigen des geistl. Standes in Klöstern verfaßt wurde. Sie war zum größten Teil geistl. Dichtung; Kleriker gestalteten aber auch vereinzelt bereits weltl. Stoffe, vgl. in lat. Sprache »Waltharius« (vermutl. von dem St. Galler Mönch Ekkehard I., 10. Jh.) u. »Ruodlieb« (11. Jh.), in dt. Sprache das »Alexanderlied« des Pfaffen Lamprecht oder das »Rolandslied« des Pfaffen Konrad (beide 12. Jh.).　　S

Geistliches Drama ↗geistliches Spiel.

Geistliches Spiel, das im Rahmen der kirchl. Liturgie entstandene ↗Drama des europ. MA.s, das den Gläubigen christl. Heilsgeschehen in dramat. Gestaltung vorführt. *Entstehung:* das g. Sp. ist wie das Drama der Antike kult. Ursprungs; es entwickelt sich seit dem 10. Jh. im Rahmen kirchl. Feiern aus dem ↗Tropus. Der *Ostertropus,* der den Gang der Marien zum Grabe gestaltet, bildet dabei, aufgrund seiner dialog. Gliederung in *interrogatio* (Frage) und *responsio* (Antwort), den Ausgangspunkt für die Entstehung des ↗*Osterspieles,* das im Laufe der Zeit, durch Einbeziehung anderer Szenen der Ostergeschichte, zu einem relativ umfangreichen Drama ausgestaltet wird (Blütezeit im 13. Jh.). – Ostertropus und Osterspiel sind zugleich Vorbilder für einen *Weihnachtstropus* (11. Jh.) und das daraus entstehende ↗ *Weihnachtsspiel* (13. Jh.), dessen Kern die Hirtenszene bildet. Auch das ↗*Passionsspiel* entwickelt sich aus dem Osterspiel durch Einbeziehung der Leidensgeschichte Christi in die Darstellung des österl. Heilsgeschehens. Andere Formen des g. Sp.s bilden sich im Rahmen von Prozessionen heraus. – Der zunehmende Umfang der Spiele und ihre wachsende Verselbständigung im Rahmen der liturg. Feier führen im 14. Jh. zur Verlegung des g. Sp.s aus der Kirche auf Marktplätze und in weltl. Säle. Gleichzeitig setzt sich die Volkssprache an Stelle des Latein durch. Träger der Spiele ist fortan nicht mehr der Klerus, sondern die Bürgerschaft der Städte (↗Passionsbruderschaften). Realist., oft drast. Spiel tritt an die Stelle symbol. Vergegenwärtigung von Heilswahrheiten in der Liturgie. In der letzten Entwicklungsphase des g. Sp.s (15./16. Jh.) nehmen die Aufführungen der z. T. Tausende von Versen umfassenden Stücke oft mehrere Tage in Anspruch; sie werden von einer Vielzahl von Akteuren getragen; Massenszenen wechseln mit Soloszenen; die Gemeinde der Gläubigen ist, durch Chorgesang und Gebet, in die Aufführung miteinbezogen. In Gestalt dieser »Bürgerspiele« gehört das g. Sp. zu den eindrucksvollsten Leistungen der städt. Kultur des SpätMA.s. – *Typ. Bühnenform* ist, seit der Verlegung der Spiele aus der Kirche, die ↗*Simultan (-Raum-) Bühne,* bei der die verschiedenen Schauplätze an verschiedenen Stellen etwa des Marktplatzes aufgebaut sind, wobei dann Akteure und Zuschauer gemeinsam von Szene zu Szene ziehen. Ein *Praecursor* eröffnet und beschließt die Aufführung durch eine Ansprache an die Gemeinde; kommentierende Zwischenreden, die in der Regel mit einer Aufforderung zum Gebet schließen, sind belegt. Mit dem Übergang zur Nationalsprache war auch der Weg für *nationale Sonderentwicklungen* geebnet, die vorher nur in Ansätzen mögl. waren, z. B. in Deutschland der lat. »Ludus de Antichristo« 1160 (vgl. ↗Antichristdichtung, ↗Weltgerichtsspiel). Die bedeutendste Form des spätmal. g. Sp.s in *Deutschland* ist das ↗*Passionsspiel,* das, meist über den Rahmen der Passions- und Ostergeschichte hinausgreifend, die ganze christl. Heilsgeschichte des AT und NT von der Schöpfung über den Sündenfall bis zur Erlösung durch Christi Tod und Auferstehung dramat. vorstellt. In *England* hat das g. Sp. tritt an die Stelle hervorgebracht. Hauptgattungen sind das ↗*Fronleichnamsspiel* und die ↗*Moralität* (seit der Mitte des 14. Jh.s), in deren Mittelpunkt das Ringen guter und böser Mächte (Tugenden und Laster, Engel und Teufel) um die Seele des Menschen steht. – In *Frankreich* setzt die nationale Sonderentwicklung bereits sehr früh ein (12. Jh.: anglo-normann. Adamsspiel; um 1200: Niklas-

spiel des J. Bodel). Charakterist. für die spätere Zeit ist in Frankreich das ↗*Mysterienspiel,* das verschiedene Stoffe des AT, des NT und der Heiligenlegende gestaltet; neben anonymen Schöpfungen, vergleichbar den dt. und engl. Spielen, finden sich Werke individueller Dichterpersönlichkeiten (J. Bodel, E. Marcadé, A. Gréban, J. Michel). Sonderformen des Mysterienspiels stellen die pantomim. *mystères mimés* und die ↗*lebenden Bilder* dar. – Ähnl. bietet sich das g. Sp. in den *Niederlanden* dar. Wichtigste Gattungen sind hier das ↗*Mirakelspiel* und das allegor. *Zinnespel* (↗Moralität); den frz. *mystères mimés* entsprechen die sog. *stommen spelen.* – *Italien* nimmt an der europ. Entwicklung des g. Sp.s vom lat. liturg. Drama zum umfangreichen volkssprachl. »Bürgerspiel« des SpätMA.s nicht teil. Träger des it. g. Sp.s sind bis ins 15. Jh. geistl. Bruderschaften. Wichtigste Gattungen sind die ↗*Lauda (drammatica),* ein Prozessionsspiel, das sich aus (balladenartigen) Liedern, die bei Prozessionen gesungen wurden, durch Dialogisierung zu kleinen dramat. Szenen entwickelte, und die *Devozione,* ein ↗Predigtspiel, das der Ausschmückung von Predigten durch lebende Bilder und kurze szen. Dialoge diente. Erst im 15. Jh. entsteht dann, durch Einbeziehung von Lauda drammatica und Devozione in städt. Festlichkeiten, die ↗*Sacra rappresentazione.* Charakterist. für diese szen. Darstellungen von Episoden aus bibl. Geschichte und Heiligenlegende ist die prunkvolle Realisierung. – Bedeutendste Gattung des g. Sp.s in *Spanien* ist das ↗*Auto sacramental,* ein Fronleichnamsspiel, dessen Blüte allerdings erst ins 16. und 17. Jh. fällt (Lope de Vega, Tirso de Molina, Calderón). – Durch Renaissance und Humanismus (Entstehung neuer Dramenformen im Anschluß an das röm. und griech. Drama) und durch die Reformation (Luther lehnt das g. Sp. aufgrund seines liturg. Charakters ab) wird das g. Sp. im Laufe der 1. Hälfte des 16. Jh.s mehr und mehr verdrängt, nur in streng kathol. Gebieten kann es sich noch längere Zeit halten, so im Spanien der Gegenreformation bis ins 18. Jh.; vereinzelt es bis in die Gegenwart überdauert (Oberammergauer Passionsspiele, seit 1634). *Einflüsse des g. Sp.s* im 16./17. Jh. zeigen v. a. das protestant. ↗Schuldrama und das ↗*Jesuitendrama* sowie das sog. *Rede-Oratorien* des Nürnbergers J. Klaj (»Höllen- und Himmelfahrt Jesu Christi«, 1641). Die v. a. im 17./18. Jh. beliebte musikal.-dramat. Gattung des *Oratoriums* einschließl. der oratorischen *Passion* hängt entstehungsgeschichtl. mit dem g. Sp. des MA.s zusammen. Die seit der Romantik (Z. Werner) mehrfach unternommenen Versuche, das g. Sp. des MA.s im Sinne einer formalen Alternative zum neuzeitl. Kunstdrama zu erneuern, waren nur z. T. erfolgreich (H. v. Hofmannsthal, »Jedermann«, 1911; »Das Salzburger Große Welttheater«, 1922; P. Claudel, »Le soulier de satin«, 1930; C. Orff, »Comoedia de Christi Resurrectione«, 1956, »Ludus de Nato Infante Mirificus«, 1960, »Comoedia de Fine Temporum«, 1973).

📖 Schmid, Rainer: Raum, Zeit u. Publikum des g.n Sp.s. Mchn. 1976. – Warning, R.: Funktion und Struktur. Die Ambivalenzen des g.n Sp.s. Mchn. 1974. – Michael, W. F.: Das dt. Drama des MA.s. Bln. u. New York 1971. – Borcherdt, H. H.: Das europ. Theater im MA. u. in d. Renaissance. Reinbek ²1969. – Das Drama des MA.s. Hrsg. v. R. Froning, 3 Bde. Stuttg. 1891, Nachdr. Darmst. 1964 – RL (Spiele, mal. geistl.)　　K

Gelegenheitsdichtung, Sammelbez. für literar. Werke, die zu bestimmten öffentl. oder privaten Anlässen (oft als Auftragsdichtung) verfaßt werden; gehört zur Zweck- und ↗Gebrauchsliteratur. Oft auch künstler. von ephemerer Bedeutung, blieb G. vielfach ungedruckt. – G. ist z. B. die ↗Hofdichtung seit dem Hellenismus (bis zu heutigen Relikten wie dem engl. ↗poeta laureatus), speziell die ↗Herolds- und die ↗Pritschmeisterdichtung des MA.s und der frühen Neuzeit. *Blütezeiten der G.* waren Renaissance und Barock, wo sie, abweichend vom heutigen Dichtungsverständnis, der ›hohen‹ Dichtung zugezählt und als eigene Gattung theoret. begründet wird, so von J. C. Scaliger (1561) und, ihm folgend, u. a. von M. Opitz (Buch von der dt. Poeterey, 1624), der sie, unter dem Einfluß Quintilians, wegen ihrer Formen- und Themenvielfalt als »Silven oder Wälder« bez. (Kap. V). Charakterist. für die *barocke G.* sind prunkvoll rhetor. (Vers)sprache, mytholog. Bildschmuck, Verwendung des traditionellen Arsenals von (Lob-, Schmerz-, Freuden- usw.) Topoi, allegor. Einkleidung. Vielfältig wie die Anlässe sind die Formen der G., die vom knappen Epigramm über Sonette und Oden bis zum allegor. Epos und Festspiel reichen können. Bedeutende G. schufen u. a. Fleming, Rist, Weckherlin, J. Chr. Günther. — Bereits Opitz sah jedoch im oft »närrischen Ansuchen« der Auftraggeber und den größtenteils schablonenhaften G.en eine Gefahr für die »Würde der Poesie«. Mit dem Wandel des Dichtungsbegriffes in der Goethezeit, mit dem neuen Selbstverständnis des Dichters und der sich vom Hof emanzipierenden bürgerl. Gesellschaft verlor die G. an Bedeutung. Zwar hat gerade Goethe eine Reihe von G.en geschaffen (z. B. »Mit einer Zeichnung«, »Des Epimenides Erwachen«), den Begriff aber später auf die gesamte lyr. Dichtung ausgedehnt (zu Eckermann, 18. 9. 1823: die Wirklichkeit liefere den speziellen Stoff, den der Dichter allgemein, d. h. symbol. und poet. behandle). — RL.   KT*

Geleit, dt. Bez. für provenzal. ∕Tornada, afrz. ∕Envoi; eingeführt von F. Diez (»Die Poesie der Troubadours«, 1826): Schluß- und Widmungsstrophe eines mal. provenzal. oder afrz. Liedes. In mhd. Lyrik finden sich dazu nur ungefähre Entsprechungen, z. B. bei Hausen MF 47,9; Walther v. d. Vogelweide 56,14; Neidhart, Winterlied 35.   S

Gelfrede [ahd., mhd. gelf, gelph, n. = lautes Tönen, Übermut, Spott, Hohn]. Spott-, Trutz- oder Reizrede; gehörte (wie auch in der gr. Antike) nach german. Sitte zum rituellen Kampfvorspiel. Bis in mhd. Zeit häufig als Topos bei Kampfdarstellungen, z. B. im »Hildebrandslied« (um 800), »Waltharius« (10. Jh.), im »Nibelungenlied«. Vgl. ∕Streitgedicht.   S

Gemäldegedicht ∕Bildgedicht. — RL.

Gemeinplatz, deutsche Übersetzung (Wieland 1770) für lat. *locus communis:* allg. bekannter, unbezweifelter Satz oder Ausdruck, heute meist als nichtssagende Redensart (Phrase, Floskel) negativ bewertet.   GMS

Geminatio, f. [lat. = Wiederholung], ∕rhetor. Figur: unmittelbare Wiederholung eines Satzteiles (Wort, Wortgruppe). Dabei wird unterschieden die Wiederholung eines Einzelwortes (auch *iteratio* oder *duplicatio*), z. B. »Rückwärts, rückwärts, Don Rodrigo« (Herder, »Cid«) oder einer Wortgruppe (auch *repetitio*), z. B. »Mein Vater, mein Vater, jetzt faßt er mich an« (Goethe »Erlkönig«); drei- und mehrfache Wiederholung (z. B. »Röslein, Röslein, Röslein rot«) wird auch als *epizeuxis* bez. Vgl. dagegen ∕Epanalepsis (Wiederholung mit Abstand).   S

Genera dicendi, n. Pl. [lat., = die Arten des Ausdrucks] die 3 Stilarten, die die lat. ∕Rhetorik im Hinblick auf den unterschiedl. Grad der Verwendung schmückender Stilmittel (∕Ornatus) wie ∕rhetor. Figuren und ∕Tropen theoret. unterscheidet: *genus humile* (niederer Stil), *genus mediocre* (mittlerer Stil), *genus grande* (hoher Stil). — Die antike Theorie (z. B. Cicero) ordnet die 3 g. d. nach den 3 potentiellen Absichten einer Rede: das schmucklose *genus humile* dient vor allem sachl. Belehrung *(docere),* das *genus mediocre* in erster Linie der Unterhaltung *(delectare),* das hochpathet. *genus grande* dagegen der emotionalen Rührung *(movere).* Da die drei Absichten der Rede in der Regel zusammenwirken sollen, fordert die antike Rhetorik die Mischung der 3 Stilarten; ihre prakt. Unterscheidung wird dadurch so gut wie unmöglich. — In der mittelalterl. Rhetorik werden die 3 Stilarten ständisch interpretiert. Das von Galfredus de Vino Salvo (um 1200) und Johannes de Garlandia (13. Jh.) entwickelte mnemotechn. System der *rota Vergiliana* (Rad des

Vergil) bezieht die 3 g. d. (ohne eigentl. sachl. Berechtigung) auf die 3 Hauptwerke des Vergil (*genus grande:* »Aeneis«, *genus mediocre:* »Georgica«, *genus humile:* »Bucolica«) und leitet daraus eine ständische Zuordnung (*genus grande: miles* = Adelskrieger, *genus mediocre: agricola* = Bauer, *genus humile: pastor* = Schäfer) ab. Weiter gehören nach diesem System zu den 3 Stilarten charakterist. Tätigkeiten (Krieg führen und herrschen — das Land bebauen — die Muße der Hirten), symbol. Requisiten (Schwert — Pflug — Hirtenstab), Lokalitäten (Burg — Acker — Weide), Tiere (Roß — Rind — Schaf), Bäume (Lorbeer — Obstbaum — Feigenbaum) usw. — Eine abweichende ständ. Deutung der 3 g. d. findet sich zuerst bei Eberhardus Alemannus (13. Jh.); er ordnet die 3 Stilarten den 3 Ständen zu: *curiales* (höf. Oberschicht), *civiles* (städt. Bürgertum) und *rurales* (Landvolk). In dieser Verbindung spielt die Drei-Stil-Lehre vor allem in der Poetologie der Renaissance und des Barock eine dominierende Rolle, vgl. die Poetik des ∕Dramas, die die einzelnen dramat. Gattungen nach ständ. und stilist. Gesichtspunkten unterscheidet: ∕Tragödie: spielt in fürstl. Kreisen, formale Kennzeichen entsprechend das *genus grande* und der hochpathet. ∕Alexandriner; ∕Komödie: spielt in den unteren Schichten der Gesellschaft, entsprechend *genus humile* und vulgäre Prosa; eine Mittelstellung zwischen beiden Gattungen nimmt das bürgerl. Drama ein, das (von Gryphius' »Cardenio und Celinde« abgesehen) in dt. Sprache zuerst bei Ch. Weise viel ausgeprägt erscheint: *genus mediocre,* weltläufig-elegante Prosa; ähnl. wird im ∕Roman des 17. Jh.s unterschieden (heroischer Roman — pikar. Roman; zwischen beiden Gattungen steht der bürgerl. »polit.« Roman Ch. Weises). Im Laufe des 18. Jh.s verliert das System der lat. Rhetorik und damit auch die Lehre von den 3 g. d. im Zuge einer Neuorientierung der Poetik ihren Einfluß auf Poetologie und Literatur.   K

Generation von 98 (Generación del 98), von Azorín (d. i. José Martínez Ruiz) 1913 geprägter Name für eine polit.-literar. Gruppe span. Schriftsteller, die im Rahmen einer allgemeinen polit.-nationalen Erneuerungsbewegung nach dem verlorenen Kubakrieg (1898: Verlust der letzten übersee. Kolonien) eine nationale Regeneration Spaniens durch Wiederanschluß an die geist. Entwicklungen Europas erstrebten. Die Werke ihrer (verschiedenen polit. Richtungen angehörenden) Vertreter sind gekennzeichnet durch intensives polit. Engagement und das Bemühen, die Selbstbesinnung auf span. Landschaft, Geschichte und Literatur mit europ. Traditionen zu verbinden, um so die Isolation Spaniens gegenüber Europa abzubauen, ohne die nationalen Eigenwerte preiszugeben. Die G. ist stark beeinflußt von den Werken des russ. Realisten, der skandinav. Naturalisten und der dt. Philosophie (bes. A. Schopenhauer und F. Nietzsche); Hauptvertreter neben Azorín sind M. de Unamuno, R. de Maeztu, P. Baroja, A. Machado y Ruiz, R. Menéndez Pidal.

📖 Laín Entralgo, P.: La generación del 98. Madrid 1967. — Granjel, L. S.: La generación literaria del 98. Salamanca 1966. — Jeschke, H.: Die G. v. 98 in Spanien. Halle/S. 1934.
                                RG*

Género chico, n. [xenero 'tiko; span. = kleine Gattung], zus.fassende Bez. für kurze (einakt.) volkstüml.-burleske, zumeist musikal.-dramat. Formen des span. Theaters des 19. Jh.s; umfaßt sowohl die einakt. ∕Zarzuela, Schwänke, das komprimierte Melodram, v. a. aber das in den Madrider Cafétheatern gegen 1870 wiederbelebte, bes. populäre ∕Sainete mit Schilderungen des Madrider Volkslebens mit Gedicht-, Lied- (Couplet-) und Tanzeinlagen. Beispiele sind u. a. die »Cuadros al fresco« (1870; Bilder eines Madrider Morgens und seiner Zwischenfälle) von Tomás Luceño; »La Verbena de la Paloma« (1894) von R. de la Vega/T. Bréton; »La boda de Luis Alonso« (1899) von J. de Burgos/J. Giménez/J. Lopez Silva, ferner die zahlreichen Sainetes und Zarzuela-Libretti von C. Arniches y Barera und den Brüdern J. und S. Álvarez Quintero. – Das .ch. erfreute sich außerordentl. Beliebtheit bis etwa 910/20. Mehr als zehn Madrider Theater pflegten ausschließl. diese Gattung. V. a. das sozial engagierte Nachriegstheater ist dem g. ch. verpflichtet.

Texte: El g. ch. Hg. v. A. Valencia, Madrid 1962.
🕮 Vian, C.: Il teatro chico spagnolo. Mailand 1957. – Deleito y Pinuela, J.: Origen y apogeo del g. ch. Madrid 949. HR*

Genethliakon, n. [gr. genethlios = die Geburt betreffend], antikes Gedicht zur Feier der Geburt eines Kindes oder eines späteren Geburtstages, das in freier Versform bestimmte Topoi und myth. Bezüge variiert. Bezeugt in hellenist. Zeit, voll entwickelt bei den Römern, z. B. Tibulls G. auf den Geburtstag seines Freundes Cornutus oder den der Dichterin Sulpicia, Ovids G. auf den eigenen Geburtstag oder den seiner Frau. S

Geniezeit, auch Genieperiode, geistesgeschichtl. und literar. Bewegung in der zweiten Hälfte des 18. Jh.s, die in der krit. Auseinandersetzung mit dem Rationalismus der Aufklärung und der absolutist. Gesellschaft ein neues irrationales Lebensgefühl entwickelt und im Genie die höchste Form menschl. Totalität erblickt. Die Geniebewegung wirkt auf alle Bereiche der Kultur; sie hat ihren Höhepunkt in der Literatur des ↗Sturm und Drang, beeinflußt nachhaltig die dt. ↗Romantik, wirkt in F. Nietzsches Philosophie des Übermenschen weiter und wird in der ersten Hälfte des 20. Jh.s durch das Interesse am Pathologischen Gegenstand wissenschaftl. Pathographie (W. Lange-Eichbaum; G. Benn »Das Genieproblem«) oder einer die abgelaufene Epoche krit. durchleuchtenden künstler. Auseinandersetzung (Th. Mann, »Doktor Faustus«, 1947). Der *Begriff* ›Genie‹ (nach lat. genius = Geist, Schutzgeist oder ingenium = Natur, Begabung) wird aus dem Franz. in der Bedeutung ›genialer Mensch‹ übernommen, verdrängt allmählich den ›witzigen Kopf‹ und setzt sich gegen den Widerstand der Aufklärer (z. B. J. Ch. Gottsched) um 1750 durch. Entscheidenden Einfluß auf die Begriffsentwicklung nimmt in Frankreich D. Diderot. Das Genie ist für ihn der göttl. Begeisterung fähig, der Natur verwandt und mit einem schöpfer. Vermögen begabt, das keiner leitenden Regeln bedarf. Aus England wirken die Ideen J. Addisons, der die Phantasie über die Vernunft stellt, E. Youngs, der die Freiheit und Originalität der schöpfer. Persönlichkeit fordert, und vor allem Shaftesburys kosmolog.-ästhet. Persönlichkeitsphilosophie, nach der sich der die Kosmos durchwaltende göttl. Genius im schöpfer. Enthusiasmus (im Einklang mit der göttl. Natur) zu offenbaren vermöge. Das Genie wird ins Göttl. erhoben, zur ›zweiten Gottheit«. Prometheus, der »second maker . . . under Jove«, wird zum zentralen Symbol dieser Genietheorie. – Vorbereitet durch den ↗Pietismus, findet der neue Irrationalismus und Subjektivismus des Gefühls Eingang in die Philosophie und ästhet. Theorie J. G. Hamanns, A. G. Baumgartens, M. Mendelssohns und J. G. Sulzers. Im Streit um die Regelbindung der Dichter ergreifen Ch. F. Gellert, G. E. Lessing, J. J. Bodmer und J. G. Herder Partei für das Genie, das nicht Mustern folge, sondern selbst Muster schaffe (↗Poetik). Die Auffassung von der Gottähnlichkeit des Genies ist Allgemeingut, wird aber besonders von J. K. Lavater hervorgehoben. – Schöpfer. Tatmenschentum und schrankenloser Individualismus, Gefühls- und Freundschaftskult, Naturschwärmerei und exzessive Sinnlichkeit, wodurch die Dichtergeneration der G. sich bewußt vom Philister unterscheiden will, prägen ihren Lebensstil wie den Inhalt und Stil einer vorwiegend dramat. Dichtung. Goethe, J. M. R. Lenz, F. M. Klinger, Friedr. (Maler) Müller, H. L. Wagner, J. A. Leisewitz und F. Schiller gehören zu den Hauptvertretern der ›Original- oder Kraftgenies‹, die in Homer, Ossian, Shakespeare und der Volksdichtung den Inbegriff genialer Naturdichtung verwirklicht sehen. Die Betonung der

Naturhaftigkeit und der individuellen Freiheit führt nicht nur im Bereich der Kunst zur Ablehnung jegl. einschränkender Fesseln: Die junge Generation der G. begehrt in revolutionärer Gesinnung gegen die bürgerl. Ordnung auf, scheitert aber (z. T. tragisch) an der Übermacht der bestehenden Verhältnisse oder flüchtet in eine ideal vorgestellte Vergangenheit, in der sie mit J. J. Rousseau einen ursprüngl. guten Naturzustand verwirklicht sieht. In der dt. Geistesschichte bedeutet die G. den endgültigen Durchbruch des Bürgertums als kulturtragender Schicht. Kulturmorpholog. weist sie alle charakterist. Züge einer Jugendbewegung auf.
🕮 Schmidt, Jochen: Die Gesch. des Genie-Gedankens in der dt. Lit., Philosophie und Politik 1759–1945. 2 Bde. Darmst. 1985. – Peters, G.: Der zerrissene Engel. Genieästhetik u. literar. Selbstdarstellung im 18. Jh. Stuttg. 1982. – Lange-Eichbaum, W./Kurth, W.: Genie, Irrsinn und Ruhm. Genie-Mythus und Pathographie des Genies. Mchn./Basel ⁶1967. – Muchow, H. J.: Jugend und Zeitgeist. Morphologie der Kulturpubertät. Reinbek. 1962. – Wolf, H.: Versuch einer Gesch. des Geniebegriffs in der dt. Ästhetik des 18. Jh.s. I. Bd. Hdbg. 1923. KT

Genrebild, n. [ʒär; frz.], literar. Form- und Gattungsbegriff, am Ende des 18. Jh.s von Frankreich aus der Fachsprache der Maler übernommen, die damit typ. Darstellungen von Landschaften, Menschen, Tieren usw. meinten, deren Gruppierung jeweils den Eindruck einer alltägl., selbstgenügsamen und unschuld. Welt im kleinen hervorrufen sollte. Daher zielt der Begriff G. *in der Lit.wissenschaft* meist auf idyll. heitere, jedenfalls aber sentimental als (moral.) rührend empfundene szen. Darstellungen (vgl. z. B. Episoden in A. v. Hallers »Alpen«, Goethes »Werther« [die brotschneidende Lotte] oder »Hermann und Dorothea« u. a.). So sicher man auf diese Weise weite Bereiche der dt. Lit. bes. des 18. Jh.s durch die Bez. ›G.‹ zu kennzeichnen vermochte, so umstritten blieb oft seine Anwendung auf spätere Literatur (z. B. auf H. v. Kleists »Zerbrochenen Krug« oder bestimmte Romane Fontanes), deren Intention und Leistung er unzulässig zu verengen droht. ↗Bild, ↗Idylle.
🕮 Seybold, E.: Das G. in der dt. Lit. Stuttg., Bln. u. a. 1967. HD

Genres objectifs, m. Pl. [ʒã:r ɔbʒɛk'tif, frz. = objektive Gattungen], auf Alfred Jeanroy zurückgeführter Begriff für mal. Strophenlieder mit erzählendem, berichtendem Inhalt, in denen Handlungen oder Gefühle von Rollenfiguren (↗Rollenlyrik) dargestellt sind – im Unterschied zu Liedgattungen, welche durch subjektive Autor-Äußerungen oder Aussagen sich auszeichnen. Ichs geprägt sind (welche unter dem Gegenbegriff ›genres subjectifs‹ zusammengefaßt werden können). – Zu den g. o. zählen in der prov./afrz. Lyrik ↗Alba (afr. Aubade), ↗Pastorelle, ↗Chanson de toile, ↗Virelai, Monologue de mal mariée; in der mhd. Lyrik v. a. ↗Wechsel, ↗Tagelied, Frauenmonolog, ↗Erzähllied, Mutter-Tochter- und Gespielinnen-Gesprächslied.
🕮 Jeanroy, A.: Les origines de la poésie lyrique en France au moyen âge. Paris 1888, ³1925. – Janssen, H.: Das sog. ›genre objectif‹. Stuttg. 1980. S

Genus grande (oder difficilis), genus mediocre, genus humile ↗Genera dicendi.

Geonym, n. [gr. ge = Erde, onoma = Name], Sonderform des ↗Pseudonyms: statt des Verfassernamens steht eine Herkunftsbez., z. B. *von einem Schweizer* für C. F. Meyer (»20 Balladen«, Stuttg. 1864). S

Georgekreis, Kreis von Dichtern, Künstlern und Wissenschaftlern, der sich nach 1890 um St. George sammelte. Der G. war anfangs eine Runde gleichaltriger und gleichrangiger Freunde (C. Rouge, A. Stahl, C. von Franckenstein, Karl Bauer, C. A. Klein, R. Perls und P. Gérardy), von denen jedoch George (der von der Kunstauffassung des ↗Symbolismus, insbes. Mallarmés – den er 1889 kennengelernt hatte – geprägt war) bald als die zentrale Persönlichkeit anerkannt wurde und die sich dessen Anspruch beugten, Erzieher und Führer (›Meister‹) einer geist. Elite von ›Jüngern‹ zu sein. Georges Bemühungen um eine vergeistigte Weltanschauung, seine Ansichten über die geschichtl. und geistesgeschichtl. Bedeutung einzelner hervorragender Gestalten und sein formstrenger Sprachstil prägten die literar. und wissenschaftl. Produktion des Kreises. Dem G. gehörten neben K. Wolfskehl Dichter an wie H. von Heiseler, E. Hardt, K. G. Vollmoeller; L. Derleth stand ihm nahe; H. von Hofmannsthal und M. Dauthendey waren Mitarbeiter des Organs des G.es, der »Blätter für die Kunst« (1892–1919, begr. von George und C. A. Klein), entzogen sich aber dem Führungsanspruch Georges. Mitglieder des G.es waren weiterhin die Maler M. Lechter und L. Thormaehlen und Wissenschaftler wie K. Hildebrandt, E. Kantorowicz und E. Salin, eine Zeitlang auch L. Klages und v. a. Literaturwissenschaftler wie F. Gundolf, F. Wolters, E. Bertram, M. Kommerell, N. von Hellingrath u. a., die den Anschauungen des G.es großen Einfluß auf das deutsche Geistesleben verschafften.

⊡ Landmann, G. P. (Hrsg.): Der G. Eine Auswahl aus seinen Schriften, Stuttg. ²1980. – Winkler, M.: G. Stuttg. 1972.
　　　　　　　　　　　　　　　　　　　　　　　GMS*

Georgian poetry [ˈdʒɔːdʒən ˈpouitri; engl.], Titel einer von E. Marsh 1912–22 herausgegebenen fünfbänd. lyr. Anthologie und seitdem Bez. für die literar. Richtung der darin vertretenen, zur Regierungszeit des engl. Königs George V. (1910–36) wirkenden Dichter, u. a. R. Brooke, W. H. Davies, J. Drinkwater, W. de la Mare, H. Monro, auch D. H. Lawrence, J. Masefield, R. Graves. Hauptkennzeichen der G. p. sind Traditionsverbundenheit in Form und Gehalt, sentimental. Sehnsucht nach dem ländl. Leben, Betonung des typ. Englischen, Abkehr von der Fin de siècle-Stimmung und eine intendierte Publikumswirksamkeit. – Die Bez. wird auch über die in der ursprüngl. Anthologie vertretenen Dichter hinaus ausgeweitet auf andere, die in jener Zeit eine ähnl. Stil- und Geisteshaltung zeigten: vgl. die moderne, von J. Reeves herausgegebene Anthologie »G. p.«, 1962, die auch Lyrik von E. Blunden, A. E. Housman, W. Owen u. a. enthält.

⊡ Rogers, T. (Hg.): G. P. 1911–1922. London u. a. 1977. – Simon, M.: The Georgian Poetic. Berkeley u. a. 1975. – Swinnnerton, F. A.: The Georgian Literary Scene 1910–1935. London ³1950.
　　　　　　　　　　　　　　　　　　　　　　　MS*

German. Altertumskunde, Wissenschaft von der Geschichte und Kultur der germ. Stämme und Völker (vor ihrer Christianisierung). – Ihre *Gegenstände* sind die germ. Stämme und ihre Geschichte, ihre wirtschaftl., gesellschaftl., staatl.-polit. Organisation einschließl. der Stammesrechte, ihre Lebensformen, Brauchtum und Sitte, Religion und Mythologie, Dichtung und Kunst und als Forschungszweig die Runologie. – Wichtigste *Quellen der g. A.* sind:
1. Die *Zeugnisse gr. und lat. Historiker, Geographen, Ethnologen:* (1. Jh. v. Chr.: Caesar; 1. Jh. n. Chr.: Plinius d. Ä.; Tacitus, vor allem der Traktat »Germania«; 2. Jh.: Ptolemaeus; 4. Jh.: Ammianus Marcellinus; 6. Jh.: Iordanes; dazu die Werke mittellat. Historiker (Gregor von Tours, 6. Jh.; Paulus Diaconus, 8. Jh.; Saxo Grammaticus, 12. Jh.).
2. *Lat. Kodifizierungen der german. Stammesrechte (Leges Barbarorum)* seit dem 5. Jh. (Leges Visigothorum, Lex Burgundiorum; Lex Salica, Lex Ribuaria; Leges Langobardorum; Lex Alamannorum, Lex Baiuwariorum; Lex Thuringorum u. a.).
3. Einzelne Denkmäler der *angelsächs. Stabreimpoesie* (vor allem das Buchepos »Beowulf«, wohl 8. Jh., überliefert im 10. Jh.) und, als wichtige Quelle für das skandinav. Altertum, weite Teile der *altnord. (altisländ.) Literatur,* insbesondere die ⌐edd. Dichtung und die umfangreiche Sagaliteratur, ⌐Saga; (zur Problematik dieser Quellengruppe s. u. ⌐German. Dichtung). Zu diesen im engeren Sinne philolog.-histor. Quellen kommt
4. der *Wortschatz der german. Stammesmundarten,* der durch die im 19. Jh. von O. Schrader begründete, im 20. Jh. von H. Hirt und H. Krahe ausgebaute linguist.-kulturhistor. Methode als Geschichtsquelle vor allem der vorgeschichtl. Zeit nutzbar gemacht wurde. Eine zweite große Gruppe von Quellen werden
5. durch die *Archäologie* bereitgestellt; archäolog. Funde geben vor allem Aufschluß über Sachgüter des german. Altertums (Anlagen von Häusern, Siedlungen; Transportmittel; Werkstoffe und ihre Verarbeitung; Kleidung, Haarund Barttracht, Waffen, Schmuck). – *Geschichte:* Die Erforschung des german. Altertums setzt um 1500 im Rahmen des Humanismus ein; sie verdankt ihre Entstehung v. a. dem wachsenden Interesse des aufstrebenden Bürgertums an der Vergangenheit der eigenen Nation. Am Anfang steht die systemat. Sichtung und Auswertung der antiken Quellen (erste Edition: *Beatus Rhenanus,* Rerum Germanicarum libri III, 1531; darauf aufbauend: *J. Turmair,* Chronica von vrsprung, herkomen, vnd thaten der vhralten Teutschen, 1541 und *W. Lazius,* De gentium aliquot migrationibus, sedibus fixis, reliquiis . . . libri XII, 1557) und der Leges Barbarorum (Teilsammlung durch *J. Sichardt,* 1530; erste vollständ. Sammlung durch den Niederländer *F. Lindenbrog,* 1613; darauf aufbauend: *H. Conring,* De origine iuris Germanici, 1643). V. a. die skandinav. Forschung, zunächst ausgehend von Saxo Grammaticus (erster Druck 1514), wendet sich dann von der rein philolog. Arbeit ab und der kulturgeograph.-archäolog. Methode zu; Mythologie, Religionsgeschichte und Runenkunde werden in die g. A. miteinbezogen (*Olaus Magnus,* Historia de gentibus Septentrionalibus, 1555, ²1567, *Ole Worm,* Runer seu Danica literatura antiquissima, 1636; ders., Danicorum monumentorum libri VI, 1643); in Schweden entsteht bereits im 17. Jh. ein wissenschaftl. Institut für die Erforschung der nord. Altertümer (1667 Gründung des Antiquitätskollegiums in Uppsala durch *M. G. de la Garde*). – Neue Impulse vermitteln der g. A. die verschiedenen Strömungen der *Romantik,* in Deutschland vor allem die von *F. C. v. Savigny* und *K. F. Eichhorn* begründete *histor. Rechtsschule,* aus der u. a. *J. und W. Grimm* hervorgehen (Dt. Rechtsaltertümer, 1828, ²1854; Dt. Mythologie, 1835, ²1844). Die skandinav. Forschung erhält vor allem durch die Arbeiten von *N. F. S. Grundtvig* (Nordens Mythologi, 1808) und *R. Nyerup* (Historisk-statistisk Skildring af Tilstanden i Danmark og Norge, 1803–1806) neuen Aufschwung; in England wirken *H. Weber, J. Jamieson* und *W. Scott* (Illustrations of Northern Antiquities, 1814). Wissenschaftl. Gesellschaften, zahlreiche Zeitschriften und Museen werden gegründet. In der 2. Hälfte des 19. Jh.s erscheinen in der Nachfolge der Romantiker einige systemat. Darstellungen der german. Mythologie und zur Runenkunde (*U. M. Petersen,* Nordisk Mythologi, 1849, ²1863; *K. Simrock,* Handbuch der dt. Mythologie mit Einschluß der altnord., 1853, ⁶1887; *L. Wimmer,* Runeskriftens oprindelse og udvikling i Norden, 1874, dt. 1887). Eine erste Gesamtdarstellung der german. g. A. gibt *K. Müllenhoff* (Dt. Altertumskunde, 1870–92). – Zu Anfang des 20. Jh.s entsteht ein Reihe von dem Positivismus verpflichteter Handbücher (*F. Kauffmann,* Dt. Altertumskunde, 1913–23; *Reallexikon der g. A.,* hg. von *J. Hoops,* 1911–29 – eine Neubearbeitung erscheint seit 1972). In der 1938 von *H. Schneider* herausgegebenen ›G. A.‹, ²1952, wird der Versuch unternommen, die g. A. als Wissenschaft vom »german. Geist« neu zu begründen: das Interesse gilt der ›eigenwertigen Geisteskultur‹ der Germanen (Grundproblem: »Was ist wesenhaft german.?«) und einem postulierten »klass.« german. Altertum, das dem gr. Altertum als gleichwertig entgegengesetzt wird. Die Veröffentlichungen aus der Zeit nach 1945 beschränken sich im wesentl. auf den Bereich der Archäologie (*V. Kellermann,* G. A., 1966).
　　　　　　　　　　　　　　　　　　　　　　　K

German. Dichtung, Dichtung der german. Stämme, soweit sie nach Inhalt und Form von christl. (kirchl.) Einflüssen frei ist. Sie wurde mündl. tradiert und kann somit nur aus sekundären Quellen erschlossen werden. Da die Christianisierung der einzelnen Stämme und entsprechend die Literarisierung der einzelnen Stammessprachen zu verschiedenen Zeiten stattfand (4.–11.Jh.), ist die erschließbare g. D. nur z. T. gemeingerman.; Sonderentwicklungen bei einzelnen Stämmen sind deutl. erkennbar – dies gilt vor allem für die Dichtung der skandinav. Völker. – Die wichtigsten *Quellen* sind:
1. *Zeugnisse lat. Schriftsteller seit Tacitus,* vereinzelt auch in volkssprach. Literatur des MA.s (knappe Beschreibungen dichter. Praxis bei den german. Stämmen oder mehr oder weniger freie Paraphrasen einzelner Gedichte).
2. Der *Wortschatz* der einzelnen Stammesmundarten (Glossierungen und Interlinearversionen lat. Texte enthalten poetolog. Bez.en für Gattungen, Dichter, Dichten usw.).
3. *Vereinzelte und zufällige Aufzeichnungen* mündl. *tradierter Texte in literar. Zeit* (z. B. »Merseburger Zaubersprüche«, »Hildebrandslied«). Sie können aber meist nur bedingt als authent. Zeugen g.r D. gelten, da sie oft Spuren christl. Bearbeitung erkennen lassen. Unsicher sind auch
4. die *Rückschlüsse* (v. a. formaler Art) von der teilweise nach Vorbild lat. Literatur geschulten rhetor.-stilist. sehr kunstvoll gestalteten *christl.* (!) *Stabreimpoesie der Angelsachsen* (Blütezeit 7.–10.Jh., überliefert erst im 10.Jh.). Ebensowenig kann
5. die *altisländ. Dichtung* (Blütezeit der Schriftliteratur 1200–1260) ohne starke Abstriche als verläßl. Quelle für eine g. D. gewertet werden. Sie entsprang einer Rückbesinnung auf kulturelles Erbe der heidn. Zeit im bereits seit 200 Jahren (!) christianisierten Island des 13.Jh.s und hängt zusammen mit einer ›nationalen‹ Opposition gegen die Einbeziehung Islands in das nach westeurop. Vorbild gestaltete ›moderne‹ norweg. Staatswesen. Die altisländ. Literatur des HochMA.s ist in diesem Sinne das Produkt einer romant. Strömung, die ein in der Retrospektive stark idealisierendes Bild der vorchristl. Zeit vermittelt; ihre Initiatoren wie Sæmundr inn fróði und sein Neffe Snorri Sturluson besaßen hohe literar. (lat.) Bildung. – Die Versuche vor allem dt. Germanisten des 19. und 20. Jh.s (W. Scherer, A. Heusler, H. Schneider, F. Genzmer u. a.), unter teilweiser Berufung auf die altisländ. Dichtung des 13.Jh.s eine »klass.« g. D. der Völkerwanderungszeit zu rekonstruieren, sind weder method. noch sachl. genügend abgesichert. Auf Grund der Quellensituation ergibt sich nur ein ungefähres Bild der g. D., ihrer Gattungen und Formen. Zwei *Epochen* müssen dabei unterschieden werden:
1. *Die Dichtung der bäuerl. Urgesellschaft* der gemeingerman. Zeit: sie ist, wie alle primitive Dichtung, anonyme Gemeinschaftsdichtung; mit einem bes. Dichterstand kann für diese Zeit nicht gerechnet werden, da dies die Arbeitsteilung höherer Gesellschaftsstufen voraussetzte; eine gemeingerman. Bez. für den Dichter fehlt. Wichtigste formale Ausprägungen sind das chor. *Lied* (ahd. *leod,* altengl. *lēoð,* altnord. *ljóð*) und der mit Aufzügen, Bewegungsrhythmen und intim. verbundene *Leich* (ahd. *laiks,* ahd. *leich,* altengl. *lāc,* altnord. *leicr*). Bezeugt sind der in den Bereich des bäuerl. Vegetationskults gehörende Kulthymnus, der von diesem nur schwer zu trennende ∕ *Zauberspruch* (wichtigste Zeugnisse: die ahd. Merseburger Zaubersprüche, aufgezeichnet im 10.Jh., dazu eine Reihe altengl. Zaubersprüche und Segensformeln), weiter *Hochzeitsgesänge* (ahd. *hîleich,* mhd. *brûtleich,* altengl. *brýdlac,* mhd. *brûtliet,* altengl. *brýdlēoð* u. a.), *Totengesänge* (ahd. *sisesang* u. a.), *Schlachtgesänge* (mhd. *wîcliet, sigeliet* u. a .; zu dieser Gruppe wurde in der älteren Forschung auch der bei Tacitus bezeugte ∕ *barditus* gestellt) und *Arbeitslieder* (z. B. ahd. *scipleod*). Der Überlieferung des Gemeinschaftswissens dienten *Spruchdichtung, Rätselpoesie, Merkdichtung* aller Art (oft nur in der Form von Namenkatalogen u. ä.); bes. Bedeutung kommt der Merkdichtung auf dem Gebiet der Rechtsüberlieferung zu. – Die sprachl. Form dieser primitiven Gattungen ist, nach den wenigen erhaltenen Texten zu schließen, nicht, wie die Forschung weitgehend annimmt, der Stabreimvers, wie ihn die christl. Dichtung der Angelsachsen benützt, sondern der auch für die älteste Dichtung in anderen Sprachen belegte ∕ Carmenstil. – Mit der Auflösung der bäuerl. Urgesellschaft und der Herausbildung einer adeligen Führungsschicht in der Völkerwanderungszeit erreicht die g. D. eine höhere Entwicklungsstufe:
2. *Die Dichtung der Völkerwanderungszeit:* zu den ›niederen‹ Gattungen der frühgeschichtl. Zeit kommen die ›höheren‹ Gattungen des ep. ∕ *Heldenliedes* und des panegyr. ∕ *Preisliedes.* Im Mittelpunkt beider stehen die Taten einzelner idealtyp. Gestalten. Die unbedingte Wahrung der krieger. Ehre ist das typ. Handlungsmotiv dieser Helden. Gepflegt wurden die heroischen Gattungen an den Adelshöfen; ihre Träger (ahd. *scoph, scof,* altengl. *scop* gegenüber altnord. *scáld*) gehörten als Hofdichter zur Gefolgschaft der Fürsten. Auch die sprachl. Gestalt der neuen Gattungen ist höher entwickelt; die wenigen einigermaßen authent. Zeugnisse (Heldenlieder: »Hildebrandslied«, altengl. »Finnsburglied«; Preislied: ahd. »Ludwigslied« – mit Einschränkung, da bereits christl. geprägt) zeigen offene Formen des Stabreim- und Endreimverses. – Der Bruch, den die Christianisierung und die Anfänge der Schriftliteratur für die g. D. bedeuten, wirkt sich für die einzelnen german. Völker unterschiedl. aus. Am schärfsten ist dieser Bruch in Deutschland. Weniger scharf scheint er *im angelsächs. Bereich* gewesen zu sein, wo immerhin Stoffe älterer Heldenlieder zu einem Buchepos (»Beowulf«) verarbeitet werden und auch altererbte Spruchdichtung und Rätselpoesie literar. Gestalt erhalten – indes mit christl. Tendenz. Stabreimvers – im angelsächs. Bereich – und Endreimvers – im hochdt. Raum – finden erst in dieser Epoche der Literarisierung ihre endgültige, ästhet. befriedigende Form. Am längsten lebte die alte Dichtung *in Skandinavien* fort: Die heroischen Gattungen des Heldenliedes und des Preisliedes werden hier inhaltl. und v. a. formal weiterentwickelt; sie erscheinen in mannigfachen Variationen; Sproßformen wie das ep. Götterlied werden neu gebildet; neu ist hier auch die Gattung der (kurzen) Prosaerzählung, vgl. ∕ edd. Dichtung, ∕ Skaldendichtung, ∕ Sagaliteratur.
📖 Erb, E.: Gesch. der dt. Lit. v. den Anfängen bis 1160. Bd. I, 1, Bln. 1965. – Heusler, A.: Die altgerman. Dichtung. Potsdam ²1943. – Baesecke, G.: Vorgesch. des dt. Schrifttums, Halle/S. 1940.   K*

Germanische ∕ Philologie, zusammenfassende Bez. für die Wissenschaft, die sich mit Sprache und Dichtung des german. Kulturraumes, vornehml. der älteren Sprach- und Literaturstufen befaßt (vgl. auch ∕ german. Altertumskunde), umgreift die wissenschaftl. Disziplinen ∕ dt. Philologie (∕ Germanistik), engl. Philologie, nord. Philologie.
📖 Stroh, F.: Hdb. der g.n Ph. Bln. 1952. – Schwarz, E.: Dt. und g. Ph. Hdbg. 1951. – Burdach, K.: Die nationale Aneignung der Bibel und die Anfänge der g.n Ph. Halle/Saale 1924. – Grundriß der g.n Ph. Begr. von H. Paul, hrsg. von W. Betz, Straßbg. u. Bln. ¹⁻⁵1913ff.; bis 1972 20 Bde. ersch. – Raumer R. v.: Gesch. der g.n Ph. vorzugsweise in Deutschland. Mchn. 1870.   S

Germanismus, m. [lat. germanicus = germanisch], Nachbildung einer idiomat. oder syntakt. Eigentümlichkeit des Deutschen in einer anderen Sprache, z. B. sind die »Dunkelmännerbriefe« (Epistolae obscurorum virorum, 1515/17) in satir. Absicht in einem von Germanismen durchsetzten Latein verfaßt.   RG*

Germanist, Kenner, Lehrender und Studierender der dt. Sprach- und Literaturgeschichte. Bezeichnete bis zur Mitte des 19.Jh.s nur den Erforscher des *german. Rechtes* im Unterschied zum Romanisten, dem Erforscher des röm.

Rechtes. G.en in diesem Sinne waren z. B. G. Beseler (»Volksrecht und Juristenrecht«, 1843) und die Interpreten und Editoren german.-dt. Rechtsquellen wie K. G. Homeyer (»Sachsenspiegel«, 3 Bd.e 1835–44), K. Freiherr von Richthofen (»Fries. Rechtsquellen«, 1840) u. a. Zur ersten G.en-Versammlung am 24. 9. 1846 in Frankfurt, die von dem Tübinger Rechtshistoriker A. L. Reyscher angeregt wurde, haben auch Philologen wie die Gebrüder Grimm, L. Uhland, K. Lachmann und Historiker wie G. G. Gervinus und L. Ranke eingeladen. Auf dieser Versammlung wurde dann die Bez. ›G.‹ auf Vorschlag ihres Präsidenten, Jacob Grimm (»Über den Namen der G.en«), auch auf die Erforscher der dt. Geschichte, Sprache und Literatur übertragen. Späterhin wurde die Bez. im allgemeinen Sprachgebrauch (abweichend von der jurist. Fachterminologie) mehr und mehr auf die heutige Bedeutung eingeengt. S

Germanistik, Wissenschaft von der geschichtl. Entwicklung der dt. Literatur und Sprache; Bez. meist in gleichem Sinne wie dt. Philologie, gelegentl. auch wie ↗german. Philologie gebraucht, bisweilen auch die ↗german. Philologie umfaßt und selbst die Nordistik (nord. Philologie) umfassend, zeitweise als Wissenschaft von dt. Geist und Wesen beansprucht (vgl. aber ↗Germanist). Nach den Forschungsgebieten wird seit Ende des 19. Jh.s die *Alt-G.* (Sprache und Literatur der Frühzeit und des MA.s) von der *Neu-G.* (Literatur der Neuzeit) unterschieden. Die G. bildete sich (zunächst als ›Dt. Philologie‹ bezeichnet) als *Universitätsdisziplin* in der 1. Hälfte des 19. Jh.s heraus. Als *unsystemat.* betriebenes *Interessengebiet* einzelner Gelehrter läßt sich aber insbes. auf dem Gebiet der german. Altertumskunde zurückverfolgen bis Tacitus. Im Sinne einer dt. Sprach- und Literaturkunde setzt sie im Humanismus (16. Jh.) mit der Erforschung und Publizierung alter Rechts- und Geschichtsquellen ein. Außerdem förderte die Reformation (mit ihrer Hinwendung zu einer Volksbibel) das Interesse an der dt. Bibelübersetzungen: vgl. etwa die Ausgabe von Otfrieds »Evangelienbuch« von Matthias Flacius Illyricus (1571) oder seinen »Catalogus testium veritatis« (1562, der einzige Überlieferungszeuge für die beiden altsächs. »Heliand« zugeordneten lat. Prologe), oder die Teilausgabe der got. Bibel von Bonaventura Vulcanius (1597). Mit dem Interesse für mal. Textzeugnisse ging das für ältere Sprachformen parallel. Conrad Gessner legt z. B. in seinem »Mithridates« (1555) einen frühen Grundstein für die vergleichende Sprachwissenschaft. Die normierende Tendenz des Buchdrucks förderte aber auch die Beachtung der Gegenwartssprache: Dt. Grammatiken verfaßten u. a. V. Ickelsamer (1531), L. Albertus, A. Oelinger (1573) und J. Klaj (1578). Im 17. Jh. wurde die Kenntnis altd. Sprachdenkmäler und jetzt auch der Literatur des Hoch-MA.s durch die Schriften des Schweizer Juristen M. H. Goldast verbreitet. Er publizierte als Zeugnisse mal. Rechtsauffassung aus der ›Großen Heidelberger Liederhandschrift‹ zum ersten Mal in der Neuzeit Strophen Walthers von der Vogelweide. Auch Barockdichter wie M. Opitz wurden zur Beschäftigung mit altdt. Literatur angeregt (»Annolied«, 1639). Die erste Gesamtausgabe der got. Bibel veranstaltete der Niederländer Franciscus Junius (1665). Die Sprachkunde empfing wichtige Impulse von den ↗Sprachgesellschaften: neben den Bemühungen von Opitz (»Aristarchus«, 1617) vgl. v. a. J. G. Schottels »Ausführl. Arbeit von der Teutschen Haubt Sprache« (1663). Eine erste Geschichte der ›dt. Philologie‹ findet sich in J. G. Eccards sprachgeschichtl. Darstellung »Historia studii etymologici linguae Germanicae hactenus impensi« (1711); Eccard gab außerdem u. a. das »Hildebrandslied« (1729) heraus. – Die bis zum Beginn des 18. Jh.s bekannt gewordenen mal. Werke faßt J. Schilter in seinem »Thesaurus antiquitatum Teutonicarum« zusammen (1726–28); enthält u. a. Otfrieds »Evanglienbuch«, Notkers Psalter, das »Rolandslied«); diesem gab er ein »Glossarium Teutoni-

cum« bei. – Unter den Gegenbewegungen gegen die rationalist.-unhistor. Aufklärung gewannen Zeugnisse der Geschichte der nationalen Sprache und Literatur immer stärkere Beachtung, wobei sich das Augenmerk nun mehr von der Frühzeit auf die Literatur des Hoch-MA.s richtete (vgl. die Editionen der Züricher Bodmer und Breitinger aus der sog. Manessischen (Großen Heidelberger) Handschrift »Proben der alten schwäb. Poesie des 13. Jh.s«, 1748, »Sammlung von Minnesingern aus dem schwäb. Zeitpunkte«, 1758, die »Nibelungenliedes«, 1757). Neben dem Minnesang, der auch auf die Dichtung jener Zeit einwirkte (Gleim, »Gedichte nach den Minnesängern«, 1773), interessierte (bes. mit moral.-aufklärer. Motivation) die mal. didakt. Dichtung: Lessing edierte Boners »Edelstein« (1781) und plante, wie Herder, eine Ausgabe des »Renner« Hugos von Trimberg. Ein umfangreicheres Sammelwerk, das den literarhistor. Interessierten Ende des 18. und Anfang des 19. Jh.s die Kenntnis der mal. Literatur des 12.–14. Jh.s vermittelte, stammt von Ch. H. Myller (1782; enthält u. a. Veldekes »Eneit«, das »Nibelungenlied«, Wolframs »Parzival«, Gottfrieds »Tristan«). – Mit der Beschäftigung mit älteren Literaturepochen ging eine den normative Regelkanon (bei Gottsched) überwindende krit. Würdigung der neueren Literatur einher, so bei Lessing (»Briefe, die neueste Literatur betreffend«, 1759–60) und v. a. bei Herder (»Über die neuere Literatur«, 1767), der in den »Humanitätsbriefen« u. a. auch eine Geschichte der mal. Dichtung in Umrissen entwarf. Auf dem Gebiete der Sprachforschung ragen in dieser Zeit heraus F. G. Fulda mit dem Versuch einer vergleichenden Grammatik der german. Sprachen (1773) und einer »Sammlung und Abstammung german. Wurzelwörter« (1776) und J. Ch. Adelung, der mit seinem »Versuch eines vollständ. grammat.-krit. Wörterbuches der hochdt. Mundart« (1774–86) eine Forderung erfüllte, die schon Leibniz aufgestellt hatte (fortgeführt von J. H. Campes »Wörterbuch der Sprache«, 5 Bde. 1807/11). Die Romantik führte alle diese Ansätze fort unter dem von Herder aufgezeigten organ. Geschichtsverständnis als dem städt. Wirken eines Volksgeistes. Die Auffassung der Frühzeit als der ursprünglicheren, damit besseren Zeit, dem goldenen Zeitalter, führte in einer Epoche polit. Zerrissenheit zur breiten Beschäftigung mit der eigenen nationalen Vergangenheit, zur Sammlung (Arnim, Brentano), Übersetzung (L. Tieck), zur literarhistor. Überschau (A. W. Schlegel, »Vorlesungen über schöne Literatur«, Berlin 1801/04; F. Schlegel, »Vorlesungen über die Geschichte der alten und neuen Literatur«, Wien 1812; F. Bouterwek »Geschichte der Poesie und Beredsamkeit«, 1817–19) und zur wissenschaftl. Erforschung der einzelnen altdt. Sprach- und Literaturdenkmäler. Den *ersten germanist. Lehrstuhl* hatte F. H. von der Hagen in Berlin inne (seit 1810); seine Editionen (»Nibelungenlied«, 1810, der Minnesinger, 1838, der »Gesamtabenteuer«, 1850) sind als Materialsammlungen z. T. bis heute noch nicht ersetzt. L. Uhland publizierte 1822 die erste umfassende Walther-Monographie. Ihr geist. und method. Fundament erhielten diese Versuche jedoch erst durch die Forscherpersönlichkeiten Jacob und Wilhelm Grimms und Karl Lachmanns. Die Brüder Grimm waren als Schüler Savignys aus der Historischen Schule hervorgegangen, die neben histor. Verstehen v. a. mit exakter Kritik zu einer Gesamtanschauung der german. Geschichte zu gelangen suchte. Bes. J. Grimm wurde von entscheidender Bedeutung für die Begründung einer germanist. Wissenschaft. Ein Markstein in der german. Sprachwissenschaft war »Dt. Grammatik« (1. Aufl. 1819), in der er durch die Entdeckung der Ablautgesetze die dt. Sprache in gesetzmäß. Verbindung mit der german. und indogerman. Sprachentwicklung brachte, Ansätze bei F. Bopp und R. Ch. Rask fortführend, später zusammenfassend dargestellt in seiner »Geschichte der dt. Sprache«, 1848. Ebenso bahnbrechend war die umfassende Konzeption des »Dt. Wörterbuches« (1854 ff.). Wegweisend waren die Brüder Grimm auch auf dem Gebiet der Rechtsforschung (»Dt. Rechtsaltertümer«, 1828, »Weistümer«, 1840 ff.), der Sagen- und Märchenforschung »Kinder- und Hausmärchen«, 1812 ff., »Dt. Sagen«, 1816–18, »Dt. Mythologie«, 1835), in ihren Ausgaben zur nittellat., altengl., altnord. (»Edda«), ahd. (»Hildebrandsied«, »Wessobrunner Gebet« u. a.) und mhd. (Hartmann von Aue, Freidank u. a.) Literatur. Sie wirkten als Anreger, Förderer (Schmeller, Benecke) und Organisatoren, jedoch weniger schulebildend als Karl Lachmann. Er übertrug die textkrit. Methode der Altphilologie auf mal. Texte und begründete durch seine bis heute als grundlegend anerkannten Editionen (»Nibelungenlied«, 1826, »Iwein«, 1827, Walther von der Vogelweide, 1827, Wolframs Werke 1833 u. a.) die germanist. ∕Textkritik. Lachmanns Methode führte v. a. Moriz Haupt fort (»Minnesangs Frühling«, 1857, Neidhart, 1848), der eine ›Zeitschrift für dt. Altertum‹ (1841 ff.) begründete. Zwischen Jacob Grimm und Lachmann stand W. Wackernagel, der wie später K. Bartsch, auch das Altfranz. in seine Betrachtungen einbezog und dessen »Geschichte der dt. Literatur« (1848 ff.) stärker auf Philologisches bezogen war als die von romant. Vorstellungen getragenen Literaturgeschichten von A. F. Ch. Vilmar (1845) und A. Koberstein (1827 ff.) und auch als die mehr die geschichtl. Zusammenhänge betonende des Historikers G. G. Gervinus (1835–42). Die germanist. Volkskunde begründete W. H. Riehl (»Die Naturgeschichte des Volkes«, 1851 ff.). In Gegensatz zur Lachmannschule trat die Wiener Schule Franz Pfeiffers, der mit seiner Editionsreihe »Dt. Klassiker des MA.s‹ wegstrebte von einer »Wissenschaft für Gelehrte«. Das Organ dieser Richtung war die Zeitschrift ›Germania‹ (1856 ff.) – Auf die Phase der Grundlegung und Wegbereitung in der 1. Hälfte des 19. Jh.s folgte in der 2. Hälfte der Versuch, die Methoden der aufstrebenden und zeitbestimmenden Naturwissenschaften auf die G. zu übertragen. Sie erwiesen sich als fruchtbar in der Sprachgeschichte. Die sogenannten Junggrammatiker (H. Paul, W. Braune, E. Sievers) konnten damit das Haupt J. Grimms fortführen, indem sie die histor. Gesetzmäßigkeit der Sprachentwicklung von den erschlossenen indogerm. Vorstufen bis ins Neuhochdt. verfolgten. Ihre Grammatiken sind heute noch Grundlage der histor. Sprachbetrachtung (vgl. auch O. Behaghel, F. Kluge, »Etymolog. Wörterbuch«, 1881 ff.). Ihr Organ wurden die ›Beiträge zur Geschichte der dt. Sprache und Literatur‹ (PBB, 1873 ff.). Auf dem Gebiet der Literaturgeschichte erbrachte die positivist. Methode eine Perfektionierung der Stoffsammlungen und Quellenerschließung (W. Wilmanns, E. Schröder, K. Burdach, G. Roethe, ›Dt. Texte des MA.s‹, 1904 ff.). Sie kam der Lexikographie (M. Lexer), der Editionstechnik und der Biographik zugute. Bedeutsam wurde die Ausweitung germanist. Forschens auf die Literatur der neueren Zeit bes. durch das Haupt dieser Richtung, W. Scherer, der in einer »Geschichte der dt. Literatur« (1883) kausal-genet. Gesetzmäßigkeiten (Verfalls- und Blütezeiten) nachzuweisen versuchte. Scherers Anstoß zur Erforschung der neueren Literaturgeschichte führten Erich Schmidt, A. Sauer (Begründer der Zeitschrift ›Euphorion‹, 1894 ff.), F. Muncker u. a. fort. – Zu Beginn des 20. Jh.s zeigt sich eine Abkehr vom strengen literar. Positivismus und eine Hinwendung zu geistesgeschichtl. Problemstellungen. Der große Anreger war der Philosoph W. Dilthey (»Das Erlebnis und die Dichtung«, 1905). Das Organ dieser literaturwissenschaftl. Richtung wurde die von E. Rothacker und P. Kluckhohn begründete ›Dt. Vierteljahrsschrift für Literaturwissenschaft und Geistesgeschichte‹ (1923 ff.), die Methode bestimmten v. a. R. Unger, H. Korff (»Geist der Goethezeit«, 1923 ff.), F. Strich, F. Schultz, F. Gundolf, O. Walzel. Die Erforschung der neueren Literatur spaltete sich mehr und mehr als *Neu-G.* oder ∕Literaturwissen-

schaft von der *Alt-G.* ab, die v. a. durch A. Heusler, G. Ehrismann, C. von Kraus, H. Schneider, J. Schwietering, Th. Frings, F. Maurer getragen wurde. Die sprachgeschichtl. Forschung griff auf W. von Humboldts Sprachphilosophie zurück (L. Weisgerber) oder wandte sich der Mundartforschung und Sprachgeographie zu (G. Wenker, F. Wrede, »Dt. Sprachatlas«, 1926 ff.; K. Bohnenberger, W. Mitzka). – Wie stark die G. in ihrer Geschichte (im Unterschied zur Romanistik und Anglistik) von jeweiligen Zeitströmungen abhängig war, wurde bes. nach 1933 deutlich. Nach 1945 begann als Reaktion auf die völk.-rassist. Irrwege des 3. Reiches ein Rückzug auf die textimmanente Methode, der v. a. E. Staiger Wege gewiesen hatte. Weiter wurde eine Reihe von grundlegenden Gesamtwerken in Angriff genommen (»Dt. Philologie im Aufriß«, 1951 ff., »Reallexikon«, 2. Aufl., 1958 ff., »Annalen der dt. Literatur«, 1952, Goethe-Wörterbuch, Bd. 1, 1978). Für die neuere Zeit ist in der Bundesrepublik die Übernahme von Methoden der ausländ. Literaturwissenschaften (New Criticism, Strukturalismus u. a.) kennzeichnend, ferner ein bisweilen angegriffener Methodenpluralismus, insgesamt ein Ringen um ein neues Selbstverständnis, um Theoriebildung, im Suchen nach verbindl. Orientierungspunkten, oft außerhalb der Literatur, so v. a. in der Soziologie und im dialekt. Materialismus, der in der DDR zur Grundlage der G. wurde, aber auch eine Anlehnung an Methoden und Terminologie der modernen Linguistik, manchmal verbunden mit einer neuerl. Ideologisierung und Politisierung. – Wesentl. Impulse empfing die dt. G. v. a. nach 1945 von der ausländ. G. Deren wichtigste Zeitschriften sind: ›Journal of English and Germanic Philology‹ (Urbana, Ill. 1897 ff.), ›Monatshefte für dt. Unterricht, dt. Sprache und Literatur‹ (Madison, Wisc. 1899 ff.), ›The Germanic Review‹ (New York 1926 ff.), ›The German Quarterly‹ (Appleton, Wisc. 1928 ff.), ›German Life and Letters‹ (Oxford 1936 ff.), ›Études Germaniques‹ (Paris 1946 ff.), ›Studi Germanici‹ (Rom 1963 ff., ›Amsterdamer Beiträge zur älteren G.‹ (Amsterdam 1972 ff.). – Ein dt. Germanistenverband wurde 1912 in Frankfurt gegründet (neu konstituiert 1952), die Vereinigung der Hochschulgermanisten 1951; außerdem besteht eine ›Internationale Vereinigung für german. Sprach- und Literaturwissenschaft‹ (IVG, Sitz Amsterdam).

Bibliographie: Hansel, J.: Bücherkunde f. Germanisten. Bln. [8]1983. – Herfurth, G. u. a.: Topographie der G. Standortbestimmungen 1966–1971. Bln. 1971. – G. Internat. Referatenorgan mit bibliograph. Hinweisen. Jg. 1 Tüb. 1960 ff. ◻ Berghahn, K. L. ∕ Pinkerneil, B.: Am Beispiel Wilhelm Meister. Einf. in die Wissenschaftsgesch. der G. Königstein 1981. – Janota, J. (Hrsg.): Eine Wissenschaft etabliert sich. 1810–1870. Wissenschaftsgesch. der G. III (I. u. II noch nicht ersch.). Tüb. 1980 *(mit zahlr. Lit.angaben).* – Müller, J. J. (Hrsg.): G. und deutsche Nation 1806–1848. Stuttg. 1974. – Neumann, F.: Studien zur Gesch. der dt. Philologie. Bln. 1971. – Dünninger, J.: Gesch. der dt. Philologie. In: Dt. Philologie im Aufriß. Bd. 1, Bln. [2]1957, S. 83–222. – Stroh, F.: Hdb. der german. Philologie. Bln. 1952. – Schwarz, E.: Dt. und german. Philologie. Hdbg. 1951. – Grundriß der german. Philologie. Hrsg. v. H. Paul. Straßb. u. Bln. [1–5]1913–1943 (18 in 25 Bd.n). S

Gesammelte Werke, Bez. für eine ein- oder mehrbänd. Ausgabe, die zwar alle wichtigen Werke eines Autors, aber nicht alle seine Schriften überhaupt enthält (∕Gesamtausgabe). Vom gleichen Autor können mehrfach g. W. erscheinen, so von Thomas Mann 1922–35 (Berlin, Fischer-Verlag, 15 Bde.), 1925 (10 Bde.), 1955 (Berlin, Aufbauverlag, 12 Bde.), 1960 (Frankfurt, Fischer-Verlag, 12 Bde.). Die einzelnen Bände sind oft separat käuflich (= g. W. in Einzelausgaben). HSt

Gesamtausgabe, ungekürzte Ausgabe sämtl. Schriften, einer definierten Gruppe (alle Dramen, die Lyrik) oder eines vorher in Teilen erschienenen einzelnen Werkes eines Autors. In der Praxis ist die Abgrenzung gegen die Bez. ›Gesammelte Werke‹ fließend. Vgl. ↗Kritische Ausgabe. HSt

Gesamtkunstwerk, Vereinigung von Dichtung, Musik, Tanz und bildender Kunst zu einem einheitl. Kunstwerk. Die Durchsetzung des Begriffs ›G.‹ ist mit R. Wagners Poetik des Musikdramas verbunden. Er suchte im Ggs. zu den Repräsentationsfestspielen der Barockzeit, den effektsteigernden Kunstmischungen der frz. Grand Opéra des 19. Jh.s und den Unterhaltungsrevuen nicht die bloße Beteiligung, sondern die Gleichrangigkeit aller Künste in einem G. zu erreichen. Er strebte das »höchste gemeinsame Kunstwerk« an, in dem »jede Kunstart in ihrer höchsten Fülle vorhanden ist«. Während aber bei Wagner, entgegen seinem Programm, das G. unter der Herrschaft der Musik steht, dominierten in verwandten Bestrebungen bei M. Reinhardt und L. Dumont die Dichtung, im »Bauhaus« die Architektur. Ohne den Anspruch auf Integration gleichwert. Künste wurde in den 20er Jahren das G. als »Überdrama« von I. Goll postuliert, als agitator. »Total-Theater« von E. Piscator praktiziert. Neuere, dem G. ähnl. Darbietungsformen der Multi-Media-Art suchen durch unvermittelte Konkurrenz der Künste den traditionellen Anspruch der Kunst selbst in Frage zu stellen.

📖 Adorno, Th. W.: Die Kunst u. die Künste. In: Th. W. A.: Ohne Leitbild. Parva Aesthetica. Frkft. ⁴1970. – Wagner, Richard: Das Kunstwerk d. Zukunft (1850), in: Ges. Werke. Lpz. 1871–1880, Bd. 3, S. 51–210. HW

Gesang, dt. Übersetzung von ↗Canto.

Gesangbuch ↗Kirchenlied.

Gesätz ↗Gesetz.

Geschehnisdrama, auch Handlungsdrama, vgl. ↗Figurendrama.

Geschichtsdichtung, umfaßt als Sammelbez.: ↗histor. Roman, ↗histor. Erzählung, ↗chronikale Erzählung, ↗Geschichtsdrama, histor. ↗Ballade, ↗histor. (Volks-)Lied, (Welt-, ↗Reim-) ↗Chroniken, ↗Heldenlied, ↗Heldenepos.

Geschichtsdrama, gestaltet histor. Themen und Stoffe quellentreu, meist aber in künstler. freier Abwandlung. Es wird zum *G. im engeren Sinn,* d. h. zur Geschichtsdichtung in dramat. Form, wenn die Handlung weniger durch die histor. Faktizität, als durch eine bestimmte Geschichtsauffassung geprägt ist. Diese kann auf die Vergangenheit des eigenen Volkes, aber auch auf aktuelle Probleme der jeweil. Gegenwart bezogen sein, oder es geht allgem. und im Blick auf menschl. Grundwerte um die Erfahrung von Geschichte als Schicksal an einem histor. Musterfall, oft aus der Antike, auch aus der engl. oder span. Geschichte. – Das G. setzt die Lösung des Dramas aus seiner ursprüngl. Bindung an kult. Vorgänge und die Ausbildung eines spezif. Geschichtsbewußtseins voraus. Beides ist erst seit der Renaissance voll erreicht. – *G. im weiteren Sinn* sind bereits die meisten engl., span., italien., frz., niederländ. und dt. Dramen des 16. und 17. Jh.s, so schon der »Gorboduc« von Sackville und Norton (1562), dann bes. Shakespeares Römertragödien (1593–1608) und Stücke wie der »Hamlet« (um 1600), dann z. B. Lope de Vegas »Fuenteovejuna« (1614), Calderóns »Richter von Zalamea« (1642), Corneilles »Cid« (1637), Racines »Britannicus« (1669) u. »Bérénice« (1670) sowie zahlr. Maria Stuart-Stücke von Roulers (1593), Montchrétien (1601), della Valle (1628) u. Regnault (1639) über Vondel (1646) u. Haugwitz (1683) bis zu Alfieri (1789) u. Schiller (1800), ferner von Hans Sachs etwa »Der Wüterich Herodes« (1552) und die »Tragedia von Alexandro Magno« (1558), später die Dramen von A. Gryphius, Lohensteins Römer- und Afrikaner-Stücke und Ch. Weises Zeitstück »Masaniello« (1683). Sie alle neigen zum ↗Ideen- oder Seelendrama, in Spanien u. Deutschland auch zur barocken ↗Haupt- und Staatsaktion oder zum ↗Märtyrerdrama. Dazu treten als *G. im engeren Sinn,* vorbereitet durch ↗Moralitäten mit histor. Themen (↗Histo-

rie) wie John Bales »Kynge Johan« (um 1535), die nationalhistor. Königsdramen der Elisabethaner Marlowe (»Edward II«, 1593) und insbes. Shakespeare. Seine insgesamt 10 Historien (u. a. »Richard III«, 1594 und der zweiteil. »Heinrich IV.«, 1598) behandeln hauptsächl. das Jh. der Rosenkriege. Als *erstes dt. G. im engeren Sinn* gilt der »Hermann« des Shakespeare-Verehrers J. Elias Schlegel (1741), gefolgt u. a. von der als »Bardiet für die Schaubühne« konzipierten Hermanns-Trilogie Klopstocks (1769–87) u. J. J. Bodmers »Schweizerischen Schauspielen« (1775). – Die Shakespeare-Rezeption u. das vertiefte Geschichtsbewußtsein der europ. Vor- und Frühromantik (G. B. Vico, J. G. Herder) sind dann Voraussetzung für den eigentl. Durchbruch des neueren G.s mit Goethes »Götz von Berlichingen« (1774). Er ist Vorbild für zahlr. ↗Ritterdramen u. für weitere vaterländ. Stücke über Gestalten aus der Geschichte der dt. Einzelstaaten, z. B. F. de la Motte-Fouqués und A. v. Arnims »Waldemar«-Dramen, A. Klingemanns »Heinrich der Löwe« (1808), J. M. Babos »Otto von Wittelsbach« (1782), J. A. v. Törrings »Agnes Bernauerin« (1781), L. Uhlands »Ludwig der Bayer« (1819) und »Herzog Ernst von Schwaben« (1819), in Österreich seit A. Werthes (1775) mehrere Habsburg-Dramen, z. B. M. v. Collins Babenberger-Zyklus (1817); aus einem gesamtdt. Impuls entsteht daneben eine Reihe von Hohenstaufendramen von F. M. Klingers »Konradin« (1784) bis zu K. Immermanns »Kaiser Friedrich II.« (1828) und den Zyklen Ch. D. Grabbes und E. Raupachs (1837). Muster sind dafür außer dem »Götz« noch Goethes »Egmont« (1791) und F. Schillers »Wallenstein«-Trilogie (1793–99), auch sein »Don Carlos« (1787) und »Wilhelm Tell« (1804). Eine eigene Form des G.s entwickelte H. v. Kleist in »Hermannsschlacht« (1808) und »Prinz Friedrich von Homburg« (1810). Im Zuge der romant. Geschichtsverehrung versuchen viele Romantiker sich im G., so Z. Werner, C. Brentano, Arnim, J. v. Eichendorff, in England S. T. Coleridge, J. Keats, G. G. N. Byron u. a. Die dt. Romantik trägt erstmals auch zur *Theorie des G.s* bei, bes. A. W. Schlegel in seinen Wiener Dramenvorlesungen (1808), K. W. F. Solger in seinen Erläuterungen dazu (1818) u. L. Tieck in den »Dramaturg. Blättern« (1826). Von Einfluß auf das G. waren weiter die historische Schule der Romantik u. im späteren 19. Jh. der wissenschaftl. Historismus sowie der polit. Nationalismus, daneben auch der ↗historische Roman. – Auf diesem Hintergrund u. jeweils mit einem eigenen tragischen Geschichtsbild entstehen als bedeut. Beitrag zum G. von Grillparzer »König Ottokars Glück und Ende« (1825) u. »Ein Bruderzwist im Hause Habsburg« (1848), von Grabbe »Die Hohenstaufen« (1829/30), »Napoleon« (1831), »Hannibal« (1835) u. »Hermannsschlacht« (1836), von Büchner »Dantons Tod« (1835) u. etwas später von Hebbel »Herodes und Mariamne« (1848), »Agnes Bernauer« (1851). Daneben behandeln das ↗Junge Deutschland u. die Junghegelianer im G. aktuelle Zeitfragen, vorzugsweise an Stoffen aus der Reformation od. der Frz. Revolution, so u. a. K. Gutzkow (»Wullenweber«, 1848) oder F. Lasalle, der 1859 mit seinem »Sikkingen«-Drama (1857/58) als weiteren Beitrag. Beitrag zum G. die sogen. Sickingen-Debatte mit Marx und Engels auslöste. Gleichzeitig setzte sich das G. auch im übrigen Europa durch, in Frkr. z. B. mit den histor. Erfolgstücken von Dumas père und Victor Hugo, in Osteuropa seit Puschkin, später in England bei Tennyson, Browning und Swinburne, in Skandinavien bei Ibsen und Strindberg. Ein eigener Beitrag des Naturalismus zum G. sind »Die Weber« (1892) und »Florian Geyer« (1896) von G. Hauptmann. – *Sonderformen des G.s* sind im 19. Jh. das *histor. Lustspiel* (z. B. E. Scribes »Das Glas Wasser«, 1840 u. in Dtschld. Gutzkows »Zopf und Schwerdt«, 1844) sowie die *histor. Oper,* schon Konradin Kreutzers »Konradin von Schwaben« (1812), dann bes. die frz. Grand opéra (Libretti meist on Scribe), dazu Wagners »Rienzi« (1842), einige Verdi-Opern, M. Glinkas »Leben für den Zaren« (1836), F. Smetanas »Dalibor« (1868), M. Mussorgskijs »Boris Godunow« (1874) u. »Chowanschtschina« (1886), auch A. Borodins »Fürst Igor« (1890). – An das große G. des 9. Jh.s knüpfen bis zur Mitte des 20. Jh.s und insbes. in *Deutschland* zahlreiche Epigonen an, z. B. die Hohenzollern-Dramatiker E. v. Wildenbruch und D. v. Liliencron, Hann M. Greif, P. Ernst, G. Kolbenheyer, C. Langenbeck und H. Rehberg (auch eine Reihe von nationalsozialist. Dramatikern), weiter C. Zuckmayer mit »Schinderhannes« (1927) u. »Des Teufels General« (1942–45), daneben B. v. Heiseler mit »Schill« (1937) und einer »Hohenstaufentrilogie« (1948). – Teils mit traditionellen, teils mit experimentellen Mitteln belebten das G. in *England* und den *USA* G. B. Shaw (»Die heilige Johanna«, 1923), Maxwell Anderson (»Königin Elizabeth«, 1930), T. S. Eliot (»Mord im Dom«, 1935), Arthur Miller (»Hexenjagd«, 1953), in *Frankreich* P. Claudel (»Christoph Columbus«, 1927), A. Camus (»Caligula«, 1938) und J. Anouilh (»Beckett«, 1959) u. a. – Ein eigenes G. entstand in der *Sowjetunion* aus dem polit. Theater, z. B. W. Wischnewskis Bürgerkriegszyklus u. N. Pogodins Leninstück »Der Mann mit der Flinte« (1937), daneben auch *histor. Filme* wie S. Eisensteins »Panzerkreuzer Potemkin« (1923) u. »Iwan der Schreckliche« (1943). – Neue Wege ging das dt. G. seit *Expressionismus* u. *Neuer Sachlichkeit*, so bei G. Kaiser (»Die Bürger von Calais«, 1914 u. a.), F. von Unruh (»Offiziere«, 1911 u. a.), F. Werfel (»Juarez und Maximilian«, 1924), F. Bruckner (»Elisabeth von England«, 1930), ferner im ↗Revolutionsdrama bei E. Toller und Friedrich Wolf sowie schließl. im histor. eingekleideten ↗Lehrstück Brechts, z. B. »Mutter Courage« (1941), »Das Leben des Galilei« (1943) u. »Die Tage der Kommune« (1949). Ihm verpflichtet sind auch die Dramen von Peter Hacks (»Herzog Ernst«, 1953 u. a.). Um 1960 einsetzend, ist *die jüngste Phase des G.* geprägt vom ↗Dokumentarstück (R. Hochhuth, H. Kipphardt, Peter Weiss u. a.) u. daneben von Dramen wie Ch. Frys »Curtmantle« (1961), J. Osbornes »Luther« (1971), E. Bonds »Early Morning« (1969) und »Lear«(1971), denen in Dtschld. W. Hildesheimers »Mary Stuart« (1970) u. D. Fortes »Martin Luther & Thomas Münzer« (1971) entsprechen. Kunstvoll demontiert erscheint schließlich das G. bei Heiner Müller, nach Antikenstücken wie »Philoktet« (1958/65) u. »Herakles« (1964/66) v. a. in »Germania Tod in Berlin« (1956/71), »Leben Gundlings« (1976) und »Der Auftrag« (1979). □ Tetzely v. Rosador, K. v.: Das engl. G. seit Shaw. Hdbg. 1976. – Reichelt, K. (Hg.): Histor.-polit. Schauspiele [des 17. Jh.]. Tüb. 1987. – Wikander, M. H.: The play of truth and state. Historical drama from Shakespeare to Brecht. Baltimore 1986. – Neubuhr, E. (Hrsg.): G. Darmstadt 1980 (mit Bibliogr.). – Paul, U.: Vom G. zur polit. Diskussion. Mchn. 1974. – Sengle, F.: Das histor. Drama in Dtschld. Stuttg. ³1974. – Hammerschmidt, H.: Das histor. Drama in Engld. Frkft. 1972. – Tillyard, E. M. W.: Shakespeare's history plays. Ldn. 1944, Nachdr. 1969.   RS

Geschichtsklitterung [zu frühnhd. klittern = klecksen, schmieren]. Bez. für eine durch Verdrehung oder irreführende Verbindung von Tatsachen entstellte tendenziöse Geschichtsschreibung; Bez. nach dem Titel der 2. Ausgabe von J. Fischarts ›Gargantua‹ (»Affentheurlich Naupengeheurliche Geschichtklitterung . . .«, 1582).   HSt

Geschlossene Form, auch: tektonisch, Begriff der Ästhetik, insbes. der ↗Poetik für Kunstwerke von streng gesetzmäßigem, oft symmetr. Bau, überschaubarer, auf Einheit abzielender Anordnung aller Elemente um eine prägende Leitlinie und entsprechend konsequenter ↗Funktionalität aller Teile, im Ggs. zur atekton. ↗offenen Form. Charakterist. ist die g. F. insbes. für klass. oder klassizist. Kunstepochen, z. B. für die bildende Kunst und Architek-

tur der Renaissance oder die Techniken der Fuge und des Sonatensatzes in der europ. Musik des 18. und 19. Jh.s. In literar. Kunstwerken geht die g. F. einher mit gehobener, oft typisierender Sprache und einheitl. Thematik, wenigen Hauptgestalten und übersichtlicher, stets in sich geschlossener Handlung in Drama und Erzählkunst, in der Lyrik mit wenigen Hauptmotiven und normgerechter Ausfüllung der Vers- und Strophenformen. Die g. F. ist v. a. kennzeichnend für die ↗Novelle und Gedichtarten wie ↗Sonett, ↗Rondeau oder ↗Ghasel. Von bes. Bedeutung ist die g. F. als Dramentypus mit festen Regeln, z. B. Wahrung der ↗drei Einheiten, Einteilung in drei oder fünf Akte und Gruppierungen um den 2. bzw. 3. Akt als Mittelachse, etwa die frz. Komödien und Tragödien des 17. Jh.s (vgl. ↗Drama, ↗Dramaturgie); Gegentypus dazu ist das Drama der offenen Form (z. B. das ↗elizabethan. Drama und das ↗ep.Theater), allgemeiner das offene Kunstwerk des 20. Jh.s im Sinne von Umberto Eco.
□ Klotz, V.: Geschlossene und offene Form im Drama. Mchn. ⁹1978. – Wölfflin, H.: Kunstgeschichtl. Grundbegriffe. Basel ¹⁴1970. – Eco, U.: Das offene Kunstwerk, Mailand 1967, dt. 1973.   RS

Gesellschaft für deutsche Sprache, Nachfolgeinstitution des (Allgemeinen) ↗Dt. Sprachvereins.

Gesellschaftsdichtung, Sammelbez. für solche lit. Werke, die sich innerhalb der sozialen, geist. und eth. Konventionen der jeweils herrschenden Gesellschaftsordnung bewegen und deren ästhet. Normen entsprechen (z. T. auch mit Standesdichtung, Standespoesie gleichgesetzt). Ihre Thematik ist nicht durch individuelles Erleben oder gar Gesellschaftskritik bestimmt, sondern spiegelt allgemein anerkannte Verhaltensmuster, die durch typ. Gestalten repräsentiert werden. Teilweise ist sie unmittelbar für den Vortrag in der Gesellschaft, für ein bestimmtes (Präsenz-) ↗Publikum konzipiert. Sie ist vordringl. Rollendichtung, entsteht meist als ↗Gelegenheitsdichtung. Sie begegnet v. a. in Zeiten geschlossener Sozialordnungen: vgl. die ↗höf. Dichtung seit dem Hellenismus, ↗Minnesang und höf. Epik im Hoch-MA., die ↗Schäfer- und Hirtendichtung in Renaissance und Barock, die ↗galante Dichtung (Anakreontik) im Rokoko, das Gesellschaftslied vom 16.–19. Jh. Im Ggs. zur G. stehen Erlebnis- und Bekenntnisdichtung, gesellschaftskrit. Dichtung.   S

Gesellschaftskritik (in der Dichtung), Kritik an den jeweils bestehenden sozialen, polit. u. rechtl. Verhältnissen ist eine durchgehende Komponente der antiken und abendländ. Literatur, indirekt selbst dort, wo andere Themen, bes. Fragen der menschl. Existenz, im Vordergrund stehen. G. reicht von Kritik an bestimmten Auswüchsen einer an sich anerkannten Gesellschaftsform (z. B. an der moral.-sittl. Verworfenheit der Oberschicht, dem Nachäffen der höheren Stände durch sozial niederere, so meist in Antike oder im MA.) über Kritik an Teilbereichen bis zu Anklagen und Reformvorstößen gegen die gesamte jeweils herrschende Gesellschaftsstruktur (so vorwiegend in der Neuzeit). Soziale Problematik kann innerhalb eines Standes (Bauerntum, Bürgertum) aufgezeigt werden (F. Hebbel, »Maria Magdalena«) oder aber durch Darstellung eines ständ. Gegensatzes (Schiller, »Kabale und Liebe«). G. kann indirekt-immanent geübt sein, durch den Entwurf eines positiven, bisweilen utop. Gegenbildes (↗Staatsroman) oder aber direkt, sei es durch objektive, realist. Schilderungen (so meist die ↗Gesellschaftsromane) oder durch gezielte, z. T. krasse oder satir. überspitzte Darstellungen verbesserungsbedürft. Zustände. Hier entscheidet in der Regel der literar. Rang, ob ein Werk als Tendenzschrift verschwindet, wenn der aktuelle Bezug verblaßt ist oder ob die aktualist. Tendenz dichtet. Formgebung untergeordnet ist und als Teil eines ästhet. bestimmten Kunstwerks lebendig bleibt.
G. übten schon in der *Antike* Hesiod (um 700 v. Chr.) in seinem Mahn- und Lehrgedicht »Erga« (über das harte All-

tagsleben der Bauern und Händler), Aristophanes in manchen Komödien (z. B. »Plutos«) oder Horaz und Juvenal (Satiren). *Im MA.* findet sich immer wieder offene und versteckte Kritik an Verstößen gegen eine gottgewollte Ordnung, so in der Lyrik der provenzal. Trobadors (Marcabru, »Pastorela«, 12. Jh.), bei Walther v. d. Vogelweide, Neidhart, Freidank, aber auch in den Epen Hartmanns von Aue, der Ständesatire »Meier Helmbrecht« von Wernher dem Gartenære, in didakt. Dichtungen wie dem »Reinhart Fuchs« oder dem Sündenkompendium »Der Renner« von Hugo von Trimberg. In der Fülle der zeitkrit. Schriften des *16. Jh.s,* die die Auflösung der mal. Denkformen begleitet (Reformation), ist eine sozialkrit. Tendenz meist unüberhörbar, bes. während der Bauernkriege; ähnl *im 17. Jh.* im Gefolge des 30jähr. Krieges (Probleme des Bauern- und Soldatenstandes, z. B im Werk Grimmelshausens). Satir. verbrämte G. (bei immer noch affirmativer Haltung gegenüber der Gesellschaftsstruktur) findet sich auch z. B. bei Molière oder in den antihöf. ↗Schelmenromanen (P. Scarron), später mit utop. Tendenzen in den ↗Robinsonaden im Gefolge D. Defoes. In der *Aufklärung* entwickelt sich ein Engagement für die gequälte Kreatur allgemein, bes. im Humanitätsstreben in der 2. Hälfte des 18. Jh.s, wobei v. a. das Theater zur Anklagebühne wird (Beaumarchais, »Der tolle Tag«, Schiller, »Kabale und Liebe«, J. R. M. Lenz, »Soldaten«, im frühen 19. Jh. G. Büchner, »Woyzeck«). Immanente, jedoch eindeutig soziale Kritik kennzeichnen dann fast alle großen Romane des *europ. Realismus* (Stendhal, H. de Balzac, G. Flaubert, Ch. Dickens, N. Gogol, F. Dostojewski, L. Tolstoi) in ihrer typ. objektiven Schilderung und Analyse der Gesellschaft (Gesellschaftsromane), ebenso einzelne Dramen (z. B. Hebbel). Daneben entsteht, parallel zur Entwicklung der Industrie, der großstädt. Kultur und des vierten Standes, die *eigentl. gesellschaftskrit. Dichtung,* die auf die Abänderung bestehender Zustände abzielt, Appelle und Reformmodelle entwirft. Sie bildet bereits einen Teil der literar. Produktion des ↗Jungen Deutschland (G. Herwegh, F. Freiligrath, auch H. Heine), kennzeichnet die frühe ↗Arbeiterliteratur (Th. Hood; E. Willkomm, F. Spielhagen, M. Kretzer), bes. dann die Dichtung des ↗Naturalismus (E. Zola, M. Gorki, G. Hauptmann), die von z. T. tendenziös vereinseitigten Zustandsschilderungen und reformer. Pathos auch in beißende Satire umschlagen kann (im 20. Jh. C. Sternheim, F. Wedekind, H. Mann, G. B. Shaw, in Amerika bes. U. Sinclair, Th. Dreiser, J. London, Dos Passos und J. Steinbeck). G. kennzeichnet ferner einzelne Strömungen des Expressionismus: neben aktuellen sozial-polit. Anklagen gegen das wilhelmin. Bürgertum, das kapitalist. Wirtschaftssystem, die Industrialisierung usw. stehen pathet. menschheitserneuernde Visionen (E. Toller, G. Kaiser, L. Frank, L. Feuchtwanger, F. Wolf, B. Brecht u. a.). G. ist seitdem eine wichtige, alle gesellschaftl. Entwicklungen begleitende Tendenz innerhalb der Weltliteratur, unterdrückt nur in totalitären Staaten in Bezug auf die eigene Gesellschaftsstruktur. Infolge der Demokratisierung und Nivellierung sozialer Unterschiede mündet die gesellschaftskrit. Dichtung in vielen Ländern z. T. wieder stark in allgemeine Zeitkritik ein (Behandlung soziol., massenpsychol. und existentieller Probleme z. B. bei G. Grass, M. Walser, H. Böll u. a.); sofern sie sich nicht durch radikalen oder aggressiven Appellcharakter zur ↗polit. Dichtung stellt.

📖 Kahn, L. W.: Social ideals in German literature 1770–1830. New York 1938. – Lehmann, K.: Der soziale Gedanke in d. dt. Dichtung. Lpz. ²1930.   S

Gesellschaftsroman (auch sozialer Roman, Sozialroman), Typus des europ. Romans des ↗Realismus im 19. Jh. Er versucht im Ausschnitt einer fiktiven Romanhandlung eine umfassende Darstellung der zeitgeschichtl. gesellschaftl. Situation und der sie bedingenden Faktoren (expandierende Industrialisierung usw.). In vielsträngiger

Handlungsführung greift er in alle gesellschaftl. Schichten (insbes. die tragende Schicht des Großbürgertums, dann des Kleinbürgertums und der neuen proletar. Klasse) aus, um deren spezif. Probleme und Konflikte aufzudecken. Dabei sind, entsprechend dem wissenschaftl. Erfahrungshorizont, die individuellen fiktiven Geschehnisse jeder Schicht kausalgenet. sowohl untereinander als auch mit den sozialen, ökonom., polit. und geist.-sittl. Zuständen verknüpft. Der G. nimmt z. T. die im ↗Zeitroman des ↗Jungen Deutschland entwickelte synchrone Erzählstruktur auf (nicht jedoch die Typisierung der Personen und die Funktionalisierung der erzähler. Mittel). Er verzichtet (im Prototypus) auf den vermittelnden Erzähler oder auf die subjektiv-perspektiv. Erzählhaltung, ferner auf reflektierende Einschübe (Analysen, Anklagen, Kritik usw.). Charakterist. ist vielmehr eine streng auf die Reproduktion der Realität (gemäß dem zeitgenöss. Realismusverständnis, vgl. ↗Realismus), auf die ›objektive‹ Abbildung der Wirklichkeit beschränkte sachl. Erzählweise mit breit angelegtem realist. Schilderungen der Begebenheiten, mit detailgenauen Milieubeschreibungen und mit differenzierter Psychologisierung der Personen. Das Bild des kollektiven gesellschaftl. Kräftegefüges soll sich immanent aus dem Erzählten darstellen. Soziale Kritik wird nur implizit durch Auswahl und Gewicht der erzählten Wirklichkeit geübt; meist offenbart sich dabei eine desillusionist., antibürgerl. Haltung (daher auch Bez. wie ›krit. G.‹, ›sozialer Roman‹), wenn auch, im Ggs. zum späteren naturalist.-sozialkrit. Experimentalroman, noch ohne direkte anklägerische oder reformer.-utop. Elemente. – Der G. entsteht v. a. in Frankreich, England und Rußland, jeweils mit charakterist. nationalen Merkmalen und Überschneidungen (mit ↗Erziehungs- und ↗Familienroman, ↗psycholog. Roman, auch ↗Kriminalroman u. a.). In *Deutschland* erscheint die soziale Thematik bereits im ↗Vormärz (Zeitroman). Der eigentl. realist. Roman entwickelt sich als weniger gesellschaftskrit. ausgerichtete Sonderform mit einer eher humorist.-gemüthaften, die Wirklichkeit verklärenden (und damit z. T. affirmativen) Grundhaltung (vgl. O. Ludwig: ›poet. Realismus‹, W. Raabe, G. Keller u. a.). Hauptvertreter sind in *Frankreich* Stendhal (»Le rouge et le noir«, 1830; »La chartreuse de Parme«, 1839), H. de Balzac (»La comédie humaine«, 40 Bde., 1829–54), G. Flaubert (»Madame Bovary«, 1857) und die Brüder E. und J. Goncourt (»Germinie Lacerteux«, 1864) u. a., in *England* nach der Vorläuferin J. Austen u. a. Ch. Dickens (»Oliver Twist«, 1837/38; »David Copperfield«, 1849/50 u. v. a.), W. M. Thackeray (»Vanity Fair«, 1847/48), A. Trollope (Barsetshire-Romane, 1855–67), G. Eliot (»Adam Bede«, 1859; »Middlemarch«, 1871/72), G. Meredith (»The Egoist«, 1879), die Schwestern A. und Ch. Brontë und schließl. H. James. Typ. ist für den engl. G. eine iron. Färbung, während *der russ.* G. eine gedankl.-analyt. Komponente aufweist, vgl. u. a. die G.e von J. A. Gontscharow (»Oblomow«, 1859 u. a.), J. Turgeniew (»Das Adelsnest«, 1859; »Väter und Söhne«1862) und v. a. F. M. Dostojewsky (»Schuld und Sühne«, 1866; »Der Idiot«, 1868; »Die Dämonen«, 1873 und 1888) und L. Tolstoi (»Krieg und Frieden«, 1864; »Anna Karenina«, 1873). In *Deutschland* können noch Th. Fontane (»Effi Briest«, 1894/95) und mit geänderter Erzählstruktur) Th. Mann und R. Musil in diese Tradition eingereiht werden. Der G. des 19. Jh.s findet bis in die Gegenwart zahlreiche Nachahmer (bedeutend noch M. Gorki, P. Bourget, Th. Hardy, J. Galsworthy), auch nachdem der Versuch einer (scheinbar) objektiven Wirklichkeitswiedergabe problematisch geworden ist.

📖 Groß, K.: Arbeit als liter. Problem. Studien z. Verhältnis von Roman und Gesellschaft in der viktorian. Zeit. Würzburg 1982. – Wolfzettel, F. (Hrsg.): Der frz. Sozialroman des 19. Jh.s Darmst. 1981. – Groß, K. (Hrsg.): Der engl.

oziale Roman im 19. Jh. Darmst. 1977. – Edler, E.: Die
Anfänge des sozialen Romans u. der sozialen Novelle in
Dtschld. Frkft. 1977. – Friedrich, H.: Drei Klassiker des frz.
Romans. Stendhal, Balzac, Flaubert. Frkft. ⁵1966. – Savage,
R. P.: Recherches sur le roman social en Allemagne. Aix en
Provence 1960. – Humm, J. R.: Der G. Zürich 1947.   IS

Gesellschaftsstück ↗Salonstück.

Gesetz, auch: Gesätz, Gesatz. Seit der Renaissance,
ursprüngl. als Übersetzung von gr. *nómos* (= Gesetz, aber
auch: Melodie, Lied), gebräuchl. Bez. für 1. Lied, 2. Lied-
oder Gedichtstrophe, so bes. als *Gesätz* im Meistersang und
dort 3. für den ↗Aufgesang der ↗Meistersangstrophe. –
Nur die Bedeutung 2 hat sich, wenn auch nur regional in
der Schweiz, bis auf die Jetztzeit halten können.   HD

Gespaltener Reim, Meistersingerbez. für eine Form des
↗reichen Reims: Reimklang aus je zwei Wörtern, wobei die
zweiten Wörter ident. reimen (im Unterschied zum ↗Dop-
pelreim), z. B. *fein sind: gemein sind* (Heine).   S

Gespenstergeschichte, unscharfe Sammelbez. für
Darstellungen unheiml.-dämon. Begebenheiten. Das
Erlebnis des Unheimlichen ist eine seel. Grunderfahrung,
die sich in einer Vielzahl von Motiven (außer Gespenstern
auch Teufel, Vampire, Doppelgänger u. a.) ausprägt. Ani-
mist.-mag. Welterfahrung, Totenkult, Spiritismus, Aberglaube und psycholog. Interesse bilden die äußere Voraussetzung ihrer Entstehung. Der mit der Darstellung unheiml.
Erscheinungen verbundene Spannungs- und Sensations-
reiz sichern der G. ihre Wirkung auf breite Leserschichten
(G.n häufig im Trivialbereich). – G.n finden sich bereits als
einfache Formen in allen Kulturen. Ihre Elemente und
Motive erscheinen oft auch in andere literar. Werke integriert (Shakespeare, »Hamlet«, »Macbeth«, A. Gryphius,
»Cardenio und Celinde«, 1657 u. a.). Im genauen Sinne
entwickelt sie sich (z. T. als Antiform oder als Kriminalge-
schichte) mit dem Rationalismus der Aufklärung und deren
irrationalist. Gegenströmungen (v. a. in der Romantik), die
den Gespensterglauben theoret. diskutieren; vgl. z. B. die
diesen widerlegenden bzw. belegenden Schriften von C.
Bohemi (1731), G. W. Wegner (1748), J. Ch. Henning (1777
u. 1780), G. B. Funk (1783) oder die psycholog. Theorien F.
Mesmers, K. Ph. Moritz', J. Kerners (»Die Seherin von Pre-
vorst«, 1829, Somnambulism). G.n werden v. a. in Balladen (G. A. Bürger, »Lenore«), Erzählungen (vgl. die beliebten Sammlungen von S. Ch. Wagner, 1797/98 und 1801/02
oder A. Apel und F. Laun, 7 Bde ., 1811–17) oder in
↗Schauer- und ↗Geheimbdromanen gestaltet, finden
sich aber auch bei Goethe (»Unterhaltungen dt. Ausgewanderten«, 1794), Jean Paul, H. v. Kleist (»Das Bettelweib
von Locarno«, 1810), W. Hauff und bes. E. T. A. Hoffmann, dessen iron., gesellschaftskrit. G.n europ. Einfluß
gewannen (das Gespenstische, Exzentrische, Wahnsinnige
in Gestalt von Spießern oder bürgerl. Welt). – Psychoanalyse
und Okkultismus führen im 20. Jh. (bes. in der Neuromantik)
zu erneuter Hinwendung zum Übersinnlichen, vgl. neben
H. H. Ewers, K. H. Strobl, A. M. Frey (die z. T. G.n-
Sammlungen herausgaben) bes. G. Meyrink (»Der Golem«,
1915, Dämonie des künstl. Übermenschen, zahlreiche Nachahmungen, Verfilmungen). – Bedeutende Vertreter der
modernen G. sind auch E. G. Bulwer-Lytton, Ch. Dickens,
E. A. Poe, O. Wilde, G. de Maupassant, Ph. A. Villiers de
L'Isle-Adam, N. Gogol, J. Turgenjew, K. Hamsun. – RL. KT

Gespräch, unmittelbarer sprachl. Gedankenaustausch
zw. zwei oder mehr Partnern. Als eine der Grundformen
menschl. Miteinanderlebens Gegenstand philosoph., psycholog., pädagog. und linguist. Untersuchungen (↗Kon-
versation). Im literaturwiss. Sprachgebrauch hat sich die
Unterscheidung von G. als Bez. für den wirkl. stattfindenden Vorgang über seine Aufzeichnung und einen ↗Dialog
für literar. Texte, die sich der Form des G.s bedienen, eingebürgert; in literar. Praxis ist sie nicht durchgeführt, vgl.
z. B. J. G. Herder: »Gott. Einige G.e« (1787), P. Ernst:

»Erdachte G.e« (1921). Die Sammlung und Edition von
G.en gehört wie die von Briefen und Tagebüchern zur
Dokumentation des Gesamtwerks bedeutender Persönlichkeiten, so die schon 1566 von Johann Aurifaber zusammengetragenen »Tischreden« Luthers (in der Weimarer
Gesamtausgabe, hg. v. Kroker, 1912–21), die G.e Friedrichs des Großen (hg. v. Oppeln-Bronikowski, 1919), Goethes (Einzelausgaben z. B. der G.e mit Eckermann, Kanzler
von Müller u. a.; die Gesamtausgabe von Goethes G.en
durch Biedermann, ²1909–11, enthält auch Äußerungen
Dritter über ihn) und aus neuerer Zeit »G.e mit Kafka« (G.
Janouch, 1951).

🕮 Schmölders, C.: Die Kunst des G.s Mchn. ²1986. –
Stierle, K. u. a. (Hg.): Das G. Mchn. 1984. – RL   HSt

Gesprächsspiel, im Barock beliebte literar. Dialogform,
welche Themen belehrenden und unterhalten-
den Charakters als zwanglos-galante Konversation mehrerer Personen für ein adlig-patriz. Publikum aufbereitet; oft
in vielen Fortsetzungen zu kompendienartigen Bildungs-
Summen (↗Summa) anschwellend. Nach italien., an
Cicero anknüpfenden Vorbildern (B. Castigliones »Cortegiano«, 1528; S. Bargaglis »Trattenimenti«, 1587) von
G. Ph. Harsdörffer eingeführt (»Frauenzimmer-Gesprächs-
spiele«, 8 Tle., 1641–49); wirkte über Johann Rists und
Christian Thomasius' »Monatsgespräche« (1663–68 und
1688 ff.) bis zu J. Ch. Gottsched (»Vernünftige Tadlerinnen«, 1725–1726).

🕮 Zeller, R.: Spiel u. Konversation im Barock. Bln. 1974. –
Hasselbrink, R.: Gestalt u. Entwicklung des G.s in der dt.
Lit. des 17. Jh.s. Diss. Kiel 1956. – RL   HSt

Gesta, f. Pl. [abgeleitet von lat. res gestae = Kriegstaten],
Sonderform mal. Geschichtsschreibung in lat. Sprache. Im
Unterschied zu den ↗Annalen und ↗Chroniken, die auf
korrekte Information bedacht sind und Geschichte als Zeitkontinuum darstellen, beschreiben die G. Leben und Handlungen bedeutender Personen, Völker und Menschengrup-
pen in einem durch Anekdoten, moralisierende Verallgemeinerung angereicherten, rhetor. ausgeschmückten, z. T.
metr. gebundenen Erzählstil. Wegen der künstler. Stilisierung und der stärkeren Parteinahme der Autoren für den
Gegenstand gelten die G. gegenüber der annalist. Historiographie als weniger zuverlässige Geschichtsquellen. Eine
volkssprachl. literarische Folgegattung der G. ist die frz.
↗Chanson de geste. Zu den bedeutenden Werken der reich
überlieferten Gattung der G. zählen: Im 9. Jh. die *Gesta
Karoli Magni Imperatoris.* Von Notker Balbulus um 885
geschriebene Biographie Karls d. Großen, als Quelle für die
in der volkssprachl. Dichtung des MA.s verbreitete Karls-
sage von Bedeutung. Im 10. Jh. die *Gesta Odonis* in lat.
Hexametern von Hrotsvit von Gandersheim um 965–968;
behandelt die polit. und Familiengeschichte Ottos I. – Im
11. Jh. die *Gesta Chuonradi II Imperatoris,* Hauptwerk des
am kaiserl. Hof wirkenden Dichters Wipo über Konrad II.
und seinen Sohn Heinrich III. (um 1045–46). – Im 12. Jh.
die *Gesta Friderici I Imperatoris,* von Otto I. von Freising
1157–58 verfaßt, von Rahewin bis zum Jahre 1160 fortgesetzt, nicht nur Herrscherlob, sondern zugleich der Versuch
einer geschichtsphilosoph. Rechtfertigung des Zeitgeschehens. Auf diesem Werk und anderen Quellen basiert auch
eine gleichnamige G. in lat. Versen von Gottfried von
Viterbo 1180–1184. – Im 13. Jh. die *Gesta Danorum,*
von Saxo Grammaticus um 1185–1225, in Prosa verfaßt,
enthält die Geschichte der Dänen von der heidn. Vorzeit bis
zur Gegenwart der Abfassungszeit, als stoffl. auch
Quelle für Shakespeares »Hamlet«. – Im 13./14. Jh. die
Gesta Romanorum, Sammlung von histor. Geschichten,
Sagen, Legenden, Märchen mit didakt.-moral. Anspruch;
im MA. weitverbreitet, auch in Volkssprachen übersetzt,
Ende 13./Anfang 14. Jh.s vermutl. in England angelegt, in
der Folgezeit mehrfach erweitert und mit ausführl. Morali-
sationen versehen. U. a. entlehnten Boccaccio, Chaucer, H.
Sachs, Schiller (»Die Bürgschaft«) dem Werk Stoffe.

📖 Grundmann, H.: Geschichtsschreibung im MA. Gött.
²1969. HW

Gestalt, s. ∕Gehalt und Gestalt.

Gestus, m. [lat. = Körperhaltung (der Schauspieler und Redner), zu lat. gerere = tragen, zur Schau tragen, sich betragen], auch: Geste, ursprgl. Bez. für die normierte Gebärde (d. h. Bewegung des Körpers, insbes. der Arme und Hände), die von der antiken ∕Rhetorik – neben Stimmführung (vocis figura) und Mienenspiel (Mimik, lat. vultus) – für den redner. Vortrag (pronuntiatio, ∕Disposition) je nach den zu erregenden Affekten festgelegt wurde. Da jedes Individuum und jede Epoche *ungewollt* eine bestimmte Gebärdensprache entwickelt, erscheint ihr gegenüber die rhetor. Normierung erstarrt und gekünstelt. So hat der G., um den sich in Deutschland das Theater bis hin v. a. zu Gottsched bemühte, mit wachsender Individualisierung und zunehmendem histor. Bewußtsein mehr und mehr an Bedeutung verloren. HD

Ghasel, Gasel, n. (auch: die Ghasele) [arab. gazal = Gespinst], lyr. Gedichtform, von den Arabern ausgebildet, seit dem 8. Jh. im ganzen islam. Raum verbreitet, Höhepunkt im Werk des pers. Dichters Hafis (14. Jh.). G.en sind Lieder zum Lob des beschaul. Lebensgenusses, des Weins und der Frau, oft mit myst.-erot. Motiven durchsetzt. Ein G. besteht aus einer nicht festgelegten Anzahl von Langversen (arab. beit, pers. bait = Haus), die in zwei Halbverse zerfallen. Die beiden Halbverse des Eingangsverses (»Königs«-beit) reimen untereinander, alle folgenden Langverse führen diesen Reim fort. Bei den *deutschen Nachahmungen* des G. entsprechen der arab. zweigeteilten Langvers Verspaare (oft ebenfalls G.e genannt), so daß sich folgendes Reimschema ergibt: aa xa ya za usw. Das G. wurde durch F. Schlegel 1803 in Deutschland bekannt gemacht und bes. durch F. Rückert (»Rumi-G.en«, 1821) und A. v. Platen (G.en 1821, 1823) gepflegt. Goethe ahmt es in einigen Gedichten des »West-Östlichen Divan« frei nach (z. B. »In tausend Formen magst du dich verstecken«).

📖 Balke, D.: Westöstl. Gedichtformen. Sadschal-Theorie u. die Gesch. des G. G.s Diss. Bonn 1952. ED

Ghostwriter [ˈgoustraitə]: engl. = Geisterschreiber], anonymer Autor, der im Auftrag und unter dem Namen gesellschaftl. wichtiger oder populärer Personen wie Politikern, Künstlern und Sportlern nach genauer Absprache oder in weitgehender Freiheit Reden, Zeitungsartikel und Bücher (v. a. Memoiren) schreibt. HD

Gleichklang,
1. Zusammenfassende Bez. für poet. Schmuckformen und Versbindungen wie ∕Reim, ∕Assonanz, ∕Alliteration.
2. eingeschränkt auch nur für den speziellen Bereich lautl. Übereinstimmung, also beim Reim für die eigentl. Reimzone, z. B. *erz* im Reim *Herz : Schmerz.* S

Gleichlauf, vgl. ∕Parallelismus.

Gleichnis, sprachl. Gestaltungsmittel, bei dem eine Vorstellung, ein Vorgang oder Zustand (Sachsphäre) zur Veranschaulichung und Intensivierung mit einem entsprechenden Sachverhalt aus einem anderen, meist sinnl.-konkreten Bereich (Bildsphäre) verglichen wird. Bild- und Sachsphäre sind i. a. durch Vergleichspartikel (*so . . . wie*) ausdrückl. aufeinander bezogen, sie decken sich aber nicht wie in der ∕Allegorie in möglichst vielen Einzelzügen, vielmehr konzentrieren sich die einander entsprechenden Züge beider Sphären in einem einzigen, für die Aussage meist zentralen Vergleichsmoment, dem *tertium comparationis,* in dem die beiden Seiten sich berühren. Das G. ist vom bloßen ∕Vergleich durch die breitere Ausgestaltung und eine gewisse Selbständigkeit des Bildbereichs unterschieden, wird öfters auch gleichbedeutend mit ∕Parabel verwendet; vielfach werden jedoch beide Begriffe in dem Sinne unterschieden, daß bei der Parabel die Sachseite nicht ausdrückl. genannt ist, sondern erschlossen werden muß (demnach setzt die Parabel das Bild *statt* der Sache, das G. setzt es *neben* sie).

Die neutestamentl. Forschung spricht von G., wenn das Bild der allgemein vertrauten, unmittelbar zugängl. Wirklichkeit entstammt, von Parabel, wenn es einen erdichteten individuellen Einzelfall vorführt. – Bekannteste Beispiele sind die *homer. G.se,* die in ihrer breiten Ausgestaltung die betrachtende Haltung des Epikers zum Ausdruck bringen, und die *biblischen G.se,* die v. a. der Ermahnung, Belehrung und Argumentation dienen.

📖 Linnemann, E.: G.se Jesu. Gött. ⁴1966. GMS

Gleitender Reim (dt. Übers. von ital. rima sdrucciola). Reim auf dreisilbige Wörter der Form –◡◡, z. B. *schallende : wallende.* S

Gliommero, m. [ljiˈomero], neapolitan. Sonderform der ∕Frottola.

Glosa, f. [span.], auch Glosse, span. Gedichtform, entstanden im Umkreis der höf.-petrarkisierenden Lyrik des 15. Jh.s, bis Ende des 17. Jh.s sehr beliebt. Die G. variiert und kommentiert ein vorgegebenes Thema (über die Liebe, später mehr und mehr relig.-philos. Themen, schließl. auch populäre Motive), das in Form eines Verses (oder meist mehrerer Verse) eines bekannten Gedichts (span. cabeza, texto, letra oder mote, dt. meist Motto genannt) der G. vorangestellt wird; jedem Vers des Mottos wird eine ∕Dezime zugeordnet, die diesen Vers wieder aufgreift. Als klass. Form gilt die G. mit vierzeiligem Motto und entsprechend vier Dezimen, deren Schlußverse zusammen wieder das Motto ergeben. Hauptvertreter V. Espinel (1550–1624); in Deutschland wurde die G. bes. durch die Romantiker F. und A. W. Schlegel (»Variationen«, 1803), L. Tieck, J. v. Eichendorff, L. Uhland (»Glosse«, 1813) u. v. a. oft in ernster, z. T. in parodist. Absicht nachgeahmt. ED*

Glossar, erklärendes Verzeichnis schwer verständlichen (fremdsprachiger, altertüml., mundartl.) Wörter (∕Glosse) eines bestimmten Textes, oft als dessen Anhang gedruckt; auch selbständiges Wörterbuch ungebräuchl. Ausdrücke oder (seltener) Bez. für Wörterverzeichnisse und Sprachwörterbücher überhaupt. – Das zu erklärende Stichwort heißt *Lemma,* die Erläuterung *Interpretament.* HSt

Glosse, f. [gr. glóssa = Zunge, Sprache].
1. fremdes oder ungebräuchl. Wort, dann bes. die Übersetzung oder Erklärung eines solchen Wortes, im Ggs. zur Erläuterung der durch das Wort benannten Sache (∕Scholien). Als Terminus zuerst belegt bei Aristoteles (Poetik 1457 b 4). G.n erscheinen in Handschriften entweder zwischen die Zeilen des Textes *(Interlinear-G.n)* oder am Rand geschrieben *(Marginal-G.n),* seltener in den fortlaufenden Text selbst eingefügt *(Kontext-G.n);* geheime G.n wurden nicht geschrieben, sondern ins Pergament geritzt *(Griffel-G.n).* G.n wurden entweder gemeinsam mit dem jeweil. Text abgeschrieben und so tradiert, oder in ∕Glossaren gesammelt und dadurch unabhängig von ihrem ursprüngl. Bezugstext weiterüberliefert, in alphabet. oder systemat. Anordnung *(Sachglossare).* – Die Abfassung von G.n reicht in die antike Homererklärung zurück (5. Jh. v. Chr.) und wird in der alexandrin. Philologie zu einer eigenen Disziplin, einem Teil der Grammatikstudien, zur sog. *Glossographie,* einer Vorstufe der Lexikographie. Dieses Verfahren wurde in der röm. Klassik fortgeführt *(Plautus-G.n).* Im MA. bilden sich mit dem Nebeneinander von lat. und volkssprach. Glossierung zwei getrennte Entwicklungen heraus: Lat. zu antiken Autoren und zur Bibel (seit dem 6. Jh.), die z. T. vulgärlat. und frühes roman. Sprachgut überliefern, sind die Grundlage für die als »glossa« bez. Kommentarwerke u. a. von Anselm von Laon (»Glossa ordinaria«, 11. Jh., irrtüml. Walahfrid Strabo zugeschrieben), von Irnerius (jurist. Kommentare, erwachsen aus lat. Marginalg.n für die Rechtstermini des Corpus iuris) oder seinen Schülern, den ›quattuor doctores‹ Bulgarus, Martinus, Hugo, Jacobus (12. Jh.), im 13. Jh. diejenigen von sog. Postglossatoren Azo und Accursius in Bologna. – *Volkssprachige G.n* gehören zu den ältesten Schriftzeugnis-

sen des Deutschen (wie der roman. Sprachen): Sie erscheinen als Zusätze in lat. Rechtstexten (die sog. »Malbergischen G.n« der Lex Salica, 6. Jh., und die ›Sachwörter‹, d. h. in lat. Urkundenformulare eingestreute Wörter für Begriffe, die nicht lat. umschrieben werden konnten oder sollten), als Interlinear-G.n zur Bibel und den im Unterricht verwandten lat. Autoren (Prudentius, Priscian, Boëthius, aber auch Vergil, Horaz u. a.) und als selbständige Glossare, die z. T. Übersetzungen lat. Stilwörterbücher sind, z. T. aus Interlinear-G.n gesammelt und im Laufe der Überlieferung durch Zusätze erweitert wurden. Das älteste dieser zweisprachigen Glossare ist der nach seinem ersten Lemma benannte »Abrogans« aus Freising (um 770), das älteste Sachglossar ist der »Vocabularius Sti. Galli« (Ende des 8. Jh.s, vermutl. aus Fulda). Bis ins 14. Jh. hinein sind bisher fast 1000 Handschriften mit dt. G.n belegt; am Ende der Überlieferung stehen summenartige Wörterbücher wie der »Vocabularius ex quo« (15. Jh.), der auch gedruckt wurde. *Überlieferungszentren* sind die Klöster St. Gallen, Reichenau, Regensburg, Würzburg, Fulda, Echternach, Trier, Köln, Aachen. – Die Untersuchung dieser G.n erbringt Daten für die Sprach- und Kulturgeschichte, sie dokumentieren Art und Umfang der Bewältigung des Lateinischen durch die an ihm wachsende und sich von ihm emanzipierende Volkssprachigkeit und lassen die Rezeption antiken Bildungsgutes im klösterl. Lektürekanon verfolgen.
2. Randbemerkung; knapper, meist polemisch-feuilletonist. Kommentar zu aktuellen polit. oder kulturellen Ereignissen in Presse, Rundfunk oder Fernsehen.
Die wichtigsten G.n-Sammlungen: Glossaria latina. Hg. v. W. M. Lindsay u. a. 5 Bde., Paris 1926–32; Nachdr. Hildesheim 1965. – Corpus glossariorum latinorum. Hg. v. G. Goetz u. G. Löwe, 7 Bde. Lpz. 1888–1923; Nachdr. Amsterdam 1965. – Die ahd. G.n. Hg. v. E. Steinmeyer u. E. Sievers. 5 Bde. Bln. 1879–1922; Nachdr. Dublin u. Zürich 1968–69.
📖 Starck, T./Wells, J. C.: Ahd. G.n-Wörterbuch. Hdbg. 1972 ff. – RL. HSt

Glossographie, f. [gr.] vgl. ↗Glosse.

Glykoneus, m., antiker lyr. Vers der Form ⏓⏓–⏑⏑–⏑–, eines der Grundmaße der äol. Lyrik (↗äol. Versmaße), benannt nach einem sonst unbekannten hellenist. Dichter Glykon. Die i. d. Regel achtsilb. Grundform wird in der Chorlyrik vielfach abgewandelt; charakterist. Verwendung u. a. in der 2. u. 3. asklepiadeischen Strophe (↗Odenmaße). ED*

Gnome, f. [gr. = Spruch, Gedanke, Meinung], Erfahrungssatz, ↗Maxime oder ↗Sentenz, Denkspruch eth. Inhalts in Vers oder Prosa. In allen Literaturen bes. auf den älteren Stufen ihrer Entwicklung vertretene Form der ↗Lehrdichtung, oft in Sammlungen vereinigt (↗Florilegien); verbreitet v. a. in den oriental. Literaturen; im Griechenland des 6. Jh.s v. Chr. etwa die unter dem Namen des Theognis v. Megara laufende Gnomologie (Kurzelegien in Distichen), auch die des Solon und des Phokylides; in der röm. Literatur bes. die G.n des Publilius Syrus und die anonyme, erst im 3. (4.) Jh. entstandene, Cato zugeschriebene Sammlung »Dicta (Disticha) Catonis« (145 Doppelhexameter, eines der didakt. Grundbücher des MA.s); in der nord. Literatur die »Hávamál« (13. Jh.); in mhd. Dichtung Freidanks »Bescheidenheit« (13. Jh.), im 14./15. Jh. Weiterbildung der G. zum ↗Priamel. In neuerer Zeit ist die G. etwa in Rückerts »Weisheit des Brahmanen« (6 Bde., 1836–39) wiederbelebt worden. MS

Goldene Latinität, f., Bez. für die ›klass.‹ normenbildende Epoche der lat. Literatur und Sprache (ca. 100 v. Chr. bis zum Tode Augustus', 14 n. Chr.; auch ›goldenes Zeitalter‹ oder verkürzt unzureichend ‹Augusteisches Zeitalter› genannt), in welcher der Einfluß der griech. Literatur zur Blüte kam. Als *Hauptvertreter* gelten Cicero, Catull, Properz, Vergil, Horaz, Tibull, Ovid. Die darauf folgende Epoche wird als ↗silberne Latinität bez. ↗Antike. S

Goliarden, m. Pl., in Frankreich u. a. Ländern heute noch, in Deutschland früher übl. Bez. für ↗Vaganten (v. a. die kirchenfeindl. Spielart). Die Bez. ist wohl abzuleiten von lat. *gula* (Kehle) – ursprüngl. Bedeutung ›Schlemmer‹ – wurde aber im MA. als Gruppenname (G. = *pueri, discipuli Goliae*) von Golias, einem legendären Bischof, hergeleitet, der, als vermeintl. geist. Ahnherr der von der Kirche bekämpften G., mit dem von den Kirchenvätern als Schimpfwort verwendeten Namen des bibl. Goliath bedacht wurde. ED

Gongorismus, m., span. Gongorismo, auch cul(teran)ismo, estilo culto (= gelehrter Stil), span. eigenständige Spielart des ↗Manierismus, genannt nach ihrem bedeutendsten Vertreter, Luis de Góngora y Argote (»Soledades«, 1613/14). Der G. ist gekennzeichnet durch eine gewollt schwierige, gedrängte und dunkle Sprache, durch Häufung von Latinismen, überraschenden metaphor. Gebrauch geläufiger Wörter, Nachahmung der freien Syntax der lat. Poesie, überreiche Anwendung rhetor. Figuren und mytholog. Anspielungen. Dazu kommen in der Dichtung Góngoras Elemente des ↗Conceptismo, dessen Vertreter (Quevedo) trotz enger stilist. Beziehungen den G. bekämpften und den auch die span. Forschung von eigentl. G. trennt. Der G., lange Zeit als allzu gekünstelt abgelehnt, hat im 20. Jh. eine neue Wertschätzung erfahren (F. García Lorca, G. Diego, Ruben Darío).
📖 Heydenreich, T.: Culteranismo und theolog. Poetik. Frkft. 1977. – Pabst, W.: Luis de Góngora im Spiegel der dt. Dichtung u. Kritik. Hdbg. 1967. – Alonso, D.: Estudios gongorinos. Madrid ²1961. ED*

Gorgianische Figuren, ↗rhetor. Figuren, die nach antiker Überlieferung durch Gorgias von Leontinoi (5. Jh. v. Chr.) in Athen eingeführt wurden: *im weiteren Sinne* bewußt eingesetzte und kombinierte rhetor. Figuren überhaupt, *im engeren Sinne* die vornehml. durch den Klang wirkenden Figuren der Gliedergleichheit (↗Isokolon) oder -ähnlichkeit (Parison) und der Endreime (↗Homoioteleuton), aber auch des Gegensatzes (↗Antithese). HD

Gothic novel [ˈgɔθikˈnɔvəl; engl. = got. Roman], Bez. für den engl. ↗Schauerroman, der in der 2. Hälfte des 18. Jh.s als eigene Gattung hervortrat und sich im Zuge der europ. Vor- und Frühromantik mit der Bez. ›gothic‹ bewußt von den klassizist. Literaturströmungen des 18. Jh.s absetzte. Versatzstücke der G. n. sind wilde und phantast. Landschaften, histor. oder pseudohistor. Kolorit, mal. Architektur, Ruinen, Klöster, Verliese, Gewölbe usw., unerklärl. Verbrechen, tyrann. Männer- und ätherisch. Frauenfiguren, Begegnungen mit unheiml. oder übernatürl. Gestalten, oft Sendboten einer verborgenen Macht, Nacht-, Verfolgungs- und Beschwörungsszenen, Visionen und Träume. Charakterist. ist ferner eine kunstvoll verzögerte Handlungsführung mit Spannungs- und Überraschungseffekten. Die G. n., teils witzig iron., teils Mittel zur Ausweitung des Bewußtseins der künstler. Ausdrucksmöglichkeiten um den Bereich des Irrationalen, wurde einerseits zum Anreger der neueren europ. Erzählkunst bis weit ins 19. und 20. Jh. hinein, andererseits rasch zum Klischee der Unterhaltungsliteratur. – Die ersten G. n.s sind »The Castle of Otranto, a gothic tale«(1764) von H. Walpole und »The Champion of Virtue« (1777) von C. Reeve. Nach »The Old Manor House« (1793) von Ch. Smith und insbes. seit A. Radcliffes »The Mysteries of Udolpho« (1794) herrschte die G. n. über 30 Jahre als literar. Mode, eingeleitet z. B. von M. G. Lewis mit dem in ganz Europa verbreiteten Roman »The Monk« (1795). Die G. n. trat v. a. in enge Wechselbeziehungen zum dt. ↗Geheimbundroman, so daß die spätere G.n in England oft dt. Milieu zeigt und dt. Einflüsse verarbeitet (Mary Shelley, »Frankenstein«, 1818, Ch. R. Maturin, »Melmoth, the Wanderer«, 1820 u. a.). Die G.n. beeinflußte den ↗Kolportageroman des 19. Jh.s sowie den ↗Kriminal- und ↗Detektivroman; von Bedeutung war sie aber auch für die Romane von W. Scott, Ch. Dickens, Ch. Brontë und R. L. Stevenson; für de Sade, V. Hugo und H. de Balzac; N. Hawthorne, E. A. Poe und H. Melville; F. M. Dostojewskij und im 20. Jh. noch für G. Orwell, W. Faulkner u. a.

📖 Klein, J.: Der Got. Roman und die Ästhetik des Bösen. Darmst. 1975. – Lévy, M.: Le roman ›gothique‹ anglais 1764–1824. Paris 1968. – Summers, M.: A Gothic Bibliography. Ldn. 1941, Nachdr. New York 1964. RS

Gotischer Bund [nach schwed. Götiska förbundet], auch: Göterna, romant.-konservative, patriot.-literar. Vereinigung, gegr. 1811 in Stockholm mit dem Ziel, durch Wiederbelebung der nord. Mythologie (Quellenforschungen, Übersetzungen, Sammlungen, Dichtungen) das nach dem russ. Krieg (1808–09) zerrüttete schwed. nationale Selbstbewußtsein zu heben. Zu den *Mitgliedern* zählten die bedeutendsten romant. Dichter Schwedens, die viele ihrer wichtigsten Werke (die zur Blüte der schwed. Literatur führten) in der Zeitschrift des g.n B.es, »Iduna« (1811 ff.) veröffentlichten, so v. a. E. G. Geijer (»Manhem«, 1811: das programmat. Gedicht des g.n B.es, »Vikingen« u. a.), E. Tegnér (»Svea«, 1811, erste Gesänge der »Frithiofs-Saga«, 1820 ff.), A. A. Afzelius (Balladensammlung »Svenska folkevisor«, 1814–16), E. J. Stagnelius, P. H. Ling. Die Bemühungen des g.n B.es gingen um 1840 in der Pan-Skandinav. Bewegung auf. ⁄Phosphoristen.

📖 Springer, O.: Die nord. Renaissance in Skandinavien. Stuttg. 1937. IS

Götterapparat, Bez. der klass. Philologie für das Auftreten von überird. Gestalten (Göttern, Allegorien) in antiken Epen und Dramen zur Förderung der Handlung und zur Lösung von Konflikten, vgl. ⁄deus ex machina.

Göttinger Hain, auch: Hainbund, dt. Dichterkreis, gegründet am 12. 9. 1772 von J. H. Voß, L. Ch. H. Hölty, J. M. Miller u. a., die, wie die meisten weiteren Mitglieder (H. Ch. Boie, die Grafen Ch. und F. L. Stolberg, J. A. Leisewitz, C. F. Cramer) an der Universität Göttingen studierten. Dem G. H. nahe standen G. A. Bürger, M. Claudius (in Wandsbeck) als, gefeiertes Vorbild, F. G. Klopstock (in Hamburg; Besuch in Göttingen 1774; auf dessen Ode »Der Hügel und der Hain« (Sitz der griech. bzw. der german. Dichter) sich der Name ›Hain(bund)‹ programmat. bezog: Der G. H. verstand sich als Protestbewegung gegen den Rationalismus der Aufklärung. Freundschaftskult, schwärmer. Natur- und Vaterlandsliebe weisen auf seine Herkunft aus der ⁄Empfindsamkeit; die Ablehnung rationalist. Dichtungsauffassungen und insbes. der von roman. Formmustern geprägte Gesellschaftsdichtung des ⁄Rokoko (Wieland) zugunsten erlebter Gefühlsaussage verbinden ihn mit dem ⁄Sturm und Drang. Vorbilder sind Klopstocks vaterländ. und teuton. Oden, die ⁄Bardendichtung und ⁄Gräberpoesie, ferner die liedhafte Volkspoesie (Gleim, Herder und v. a. Percy's »Reliques of Ancient Poetry« 1765). – Typ. für den vom G. H. entwickelten Dichtungsstil ist eine Verschmelzung dieser Vorbilder zu subjektivierter, ungekünstelter bzw. im Pathos gedämpfter Aussage, meist in lyr. Kleinformen mit sorgfältiger Formbehandlung; vgl. die (noch Topoi und Erlebnissubstanz mischenden) Oden von Hölty, F. L. Stolberg, Voß, Miller oder die (oft idyll. gefärbte) volksliedhafte Lyrik, die z. T. volkstüml. (und vielfach vertont) wurde, wie B. Höltys »Üb' immer Treu und Redlichkeit« oder Lieder von Bürger oder Miller. Die wichtigste Leistung des G. H.s ist die Herausbildung der dt. Kunst-⁄Ballade (der dämon. Natur- und Gespensterballade) aus dem histor. Volkslied durch Hölty und bes. Bürger (»Lenore«, 1774). Die Dichtungen des G. H.s erschienen meist zuerst in dem von Boie herausgegebenen »Göttinger Musenalmanach« (bes. wichtig ist Jg. 1774). Ab 1775 löste sich der G. H. allmähl. auf (Abschluß der Studien der einz. Mitglieder). Die dichtungstheoret. Ansichten des G. H.s prägten jedoch die weitere Entwick-

lung sowohl einzelner Mitglieder (z. B. Voß' Idyllen und Übersetzungen) als auch einzelner Gattungen (z. B. der Ode: Novalis, Hölderlin, der Ballade) und förderte die zum Irrationalismus führende Erschließung subjektiv erlebter Gefühlsbereiche (Romantik).

📖 *Texte:* Schöne, A. (Hrsg.): Gedichte aus dem G. H. Faks.-Drucke der Handschriften. Zur 200jähr. Wiederkehr d. Gründungsfeier des Bundes. Gött. 1972. – Metelmann, E.: Zur Gesch. des Göttinger Dichterbundes 1772–1774, Euphor. 33 (1932), Nachdr. Stuttg. 1965. – Sauer, A. (Hrsg.): Der Göttinger Dichterbund. Bln. u. Stuttg. 1886–95.

Kelletat, A.: Der G. H. Stuttg. 1967. – RL. IS

Gräberpoesie, auch: Kirchhofspoesie, lyr.-eleg. oder ep.-balladeske Dichtung, in der die Motive des Grabes, des Todes, der Vergänglichkeit usw. in Verbindung mit melanchol. Reflexion und düsterer Naturstimmung gestaltet sind. Sie entstand in England im Zuge der Gegenbewegung gegen den Rationalismus und fand in der 2. Hälfte des 18. Jh.s in ganz Europa weite Verbreitung, bes. durch E. Youngs »The Complaint, or Night Thoughts on Life, Death and Immortality« (1742/45), R. Blairs »The Grave« (1743) oder Th. Grays »Elegy written in a Country Churchyard« (1742, veröffentl. 1750). Die engl. G. erschloß der Literatur neue meditativ-seel. und aesthet. Bereiche, die zur Epoche der europ. Vorromantik überleiteten: vgl. etwa die G. in Schweden (C. M. Bellman, J. G. Oxenstierna), Italien (J. C. Pindemonte, Ugo Foscolo) und Frankreich. In Deutschland kam die G. den Tendenzen der ⁄Empfindsamkeit entgegen und fand reiche Nachahmung, neben J. F. v. Cronegk v. a. durch F. G. Klopstock (»Die frühen Gräber«, 1764) und die Dichter des ⁄Göttinger Hains (bes. L. Ch. H. Hölty). Der von der G. erschlossene Gefühlsbereich wurde ein wesentl. Element der Dichtung der Romantik (z. B. Novalis, »Hymnen an die Nacht«, 1800), vgl. das romant. ⁄Nachtstück.

📖 Tieghem, P. van: La poésie de la nuit et des tombeaux. Brüssel 1921. KT*

Gracioso, m. [grasi'o:zo:; span.], lust. Person des span. Barockschauspiels (⁄Comedia), von Lope de Vega als Kontrastfigur zum ernsten Helden entwickelt (erstmals in »La Francesilla«, 1598), meist Diener, Reitknecht, Soldat, aber auch Vertrauter und Ratgeber seines Herrn (so bei Ruiz de Alarcón, Tirso de Molina), Intrigant (Moreto) oder philosoph. Narr (Calderón); er zeigt volkstüml. Charakterzüge, ist jedoch nicht wie die ⁄Zani der ⁄Commedia dell'arte als Typus oder Maske festgelegt; erst in nachklass. Zeit Erstarrung zum Typ. Mit dem Anschluß an das klassizist. franz. Theater seit 1750 wurde der G. aus dem ernsten Schauspiel verbannt (vgl. den dt. ⁄Hanswurst). Im 20. Jh. Wiederbelebungsversuche durch J. B. Martínez (z. B. in »Los intereses creados«, 1909).

📖 Kinter, B.: Die Figur des G. im span. Theater des 17. Jh.s. Mchn. 1978. IS

Gradatio, f. [lat. = stufenweise Steigerung], lat. Bez. für den bekannteren griech. Begriff ⁄Klimax.

Graduale, n. [zu lat. gradus = Stufe: auf den Stufen (des Altars) Gesungenes] ⁄Antiphon.

Gradualismus, m. [zu lat. gradus = Schritt, Stufe], von Günther Müller in die literaturwissenschaftl. Nomenklatur eingeführter philosoph. Begriff zur Kennzeichnung und geistesgeschichtl. Erklärung des Phänomens scheinbar unvereinbarer eth. und stilist. Gegensätze beim gleichen Autor in der Dichtung des 11. bis 13. Jh. s. Im Anschluß an die gradus-Lehre des Thomas von Aquin (z. B. Contra gentiles 2,45) wird statt eines alternativist. Dualismus einander widerstreitender Güter ein System als stufenartig auf Gott hingeordneter, je für sich werthaltiger Realitätsschichten angenommen und das Nebeneinander z. B. von Artusroman und Legendendichtung bei Hartmann von Aue oder von Marien- und Minnelyrik bei Konrad von Würzburg oder auch von verschiedenen Stilebenen in ein- und demselben Werk aus dem Wechsel dieser Realitätsschichten erklärt.

⊡ Müller, G.: G. Eine Vorstufe zur altdt. Lit.gesch. In: DVjs 2 (1924) 681–720; wieder in: G. M.: Morpholog. Poetik. Darmst. 1968, S. 46–85. – RL.   HSt

Gradus ad Parnassum, m. [lat. = stufenweiser Aufstieg zum Parnass (dem Musensitz der griech. Mythologie)], Titel alphabet. geordneter griech. oder lat. Wörterbücher, in denen jedes Wort nach metr. Silbenwerten gekennzeichnet ist und jedem Wort die jeweils passenden und schmückenden Beiwörter (Epitheta), traditionelle Wendungen und Satzkonstruktionen beigegeben sind; bestimmt für schul. und gelehrte Übungen im Verfassen griech. und lat. Verse. Den ersten G. a. P. gab der Jesuit P. Aler (Köln 1702) heraus. ›G. a. P.‹ wurde auch als Titel musikal. Unterrichtswerke übernommen.   HW*

Grammatischer Reim, Reimfolge aus verschiedenen Wortbildungs- und Flexionsformen eines Wortstammes, entspricht der rhetor. Figur des ⁄Polyptotons; beliebt v. a. im Minne- und Meistersang, z. B. *geschehen : geschach; gesehen : gesach* (Reinmar d. Alte, MF 198,16); aber auch in der Neuzeit, z. B. *schreibt : bleiben : schreiben : bleibt* (Lessing, »Sinngedichte«).   S

Grand Guignol, m. [frz. grägi'ɲɔl], Pariser Theater, gegr. 1895 als »Théâtre Salon«, seit 1899 von Max Maurey unter dem Namen »Le G.G.« auf die kraß-naturalist. Darstellung extremer Schauer- und Horrorstücke spezialisiert (nach dem 2. Weltkrieg auch science-fiction-Stücke, 1962 geschlossen). – G. G. wurde auch Gattungsbez. für solche Terror- und Gruselstücke; Vertreter Ende 19. Jh. z. B. O. Méténier, in den 20er Jahren des 20. Jh.s v. a. André de Lorde, der »Klassiker des G. G.« (z. B. »Le laboratoire des hallucinations«, »La morte lente« u. v. a.). In Frankreich selbst und im Ausland nachgeahmt (z. B. 1910/11 die in Theatergruppe R. Tolentinos »G.G. Internazionale«). Auch: ⁄Theater der Grausamkeit.

⊡ Antona-Traversi, C.: Histoire du G. G. Paris 1933. – *Texte:* Lorde A. de/Dubeux, A.: Les maîtres de la peur. Paris 1927.   IS

Grand opéra, [grädope'ra; frz. = große Oper], histor.-heroische Ausstattungsoper des 19. Jh.s, die v. a. in Frankreich (Paris) in der Zeit zwischen Napoléon I. und dem Untergang des Zweiten Kaiserreiches gepflegt wurde. – Die G. o. ist durchkomponiert; Kennzeichen sind ferner histor. Stoffe von aktuellem Interesse (v. a. Revolutionen und Aufstände), Bravourarien, prunkvolle Ausstattung, theatral. Effekte, Pathos der Massenszenen und regelmäß. Balletteinlagen. Sie ist polit. Kundgebung und kommt zugleich dem Repräsentationsbedürfnis und der Sensationslust der frz Bourgeoisie des 19. Jh.s entgegen. – Bedeutendste Vertreter sind G. Spontini (»Fernand Cortez«, 1809; »Olympia«, 1819), G. Rossini (»Guillaume Tell«, 1829), D. F. E. Auber (»La Muette de Portici«, 1828 – Gegenstand der Oper ist der neapolitan. Fischeraufstand Masaniellos von 1647; eine Aufführung der Oper in Brüssel löste 1830 die Revolution in Belgien aus), G. Meyerbeer (»Robert le Diable«, 1831; »Les Huguenots«, 1836; »Le prophète«, 1849 – das Werk, in dessen Mittelpunkt Johann von Leyden und der Aufstand der Wiedertäufer in Münster stehen, übertraf mit einem Krönungsmarsch, einem Schlittschuhläuferballett und der Finalexplosion eines ganzen Palastes bei offener Bühne alle bis dahin erlebten Theatersensationen; »L'Africaine«, 1865), J. F. Halévy (»La juive«, 1835) und H. Berlioz (»Les Troyens«, 1855–58). Librettist der genannten Werke von Auber, Meyerbeer und Halévy ist E. Scribe. – Der Aufführungspraxis der G. o. wurden im 19. Jh. auch andere Werke unterworfen, v. a. die Balletteinlage war bei Pariser Aufführungen obligator. (Berlioz instrumentierte für eine Aufführung des »Freischütz« – unter dem Titel »Robin des Bois« – das Klavierstück »Aufforderung

zum Tanz«; Wagner komponierte für die Pariser Aufführung des »Tannhäuser« 1861 das Venusberg-Bacchanal). Wagner übernahm für »Rienzi« (1842), Verdi für seine Pariser Opern (»Sizilian.-Vesper«, 1855; »Don Carlos«, 1867) und »Aida« (1871) die Form der G. o.   K

Graziendichtung, Bez. für die dt. Dichtung der ⁄Rokoko, in der die *Grazien* (als Göttinnen der Anmut neben anderen mytholog. Figuren) zur Staffage gehören und zugleich auf die kunsttheoret. Basis (*Grazie* als das schöne Gute) verweisen. – RL.   KT*

Gräzismus, m. [lat. graecus = griechisch], Nachbildung einer idiomat. oder syntakt. Eigentümlichkeit des Altgriechischen in einer anderen Sprache, v. a. im Lat. (z. B. bei Eigennamen gr. Akkusativ: Leoni*dan* statt lat. Leonidam).   S

Greguerias, f. Pl., von dem span. Schriftsteller R. Gómez de la Serna erfundene Bez. für die von ihm seit 1917 (in Romanen und für Einzelsammlungen) nach der Formel »Humor + Metaphysik = G.« geprägten witz., paradoxmetaphor. Ideenassoziationen, Vergleiche, Antithesen, Bilder, in denen er die als chaot. und deformiert empfundene Wirklichkeit fixieren will, z. B. »im Herbst müssen die Blätter aus den Büchern fallen«. Von geringerem Anspruch als Aphorismus und Epigramm, stehen G. in der Stiltradition des Barock (vgl. ⁄Concetto, Conceptismo) und weisen auf den Surrealismus und auf das absurde Literatur voraus.

⊡ *Ausgaben:* Gómez de la Serna, R.: Total de G. Madrid 1962. – Dt.-sprach. Auswahl: G. Hg. und übers. von M. Mies. Wiesb. 1958.   IS

Griechenlieder ⁄ Philhellenismus.

Grobianismus, grobianische Dichtung, [zu Grobian(us), gelehrte, iron. Neubildung aus grob = bäurisch, unerzogen und der Endung -ian, wie sie in Heiligennamen wie Cyprian, Damian etc. erscheint. Zuerst in Zeningers »Vocabularius theutonicus«, 1482, belegt als Synonym zu rusticus = Bauer], durch S. Brants »Narrenschiff« (1494, Kapitel 72) wird »Sanct Grobian« zum literar. Schutzpatron des G., d. h. von Verhaltens- und Sprachformen, die sich durch Rohheit, Unanständigkeit und Ungebildetheit von den am Höfischen orientierten Anstandsnormen des Bürgertums unterscheiden (Grobianismen). Der davon abgeleitete literaturwissenschaftl. Gattungsbegriff »*grobianische Dichtung*« bez. eine didakt. Literaturgattung vornehml. des 16. Jh.s, die entweder in satir. Absicht als negative Enkomiastik grobian. Sitten beschreibt (Hans Sachs, »Die verkert dischzucht Grobiani«, 1563) oder in direktem polem. Angriff bloßstellt (S. Brant s. o., Th. Murner, »Schelmenzunft«, Kapitel 21). Die grobian. Dichtung schließt sich vorzugsweise dem Darstellungsbereich höf. ⁄ Tischzuchten an, deren Verhaltensregeln auf die städt. Bevölkerung übertragen werden. Das erfolgreichste Werk des G. ist F. Dedekinds »Grobianus. De morum simplicitate libri duo« Frkft./M. 1549 (in lat. Distichen) und dessen (erweiternde) Übersetzung durch K. Scheidt »Grobianus. Von groben sitten und unhöfflichen geberden«, Worms 1551.

⊡ Dedekind, F.: Grobianus, lat. u. dt., mit einem Vorwort z. Neudr. v. B. Könneker; Darmst. 1979. – Grobian. Tischzuchten d. späten MA.s. Hg. v. Th. P. Thornton. Bln. 1957. – RL.   HW

Groschenhefte, Verbreitungsform von ⁄ Trivialliteratur, insbes. sog. ⁄ Schund- und pornograph. Literatur: massenhaft produzierte, billige (umgangssprachl. *wenige Groschen kostende*) Roman-Hefte (oft Serien), die v. a. an Kiosken vertrieben werden. Die Bedingungen ihrer Produktion, Distribution und v. a. Rezeption (sozial niedere Schichten) werden erst neuerdings untersucht.

⊡ Nusser, P.: Romane für die Unterschicht. G. und ihre Leser. Stuttg. ⁵1981. – Wernsing, A. V./Wucherpfennig W.: Die G. Wiesb. 1976.   IS

Großstadtdichtung, inhaltsbezogene Bez. für eine Literatur, die das Verhältnis des Individuums zur (fast durchweg negativ erfahrenen) Komplexität und Anonymität der modernen Weltstadt thematisiert. Als die dem Massengebilde Großstadt angemessenste Gestaltungsform gilt der auf Vielsträngigkeit und Perspektivenfülle angelegte Roman. Im 18. und 19. Jh. suchen seine Autoren die Vielfalt gegenläufiger Lebensäußerungen der Großstadt durch interpretierende oder erzähltechn. Organisation zu bewältigen (Lesage, Victor Hugo, E. Sue, E. Zola: Paris; Ch. Dickens: London), im 20. Jh. prägt die Erfahrung der Partikularität und Diskontinuität auch die Romanstruktur (A. Belyj: »Petersburg«, 1916; J. Dos Passos: »Manhattan Transfer«, 1925: New York; A. Döblin: »Berlin Alexanderplatz«, 1929). In der Lyrik wird die Akkumulierung disparater Massenphänomene seltener gestaltet als das aus ihr folgende Entfremdungserlebnis des Einzelnen; bes. im Expressionismus steht dann die Großstadt als Chiffre für Bedrohung und Lebensangst überhaupt (G. Heym, J. van Hoddis, R. M. Rilke, B. Brecht). Dramat. G. ist seltener (Brecht, Camus).

ⅢMeckseper, C./Schraut, E. (Hg.): Die Stadt in der Lit. Gött. 1983. – Riha, K.: Großstadtlyrik. Mchn. 1983. – Pleister, M.: Das Bild d. Großstadt in den Dichtungen R. Walsers, R. M. Rilkes, St. Georges und H. von Hofmannsthals. Hamb. 1982. – Reichel N.: Der Dichter in der Stadt. Poesie u. Großstadt bei frz. Dichtern d. 19. Jh.s. Frkf./Bern 1982. – Pike, B.: The image of the city in modern literature. Princeton (N.J.) 1981. – Klotz, V.: Die erzählte Stadt. Mchn. 1969. – Roelleke, H.: Die Stadt bei Stadler, Heym und Trakl. Bln. 1966.   HSt

Groteske, f. u. n. [von ital. grottesco = wunderlich, verzerrt, zu grotta = Grotte], in der bildenden Kunst zuerst verwendet als Bez. für eine Ende des 15. Jh.s in Italien bei Ausgrabungen antiker Thermen und Paläste entdeckte Art von Wandmalereien, in deren flächenfüllender verschnörkelter Ornamentik Pflanzen-, Tier- und Menschenteile spielerisch miteinander verbunden sind *(die G.).* Der Begriff wurde dann ausgedehnt auf die durch die Entdeckung der G. angeregte Ornamentik der Renaissance (Raffael) und schließt. auf eine bestimmte Strömung der europäischen Malerei und Literatur insgesamt: die Darstellung des zugleich Monströs-Grausigen und Komischen, des gesteigert Grauenvollen, das zugleich als lächerlich erscheint. Der groteske Stil *(das G.)* ist dadurch gekennzeichnet, daß er scheinbar Unvereinbares miteinander verbindet, Seltsam-Abartiges dem Närrisch-Lustigen zugesellt und in dem paradoxen Nebeneinander heterogener Bereiche die Form ins Formlose umschlagen läßt, die Gestalt ins Maßlose übersteigert und ihr teils humorist.-karikierende, meist eher schaurige und sogar dämon. Züge verleiht. Die phantast. Verzerrung und Entstellung verdrängt vielfach das spieler. Moment und wird so zum Ausdruck einer im ganzen entfremdeten Welt. Dementsprechend findet sich das G. v. a. in Epochen, in denen das überkommene Bild einer heilen Welt angesichts der veränderten Wirklichkeit seine Verbindlichkeit verloren hat, in denen die Welt unfaßbar, der Vernunft unzugänglich und von unversöhnl. Widersprüchen beherrscht scheint. Bes. moderne Autoren sehen das G. im Grunde nicht als willkürl. verzerrenden Stil, sondern als die eher realist. Wiedergabe der selbst grotesken Wirklichkeit; der grotesken Darstellung wird so eine kritische Funktion zuerkannt. – Epochen, in deren Literatur das G. eine größere Rolle spielt, sind das 16. Jh. (in Frankreich Rabelais, in Dtld. Fischart), die Zeit zwischen Sturm und Drang und Romantik (J. M. R. Lenz, E. T. A. Hoffmann, in Amerika E. A. Poe) und die Moderne (F. Wedekind, A. Schnitzler, C. Sternheim, H. Mann, F. Kafka, B. Brecht, M. Frisch, F. Dürrenmatt, G. Grass; in Italien L. Pirandello, in Frankreich E. Ionesco, S. Beckett). Während der Roman i. a. nur einzelne groteske Züge aufweist, können kürzere Prosaformen häufig im ganzen vom G. beherrscht sein *(Grotesken,* f.), ebenso das

Drama (vgl. auch ⁄Tragikomödie, ⁄absurdes Theater) und die Lyrik (W. Busch, Chr. Morgenstern, P. Scheerbart; Dadaismus).

ⅢHarpham, G.G.: On the Grotesque: Strategies of contradictions in Art and Literature. Princeton 1982. – Best, O. F. (Hrsg.): Das G. in d. Dichtung. Darmst. 1980. – Thomson, Ph. J.: The grotesque in German poetry 1880–1933. Melbourne 1975. – Heidsieck, A.: Das G. u. das Absurde im mod. Drama. Stuttg. u. a. ²1971. – W. Kayser: Das G. Oldenbg./Hamb. ²1961.   GMS

Gründerzeit-Literatur, unter dem Eindruck des Sieges im dt.-franz. Krieg 1870/71 und der Reichsgründung entstandene Literatur. Bez. aus der polit. Geschichte übernommen zur Abgrenzung gegenüber der Literatur des bürgerl. ⁄Realismus und des ⁄Naturalismus. Kennzeichnend ist ein monumentalisierender Historismus, ausgeprägt in meist epigonalen Epen und Tragödien: im Vordergrund steht stets die beherrschende Gestalt des einmaligen, rätselhaften, unverstandenen genialen Menschen, für den alles Politische, Soziale und Aktuelle zur bloßen Kulisse wird. Den wirkl. Konflikt ersetzen theatral. Leidenschaft und Kraftentfaltung, die sich meist erst im (pseudo-)trag. Untergang verwirklichen. Zu den heute noch bekannten und heute populären Repräsentanten der G. werden gezählt F. Dahn, P. Heyse, E. von Wildenbruch, teilweise auch F. Nietzsche, der alte Th. Storm, C. F. Meyer, L. Anzengruber, C. Spitteler; weithin vergessen sind dagegen die damals viel gelesenen H. Lingg, A. Wilbrandt, A. Fitger, A. Lindner, F. Nissel, G. Ebers, F. Leuthold, R. Voß, M. Greif oder A. Graf von Schack. G. ist auch die sog. ⁄Butzenscheibenlyrik.

ⅢBucher, M./Hahl, W. u. a. (Hg.): Realismus und G. Manifeste und Dokumente zur dt. Lit. 1848–1880. 2 Bde. Stuttg. 1981. – Mahal, G. (Hrsg.): Lyrik d. Gründerzeit. Tüb. 1973. – Hermand, J.: Von Mainz nach Weimar. Stuttg. 1969. – Hamann, R./Hermand, J.: Dt. Kunst u. Kultur von d. Gründerzeit bis zum Expressionismus. Bd. 1: Gründerzeit, Bln. 1965.   HD*

Gruppe 1925, literar. polit. Gruppierung in Berlin lebender linksbürgerl. und kommunist. Schriftsteller, u. a. J. R. Becher, A. Döblin, E. E. Kisch, L. Frank, B. Brecht. Sie brach nach zunehmende Polarisierung 1928 (Aufnahme Döblins in die Preußische Akademie der Künste; Gründung des »Bundes proletar.-revolutionärer Schriftsteller Deutschlands«) auseinander, ihre ehemaligen ›Mitglieder‹ befehdeten sich in der Folgezeit z. T. (u. a. Becher/Döblin) aufs heftigste.

ⅢPetersen, K.: Die »G. 1925«. Gesch. und Soziologie einer Schriftstellervereinigung. Hdbg. 1981.   D

Gruppe 47, fluktuierende Gruppierung von Schriftstellern und Publizisten um Hans Werner Richter, entstanden 1947 aus dem Bestreben, die »junge Literatur . . zu sammeln und zu fördern«. Als Gründungsdatum gilt der 10. 9. 1947, an dem sich die ehemal. Herausgeber der verbotenen Zeitschrift »Der Ruf« (1946–47), H. W. Richter und A. Andersch, weiter die Autoren H. Friedrich, W. Kolbenhoff, W. Schnurre, W. Bächler, W. M. Guggenheimer, N. Sombart und F. Minssen im Hause I. Schneider-Lengyels trafen, um die erste (dann ebenfalls verbotene) Nummer einer neuen Zeitschrift »Skorpion« vorzubereiten. Der Name wurde von G. Brenner unter Bezug auf die span. Gruppe 98 (⁄Generation von 98) angeregt. Erste Tagung am 8./9. 11. 1947 in Herrlingen bei Ulm. Als polit.-publizist. Bund wollte die G. 47 für ein neues demokrat. Deutschland und für eine neue Literatur wirken, »die sich ihrer Verantwortung auch gegenüber der polit. und gesamtgesellschaftl. Entwicklung bewußt« sei (Richter). Die Wirkung der Tagungen mit ihren Lesungen und der folgenden ad-hoc-Kritik, zu der der betroffene Autor nicht Stellung nehmen durfte, setzte bereits sehr früh ein, ebenso jedoch ein zunehmender Rückzug aus der Politik in die Literatur. Außer den Autoren kamen seit etwa 1955 zunehmend auch befreundete Journalisten, Verleger und Lektoren (Vertreter der Literaturvermittlung) zu den Tagungen; die G. 47 bestimmte bald das Bild der bundesdt. Gegenwartsliteratur bis weit in die 60er Jahre hinein. Sie wurde »Treffpunkt, mobile Akademie, literar. Ersatzhauptstadt« (Böll) mit der Funktion einer Literaturmesse. Die Entwicklung der Nachkriegsliteratur von ihrer sog. Kahlschlagphase bis zu den Experimenten der 60er Jahre läßt sich an den Lesungen auf den Tagungen der G. 47 relativ gut verfolgen, ebenso an den Preisträgern seit 1950: G. Eich, H. Böll, I. Aichinger, I. Bachmann, A. Morriën, M. Walser, G. Grass, J. Bobrowski, P. Bichsel, J. Becker. Die Provokation P. Handkes auf der Tagung in Princeton 1966 signalisierte, wie weit sich eine Ritualisierung, wie sehr sich ein gewisser, sich selbst genügender Leerlauf eingestellt hatte. 1968 fand die letzte Tagung in alten Stil statt; gleichzeitig wurde kritisiert, die G. 47 habe den »rebellierenden Studenten weder Stichwörter geliefert noch Beifall gespendet«. Sie sei von ihnen deshalb »jenem Establishment zugeschlagen« worden, »in dem sie bisher ihren eigenen Feind gesehen« hätte (M. Michel). Der »polit.-publizist.« Einsatz der G. 47 war ebenso in Vergessenheit geraten wie zahlreiche polit. Resolutionen zu ausländ. (Revolution in Ungarn, Algerienkrieg, Vietnamkrieg u. a.) und inländ. Ereignissen (atomare Bewaffnung der Bundeswehr, Berliner Mauer, Spiegel-Affäre, Springer-Presse u. a.). 1972 hat Richter in Berlin Freunde der alten G. 47 und jüngere Schriftsteller zu Lesungen und Gesprächen eingeladen und damit möglicherweise den Versuch eines Neubeginns unternommen, der zu einem echten Gedankenaustausch ohne Öffentlichkeit zurückführen sollte. 1977 löste sich dann jedoch die Gruppe auf einer letzten Tagung in Saulgau auf. – Trotz schärfster Anwürfe wie »Mafia« (R. Neumann), »heiml. Reichsschrifttumskammer« (Dufhues) ist die polit. Wirkung der G. 47 sehr gering geblieben, sind ihre Einflüsse wesentl. im offiziellen Bild der Nachkriegsliteratur nachzuspüren. Zu den über 200 Autoren, die auf ihren Tagungen im In- und Ausland gelesen haben und insofern der G. 47 zuzurechnen sind, gehören außer den genannten v. a. noch: R. Baumgart, H. Bender, H. Bienek, E. Borchers, H. v. Cramer, G. Elsner, H. M. Enzensberger, H. Heißenbüttel, W. Hildesheimer, W. Höllerer, W. Jens, U. Johnson, A. Kluge, W. Koeppen, S. Lenz, R. Lettau, R. Rehmann, K. Roehler, P. Rühmkorf, E. Schnabel, P. Weiss, W. Weyrauch, G. Wohmann.

📖 Arnold, H. L. (Hrsg.): Die G. 47. Darmst. 1980. – Kröll, F.: G. 47. Stuttg. 1979. – Dollinger, H. (Hrsg.): außerdem – Dt. Lit. minus G. 47 = wieviel? Mchn. u. a. 1967. – Richter, H. (Hrsg.): Almanach der G. 47 1947–62. Reinbek b. Hamb. ³1964.   D*

Gruppe 61, Arbeitskreis von Schriftstellern, Kritikern, Journalisten und Lektoren, entstanden 1961 im Gefolge einer Anthologie von Bergmannsgedichten (1960; darin u. a. M. v. d. Grün, H. Koster), wesentl. gefördert von W. Köpping und dem Dortmunder Bibliotheksdirektor und Leiter des ›Archivs für Arbeiterdichtung und soziale Literatur‹, F. Hüser. Ihr Ziel ist, »sich frei von polit. und staatl. Aufträgen und Richtlinien mit den sozialen und menschl. Problemen der industriellen Arbeitswelt künstler.« auseinanderzusetzen. Erste öffentl. Aufmerksamkeit erregte sie am 17. 6. 1961 veranstaltete Diskussion »Mensch und Industrie in der Literatur der Gegenwart«. Seither regelmäß. Zusammenkünfte, Lesungen mit gegenseit. Kritik und Diskussion (mindestens zweimal jährl.). Der literar. Wert der von den Gruppenmitgliedern vorgelegten Arbeiten wurde unterschiedl. beurteilt: kritisiert wurde eine »literar. Schablonenwelt«, die Realität verstelle statt sichtbar zu machen (D. Wellershoff), ferner eine gelegentl. recht klischeehafte Sprache, die Anwendung überwiegend konventioneller literar. Redeweisen und -muster. Hervorgehoben werden müssen dagegen die Erprobung und der gezielte Einsatz angemessener literar. Darstellungsweisen

wie Dokumentation, Protokoll und Reportage (F. C. Delius, G. Wallraff). Eine Krise seit Mitte der 60er Jahre (Vorwurf, mehr die künstler. Aspekte statt polit.-emanzipatorische zu betonen, die Arbeiter als Schreibende zu vernachlässigen u. a.) führte zur Abspaltung des ↗Werkkreises Literatur der Arbeitswelt und zu gruppeninternen Diskussionen, die schließl. 1971 zu einer Neuformulierung des Programms führten: »Die G. 61 will unter Benutzung aller Kommunikationsmöglichkeiten Sachverhalte der Ausbeutung ins öffentl. Bewußtsein bringen. Die Angehörigen der Gruppe verfolgen dieses Ziel unter Ausnutzung aller geeigneten literar. und journalist. Formen sowie in polit. Aktionen«. Zu den Autoren der G. 61, die nicht immer eigentl. Arbeiterdichter sind, zählen außer den schon genannten: W. Bartock, J. Büscher, E. Engelhardt, K. E. Everwyn, B. Gluchowski, A. Granatzki, W. Körner, K. Küther, B. Leon, M. Mander, A. Mechtel, P. Polte, J. Reding, E. Struchhold, E. Sylvanus, K. Tscheliesnig, H. K. Wehren, E. F. Wiedemann, E. Wigger, H. Wohlgemuth, P. P. Zahl.

📖 Arnold-Dielewicz, I. D. / Arnold, H. L. (Hrsg.): Arbeiterlit. in der Bundesrepublik. G. 61 und Werkkreis Lit. der Arbeitswelt. Stuttg. 1979. – Kühne, P.: Arbeiterklasse u. Lit. Dortmunder G. 61, Werkkreis Lit. der Arbeitswelt. Frankf. 1972. – Arnold, H. L. (Hrsg.): G. 61. Stuttg. u. a. 1971. – Hüser, F. / von der Grün, M. (Hrsg.): Almanach der G. 61 und ihrer Gäste. Neuwied / Bln. 1966.   D

Gruppo 63 (g. sessantatre; it.), Zusammenschluß italien. literar. Avantgardisten im Okt. 1963 in Palermo nach dem Vorbild der dt. ↗Gruppe 47. Erstreben in Opposition zu ↗Neorealismo einerseits und ↗Hermetismus andererseits eine literar. Gestaltung der modernen Wirklichkeit mit neuen Sprachformen und -strukturen, insbes. durch Zitat-Montagen, Collagetechniken, serielle Assoziationen in konsequenter Fortführung der Stilzüge des ↗Manierismus. *Theoretiker* sind L. Anceschi und U. Eco, die wichtigsten *Vertreter* die (schon mit gleichen Tendenzen in der von A. Giuliani hrsg. Anthologie »I Novissimi: poesie per gli anni '60« versammelten) Dichter E. Pagliarani, N. Balestrini, A. Porta und v. a. A. Giuliani (Dialogcollagen »Povera Juliet«, »Urotropia« 1964), G. Manganelli (»Monodialogo«) und E. Sanguineti. Durch seine Experimente in Lyrik und Roman und bes. seine Bemühungen um neue Theaterformen (mit einer eigenen ›Compania del G. 63‹) errang der G. 63 internationale Beachtung.

📖 Guglielmi, G. / Pagliarani, E. (Hrsg.): Manuale di poesia sperimentale. Mailand 1966. – Sanguineti, E.: Ideologia e linguaggio. Mailand 1965.   IS

Guckkastenbühne ↗Bühne, ↗Illusionsbühne.

Guignol [frz. giˈɲɔl], ↗lustige Person des frz. Marionetten- und Handpuppentheaters, auch Bez. für das frz. Puppentheater als Ganzes *(aller au G.)* und für die darin aufgeführten Stücke, auch für den *G.* ist. – Ursprüngl. von dem Lyoneser Puppenspieler Laurent Mourguet (1769–1844) geprägter Eigenname für die von ihm mit volkstüml. Charakterzügen der Lyoner Seidenweber ausgestattete lustige Person seines Marionettentheaters (nach ital. Muster gegr. 1795), deren weit über Lyon hinausreichende Popularität dann zur Gleichsetzung des Namens und der Rolle führte. ↗Grand Guignol.

📖 Rousset, P.: Théâtre lyonnais de G. 2 Bde. Lyon 1892–95.   IS

Hagionym, n. ↗Ascetonym.

Haiku, n. (Haikai, Hokku) [jap. = humorist. Vers, Posse], Gattung der jap. Dichtung, bestehend aus drei ursprüngl. humorist. Versen zu 5–7–5 Silben; künstler. Höhepunkt durch Matsuo Bascho (17. Jh.; themat. Abkehr vom Possenhaften); wird auch heute noch gepflegt. *Einwirkungen des H. auf westl. Literaturen* finden sich seit Ende des 19. und im 20. Jh., v. a. im engl.-amerikan. ↗Imagismus (Ezra Pound u. a.). Dt. Nachdichter (M. Hausmann, Imma von Bodmershof u. a.) lassen z. T auch in ihren eigenen Werken

Einflüsse erkennen; auch andere Lyriker kommen bisweilen in ihrer Dichtung der inneren und äußeren Struktur des H. nahe (M. Dauthendey, A. Holz, R. Dehmel, St. George, Klabund u. a.).

🕮 Kasdorff, H. und H.: Augenblick und Ewigkeit. H. Bonn 1986. – Krusche, D.: H. Bedingungen einer lyr. Gattung. Tüb. u. Basel 1970. *Übersetzung:* H. Jap. Dreizeiler. Ausw. u. Übers. v. J. Ulenbrook. Wiesb. 1960. **GMS***

Hainbund ↗Göttinger Hain.

Hakenstil, Bez. E. Sievers' für die Inkongruenz von Langzeilengliederung und syntakt. Gliederung: stilist. Eigenschaft bes. der altengl. und altsächs. Stabreimdichtungen (»Beowulf«, »Heliand«), von A. Heusler als *Bogenstil* bez. Im Ggs. zum ↗Zeilenstil, bei dem die Langzeile zugleich syntakt. Einheit ist, werden beim H. die Satzschlüsse in die Mitte der Langzeilen verlegt. M. Deutschbein und H. Krauel erklären den H. mit der in den altengl. und altsächs. Stabreimepen häufigen Technik der ↗Variation als Mittel der Verknüpfung der Langzeilen. Heusler führt den Ggs. Zeilenstil – H. auf den Ggs. Liedstil – Epenstil zurück (der H. als stilist. Konsequenz des Übergangs vom gesungenen kurzen Lied, bei dem die Langzeile zugleich musikal. Periode ist, zum rezitierten umfangreichen Buchepos). Vgl. auch ↗Brechung, ↗Enjambement.

🕮 Heusler, A.: Heliand. Liedstil u. Epenstil. In: A. H.: Kleine Schriften Bd. 1, Bln. ²1969. **K***

Halbreim ↗unreiner Reim.

Halbzeile ↗Langzeile.

Hallescher Dichter- oder Freundeskreis,
1. *Erster oder älterer H. D.,* pietist. geprägte literar. Vereinigung, gegründet 1733 von dem Theologiestudenten S. G. Lange in Halle, seit Ende 1734 unter der geist. Führung J. J. Pyras. Angeregt durch den vielseit. vermittelnden Kunsttheoretiker Georg F. Meier (vgl. auch den Zweiten H. D.) und nach dem Vorbild religiöser, bes. engl. Dichter wie Milton, versuchte der H. D., die subjektive Gefühls- und Seelenhaltung des ↗Pietismus auch in der Dichtung zu verwirklichen: gestaltet wurden religiöse u. a. erhabene Themen (Natur, Freundschaft usw.) in stark gefühlsbetontem, pathet. oder empfindsamem Stil. Als angemessene Form für diese (d. Literatur neue!) erlebnishafte Dichtung galt der *reimlose Vers* (Odenformen nach Horaz); als erstes dt. größeres Werk ohne Reim erschien 1737 Pyras poetolog. Kleinepos »Tempel der wahren Dichtkunst«. Der H. D. griff damit entscheidend in die allgem. literaturtheoret. Auseinandersetzung um das Wesen der Dichtung ein, die seit Anfang des Jh.s zwischen den Anhängern der aufklärer.-rationalist. Dichtungsauffassung Gottscheds und der affektiven der Schweizer Bodmer und Breitinger aufgebrochen war, und die vereinfachend in der Frage »für oder wider den Reim« polarisiert wurde. Pyras und Langes Gedichtsammlung »Thirsis und Damons freundschaftl. Lieder« (1736–44) und Langes Übersetzung der Oden des Horaz (1747 u. 1752) wirkten epochemachend und gaben neben den vers- und stiltheoret. Schriften des H. D.es, bes. Pyras und Langes, zwischen 1740 und 1750 der dt. Dichtung wirkungsvolle Anstöße zur Entfalt. und formalen Ausbildung des zukunftsweisenden subjektiv affektiven Dichtungsstils, der in Klopstocks Werk und v. a. dann in Goethes Hymnen einen Höhepunkt erreichte.

🕮 Texte: Lange, S. G.: Horatz. Oden. Faksimiledruck nach d. Ausg. v. 1747 und 1752. Mit einem Nachw. v. F. Jolles. Stuttg. 1971. Schuppenhauer, C.: Der Kampf um d. Reim in der dt. Lit. des 18. Jh.s. Bonn 1970.
2. *Zweiter oder jüngerer H. D.:* literar. interessierter student. Freundeskreis in Halle (J. W. L. Gleim, J. P. Uz, J. N. Götz, P. J. Rudnick), der sich seit etwa 1739 an der Übersetzung und Nachahmung Anakreons bzw. der Anakreonteen versuchte. Er wurde angeregt und beeinflußt von den Kunst-

theoretikern A. Baumgarten und v. a. Georg F. Meier, z. T. (z. B. in der Frage des Reims) auch vom Ersten (oder älteren) H. D., von dem er sich jedoch durch seine antipietist. Einstellung und die hedonist. Lebensstimmung und formale (liedhafte) Gestaltung seiner Gedichte unterschied. Trotz einer gewissen Provinzialität, schablonenhaften Enge und Sentimentalität (gedeutet als säkularisierte pietist. Ausdrucksformen) waren die Werke des Zweiten H. D. von größtem zeitgenöss. Erfolg und Einfluß und gaben den Anstoß zu der bis etwa 1770 lebendigen *anakreont. Lyrik* des dt. Rokoko (↗Anakreontik), so v. a. Gleims »Versuch in scherzhaften Liedern« (1744/45–58), Götz' »Versuch eines Wormsers in Gedichten« (1745), die berühmte und programmat. bedeutsame Anakreonübersetzung von Götz und Uz (1746) und Uz' »Lyr. Gedichte« (1749).

🕮 ↗Anakreontik, ↗Rokoko. – RL. **IS**

Hamartia, f. [gr. = Irrtum, Verfehlung], in der Tragödientheorie des Aristoteles das Fehlverhalten des Helden, das die trag. Katastrophe herbeiführt (Poetik, Kap. 13). – Die H. ist nicht sittl. Schuld im Sinne (christl.) Ethik, sondern ein trag. Versagen des Helden, das auf der Fehleinschätzung einer außergewöhnl. Situation beruht. Die Verantwortung des Helden ist gleichwohl gegeben – sie liegt in der ungenügenden Reflexion und der Überschätzung der eigenen Möglichkeiten (↗Hybris), z. B.: Sophokles, »König Ödipus«. **K**

Hamâsa, f. [arab. = Tapferkeit], Bez. für altarab. Anthologien (meist von Heldenliedern, daher die Bez.); die berühmteste ist den vom Syrer Abû Tammâm (oder Temmâm, 9. Jh.) aus älteren Quellen (in 10 Büchern) zusammengestellte Sammlung von Heldenliedern, Totenklagen, Sprüchen, Liebes-, Schmäh-, Ehren- und Scherzliedern von über 500 Verfassern, die in ihrer vielfachen Überlieferung, Kommentierung und Erweiterung heute ein wichtiges Quellenmaterial der vorislam. arab. Volksliteratur darstellt. – Eine Ausgabe dieser H. mit Scholien aus dem 12. Jh. und lat. Übersetzung erschien 1828–51 von G. W. F. Freytag (»Hamasae Carmina«), eine meisterhafte metr. dt. Übersetzung von F. Rückert (Stuttgart 1846; Neudruck 1969). **S**

Handlung, eine der Bez. für die Geschehnisfolge v. a. in dramat., aber auch in ep. Werken, bei Aristoteles auch als mythos (vgl. lat. ↗fabula) bezeichnet. An die Stringenz der H. können verschiedene poetolog. Anforderungen gestellt werden: bei Dramen, die der klass. Definition folgen, gehört die Einheit der H. (↗drei Einheiten) zu den grundlegenden poetolog. Erfordernissen. Für romant. Werke dagegen ist eher eine Vieldimensionalität der H. kennzeichnend. – Es werden unterschieden: *Haupt-* und *Neben-H.* (↗Episode), *äußere H.* (die stoffl. Zusammenhänge) und *innere H.* (geistig-seel., eth. Entwicklungen) oder eine *Vordergrunds-H.* vom Hintergrund ideeller Vorgänge abgehoben. **S**

Handlungsdrama vgl. ↗Figurendrama.

Handschrift (abgekürzt Hs., Plural Hss.),
1. das handgeschriebene Buch von der Spätantike bis zum Aufkommen des Buchdrucks (nach 1450),
2. für den Druck bestimmte Niederschrift (Manuskript),
3. eigenhändige Niederschrift überhaupt (Dichter-Hs., ↗Autograph). Die Bedeutung der spätantiken und mal. Hss. ergibt sich aus ihrer Rolle als Träger der literar. Überlieferung u. ihrer jeweils einmaligen individuellen Gestalt. H.en sind Dokumente von unersetzlichem kulturgeschichtl. und philolog. Wert. Die Geschichte des Hss.wesens wird untersucht von der Hss.kunde, die Entzifferung und Datierung einzelner Hss. ist Aufgabe der Paläographie. Verzeichnisse und Beschreibungen von Hss. enthalten die z. T. gedruckt vorliegenden Hss.kataloge der Bibliotheken. – Als *Material* für die Herstellung von Hss. diente zunächst der von Ägypten nach Griechenland und Rom eingeführte Papyrus, welcher ältere, für Aufzeichnungen größeren Umfangs ungeeignete Materialien verdrängte

Stein, Holz, Ton- und Wachstafeln). Seit dem 4. Jh. n. Chr. löste ihn das aus Tierhaut bearbeitete Pergament ab, seit dem 13. Jh. das von den Arabern ins Abendland importierte Papier. Geschrieben wurde auf den mit Zirkelstichen und linden Prägestrichen linierten Blättern mit Rohrfedern und (meist schwarzer) Tinte. Überschriften und wichtige Stellen im Text wurden durch rote (lat. *ruber*) Farbe hervorgehoben (*rubriziert*), die Anfangsbuchstaben kleinerer Absätze oft abwechselnd blau und rot geschrieben (Lombarden = got. Majuskeln). Die häufig bes. ausgeschmückten Anfangsbuchstaben größerer Kapitel (Initialen, v. lat. *initium* = Anfang), Randleistenverzierungen und Illustrationen (Miniaturen, v. lat. *minium* = Zinnoberrot, der ursprüngl. verwendeten Farbe) wurden meist nicht von den Schreibern, sondern von Miniatoren ausgeführt, die sich an kurzen Notizen (Vorschriften) orientierten. Wenn das teure Pergament abradiert und neu verwendet wurde, entstanden *Palimpseste* (codices rescripti). Die Papyri wurden quer gerollt, Pergament und Papier gefaltet, zu Lagen aus zwei oder mehr Doppelblättern ineinandergelegt (Binionen, Quaternionen, seltener Ternionen, Quinionen, Sexternen) und zu Codices gebunden. Aus der Papyrusrolle stammt die Einteilung des Schriftspiegels in Spalten und der Form der Anfangs- und Schlußtitel (✗*incipit*, ✗*explicit*). – Die *Herstellung von Hss.* oblag in der Antike Sklaven, die meist in »Schreib›büros« nach Diktat arbeiteten, im frühen und hohen MA. den Mönchen in den Skriptorien der Klöster, bes. den Benediktinern und Zisterziensern. Wichtige Schreibschulen entstanden u. a. in Vivarium, Luxeuil, Bobbio, Corbie, in St. Gallen, auf der Reichenau, in Fulda, Regensburg. Im späteren MA. kamen gewerbsmäßig eingerichtete weltl. Schreibstuben auf, die dem beständig zunehmenden Bedarf an billigen Hss. durch verlagsähnl. Herstellungs- und Vertriebsverfahren nachzukommen suchten (so die Werkstatt Diebold Laubers in Hagenau im 15. Jh.). Eigene Vervielfältigungsmethoden entwickelten sich an den Universitäten. Die klösterl. Tradition der *Sammlung von Prachthss.* ging in der Renaissance auf die Fürstenhäuser (z. B. Bibliotheca Palatina in Heidelberg) über und dauerte auch nach der Erfindung des Buchdrucks fort, in bibliophilen Gesellschaften Englands und Frankreichs z. T. bis in die Gegenwart. Um die Pflege von Hss. als Träger der Literatur. Überlieferung mühten sich die Humanisten, aus deren Sammel- und Editionstätigkeit die moderne Philologie erwachsen ist. Öffentlich zugängl. Hss.sammlungen richteten zuerst die Mediceer in Florenz ein. Heute befinden sich die bedeutendsten Hss.sammlungen in den großen Bibliotheken von Rom (Vaticana), Florenz (Medicea Laurenziana), Paris (Bibliothèque Nationale), London (British Museum), Oxford (Bodleiana), Wien (Österreich. Nationalbibliothek), München (Bayer. Staatsbibliothek), Berlin (Staatsbibliothek Stiftung Preußischer Kulturbesitz), Moskau (Staatl. Leninbibliothek), Leningrad und New York (Pierpont-Morgan-Library). Ihre Bestände stammen aus Stiftungen, Ankäufen und der Auflösung alter Klosterbibliotheken. Im ursprüngl. Zustand erhalten geblieben ist z. B. die Bibliothek des Klosters St. Gallen. Eine bedeutende private Hss.sammlung befindet sich in Genf (Bibliotheca Bodmeriana, heute Martin-Bodmer-Stiftung). Die älteste erhaltene german. H. ist der ›Codex argenteus‹ der got. Bibel (heute in Uppsala); wichtige Hss. mit Werken aus der dt. Literatur des MA.s sind die Nibelungenlied-Hss. A München), B (St. Gallen), C (Donaueschingen), die Liederhss. in Heidelberg (Kleine Heidelberger und Große Manessische] H.) und Stuttgart (Weingartner Liederh.) und das im Auftrag Kaiser Maximilians geschriebene Ambraser Heldenbuch‹ (Wien). – Wegen ihrer Unersetzlichkeit ist der Zugang zu Hss. in der Regel limitiert; in neuerer Zeit hilft die Herstellung von Mikrofilmen und die Produktion von dem Original nahekommenden ✗Faksimiles.

📖 Bischoff, B.: Paläographie des röm. Altertums und des abendländ. MA.s. Bln. ²1986. – Kirchner, J.: Germanist. Hss.praxis. Mchn. ²1967. – Löffler, K./Ruf, P.: Allgem. Hss.kunde. In: F. Milkau (Hrsg.): Hdb. d. Bibliothekswiss. Bd. 1. Wiesb. ²1956, S. 106–162. – Scriptorium. Revue internationale des études relatives aux manuscrits. Jg. 1 ff. Brüssel 1946/47 ff. – Putnam, G. H.: Books and their makers in the Middle Ages. 2 Bde. New York 1896/97, Nachdr. New York 1962. – Wattenbach, W.: Das Schriftwesen im MA. Lpz. ³1896, Nachdr. Graz 1958. – RL.   HSt

Handwerkslied, Gattung des ✗Ständeliedes.

Hanswurst, dt. Prototyp der kom. Figur oder ✗lust. Person. – H. entstand als *Typus* aus der Verschmelzung heim. Figuren wie dem täpp.-gefräßigen Bauern des ✗Fastnachtsspiels (›*Hans Lewerwurst*‹ im Südtirol. Fastnachtsspiel um 1535), den ›lustigen Personen‹ bei Hans Sachs u. a. mit den von engl. Wanderbühnen im 16. und 17. Jh. populär gemachten Clown-Typen *Jan Bouchet, Stockfisch, Pickelhering* (vgl. ✗Haupt- und Staatsaktionen) und dem ✗Arlecchino der Commedia dell'arte, der sich in seiner dt. Version des ✗Harlekin nur dem Namen nach vom H. unterscheidet. – Der *Name* ›H.‹ begegnet zuerst in Hans von Ghetelens Rostocker Bearbeitung von S. Brants »Narrenschiff« (1519): *Hans worst* (76,83) als Bez. für den aufschneider. Narren; meist meint sie aber den link. Dickwanst, dessen Gestalt einer Wurst gleicht. Bei Luther findet sich eine Bedeutungserweiterung zu *Tölpel* (»Vermahnung an die Geistlichen«, 1530 und »Wider Hans Worst«, 1541). – Eine lokal. Neuschöpfung im Anschluß an das Salzburger Benediktinertheater versucht Anfang des 18. Jh.s Stranitzky mit der Gestalt des dummdreisten und gefräßigen Bauern *Hans Wurst,* den er v. a. in seinen ✗Hanswurstiaden im Salzburger Bauernkostüm (grüner Spitzhut, Narrenkröse, rote Jacke, blauer Brustfleck mit grünem Herz, rote Hosenträger, grüne, Holzpritsche) auftreten und seine Späße im Heimatdialekt machen läßt.

Der H. war bis ins 18. Jh. eine der beliebtesten Bühnenfiguren, die sogar in ernsten Stücken auftrat. Er wurde in der Frühaufklärung von Gottsched bekämpft als Geschöpf einer »unordentl. Einbildungskraft«, das die Einheit des Dramas sprenge (»Crit. Dichtkunst«, 1730) und 1737 von der Theatertruppe der Karoline Neuber in einem allegor. Nachspiel von der Bühne verbannt. Er fand aber bald in seiner inzwischen vom Theater der Aufklärung ›veredelten‹ Gestalt des *Harlekin* (vgl. Marivaux' »Arlequin poli par l'amour«, 1720) beredte Verteidiger. J. Ch. Krüger sucht seine »Natürlichkeit« nachzuweisen (Vorrede zur »Sammlung einiger Lustspiele aus dem Frz. des Herrn v. Marivaux«, 1747–49), Lessing führt seine Anpassungsfähigkeit an die jeweilige Komödienwelt an (»Hamburgische Dramaturgie«, 18. Stück) und J. Möser argumentiert mit der »eigenen Natur« der Narren, die mit Gottscheds Postulat der Nachahmung der wirkl. Welt nichts mehr gemein habe (»Harlequin, oder Vertheidigung des Groteske-Komischen«, 1761). – Das Schauspiel des Sturm und Drang ersetzt den verfeinerten, weil gesittet auftretenden und scharfsinnig räsonierenden H. der Aufklärung wieder durch den urwüchsig-grobianischen früherer Zeiten (Goethes »Hanswursts Hochzeit«, 1775, M. Klingers »Prinz Seiden-Wurm«, 1780 u. a.). Den Romantikern dient er als Mittel ihrer ins Phantastische ausgreifenden Imagination und als Personifikation des Humors (Tiecks »Gestiefelter Kater«, 1797, Brentanos »Ponce de Leon«, 1804). Und F. Raimund knüpft mit seinen H.-Figuren (*Quecksilber* im »Barometermacher auf der Zauberinsel«, 1823 und *Florian* im »Diamant des Geisterkönigs«, 1824) einerseits an Stranitzkys Salzburger Bauerntölpel, andererseits an Shakespeares Narren an. Zuletzt hat P. Weiss den H. in seinem Stück »Wie dem Herrn Mockinpott das Leiden ausgetrieben wird« (1963–8) wieder auf die Bühne gebracht.

📖 Asper, H. G.: H. Emsdetten 1980. ✗Lustige Person. – RL.   PH*

Hanswurstiade, um die ↗lust. Person des ↗Hanswurst oder Harlekin *(Harlekinade)* zentrierte Posse mit zahlreichen Stegreifeinlagen v. a. der Hauptperson; im 17. u. 18. Jh. bes. von dt. ↗Wanderbühnen entweder selbständ. aufgeführt oder als Nachspiel einzelnen Szenen der ↗Haupt- und Staatsaktionen angefügt. – Ursprünge liegen wohl im spätmal. ↗Fastnachtsspiel, im engl. Pickelheringspiel und in der ↗Commedia dell'arte. Höhepunkte im ↗Wiener Volkstheater (Stranitzky, Kurz-Bernardon, Ph. Hafner); im Puppenspiel (↗Kasperltheater) bis heute erhalten. PH

Hapax legomenon, n. [gr. Sg. = nur einmal Gesagtes, Pl.: H. legomena], ein nur an einer einzigen Stelle belegtes, in seiner Bedeutung daher oft nicht genau bestimmbares Wort einer alten Sprache, z. B. mhd. *troialdei* (Bez. für einen Tanz?) Neidhart XXVI 7.

Haplographie, f. [gr. = Einfachschreibung], fehlerhaftes Auslassen eines Buchstabens, einer Silbe, eines Wortes bei aufeinanderfolgenden gleichlautenden Buchstabenfolgen; in Handschriften ein häufiges Versehen (z. B. bei Leg*end*end*ich*tung); Ggs. ↗Dittographie. – Die H. entspricht lautgeschichtl. der *Haplologie,* dem Auslassen doppelter Laute zur Artikulationserleichterung, z. B. Zauber*er*in > Zauberin. RG*

Happening, n. [ˈhæpəniŋ, engl. ↗amerik. von to happen = geschehen, sich ereignen], provokative (Kunst-)Veranstaltung, entstanden in den 60er Jahren in den USA als Protest gegen eine in Gleichlauf und Gleichgültigkeit erstarrende Konsumwelt und die wie bedingende moderne Industriegesellschaft. H.s verbinden Ausstellungen, Rezitationen, Demonstrationen (unter Einbezug der Zuschauer) und z. T. übersteigerte Aktionen, wobei v. a. das Banale und Triviale (z. B. Werbung, Reklame, Medien) in excessiver und absurder, auch exhibitionist. Form glorifiziert wird in der bewußten Absicht zu schockieren, um dadurch krit. Denkprozesse in Gang zu setzen. Vertreter u. a. A. Kaprow (der 1958 den Begriff ›H.‹ prägte), B. Brock, J. Beuys, O. Mühl, W. Vostell. S

Harlekin, m., von J. M. Moscherosch 1642 eingeführte Verdeutschung für *Harlequin,* die franz. Bez. der zweiten Dienerfigur (des 2. Zane, vgl. ↗Zani) der ↗Commedia dell' arte (it. ↗Arlecchino); auch Bez. für den dt. ↗Hanswurst. PH*

Harlekinade, ↗Hanswurstiade.

Hartford wits [ˈhaːtfəd ˈwits; engl.], neben ↗Connecticut wits Bez. des ältesten nordamerikan. Dichterkreises.

Haupt- und Staatsaktion, polem. Bez. Gottscheds für das Repertoirestück der dt. ↗Wanderbühne des 17. und frühen 18. Jh.s; (»Hauptaktionen« im Gegensatz zu den kom. Nach- und Zwischenspielen, »Staatsaktionen« nach den [pseudo]histor.-polit. Inhalten). H.-u.St.A.en sind zumeist Bearbeitungen engl., niederländ., span., frz., seltener dt. Literaturdramen für die Praxis der Wanderbühne (wichtige Vorlagen: Marlowe, »Doctor Faustus«, »Der Jude von Malta«; Shakespeare, »Hamlet«, »Der Kaufmann von Venedig«; Calderón, »Das Leben ein Traum«; Corneille, »Polyeucte«, »Der Cid«; Gryphius, »Papinian«; Lohenstein, »Ibrahim Bassa«); Bearbeiter waren in der Regel die Prinzipale der Truppen. – Die H.-u.St.A.en spielen grundsätzl. in höf. Kreisen; wo die Vorlage nur ein bürgerl. Milieu aufweist, wird dies entsprechend geändert. Staatspomp und höf. Pracht (Krönungsszenen, Audienzen, Festgelage mit Tanzeinlagen), Krieg, Abenteuer, Exotisches und Phantastisches bilden den unerläßl. äußeren Rahmen. Der Gang der dramat. Handlung u. die Personenzahl werden gegenüber der Vorlage stark vereinfacht, auf eine innere Entwicklung wird verzichtet, die Ereignisse werden rein äußerl. durch Intrigen, plötzl. Wiedererkennen u. ä. vorangetrieben. Die dadurch verursachte Trivialisierung wird durch die Tendenz zum versöhnl. Ausgang (z. B. in Bearbeitungen des »King Lear«) verstärkt. Bei der

Gestaltung der Charaktere dominiert oft krasse Schwarz-Weiß-Malerei. Die Psychologie der Figuren ist der barokken Affektenlehre verpflichtet. – Zum Personal der Stücke gehört regelmäßig der ↗Hanswurst oder Pickelhering als ↗lust. Person; er unterbricht das Spiel immer wieder durch derbe und zotenhafte Einlagen, die der Improvisation breiten Raum lassen. Die Sprache der H.-u.St.A.en ist Prosa, oft kunstlos und der Umgangssprache verpflichtet, z. T. auch durch geschwollenes Pathos oder platte Rührseligkeit gekennzeichnet. – Eine Beurteilung der H.-u.St.A. en unter ausschließl. literarästhet. Gesichtspunkten wird diesen Stücken nur bedingt gerecht: Die erhaltenen Texte sind Bühnenmanuskripte aus dem Besitz der einzelnen Truppen und waren nicht für den Druck bestimmt; von einem großen Teil der Stücke liegen sogar nur Theaterzettel vor. Das entscheidende bei den H.-u.St.A.en war ihre szen. Realisierung – die Bedeutung der Wanderbühne und mithin der H.-u.St.A. für die Geschichte des dt. Theaters liegt in der Ausbildung von Mimik und Gestik, der Bewegungsregie und der funktionalen Einbeziehung von Requisiten und Bühnenausstattung in das Spiel.

📖 Das Schauspiel der Wanderbühne. Hg. von W. Flemming. Lpz. 1931; Nachdr. Darmst. 1965. – RL. K

Haute tragédie [otətraʒeˈdi; frz. = hohe Tragödie] klass. Form der frz. ↗Tragödie der 2. Hälfte des 17. Jh.s, vertreten insbes. durch P. Corneille und J. Racine. Ihre Ausbildung ist das Resultat einer langen theoret. Reflexion, die mit der Rezeption der ital., Aristoteles interpretierenden Renaissancepoetiken beginnt und ihren Abschluß in der »L' Art poétique« (1674) N. Boileaus findet. Sie zeigt eine starke Tendenz zur Konzentration und Abstraktion: Symmetr. Bau der fünf Akte (↗geschlossene Form), Befolgung der ↗drei Einheiten (Konzentration auf einen kürzeren, krisenhaften Zeitraum und auf einen Ort), Beschränkung der Handlung und der Intrige auf das Wesentliche, Belichtung der Charaktere nur aus der dramat. Lage, geringe Anzahl der Personen; Sprache und Stoff werden dem Regulativ der Wahrscheinlichkeit u. der Schicklichkeit unterworfen, fast alle äußeren Geschehnisse sind von der Bühne weg in den Bericht verlegt, die Handlung ist ganz ins Innere der Personen verlagert. Alles vollzieht sich in der Sprache, alles erscheint auch in der Sprache faßbar. Der sich daraus ergebende rhetor. Charakter der h. t. zeigt sich auch in der Behandlung des Verses (↗Alexandriner) und der Sprache *(genus grande, style noble).* Der trag. Konflikt der h. t. ist durchaus weltimmanent; ihm liegt zugrunde eine von der Vernunft diktierte verbindl. eth. Norm, die getragen wird von der höf.-aristokrat. Gesellschaft des Absolutismus, die in der Tragödie durch die Wahl histor. Stoffe ins Idealtypische verfremdet erscheint. Der hohe Stand des Helden (↗Ständeklausel) ist so notwendige Voraussetzung, da die (wenn auch nur annähernde) Verwirklichung der sittl. Norm nur im Adel denkbar war. Der trag. Konflikt entsteht entweder dadurch, daß sich der Held als sittl. Mensch nicht bewahren kann, da ihn die konkrete Situation zu einem Konflikt der Pflichten führt, oder durch die innere Gefährdung des Helden in der Hypertrophie der Leidenschaft, die ihn in einen Widerspruch zu d. idealen Norm (u. d. Gesellschaft) treibt. In ihrer formalen Vollendung, der Meisterschaft, mit größter Beschränkung der Mittel die höchste trag. Spannung zu erzeugen, gilt die h. t. als ein Gipfel der neueren Tragödie (vgl. z. B. »Britannicus«, 1669, »Bérénice«, 1670, »Phèdre« von Racine). Dennoch ist ihr Einfluß in Deutschland durch Gottsched durch die stärkere Wirkung Shakespeares sehr beschränkt worden.

📖 Gossip, Ch. J.: An introduction to French classic tragedy. London 1981. – Heitmann, K.: Das frz. Theater des 16. u. 17. Jh.s, Wiesbaden 1977. – Thomas, J.: Studien zu einer Poetik der klass. frz. Tragödie (1673–1678). Frkft./M. 1977. – Bray, R.: La formation de la doctrine classique en France, Paris ⁴1957. ED

Hebung, dt. Übersetzung von gr. arsis, Begriff der Verslehre. – Die gr. Bez.en arsis und thesis (auch basis) (lat. sublevatio und positio, dt. H. und Senkung) beziehen sich in der antiken Vers- und Rhythmustheorie (Aristoxenos von Tarent) zunächst auf das »Aufheben (arsis)« und Niedersetzen (thesis) des Fußes beim Tanz«, in weiterem Sinne auf das Heben und Senken der Hand, des Taktstockes usw. bei jeder Art rhythm. Vortrags; arses (H.en) sind in diesem Sinne die *schlechten, leichten, schwachen* Teile (kurze Silben), theses (Senkungen) die *guten, schweren, starken* Teile (lange Silben) der rhythm. Reihe. Spätantike Theoretiker Marius Victorinus) deuten beide Begriffe um, indem sie sie auf das »Heben und Senken der Stimme« beziehen. Von daher übernehmen neuzeitl. Theoretiker der antiken Metrik wie R. Bentley (»Schediasma des metris Terentianis«, 1726) und G. Hermann (»Elementa doctrinae metricae«, 1826) die Bez.en arsis und thesis, H. und Senkung in umgekehrtem Sinne: sie bezeichnen als H.en die *guten* (langen), als Senkungen die *schlechten* (kurzen) Teile einer rhythm. Reihe. – Moderne Handbücher der antiken Metrik verwenden die Bez.en H. und Senkung nur noch teilweise; dabei schwankt die Bedeutung je nach histor. Bezugspunkt. – Auf die nach dem ↗akzentuierenden Versprinzip gebauten Verse des Deutschen, Englischen usw. übertragen, bezeichnet man als H.en stets die durch verstärkten Atemdruck hervorgehobenen, betonten Teile des Verses (andere Bez.: Iktus), während die druckschwachen Versteile Senkungen heißen. Dabei ist für den german. ↗Stabreimvers nur die Zahl der H.en relevant; damit ist eine absolute Einheit von metr. und sprachl. Betonung gegeben. Spätere Verstypen versuchen dem gegenüber, auch das Verhältnis der H.en und Senkungen zueinander zu regeln (z. B. nach dem Prinzip der Alternation oder nach dem Verhältnis langer und kurzer Silben in gr.-röm. Metren); diese Regelung hat eine mehr oder minder starke Spannung zwischen Versschema und natürl. Betonung zur Folge, so daß metr. H.en und Senkungen nicht immer mit druckstarken und druckschwachen Silben zusammenfallen müssen (↗Tonbeugung, ↗schwebende Betonung). Sofern sich in german. Sprachen die Opposition langer und kurzer Tonsilben bewahrt hat wie im Mhd., werden bei metr. H.en außer verstärktem Atemdruck unter bestimmten Umständen auch Silbenquantitäten berücksichtigt (↗Hebungsspaltung, ↗beschwerte Hebung). – RL. K

Hebungsspaltung, Bez. der altdt. Metrik: bei alternierendem Versgang können zwei kurze Tonsilben (◡◡) statt einer langen (x̄) stehen, z. B. *sagen daz*(◡◡x) ≙ *binden*(x̄x), gegenet bes. als zweisilb. männl. ↗Kadenz. S

Hecken- oder Gartentheater ↗Freilichttheater

Heilsspiegel, spätmal. Erbauungsbücher nach dem Vorbild des anonymen »Speculum humanae salvationis«, einer Anfang des 14.Jh.s wohl zu einem Dominikaner geschaffenen illustrierten Heilsgeschichte in lat. Reimprosa. Nach dem Schema der ↗Präfiguration führt der H. den Fall und die Erlösung des Menschengeschlechts in Text und Bild vor Augen (mit einander zugeordneten Beispielen aus dem AT, dem weltl. Geschichte und dem NT), während die in der Darstellung verwandte ↗Biblia typologica das Leben Christi typolog. behandelt. – Der älteste erhaltene volkssprachl. H. ist eine mitteldt. Prosaübersetzung (»Eyn spiegel der menschlichen selikeit«, Mitte 4.Jh.), die die lat. Reimprosa nachzubilden versucht. Ihm folgen einfache Prosa- und zahlreiche Versübersetzungen in mhd., niederdt., frz. Sprache. Selbständ. mhd. Versbearbeitungen sind überliefert von Konrad von Helmsdorf 14.Jh.), Andreas Kurzmann (um 1400) und Heinrich Laufenberg (1437). Neben der reichen handschriftlichen Überlieferung finden sich mehrere Drucke (seit 1473), die bezeugen, daß H. mit ihrer v. a. für Laien gedachten Kombination von Wort und Bild zu den beliebten religiösen Hausbüchern gehörten. Die Bildreihen der Hss. wurden z. T. auch in die darstellende Kunst übernommen (vgl. z. B. Bildteppich des Klosters Wienhausen, Anf. 15.Jh.).
📖 *Ausgabe:* Speculum humanae salvationis. Hrsg. v. J. Lutz und P. Perdrizet. Paris 1907–09.
Breitenbach, E.: Speculum humanae salvationis. Eine typengeschichtl. Untersuchung. Straßbg. 1930. S

Heimatkunst, konservative kulturpolit.-literar. Bewegung (etwa 1890–1933), die eine ›Erneuerung des Volksgeistes‹ durch eine Rückbesinnung auf die Kräfte des Volks, Stammes und der heimatl. Natur anstrebte, die sie im Bauerntum verwirklicht und gewahrt sah. Genährt von dem kulturpolit. Gedankengut P. de Lagardes (»Dt. Schriften«, 1878–81), J. Langbehns (»Rembrandt als Erzieher«, 1900), H. St. Chamberlains u. a., die das Bewußtsein irrationaler Bindungen an Volkstum, Boden, Sippe usw. zu wecken suchten, entwickelte die H. ihr Programm in affektgeladener Opposition allgemein gegen Modernismus, Intellektualismus oder eine sog. Großstadtkultur (Schlagwort »Los von Berlin!«), im literar. künstler. Bereich insbes. gegen die ↗Dekadenzdichtung, den ↗Impressionismus und bes. den ↗Naturalismus, vgl. die programmat. Zeitschriften »Das Land« (seit 1893), »Der Türmer« (seit 1898), »Heimat« (seit 1900) und die Schriften der Theoretiker H. Sohnrey, A. Bartels, E. Wachler (»Die Läuterung dt. Dichtung im Volksgeiste«, 1897), F. Lienhard (»Die Vorherrschaft Berlins«, 1900) u. a. – Die zahlreichen literar. werke greifen Stoffe, Motive, Themen und Strukturen der ↗Heimat- und Bauernliteratur des 19.Jh.s auf und verschärfen die dort (z. B. in der ↗Dorfgeschichte) angelegte Ideologisierung, die von der Propagierung eines einfach-natürlichen, schollengebunden-gesunden Bauerntums als Lebensmodell bis hin zu nationalist., oft überhebl. anti-europ., z. T. kryptofaschist. Anschauungen reicht (bei Bartels z. B. Lebensraumideologie, Bauerntum als Kampfgemeinschaft gegen Liberalismus, rass. Überfremdung usw., ↗für eine german. Hochkultur, die später direkt von der ↗Blut- und Bodendichtung übernommen werden konnten (vgl. den dt.-nationalen »Reichsbund für H.«, 1918). – In zwei Phasen, unterbrochen durch den ersten Weltkrieg, entstand eine Flut sog. Heimat-, Stammes-, Grenzland- und Bauerndichtungen, vorwiegend sendungsbewußte Trivialromane, häufig in histor. Einkleidung, die eine in Details realist., als Ganzes jedoch ideolog. verfälschte, wirklichkeitsfremde Heimat- und Bauernwelt als Ausweg aus zeitgeschichtl. ›Fehlentwicklungen‹ beschwören. Analog zu solchen anachronist. Scheinlösungen werden auch moderne Erzählformen u. a. formale Neuerungen abgelehnt. Die erklärten Vorbilder, J. Gotthelf, G. Keller, W. Raabe, K. Groth, F. Reuter, L. Anzengruber, wurden weder inhaltl. noch formal erreicht. Einige der erfolgreichsten Vertreter (darunter viele Lehrer) waren T. Kröger, G. Frenssen, H. Löns, R. Herzog, W. Holzamer, H. H. Ewers, L. von Strauß und Torney, P. Keller, H. Voigt-Diederichs, G. Schröer, L. Finckh, H. Watzlik, H. Burte, F. Griese, H. E. Busse; in der Schweiz J. C. Heer, H. Federer, E. Zahn, in Österreich (Los-von-Wien-Bewegung) R. H. Bartsch, F. v. Gagern, W. Fischer-Graz, J. Perkonig u. a.; der H. nahe standen H. Stehr, P. Dörfler, R. Billinger. – Die provinzielle Enge der H. kam v. a. einem konservativ-kleinbürgerl. Lesepublikum entgegen, erreichte aber darüber hinaus auch bis dahin literaturfremde Schichten. Im Rahmen ihrer volksreicher. Bemühungen um eine ländl. Lebensgestaltung förderte die H. auch Konzepte für ländl. Feste, Tänze, Spiele usw.; sie stand z. T. auch hinter der Naturtheaterbewegung (Harzer Bergtheater durch E. Wachler, 1903).
📖 Ketelsen, U. K.: Völk.-nationale u. national-sozialist. Lit. in Deutschland 1890–1945. Stuttg. 1976. – Rossbacher, K.-H.: H.bewegung u. Heimatroman. Stuttg. 1975. – RL. IS

Heimatliteratur, im 19. Jh. entstandener inhaltl. definierter Literaturtypus, bei dem ›Heimat‹ (verstanden als ein bestimmter landschaftl. Raum und eine meist ländl.-bäuerl. Daseinsform) zum darsteller. Zentrum wird. Heimat dominiert hierbei (ebenso wie ›Heimweh‹, ›Heimatliebe‹ usw.) als Wert alle anderen Werte. Sie wird scheinbar wirklichkeitsgetreu geschildert, indem regionale Bezüge hergestellt, Details realist. genau beschrieben, Mundartformen (bes. in Dialogen) eingeflochten werden. Tatsächl. jedoch wird sie nicht als realer gesellschaftl.-ökonom. Raum gesehen, sondern als idealisierte, oft auch sentimental und emotional aufgeladene oder zeitlos-myth. Sphäre; insbes. das bäuerl. Dasein wird als einfach-natürliche, von erd- und traditionsgebundenen Gesetzen geregelte Lebensform dargestellt. Oft wird ihre Schilderung zum brauchtumsorientierten Selbstzweck, zum ›Sittengemälde‹, oft erstarrt Heimat aber auch zur top.-idyll. Kulisse, vor der stereotype (im Motivvorrat beschränkte), pseudoproblemat. oder schwankhaft banale Handlungen ablaufen. H. ist somit zum größten Teil der ↗Trivialliteratur zuzurechnen. Sie ist zumeist ↗Bauern- oder sog. Berg- oder Hochlanddichtung; sie umfaßt vorwiegend Romane, aber auch Heimatstücke und -filme, Verserzählungen und Lyrik. Teilbereiche sind die ↗Dorfgeschichte und z. T. die ↗Mundartdichtung. – *Voraussetzungen* für die Entstehung der H. waren einmal die Entdeckung der Landschaft als neuem Erfahrungs- und Identifikationsraum seit der Romantik und seine literar.-ästhet. Erfassung mit realist. Sprachmitteln, zum andern die zunehmenden ökonom. und sozialen Veränderungen durch die beginnende Industrialisierung (Verstädterung, Landflucht, Landproletariat, Pauperismus usw.), welche althergebrachte Werte und Ordnungen zu zerstören drohten. Daraus resultierten einerseits ein Interesse am volkstüml.-ländl. Milieu, andererseits der Wunsch nach Rückzug ins einfache Leben, eine neue Auffassung der Heimat als einem Ort festgefügter gemeinschaftl. Werte und Normen, aber auch die Angst vor der Bedrohung dieses Lebensraums. Diese Tendenzen und Stimmungen griff die H. auf, zunächst mit pädagog.-didakt., z. T. auch reformer. und zeitkrit. Tendenz. Aber die anfängl. Versuche, lokale und gesellschaftl. Zustände oder des ländl. Raums zu beschreiben und seine ökonom., sozialen und polit. Verhältnisse aufzudecken (J. H. Pestalozzi, H. Zschokke und v. a. J. Gotthelf), wichen bald dem Bedürfnis nach Identifikationsmöglichkeiten und bequemeren, einschichtigen (Schein-) Lösungen der Gegenwartsproblematik, wie sie ein poet. verklärter Heimatbegriff anbot. Die H. lieferte mit einer harmon. heimatl. Scheinwelt einen Fluchtraum, der allzu leicht für Ideologisierungen genutzt werden konnte (›rettende‹ Gegenwelt zur Stadt, zur Zivilisation u. a.), eine Implikation, die bereits die ↗Dorfgeschichte kennzeichnet und die zur ↗Heimatkunst und ↗Blut- und Bodendichtung führte. – Wurde die H. im 19. Jh. durch ↗Familienblätter, bes. die ›Gartenlaube‹ v. a. in den bürgerl. Schichten weit verbreitet (Höhepunkt um 1860), leisten dies heute Leihbibliotheken und wöchentl. Heftserien (1976: 1500 Heimatromantitel). – Das *erste* dt. Heimatdichtung gilt K. L. Immermanns ›Oberhof‹-Episode im Roman »Münchhausen« (1838/39). Erfolgreich waren dann unter vielen anderen die Werke von F. J. Hammer, B. Auerbach, M. Meyr, L. Würdig, H. von Schorn, J. Rank, R. Waldmüller, A. Huggenberger, H. von Schmidt, A. Pichler, A. Silberstein, L. Anzengruber, P. Rosegger, W. Jensen, J. H. Fehrs, H. Hansjakob, um die Jh.wende die Werke der ↗Heimatkunst, die H. von K. Schönherr, P. Dörfler, K. H. Waggerl, L. Trenker, G. Gaiser u. v. a. Hauptvertreter der trivial-sentimentalen Richtung sind die bis heute vielgelesenen Wilhelmine v. Hillern und L. Ganghofer. – Die literar. Mode der provinziellen Thematik beeinflußte in unterschiedl. Tendenz und Ausprägung auch bedeutende Dichter (O. Ludwig: »Rückkehr der Literatur zur Heimat«), z. B. A. von Droste-Hülshoff, A. Stifter, F. Reuter, H. Kurz, Th. Storm, G. Keller u. a. Durch ihre konkret-realist. und zugleich symbolhafte Gestaltungskraft

überwanden sie jedoch den formalen und inhaltl. Provinzialismus, der bis heute implizit zum Begriff ›H.‹ gehört. Auch in anderen europ. Ländern ist im 19. Jh. ein Anwachsen einer regionalen Literatur zu beobachten, wobei z. T. dieselben Voraussetzungen (Industrialisierung, Verstädterung, Werteverlust), z. T. aber auch andere (z. B. Zentralisierungsbestrebungen, Separatismus) ähnliche oder andersart. Aspekte, Intentionen und Tendenzen hervorbringen, vgl. ↗Regionalismus in Frankreich, Italien, Spanien. In jüngster Zeit ist ein neues Interesse am Regionalen zu beobachten. Nach dem Vorbild der distanziert-krit. Heimatdarstellung bei O. M. Graf, Lena Christ oder A. Seghers werden in z. T. neuen Formen die bislang von der Trivialliteratur besetzten ›Heimat‹-stoffe und -motive neu genutzt, die provinzielle Umwelt als ein dem Autor und Leser gemeinsamer Erfahrungsraum entdeckt, dessen Strukturen oder sozio-ökonom. Wandlungen nachprüfbar beschrieben werden können, vgl. z. B. H. Böll, S. Lenz, G. F. Jonke, A. Brandstetter, F. Innerhofer, P. Handke, M. Beig, A. Wimscheider, H. Lapp u. a. (vgl. auch die krit. Dialektliteratur). – In der DDR wird dagegen der Begriff ›Heimat‹ des Regionalen entkleidet, H. als eine die provinziellen landschaftl. Grenzen sprengende ›Nationalliteratur‹ definiert: An die Stelle der ›bürgerl.-reaktionären‹ (trivialen) H. tritt die sog. Landlebenliteratur, welche den (für die gesamte sozialist. Gesellschaft kennzeichnenden) gesellschaftl. Entwicklungsprozeß am überschaubaren Modell widerspiegeln soll (vgl. ↗Bauerndichtung, ↗Dorfgeschichte). 📖 Mecklenburg, N.: Erzählte Provinz. Königstein/Ts. 1982. – Mettenleiter, P.: Destruktion und Heimatdichtung. Tüb. 1974; ↗Trivialliteratur, ↗Dorfgeschichte.   IS

Heimkehrerroman, Typus des Zeitromans, in dessen Mittelpunkt die Gestalt eines aus Krieg oder Gefangenschaft Heimkehrenden steht und dessen Versuche, sich in einer von materieller Zerstörung und der Aufhebung sozialer und moral. Ordnungen bestimmten Umwelt neu zu orientieren. Der H. intendiert dabei meist eine über das Einzelschicksal hinausgehende, allgemeinere Analyse der Kriegssituation, eine Bestandsaufnahme, die sich in der radikal veränderten Wirklichkeit auch des Bleibenden zu vergewissern sucht. Der Krieg wird zwar meist eindeutig verurteilt, die Frage nach seinen Gründen und Hintergründen jedoch tritt häufig zugunsten der aktuellen Probleme zurück (bedeutende Ausnahme: Alfred Döblin: »Hamlet oder die lange Nacht nimmt ein Ende«, entst. 1945/46). Deutsche H.e entstanden – neben wenigen, die sich auf den 1. Weltkrieg beziehen (Ernst Wiechert: »Die Majorin«, 1933/34) – v. a. nach dem 2. Weltkrieg: Gerd Gaiser: »Eine Stimme hebt an« (1950); Franz Tumler: »Heimfahrt« (1950), »Ein Schloß in Österreich« (1953); Hans Werner Richter: »Sie fielen aus Gottes Hand« (1951), H. Böll: »Und sagte kein einziges Wort« (1953) u. a. Das bekannteste *Heimkehrerdrama* nach dem 2. Weltkrieg ist Wolfgang Borcherts »Draußen vor der Tür« (1947).   GMS

Heiti, n. [altnord.] = Name, Benennung], in der altnord. namentl. der ↗Skaldendichtung altertüml. oder metaphor. gebrauchte Wörter, die zus. mit den zweigliedriger Begriffsumschreibungen (↗Kenning) als ausschließl. poet. Sprache zugehörig empfunden wurden. Beispiele: *vi* = Ehefrau (in der Prosa durch *kona* verdrängt), *valdr* = Fürst (eigentl. ›der Waltende‹), *iofurr* = Fürst (eigentl. ›Eber‹), *freki* = Wolf oder Feuer (eigentl. ›der Gierige‹) Vergleichbares findet sich im angelsächs. Stabreimdich tung. – Die wichtigsten altnord. H. hat Snorri Sturluson in Abschnitt »Bragar mál« (= Dichtersprache), Kap. 53 f1 seiner Poetik (der Jüngeren oder Prosa-»Edda« zus.gestellt.   K

Held, generelle Bez. für die Hauptperson in dramat. un ep. Dichtungen. Während die Hauptpersonen im Barock drama und -roman durch ihre soziale ↗Fallhöhe und ihre Willenskraft aktiv handelnd und zugleich heroisch-vorbild haft auftreten, die Bez. ›H.‹ also im Wortsinne gebraucht ist, wird sie später auch für solche Personen des Dramas und Romans verwendet, die wie etwa G. Büchners Woyzeck aus sozial niederen Schichten stammen und an seel. Labilität und Willensschwäche leiden (passiver H., negativer H.). In nochmal. Bedeutungsverschiebung wurden dann als H. auch kollektive und abstrakte Handlungsträger benannt, z. B. die Revolution in Büchners »Dantons Tod«. Durch die Übertragung des Begriffs ›H.‹ auch auf Komödienfiguren wurde er tendenziell in dem Sinne erweitert, daß im komischen H.en (z. B. den ›bürgerl. H.en‹ Sternheims) das Negative dargestellt wird, damit in ihm dialekt. ein eigentlich Positives aufscheinen könne (vgl. schon die Komödientheorie von G. W. F. Hegel). Der Held als Verkörperung positiver Ideale findet sich seit Mitte des 19.Jh.s fast nur noch in der Trivialliteratur und neuerdings in der Literatur des ↗sozialist. Realismus (↗positiver H.): vgl. ↗Antiheld. – Die Bez. ›H.‹ wurde aus der Barockdichtung auch in die Bühnensprache übernommen, z. B. ›jugendl. H.‹, ›gesetzter H.‹ usw.

📖 Esselborn-Krumbiegel, H.: Der ›H.‹ im Roman. Darmst. 1983. – Jackson, W. T. H.: The Hero and the King. New York 1982. – Reed, W.: Meditations on the hero. A Study of the romantic hero in 19th century fiction. New Haven (Conn.) 1974.   HD

Heldenbriefe ↗Heroiden.

Heldenbuch, schon im Spät-MA. gebrauchte Bez. für handschriftl. oder gedruckte Sammlungen von ↗Heldenepen. Überliefert sind:
1. *Das Dresdener H.* (so genannt nach seinem heutigen Aufbewahrungsort); es wurde 1472 für Herzog Balthasar von Mecklenburg von zwei Schreibern angelegt; von der Hand Kaspars von der Rhön stammen »Ecke«, »Der Wormser Rosengarten«, »Sigenot«, »Wunderer«, »Herzog Ernst«, »Laurin«, von einem Ungenannten (in teilweise verkürzenden Umarbeitungen) »Ortnit«, »Wolfdietrich«, »Dietrich und seine Gesellen«, das »Jüngere Hildebrandslied« und das nicht zu diesem Stoffkreis gehörende Gedicht »Meerwunder« (*Ausg.* in: Dt. Gedichte des MA.s II, hg. v. F. H. von der Hagen und A. Primisser, Bln. 1820).
2. Das mit Holzschnitten geschmückte sog. *Gedruckte H.* (oder *Straßburger H.*): es erschien 1477 und wurde bis 1590 mehrmals nachgedruckt; es enthält »Ortnit«, »Wolfdietrich«, den »Großen Rosengarten« und »Laurin« (*Ausg.*: Das Dt. H., hg. v. A. v. Keller, Stuttg. 1867. Nachdr. Hildesheim 1966).
3. *Das H. Lienhart Scheubels* (Ende 15.Jh.s) mit »Dietrichs erste Ausfahrt«, »König Anteloy«, »Ortnit«, »Wolfdietrich«, »Nibelungenlied« in z. T. freien Bearbeitungen im Stil des 15.Jh.s.
4. Das handschriftl. *Ambraser H.*, das bekannteste der spätmal. H.bücher (benannt nach dem früheren Aufbewahrungsort im Schloß Ambras bei Innsbruck; heute in der Österreich. Nationalbibliothek Wien); es wurde z. T. nach der mutmaßl. Vorlage des verlorenen sog. ›H.es an der Etsch‹ im Auftrag Kaiser Maximilians zwischen 1504 und 1516 von Hans Ried, Zöllner am Eisack bei Bozen, geschrieben. Dies H. bewahrt nicht nur Heldenepik (»Dietrichs Flucht«, »Rabenschlacht«, »Nibelungenlied«, »Biterolf«, »Ortnit«, »Wolfdietrich«), sondern auch höf. Epen u. Verserzählungen (Hartmanns »Iwein«, Strikkers »Frauenlob« und ›Pfaffe Amis‹, Wernhers »Meier Helmbrecht«). 17 der 25 in diesem H. aufgezeichneten Texte sind hier überliefert, darunter die literarhistor. so bedeutsamen wie Hartmanns »Erec«, Wolframs »Titurel«, »Moriz von Craun«, »Kudrun«, »Biterolf«. – Die Bez. ›H.‹ ist weiter auch für Editionen solcher Dichtungen in der Neuzeit übernommen worden.

📖 *Gesamtausg.:* Dt. H. (Berliner H.), hg. v. O. Jänicke u. a., 5 Bde., Bln. 1866–73, Nachdr. Bln., Zürich, Dublin 1963 ff. – H. Altdt. Heldenlieder aus dem Sagenkreise Dietrichs v.

Bern u. der Nibelungen, hg. v. F. H. v. d. Hagen, 2 Bde. Lpz. 1855.
Nhd. Übersetzungen: Das Kleine H., hg. v. K. Simrock, Stuttg./Lpz. 1859. – Das H., hg. v. K. Simrock, 6 Bde., Stuttg. 1-32 1847-77.   S

Heldendichtung, dichter. Gestaltung der ↗Heldensage. Sie ist in ihren Anfängen mündl. Dichtung; erst später, nach einer Reihe von Wandlungen und Umformungen, wird sie literarisiert. Sie bleibt auch in literar. Zeit anonym, wohl weil die Verfasser hinter dem überlieferten Stoff, den sie weitergeben, nicht prinzipiell neu schaffen, zurücktreten. H. ist in erster Linie Ereignisdichtung, nicht Problemdichtung wie jüngere Formen ep. Poesie (Roman und Novelle), die das Erzählte reflektieren und damit einen (individuellen) Erzähler voraussetzen. *H. und Heldensage:* Das Verhältnis der H. zur Heldensage ist in der Forschung unterschiedl. beurteilt worden. Für die *frühe Forschung* waren Heldensage und H. ident.; die Romantiker (J. u. W. Grimm, Uhland, Lachmann, Müllenhoff, Holtzmann u. a.) sahen in der Heldensage das »Volksepos«, die dichter. Summe aller myth. und geschichtl. Überlieferung aus der Frühzeit der Nation, in der die Dichtung »noch ausschließl. Bewahrerin und Ausspenderin des gesammten geist. Besitzthums« war (Uhland); sie werteten das »Volksepos« nicht als Werk eines oder mehrerer individueller Dichter, sondern als Schöpfung des ganzen Volkes, entstanden in Jahrhunderten. Die einzelnen überlieferten H.en waren für uns nur Bruchstücke aus diesem großen ep. Zyklus, mehr oder weniger zufällig kurz vor dem Verfall der großen Tradition aufgezeichnet und durch Kompilatoren (↗Diaskeuasten) zusammengestellt. Die *spätere Forschung* des 19.Jh.s (A. Olrik, F. Panzer) trennt demgegenüber zwischen Heldensage und H.: sie sieht in der Sage dem Märchen verwandte ↗einfache Form, ein Stück mündl. ausgebildeter und fortgepflanzter volkstüml. Geschichtsüberlieferung, die erst sekundär in der H. zu dichter. (und literar.) Gestalt findet. Gegen beide Positionen wenden sich zu Beginn des 20.Jh.s *A. Heusler und H. Schneider*; sie setzen Heldensage und H. wieder gleich, allerdings in anderem Sinne als die Romantiker: sie sehen in der H. die einzige Lebensform der Heldensage (Schneider: »Heldensage wird erst im Lied und durch das Lied«). Gleichzeitig beziehen Heusler und Schneider jedoch auch gegen das »Volksepos« der Romantiker Stellung; sie wollen in der H. nicht die Schöpfung des »Volkes« sehen, sondern Werke individueller Dichter, entstanden an den Fürstenhöfen der frühen Feudalzeit. Die *jüngste Forschung* rechnet wieder mit Heldensage vor und außerhalb der H. (O. Höfler, Hans Kuhn, W. Mohr), d. h. mit einfachen Prosaerzählungen, die ausschließl. mündl. überliefert wurden, ohne feste Form, die also auch H., wenn auch in primitiver Ausprägung sind. *Formen der H.* sind ↗Heldenlied, ↗Heldenepos, Heldenroman und Heldenballade. Auch das Verhältnis dieser Formen zueinander, v. a. das Verhältnis von Lied und Epos (s. Heldenepos) sind im Laufe der Forschungsgeschichte kontrovers beurteilt worden, ebenso wie der mögl. Anteil mündl. Erzählkunst an den einzelnen Formen. Doch läßt sich einiges folgendes festhalten: Älteste Ausprägung der H. ist das ↗Heldenlied. Es ist in seiner primitivsten Gestalt mündl. Dichtung, die ohne festen Text gesungen vorgetragen wurde. Einen jüngeren Typus des Heldenliedes stellen die überlieferten german. Heldenlieder dar; Typisches und Formelhaftes wird hier von individueller Gestaltung überlagert. – Mit dem Übergang vom Heldenlied zum *Heldenepos* vollzieht sich die Literarisierung der H. (Ggs. »Vortragslied« – »Buchepos«, W. Mohr). Für das Verhältnis von Lied und Epos nimmt die neuere Forschung seit Ker und Heusler an, daß die Epen aus den Liedern durch systemat. Aufschwellung entstanden sind (anders Lachmanns ↗Liedertheorie: Addition von Liedern). Das Heldenepos enthält, obwohl von Anfang an schriftl. fixiert, noch Elemente mündl. Dichtung (typ. Handlungsschablonen, formelhafte Sprache, z. B. die Epitheta ornantia der homer. Epen) und bleibt von anderen, jüngeren Gattungen literar. Epik nach Stoff und Form getrennt. Auch durch die Anonymität der Verfasser bleibt das Buchepos in der Tradition der älteren nichtliterar. H.; wo Heldenepen unter dem Namen eines Verfassers überliefert sind, handelt es sich zumeist um bewußt kunstvolle Bearbeitungen älterer Fassungen (z. B. die frz. chansons de geste des Bertrant de Bar-sur-Aube, 13. Jh.) oder um planmäß. Neuschöpfungen im Stil der alten H. (Vergils »Aeneis« als Neuschöpfung nach dem Muster der homer. Epen). – Der *Heldenroman* vom Typ der altnord. ⁄Fornaldarsaga, entstehungsgeschichtl. mit dem Heldenepos etwa gleichzeitig anzusetzen, ist eine Prosakompilation aus alten Heldenliedern. – Gattungsgeschichtl. schwer einzuordnen ist die *Heldenballade*, da sie strukturell weitgehend dem Heldenlied entspricht. Sinnvoll ist diese Trennung für die europ. H.: die skandinav. H. zeigt den Typus der Heldenballade in reinster Form: eine Verbindung aus erzählendem Heldenlied und ritterl.-höf. Tanzlied (⁄Ballade, ⁄Folkevise, ⁄Kaempevise). Ep.-lyr. Charakter haben auch die engl.-schott. und dt. Heldenballaden des Spät-MA.s und die span. Romanzen; sie entsprechen formal weitgehend dem alten rhapsod. Heldenliedern. Für alle Formen der H. charakterist. ist die Tendenz zur zykl. Verknüpfung (oft nach genealog. Gesichtspunkten), die sich auch in der Überlieferung niedergeschlagen hat: vgl. den Heldenliederzyklus der »Edda« um Sigurðr und die Niflungen, die Zusammenfassung der frz. chansons de geste zu den großen drei »Gesten« genannten Zyklen, die Überlieferung der dt. Heldenepik des MA.s in den Heldenbüchern (⁄Heldenbuch), die span. Romanzenzyklen um den »Cid «. Mit dem Niedergang der feudalen Gesellschaft verschwindet die H. aus den einzelnen Nationalliteraturen. Ihre Stoffe werden allerdings auch in späteren literar. Epochen, in moderneren Formen (vor allem im Drama) und mit moderneren Darstellungsmitteln (z. B. psycholog. Durchdringung der Gestalten) wieder aufgegriffen. So knüpft die att. Tragödie stoffl. weitgehend an die ältere gr. H. an; ebenso gestaltet das H. Drama des 19. und 20. Jh.s immer wieder Stoffe der mal. Heldensage und H., vor allem aus dem Sagenkreis um Siegfried und die Nibelungen (Fouqué, Raupach, Geibel, Wagner, Hebbel, P. Ernst, M. Mell). Auch an anachronist. Versuchen, das Heldenepos der Feudalzeit als »Nationalepos« zu erneuern, hat es im 19. Jh. nicht gefehlt (W. Jordans »Nibelunge«). Lebendig ist H. heute v. a. noch in den Heldensagenkompilationen für die reifere Jugend.

⌷ See, K. v. (Hrsg.): Europ. H. Darmst. 1978. – Hoffmann, W.: Mhd. H. Bln. 1974. – Bowra, C. M.: H. Stuttg. 1964 (Original engl., Ldn. ²1961). – Schirmunski, V.: Vergleichende Epenforschung I. Bln. 1961. – Vries, J. de: Heldenlied u. Heldensage. Bern u. Mchn. 1961. – Hauck, K. (Hrsg.): Zur german.-dt. Heldensage. Darmst. 1961. – Schneider, H.: German. Heldensage. 2 Bde. Bln. 1928, ²1962. – Chadwick, H. M.: The Heroic Age. Cambridge 1912. – Heusler, A.: Lied u. Epos in german. Sagendichtung. Dortm. 1905, Darmst. ³1960. – Ker, W. P.: Epic and Romance. Ldn. 1897, ²1908. – Grimm, W. J.: Die dt. Heldensage. Gött. 1829, Gütersloh ³1889; Nachdr. 1957. – RL. K

Heldenepos, Form der ⁄Heldendichtung. – Gegenüber dem knappen, zunächst nur mündl. überlieferten ⁄Heldenlied stellt das H. die jüngere, literar. (»buchmäßige«) Form der Heldendichtung dar; sein Umfang schwankt: der altengl. »Beowulf« hat ca. 3000, der span. »Cid« ebenso wie das altfrz. »Rolandslied« ca. 4000 Verse; das dt. »Nibelungenlied« besteht aus ca. 2400 Strophen (zu je 4 Langzeilen); von nach der homer. Epen hat die »Odyssee« ca. 12 000, die »Ilias« ca. 15 000 Hexameter; das altind. »Mahābhārata« umfaßt über. 100 000 Langzeilenpaare. *Das Verhältnis des H. zum älteren Heldenlied* ist im Laufe

der Forschungsgeschichte unterschiedl. beurteilt worden. Im 19. Jh. dominierte die durch F. A. Wolf für die homer. Epen entwickelte, von Lachmann, W. Grimm u. a. dann auf das »Nibelungenlied« übertragene ⁄Liedertheorie; Lied und Epos unterscheiden sich dieser Theorie gemäß weniger durch ihre Erzählweise als vielmehr durch den Umfang: das Epos erzählt die ganze Fabel, das Lied nur einzelne Episoden. W. P. Ker und A. Heusler wiesen jedoch darauf hin, daß auch die ältesten erhaltenen Heldenlieder nicht nur eine Episode, sondern die ganze Fabel gestalten. Der Unterschied zwischen beiden Gattungen der Heldendichtung liegt vielmehr im Stil (liedhafte Knappheit gegenüber ep. Breite); das H. entsteht aus dem Heldenlied durch »Anschwellung (neue Personen, Auftritte, Zustandsbilder, breitere Menschenschilderung) und Sprache« (Heusler). Der Übergang vom Lied zum Epos ist damit ein Prozeß »bewußter dichter. Schöpfung« (H. Schneider). Beim Übergang von der mündl. Dichtung zur schriftl. Literatur ist der Einfluß literar. Kunstepik häufig nachweisbar (so der Einfluß lat. Kunstepik und des höf. Romans auf die Ausbildung der Heldenepen des MA.s), doch bleibt auch das H. im wesentl. anonym und in seiner sprachl. Form dem Stil der älteren mündl. Heldendichtung verhaftet (Formelhaftigkeit des Stils, teilweise Verwendung einer spezif. ep. Sprache). Ältestes H. der Weltliteratur ist das *altmesopotam.* »Gilgamesch-Epos«. Die *altind.* Epen »Mahābhārata« und »Rāmāyaṇa« sind Musterbeispiele für die ep. Aufschwellung; es handelt sich um Werke »von fast enzyklopäd. Charakter« – »an die Haupterzählung, die ihrerseits immer weiter ausgesponnen wurde, lagerten sich zahllose und endlose Abhandlungen an, über Theologie und Philosophie – wie die bekannte ›Bhagavadgītā‹ –, Naturwissenschaften, Recht und Sitte, Politik und Lebensweisheit; ihr wurden vor allem auch Sagen, Episoden, Legenden, Fabeln, Parabeln und Märchen in schwer überschaubarer Verschachtelung von Rahmenerzählungen eingefügt« (A. Wezler). Die *homer.* Epen, »Ilias« und »Odyssee«, stellen die Vorbilder für eine umfangreiche *hellenist.* und *röm.* (Vergil, Statius) und überhaupt die ganze neuzeitl. Kunstepik dar (⁄Epos). Lat. Kunstepik regt *im FrühMA.* zur Episierung german. Heldenlieder an, in lat. Sprache und in Hexametern (»Waltharius«, 10./11. Jh. – ? –), in England auch in der Volkssprache (»Beowulf«, »Waldere«-Bruchstücke, beide 8. Jh., kunstvolle Stabreimverse, stich. verwendet; ⁄Hakenstil, Variationstechnik). – Heldenepik in größeren Ausmaße ist *im mal. Europa* allerdings erst seit dem Kreuzzügen nachweisbar, in Frankreich seit dem 11. Jh., in Deutschland seit Ende des 12. Jh.s. Sowohl das *frz. H.* des HochMA.s, die ⁄chanson de geste (»Chanson de Roland«, »Chançun de Guillelme«, »Li coronemenz Looïs«, »Gormont et Isembart«, »Raoul de Cambrai«, »Quatre fils Aymon« u. a.; verwandt ist das span. H. vom »Cid«), als auch das *dt. H.* (»Nibelungenlied«; »Kûdrûn«; die Dietrich-Epen »Dietrichs Flucht«, »Rabenschlacht«, »Alpharts Tod«, »Goldemar«, »Eckenlied«, »Sigenot«, »Virginal«, »Laurin«, »Der Rosengarten zu Worms« und »Biterolf und Dietleip«; »Ortnit«; »Wolfdietrich«; »Walther und Hildegund«) setzen sich nach Stoff, Form, Vortragsweise und Ethos von der gleichzeitigen höf. Epik (roman courtois, ⁄höf. Roman) ab: sie beschränken sich auf die alten, letztl. geschichtl. Heldensagenstoffe (im Gegensatz zu den der antiken Literatur bzw. der »matière de Bretagne« verpflichteten Stoffen der höf. Epik) und verwenden stroph. Formen (die altfrz. ⁄Laissen-Strophe; die mittelhochdt. Langzeilenstrophen vom Typ ⁄Nibelungenstrophe, ⁄Kûdrûnstrophe, ⁄Hildebrandston, ⁄Rabenschlachtstrophe usw. – im Gegensatz zum Reimpaar der höf. Epik), sie sind evtl. gesungen worden (das höf. Epos wurde vermutl. rezitiert) und sind wie alle älteren Formen der Heldendichtung anonym und meist in Sammelhandschriften (z. B. die dt. ⁄Heldenbücher) über-

liefert; sie sind Ereignisdichtung (das höf. Epos ist in erster Linie Problemdichtung) und neigen zu einer realist., oft trag. Weltsicht, wo die höf. Epik märchenhafte und utop. Tendenzen zeigt. Kein echtes H. ist das finn. »Kalevala«, eine im 19. Jh. durch den Gelehrten E. Lönnrot veranstaltete Kompilation alter lyr.-ep. Volkslieder.
⫿ s. ⁄Heldendichtung. K

Heldenlied, Form der ⁄Heldendichtung. – Gegenüber dem umfangreicheren, auf jeden Fall schriftl. fixierten ⁄Heldenepos stellt das knappe, in der Regel zwischen ca. 50 und 500 Zeilen umfassende H. die ältere Form der Heldendichtung dar; Charakterist. für die *Struktur des H.es* ist: es gibt den Handlungsablauf der Sage nicht in seiner ganzen Breite wieder, sondern konzentriert sich auf die Höhepunkte der Handlung, das Personal ist reduziert, in einer überschaubaren Anzahl durch äußerste Konzentration und Spannung gekennzeichneter Szenen wechseln knapper ep. Bericht und dramat. Dialog, insofern ist das H. eine ep.-dramat. Mischform, der ⁄Ballade vergleichbar. Das H. ist mündl. Dichtung. In seiner primitivsten Form ist es z. T. noch bis ins 20. Jh. bei den Serben und Bulgaren, in Albanien, in Teilen Rußlands (⁄Bylinen), in Finnland und in den balt. Ländern, bei asiat. und afrikan. Stämmen und Völkern zahlreich nachweisbar; es hat keinen festen Text; vielmehr wird es bei jedem Vortrag vom Vortragenden, dem ⁄Rhapsoden, aus einem festgelegten Handlungsgerüst und mit Hilfe eines z. T. umfangreichen Repertoires ep. Formeln (Eingangs- und Schlußformeln, epitheta ornantia, bestimmte Wendungen für alle mögl. Situationen und Tätigkeiten) und Erzählmustern (typ. Szenenabläufe, Motivformeln, ganze Motivketten und Handlungsschablonen) gewissermaßen neu geschaffen. In seiner metr. Form ist es auf dieser Stufe entsprechend anspruchslos, charakterist. sind Figuren der Wiederholung und des Gleichlaufs aller Art, wie sie die Formelhaftigkeit des Stils automat. mit sich bringt (⁄Carmenstil). H.er können in dieser Form über Jahrhunderte hinweg überliefert werden und von Stamm zu Stamm wandern. Ihre Anonymität ist nur die Konsequenz dieser Entstehungs- und Überlieferungsgeschichte. Von diesen international nachweisbaren »rhapsod.« H.ern unterscheiden sich die aus dem frühen und hohen MA erhaltenen *Denkmäler german. H.-Dichtung,* deren Stoffe in die Zeit der german. Völkerwanderung zurückverweisen. Sie scheinen einen jüngeren, höher entwickelten Typus des H.es zu repräsentieren, so das ahd. »Hildebrandslied« (Bruchstück; überliefert Anfang 9. Jh.), das altengl. »Finnsburg-Lied« (Bruchstück; überliefert ledigl. in einem Druckfassung des 18. Jh.s) und die altnord. H.er der »Edda« (des »Codex regius«, 13. Jh.) sowie diesen verwandte Denkmäler; darin finden sich heben insgesamt 18 Liedern süd- bzw. ostgerman. Stoffe (vor allem die *Lieder um Siegfrieds* (Sigurds) *Tod* und den *Burgundenuntergang;* ein *Wielandlied,* ein Lied von *Ermanarichs Tod,* über den *Hunnenschlacht* und »Hildebrands Sterbelied«) auch Lieder mit skandinav. Stoffen (die 3 *Helgi-Lieder*). Diese H. sind durchweg individuelle Gestaltungen des jeweil. Stoffes (vgl. etwa die beiden Sigurd-Lieder der »Edda«, die jeweils nur einen Aspekt des Geschehens herausarbeiten); sie müssen also von vornherein einen relativ festen Text gehabt haben, der trotz jahrhundertelanger mündl. Überlieferung stellenweise noch in den erhaltenen Liedfassungen greifbar wird (so lassen sich in den »Edda«-Liedern süd- bzw. ostgerman. Stoffes einzelne Wendungen oder Wörter süd- bzw. ostgerman. Ursprungs nachweisen). Ihre metr. Form ist der Stabreimvers, der teilweise stich., teilweise stroph. (so weitgehend in der »Edda«) überliefert wird. Es ist fragl., ob diese ›klass.‹ Form des H.es bereits für die Völkerwanderungszeit anzusetzen und als Form german. H.-Dichtung schlechthin zu erklären sei (Heuslers und Schneiders H.-»Klassik« des 4.–6. Jh.s): das ahd. »Hildebrandslied«

als ältestes der erhaltenen Lieder erfüllt die formalen Ansprüche, wie sie die Lieder der »Edda« erkennen lassen, nur unzureichend (Rohform des Stabreimverses mit Zeilen ohne Stabreim und mit einzelnen Endreimen). Von den H.ern der »Edda« ist ohnehin nur ein kleinerer Teil sog. »echte« Heldenlieder: im wesentl. sind dies die *doppelseit.* ⁄ *Ereignislieder,* die mit ihrer ep.-dramat. Gestaltungsweise dem international belegten Typus des H.es am nächsten kommen. Bei einem größeren Teil der »Edda«-Lieder, so v. a. bei den eleg. ⁄Situations- oder Rückblicksliedern (z. B. »Gudruns Gattenklage«, »Oddruns Klage«) liegen dagegen eher lyr. Gestaltungen einzelner Themen und Motive aus der Heldendichtung vor. Deshalb werden diese Lieder in der Forschung entstehungsgeschichtl. mit den dt. und dän. Heldenballaden (⁄Ballade, ⁄Folkevise, ⁄Kaempevise) des Hoch-MA.s in Verbindung gebracht (so z. B. W. Mohr).
⫿ ⁄Heldendichtung. K*

Heldensage, Stoff der ⁄Heldendichtung; ihre Quellen sind Geschichte, Mythos und Märchen. – H. ist die in der ⁄Heldendichtung poet. gestaltete Überlieferung aus der Frühzeit der nationalen Geschichte, in der H.nforschung als *heroic age* bezeichnet (Chadwick). Sie ist charakterisiert durch den Übergang von der bäuerl. Urgesellschaft zur Feudalzeit (Völkerwanderung, Landnahmebewegungen, krieger. Auseinandersetzungen, Staatengründungen). Als gesellschaftl. Führungsschicht bildet sich in dieser Umbruchszeit ein Kriegeradel als Keimzelle des späteren Feudaladels aus. H. und Heldendichtung sind dabei Geschichtsüberlieferung im Sinne dieser adligen Führungsschicht; Geschichte wird in der H. entsprechend umgeformt und typisiert. H. berichtet so nicht die Schicksale der Stämme, Völkerschaften und Reiche, sondern der Fürsten, ihrer Geschlechter, ihrer Gefolgsleute. Im Mittelpunkt der H. steht der Held als Idealtypus des Adelskriegers, Repräsentant seiner Gesellschaftsschicht und Träger ihrer eth. Ideale (Kriegerehre, Gefolgschaftstreue bis in den Tod). Die historischen Ereignisse sind nur noch in Umrissen greifbar, teilweise sogar überhaupt nicht mehr feststellbar. Die geschichtl. Chronologie ist weitgehend vernachlässigt. – Eine besondere Rolle bei der Typisierung der Geschichte in der H. spielt der (Götter-) ⁄Mythos: geschichtl. Handlungsabläufe werden nach myth. (archetyp.) Handlungsabläufen umgebildet. Der Held wird häufig nach dem Muster eines göttl. Heilsbringers stilisiert. Eine Reihe von Motiven und Motivketten der H. stammen aus dem ⁄Märchen; auch sie können die geschichtl. Basis der H. überlagern. Eigentl. Grundlage der H. bleibt aber die Geschichte, die erst in zweiter Linie nach den Mustern von Mythos und Märchen umgestaltet wird. – Die *H.nüberlieferung* der einzelnen Völker ordnet sich meist zykl. zu größeren Zusammenhängen, den *Sagenkreisen,* in deren Mittelpunkt jeweils ein überragender Held oder ein zentrales Ereignis steht. Zu den ältesten literar. greifbaren H.n gehört der *altmesopotam.* Sagenkreis um Gilgamesch, den legendären Gründer des Stadtstaates von Uruk. – Die H. des *alten Israel* knüpft an die Einwanderung der israelit. Stämme in Palästina, ihre krieger. Auseinandersetzungen mit den Philistern, den Stammesbund und die erste Königszeit an; in ihrem Mittelpunkt stehen die charismat. Führergestalten der »Richter« wie Josua, Gideon, Jephtha, Simson und Samuel sowie die ersten Könige, Saul und David. – Die mit der Einwanderung ar. Stämme in Nordindien verbundenen Kämpfe bilden den nur noch schwer greifbaren geschichtl. Hintergrund der *altind. H.,* die ihren Niederschlag in den großen Epen »Mahābhārata« und »Rāmāyaṇa« gefunden hat. – Zentrales Thema der *altpers. H.* ist die Begründung des pers. Großreiches durch Kyros (Reflexe bei Herodot). – Die polit. Umwälzungen in Griechenland und im ägä.-kleinasiat. Raum lassen sich allenthalben als geschichtl. Hintergrund der *griech. H.* nachweisen, wenn auch einzelne Ereignisse schwer fixierbar sind; wichtigste gr. Sagenkreise sind die um Herakles, Theseus, den Zug der Argonauten, die theban. Labdakiden (Ödipus), die myken. Atriden, die Belagerung und Zerstörung Troias durch ein gr. Heer und die Schicksale einzelner Helden dieses Krieges (Achilleus, Odysseus). Auch die *röm. H.* gestaltet geschichtl. Überlieferung aus der Wanderzeit (Einwanderung ägä. Stämme wie der Etrusker in Italien, Sagenkreis um Äneas) sowie aus der Zeit der Gründung Roms (Romulus und Remus), aus der Königszeit und aus der Zeit des Sturzes der etrusk. Könige und der Gründung der Republik (Lucretia). – Ereignisse aus der german. Völkerwanderung stehen im Mittelpunkt der *H.n der german. Stämme,* so die Auseinandersetzungen zwischen Goten und Hunnen in Südrußland (später Reflex das altnord. Lied von der Hunnenschlacht), die Schicksale des burgund. Reiches am Mittelrhein und der Tod Attilas (Untergang der Nibelungen), die Gründung des Ostgotenreiches in Italien (Theoderich der Große / Dietrich von Bern), die merowing. und langobard. Königsgeschichte (Siegfrieds Tod?; Alboin), die Einwanderung der Angeln und Sachsen nach England (Offa) u. a.; die großen Sagenkreise sind die um Siegfried und die Nibelungen und um Dietrich von Bern. – Zentralfiguren der *kelt. Heldensage,* greifbar vor allem im hochmal. höf. Roman, sind König Arthur (Artus), ein kelt. Heerführer im Kampf gegen die Angelsachs. Eindringlinge, und die Helden seiner ›Tafelrunde‹. Die *frz. H.* des MA.s hat die Kämpfe der Franken gegen die Araber in Südfrankreich und Nordspanien und die Etablierung des fränk. Königtums (im Kampf gegen ungetreue Ratgeber und aufrührerische Vasallen) zum Gegenstand; Mittelpunktsfiguren sind Karl der Große und seine zwölf Pairs (Paladine), darunter Roland und Wilhelm von Orange. Die *dt. H.* des MA.s setzt im wesentl. die ältere german. H. fort; Ansätze einer eigenen Sagentradition läßt die Sage um Herzog Ernst erkennen. Die *skandinav. H.* des MA.s dagegen umfaßt außer den alten Stoffen aus der Völkerwanderungszeit auch eine umfangreiche Sagenüberlieferung aus der Zeit der Wikinger und der Normannenzüge. Die *span. H.* des MA.s schließl. knüpft an die span. *reconquista* (Wiedereroberung) an; ihr Held ist der »Cid« (Herr) Rodrigo (Ruy) Díaz de Vivar. – Frühe Staatengründungen und die krieger. Selbstbehauptung der Stämme und Völker im Kampf gegen fremde Eroberer sind auch die Gegenstände der *H. der slaw. Völker* (z. B. die tschech. Sagen um Libussa, die Przemisliden und die Gründung Prags; die russ. Sage von Igor; die serb. und bulgar. Berichte aus den Kämpfen gegen die Türken).

⏹ s. ⟋Heldendichtung. K

Hellenismus, m., von J. G. Droysen geprägte Bez. für die griech. Spätantike (nach gr. hellenístoi = griech. Sprechen der [Apostelgesch. 6,1], das Droysen mißverstand als griech.sprechender Orientale). Die *zeitl. Begrenzung* dieser Epoche ist ebenso kontrovers wie ihre stilist.-geistige Definition. Gewöhnl. wird unter H. die Zeit der Entstehung des Alexanderreiches (Ende 4. Jh. v. Chr.) bis zum Ende des Ptolemäerreiches (30 v. Chr.) verstanden. – *Polit.* ist die Epoche bestimmt durch das Nebeneinander von größeren Staatsverbänden und Stadtstaaten, von demokrat. und monarch. Herrschaftsformen im Bereich der griech. Einflußsphäre, durch den allmähl. Zerfall der griech. Diadochenreiche und die Entfaltung des röm. Imperiums. – *Kulturell* ist sie gekennzeichnet durch die Entstehung der philosoph. Schulen der Stoiker (Diogenes von Sinope, Zenon von Kition) und der Epikuräer (Epikur; 4.–3. Jh. v. Chr.), durch das Einfließen oriental. Gedankengutes in alle Kulturbereiche, v. a. in die griech. Religionsvorstellungen und künstler. Ausdrucksformen, bei denen einerseits ein immer stärker hervortretender Realismus zu beobachten ist, zu dem auf der anderen Seite aber eine zunehmende Betonung phantast., irrationaler, antinaturalist. Tendenzen das

Gegengewicht bildet; diese Stilformen werden als erste abendländ. Ausprägung des ⟋Manierismus bezeichnet. V. a. auf dem Gebiete der Malerei wurden neue Ausdrucksformen entwickelt. Die Vasenmalerei wird von der Wandmalerei in den Hintergrund gedrängt (Apelles von Kolophon, Nikias von Athen; 4. Jh. v. Chr.). Zu einem Merkmal der Kunst dieser Epoche werden die genrehaften farbigen Terrakotten aus Tanagra. Herausragende hellenist. Kulturschöpfungen sind die Nike von Samothrake, der Altar von Pergamon, die Laokoon-Gruppe. – Das Zentrum der griech. Kultur verlagert sich seit dem Ende des 4. Jh.s nach Alexandrien (gr. Bibliothek, Gelehrtenschule, daher auch Bez. des hellenist. Zeitraums als ›alexandrin. Zeit‹); weitere Kulturzentren sind Pergamon, Antiochia, Rhodos. Es entsteht eine allgem. Verkehrssprache, die Koinē. – *Das literar. Schaffen* ist gekennzeichnet durch die philolog. Sammlung, Aufarbeitung, Kommentierung und weiterbildende Pflege der klassischen philosoph., wissenschaftl. und dichter. Werke (z. B. Anthologia Palatina: 1. Sammlung von ⟋Epigrammen), durch eine Verschmelzung von Poesie und Gelehrsamkeit zu sog. Bildungsdichtung (Grammatik, Lexikographie, Geschichte, Naturwissenschaften) und durch eine breite Produktion sog. Gebrauchsliteratur (Briefe, Tagebücher, Lehrgedichte, Handbücher zu allen Wissensgebieten). Auch in der *Dichtung* ist ein Zug zur problemloseren Darbietung alter Formen und Themen nicht zu übersehen, so wird z. B. das Epos abgelöst durch den Abenteuerroman, formal durch das ⟋Epyllion (Kallimachos), neugeschaffen werden auch die Gattungen der ⟋Diatribe, des Eidyllion (⟋Idylle, durch Theokrit, der damit die ⟋Schäfer- und Hirtendichtung begründete). Neu sind ferner oriental. alphabeth- und zahlenmyst. Formen wie Buchstaben- und ⟋Figurengedichte (Technopägnien) u. a. Allgem. zeigt sich in der Literatur neben einem Zug zunehmender Erotisierung und Utopisierung eine Vorliebe für Paradoxographien (Darstellung von Wundern und Absonderlichkeiten). Ein typ. Kennzeichen des H. ist der von Hegesias von Magnesia (4./3. Jh. v. Chr.) geschaffene asian. Stil; als ⟋Asianismus wird häufig die manierist. Komponente des H. bezeichnet. – Der H. steht in der Darstellung der abendländ. Geistesgeschichte meist im Schatten der klass. Epoche; er gilt manchen Forschern als eine Epoche des Zerfalls, anderen als notwendige Reaktion auf die klass. Zeit.

⏹ Bichler, R.: »H.«. Gesch. und Problematik eines Epochenbegriffs. Darmst. 1983. – Droysen, J. G.: Gesch. des H. 3 Bde. (1836–43), Neuausg. Darmst. 1980. – Schneider, Carl: Kulturgesch. des H. 2 Bde. Mchn. 1967–69. – Tarn, W. W.: Die Kultur der hellenist. Welt. Dt. Übers. Darmst. 1966. – Toynbee, A. J.: Hellenism. Ldn. 1959. – Rostovtzeff, M.: Gesellschafts- und Wirtschaftsgesch. der hellenist. Welt. Dt. Übers. Darmst. 1955/56. S

Helming, m. [altnord. = (Strophen)hälfte], in der altnord. Metrik Bez. der Halbstrophe; alle altnord. Strophenmaße zerfallen in zwei gleichgebaute Teile, die stets eine geschlossene syntakt. Einheit bilden. K*

Hemiepes, n. [gr. = halber ep. (Vers), d. h. halber ⟋Hexameter; Pl. Hemiepe], in der antiken Metrik meist. Folge (Vers) der Form ‒◡◡‒◡◡‒. Die Bez. geht auf die röm. Grammatiker der Spätantike zurück, die das H. als katalekt. daktyl. Trimeter auffassen und damit als Hexameterhälfte deuten. Heute wird das H. auch als Ausprägung eines vermuteten griech. Urverses aus drei festen Längen aufgefaßt. – Das H. findet Verwendung 1. im ⟋Pentameter (= Folge zweier Hemiepe), 2. in ⟋archiloch. Versen (Epoden und Asynarteten) sowie in den Variationen horaz. Epoden bei Ausonius, 3. in daktyloepitrit. Versen bei Pindar und Bakchylides. Stich. begegnet das H. nur in spätlat. Dichtung bei Ausonius. K*

Hemistichion, n. [gr. hemi = halb, stichos = Vers, Reihe, Zeile],

1. Halbvers, der durch eine ⁄Zäsur im Versinnern entsteht;
2. im dramat. Dialog der Redeanteil einer Figur, wenn ein Vers auf zwei Personen aufgeteilt ist, vgl. ⁄Stichomythie.

KT

Hendekasyllabus,m. [lat.-gr. = Elfsilbler, zu gr. hendeka = 11 und syllabe = Silbe], elfsilb. Vers, insbes.:
1. in der antiken Metrik ⁄äol. Versmaße: a) der *alkäische* H. (⁄alkäische Verse), das Versmaß der beiden ersten Zeilen einer alk. Strophe, b) der *sapph. H.*, ein um einen Kretikus erweiterter akephaler Hipponakteus:
−◡− | ◡−◡◡−◡−◡, das Versmaß der ersten 3 Zeilen einer sapph. Strophe (vgl. ⁄Odenmaße), c) der *phaläkeische H.* oder Phaläkeius.
2. in der roman. Verskunst der it. ⁄ *Endecasillabo.*   K

Hendiadyoin, n. [gr. = eins durch zwei], ⁄rhetor. Figur, bei der ein Begriff durch zwei gleichwert., mit *und* verbundene Wörter (meist Substantive) ausgedrückt wird anstelle einer log. richtigeren syntakt. Unterordnung (etwa Substantiv + Adjektiv- oder Genitivattribut): natura pudorque (= Natur und Scham) für *›natürl.* Scham‹, ir varwe und ir lîch (Gottfried von Straßburg) für ›die Farbe *ihres Leibes‹*, mir leuchtet Glück und Stern (Goethe) für *›Glücksstern‹*. Beliebt in rhetor. geprägter Literatur seit der Antike.   HD*

Hending, f. [altnord. = Reim, zu henda = mit den Händen greifen, zusammentreffen; metaphor. = reimen], in der altnord. ⁄Skaldendichtung Technik des ⁄Silbenreims, angewandt v. a. im ⁄Dróttkvœtt und seinen Variationsformen: die H. bindet als ⁄Binnenreim innerhalb eines Verses in der Regel zwei in der Hebung stehende Tonsilben durch Gleichklang der silbenschließenden Konsonanten (*skot-h.* = ›Halbreim‹, eigentl. ›Schlußreim‹), der diesen Konsonanten vorausgehende Tonsilbenvokal kann in den Reim miteinbezogen werden (*aðal-h.* = ›Vollreim‹). Dabei sind die Reimarten und -stellen streng geregelt, z. B. steht im Dróttkvœtt in den Zeilen 1, 3, 5 u. 7 *skot-h.*, in den Zeilen 2, 4, 6 u. 8 *aðal-h.*, vgl. z. B. Snorri Sturluson, »Háttatal«, Str. 1,1 : Lætr sá'r Hákon heitir / hann rekkir lið, bann at. Als eine der zahlreichen Sonderformen der H. gilt die *run-h.* (›Reihenreim‹), die Form des ⁄Endreims in der skald. Dichtung.   K*

Hephthemimeres, f. [aus gr. hepta = 7, hemi = halb, meros = Teil (lat. (caesura) semiseptenaria), in der antiken Metrik die ⁄Zäsur nach dem 7. halben Fuß eines Verses. Wichtigste Fälle:
1. die H. im *daktyl.* ⁄ *Hexameter:*
−◡◡|−◡◡|−◡◡|−◡◡|−◡◡|−◡; meist tritt sie zusammen mit der ⁄Trithemimeres, der ⁄Penthemimeres oder der Zäsur kata triton trochaion auf; auch die Verbindungen Trithemimeres + Penthemimeres + H. und Trithemimeres + kata triton trochaion + H. kommen vor.
2. die H. im *jamb.* ⁄ *Trimeter:*
◡−◡−|◡−◡| | ◡−◡− entsprechend im ⁄ *Choliambus* und im *jamb.* ⁄ *Senar.* − In dt. Hexameter-Nachbildungen erscheint die H. als männl. Zäsur nach der 4. Hebung (z. B. »Nôbel, der Kônig, versammelte den Hof; || und seine Vasállen«, Goethe, »Reineke Fuchs« I, 6), in dt. (seltenen) Nachbildungen des jamb. Trimeters als weibl. Zäsur nach der 3. Hebung (z. B. »Eröffnet sie mir wieder, || dáß ich ein Éilgebót . . .«, Goethe, »Faust II«, 8506/07).   K

Heptameter, m. [gr. heptametros, = aus 7 Maßeinheiten bestehend], in der Theorie der gr.-röm. Metrik ein Vers, der sich aus 7 metr. Einheiten (⁄Metrum) zusammensetzt. In der Praxis nicht vorkommend.   K

Heraldische Dichtung, ⁄Heroldsdichtung.

Herbstlied, mhd. Liedgattung, bei der an die Stelle des Preises des Sommers (als Zeit der Minne) das Lob des Herbstes tritt als einer Zeit der Gaumenfreuden, Schlemmereien und Völlereien. Die ältesten Zeugnisse finden sich bei den Schweizer Minnesängern Steinmar (2. Hälfte 13. Jh.) und Hadloub (um 1300). Diese im Spät-MA. beliebte Gattung wurde variiert in zahlreichen Kneip-, Freß-, Zech-, Sauf- und Martinsliedern.   S

Hermeneutik, f. [gr. hermeneuein = aussagen, auslegen, erklären, übersetzen],
1. Kunst der Auslegung (⁄Interpretation),
2. Theorie der Auslegung, d. h. Reflexion über die Bedingungen des Verstehens und seiner sprachl. Wiedergabe. Gegenstand der H. können prinzipiell alle dokumentierten Lebensäußerungen (Lit., Musik, Malerei, Geschichte, Institutionen usw.) sein; traditioneller Gegenstand ist jedoch der schriftl. Text (daher auch: *Text-H.*). − Die Hauptformen waren die philolog. Auslegung klass. Dichtung, die jurist. Auslegung der Gesetze, v. a. aber die theolog. Auslegung der hl. Schriften, bes. der Bibel (⁄Exegese). Die *Geschichte* der H. beginnt mit der griech. Antike, die neben streng grammat., den Wortlaut erfassenden Methoden, auch die den Wortlaut umdeutende, einen Hintersinn explizierende ⁄Allegorese entwickelt. Diese wurde in der Patristik zur Lehre vom mehrfachen ⁄Schriftsinn (Origenes, J. Cassianus, Hieronymus, Augustin) ausgebaut, eine hermeneut. Technik, die für das ganze MA. verbindl. war. Erst in der Reformation wird der Literalsinn Zentrum des Verstehens (›Schriftprinzip‹ M. Luthers: Die Schrift legt sich selbst aus, bedarf nicht des mal. ›Traditionsprinzips‹, der Tradition als Auslegungsnorm). Die reformator. H. ist jedoch bestimmt durch die jeweil. theolog. Anschauung u. Rückgriffe auf humanist. Formelemente; das umfassende Standardwerk ist die »Clavis scripturae sacrae« (1567) von M. Facius. − Zu Beginn der Neuzeit wurde der heut. Begriff ›H.‹ im Sinne einer Theorie der Auslegung geprägt; er findet sich erstmals 1654 als Buchtitel bei J. C. Dannhauser. Mit den Emanzipationsprozessen gegen Tradition und Autoritäten, insbes. mit der Entstehung des modernen Methoden- und Wissenschaftsbegriffs setzt die *hermeneut. Wende* ein: Sie führt zur Aufhebung (seit dem 18. Jh.) der grundsätzl. Unterscheidung zwischen der *hermeneutica sacra* (der theolog. H.) und der *hermeneutica profana* (der philolog.-histor. H.), d. h. die Auslegungsmethode der Bibel darf sich von der anderer Texte nicht unterscheiden (J. A. Turretini, S. J. Baumgarten, J. A. Ernesti, J. S. Semler). Ging es in der frühneuzeitl. H. um die Wiedergewinnung eines Verständnisses autoritativer Texte, so zielte sie jetzt formal auf Ausbildung einer allgemeinen Auslegungslehre als Teil der Logik (Ch. Wolff, 1732). − Im 19. Jh. liefert die klass. Philologie einen wichtigen Beitrag zur Entwicklung einer philolog. H. (F. A. Wolf, G. A. F. Ast); nach ihren Ansätzen, aber auch denen J. G. Herders und der Romantiker, entwarf F. E. D. Schleiermacher eine systemat. H. als »Kunstlehre des Verstehens«, wobei er die Probleme der Sprache als allgemeine, die des Denkens als individuelle Komponente einbezieht. *Verstehen gilt als reproduktive Wiederholung der ursprüngl. Produktion auf Grund von Kongenialität.* Ihm folgend bestimmte W. Dilthey die H. als »Kunstlehre des Verstehens schriftl. fixierter Lebensäußerungen« und sah in ihr die methodolog. Grundlage der Geisteswissenschaften überhaupt. Diltheys Bemühungen wurden im 20. Jh. durch G. Misch, H. Nohl, E. Spranger, E. Rothacker, O. F. Bollnow u. a. weiterentwickelt zum philosoph. und geisteswissenschaftl. Verfahren überhaupt. Auf dieser sogen. zweiten hermeneut. Wende basiert M. Heideggers »H. des Daseins«, die aber nicht als ⁄Methodologie des Verstehens konzipiert ist, sondern aller geisteswissenschaftl. Methodologie vorgeordnet wird. Die Theorie der vormethodolog. sogen. *philosoph. H.* wurde fortgeführt durch H.-G. Gadamer (»Wahrheit u. Methode«, 1962), der v. a. das wirkungsgeschichtl. bestimmte Verhältnis von Vorverständnis und Verstehen analysiert. Seine Theorie führte u. a. zu Kontroversen mit Vertretern des krit. Rationalismus (bes. H. Albert) und der Frankfurter Schule der krit. Theorie (bes. J. Habermas). In einer philosoph. H., in der es nur um eine H. von Texten gehen kann, die Behauptungsintentionen aufweisen (die nicht-fiktionalen Charakter haben), schlägt R. Carnap eine Theorie der

»rationalen Nachkonstruktion« (oder »Explikation«) vor, während W. Stegmüller zw. »Direktinterpretation« und »rationaler Rekonstruktion« unterscheidet. Die Erlanger Schule der »konstruktiven Methode« (W. Kamlah, P. Lorenzen) präzisiert diese Intentionen: Lorenzen schlägt die »systemat.-krit. Interpretationsmethode der log. Rekonstruktion« vor, die die Chance des Lernens durch Interpretationen oder die Möglichkeit der Kritik des Textes überhaupt erst ermöglichen soll. – Unter dem Begriff ›hermeneut. Zirkel‹ wird das Problem subsumiert, daß das Einzelne nur aus dem Ganzen verstehbar ist, aber auch das Ganze sich aus dem Einzelnen konstituiert und dieses Wechselverhältnis sich in einer intelligiblen Spiralbewegung oder im dialekt. Miteinander dem Erkenntnisziel nähern kann.

🕮 Kaulen, H.: Rettung und Destruktion. Unters. zur H. W. Benjamins. Tüb. 1987. – Krusche, E.: Lit. und Fremde. Zur H. kulturräuml. Distanz. Mchn. 1985. – Jauß, H. R.: Ästhet. Erfahrung und literar. H. Frkf. 1982. – Brinkmann, H.: Mittelalterl. H. Tüb. 1980. – Leibfried, E.: Literar. H. Eine Einf. in ihre Gesch. u. ihre Probleme. Tüb. 1980. – Schleiermacher, F.: H. und Kritik. Hg. v. M. Frank. Frkf. 1977. – Japp, U.: H. Mchn. 1977. – Zöckler, Ch.: Dilthey und die H. Stuttg. 1975. – Lorenzen, P.: H. u. Wissenschaftstheorie aus d. Sicht der konstruktiven Methode. In: H. als Kriterium f. Wissenschaftlichkeit? Der Standort der H. im gegenwärt. Wissenschaftskanon. Hg. v. U. Gerber. Loccum 1972, S. 129–134. – H. u. Ideologiekritik. Frkft. 1971. – Wach, J.: Das Verstehen. Grundzüge einer Gesch. d. hermeneut. Theorie im 19. Jh. 3 Bde. Tüb. 1926–33, Nachdr. Hildesheim 1966. – Betti, E.: Die H. als allgem. Methodik d. Geisteswissenschaften. Tüb. 1962.   **S**

Hermetische Literatur [hermetisch = fest verschlossen – ursprüngl. mit dem mag. Siegel des griech. Gottes Hermes, womit dieser eine Glasröhre luftdicht verschließen konnte]. Schrifttum einer spätantiken religiösen Offenbarungs- und Geheimlehre, als deren Verkünder und Verfasser Hermes Trismegistos (d. h. der dreimal größte Hermes, die griech. Verkörperung des ägypt. Schrift-, Zahlen- und Weisheitsgottes Thot) angesehen wurde; aufgezeichnet in den unter den Schriften des Apuleius überlieferten »Asclepius«-Abhandlungen und in zahlreichen Fragmenten, v. a. aber im »Corpus Hermeticum« (nach dem Titel des ersten der 18 Teile auch »Poimandres« genannt). Diese in griech., kopt. und lat. Sprache erhaltene Sammlung ist nicht gleichzeitig entstanden und enthält keine einheitl., d. h. widerspruchsfreie Lehre. Sie wird dem 2./3. Jh. n. Chr. zugerechnet, enthält aber Teile, die mindestens dem 1. Jh. v. Chr. zugehören. Es sind Traktate in Brief-, Dialog- oder Predigtform, die Kosmogonie, Anthropogonie und Erlösungslehre vereinigen; sie zeigen Einflüsse ägypt. und orph. Mysterien, neuplaton. und neupythagoreische Gedanken und handeln vom Wiedergeburt, Ekstase, Reinigung, Opfer, myst. Vereinigung mit Gott. Sie waren möglicherweise zunächst für »konventikelartig organisierte hermet. Esoteriker« (Tröger) bestimmt, erreichten aber im 3. und 4. Jh. n. Chr. weitere Verbreitung und Einfluß auf die christl. Gnostik. Vornehml. durch arab. Vermittlung blieb die h. L. auch für das MA. lebendig. Nachdem schon Abaelard und Albertus Magnus (»Speculum astronomicum«) Gedanken der h.n L. verarbeitet hatten, wurde das »Corpus Hermeticum« durch die lat. Übersetzung M. Ficinos (Florenz 1463, veröffentl. Treviso 1471) und die griech. Ausgabe (Paris 1554) für den europ. Humanismus bedeutsam. Starken Einfluß hatte die h. L. auf die Alchimie, Astrologie und auf okkulte Strömungen der Literatur des 16. und 17. Jh.s (Agrippa von Nettesheim, Paracelsus, J. V. Andreae, auch auf die ägyptisierende Freimaurermythologie des 18. Jh.s [»Zauberflöte«]).

🕮 Tröger, K.-W.: Mysterienglaube u. Gnosis im Corpus Hermeticum XIII. Bln. (Ost) 1971. – Scott, W. (Hrsg.): Hermetica. 4 Bde. Oxford 1924/36, Nachdr. Scranton (Pa.) 1968 (Text, Kommentar u. engl. Übersetzung).   **HW**

Hermetismus, m. [it. ermetismo, vgl. ⁄hermetische Literatur], Richtung der modernen ital. Lyrik (ermetismo; bes. zw. 1920 und 1950); knüpft an die franz. Lyrik des 19. Jh.s an (A. Rimbaud, St. Mallarmé, P. Valéry; ⁄Symbolismus): an die Stelle anschaul. Gegenstände u. offenliegender Sinnzusammenhänge setzt der H. einen geheimnisvoll-dunklen, vieldeutigen Beziehungsreichtum, indem er Klang- und Gefühlswerte des Wortes gegenüber seiner Sinnbedeutung hervorhebt, mag.-rätselhafte, häufig nur assoziativ nachvollziehbare Verknüpfungen heterogener Seinsbereiche anstrebt und so ein unmittelbares, spontanes Verständnis dieser Lyrik verwehrt. Entstand aus der Opposition gegen die moderne Massengesellschaft und die herkömml., verbraucht empfundene Sprache des Alltags wie auch der Literatur (gegen G. Carducci, G. D'Annunzio); erstrebt eine Autonomie der Dichtung, die mittels sprachl. Erneuerung auch ›neue‹ Wirklichkeiten zu entdecken und darzustellen sucht. Die bedeutendsten Vertreter des H. sind E. Montale, G. Ungaretti, S. Quasimodo; der H. wurde seit ca. 1950 bekämpft von L. Anceschi und den späteren Vertretern der ⁄Gruppe 63. – Vielfach wird heute ›H.‹ (ursprüngl. von F. Flora in polem. Absicht geprägt) als Bez. für einen allgem. Wesenszug der mod. Lyrik überhaupt verstanden und auch für entsprechende Richtungen der nicht-ital. Literatur verwendet.

🕮 Ramat, S.: L'ermetismo. Florenz 1969. – Flora, F.: La poesia ermetica. Bari ³1947.   **GMS**

Heroic couplet [hi'rouik 'kʌplit; engl. = heroisches Reimpaar, des 17. Jh.s], in der engl. Dichtung Reimpaar aus zwei sog. ⁄heroic verses (Fünfhebern); andere (ältere) Bez. auch long couplet = langes Reimpaar im Ggs. zu dem aus 2 Vierhebern bestehenden sog. *short couplet.* Das h. c. ist seit G. Chaucer (»Canterbury Tales«, 1391–99) die bedeutendste metr. Form der Verserzählung und des Lehrgedichts; im 15. Jh. z. B. bei J. Lydgate (»The Siege of Thebes«, »The Book of Troy«), im 16. Jh. u. a. bei Gavin Douglas (Übers. der Äneis des Vergil), G. Chapman (Übers. der Odyssee), Ch. Marlowe (»Hero and Leander«), im 17. Jh. u. a. bei J. Dryden (»Fables Ancient and Modern«), im 18. Jh. bei A. Pope (»The Rape of the Lock«, »The Dunciad«, »Essay on Man«, »Essay on Criticism«); im 17. Jh. verdrängt es vorübergehend sogar den ⁄Blankvers als metr. Form der Tragödie (Dryden, »The Indian Queen«). Erst im 19. Jh. verliert das h. c. an Bedeutung.   **K**

Heroic stanza [hi'rouik 'stænzə; engl. = heroi. Strophe], in der engl. Dichtung 4zeil. Strophe aus ⁄heroic verses. Reimschema: abab; findet sich v. a. in der Dichtung des 16. u. 17. Jh.s (J. Dryden, »H. St.s on the Death of Oliver Cromwell«); sie wird im 18. Jh. durch Th. Gray als *elegiac stanza* (= eleg. Strophe), als Strophenmaß der eleg. Dichtung wieder aufgegriffen (»Elegy written in a Country Churchyard«) und begegnet, in Grays Nachfolge, gelegentl. noch in späterer ⁄Gräberpoesie (H. W. Longfellow, »The Jewish Cemetery at Newport«).   **K**

Heroic verse [hi'rouik 'vɛːs; engl. = heroischer Vers, d. h. Vers der heroi. Dichtung; Bez. des 17. Jh.s], in der engl. Dichtung gereimter 5heb. jamb. Vers mit freier männl. oder weibl. Zäsur nach der 2. Hebung; Versschluß männl. oder weibl.; zahlreiche Variationen dieses Grundschemas (z. B. fehlende Eingangssenkung, 2silb. Senkungen, Zäsur auch nach der 3. Hebung, Akzentverschiebungen u. a.) begegnen v. a. in der älteren Dichtung. – Der h. v. ist die engl. Adaption des frz. Zehnsilblers (Dekasyllabus, ⁄vers commun) bzw. des italien. ⁄Endecasillabo. Er findet sich zuerst Ende des 13. Jh.s im Rahmen einer 8zeil. heteromtr. (ungleichversigen) Strophe in zwei Gedichten des Codex Harleian 2253. Er wird dann *stich.* (paarweise gereimt als sog. ⁄heroic couplet) und *strophisch* (u. a. in der sog. ⁄Chaucerstrophe und der ⁄heroic stanza) verwendet.

– Durch Aufgabe von Reim und fester Zäsur wird im 16. Jh. aus dem h. v. der ↗Blankvers entwickelt. K

Heroiden, f. Pl. [zu gr.-lat. herois = Heldin], auch: Heldenbriefe; nach dem Titel von Ovids »Heroides« (Priscian 10,54) benannte und unmittelbar an sie anknüpfende literar. Gattung: fiktive ↗Briefgedichte weltl. oder bibl. Helden mit erbaul., polit. oder unterhaltendem Inhalt. Ovids Werk steht in der Tradition der erot. ↗Elegie; es enthält 15 klagende oder werbende Briefe myth. Frauen (z. B. Penelope, Dido, Medea) an ihre in der Ferne weilenden Geliebten und drei Briefpaare (Paris-Helena, Hero-Leander, Akontios-Kydippe). Es wurde in der Ovid-Renaissance des MA.s rezipiert und seit dem Humanismus in der ›Epistula eroica‹ nachgeahmt: zunächst lat. (Enea Silvio Piccolomini), dann in allen Volkssprachen. In Deutschland führte Eobanus Hessus die geistl. Spielart der »Heroides sacrae« ein (Briefe christl. Heldinnen, 1514 und 1532), welche dann bes. von Jesuiten gepflegt wurde (J. Bidermann). Zur literar. Mode wurden H. im Barock durch Ch. Hofmann von Hofmannswaldau und seine Nachahmer (D. Casper von Lohenstein, H. A. von Zigler und Kliphausen u. a.). Später fanden sie mehr Resonanz in England (A. Pope) und Frankreich (Colardeau, C. J. Dorat u. a.). A. v. Platen und A. W. Schlegel bemühten sich (im Anschluß an Wielands »Briefe von Verstorbenen«) um ihre Erneuerung. ▢ Dörrie, H.: Der heroische Brief. Bln. 1968. – RL. HSt

Heroisch-galanter Roman, höf. Roman des Barock, gestaltet nach franz. Vorbildern, etwa Gomberville (»Polexandre«, 1637, »La Cythérée«, 1639), La Calprenède (»Cléopâtre«, 1647–1663), M. de Scudéry (»Artamène ou le Grand Cyrus«, 1649–53, »Clélie«, 1654–60) u. a., die ihrerseits dem hellenist. Roman (Heliodor, »Aithiopika«, 3. Jh.) verpflichtet sind, aber auch hero. Motive des Ritterromans (Prototyp: »Amadis«) mit solchen des Staatsromans (J. Barclay) und v. a. des sentimentalen Liebesromans (H. d'Urfé) verbinden: in Deutschland vertreten zuerst durch A. H. Buchholtz (»Des christl. teutschen Großfürsten Hercules und der böhm. königl. Fräulein Valiska Wundergeschichte«, 1659–60), dann durch Ph. v. Zesen (»Die Adriat. Rosemund«1645, »Die Afrikan. Sofonisbe«, 1647; »Assenat«, 1670 u. a.), H. A. v. Zigler und Kliphausen (»Die Asiat. Banise«, 1689), D. Casper v. Lohenstein (»Arminius«, 1689), Herzog A. U. v. Braunschweig (»Die Syr. Aramena«, 1669–73; »Die Röm. Octavia«, 1677–1711), E. W. Happel (»Der Asiat. Onogambo«, 1673) u. a. In den ungeheuer aufgeschwellten Romanen mit ihrer komplexen Struktur (mehrsträng. Erzählweise, Aufspaltung der Geschichte jeder Person in Haupt- und Vorgeschichte[n], mehrfache Verschachtelung von Er-Erzählung und Ich-Berichten) agieren vor einem pseudohistor. Hintergrund (der aber die moderne Problematik nicht verdeckt) eine Vielzahl hochgeborener, zu Paaren von Liebenden geordneten Personen, die ihre Identität durch Verkleidung, Verwechslung, Verkennung oft mehrfach wechseln, und die in einer insgesamt unwahrscheinl., im einzelnen aber in der Verschlingung von Zufall, Täuschung, sich durchkreuzenden Intentionen etc. durchaus streng motivierten Handlung alles erdenkl. polit. (Vertreibung vom Thron etc.) und sentimentale (Trennung vom Geliebten etc.) Mißgeschick erdulden müssen. Handlung und Struktur des h.-g.n R.s spiegeln so einerseits eine von der undurchschaubaren Fortuna regierte Scheinwelt, deren leidvollen Prüfungen der Mensch seine Tugenden wie Weisheit, Selbstbeherrschung, Beständigkeit nur unvollkommen entgegensetzen kann, andererseits aber auch, im glückl. Ausgang des Romans, die Bestätigung der Normen einer Wirklichkeit, in der Providentia, die göttl. Vorsehung, waltet, die zuletzt die Herrscher bestätigt und die Liebenden vereint. ▢ Spahr, B. L.: Der Barockroman als Wirklichkeit u. Illusion. In: Dt. Romantheorien, hrsg. v. R. Grimm. Frkft./Bonn 1968. – Alewyn, R.: Der Roman des Barock.

In: Formkräfte dt. Dichtung, hrsg. v. H. Steffen. Gött. [2]1967. – RL. ED

Heroldsdichtung (auch: herald. Dichtung, Wappendichtung). Panegyr.-lehrhafte Literaturgattung des 13.–15. Jh.s, in der die Beschreibung fürstl. Wappen nach einem festen Schema mit allegorisierender Auslegung und der Huldigung ihrer gegenwärtigen oder früheren Träger verbunden wird. In ihr treffen sich dem Turnierwesen entstammende Formen mündl. Reimsprecherkunst mit literar. Traditionen der Wappenschilderung, wie sie seit Heinrich von Veldeke im höf. Roman und als selbständige Dichtung von Konrad von Würzburg geübt wurden (»Das Turnier von Nantes«). Da es sich um Gelegenheitsdichtung handelt, dürfte die tatsächl. Verbreitung größer gewesen sein als die Überlieferung erkennen läßt. Hauptvertreter sind der niederrhein. Herold Gelre, der Österreicher Peter Suchenwirt und Wigand von Marburg (Dt. Orden). Im 16. Jh. wird die H. durch die ↗Pritschmeisterdichtung abgelöst; Spuren ihres Fortlebens reichen bis in die Emblematik des Barock. ▢ Rosenfeld, H.: Nord. Schilddichtung u. mal. Wappendichtung. ZfdPh 61 (1936). – RL. HSt

Hexameter, m. [zu gr. hexametros, Adj. = aus 6 metr. Einheiten], antiker Vers aus 6 Metren, insbes. aus ↗Daktylen oder ↗Spondeen *(daktyl. H.),* wobei der 5. Metrum meist ein Daktylus, das 6. stets ein Spondeus oder Trochäus ist. Normalform: –◡◡|–◡◡|–◡◡|–◡◡|–◡. Die Bez. H. findet sich zuerst bei Herodot (I, 47). Andere antike Bez. sind gr. *heroikon metron* = hero. Versmaß, oder lat. *versus longus* = langer Vers (Ennius), da der H. der längste antike Sprechvers ist. – Der relativ freie Wechsel von Daktylen und Spondeen sowie eine Reihe von ↗Zäsuren (2 bis 3 pro Vers) und »Brücken« machen den H. zu einem bewegl. und vielseitig verwendbaren Vers. Durch den Wechsel von Daktylen und Spondeen ergeben sich insgesamt 32 Verstypen; Extremformen sind dabei 1. der *Holodaktylus* (nur aus Daktylen bestehender Vers) und 2. der *Holospondeus* (nur aus Spondeen bestehender Vers, auch *Spondeiazon);* eine Ausnahmeform ist auch der *versus spondiacus* mit einem Spondeus als 5. Metrum (schon bei Homer, v. a. bei den Alexandrinern und ihren Nachfolgern, den ↗Neoterikern). – Wichtigste *Zäsuren* sind
1. die ↗Trithemimeres (Einschnitt nach dem 3. halben Metrum),
2. die ↗Penthemimeres (Einschnitt nach dem 5. halben Metrum),
3. die Zäsur *kata triton trochaion* (d. h. nach der Kürze des 3. Daktylus, der damit wie ein Trochäus wirkt: –◡◡|–◡◡|–◡|◡|–◡◡|–◡◡|–◡ und 4. die ↗Hephthemimeres (Einschnitt nach dem 7. halben Metrum). Dazu kommt als weiterer mögl. Verseinschnitt die sog. ▷bukol. Dihärese, die den H. in einen daktyl. ↗Tetrameter und einen ↗Adoneus zerlegt. Wichtige *Brücken,* d. h. Stellen, an denen die Zäsur vermieden wird, sind die *Hermannsche Brücke* (benannt nach dem Altphilologen G. Hermann, der diese Regel 1805 entdeckte) zwischen den beiden Kürzen des 4. Fußes, sofern dieser daktyl. gefüllt ist, und die *bukol. Brücke* nach dem 4. Fuß, sofern dieser sponde. gefüllt ist durch diese Brücken wird eine scheinbare Vorwegnahme des Versendes vermieden.
Der H. ist der Vers der homer. Epen. Aus der Zeit vor Homer sind einzelne H. in (Vasen)inschriften erhalten. Seit Hesiod findet sich der H. auch im Lehrgedicht. Weiter ist er, in Verbindung mit dem ↗Pentameter (eleg. ↗Distichon), der Vers der ↗Elegie und des ↗Epigramms; sonst findet er sich in der Lyrik nur in umfangreicheren Gedichten wie den homer. Hymnen und in der Bukolik; in der Tragödie begegnet er vereinzelt (Sophokles, »Philoktetes«: das Orakel v. 839 ff.). – Die H.-Dichtung der hellenist. Zeit (Kallimachos) und der Spätantike (Nonnos) unterscheidet sich von der älteren (homer.) Praxis durch größere Strenge und Künstlichkeit des Versbaus (2 Spondeen dürfen nicht

unmittelbar aufeinander folgen; der bei Homer seltene spondiacus wird von den Alexandrinern bewußt gesucht, die Brücken werden streng beachtet usw.). – In die röm. Dichtung führt Ennius den H. ein. Seine Verwendung entspricht der des griech. Vorbilds; allerdings wird in den lat. H.n die Hermannsche Brücke nicht beachtet – damit ergibt sich eine weitere mögl. Zäsur, die *Zäsur post quartum trochaeum:* –∪∪ | –∪∪ | –∪ ‖ ∪ | –∪∪ | –σ̄). Die quantitierende mittellat. Dichtung kennt als Sonderform den H. mit Zäsurreim, v. a. den *Versus Leoninus* (↗leonin. Vers mit Reim von Penthemimeres und Versschluß, z. B. »Quáe simulándo spém | premit áltum córde dolórem, »Ruodlieb«, I,58) und, bei Dreiteilung des Verses, den sog. *Trinini salientes* (mit Reim von Trithemimeres, Hephthemimeres und Versschluß, z. B. plús queris, | nec plénus eris, | donéc moriéris, »Carmina Burana«, CB 2,5). Die rhythm. lat. Dichtung des frühen MA.s verwendet als Ersatzform des quantitierenden H.s den sog. *langobard. H.* (Bez. nach W. Meyer; Blüte im langobard. Italien des 8. Jh.s; in Spanien Verwendung bis ins 10. Jh.), einen Vers von 13 bis 17 Silben, der durch eine Mittelzäsur in zwei Teile zerfällt (5 bis 7 und 8 bis 10 Silben) und eine feste Kadenz hat (z. B. »égo náta dúos | pátres habére dinóscor«, »Aenigmata hexasticha« 1,1). – Die ältesten H. in dt. Sprache finden sich seit dem 14. Jh. (Merkverse, Kalendersprüche; meist leonin. Verse vom Typ »érbüt gót eré, | bis sitig, zórne nicht sére« (J. Rothe, um 1400). Um »quantitierende« dt. H. bemühen sich vor allem die gelehrten Humanisten des 16. und 17. Jh.s (z. B. K. Geßner: »Ó vattér unsér, der dú dyn éewige wónung«, Fischart, A. Bythner, J. Clajus). Die ersten dt. H. nach dem »akzentuierenden Versprinzip stammen von S. v. Birken (1679; mit Endreim; im allgemeinen ersetzt die dt. Dichtung des 17. Jh.s jedoch den H. durch den reimlosen Alexandriner. Im 18. Jh. verwenden J. P. Uz (1743) und E. v. Kleist (»Der Frühling«, 1749) Alexandriner mit teilweise 2silbigen Binnensenkungen, Verse, die den späteren dt. H.n sehr nahe kommen. Den reimlosen akzentuierenden H. führen J. Ch. Gottsched (»Crit. Dichtkunst«, 1730) und F. G. Klopstock (»Der Messias«, Buch I–III, 1748) in die dt. Dichtung ein; mit den Homer-Übersetzungen von J. H. Voß und Goethes H.-Epen (»Reineke Fuchs«, »Hermann und Dorothea«) setzt er sich dann in der neuhochdt. Verskunst endgültig durch und wird bis in die jüngste Gegenwart immer wieder verwandt (B. Brecht!). – Der dt. H. kann als 6hebiger Vers ohne Eingangssenkung, mit 1- oder 2silbigen Binnensenkungen und mit weibl. Kadenz umschrieben werden; dabei entspricht die Folge x́ x x dem griech.-lat. Daktylus, während x́ x, eigentl. die dt. Entsprechung des griech.-lat. ↗Trochaeus, den antiken Spondeus vertritt. Rigorist. dt. Metriker wie Voß, A. W. Schlegel, A. v. Platen und, teilweise, auch Klopstock fordern die Nachbildung des Spondeus durch zwei gleichgewichtige Silben (x́ x́): Düsterer zog Sturmnacht, graunvoll rings wogte das Meer auf (Voß). – Versuche, den antiken H. nachzubilden, hat es auch in der Dichtung anderer europ. Nationen gegeben, ohne daß sie die Wirkung der dt. H.-Dichtung erreichten; dies gilt auch für die engl. H. Coleridges und H. W. Longfellows.

📖 Drexler, H.: H.studien. 6 Bde. Madrid 1953–56. K*

Hiat(us), m. [lat. = Öffnung, klaffender Schlund], bezeichnet in der Sprach- und Verswissenschaft das Zusammenstoßen zweier Vokale an der Silben- oder Wortfuge. Man unterscheidet den *Binnenhiat* innerhalb eines Wortes (Lei-er) oder eines Kompositums (Tee-ernte) und den *äußeren Hiat* zwischen zwei Wörtern (da aber). Der äußere H., zumal wenn gleiche und betonte Vokale zusammentreffen, galt der normativen Metrik als schwerer Verstoß, doch auch die Beseitigung neben- und schwachtoniger Vokale wurde vielfach nach dem Vorbild der in lat. Dichtung üblichen H.tilgung angestrebt. Seit der Forderung M. Opitz' (1624), das auslautende unbetonte -e zu vermeiden, ist zur grammat. Kennzeichnung des Vokalausfalls die Apostroph (hab' ich) üblich geworden. Der H. kann auf verschiedene Weise umgangen werden, z. B. durch ↗Elision, ↗Aphärese, ↗Krasis oder ↗Synalöphe (s. weiter ↗Prosodie). Während in ahd. und mhd. Dichtung, nach Meinung der Forschung, der H. weithin gemieden oder getilgt wird, auch in der Barockpoetik das H.-Verbot vielfach ausgesprochen und befolgt wurde, setzte sich seit der Dichtung dem Empfindsamkeit und Klassik ein individuellerer Umgang mit dem H. durch. Man findet ihn vereinzelt bei Klopstock, Lessing, Goethe, häufiger bei Schiller, H. v. Kleist, H. Heine; philolog. orientierte Dichter wie Platen, Rückert, Mörike oder Simrock suchen ihn dagegen streng zu meiden. – RL HW

Hieronym, n. ↗Ascetonym.

Hilarodie, auch: Simodie, Magodie, Lysiodie, f., altgriech. Bez. für solist., mim.-gest. (gesungene) Vorträge einfacher Lyrik (Typendarstellungen u. ä.) zu Musikbegleitung, evtl. mit Tanz, in der Tradition des ↗Mimus (vgl. ähnl. ↗Kinädenpoesie). Die Bez. werden seit dem Hellenismus synonym gebraucht (Strabon u. a.); ursprüngl. (vgl. Aristoxenos, 4. Jh. v. Chr.) bezeichneten jedoch wohl *Magodie* und *Lysiodie* burlesk-kom. Ausprägungen (zu Pauken bzw. Flötenmusik), *H.* und (mit anderem Kostüm?) *Simodie* ernste Darstellungen (zu Saitenspiel). Das einzige erhaltene hellenist. Beispiel, »Des Mädchens Klage«, wird von der Forschung als H. klassifiziert. IS

Hildebrandston, altdt. ep. Strophenform, Variante der ↗Nibelungenstrophe ohne deren herausgehobenen Strophenschluß: vier paarweise gereimte Langzeilen aus je einem 4heb. Anvers mit klingender und 3heb. Abvers mit männl. Kadenz: (x)/x́x/x́x/–/x̌ // (x)/x́x/x́x/x́. Eingangssenkung und Versfüllung sind frei, Zäsurreime häufig. Bez. nach dem in dieser Form abgefaßten »Jüngeren Hildebrandslied«. Der H. ist Strophenmaß mehrerer altdt. Heldenepen (»Nibelungenlied« in der Fassung k, »Ortnit«, »Wolfdietrich«, »Alpharts Tod«, »Der Rosengarten zu Worms«, »Das Lied vom Hürnen Seyfrid«) und Volksballaden (»Kerensteinballade«); er begegnet außerdem im Volkslied (»Herzlich tut mich erfreuen«), im geistl. Lied (»Es ist ein Ros' entsprungen«) und in der Balladendichtung des 19. Jh.s (L. Uhland, »Des Sängers Fluch«, A. v. Chamisso, »Das Riesenspielzeug«, A. Grün u. a.). K

Hinkjambus ↗Choliambus.

Hintertreppenroman, um 1880 gebildete Bez. für den ↗Kolportageroman, der von Hausierern als Massenware an ein einfaches Lesepublikum (Dienstboten) ›an der Hintertreppe‹ (dem Dienstboteneingang) verkauft wurde. JS

Hipponakteische Strophe, s. ↗Odenmaße.

Hipponakteus, m., antiker lyr. Vers der Form ∪∪–∪∪–∪–σ̄, eines der Grundmaße der äol. Lyrik (↗äol. Versmaße), ebenso seine 8silb. akephale Form; die Bez. nach Hipponax, einem ion. Lyriker (6. Jh. v. Chr.) ist ungeklärt, da unter seinem Namen keine Hipponakteen überliefert sind. K

Hirtendichtung, ↗Schäferdichtung.

Historie, f. [gr. istoría = Erkundung, Wissen(schaft), Erzählung],
1. in der griech. Antike allgem. Bez. für empir. Wissenschaft (Naturwissenschaft; Herodot); seit Aristoteles insbes. auch Geschichtsschreibung. Im Lat. bez. H. als Lehnwort *(historia)* im Unterschied zu den heim. ↗Annalen der Darstellung der Zeitgeschichte.
2. im Spät-MA. Bez. für beliebte und weit verbreitete, oft unterhaltsam-phantast. Erzählungen in Vers u. Prosa, z. B. »H.n von dem Wartburg-Krieg« (eine mit Sagen- und Legendengut angereicherte Nacherzählung des AT.s, Mitte 14. Jh.); bes. häufig im Titeln der ↗Volksbücher, z. B. »Histori von Herren Tristan und den schönen Isalden von Irlande« (Druck Augsb. 1484), »Historia von D. Johan Fausten ...« (Druck Frkft./M. 1587) u. v. a.
3. dramat. Gattung des ↗elisabethan. Dramas, eine der frü-

hesten Formen des ⁄Geschichtsdramas, Blüte Ende des 16. Jh.s; gestaltet in mehrsträng. Handlungsführung Ereignisse der nationalen Geschichte in chronikart. Reihung lokker gebauter ep. Szenen (daher auch *chronical play*) mit einer großen Zahl ständisch gemischter Personen, die einen Wechsel von hohem und niederem Stil, Vers und Prosa, ernsten und kom. Szenen bedingen. Die H. knüpft damit trotz der stoffl. Neuerung formal an die Stationentechnik mal. Mysterien und Moralitäten an, ignoriert die Forderungen der Renaissancepoetiken (z. B. ⁄drei Einheiten), abgesehen etwa von einer äußerl. Einteilung in ⁄Akte. – Als Vorläufer der H. gilt J. Bales »Kynge Johan« (um 1535); auf die *erste* eigentl. *H.*, »The famous victories of Henry V.« (1588) folgen H.n fast aller Dramatiker der elisabethan. Zeit. Höhepunkt sind Shakespeares 10 H.n, der aber bereits nach der Trilogie »Henry VI« (1591) mit »Richard III« (1593) durch seine individualisierende Menschendarstellung und die durch *einen* Charakter geprägte Handlungsführung über die H. hinausweist zur ⁄Tragödie (vgl. z. B. »Richard II«, »King John«, 1594, »Henry IV«, 2 Teile, 1597).
⟦ Ribner, J.: The English History Play in the age of Shakespeare. Princeton ²1965. – Schirmer, W. F.: Über das H.ndrama in der engl. Renaissance. In: W. F. Sch.: Kl. Schriften, Tüb. 1950, S. 109 ff. – RL. IS

Historienbibel, mod. Bez. für weitverbreitetes mal. Haus- und Lehrbuch (oft reich illustriert), das die histor. Teile der Bibel, bes. des AT.s, erweitert durch apokryphe, legendäre und profangeschichtl. Texte (vgl. ⁄Historie), in Prosa nacherzählt. H.n gehen z. T. auf die Vulgata, auf Übersetzungen und Bearbeitungen der in Europa weitverbreiteten »Historia scholastica« des Petrus Comestor (entstanden um 1170) und auf verschiedene Reimchroniken (z. B. Rudolfs von Ems) zurück. Die Blütezeit der H. liegt im 15. Jh. (ältestes Fragment: letztes Viertel des 14. Jh.s); allein aus dem dt. Sprachraum sind über 100 Handschriften bekannt, 11 davon enthalten nur das NT. Die zum Unterricht und erbaul. Lesen und Vorlesen bestimmte H. verschwindet mit dem Erscheinen gedruckter Bibeln in den Volkssprachen.
⟦ Die dt. H.n der MA.s. Hg. v. J. F. L. Th. Merzdorf. 2 Bde. Tüb. 1870, Nachdr. Hildesheim 1963. RG

Historische Erzählung, histor. Novelle, kürzere erzählende Dichtung in Prosa, seltener Versform, über histor. (oder zumindest in histor. beglaubigter Umgebung angesiedelte) Gestalten und Vorfälle; meist auf ein zentrales Ereignis aus einem größeren Komplex von Geschehnissen (oder aus einem Lebenslauf) konzentriert und dadurch vom umfang- und figurenreicheren ⁄histor. Roman unterscheiden. Von der loser gefügten h. E. unterscheidet sich die h. N. durch straffe Handlungs- und Gedankenführung. – *Ansätze* zu einer h. E. enthalten die Geschichtsschreibung seit der Antike (etwa Einzelepisoden bei Herodot, Livius, Sueton, C. Nepos, Plutarch, im MA. in Einhardts »Leben Karls d. Großen«, um 830, oder in der »Kaiserchronik« um 1150, in der Renaissance bei Macchiavelli), volkstüml. Überlieferungen in ⁄Bispel, ⁄Schwank, ⁄Anekdote, ⁄Kalendergeschichte oder literar. mehr oder weniger geformte Rechtsfälle in Sammlungen wie dem alten u. neuen »Pitaval«. – *Bewußt künstler.* Gestaltung erfuhr die h. E. schon früh in der ⁄Novelle (etwa in Boccaccios »Decamerone«, 1. und 10. Tag), bes. seit der Romantik (H. v. Kleist, »Michael Kohlhaas«, 1810; C. Brentano; A. v. Arnim, »Isabella von Ägypten«, 1812; E. T. A. Hoffmann, »Das Fräulein von Scuderi«, 1818 u. a.). Später macht sich bes. der Einfluß W. Scotts und des ⁄histor. Romans geltend (L. Tieck, »Aufruhr in den Cevennen«1826; H. Zschokke u. a.). Viel Nachahmung fanden im 19. Jh. die intimen Kultur- und Sittenbilder von W. H. Riehl (»Kulturgeschichtl. Novellen«, 1856, »Geschichten aus alter Zeit«, 1863 und ähnl. Sammlungen), u. a. bei P. Heyse (»Troubadour-Novellen«, 1882). Begleitet von verwandten Erscheinungen in anderen Ländern (Balzac, Flaubert, Hawthorne u. a.) erfuhr die h. E. einen *Höhepunkt* bei G. Keller (insbes. seit den »Züricher Novellen«, 1878), C. F. Meyer (»Das Amulett«, »Gustav Adolfs Page«, 1882, »Das Leiden eines Knaben«, 1883, »Die Richterin«, 1885, »Die Versuchung des Pescara«, 1887, »Angela Borgia«, 1891 u. a.), Th. Storm (der bes. die Spielart der ⁄chronikalen E. pflegt) und W. Raabe (»Die schwarze Galeere«, 1860/65; »Else von der Tanne«, 1865; »Des Reiches Krone«, 1870 u. a.), der sich, ebenso wie Fontane, stark dem histor. Roman annähert. – Trotz solcher Erweiterungen und Überschneidungen bleibt die knappere Form der h. E. weiterhin aktuell, vgl. u. a. H. v. Hofmannsthal, »Reitergeschichte« (1899), Th. Mann, »Schwere Stunde« (1905), St. Zweig, »Sternstunden der Menschheit« (1927), ferner viele Novellen von W. Bergengruen, G. von Le Fort, R. Schneider, St. Andres, aber auch A. Seghers (»Die Hochzeit von Haiti«, 1961), außerdem Erzählungen, die sich mit der jüngeren Vergangenheit auseinandersetzen, wie z. B. bei H. Böll und Th. Grass (»Katz und Maus«, 1961) oder die Novellensammlungen von F. Fühmann (»Stürzende Schatten«, 1959, »Das Judenauto«, 1968). Eine einheitl. Entwicklung ist dabei weder zu erkennen noch abzusehen, doch spricht gerade das für die Lebensfähigkeit der Gattung.
⟦ ⁄histor. Roman. RS*

Historischer Reim, Reimbindung, die zur Zeit des Dichters rein war, durch die spätere Sprachentwicklung aber unrein geworden ist; begegnet bes. in engl. und frz. Dichtung, vgl. z. B. bei Shakespeare *proved : loved* (im 16. Jh. pru : vd: luvd gesprochen), heute zum ⁄Augenreim geworden. Der h. R. ist zu unterscheiden vom archaischen Reim, bei dem veraltete Lautformen bewahrt werden, z. B. mhd. *verwandel*ôt = *nôt* (Neidhart, 13. Jh.). S

Historischer Roman, Romantypus, der histor. authent. Gestalten u. Vorfälle behandelt oder doch in histor. beglaubigter Umgebung spielt und auf einem bestimmten Geschichtsbild beruht. Er überschneidet sich mit der ⁄histor. Erzählung und Novelle, mit ⁄Zeitroman, Tendenzroman, ⁄Gesellschafts- oder ⁄Familienroman, Heimat- oder ⁄Künstlerroman, v. a. mit dem ⁄biograph. Roman, auch mit Schlüsselroman oder mit Sensationsliteratur und dem Kolportageroman. Hervorgetreten ist der h. R. erst mit und seit der Anerkennung des Romans als einer eigenen Kunstgattung um 1800. Nur bedingt als Vorläufer anzusehen sind ältere erzählende Dichtungen, die histor. Stoffe gestalten, wie z. B. im MA. die ⁄Chansons de geste oder die mit histor. Fakten angereicherten Schlüssel- und ⁄Staatsromane des 17. und 18. Jh.s. Um 1800 entstehen Romane mit histor. Kolorit, sei es unterhaltend als ⁄Gothic novel oder ⁄Ritterroman, sei es geistesgeschichtl. Ansprüchen im Ideen- und Künstlerroman der dt. Romantik (W. Heinse, »Ardinghello«, 1787: Renaissance; Novalis, »Heinrich von Ofterdingen«, 1802: MA; L. Tieck, »Franz Sternbalds Wanderungen«, 1798: Dürerzeit). *Voraussetzung* für die Entstehung des h. R.s ist die Herausbildung der neueren Geschichtsphilosophie, insbes. des histor. Entwicklungsdenkens (Voltaire, Hume; Vico, Rousseau, Herder – dt. Idealismus – Histor. Schule). *Unmittelbarer Vorläufer* ist die neuere, noch nicht streng wissenschaftl. Geschichtsschreibung, zuerst repräsentiert von E. Gibbon (»History of the decline and fall of the Roman Empire«, 1776/88), in Deutschland vertreten durch J. Möser (»Patriot. Phantasien«, 1774/78), F. Schiller (»Gesch. des Abfalls der Vereinigten Niederlande«, 1788, »Gesch. des dreyßigjähr. Krieges«, 1791/93) und F. v. Raumer (»Gesch. der Hohenstaufen«, 1823/25). Den letzten Anstoß zur Entstehung des h. R. u. für seine gesamte *erste Phase* gab das neuere ⁄Geschichtsdrama. Angeregt von Goethes »Götz von Berlichingen« (1773), *begründete* Sir Walter Scott den h. R. mit »Waverly; or, ›'Tis Sixty Years Since« (1814). Das Werk nimmt den vergebl. Versuch der Stuarts von 1745, die Macht in England zurückzugewinnen, zum Anlaß, um die kultur- u. sittengeschichtl. Verhältnisse einer Umbruchzeit darzustellen, die nicht nur antiquarisch, sondern auch für die eigene Gegenwart noch von Belang ist, mit teils histor., teils erfundenen Figuren, einer frei gestalteten Liebeshandlung zusätzl. zum polit. Geschehen u. gelegentl. Auflockerung durch kom. od. lyr. Einlagen. Dem damit gesetzten Muster folgen die rund 30 weiteren Romane von Scott. Überwiegend spielen sie ebenfalls im 18. Jh. (so »Guy Mannering«, 1815; »The Antiquary«, 1816; »Rob Roy«, 1817; »The Heart of Midlothian«, 1818; »The Chronicles of Canongate«, 1827 u. a.), teils auch im 16. u. 17. Jh. (»The Bride of Lammermoor« 1819 u. »Kenilworth« 1821), teils im MA. (insbes. »Ivanhoe«, 1819). Sie wurden maßgebend für den h. R. im übrigen Europa, so in Frankr. für A. de Vigny (»Cinq Mars oder eine Verschwörung unter Ludwig XIII«, 1826), P. Mérimée (»Bartholomäusnacht«, 1829), V. Hugo (»Notre Dame von Paris. 1482«, 1831) u. Dumas père mit seinen über 300 histor. ↗Abenteuerromanen (»Die drei Musketiere«, 1844; »Der Graf von Monte Christo«, 1845/46 u. a.), in Italien für Manzoni (»Die Verlobten«, 1827), in Rußland für M. N. Zagoskin (»Roslavlev«, 1831 u. a.), aber auch für A. Puschkin (»Die Hauptmannstochter«, 1833–36) u. noch N. Gogol (»Taras Bulba«, 1836/42), etwas verspätet dann auch in Lateinamerika für J. Manso (»Misterios del Plata«, 1845), J. Mármol (»Amalia«, 1850/51) u. V. F. Lopéz (»Die Braut des Ketzers«, 1854). Scott nahestehend, aber durchaus eigenständig sind in den USA J. F. Cooper mit »Der Spion« (1821) u. den »Lederstrumpf«-Romanen (1826–41), sowie in England E. G. Bulwer-Lytton mit seinem Griff über die Nationalgeschichte hinaus auf Stoffe aus der Antike (»Die letzten Tage von Pompeji«, 1834) u. der ital. Renaissance (»Rienzi«, 1835). – Unabhängig von Scott bildete sich in *Deutschland* im Zusammenhang mit der Sonderentwicklung der dt. ↗Novelle seit der Romantik eine eigene ↗histor. Erzählung heraus; romanhaft ausgeweitet ist sie bei C. Brentano in dem Fragment »Aus der Chronika eines fahrenden Schülers« (1802–17) u. insbes. bei A. v. Arnim (»Die Kronenwächter«, 1812–17), ferner bei F. de la Motte Fouqué u. a. Verfassern vor pseudohistor. Ritterromanen. Der Durchbruch zum eigentl. h. n R. erfolgt aber auch hier erst seit der Begegnung mit Scott. Von Gewicht sind dabei neben zahlreichen Nachahmern (K. Spindler, L. Rellstab, L. Storch u. a.) die Österreicherin Karoline Pichler (»Die Belagerung Wiens«, 1824; »Die Schweden in Prag«, 1827; »Friedrich der Streitbare«, 1831), v. a. aber W. Hauff mit »Lichtenstein« (1826), ferner L. Tieck mit »Vittoria Accorombona« (1840), insbes. jedoch Willibald Alexis, der anfangs seinen »Walladmor« (1824) u. »Schloß Avalon« (1827) noch als Werke Scotts ausgab, dann aber mit seinen märk. Romanen (»Cabanis«, 1832; »Der Roland von Berlin«, 1840; »Der falsche Waldemar«, 1843; »Die Hosen des Herrn von Bredow«, 1846; »Ruhe ist die erste Bürgerpflicht«, 1852 u. a.) zum *Hauptvertreter des h. R.s* in Dtschld. wurde u. seinerseits viel Nachfolge fand, so bei Luise Mühlbach, G. Hesekiel, H. Gödsche (= Sir John Retcliff) u. a. Etwa gleichzeitig tritt auch der histor. Künstlerroman hervor (z. B. »Schillers Heimatjahre« von H. Kurz, 1843). Eine dt. Sonderform des h. R.s ist das intime Kultur- u. Sittenbild, der sog. chronikal. Roman, begründet von W. Meinhold (»Bernsteinhexe«, 1843), später eher in Form der histor. Erzählung u. Novelle ausgebaut. Auch andere Romanformen zeigen zwischen 1830 und 1850 histor. *Einschlag*, so der engl. u. frz. psycholog. u. Gesellschaftsroman oder der jungdt. Zeit- u. Tendenzroman mit seiner programmat. Aktualisierung histor. Stoffe (z. B. H. König, »Die Klubbisten von Mainz«, 1831; E. v. Brunnow, »Ulrich von Hutten«, 1842; Th. Mundt, »Thomas Münzer«, 1841; »Robespierre«, 1861 u. a., später auch H. Laube, »Der deutsche Krieg«, 1863–66

und K. Gutzkow, »Hohenschwangau«, 1867/68). Neuer Auftrieb für den h. n R. u. damit (neben fortdauernder Orientierung an Scott) die Grundlage für die *zweite Phase* ergab sich mit der Ausbreitung des Historismus u. seiner Verabsolutierung des Geschichtsdenkens sowie mit der konsequent wissenschaftl. Geschichtsschreibung (Ranke, Gervinus, Droysen u. Mommsen in Dtschld.; Carlyle u. Macaulay in England, Bancroft in den USA; Thierry, Thiers, Michelet, später Taine u. Lavisse in Frankr.). Sehr früh davon beeinflußt zeigt sich der h. R. in den USA bei N. Hawthorne (»The Scarlet Letter«, 1850; »The House of the Seven Gables«, 1851), bei Harriet Beecher-Stowe (»The Minister's Wooing«, 1859; »Oldtown Folks«, 1869); in England bei W. M. Thackeray (»Henry Esmond«, 1852; »The Virginians«, 1857–59), Ch. Dickens (»A Tale of Two Cities«, 1859) u. Ch. Read (»Cloister and Hearth«, 1861). *In Deutschland* ist zuerst V. v. Scheffels »Ekkehard« (1855) mit seiner Mischung aus Sentimentalität u. Dokumententreue Vertreter der neuen Phase, dann insbes. G. Freytag mit seinem achtteil. Zyklus »Die Ahnen« (1872–81), der am Geschick eines Geschlechts dt. Geschichte von der Völkerwanderung bis 1848 verfolgt, nèben ihm Louise von François (»Die letzte Reckenburgerin«, 1871 u. a.), ferner die sog. Professorenromane wie F. Dahns »Ein Kampf um Rom« (1876). – Der h. R. kam aber auch den Ansprüchen des literar. Hoch- u. Spätrealismus entgegen; das zeigen G. Flaubert, »Salammbô« (1862), Ch. de Coster, »Ulenspiegel« (1868), A. Stifter, »Witiko« (1867), C. F. Meyer, »Jürg Jenatsch« (1876), Th. Fontane, »Vor dem Sturm« (1878), »Grete Minde« (1880), »Ellernklipp« (1881) u. »Schach von Wuthenow« (1883) sowie W. Raabe, »Unseres Herrgotts Kanzlei« (1862), »Das Odfeld« (1889) u. »Hastenbeck« (1898), Werke, die sich vielfach mit den ausgedehnten histor. Erzählungen u. Novellen derselben u. anderer Autoren berühren. Vielleicht der bedeutendste h. R. dieser 2. Phase ist (mit breiter Behandlung der napoleon. Zeit) L. Tolstois »Krieg und Frieden« (1863–69), der Scott als Vorbild ablöst u. über Generationen weiterwirkt: in Rußland selbst etwa bei D. S. Merežkovskij, aber auch im sowjet. h. n R. bis hin zu M. A. Scholochow (»Der stille Don«, 1928–40), A. N. Tolstoj (»Peter der Große«, 1919–45), A. S. Novikov-Priboij (»Tsushima«, 1932–35/40), kritischer bei B. Pasternak (»Doktor Schiwago«, 1957) und A. Solschenyzin (»August 1914«, 1971; vgl. auch seine Romane u. Erz. um den ↗Archipel Gulag«< der Stalinjahre 1962–1968). Seit dem *Ausgang des 19. Jh.s* ist der h. R. literar. Gemeingut von *großer Vielfalt*, ohne daß sich weitere Einzelphasen abgrenzen ließen. Eigene Formen entstehen in Amerika auf dem Hintergrund von Landnahme u. *ethn. Konflikten*, so z. B. in den USA der abenteuerl. ↗Wildwestroman, aber auch Werke über die Zeit in und nach dem Bürgerkrieg: von St. Cranes »Blutmal« (1895) bis zu Margaret Mitchells melodramat. »Vom Winde verweht« (1936) oder W. Faulkners »Absalom, Absalom!« (1936). Ethn. Probleme bzw. Regionalismen bestimmen auch den h. R. in Osteuropa, z. B. bei den Serben Ivo Andrić (»Travniker Chronik«, 1945; »Brücke über die Drina«, 1945) oder etwa bei der Norwegerin Sigrid Undset (»Kristin Lavranstochter«, 1920–22), den fläm. Nachfolgern Ch. de Costers, dann bei dem Schweizer E. Stickelberger und schon im »Wehrwolf« (1910) von H. Löns oder in den Habsburg-Romanen der Enrica v. Handel-Mazzetti, aber auch bei J. Roth (»Radetzkymarsch«, 1932; »Die Kapuzinergruft«, 1938) u. a. Ebenso beliebt ist der h. R. als *individualpsycholog. Studie* über histor. Gestalten von polit. od. geist. Rang, wobei die Grenze zur ↗Biographie unscharf bleibt. Das gilt für die Werke von Romain Rolland (über Beethoven, 1903, 1928/50; Michelangelo, 1905; Tolstoi, 1911; Gandhi, 1924 u. a.), von G. L. Strachey (über Königin Viktoria, 1921 sowie Elisabeth und Essex, 1928), in Deutschland für Ricarda Huch (über Garibaldi, 1906; Confalonieri, 1910;

den Dreißigjährigen Krieg, 1912–14/1937; Wallenstein, 1915 u. Bakunin, 1923), es gilt für E. v. Naso (»Seydlitz«, 1932; »Moltke«, 1937), aber ebenso für F. Thieß (»Tsushima«, 1936; »Die griechischen Kaiser«, 1959 u. a.) u. für Ina Seidel (über Novalis, G. Forster, Arnim u. die Geschwister Brentano, 1944) od. F. Sieburg (»Robespierre«, 1936; »Napoleon«, 1956; »Chateaubriand«, 1959). Die Nähe zur gehobenen Unterhaltungsliteratur ist hier ebenso spürbar wie schon in »Quo Vadis« (1896) u. a. Werken des Polen H. Sienkiewicz oder bei Gertrud Bäumer (»Adelheid, Mutter der Königreiche«, 1936/37; »Der Jüngling im Sternenmantel«, 1947 u. a.), H. Benrath (»Kaiserin Konstanze«, 1936; »Galla Placidia«, 1937; »Theophano«, 1940 u. a.) u. Stefan Zweig (»Fouché«, 1929; »Marie Antoinette«, 1932; »Erasmus von Rotterdam«, 1935 u. a.). Sensationellen Einschlag haben die vielen Kolportageromane über Gestalten wie Rasputin o. ä., aber auch Bücher wie J. Wassermanns »Caspar Hauser« (1908) u. die Romane Emil Ludwigs (»Goethe«, 1920; »Napoleon«, 1925; »Wilhelm II.«, 1926; »Michelangelo«, 1930; »Roosevelt«, 1938; »Beethoven«, 1945; »Stalin«, 1945 u. a.). *Polit. Engagement* im h.n R. findet sich u. a. bei A. Zweig im Grischa-Zyklus (1927–37), bei B. Frank (»Cervantes«, 1934), auch bei H. Kesten (»Ferdinand und Isabella«, 1936/53, »König Philipp II.«, 1938/50; »Copernicus«, 1948 u. a.) u. bei F. Th. Csokor (»Der Schlüssel zum Abgrund«, 1955) sowie vor allem in Kriegs- u. Nachkriegsromanen, z. B. von E. M. Remarque (»Im Westen nichts Neues«, 1929; »Arc de Triomphe«, 1945) und T. Plivier (»Stalingrad – Moskau – Berlin«, 1945–1954), auch von G. Grass (»Die Blechtrommel«, 1959; »Hundejahre«, 1963) und S. Lenz (»Deutschstunde«, 1968). *Religiöses Engagement* bestimmt R. Schneider (»Philipp II.«, 1931; »Kaiser Lothars Krone«, 1937; »Innozenz III.«, 1958/60), W. Bergengruen (»Herzog Karl der Kühne«, 1930; »Der Großtyrann und das Gericht«, 1937; »Am Himmel wie auf Erden«, 1940), Gertrud v. Le Fort (»Der Papst aus dem Ghetto«, 1930; »Die Magdeburgische Hochzeit«, 1938) u. a. – Auch von einzelnen Stilrichtungen wurde der h. R. aufgegriffen u. geprägt, insbes. vom *Expressionismus*: vgl. M. Brod (»Tycho Brahes Weg zu Gott«, 1916), H. Döblin (»Wallenstein«, 1920); Klabund (»Mohammed«, 1917; »Franziskus«, 1921; »Borgia«, 1928; »Rasputin«, 1929), L. Feuchtwanger (»Jud Süß«, 1925; »Der falsche Nero«, 1936; »Waffen für Amerika«, 1946; »Goya«, 1951 u. a), A. Neumann (»Der Teufel«, 1926; »Neuer Cäsar«, 1934; »Königin Christine von Schweden«, 1936 u. a.) u. R. Neumann (»Struensee«, 1935/53 u. a.). Auf den h.n R. wirkte auch der *sozialist. Realismus* ein, hier wiederum mit eindeutig polit. Engagement, wie etwa in Frankreich bei Louis Aragon (»Die wirkliche Welt«, 1935–44; »Die Kommunisten«, 1949–51; »Die Karwoche«, 1957) oder in der DDR bei Rosemarie Schuder (»Die Erleuchteten«, 1968). – *Experimentellen Einschlag* haben H. v. Cramers »Konzessionen des Himmels« (1961). Daneben dient der h. R. immer wieder zur *Einkleidung eigener Welt-, Lebens- u. Kunstauffassung* bei so unterschiedl. Autoren wie F. Madox Ford (»Die fünfte Königin«, 1906–08), A. France (»Das Leben der Jeanne d'Arc «, 1908; »Die Götter dürsten«, 1912), R. Rolland (»Meister Breugnon«, 1919), E. G. Kolbenheyer (»Paracelsus«, 1917–26), H. Mann (»Henri Quatre«, 1935–38), Th. Mann (»Joseph und seine Brüder«, 1933–45) – mit bevorzugter Stoffwahl aus der Antike – Klaus Mann (»Alexander«, 1930), H. Broch (»Der Tod des Vergil«, 1945), B. Brecht (»Die Geschäfte des Herrn Julius Cäsar«, 1938/49) u. außerhalb Deutschlands z. B. R. Graves (»Ich, Claudius, Kaiser und Gott«, 1934), Th. Wilder (»Die Iden des März«, 1948), Marguerite Yourcenar (»Ich zähmte die Wölfin«, 1951) u. Rex Warner (»Cäsar«, 1958–60). Oft abgelehnt (z. B. im Naturalismus) oder totgesagt, ist der h. R. derzeit eine zwar schwer klassifi-

zierbare, aber noch immer höchst lebens- u. entwicklungsfähige Erzählgattung. Das zeigen Erfolgsbücher wie etwa der ins MA versetzte Kriminal- u. Gelehrtenroman »Der Name der Rose« (1980) von Umberto Eco und »Der General in seinem Labyrinth« (1989) – über Simon Bolivar – von G. Garciá Márques. – Auch *theoret. Äußerungen* der Romanciers liegen vor, etwa von Feuchtwanger (1935), Döblin (1936), W. v. Scholz u. E. Stickelberger (1942), später von M. Brod (1957), F. Thiess (1958) u. F. Th. Csokor (1962).

📖 Scholz Williams, G.: Geschichte u. die literar. Dimension. Narrativik und Historiographie in der anglo-amerikan. Forschung. Ein Bericht. In: Dt. Vierteljschr. für Literaturwissensch. und Geistesgesch. 63 (1989), (mit Bibliographie). – Limlei, M.: Geschichte als Ort der Bewährung. Menschenbild und Gesellschaftsverständnis in den dt. h.n R.en 1820–1890. Frkft 1988. – Humphrey, R.: The historical novel as a philosophy of history [Alexis, Fontane, Döblin]. London 1986. – Müller, H.-H.: Der Krieg u. die Schriftsteller. Der Kriegsr. der Weimarer Republik. Stuttg. 1986. – Holz, C.: Flucht aus der Wirklichkeit. ›Die Ahnen‹ von G. Freitag. Untersuchungen zum realist. h.R. der Gründerzeit. Frkft. 1983. – Hanimann, W. A.: Studien zum h.n R., 1930–1945. Frkft./Bern 1981. – Schabert, I.: Der h. R. in England u. Amerika. Darmst. 1981. – Müllenbrock, H.-J.: Der h. R. des 19. Jh.s. Hdbg. 1980. – Dérozier, A. (Hrsg.): Recherches sur le roman historique en Europe – XVIIIᵉ–XIXᵉ siècles. 2 Bde. Paris 1977 u. 1979. – Huber, H. D.: H.e R.e in der ersten Hälfte des 19. Jh.s. Mchn. 1978. – Geppert, H. V.: Der ›andere‹ h. R. Tüb. 1976. – Eggert, H.: Studien z. Wirkungsgesch. des dt. h.n R.s 1850–1875. Frkft. 1971. – Leisy, E. E.: The American historical novel. Norman (Okla) ²1952, Neudruck 1970. – Schamschula, W.: Der russ. h. R. vom Klassizismus bis zur Romantik. Meisenheim/Gl. 1961. – Lukács, G.: Der h. R. (1936/37, dt. Bln. 1955). In: Werke Bd. 7. Neuwied/Bln. 1965. – RL. RS

Historisches Drama, ↗ Geschichtsdrama.

Historisches (Volks-) Lied, Einzel- oder Gemeinschaftslied meist anonymer Verfasser, das von zeitgenöss.-aktuellen (polit.) und von geschichtl. Ereignissen berichtet, um diese chronist. zu dokumentieren (Berichtslied), parteinehmend zu werten (Parteilied) oder zum Geschichtsmythos zu erhöhen (Preislied). Kriege, Schlachten, Siege (seltener Niederlagen, die dann, wie bei den zahlreichen Liedern nach dem Bauernkrieg 1525, auch aus der Perspektive der Siegreichen beschrieben werden), Krönungen und Totenklagen sind die wichtigsten Themen des hist. Liedes. Schon Tacitus berichtet (Annalen II,88) von h.n L.ern über die Germanen über den Cheruskerfürsten Hermann; jedoch sind Zeugnisse dieser Gattung erst aus christl. Zeit erhalten: das ahd. »Ludwigslied« (882, auf der Grenze zum Fürstenpreislied) und das ahd.-lat. »Lied de Heinrico« (Ende 10. Jh., hist. Aktualitätsbezug unterschiedl. gedeutet). Seit dem 14. Jh. beginnt die breite Überlieferung des zeitgeschichtl. Liedguts, das mit dem Buchdruck publizist. und agitator. Funktionen übernimmt. Stroph. Form, deren Metrum und Weise sich vielfach bekanntes mal. ›Tönen‹ anschließen, balladesk-erzählende Diktion und nicht selten auch moralisierende und gebetähnl. Schlüsse kennzeichnen das h. L. des 16. u. 17. Jh.s. Weit verbreitet waren die Lieder über Störtebeker (1402), Agnes Bernauer (1435), Kunz von Kaufungen (1455), die Schlacht von Pavia (1525), später über den Dreißigjähr. und den Türkenkrieg (Prinz Eugen). Erreichten auch einige wenige h.e L.er die Popularität eines Volksliedes, so ist doch trotz der Verfasseranonymität und gelegentl. ›zersungener‹ Überlieferung die Berechtigung der im 19. Jh. fixierten Bez. ›histor. Volkslied‹ (als Gegenbegriff zur damals blühenden Gattung der histor. Kunstballade, v. a. in den Vertonungen durch C. Loewe) fragwürdig. Dem h. L. im weiteren Sinne können dagegen auch jene Lieder zugerechnet werden, die kein punktuelles histor. Ereignis thematisieren, jedoch in bestimmten histor. Situationen polit. Bedeutung besaßen: Reformationschoräle, Nationalhymnen (Marseillaise) und Kampflieder.

📖 *Texte:* Steinitz, W.: Dt. Volkslieder demokrat. Charakters. 2 Bde. Bln. (Ost) 1954–62. – Liliencron, R. v.: Die histor. Volkslieder d. Deutschen vom 13.–16. Jh. 4 Bde. Lpz. 1865–69. Sauermann, D.: Histor. Volkslieder des 18. u. 19. Jh.s. Münster 1968. – Kieslich, G.: Das h.e L. als publizist. Erscheinung. Münster 1958. – RL.   HW

Historisches Präsens, (praesens historicum), vereinzelte Präsensformen in einem sonst im ↗epischen Präteritum verfaßten Erzähltext. Indem es die Personen, von denen berichtet wird, stärker als handelnde erscheinen läßt oder den plötzl. Neueinsatz oder Höhepunkt einer Handlung sinnfällig macht, dient es der lebhaften dramat. Veranschaulichung.   HSt

Historisch-kritische Ausgabe, Ausgabe eines Schriftwerkes, welche die verschiedenen authent. ↗Fassungen eines Textes von den frühesten Entwürfen bis zur ↗Ausgabe letzter Hand berücksichtigt und dadurch ein Bild der Entstehungsgeschichte liefert; im Unterschied zur ↗krit. Ausgabe (welche den Überlieferungsprozeß eines nicht im Original erhaltenen Textes und den Versuch einer annähernden Rekonstruktion aus den überlieferten Handschriften oder Drucken dokumentiert). ↗Editionstechnik, ↗Textkritik.   HSt

Historismus, m., geist. Strömung des 19. Jh.s, deren besonderes Interesse die Geschichtlichkeit des Seins gilt: Faßt Geschichte als Erklärungsgrund für Kunst und Literatur und versucht, Phänomene des kulturellen Lebens aus den geschichtl. Bedingungen zu verstehen. Im dt. Kulturraum gewinnt der H. in der ↗Romantik eine bes. Bedeutung, ausgehend von den rechtshistor. Forschungen F. K. von Savignys und der von ihm begründeten histor. Schule der Rechtswissenschaft. Bedeutsamstes Ergebnis dieser Forschungsrichtung war die Begründung der histor. orientierten National-↗Philologien (↗Germanistik, Anglistik usw.). Erste Ansätze histor. Betrachtungsweise sind schon im 18. Jh. bei J. G. Herder, bes. in der Auseinandersetzung mit der ↗Aufklärung, zu beobachten. – Literar. Ausprägungen sind u. a. ↗histor. Roman, ↗Geschichtsdrama usw. (s. ↗Geschichtsdichtung).

In der Kunstgeschichte bzw. H. das eklekt. Zurückgreifen auf histor. Stile, v. a. in der Baukunst   S

Histrione, m. [lat. histrio = Schauspieler], das Wort H. ist, wie auch die lat. Bez. für ↗Maske (lat. *persona* zu etrusk. *phersu*), etrusk. Ursprungs; nach einer Glosse bei Livius (7.2,6) kann es auf etrusk. *(h)ister* (= lat. *ludio* = Tänzer, Pantomime) zurückgeführt werden. Dies deutet darauf hin, daß die Anfänge des röm. Theaters nicht auf unmittelbaren griech. Einfluß (seit 240 v. Chr.), sondern auf etrusk. Vermittlung zurückgehen: nach Livius (7,2) sollen die ersten *ludi scaenici* (↗Ludi) während einer Pestepidemie 364 v. Chr. stattgefunden haben, mit pantomim. Aufführungen durch etrusk. Tänzer. – Die röm. H.n waren Freigelassene oder Sklaven, organisiert in Truppen, die von einem Prinzipal *(dominus)* geleitet wurden. Für die öffentl. Aufführungen mietete der verantwortl. Magistrat eine Truppe, deren *dominus* dann vom Autor die Aufführungsrechte (für jeweils eine Aufführung) erwarb. Der *dominus* führte auch die Regie und spielte in der Regel die Hauptrolle. Die H.n wurden bei Erfolg der Aufführung am Gewinn beteiligt. – H.n waren kostümiert, seit 1. Jh. v. Chr. wohl auch maskiert; Frauenrollen wurden von Männern gespielt. Sie waren beim Volk nicht angesehen.   K*

Hochsprache, auch: Gemein-, Verkehrs- oder Standardsprache, Bez. für die vorbildhafte, normierte Form einer Nationalsprache. Basiert im Dt. auf der ostmdt. Verkehrs- (= Sprech-) und Kanzlei- (= Schreib-) Sprache des 16. Jh.s

und wird im Gegensatz zu den überwiegend nur gesprochenen ↗Mundarten durch Sprachpflege (seit den ↗Sprachgesellschaften des 17. Jh.s, vgl. auch ↗Akademien) überprüft und den veränderten Sprachverhältnissen angepaßt. Maßstab sind Sprachgefühl und Sprachgebrauch. Regeln und Gesetze für Sprachrichtigkeit (z. B. für Wortschatz, Semantik, Morphologie, Syntax) sind in normativen, synchronen Grammatiken fixiert (z. B. Duden-Grammatik). H. läßt verschiedene stilist. Varianten und Schichten zu und bestimmt u. a. die *Sprache der Publizistik, Schule, Wissenschaft* und der *Medien,* wobei für die gesprochene H. ebenfalls eine normierte Ausspracheregelung besteht (Bühnenaussprache, Hochlautung). – Die Normen der H. waren bis zur Mitte des 19. Jh.s hauptsächl. beeinflußt von der Sprache der Dichtung. Heute hat umgekehrt die Umgangssprache entscheidenden Einfluß auf sprachl. Neuerungen in der H. (vgl. z. B. ihre Benutzung bei modernen Dichtern). – Die Bez. ›H.‹ wird nicht allgem. in gleicher Bedeutung verwendet; oft wird sie gleichbedeutend mit ↗›Schriftsprache‹ gebraucht; seit den 70er Jahren setzt sich die Bez. ›Standardsprache‹ durch. ↗Sprache.   S

Hochzeitsgedicht, ↗Hymenaeus, ↗Feszenninen.

Hofdichter, *im weiteren Sinne:* an Fürstenhöfen lebende Dichter. Art und Grad des Abhängigkeitsverhältnisses bestimmen nicht nur Art u. Themen, sondern oft auch den poet. Wert ihrer dichter. Produktion (↗Hofdichtung). H. konnten mehr oder weniger unabhängig von fürstl. Freundschaft und mäzenat. Gönnerschaft genießen (z. B. mal. Dichter am Hof des Landgrafen Hermann von Thüringen, Tasso am Hofe des Este in Ferrara), mehr oder weniger gewichtige Hofämter ausüben (häufig v. a. im 17. Jh.; z. B. wirkten als Diplomaten F. R. L. v. Canitz für den Berliner, G. R. Weckherlin für den Stuttgarter Hof, als Prinzenerzieher B. Neukirch am Ansbacher Hof) oder ausdrückl. als dotierte ›Hofpoeten‹ angestellt sein (s. auch *poet laureate,* [↗Poeta laureatus]). Solche H. *im engeren Sinne* waren der kelt. ↗Barde, der nordgerm. ↗Skalde, der westgerm. ↗Skop. H. gehörten v. a. zum Repräsentationspersonal der Fürstenhöfe seit dem Hellenismus. In Deutschland führten sie seit dem Barock die Tradition der Heroldsdichter und Pritschmeister (vgl. ↗Herolds- und ↗Pritschmeisterdichtung) fort und waren, oft zugleich als Zeremonienmeister, für die poet. und organisator. Ausgestaltung höf. Feste verantwortl., so z. B. J. U. v. König am Dresdner, J. v. Besser am Berliner, K. G. Heräus und Pietro Metastasio am Wiener Hof. – RL.   IS

Hofdichtung, Sammelbez. für Dichtungen, die Normen höf. Standes- und Lebensideale und monarch. Herrschaftsstrukturen repräsentieren und propagieren oder Herrschergestalten verherrlichen. Entstand vorwiegend an den Höfen selbst, z. T. als Auftragsdichtung von ↗Hofdichtern, z. T. von Außenstehenden, die den Ruhm, Förderung oder Dotationen erwerben wollten. – H. ist vorwiegend ↗Gelegenheitsdichtung für höf. Ereignisse. *Kennzeichnend* sind der direkte Bezug auf das jeweilige Herrscherhaus, die Benutzung der in rhetor. Lehrbüchern tradierten panegyr. Phraseologie und Lobtopik, die Verwendung der Allegorie, insbes. in mytholog. Einkleidung (v. a. der Herrscher- ↗Apotheose). Neben lyr. und ausdrückl. panegyr. Gattungen (↗Panegyrikus, ↗Eloge, ↗Enkomion, ↗Epideixis usw.) sind das histor. Epos (zur Darstellung der göttl. oder kelt. Herkunft des Herrscherhauses) beliebt, zur Zeit der Renaissance auch Eklogen, Sing- und Schäferspiele, ↗Intermezzi, ↗Trionfi, ↗Opern und allgem. ↗Festspiele. *Literar. bedeutsam* (und damit die Grenzen der H. sprengend) sind z. B. die Werke Tassos, Guarinis oder etwa die »Faerie Queene« (1590) v. E. Spenser (für Elizab. I.). – H. findet sich bereits in der hellenist. Königshöfen, wo unter oriental. Einflüssen auch der Formelschatz ausgebildet wurde, sodann in der röm. Kaiserzeit (z. B. Senecas panegyr. und zugleich pädagog. Fürstenspiegel »De clementia«), gesamten MA. (z. B. die lat. H. des Venantius Fortunatus am Hofe der Merowinger, 6. Jh., des Archipoeta am Stauferhof, 12. Jh.), an den Höfen der Renaissance (typ. z. B. F. Filelfos »Sphortias«, ein Epos über die Sforzas) und erreicht eine Hochblüte im europ. Barock (in Dtschld. z. B. J. U. v. Königs vielbewundertes Epos »August im Lager« 1731, für August den Starken). – Trotz der meist überschwengl. Lobpreisungen ist die H. bedeutsam, da sie das ideale Herrscherbild der jeweiligen Epoche spiegelt.   IS

Höfische Dichtung, Sammelbez. für Dichtung, die sich themat. und formal an einer höf. (d. h. an einem Fürstenhof lebenden geschlossenen) Adelsgesellschaft ausrichtet und sie ihrerseits mitprägt. In Deutschland insbes. (1.) die volkssprach. Literatur an den Höfen der Staufer und den Fürstenhöfen in Österreich und Thüringen vom letzten Drittel des 12. bis zur Mitte des 13. Jh.s (›mhd. Blütezeit‹). Sie ist Ergebnis der polit. und kulturellen Emanzipation des Feudaladels, der seit dem 11./12. Jh. in Frankreich und dann auch in Deutschland zu nationalem und ständischem Selbstbewußtsein findet und eine erste eigenständ. Laienkultur entwickelt. Getragen wird sie zunächst noch von geistl., dann von weltl. Autoren, bes. den Ministerialen. Ihr Thema ist die teils krit., teils affirmative Ausformung einer ritterl. Lebenslehre, die das Wirken des Ritters in der Welt und vor Gott zu vereinen strebt, ihre Funktion die Legitimierung des feudalhöf. Führungsanspruchs. Die beiden Hauptformen der h. D. sind ↗ *Minnesang* und ↗ *höfischer Roman.* Sie werden wie die Ritterideologie selbst und mit ähnl. Verzögerung wie diese aus Frankreich übernommen – Muster und oft auch direkte Vorlage sind die prov. Trobadorlyrik und der *roman courtois* der Champagne – u. in schöpfer. Auseinandersetzung mit älteren heimischen Ansätzen verschmolzen. Der *Stil* dieser zum öffentl. Vortrag bestimmten Gesellschaftskunst ist ästhet.-idealist., grob Realistisches wird in Handlung und Sprache meist vermieden. Die gemäßigt rhetor., anspielungs- und reflexionsreiche Sprache neigt zu indirekten Aussageformen. Die *Verstechnik* ist gepflegt, mit reinem Reim und glattem Rhythmus, in der Epik häufig mit Reimbrechung, in der Minnelyrik mit reich gegliederten Strophengebäuden und Reimspielen. Ihre klass. Gestalt fand die h. D. des deutschen MA.s in der Lyrik Reinmars, Heinrichs von Morungen und Walthers von der Vogelweide und in den Romanen Hartmanns von Aue, Wolframs von Eschenbach und Gottfrieds von Straßburg. Die auf sie folgende Generation antwortet auf sich verändernde, dem höf. Ideal nicht mehr offene gesellschaftl. Realität mit einer zur formalen Erstarrung neigenden Epigonendichtung oder mit neuen Themen und Formen. Die Ideologie und Ästhetik der h. D. beeinflußt das aus älteren heimischen Traditionen stammende ↗ Heldenepos (Nibelungenlied) und die geistl. Lyrik und Epik des Hoch-MA.s.

(2.) Als h. D. wird auch die höf.-repräsentative Formkultur des ↗ Barock bezeichnet, die zwar weitgehend von bürgerl. Autoren getragen wird, ihre ethi. Normen aber im Ritterwesen und im humanist.-gesellschaftl. »Cortegiano« Baldassare Castigliones (1528) findet. Das proklamierte Ideal stoischen Gleichmuts im Angesicht übermächtiger äußerer Bedrohung findet seinen stärksten Ausdruck im Abenteuerroman, im ↗ heroisch-galanten Roman und im Märtyrerdrama der Zeit.

📖(1) Bumke, J.: Höf. Kultur. 2 Bde. Mchn. 1986. – Höf. Lit., Hofgesellsch., höf. Lebensform um 1200. Hg. v. G. Kaiser und J.-D. Müller. Düsseld. 1986. – Jaeger, C. S.: The Origins of Courtliness. Philadelphia 1985. – Bumke, J.: Mäzene im MA. Mchn. 1979. – Bezzola, R.: Les origines et la formation de la littérature courtoise en occident. T. 3. Paris ²1967.
(2) Spellerberg, G.: Höf. Roman. In: Dt. Lit. Eine Sozialgesch. Bd. 3, hg. v. H. Steinhagen. Hamb. 1985. – Buck, A. u. a. (Hg.): Europ. Hofkultur im 16. u. 17. Jh. 3 Bde. Stuttg. 1981.   HSt

Höfische Dorfpoesie, auf K. Lachmann zurückgehende Bez. für die Lyrik Neidharts (vgl. Walther-Ausg. 1827, Anm. zu 65,32). Die Bez. impliziert Lachmanns Auffassung der Dichtung Neidharts als die für ein höf. Publikum gedachte poet. Darstellung bäuerl. Lebens und Treibens. Vgl. aber ↗ dörperl. Dichtung.   S

Höfischer Roman, erzählende Großform der ↗ höfischen Dichtung des MA.s, i. e. S., vom gleichzeit. ↗ Heldenepos in Stoff, Form und Sprache deutl. geschieden. Auftraggeber und Mäzene sind Fürsten, häufig auch adlige Damen, Publikum ist die Gesellschaft der Fürstenhöfe; die (anders als beim Heldenepos) meist namentl. bekannten Verfasser gehören in der Regel zu den Ministerialen. Gegenstand des h. R. ist die als Vorbild und Legitimation der Feudalgesellschaft gedachte Darstellung eines idealen Rittertums, Hauptfigur ist der nicht so sehr kriegerische als sentimentale höf. Ritter, der sich meist im Dienste seiner Minnedame auf Turnieren und in Zweikämpfen mit Rittern und Fabelwesen auszeichnet (↗ *Aventiure*), gesellschaftl. Ansehen erringt und seinen Platz in der höf. Welt und vor Gott zu bestimmen lernt. Die Romane bestehen aus oft nur lose verbundenen Episoden, deren Sinn aus ihrem programmat. Zusammenhang hervorgeht; häufig sind sie zu einem ›doppelten Cursus‹ zweier Abenteuerreihen geordnet, wobei in der ersten der Held auf Grund eines Fehlverhaltens oder einer Schuld scheitert, in der zweiten sich dann bewährt. Die zweite steht damit zur ersten im Verhältnis von Bewährung und Anspruch oder Erkenntnis und Irrtum. Der auktoriale Erzähler des h. R. artikuliert sich in Exkursen, Reflexionen und direkten Anreden sowohl an seine Gestalten als auch an die Hörer. Der stark idealisierenden Darstellung des ritterl. Lebens korrespondiert eine stilisierte, von derben Wendungen gereinigte Sprache. Für die metr. Form des zum Vortrag bestimmten h. R. ist der gleichmäßig fließende Reimpaarvers verbindl. (in Frankreich als Achtsilber, in Deutschland als Vierheber), nur ausnahmsweise findet sich die für die Heldenepik charakterist. Strophe. Prosa kommt erst mit den für ein lesendes Publikum geschriebenen chroniknahen Romanzyklen auf. Die *Geschichte des h. R.* beginnt um die Mitte des 12. Jh.s *in Frankreich* mit der Adaptierung antiker Stoffe (Alexander-, Theben-, Aeneas- und Trojaromane). Seine klass. Form erhält er zwischen 1160 und 1190 in den Werken Chrestiens von Troyes, der aus der kelt.-breton. *matière de Bretagne* den Artusroman entwickelt (»Erec«, »Cligès«, »Lancelot«, »Yvain«, ↗ Artusdichtung). In der Gralsthematik seines unvollendeten »Perceval« zeigt sich bereits die Tendenz, die offenbaren Widersprüche zwischen Ideal und Wirklichkeit der höf.-ritterl. Welt durch metaphys.-eschatolog. Sinngebung aufzuheben. Das geschieht dann konsequent in den heilsgeschichtl. konzipierten großen Prosaromanzyklen, welche die Bewährung des Ritters durch Erlösung ersetzen (Lancelot-Gral-Zyklus). *Der deutsche h. R.* schließt sich an frz. Vorbilder an. Als sein Begründer gilt trotz einiger möglicherweise älterer Versuche (»Graf Rudolf«, »Straßburger Alexander«, Eilharts »Tristrant«) schon den Zeitgenossen Heinrich von Veldeke, der um 1170 mit der Bearbeitung des »Roman d'Eneas« begann. Die Rezeption Chrestiens durch Hartmann von Aue (»Erec«, »Iwein«; vor 1200) und Wolfram von Eschenbach (»Parzival«, nach 1200) bedeutet zusammen mit dem »Tristan« Gottfrieds von Straßburg (um 1210) den Höhepunkt der ep. Dichtung des deutschen MA.s. Neue Stoffbereiche erschließen Hartmanns Legendendichtungen (»Gregorius«, »Der arme Heinrich«) und Wolframs »Willehalm« (vor 1220, nach einer ↗ *chanson de geste*). Neben sie treten weniger anspruchsvolle Erzählwerke, die durch Häufung und Verschachtelung von Abenteuer- und Minnehandlungen unterhalten wollen: »Lanzelet« von Ulrich von Zatzikhoven (vor 1200), »Wigalois« von Wirnt von Grafenberg. Kaum Resonanz fanden die afrz. Prosaro-

mane (außer dem Prosa-Lancelot, Mitte 13. Jh.). Statt dessen entstand eine kaum überschaubare Fülle kompilierender Versepen, welche (nun z. T. auch ohne afrz. Vorbild) einzelne Helden des Artushofs durch immer wunderbarere Abenteuer führen (so die Romane Strickers und Pleiers, 1250/80), Zyklen bilden (um 1230: »Der aventiure crône« von Heinrich von dem Türlin; nach 1250: »Der Jüngere Titurel« von Albrecht [von Scharfenberg?]) oder ältere Werke fortsetzen, so »Willehalm«(von Ulrich von Türheim), »Tristan« (von dems. und später Heinrich von Freiberg) und erweitern: »Willehalm« (von Ulrich v. d. Türlin), »Parzival« (von Wisse und Colin). Eine eigenständ. Fortentwicklung des h. R. im Sinne einer ›Fürstenlehre‹ gelang Mitte des 13. Jh.s Rudolf von Ems (»Der gute Gerhard«; »Barlaam«; »Willehalm von Orlens«; »Alexander«; »Weltchronik«). Sein Nachfolger Konrad von Würzburg († 1287) ist in seinen großen Epen eher restaurativ (»Engelhard«, »Partonopier«, »Trojanerkrieg«), erschließt der höf. Erzählkunst aber novellenartige Formen, deren literar. Bedeutung die des h. R. nun bald übertrifft (↗Märe). Eine Wiederbelebung unternahm in der 2. Hälfte des 15. Jh.s Ulrich Füetrer, dessen »Buch der Abenteuer« den gesamten Stoffkreis zu einem historisierenden Großepos zusammenband. Der frühnhd. Prosaroman, der den h. R. dann ablöst, lebt aus anderen Quellen und aus anderem Geist.
📖 Bertau, K.: Über Lit.gesch. Literar. Kunstcharakter und Gesch. in der höf. Epik um 1200. Mchn. 1983. – Ruh, K.: Höf. Epik des dt. MA.s. Bln. I ²1977, II 1980. – Köhler, E.: Ideal u. Wirklichkeit in der höf. Epik. Tüb. ²1970. – Bezzola, R.: Liebe u. Abenteuer im h. R. Reinbek 1961 (rowohlts dt. enzyklopädie 117/118). s. auch ↗Artusdichtung, ↗höf. Dichtung. HSt

Höfisches ↗**Epos,**
1. Oberbegriff für die erzählenden Großformen der ↗höf. Dichtung: umfaßt den ↗höf. Roman und die in höf. Gewand gekleidete (›höfisierte‹) Heldenepik des Hoch-MA.s, auch die romanhafte höf. Legende.
2. auch Synonym für ↗höfischen Roman. – RL. HSt

Hoftheater, entstand als Theaterbau und Institution seit Renaissance und Barock an den europ. Fürstenhöfen zur Pflege v. a. der ital. Oper, des frz. Balletts und der frz. Komödie. Gespielt wurde sporad. von reisenden Schauspielertruppen und nur für die Hofgesellschaft. - Mitte des 18. Jh.s führt die Idee eines ↗Nationaltheaters (in Deutschland J. E. Schlegel u. v. a. G. E. Lessing) zu einer Strukturwandlung: Das (weiterhin finanziell vom Hof getragene) H. wird zu einer auch bürgerl. Publikum offenstehenden ständigen Einrichtung, die polit. (im Sinne eines aufgeklärten Absolutismus) und kulturell (zur Besserung von Geschmack und Sitten) wirken soll. Es spielen unter einem vom Hof bestallten Direktor fest engagierte (und damit sozial einigermaßen sichergestellte) Schauspieler; das Repertoire ist deutschsprachig, wird aber nach wie vor vom Hofe zensiert. Das früheste H. diesen Stils entstand in Gotha 1775 unter der Leitung des Schauspielers K. Ekhof; weitere theatergeschichtl. bedeutende H. sind das Burgtheater Wien (seit 1776, Theaterreform Josefs II.; berühmte Direktoren: J. Schreyvogel, H. Laube, F. v. Dingelstedt), das vom Münchner Hof subventionierte »Nationaltheater« Mannheim (seit 1777 unter H. v. Dalberg; Uraufführungen der Frühwerke Schillers), das H. Weimar (seit 1784 bestimmender Einfluß Goethes, der 1791–1817 auch Direktor war) und das H. der ↗Meininger (historisierender Inszenierungsstil). - Ende des 19. Jh.s verringerte sich die Bedeutung vieler H. durch die Konkurrenz der nicht durch höf. Zensur beengten Stadt- und Privattheater, die zum Forum progressiver Strömungen wurden (bes. in Berlin). 1918 wurden die H. in Staats-, Stadt- oder Landestheater umgewandelt. IS

Hofzucht, mhd., meist paarig gereimte, didakt. Versdichtung, die Tugend-, Anstands- und allgemeine Verhaltensre-geln für höf. Leben zu begründen, normieren und zu vermitteln sucht. Bereits in die höf. Dichtung der Stauferzeit wurden belehrende Passagen und Tugendkataloge einbezogen; außerhalb der Erzähldichtung finden sich H.en erstmals im 1. Buch des »Welschen Gast« Thomasins von Zerklaere (1215/16) und als selbständ. Werk im »Winsbecke«(1210/20, stroph. Form). Mit wachsendem Verlust des höf. Selbstverständnisses gewinnt die H. als isolierte didakt. Gattung der Kleinepik an Bedeutung und Verbreitung. Auf die unter Tannhäusers Namen überlieferte hofzuht (eigentl. eine ↗Tischzucht, vgl. auch sein Gedicht XII,5, Ed. Siebert) aus der Mitte des 13. Jh.s folgen bis zur Mitte des 15. Jh.s viele H.en, die nicht nur Anstandsnormen aufstellen, sondern zugleich allgemeine Zeit- und Kulturkritik üben. Satir. und parodist. Formen werden wirksam, bis schließl. die Gattung der H. einerseits von den grobian. Tischzuchten, andererseits von dem humanist. Erziehungswerken des 16. Jh.s (Erasmus von Rotterdam, Otto Brunfels, Sebaldus Heyen u. a.) abgelöst wird. – RL. HW

Hokku, ↗Haiku, Hakai.

Homeriden, m. Pl., im engeren Sinne Bez. für die Angehörigen der auf verwandtschaftl. Grundlage gebildeten Rhapsodengilde auf Chios, die ihr Geschlecht auf den (nach ihrer Überlieferung aus Chios gebürtigen) Homer zurückführte; im weiteren Sinne solche ↗Rhapsoden, die auf den Vortrag (und die Erläuterung und Verbreitung) der homer. Gedichte spezialisiert waren. HD

Homogramme, auch: Homographe, n. [aus gr. homos = gleich, graphein = schreiben], Wörter, die bei gleichem Schriftbild verschiedene Aussprache (Betonung) und Bedeutung haben, z. B. Legende – legende (Part.präs.), modern – modern, rasten – sie rasten (3. Pl. Prät. zu rasen); dagegen: ↗Homonyme. IS

Homoiarkton, n. [gr. = gleich beginnend], in Analogie zu ↗Homoioteleuton gebildete Bez. für eine ↗rhetor. (Klang-) Figur, die gleichklingenden Anfang aufeinanderfolgender Wörter oder Wortgruppen aufweist, z. B. per aspera ad astra (vgl. ↗Paromoion, ↗Alliteration, (Homoioprophoron), ↗Anapher. ED

Homoioprophoron, n. [gr. Gleiches vorn tragend], antike Bez. der ↗Alliteration; galt bei gehäufter Folge meist als Stilfehler. ED

Homoioptoton, n. [gr. = gleicher Kasus], ↗rhetor. (Klang-) Figur: Wiederholung gleicher Kasusendungen in einer Wortfolge, z. B. Maerentes, flentes, lacrimantes, comiserantes (Ennius); Sonderfall des ↗Homoioteleuton. ED

Homoioteleuton, n. [gr. = gleich endend], ↗rhetor. (Klang-)figur, gleichklingender Ausgang aufeinanderfolgender Wörter oder Wortgruppen, z. B. nolens volens, wie gewonnen, so zerronnen. In der nachantiken Dichtung als verskonstituierendes Mittel (↗Reim) verwendet; vgl. als Sonderform ↗Homoioptoton. HD*

Homonyme, n. [aus gr. homos = gleich, onoma = Name], gleichlautende Wörter mit verschiedener Bedeutung. Man unterscheidet a) erst durch die Lautentwicklung gleichlautend gewordene etymolog. (und deshalb oft auch orthograph.) verschiedene Wörter, z. B. Reif (aus mhd. rîfe) = Niederschlag und Reif (aus mhd. reif) = Ring; lehren u. leeren, frz. haut (hoch) und eau (Wasser), diese orthograph. verschiedenen H. werden auch als Homophone bez. – b) durch metaphor. Verwendung, z. B. Hahn (Tier) und (Zapf-)Hahn. – Auf dem Gebrauch von H.n beruhen verschiedene Formen des Wortspiels (↗Witz, ↗Calembourg), vgl. auch ↗Ambiguität. HD*

Hörbericht, Sendeform, die teils in Ablösung des ↗Hörbildes, teils als spezif. Form der »erlebnisgeladenen« ↗Hörfolge« bes. im nationalsozialist. Rundfunk gepflegt wurde; sollte – u. a. durch schnellen Standortwechsel des Reporters »im Raum und in der Zeit « – den Hörer »in stärkstem Maße« aktivieren. Als exemplar. kann der H. vom Fackelzug in Berlin am 30. Jan. 1933 (Reporter W. Beyl) gelten.

⌑ Radebek, M.: Der gestaltete H. In: Rufer und Hörer, Jg. 5 (1950/51) 533–537. – Rollwage, G.: Miterleben im H. Ebda Jg. 4 (1934) 183–192. – Dobbert, W.: Nationalsozia- ist. H.e. Ebda Jg. 3 (1933/34) 407–411.   **D**

Hörbild, zunächst auch: akust. Film; Bez. A. Brauns für eine Sendeform (seit 1925), welche Musik, Gedichte oder kurze Szenen mit charakterisierenden Geräuschen ver- band, um ein akust. Bild eines begrenzten Themas, einer begrenzten Situation wirkungsvoll darzustellen (R. Kolb: »Hörplastik«, »Hörrelief«), später oft gleichbedeutend mit ↗Hörfolge, ↗Hörbericht verwendet. – Das H. kennt (nach Kolb) zwar keine »Entwicklung der Handlung aus den Charakteren«, habe aber »einen inneren Zusammenhang, da es das Schicksal des Menschen oder einer Gruppe von Menschen zum Mittelpunkt hat«. Das H. wurde als Sende- form später durch den sog. Aufriß abgelöst. Die Grenzen zwischen H. und Hörbericht sind nicht zuletzt wegen der Affinität des H.s zur ↗Reportage fließend. Nach 1945 wird H. weitgehend unter ↗Feature subsumiert.
⌑ Fink, A.: Sonntag in Dunquin. Randbemerkungen zur Entstehung eines H.s. In: Rufer und Hörer, Jg. 8 (1953/54) 171–181. – Dencker, F.: H.er aus dem Rechtsleben. Ebda. Jg. 1 (1931/32) 129–132. – Kolb, R.: Formen des Funk- spiels. In: R. K.: Das Horoskop des Hörspiels. Bln. 1932. **D**

Hörfolge, eine dem ↗Hörbild ähnl. Sendeform, schon früh ausgebildet und definiert als eine »Sendeeinheit, die sich aus einer Reihe koordinierter Teile zusammensetzt«. Dabei kann »eine dramat. Szene . . . neben einem ep. Bericht stehen, ein Lehrgespräch . . . auf eine lyr. Impres- sion folgen, eine musikal. Einlage . . . in milieugebundene Geräusche eingebettet« sein, vorausgesetzt, daß »diese Teile durch ein sie alle umspannendes und ihre Sinngebung bestimmendes Thema gebunden und gebändigt werden« (F. Nothard). Bei der Fülle dessen, was man unter H. subsu- mierte, unterschied man zwischen »sacherfüllten« und »erlebnisgeladenen« (Nothard), zwischen »linearen« und »konzentrischen H.n« (G. Eckert). Als symptomat. H.n gel- ten F. W. Bischoffs »Hallo, hier Welle Erdball« (1928), J. F. Engels/F. W. Bischoffs »Menschheitsdämmerung«(1930), E. Kästners/E. Nicks »Leben in dieser Zeit« (1930), wel- ches zugleich als Sonderform der ↗Rundfunkkantate gilt. Seit 1945 ist die Bez. H. weitgehend durch ↗Feature abge- löst.
⌑ Eckert, G.: Zur Theorie und Praxis der H. In: Rufer und Hörer 5 (1950/51) 110–114. – Nothard, F.: Sache u. Erleb- nis in der H. Ebda. 3 (1933/34) 315–321. – Bischoff, F. W.: Die H., eine Funkform – worauf es bei ihr ankommt. In: Rundfunkjahrb. Bln. 1930.   **D**

Horrorliteratur, [ˈhɔrə, engl. horror = Entsetzen, Schau- der, Greuel], Sammelbez. für literar. Werke aller Gattun- gen, die mit bestimmten Wirkungsabsichten Unheimliches, gräßl. Verbrechen und andere Entsetzen oder Abscheu erregende Taten, Ereignisse oder Zustände gestalten, meist gebraucht für die selbstzweckhaft die Sensationslust ihrer Konsumenten befriedigende ↗Schundliteratur (sog. Hor- ror-↗Comics, brutale Abenteuer-, Kriegs-, Kriminalro- mane, ↗Fantasy, Science fiction u. a. in Heftserien oder als [Fortsetzungs-] Reportagen der Sensationspresse). – Als H. bez. werden aber auch Werke mit sog. Schwarzem Humor (Gedichte G. Kreislers), soziograph. Dokumentationen (Polizeigeschichten E. Dronkes), gesellschaftskrit. Werke (von E. T. A. Hoffmann bis P. Weiss) oder Seelenanalysen und künstler. Psychogramme (de Sade, J. Genet, F. Arra- bal). Dem modernen intellektuellen, iron.-distanzierten Interesse an H. tragen einzelne Verlage durch bes. H.-Rei- hen Rechnung (z. B. Hansers »Bibliotheca Dracula« u. a.).   **IS**

Hörspiel, auch: Funkspiel, Funkdrama, Hördrama, Sen- despiel; Sammelbez. (zuerst bei H. S. von Heister, 1924) für ein – nach der bisher am wenigsten umstrittenen Definition – »original für den Hörfunk abgefaßtes, in sich geschlosse- nes und in einer einmaligen Sendung von in der Regel 30–90 Minuten Dauer aufgeführtes, überwiegend sprachl. Werk, das beim Publikum eine der Kunst spezifische Wir- kung hervorzubringen versucht und das in keinem anderen Medium ohne entscheidende Strukturveränderungen exi- stieren kann« (A. P. Frank). Neben dem Wort werden v. a. Geräusch und Musik eingesetzt, ferner techn. Hilfsmittel wie Blende, Schnitt, Montage und die akust. »Illusions- Möglichkeiten« (U. Lauterbach), die ein Studio zuläßt. Kunstverständnis des Dramaturgen bzw. Redakteurs und Kunsterwartung des Publikums spielen eine ebenso ein- flußreiche Rolle wie die Plazierung im Programm. Als H.e gelten neben dem eigentl., literar. ambitionierten H. auch Adaptionen klass. Literatur (Drama, aber auch Prosa), Spiele für den Schul- oder Kinderfunk, die sog. soap opera des Werbefunks, Dialekt-, Kriminal- oder Science-Fiction- H.e, die zumeist feste Sendetermine einnehmen. Als Regel gilt: »Je spezieller das H., desto entlegener sein Platz im Programm« (Kamps). Poetolog. wird das H. als eigenstän- dige, durch das Medium Rundfunk entstandene und an den Rundfunk gebundene Literaturgattung aufgefaßt und gegen die Funkbearbeitung und das ↗Funkerzählung, das Fort- setzungshörwerk und das ↗Feature abgesetzt. Wie das Fea- ture zeichnet sich auch das H. durch seine offen gehaltene Form aus, was seine Vielfalt, die zahlreichen, oft an ein- zelne H.-dramaturgien gebundene H.konzeptionen ebenso erleichterte, wie es jeden Typologisierungsversuch erschwert. *Geschichte des H.s:* Sie ist die Geschichte immer wieder ansetzender, theoret. verteidigter und in Frage gestellter Versuche, dem neuen Medium spezif. Spielmög- lichkeiten und -formen zu gewinnen. Sie ist zugleich die Geschichte der Versuche, auf diese Spielmöglichkeiten und -formen Einfluß zu nehmen, so den unterschiedlichsten gesellschaftl. Haltungen und Programmen nutzbar zu machen, sie sogar zu unterdrücken. Sieht man von einigen früheren Versuchen ab, ist das Jahr 1924 das eigentl. Geburtsjahr des H.s: Mit Richard Hughes' »Danger«, G. Germinets und P. Cusys »Maremoto« und H. Fleschs »Zauberei auf dem Sender« werden in London, Paris und Frankfurt/Main H.e gesendet, die auch im Druck erhalten sind. In den ersten Jahren überwiegen Sendungen mit adap- tierter Dramenliteratur, wobei sehr früh bereits größere Zyklen zusammengefaßt wurden (die Dramatiker des 19. Jh.s; das dt. Lustspiel bis Lessing; das Volksstück; die griech. Tragödie; das dt. Schäferspiel in Wort und Musik u. a.). Damit übernahm der Rundfunk von Anfang an eine unbestritten wichtige Rolle der Kulturvermittlung. *Die Ent- wicklung des eigenständigen H.s* erfolgte zögernder: Für eine *erste Phase* (1924/25) ist typisch die Darstellung fin- gierter oder echter Katastrophen (Bergwerkeinsturz; Schiffsuntergang; Zugunglück), aber auch irrealen Gesche- hens (»Spuk« von R. Gunold nach E. T. A. Hoffmann), die den Hörer zum zufälligen Ohrenzeugen einer Sensation machen. Eine *zweite Phase* (1926–1928) diente v. a. der kon- sequenten Erprobung der medialen Möglichkeiten. Typ. dafür waren die in Anlehnung an den techn. weiter entwik- kelten Film produzierten »akust. Filme« (↗Hörbild), die »in schnellster Folge traummäßig bunt und schnell vor- übergleitender und springender Bilder, in Verkürzungen, in Überschneidungen, mit Aufblendungen, Ab- und Über- blendungen bewußt die Technik des Films auf den Funk« übertrugen (A. Braun). In extremen Beispielen verzichtete man dabei auf das Wort als Bedeutungsträger und beschränkte sich auf akust. Signale (u. a. W. Ruttmann). Pioniere dieser Versuche waren F. Bischoff, H. Bodenstedt und v. a. A. Braun in Berlin. Die Jahre 1929–1932 bilden gleichsam *einen ersten Höhepunkt* der H.geschichte, mit H.en von B. Brecht, J. R. Becher, W. Benjamin, A. Döblin, G. Eich, F. Gasbarra, E. Johannsen, E. Kaestner, H. Kasack, H. Kesser, H. Kyser, E. Reinacher, W. E. Schäfer, A. Schirokauer, F. Wolf u. a. Gleichzeitig entstehen die ersten bedeutenden *Hörspieltheorien* von B. Brecht (»Radiotheorie 1927 bis 1932«), A. Döblin (»Literatur und Rundfunk«), R. Kolb (»Das Horoskop des Hörspiels«) und H. Pongs (»Das Hörspiel«). Das H.angebot reicht *formal* von der lyr. Montage (A. Schirokauer), dem literar. ambitionierten Hörspiel (E. Reinacher; F. v. Hoerschelmann) bis zu featureähnlichen Formen wie Aufriß, /Hörbericht, /Hörbild, /Hörfolge, *ideologisch* vom völk.-nationalen Beitrag (W. Brockmeier, E. W. Möller) über das linksbürgerliche, bürgerl.-humanist. Zeit-H. (A. Döblin, H. Kasack, H. Kesser u. a.) zu einem sozialist. H. (J. R. Becher, B. Brecht, W. Benjamin, E. Ottwalt, G. W. Pijet u. a.). Das nationalsozialist. H. (Brockmeier, A. Bronnen, K. Eggers, R. Euringer, P. Hagen, K. Heynicke, E. W. Moeller, O. H. Jahn, H. Johst, J. Nierentz, W. Plücker u. a.) war durch H.e mit völk.-nationaler Tendenz ebenso vorbereitet wie durch die ›Entdeckung‹ des ›Volksstücks‹ durch Bischoff und den Theoretiker R. Kolb. Die jetzt v. a. in der ›Stunde der Nation‹ plazierten H.e sollten »Gemeinschaftserlebnis« vermitteln, wurden als »völk. Willensausdruck« verstanden. Bei häufig chor. Grundstruktur waren die Grenzen zum sog. Thingspiel (s. /Freilichttheater) fließend. Hörfolge und Hörbericht (W. Bley) waren bevorzugte Spielformen, bis das H. nach 1939 fast völlig aus dem Programmen verschwand. – *Nach 1945* ging das H. in Ost- und Westdeutschland verschiedene Wege. *In der DDR* knüpfte man an das sozialist. H. vor 1933 an. Es dominierte eine spezif. Art des sog. Gegenwarts-h.s, das in einer zweiten Entwicklungsphase 1950–1957/8 »Anschluß an die Gesamtleistungen der sozialistischen Nationalliteratur« fand und nach 1958/9 in einer dritten Phase »zum fest integrierten Bestandteil der sozialistischen Nationalliteratur« wurde (P. Gugisch), wichtige Autoren: M. Bieler (bis 1967), W. Bräunig, H. Girra, J. Goll, R. Kirsch, A. Müller, G. Rentsch, G. Rücker, R. Schneider, W. K. Schweickert, B. Seeger, D. Waldmann u. a. – Das *H. der Bundesrepublik,* das in den 50er Jahren wesentlich von der sog. Hamburger Dramaturgie bestimmt war, knüpfte, nach einer kurzen Feature-Phase unter angelsächs. Einfluß, gleichsam am Kolbschen »Horoskop des Hörspiels« wieder an. Als programmat. gelten G. Eichs »Träume« (1951). Zahlreiche namhafte Autoren tragen zu diesem gelegentl. als »Hörspiel der Innerlichkeit« kritisierten, wesentlich literar.-ästhetisch orientierten H. bei: L. Ahlsen, I. Aichinger, I. Bachmann, H. Böll, F. Dürrenmatt, M. Frisch, R. Hey, W. Hildesheimer, P. Hirche, K. Hubalek, H. Huber, W. Jens, M. L. Kaschnitz, O. H. Kühner, S. Lenz, B. Meyer-Wehlack, H. Mönnich, G. Oelschlegel, M. Walser, D. Wellershoff, E. Wickert, H. O. Wuttig, und von den Autoren, die schon vor 1933 H.e geschrieben haben, J. M. Bauer, F. Gasbarra, F. v. Hoerschelmann, W. E. Schäfer, W. Weyrauch. Dieses »H. der Innerlichkeit« geriet Anfang der 60er Jahre zusehends in die Krise. Gleichzeitig rückten H.-Ursendungen von Autoren des /nouveau roman in den Blickpunkt (M. Butor, C. Ollier, R. Pinget, N. Saurrate, J. Thibaudeau, M. Wittig). Es setzte sich eine Gruppe von Autoren – auch unter dem Einfluß der Stereophonie – durch, die meist unter dem Stichwort »neues Hörspiel« subsumiert werden: J. Becker, P. O. Chotjewitz, R. Döhl, B. Frischmuth, P. Handke, L. Harig, E. Jandl, M. Kagel, F. Kriwet, F. Mayröcker, H. Noever, P. Pörtner, G. Rühm, R. Wolf, W. Wondratschek u. a. – Sprachspiel, Hörcollage, das akust. Spiel an der Grenze zur Musik werden zu neuerprobten Spielformen und -typen, die Anfang der 70er Jahre durch Einsatz des O-Tons eine zunehmende gesellschafts- bzw. sozialkrit. Konkretisierung des Themenkatalogs noch früh genug vor experimentellem Leerlauf und einer neuerlichen »Reise nach Innen« bewahrt wurden. Neben D. Kühn, I. v. Kieseritzky, Y. Karsunke, M. Scharang, H. Wiedfeld, G. Wallraff, P. Wühr u. a. beliefern auch die meisten Autoren der 60er Jahre weiterhin den Rundfunk, zudem werden H.e

der 50er Jahre wiederholt, so daß sich bei beweglich gewordener Dramaturgie wiederum ein ausgesprochen pluralist. H.angebot ergibt.

⌑ Döhl. R.: Das neue H. Darmst. 1988. – Thomsen, Ch. W./ Schneider, I. (Hg.): Grundzüge der Gesch. der europ. H.s. Darmst. 1985. – Schöning, K. (Hg.): H.macher. Königstein/Ts.1983. – Würffel, St. B.: Das dt. H. Stuttg. 1978. – Klose, W.: Didaktik des H.s. Stuttg. 1973. – Kekkeis, H.: Das dt. H. 1923–1973. Frkft. 1973. – Fischer, E. K.: Das H. Form u. Funktion. Stuttg. 1964. – Frank, A. P.: Das H. Hdbg. 1963. – Schwitzke, H.: Das H. Dramaturgie u. Gesch. Köln/Bln. 1963. – RL.   D*

Hosenrolle, Verkörperung einer theatral. Männerrolle durch eine Schauspielerin. Bis zum Ende des 16. Jh.s wurden Theaterstücke ausschließl. von männl. Akteuren gespielt. Als dann Schauspielerinnen hinzugezogen wurden, nutzte man diese Neuerung, zumal in den Verwechslungs- und Verkleidungskomödien, bes. in Frankreich, Spanien und Italien, zur Geschlechtsmaskierung. Die H. ist zunächst ein Mittel der Situationskomik und des *Rollentauschs,* der vom Publikum stets durchschaut werden kann. Als dramatur. Mittel der *Rollen-Verfremdung* setzt Brecht die H. im »Guten Menschen von Sezuan« (Shen Te/Shui Ta) ein. – Berühmte H.n sind die Viola in Shakespeares »Was ihr wollt«, Donna Juana in Tirso de Molinas »Don Gil von den grünen Hosen«; in der Oper der Cherubino in Mozarts »Figaros Hochzeit«, Beethovens »Fidelio« oder der Oktavian im »Rosenkavalier« von R. Strauß/Hofmannsthal. Ehemal. Kastratenrollen werden heute, damit die originale Stimmlage beibehalten werden kann, von Sängerinnen übernommen, wodurch ursprüngl. nicht beabsichtigte H.n entstehen (Gluck: »Orpheus«).

⌑ Zercawy, K.: Entwicklung, Wesen u. Möglichkeiten der H. Diss. Wien 1951.   HW

Hrynhent, n., auch: hrynhendr háttr, m. [altnord. zu hrynja = fließen, háttr = Art u. Weise, Maß], Strophenmaß der /Skaldendichtung aus acht 4heb., in der Regel 8silb. Versen mit fester Kadenz und ›trochäischem‹ Gang; Strophengliederung, Anordnung der Stabreime und Hendingar (/Hending) entsprechen denen des /Dróttkvætt; die H.-zeile wird daher als erweiterte Dróttkvætt-Zeile, aber auch als Nachbildung kirchenlat. Muster aufgefaßt. H. begegnet zuerst im 11. Jh. bei Arnórr Jarlaskáld (»Magnúsdrápa«, um 1040) und war bes. beliebt in der geistl. Skaldik des späteren MA.s. Bedeutende H.-Dichtung ist die »Lilja« (›Die Lilie‹) des Eysteinn Ásgrímsson (14. Jh.), eine 100 H.-Strophen umfassende /Drápa auf die Jungfrau Maria; nach diesem Gedicht wird das H. gelegentl. auch als *Liljulag* (Weise des Gedichtes »Lilja«) bez.   K*

Huitain, m. [ɥi'tɛ̃; frz. = Achtzeiler], in der frz. Verslehre Strophe oder Gedicht aus 8 gleichgebauten Zeilen, meist Achtsilbern, seltener Zehnsilbern; gängigstes Reimschema: a b a b b c b c; begegnet v. a. in der frz. Dichtung des 16. bis 18. Jh.s; auf Grund seiner satir. bzw. epigrammat. Inhalte tritt er als Form zeitweise mit dem /Sonett in Konkurrenz, so etwa bei M. Scève (16. Jh.) in der Zeit vor der Pléiade.   K

Humaniora, f. Pl. [neulat. Bildung: Komparativ n. Pl. zu lat. humanus = menschlich; vgl. ›Humanist‹], eigentl. *H.studia*: wohl im 16. Jh. (Humanismus) gebildete Bez. für das Studium und die Kenntnis des klass. Altertums, insbes. der antiken Sprachen und Literaturen (daneben bestand die klass. lat. Bez. nach Cicero: *studia humanitatis*). Die seit dem 17. Jh. vordringende Verkürzung zu ›H.‹ bezeichnet auch die (alt)philolog. Lehr- und Prüfungsfächer.   IS

Humanismus, m. [zu lat. humanus = menschlich, gebildet; als Fremdwort im Dt. erstmals im 18. Jh. belegt]. Epochenbez.: erste gesamteurop. weltl. Bildungsbewegung zwischen Mittelalter und Neuzeit (14.–16. Jh.), erwachsen aus der Wiederentdeckung, Pflege und Nachahmung der klass. lat. und griech. Sprache und Literatur. Ideal und Leitfigur ist der *vir humanus et doctissimus* (it. *umanista),* der Vertreter einer an der Antike geschulten Geistigkeit und Weltsicht, der sich den *studia humanitatis* widmet (im Ggs. zu den mittelalterl. *studia divina).* – Als vorwiegend lat.-sprachl., im bes. philolog.-philosoph. geprägte Bildungsrichtung entfaltet sich der H. v. a. in den europ. Gelehrtenzirkeln – international ausgerichtet durch den Gebrauch des Latein als Verkehrs- und Literatursprache, durch ausgedehnte Briefwechsel und eine erstaunliche Mobilität untereinander verbunden. Der H. ist Teil der weiter gespannten, auch bildkünstlerische, architekton., (natur-)wissenschaftl., d. h. alle kulturellen Bereiche umfassenden ⁄Renaissance. Durch den Bezug auf die antike Literatur und Philosophie (Platon, Aristoteles) und eine prinzipielle Infragestellung der bisherigen geist. Traditionen wurde der in seiner Quellenorientierung zwar *rückwärts-gewandte* H. Grundlage und Wegweiser für eine die Gesamtepoche prägende Ausbildung neuzeitl. *zukunftsweisender,* diesseitig orientierter Denk- und Lebensformen, neuer ästhet. Modelle und eines sich der Sinnenwelt öffnenden, selbstgewissen Menschentypus.

Zentren des H. wurden Städte mit einem selbstbewußten, gelehrten Bestrebungen gegenüber aufgeschlossenen Patriziertum und kulturell interessierte weltl. und geistl. Höfe, erst danach die eher konservativen Universitäten.

Die *Frühphase* des H. widmete sich v. a. drei Tätigkeitsfeldern: 1. der Erschließung der antiken Literatur (Textkritik, Editionen, Kommentierung), 2. deren Übersetzung und 3. der Chronistik, für welche die an den antiken Texten entwickelte Quellenkritik fruchtbar gemacht wurde. Bedeutung gewann für diese Bemühungen die neue techn. Erfindung des ⁄Buchdrucks; insbes. die Offizinen in Venedig (um 1500 bereits etwa 150 Druckereien). Berühmt wurden Aldo Manutius (erster Verleger antiker Klassiker) und Nikolaus Jenson (Entwicklung einer eigenen Schrifttype im Anschluß an die karoling. Minuskel, der sog. Humanistenschrift oder Antiqua). – Weiteres Ziel ist die Ausbildung eines klass. lat. Stils, der das schwerfällige mittelalterl. Latein ablösen soll. Stilmuster werden die Werke Ciceros. Der Titel der Schrift Lorenzo Vallas, »Elegantiarum linguae latinae« (zw. 1435–1444) signalisiert diese neuen Interessen; das Vorwort kann geradezu als Manifest des H. verstanden werden.

Ab etwa 1400 und bes. nach der Eroberung von Byzanz durch die Türken (1454) kommt durch den Einfluß (z. T. vertriebener) griech. Gelehrter (G. G. Plethon, 1355–1451, Bessarion, 1403–1472) die griech. Antike zunehmend stärker ins Blickfeld.

In der *Hochphase* treten neben die genannten drei Tätigkeitsbereiche eine eigenständige ⁄neulat. Dichtung und Versuche, sich auch in den Volkssprachen dem neuen Stilideal anzunähern, ferner Auseinandersetzungen mit dem starren scholast. Traditionen und verhärteten Dogmatismen und der Kampf gegen Aberglauben.

Der H. setzte Mitte 14. Jh.s in *Italien* ein. Seine Anfänge werden repräsentiert durch die lat. Werke von F. Petrarca (1307–74) und G. Boccaccio (1313–75; beide wurden allerdings später v. a. durch ihre volkssprachl. Werke, »Canzoniere« und »Decamerone«, berühmt). Ihre gemeinsame Übersetzung Homers ins Italienische (1336) markiert den Beginn eines speziellen italian. H. – Führend wird Florenz, wohin schon 1397 der Grieche M. Chrysoloras als Lehrer durch C. Salutati, einen Schüler Petrarcas und bedeutenden Stilisten, berufen worden war. Um Cosimo und Lorenzo de'Medici als Mäzene scharten sich Gelehrte und Sammler wie L. Bruni, C. Marsuppini, N. Niccoli, G. F. Poggio-Bracciolini (Verfasser von ⁄Fazetien) u. a. In Florenz entstand auch die erste nach antikem Vorbild eingerichtete ⁄Akademie (Academia Platonica, 1459), ein Zentrum der Platon-Renaissance (Neuplatonismus) mit A. Poliziano, C. Landino, G. Pico della Mirandola, M. Ficino, F. Filelfo

u. a. Daneben entstanden für die Sammlungen antiker Hss. die ersten großen ⁄Bibliotheken (Marciana, Laurenziana Medicea); weitere folgten in Rom (Vaticana), Urbino, Venedig u. a. Städten. – Ein typ. Vertreter des ital. H. des 16. Jh.s war Pietro Bembo (1470–1547), der in Urbino, Rom, Padua und Venedig wirkte, als Literaturtheoretiker und Dichter ein bedeutender Wegbereiter für eine nach humanist. Stilidealen sich entwickelnde volkssprachl. Literatur (»Prose della volgar lingua«, 1525; durch den Sammelbd. »Rime«, 1530, einer der Hauptvertreter des ⁄Petrarkismus).

Nach *Deutschland* wurde der H. v. a. durch Petrarca und Cola di Rienzi vermittelt, mit denen der Bischof und zeitweilige Kanzler am Hofe Karls IV. in *Prag,* Johannes von Neumarkt, in briefl. und persönl. Beziehungen stand. Angeregt durch deren Briefstil entwickelte sich im Umkreis der Prager Kanzlei ein neues Stilideal der ⁄Elegantia, deren Regeln Neumarkt in ⁄Formelbüchern niederlegte. Ein erstes aus diesen Bestrebungen erwachsenes dt.-sprach. Werk ist das Streitgespräch »Der Ackermann aus Böhmen« (1401) des Magisters Johann von Tepl, eines Schülers Neumarkts. In ihm artikuliert sich das neue Selbstwertgefühl des Menschen zwar noch in der mittelalterl. Disputationsform, aber mit Berufungen auf Plato, Aristoteles, Seneca, Boëthius in ausgefeilter ⁄Kunstprosa. – Ein zweites ›kaiserl.‹ humanist. Zentrum neben Prag bildete sich im 15. Jh. in *Wien* unter Kaiser Friedrich III., hier wiederum mitgetragen von it. Humanisten wie Enea Silvio Piccolomini, dem späteren Papst Pius II. (seit 1443 Sekretär der kaiserl. Kanzlei). Richtungweisend wurde seine Rede 1445 an der Wiener Universität, in der er das neue Bildungsideal propagierte. – Den säkularen Anfängen des H. im Osten des Reiches korrespondierte im Westen die *Devotio moderna,* eine religiöse Erneuerungsbewegung in der Nachfolge der hochmittelalterl. ⁄Mystik (begr. von G. Groote, 1340–1388), die sich gegen die traditionelle Kirche wandte. Damit trat im dt. H. neben die charakterist. philolog. Bemühungen (Editionen, Übersetzungen, Abfassung von Regelbüchern, Grammatiken und Poetiken usw.) und die neue Geschichtsschreibung die Auseinandersetzung mit der mittelalterl. Scholastik.

Grundsätzl. blieb auch der dt. H. eine Angelegenheit einzelner Gelehrter. Ihre humanist. Grundhaltung dokumentiert sich äußerl. in der Latinisierung (Vadianus – Watt) oder Gräzisierung (Melanchthon – Schwarzerd) ihrer Namen und der Einführung einer beträchtl. Anzahl lat. und griech. Fachtermini in die dt. Sprache. Nach dem Vorbild der italien. Akademien fanden sie sich z. T. in sog. ›Sodalitates litteraria‹, gelehrten Gesellschaften, zusammen. Sie erhielten ihre Ausbildung meist an den humanist. Zentren Italiens und wirkten in Deutschland v. a. in den oberdt. Reichsstädten (gleichzeitig of bedeutende Druckorte). Kennzeichnend für die Mobilität dieser Gelehrten ist etwa der Übersetzer Niklas von Wyle (ca. 1410–1480; »Translazen« von Boccaccio, Poggio, Eneas Silvio Piccolomini u. a.), der in Zürich, Radolfzell, Nürnberg, Eßlingen, Mantua, Wiener Neustadt, Stuttgart tätig war. *Nürnberg* wurde v. a. bekannt durch die Historiographen Gregor von Heimburg (gest. 1472) und Hartmann Schedel (1440–1514), dessen reich illustrierte »Weltchronik« (1493, in lat. und dt. Ausgabe) einen der ersten Höhepunkte des dt. H. darstellt, ebenso *Ulm* durch den Arzt und Übersetzer Heinrich Steinhöwel (1412–1482) und den weitgereisten Historiographen Felix Fabri (gest. 1502) oder *Straßburg* durch den Prediger J. Geiler von Kaisersberg (gest. 1510). Auch der vorderösterr. Musenhof der Pfalzgräfin Mechthild von Österreich in Rottweil war im 15. Jh. ein humanist. Zentrum durch die Beziehungen zu bedeutenden humanist. Gelehrten (Steinhöwel, v. Wyle u. a.)

An den Universitäten hielt der H. dagegen nur zögernd Einzug – gegen den erbitterten Widerstand der traditionellen

Scholastik. Er wurde dort anfangs nur zeitweilig durch sog. Wanderlehrer vertreten, etwa den Florentiner Publicius Rufus oder den in Italien ausgebildeten Pfälzer Gelehrten Peter Luder (gest. um 1470), der in Heidelberg, Erfurt, Leipzig, Basel und Wien lehrte.
Noch mehr als die Frühphase ist die *Hochphase* des dt. H. durch bestimmte Persönlichkeiten geprägt. Diese stehen zwar wie die Vertreter der Frühphase ganz in der lat. H.tradition, vermitteln aber über die vordringlich philolog. Tätigkeit in lat. Sprache hinaus die neue Gelehrsamkeit auch in originären deutschsprach. Werken. Dadurch konnte sich das humanist. Ideengut sowohl räuml.-geographisch als auch thematisch weiter ausbreiten, nunmehr auch an Universitäten wie Tübingen, Heidelberg, Freiburg, Basel, Erfurt u. a. Die jetzt entstehenden Regelbücher zu Sprache, Stil, Metrik, Poetik, Rhetorik und Grammatik befassen sich nicht mehr nur mit der lat., sondern auch mit nationalen Sprachen. Neu sind in der Hochphase, im Gefolge eines erwachenden Individualitäts- und Nationalbewußtseins, die Interessen für Mythologie, nationale Geschichte und Altertumskunde (auch mittelalterl. Chronistik und Literatur) und Versuche eigenständigen poet. Schaffens in lat., aber auch dt. Sprache (s. ∕neulat. Dichtung, ∕Humanisten-, ∕Schuldrama).
Bedeutendes humanist. Zentrum blieb *Wien,* insbes. durch den »dt. Erzhumanisten« Konrad Celtis (1459–1508), der während seiner Wanderzeit an zahlreichen it. und dt. Universitäten lehrte (u. a. Heidelberg, Erfurt, Rostock, Leipzig, Padua, Florenz, Rom, Krakau, Breslau, Prag, Ingolstadt, zuletzt als Professor der Beredsamkeit und Dichtkunst in Wien). Er verfaßte nicht nur bedeutende philolog. Werke (u. a. die erste humanist. Poetik, »Ars versificandi«, 1486) und eröffnete die Erforschung der dt. nationalen Vergangenheit (Edition der »Germania« des Tacitus oder der Werke der Hrotswith von Gandersheim) und kämpfte auch für die Gleichberechtigung von sog. Profanwissenschaften und Theologie. Überdies wurde er der erste dt. ∕poeta laureatus (1487), eine Auszeichnung, die im italien. H. im Anschluß an antike Traditionen wiederbelebt worden war. Wien wurde auch Zentrum der sich entfaltenden Naturwissenschaften (Georg von Peuerbach, Regiomontanus).
Zum Wiener Celtiskreis zählen die Historiographen Vadianus (J. von Watt, 1483–1551, führender Wiener Humanist nach Celtis' Tod, poeta laureatus 1514) und der in *Ingolstadt* lehrende Aventinus (J. Turmair, 1477–1534), der mit seiner lat. und dt. verfaßten »Bair. Chronik« (1521–33) das erste eigentl. Geschichtswerk in dt. Sprache schuf.
Auch in den Reichsstädten blieb der H. lebendig: Insbes. in *Augsburg* durch den Patrizier und Staatsmann K. Peutinger (1465–1547), ein Sammler, Editor (Jordanes, Paulus Diaconus u. a.) und Historiker (»Kaiserbuch«, 1531) von weitreichender Wirkung. Ebenso *Nürnberg* durch die humanist. gebildete Patrizierfamilie Pirckheimer, v. a. durch deren bedeutendsten Repräsentanten, den Ratsherrn, Philologen, Übersetzer und Editor Willibald Pirckheimer (1470–1530), den »dt. Xenophon« und Freund Albrecht Dürers.
Zum weiteren humanist. Zentrum wurde *Tübingen:* v. a. durch J. Nauclerus (1472–1510), Begründer der krit. Geschichtsforschung (»Weltchronik«, 1504), H. Bebel (1472–1518), Kosmograph und neulat. Dichter (Fazetien), J. Reuchlin (1455–1522), Begründer der hebr. Sprachwissenschaft und des neulat. ∕Schuldramas, und durch das zeitweilige Wirken Ph. Melanchthons (1497–1560), des »Praeceptors Germaniae« (Griech. Grammatik, 1518) und wichtigen Parteigängers Luthers. – Ebenso *Heidelberg:* durch den *uomo universale* R. Agricola (gest. 1485), den Hauptvertreter auf dem Gebiete der Logik und Dialektik, J. Trithemius, den bedeutenden Bibliotheksstifter, oder H. von Neuenar (1492–1530), Editor mal. Quellen wie Einhards Karlsleben u. a., – und *Erfurt:* durch den religions-

kritischen, aus der Devotio moderna kommenden K. Mutianus Rufus (1471–1526), den neulat. Dichter Eobanus Hessus (1488–1540) oder J. Crotus Rubeanus (1480–1545), einer der Verfasser der berühmten, gegen die starre Scholastik gerichteten ›Dunkelmännerbriefe‹ (»Epistolae obscurorum virorum«, 1515–17). Bedeutend wurde auch der sog. *oberrhein.* H., lokalisiert zwischen Basel, Freiburg, Schlettstatt und Straßburg, repräsentiert durch J. Wimpheling (1450–1528), M. Ringmann Philesius (1482–1511; erste Übersetzung Caesars, 1507) und Beatus Rhenanus (1485–1547, die stärkste histor.-krit. Begabung des dt. H., reiche Editionstätigkeit, Verfasser der »Rerum Germanicarum«, 1531), ein Schüler und Freund des Erasmus. Als wichtiger Repräsentant des oberrhein. H. wird heute auch der Jurist Sebastian Brant (1457–1521) angesehen; wie bei manchen Humanisten ist auch sein bedeutsamstes Werk, »Das Narrenschiff« (1494), in der Volkssprache geschrieben.
Als singulärer Gipfel des mitteleurop. H. gilt Erasmus von Rotterdam (1466–1536), schon zu seiner Zeit anerkannt als Meister der *bonae litterae,* der eleganten Latinitas, der wissenschaftl. und satir. Kritik. Er wurde nach langen Wanderjahren, auch in England, Frankreich, Italien, in Basel und Freiburg ansässig. Er vereinigte in sich die beiden Strömungen des dt. H.: die religiöse mit dem Versuch einer Rückkehr zu den Ursprüngen des Christentums (vgl. sein relig. Lebensprogramm im »Enchiridion militis christiani«, 1504, und die Edition eines gereinigten Urtextes des NTs, 1516) und die ästhet.-philologische mit der Pflege der antiken Literatur (Übersetzungen) und durch die Beherrschung der klass. Formensprache (»Adagia«, 1500, »Morias enkomion seu laus stultitiae«, 1511 u. v. a.).
Fast ebenso berühmt, aber auch einen Endpunkt des dt. H. markierend, war der Ritter Ulrich von Hutten (1488–1523), ein erfolgreicher ›Gesinnungshumanist‹ und Dichter, der schließl. die lat. Sprache zugunsten der dt. aufgab (»Gésprächsbüchlein«, 1521), die er im Dienste seiner realpolitischen Ziele in Streitschriften einsetzte, dabei aber auch die Unvereinbarkeit von humanist. Idealen und Tagespolitik offenbarte.
Der philolog.-ästhet. ausgerichtete H. und die alle Kunst- und Lebensbereiche umfassende Renaissance gehörten in gewissem Sinne zu den Wegbereitern der religiös motivierten, weltl. Sozialhoffnungen weckenden Reformation, insofern, als diese Bewegungen alte, erstarrte Traditionen des Mittelalters aufbrachen, ablösten und zu den Quellen des weltl. Abendlandes und des Christentums zurückstrebten. Allerdings schlossen sich nur wenige Humanisten (u. a. Ph. Melanchthon, Hutten) der Reformation an.
Der H. schuf den Raum für die neuzeitl. Persönlichkeitsentwicklung (Begriff der Freiheit, der Selbstbestimmung) entscheidend mit. Er endete in Mitteleuropa praktisch in den Polarisierungen der Reformation und Gegenreformation. Beide Strömungen werden repräsentiert durch zwei so gegensätzl. Persönlichkeiten wie den radikal Neues anstrebenden und doch der Weltsicht des Mittelalters verhafteten Martin Luther und den auf eine Synthese von Christentum und Antike bedachten, seine Kräfte aus der Frühzeit des Abendlandes schöpfenden Erasmus. Die humanist. Ideen erwiesen sich indes letztl. als ungeeignet für polit. und relig. Kontroversen; sie wurden von diesen mehr und mehr in die Gelehrtenstuben abgedrängt.
In den westeurop. Nachbarländern faßte der H. erst im 16. Jh. so richtig Fuß: In England, vermittelt durch Erasmus, wurde und vertreten von dem Staatsmann Thomas Morus (1478–1535; »Utopia«, 1516) und dem Diplomaten und Dichter Thomas Wyatt (1503–1542); in Frankreich von Michel de Montaigne (1533–1592), dem Begründer einer weltmänn. Laienphilosophie, J. C. Scaliger (1484–1558), u. a. Verfasser einer grundlegenden ∕Poetik, und P. de Ronsard (1525–1585), der als Haupt der ∕Pléiade huma-

nist. Ideale in Sprache und Poesie verwirklichte; in den Niederlanden von dem klass. Philologen und Dichter D. Heinsius (1580–1655) und H. Grotius (1583–1645), dem Begründer des modernen Völkerrechts. Im 18. Jh. wurden im sog. *Neu-H.* oder auch *2. H.* die Ideen des H., insbes. das Bildungsideal einer autonomen, sich frei und harmon. entfaltenden, universal gebildeten Persönlichkeit wiederbelebt und v. a. in geschichtsphilosoph., kunsttheoret. (Herder, Winckelmann, W. v. Humboldt) und poet. Werken (Goethe, »Iphigenie«) propagiert (auch: *Weimarer Humanitätsklassik*). Als *3. H.* wird eine philosoph.-pädagog. Bewegung bez., die nach der Krise des Historismus an der Wende zum 20. Jh. ein an antikem (auch polit.) Gedankengut orientiertes Bildungsprogramm anstrebte (W. Jaeger). Im Unterschied dazu wird der *sozialist. H.* (ebenfalls z. T. als 3. H. bez.) als aktives Wirken zum Wohle der Menschen (Kampf gegen Feudalismus oder bürgerl. Bildungsidealismus) verstanden.

◻ *Bibliographie* internationale de l'Humanisme et de la Renaissance. Genf 1965ff. – Malettke, K./Voss, J. (Hg.): H. und höf.-städt. Eliten im 16. Jh. Bonn 1989. – Böhme, G.: Wirkungsgesch. des H. im Zeitalter des Rationalismus. Darmst. 1988. – Buck, A.: H., s. europ. Entwicklung in Dokumenten u. Darstellungen. Freibg. u. a. 1987. – Böhme, G.: Bildungsgesch. d. europ. H. Darmst. 1986. – Bernstein, E.: German Humanism. Boston 1983. – Becker, R. P. (Hg.): German Humanism and Reformation. New York 1982. – Margolin, J.-C.: L'Humanisme en Europe au temps de la Renaissance. Paris 1981: – Kölmel, W.: Aspekte des H. Münster 1981. – Kristeller, P. O.: H. und Renaissance. Hg. v. E. Keßler. 2 Bde. Mchn. 1980. – Aufklärung und H. Hg. v. R. Toellner. Hdbg. 1980. – Beiträge z. H.-Forschung. Bd. 5ff.(1979ff.). – L'Humanisme allemand (1480–1540). XVIIIᵉ colloque international de Tours. Mchn./Paris 1979. – Bernstein, E.: Die Lit. des dt. Früh-H. Stuttg. 1978 (SM 168). – Hoffmeister, G. (Hg.): Renaissance and Reformation in Germany. New York 1977. – H.-Forschung seit 1945. Hg. v. d. DFG. Bonn 1975. – Oppermann, H. (Hg.): H. Darmst. 1970. – RL.   S

Humanistendrama, das *lat.* ⁄Drama der (niederl. und dt.) Humanisten des 15. u. 16. Jh.s. Die literaturhistor. Voraussetzung seiner Entstehung ist die Rezeption des röm. Dramas der Antike (Terenz, Plautus; Seneca; Vitruv) u. bes. die Wiederentdeckung des Terenz-Kommentars des Donat durch den Humanisten G. Aurispa in Mainz 1433. Bis dahin waren die Komödien des Terenz nur als unterhaltend-moralisierende Lesedialoge aufgefaßt worden. Früheste H.en sind das unter Mitwirkung von J. Pirckheimer, H. Schedel u. a. 1465 an der Universität Padua aufgeführte -og. »Lustspiel dt. Studenten in Padua«, es folgen u. a. J. Wimpheling, »Stylpho« (1480), J. Kerckmeister, »Codrus« (1485), H. Bebel, »Comoedia vel potius dialogus de optimo studio scholasticorum«(1501). Es handelt sich dabei um Prosadialoge *(Gesprächsspiele)*, bei denen der Einfluß der röm. Dramatiker noch gering ist, ledigl. sprachl. Duktus und Dialogführung lassen Terenz und Plautus als Vorbilder erkennen. Diese Stücke sind entstehungsgeschichtl. und durch eine pädagog.-didakt. Zielsetzung an den akadem. Rahmen (Universitäten, Lateinschulen) gebunden, sind »Schuldramen« im engeren Sinne: immer wiederkehrendes Thema: Rechtfertigung wissenschaftl. Studien und das Lob humanist. Bildung. Die Aufführung der Stücke erfolgte im Rahmen des Rhetorik-Unterrichts; die Schüler sollten sich in der gepflegten Konversationssprache der röm. Komödie und im öffentl. Vortrag üben. Die Bindung an den akadem. Bereich verliert aufgrund einer ausgeweiteten Thematik u. anderer Zielsetzung bei den späteren Formen des H.s an Bedeutung: Gegen *Ende des 15. Jh.s* kommt das Vorbild des röm. Dramas auch formal zum Durchbruch: die Gliederung der Stücke in Akte mit Hilfe einge-

schobener Chöre, Szeneneinteilung, Prolog und Epilog; die Dialoge werden in Versen (meist iamb. Trimetern, ⁄Senaren, Hexametern), die Chorlieder in Strophen abgefaßt; Tragödie und Komödie werden, der Renaissancepoetik entsprechend, soziolog. unterschieden; die Zwischenform der *Tragicomoedia* oder *Comitragoedia* (mit der versöhnl. Lösung eines trag. Konflikts, ⁄Tragikomödie) wird neu geschaffen. Als Bühne dient die ⁄Terenz- oder »Badezellen«-Bühne. Neben der röm. Drama gewinnen jetzt auch die it. Renaissance-Komödie und allegor. Festspiele und Maskenzüge (⁄Trionfi) an Bedeutung. An die Stelle der frühhumanist. Gesprächsspiele treten damit die literar. anspruchsvolle *Komödie* (J. Reuchlin, »Henno«, 1497), das panegyr. *Festspiel* allegor.-mytholog. Art (K. Celtis, »Ludu Dianae«, 1501) und die zeitgeschichtl. *Staatsaktion* (J. Locher, »Historia de rege Franciae«, 1494/95). – In der *1. Hälfte des 16. Jh.s* tritt das lat. H. in den Dienst der religiösen Auseinandersetzungen, wird zur *religiösen Tendenzdichtung.* Es knüpft themat. und formal an das ⁄geistl. Spiel des späten MA.s an, die klassizist. Form wird vielfach nur noch äußerl. beibehalten. Bes. beliebt sind Stoffe aus dem Bereich des mal. Mysteriendramas (z. B. der Jedermann-Stoff) sowie bibl. Stoffe (⁄bibl. Drama). Die Terenz-Bühne wird teilweise durch die Simultan-(Flächen)bühne abgelöst. Hauptvertreter des *protest. lat. H.s* sind zunächst niederländ. Humanisten (G. Gnaphaeus/W. de Volder, »Acolastus«, 1529, Geschichte des verlorenen Sohnes; G. Macropedicus/J. van Langveldt, »Hecastus«, 1539, ein Jedermann-Spiel), später v. a. Humanisten aus dem oberdt. Raum (Th. Naogeorgus/Kirchmeyer, »Pammachius«, 1538, ein Luther gewidmetes Antichristspiel; »Mercator«, 1540, freie Bearbeitung der Jedermann-Thematik; »Judas Iscariotes«, 1552; X. Betuleius/S. Birck und N. Frischlin). Etwas jünger als die *protestant. Humanistendramen* sind Tendenzstücke *im Dienste der kathol. Kirche* (H. Ziegler, A. Fabricius), aus ihnen entwickelt sich dann, unter Verarbeitung vielfält. stoffl. und formaler Anregungen, in der 2. Hälfte des 16. Jh.s das lat. ⁄Jesuitendrama (M. Hiltprandus, »Ecclesia militans«, 1573, in vieler Hinsicht ein kathol. Gegenstück zum »Pammachius« Naogeorgs). – *Das H. des ausgehenden 16. Jh.s* (Zentrum Straßburg) orientiert sich wieder stärker an den antiken Vorbildern, wobei jetzt auch das Muster der gr. Tragödie (Euripides) eine Rolle spielt (C. Brülovius). – Die histor. Bedeutung des H.s liegt v. a. darin, daß hier seit der Antike erstmals wieder ein ästhet. Maßstäben genügendes Literaturdrama entwickelt wurde. Die Wirkung des H.s auf das dt.-sprach. Drama freilich blieb relativ gering, sie machte sich v. a. im dt.-sprach. ⁄Reformationsdrama u. im Meistersingerdrama bemerkbar.

◻ Parente, J. A.: Religious drama and the humanist tradition. Amsterd. 1987. – Maasen, J.: Drama und Theater der Humanistenschulen in Dtschld., Augsb. 1929.   K

Humanistische Front ⁄Exilliteratur.

Humor, m. [lat. = Feuchtigkeit] in der Dichtung; die Bedeutungsgeschichte von ›H.‹ geht zurück auf die antike und mal. Lehre von 4 Körpersäften *(humores),* deren spezif. Mischung als ausschlaggebend für Temperament und Charakter galt. Das Wort erscheint danach als Synonym für Laune, Temperament. Erst im 18. Jh. erfährt es eine Bedeutungserweiterung, wird, v. a. durch die engl. ›Humoristen‹, zum Gattungs- und Stilbegriff, dann, als bes. Anschauungs- und Darstellungsweise, als Aspekt des ⁄Komischen, zum ästhet. Begriff. – Die Grenzziehung zw. humorist. und kom., iron., satir., parodist. Kennzeichen dichter. Werke ist allerdings fließend. Einen ersten Versuch zur Definition des H.s und damit zur Differenzierung seiner inhaltl. u. gestalter. Ausprägungen in sprachl. Kunstwerken unternahm Jean Paul: Er sieht im H. das »umgekehrt Erhabene«, das »das Endliche durch den Kontrast mit der Idee« vernichte (Vorschule d. Ästhetik § 32); spätere Strukturanalysen (Kierkegaard, Höffding) fassen, darauf aufbauend, den H. auf als das Gewahrwerden *eines Eigentlichen* (eines ideellen, human-eth., werthalt. *Sinnes*) *in einer uneigentl.* Erscheinungsform, wobei die Inadäquatheit der Erscheinung zweifach bezogen ist: auf eine ideelle Ebene *und* auf den Bereich der Realität (wie in Parodie, Satire, Karikatur, die damit oft zugleich in einem humorist. Werk präsent sind), wodurch das Inadäquate zugleich gut *und* lächerl. erscheint. Diese positive Wertung der Diskrepanz zw. Eigentlichem und Uneigentlichem evoziert die humorist. Welthaltung: Lächeln, Heiterkeit, Versöhnlichkeit, gelassene Betrachtung menschl. Schwächen und ird. Unzulänglichkeiten, Kraft zur Erduldung von Leid und sogar Grauen. – Verschiedene Spielarten der humorist. Welterfahrung sind z. B. gemüt- oder leidvoller, resignativer, trokkener, schwarzer oder Galgen-H., die alle auch in der Literatur erscheinen können. Humoristisches findet sich in dichter. Werken seit den frühesten Überlieferungen. Dabei ist zu unterscheiden 1. Humoristisches als *Stoff*, d. h. die Schilderung kom., amüsanter oder liebenswürdiger Geschehnisse als naiver oder reflektierter Ausfluß der humorist. Welthaltung des Autors (»Ausplauderer lustiger Selbstbehaglichkeit«, J. Paul), z. B. in idyll. u. realist. Werken aller Gattungen (O. Goldsmith, J. H. Voß, z. T. E. Mörike u. H. v. Kleist, »Zerbrochener Krug«, O. Ludwig, W. Raabe, G. Freytag, V. v. Scheffel, A. Daudet u. v. a.), häufig sind auch humorist. Einschübe in Werken mit anderer Grundtendenz, so z. B. humorist. ausgemalte Szenen oder Gestalten schon in nord. und antiken Göttermythen, im »Nibelungenlied« (Rumolt), im »Parzival« (der junge Parzival u. a.), bei Grimmelshausen, Lessing (Just in »Minna v. Barnhelm«, Klosterbruder, Recha im »Nathan«), Goethe oder Th. Mann (Tony und Permaneder in den »Buddenbrooks«). – Neben stoffbedingt humorist. Werken stehen 2. solche, die eine humorist. Wirkung durch eine bes. *Darstellungstechnik* erreichen, z. B. durch Inadäquatheit der Gestaltung: unpassenden Erzählton, inkompetenten Erzähler, Selbstironie, Stilmischungen oder bizarren Sprachstil, Dialekt (F. Reuter, L. Thoma) und v. a. durch bestimmte Kompositionsprinzipien wie Perspektiven- und Standortwechsel, Abschweifungen, Reflexionen und andere sog. »subjektive Disgressionen«, wie sie bes. für die engl. Humoristen (Swift, Fielding, Sterne), aber auch für Rabelais, Fischart, Jean Paul und s. Nachfolger (L. Tieck, E. T. A. Hoffmann) typ. sind. Eine 3. Gruppe von Werken benutzt den H. funktional als *Gestaltungsprinzip*, d. h. die H.-Struktur des Diskrepanz zw. Idee u. Erscheinung konstituiert die Sinnstruktur, gibt die Sinndeutung des Dargestellten (»erhellender H.«, K. Hamburger, »Groß-H.«, Höffding), wobei erzählotech. durchaus die Mittel humorist. Sprachgestaltung, aber auch der Ironie, Satire, Parodie hinzutreten können. Als bedeutendstes Beispiel gilt Cervantes »Don Quijote« (auf d. Realitätsebene: nur kom.-lächerlich, auf der Sinnebene: Idee der Ritterlichkeit); weiter werden hierzu gezählt Shakespeares Komödien (insbes. die Gestalt des Falstaff), J. Swifts »Gulliver«, H. Fieldings »Tom Jones«, L. Sternes »Tristram Shandy«, Jean Pauls »Flegeljahre« u. anderes, Werke von Ch. Dickens, G. Keller, W. Raabe, Th. Fontane, Ch. de Costers »Ulenspiegel«, K. Kluges »Kortüm«, Thomas Manns »Erwählter« und »Josef u. s. Brüder« (Idee der Humanität), Giraudoux' »Irre von Chaillot« u. a. – In der jüngsten Zeit wird infolge eines geschwundenen metaphys. Bewußtseins, deprimierender Wirklichkeitserfahrung und eines Drangs zur Weltverbesserung der H. als literar. Mittel der Daseinsbejahung von anderen Darstellungsmöglichkeiten (absurde, abstrakte, dokumentar. Formen) überlagert.

◻ Hörhammer, D.: Die Formation des literar. H.s Mchn. 1984. – Preisendanz, W.: H. als dichter. Einbildungskraft. Mchn. ²1976. – Zijderveld, A. C.: H. und Gesellschaft. Eine Soziologie des H.s und des Lachens (1971), dt. Graz/Wien/Köln 1976. – Grotjahn, M.: Vom Sinn d. Lachens.

Psychoanalyt. Betrachtungen über den Witz, den H. u. das Komische (1957), dt. Mchn. 1974. – Pleßner, H.: Lachen u. Weinen (1941, ²1950), in: H. P.: Philosoph. Anthropologie, Frkft. 1970, S. 11–171. – Helmers, H.: Lyr. H. Strukturanalyse und Didaktik der kom. Verslit. Stuttg. 1971. – Höffding, H.: H. als Lebensgefühl. Lpz. ²1930. – Lipps, Th.: Komik und H. Lpz. ²1922. – Bergson, H.: Le rire. Paris 1900 (dt. Jena ⁶1921). – Jean Paul: Vorschule d. Ästhetik (1804). Hist. krit. Ausg. Bd. I,11, Hrsg. v. E. Berend, Weimar 1935. – Hamburger, K.: Der H. bei Thomas Mann. Zum Josephsroman. Mchn. 1965. – RL   IS

Humoreske, f. [zu ⁄Humor], literar. Gattungsbez., die im 1. Jahrzehnt des 19. Jh.s analog zu ›Burleske‹, ›Groteske‹, ›Arabeske‹ gebildet wurde und ursprüngl. (z. B. bei C. F. v. d. Felde) auf harmlos-heitere Geschichten aus dem bürgerl. Alltag bezogen war. Im ⁄Biedermeier wurde (z. B. bei F. X. Told) massive Situationskomik mit anspruchsvolleren Anspielungen eines literar. Bildungshumors verknüpft. Bes. beliebt war die Reise-H., die ihre Komik aus den immer erneuten Hindernissen der Reise gewann. Schon seit den zwanziger Jahren des 19. Jh.s erschienen jedoch unter der modisch gewordenen Bez. ›H.‹ auch mehrbändige histor. Romane (z. B. von G. Nicolai), eine gegen Hegel gerichtete Literatur-Satire des Jungdeutschen Th. Mundt, Autobiographisches, sketchartige Dialogszenen zur Zeitgeschichte usw. Seit den dreißiger Jahren wurde die in ihrer Form von Anfang an schwankende H. häufig auch als Fortsetzungsgeschichte in Zeitschriften, Almanachen und Sammelbänden publiziert. Ihre stärkste Verbreitung fiel in die Zeit des ausgehenden Realismus, in der die ständig wachsende Beliebtheit auch eine immer größere Verflachung bedeutete. Zu den bekannteren Autoren zählten E. Eckstein, V. Chiavacci, L. Eichrodt, P. v. Schönthan, E. v. Wildenbruch, L. Anzengruber; Vielschreiber waren A. v. Winterfeld und S. v. Grabowski. Dabei entstanden »Militair. H.« ebenso wie »Dramat.«, »Landwirtschaftl.« und »Schulh.n«. In ihrer immer weiter trivialisierten Form mündeten sie schon seit dem Ende des 19. Jh.s in die sog. Feuilletonphantasien, in die ⁄Bildergeschichten der Journale und in die ⁄Comic Strips. Versuche der Literaturkritik wie der Literaturwissenschaft, die H. aufzuwerten und Werke von E. T. A. Hoffmann, G. Keller oder Jean Paul, ja sogar von Heine und Kleist zu H.n zu erklären, gelten heute weitgehend als verfehlt.

◻ Grimm, R.: Begriff und Gattung H. In: Jb. der Jean-Paul-Gesellschaft. 1968. – RL   HD

Hybris, f. [gr. = Übermut], aus der griech. Ethik übernommene Bez. der Tragödientheorie für eine sittl. Schuld des Menschen, welche die Vergeltung (Nemesis) der Götter, d. h. die trag. Katastrophe hervorruft. Den Griechen galt schon fortgesetztes Glück als H. (vgl. Herodots Novellen über Kroisos und Polykrates); sie konnte, wenn der Mensch mit ihr »geschlagen« war (Ate), durchaus mit subjektiver Unschuld zusammengehen (»Ödipus«, »Antigone«). Geltung und Wertung der H. waren daher von Anfang an untrennbar an die Frage nach der göttl. Gerechtigkeit gebunden. So hatte der Begriff der H. auch für die Theorie und Praxis der modernen Tragödie entscheidende Bedeutung, solange die Tragödie – zunächst bejahend und dann verneinend – die Theodizee ins Zentrum ihrer Dramaturgie stellte.   HD

Hymenaeus, Hymenaios, m. [gr. = Hochzeit(sgott)], altgriech. chor., wohl auf einen Volksbrauch zurückgehendes Hochzeitslied, meist auf dem Weg vom Haus der Brauteltern in das des Bräutigams (oder auch vor dem Schlafzimmer der Brautleute) von einem Mädchen- und Jünglingschor gesungen. Unklar ist, ob die Anrufung im Refrain »Hymen, o Hymenaie« dem gleichnamigen Hochzeitsgott gilt oder dieser seine Existenz erst dem Refrain verdankt. Fragmente u. a. von Sappho. – Seit dem Hellenismus und bei den Römern i. d. Regel als *Epithalamium* bez., Versmaß

meist Hexameter, aber mit demselben Topos- und Motivbestand (Preis der Vermählten, der Ehe, Wünsche für Nachkommenschaft, mytholog. Bezüge); bedeutendster Vertreter Catull. Auch ep. Formen (selbständ. oder in Erzählungen integriert, z. B. bei Theokrit) und rhetor. ausgestaltete Prosa-Epithalamien (Vorläufer der Hochzeitsrede) sind belegt. – Das Epithalamium wurde in der Renaissance wieder aufgenommen, vgl. P. de Ronsard, E. Spenser (»Epithalamion«, 1595), J. Donne (1613). ⌐Feszenninen.
⌑ Muth, R.: H. und Epithalamion. In: Wiener Studien 67 (1954). MS

Hymne, f. [gr. hymnos, lat. hymnus; Etymol. ungeklärt], feierl., meist religiöser Lob- und Preisgesang. Findet sich in allen entwickelten Kulturen. *Geschichte:*
1. altoriental. Dichtung: die älteste Form hymn. Dichtung ist aus der *sumer.-akkad. Zeit* bezeugt: Die von A. Falkenstein und W. v. Soden hg. Sammlung »Sumer. u. akkad. H.n und Gebete« (Zür. 1953) umfaßt Königs- und Götterpreislieder. – Die *hebrä.* H.n-Dichtung ist in den Psalmen des AT repräsentiert (Endredaktion 3. Jh. v. Chr.), Klage-, Dank- und Vertrauenslieder, formal charakterisiert durch dreiteil. Aufbau, das Vorherrschen des Partizipialstils und durch ⌐Parallelismus membrorum. – Die bedeutendste H. der *ägypt.* Literatur ist der »Sonnenhymnus« (»H. auf Aton«) des Pharao Echnaton (Amenophis IV., 1364–1347 v. Chr.), von dem wahrscheinl. der Psalm 104 abhängig ist.
2. Antike: Die etymolog. nicht eindeutig ableitbare Bez. *hymnos* umfaßt bei den Griechen eine zunächst inhaltl. nicht näher definierte poet. Gattung, bei der Sprache, Rhythmus und Gesang kunstvoll gefügt sind. Der Begriff verengt sich früh auf Heroen- oder Götterpreislieder, vorgetragen von Kitharoden und Rhapsoden, auch im Wechselgesang von Priester und Gemeinde (Chorrefrain) oder als vom Tanz begleitetes Chorlied. Spezifizierende Bez. sind z. B. ⌐Dithyrambus (H. auf Dionysos), ⌐Päan (H. auf Apollon), ⌐Prosodion (Prozessions-H.) u. a. Als frühe, formelhafte Gebrauchspoesie zeigen sie meist dreiteil. Aufbau (Anrufung des Gottes, Erzählung bedeutsamer myth. Ereignisse, abschließendes Gebet); Versmaß der ältesten bezeugten H.n ist der Hexameter, vermutl. mit festem, 1–2 Hexameter umfassendem Melodiemodell (*nomos*); seit der klass. Zeit treten daneben zunehmend kunstvolle lyr. und musikal. Formen auf, z. T. auch rein literar. Ausprägungen. – Sekundäre Quellen bezeugen eine reiche Fülle antiker H.n. *Erhalten sind* als die ältesten die sog. »Homer. H.«, eine Sammlung von 6 längeren und 27 kürzeren Hexameterh.n aus dem 8.–6. Jh. v. Chr., die sprachl. und stilist. Homer nahestehen. Hervorzuheben sind eine ion. H. auf Aphrodite (als älteste) eine Apollon-H., eine aitiolog. Demeter-H. und als jüngste eine burleske Hermes-H. – Auch aus der klass. Zeit ist nur ein Bruchteil der einst reichen H.nliteratur erhalten (z. T. in derselb. Slg. wie die »Homer. H.n«, z. T. in andere Werke eingegliedert, etwa eine Zeus-H. im »Agamemnon« des Aischylos): von Pindars reicher H.ndichtung z. B. nur das Fragment einer Zeus-H. – Zahlreicher sind ep. und lyr. H.n der *hellenist. Zeit:* 2 delph. Apollon-H.n (2. Jh. v. Chr.) sind die frühesten auch mit Melodien erhaltenen Denkmäler; erwähnenswert sind ferner die 87 ekstat. »orph. H.n« (⌐orph. Dichtung), die kunstvollen ep. H.n des Kallimachos, des Philikos von Kerkyra (3. Jh. v. Chr.) oder der Mesomedes von Kreta (2. Jh. n. Chr.). Die *röm. Literatur* übernahm seit dem 1. Jh. v. Chr. Formen und Motive der gr. H.ndichtung; sie wurde unter der Bez. ⌐›Carmen‹ (der ursprüngl. Bez. für Zaubersprüche und archa. Kultlieder) subsumiert: z. B. ist Horaz' »Carmen saeculare« eine echte Chor-H.
3. Christl. H.n. Das frühe Christentum kannte bereits relig. Lobgesänge, vermutl. Prosa-H.n, formal u. im Vortrag nach der Art der Psalmen (vgl. u. a. Eph. 5,19, Kol. 3,16). – Eine eigenständ., formal fixierte stroph. christl. H.ndichtung entwickelte sich zuerst im *syr.-byzantin.* Kulturraum (nach hel-

lenist. metr. und rhythm. Mustern und in melismenreichen Monodien). Frühestes Dokument ist ein Papyrusfragment aus Oxyrhinchos (3. Jh.) mit Teilen einer H. in griech. metr. Versen mit antiker Notenschrift, damit das früheste Beispiel christl. Musik überhaupt. In Ostsyrien schuf Ephräm von Edessa (4. Jh.) die sogenannten *Madrashe* (Sg.: Madrasha), stroph. Solo-H.n mit Chorrefrain; in Westsyrien (Antiochia) und Byzanz entstehen das einstroph. *Troparion*, das mehrstroph., kunstvolle *Kontakion* (bes. v. dem bedeutendsten H.ndichter Romanos, dem Meloden, 6. Jh.) und der noch reichere zykl., 8–9 H.n umfassende *Kanon* (bes. v. Andreas von Kreta und Johannes von Damaskus (7./8. Jh.). Die H.n bilden einen festen Bestandteil der Liturgien der Ostkirche. – Ein erster Versuch des Hilarius von Poitiers (ca. 315–367), nach seiner Verbannung im griech. Osten auch in den *westl.* Liturgien H.n einzuführen, mißlang auf Grund der metr. komplizierten, rhetor.-dunklen Form seiner H.n (3 Fragmente erhalten). *Begründer der lat. H.ndichtung* wurde dann Ambrosius von Mailand († 397). Er schuf im Rückgriff auf volkstüml. Traditionen (seit Alkman, 6. Jh. v. Chr.) einen einfachen H.ntypus, der die abendländ. religiöse Gebrauchshymnik für die folgenden Jahrhunderte bestimmte: ein Strophenlied mit meist 8 vierzeil. Strophen aus jamb. Dimetern (die später zu Vierhebern bzw. Achtsilblern wurden, seit der Karolingik auch reimten) mit einfacher, einstimm., syllab. Melodie (s. ⌐H.nvers), die sog. *Ambrosian. H.* Erhalten sind 14–18 H.n, darunter »Deus creator omnium« und »Jesu redemptor gentium«. Die H.n fanden rasche Verbreitung, v. a. durch ihre Aufnahme in das Officium horarum (Stundengottesdienst) der Klöster (insbes. seit der 530 erlassenen Benediktinerregel). Die Aufnahme in die Liturgien der einzelnen Länder geschah z. T. gegen den Widerstand der Kirche und blieb eingeschränkt, nachdem im karoling. Herrschaftsbereich die orthodoxe röm. Liturgie verbindl. gemacht worden war (8. Jh., Ausnahme die Ambrosian. oder mailänd. Liturgie); erst im 13. Jh. wurden H.n in der röm. Liturgie offiziell zugelassen. – *Zentren der H.ndichtung* waren neben Mailand bes. Spanien (die H.n des Prudentius, 4. Jh., gehören in ihrer kunstvollen Formbeherrschung zu den bedeutendsten Literaturdenkmälern des lat. FrühMA.s; Isidor von Sevilla u. a.), Gallien (Venantius Fortunatus, 6. Jh.) und England (Beda Venerabilis, 7./8. Jh.). Die *Hymnare* (H. nsammlungen) dieser Länder waren im MA. sehr verbreitet (ältestes erhaltenes Hymnar ist das von Moissac, 10. Jh.). – Eine Blüte kunstreicher H.ndichtung im Rückgriff auf hellenist.-byzantin. Formen brachte die ⌐Karoling. Renaissance (Paulus Diaconus, Alkuin, Theodulf von Orleans), spätere Zentren im dt.sprach. Raum waren Fulda (9. Jh.: Hrabanus Maurus, Walahfried Strabo), St. Gallen (9., 10. Jh.: Ratpert, Hartmann, Ekkehard I.), Reichenau (11. Jh.: Berno von Reichenau, Hermannus Contractus), ferner sind im 11. Jh. Gottschalk v. Limburg, Wipo, Petrus Damianus, im 12. u. 13. Jh. v. a. Petrus Venerabilis, Bernhard von Clairvaux, Abälard, Adam von St. Viktor, Julian von Speyer, Thomas von Aquin, Thomas von Celano oder Jacopone da Todi zu nennen. Viele dieser bedeutenden H.ndichter des 12. u. 13. Jh.s waren auch Verfasser und Komponisten von ⌐Sequenzen, die in den Textsammlungen (ohne Melodieaufzeichnung) terminolog. oft nicht von den H.n getrennt werden (⌐Sequenz; schon Notkers Sequenzensammlung: »Liber hymnorum«). – Im *Spät-MA.* fällt die Entwicklung der H. formal, inhaltl. und z. T. musikal. mit der der Sequenz, den außerhalb der Liturgie musikal. mit der der Sequenz, den außerhalb der Liturgie Liedformen wie der ⌐Cantio und mit der des volkssprachl. geistl. Liedes zusammen (⌐Leis, ⌐Kirchenlied): H.n erfahren Kontrafakturen, Umdichtungen, Übersetzungen (Mönch von Salzburg, Heinrich von Laufenburg, Luther) und finden sich als mehrstimmige Liedsätze (1. Zeugnis schon im 13. Jh.s). Seit dem *Humanismus* ist die lebend. Entwicklung zu Ende. Ein (vergebl.) Versuch, die liturg. H.n durch neue Formen in klass. Latein und antiken Versmaßen zu ersetzen (Tridentiner Konzil 1545–1563) wurde 1632 revidiert. Durch das 2. Vatikan. Konzil wurde dieser H.nbestand histor.-krit. verbessert. – Die Bedeutung der lat. H.ndichtung für die Entwicklung der dt. Sprache dokumentiert sich etwa in Versuchen ihrer Aneignung im 9. Jh. durch Interlinearversionen (Murbacher H.n oder »Carmen ad deum«) und ahd. Nachahmungen (»Gallus«-, »Petruslied«).

4. *Die H. der Neuzeit* löst sich aus dem liturg. Bereich und sucht, nun *als rein literar. Gattung*, formal wieder den direkten Traditionszusammenhang mit den Psalmen (freie Rhythmen) und der Antike (Pindar, gr. Chorlyrik). In den Poetiken des Humanismus und Barock ist sie noch stroph. und wird vorwiegend inhaltl. definiert als Preis Gottes, der Götter, Helden, Fürsten, abstrakter Tugenden und Begriffe, der Natur, des Heiligen, des erhabenen Gefühls usw. (vgl. z. B. Opitz' »Poeterey«, 1624, D 3b, oder Beispiele wie Heinsius' »Lobgesang auf den Erlöser«, Opitz, »H. auf eine Christnacht«, Weckherlins Fürsten-H.n). Die rationalist., moral.-belehrende Grundhaltung der Aufklärung ist der H. feindl. Erst der sich unter dem Einfluß des Pietismus entwickelnde Gefühlskult entdeckt wieder die Gewalt des Affekts, die Verzückung u. Begeisterung und führt zur Neubelebung der lyr. Dichtung und insbes. der H. – Klopstock und die Dichter des ⁄Göttinger Hains entwickeln einen neuen Stil der H., die dadurch in der Folgezeit als Gattung *terminolog. nicht mehr eindeutig von der* ⁄*Ode getrennt* werden kann. Aus der Grundhaltung der Ergriffenheit und Begeisterung für das Erhabene und der Vorstellung vom Dichter als Priester und Seher (⁄poeta vates) gestaltet Klopstock in seinen H.n v. a. die Themenbereiche Religion, Vaterland und Freundschaft. Er übernimmt die antiken Odenmaße (reimlos, nicht alternierend), formt sie aber auch zu neuen rhythm. Einheiten um und benutzt auch sog. ⁄freie Rhythmen. Er wurde dadurch zum gefeierten Befreier der dt. Sprache vom Regelzwang der Metrik und zum Begründer einer Dichtung, in der Ausdruckswille und Sprachform zur Übereinstimmung streben (vgl. »Frühlingsfeier«, »Das Anschauen Gottes«, »Dem Allgegenwärtigen« u. a.). Dieser neue Kunstwille erreichte im ⁄Sturm und Drang seinen Höhepunkt in den großen H.n Goethes (»Wanderers Sturmlied«, »Mahomets Gesang«, »Prometheus«, »Ganymed«, »An Schwager Kronos«, »Harzreise im Winter«). Freie Rhythmen und Abschnittsgliederung, assoziative Fügung der Satzglieder (Inversion), kühne Neologismen, das Vorherrschen des Ausdruckshaften (vgl. Brief an Herder vom Juli 1772), die sprunghafte Abfolge eindrucksvoller Symbole und Motive kennzeichnen Goethes hymn. Form. Zeitgenöss. H.ndichter sind u. a. Schubart, F. von Stolberg, J. G. Herder (zugleich Anreger des neuen H.nstils), Maler Müller (Prosah.n) und F. Schiller (stroph. H.n: »Triumph der Liebe«, »An die Freude«). – Die klass. Kunstgesinnung steht der H. fern, die Romantik mit ihrer Bevorzugung schlicht-volkstüml. Liedhaftigkeit hat nur in Novalis' »H.n an die Nacht« eine bedeutende H.ndichtung aufzuweisen. – Eine herausragende Stellung nimmt die Dichtung F. Hölderlins ein: Unter dem Einfluß der Lyrik des jungen Schiller entstehen die H.n der Tübinger Zeit auf abstrakte Begriffe (Freiheit, Unsterblichkeit, Schönheit, Menschheit u. a.), die formal durch den triad. Bau und die Beibehaltung der Reimstrophe charakterisiert sind. Die H.n der Zeit zw. 1800 und 1804 (»Wie wenn am Feiertage«, »Der Rhein«, »Friedensfeier«, »Der Einzige«, »Patmos«) entstehen als Ausdruck einer pantheist. Einigkeitssehnsucht mit dem Göttlichen. Er verzichtet hier auf feste Metren, entwickelt im Anschluß an Pindar den eigenrhythm. geformten Vers, neigt zur harten Fügung und ordnet die Strophen nach einer strengen Dreiergruppierung. Hölderlins H.n wirkten auf den ⁄Georgekreis, auf R. M. Rilke (»Fünf Gesänge«), auf G.

Trakl, G. Heym, J. Weinheber. In der Folgezeit finden sich H.n gelegentl. noch bei A. v. Platen (»Festgesänge«), F. Nietzsche (»Dionysos-Dithyramben«, 1884–88, in freien Rhythmen), St. George (»H.n«, 1890, »Stern des Bundes«, 1913). Unter dem Einfluß Nietzsches und Walt Whitmans entstehn im Expressionismus (A. Mombert, Th. Däubler, F. Werfel, J. R. Becher) wieder eine ekstat.-hymn. und chor. Dichtung. G. von Le Fort dichtet nach ihrer Konversion zum kath. Glauben die »H.n an die Kirche« (1923).

Lexikon: Julian, J. (Hrsg.): A dictionary of hymnology. 2 Bde. London ²1907, Nachdr. New York 1957.
☐ Szövérffy, J.: A concise history of medieval Latin hymnody. Leyden 1985. – Ders.: Die Annalen der lat. H.ndichtung. 2 Bde. Bln. 1964/65. – Blume, C./Dreves, G. M.: Hymnolog. Beitr. 4 Bde. Lpz. 1897/1930; Nachdr. 1961. – Busch, E.: Stiltypen der dt. freirhythm. H.n aus relig. Leben. Frkft. 1934. – RL.   KT

Hymne-Blason, m., von der jüngeren romanist. Literaturwissenschaft geprägte Bez. für ein dem ⁄Blason verwandtes poet. Genre, das in scherzhaftem oder satir. Lob hpts. den Mikrokosmos beschreibt. Form: meist paargereimte 7- oder 8silb. Verse, seltener 10Silber oder Alexandriner. Dichter: v. a. die Pléiade-Poeten P. de Ronsard (u. a. »La Grenouille« – Der Frosch; »Le Fourmy« – Die Ameise) und R. Belleau (u. a. »Le Papillon« – Der Schmetterling; »La Cerise« – Die Kirsche).   PH

Hymnenvers, Bez. der modernen Metrik für den Vers der lat., sog. ambrosian. ⁄Hymne: alternierender Achtsilber (silbenzählender Vierheber), meist mit Auftakt: »Veni creator spíritús«; ursprüngl. (d. h. bis zur Ablösung der quantitierenden Versform durch eine rhythmische) ein jamb. Dimeter (aber auch troch. Varianten). Der auch in den Volksdichtungen sehr verbreitete Verstypus wird in älteren germanist. Darstellungen als Vorläufer des ahd. Reimverses angesehen (Wackernagel u. a.).   S

Hypallage, f. [gr. = Vertauschung], rhetor. Figur, ⁄Enallage.

Hyperbaton, n. [gr. = Umgestelltes, lat. Trajectio, Transgressio, auch: Sperrung], ⁄rhetor. Figur: Trennung syntakt. eng zusammengehöriger Wörter durch eingeschobene Satzteile zur expressiven Betonung der getrennten Wörter oder aus rhythm. Gründen: »o *laß* nimmer von nun an *mich* dieses Tödliche sehn«(Hölderlin, »Der Abschied«); kann bes. durch ⁄Parenthese oder ⁄Prolepsis entstehen: »dies Pistol, wenn Ihr die Klingel rührt, streckt mich leblos zu Euren Füßen nieder« (Kleist, »Michael Kohlhaas«). Vgl. auch ⁄Inversion, ⁄Tmesis.   HSt*

Hyperbel, f. [gr. hyperbole = Übermaß], ⁄Tropus: extreme, im wörtl. Sinne oft unglaubwürdige oder unmögl. Übertreibung zur Darstellung des Außerordentlichen, meist mit Mitteln der Metaphorik oder des ausgeführten Vergleichs. Bes. beliebt in volkstüml. Erzählgattungen (chanson de geste, Spielmannsepik) und im Barock, von klassizist. Autoren gemieden. Die angestrebte affekt. Intensivierung gerät leicht zur Manier und in die Nähe des Lächerlichen, bewußt z. B. bei H. Heine: »ein Schneidergesell, so dünn, daß die Sterne durchschimmern konnten« (»Harzreise«) oder Jean Paul. Viele hyperbol. Wendungen, bes. der Bibel (»zahlreich wie Sand am Meer«), sind in die Umgangssprache eingegangen und verflacht (»blitzschnell«, »eine Ewigkeit warten«). ⁄Hyperoche.   HSt

Hyperkatalektisch, Adj. [gr. hyperkatalektikos, Kunstwort = über die Grenze hinausgehend], in der antiken Metrik Bez. für Verse, die am Ende des regelmäßig gefüllten Versfuß hinaus eine überzählige Silbe enthalten.   K

Hypermeter, m. [zu gr. hypermetros = das Maß überschreitend], in der antiken Metrik Bez. für einen Vers, dessen letzte – metr. überzählige – Silbe auf einen Vokal ausgeht, der vor dem vokal. Anlaut des folgenden Verses elidiert wird. Die in der griech. und röm. Verskunst seltenen H. setzen ⁄Synaphie voraus; sie durchbrechen eine grundsätzl. geltende Regel, nach der die Elision eines den Vers schließenden Vokals durch die Versgrenze verhindert wird. ↗Hyperkatalektisch. K

Hyperoche, f. [gr. = Übermaß], ↗rhetor. Figur: Hervorhebung der Einmaligkeit oder Unvergleichlichkeit einer Sache oder Person durch superlativ. Steigerung: »Die stillste aller Mittagsstillen« (A. Seghers, »Die Gefährten«, 1,1). HSt*

Hypodochmius, m., Variante des ↗Dochmius.

Hypokrites, m. [gr. = der Antwortende], der Schauspieler im griech. Drama (↗Protagonist, Deuteragonist, Tritagonist). Der Überlieferung nach (Aristoteles) war Thespis der erste, der dem Chor den H. gegenüberstellte und damit aus der chor. Aufführung (↗Dithyrambus) die ↗Tragödie entwickelte – Ursprüngl. traten die Dichter selbst als Schauspieler auf (so Thespis); später standen ihnen ausgebildete (im Ggs. zum ↗Mimen hoch geachtete) Schauspieler zur Verfügung, die entweder auf die Tragödie oder die Komödie spezialisiert waren (trag. bzw. kom. H.). Ihre Auswahl erfolgte zunächst noch durch die Dichter selbst, während die Kosten vom Staat getragen wurden. Mit der Einführung von Schauspieler-Agonen (-Wettbewerben) im Jahre 448 v. Chr. (zunächst nur für trag., seit 440 v. Chr. auch für kom. Schauspieler) ging man zur Auslosung der Schauspieler über. Im 4. Jh. v. Chr. gewannen die Schauspieler-Agone gegenüber den Dichterwettbewerben mehr und mehr an Bedeutung; entsprechend kam es zu einer Entfaltung schauspieler. Virtuosität; der H. versuchte, sein Können zur Schau zu stellen, oft auf Kosten der Stücke, deren Texte er z. T. sehr willkürl. umgestaltete. In hellenist. Zeit waren die gr. Schauspieler in Truppen organisiert (dionys. Techniten). – Das Kostüm des H. war stilisiert (Tragödie: Maske, Chiton, Kothurn; Komödie: Maske, fleischfarbenes Trikot, Gesäßpolster, Phallus). Frauenrollen wurden grundsätzl. von Männern gestaltet. K*

Hypomnema, n., Pl. Hypomnemata [gr. = Mahnung, Erinnerung, Denkwürdigkeit], seit Platon belegte Bez. für Notizen im Bereich des privaten und öffentl. Lebens als Gedächtnisstützen (Tage-, Haushalts-, Geschäftsbücher, Exzerpte, Rohentwürfe, Kollegvorbereitungen und -nachschriften, amtl. Register, Protokolle usw.), seit hellenist. Zeit auch Bez. der offiziellen Amts-, Hof- und Kriegsjournale (↗Ephemeriden) und Titel für wissenschaftl. (Sammel)werke, (auto)biograph. Schriften (erstes H. von Aratos von Sikyon, um 220 v. Chr.) und philolog. ↗Kommentare. Dem H. entsprechen in der röm. Lit. die *Commentarii* (Bez. seit Cicero belegt), vgl. Caesars »Commentarii de bello Gallico«. IS

Hyporchema, n., altgriech. chor. (Waffen-?) Tanzlied mit raschem Rhythmus, vielleicht kret. Ursprungs und von Thaletas von Gortyn (7. Jh. v. Chr.) nach Sparta eingeführt; nur wenige Fragmente erhalten (u. a. von Pindar und Bakchylides); die gelegentl. mit H. synonym gesetzte Bez. ↗Päan läßt auf Eingliederung des H. in den Apollonkult schließen. IS

Hypostase, Hypostasierung, f. [gr. = Unterlage, Grundlage, Gegenstand], Vergegenständlichung oder ↗Personifikation eines Begriffs, bes. die Ausgestaltung einer Eigenschaft oder eines Beinamens zu einer selbständ. Gottheit in der Mythologie. – Poetolog. die Technik der Personenbildung aus verschiedenen Einzelzügen (Bischof Turpin in der »Chanson de Roland« aus *fortitudo* und *sapientia* im Ggs. zu Roland = *fortitudo* und Olivier = *sapientia*) oder durch Zusatz neuer Züge zu einer älteren (echten oder literar.) Person (Racines Pyrrhus: zu den Zügen antiker Heroen treten solche von Romanhelden des 17. Jh.s). HSt

Hypotaxe, f. [gr. = Unterordnung, lat. subordinatio], grammat. Bez. für die syntakt. Unterordnung von Satzgliedern, im Ggs. zur syntakt. Beiordnung *(Parataxe):* ein komplexer Gedanke wird durch einen Hauptsatz und von diesem abhängige Nebensätze ausgedrückt, wobei die tempo-

rale bzw. log. Beziehung durch unterordnende Konjunktionen verdeutlicht wird. Die H. ist ein wesentl. Bauelement der Periodenbildung, die nach dem Vorbild der lat. ↗Kunstprosa (bes. Cicero) auch die dt. Stilistik beeinflußte. ED

Hysterologie, f. ↗Hysteron proteron.

Hysteron proteron, n. [gr. = das Spätere als Früheres], auch: Hysterologie, ↗rhetor. Figur: Umkehrung der zeitl. oder log. Abfolge einer Aussage, so daß z. B. der zeitl. spätere Vorgang vor dem früheren erwähnt wird: »moriamur et in media arma ruamus« (Vergil, »Aeneis« 2,353); »Dies ist mein Sohn nicht, den hab' ich nicht ausgewürgt, noch hat ihn dein Vater gemacht« (Th. Mann, »Der Erwählte«). HSt*

Iambes, m. Pl. [jäb; frz. = Jamben], in der frz. Verskunst Zweizeiler aus einem ↗Alexandriner (Zwölfsilbler) und einem Achtsilbler. Je zwei I. sind durch Endreim verbunden (Reimschema: a b a b), ohne daß sie jedoch eine Strophe bilden, da die Grenzen zwischen den einzelnen Vierergruppen in der Regel nicht mit syntakt. Einschnitten zusammenfallen, sondern durch ↗Enjambements und Reimbrechung syntakt. überspielt werden. – Die Form der I. wurde durch A. Chénier als Nachbildung der sog. jamb. ↗Epode des Horaz (jamb. ↗Trimeter + jamb. Dimeter) in die frz. Dichtung gedeutet; sie wird auch als frz. Ersatzform für das eleg. ↗Distichon gedeutet. Außer Chénier finden sich I. v. a. bei A. Barbier und V. Hugo. K

Ich-Form, literarische Darstellungsform mit einem von sich selbst in der 1. Person Singular sprechenden, aber nicht mit der Person des Autors ident. Ich. – *In der Epik* ist dieses Ich eine am dargestellten Geschehen beteiligte fiktive Figur, entweder die Hauptperson oder ein die Haupthandlung beobachtender Chronist, aber nicht das von der fiktiven Welt getrennte sog. Erzähler-Ich, das als Personifizierung der auktorialen Erzählers der Er-Form zugehört. – Beliebte Ausprägungen der epischen I. sind die einsträngige ›autobiograph.‹ Lebensbeschreibung (↗Ich-Roman), der in eine Er-Erzählung eingefügte rückblickende Erlebnisbericht des Helden (so schon bei Homer, »Odyssee« IX–XII), der ↗innere Monolog und die ↗Rahmenerzählung, ferner die Brief- und die Tagebuchfiktion (↗Briefroman, ↗Tagebuch). Die ästhet. Wirkung der ep. I. beruht auf der Begrenzung der Erlebens- und Darstellungsperspektive auf den in das Geschehen eingebundenen Ich-Erzähler. Sie ermöglicht eine künstler. abgerundete Komposition und erlaubt auch die Darstellung des Unglaublichen, das der Ich-Erzähler als selbsterlebt vorträgt (Vision, Utopie, Schauergeschichte). Als Form der unmittelbaren Selbststoffenbarung eignet sie sich zur Darstellung psycholog. interessanter Figuren und, wenn die Perspektive des berichtenden Erzählers enger ist als die des Autors und des Lesers, zur relativierenden Brechung bes. im humorist. und satir. Roman, aber auch zur Erfassung der Komplexität des Geschehens und des Erfahrungsvorgangs. *In der Lyrik* ist zwischen der I. als einer der mögl. Formen des einzelnen Gedichts und dem ↗›lyrischen Ich‹ zu unterscheiden, unter dem das in jedem lyr. Text sich artikulierende Aussagesubjekt unabhängig von der grammatischen Form der Aussage verstanden wird. Die I. kann eine persönl., mehr oder weniger autobiograph. bezogene Äußerung des Dichters sein (z. B. die Erlebnislyrik Goethes), aber auch ganz von ihm getrennt gebraucht werden (↗Rollenlyrik, z. B. die Mignon- und Harfnerlieder im »Wilhelm Meister«). Bei der unreflektierten Identifizierung des sprechenden Subjekts der lyrischen I. mit der Person des Dichters kommt es zu biographistischen Fehldeutungen (so z. B. bei der erot. Lyrik Ovids und dem mal. Minnesang).
📖 Hamburger, K.: Die Logik der Dichtung. Stuttg. ²1968. ↗Perspektive. HSt

Ich-Roman, sein Geschehen wird von einem Ich-Erzähler (↗Ich-Form) berichtet; sein Gegenstand ist, in zeitl.

Abstand, meist er selbst. Formal gleicht der I. darin der ↗Autobiographie, doch ist sein Erzähler nicht mit dem biograph. Ich seines Autors identisch; das dargestellte Geschehen ist fiktional, erhebt nicht den Anspruch auf eine geschichtl. Wahrheit und Wirklichkeit außerhalb der erzählten Welt. – In der Antike ist der I. die bevorzugte Form für die meist satir. Darstellung der Welt des Alltags und der kleinen Leute (Petron, Apuleius); im MA. erscheint er nur in den Sonderformen der ↗Allegorie (»Roman de la rose«) und der ↗Vision (Dante) und in ↗Rahmenerzählungen (Geoffrey Chaucer, »Canterbury-Tales«). An Bedeutung gewinnt er erst wieder im 16. Jh. im span. Schelmenroman, der fast ausnahmslos in der Ich-Form erzählt ist (»Lazarillo de Tormes«; Alemán, Quevedo), und in dessen europäischen Weiterbildungen (z. B. Grimmelshausen; ↗Simpliziade). Im 18. Jh. entwickelt sich daraus der ↗Reiseroman, der häufig utop. (Defoe, Schnabel; ↗Robinsonade) oder satir. Züge trägt (Swift). Eine Neubelebung erfuhr der I. seit der Mitte des 18. Jh.s, da er sich, besonders in der Form des ↗Briefromans, als ideales Medium für die empfindsame Darstellung inneren Erlebens erwies (Richardson, Rousseau, Goethe, Hölderlin). Daneben wirkt die aus der Begrenztheit der Erzählerperspektive resultierende Affinität der Ich-Form zum Komischen in den I.en Sternes, Dickens', E. T. A. Hoffmanns fort bis in die Gegenwart (G. Grass). Durch die formale Nähe zur Autobiographie wird er im 19. Jh. für den ↗Entwicklungs- und ↗Bildungsroman wichtig (Dickens, Thackeray, Stifter), z. T. in unmittelbarem Wechsel mit der Er-Form (Keller, »Der grüne Heinrich«). Im 20. Jh. tritt der I. hinter experimentellen Romanformen etwas in den Hintergrund; er bleibt beliebt, wo seine Autoren an die Erzähltraditionen des 19. Jh.s anknüpfen (Th. Mann, H. Hesse, M. Frisch, H. Böll).

📖 Romberg, B.: Studies in the Narrative Technique of the First-Person-Novel. Stockholm 1962.   HSt

Ideenballade, Sonderform der neuzeitl. dt. Kunstballade, formaler und inhaltl. äußerster Gegensatz zur Volksballade (↗Ballade), von Goethe und Schiller im »Balladenjahr« 1797 entwickelt (vgl. Schillers »Musenalmanach für das Jahr 1798«: ›Balladen-Almanach‹). Die I. folgt der Intention der klass. Ästhetik, das Individuelle zur überzeitl. »idealischen Allgemeinheit« (Schiller) und zu einer »reineren Form« (Goethe) hinaufzuläutern und alles unter die Herrschaft einer Idee zu stellen. Goethes I.n (»Der Schatzgräber«, »Legende«, »Die Braut von Korinth«, »Der Zauberlehrling«, »Der Gott und die Bajadere«) stellen den Menschen in naturmag. Bezüge. Die »Gegenständlichkeit«, virtuosen Einfachheit und Hintergründigkeit und der distanziert iron. Sprachgeste zeigen sich bereits Eigentümlichkeiten seines Altersstils. Schillers I.n (»Der Ring des Polykrates«, »Der Handschuh«, »Der Taucher«, »Die Kraniche des Ibykus«, »Die Bürgschaft«) verkörpern den Typus in reiner Form: Die Idee triumphiert über das irrational Schicksalhafte, der aktiv handelnde Held über den passiv leidenden; die Idealität siegt im Widerstreit von ewiger und End. Gerechtigkeit über die Realität. Die rationale Klarheit im Aufbau, der orator. Schwung der Sprache sowie das ausgeprägt Dramatische und Theatralische der Handlung sprengen die herkömml. Form der Ballade, in der Lyrisches, Episches und Dramatisches vereinigt sein sollen.   KT

Ideendrama, im I. sind Handlung, Charaktere, Stoff und Sprache auf einen übergeordneten Leitgedanken, auf eine Idee oder Weltanschauung bezogen, die Allgemeingültigkeit beanspruchen, z. B. G. E. Lessings »Nathan« (Idee der Toleranz), Goethes »Iphigenie« (Idee der Humanität). Das I. setzt ein einheitl. Weltbild, eine verbindl. Bewußtseinslage oder Ideologie bei Autor und Publikum voraus. Der Dominanz einer zentralen Idee entspricht Einheitlichkeit und Regelmäßigkeit in der sprachl. und dramaturg. Gestaltung, d. h. eine vorwiegend ↗geschlossene Form. Die Stoffe des I.s stammen meist aus der Mythologie oder aus der Geschichte. Hervorgetreten ist das I. insbes. in der frz. Klassik (Corneille, Racine, Voltaire), bei Lessing und in der ↗Weimarer Klassik (Goethe, Schiller), problemat. geworden dann im 19. Jh. (F. Grillparzer, F. Hebbel). Als I. neuere Dramen mit philosoph. Tendenz gelten als I., z. B. H. v. Hofmannsthals »Der Turm«, ferner die meisten Stücke von G. B. Shaw, T. S. Eliot, J. P. Sartre, A. Camus. Das I. überschneidet sich häufig mit anderen Dramenarten, insbes. mit dem ↗Geschichtsdrama. Die Einengung des Leitgedankens im I. auf ein konkretes Problem oder auf eine bestimmte polit. oder sonstige Tendenz führt zum ↗Problemstück und zum Tendenzdrama (↗Tendenzdichtung).

📖 ↗Drama.   RS

Identifikation, Affekt der ästhet. Erfahrung, durch den der Rezipient in ein bestimmtes Verhältnis zum ↗Helden oder zu dem im Text Dargestellten versetzt wird. Verschiedene Typen der I., ausgelöst durch die in den Texten angelegte Identifikationsangebote, lassen sich unterscheiden: die *assoziative I.* (Übernahme einer Rolle in der imaginären Welt einer Spielhandlung), die *admirative I.* (Bewunderung des Vollkommenen), die *sympathet. I.* (Solidarisierung mit dem Unvollkommenen), die *kathart. I.* (Befreiung des Gemüts durch trag. Erschütterung oder kom. Entlastung, ↗Katharsis, ↗episches Theater), die *iron. I.* (Verweigerung oder Ironisierung der erwarteten oder erwünschten I.). Möglich sind Überlagerungen dieser Typen wie auch Übergänge von einer Ebene der I. zu einer anderen. Stets ist im Rezeptionsprozeß ein Akt der Distanznahme notwendig, will man der Gefahr entgehen, sich in der I. zu verlieren und lediglich sein Evasionsbedürfnis zu befriedigen (↗Eskapismus [3], ↗Trivialliteratur).

📖 Ziegler, H.-J.: Erzählen im Spätmittelalter, Mchn. 1985. – Jauß, H. R.: Ästhet. Erfahrung und lit. Hermeneutik 1, Mchn. 1977.   MS

Identischer Reim, ↗rührender Reim.

Ideologiekritik, hat einen zentralen Stellenwert in aller histor.-materialist. fundierten Ästhetik (G. Lukács, E. Bloch, Th. W. Adorno); sie markiert die Wendung der neueren Hermeneutik-Diskussion (J. Habermas) und steht heute in der Auseinandersetzung mit strukturalist. und semiolog. Modellen. Über die Gültigkeit in der literaturwissenschaftl. Interpretation entscheidet (wie bei ähnl. Problemen der ↗Literatursoziologie), daß die ideologiekrit. Befunde auch aus den spezif. literar. Verfahren, nicht nur aus den äußeren Zusammenhängen der Texte entwickelt werden.

Der im Begriff ›I.‹ vorausgesetzte Begriff der ›Ideologie‹ ist abzugrenzen von der umgangssprachl. pejorativen Verwendung in polit. und weltanschaul. Polemik sowie von der positivist.-neutralen Verwendung in der Wissenssoziologie (K. Mannheim). Die literaturwissenschaftl. relevante *dialekt.-krit.* Fassung ist aus dem Werk von K. Marx zu rekonstruieren: Ideologie als gesellschaftl. notwendig falsches Bewußtsein enthält bei ihm im Moment des Unwahren, das in der Verzerrung und damit auch Verdeckung der Wirklichkeit liege, zugleich aber ein Moment des Wahren, das eben aus der Begründung in der Wirklichkeit hervorgehe. Funktional wird Ideologie, die unbewußt entsteht, als verhüllende Rechtfertigung und Bestätigung von partikularen Interessen und Positionen, die sich gesellschaftl. nicht unmittelbar realisieren lassen. – Als *Verfahren der ↗Interpretation* wird I., von der Geschichtlichkeit literar. Werke gefordert, da diese in ihrer ästhet. Bestimmtheit an Ideologisschem notwendig Anteil haben: durch die Vorstellungsarten und Formenrepertoires der Entstehungszeit, die ihnen als Historizität eingeschrieben sind, und durch ihre ↗Rezeption in jeweils zeitgenöss. Deutungsmustern und Interessenverflechtungen, die sich ihnen als Bedeutung geschichtl. anlagert. Weil der utop. Gehalt der Kunst kategorial zwar das Gegenteil ihres ideolog. Gehaltes ist, real aber nur in Verbindung mit diesem erscheint, trennt die ideologiekrit. vorgehende Interpretation das zeitl. Überholte vom geschichtl. Wirkenden und öffnet so erst, als Aneignung, den Raum für die jeweils mögliche Wahrheit und Gültigkeit der Kunst, setzt der vergangenen Faktizität immer neu die gegenwärtige und zukünft. Potentialität entgegen. Darum auch erfaßt I. frühere Interpretationen, die, mit den Verfälschungen, zur Geschichte der Werke gehören.

📖 Lang, P. Ch.: Hermeneutik I. Ästhetik. Königstein (Ts.) 1981. – Bürger, P.: Vermittlung – Rezeption – Funktion. Frkf. 1979. – Zima, P. V. (Hg.): Textsemiotik als I. Frkf. 1977. – Schulte-Sasse, J.: Literar. Wertung. Stuttg. ²1976. – Bürger, Ch.: Textanalyse als I. Frkf. 1973. – Mecklenburg, N.: Krit. Interpretieren. Mchn. 1972. – Hahn, P.: Kunst als Ideologie und Utopie. In: Lit.wiss. und Sozialwissenschaften. I. Stuttg. 1971. – Hermeneutik und I. Frkf. 1971. /Literar. Wertung.   H

Iduna, f. [zu Idun(n) = altnord. Göttin, Gattin des Dichtergottes Bragi und Wächterin der goldenen Äpfel der ewigen Jugend], konservativ-idealist., naturalismusfeindl. Vereinigung Wiener Schriftsteller und Kritiker, 1891 (als »I. Freie dt. Gesellschaft für Literatur«) von P. Philipp, F. Lemmermayer u. a. gegründet; ihr Organ, ›I. Zs. für Dichtung und Kritik‹ erschien nur in 7 Nummern (1892–93); Mitglieder waren u. a. R. von Kralik, Marie Eugenie delle Grazie und R. Steiner. 1894 trat ein Teil der Mitglieder in die »Wiener (seit 1897: »Dt.-Österr.«) Schriftstellergenossenschaft« (Vorsitz bis 1900: A. Müller-Guttenbrunn) ein. Diese und die 1904 aufgelöste I. wurden – ohne profiliertes Programm und ohne breite Publikumswirkung – zum Sammelbecken heterogener konservativer und christl.-kath. Schriftsteller.   GG

Idylle, f. [von gr. eidyllion = kleines Bild, zu eidos = Gestalt, Idee], die I. (so seit dem 18. Jh. zunehmend statt der älteren, etymolog. korrekteren Form ›das Idyll‹, n.) wurde in fruchtbarer Fehldeutung des griech. Grundbegriffs durch die Jahrhunderte als ›kleines (Genre-)Bild‹ definiert. Sie bez. *im weiteren Sinne* jede Dichtung, die in räuml.-stat. Schilderung unschuldsvolle, selbstgenügsam-beschaul. Geborgenheit darstellt. – *Im engeren Sinne* ist die I. eine zwischen Lyrik und Epik stehende literar. Gattung in der Nachfolge der Gedichte Theokrits. Nach dessen berühmtesten Beispielen und im Anschluß an Vergils »Bucolica« wurde der Begriff ›I.‹ seit der Renaissance synonym mit /Ekloge und /Schäfer- oder Hirtendichtung gebraucht. – Wie jedoch schon Theokrits I. nicht auf Bukolisches beschränkt waren, so erfuhr die Gattung auch in der Neuzeit immer wieder themat. Erweiterungen. *Quellen* der dt. I.n-Dichtung waren zunächst neben Theokrit und Vergil v. a. Horaz und Ovid, aber auch der bibl. Mythos vom Paradies, die Patriarchengeschichten und die Verheißungen des Jesaja mit ihrer Nähe zum griech.-röm. Mythos vom /Goldenen Zeitalter, schließl. die neulat. Schäferpoesie der Humanisten. Die Dichter des *Barock* (z. B. M. Opitz, G. R. Weckherlin, D. Czepko und die Dichter des Nürnberger Dichterkreises, G. Ph. Harsdörffer, J. Klaj u. a.) schufen eine weltl.-gesellschaftl. *und* religiöse Schäferdichtung, häufig in verfremdend allegor. Verwandlung der Figuren in mytholog. Gestalten. Während die geistl. Schäferdichtung mit dem Barock zu Ende ging, wurde die weltl. als (z. T. erot.) Gelegenheitsdichtung im 18. Jh. fortgeführt (Ch. Wernicke, C. E. Suppius, J. Ch. Gottsched). Der Wandel zur galanten und *anakreont. I. des Rokoko* läßt sich von B. Neukirch und J. Ch. Rost zu J. W. L. Gleim, J. P. Uz, J. N. Götz, Ch. F. Weisse und H. W. v. Gerstenberg verfolgen, eine Linie, die weiter zu F. v. Hagedorn, Ch. F. Gellert und dem jungen Goethe (»Die Laune des Verliebten«) führt. Eine zweite Entwicklungslinie der I. wird seit dem Ende des

Barock (F. R. L. Canitz) durch eine *Tendenz zur Land- und Naturdichtung* bestimmt, die mehr und mehr, zumal unter dem Einfluß der Engländer J. Thomson und A. Pope, die Erkenntnis Gottes aus der Natur zum zentralen Motiv erhob. Entscheidend ist für diese I.n eine neue Vorliebe für konkrete Details. Die wichtigsten Vertreter dieser Richtung, die die allegor. Naturpoesie durch eine reflektierende ablösten, sind B. H. Brockes, J. Tobler, J. F. W. Zachariae, A. v. Haller, E. v. Kleist. Sie beeinflußten v. a. Salomon Gessner, den berühmtesten I.ndichter der Empfindsamkeit. Erst mit seinen »I.n« (1756) setzte sich der Begriff ›I.‹ anstelle von ›Ekloge‹ immer mehr durch. Gessner fand seine Kritiker in Herder und Goethe, die an der »malenden Poesie« und den »höchst verschönerten Empfindungen« des moral.-arkad. Ideals Gessners den Mangel an »Naturwahrheit« beklagten, eine Kritik, in der sich bereits der Weg zur realist. I. ankündigt. Goethe gestaltete die I. zunehmend als Ausdruck notwend. Entsagung angesichts der bedrohl. Zerrissenheit der Geschichte (»Hermann und Dorothea«, 1797). Schiller (»Das Ideal und das Leben«, 1795) postuliert das Idyllische als Darstellung einer mündigen, mit der Kultur wie mit der Natur versöhnten zukünft. Menschheit. – Demgegenüber führt die *Betonung gegenwärt. Wirklichkeit* bei Maler Müller zu bewußter Irrationalisierung und Entmoralisierung der Natur (vgl. seine bibl., heidn. und Pfälzer I.n, v. a. »Adam«; »Satyr Mopsus«; »Das Nußkernen«, »Die Schaaf-Schur«, »Der Christabend« 1774/75; bei J. H. Voss zur sozialkrit. Anti-I. (»Die Pferdeknechte«, 1775), zur sozialpädagog. Dialekt-I. (»De Winterawend«, »De Geldhapers«, 1777/78), aber auch wieder zur idyll. Idealisierung der bäuerl. (»Die Bleicherin«, »Die Heumad« u. a.) und v. a. der bürgerl. Welt (»Der 70. Geburtstag«, 1780; »Luise«, 1783/84). Bes. Voss' bürgerl. I. stellt neue Topoi für die Idyllik (insbes. der poetae minores des 19. Jh.s bereit (z. B. der Kaffeespaziergang). Wirklichkeitssinn, Daseinsfreude und lebendige Individualisierung führen bei J. P. Hebel zur iron.-moralisierenden ›Verbauerung‹ einer zugleich volkstümlichen. und eschatolog. Welt (»Die Vergangenheit«, »Der Wächter in der Mitternacht«, 1803), eine Entwicklung, die in die /Dorfgeschichte mündet. – Der *Romantik* ist die I. im Grunde fremd (vgl. A. W. Schlegels Rezension der I.n von Voss im ›Athenäum‹, 1800); das Idyllische als Idee oder Kontrapunkt zum Dämon. verwenden aber z. B. L. Tieck oder E. T. A. Hoffmann. Das Bewußtsein einer Diskrepanz zwischen realem Weltzustand und der objektivierend-stat. Typisierung des I.nschemas führt seit Ende des 18. Jh.s zu *vielfält. gebrochenen I.ndichtungen.* Jean Paul z. B. erreicht, indem er die positive Konstituente seiner I.n in das Subjekt selbst verlegt (vgl. »Wuz«, 1790/91, »Quintus Fixlein«, 1794/95 u. a.) eine zugleich satir. Wirkung. Wo H. v. Kleist in seinen Novellen I.n im Geiste Rousseaus entwirft (z. B. im »Erdbeben in Chili«, 1807), geht es ihm letztl. um ihre gnadenlose Zerstörung. Auch E. Mörikes I.n zeigen in dem dargestellten rein-idyll. Zustand »die verbannten Dämonen« (Böschenstein; vgl. »Wald-I.«, 1837; »Die schöne Buche«, 1842; »I.n vom Bodensee«, 1846; weniger »Der alte Turmhahn«, 1840; ferner die idyll. Dinggedichte »Auf eine Lampe«, »Auf eine Uhr . . .«, die idyll. Szenen in den »Bildern aus Bebenhausen« oder – mit zerstörer. Funktion – im »Maler Nolten«. – Möglichkeit und Grenze der I. im 20. Jh. offenbart Th. Manns selbstparodist. I., die sich nurmehr durch die Reflexion ihrer eigenen Fragwürdigkeit legitimiert (»Herr und Hund«, »Gesang vom Kindchen«).

📖 Schneider, Helmut J. (Hg.): Dt. I.ntheorien. Tüb. 1988. – Seeber, H. U./Klussmann, P. G. (Hg.): I. und Modernisierung in der europ. Lit. des 19. Jh.s. Bonn 1986. – Hämmerling, G.: Die I. v. Gessner bis Voß. Frkf./Bern 1981. – Böschenstein-Schäfer, R.: I. Stuttg. ²1978 (mit ausführl. Bibliogr.). – Schneider, H. J. (Hrsg.): I. der Deutschen.

Frkft. 1978. – Kaiser, G.: Von Arkadien nach Elysium. Gött. 1978. – RL. HD*

Iktus, m. [lat. = Wurf, Stoß, Schlag, auch: Taktschlag], lat. Bez. für die durch verstärkten Druckakzent ausgezeichnete ⁄Hebung in den nach dem ⁄akzentuierenden Versprinzip gebauten Versen. K

Illusionsbühne, Typus der neuzeitl. Dekorationsbühne. Die I. versucht, die fiktionale räuml. Wirklichkeit des Dramas bei der szen. Aufführung mit den Mitteln der Architektur, der Malerei u. mit Requisiten auf dem Theater in illusionist. Weise zu vergegenwärtigen und als real vorzutäuschen. Ihre Entwicklung (Anfänge in der it. Renaissance) setzt die Entdeckung der Perspektive in der Malerei (Zentralperspektive mit einem Fluchtpunkt; später Winkelperspektive mit mehreren Fluchtpunkten oder Verschwindungspunkte), in der Bühnenarchitektur die Guckkastenbühne (Telari-System, später Kulissensystem) und eine ausgebaute ⁄Theatermaschinerie (Versenkungen, Flugapparate) und Bühnenbeleuchtung voraus. Die Blütezeit der I. fällt in das 17. und 18. Jh.; typ. sind idealisierte monumentale Architekturszenen und nach architekton. Gesichtspunkten gestaltete Ideallandschaften; Hauptvertreter sind L. Burnacini, F. und G. Galli da Bibiena und G. Servandoni. Im 19. Jh. strebt die I. histor. Genauigkeit und Realismus im Detail an (zunehmende Bedeutung der Requisiten); wichtige Vertreter der Bühnenkunst dieser Zeit sind J. Hofmann, die Gebrüder Brückner (Erfindung der Wandeldekoration) und E. Quaglio. Ihren Höhepunkt erreicht die realist. Bühnenkunst des 19. Jh.s im Naturalismus (z. B. Verwendung echter Bäume bei Landschaftsdarstellungen). – Gegenstück zur I. ist die in Klassizismus und Moderne bevorzugte ⁄Stilbühne. ⁄Bühne, ⁄Bühnenbild. K

Imaginisten, m. Pl. [zu lat. imago = Bild], russ. Dichterkreis in Moskau, bestand etwa von 1919–1924, trat (z. T. im Gefolge des späten russ. ⁄Symbolismus) v. a. für die Reduzierung der poet. Aussage auf das *Bild* als wesentlichstem Element der Dichtung ein. Charakterist. für ihre Werke sind die Häufung dunkler Metaphern und heterogener (vulgärer und pathet.-erhabener) Bilder. Bedeutendster Vertreter (neben V. Šeršenévič, A. B. Mariengóf, A. Kusikov, R. Ivnev) war S. Jessenin (»Beichte eines Hooligan«, 1921). IS

Imagismus, m. [engl. imagism zu image = Bild], angloamerikan. literar. Bewegung, ca. 1912–1917, angeregt durch die antiromant., ästhet.-philosoph. Reflexionen Th. E. Hulmes; repräsentiert v. a. von Ezra Pound, später Amy Lowell; daneben sind v. a. F. S. Flint, H. D. (= Hilda Doolittle) und R. Aldington zu nennen. Der I. richtete sich gegen eine in Konventionellen erstarrte lyr. Tradition (v. a. die ⁄Georgian poetry), aber auch gegen die abstrakte und utilitarist. Sprache des Alltags und der Wissenschaft. In Anthologien und Manifesten wurde die Konzentration auf *ein* Bild, Verzicht auf erzählende und reflektierende Elemente, Kürze und Präzision des Ausdrucks, Ausmerzung der konventionellen Rhetorik und Metrik, dafür Rückgriff auf freie Rhythmen und auf die Umgangssprache gefordert. Das imagist. Gedicht soll im Bild prägnant die Einsicht in das Wesen einer erscheinenden bzw. deren intellektueller und emotionaler Resonanz im Subjekt erfassen. Der I. markiert den Beginn der modernen engl. Lyrik. Auch nach Auflösung seiner Schule blieb seine Theorie aktuell und beeinflußte die weitere Entwicklung, insbes. T. S. Eliot. Die Kürze und die Beschränkung auf eine einzige Grundmetapher setzten dem rein imagist. Gedicht Grenzen, doch bleibt das *image* ein entscheidendes Bauelement auch der längeren, komplexen Gedichte Pounds und Eliots.

📖 Gage, J. T.: In the arresting eye. The rhetoric of imagism. Baton-Rouge (La) 1981. – Kenner, H.: The Pound Era. Berkeley (Calif.) 1971. – Pratt, W. C.: The Imagist Poem. New York 1963. – Hughes, G.: Imagism and the Imagists. London ²1960.

Theorie: Hulme, Th. E.: Speculations. London/New York 1924, dass., mit poet. Texten, hrsg. v. H. Read, London 1960. ED

Imitatio, f. [lat. = Nachahmung], Nachbildung *literar.* Muster, im Unterschied zur *Natur*nachahmung, der ⁄Mimesis (vgl. ⁄Poetik). Die I. als selbständ. Nachbildung vorbildhafter Stilhaltung und Formauffassung begegnet v. a. in klass. und klassizist. Epochen (röm. Klassik, frz. classicisme, ⁄Weimarer Klassik etc.), unselbständ. äußerl. I. in ⁄epigonaler Literatur, vgl. auch ⁄Aemulatio. S

Imprese, f. [it. impresa = Unternehmen, Lebensmaxime, von imprendere = unternehmen], Kombination von Bild u. Sinn- oder Wahlspruch (⁄Devise, ⁄Motto), dessen oft ellipt. verkürzte oder (als ⁄Concetto) verschlüsselte Textfassung durch das Bild illustriert, meist erst erschlossen wird. Vgl. ⁄Emblem, das sich in seinen histor. Ausprägungen nicht eindeutig von der I. abgrenzen läßt. – I.n finden sich bereits bei den Griechen u. Römern (Münzen, Siegel), an den mal. (bes. frz.) Höfen (Heraldik) und erlebten im 16. u. 17. Jh. wie überhaupt die Emblematik eine Hochblüte in ganz Europa. Berühmte bildende Künstler u. Dichter entwarfen oder beschrieben I.n (Mantegna, Dürer, – Scève, Marot, Tasso, Marino, E. Spenser, Shakespeare u. v. a.). Die bedeutendste der zahllosen theoret. Abhandlungen und I.n-Sammlungen (in Dtschld. u. a. von Rollenhagen, Köln 1611–13) war der weit verbreitete »Dialogo delle I.militari e amorose« (Rom 1555) von Paolo Giovo. I.n finden sich heute noch z. B. als Verlagszeichen, Exlibris, Gedenkmünzen. IS

Impressionismus, m., Bez. für eine Stilrichtung ursprüngl. der Malerei (nach einem Bild E. Monets »Impression, soleil levant«, 1872), die sich im letzten Drittel des 19. Jh.s (z. T. gegen heftige Ablehnung) zuerst in Frankreich, dann auch in den meisten anderen europ. Ländern durchsetzte. Der Begriff I. wurde bald auch auf entsprechende Strömungen der Literatur (ca. 1890–1910) und der Musik übertragen. – Der *Ausgangspunkt* des literarischen I. ist im Zusammenhang mit der Abkehr vom ⁄Naturalismus zu sehen, mit einer Abwendung vom Bereich des Politischen überhaupt und einem Rückzug auf Subjektivismus und Individualismus als einer Folge der Ablehnung der in Politik und Wirtschaft von Imperialismus und Kapitalismus bestimmten Wirklichkeit, z. T. auch einer bewußten Gegenwendung gegen nationalist. Strömungen bes. im Bereich der ⁄Trivialliteratur. Der programmatische Versuch einer Überwindung des Naturalismus negiert dessen weltanschaul. Grundlagen, übernimmt aber das im sog. ⁄Sekunden-Stil dem I. bereits nahekommende Stilideal der Detailtreue, der größtmöglichen Genauigkeit der dichter. Schilderung und verfeinert die naturalist. Stilmittel zum Sensualistischen hin. Ins *Zentrum* rückt der sinnlich-subjektive Eindruck, der einmalige, unverwechselbare Augenblick, der flüchtige Reiz, der in allen seinen subtilen Nuancen und Differenzierungen mit höchster Präzision und Intensität wiedergegeben werden soll. Die Isolierung der subjektiven, nicht begriffl. analysierten Empfindung, der seel. Erregung führt (hinsichtl. der Phänomene) zur Auflösung der Dinge. Einheit in die Folge von Reizwirkungen, zur fortschreitenden Entmaterialisierung der nur noch in Stimmungen wahrnehmbaren Welt und dementsprechend *in der allg. Gestaltung* zum Verlust einer auch das Geschichtliche und ein begriffl.-konstruktives Denken einbeziehenden Perspektive, zum Verzicht auf Darstellung und Deutung der Wirklichkeit als eines komplexen, ganzheitl. Gefüges, ein Umstand, der dem I. bald den Vorwurf der Oberflächlichkeit, der Verhaftung an das Äußerliche und Vordergründige einträgt. Der Diskreditierung des rationalen Moments der Sprache gegenüber ihrer Suggestivkraft korrespondiert *im formalen Bereich* die Vernachlässigung der konstruktiven oder kompositor. Elemente der dichter. Gestaltung zugunsten der Aneinanderreihung von Bildern, weiter die Vorliebe für bestimmte Stilmittel: ↗Parataxe, ↗erlebte Rede, ↗Lautmalerei, ↗Synästhesie, ↗freie Rhythmen. Im *Inhaltlichen* dominieren Unbeschwertheit, Heiterkeit, die farbig-sinnl. Atmosphäre (mit einer offenen Neigung zu Pikanterie und Frivolität); typ. ist ferner das Zurücktreten der äußeren Handlung, eine gewisse Geringschätzung für eth.-prakt. Wertung und Zielsetzung und die weitgehende Distanzierung von sozialen Problemen. Die Tendenz zu Pointe und Aphorismus entspricht der Bevorzugung kurzer und konzentrierter Dichtungstypen: ↗Skizze und ↗Novelle, (lyr.) Einakter, bes. aber Lyrik (erst später vereinzelt längere Romane). – Als *Vorläufer* des I. in Frankreich gelten Ch. Baudelaire, P. Verlaine, die Brüder Goncourt; *Hauptvertreter* sind dann J.-K. Huysmans, A. France, M. Barrès, H. de Régnier, M. Proust; *in Belgien* M. Maeterlinck, *in Italien* G. D'Annunzio, *in England* O. Wilde; *in Dänemark* J. P. Jacobsen, H. Bang; *in Norwegen* K. Hamsun; *in Rußland* A. Tschechow; *in Deutschland* die Lyriker D. v. Liliencron, M. Dauthendey, R. Dehmel, mit Einschränkung A. Holz, der frühe R. M. Rilke und der frühe H. v. Hofmannsthal (auch als Dramatiker, ebenso wie A. Schnitzler, O. E. Hartleben), die Romanschriftsteller E. v. Keyserling, R. Beer-Hoffmann, z. T. H. und Th. Mann; impressionist. Skizzen stammen in großer Zahl von P. Altenberg und P. Hille, in die literar. Kritik fand der I. Eingang bei A. Kerr.

📖 Marhold, H.: I. in der dt. Dichtung. Frkf. 1985. – Sommerhalder, H.: Zum Begriff des literar. I. Zürich 1961. – Hamann, R./Hermand, J.: I. Bln. 1960. – Milch, W.: Ströme, Formeln, Manifeste. Marburg 1949. – Walzel O.: Wesenszüge des dt. I. In: Zs. f. dt. Bildung 6 (1930) 169–182. – RL   GMS

Incipit [lat. = es beginnt], erstes Wort der Anfangsformel, die in ↗Handschriften oder Frühdrucken anstelle des (späteren) ↗Titels den Beginn eines Textes anzeigt, z. B. »Incipit comoedia Dantis Alagherii, Florentini natione, non moribus«; dann, ähnlich wie ↗›Initia‹, Bez. für die Anfangsformel selbst. Vgl. auch ↗explicit.   HSt

Incrementum, n. [lat. = Wachstum, Zunahme], ↗rhetor. Figur der emphat. Steigerung: Benennung eines Sachverhalts durch mehrere, von unten graduell aufsteigende Aussagen, z. B. »sie lachten des Fürsten, und der Könige spotteten sie« (Klopstock, »Messias«); »Wenn sie vergiftet, tot ist, eingesargt« (H. v. Kleist, »Käthchen v. Heilbronn«). Sonderform der ↗Klimax (häufig mit der Gradatio gleichgesetzt); Mittel der ↗Amplificatio.   HSt

Index, Pl. Indices, m. [lat. indicare = anzeigen], 1. alphabet. Namen-, Titel-, Schlagwort- oder Sachwörter-Verzeichnis, ↗Register am Schluß eines Buches oder als gesonderter Band.
2. I. Romanus (röm. I.) oder I. librorum prohibitorum (lat.), Verzeichnis verbotener Bücher, die nach Meinung der kath. Kirche gegen die Glaubens- und Sittenlehre verstoßen und von Katholiken weder gelesen noch aufbewahrt, herausgeben, übersetzt oder verbreitet werden dürfen (es sei denn mit päpstl. Erlaubnis). Eingeführt von Papst Paul IV. 1559, seit dem Tridentinum (1564) feste Einrichtung, die nach wechselnden Normen von einer I.-Kongregation laufend revidiert wurde; letzte Revision 1948 (Ergänzungen 1954: ca. 6000 indizierte Autoren oder Werke). Nach dem 2. Vaticanum außer Kraft gesetzt (1966). Indiziert wurden Autoren mit ihrem Gesamtwerk (opera omnia, z. B. noch 1948: G. Bruno, Voltaire, B. Croce, Zola, A. Gide, Sartre) oder bestimmten Teilen ihres Schaffens (z. B. omnes fabulae amatoria u. a. von G. Sand, Dumas père et fils, Stendhal, D'Annunzio) und Einzelwerke von sonst ›unbedenkl.‹ Autoren (z. B. von Pascal, Rousseau, Kant, Lessing, L. Sterne, S. Richardson, Lamartine, Heine, Lenau, Flaubert, D. F. Strauß, H. Bergson u. v. a.), schließlich auch die Encyclopédie von Diderot und d'Alembert, eine große Zahl religionsgeschichtl. und religionskrit. Schriften und nichtautorisierte ↗Bibelübersetzungen.

📖 Sleumer, A.: I. Romanus. Osnabrück [11]1956.
3. In der Semiotik nach Ch. S. Peirce ein Zeichen, das zum Bezeichneten in einem Kausalzusammenhang steht (Rauch für Feuer), nach M. Bense Zeichen zw. Ikon (durch Ähnlichkeit auf das Bezeichnete bezogen, z. B. Porträt) und Symbol (nur durch Konvention dem Bezeichneten zugeordnet, z. B. Staatswappen).   IS

Indianerbücher, *allgem.* literar. Werke über Land und Kultur der Indianer, z. B. Berichte von Reisenden, Missionaren, Wissenschaftlern seit der Entdeckung Amerikas. Im *engeren Sinne* die seit etwa 1820 entstandenen Reise-, Abenteuer- und ethnograph. Romane, die ein realist. Bild der eigenständ. Kultur und der harten Wirklichkeit der Indianer und ihres Existenzkampfes gegen die Weißen entwickeln und die tendenziös idealisierten idyll. Indianerdichtungen des 17. und 18.Jh.s (↗Exotismus) ablösten (wobei jedoch zunächst immer noch, evtl. bedingt durch die Kulturkritik des Jungen Deutschland, die Indianer als heroisch, ihre Heimat als Land der Freiheit verklärt erscheinen). *Erster Vertreter und Vorbild* für zahlreiche nachfolgende I. ist J. F. Cooper (»Lederstrumpfgeschichten«, 1823–45); aus der Fülle der (z. T. wie K. Mays »Winnetou«-Romane, 1893–1910, der Trivial- oder Unterhaltungsliteratur angehörenden) I. sind zu nennen: die Romane von Ch. Postl-Sealsfield (»Tokeah«, »Der Legitime u. die Republikaner«, beide engl. 1828, dt. 1833 u. a.), F. Gerstäker (»Flußpiraten des Mississippi«, 1848 u. a.), O. Ruppius, A. Strubberg, B. Möllhausen (»Der Halbindianer«, 1861), im 20. Jh. bes. von O. La Farge (»Laughing Boy«, 1929 u. a.), M. Sandoz (»Crazy Horse«, 1942 u. a.) und die vielfältigen, heute vorwiegend völkerkundl. und völkerpsycholog. ausgerichteten I. für die Jugend, z. B. von F. v. Gagern (»Der Marterpfahl«, 1925, »Der tote Mann«, 1927), F. Steuben (»Tecumseh«-Serie, 10 Bde. 1930–51), R. Daumann (»Tataka Yotanka«, 1956) u. v. a.

📖 Georgi, B.: Der Indianer in d. amerikan. Lit. Köln 1982. – Lips, E.: Das Indianerbuch. Lpz. [4]1967. – Plischke, A.: Von Cooper bis Karl May. Düsseld. 1951.   IS

Indirekte Rede, Wiedergabe der Worte eines Sprechenden in einem von einem Verb (des Sagens o. a.) eingeleiteten Objektsatz, formal gekennzeichnet durch den Gebrauch des Konjunktivs: Er behauptet, der Mann sei krank. Aussagen in indirekter R. mit pronominalem Subjekt in der 3. Person können mehrdeutig sein: der Satz »er behauptet, er sei krank« kann in ↗direkter Rede heißen (er behauptet): »Ich bin krank« oder »Er ist krank«.   ED

Individualstil, auch: Persönlichkeits- oder Personalstil, s. ↗Stil.

Informationsästhetik, Zeichenästhetik, in der auf informationstheoret. Grundlage Ansätze zur numerischen Analyse von Kunst entwickelt werden. Das Kunstwerk wird begriffen als dargestellte ästhet. Information. Die ästhet. Realisation wird hier als *ästhetische Information* von der semantischen unterschieden d. h. sie wird als ein Zeichenarrangement entwickelt, in dem die Zeichen als pure Anordnungsfaktoren, nicht als Bedeutungen, aufgefaßt werden. Der statist. Prozeß der Verteilung und Anordnung von Zeichen wird als Gegenprozeß zum physikalischen verstanden; zu beider Darstellung werden die mathemat. Mittel der statistischen Mechanik verwendet. Im Gegensatz zu thermodynam. Prozessen (Kennzeichen: Regelmäßigkeit, Wahrscheinlichkeit und Gesetzmäßigkeit) beruhen die Informationsprozesse auf statist. Unwahrscheinlichkeit der Verteilung; Originalität und Innovation sind hier bestimmende Momente. Um die Unwahrscheinlichkeit der partikularen Anordnung der Zeichen im ästhet. Prozeß nicht so groß werden zu lassen, daß ihre Wahrnehmbarkeit und damit ihre Realisation verlorengeht, ist Redundanz nötig. Das Kunstwerk gewinnt ästhet. Wert nicht nur durch Originalität, sondern auch durch seinen ›Stil‹: im Stil werden bereits bekannten Momente der ästhet. Information sichtbar. Der ästhet. Zustand eines Kunstwerkes läßt sich so als ein Verhältnis zwischen der Redundanz seines Stils und der Information seiner Originalität darstellen: ÄZ = Redundanz/Information. ↗Texttheorie.

📖 Bense, M.: Aesthetica. Baden-Baden 1965. – Moles, A. A.: Théorie de l'information et perception esthétique. Paris 1958. – Bense, M.: Ästhet. Information. Baden-Baden 1956   EE

Initia, n. Pl. [lat. = Anfänge], Bez. f. die Anfangswörter von Texten; sie dienten, solange noch keine Buch-Überschriften (Titel) üblich waren (also bes. bei antiken und mal. Handschriften und bei Frühdrucken) zur Identifikation. I. wurden z. B. zur Katalogisierung von Handschriften zu Registern zusammengestellt (Initienverzeichnis). Vgl. ↗Incipit.   HSt*

Inkonzinnität, f. [lat. inconcinnus = ungeschickt, ungereimt], rhetor. Bez. für Unebenheit im Satzbau (Mangel an ↗Konzinnität), kann als Fehler, aber auch als bewußter Kunstgriff zur Vermeidung von Gleichförmigkeit in der Reihung von Satzgliedern (↗Parallelismus) gelten.   S

Inkunabeln, f. Pl. [lat. incunabula = Windeln, Wiege; erster Anfang], auch: Wiegendrucke. Die aus den Anfängen der Buchdruckerkunst bis zum Jahr 1500 stammenden Druckwerke. Da auch die ersten Produkte der Lithographie, der Radierung, des Kupferstichs oft als I. bezeichnet werden, ist für die eigtl. Bedeutung der Terminus ›Wiegendrucke‹ vorzuziehen. I. können ganze Bücher, aber auch ↗Einblattdrucke sein. Ihre Auflage betrug im Durchschnitt einige hundert Exemplare; die Gesamtzahl der noch existierenden I. ist bislang nicht auszumachen. Anfänge der Katalogisierung: Cornelius à Beughem, »Incunabula Typographiae«(1688), bes. G. W. Panzer, »Annales typographici . . .« (1793 u. 1803) u. L. Hain, »Repertorium bibliographicum« (1826–38). Ihrer Seltenheit, aber auch ihrer typograph. Schönheit wegen (die zugrundeliegende Handschrift ist meist getreu nachgebildet) wurden die I. zu gesuchten Sammlerobjekten. Bedeutende Sammlungen in den Bibliotheken von Paris, London, München u. der USA.

📖 Geldner, F.: Inkunabelkunde. Wiesb. 1978. – Ders.: Die dt. I.drucker. 2 Bde. Stuttg. 1968/70. – Gesamtkatalog d. Wiegendrucke. 8 Bde. Lpz. 1925/40; Neudr. Stuttg./New York 1968. – RL (Wiegendrucke).   MS

Innere Emigration, von Frank Thieß 1933 geprägte, bes. nach 1945 öffentl. diskutierte Bez. für die polit.-geist. Haltung derjenigen Schriftsteller, die während des Dritten Reiches in Deutschland ausharrten und mit den ihnen verbliebenen literar. Möglichkeiten *bewußt* gegen den Nationalsozialismus literar. Widerstand leisteten. Die Ausweitung der Bez. auf die Haltung solcher Schriftsteller, die in dieser Zeit verstummten (»Rückzug ins Schweigen«), sich in unverbindl.-ästhet. Bereiche flüchteten oder gar auf grundsätzl. unpolit.-bürgerl.-restaurative Schriftsteller (nach Bergengruen: »nicht-nationalsozialist. im Ggs. zu anti-nationalsozialist.«), ist problematisch. Mittel der literar. Opposition war fast nur die ↗Camouflage, d. h. die chiffrierte Aussage, welche das Einverständnis des Lesers und dessen Fähigkeit, ›zwischen den Zeilen‹ zu lesen, voraussetzte. Geeignet dafür waren bes. histor. und kulturgeograph. Themen, als Parallelen und Gegenbilder gestaltet in (↗histor.) Romanen, Biographien, Essays, Buchbesprechungen usw. Benutzt wurde auch die ambiguose Metaphorik der Lyrik: zahllose Gedichte, oft illegal gedruckt, liefen in Abschriften um. Charakterist. für die meisten Werke der i. E. ist die konservative Stil- und Formhaltung (für künstler. Experimente fehlte der Freiheitsraum) und die moral.-eth. Ausrichtung (Appelle an Gewissen und Widerstandskraft). – Solchen versteckten kulturpolit. Widerstand leisteten einige *Zeitschriften*; so die ›Dt. Rundschau‹ (bis 1942: Verhaftung des Hrsg.s R. Pechel, Mitarbeiter u. a. H. Fügel, E. Schaper, Reinh. Schneider, O. v. Taube; zu den mutigsten Artikeln zählen Pechels Besprechung des Buches von Solonewitsch,

»Die Verlorenen«, 1937, der sog. »Sibirienartikel«, oder E. Samhabers histor. Essay »Francisco Solano Lopez. Bild eines Tyrannen«, 1941), die ›Neue Rundschau‹ (bis 1944: Verhaftung des Hrsg.s P. Suhrkamp, Mitarbeiter u. a. Th. Heuß, F. Schnabel, R. A. Schröder, W. Lehmann, O. Loerke, F. G. Jünger), ferner die ›Frankfurter Zeitung‹ (Verbot 1943) durch ihr Feuilleton (Max v. Brück; Mitarbeiter u. a. St. Andres, E. Langgässer, W. Bergengruen, M. L. Kaschnitz, H. Lange, G. Storz), ihr ›Literaturblatt‹ (W. Hausenstein) und ihre »Seite 3«(D. Sternberger, B. Reifenberg). Zeitschriften des polit. bzw. kirchl. Widerstandes waren ›Widerstand‹ (bis 1937: Verhaftung des Hrsg.s E. Niekisch), ›Hochland‹ (bis 1941: Verhaftung des Hrsg.s K. Muth) oder die ›Stimmen der Zeit‹ (bis 1941). *Die i. E.* wählten z. B. W. Bergengruen (hist. Romane, u. a. »Der Großtyrann und das Gericht«, 1935, »Am Himmel wie auf Erden«, 1940, Novellen, Gedichte, bes. »Dies irae«, 1944), Reinhold Schneider (Romane, u. a. »Las Casas vor Karl V.«, 1938; Essays, Gedichte), F. P. Reck-Malleczewen (Wiedertäuferroman »Bockelson«, 1937), F. Thieß (Romane, u. a. »Das Reich der Dämonen«, 1941), J. Klepper (Selbstmord unter polit. Druck 1942; Roman »Der Vater«, 1937, »Königsgedichte«, »Geistl. Lieder«, 1941), E. Wiechert (Roman »Der weiße Büffel «, 1937, bes. auch »Der Dichter und die Zeit«, Münchner Universitätsrede, 1935), A. Haushofer (hingerichtet noch April 1945; histor. Dramen und als bedeutendste Lyrik der i. E. die »Moabiter Sonette«, hrsg. 1946), ferner die Lyriker R. A. Schröder, R. Hagelstange, D. Bonhoeffer (hingerichtet April 1945), R. Huch (»Herbstfeuer«, 1944), F. Kemp, H. Leip u. v. a. – Eine *Sonderstellung* nehmen ein: G. Benn (scharfe, wegen Publikationsverbot unveröffentl. antinazist. Äußerungen seit 1934, vgl. »Stat. Gedichte« seit 1937, gedr. 1948; »Die Kunst u. das Dritte Reich«, Essay entst. 1941, »Block II, Zimmer 66«, entst. 1943/44, Teil seiner Autobiographie, 1950) und E. Jünger (sein Roman »Auf den Marmorklippen«, 1939, gilt teilweise als Hauptwerk der i. E.).

Dokumentation: Weisenborn, G. (Hrsg.): Der lautlose Aufstand. Bericht über die Widerstandsbewegung des dt. Volkes 1933–45. Hamb. 1962. – Schlösser, M. (Hrsg.): An den Wind geschrieben. Lyrik d. Freiheit 1933–45. Darmst. 1960. – Zwischen den Zeilen. Der Kampf einer Zeitschr. für Freiheit u. Recht 1932–1942. Aufsätze von R. Pechel. Wiesentheid/Ufr. 1948. – Drews, R./Kantorowicz, A. (Hrsg.): Verboten und verbrannt. Dt. Lit. zwölf Jahre unterdrückt. Mchn./Bln. 1947. – Paetel, K. O. (Hrsg.): Dt. i. E. Antinationalsozialist. Zeugnisse aus Deutschld. New York 1946.

📖 Schnell, R.: Zw. Anpassung und Widerstand. In: Europ. Lit. gegen den Faschismus. Hg. v. Th. Bremer. Mchn. 1986. – Brekle, W.: Schriftsteller im antifaschist. Widerstand. 1933–1945 in Deutschld. Bln./Weimar 1985. – Löwenthal, R. und Zur Mühlen, P. v. (Hg.): Widerstand u. Verweigerung in Deutschld. 1933–1945. Bln. 1984. – Exil und i. E. Bd. 1 hrsg. v. R. Grimm u. J. Hermand, Bd. 2 hrsg. v. K. Schwarz und P. U. Hohendahl, Frkft./Bonn 1973.   IS

Innere Form, auf Plotin zurückgehender Begriff (gr. endon eidos) für die geist. Bedingtheit der Welt der Erscheinungen. Der Begriff wurde im 18. Jh. von Shaftesbury aufgenommen zur Bez. der bildenden Kräfte, welche die Gestaltwerdung in Natur und Kunst bewirken (inward form and structure) und fand über J. G. Herder Eingang in die dt. geistesgeschichtl. Terminologie (Sturm und Drang, Goethe, Schiller, Romantik). I. F. wird, nicht immer scharf differenziert, in zweifachem Sinne verwendet:
1. *autorbezogen* für das geist. Urbild, das in der Seele des Schaffenden der Gestalt des Kunstwerkes nicht bilde und das umfassender und vollkommener sei als das ästhet. Gebilde, das bei der Umsetzung in die äußere Gestaltsphäre Reduktionen unterliege. Die i. F. kann in diesem Sinne als künstler. Vision (Walzel), als das geist. Bild hinter dem ästhet. Phänomen aufgefaßt werden.

2. *objektbezogen* meint i. F. die einem ästhet. Material innewohnende gesetz- oder naturgemäß vorgegebene geist. Formstruktur, die seine äußere Gestalt vorbestimmt; nach dieser organ. Kunstauffassung lassen sich künstler. Stoffe und Gehalte nicht beliebig in vorgegebene »überpersönl.« Formtypen (Goethe) umsetzen. ∕Form. S

Innerer Monolog, Erzähltechnik, die wie die verwandte ∕erlebte Rede den Bewußtseinsstand einer Person unmittelbar wiederzugeben sucht. Geschieht dies in der erlebten Rede unter Beibehaltung der ep. Imperfekts und der 3. Person, verwendet der i. M., als stummer Monolog ohne Hörer, Ich-Form und Präsens. Sein bes. Gepräge erhält der i. M. in der Wiedergabe des Bewußtseinsstromes (∕stream of consciousness, eine amorphe Folge von Bewußtseinsinhalten). Diesen versucht der i. M. literar. zu gestalten durch lückenlose Darstellung (Erzählzeit länger als erzählte Zeit) sowie Lockerung der Syntax (einfachste unverbundene Aussagesätze) bis hin zu deren Auflösung (in- und übereinandergeblendete Satzfragmente, ∕Simultantechnik). – Erste Experimente mit dem i. M. finden sich schon gegen Ende des 19. Jh.s bei W. M. Garschin (»Vier Tage«, 1877), E. Dujardin (»Les lauriers sont coupés«, 1888), H. Conradi (»Adam Mensch«, 1889), A. Schnitzler (»Lieutenant Gustl«, 1901); der i. M. ist dann Bestandteil oder Gesamtstruktur der großen Romane von J. Joyce (»Ulysses«, 1922), V. Woolf (»To the lighthouse«, 1927 u. a.), M. Proust (»À la recherche du temps perdu«, 1913–27), W. Faulkner (»The sound and the fury«, 1929 u. a.), A. Döblin (»Berlin Alexanderplatz«, 1929), Th. Mann (»Lotte in Weimar«, 1939), H. Broch (»Der Tod des Vergil«, 1945 u. a.). – Die rasche Entwicklung und Ausbreitung des i. M.s spiegelt zwei moderne Tendenzen der ep. Formen wider: 1. Die Aufgabe eines geschlossenen Weltentwurfs zugunsten der Darstellung der Welt als Reflex im Subjekt (›Verinnerung‹ des Erzählens) und 2. die weitgehende Problematisierung der Identität und Geschlossenheit des Subjekts selbst.
🕮 Höhnisch, E.: Das gefangene Ich. Studien zum i. M. in modernen frz. Romanen. Hdbg. 1967. – Stephan, D.: Der Roman des Bewußtseinsstroms und seine Spielarten. DU 14 (1962) H. 1, S. 25–38. – Storz, G.: Über den ›Monologue intérieur‹ oder die ›erlebte Rede‹. DU 8 (1955) H. 1, S. 41–53. – King, C. D.: E. Dujardin and the genesis of the inner monologue. French Studies 9 (1955) 101–15. – Dujardin, E.: Le monologue intérieur. Paris 1931. ED

Innerlichkeit, Geisteshaltung, die aus einer Flucht aus der polit. und sozialen Wirklichkeit resultiert (∕Elfenbeinturm). – Erste Ansätze einer I. finden sich in der mal. Mystik, in der auch der Begriff geprägt wurde (Innerkeit). I. kennzeichnet v. a. die Geisteskultur des dt. Bürgertums nach den Enttäuschungen und polit. Frustrationen im Gefolge der frz. Revolution und den späteren vergebl. Erhebungen und Reformversuchen in der 1. Hälfte des 19. Jh.s. In der Literatur trat zum Rückzug aus der Welt des Äußeren eine ausgesprochene Betonung des Gemüthaften, Idyllischen (∕Biedermeier: Ideal einer inneren Freiheit gegenüber der banalen Realität, vgl. z. B. W. Raabe, »Stopfkuchen«). – Neuerl. Tendenzen eines Rückzugs in die I. der Subjektivität und Privatheit ist in der jüngsten dt. Literatur sowohl in der DDR als auch der Bundesrepublik zu beobachten, wenn auch mit unterschiedl. Motivationen. Gemeinsam ist die Entdeckung des Ich als eines entscheidenden Bezugspunktes für geist.-literar. Verständigung als Reaktion auf enttäuschende gesellschaftl. Wirklichkeit: Das Ziel einer ichbezogenen Selbstfindung erscheint als eine Form der verdrängten Kritik, in der DDR allerdings durchaus aus gesellschaftl. Engagement (Ch. Wolf), in der Bundesrepublik mehr aus Resignation über die Wirkungslosigkeit gesellschaftstheoret. Programme (B. Strauß). Gemeinsam ist die Wiederentdeckung der Lyrik als eines gefühlsorientierten Mediums.
🕮 Sauder, G.: Zur Kontinuität v. I. in dt. Selbstreflexion.

In: Gegenwart als kulturelles Erbe. Hg. v. B. Thum. Mchn. 1985. – Staub, H.: Laterna magica. Studien zum Problem der I. in der Lit. Zürich∕Freibg. 1960. – Kohlschmidt, W.: Form u. I. Mchn. 1955. S

Inquit-Formel [zu lat. inquit = er sagte], das in die direkte Rede eines Textes vom Erzähler eingeschobene »sagte er«, »sprach er« und seine stilist. Varianten; fehlt sie, nähert sich die Erzählung dem ∕Dialog des Dramas (z. B. die Rahmenerzählung von Goethes »Unterhaltungen deutscher Ausgewanderten«). Nach ausführlicher I. wird, bes. im 18./19. Jh., der vorausgehende Redeteil wiederholt: »Nun, alter Franz‹, *fing der Großonkel an, indem er sich im Vorsaal den Schnee vom Pelze abklopfte,* ›nun, alter Franz, ist alles bereitet …? « (E. T. A. Hoffmann, »Das Majorat«). In älteren, zum mündl. Vortrag bestimmten Verstexten steht die I. zuweilen außerhalb des metr. Rahmens. HSt

Inreim, Reim eines Wortes im Versinnern mit dem Wort am Versende: z. B. »*O Sonne der Wonne*« (Fleming); ∕Zäsurreim, ∕Binnenreim. S

Inschrift, Schrift- (und Sprach-)Denkmal (gelegentl. mit bildl. Darstellung verbunden), das im Unterschied zu literar. Texten (auf Papyrus, Pergament, Papier) in d. Regel auf Stein, Holz, Knochen, Ton eingegraben (geritzt) ist (selten in erhabener Schrift). Nach dem Verwendungsbereich werden unterschieden: a) Bau-I.en an und in Kirchen, auf Glocken, an Burgen, Stadtmauern, an und in öffentl. und privaten Häusern. b) I.en auf Gegenständen: Hausgeräte, Waffen, Minnekästchen, Teppiche, Bilder usw.; auch in mhd. Dichtung erwähnt, vgl. die Gürtel-I. bei Albrecht von Halberstadt (Metamorphosen VI,576). c) Grab-I.en, auch I.en auf Totenbrettern, Marterln, Steinkreuzen, wiederum auch in mhd. Dichtung erwähnt, vgl. Grahmurets Grab im »Parzival« Wolframs v. Eschenbach. – Auftraggeber waren im MA. v. a. die Kirche und der Adel, erst seit der frühen Neuzeit auch das Bürger- und Bauerntum. – Die *älteste germ. I.* ist die I. auf dem Helm B von Negau in einem nordetrusk. Alphabet (2. Jh. v.–1. Jh. n. Chr.). *I.en mit* ∕*Runen* (wie auf der Lanzenspitze von Wurmlingen, 7. Jh.) waren in Mitteleuropa nicht so häufig wie in Nordeuropa. Die *mal. I.en* auf dt. Boden knüpfen nicht an Runen-I.en an, sondern an röm. I.en-Traditionen: Bis ins 14. Jh. herrscht Kapital- bzw. Majuskelschrift vor, danach die got. Minuskel; erst im 15. Jh. wird, unter dem Einfluß von Humanismus und Renaissance, die röm. Kapitale wieder aufgenommen, seit dem 16. Jh. dringt Fraktur vor. I.en sind meist in Prosa, gelegentl. auch in Reimversen, bis ins 14. Jh. vorwiegend in lat. Sprache, danach finden sich mehr und mehr auch dt. I.en; seit dem Humanismus auch I.en bis nach 1500. – Dt. I.en bis 1650 werden vom Kartell der Vereinigten dt. Akademien publiziert (seit 1935). Die wissenschaftl. Erforschung der I.n leistet die I.enkunde und Epigraphik. GG*

Institutionen, f. Pl. [lat. institutio = Anweisung, Unterricht], in der röm. und mal. Literatur Bez. für systemat., für den Anfänger gedachte Einführungen in verschiedene Wissensgebiete, z. B. Quintilians Einführung in die Rhetorik »Institutio oratoria« (1. Jh.) oder Cassiodors Grundbuch mal. Bildung »Institutiones divinarum ac saecularum litterarum« (6. Jh.) u. v. a. die I. der Rechtswissenschaft, die »Institutiones seu elementa« (533 n. Chr. im Auftrag Kaiser Justinians entstandene Einführung in die Jurisprudenz, Teil des »Corpus iuris civilis«). ∕Isagoge, ∕Kompendium.
GG*

Inszenierung, f., Einrichtung und Einstudierung eines Bühnenstückes (Schauspiel und Oper) für eine Aufführung auf dem Theater. Die I. umfaßt die Bearbeitung des Stückes (∕Bühnenbearbeitung, ∕Bühnenmanuskript), die Besetzung der Rollen, die Herstellung von Bühnenbild und Kostümen, die Regie (Wortregie, Bewegungsregie, Szenenregie); hinzu kommt gegebenenfalls die musikal. Einstudierung. In der Regel wirken bei einer I. Intendanz, Dramaturg, Regisseur, Bühnenbildner, Kostümbildner, ggf. auch

Dirigent und Chorleiter zusammen; häufig werden auch mehrere dieser Funktionen von einer Person wahrgenommen, heute meistens vom Regisseur (z. B. Wieland Wagner, Formel: »Regie und I.«), gelegentl., bei Opernaufführungen, auch vom Dirigenten (z. B. G. Mahler, F. Mottl, heute H. v. Karajan). ↗Regie. K

Intelligenzblätter [von lat. intelligentia = Kenntnis, engl. intelligence = Nachricht, Anzeige]; Form der period. Presse, ursprüngl. ein- oder mehrmals wöchentl. erscheinende (in privaten Anzeigekontoren zusammengestellte) Listen von Kauf- und Verkaufsangeboten, dann halboffizielles oder amtl. Publikationsorgan für Gesetze und Bekanntmachungen. – Das erste dieser Kontore wurde 1630 in Paris von Théophraste Renaudot gegründet; seine seit 1631 mehrmals wöchentl. erscheinende ›Gazette‹ wurde unter Mazarin offizielles Publikationsorgan für Kabinettsbeschlüsse und königl. Erlasse. – Das *I. dt. I.blatt* erschien in Frankfurt a. M. 1722 (»Wöchentl. Frankfurter Frag- und Anzeigungsnachrichten«, spätere »Frankfurter Nachrichten«), es folgten Hamburg 1724, Hanau 1725, Berlin 1727, Wien und Halle 1729 u. a. Die dt. I. waren *amtl.* Publikationsorgane, dienten mit ihrer »Förderung von Handel, Gewerbe und Landwirtschaft durch Organisierung des Markts« (Groth) dem merkantilist. Wirtschaftssystem des Feudalabsolutismus; ihre Einnahmen durch Insertionsgebühren (Einrückungsgebühren; anfangs auch Vermittlungsgebühren bei Zustandekommen eines Geschäfts) kamen öffentl. Einrichtungen des Sozialwesens (Waisenhäuser, Spitäler, Armenhäuser, Invalidenkasse) zugute. In Preußen und Österreich galt der Insertions- oder »Intelligenz«-Zwang (Monopol der Publikation bzw. Erstpublikation von Anzeigen; gegen die nicht der Regierung gehörenden polit. Zeitungen) in Preußen auch der Bezugzwang (für Behörden, Gymnasien, Apotheker, Ärzte, Kirchen und Juden usw.). Neben privaten Anzeigen und den amtl. Bekanntmachungen enthielten die I. Behördenverwaltungsberichte, Verzeichnisse der Geburten, Eheschließungen, Taufen und Todesfälle, Nachrichten aus Handel und Verkehr (z. B. Marktpreise); aufgelockert wurden die Nachrichten durch einen redaktionellen Teil, für den u. a. Universitätsprofessoren allgemeininteressierende Artikel über Kunst, Wissenschaft und Politik verfassen mußten. – Das I.blatt als oftmals einzige Zeitung des einfachen Mannes stellte die Verbindung zwischen dem absolutist. Staatswesen und seinen Untertanen her. – Mit wachsendem polit. Interesse und freier wirtschaftl. Entfaltung bzw. mit dem Aufkommen der Lokalpresse nach dem Napoleon. Zeit ging das Anzeigenwesen allmähl. auf die polit. Zeitungen über. Den öffentl.-rechtl. Charakter verloren viele I., als in der 1. Hälfte des 19. Jh.s das amtl. Bekanntmachungswesen an eigene Regierungs- und Amtsblätter (offizielle Presse) übergeben wurde.

📖 Lindemann, M.: Dt. Presse bis 1815. Bln. 1969. – d'Ester, K.: Intelligenzblatt. In: Dt. Philol. im Aufriß III, Bln. ²1962, Sp. 1268–1270. GG*

Interiectio, f. [lat. = Einwurf], auch: Interjektion, ↗rhetor. Figur: in einen Satzzusammenhang eingeschobener Ausruf: »Spricht die Seele, so spricht, *ach!* schon die Seele nicht mehr« (Schiller, »Votivtafeln«), oft mit Wiederholung des letzten vorangehenden Satzglieds. Bei größerem Umfang nähert sich die I. der ↗Parenthese; vgl. auch ↗Exclamatio. HSt

Interlinearversion, f. [zu lat. inter = zwischen, linea = Zeile, versio = Wendung], zwischen die Zeilen eines fremdsprach. Textes geschriebene Wort-für-Wort-Übersetzung ohne Rücksicht auf grammat. oder idiomat. Unterschiede zwischen dem Grundtext und der Übersetzung, Weiterbildung der interlinearen Glossierung nur einzelner Wörter (Interlinear-↗Glossen). In ahd. Zeit waren I.en die ersten und ältesten Stufen der Übersetzung und Aneignung lat. Texte in der Volkssprache. Man unterscheidet unzu-

sammenhängende *Teil-I.en* (St. Pauler Lukasglossen, spätes 8. Jh., Reichenau), durchgehende *Prosa-I.en* (ahd. Benediktinerregel, um 800, St. Gallen) und, als Sonderfall, *dichter. I.en* mit stilist.-rhythm. Gestaltung (Murbacher Hymnen, frühes 9. Jh., Reichenau). Die I.en sind z. T. auch unabhängig von dem lat. Text überliefert, zu dem sie ursprüngl. gehörten. – RL. HSt

Interlude, n. [ˈɪntəluːd; engl. = Zwischenspiel, v. lat. inter = zwischen, ludus = Spiel], dramat. Form des engl. Theaters Ende 15. u. 16. Jh.: vorwiegend kurzes Stück, formal noch dem mal. ↗Moralitäten nahestehend, themat. jedoch stärker verweltlicht, oft von burlesker Komik (Rückgriffe auf die lat. Komödie), häufig mit Musik. Gilt als Vorform des neueren engl. Dramas, insbes. der Komödie, durch seine Neuerungen u. Experimente auch von gewissem Einfluß auf das elizabethan. Drama allgem. Hauptvertreter: H. Medwall (»Fulgens and Lucres«, 1495, »Thersites«, 1537) und bes. J. Heywood (»The play of the Weather«, gedruckt 1533). Aufgeführt wurden die I.s v. a. bei Hof, in den Pausen des Adels und in den Colleges. – Die Bez. ›I.‹ läßt drei Möglichkeiten für den Ursprung der I.s offen: sie waren entweder ↗Zwischenspiele in den Pausen bei Banketten und Festlichkeiten oder zwischen den Akten längerer Schauspiele (vgl. ↗Entremés, ↗Intermezzo) oder drittens ein Spiel »zwischen« zwei oder mehreren Darstellern.

📖 Habicht, W.: Studien zur Dramenform vor Shakespeare. Moralität, I., romaneskes Drama, Hdbg. 1968. – Craik, Th. W.: The Tudor I. Stage, costume and acting, Leicester 1958. MS*

Interludium, n. [aus lat. inter = zwischen, ludus = Spiel], ↗Zwischenspiel, vgl. auch ↗Zwischenakt, ↗Intermezzo, ↗Interlude.

Intermedium ↗Intermezzo.

Intermezzo, n., Pl. Intermezzi [it., von lat. intermedius = in der Mitte, dazwischen], auch: Intermedium, ↗Zwischenspiel wie it. Renaissanceschauspiele; ursprüngl. wie der span. ↗Entremés u. das engl. ↗Interlude wohl Unterhaltung zwischen den einzelnen Gängen eines Banketts; im 15. u. 16. Jh. dann *musikal. und szen.-dramat. Einlage* zwischen den einzelnen Akten oder Teilen von Tragödien und Komödien (auch von ↗Mysterien u. a.); zunächst Vokal- oder Instrumentalmusik (Madrigale, Chöre), dann v. a. Maskenund andere Schautänze, Pantomimen, allegor. -mytholog. Szenen, realist. Possen usw. Durch Ausstattungsprunk und vielfält. Bühneneffekte (Illuminationen, Feuerwerke, Verwandlungen usw.) überwucherten die Intermezzi zeitl. und opt. das eigentl. Stück, zu dessen Inhalt sie meist in keiner Beziehung standen (oder die durch die Intermezzi inszenierten Mysterienaufführungen des Kardinals Pietro Riario 1473 in Rom boten als Intermezzi Ballette mit Nymphen, mit mytholog. Liebespaaren, die Pantomime eines Kentaurenkampfes u. a.). Intermezzi bildeten die Höhepunkte höf. und städt. Feste und wurden oft, ähnl. den ↗Trionfi, von berühmten Künstlern gestaltet (u. a. von F. Brunelleschi für Florenz, Leonardo da Vinci für die Sforza in Mailand, 1489 u. 1493). – Aus den Intermezzi entstehen Ende des 16. Jh.s zwei bedeutende neuzeitl. Theatergattungen:

1. das Ballett: entwickelt in Frankreich aus die unter ein bestimmtes Thema gestellten Kombination pantomim.-tänzer. und musikal. Intermezzi (1581 »Ballet comique de la Reine«);

2. die Opera buffa (kom. Oper) aus den heiteren volkstüml.-musikal. Intermezzi der opera seria (z. B. Pergolesi »La serva Padrona«, 1733), die immer umfangreicher wurden und sich allmähl. verselbständigten. – Heute werden eine Zwischenaktmusik oder die Balletteinlage einer Oper als I. bez.

📖 J. Jacquot (Hrsg.): Les Fêtes de la Renaissance. 2 Bde. Paris 1973 u. 1975. IS

Interpolation, f. [lat. = Einschaltung, Verfälschung], in der Philologie Bez. für spätere, nicht vom Autor stammende

Veränderung eines Originaltextes durch einen nicht kenntl. gemachten Einschub von zusätzl. Wörtern, Sätzen oder Abschnitten,

1. um seltene oder ungewöhnl. Ausdrücke zu erläutern oder zu ersetzen (so bereits bei den antiken Grammatikern, deren I.en oder ↗Glossen dann allmähl. in den Text aufgenommen wurden),

2. um einen Text einer bestimmten Absicht zu unterwerfen (z. B. I.en jüd. u. christl. Gelehrter der Spätantike und des MA.s, um den eigenen Lehrmeinungen den Schein höheren Alters und damit größerer Glaubwürdigkeit zu verschaffen; berühmte Beispiele sind das sog. Comma Joanneum im NT und die Digestenliteratur zum Corpus iuris civilis).

3. um einen älteren Text zu modernisieren oder zu erweitern (so gelegentl. bei mal. Bearbeitern dichter. Texte). Es gehört zu den Aufgaben der ↗Textkritik, diese fremden Zusätze wieder auszuscheiden. RG*

Interpretation, f. [lat. = Erklärung, Auslegung], Akt und Ergebnis des Verstehens, in weitester Bedeutung aller sinnhaltigen Strukturen, im e. S. von theolog., histor., jurist. usw. Quellen, von Kunstwerken allgemein und Dichtung im besonderen. Gegenüber dem naiven Verstehen als Voraussetzung der I. zeichnet sich diese durch stete Reflexion ihrer Bedingungen, ihres Gegenstandes und ihres Vorgehens aus (↗Hermeneutik). – In der *Literaturwissenschaft* ändern sich Rang und Bedeutung der Fragestellungen der I. je nach dem intendierten Erkenntnisgegenstand. Dieser kann 1. außerhalb des engeren Gebietes der Literaturwissenschaft liegen, d. h. Dichtung wird dann als histor., soziolog. usw. Quelle benutzt; es können 2. anthropolog. Konstanten (z. B. Weltanschauungstypen) oder bestimmte Prinzipien wie Gattung, Stil, Idee, Geist eines zeitl. und räuml. begrenzten Kollektivs (Epoche, Nation) sein, aber auch 3. der Autor und 4. das einzelne Werk, einmal in seinen Beziehungen zu außerdichter. Gegebenheiten (Kultur, Gesellschaft usw.) oder zu kennzeichnenden Prinzipien (Gattung, Stil usw.) oder zum Autor; schließl. das Werk in seiner inneren Struktur. Die I. kann sich auf das Einzelwerk beschränken, sie kann auch method. Ausgangspunkt zu umfassenderer Synthese sein; beide Formen ergänzen und bedingen sich gegenseitig. Aus der unterschiedl. Auffassung der einzelnen Faktoren und ihrer Beziehungen in den verschiedenen Richtungen der Literaturwissenschaft resultieren die jeweil. ästhet. und poetolog. Postulate, die wiederum Gegenstand, Methode und Resultat der I. bestimmen (Methoden der ↗Literaturwissenschaft). – In scharfer Abgrenzung von allen determinist. und ideengeschichtl. orientierten Richtungen der I. versucht sich die *werkimmanente I.*, die weitestgehend voraussetzungsfreie, nicht über den Text hinausgehende I. des einzelnen Werks in den Mittelpunkt der literaturwissenschaftl. Tätigkeit zu stellen. Ziel der werkimmanenten I. ist die Darstellung der strukturellen Elemente der Dichtung in ihrer funktionalen Bezogenheit aufeinander, die Erhellung des Sinns und seiner spezif. dichter. Erscheinungsweise. Als Reaktion auf diese in der Zeit nach dem 2. Weltkrieg dominierende und als einseitig, method. unzulängl. kritisierte Position entstanden stark inhaltl. orientierte, oft marxist. sozialog. Richtungen sowie die Methodenpluralismus, der das Werk unter verschiedenen Perspektiven mit jeweils verschiedenen Methoden interpretiert, um seiner Komplexität adäquat zu werden. Zu den neueren I.srichtungen vgl. ↗Methodologie, ↗Paradigmenwechsel, ↗Ideologiekritik, ↗Informationsästhetik, ↗Literatursoziologie, ↗Poststrukturalismus, ↗Dialogizität, ↗Intertextualität.

📖 Schutte, J.: Einf. in die Literatur-I. Stuttg. 1985 (SM 217). – Soeffner, H. G. (Hg.): Interpretative Verfahren in den Sozial- u. Textwissenschaften. Stuttg. 1979. – Enders, H. (Hrsg.): Die Werk-I. Darmstadt ²1978. – Petöfi, I. S./Rieser, H.: Probleme der modelltheoret. I. von Texten. Hamb. 1974. – Wellek, R./Warren, A.: Theorie der Lit.

Dt. Übers. Frkft. Neuausg. 1972. – Hermand, J.: Synthet. Interpretieren. Zur Methodik d. Lit.wissenschaft. Mchn. ³1971. – Kraus, W.: Grundprobleme der Lit.wissenschaft. Zur I. literar. Werke. Reinbek 1971. – Spitzer, L.: Eine Methode, Lit. zu interpretieren. Dt. Übers. Mchn. ²1970. – Staiger, E.: Die Kunst der I. Zürich ⁵1967; auch: ↗Hermeneutik. – RL. ED

Intertextualität, Bezug von Texten auf andere Texte. Von J. Kristeva eingeführter Begriff, mit dem M. Bachtins an der ›Ästhetik des Worts‹ entwickeltes ↗Dialogizitäts-Theorem zu erweitern versucht wird. Der Begriff I. subsumiert eine Reihe von Textrelationen (Verfahren der Bezugnahme) eines Textes auf andere Texte (z. B. Einlagerung, Kreuzung, Verschaltung, Wieder-, Gegenschrift fremder Texte), deren Formensprache aus der traditionellen ↗Rhetorik, ↗Poetik und ↗Philologie bekannt ist (z. B. ↗Zitat, ↗Motto, ↗Anspielung, ↗Fußnote, ↗Anmerkung, ↗Kommentar, ↗Textkritik, ↗Ironie, ↗Parodie, ↗Kontrafaktur, ↗Plagiat). Zu beachten ist allerdings der neuere literatur- und texttheoret. Kontext des Begriffs, den die Diskussion der letzten Jahre in einem oszillierenden Verbund von Unterbegriffen (Subtext, Hypotext, Hypertext, Anatext, Paratext, Intertext, Transtext, Genotext, Phänotext, impliziter Text, Text im Text usw.) angesammelt hat: Es handelt sich um den Kernbereich der poststrukturalen Poetik (↗Poststrukturalismus), deren Angriff auf die Grundlagen des traditionellen Literatur-Konzepts (Einheit, Einzigartigkeit, strukturelle Totalität, Systemhaftigkeit des Kunstwerks) mit dem Begriff der I. umrissen wird. Neben ↗Palimpsest, ↗Anagramm, ↗Paragramm, ↗Paratext, auf die sich die neuere Diskussion konzentriert hat, thematisiert die Diskursforschung einen weiteren Bereich von Phänomenen der I.: Bezüge zwischen Texten, die sich durch Gebrauch oder Erwähnung von Diskursen oder interdiskursiv vorhandenen Kollektiv-Symbolen ergeben.

📖 Broich, U./Pfister, M. (Hg.): I. Formen, Funktionen, Fallstudien. Tüb. 1985. – Drews, A./Gerhard, U./Link, J.: Moderne Kollektivsymbolik. Eine diskurstheoret. orientierte Einführung. IASL (Sh. 1) 1985. – Geier, M.: Die Schrift und die Tradition. Studien zur I. Mchn. 1985. – Lachmann, R.: Ebenen des I.sbegriffs. In: Stierle, K./Warning, R. (Hg.): Das Gespräch. Mchn. 1984. – Stierle, K.: Werk und I. Ebda. – Genette, G.: Palimpsestes, la littérature au second degré. Paris 1982. – Starobinski, J.: Wort unter Wörtern. Die Anagramme von F. de Saussure. Frkf. u. a. 1980. – Zimmermann, K.: Erkundungen zur Texttypologie. Tüb. 1978. – Parisier-Plottl, J./Charney, H. (Hg.): Intertextuality, new Perspectives in Critism. New York 1978. – Kristeva, J.: Pour une sémiologie des paragrammes (1966). In: J. K.: Semeiotike – Recherches pour une sémanalyse. Paris 1969. VD

Intrige, f. [frz. intrigue von lat. intricare = verwickeln, verwirren], dramaturg. Bez. für das eine Handlung begründende Komplott, mit dem sich ein Teil der Dramenfiguren zur Durchsetzung seiner Ziele gegen einen anderen verschwört. Schon bei Euripides war die I. als *mechanema* neben der Wiedererkennung (↗Anagnorisis) oft der wesentlichste Bestandteil der Tragödie (»Medea«, »Elektra«, »Iphigenie in Tauris«). Dabei zeigt z. B. die »Iphigenie« des Euripides (wie später die Goethes), daß die I. in der Tragödie bisweilen auch zu einem glückl. Ende führen kann. Von Euripides wurde die I. in die sog. Neue att. Komödie (Menander, Apollodoros) übernommen, von dort in die röm. Komödie (Plautus, Terenz), weiter dann in die Komödie der Neuzeit, vgl. etwa Molières *I.nkomödie* »Les fourberies de Scapin«, die auf den »Phormio« des Terenz und damit indirekt auf den »Epidikazomenos« des Apollodoros zurückgeht. Als reine I.n-Dramen gelten v. a. die span. ↗Mantel-und-Degen-Stücke, während die I.nkomödien seit Molière wieder, wie zuvor schon bei Menander (»Dyskolos«) und Terenz (»Heautontimorumenos«), oft zugleich zur ↗Charakterkomödie tendieren, vgl. H. v. Hofmannsthal, »Der Unbestechliche«, 1923.   HD

Invektive, f. [lat. invehi = jemanden anfahren], Schmähung, Beschimpfung, Schmährede, -schrift, in der Antike häufig als Bestandteil der Polemik in Komödie, ↗Satire und forensischer Rhetorik, aber auch als selbständige Gattung (beliebt bei den ↗Neoterikern). Die I. richtet sich nicht nur gegen Personen (der Politik, der Geschichte und des Mythos), sondern auch gegen Abstraktionen und Dinge (Reichtum, Zorn; die Weinrebe). Berühmte I.n haben verfaßt: Archilochos, Lucilius, Varro, Cicero, Sallust, Catull, Ovid, Juvenal u. a.

☐ Koster, S.: Die I. in d. griech. u. röm. Lit. Meisenheim 1980.   GMS

Inversion, f. [lat. inversio = Umkehrung, auch Reversio, gr. Anastrophé], ↗rhetor. Figur: von der übl. Wortfolge abweichende Umstellung von Wörtern; kann ohne Ausdruckswert sein, z. B. bei Nachstellung von Präpositionen (meinetwegen, mecum [lat. = mit mir]), aber auch bestimmte Wirkungen erzielen, z. B. archaisierende (»Röslein rot«) oder emphatische (»mit meines Zornes Riesenarm«, Schiller, »Don Carlos«; »Unendlich ist die jugendl. Trauer«, Novalis, »Heinr. v. Ofterdingen«). – Das Gegenteil dieser Hervorhebung bezweckt die sog. *Kaufmanns-I.* zur Vermeidung des ›ich‹ am Satzanfang, bes. nach ›und‹: ». . . und habe ich mich bemüht . . .«. Vgl. auch ↗Hyperbaton, ↗Tmesis; als Sinnfigur entspricht der I. das ↗Hysteron proteron.   HSt*

Invocatio, f. [lat. = Anrufung], Invokation, literar. Topos: Hilfe und Rat heischende Wendung an höhere Mächte; in der Dichtung z. B. Anrufung der Musen (vgl. u. a. Homer, »Odyssee« 1,1), der Götter (Ovid, »Metam.« 10, 148) oder Gottes (Wolfram, »Willehalm«, 1 ff., Klopstock, »Messias«, 1. Ges.), sowohl im Eingang (Prolog) wie an bes. herausgehobenen Stellen; in der Eingangsformel einer Urkunde Anrufung Gottes oder der Heiligen (»In nomine sanctae trinitatis«). ↗Apostrophe.   HSt*

Inzision, f. [lat. incisio = Einschnitt, Abschnitt],
1. in der Verslehre Bez. für ↗Zäsur, ↗Dihärese; mit I. wird insbes. die Dihärese nach dem 3. Hemiepes des ↗Pentameter bez.
2. in der Rhetorik als *incisio* (auch: *incisum*) lat. Bez. für griech. ↗Komma.   GG*

Ionikus, antikes Metrum der Form ⌣⌣−−, benannt nach den Ioniern Kleinasiens, die es in Kultliedern zu Ehren der Kybele zuerst gebraucht haben sollen; als Metrum ganzer Gedichte seit Alkman belegt. Der I. wird auch als *I. a minore* bezeichnet und vom sog. *I. a maiore* (−−⌣⌣) unterschieden. Letzterer ist kein ursprüngl. Metrum, sondern wurde von den Metrikern eingeführt, um nichtmetr., ↗äol. Versmaße metr. analysieren zu können; seit der hellenist. Zeit erscheinen auch Verse in diesem Metrum. Als ↗Dimeter ist der I. a minore (mit ↗Anaklasis) Grundlage des ↗Anakreonteus (⌣⌣−⌣−⌣−−), als katalekt. ↗Tetrameter des ↗Galliambus (⌣⌣−⌣−⌣−−|⌣⌣−−⌣⌣−). ED

Irische Renaissance ↗Kelt. Renaissance (2).

Ironie, f. [gr. eironeia = Verstellung, Ausflucht, Mangel an Ernst], der Begriff der I. hat in seiner über 2000jähr. Geschichte so starke Bedeutungsveränderungen und -erweiterungen erfahren, daß er sich einer alle Anwendungsbereiche umfassenden Definition entzieht.
1. Zunächst bedeutet I. eine *Redeweise,* bei der das Gegenteil des eigtl. Wortlauts gemeint ist. Diese in umgangssprachl. Gebrauch meist dem ↗Euphemismus verwandte Redeweise (wenn z. B. ein Skandal eine »schöne Geschichte« genannt wird) wurde
2. zu einem beliebten ↗*Tropus* (Sprungtropus, lat. *illusio, simulatio*), insbes. in der Gerichtsrede, womit der Hörererwartung gemäße, vielfach nicht beweisbare negative Werturteile in der Form eines iron. Lobs vorgetragen wurden. So konnte eine Person, Sache oder (moral.) Wertvor-

stellung der Lächerlichkeit preisgegeben werden. I. als rhetor. Mittel ist fast immer aggressiv, sie kann sich vom spieler. Spott bis zum Sarkasmus steigern, und wenn sie über längere Textpartien durchgehalten wird, literar. Gattungen wie ↗Parodie, ↗Satire, ↗Travestie konstituieren. *Literar. Beispiele* für I. als Mittel der Rhetorik sind die Rede des Marcus Antonius in Shakespeares »Julius Caesar« (III,2) oder die durchweg mit dem Stilmittel der I. arbeitende Satire »Lob der Torheit« von Erasmus von Rotterdam. Mit dieser rhetor. I. ist der Gebrauch der I.
3. als *Vehikel didakt. Kommunikation* verwandt. Hier soll durch bewußt falsche oder fragwürdige Wertvorstellungen, durch log. Fehlschlüsse oder fragende Unwissenheit zu positiver Erkenntnisanstrengung provoziert werden. Diese I. bringt die Selbstironisierung des Erziehenden mit sich, der in ein pädag. *understatement* oder den *advocatus diaboli* spielen kann. Diese von Sokrates praktizierte und nach ihm benannte »Sokrat. I.« (Maieutik) ist jedoch nicht nur als Methode der Erkenntnisförderung verstanden worden, sondern zugleich als grundsätzlich menschl. Haltung. Dadurch hat der I.-Begriff eine Ausweitung erfahren, so daß unter I. allgemein ein distanziert-krit. Verhalten und dessen sprachl. Ausdrucksformen gezählt werden.
4. Als *poetolog. Terminus* wird I., nachdem vor allem Ch. M. Wieland und Jean Paul (»Ironie . . . als reiner Repräsentant des lächerlichen Objekts«) sich mit ihm beschäftigt hatten, in der deutschen Frühromantik bedeutsam. Die »*romant. I.*«, wie sie von F. und A. W. Schlegel diskutiert wird, bezeichnet »Das Gefühl von dem unauslösl. Widerstreit des Unbedingten und des Bedingten, der Unmöglichkeit und Notwendigkeit einer vollständ. Mittheilung« (F. Schlegel, Lyceum-Fragment 42). Die »trag. I.« versuchte K. W. F. Solger (»Erwin. Gespräche über d. Schöne in d. Kunst«, 1815) als den Untergang der unendl. Idee im Endlichkeit des Kunstwerks zu bestimmen. In den Werken von L. Tieck, E. T. A. Hoffmann, C. Brentano, Ch. D. Grabbe, K. L. Immermann u. a. wird die romant. I. literar. verwirklicht. H. Heine versucht die romant. I. ad absurdum zu führen, indem er die Romantik selbst ironisiert und nicht mehr die I. als Bewußtsein des Autors von der Unvereinbarkeit von Ideal und Wirklichkeit vorführt, sondern die Illusionszerstörung beim Leser zum Ziel einer iron. Pointe macht. – Ironie als Bewußtseinshaltung kennzeichnet auch die Werke von Schriftstellern des 20. Jh.s. Bei Th. Mann wird I. als durchgehendes Mittel einer artifiziellen Distanzierung eingesetzt, die es dem Autor erst ermöglicht, den auch ihn betreffenden Gegensatz von Geist und Leben in der schriftsteller. Darstellung zu bewältigen. R. Musil will die »konstruktive I.« unter weitgehendem Verzicht auf iron. Einzelgesten durch die Vermittlung und Parallelisierung von Gegensätzen die geschichtl. Situation aufzeigen (»einen Klerikalen so darstellen, daß neben ihm auch ein Bolschewik getroffen ist«). Wie die I. als Verhaltensweise sich vielfach kaum mehr abgrenzen läßt von fatalist. Relativierung aller Werte und ihrer Erscheinungen, so hat sie sich literar. bis zur konsequenten Ironisierung menschl. Verhaltens im »Theater des Absurden« entwickelt.

☐ Schnell, R.: Die verkehrte Welt. Literar. I. im 19. Jh. Stuttg. 1989. – Prang, H.: Die romant. I. Darmst. ³1989. – Japp, U.: Theorie der I. Frkf. 1983. – Behler, E.: Klass. I. romant. I., trag. I. Zum Ursprung dieser Begriffe. Darmst ²1981. – Hass, H.-E./Mohrlüder, G. A. (Hrsg.): I. als literar. Phänomen. Köln 1973. – Allemann, B.: I. und Dichtung Pfullingen ²1969. – Strohschneider-Kohrs, I.: Die romant I. in Theorie u. Gestaltung. Tüb. 1960. – Heller, E.: Thomas Mann. Der iron. Deutsche. Frkft. 1959. – RL.   HW

Isagoge, f. [gr. eisagoge = Einleitung, Einführung], in der antiken Literatur Bez. für die Einführung in eine Wissenschaft, meist in Form eines Kompendiums, eines dialog. Lehrgesprächs oder Briefes; vgl. ähnl. die ↗Institutionen.   RG*

ISBN = Internationale Standard-Buch-Nummer, zehnstellige Kennziffer für jedes Buch (und jede Auflage), setzt sich zusammen aus: 1. einer Ziffer für den betreffenden Sprachbereich (z. B. 3 = dt. Sprachbereich), 2. aus einer den Verlag kennzeichnenden Zifferngruppe (z. B. 476 = J. B. Metzlersche Verlagsbuchhandlung), 3. aus einer Zifferngruppe für die verlagsinterne Titelnummer (z. B. 00668 = Metzler Literatur-Lexikon), 4. einer Computerprüfziffer. 1967 in England, 1968 in den USA, 1971 in der Bundesrepublik Deutschland eingeführt. S

Isokolon, n. [gr. = Gleichgliedrigkeit], ↗rhetor. Figur: in einer ↗Periode Folge zweier oder mehrerer, in Bezug auf Konstruktion, Wort- (z. T. auch Silben)zahl gleicher oder ähnlicher (dann als *Parison* bez.) ↗Kola, d. h. syntakt. selbständiger Sätze oder von einem gemeinsamen Satzteil abhängiger Satzglieder, z. B. »*vicit/pudorem libido, timorem audacia*« (es besiegt die Begierde die Scham, der Mut die Furcht, Cicero); oft auch durch ↗Homoioteleuton gebunden, häufig formale Entsprechung einer Gedankenfigur wie (semant.) ↗Parallelismus, ↗Antithese. ED

Isometrie, f. [Kunstwort aus gr. isos = gleich, metron = Maß: Gleichheit des (Vers)maßes], Begriff der Verslehre zur Bez. gleich langer Verse (hinsichtl. Silben-, Hebungs- oder Taktzahl) einer Strophe *(isometr. Strophe)*, im Ggs. zu heterometr. (gr. heteros = anders) oder metabol. (gr. metabole = Verwandlung, Variation) Strophen, die sich aus Versen unterschiedl. Länge zusammensetzen. – Gelegentl. wird als I. auch die Gleichheit der Silbenzahl aufeinander bezogener Reimwörter bez.: *nature : peinture* ist ein isometr. Reim, während *nature : pure* als heterometr. Reim bez. wird. K*

Iteratio, f. [lat. = Wiederholung], rhetor. Figur, s. ↗Geminatio.

Ithyphallikus, m., antiker Vers der Form $-\cup-\cup-\underline{\cup}-$, gedeutet als 2. Teil des katalekt. jamb. ↗Trimeters nach der Penthemimeres, aber auch als troch. Tripodie; Bez. wohl nach der Verwendung des Verses in den Kultliedern zu Ehren des Dionysos (ithyphallos = aufgerichteter Phallus); belegt seit Archilochos (in ↗Asynarteten und ↗Epoden), gerne als Klausel eines kombinierten Langverses gebraucht, z. B. ↗Archilochius = daktyl. Tetrameter + I. ED*

Itinerarium, n. (Itinerar) [zu lat. iter = Weg, Reise], antike Beschreibung eines Reisewegs mit Angaben über Wegstrekken, Stationen, Herbergen usw., vergleichbar einem modernen Reiseführer (*i. adnotatum* oder *i. scriptum*, z. B. das »I. Antonianum«, ein amtl. Verzeichnis der Reiserouten innerhalb des röm. Reiches, 3./4. Jh.) oder in Form einer Karte (*i. pictum*, z. B. die »Tabula Peutingeriana«, eine nach ihrem späteren Besitzer, dem Humanisten Konrad Peutinger, benannte Kopie des 13. Jh.s einer Karte der Straßen des röm. Reiches aus dem 4. Jh.); dann auch Pilgeraufzeichnungen *(peregrinationes)* über Wallfahrten zum Hl. Grab (»I. Burdigalense Hierusalem usque«, v. J. 333, »I. Aetheriae abbatissae«, Anf. 5. Jh.). Von daher auch Titel von Erbauungsschriften, die den rechten Weg zu Gott lehren wollen (»I. mentis in deum« des Bonaventura, 13. Jh.). – In der Geschichtswiss. Bez. für die aus den Quellen konstruierten Reisewege der noch nicht an eine feste Residenz gebundenen mal. Herrscher, etwa Karls des Großen. ◫ Levi, A. und M.: Itineraria picta. Rom 1967. – Elter, A.: Itinerarstudien. Bonn 1908. HSt

Jagdallegorie ↗Minneallegorie.

Jahrmarktspiel, theatral. Darbietung, die, namentl. im SpätMA., auf Jahrmärkten, bei Kirchweihfesten und Verkaufsmessen stattfand. Zu den J.en zählen Puppen- und Kasperlspiele, Pantomimen, mit Mimik verbundener Liedvortrag (↗Bänkelsang), aber auch Vorstellungen von wandernden Schauspielertruppen wie beim fläm. »Wagenspel«. Literar. Reflexe des unliterar. Formen des J.s finden sich in den Krämerszenen des mal. ↗geistl. Spiels

oder etwa in Goethes »Jahrmarktsfest zu Plundersweilern« (1773). Die zumeist erfolglos gebliebenen Versuche eines öffentl. ↗Agitprop- und Straßentheaters der letzten Jahre scheinen auf einer romant. Vorstellung von der Vermittlungsintensität des J.s zu basieren. HW

Jambelegus, m., vgl. ↗Enkomiologikus, ↗Elegiambus.

Jambendichtung, lyr. Gattung der antiken Dichtung. Nach einer rein *formalen* Bestimmung gilt als Jambus ein Gedicht von beliebigem Inhalt, abgefaßt in jamb. ↗Trimetern (auch ↗Choliamben), trochä. ↗Tetrametern oder ↗Epoden; dem gegenüber steht eine mehr *inhaltl.* Bestimmung, nach der die Jamben als Spott- oder Scherzgedichte definiert sind. – Die gr. J. ist ion. Ursprungs; am Anfang stehen vermutl. volkstüml. derbe Spottverse, die wahrscheinl. in irgendeiner Verbindung mit dem ion. Demeter-Kult stehen (der homer. Demeter-Hymnus, v. 202 ff., nennt eine Magd Jambe, die die Göttin durch ihre Scherze erheitert). Die kunstmäßige Ausbildung der J. erfolgte durch Archilochos von Paros (7. Jh. v. Chr.) und Semonides (»Weiberkatalog«); ihre J. ist durch Bitterkeit und eine pessimist. Grundstimmung gekennzeichnet. Mehr parodist. Charakter haben die Choliamben des Hipponax von Ephesos (2. Hälfte 6. Jh.), Solons Jamben sind polem. Spottgedichte gegen seine polit. Gegner. Aus klass. Zeit ist keine gr. J. überliefert, doch werden jamb. Trimeter und trochä. Tetrameter als Sprechverse der Tragödie weiterentwickelt. Zu einer zweiten Blüte der gr. J. kommt es in hellenist. Zeit: von Hero(n)das stammen 7 ↗Mimiamben in choliamb. Versen; die Kyniker Phoinix von Kolophon und Kerkidas von Megalopolis pflegen die satir. Moralpredigt, Machon die jamb. ↗Chrie (Gnomisches, Sentenzen, pointierte Kurzerzählungen), Rhinton von Syrakus die ↗Phlyakenposse. Die J. des Kallimachos enthält außer einer literar. Satire (auf das Philologengezänk im alexandrin. Museion) Gelegenheitsgedichte, Fabeln und Ätiologisches. Letzter bedeutender Vertreter der gr. J. ist Babrius (2. Jh. n. Chr.), der seine Fabeln in jamb. Maßen abfaßt. – In der röm. Dichtung findet sich die J. vor allem bei den Neoterikern (Catull, Calvus, Helvius Cinna, Furius Bibaculus) und bei Horaz, der die Epoden als »Iambi« bezeichnet, später bei Petronius und Martial; die Themenbreite der röm. J. entspricht der der gr. Vorbilder. K

Jambenfluß, Bez. für einen nach der Art jamb. (und trochä.) Verse durch regelmäßige Alternation von Hebungen und Senkungen gekennzeichneten ↗Prosarhythmus, der im allgem. als Stilfehler (Th. Storm änderte z. B. auf Anraten P. Heyses in seiner Novelle »Das Fest auf Haderslevhuus« den Satz »Ich háb doch dárum nicht den Tód gefréit« in »Ich hab dárum doch nicht den Tód gefréit«). Die durch J. charakterisierte Prosafassung der »Iphigenie« Goethes kann dagegen unter sprachrhythm. Aspekt auch als Vorstufe des endgült. in Blankversen abgefaßten Textes gelten. K

Jambus, m. [gr. íambos; Etymologie ungeklärt], antiker Versfuß der Form $\cup-$. Als metr. Einheit jamb. *Sprechverse* gilt in der griech. Dichtung (einschließl. der strengen Nachbildungen griech. Sprechverse in der lat. Dichtung) nicht der einzelne Versfuß, sondern die ↗Dipodie, d. h. die Verbindung zweier Versfüße $\cup-\cup-$ (mit Auflösungen $\underline{\cup\cup\cup}\,|\,\underline{\cup\cup}$, auch als Di-J. bez.). – Wichtigste jamb. dipod. Versmaße sind der jamb. ↗Trimeter und seine kom.-satir. Variante, der ↗Choliambus (Hink-J.) sowie der jamb. Tetrameter (selten, z. B. bei Sophokles) und sie gelegentl. in der Komödie gebräuchl. katalekt. Nebenform. Nach einzelnen Versfüßen werden dagegen die freien Nachbildungen griech. jamb. Sprechverse in der älteren lat. Dichtung gemessen, so der jamb. ↗Senar (6 Füße), der jamb. ↗Septenar (7 Füße) und der jamb. ↗Oktonar (8 Füße). Besondere Regeln gelten für die Messung *gesungener* jamb. Verse in der gr. Lyrik: bei ihrer Analyse ist zwar von jamb. Dipodien auszugehen, doch besteht außer der Möglichkeit der Auflö-

sung von Längen noch die Möglichkeit der Synkope des
∕anceps oder der Kürze. Als dem Di-J. (∪‿∪‿) gleichwertig gelten in lyr. Versen damit der ∕Kreticus (–∪–), der Bakcheus (∪––), der ∕Molossus (–––) sowie der ∕Spondeus
(––). Auch der ∕Choriambus (–∪∪–) kann in lyr. Versen
den J. ersetzen. Häufig sind in der griech. Lyrik aus solchen
metr. Einheiten zusammengesetzte Dimeter. In den *akzentuierenden Versen* (∕akzentuierendes Versprinzip) der dt.,
engl. usw. Dichtung gilt als J. die Folge einer unbetonten
und einer betonten Silbe (x×). Verse sind mithin alternierende Verse mit Eingangssenkung (Schema:
x×x×x× . . .). Die Bez. en »J.« und »jamb.« werden nicht auf
alternierende Verse in mal. Dichtung angewandt, doch
gebraucht man sie im Hinblick auf neuere Dichtung (in der
dt. Literatur etwa seit Opitz) auch dort, wo kein histor.
Bezug zur griech.-röm. Verskunst vorliegt. Wichtigste jamb.
Verse der neueren dt. Dichtung sind
1. der ∕Alexandriner und der ∕vers commun als Nachbildungen frz. Verse,
2. der aus der it. Verskunst übernommene ∕Endecasillabo,
3. der aus der engl. Verskunst übernommene ∕Blankvers
und
4. die Nachbildungen antiker jamb. Verse.   K*

Jean Potage [ʒãpɔˈtaːʒ; frz. = Hans Suppe], Name der
gängigsten der frz. ∕Hanswurst-Figuren.   PH

Jeremiade, f., [frz.], wortreiche, stereotyp wirkende
Klage, genannt nach dem alttestamentl. »Klageliedern Jeremias« und nach 2. Chron. 35,25; in Frankreich analog zu
»Iliade« etc. gebildet; in Deutschland seit dem Ende des
18. Jh.s belegt (z. B. bei Kant).   HD

Jesuitendichtung, von Jesuiten insbes. während der
Blütezeit des Ordens (16.–18. Jh.) verfaßte meist dogmat.-religiöse Zweckdichtung im Dienst der Ordensaufga-
ben (Erziehung u. Wahrung, Sicherung und Ausbreitung
des kath. Glaubens). J. ist entsprechend der Universalität
des Ordens international (bes. gepflegt in Spanien, Frankreich, Italien, Deutschland, Österreich, aber auch in Polen,
den Niederlanden usw.), in lat. Sprache, formal an den zeittyp. dichter. Formen der neulat. Traditionen und der jeweiligen Nationalliteraturen orientiert; oft wurden auch
beliebte weltl. Stoffe durch religiöse Umdeutung der *propaganda fidei* dienstbar gemacht (vgl. geistl. ∕Eklogen, Hirtendichtungen, Jesuitenopern, z. B. »Philotea«, München
1647, Jesuitenballette und -Pantomimen, z. B. »Das Schicksal«, Clermont 1669). Insbes. das ∕Jesuitendrama gewann
trotz der durch die lat. Sprache bedingten Exklusivität
durch massenwirksamen Schauprunk, raffinierte Dramaturgie und Regie (volkssprachl. ∕Zwischenspiele, Musikeinlagen) in Dtschld. größte Wirksamkeit, bes. im Dienste
der Gegenreformation. – Die übrigen Gattungen dienten
hauptsächl. der gelenkten Pflege der Phantasie innerhalb
des jesuit. Erziehungssystems oder der Erbauung. Aus der
Fülle dieser Zweck-, Gebrauchs- und oft Gelegenheitsdichtung (geistl. Lieder, Fest-, Traueroden usw., u. a. von J. Pontanus, von dem auch eine Poetik der J., 1594, stammt, oder
N. Avancini), Epen u. Prosaromane (u. a. von J. Bidermann) ragen als überzeitl. dichter. Leistungen die Sammlungen lehrhaft-moral. (Zeit-)Gedichte, Satiren und
Marienoden nach horaz. Mustern (1643–46) des dt. Jesuiten Jakobus Balde (1796 übersetzt von Herder) heraus. Literaturgeschichtl. bedeutsam sind auch, als Sonderfall der J.,
die *dt.-sprachigen*, postum 1649 veröffentl. Gedichtsammlungen von F. von Spee: das erbaul.-moral. »Güldene
Tugendbuch« und v. a. die aus persönl. Erleben gestaltete
geistl. Liedersammlung »Trutznachtigall«, die zu den eindrucksvollsten dt.-sprach. Barockdichtungen zählt. Gelegentl. der J. zugerechnet werden auch die Werke des in späteren Jahren dem Orden beigetretenen Angelus Silesius (J.
Scheffler), bes. die myst. Spruchsammlung »Der Cherubin.
Wandersmann«, 1675.   IS

Jesuitendrama, das lat. ∕Schul-Drama der Jesuiten,

Blütezeit ca. 1550–1650. – Den ersten Ordensniederlassun-
gen der Jesuiten in Deutschland (Köln 1544, Ingolstadt
1549, Wien 1551, München 1559) folgen in kurzem zeitl.
Abstand die Gründungen der ersten von Jesuiten betriebe-
nen Schulen (Wien 1554, München 1560, Ingolstadt 1575).
Diese greifen die an den Universitäten und Lateinschulen
seit dem 15. Jh. bestehende Tradition des lat. ∕Humani-
stendramas auf. In seinen Anfängen unterscheidet sich das
J. mithin nicht von diesem. Hauptvertreter dieser ersten
Epoche des J.s sind L. Brecht in Köln (»Euripus«, eine
Jedermann-Bearbeitung, vielfach aufgeführt in Köln und
Wien 1555 u. ö.), P. Michaelis genannt Brillmacher in
Mainz (»Vita hominis militia«, 1566, »Athalia«, 1567), M.
Hiltprandus in München (»Ecclesia militans«, 1573) und P.
Pontanus in Dillingen, Augsburg und Ingolstadt (»Strato-
cles sive Bellum«, 1560, »Josephus Aegyptius«, 1583 u. a.).
Auch formal steht das J. von Anfang an in der Nachfolge
des Humanistendramas (5 Akte, Aktgliederung durch
Chöre, jamb. Trimeter u. Senare usw.). Erster bedeutender
Theoretiker des J.s ist Pontanus (»Poeticarum institutio-
num libri tres«, 1594, im Anschluß an die it. Renaissancepoetik, v. a. an Scaliger). Im *letzten Drittel des 16. Jh.s*
beginnt sich das J. vom Humanistendrama zu lösen. Die
pädagog.-didakt. Zielsetzung wird, ähnl. wie beim Humanistendrama der Reformationszeit, von anderen Zielsetzungen überlagert: Aufführungen von Lehrstücken sollen
der Stärkung und Festigung des kath. Glaubens dienen.
Um eine größere Breitenwirkung der 8–10 jährl. Aufführungen zu erreichen, werden diese zeitweise aus der Abge-
schlossenheit der Schulen heraus auf öffentl. Plätze verlegt
(später werden eigens Theatersäle mit moderner Bühnentechnik errichtet). Als neuer Dramentyp entsteht jetzt das
für das J. überhaupt charakterist. *Bekehrungsstück*; seine
Begründer sind M. Rader in Fribourg und München
(»Theophilus«, 1585) und J. Gretser in Fribourg und Ingolstadt (»Dialogus de Udone Archiepiscopo«, 1587 u. a.).
Strukturell sind diese Stücke v. a. an Seneca orientiert. Eine
eigene höf. Ausprägung des J.s wird gleichzeitig in München entwickelt, wo v. a. unter Herzog Wilhelm V. eine enge
Verbindung zwischen Hof und Jesuitenkolleg besteht: es
handelt sich um prunkvolle *Ausstattungsstücke* mit einem
Massenaufgebot an Mitwirkenden, aufwendigen Zwischenspielen (Ballett- und Choreinlagen, Musik u. a. von
Orlando di Lasso und Palestrina) und großen Aufmärschen
(∕Trionfi). Hauptthema ist der Triumph der Kirche über
ihre Feinde (A. Fabricius, »Samson«, 1568; G. Agricola,
»Constantinus Magnus de Maxentio victor«, 1574, »Esther« 1577: ca. 1700 Mitwirkende, »Triumphus St. Michaelis«, 1597, eine Darstellung der Apokalypse in monumenta-
len ∕lebenden Bildern, Schlußbild ein Höllensturz mit 300
Teufeln). – *Das J. des frühen 17. Jh.s* setzt die von Rader
und Gretser eingeleitete Richtung fort. Bedeutendster Dramatiker des Ordens ist in dieser Zeit J. Bidermann, wirksam
v. a. in Augsburg und München; außer dem Bekehrungsstück (»Cenodoxus«, 1602) finden sich bei ihm das ∕Mär-
tyrerdrama (»Cassianus«, 1602, »Philemon Martyr«,
1618), das *Eremitenstück* (»Macarius iuvenis Romanus«,
1613 u. a.) und das *Staatstragödie* (»Belisar«, 1607). Immer
wiederkehrende Themen sind bei Bidermann und seinen
Zeitgenossen die Vergänglichkeit ird. Glückes und das
Zunichtewerden der Größe und Macht vor Gott. Formales
Vorbild ist weiterhin Seneca. Die Autoren machen sich
jedoch die Entwicklung auf bühnentechn. Gebiet zunutze
(Illusionsbühne, Theatermaschinerie, farbige Beleuchtung); in Bidermanns letzten Dramen verliert der Text
gegenüber der Realisierung auf dem Theater an Bedeutung.
Bes. beliebt werden volkssprachl. allegor. ∕Zwischen-
spiele, die einander ind viduelle pranat. Handlung der Stücke in
einen überindividuellen Zusammenhang stellen. Diese
Neigung zur Allegorie kommt auch in der Gattung des *Dop-
pelspiels* zum Ausdruck, das zwei selbständ. dramat. Hand-

lungen in eine typolog. bzw. allegor. Parallelität bringt, z. B. das Olmützer Doppelspiel »Servus Abrahami Rebeccam Isaaco ex Mesopotamia adducens sive Franciscus Xaverius Sponsam Christi ex India adducens« (1611, eine Doppelbühne ist für die Olmützer Jesuitenschule nachweisbar). Die neue Entwicklung findet auch in der jesuit. Dramentheorie ihren Niederschlag (T. Galuzzi, 1621; F. Strada, 1617; A. Donati, 1631). – Der 30jähr. Krieg bedeutet für die Geschichte des J.s keine Unterbrechung, es werden sogar neue Formen entwickelt: In Köln und Münster findet J. Masen zu einer am frz. und niederländ. Kunstdrama orientierten klassizist. Lösung, die auf Theatereffekte und übermäß. Pathos verzichtet (»Androphilus«, »Telesbius«, beide 1647/48, gedr. 1654), daneben Komödien wie »Rusticus imperans«, das meistgespielte Stück (vom Bauern, der für einen Tag König wird) des späteren Jesuitentheaters. Unter Franz Ferdinand III. kommt es in Wien zu einer zweiten Blüte des höf. J.s (1650 eigenes Theater für 3000 Zuschauer), sein bedeutendster Vertreter ist N. Avancini. Seine 27 »Ludi Caesarei« (Kaiserfestspiele) sind prunkvolle Ausstattungsstücke mit grellen Effekten wie Hinrichtungs- und Martyriumsszenen, Geisterbeschwörungen usw., der barocke Bühnenillusionismus, seine Maschinenkünste und Lichteffekte werden voll eingesetzt. Zu einer ähnl. Entwicklung kommt es nur noch in London am Hofe Jakobs II., der den Jesuitendramatiker J. Simeons (vorher in Lüttich) an seinen Hof beruft. – In der 2. Hälfte des 17. Jh.s stagniert die Entwicklung des J.s, Avancinis Festspiele werden ledigl. noch durch seinen Nachfolger A. Pozzo bühnentechn. übertroffen. Doch setzen sich an den Fürstenhöfen jetzt die aus Italien und Frankreich kommenden Sänger- und Schauspielertruppen durch: das letztl. noch in der Tradition des geistl. Theaters des MA.s stehende J. muß der säkularen Oper weichen. Zu einem weiteren Rückgang kommt es unter dem Einfluß der Aufklärung. Allerdings bleibt das J. an den einzelnen Schulen bis zur Auflösung des Ordens (1772) lebendig. Für die Geschichte des deutschsprach. Dramas ist das J. v. a. durch seine Wirkung auf Gryphius und Lohenstein (/Schles. Kunstdrama) von Bedeutung.

ⅢWimmer, R.: Jesuitentheater. Didaktik u. Fest. Frkft. 1982. – Szarota, E. M.: Das J. im dt. Sprachgebiet. Eine Periochen-Edition. Texte. Kommentare. Bd. 1. Mchn. 1979. – Flemming, W.: Das Ordensdrama. Lpz. 1930. – Müller, J.: Das J. in d. Ländern dt. Zunge vom Anfang (1555) bis zum Hochbarock (1665). 2 Bde. Augsburg 1930. Ausgabe: Lat. Ordensdramen des 16. Jh.s. Mit dt. Übers. hrsg. v. F. Rädle. Bln./New York 1979. – RL. K

Jeu parti, m. [frz. ʒəparˈti = geteiltes Spiel], Bez. der Nachahmung der provenzal. /Partimen oder Joc partit im Norden Frankreichs: /Streitgedicht meist minnedialekt. Thematik: zwei hypothet., einander ausschließende Fälle werden von je einem Sprecher in oft spitzfind. Argumentation verteidigt bzw. widerlegt. In den letzten Strophen wird gern ein Schiedsgericht zur Entscheidung angerufen. Erhalten sind mehr als 200 J.x p.s, bes. aus dem 13. Jh.

ⅢFiset, F.: D. altfranz. j.-p. Erlangen 1905. MS

Jiddische Literatur, volkssprachl. Literatur der aschkenasischen (mittel- u. osteurop.) Juden, durchweg in hebr. Schrift aufgezeichnet. Schon die älteste erhaltene, in einer Hs. von 1382 überlieferte Textsammlung zeigt die charakterist. Verschmelzung jüd. und außerjüd. Traditionskomponenten: Neben einem stroph. Heldenepos (»Dukus Horant«), das mit dem mhd. Kudrun-Epos zusammenhängt, enthält die Hs. kleinere Versdichtungen, die mit Ausnahme einer Tierfabel auf jüd. Quellen zurückgehen. Als Verbreiter wie auch Verfasser derartiger Texte werden vielfach, ähnlich wie für andere volkssprachl. Literaturen, sog. Spielleute (/Spielmann) angenommen, ohne daß hierfür sichere histor. Zeugnisse beigebracht werden könnten. Der einzige altjidd. Artusroman (»Widuwilt«, 3 Hss. des 16.

Jh.s), der zumindest mittelbar auf Wirnts von Gravenberg mhd. »Wigalois« zurückgeht, mag vielleicht noch als ›spielmännisch‹ gelten, aber für die in /Stanzen-Form verfaßten, italien. beeinflußten Ritterromane »Bowe Dantone« (»Bowebuch«) und »Pares un Wiene« von Elia Levita (1469–1549) ist dies fraglich. Dasselbe gilt für eine Anzahl großepischer Ausgestaltungen bibl. Stoffe, allen voran die Geschichte Davids im »Schmuelbuch« (2 Hss. des 16. Jh.s, Erstdruck Augsburg 1544): In Stil und Strophenform (/Hildebrandston) der mhd. Heldenepik benachbart, beruht es quellenmäßig auf hebr. Lehrtradition (Midraschim). Unabhängig von mehreren mhd. Fassungen wurde demgegenüber der »Barlaam und Josaphat«-Stoff auf hebr. Grundlage bearbeitet (Hs. des 15. Jh.s), wie sich dies für religiöse und didakt. Erbauungs- oder Gebrauchslit. ohnehin von selbst verstehen mußte (z. B. »Zene-rene« = »Kommt und schaut«, Hoheslied 3,11; Ende 16. Jh. verfaßt, über 200 Ausgaben bis ins 20. Jh.). Dagegen sind in der offenbar beliebten Fabelliteratur («Fuchsfabeln«, um 1580; »Kühbuch«, 1595) wiederum hebr. und dt. Traditionen verschmolzen, wogegen das immer wieder nachgedruckte »Maissebuch« (Basel 1602; Prosageschichten talmud. und legendar. Art, u. a. aus Regensburg) ausdrücklich polemisiert. Auch sog. /Volksbücher wie »Eulenspiegel«, »Kaiser Oktavian«, »Magelone«, »Fortunatus« u. a. fanden jidd. Bearbeiter, die z. T. fast gar nicht, z. T. recht erheblich in ihre Vorlagen eingriffen. Im 17. Jh. kam es außerdem in Gestalt der Purimspiele zu ersten jidd. Dramen, die möglicherweise al. /Fastnachtspielen (das jüd. Purimfest fällt in die Fastnachtzeit) nachgebildet und wie manche von diesen teilweise nur indirekt bezeugt sind. Schließl. entstanden im 17./18. Jh. noch zahlreiche Zeit- und Gesellschaftslieder, oft /Kontrafakturen dt. Vorlagen.

Der Schwerpunkt des jüd. kulturellen Eigenlebens hatte sich mit dem 14. Jh. (Pestpogrome) nach Osten, außerhalb des dt. Sprachgebiets, zu verlagern begonnen. Dort entfaltete sich im Zuge und im Gefolge der jüd. Aufklärungsbewegung (Haskala) eine selbständige jidd. Lit., die sprachl. und themat. nach Gegenwarts- und Wirklichkeitsnähe strebt und Anschluß an die übrige europ. Lit. sucht. Als »seide« (Großvater) dieser modernen j. L. gilt Mendele Moicher Sforim (1835–1917), der im sozialen Drama, bes. aber in seinen Romanen eine krit.-realist. Auseinandersetzung mit jüd. Alltags- und Zukunftsproblemen vor dem Hintergrund lebendiger, aber bedrohter Traditionen versucht. Scholem Aleichem (1859–1916) verhalf durch sein eigenes umfangreiches Werk und als Herausgeber und Förderer der j. L. zu größter Breitenwirkung, auch in der Neuen Welt. Jizchok Leib Perez (1851–1915) übte durch Vielseitigkeit im Formalen und seine verständnisvollgebrochene Beschäftigung mit jüd. Volksfrömmigkeit (Chassidismus) auf viele jüngere Autoren anregenden und prägenden Einfluß aus. Der durch die drei »Klassiker« gesetzte Rahmen wird nach dem 1. Weltkrieg gesprengt, einerseits durch die neuen Lebens- und Schaffensmöglichkeiten der Juden in der jungen Sowjetunion, andererseits durch die Erfahrungen der Millionen Einwanderer in der Neuen Welt und anderswo. Internationale literar. Strömungen werden aufgenommen, theoret. Debatten geführt, auch die themat. Vielfalt wächst. Einschneidend in seinen Folgen nicht endgültig absehbar wirkt sich die Verfolgung und Ausrottung der osteurop. Juden während des 2. Weltkrieges aus. Seitdem fehlt der j. L. zunehmend die gesellschaftl. Triebkraft, ihre Vertreter neigen zu Vereinzelung, Verinnerlichung, Retrospektive. Dies schließt, wie die Verleihung des /Nobelpreises für Lit. an Isaac Bashevis Singer 1978 zeigt, breite Resonanz bis hinein in weite nichtjüd. Leserkreise nicht aus; andrerseits zeigt die Verkümmerung des jidd. Theaters einen Wandel an. Die j. L. in der Sowjetunion ist isoliert, seit um 1950 in sog. Säuberungen die bedeutendsten Autoren liquidiert wurden.

Dinse, H./Liptzin, S.: Einf. in die j. L. Stuttg. 1978 (SM 165). – Best, O. F.: Mameloschen. Jiddisch – eine Sprache und ihre Lit. Frkf. 1973. – Pines, M.: Die Gesch. der jüd.-dt. Literatur (dt. Übers. u. Bearb. v. G. Hecht). Lpz. ²1922. – RL. WD

Jig, m. [dʒig; engl., wohl zu frz. gigue = lust. Tanz], 1. *ballad-j.*, im engl. Theater seit 1582 bezeugte Posse in Versen mit populären Gesangs- u. grotesken Tanzeinlagen, meist als ↗Zwischen- oder ↗Nachspiel aufgeführt, zeitweilig (z. B. 1612) wegen des derben Inhalts verboten; verfaßt von Komödianten wie R. Tarleton, R. Reynolds, Th. Sackville und W. Kemp (berühmter J. »Rowland«), durch die J.s auch auf dem Kontinent beliebt wurden (ältester erhaltener engl. J. »Singing Simpkin« als »Pickelhering in der Kist« noch um 1700 aufgeführt) und v. a. von direktem Einfluß auf die »Singents-Spiele« (1618) J. Ayrers waren. – J.s gelten als Vorform der ↗Ballad opera. 2. engl. Tanzlied des 16. Jh.s.

Baskervill, C. R.: The Elizabethan J. Chicago 1929. IS

Joc partit [ʒɔkpar'tiːt; prov.], ↗Jeu parti, ↗Partimen.

Joculator, m., Pl. Joculatores [mlat; prov. joglar, altfrz. jogleor, neufrz. jongleur, it. giocolatore, ahd. gougalâri = Gaukler], über den lat. Überlieferung des MA.s verwendetes Bez. für den ↗Spielmann; umschloß sowohl den Gaukler als auch den fahrenden Dichter-Sänger, vgl. die Forderung des *jongleurs* Guiraut Riquier 1275, die gebildeten und an den Höfen hochgeachteten Sänger und Rezitatoren von den rohen Possenreißern, die *beide* als *jongleurs* bez. wurden, terminolog. zu unterscheiden. ↗Ménestrel. S

Jugendliteratur, ↗Kinder- und Jugendliteratur.

Jugendstil, dt. Bez. für ↗Art nouveau, eine internationale Stilrichtung der bildenden Kunst (ca. 1895–1910), gebildet in Anlehnung an die Münchner Wochenschrift »Jugend« (1896–1940; hrsg. von Georg Hirth). Charakterist. ist die Linie als formbeherrschende, das Gegenständliche überspielende, stilisierte Bewegung, die, häufig verschlungen in ein Gewirr zahlloser, oft asymmetr., gleitender Schwingungen und Kurven floralen oder geometr. Ursprungs, eine deutl. Tendenz zum Ornamentalen, Arabeskenhaften aufweist. Der J. wandte sich im Verein mit anderen Stilrichtungen um 1900 gegen Historismus, ↗Realismus und ↗Naturalismus; vor dem Hintergrund gesicherter Kulturtradition und gesicherten Wohlstandes vollbrachte er als elitärer luxuriöser Stil des wohlhabenden großstädt. Bürgertums seine größten Leistungen auf dem Gebiet der angewandten Künste, Kunstgewerbe, Dekoration (Villenkultur, Buchgraphik, Plakatkunst, Schmuck), wurde aber auch bald wegen seiner Neigung zu Ästhetizismus und sozialer Exklusivität wie auch wegen seiner kunstgewerbl. Kommerzialisierung abgelehnt. – Der auf die *Literatur* übertragene Begriff J. bezieht sich vorwiegend auf die literar. Kleinform, bes. die Lyrik; seine Anwendung auf Werke von St. George, R. M. Rilke, H. v. Hofmannsthal oder E. Lasker-Schüler, G. Heym ist nur sinnvoll mit der bewußten Einschränkung auf die im ganz hundertwende entstandene Dichtungen. Die *Entwicklung des literar. J.* vollzieht sich in drei Phasen:
1. eine »karnevalist.« Richtung mit Elementen der ↗Anakreontik (Schwerpunkt München; O. J. Bierbaum, E. v. Wolzogen, das »Überbrettl«, z. T. A. Holz): Lust am Ungewöhnlichen, Skandalösen, am Ulk; tänzerische, schaukelnde, ständig wechselnde Rhythmen, Parallelismen, refrainartige Schlüsse; Vokabular des Schwingens und Tanzens; Bewegungsmotive, deren Ausgestaltung auf Kosten des Gedanklichen geht.
2. eine florale Stilisierungstendenz (Schwerpunkt Berlin; R. Dehmel, J. Hart, A. Mombert, z. T. Rilke): Naturschwärmerei mit philosoph. und religiösem Einschlag; höhere formale Ansprüche, kunstvollere Sprachbehandlung; bevorzugte Motive wie Blumen (Lilien, Seerosen), Schwäne, Weiher, Park, die den »Reigen des Lebens«, ein kosm. All-

gefühl zum Ausdruck bringen sollen, aber auch Dionysisch-Schwelgerisches, das Reich des entfesselten Triebes. 3. Wendung ins Feierlich-Symbolische (E. Stucken, E. Stadler, z. T. George und Hofmannsthal): Ausweitung ins Zyklische, preziöse Sprache; Hereinnahme von Mythologischem und Sagenhaft-Mittelalterlichem, verknüpft mit einer ausgesprochenen Neigung zum Weihevollen und Sakralen, Entwurf einer alltagsfernen Welt von geheimnisvollen Inseln, magisch verwunschenen Hainen und Weihern. Im außerdt. Sprachraum begegnen jugendstilhafte Züge im Werk von O. Wilde, M. Maeterlinck und G. D'Annunzio. Bedeutende Einflüsse kommen von den engl. Präraffaeliten und dem franz. ↗Symbolismus. Mehrfach wurde der J. in Zusammenhang mit dem ↗Manierismus gebracht und als Ausprägung dieser allgemeineren Stilrichtung gedeutet.

Allgemein: Hamann, R./Hermand, J.: Stilkunst um 1900. Bln. 1967. – Madsen, St. T.: J. (1956). Dt. Übers. Mchn. 1967.
Literar. J.: Scheible, H.: Literar. J. in Wien. Mchn. 1984. – Mathes, J.: Theorie des literar. J.s. Stuttg. 1984. – Jost, D.: Literar. J. Stuttg. ²1980. – Simon, H. U.: J. Kunstgewerbe in literar. u. bildender Kunst. Stuttg. 1976. – Hermand, J. (Hrsg.): J. Darmstadt ²1989.
Anthologie: Lyrik des J.s. Mit einem Nachwort hrsg. v. J. Hermand. Stuttg. 1964. GMS

Junges Deutschland, literar. Bewegung mit polit.-zeitkrit. Tendenz, etwa 1820–50, Höhepunkt zwischen 1830 (Julirevolution) und 1835 (Bundestagsbeschlüsse, (s. auch ↗Vormärz). Die Bez. ›J. D.‹ entstand analog zu polit.-revolutionären Geheimorganisationen wie »La giovane Italia« (1831, Mazzini), »La jeune France« und in der Schweiz »La jeune Swiss«, »Das junge Europa« (1834). Sie erschien zum ersten Mal in L. Wienbargs für das J. D. programmat. »Aesthet. Feldzügen« (1834). Jedoch erst der Beschluß des Bundestages, die Schriften des ›n D.‹ zu staatsgefährdend zu verbieten (10. 12. 1835 auf Grund einer Denunziation des Kritikers W. Menzel nach der Rezension von Gutzkows Roman »Wally die Zweiflerin«, 1835), spricht von einer ›literar. Schule‹, der H. Heine, K. Gutzkow, H. Laube, L. Wienbarg und Th. Mundt zugerechnet wurden. Ihr wurde unterstellt, die christl. Religion anzugreifen, die bestehenden sozialen Verhältnisse herabzuwürdigen, die gesetzl. Ordnung zu untergraben und Zucht und Sittlichkeit zu zerstören. – Tatsächl. bildeten die genannten Schriftsteller, zu denen noch E. Willkomm, F. G. Kühne, A. von Ungern-Sternberg, H. Marggraf, J. Scherr und bedingt L. Börne zu rechnen sind, keine feste Schule. Bei großer persönl. und programmat. Differenz verband sie aber die grundsätzl. Ablehnung jegl. Dogmatismus' (insbes. der moral. und gesellschaftl. Ordnung der Restauration), des Adels, der Verbindung von Kirche und Staat, das Eintreten für den franz. Liberalismus, für die republikan. Staatsordnung, für demokrat. verfassungsmäß. Freiheiten, insbes. die Presse- und Meinungsfreiheit, für staatl. Einheit, Weltbürgertum, die Emanzipation der Frau (und allgem. der »des Fleisches«), die Propagierung sozialist. und kollektivist. Ideen im Gefolge des Saint-Simonismus. Im *Bereich* verband sie die Forderung nach einem im aktuellen polit.-sozialen Leben, in der »Zeit«, stehenden Dichtkunst. Das *literar. Programm* des J. D. war bestimmt durch die Auseinandersetzung mit der (↗Weimarer) Klassik und Romantik, die sich als ›Kunstperiode‹ vom polit.-sozialen Leben zurückgezogen habe. Als deren (zugleich verehrter und angefeindeter) Repräsentant galt Goethe, das »Zeitablehnungsgenie«, mit dessen Tod im Bewußtsein der jungen Literaten eine ganze Epoche zu Ende ging. Dieser vergangenen aristokrat.-zeitentrückten, absolut.-idealist. Kunstrichtung sollte eine demokrat. Prinzip der Literatur, eine historiograph. Zeitliteratur entgegengesetzt werden, die formal durch Gegenständlichkeit und Detailtreue, inhaltl.

durch neue, polit.-gesellschaftl. relevante, realist. Stoffe und krit. Reflexion die Wirklichkeit in ihrer Widersprüchlichkeit darstellen sollte. – Die emanzipator. Intention des J.n D. verlangte ein großes Lesepublikum: Damit wurden bes. Zeitungen und Zeitschriften gewichtiges Forum für eine literar. Bewegung, was wiederum die Ausbildung eines literar. *Journalismus*, v. a. eines witzig-satir., suggestiv-pointierten bis subjekt.-tendenziösen Stils förderte, der sich in *kleineren Prosaformen* wie Novelle, Reisebericht und -brief, Skizze (↗Feuilletons) manifestierte, in denen trotz der strengen Zensur geschickt verhüllte Zeitkritik geübt wurde (Meister: Heine, Börne). – Daneben gewann der umfangreiche ↗*Zeit- und Gesellschaftsroman* (Laube, »Das junge Europa«, 1833/37; Gutzkow, »Maha Guru«, 1833; »Wally die Zweiflerin«, 1835; »Ritter vom Geist«, 1851; »Zauberer von Rom«, 1858/61; Th. Mundt, »Madonna«, 1835; E. Willkomm, »Die Europamüden«, 1838) und der emanzipator. Frauenroman (Ida Gräfin Hahn-Hahn, Fanny Lewald u. a., ↗Frauenroman) große Bedeutung; auf Grund seiner neuen, synchronist. Struktur wird er zum Weg- und Vorbereiter des realist. Romans. Die *Lyrik* des J. D. (Herwegh, F. Freiligrath, A. H. Hoffmann von Fallersleben, R. Prutz, G. Weerth) behandelt polit.-aktuelle und allgem. freiheitl. Themen in traditionellen Formen. Das relativ spät einsetzende *Drama* des J. D. wählte dagegen die indirekte Behandlung zeitgenöss. Probleme am Beispiel histor. Situationen in Tendenz- und ↗Geschichtsdramen (Gutzkow, »Zopf und Schwert« 1843; »Urbild des Tartüff«, 1845; »Uriel Acosta«, 1846; Laube, »Struensee«, 1844; »Die Karlsschüler«, 1846; »Prinz Friedrich«, 1848; Willkomm, »Bernhard, Herzog von Weimar«, 1833; »Erich XIV.«, 1834 u. a.). Der gelegentl. Mangel an formalästhet. Substanz in den Werken des J.n D. wird durch die zukunftsweisende Stoßkraft seiner polit.-gesellschaftskrit. Ideen und literaturtheoret. Konzeptionen aufgewogen.

⊡ Kruse, J. A./Kortländer, B. (Hg.): Das J.D. Hamb. 1987. – Wülfing, W.: Schlagworte des J.n D. Bln. 1982. – Steinecke, H.: Literaturkritik des J.n D. Bln. 1981. – Hömberg, W.: Zeitgeist u. Ideenschmuggel. Die Kommunikationsstrategie des J.D.s Stuttg. 1975. – Koopmann, H.: Das J. D. Analyse seines Selbstverständnisses. Stuttg. 1970. – Dietze, W.: J. D. und dt. Klassik. Bln. ³1962.
Dokumentation: Estermann, A.: Polit. Avantgarde 1830–1840. Dokumentation zum J.n D. 2 Bde. Frkft. 1974. – Estermann, A. (Hrsg.): ›Dt. Revue‹ und ›Dt. Blätter‹. Zwei Zeitschriften des J.n D. Frkft. 1971. – Hermand, J.: Das J. D. Texte u. Dokumente. Stuttg. ²1979. – RL   KT*

Jüngstes Deutschland, auch: ›Die ↗Moderne, von den Brüdern H. und J. Hart 1878 in den »Dt. Monatsblättern« geprägte Bez. für die Vertreter des ↗Naturalismus. – Zum Teil werden unter der Bez. ›J. D.‹ auch die Vertreter der ›2. Moderne‹ verstanden. Gegenströmungen (vgl. z. B. bei A. v. Hanstein: ›Das J. D.‹, Lpz. 1900), da bedeutende Vertreter der ›Moderne‹ mehreren Stilrichtungen angehörten, z. B. G. Hauptmann.   IS

Jung-Wien, auch Wiener (oder zweite) Moderne, Junges Österreich; avantgardist. Dichterkreis um Hermann Bahr in Wien (Treffpunkt: Café Griensteidl), ca. 1890–1900, der sich für die internationalen antinaturalist. Literaturströmungen (↗Symbolismus, ↗Impressionismus, ↗Neuromantik) einsetzte, deren Tendenzen die einzelnen Vertreter J. W.s während dieser Zeit auf unterschiedl. Weise in ihren Werken verwirklichten (H. v. Hofmannsthal, A. Schnitzler, F. Salten, F. Dörmann, R. Beer-Hofmann, P. Altenberg, zunächst auch der spätere Kritiker des J.en Wien, K. Kraus u. a.). Organe der Jung-Wiener waren die »Moderne Rundschau« (seit 1891, hrsg. von E. M. Kafka und J. Joachim) und »Die Zeit« (1884–1904, hrsg. von H. Bahr). Die Bewegung gilt neben einer ähnl. in München (↗Georgekreis) als die 2. Phase innerhalb der modernen ↗Literaturrevolution;

vgl. auch ↗Jüngstes Deutschland, ↗Jugendstil, ↗Dekadenzdichtung.
⊡ Jugend in Wien. Lit. um 1900. Katalog Nr. 24 des Dt. Lit.archivs im Schiller-Nationalmuseum Marbach a. N., hrsg. v. B. Zeller, Stuttg. 1974. – Das junge Wien. Österr. Literatur- und Kunstkritik 1887–1902. Ausgewählt, eingeleitet u. hrsg. von G. Wunberg. 2 Bde. Tüb. 1974.   IS

Kabarett, n. [aus franz. cabaret = Schenke], Kleinkunstbühne, auf der von Schauspielern od. von den Verfassern selbst ↗Chansons, Gedichte, Balladen humorist. Art (literar. K.), häufig mit entschieden polit.-gesellschaftskrit. Tendenz (polit. K.), vorgetragen sowie Pantomimen, Singspiel- und Tanznummern, auch artist. Kunststücke vorgeführt werden. Bei aufwendiger Ausstattung kann sich das K. der ↗Revue annähern. Charakterist. ist die Emanzipation der kleinen Formen der darstellenden Kunst, ihre Verbindung in einem (themat. meist locker gefügten) »Nummernprogramm«, die Zwischenstellung des K.s zwischen Kunst und Unterhaltung und bes. die gegenüber den herrschenden Verhältnissen krit.-oppositionelle Haltung, die Entlarvung angemaßter Autoritätsansprüche. Inhalte und Themen sind witzig, pointiert, aktuell-politisch, auch erotisch, die Gestaltung bedient sich der ↗Parodie, ↗Travestie, ↗Karikatur, mit bisweilen hervorstechender Neigung zum Absurd-Grotesken, der Montage von Disparatem, fließender Übergänge zwischen verschiedenen Genres (z. B. Auflösung des gesungenen Liedes in die gespielte Szene), der Andeutung statt der breiteren Ausführung. Musikal. Formen sind neben Chanson ↗Couplet und Song, Spielformen neben Tanz und Pantomime ↗Sketch und Conférence (Ansage); bühnentechn. Effekte (z. B. *black out*) werden gezielt eingesetzt. Durch die Verknüpfung von Lit., Musik und bildender Kunst hat das K. manches zur Entwicklung dieser Künste beigetragen; Expressionisten und bes. die Dadaisten fischten sich ihre verbunden, die Arbeit von Malern für das K. (Plakat, Programmheft; H. Toulouse-Lautrec, Münchner Jugendstil, Wiener Secession, G. Grosz) hat Wesentliches zur Entwicklung der mod. Graphik beigesteuert, A. Schönberg, P. Hindemith, A. Honegger, K. Weill, H. Eisler, J. Cocteau, E. Satie schrieben Musik auch für das K.

Aus dem Café-Concert (Café-Chantant) gingen, zunächst als Künstler-Kneipen der Pariser Bohemiens, später als feste Bühnenunternehmen, die *cabarets artistiques* hervor; 1881 wurde das erste, »Chat noir«, von R. Salis auf dem Montmartre eröffnet; 1885 gründete A. Bruant »Le Mirliton«, in dem die berühmte Diseuse Yvette Guilbert auftrat. Zahlreiche weitere K.s entstanden um die Jh.wende in Paris und bald in vielen europ. Städten. In Berlin eröffnete E. v. Wolzogen 1901 das »Überbrettl«, das im deutschsprach. Raum bahnbrechend wirkte. Weitere K.s waren in Berlin »Schall und Rauch« (1902, M. Reinhardt, 1919 Neueröffnung), in München »Elf Scharfrichter« (1901, Wedekind), »Simplicissimus« (1903, Kathi Kobus), in Wien »Das Nachtlicht« (1906, M. Henry), »Die Fledermaus« (1907). K.-Texte schrieben in diesen Jahren F. Wedekind, L. Thoma, P. Altenberg, Ch. Morgenstern, E. Friedell, A. Polgar. Eine Zeitlang engagierte sich A. Kerr als Kritiker des K. Da zu Beginn des 1. Weltkriegs die nationalist. Stimmung auch die K.s beeinflußte, gründeten 1916 in Zürich die Dadaisten H. Ball, H. Arp, R. Huelsenbeck, T. Tzara das »Cabaret Voltaire« mit antimilitarist. Tendenz (↗Dadaismus). Nach dem Kriege ergriff eine entschiedene (mitunter auch rechtsgerichtete) Politisierung das K., die man durch den großen Erfolg der Revue (R. Nelson, Auftritte von Marlene Dietrich, H. Albers) Ende der 20er Jahre etwas eingedämmt wurde. Bekannte K.s waren nun »K. der Komiker« (1924), »Katakombe« (1929, W. Finck, A. Deppe, R. Platte), »Die Vier Nachrichter« (1931). Trude Hesterberg, Claire Waldhoff, Gussy Holl, Rosa Valetti, Kate Kühl, H. H. v. Twardowski errangen Erfolge als Vortragende, F. Grünbaum, P. Nikolaus, W. Finck, H. Krügers als Conférenciers. Als Volkskomiker traten K. Valentin und Liesl Karlstadt (München), E. Carow (Berlin), W. Reichert (Stuttgart) hervor. Texte schrieben W. Mehring, Klabund, K. Tucholsky, J. Ringelnatz, E. Kästner, die Musik stammte von F. Hollaender, M. Spoliansky, auch von P. Hindemith. In Paris waren M. Chevalier und die Mistinguett, in London Beatrice Lillie populär. Während der Zeit des Nationalsozialismus wurden viele Kabarettisten verhaftet und ins KZ gebracht, viele emigrierten und beteiligten sich an den antifaschist. K.s: in Wien »Der liebe Augustin« (1931, G. H. Mostar), »Lit. am Naschmarkt« (1933), in Zürich »Die Pfeffermühle« (1933, Erika Mann, Therese Giehse), in Prag, Paris, London, New York. Nach dem 2. Weltkrieg entstanden zahlreiche neue K.s: »Schaubude«(München 1945, mit Ursula Herking, Texte von E. Kästner), »Kom(m)ödchen« (Düsseldorf 1947, Kay und Lore Lorentz), das Rundfunk-K. der »Insulaner« (Berlin 1947, G. Neumann, Tatjana Sais, Agnes Windeck, W. Gross, B. Fritz, E. Wenck), »Mausefalle« (Stuttgart und Hamburg 1948, W. Finck), »Stachelschweine« (Berlin 1949), »Die kleine Freiheit« (München 1951), »Münchner Lach- und Schießgesellschaft«(1955, S. Drechsel, D. Hildebrandt, K. P. Schreiner, K. Havenstein, Ursula Noack, H. J. Diedrich, J. Scheller), »Bügelbrett« (Heidelberg 1959), »Rationaltheater« (München 1965), »Floh de Cologne« (Köln 1966), in Ostberlin »Distel« (1953). In den 60er Jahren erlebte das K. mit der häufigeren Übernahme in Rundfunk- und Fernsehprogramme mit zahlreichen Neugründungen in vielen größeren Städten der Bundesrepublik eine neue Blüte. Als Alleinunterhalter profilierten sich W. Neuss (»Jüngstes Gerücht«, Berlin 1963) mit polit. und J. v. Manger mit eher volkstüml. Orientierung. Den Typ des Bänkelsängers erneuerte in Ostberlin W. Biermann. Der aus den USA stammenden Bewegung des »Protest-Songs« (Joan Baez, B. Dylan) werden D. Süverkrüp und F. J. Degenhardt zugerechnet. Die Erneuerung des polit. K.s in der Bundesrepublik seit 1965 vollzog sich gleichzeitig mit der Formierung der sog. »Neuen Linken« und führte zu einer verstärkten Reflexion auf polit. Funktion und Effektivität des K.s und mancherorts zu seiner Umwandlung in das ↗Agit-Prop-Theater. In Wien erlebte das K. nach dem 2. Weltkrieg eine Renaissance durch G. Kreisler, H. Qualtinger (mit C. Merz in »Herr Karl«, 1961), G. Bronner. Erfolge als Kabarettisten hatten in Frankreich Juliette Gréco, Edith Piaf, Yves Montand, in Großbrit. D. Frost, Joan Littlewood, in den USA M. Nichols, Elaine May, T. Lehrer, in Ital. Laura Betti, in den Niederlanden T. Hermans. Bekannte K.s gibt es ebenso in Dänemark (Sommer-Revuen von Helsingør und Hornbæk), Schweden (»Gröna Hund«, »Gula Hund« in Stockholm) und in der Tschechoslowakei (»Semfor« in Prag mit Hana Hegerová).

📖 Greul, H.: Bretter, die die Zeit bedeuten, mit Bibl. u. Diskographie. 2 Bde. Mchn. ²1971 (dtv 743, 744). – Henningsen, J.: Theorie des K.s. Ratingen 1967. – Kühl, S.: Dt. K. Düsseld. 1962. – Budzinski, K.: Die Muse mit der scharfen Zunge. Mchn. 1961. – Schumann, W.: Unsterbliches K. Hannover 1948. – Ewers, H. H.: Das Cabaret. Bln. 1904. – RL.
GMS

Kabuki, n. [jap., eigentl. = Verrenkung], Gattung des klass. jap. volkstüml. Theaters, das Elemente des höf. Nō (und Kyogen), des Puppenspiels und populärer Tanzformen zu einem artist. Sing-, Tanz- und Sprechtheater verbindet, war im Gegensatz zum Nō das Theater der einfachen Leute (Samurais war der Besuch verboten), jedoch wie jenes von betontem, ritualisierten Kunstcharakter: Typ. sind eine schmale langgestreckte Bühne mit 1–2 Auftrittsstegen durch den Zuschauerraum, zwei Orchester, antirealist., flächenhafte Kulissen und eine raffinierte, jedoch antiillusionist. eingesetzte Bühnenmaschinerie, die stilisierte Darstellung von Szenen aus disparaten Stoffkreisen (neben

histor. Stücken auch v. a. Genreszenen aus dem niederen Alltagsmilieu) und rasche Verarbeitung jeweils neuer Tendenzen und Moden. Sie wurden nur lose zu einer Art »Handlung« gefügt und dienten vordringlich dem Schauspieler zur Präsentation seiner künstler.-theatral. Mittel (keine Rollenidentifikation). Das K. wurde 1596 in Kioto von der Tänzerin Okuni aus erot. Tänzen entwickelt, 1629 wegen seiner erot. Elemente verboten, 1652 auch seine Fortführung als Knaben-K. Seither von Männern gespielt, erreichte es eine Blütezeit im 18.Jh.; der bedeutendste Autor ist Kawatake Mokuami (1816–93). Aufführungen waren öffentl. Ereignisse von eintägiger Dauer, gestaltet von traditionellen K.-Familien. Das beliebte Puppenspiel (Bunraki) wurde weitgehend verdrängt. – Noch heute wird die K.-Tradition in Japan gepflegt (monopolisierte K.-Gesellschaften mit riesigen Theatern, z. B. das ›Kabuki-za‹ in Tokio). – Wie das Nō war auch das K. von großem Einfluß auf das moderne europ. Theater bei seiner Suche nach neuen Bühnen- und theatral. Ausdrucksformen (↗Verfremdung, ↗ep. Theater u. a.).

📖 Toita, Y.: K. the popular theatre. New York 1970.　　IS

Kadenz, f. [(Silben)fall, it. cadenza, zu lat. cadere = fallen], Versschluß in akzentuierenden Versen (↗akzentuierendes Versprinzip). – Die *neuhochdt.* Metrik unterscheidet im allgemeinen nur zwischen *männl.* K. (auch: stumpfe K.) und *weibl.* K. (auch: klingende K.); die männl. K. ist einsilbig, der Vers endet auf eine Hebung, die weibl. K. ist zweisilbig, der Vers endet auf eine Folge von Hebung und Senkung. *In der mittelhochdt.* Metrik werden auf Grund der unterschiedl. Silbenstruktur (kurze offene Tonsilben!) mindestens 5 Kadenztypen unterschieden: 1. *einsilbig männl.* K. (der Vers endet auf eine Hebung: . . . x́); z. B. der edele was der grâve vrô); 2. *zweisilbig männl.* K. (der Vers endet auf eine gespaltene Hebung, d. h. auf ein zweisilbiges Wort mit kurzer offener Tonsilbe: . . .˘x; z. B. wés hânt ir die máget ge*slágen*); 3. *weibl.* K. (der Vers endet auf eine Folge von Hebung und Senkung, d. h. auf ein zweisilbiges Wort mit langer offener oder geschlossener Tonsilbe: . . .x̄x; z. B. nû alrêst lebe ich mir *wérde*); 4. *klingende* K. (der Vers endet auf eine Folge von ↗beschwerter Hebung und Nebenhebung, die sprachl. ebenfalls durch ein zweisilbiges Wort mit langer Tonsilbe sein muß: . . . ˗̄x; z. B. sáz ûf éime *stéine*) – in vielen Fällen ist mit letzter Sicherheit zu entscheiden, ob weibl. oder klingende K. vorliegt; 5. *dreisilbig klingende* K. (der Vers endet auf eine Folge von Hebung, Senkung und Nebenhebung, d. h. auf ein dreisilbiges Wort mit kurzer oder langer Tonsilbe: . . .x̄xx; z. B. ir phlâgen drîe *künegé*). In der ↗Taktmetrik wird außerdem noch zwischen *voller* K. und *stumpfer* K. unterschieden; bei voller K. ist der letzte Takt eines metr. Schemas sprachl. ganz oder teilweise realisiert, bei stumpfer K. gilt er als pausiert. – RL.
K

Kaempevise, f., Pl. kaempeviser [dän. = Heldenweise, Heldenlied], skand., v. a. dän. Volks-↗Ballade (↗Folkevise) des M.A.s mit Stoffen aus der germ.-dt. ↗Heldensage (z. B. die Nibelungenballaden) und aus der nord. Heldensage der Wikingerzeit (z. B. Balladen von »Hagbard und Signe«); im weiteren Sinne werden auch Ritterballaden (mit literar. Stoffen, v. a. frz. Provenienz) und histor. Balladen als K. bezeichnet. – Für die Heldensagenforschung von bes. Interesse sind die K. mit Stoffen aus dem Nibelungensagenkreis (dän. »Sivard Snarensvend«, »Sivard und Brynhild«, »Kremolds Rache«; norweg. »Sigurd Svein«; färö. Balladenzyklus »Sjurdurkvaedi«, bestehend aus »Regin smidur«, »Brinhildatattur«, »Høgnatattur«). Diese Stoffe haben in diesen Balladen tiefgreifende Umgestaltungen erfahren – die Handlung ist auf einige Grundlinien reduziert; die Zahl der handelnden Personen ist stark verringert (z. B. die Ballade »Sivard und Brynhild« über Siegfrieds Tod kennt nur noch vier Personen); neu sind Märchenmotive (Sivard/Siegfried kann nur durch sein eigenes

Schwert umkommen), die alten Namen sind teilweise volksetymolog. umgedeutet (Hafver = Meerverteidiger für Hagen/Högni), teilweise durch typ. Balladennamen ersetzt (Sienhild, Sinelille u. a. für Kriemhild/Gudrun). – Als Quellen für die skand. Nibelungenballaden wurden in der Forschung verlorene dt. Heldenlieder vermutet (S. Grundtvig, A. Olrik, G. Neckel), z. T. wurde auf die skand. Sagentradition hingewiesen (Eddalieder, /Fornaldarsaga; R. C. Boer, J. de Vries); wahrscheinl. sind jedoch bei jeder einzelnen Heldenballade die verschiedensten dt. und nord. Quellen zusammengeflossen (K. Liestøl, A. Heusler, H. de Boor). K

Kahlschlag-Literatur, Sammelbez. für Versuche einer literar. und literatursprachl. Neuorientierung nach 1945. Die Bez. ›Kahlschlag‹ wird erst relativ spät von W. Weyrauch definiert als Forderung einer »dt. Literatur«, unabhängig von »fremden Wegweisern«, die »einen Kahlschlag in unserem Dickicht« geben sollte (Vorwort zu »Tausend Gramm«, 1949). Kahlschlag bez. dabei neben dem Willen zur »Wahrheit«, zur »Auseinandersetzung mit den Widersachern des Geistes« zugleich eine Tendenz zur Sprachreinigung, zur stilist. Kargheit. »Nicht einmal die Sprache war mehr zu gebrauchen . . . die Nazijahre und die Kriegsjahre hatten sie unrein gemacht. Sie mußte erst mühsam wieder Wort für Wort abgeklopft werden . . . Die neue Sprache, die so entstand, war reich, war nicht schön. Sie wirkte keuchend und kahl« (W. Schnurre, daher auch /›Trümmerliteratur‹). Man hatte diese Tendenz schon vor Weyrauchs Definition der K. als »völlig flachen« Realismus (A. Andersch u. a.) mißverstanden und abgelehnt; bereits 1950 konstatierte W. Jens: »Der Neorealismus verschwand so schnell, wie er kam.« Weyrauchs Erwartungen jedenfalls erfüllten sich nicht. An ihre Stelle trat eine Tendenz zur Innerlichkeit, ablesbar etwa an Gedichten G. Eichs, die seinen häufig ebenfalls als exemplar. Beispiele für K. zitierten Gedichten »Inventur« und »Latrine« folgten. Inzwischen ist allerdings auch darauf hingewiesen worden, daß die K. nicht nur eine versuchte und alsbald abgebrochene Phase literar. Neuorientierung war, daß vielmehr das Werk Weyrauchs verstanden werden muß als eine Wiederaufnahme »von bereits Vorhandenem unter anderen Voraussetzungen«, ebenso wie als Vorstufe einer Mischung von Experiment und Tendenz.

📖 Drews, A. I. (Hrsg.): Vom ›Kahlschlag‹ zu ›movens‹. Über d. langsame Auftauchen experimenteller Schreibweisen in d. westdt. Lit. der 50er Jahre. Mchn. 1980. – Feucht, R. G. (Hrsg.): K. Literar. Dokumente d. Jahre 1945–1950. 3 Bde. 1977, 1978, 1981. D*

Kakophonie, f. [gr. = Mißklang], meist polem. gebrauchte Bez. der antiken /Rhetorik zur Beschreibung und Bewertung von als häßl. empfundenen Klangerscheinungen u. a. bei Wortzusammensetzungen mit geräuschstarken, schwer sprechbaren Konsonantenhäufungen, z. B. Schutzzoll, Strickstrumpf; die Anwendung des Begriffs unterliegt jedoch histor. bedingten Geschmacksvorstellungen. HW*

Kalauer, m., 1858 erstmals belegte Berliner Eindeutschung des franz. /Calembour(g) mit Bezug auf die Stadt Calau; /Wortspiel, das witzige Effekte durch Zusammenstellung gleich oder ähnl. lautender Wörter mit unterschiedl. Bedeutung (/Paronomasie) erzielt; meist als albern gewertet. GMS

Kalender, m. [mlat. zu lat. calendae = erster Tag d. Monats, übertragen: Monat], als Verzeichnis der nach Wochen und Monaten geordneten Tage sind K. oft mit prakt. Lebens-, Merksätzen, Rezepten, Lebens- und Gesundheitsregeln, Angaben über Maße und Gewichte, Himmels-, Erd- und Witterungskunde usw., ferner mit Sprichwörtern, Zitaten, Anekdoten und Kurzerzählungen usw. ausgestattet. Je nachdem, ob ein K. sich an eine bestimmte Zielgruppe richtet oder ein bestimmtes Sachge-

biet in Text und Bild behandelt, unterscheidet man Bauern-K., Jugend-, Ärzte-, Lehrer-K. u. a. oder aber Heiligen-K., Blumen-, Tier-, Ballet-K. u. a. K. gibt es als Abreiß-K., Umleg- oder Wand-K., sowie als Taschen-K., Termin-K. u. ä. in Buch- oder Heftform. Vorformen des heutigen K.s sind einerseits die K.stäbe und Runen-K., die seit dem 14. Jh. in Deutschland, England und Skandinavien nachgewiesen, aber wohl erhebl. älter sind und auch dem Analphabeten eine kalendar. Orientierung erlaubten, andererseits die handschriftl. K.-Tafeln u. /Almanache, die den Gelehrten und Geistlichen des MA.s als Hilfsmittel zu astronom. u. meteorolog. Beobachtungen u. Vorhersagen sowie zur Berechnung der bewegl. Jahresfeste, insbes. von beweglichen Festen wie Ostern usf.; gemäß der Wiederkehr der Mondphasen nach 19 Jahren umfaßten sie als sog. ewige od. immerwährende K. gewöhnl. 19 oder 76 (= 4mal 19) Jahre, so noch im lat. Holztafeldruck des Joh. v. Gmunden (1439). Seit der Erfindung des Buchdrucks u. damit verbunden der größeren Verbreitung u. Kommerzialisierung setzte sich der einjährige K. immer mehr durch. Erste Anzeichen dafür sind der astronom. K. für 1448 u. der sog. Türkenk. für 1455, beide aus der Werkstatt Gutenbergs. Angereichert mit Wettervorhersagen u. ä. (sog. Prognostica), auch mit medizin. Anweisungen, etwa über die rechten Zeiten zum Aderlassen entsprechend den Mondphasen (sog. Aderlaß-K.), u. mit sonstigen, oft astrolog. begründeten Ratschlägen (sog. /Praktika) gibt es so seit dem Ende des 15. Jh.s den volkstüml. Jahres-K., sog. K. z. B. die »Bauernpraktik«. Dem Grundschema fügte Paul Eber in seinem »Calendarium historicum« (erstmals 1551, dt. 1582) für jeden Monat histor. Daten u. passende anekdot. Berichte bei; hinzu kamen später Legenden, Schwänke, Rätsel, Tierfabeln u. sonstige Erzählungen, woraus sich insgesamt die /Kalendergeschichte als eigene Gattung der Volksliteratur entwickelte. Bekanntester dt. K.macher des 17. Jh.s ist Grimmelshausen mit Werken wie »Des Abenteuerlichen Simplicissimi Ewigwährender Calender« (1670/71), dem »Europäischen Wundergeschichten Calender« (1670–74) u. dem »Simplicianischen WundergeschichtsCalender« (1675). Im Lauf des 18. Jh. ergaben sich Differenzierungen u. Spezialisierungen. Unter Zurücktreten des Kalendariums wurden /Musenalmanach, Damen- u. /Taschenbuch (meist Frauentaschenbücher auf ein best. Jahr) zu Sammelbecken für Belletristik u. gehobene Unterhaltungslit.; unerhebl. war das Kalendarium auch in den genealog. Staats- u. Standes-Kn. (seit dem 17. Jh.), von denen sich als Adels-K. der sog. »Gotha« (seit 1736) bis ins 20. Jh. erhalten hat. Ebenfalls Standes-K. u. zugl. bio- wie bibliogr. Nachschlagewerk ist »Kürschners Dt. Gelehrten-K.« (seit 1925). Erhalten blieben Kalendarium sowie das vom 15.–17. Jh. ausgebildete Grundmuster in den Bauern-, Land- u. Volks-K.n im 18. u. 19, auch noch im 20. Jh.; im Gefolge von Aufklärung, Romantik u. Realismus dienten sie der Volksbildung u. -unterhaltung, z. B. der »Kurfürstl. Badische Landcalender« (seit 1750), aus dem seit 1807 »Der Rheinländische Hausfreund« Joh. P. Hebels hervorging. Ähnl. Ziele hatte der dt. Volks-K. (1835–70) von F. W. Gubitz (u. a. mit Beiträgen von Chamisso, Arnim u. Brentano). Hrsg. späterer Volks-K. waren z. B. A. Stolz, B. Auerbach u. L. Anzengruber, Beiträger u. a. W. Alexis, J. Gotthelf u. G. Keller als Schriftsteller, L. Richter, Menzel, Kaulbach u. a. als Illustratoren. Nach 1871 agitierte die Arbeiterbewegung mit klassenkämpferischen K.n (vgl. »Der arme Conrad«, 1875–1878). Seit 1801 bis in die Gegenwart erhalten sich als Volks-K. z. B. »Des Lahrer Hinkenden Boten neuer historischer K. für den Bürger u. Landmann«, ähnl. »Reimmichels Volks-K.« u. der »Hannoversche Volks-K.«. Das 20. Jh. brachte mit zunehmender Kommerzialisierung auch eine weitere Trivialisierung der K. Den weitaus größten Marktanteil haben heute Gebrauchs-, Berufs-K. sowie Kunst- u. Bild-K.; viele dienen der Werbung, einige haben auch didaktische od. polit. Zielsetzungen.

📖 Wiedemann, I.: ›Der Hinkende Bote‹ und seine Vettern. Familien-, Haus- und Volksk. von 1757 bis 1929. Bln. 1984. – Knopf, J. (Hg.): Alltags-Ordnung ... Aus württemberg. und bad. K.n des 17. und 18. Jh. Tüb. 1983. – Brach, G.: K.belletristik. Titelverzeichnis ... 1950–1975. Frkft. 1980. Rohner, L.: K. u. K.geschichte. Wiesb. 1978. – Dresler, A.: K.kunde. Mchn. 1972. – RL   RS

Kalendergeschichte, kurze, volkstüml., meist realitätsbezogene Erzählung, oft unterhaltend und stets didaktisch orientiert; sie vereinigt mit wechselnder Gewichtung Elemente aus ⁄Anekdote, ⁄Schwank, ⁄Legende, ⁄Sage, Tatsachenbericht und ⁄Satire. Sie entstand im Zusammenhang mit der Entwicklung des gedruckten ⁄Kalenders und der Lesebedürfnisse seines Publikums im 16. Jh. und wird seither auch als eigenständige Gattung künstler. Erzählprosa erkannt. Bis ins 19. Jh. blieb sie an die Publikationsform des Kalenders gebunden. *Bedeutende Verfasser* von K.n in diesem Rahmen waren J. J. Ch. v. Grimmelshausen u. J. P. Hebel, im 19. Jh. außer den Hrsgn. wie A. Stolz, B. Auerbach u. L. Anzengruber z. B. auch J. Gotthelf u. P. Rosegger. Die erfolgreichsten K.n wurden schon im 19. Jh. aus den Kalendern herausgelöst u. in Buch- u. Sammelbänden publiziert (z. B. J. P. Hebels »Schatzkästlein«, 1811 u. ö., L. Anzengrubers K.n, 1882). Im 20. Jh. hat die K. sich dann vielfach ganz von der Bindung an den Kalender getrennt u. tritt jetzt als selbständige Kunstform auf, sei es einzeln in Zeitschriften u. Anthologien o. ä., sei es zusammengefaßt in Buchform, so z. B. die »K.n« von O. M. Graf (1929), K. H. Waggerl (1937) u. B. Brecht (1949) oder auch der »Schulzendorfer Kramkalender« von E. Strittmatter (1969).

📖 Knopf, J.: Die dt. K. Frkft. 1983. – Rohner, L.: Kalender und K. Wiesb. 1978.   RS

Kanevas, m. [mlat. canava = Hanf, it. canavaccio = Wischlappen, Entwurf, Plan, Grundschema], in der it. Stegreifkomödie und ⁄Commedia dell'arte synonyme Bez. für ⁄Szenarium (das Handlungsablauf und Szenenfolge festlegt).   GG

Kanon, m. [gr. = Maßstab, Richtschnur, ursprüngl. Rohr], Zusammenfassung der für ein bestimmtes Sachgebiet verbindl. Werke (Regeln, Gesetze usw.), z. B. die ›kanon.‹ (= verbindl.) Texte des ATs und NTs im Ggs. zu den Apokryphen. – Im *literar. Bereich* von dem Philologen D. Ruhnken (1723–98) eingeführt für die Auswahl der für eine bestimmte Zeit jeweils als wesentl., normsetzend, zeitüberdauernd, d. h. ›klassisch‹ erachteten künstler. Werke, deren Kenntnis für eine gewisse Bildungsstufe vorausgesetzt wird (z. B. in Lehrplänen). – In der *Antike* bez. ›K.‹ zunächst nur in übertragener Bedeutung] Nachahmenswertes, Exemplarisches; in der attizist. Rhetorik und hellenist. Kunsttheorie dann eine Autoren- oder Werkliste (⁄Katalog, evtl. für die Schullektüre oder als Bestandsaufnahmen des Erhaltenen), vgl. z. B. den K. der drei Tragiker Aischylos, Sophokles, Euripides, von 9 Lyrikern, 10 Rednern u. a. – Trotz seiner Bestimmung, eine Kontinuität der literar. Tradition zu gewährleisten, wurde jeder K. notwendig immer wieder Änderungen unterworfen.   S

Kanzone, f. [it. canzone aus lat. cantio = gesungenes Lied],
1. allgemein ein mehrstroph. gesungenes Lied oder rezitiertes Gedicht beliebigen, meist ernsten Inhalts, auch: *freie K.,*
2. im bes. ein Lied und Gedicht, dessen formales Kennzeichen die sog. K.n- oder ⁄Stollenstrophe ist, auch: *klass. K.* Sie findet sich seit der 1. Hälfte des 12. Jh.s in der prov. Trobadorlyrik (mit Geleit: ⁄Canso), in der sie evtl. entwickelt wurde, und in der mhd. Minnelyrik (Friedrich von Hausen, Reinmar der Alte, Walther v. d. Vogelweide). Insbes. in Italien aber wird die K. zur bedeutenden lyr. Form neben ⁄Sonett und ⁄Ballata, aus der sie die italien. Forschung ableitet; sie wurde gepflegt insbes. von den Vertretern des ⁄Dolce stil nuovo, z. B. Dante, von dem auch die 1. theoret. Fixierung der K. stammt (»De vulg. eloqu.«, II, 5. 8. 14).

Ihre höchste Blüte und vollendetste Ausprägung erfuhr die K. durch F. Petrarca: Er schuf ihre klass. Form aus 5–7 Strophen von je 13 bis 21 Versen, gemischt aus Elf- und Siebensilblern (7. u. 10. Zeile) mit einem meist in zwei symmetr. Perioden (Volten) geteilten ⁄Abgesang (Coda) und kunstvoller Reimvielfalt (jede Strophe eigenes Reimmaterial) mit philosoph.-ethischer, relig., patriot. und sublimer Liebesthematik (»Canzoniere«, 1350, gedruckt 1470). Ihre sprachl. Musikalität machte Gesang und Musikbegleitung entbehrlich. Diese *canzone petrarchesca* fand bis ins 16. Jh. zahlreiche Nachahmer (P. Bembo, T. Tasso). Im 17. Jh. begann die Auflösung der strengen K.nform: Mit ›K.‹ wenden auch Nachahmungen pindar. Oden, anakreont. (vgl. ⁄Kanzonetta) und andere metr. Strophenformen (zuerst von G. Chiabrera, F. Testi) und sogar freirhythm. Verse bezeichnet, zuerst v. A. Guidi, dann bes. v. G. Leopardi: seine »Canzoni« (1818) sind freirhythm. patriot. Gedichte (auch als *canzone leopardiana* bez.). – Die Wiederbelebung der klass. K. versuchten im 18. Jh. V. Alfieri, U. Foscolo u. a., im 19. und 20. Jh. A. Manzoni, G. Carducci und G. D'Annunzio. In Deutschland wurde die klass. K. seit der Romantik nachgeahmt, insbes. v. A. W. Schlegel, Z. Werner, J. Ch. v. Zedlitz (»Totencränze«), A. v. Platen u. F. Rückert (»Canzonetten«, 1818).

📖 Pazzaglia, M.: Il verso e l'arte della canzone nel »De Vulgari eloquentia«. Florenz 1967. – Floeck, O.: Die K. in der dt. Dichtung. Bln. 1910.   IS

Kanzonenstrophe, Bez. für ⁄Stollenstrophe.

Kanzonetta, f. [it. = Liedchen], ursprüngl. ⁄Kanzone mit volkstüml. (meist Liebes-)Thematik und einfacher Ausprägung (⁄Stollenstrophe aus 7-, 8-Silblern), nicht immer eindeutig von ⁄Ballata und ⁄Barzelletta zu trennen; beliebt im 15. Jh. – Seit der Auflösung der klass. Kanzonenform durch G. Chiabrera im 17. Jh. auch Bez. für kurze, sechszeil. Gedichtform anakreont.-rokokohafter Thematik; Hauptvertreter P. Metastasio (18. Jh.).   IS

Kapitel, n. [lat. capitulum = Köpfchen], ursprüngl. die dem Abschnitt eines Textes vorangestellte, meist durch räuml. Absetzung oder die Verwendung roter Farbe hervorgehobene kurze Überleitungsformel oder Inhaltsangabe (⁄Lemma, Rubrik, ⁄Summarium), dann dieser Abschnitt selbst, der dann durch Numerierung oder Überschrift als K. gekennzeichnet sein kann. Die Einteilung eines Prosawerks in K. dient der Verdeutlichung und Gliederung und Proportionen, die *K.-Überschriften* der Erweckung und Steuerung der Lesererwartung (⁄Vorausdeutung). – K.-Überschriften sind seit dem 4. Jh. v. Chr. bezeugt. In den Handschriften und Inkunabeln des Spät-MA.s spielen neben den eigentl. Summarien die durch deiktische Lokaladverbien (»hie hieß Pontus sein schiff speisen ...«) eingeleiteten Bildbeschriften (⁄Titulus) eine gewisse Rolle, da sie oft an Abschnittsgrenzen stehen und wie die Summarien zu Registern zusammengefaßt werden. – Bis ins 17. Jh. reichen die ausführlicher resümierenden K.-Überschriften, danach treten diese zurück und werden zum Indiz ›volkstümlicher‹ Literatur gegenüber dem kapitelarmen höfisch-histor. Roman. Unter dem Einfluß von Cervantes, Sterne und Fielding werden die Einteilung, Anordnung und bes. die Überschriften der K. – wie andere Bauformen des Erzählens auch – zur Erzielung humorist. oder ironisierender Wirkungen genutzt (Jean Paul, K. L. Immermann, R. Musil). In der Funktion der Lesereinstimmung ist die K.-Überschrift das ⁄Motto verwandt.

📖 Stevick, Ph.: The Chapter in Fiction. Theories of narrative Division. Syracuse/N. Y. 1970. – Wieckenberg, E. P.: Zur Gesch. der K.überschrift im dt. Roman vom 15. Jh. bis zum Ausgang des Barock. Gött. 1969.   HSt*

Kapuzinade, f., Kapuzinerpredigt; strafende oder tadelnde Ansprache, wie sie bei den Kapuzinern üblich war, in derber Sprache und volkstüml. Ausdrucksweise, bilderreich und übertreibend. Am bekanntesten sind die ›K.n‹

des Augustinermönchs Abraham a Sancta Clara (1644–1709). Predigten dieses Stils sind auch von protestant. Homiletikern überliefert. Der Ausdruck ›K.‹ findet sich in Frankreich seit 1715 *(capucinade);* er hat sich in Deutschland eingebürgert seit Schillers literar. Gestaltung einer K. in »Wallensteins Lager« (1799).   GG

Karagöz, auch Karaghioz, Karagheuz [türk. = Schwarzauge], 1. ↗lustige Person des islam. ↗Puppenspiels, ursprüngl. Hauptfigur des türk. ↗Schattenspiels: junger, volkstüml.-derber, schlagfertig-witziger, auf animal. Bedürfnisse fixierter (dicker, mit großem Phallus ausgestatteter) Typus (Handwerker, Händler, Bote u. ä.). Sein Partner ist meist der ältliche, wichtigtuerische, halbgebildete Spießer Hadschiwat, dessen Worte K. stets mißversteht oder ins Unflätig-Komische verdreht. Nach dieser Zentralfigur 2.: Bez. v. a. für das türk., aber auch allgem. oriental. Schattenspiel (noch heute von sog. *Karagödschi* in Caféhäusern aufgeführte Possen), eine der Hauptformen des (an sich theaterfeindl.) islam. Theaters.
📖 Bobber, H.-L., Hirschberger, M.-L., Kersten, R.: Türk. Schattentheater. K. Frkf. 1983.   IS

Karikatur, f. [zu it. caricare = überladen, übertreiben], Zerrbild einer Person oder eines Sachverhalts durch übertreibende, oft überraschende Darstellung von typ., aber auch individuellen Zügen, zur Verspottung, Entlarvung, Kritik; insbes. Fachbez. der bildenden Kunst für graph. Darstellungsformen. Analog werden in der Literaturwissenschaft als K.en die oft bis zum Grotesken hin verzerrten Überzeichnungen von Personen in den Gattungen der sentenziösen Komik (↗Parodie, ↗Satire, insbes. satir. Komödie) bezeichnet. Berühmt sind z. B. J. Nestroy oder H. Monnier als Verfasser und Darsteller karikierter Bühnengestalten als Repräsentanten bestimmter menschl. Schwächen, einzelner Stände oder Berufe. – Literar. K.en gibt es schon seit der Antike; zu nennen sind z. B. der prahler. Offizier (seit Plautus; ↗Bramarbas, ↗Capitano), der Advokat »Pathelin« (1470), Molières Ärzte-K.en oder sein »Bürger als Edelmann«, A.-R. Lesages Emporkömmlinge und Finanziers (»Turcaret«, 1709), N. Gogols K. des Provinzbeamtentums (»Der Revisor«, 1836), E. Augiers Spekulanten und Journalisten, C. Sternheims ›bürgerl. Helden‹ u. a.; auch zeitgenöss. Persönlichkeiten wurden immer schon literar. karikiert, so z. B. Sokrates in den »Wolken« des Aristophanes, der König von Frankreich in einzelnen ↗Sottien, bekannte Londoner in den als ›Bilderauktionen‹ getarnten Soloszenen von S. Foote (18. Jh.).   IS

Karolingische Renaissance, umstrittene Bez. für die im Umkreis Karls des Großen und seiner Nachfolger betriebene Förderung des Bildungswesens und der Kunst unter bewußtem Anknüpfen an die spätantik-christl. Form- und Stofftradition. Sie steht im Rahmen des polit. Programms der renovatio Imperii Romani, ihr konkretes Ziel war die Hebung der Bildung, v. a. im Klerus. *Zentrum* der k. R. bildete der internationale Gelehrtenkreis an Karls Hof, die sog. ›Palastschule‹, die eine intensive literar. Tätigkeit initiierte, die der Rezeption der christl. und heidn. Antike galt, aber auch eine karoling. lat. Dichtung von hohem Formbewußtsein hervorbrachte. Daneben sind aber die prakt. Aspekte, zu denen Bemühungen um ein reines Latein, eine Reform der Schrift, die gründl. Revision der Vulgata, eine Reform der Liturgie und des Unterrichtswesens gehören, hervorzuheben. Vorübergehend kommt es auch zu einem ersten Aufblühen einer volkssprachl. Literatur, vorwiegend zu prakt. Zwecken (Laienunterweisung, ahd. Prosa). Die *führenden Träger* der K. integrieren v. a. ir., angelsächs. und fränk. Bildungstraditionen: zu nennen sind aus Karls Umkreis Alkuin (seit 782 Leiter der Palastschule), die Historiker Paulus Diaconus und Einhard, der Grammatiker Petrus von Pisa und die Dichter Angilbert und Theodulf von Orléans, aus dem Umkreis der Nachfolger Karls Hrabanus Maurus, Walahfried Strabo, Notker

Balbulus, Johannes Scotus Eriugena u. a.; in diesem Zusammenhang ist auch auf Otfried von Weißenburg, den Verfasser des ersten größeren volkssprachl. Evangelien-Epos (in Reimpaarversen) zu verweisen.
📖 Godman, P.: Poetry of the Carolingian Renaissance. London 1985. – Patzelt, E.: Die k. R. Wien 1924; Nachdr. Graz 1965. – Polenz, P. v.: Karl. R., karl. Bildungsreform und die Anfänge der dt. Lit. Marbg. 1959. – Fleckenstein, J.: Die Bildungsreform Karls des Großen als Verwirklichung der Norma rectitudines. Freibg. 1953.   GG*

Kasperltheater ↗Puppenspiel um die zentrale Gestalt des Lustigmachers Kasperl. Das Personal des K.s enthält typ. Vertreter einer dem Märchen verwandten Gesellschaftsordnung: König, Prinzessin, Hofpersonal, Polizist; Hexe, Teufel, Tod, Zauberer, Drache u. a., d. h. Hüter und Störer einer hierarch. Ordnung. Kasperl als ein mit Mutterwitz und derbem Humor ausgerüsteter Außenseiter verhilft in einem Spiel mit primitiver Fabel und naiver Typik dem Guten zum Sieg und stellt die gestörte Gesellschaftsordnung wieder her, der Struktur des ↗Detektivromans vergleichbar. – Die *Gestalt des Kasperl* war ursprüngl. eine ↗lust. Person des ↗Wiener Volkstheaters in der Tradition des ↗Hanswurst Stranitzkys. Als Hausknecht und Diener begegnet er u. a. schon in den Possen J. F. v. Kurz-Bernardons u. Ph. Hafners. Die erfolgreichste Ausprägung als »Originalkasperl« erhielt die Gestalt durch den Schauspieler Johann Laroche (1745–1806) am Wiener Leopoldstädter Theater in oftmals für ihn geschriebenen Stücken (Kasperliaden, z. B. v. K. F. Hensler oder Karl von Marinelli: »Die bestraften Räuber Andrassek und Jurassek, ein aus der wahren Geschichte entlehntes Schaupiel, wobei Kasperle einen gekränkten Müller und verstellten türk. Prinzen Huzibuzi spielen wird«, 1781). Verwandt waren die Figuren des ↗Staberl und des Kasperl oft begleitenden ↗Thaddädl. – Dichter. Ausprägung erfuhr die Gestalt des Kasperl dann etwa als lustiger Bedienter in Platens Lustspiel »Der Schatz des Rhampsinit« oder seit 1850 in den zahlreichen (40) Kasperlstücken des Grafen Pocci, in A. Strindbergs Groteske »Kasperls muntere Friedhofsreise«, 1900, in A. Schnitzlers »Zum großen Wurstel«, 1906, W. Benjamins Hörspiel »Radau um Kasperl«, 1932 oder in Max Kommerells »Kasperlespiele für große Leute«, 1948, in neuerer Zeit bei H. C. Artmann (1969). Mitte des 19. Jh.s ging die Figur des Spaßmachers in das Marionettentheater bzw. das Puppenspiel Österreichs und dann ganz Deutschlands über, etwa von Pocci gegründete und von J. Schmid fortgeführte Münchner Marionettentheater u findet sich noch heute v. a. auf Jahrmärkten und Volksfesten. Vgl. die zahlreichen Kasperlfiguren in der Druckgraphik des Grafen Pocci (Ausg. Mchn. 1974).
📖 Kasperletheater für Erwachsene, hg. v. Norbert Miller u. K. Riha, Frkft./M. 1978 (Insel-Tb. 339, mit Texten). – Gugitz, G.: Der weiland Kasperl. Wien 1920.   GG*

Kasside, f. [arab. qaṣīda; Wortbedeutung nicht eindeutig geklärt. Die dt. Wortform ›K.‹ geht auf Goethe zurück], Form des Zweckgedichtes in der arab. Lyrik, wie das ↗Ghasel durch quantitierende Metren, stich. Zeilenordnung und Monoreim charakterisiert (gängiges Reimschema: aa xa xa xa . . .), jedoch umfangreicher als das Ghasel (zwischen 25 und 100 Zeilenpaare). Der Inhalt ist durch die Kombination dreier Rahmenthemen mit beschränktem Bild- und Motivschatz festgelegt: 1. (oft erot.) Einleitung (Klage über Trennung von der Geliebten), 2. Ritt durch die Wüste mit Preis der Vorzüge des Pferdes oder Kamels des Dichters, Jagddarstellungen, Schilderung von Wüstenstürmen usw., 3. Hauptteil, der eigentl. Zweckteil der K., meist ein Loblied des Dichters, seines Stammes, eines Kriegshelden, aber auch ein Schmähgedicht oder eine Totenklage. – Die Tradition der arab. K. reicht bis in die vorislam. Zeit zurück; sie ist die bedeutendste dichter. Form der arab. Wüstenstämme in den Jahrhunderten vor

Mohammed. 7 K.n aus dem 6.Jh. wurden im 8.Jh. durch Hammad ar-Rāwiya zu der Anthologie »Mu'allaqāt« (»die Aufgehängten«; die Aufzeichnung der 7 K.n soll an der Kaaba in Mekka aufgehängt gewesen sein) zusammengestellt. An dieser Sammlung orientierte sich die ganze spätere K.ndichtung. Aus der arab. Dichtung wurde die K. in die anderen islam. Literaturen übernommen (pers., türk. Lit.). Dt. Nachbildungen bei A. v. Platen und F. Rückert.

K*

Kasus, m. [lat. casus = Fall], aus der Jurisprudenz entlehnte Bez. für eine der ⌐einfachen Formen, die, im Unterschied zum einmaligen ⌐Memorabile, einen generalisierbaren Normenkonflikt vorführt, der zum Nachdenken anregen soll (vgl. Kasuistik). A. Jolles sieht im K. eine Tendenz, sich zur Novelle zu erweitern.

□ ⌐einfache Formen. RG*

Katabasis, f. [gr. = Abstieg], Unterweltsfahrt des Helden als fester Bestandteil zahlreicher vorderasiat. und europ. Heldensagen. Katabasen werden u. a. von Gilgamesch, von Herakles, Theseus und Odysseus berichtet. Die Darstellung der K. des Odysseus bei Homer (Odyssee XI, sogenannte »Nekyia«) ist vielfach nachgebildet worden, so von Vergil (»Aeneis«, VI: K. des Aeneas) und Dante (»Divina Commedia«). K

Katachrese, f. [gr. katachresis = Mißbrauch], uneigentl. Gebrauch eines Wortes, ⌐Tropus:
1. Füllung einer sprachl. Lücke durch metaphor. Verwendung eines vorhandenen Wortes, wenn ein spezif. Ausdruck fehlt oder verdrängt ist, z. B. ›Arm‹ eines Flusses (sog. *notwendige, habituelle* ⌐*Metapher* im Ggs. zur akzidentiellen Metapher).
2. Gebrauch einer Wendung, deren eigentl., wörtl. Bedeutung nicht mehr prägnant bewußt ist, z. B. ›parricidium‹ (= Vatermord) für Verwandtenmord.
3. *Bildbruch:* Verbindung uneigentl. Wendungen, die nicht zueinander passen, wenn man sie in ihrer eigentl. Bedeutung versteht; oft unfreiwillig und von kom. Wirkung: »Laß nicht des Neides Zügel umnebeln deinen Geist« (Stilblüte), aber auch bewußt zur Erzielung eines bes. stilist. (preziösen) Effektes genutzt (⌐Oxymoron). HSt*

Katalekten, f. Pl., richtiger: Catalepta [zu gr. kata lepton = Zurückgelassenes, Kleinigkeiten], veraltete Bez. für gesammelte Bruchstücke antiker Werke (z. B. J. C. Scaliger, »Catalecta veterum poetarum«, 1573); auch ⌐Anthologie.

S

Katalektisch, Adj., Adv., [gr. = (vorher) aufhörend], in der antiken Metrik Bez. für Verse, deren letzter Versfuß *unvollständig* ist, d. h. bis auf eine (k. *in syllabam*) oder bis auf zwei Silben (k. *in bisyllabum*) gekürzt ist, z. B. der trochä. ⌐Tetrameter, dessen letzte Dipodie um eine Silbe verkürzt ist: ‿◡‿ statt ‿◡‿◡. Die Verwendung des Begriffes k. ist in vielen Fällen problemat. und entspringt einem komplizierte versgeschichtl. Verhältnisse übergehenden Systematisierungsbedürfnis, das alle größeren metr. Einheiten als Zusammensetzungen aus einfachen Versfüßen erklären will. ⌐akatalektisch, ⌐hyperkatalektisch. K*

Katalog, m. [gr. = Aufzählung, Verzeichnis, zu katalégein = hersagen, aufzählen],
1. alphabet. oder systemat. (nach Sachgruppen) angelegtes, z. T. kommentiertes Verzeichnis von Büchern, Bildern u. a. Kunstgegenständen usw. Als *Pinakes* (Sg. pinax = Verzeichnis, ursprüngl. = Holztafel) bereits aus der Antike bezeugt, vgl. z. B. die ⌐Didaskalien oder der von Kallimachos (3. Jh. v. Chr.) erstellte K. der alexandrin. Bibliothek, der innerhalb von Sachgruppen in alphabet. Ordnung zahlreiche biograph. und bibliograph. Daten (Titel, Inhalt, Werkumfang, Echtheitskriterien) übermittelt und daher von weitreichender Bedeutung wurde.
2. sprachl. gebundene Reihung gleichart. Begriffe, Namen, Fakten usw., eine der ältesten Dichtungsformen und als (kult.?) *Merkdichtung* zum Memorieren genealog. Reihen

(Götter, Könige usw.) in allen frühen Kulturen nachweisbar (sog. K.-Verse). Der *älteste erhaltene* K. ist der Schiffs-K. in der »Ilias« (II, 484), der *älteste selbständ.* K. die Hesiod zugeschriebenen (6–7000 eleg. Verse umfassenden) »Ehoien« (K.e der griech. Heroengeschlechter). Bedeutsam v. a. als Träger alten Wissensstoffes (Mythen, Sagen, Herrscher-, Erfinder-, Dichternamen usw.) sind die zahlreichen hellenist. K.e (sog. *Heuremata-Lit.*) oder etwa die altnord. Merkdichtung (⌐edd. Dichtung). – Berühmte *poet.* K. sind die Truppen-K.e in der »Aeneis« Vergils (VII, 641, X, 163), der Mischwald-K. Ovids, der Edelstein-K. im »Parzival« Wolframs von Eschenbach (XVI, 791), der K. der Kriegsvölker im »Befreiten Jerusalem« T. Tassos (XVII, 3) u. v. a. Auch in neuzeitl. Literatur werden K.e wegen des klangsinnl.-exot. Reizes der Nomenklaturen bewußt eingesetzt (vgl. u. a. J. Keats, die frz. Symbolisten, G. Benn, Th. Mann). IS

Katalogverse, ⌐Katalog (2).

Kata metron [gr. = nach einem (festen) Maß], nach der antiken Verslehre gelten als k. m. gebaut solche Verse, die eine bestimmte metr. Grundeinheit (z. B. ⌐Jambus, ⌐Trochäus, ⌐Daktylus), z. T. zu ⌐Dipodien zusammengefaßt, mehrfach wiederholen; sie werden als ⌐Dimeter (2 metr. Einheiten), ⌐Trimeter (3 metr. Einheiten), ⌐Tetrameter, ⌐Pentameter, ⌐Hexameter klassifiziert. K

Katastasis, f. [gr. = Zustand], Begriff aus der Dramentheorie J. C. Scaligers (»Poetices libri septem«, 1561) für den *scheinbaren* Ruhezustand, bzw. die *scheinbare* Lösung einer dramat. Handlung auf dem Höhepunkte der Verwicklung (⌐Epitasis), auf die dann der Zusammenbruch in der ⌐Katastrophe folgt. Beispiel: die Erleichterung des Ödipus und der Iokaste bei der Nachricht vom Tode des Polybos im »König Ödipus« des Sophokles; auch: ⌐retardierendes Moment. K*

Katastrophe, f. [gr. = Wendung, Umkehr, Ausgang], Begriff der Dramentheorie für den letzten Teil eines Dramas, in dem dessen dramat. Konflikt seine Lösung findet. Die Bez. geht zurück auf Aristoteles (Poetik, 10); in der auf ihm basierenden Poetik des Donat (Terenzkommentar, 4. Jh.) soll die K. in der 3., in der auf Horaz/Seneca basierenden Poetiken (J. C. Scaliger, 1561 u. a.) in 5. Akt fallen (⌐Dreiakter, ⌐Fünfakter). – Die K. setzt ein nach voraufgehender, ansteigender, vom *Wollen* der Person getragener und sich entfaltender Handlung (⌐Epitasis, 2. bzw. 2 u. 3. Akt), sie wird vorbereitet durch die ⌐Peripetie (oft gekoppelt mit ⌐Anagnorisis), dem Krisen- und Wendepunkt, und führt in rasch fallender Handlung (Gesetz des *Müssens*) zum Ende des Dramas. Die Bez. ›K.‹ impliziert in diesem Zusammenhang *jede,* nicht nur die trag. Auflösung eines dramat. Konflikts (vgl. z. B. Goethes »Iphigenie«). Die geradlinige Szenenführung von Exposition über Epitasis zur K. zeigt die frz. ⌐haute tragédie, wogegen andere Dramenstrukturen der K. breiteren Raum geben (z. B. im ⌐analyt. Drama ist der schrittweise Vollzug der K. als Folge der *vor* der Bühnenhandlung liegenden Ereignisse kennzeichnend, daher auch ›K.n-drama‹) oder die K. in das Bewußtsein des Zuschauers zu verlegen suchen (moderne Dramenformen).

Kata triton trochaion [gr. (tome) k. t. t. = (Einschnitt) nach dem 3. Trochäus], ⌐Hexameter.

Katharsis, f. [gr. = Reinigung], Zentralbegriff der aristotel. ⌐Tragödientheorie: Nach Aristoteles (Poetik 6) löst die Tragödie, indem sie »Jammer und Schaudern« (gr. *éleos* und *phóbos*) bewirkt, eine »Reinigung« (gr. *k.*) des Zuschauers »von eben derartigen Affekten aus«. »Jammer« und »Schaudern«sind bei Aristoteles (so die Ergebnisse der neueren Aristoteles-Forschung) in erster Linie als psych. Erregungszustände aufgefaßt, die sich in heftigen phys. Prozessen äußern. In diesem Sinne begegnen die Begriffe *éleos* u. *phóbos* auch schon in der voraristotel. Literaturtheorie, so bei dem Rhetoriker Gorgias (Helena 8/9) und bei Platon (Ion 535c–e). Der Begriff *k.* begegnet vor Aristoteles dagegen nur in theolog. (als Purifikation, Reinigung von Befleckung) und medizin. Kontexten (Purgierung, Ausscheidung schädl. Substanzen). Bei Aristoteles ist der Begriff der K. *psycholog.* gemeint: als die *befreiende Affektentladung* und das damit verbundene psych.-phys. Lustgefühl (gr. *hedone*). Die Wirkung der Tragödie ist damit psychotherapeut. aufgefaßt: sie schafft Gelegenheit zur Befreiung aufgestauter Affekte. Ähnl. äußert sich Aristoteles über die Wirkung orgiast. Musik (Politik VIII, 5–7). Die neuzeitl. Diskussion des K.-Begriffs setzt mit dem Humanismus ein. Die übl. Wiedergabe von gr. *éleos* und *phóbos* durch lat. *misericordia* (Mitleid) und *metus* (Furcht, neben *terror*, Schrecken) bedeutet dabei im Ansatz eine Neuinterpretation des Aristoteles. F. Robortello (Aristoteleskommentar 1548) deutet K. als *Immunisierung der Seele gegen Affekte.* Hier zeigt sich der Einfluß der stoischen *ataraxia/constantia*-Lehre, die v. a. für das Trauerspiel des 17. Jh.s von nachhalt. Bedeutung ist. Eine weitere für die Entwicklung des neuzeitl. Tragödie-Begriffs vollziehen V. Maggi und B. Lombardi (Aristoteleskommentar 1550); sie legen der K. erstmals *eth.* Bedeutung bei. Sie verstehen K. nicht mehr als Befreiung von Mitleid und Furcht (wie Robortello), sondern als Reinigung von den Leidenschaften, die in der Tragödie zur Darstellung kommen: Mitleid mit dem Helden der Tragödie (der deshalb ein aristotel. Sinne ein »mittlerer Mann« sein soll) und Furcht vor einem ähnl. Schicksal führen zur *sittl. Läuterung* des Zuschauers. Diese Umdeutung der aristotel. Tragödientheorie wird durch P. Corneille aufgegriffen (»Discours de la tragédie«, 1660). Im Anschluß an ihn wird die Traögdie endgült. zum barocken Märtyrerdrama, das durch die Darstellung von Tugenden und Lastern dem Zuschauer als belehrendes Exempel dienen soll; das Martyrium des tugendhaften Helden erregt Mitleid *(pitié)*, die Laster der Tyrannen, das Rasen der Affekte lösen im Zuschauer Abscheu und Schrecken *(terreur)* aus. Die aristotel. Forderung nach dem »mittleren Mann« wird damit fallengelassen. Hier setzt G. E. Lessings Kritik an Corneille ein (Hamburg. Dramaturgie, 1768, 73.–78. Stück): Er lehnt das Märtyrerdrama ab und weist auf das Postulat des »mittleren Mannes« hin. Der entscheidende Affekt, den die Tragödie beim Zuschauer auslöse, ist für ihn das *Mitleid*; Furcht wird diesem als »das auf uns selbst bezogene Mitleid« subsumiert; K. bezieht Lessing wieder auf Mitleid und Furcht, er unterstellt unter K., ganz im bürgerl.-aufklärer. Sinne die *»Verwandlung«* der durch die Tragödie erregten Affekte *»in tugendhafte Fertigkeiten«.* Während Lessings philanthrop. Deutung der K., die lange Zeit kanon. Bedeutung hatte, letztl. immer noch in der Tradition der humanist. Poetik mit ihrer pädagog. Tendenz steht, kehrt J. G. Herder zu den kult. Wurzeln der Tragödie zurück. Er interpretiert die K. in religiösem Sinne als »heilige Vollendung«, die Tragödie selbst als »Sühngesang« (Adrastea IV, 10, 1801). Dem entgegen steht Goethes klassizist. Kunsttheorie verpflichtete Aristotelesinterpretation, nach der K. die alle Leidenschaften ausgleichende »aussöhnende Abrundung« der Tragödie sei (»Nachlese zur aristotel. Poetik«, 1827). W. Schadewaldts Rückkehr zu einer psycholog.-psychotherapeut. Auffassung der K. (phóbos und éleos als »Schaudern« und »Jammer«) entspricht den archaisierenden Tendenzen in der zeitgenöss. Rezeption der antiken Tragödie (C. Orff). B. Brechts Theorie des ↗ep. Theaters geht von der aristotel. K.-Lehre in der Deutung Lessings aus. Er fordert die Ablösung der auf emotionaler Basis beruhenden K. des einzelnen durch rationale und krit. Reaktionen, die an ein spezif. Klasseninteresse gebunden sind.

📖 Schadewaldt, W.: Furcht u. Mitleid? Zu Lessings Deutung des aristotel. Tragödiensatzes. In: Hermes 83 (1955), 129. Zuletzt in: W. Sch.: Hellas u. Hesperien. Zürich u. Stuttg. 1960, 346. – Bernays, J.: Zwei Abhandlungen über die aristotel. Theorie des Dramas. Bln. 1880 (Nachdruck: Darmst. 1968). – RL.   K*

Kehrreim, Übersetzung von frz. ↗Refrain; von G. A. Bürger 1793 in die dt. Sprache eingeführt; *Reim* hier noch im älteren Sinne von *Vers* gebraucht, also: *wiederkehrender Vers.*   GMS

Keltische Renaissance,
1. literar. Bewegung in England Ende des 18. Jh., die (im Rahmen umfassenderer Bemühungen um eine nationale Selbstbesinnung) die Wiedererweckung mal.-altkelt. Dichtung anstrebte. Sie bestand weitgehend in der Nachdichtung sog. kelt. (schott.), gäl. (ir.), runischer (altisländ.) Sagen und Dichtungen, die zeitgenöss. Formauffassung (Balladenformen, rhythm. Prosa) und schwermütigeleg. Stimmungslage (sentimental. Natursehnsucht; Rousseau) angepaßt wurden. Die k. R. wurde vorbereitet durch die Essays von W. Temple (»Of Heroic Virtue«, »Of Poetry«, 1690) und fand ihre Höhepunkte in den Nachahmungen altisländ. ep. Gedichte durch Th. Gray (»The Fatal Sisters«, »The Descent of Odin«, 1761) und v. a. in der ↗Ossian. Dichtung von J. MacPherson (»Fragments of Ancient Poetry«, 1760, »Fingal«, 1762, »Temora«, 1763), die als Übersetzungen eines gäl. Dichters Ossian aus dem 3. Jh. ausgegeben wurden, tatsächl. aber nur Paraphrasen kelt. Gedichte und Sagenstoffe im empfindsamen Zeitstil waren, die noch in ganz Europa bewundert wurden (u. a. von Napoleon und Goethe). Getreuere Wiedergaben der Quellen waren Th. Percys »Five Pieces of Runic Poetry« (1763, darin die Gedichte »Incantation of Hervor« und »Death-Song of Ragnar Lodbrog«) und die »Reliques of Ancient English Poetry« (1765), die weitreichenden Erfolg hatten und weitere Beschäftigung mit der Literatur der kelt. Vorzeit und des MA.s in Gang setzten. Angeregt durch diese mal. Dichtungen verfaßte Th. Chatterton eigene Dichtungen in altertüml. Schreibung und mit Glossar, die er als Werk eines mönch. Barden Thomas Rowley aus dem 15. Jh. ausgab (»Poems supposed to have been written at Bristol by Th. Rowley and others in the 15th century«, 1777). Die k. R. rief, insbes. durch MacPhersons Ossiandichtungen, in Deutschland eine kurzlebige Modeliteratur hervor (↗Bardendichtung).

📖 Murphy, G.: The Ossianic lore and romantic tales of Medieval Ireland. Dublin 1955.   GG*

2. Eine zweite k. R. (auch: *ir.-kelt. R.*) ist Teil der nationalir. Unabhängigkeitsbewegung Ende des 19. Jh.s. Sie erstrebte über die Neubelebung der kelt. Dichtung hinaus auch die des ir.-kelt. Brauchtums und v. a. der kelt. Sprache. Ausgangspunkt waren aufklärende vaterländ. getönte histor. Werke wie St. J. O'Gradys »History of Ireland« (1878 f.) und »Early Bardic literature« (1879). Zentralisiert und programmat. ausgerichtet wurde k. R. durch die Gründung der »Irish National Literary Society« (1892 durch W. B. Yeats u. a.) und der »Gaelic League« (durch D. Hyde 1893). Sie regten einerseits folklorist. und poet. Sammlungen (weithinwirkend z. B. O'Gradys »Coming of Cuchulain«, 1894, Yeats' »Irish Fairy Tales«, 1892/93 und die Werke von Katherine Tynan) und Übersetzungen an (z. B. D. Hydes »Love Songs of Connacht«, 1893, »Religious Songs of Connacht« 1906; G. Sigersons »Bards of the Gael and Gall«, 1897), anderseits förderten sie eine eigenständ. moderne ir. Dichtung aus nationalen Wurzeln. Haupt der k. R. und bedeutendster literar. Vertreter war W. B. Yeats, bes. durch sein frühes lyr. und ep. Werk (Stoffe aus der ir. Mythologie und Sagenwelt: »The Wanderings of Oisin«, 1889, »The Countess Kathleen and various Legends and Lyrics«, 1892 u. a., aber auch polit. Lyrik). Ihm ist außerdem eine Renaissance des ir. Theaters zu verdanken: Zusammen mit Lady I. A. Gregory gründete er 1899 das ›Irish Literary Theatre‹; 1904 übernahm er die Leitung des Dubliner ›Abbey Theatre‹, das er durch die Aufführung sei-

ner eigenen (lyr.-symbolist.) Dramen (vgl. die Sammlung »Plays for an Irish Theatre«, darin der sinnbildl.-patriot. Einakter »Cathleen ni Hoolihan«, 1902) und der Dramen von J. M. Synge, G. Moore, P. Column, E. Martyn, später auch O'Caseys zum ir. Nationaltheater von Weltgeltung machte (Programmschrift »Samhain«, 1901).

Skelton, R./Clark, D. R. (Hrsg.): Irish R. Dublin 1965. – Ellis-Fermor, U.: The Irish dramatic movement. Ldn. ²1954. – Morton, D.: The Renaissance of Irish poetry. New York 1929. – Boyd, E.: Ireland's literary renaissance. Ldn. ²1923. IS

Kenning, f., Pl. kenningar [altnord. = Kennzeichnung, poet. Umschreibung], in der altnord. (namentl. der skald., aber auch der edd.) Dichtung die Technik der Umschreibung eines Begriffs durch eine zweigliedrige nominale Verbindung (Nomen + Nomen im Genitiv) oder ein zweigliedriges Kompositum (z. B. *fleina brak* = das Tosen der Pfeile oder *fleinbrak* = Pfeilgetöse als K. für ›Kampf‹). Jedes Glied einer K. kann selbst wieder nach der K.-Technik umschrieben werden, so daß neben den einfachen (zweigliedrigen) Umschreibungen auch drei- und mehrgliedrige K.ar begegnen (*fleinabraks furr* = Flamme des Pfeilgetöses = ›Schwert‹, *fleinbraks fura stillir* = Beherrscher der Flammen des Pfeilgetöses = ›Krieger‹). Die Anfänge der K.-Technik liegen im Dunkeln; sie verweisen z. T. in den Bereich der Magie (Umschreibungen tabuisierter Wörter, wie z. B. die zahlreichen K.ar für Tiere wie ›Wolf‹ oder ›Schlange‹). In geschichtl. Zeit ist die K. jedoch ausschließl. poet. Stilmittel. In der Regel zeigt sie keinen semant. Bezug zum jeweiligen Kontext und ist nur vor dem Hintergrund komplizierter, oft nicht einmal mehr eindeutig faßbarer mytholog. und sagengeschichtl. Zusammenhänge verständl. In den skald. Preisliedern wird z. B. fast jeder Begriff durch eine K. umschrieben oder doch wenigstens durch ein ⁄Heiti wiedergegeben. Die K.-Technik der Skalden ist deshalb oft mit der Bildertechnik des ⁄Gongorismus und ⁄Marinismus verglichen worden, doch darf bei aller grundsätzl. Vergleichbarkeit dieser Erscheinungen nicht übersehen werden, daß die meisten K.ar Umschreibungen von Begriffen sind, die in der sozialen Umwelt der altnord. und ags. Dichtung (Kriegeradel und Gefolgschaftswesen, die Schlacht, die Seefahrt) eine besondere Rolle gespielt haben, und daß die mytholog. Kontexte bei der damaligen Hörerschaft vorausgesetzt werden konnten (vgl. z. B. K.ar für ›Fürst‹ und ›König‹: Ringeverschwender, Verteiler des Goldes, Gottheit des Schatzes, Freund der Krieger u. a.). Die wichtigsten altnord. K.ar hat Snorri Sturluson im Abschnitt »Bragar mál« (Dichtersprache), Kap. 1–52 seiner Poetik (der Jüngeren oder Prosa-»Edda«) in systemat. Ordnung zusammengestellt. – Eine den altnord. und ags. K.ar vergleichbare Bildertechnik kennt die altir. und kymr. (walis.) Dichtung.

Marold, E.: K.kunst. Bln./New York 1983. – Mohr, W.: K.studien. Stuttg. 1933. – Meissner, R.: Die K.ar der Skalden. Bonn 1921. K*

Kettenreim,
1. äußerer K., auch Terzinenreim: Endreime mit der Reimstellung aba bcb . . . (auch aba cbc . . .), z. B. in Dantes »Divina Commedia«.
2. innerer K.: Reimfolgen, die Versanfang, Versinneres und Versende nach einem bestimmten Schema verketten, schon in mhd. Lyrik (u. a. auch von Würzburg), im 17. Jh. u. a. G. Neumark (Schema: a ..b ..a ⁄ c ..b ..c ⁄: Str*eue* deinen *golden Regen* auf dies Paar und sie erf*reue*/ Schau*e* sie in vollem *Segen* und mit Nektar sie be*taue*). S

Keulenvers [Übersetzung der lat. Bez. (versus) rhopalicus; zu gr. rhopalikos = keulenförmig], Sonderform des daktyl. ⁄Hexameters. – Der K. setzt sich aus 5 Wörtern zusammen, deren Silbenzahl stets um 1 Silbe zunimmt (1. Wort = eine Silbe, 2. Wort = 2 Silben usw.). Der Vers dehnt sich damit gewissermaßen keulenförmig aus. – Beispiel: Ilias III, v. 182:

1	2	3	4	5
ȏ|mákar	Atreidē,	|moirégenés,	olbiódaimon|| .

$$- \; \smile\smile \, | - \; - | - \; - - | - \; \smile\smile \, | - \; \smile\smile | - \; -$$ K

Kiltlieder [zu alem. ›Kiltgang‹ = nächtl. Besuch eines Burschen bei seinem Mädchen, vgl. ahd. *chwiltiwerch* = Abendwerk, Abendarbeit], volkstüml., meist dialog. Erzähllieder über den im südwestdt. Raum verbreiteten Brauch des Kiltgangs; besingen Aufbruch des Burschen zu seinem Mädchen, Einlaßbegehr (mit sog. *Kiltsprüchen*), Trennung am Morgen (⁄Tagelied), Wiederbegegnung u. ä.

Rösch, G.: K. u. Tagelied. In: Hdb. d. Volksliedes. Hrsg. v. R. W. Brednich u. a., Bd. 1. Mchn. 1973. S. 483. S

Kinädenpoesie, auch Kinaidologie oder Ionikologie [von gr. kinaidos = Tänzer, Päderast], alexandrin. Dichtung mit erot. oder sexuellem, evtl. auch parodist.-satir. Charakter, vermutl. entstanden aus ion. Trinkliedern und unzücht. ion. Tänzen (Horaz, c. III, 6, 21), die vom Kinaidos (Kinaidologos oder, wegen des Vortrags ion. Verse auch Ionikologos) bei festl. Gelagen, ursprüngl. zu oriental. Musik vorgeführt wurden (vgl. ⁄Mimus). Das Versmaß war der ⁄Sotadeus, der dem Hauptvertreter, Sotades von Maroneia, zugeschrieben wird, daher für K. auch *Sotadische Literatur*. Bezeugt ist K. weiter von Timon von Phleius, Pyres von Milet, Alexandros Aitolos u. den röm. Lit. von Ennius (sein »Sota« enthielt evtl. Übersetzungen der griech. K.), Afranius, Marcus T. Varro u. a. K. ist nur in Fragmenten erhalten. GG*

Kinder- und Jugendliteratur (KJL.), Gesamtheit des Schrifttums, das als geeignete Lektüre für Kinder (K.) und Jugendliche (J.) gilt, wie auch alles von ihnen tatsächl. Gelesene. Dem Gegenstand wird nur eine *Definitionsreihe* gerecht: Gemeint sein kann das Schrifttum, das K. und J. aus den literar. Gesamtangebot herausgreifen und rezipieren (Kinder- und Jugendlektüre). KJL. kann das literar. Gut bedeuten, das die vermittelnden Instanzen als für K. und J. geeignet ansehen (*sanktionierte KJL.*). In engerer Bedeutung meint KJL. das Schrifttum, das ausdrückl. für K. und J. publiziert wird und diesen Adressatenbezug in Titel, Vorwort, durch entspr. Reihenzugehörigkeit, im Text selbst o. ä. deutlich macht (*intentionale KJL.*). In noch engerer Fassung bezeichnet KJL. all das Schrifttum, das eigens für K. und J. verfaßt ist (*spezif.* oder *eigentl.* *KJL.*). Werke der Erwachsenenliteratur (»Don Quijote«, »Robinson Crusoe«, »Gulliver«) wurden von K. und J. gelesen, ehe sie als KJL. sanktioniert waren. Später erschienen sie in eigenen Ausgaben für K. und J.; schließl. entstanden eigene Bearbeitungen und Nacherzählungen für K. und J. Sie haben so alle Bestimmungen von KJL. durchlaufen. Die KJL. teilt sich je nach dem Kindheits- und Jugendverständnis der Epochen in verschiedene Altersstufenliteraturen auf. Ein Grundprinzip der KJL. ist das der Adaption bzw. der assimilativen Anpassung: Texte müssen so ausgewählt, verändert oder gestaltet sein, daß sie den psychischen Dispositionen von K. und J. entsprechen. Das *gattungsmäßige Spektrum* der KJL. ist weit gefächert: ⁄Einblattdrucke, Tafeln, Leporellos, ⁄Bilderbögen, ⁄Bilderbücher und ⁄-geschichten (⁄Comics), ⁄Kalender, ⁄Almanache, ⁄Zeitschriften, Heftserien, Spiel- und Beschäftigungsbücher, ABC-Bücher, ⁄Fibeln und ⁄Lesebücher, Spruchsammlungen, Rätselbücher, Zucht- und Benimmbücher, Sitten- und Verhaltenslehren, religiöse und Erbauungsliteratur, Lexika und ⁄Enzyklopädien, Sachliteratur aller Art, prakt. Ratgeber, handwerkl. und techn. Anleitungen, bes. Bücher für Mädchen und Jungen. Daneben finden sich literar. Anthologien der verschiedensten Art, Sammlungen von Reimen, Liedern, Gedichten, Balladen, Fabeln, Bücher mit Beispielgeschichten, Erzählungen und Novellen, K.- und J.-romane und -schauspiele, Märchen-, Sagen- und Legendensammlungen, Schwankbücher, Volksbücher, Kasperl- und Puppenspiele, schließl. auch Biographien und Reisebeschreibungen. Zwischen der KJL. und schul-

Lehr- und Lesebüchern gibt es so lange keine deutliche Grenze, als das Schulsystem sich noch nicht gefestigt hat und der Privatunterricht eine große Rolle spielt. Erst im 19. Jh. treten KJL. und Schulbuch deutl. auseinander, was zu einer Entlastung der KJL. von didakt. Aufgaben beiträgt. – Das Verhältnis der KJL. zur Erwachsenenliteratur gestaltet sich je nach Epoche höchst unterschiedlich. Hinsichtlich des Produktionsumfangs, der Genre-Ausprägung und des Literaturverständnisses entwickelt sich die KJL. über die Jh.e durchaus parallel zur Erwachsenenliteratur. Auch die Aufteilung in einen kleineren Bereich anspruchsvoller Literatur und einen größeren Sektor von Dutzendware und trivialen Produkten nimmt sich ähnlich aus. Vielfach steht die KJL. in großer Nähe zur Literatur für das einfache Volk, die ungebildeten Leserschichten. Das späte 18. Jh. bringt, inspiriert durch Rousseaus »Entdeckung« des Kindes, eine starke Verselbständigung der KJL., womit auch die spezif. KJL. einen zentralen Stellenwert enthält. Die Romantik nimmt diese Tendenzen teilweise wieder zurück. Seitdem stehen sich eine pädagog. motivierte Tendenz, die die KJL. abzusondern trachtet, und eine literar.-ästhet. orientierte Strömung gegenüber, die das Gemeinsame zwischen KJL. und Erwachsenenliteratur hervorhebt. – *Geschichte:* KJL. läßt sich seit dem *MA.* nachweisen. Neben Liedern, Epen und Sagen spielt die lat. Literatur eine große Rolle, die zum mal. Schullektürekanon gehört. (»Disticha Catonis«, Fabeln des Avian und der »mal. Aesop«, gnomische Spruchsammlungen). Hinzu kommen speziell an Jünglinge adressierte Werke, die bes. Fragen der Ausbildung behandeln (Notker Balbulus' »De viris illustribus«, um 890; Konrads von Hirsau »Dialogus super auctores«, 12. Jh.). Das erste bekannte deutschspr. Dokument ist der Edelknabenspiegel »Der Jüngling« des Konrad von Haslau (Ende 13. Jh.). Von den »Disticha Catonis« und anderen gnomischen Spruchsammlungen inspiriert ist der »Windsbecke« (13. Jh.), ein ritterl. Lehrgedicht in Form eines väterl. Rates für einen Sohn, wie die »Windsbeckin«, das Pendant für Mädchen (Mutterbelehrung). Mit *Beginn des Buchdruckes* erscheinen als Drucke auch eigens an K. und J. adressierte Werke, v. a. lehrhafte Literatur (»Disticha Catonis«, »Facetus« u. a.), oft in lat.-dt. Ausgaben, und religiös erbauliche Werke (»Seelentrost«, 1487). Daneben erscheinen Zucht- und Sittenbücher (Erasmus, »De civilitate morum puerilum«), Anstandslehren, elterl. Ratschläge, Komplimentier- und Konversationsbücher; ebenso unterhaltende Schriften wie Fabeln und Tierepen (Rollenhagens »Froschmeuseler«, 1595), Prosaromane (»Pontus und Sidonia«, 1485; »Schöne Magelona«, 1536; Wickram, »Der Jungen Knaben Spiegel«, 1554, u. a.). Eine Sonderstellung nehmen die v. a. im *Zeitalter des Humanismus* gebräuchl. Schülergespräche ein, die Alltagslatein lehren sollen (Erasmus, »Colloquia familiaria«) wie auch das ∕Schuldrama, das Ende des 17. Jh. durch Christian Weise zu einer nochmaligen Blüte gelangte. Von den epochemachenden Werken des 17. Jh. sei Comenius' »Orbis sensualium pictus« (1658) genannt. Nach der ersten Blüte im Zeitalter der Reformation erlebt die KJL. eine zweite im letzten Drittel des *18. Jh.s.* Getragen von der Pädagogik der Aufklärung (Locke, Rousseau, Philanthropismus), entwickelt sie sich zu einem umfangreichen, relativ selbständigen literar. Sektor. Zu ihren Autoren zählen bekannte Schriftsteller, Pädagogen und Wissenschaftler der Zeit: J. G. Sulzer, Chr. F. Weiße (»Der Kinderfreund«, 1776–82), J. B. Basedow (»Elementarbuch«, 1770), J. K. Wezel (»Robinson Krusoe«, 1779/80), J. H. Campe (»Robinson der Jüngere«, 1779/80), Chr. G. Salzmann, A. L. v. Schlözer, J. K. A. Musäus (»Moralische Kinderklapper«, 1788), C. Ph. Moritz, F. J. Bertuch (»Bilderbuch für Kinder«, 1790 ff.). Die aufklärische KJL. hat die Grundlagen für ein breites, moral. und sachl. belehrendes Schrifttum mit unterhaltendem Charakter gelegt, das auch

im 19. Jh. noch lebendig bleibt. Die *Romantik* entwickelt eine konträre KJL.-Programmatik. Sie bringt eine Wiederentdeckung des literar. Gutes, das die Aufklärung zu verdrängen suchte: die volkstüml. Kinderreime, Volksmärchen, Sagen, Legenden, Volksbücher und Puppenspiele. Einzig die archaische Volksliteratur gilt ihr als wahre KJL. Zu ihren markantesten Leistungen für die KJL. gehören die Kinderlieder aus dem »Wunderhorn« (1806/08) Arnims und Brentanos, die »Kinder- und Hausmärchen« der Brüder Grimm wie die Kunstmärchen für Kinder von L. Tieck, Brentano, E. T. A. Hoffmann u. a. Die Romantik begründet eine neue Tradition des Kinderliedes (Fr. Güll, Hoffmann v. Fallersleben) und bewirkt zahlreiche weitere Märchen-, Sagen- und Volksbuchsammlungen (L. Bechstein, G. Schwab, K. Simrock u. a.). Mit W. Hauff und Th. Storm zeigt sich eine biedermeierlich-realistische Tendenz im Märchen an. Daneben steht im *19. Jh.* eine biedermeierl. Strömung der KJL., die die aufklärerische Tradition des moral. Erzählens unter Aufnahme einzelner romant. Impulse fortsetzt (Chr. v. Schmid, Amalia Schoppe, G. Nieritz, W. O. von Horn [d. i. Wilhelm Oertel], Franz Hoffmann, Ferd. Schmidt u. a.). Zudem entwickelt sich eine umfangreiche Erzählliteratur für Mädchen (∕Mädchenliteratur: Rosalie Koch, Thekla v. Gumpert, A. Stein [d. i. Margarete Wulff], Ottilie Wildermuth, Isabella Braun, Mary Osten [d. i. Emilie Eyler], Aurelie [d. i. Sophie Baudissin], Elise Averdieck, Luise Pichler u. a.). Aus den ∕Robinsonaden und den ∕Reiseberichten des 18. Jh. entwickelt sich die Abenteuerliteratur des 19. Jh.; der deutsche KJL. (Ch. Sealsfield, Gerstäcker, K. May) hat jedoch der angloamerikan. Abenteuerliteratur (Cooper, Melville, Stevenson) nichts Gleichwertiges entgegenzusetzen. Gegen Ende des 19. Jh. öffnet sich die KJL. für nationalist. und imperialist. Gedankengut. Auch in der Mädchenliteratur zeigen sich neue Tendenzen (Backfischliteratur; Clem. Helm, E. v. Rhoden). Aus der KJL. des 19. Jh. haben die Bilderbücher bzw. -geschichten Heinrich Hoffmanns (»Der Struwwelpeter«, 1845) und Wilhelm Buschs (»Max und Moritz«, 1865, u. a.) den Rang bleibender Klassiker erlangt. Umstritten sind dagegen die »Heidi«-Romane J. Spyris (1880) und E. v. Rhodens »Trotzkopf« (1885), die heute noch zur Lektüre zählen. – Mit der Trennung von Schulbuch und dem Rückzug der Pädagogen ist die KJL. im 19. Jh. in starkem Ausmaß den Marktgesetzen und Verlegerinteressen erlegen. Hiergegen wie auch gegen die Aufladung der KJL. mit nationalist. Tendenzen wendet sich Ende des 19. Jh. die *Jugendschriftenbewegung,* die in H. Wolgast (»Das Elend unserer Jugendliteratur«, 1896) ihren markantesten Vertreter hat, und der um ästhet. Erziehung und um künstler. wertvolle KJL. geht. Ihre an der klass. Ästhetik orientierten Positionen finden teilweise die Unterstützung der Sozialdemokratie. Die Jugendschriftenbewegung hat die KJL.-Kritik bis heute geprägt. Ihr verpflichtet ist die KJL. aus dem Umfeld der Sozialdemokratie bis in die Zeit der Weimarer Republik: (E. Roßbach, »Märchenbuch für die Kinder des Proletariats«, 1893, Th. Werra, J. Brand (d. i. Emil Sonnemann), »Gerd Wullenweber«, 1915, R. Grötzsch, J. Zerfass, Br. Schönlank, »Der Kraftbonbon und andere Großstadtmärchen«, 1928, C. Dantz, »Peter Stoll. Ein Kinderleben«, 1925, Lisa Tezner, »Hans Urian, die Geschichte einer Weltreise«, 1929. Bereits um die Jahrhundertwende formuliert Clara Zetkin (»Kunst und Proletariat«, 1911) eine Gegenposition, nach der eine proletarische KJL. die sozialistische Weltanschauung zu vermitteln und für den Klassenkampf zu erziehen habe; dieser Linie folgt in der Weimarer Zeit die KJL. aus dem Umfeld der KPD (Hermynia zur Mühlen, E. Lewin-Dorsch, K. A. Wittfogel, Berta Lask, A. Wedding, W. Schönstedt, »Kämpfende Jugend«, 1932). Die Tendenz der neuen Sachlichkeit zieht mit den Büchern E. Kästners (»Emil und die Detektive«, 1928) in die KJL. ein. Die KJL. der *DDR* setzt die sozialistischen Traditionslinien fort, wird anfängl. jedoch stark von sowjet. Vorbildern bzw. von Übernahmen aus der sowjetischen Erwachsenenliteratur (A. Fadejew, A. Gaidar, N. A. Ostrowski) geprägt. Nach einer Phase der intensiven Auseinandersetzung mit der deutschen Vergangenheit drängen sich in den 50er Jahren Probleme des staatl. Neuaufbaus in den Vordergrund (H. Beseler, B. Pludra, Irene Korn, A. Wedding, E. Strittmatter). In den 60er Jahren geraten zunehmend individuelle Konflikte und Alltagsprobleme in das Blickfeld (A. Wellm, K. Neumann, Uwe Kant, G. Holtz-Baumert, H. Hüttner). In den 70er Jahre bringen eine stärkere Beachtung subjektiver Momente (G. Görlich, B. Wolff, U. Plenzdorf, Rolf Schneider); zugleich zeigt sich eine größere Offenheit für die breitere Rezeption der romantisch-poetischen Traditionslinien der KJL. (Märchen-, Heldendichtung u. a.). Im *westlichen Deutschland* kommen nach 1945 höchst unterschiedliche Tendenzen zum Tragen. Auffällig ist die breitere Rezeption der klass. KJL. des anglo-amerikanischen und skandinav. Raumes (L. Carroll, H. Lofting: Dr. Dolittle, P. L. Travers: Mary Poppins, S. Lagerlöff, A. Lindgren, Tolkien), was den Formenbestand der deutschspr. KJL. bereichert und sie auf Traditionen zurückführt, die die dt. Romantik inauguriert hatte (H. Baumann, J. Leppmann, H. Winterfeld, J. Krüss, E. Lillegg u. a.). Als problematische Tendenz zeigt sich in den 50er und frühen 60er Jahren die Etablierung einer Kinderwelt, die auf Verdrängung der Realität beruht. Hiergegen wendet sich eine realist. Strömung, die mit der Protestbewegung der 60er Jahre eine Verstärkung und Radikalisierung findet (U. Wölfel, S. Kilian, Chr. Nöstlinger, P. Härtling u. a.). Vielfach werden auch phantast. Elemente zur krit. Realitätsbewältigung eingesetzt (Chr. Nöstlinger, G. Herburger, Janosch). O. Preußler und M. Ende haben eine je verschieden geartete märchenhaft-phantastische Literatur entwickelt, die auch erwachsene Leser findet. Die beginnenden 80er Jahre zeigen ein zunehmendes Interesse an phantastischer KJL. Die wissenschaftl. Auseinandersetzung mit der KJL. ist bislang nahezu ausschließl. von der Pädagogik und den Fachdidaktiken geführt worden; dies hat zur Folge, daß die eigentl. literaturwissenschaftl. Fragestellungen vielfach noch unentwickelt sind. Auch harrt die Geschichte der KJL. noch einer breiteren wissenschaftl. Aufarbeitung.

   📖 *Lexikon* der KJL. Hg. v. K. Doderer. 3 Bde. u. 1 Erg. Bd. Weinheim/Basel 1975–82. *Handbücher*: Klotz, Aiga: KJL. in Deutschld. 1840–1950. Bd. 1 (A–F). Stuttg. 1990. – Hdb. z. Kinder- u. Jugendliteratur. Hrsg. v. Th. Brüggemann u. a., bisher 3 Bde. (bis 1800). Stuttg. 1982; 1986; 1990. Eckhardt, J.: KJL. Darmst. 1987. – Becker, J.: Die Diskussion um das Jugendbuch. Darmst. 1986. – Pape, W.: Das literar. Kinderbuch. Bln. 1981. – Dahrendorf, M.: KJL. im bürgerl. Zeitalter. Königstein 1980. – Maier, K. E.: Jugendlit. Formen, Inhalte, päd. Bedeutung. Bad Heilbrunn ^{8}1980. – Haas, G. (Hg.): KJL. Zur Funktion und Typologie einer Gattung. Stuttg. ^{2}1976. – Klingenberg, G.: KJL.-Forschung. Wien u. a. 1973.   HHE

Kindertheater, auch: Jugendtheater, v. a. bei gesellschaftl. Umschichtungen beliebtes Erziehungsmedium zur gesellschaftl. Integration oder ideolog. Beeinflussung des Kindes. Zu unterscheiden ist zwischen einem Theater (von Erwachsenen) *für* Kinder und einem Theater *von* und *mit* Kindern. Erstes läßt sich das K. von Erwachsenen etwa seit dem ⁄Schuldrama des 16./17.Jh.s mit einem Höhepunkt in der Zeit der Aufklärung nachweisen; während es im 19.Jh. bis zur Bedeutungslosigkeit (Laienspiel, Kasperltheater) herabsinkt, erlebt es in Folge der Oktoberrevolution eine erneute Blütezeit in der UdSSR, später auch in anderen sozialist. Staaten, wo das K. ein selbstverständl. Erziehungsmittel ist. Mit der Wiederentdeckung der Arbeiten W. Benjamins (bes. seines »Programms eines proletar. K.s«) werden die Spielmöglich-

keiten v. a. eines Theaters von und mit Kindern auch in der Bundesrepublik erprobt und diskutiert (vgl. die K. »Grips« und »Rote Grütze«).

   📖 Schedler, M.: K. Gesch., Modelle, Projekte. Frkft. 1972.
                                 D

Kirchenlied, das von der Gemeinde im christl. Gottesdienst gesungene stroph. volkssprachl. Lied, mit z. T. liturg. Funktion. Seine *Abgrenzung* (bes. der frühen Formen) gegen die ⁄geistl. Lyrik allgem. ist vielfach schwierig. Erhaltene Belege volkssprachl. K.er (sog. ⁄Leise) gehen bis ins 9.Jh. zurück (z. B. »Petruslied«) und erweisen sich z. T. als volkssprachl. Umdichtungen lat. ⁄Hymnen und ⁄Sequenzen, z. B. im 12.Jh. »Krist ist erstanden« nach der Ostersequenz »Victimae paschali laudes« des Wipo von Burgund (11.Jh.) oder »Komm, heil'ger Geist« nach der Pfingstsequenz »Veni sancte spiritus«. Auch Lieder aus Mysterienspielen fanden Verwendung, ebenso wie dt.-lat. Mischpoesie (z. B. »In dulci jubilo«, die Kontrafaktur eines Tanzliedes). Jüngste Forschungen unterstreichen die gr. Bedeutung einer v. a. an die Klöster gebundenen myst. K.tradition (Heinrich von Laufenberg), die bis zu Anfang des 16.Jh.s lebendig blieb. – In den Anfängen der *Reformation* gab, angeregt von der böhm. lat. ⁄Cantio, Th. Müntzer (Hymnenübers., 1524) einen von M. Luther sofort aufgegriffenen Anstoß, in dessen Folge das K. zu einem im Volk schnell verbreiteten Träger des neuen Glaubensgutes wurde. Von Luther selbst sind 37 K.er bekannt, meist Umdichtungen von ⁄Psalmen, Hymnen, liturg. Texten, älteren dt. K.ern oder weltl. ⁄Volksliedern (⁄Kontrafakturen); nur 4 K.er sind eigene Dichtungen. Formales Vorbild war das Volkslied. Luthers Lieder wurden zunächst als ⁄Einblattdrucke vertrieben, 1524 erschien in Wittenberg das erste *Gesangbuch* mit Luthers Mitwirkung (»Geystliches gesangk Büchleyn« von J. Walther). Die weitere Übernahme, Ausweitung, Umdichtung und Neuschöpfung von K.ern, die alle in Gesangbüchern Eingang fanden, greift auch auf die weltl. Dichtung zurück. – Ein eigener Strang ging von den Genfer Psalmliedern (dem sog. ›Hugenottenpsalter‹ von C. Marot und Th. Beza) aus, die im dt.sprach. Bereich der ev. Kirchen von P. Schede-Melissus (1572) und A. Lobwasser (1573) mit größtem Erfolg übernommen und auch für die kath. Psalmlieder von I. Ulenberg (1582) maßgebend wurden. Das *kath.* K. des 17.Jh.s ist zunächst durch die auf mal. Leise und Rufe stark zurückgreifenden Sammlungen von N. Beuttner und D. G. Corner, v. a. aber durch das jesuit. Liedgut der Gegenreformation geprägt (seit 1607, u. a. »Trutznachtigall« von F. von Spee, 1648). Im *ev. K.* setzt um 1600 eine myst. Verinnerlichung ein (Ph. Nicolai), die z. T. in einer stärkeren Betonung des relig. Gefühls (sog. *Ich-Lieder*) zur Jesusfrömmigkeit des ⁄Pietismus wendet, aber gült. Höhepunkte bei J. Heermann, J. Rist, J. Franck und v. a. P. Gerhardt (Vertonungen v. J. S. Bach u. v. a. bis heute) erreicht. Auch im Musikal. spiegelt sich diese Entwicklung im Übergang von überwiegend schlichter Melodik zu einer nahezu ariosen Gestaltung. – Nach der *Blüte des K.s im Barock* bedeutete die Aufklärung mit ihren K.ern zur moral.-dogmat. Belehrung für das K. beider Konfessionen einen Niedergang; die Neudichtungen Gellerts und Klopstocks (prot.) und M. Denis' (kath.) wurden nicht populär. Auch die *Romantiker* schufen eher geistl. Lyrik im Volksliedton (Novalis, J. v. Eichendorff; Ausnahme: E. M. Arndt). Ihr Interesse am histor. K. führte jedoch zu den gr. *K.er-Sammlungen*, die noch heute wichtige Quellenwerke sind (Ph. Wackernagel, A. F. W. Fischer/W. Tümpel) und zur ersten histor. Rückschau (A. H. Hoffmann von Fallersleben, »Geschichte des K.es bis auf Luthers Zeit«, 1832). – Das *K. des 19.Jh.s* neigt zur Sentimentalität; bes. populär wurden einige K.er von A. Knapp und v. a. Ph. Spitta (aus dessen äußerst erfolgreicher Sammlung »Psalter und Harfe«, 1833, ^{51}1885). – Seit Beginn des 20.Jh.s sucht die ev. Kirche im Rahmen einer allgemeinen liturg. Erneuerung auch die Gesangbücher zu vereinheitlichen, zumindest einen – an die alten reformator. und barocken K.er anknüpfenden – verbindl. K.stamm einzuführen. Das »Dt. ev. Kirchengesangbuch« (DEK, seit 1947) enthält neben diesem (in Text und Melodie den alten Originalfassungen möglichst folgenden) K.stamm regional beliebte und jeweils auch neue K.er, die z. T. ebenfalls mal. Hymnen oder die reformator. und barocken K.er zum Vorbild nehmen (F. Spitta, R. A. Schröder, O. Riethmüller, J. Klepper). Ähnl. Tendenzen bestehen auch für das kath. K. ⏢ Bergmann, B.: Werkbuch zum dt. K. Freibg. 1953. – Scheitler, I.: Das geistl. Lied im dt. Barock. Bln. 1982. – Thust, K. Ch.: Das K. der Gegenwart. Gött. 1976. – Wakkernagel, Ph.: Das dt. ev. K. von der ältesten Zeit bis zu Anfang des 17.Jh.s 5 Bde. 1864–1877; Nachdr. Hildesheim 1964. – Fischer, A. F. W.: Das dt. ev. K. des 17.Jh.s Vollendet u. hrsg. v. W. Tümpel, 6 Bde. 1904–16; Nachdr. Hildesheim 1963. – Bäumker, W.: Das kath. dt. K. in s. Singweisen... 4 Bde. (Bd. 4 hrsg. v. J. Gotzen), 1883–1911; Nachdr. Hildesheim 1962 *(Bibliogr. bis 1911)*. – Gabriel, P.: Gesch. des K.es. In: Hdb. zum Ev. Kirchengesangbuch. Hrsg. v. Ch. Mahrenholz und O. Söhngen. Bd. 2.2. Gött. 1957. – Gabriel, P.: Das dt. ev. K. von M. Luther bis zur Gegenwart. Bln. [3]1956. – RL. IS*

Kitharodie, f. [zu gr. kithara, ein mit den Fingern oder dem Plektron gespieltes Saiteninstrument, Art Leier], in der griech. Antike der von der Kithara begleitete ursprüngl. epische, seit dem 7.Jh. v. Chr. (Terpandros von Lesbos) v. a. äol. lyr. *Solo*gesangsvortrag (vgl. dagegen die chor. ╱Aulodie). Im Hellenismus entstanden auch K.n als Wechsel von Chor- und Sologesang, chor. und rein instrumentale K.n (Phrynis von Mytilene, Timotheos von Milet, 4. Jh. v. Chr.).
IS

Kitsch, m. [Herkunft des Wortes umstritten; entweder vom mundartl. kitschen = schmieren, streichen oder von engl. sketch = Skizze], seit den Gründerjahren des 19.Jh.s verbreiteter Ausdruck für sog. ›minderwertige‹ Kunstprodukte. Die zuerst für subjektive Werturteile im Bereich der bildenden Künste (Erstbelege um 1870 in München) gebrauchte Bez. wird heute für alle Bereiche der Produktion mit Kunstanspruch verwendet. Unter K. versteht man künstler. oder kunsthandwerkl. Erzeugnisse, die sich vielfach durch massenhafte Verbreitung und damit geschäftl. Erfolg auszeichnen, bei denen jedoch die Aussagequalität in keinem Verhältnis zu Erfolg und Anspruch steht. Häufig werden Werke mit dem negativen ästhet. Werturteil ›K.‹ belegt, die formal und inhaltlich anspruchsvolle Kunstprodukte als ›gesunkenes Kulturgut‹ simplifizieren und popularisieren (Engelsköpfe der Sixtinischen Madonna als Albumblumen und Schlafzimmerdekoration) oder gesellschaftl. gebundene Kunstformen auf andere soziale Schichten des Kunstkonsums übertragen (Milieu des großbürgerl. Romans in den Trivialromanen und Groschenheften). Der Inhalt des Begriffes K. ist an histor. Wertnormen gebunden, daher als Geschmacksurteil dauernder Veränderung unterworfen, wie etwa die neuerl. Aufwertung des vormals als K. bezeichneten kommerziellen Jugendstils bezeugt. Man unterscheidet nach inhaltl. Kriterien vielfach den süßen oder sentimentalen K., der mit konventionellen, sentimentale Lesererwartungen bestätigenden Mitteln ein schemat.-harmonist. Weltbild (private Idylle) vermitteln will, und den sauren oder intellektualist. K., der mod. elitäre Kunstmittel bevorzugt und Trivialität, vielfach pessimist. oder pseudo-krit. Prägung, durch unbegründeten begriffl. Aufwand zu verdecken sucht. ⏢ Schulte-Sasse, J. (Hrsg.): Literar. K. Tüb. 1979. – Killy, W.: Dt. K. Gött. [8]1978. – Ueding, G.: Glanzvolles Elend. Versuch über den K. Frkft. 1973. – Moles, A. A.: Psychologie des K.es. Dt. Übers. Mchn. 1972. – Deschner, K.-H.: K., Konvention und Kunst. Mchn. [12]1972. – Giesz, L.: Phänomenologie des K.es. Mchn. [2]1971. HW

Kladde, f. [ndt. = Schmutz(fleck), Schmiererei], erster Entwurf, erste flüchtige Niederschrift (╱Brouillon), im Ggs. zur fertigen Reinschrift; Buch für (vorläuf.) tägl. Eintragungen, Geschäftsnotizen, Schulaufgaben usw., erstmals 1663 bei J. B. Schupp (Schriften 2, 29) als ›K.buch‹, seit 1668 ›K.‹; verdrängt das ältere oberdt. ›Klitterbuch‹ (zu klittern = schnell, unordentl. niederschreiben). GG*

Klage, Bez. für Dichtungen über Themen wie Abschied, Vergänglichkeit, Verlust der Heimat, Liebe, Alter, Tod (╱Toten-K.) usw. – K.n gibt es in allen Kulturen in den unterschiedlichsten Gattungsformen; vielfach sind sie auch in Epen eingebaut, z. B. Gilgameschs K. um seinen toten Freund im Gilgameschepos. Die sog. K.lieder Jeremiae, fünf leichenliedähnl. Psalmen, vereinigen verschiedene Gattungen wie Toten-K., Sündenbekenntnis, Gebet. – Als Begründer der kunstmäß. ausgebildeten K. gilt Simonides (500 v. Chr.). Zu den bekanntesten K.n gehören die von Ovid in der Verbannung am Schwarzen Meer verfaßten »Tristia« (eigentl. »Tristium libri V«, 8–12 n. Chr., nach denen K.n in eleg. Distichen auch als ›Tristien‹ bez. werden). – Als eigenständ. literar. Gattung erscheint die K. in Hartmanns von Aue fälschl. »Büchlein« genannten Disputation, einem Lehrgedicht höf. Minnesittung. Auch in mhd. Lyrik begegnen zahlreiche K.n, z. B. Sünden-, Minne-, Winter-, Zeit- und Alters-K.n, die berühmte Alters-K. (L. 124, 1 ff.) Walthers v. d. Vogelweide ist zugleich Weltabschied und Aufruf zum Kreuzzug. – Der Barock zeitigt wieder eine Fülle von K.n, die um das zentrale Thema der *vanitas*, der Vergänglichkeit, kreisen, z. B. von M. Opitz, J. Balde, P. Fleming, A. Gryphius (»Kirchhofs-Gedanken«), J. Ch. Günther u. a. – In der Empfindsamkeit fanden die schwermüt. pseudo-kelt. Gesänge der Ossiandichtung J. Macphersons zahlreiche Nachahmungen. K.n verfaßten ferner u. a. E. Young (»The Complaint, or Night Thoughts on Life, Death and Immortality«, 1742–45), Th. Gray (»Elegy«), O. Goldsmith, in Deutschland u. a. F. G. Klopstock und L. Ch. Hölty. Goethe, der auch verschiedene K.n übersetzte (»Klaggesang von der edlen Frauen des Asan Aga«, 1775, Klaggesang, Irisch«, 1817) und Schiller fassen ihre dichter. K.n in die Form von ›Elegien, doch rechnet die Elegiendichtung der Klassiker (Goethe, Schiller, Hölderlin) nicht zur inhaltl. bestimmten K. – Vgl. auch ╱Complainte, ╱Planh, ╱Planctus, ╱Dirge, ╱Propemptikon. GG

Klanggestalt (der Dichtung), umfaßt alle sprachl.-phonet. Elemente einer Dichtung, deren Ausdruckswert vornehml. im Klangl.-Akustischen liegt, die sogar unabhängig vom Sinn eines Textes sein können. Zu den z. T. *bewußt* eingesetzten Elementen der K. gehören ╱Reim, ╱Alliteration, ╱Assonanz, ╱Lautmalerei, Lautsymbolik, rhythmische Effekte, zu den mehr *unbewußten* rechnen die Sprachmelodie (Melos), die innere Musikalität eines Textes (bestimmte Vokal- und Konsonantenfolgen), der Sprachrhythmus. S

Klangmalerei, ╱Lautmalerei.

Klangreim, Reim, der primär wegen eines klangl. Effektes, weniger des Sinnes wegen gesetzt ist; oft bei Reimkünsteleien, z. B. zwei- und mehrsilbige volltönende Reime oder Reimfolgen wie ╱Schlagreim, ╱erweiterter Reim u. a. Beliebt in mal. Lyrik (Konrad von Würzburg), im Barock (z. B. Sigmund von Birken, »Frühlings-Willkomm«), in der Romantik (z. B. Brentano, »Der Spinnerin Lied«). S

Klapphornverse, 4zeil. Scherzverse, die mit der Wendung ›Zwei Knaben . . .‹ beginnen müssen; Bez. nach einem frühen Beispiel: »Zwei Kn. gingen durch das Korn,/der eine blies das *Klapphorn* . . .« Seit 1878 durch die ╱Fliegenden Blätter verbreitet. ╱Unsinnspoesie. S

Klarismus, m. ╱Akmeismus.

Klassik, f. [von ╱klassisch abgeleitetes Substantiv], Bez. für geistesgeschichtl. Epochen, die von nachfolgenden, epigonalen Zeiten als vorbildhaft, normbildend, kanon. anerkannt werden. In diesem normativen Sinne wurde schon in der röm. Antike die griech. Literatur und Kunst respektiert. In der Renaissance bildete sich ein engerer und weiterer K.-Begriff heraus: K. bezogen auf die *gesamte griech.-röm. Antike* oder nur auf ihre *Höhepunkte:* im griech. Altertum die perikleische Epoche, im röm. Altertum die Zeit der Goldenen Latinität (vgl. auch ⁄Klassizismus). In der Neuzeit wurde dann die Bez. allgem. verwandt für die geist.-wesenhaften Kulminationen einer kulturgeschichtl. Entwicklung im Sinne von *Reife- oder Blütezeit,* sofern diese für Folgezeiten richtungsweisend wurde, so z. B. die ⁄Weimarer K. als Höhepunkt der geist. Entfaltung der dt. Kultur der Neuzeit. Dabei überlagerten sich ebenfalls wieder zwei Bedeutungskreise: zum einen wird die Bez. ›Weimarer K.‹ auf die gesamte Goethezeit zwischen Sturm und Drang und Romantik bezogen, zum andern eingeengt. auf die Werke Goethes und Schillers, die bewußt an griech.-röm. Vorbildern orientiert waren (antike Dramenform: »Iphigenie«, »Braut von Messina«, in der Epik: «Hermann und Dorothea«). Dieses harmonist. K.bild wurde bereits von J. J. Winckelmann auf die Formel »edle Einfalt und stille Größe« gebracht. Auch in der franz. K. stehen Kriterien wie Klarheit und Reinheit der Sprache (normbildend: Académie française), Streben nach Einfachheit und Natürlichkeit im Vordergrund (vgl. z. B. N. Boileau, »L'Art poétique«, 1674). Der Begriff K. wurde auch auf andere Epochenhöhepunkte übertragen, die nicht primär an der Antike orientiert sind, so auf die mhd. Epoche um 1200 (stauf. K., K. H. Halbach), die durch solche gegensätzlichen, jeweils normstiftenden Dichter repräsentiert wird wie Gottfried von Straßburg mit seiner rhetor. geglätteten Formsprache und Wolfram von Eschenbach mit seinem metaphor. geblümten Stil. Dem Epochenrhythmus W. Scherers folgend wurde der Begriff K. sogar für Epochen eingesetzt, deren literar. Werke nicht erhalten, nur erschlossen sind, wie die sog. ›Heldenlieder-K.‹ um 600. Bei solchen vom histor. Bezugspunkt der Antike gelösten Begriffsdefinitionen wird K. zur Chiffre für Hoch-Zeit, Blütezeit, wobei sowohl die formale Ausgestaltung als auch das geist. Ethos, die Humanität des Gehaltes, die Wertung mitbestimmen. Die Schwierigkeiten im Umgang mit dem Begriff K. resultieren einerseits aus der Vielschichtigkeit des künstler. Schaffens eines Autors/Künstlers (s. Goethe, »Götz« – »Tasso«; Schiller, »Räuber« – »Braut von Messina«), andererseits aus den unterschiedl. künstler. Strömungen einer Epoche (Gleichzeitigkeit von Weimarer Klassik und Jenaer Romantik), weiter aus einer kategorial unzureichend geklärten Verwendung des Begriffs, wobei einerseits nicht immer deutl. wird, ob er stilist. oder wertend oder in doppeltem Sinne gebraucht ist. Unklar ist oft auch die Abgrenzung gegenüber dem Begriff Klassizismus: K. wird sowohl mit diesem synonym gebraucht im Anschluß an die franz.-engl. Bez. classicism(e), K. wird aber auch von diesem abgesetzt mit Betonung einer organ.-schöpfer.-humanen Eigenständigkeit, während beim Klassizismus mehr auf eine formale Abhängigkeit, auf eine stilist.-humanist. Normierung abgehoben wird, die zudem nicht an den griech. Ursprüngen orientiert sei, vielmehr als das Ergebnis v. a. einer franz. Vermittlung der röm. Antike gesehen wird.

📖 Simm, H.-J. (Hg.): Literar. K. Frkf. 1988. – Träger, K.: Über Historizität u. Normativität des K.begriffs. In: Actes du 9ᵉ congrès de l'Association Internationale de Littérature Comparée 1979. Innsbruck 1980/81, S. 18–189. – Malsch, W.: Klassizismus, K. und Romantik der Goethezeit. In: Conrady, K. O. (Hrsg.): Dt. Lit. zur Zeit der K. Stuttg. 1977, S. 381–408. – Burger, H. O. (Hrsg.): Begriffsbestimmung der K. und des Klassischen. Darmst. 1972. – Storz, G.: K. und Romantik. Eine stilgeschichtl. Darstellung. Mannheim/Wien/Zür. 1972. – Grimm, Reinhold, J. (Hrsg.): Die K.-Legende. Frkft. 1971. – Kohlschmidt, W.: Classicism. In: Germ. Lit. 1971. S. 193–227. – Heusler, Alexander: K. und Klassizismus in der dt. Lit. Bern 1952, Nachdr.

Nendeln 1970. – Jaeger, W. (Hrsg.): Das Problem des Klassischen und die Antike. 8 Vorträge. Darmst. ²1961. – Schultz, F.: K. und Romantik der Deutschen. 2 Bde. Stuttg. ³1959. – RL. S

Klassisch [lat. classicus, frz. classique], als civis classicus (auch kurz nur classicus) wurde nach der röm. Centuriatsverfassung (nach dem altröm. König Servius Tullius zum ›servian. Verfassung‹ genannt) der *Angehörige der höchsten Vermögensklasse* (classis prima) bezeichnet; classicus nahm dabei die Bedeutung ›erst‹klassig‹ an und wurde in diesem Sinne auch auf andere Bereiche übertragen. Die ältesten Belege für diese metaphor. Verwendung finden sich bei Cicero (Ac. II. 73 auf den über die stoischen Philosophen gestellten Demokrit gemünzt) und v. a. bei Aulus Gellius in seiner Miszellaneen-Sammlung »Noctes Atticae« (7, 13, 1; um 175 n. Chr.), der mit classicus allgemein den *Autor von Rang,* den scriptor classicus, kennzeichnet. In der frz. Literatur begegnet das Attribut classique in diesem Sinne zuerst bei Thomas Sebillet (»Art poétique«, 1548). Im 18. Jh. wird der Begriff ›k.‹ von humanist. Gebildeten erstmals auch in dt. Sprache gebraucht, zunächst für *vorbildhafte antike Schriftsteller,* dann auch für *Meister und Meisterwerke der dt. Sprache* (erstmals bei Gottsched »Sprachkunst«, 1748). – k. wird heute in vierfacher, sich z. T. überlagernder Bedeutung verwendet:
1. *histor.:* bezogen auf antike Autoren und Künstler und ihre Werke, weiter auf die antiken Sprachen (Griech., Lat.) und auf die Wissenschaft, die sich mit diesen beschäftigt (k.e Philologie, k.e Altertumswissenschaft, etwa im Ggs. zur german. Altertumswissenschaft).
2. *analog.:* schöpfer. (nicht epigonal): orientiert an antiken Stil- und Formmustern, an antiker Thematik und Geistigkeit, an einem antiken Schönheitsbegriff des Maßes, der Harmonie, der Geschlossenheit, Einheit und Ausgewogenheit: k. = antikisch (nicht klassizistisch). Vgl. auch den Gegensatz ⁄Attizismus – ⁄Asianismus, ⁄Manierismus.
3. *ästhet. wertend:* vorbildhaft, mit kanon. Geltung (nicht nur in antikem Sinne) für nachfolgende Dichter- und Künstlergenerationen. Kennzeichnendes Attribut für Kulminationen, Höhepunkte einer Epoche, einer Gattung (auch in der Musik).
4. *allgemein wertend:* im Sinne von erstrangig, mustergültig, überragend, grundlegend-überzeitl.; übertragen auch auf nichtliterar. und nichtkünstler. Autoritäten, Vorbilder und Normen: k.es Profil, k.e Mechanik, k.e Physik, ein Beispiel, k.er Fall. – Ähnl. wird auch das Substantiv *Klassiker* verwendet: antiker Klassiker, Weimarer Klassiker, Klassiker der Operette, des Jazz usw. (für Repräsentanten einer Epoche, eines Sachgebietes, einer Wissenschaft, auch ohne Bezug zur Antike). Das Wort ›Klassiker‹ kann sowohl eine Person als auch ein Werk meinen.

📖 Brandt, O.: Das Wort ›Klassiker‹. Wiesbaden 1976. – Burger, H. O.: (Hrsg.): Begriffsbestimmung d. Klassik und des K.en. Darmst. 1972. S

Klassizismus, auf die klass. Antike bezogener Stil- und Wertbegriff für Dichtung, die sich antiker (Stil-)Formen und Stoffe bedient, ⁄antikisierende Dichtung. Vom neuzeitl. Originalitätsbegriff aus wird der K. oft in die Nähe des Epigonismus gerückt. Unter dem Aspekt der Imitation älterer Formmuster wurde bisweilen schon die röm. Klassik in ihrem Verhältnis zur griech. als klassizist. eingestuft. In der Neuzeit bezeichnet K. Dichtung, orientiert an einem an der Antike gebildeten Regelkanon (vgl. u. a. die Poetiker M. G. Vidal, J. C. Scaliger, auch ⁄Poetik), erstmals in der *italien. Renaissance;* diese Strömungen setzten im Rahmen des europ. Humanismus v. a. auf *Frankreich* (Ronsard) und bestimmten die als ›classicisme‹ bez. Blütezeit der frz. Kultur (17. Jh.). Die frz. ›classicisme‹ wird in dt. lit.-geschichtl. Darstellungen (je nach dem Blickwinkel) als ›K.‹ wiedergegeben, wenn dieche dogmat. Abhängigkeit der Kunsttheorie von vermeintl. antik-röm. Normen im

Vordergrund steht, als ›Klassik‹ (in Analogie zur ↗Weimarer Klassik), wenn der Stellenwert der Epoche innerhalb der frz. Geistesgeschichte angesprochen wird. In *England* lassen sich breitere klassizist. Strömungen erst im 18. Jh. feststellen (Pope, Gray). – Wenn man von gewissen klassizist. Zügen in der Literatur der Karolingerzeit (Otfried von Weißenburg), der Ottonik (Hrotsvit von Gandersheim) oder in der stauf. Dichtung (Gottfried von Straßburg) absieht, erfolgte die Hinwendung zu antiken Formidealen in Deutschland später als im übrigen Europa, vorbereitet durch Gottsched, Lessing, Sulzer, Winckelmann (rationalist. Grundlegung der poet. Ästhetik, insbes. in der ↗Anakreontik und bei Wieland, im 19. und frühen 20. Jh. in der Lyrik bei Platen, Geibel, St. George, im Drama bei E. Wildenbruch und P. Ernst. Mit dem Begriff K. ist nicht nur die Vorstellung einer engen Bindung an antike Dichtungsnormen, sondern auch die einer gewissen Glätte der Form, eines bestimmten Formkults (↗Ästhetizismus) und einer engen Regelbindung verknüpft.
🕮 ↗Klassik. – RL. S

Klausel, f. [lat. clausula = Schluß(-satz, -formel)], in der antiken Rhetorik die durch Silbenquantitäten geregelten Perioden- und Satzschlüsse der ↗Kunstprosa; im 5. Jh. v. Chr. von den griech. Rhetorikern (Gorgias, Isokrates) entwickelt, von den Römern übernommen und in ein für die spätantike Kunstprosa verbindl. System gebracht (Cicero, Quintilian). – *Die wichtigsten Schlußformeln* sind der akatalekt. ↗Dikretikus (–◡–◡–◡́) und, als häufigste K., ↗Kretikus + ↗Trochäus (–◡–◡); trochä. Schluß, v. a. auch ein Ditrochäus, konnte sich auch an andere Metren anschließen, z. B. an den ↗Päon (–◡◡◡) oder ↗Molossus (–––), wobei allein die Schlußfigur eines Hexameters (–◡◡–◡) vermieden werden mußte. – Der Verlust des Gefühls für die Unterscheidung der Silbenquantitäten in der Spätantike führte zu einer Auflösung der antiken K.technik; an die Stelle der antiken K.n traten die rhythm. Formeln des ↗Cursus. HW*

Klimax, f. [gr. = Steigleiter, lat. Gradatio], ↗rhetor. Figur
1. *steigernde Reihung* synonymer Wörter: »wie habe ich ihn nicht gebeten, geflebt, beschworen« (Lessing, »Philotas«) oder gleicher Satzglieder: »veni, vidi, vici«; ich bitte dich, ich flehe dich an;
2. *sich steigernde Gedankenführung,* verbunden mit der Wiederaufnahme bestimmter Wörter (↗Epanalepse, ↗Anadiplose), manchmal im bes. als Gradatio bez., z. B. »... dieweil wir wissen, daß Trübsal Geduld bringt; Geduld aber bringt Erfahrung; Erfahrung aber bringt Hoffnung« (Röm. 5), »Gut verlorn, unverdorben – Mut verlorn, halb verdorben – Ehr verlorn, gar verdorben« (Seb. Franck, »Sprichwörter«, 1541). Gegenbegriff ↗Anti-K. HSt*

klingender Reim, nach der Meistersingerterminologie ein zweisilbiger ↗weibl. *Reim,* z. B. *klingen : singen;* in dieser Bedeutung auch in den Metriken des 19. Jh.s gebraucht. Seit der ›Dt. Verslehre‹ von Andreas Heusler (1925 ff.) wird als k. R. meist ein Reim mit einer über einen Takt gedehnten Hauptsilbe verstanden (–́◡/–́x̄; vgl. auch klingende ↗Kadenz). S

Klinggedicht, im 17. Jh. gebräuchl. Lehnübersetzung für ↗Sonett (erstmals nach holländ. Vorbild bei M. Opitz, Poetik, Kap. 7) neben Klingreime, Klinggesang, Klinglied, Klingsatz. IS

Klopfan, paargereimte, meist 4–10zeil. Gruß- und Heischesprüche, die beim süddt. volkstüml. Brauch des Anklopfens in den sog. ›Klöpfelnächten‹ (Neujahrsnacht und die Nächte zum 2. bis 4. Adventssonntag) z. T. aus dem Stegreif aufgesagt wurden und teilweise persönl. Anspielungen und Derbheiten enthielten. Als literar. Gattung von den Nürnberger Handwerkerdichtern des 15. Jh.s (Rosenplüt, Hans Folz) gepflegt. Beispiel: *Klopff an mein aller liebste zart / Wan mir kein clopfen liber wart / All engel in des himels tron / Die sein vr dem solt vnd lon.* HW

Klucht (Cluyte, Clute), f. [niederl. = Posse, Schwank, Farce], niederländ. Possenspiel des späten MA.s und der frühen Neuzeit; als ↗Nachspiel zu den ↗Abele spelen des 14. Jh.s auch als *Sotternie* (von frz. ↗Sottie), als Schwankspiel der ↗Rederijkers des 15. u. 16. Jh.s als *Esbatement* (nach frz. ébattre = sich belustigen) bezeichnet: kurze, formal anspruchslose Stücke, die stoffl. der mal. Schwankliteratur verpflichtet sind (Geschichten von list. Weibern, betrogenen Ehemännern und tölpelhaften Bauern. Hauptvertreter der K. der Rederijkers sind A. de Roovere (15. Jh.), C. Everaert und M. de Castelein (16. Jh.); von Everaert sind 11, von Castelein 36 K.en (meist Pickelheringspiele) überliefert. K

Knittelvers, auch: Knüttel-, Knüppel-, Klüppel-, Klippelvers oder einfach Knittel. *Wortgeschichte* nicht ganz geklärt: K. erscheint vom 16.–18. Jh. als Bez. des leonin. (binnengereimten) Hexameters, bzw. des endgereimten Hexameterpaares. Im 18. Jh. dient K. in deutl. Anlehnung an *knüttel* = Knotiges, Knorriges v. a. zur Bez. schlecht gebauter Reimverse, insbes. werden seit Gottsched als K.e die (aus der Sicht des 18. Jh.s regellosen) altdt. ↗Vierheber der Zeit *vor* Opitz bezeichnet, und zwar in abwertendem Sinne. *Heute* ist ›K.‹ die wertneutrale Bez. für den in der frühnhd. Dichtung (15. Jh. bis Opitz) dominierenden 4hebigen Reimvers, der sich von seinem Vorläufer, dem mhd. Reimvers, grundsätzlich durch eine unterschiedl. Technik der ↗Kadenzbildung unterscheidet: der K. hat nur noch männl. (... x̌) und weibl. (... x̌ x) Versschlüsse bzw. Reime. Auf Grund der Versfüllung lassen sich *2 Typen* des K.es unterscheiden: 1. der freie K. hat Füllungsfreiheit, die Zahl seiner Silben schwankt zwischen 6 und 15, z. B. »Kum spät oder früh, so wil ich dich einlaßen / und wil dich nit läng an der thür lan poßen« (H. Rosenplüt). 2. der strenge K. (wahrscheinl. ledigl. Vorbilder) hat demgegenüber stets 8 Silben bei männl., 9 Silben bei weibl. Kadenz, seine Rhythmisierung ist umstritten. Es ist die Frage, ob auch für ihn Füllungsfreiheit (Heusler) gilt oder eine strenge Alternation (G. Kayser) wie den silbenzählenden, oft tonbeugenden Versen der frühnhd. Zeit (Meistersang) oder ob er nur über die feste Silbenzahl (8 bzw. 9) und eine feste Hebung auf der 8. Silbe definiert ist (Minor), vergleichbar dem frz. 8/9-Silbler. – Der frühnhd. K. ist der Vers der ep., satir.-didakt. und dramat. Dichtung des 15. Jh. Den *freien K.* verwenden H. Rosenplüt (15. Jh.), N. Manuel, P. Gengenbach u. a. (16. Jh.), außerdem begegnet er im Niederdt. im »Reineke de Vos« (1498) und bei B. Waldis (16. Jh.). Annähernd *strenge K.e* (mit geringfügigen Über- oder Unterschreitungen der festen Silbenzahl) finden sich im ›Pfarrer von Kalenberg‹ (15. Jh.), bei Th. Murner (16. Jh.). Den strengen K. verwenden M. Beheim (15. Jh.), H. Sachs, J. Fischart (16. Jh.) sowie die gelehrten Dichter S. Brant (15. Jh.), U. v. Hutten, E. Alberus, C. Scheit, N. Frischlin (16. Jh.). – Im 17. Jh. wird der K. im Zuge der Opitz'schen Versreform und der allgemeinen Orientierung an roman. Vorbildern weitgehend aus der anspruchsvollen Literatur verdrängt. Während der strenge K. ganz verschwindet, kann sich der freie K., vor volkstüml. Dichtung abgesehen, in der er bis in die Gegenwart viel gebraucht wird, noch vereinzelt in scherzhaften, satir. und parodist. Werken halten (Gryphius, »Peter Squentz«; J. Lauremberg); diese Verwendung wird im 18. Jh. durch Gottsched und Breitinger ausdrückl. gebilligt. Eine eigentl. Rehabilitierung des K.es erfolgt in der 2. Hälfte des 18. Jh.s: Infolge der Hinwendung zum Altdt. (J. G. Herder, Goethe u. a. Dichter des ↗Sturm und Drang) setzt sich der K. nun auch wieder in anspruchsvollen Dichtungen durch. Goethe z. B. verwendet ihn außer in parodist. und satir. Werken (»Das Jahrmarktsfest zu Plundersweilern«, »Satyros oder der vergötterte Waldteufel«, »Ein Fastnachtspiel vom Pater Brey«) auch in ernster Dichtung, so in Teilen des »Urfaust« (von daher wird der K. zu einer wichtigen

Grundlage des Goetheschen Faust-Verses) und im »West-
östl. Divan«. Durch Goethe angeregt, übernimmt Ch. M.
Wieland den K. für seine Verserzählung »Gandalin«
(1776); F. Schiller verwendet ihn in »Wallensteins Lager«.
Mit K. A. Kortums ›kom. Heldengedicht‹ »Jobsiade«
(1784 bzw. 1799) beginnt eine lange Reihe humorist. Dichtungen in K.en, darunter Mörikes Idylle »Der alte Turmhahn« und die Verserzählungen W. Buschs. Die ganze
Breite der Ausdrucksmöglichkeiten des neuhochdt. K.es
zeigt v. a. seine Verwendung im Drama seit dem Ende des
19.Jh.s: vgl. z. B. G. Hauptmanns »Festspiel in dt. Reimen« (1913: volkstüml.-parodist.), H. v. Hofmannsthals
»Jedermann« (1911) oder die Legendenspiele M. Mells
(u. a. »Das Apostelspiel«, 1923: archaisch-naiv); ferner
den Prolog zu Wedekinds »Erdgeist« (1893), P. Weiss'
»Nacht mit Gästen« (1963) oder »Marat/Sade« (1964:
moritatenhaft verfremdend). Beispiel nhd. K.e: »Mit den
Händel giebts nur Kléinigkéiten, / Denn es ist kein Géld
únter den Léuten, / Und die Rátsherrnscháft wirft áuch
nicht viel áb; / Drum sind meine Eińkůnfte so knápp«
(Kortum). K*

Kode, Code, Pl. Kodes, Codes, m. [ko:d; nach engl., frz.
code aus lat. codex, s. ↗Kodex),
1. Seit dem 19. Jh. Fachausdruck in der Fernmeldetechnik
und im militär. Nachrichtenwesen: K. als Buch mit Anweisungen für die Ver- und Entschlüsselung einer Nachricht in
eine oder aus einer Geheimsprache.
2. Als Terminus der *Informations- und Kommunikations-
theorie* bedeutet K. die Vorschrift für die eindeutige Zuordnung der Zeichen eines Zeichenvorrats zu denjenigen eines
anderen Zeichenvorrats. Die *Kodierung* (der Vorgang der
Zuordnung) erfolgt meist als Umsetzung von Zeichen aus
einem großen Zeichenvorrat (z. B. Umgangssprache) durch
Zeichen aus einem kleinen Zeichenvorrat (z. B. Morsealp-
habet. Grenzfall: Binär-K. mit Zeichenvorrat 2).
In der *Semiotik* (Theorie der Zeichen) erfährt der K.-Begriff
eine Erweiterung: für alle semiotischen Prozesse werden
K.s als Grundlage für das Verstehen bzw. Interpretieren
von Zeichen angenommen. Die Kodierung ist (neben Realisation und Kommunikation) eine der drei Funktionswei-
sen des Zeichens.
3. Mit R. Jakobson wurde der K.-Begriff fester Bestandteil
der *linguist.* Terminologie. Der Begriff ›Sprachsystem‹ wird
durch den des K.s ersetzt. Sprache ist somit ein dynami-
scher Gesamt-K., der aus relativ autonomen Sub-K.s (den
funktionalen Sprachvarianten) besteht. Im Gegensatz zu
den sekundären artifiziellen K.s, die aus eindeutigen,
unveränderl. Elementarzeichen zusammengesetzt sind und
sich durch Geschlossenheit und Homogenität auszeichnen,
ist die Sprache (Ur-K., Primär-K.) offen und inhomogen.
Jeder K. als Zuordnungsvorschrift setzt bei Sender und
Empfänger die Kenntnis der durch Konvention vereinbarten Regeln voraus. Eine Ausnahme bildet der *ästhet. Kode.*
Ästhet. Kreativität durchbricht die bestehenden Regeln des
Sprachk.s: ein neuer K. entsteht, der jedoch dem Leser
nicht zur Entschlüsselung zur Verfügung steht, sondern sich
erst im Lauf des Rezeptionsprozesses bildet und nicht mit
demjenigen des Autors übereinstimmen muß (vgl. Lotmans
These von der Pluralität des künstler. Kodes und Ecos
These von der Offenheit der ästhet. Kodes).
⌺ Eco, U.: Einführung in die Semiotik. Mchn. 1972. – Lotman, J.: Die Struktur literar. Texte. Mchn. 1972. – Jakobson, R.: Selected Writings II. Den Haag 1971. EE

Kodex, m., Pl. Kodizes [lat. codex, caudex = Holzklotz,
(ab)gespaltenes Holz (als Material für Schreibtafeln), zu
cudere = schlagen], *Buchform* der Spätantike und des
MA.s (↗Handschrift). Ein K. besteht aus mehreren gefalte-
ten, ineinandergelegten und gehefteten Pergament- oder
Papierblättern *(Lagen),* die zwischen zwei Holzdeckeln mit
Leder- oder Metallüberzug befestigt sind. Ihre Ordnung
wird anfangs nicht durch Paginierung oder Foliierung, son-

dern durch ↗Kustoden gesichert. – Der K. wurde aus den
mit Wachs bestrichenen, von Riemen oder Häkchen zusam-
mengehaltenen hölzernen Schreibtäfelchen der Antike
(Diptychon, bzw. *Polyptychon)* entwickelt. Er trat im 1.Jh.
n.Chr. neben die Papyrusrolle (Volumen) und verdrängte
sie bis Ende des 5.Jh.s, da Pergament schlecht in langen
Streifen herstellbar und besser zu falten als zu rollen war; er
war zudem handlicher, zweiseitig beschreibbar, besser für
Illustrationen geeignet und erlaubte ein leichteres Durch-
und Zurückblättern als die Rolle. An die in Kolumnen
beschriebene Querrolle erinnert noch die Einteilung der
einzelnen Seiten vieler Kodizes in Spalten. Die auch billige-
ren Kodizes galten zunächst nicht als vornehm. Sie wurden
hauptsächl. von den frühen Christen benutzt (frühester
Bibel-K. der griech. Codex Sinaiticus, 4.Jh.). Jedoch schon
im 4./5. Jh. wurde die für wertvoll erachtete antike Literatur
in Kodizes umgeschrieben; viele solcher Rollen gingen
dabei verloren. – Die moderne Buchform geht unmittelbar
auf den K. zurück. Das ältestes K.-Fragment stammt aus
dem 2.Jh. n.Chr. (Fragment der »Kreter« des Euripides);
berühmte Kodizes sind der Codex argenteus (got. Evangeliar, sog. Ulfilas-Bibel, 6.Jh.) oder der illustrierte Codex
aureus (Evangeliar, 9.Jh.). Die Bez. ›K.‹ wird bis ins 19.Jh.
für *großformatige wissenschaftl. Werke* verwendet. – Von
der Sammlung mehrerer inhaltl. zusammengehöriger Texte
(bes. Briefe oder Gesetze) in einem K. wurde der Name
auch auf *Textsammlungen* selbst übertragen, z. B.
Codex Justinianus (Gesetzessammlung), Codex Carolinus
(Papstbriefe an Karl Martell) oder Codex Juris Canonici,
und dann allgem. als Bez. für eine Sammlung von Regeln
gebraucht (›Ehren-K.‹). HSt*

Kollation, f. [lat. collatio = das Zus.tragen, die Verglei-
chung],
1. Teil der ↗Textkritik;
2. Vergleich einer Abschrift mit dem Original, bzw. von
Druckfahnen mit der Vorlage (Manu- oder Typoskript) zur
Gewährleistung einer fehlerlosen Wiedergabe des Textes.
GG*

Kollektaneen, f. Pl. [zu lat. collectaneus = angesam-
melt], Sammlung von Auszügen und Zitaten (↗Exzerpten)
vorwiegend aus wissenschaftl. Werken (z. B. die »Collecta-
nea rerum memorabilium« von G. J. Solinus, 3.Jh.: Auszüge aus Plinius' »Naturalis historia« [Naturkunde]), und
von eigenen ergänzenden Bemerkungen, Verweisen und
Notizen, sog. ›Lesefrüchten‹ des Sammlers; auch ↗Ana-
logie, ↗Anthologie. S

Kölner Schule (sc. des Neuen Realismus), Gruppe von
Schriftstellern, die seit Mitte der 1960er Jahre einen neuen,
dynamisch-, subjektiv-perspektivist. Realismusbegriff zu
verwirklichen sucht, welcher den ›realen‹ Erfahrungen
einer nicht mehr überschaubaren oder gar verfügbaren
Welt, der Undurchdringlichkeit der Dinge, Rechnung tragen soll. Dargestellt werden entsprechend nur ›sinnl. konkrete Erfahrungsausschnitte«; Mittel hierzu sind eine
minuziöse Detailgenauigkeit (durch die zugleich Widerstand gegen die Prozesse der Umwelt geleistet werde), der
Verzicht auf einen allwissenden Erzähler zugunsten einer
subjektiv begrenzten ↗Perspektive (Wechsel zwischen
Nah- und Fernsicht, Zeitdehnung – Zeitraffung), d. h. der
Entwurf eines »Fiktionsraumes, der sich erst allmähl. und
vielleicht nie richtig . . . erschließt«. Die K. Sch. verarbeitet
dabei Beschreibungstechniken des modernen Films und
bes. des ↗Nouveau Roman; insgesamt steht sie in der Tradition der beschreibenden (malenden) Poesie (↗ut pictura
poesis, Stifter, Kafka) und des ↗personalen Erzählens. Das
Konzept des ›neuen Realismus‹ wurde von D. Wellershoff
entwickelt (Romane »Ein schöner Tag«, 1966; »Die Schat-
tengrenze«, 1969; Theorie »Wiederherstellung der Fremd-
heit« in: »Lit. u. Veränderung, Versuche zu einer Metakri-
tik der Lit.«, 1969) und wurde alsbald zur Formel der
K. Sch., der R. D. Brinkmann, G. Seuren, G. Herburger,

G. Steffens, N. Born, J. Ploog und R. Rasp zuzurechnen
sind.   IS

Kolometrie, f. [aus gr. ↗kolon = Glied, metrein = mes-
sen], bei Abschriften antiker oder mal. Handschriften die
Gliederung bzw. Aufteilung der in der Vorlage fortlaufend
geschriebenen Verse in die sie konstituierenden Kola, entweder durch eingeschaltete Zeichen (z. B. '/') oder durch
Beginn einer neuen Zeile für jedes Kolon (oft ident. mit den
metr. Verszeilen). Das Verfahren wurde vermutl. von dem
alexandrin. Grammatiker Aristophanes von Byzanz
(257–180 v. Chr.) für die Edition klass. gr. Chorlyrik entwikkelt. Berühmt ist z. B. Heliodors (1. Jh. n. Chr.) K. der Ari-
stophanes-Lieder.   IS

Kolon, n., Pl. Kola [gr. = Glied, lat. = membrum],
1. Begriff der ↗Rhetorik: Sprechtakt, Teil einer ↗Periode,
umfaßt eine Wortgruppe zwischen realisierten oder möglichen Atempausen oder Sinneinschnitten, i. d. Regel von
mehr als drei Wörtern, entweder als syntakt. und sinntra-
gende Einheit innerhalb des Satzes oder als selbständ. Satz
(vgl. dagegen ↗Komma). Das K. ist die rhythm. Grundeinheit der Rede; die wechselnde Abfolge ähnl. – oder verschieden langer Kola bestimmt wesentl. den Prosarhythmus. Ein stets wiederkehrendes K. innerhalb einer rhythm.
Struktur wird als rhythm. Leitmotiv bez. Den Rhythmus der
gebundenen Rede konstituiert das wechselnde Verhältnis
von Vers und Kolon.
2. Begriff der antiken Metrik: schwierig abzugrenzende
metr. Einheit zwischen ↗Metrum (d. h. gleichen Versfüßen) und ↗Periode (Verse oder Versgruppen).   ED*

Kolophon, n. [gr. = Gipfel, Spitze], auch Subscriptio (lat.
= Unterschrift, Vermerk) oder Rubrum (lat, rot. = scil.
Geschriebenes), die am Schluß einer mal. Handschrift
(↗Explicit) oder eines Frühdrucks mitgeteilten Angaben
über Autor und Titel, Schreiber oder Drucker, Ort und Jahr
der Herstellung: z. B. ›Hie endet sich herr Tristrant Getruk-
ket zuo Augspug(!) von Anthonio Sorg im MCCCC vnd
LXXXJJJJ. Jare‹. Vorläufer des modernen Impressums.
                                                        HSt

Kolportageroman [kɔlpɔrtaːʒ; frz. colportage = Hausierhandel, aus col = Hals, porter = tragen], literar.
anspruchslose Sensationsliteratur (↗Schundliteratur), Teilbereich der ↗Trivialliteratur. Die ursprüngl. Vertriebsart
übertrug sich auf das Produkt: K.e wurden von Hausierern
feilgeboten. – Die Anfänge dieses Hausierhandels liegen im
15. Jh., wo v. a. religiöse Erbauungslit., Volksbücher und
Kalender im Haus und auf Jahrmärkten angeboten wurden. Im 18. Jh., im Gefolge der Säkularisierung auch des
literar. Geschmacks, bildeten ↗Ritter- und Räuberromane
die Hauptmasse der K.literatur. Mit Einführung der
Gewerbefreiheit 1869 blühte neben dem Hausierhandel
auch der sog. Kolportagebuchhandel auf, der die Entwicklung des in Unterhaltungszeitschriften entstandenen, dann
eigens für diesen verfaßten ↗Fortsetzungsromans begünstigte. In diesem K. mit seinen sensationellen, spannend
aufgemachten Stoffen (die z. T. der Hochliteratur entstammen) herrschte die kompensator. Tendenz, der werdenden
Industriegesellschaft eine unrealist., simplifizierte und
heile Wunschwelt mit enger Moral und kitschigem Verputz
entgegenzuhalten (vgl. auch Heimat-, Bauern- und ↗Aben-
teuerroman). Er wandte sich an ein literar. ungebildetes
Publikum: Als Hauptabnehmer galten Fabrikarbeiter,
Dienstboten, Ladenmädchen, kleine Handwerker und niedere Beamte. 1893/94 soll es in Deutschland und Österreich 45000 Kolporteure mit 20 Mill. Lesern gegeben
haben; 1914 betrug die Abonnentenzahl 4 Mill. (80% Zss.,
12% histor., belletrist. und religiöse Schriften, 3% Fortsetzungsromane). Die meisten Autoren, die in Lohnarbeit ihre
an den Bedürfnissen des Publikums orientierten Mach-
werke anfertigten, waren von den Wünschen ihrer Verleger
abhängig. Die fabrikmäßige Produktion z. B. eines Guido
von Fels betrug 72 K.e, 900 Reihenromane mit etwa

200000 Druckseiten. Literar. höher standen die Werke von
R. Kraft und K. May, der von 1881–86 fünf umfangreiche
K.e mit über 12000 Seiten verfaßte, ehe er sich den phanta-
siereichen Abenteuerromanen zuwandte. – Der Umfang
der K.e schwankte zwischen 15 und 200 Lieferungen (1
Heft = 1–2 Bogen). Um 1900, als der K. starken Angriffen
von Pädagogen, Pfarrern und Kulturkritikern ausgesetzt
war, ergab eine Studie (Heinrici), daß er nur 16% des Absatzes der Kolporteure ausmachte, den Löwenanteil hatten
Familienzeitschriften wie die »Gartenlaube«, Modeblätter,
Lexika und populäre Ausgaben. Im ersten Weltkrieg wurden die K.e wegen ihrer angebl. die Wehrkraft zersetzenden
Tendenzen verboten, im Dritten Reich wurde mit den
Anordnungen über das »schädl. und unerwünschte Schrifttum« von 1935 und 1940 der billige Liebes-, Abenteuer-
und Wildwest-, der Kriminal- und Zukunftsroman für Vertrieb und Leihverkehr verboten. Reste der K.literatur fin-
den sich heute in den an Kiosken feilgebotenen Groschenheften.
📖 Neuschäfer, H.-J.: Populärromane des 19. Jh.s. Mchn.
1976. – Schenda, R.: Volk ohne Buch. Studien zur Sozial-
gesch. der populären Lesestoffe 1770–1910. Frkft. ³1988. –
Klein, A.: Die Krise des Unterhaltungsromans im 19. Jh.
Bonn 1969. – Michel, K. M.: Zur Naturgesch. der Bildung.
Die ältere Kolportagelit. In: Trivialliit. Hg. v. G. Schmidt-
Henkel. Bln. 1964. – Langenbucher, W.: Der aktuelle
Unterhaltungsroman. Bonn 1964. – Heinrici, L.: Die Ver-
hältnisse im dt. Colportagebuchhandel. In: Schriften des
Vereins für Sozialpolitik. Lpz. Bd. 79 (1899).   GG*

das Komische (Komik) [von gr. kōmos = Festzug, lust.
Umzug, Gelage], für das K., das als »der schwerste der
ästhet. Problembereiche« (N. Hartmann) gilt, wurde in Philosophie (Ästhetik), Komödientheorie und Psychologie
eine Vielzahl von Strukturformeln entwickelt (von Aristoteles bis zu Kant, Schiller, Jean Paul, Schopenhauer, Hegel,
Vischer, Bergson, Freud, Lipps, N. Hartmann, Plessner
u. a., wobei nur die marxist. Ästhetik (Tschernyschewskij,
Borew u. a.) von der Endgültigkeit ihrer Definition überzeugt ist. Trotz kontroverser Ansatzpunkte (das K. ident.
mit dem Lächerl.?, menschl. oder sozialer Natur?, als Kategorie des Schönen oder Häßlichen? etc.) und Ergebnisse
wird das K. doch grundsätzl. (wie das Trag.) begriffen als
Konflikt widersprüchl. Prinzipien. Nach einem der neueren Definitionversuche (F. G. Jünger) muß dieser Konflikt,
um das kom. Schema zu erfüllen, zwischen ungleichwerti-
gen Prinzipien entstehen und zwar initiiert durch eine unan-
gemessene (d. h. eigentl. nichtige, unwichtige) Provokation
des schwächeren Prinzips; er wird gelöst durch eine der
unangemessenen Provokation angemessene Entgegnung,
Reaktion oder Replik des Überlegenen, die nach Jünger
»Das Sichgeltendmachen der Regel, des Gesetzes, eines
Kanon und Nomos« ist, »der von dem Urheber des k.n
Konfliktes außer acht gelassen wurde«, z. B. entsteht die für
Posse, Farce, Burleske und bestimmte Komödientypen
konstituierende Situationskomik durch das unfreiwillige
Hinzutreten disparater, disproportionaler oder wertver-
schiedener (unangemessener) Momente (Personen, unzei-
tige Vorgänge, Handlungen usw.) zu einer alltägl.-norma-
len, sachl. oder ernsten, feierl. Situation, so daß diese in
Wert und Bedeutung entlarvt oder relativiert wird. Das
Lachen wird erreicht durch das intellektuelle Erfassen der
ungleichen Konfrontation, bei den Ausgang von vornherein sicher sein läßt, durch die Identifikation mit dem Überlegenen u. weil durch die Angemessenheit der Replik dem
Unterlegenen kein ernster Schaden zugefügt, er vielmehr
wieder in das Ganze eingeordnet wird. Diese zum Lachen
reizende Disparatheit (Inadäquatheit) impliziert Kritik und
Liberalität. – Die verschiedenen Bedingungen bei der Ausprägung der kom. Schemas ergeben die verschiedenen
Arten des K.n: von feiner leiser, geistiger bis zu grober,
derbsinnl. Komik, und die Grenzüberschreitungen: wird

z. B. die Replik unangemessen, etwa zu streng, zu hart, entsteht keine Komik (statt Lachen wird Mitleid, Trauer, Zorn etc. erregt), wird der Kampf zwischen gleichwertigen Prinzipien ausgetragen, kann das K. ins Trag. umschlagen. – Eine prägnante Art der Einstellung gegenüber dem K.n ist der ⁄Humor, der das K. nicht als Widerspruch zu Norm (Jünger), Idee (Hegel), Bild (Vischer) etc. auffaßt, sondern als deren wenn auch verzerrtes, inkongruentes Abbild. – Das K. wurde schon von Platon als eine Modifikation (komplementär zum Tragischen) der dichter. Mimesis beschrieben. Es findet sich in allen Literaturen mannigfach ausgeprägt. Die Spott und Kritik implizierende Eigenschaft des kom. Lachens nützen z. B. ⁄Satire, ⁄Parodie, ⁄Travestie, ⁄Karikatur, ⁄Witz. Dem Spannungscharakter des K.n sind die dramat. Gattungen bes. adäquat, insbes. alle Ausprägungen der ⁄Komödie von volkstüml. derb-kom. Arten (⁄Mimus, ⁄Fastnachtsspiele, ⁄Possen, ⁄Farcen usw.) bis zu den geistreich. Gestaltungen leiser, das Trag. berührender Komik (Shakespeare). Dem spannungslösenden, komische Konflikte in höheren Aspekten aufhebenden Humor sind dagegen die ep. Gattungen angemessener, doch findet sich das K. in allen Gattungen, wobei es stofflich (Gestaltung von Ereignisse, Personen usw., häufig z. B. als Parallelaspekt zu idealist. Darstellungen, etwa in der Dienersphäre), formal-struktural (Unangemessenheit von Stil, Form und Inhalt; vgl. z. B. ⁄kom. Epos) und intentional (als Selbstzweck oder metaphorisch) verwendet wird. ☐ Horn, A.: Das K. im Spiegel der Lit. Würzbg. 1988. – Preisendanz, W./Warning, R. (Hrsg.): Das K. Mchn. 1976. – Plessner, H.: Lachen u. Weinen (1941, ²1950), in: H. P.: Philosoph. Anthropologie. Frkft. 1970, S. 11–171. – Müller, Gottfried: Theorie d. Komik. Würzbg. 1964. – Hirsch, W.: Das Wesen des K.n Amsterd. 1960. – Borew, J.: Über das K. (dt. v. H. Plavius). Bln. (Ost) 1960. – Hartmann, N.: Ästhetik. Bln. 1953. – Jünger, F. G.: Über das K. Frkft. ³1948. – Bergson, H.: Le rire. Paris 1900 (dt. Jena 1921). – Rommel, O.: Die wissenschaftl. Bemühungen um die Analyse des K.n. Komik u. Lustspiel. DVjs 21 (1943). – Ebeling, F. W.: Gesch. der kom. Lit. in Dtschld. seit der Mitte d. 18. Jh.s. Lpz. 1869, 3 Bde., Nachdr. Hildesheim 1971. – Flögel, C. F.: Gesch. der kom. Lit. 4 Bde. 1784–1787; Nachdr. Hildesheim 1976. – RL IS

Komische Person, ⁄lustige Person.

Komisches Epos, auch: heroisch-kom. Epos, scherzhaftes Heldengedicht, Scherzepos; kürzeres Versepos, das die wichtigsten Merkmale der antiken ⁄Heldenepos (Versform, Einteilung in Gesänge, gehobene, oft formelhafte Sprache, mytholog. Gleichnisse, Anrufung und Eingreifen von Göttern, Kampfszenen, Klage- oder Preisreden usw.) übernimmt, jedoch ironisierend auf einen nichtigen, unheld., belanglosen Anlaß und Personenkreis bezieht, so daß sich kom. Kontrastwirkungen ergeben, und zwar sowohl formal als ⁄Parodie auf eine anspruchsvolle literar. Großform, als auch gegenstandsbezogen als literar. ⁄Satire, ⁄Persiflage, ⁄Burleske oder ⁄Travestie. Das k. E. entstand meist gleichzeit. mit dem großen Epos oder doch nur wenig später, so schon die anonyme »Batrachomyomachia« (der Froschmäusekrieg, 6./5. Jh. v. Chr.) als Gegenstück zu den homer. Epen. Anklänge an das k. E. enthalten Senecas »Apocolocyntosis« (Verkürbissung, um 55 n. Chr.) als Satire auf die Apotheose des Kaisers Claudius, sowie einige Verseinlagen im »Satyricon« des Petronius (1. Jh. n. Chr.). – Als dem k. E. verwandt, aber nicht mit ihm ident. gelten die spätmal. Parodien auf den höf. Versroman, insbes. Heinrich Wittenwilers »Ring« (um 1400) oder auch Chaucers »The Nun's Priest's Tale« (1393) sowie die verschiedenen Ausprägungen des Tierepos. – Die antike Tradition wird in Renaissance und Reformationszeit wieder aufgenommen (in Ansätzen in den Rolandsepen von Boiardo (1486) und Ariost (1516 u. ö.), dann durch Übersetzungen und freie Bearbeitungen des antiken Froschmäuse-

kriegs (u. a. dt. von G. Rollenhagen 1595; engl. von Th. Parnell 1717) oder als Travestien wie P. Scarrons »Virgile travesti« (1648/53) und A. Blumauers »Virgils Aeneis travestiert« (1783). – Als eigene Gattung begründet wurde das neuere k. E. 1622 durch A. Tassoni mit seinem Stanzenepos in 12 Gesängen »La secchia rapita« (über die im Jahre 1325 vorgefallenen Kämpfe zwischen Modena und Bologna um einen geraubten Holzeimer: es ist sowohl Parodie auf den Raub der Helena und den trojan. Krieg in der »Ilias« als auch Satire auf die italien. Kleinstaaterei). Weitergebildet wurde das k. E. in Frankreich v. a. von Boileau mit »le lutrin« (1674/83, dem Streit von Geistlichen um die Aufstellung eines Chorpultes in der St. Chapelle) und Voltaire mit »La pucelle d'Orléans« (1755, einer erot. Persiflage über die frz. Nationalheilige), in England von S. Butler mit »Hudibras« (1663/78), J. Dryden mit der Literatursatire »MacFlecknoe« (1682) und v. a. A. Pope mit der literatursatir. »Dunciad« (1728) und mit seinem Jugendwerk »The Rape of the Lock« (1714), dem Höhepunkt in der Entwicklung des k. E.: die Konflikte, die bei einer Kahnfahrt wegen des Raubs einer Haarlocke entstehen, werden mit zeit- und literarkrit. Tendenzen verbunden. Pope wird zum Vorbild v. a. für das dt. k. E., vertreten durch J. F. W. Zachariae (7 k. Epen in gereimten Alexandrinern, darunter bes. »Der Renommiste«, 1744), J. J. Dusch (»Das Toppé«, 1751, »Der Schoßhund«, 1756), Ch. O. Schönaich (»Der Baron und das Picknick«), J. P. Uz (»Sieg des Liebesgottes«, 1753) sowie durch eine Reihe anonymer Werke wie »Der Ball«, »Der Kobold«, »Das Strumpfband« u. a. und schließl. durch J. A. Weppen (»Der Liebesbrief«, 1778, »Die Kirchenvisitation«, 1781, »Das städt. Patronat«, 1787). Eine Sonderstellung haben Ch. M. Wielands »Kom. Erzählungen« (1762/65, Verstravestien antiker Stoffe), M. A. von Thümmels »Wilhelmine« (1764, in rhythmisierter Prosa, zur Idylle tendierend), Goethes »Reineke Fuchs«(1793) und K. A. Kortums »Jobsiade« (1784 in vierzeil. Knittelversen, eine Parodie auf den Erziehungsroman, die auch noch im 19. Jh. Anklang und (z. B. in F. Hallenslebens »Töffeliade«, 1836) Nachahmer fand bis hin zu ihrem Illustrator W. Busch (1872) und dessen eigenen entsprechenden Werken. In K. Immermanns »Tulifäntchen« (1827) lebt das k.E. noch einmal poet. auf; mehr als Zeitsatire bieten u. a. M. Hartmanns »Reimchronik des Pfaffen Mauritius« (1849), A. Glaßbrenners »Neuer Reineke Fuchs« (1846) und »Verkehrte Welt« (1856), auch K. E. F. Bäßlers »Ameisen- und Immenkrieg« (1841). Parodien auf die Germanenmode sind A. Grüns »Nibelungen im Frack« (1843) und J. Grosses »Der Wasunger Not« (1873). Als letzter Ausläufer des k. E. gilt F. von Saars »Pincelliade« (1897). Schon zur Blütezeit des k. E. im 18. Jh. konkurrierte mit ihm die kom. Erzählung in Prosa, insbes. der humorist. Roman, der größere Gestaltungs- und Aussagemöglichkeiten bietet und bis heute lebendig geblieben ist.

☐ Broich, U. (Hg.): Mock-Heroic Poetry. Tüb. 1971. – Ders.: Studien zum k. E. Ein Beitr. zur Deutung, Typologie u. Gesch. des k. E. im engl. Klassizismus 1680–1800. Tüb. 1968. – Loos, E.: Alessandro Tassonis »La secchia rapita« u. das Problem des heroisch-k. E. Krefeld 1967. – Schmidt, Karlernst: Vorstudien zu einer Gesch. des k. E. Halle (Saale) 1953. – RL RS*

Komma, n. [gr. = abgehauenes Stück, lat. articulus = (Satz)glied, auch incisio, incisum = Ein-, Abschnitt], Begriff der ⁄Rhetorik, kleinster Sprechtakt von i. d. Regel höchstens drei Wörtern; meist ein syntakt. unselbständ. Teil eines ⁄Kolons (z. B. eine adverbiale Bestimmung: *heute nacht*), aber auch ein kurzer Satz (*veni, vidi, vici* = 3 Kommata). In der Neuzeit Bez. für Satzzeichen zur Kennzeichnung eines Sinnabschnittes. ED*

Kommentar, m. [lat. commentarius, Lehnübersetzung von gr. ⁄Hypomnema = Erinnerung, Denkwürdigkeit, Erklärung von Texten, ⁄Scholien], *in den Philologien* liefert der K., meist als gesonderter Anhang zum Werk (↗Appendix), vornehml. Informationen zur histor. Einordnung eines Textes, zu seiner Überlieferung und stellt Sacherklärungen und Erläuterungen zum sprachl. und evtl. metr. Verständnis zur Verfügung. Der K. vermittelt die histor. und philolog. Wissensvoraussetzungen für eine Interpretation (vgl. auch textkrit. ↗Apparat). *In der Publizistik* ist der K., zu welchem Leitartikel, Glosse und Rezension gezählt werden, das Gegenstück zur sachl. Information, in dem ein Autor zu aktuellen Themen subjektiv und meinungsbildend Stellung nimmt. HW

Kommersbuch [zu Kommers = Festgelage der akadem. Korporationen, aus lat. commercium = Verkehr, Verbindung], Sammlung von Liedern für sog. Fest-Kommerse und ähnl. student. Zusammenkünfte, enthält neben den bereits seit dem späten MA. belegten eigentl. ↗Studentenliedern auch Balladen, Volks-, Wander-, Gesellschafts-, Vaterlandslieder u. a. – Die erste Zusammenstellung eines K.s dieser Art ist das »Akadem. Liederbuch« von Mag. Ch. W. Kindleben (Halle 1782); die Bez. ›K.‹ wird jedoch erst im 19. Jh., der Blütezeit des student. Korporationswesens, üblich; vgl. z. B. »Neues dt. allgem. Commers- und Liederbuch. Germania (d. i. Tüb.) 1815«, hrsg. v. G. Schwab. Am weitesten verbreitet war das »Lahrer allgem. dt. K.«, hrsg. v. M. u. H. Schauenburg, 1858 (eine erweiterte und verbesserte Auflage der akadem. Liedersammlung »Dt. Lieder‹, Lpz. 1843 unter Mitwirkung von E. M. Arndt, F. Silcher und F. Erk), das noch heute in 156. Auflage (besorgt von E. W. Böhme, 1966) und als Taschen-K. (Teilausgabe 1973) benutzt wird. IS

Kommos, m. [gr. = (das die Totenklage begleitende rhythm.) Schlagen (der Brust)], bei Aristoteles (Poetik, Kap. 12) überlieferte Bez. für den von Chor und Schauspieler(n) wechselweise oder gemeinsam vorgetragenen ekstat. Klagegesang (↗Threnos) als festes Bauelement der griech. ↗Tragödie. Im Ggs. zu anderen Formen des Wechselgesanges (↗Amoibaion) besteht der K. oft nur aus kurzen jamb. Versgliedern, die immer wieder durch Schmerzensschreie und Klagerufe (»iṓ iṓ« u. a.) unterbrochen werden. Der K. wird von Klagegebärden wie rhythm. Schlagen der Brust (daher die Bez.) und Raufen der Haare begleitet, vgl. z. B. die Schlußszene in den »Persern« des Aischylos. K

Kommunikationsforschung [zu lat. communicatio = Mitteilung], ausgehend vom elementaren, keineswegs allein sprachgebundenen Modell der Informationsübertragung (Informationsquelle – Sender/Signal – Übertragungskanal – Signal/Empfänger – Informationsziel) suchen mehrere wissenschaftl. Disziplinen, die Wege von der Botschaft bis zu ihrer aktuellen Aufnahme zu erfassen: Die allgemeine *Linguistik* interessiert sich für die sprachl. Bedingungen und verbalen Akte bei der Formulierung, für den kommunikativen Transport und die sprachl. Vorgänge bei der Entschlüsselung von Botschaften. – Die *Semiotik* untersucht, unter betonter Berücksichtigung sprachl. Zeichen, die Qualitäten der Botschaft, womit Theorien zum Inhaltstransfer für die Literaturwissenschaft kommunikationswissenschaftl. Vorgaben liefern. – Die *Sozial- und Verhaltensforschungen* beschäftigen sich mit den gesellschaftl. und anthropolog. Modellen aller Arten von Mitteilung, wobei – gelegentl. auch in einer eigens konstituierten und institutionalisierten Disziplin ›Kommunikationswissenschaft‹ in zunehmendem Maße Probleme der Medien- und Massenkommunikation (auch empirisch) ins Blickfeld rücken. – Das Bestreben, formalisierte Modelle für unterschiedl. Kommunikation (im Alltag, mit historischen oder poet. Texten, mit Tieren, mit Maschinen etc.) zu finden, führte zu weitreichenden Differenzierungen der Sender-Empfänger-Metapher. Zumal bei der Darstellung hochzivilisierter menschl. Kommunikation ist davon auszugehen, daß die Sender-Codes bereits Subcodierungen enthalten, dazu Ideologeme, Sozio- und Ideolekte, Bildungsgüter etc. Diese treffen beim Adressaten wiederum auf andere Subcodes, woraus sich einerseits Mißverständnisse ergeben, andererseits – zumal für die Decodierung histor. Botschaften – aber auch hermeneutische Probleme (↗Hermeneutik).

📖 Nemec, F. und Solms, W. (Hg.): Literaturwissenschaft heute. Mchn. 1979. – Held, K.: K. – Wissenschaft oder Ideologie? Mchn. 1973. – Watzlawick, P.: Menschl. Kommunikation. Bern u. Stuttg. 1969. HW

Komödie, f. [lat. comoedia, gr. kōmōidia aus kōmos = festl.-ausgelassener Umzug und ōidé = Gesang], *Allgemeines:* Literar. Bühnenwerk kom. oder heiteren Inhalts mit glückl. Ausgang (vgl. aber span. ↗Comedia, it. ↗Commedia, frz. ↗Comédie); neben der ↗Tragödie die wichtigste Gattung des europ. Dramas. Entstand aus dem Zusammenwirken verbaler Komik und unterliterar., mimet. (kult.?) Spieltraditionen (↗Mimus, Pantomime, Tanz, damit auch musikal. Elemente). – Die literar. Entwicklung ging aus von der att. K. und zeitigte im histor. Prozeß eine Fülle von Formtypen durch immer neue Impulse und Mischungen der beiden Grundelemente. Diese formale, themat. und intentionale Variationsbreite durchbricht ältere normative oder wirkungsästhet. Definitionen; sie ist letztl. nur in phänomenolog. Beschreibung faßbar: So unterscheidet man *formal* die klass. (auf griech./röm. Muster zurückgehende) K. (mit ↗geschlossener Form) u. die romant. K. (↗offene Form), *inhaltl.-struktural* die ↗Typen-, ↗Charakter-, ↗Situations- oder Intrigen- und ↗Konversations-K., *intentional* die polit.-gesellschaftskrit. satir. K., die didakt. (rührende) K. und die reine Unterhaltungs-K. (↗Boulevardk.), wobei mancherlei Kombinationen und Grenzüberschreitungen sowohl zu derberen (↗Posse, ↗Burleske, ↗Groteske, ↗Farce, ↗Schwank), zu ernsten (↗Tragi-K., Traumspiel) oder absurden dramat. Gattungen als auch zu ep., lyr. und musikal. Formen zu konstatieren sind. In der dt. Lit.wissenschaft wurde außerdem eine Differenzierung zwischen ›K.‹ als der satir.-schärferen, vitalen Ausprägung und dem ↗*Lustspiel* (Bez. seit 1536 als Übersetzung für ›K.‹) als der von Humor getragenen heiter-versöhnl. Ausprägung versucht. – Als verbindl. für die K. erachtet man allgem. nur den Bezug auf das Menschlich-Komische, dessen Darstellung neben Spott und Gelächter Kritik, d. h. aber letztl. versöhnl. Toleranz impliziert. Die K. richtet sich damit an den Intellekt (dagegen die Tragödie an Emotionen), sie betrifft soziale Gruppen und Typen (dagegen die Tragödie Individuen), sie ist lebensfähig v. a. in stabilen urbanen, liberalen Gesellschaften mit allgem. anerkannten eth., polit. und ästhet. Normen. Wo diese Bedingungen fehlen, fehlten wichtige Voraussetzungen für das Entstehen der K., so etwa in Deutschland bis zur Konsolidierung eines Bürgerstandes im 18. Jh., ebenso infolge der verbreiteten Bindungslosigkeit in der Moderne. Nach F. Dürrenmatt gilt die K. (jedoch mit Implikation des Absurden) als einzige der Gegenwart angemessene dramat. Form, und in der Tat ist in der sog. modernen K. das befreiende versöhnl. Lachen eliminiert (die Bez. ›K.‹ wird provokativ für groteske, absurde oder trag. Darstellungen benutzt (z. B. Dürrenmatts »Besuch der alten Dame«, eine »trag. K.«, 1955). – Eine ausgesprochene K.ntheorie wurde erstmals in der Renaissance entwickelt. Sie fußt 1. auf einzelnen Bemerkungen des Aristoteles, der in seiner Tragödientheorie (eine K.ntheorie ist verloren) die nachahmende Darstellung – der Wesensart, nicht dem Stande nach! – niedrigerer Charaktere (als das Publikum) und deren Verfehlungen, soweit sie lächerl., d. h. nicht verletzend oder schmerzl. sind. 2. auf der von Horaz aufgestellten Forderung der Angemessenheit der poet. Mittel, 3. den Plautin. Mustern und 4. auf antik. Traditionen. Daraus leiteten, z. T. mißverstanden, z. T. verabsolutierend, insbes. G. Trissino, J. C. Scaliger (1561) und L. Castelvetro (1571) für die K. einen Normenkatalog ab, der grundsätzl. bis ins

18. Jh. Gültigkeit hatte. Verbindl. für die K. waren demzufolge die Einteilung in Akte und die Befolgung der ↗drei Einheiten, der ↗Ständeklausel (Geschehnisse um sozial[!] niedere Personen) und der ↗Genera dicendi (d. h. für die K. das *genus humile,* einfache Verssprache oder Prosa). Erst die dichtungstheoret. und ästhet. Neubesinnungen des 18. Jh.s lösten die K. aus den normativen Fesseln. Entscheidend wird nun das sich Form schaffende innere Gesetz (Shaftesbury) und eine neue Wirkungsästhetik (oder eth. Wertpoetik): F. Schiller stellt in Bezug auf die eth.-ästhet. Wirkung (näml. Freiheit des Gemüts zu erzeugen) die K. über die Tragödie (»Über naive und sentimental. Dichtung«), ebenso die Romantiker wegen ihrer die Wirklichkeit transzendierenden Möglichkeiten. Seit dem 19. Jh. ersetzen formgeschichtl. Untersuchungen einerseits, Theorien zu Wesen und Bestimmung des ↗Komischen durch Philosophie und Psychologie andererseits die Bemühungen um eine Definition der K. (s. Lit.verzeichnis).

Geschichte. K.n sind in *Athen* seit 486 v. Chr. als Bestandteil der städt. (oder großen) ↗Dionysien (neben Tragödientrilogien), seit 442 v. Chr. für die dionys. Lenäen bezeugt. Herkunft und Ausbildung der K. ist umstritten. Im Anschluß an die Vermutungen des Aristoteles (Poetik 4) glaubt man sie evtl. bei den Dorern (Megarern) entstanden aus der Verbindung ritueller (dionys.?) ausgelassener Maskenumzüge *(komoi)* und phall. Chorgesänge *(phallika)* berauschter junger Männer mit dem volkstüml. derbsinnl. Spielimprovisationen des ↗Mimus. – Als *Vorformen* gelten daher die aus solchen Traditionen stammenden, von Epicharmos (500 v. Chr.) literarisierten kom. (noch chorlosen) Spiele (Possen, Mythentravestien, vgl. ↗Phlyakenposse; nur Titel und Versfragmente erhalten). Die voll ausgebildete *alte att. K.* im 5.–4. Jh. v. Chr. ist formal gekennzeichnet durch den Wechsel von Chorgesängen und Dialogpartien (insbes. die chor. ↗Parabase), differenzierte Verssprache, Masken und Phalluskostüm, inhaltl.-intentional durch satir.-aktuelle Personen- und Zeitkritik in derb-witzig aggressivem Ton. Vertreter ist neben Kratinos, Eupolis v. a. Aristophanes mit (44 bezeugten, davon 11 erhaltenen) K.n von großer satir. Schärfe und obszöner Offenheit bei gleichzeitiger poet. Sprachgewalt, so z. B. »Die Frösche« (Prototyp einer Literaturk., gegen Aischylos und Euripides), »Die Wolken« (gegen Sokrates), »Die Vögel« oder »Lysistrata« (Prototypen der zeitkrit. K.). – Die weitere Entwicklung der griech. K. spiegelt den allgem. Niedergang der Demokratie: die satir. Gesellschaftskritik weicht iron. Skepsis, ausgedrückt in Parodien, Mythentravestien: sog. *mittlere att. K.,* (ca. 400–320 v. Chr.) und schließl. einer Gleichgültigkeit gegenüber der Polis: In der *neuen att. K.* (3.–2. Jh. v. Chr.) wird das Interesse für das typ. Menschliche, Private mit deutl. moral. Tendenz vorherrschend, zugleich wird der freie aggressive Ton der alten K. zugunsten eines gepflegten Umgangstones aufgegeben. Formal treten, analog zur ↗Tragödie, die chor. Elemente immer mehr zurück, werden zu bloßen lyr. Einlagen zwischen den Handlungsabschnitten, wodurch geschlossene Geschehnisabläufe entstehen. Vertreter dieser bis in die Gegenwart lebendigen ↗Konversations-K. ist v. a. Menander (»Dyskolos«).

Die röm. K. übernimmt Form, Stil und Themen der neuen att. K. (bez. als ↗fabula ↗*Palliata*), auch wenn sie in nationalem röm. Dekor auftritt (sog. fabula ↗*Togata*). Die neue att. K. war seit 240 v. Chr. durch Übersetzungen und Nachahmungen des Livius Andronicus bekannt. Hauptvertreter der röm. K. sind der urwüchsig-sprachgewaltige Plautus, der v. a. die musikal. Elemente (↗*Cantica* stark betont (insges. 21 K.n erhalten, darunter »Miles gloriosus«, »Amphitruo«) und der stilist. elegantere, urbanere Terenz (»Andria«, »Hecyra«, »Eunuchus«, »Adelphoi« u. a.). Ihre K.n sind themat. meist geschickte Kontaminationen oft mehrerer griech. K.n mit ledigl. vielfältigeren Typen und v. a. verschlungenerer Handlungsführung. Jedoch wirkten

gerade sie beispielgebend für die abendländ. Entwicklung der K. – Im 1. Jh. v. Chr. wird in Rom außerdem die ursprüngl. unterliterar. ↗*Atellane* durch Literarisierung (Pomponius, Novius) und gleiche Aufführungspraxis in die röm.-it. K.ntradition aufgenommen.

Im europ. MA. ist die antike K.ntradition verschüttet. Ledigl. Terenz ist als lat. Schulautor in Klöstern bekannt (Hrotsvit von Gandersheim). In städt. Zentren erwachsen aber, z. T. aus Einlagen der ↗geistl. Spiele, z. T. autochthon aus volkstüml. unterliterar. Traditionen kurze, derb-kom. weltl. Spiele in Versen, so die frz. ↗Farcen und ↗Sottien, die niederländ. ↗*Kluchten,* die dt. ↗*Neidhart-* und ↗*Fastnachtsspiele*(insbes. in Nürnberg: literarisiert im 15. Jh. von H. Folz und H. Rosenplüt, im 16. Jh. v. H. Sachs und H. Ayrer, mit deutl. moralisierender und krit. Tendenz); die bes. in Deutschland unter Aufnahme mannigfacher neuer Stoff- und Spielelemente (↗engl. Komödianten, ↗Hanswurst) bis ins 18. Jh. lebendig blieben (↗Wiener Volkstheater). – *Die Wiederentdeckung und Neubelebung der antiken röm. K.*erfolgte Ende des 15. Jh.s in der ital. Renaissance, zunächst durch (übersetzte) Ausgaben (Venedig, Lyon) und durch Aufführungen der K.n des Plautus und Terenz (1484 Rom, 1486 u. 1502 Ferrara), dann durch Neuschöpfungen, die zwar die Typen- u. Handlungsschablonen der röm. K. übernahmen, jedoch auch Kritik an den zeitgenöss. freien Sitten übten. Bekannte Vertreter dieser sog. ↗*Commedia erudita* sind Ariost, Bibbiena, N. Macchiavelli, P. Aretino, G. Bruno oder auch A. Beolco, gen. Il Ruzzante, dessen K.n erstmals bäuerl. Milieu und Dialektformen einbeziehen. Bedeutungsvoll für die weitere Entwicklung der K. wurde ihre theoret., normative Fixierung in der Renaissancepoetik (s. K.ntheorie). Daneben gelangten in der ↗*Commedia dell'arte* die volkstüml. Stegreiftraditionen zu immer größerer Beliebtheit und beeinflußten auch die literar. K. in fast allen nationalsprachl. Ausprägungen. Sie wurde zwar im 18. Jh. durch C. Goldonis realist.-natürl. Charakterk.n (nach dem Muster Molières: »Mirandolina«, 1753 u. a.) entthront; ihre Typen und ihr Darstellungsstil finden sich jedoch bis ins 20. Jh. noch allenthalben im K.nschaffen Italiens (von C. Gozzi mit seinen programmat. gegen Goldoni gerichteten »Fiabe«, 1772, bis zu L. Pirandello) und des übrigen Europa (z. B. noch in H. v. Hofmannsthals »Rosenkavalier«, 1911). – *Die Rezeption der Renaissance-K.* seit dem 16. Jh. verläuft in den einzelnen Nationalstaaten unterschiedl., je nach der gesellschaftl. und geistesgeschichtl. Situation: In *England* erfolgte sie rasch in humanist. und höf. Kreisen; daneben entstand als neuer Typ die sog. *romant. K.,* die die normative Vorschriften der Renaissance-Poetik aufer acht läßt (↗offene Form, Mißachtung der Ständeklausel, der Generea dicendi) und die statt der plautin. satir. Intrigen- und Typen-K. geistreich-iron. Traum- und Identitätsspiele in formvollendetem poet. Stil (↗Euphuismus) gestaltet. Sie wurde begründet von J. Lyly und zu weltliterar. Bedeutung erhoben durch *W. Shakespeare:* Neben der tiefsinnig heiteren Problematik individuell gezeichneter Charaktere findet bei ihm auch das derbsinnl. Element (Rüpelszenen) wieder Platz; seine kunstvolle Mischung von Spiel- und Stilebenen, von Sein und Schein, trag. und kom. Aspekten erschlossen der K. neue humane und metaphys. Bereiche, vgl. z. B. »Der Widerspenstigen Zähmung« (1594), »Sommernachtstraum« (1595), »Kaufmann von Venedig« (1595), »Viel Lärm um Nichts« (1598), »Wie es euch gefällt« (1599), »Die lust. Weiber von Windsor« (1600), »Was ihr wollt« (1600), »Ende gut, alles gut« (1602), »Maß für Maß« (1604). Shakespeare erreichte durch die Universalität seiner K.n und erstmals gestützt auf ein Berufstheater (vgl. ↗elizabeth. Drama) sowohl das adlige als auch das bürgerl. Publikum. – Gleichzeitig schuf Ben Jonson in antiker Tradition die ↗*Comedy of humours,* eine Art. Typen-K., die satir. menschl. Schwächen bloßstellt; weitere Vertreter sind J.

Fletcher, F. Beaumont. Ph. Massinger, G. Chapman. Sie wird nach der Restauration abgelöst von der sog. ⁄ *Comedy of manners*, die, nun nach klassizist. frz. Muster, die gesellschaftl. Sitten der Zeit karikiert. Mit ihrem treffsicheren Dialog gehört sie in die Tradition der Gesellschafts- und Konversations-K., die bis ins 19. Jh. wirkte (im 17. Jh. J. Dryden, G. Etherege, W. Wicherley und v. a. W. Congreve, im 18. Jh. R. B. Sheridan, im 19. Jh. v. a. O. Wilde). – *Im Spanien* der Gegenreformation konnte sich aus den it. Vorbildern nur ein unpolit., unsatir. K.ntyp entfalten: In den sog. ⁄ *Mantel- und Degenstücken* (3 Akte, troch. Verse, Mißachtung der drei Einheiten und der Ständeklausel) werden mit der klass. Intrigen- und Verwechslungstopik gesellschaftl. Normverletzungen thematisiert und in einem unpolem., heiter-versöhnl. Ton ethisch-humane Grundwerte (Ehre, Pflicht, Treue usw.) propagiert. Meister dieses K.ntyps sind Lope de Vega, der auch Elemente der Commedia dell'arte verarbeitete (Einführung des ⁄ Gracioso), P. Calderón de la Barca, Tirso de Molina, A. Moreto y Cavana, J. Ruiz de Alarcón y Mendoza u. a. Die Blütezeit der span. K. im 17. Jh. wirkte weithin vorbildhaft; in Spanien selbst wurde sie nach kirchl. Einschränkungen (1649) von den ⁄ Zarzuelas verdrängt, bis im 18. Jh. die klassizist. frz. K. nachgeahmt wurde (L. F. de Moratín). Auch in *Frankreich* wurden zunächst die italien. (⁄ *Comédie italienne), dann v. a. die span. Einflüsse verarbeitet, vgl. z. B. P. Corneille (»Le Menteur«, 1643) und Molière, der der Commedia-dell'arte-Tradition in mehreren K.n von »L'Étourdi« (1655) bis zum »Scapin« (1671) folgt, ebenso der Mode der ⁄ Intermezzi in den späteren ⁄ *Comédies ballets*. Neben diesen leichtgewichtigeren K.n führte Molière durch die Verbindung solcher Traditionen mit den Formforderungen der frz. Klassik den Typus der *Charakter-K.* zu höchster Vollendung; hier findet sich zwar auch Kritik an der höf. und bürgerl. Gesellschaft, darüber hinaus werden aber durch die Deutung menschl. Schwächen als Verstöße gegen naturgegebene und gesellschaftl. Gesetze trag.-existentielle Bereiche berührt, z. B. »Le Misanthrope« (1666), »Tartuffe« (1667), »George Dandin«, »L'Avare« (1668), »Le malade imaginaire« (1673). Diese K.n Molières in ihrer sprachl. und gestalter. Souveränität (symmetr. Bau, drei Einheiten, Alexandriner) und verfeinerten Komik bestimmen die K. der Folgezeit in Frankreich (J.-F. Regnard, Dancourt) und im übrigen Europa: neben England, Spanien, Deutschland insbes. auch in Dänemark (L. v. Holberg). – Erstmals gesamteurop. Ausprägung erfährt die K. im 18. Jh. im Gefolge der *Aufklärung*. In deutl. didakt. Absicht propagiert sie bürgerl. Glück durch bürgerl. Tugenden, jedoch nicht durch den Entwurf einer lächerl. Gegenwelt, sondern durch die Demonstration vernünftig-moral. Verhaltens und den Appell an das Gefühl. Die K. wird zur Tugendlehre, an die Stelle des Lachens tritt die Rührung. Damit sprengt sie die herkömml. Gattungsgrenzen: sie wird, als *K. ohne Komik* zum ersten Beispiel für die Abkehr von der normativen Poetik, die ästhet. und literaturkrit. Neubesinnung im 18. Jh. einleitet. Als Zwischenform zwischen den herkömml. Gattungen ist sie ein wichtiger Vorläufer des ⁄ bürgerl. Trauerspiels. – Diese Aufklärungs-K. entsteht zuerst in England *(sentimental comedy)*, entwickelt von C. Cibber (»Careless Husband«, 1704) und weitergeführt von R. Steele (»The Tender Husband«, 1705), H. Kelly und bes. O. Goldsmith (»She stoops to conquer«, 1773), in ähnl. Form in Frankreich (⁄ *Comédie larmoyante)*, vertreten durch P. de Marivaux, Ph. N. Destouches, P. C. Nivelle de La Chaussée, und in dessen Gefolge auch in Deutschland. Damit gewinnt *Deutschland* erstmals breiteren Anschluß an die europ. K.ntradition, die vordem auf Grund polit. und konfessioneller Zerrissenheit nur sporad. aufgenommen und ohne breitere Wirkung geblieben war, wie z. B. die Terenz- und Plautus-Nachahmungen in Humanistenkreisen (Reuchlin, Wimpheling) oder die Versuche

A. Gryphius' (»Horribilicribrifax«, 1663), bei dem aber die volkstüml. possenhaften Elemente überwiegen. – J. Ch. Gottsched förderte dann im Kampf gegen solche beliebten volkstüml. Spieltraditionen (vgl. z. B. Vertreibung des Hanswurst auf der Bühne der Neuberin) den Anschluß an die europ. Aufklärungs-K., zunächst durch Übersetzung (bes. v. Adelgunde Gottsched), dann v. a. durch die Nachahmung der frz. Formmuster. Es entstand die satir.-moralist. ⁄ *Sächs. K.*, der bald das empfindsame *Weinerl. Lustspiel* folgte (Ch. F. Gellert, »Die Betschwester«, 1745; J. E. Schlegel, »Die stumme Schönheit«, 1747, Ch. F. Weisse, »Amalia«, 1765). Aus der Auseinandersetzung mit diesen klassizist. frz. und den engl. Vorbildern (insbes. Shakespeare) im Rahmen des ⁄ Literaturstreites entstand dann mit G. E. Lessings »Minna von Barnhelm« (1767) die erste dt. K. von Rang, die in ihrer rationalen Klarheit, verbunden mit wesentlichen K.nzügen (Zeitkritik, Charakter- und Intrigen-K.) zur Entwicklung eines dt. Nationaltheaters beitrug. Aber trotz der nun einsetzenden durchdringenderen Reflexion über das Wesen der K. ragen auf lange Zeit nur noch die K.n H. v. Kleists (»Amphitryon«, 1808, »Der zerbrochene Krug«, 1811) aus dem dt. K.nschaffen heraus, das von effektvollen sog. ⁄ *Rührstücken* im Stile A. Kotzebues bestimmt war. Die poet.-phantast. K.n der Romantiker (L. Tieck, C. Brentano, auch G. Büchner, Ch. D. Grabbe) erreichten ihre engl. und span. Vorbilder nicht. Der span. K. des 17. Jh.s folgte auch – ohne zeitgenöss. Erfolg – F. Grillparzer (»Weh dem, der lügt«, 1840). Zu eigenständ. Formen aus volkstüml., barocken und Commedia-dell'arte-Traditionen gelangten nur die Vertreter des Wiener Volkstheaters (F. Raimund und J. N. Nestroy). – Mit der Konsolidierung eines Großbürgertums im Verlaufe des *19. Jh.s* erreicht die *Konversations-* und *Gesellschafts-K.* eine neue Blüte. Ihre besten Vertreter (Scribe, Augier, A. Savoir) verbinden heitere Gesellschaftskritik mit spannender Handlungsführung, pointenreich-pikantem Dialog, Esprit und Phantasie, so daß dieser K.ntyp neben den platteren *Boulevard-K.n.*, den unterhaltenden Volksstücken, Farcen, Burlesken, Possen, Schwänken, Kriminal-K.n und den amerikan. Broadway-Produktionen (Musicals) bis in die Gegenwart lebendig blieb (F. Schreyvogel, F. Michael, F. Schwiefert, H. Hartung, R. Cooney, J. Chapmann, u. v. a.). Anspruchsvollere Beispiele dieser Tradition entstehen bes. in Österreich mit den K.n von H. Bahr, A. Schnitzler, H. v. Hofmannsthal (insbes. »Der Schwierige«, 1921), O. M. Fontana, A. Lernet-Holenia. – Daneben entwickelt sich im 19. Jh. die *soziale K.*, die Gesellschaftskritik v. a. durch Milieuzeichnung zu erreichen sucht: sie begegnet bereits im 18. Jh. (P. A. de Beaumarchais, »Der tolle Tag«, 1784), ist der K.ntypus des ⁄ Jungen Deutschland (ähnl. auch »Die Journalisten«, 1858, von G. Freytag) und erreicht literar. Rang erstmals in Rußland durch N. Gogol (»Der Revisor«, 1834), die iron. K. A. N. Ostrowskijs und die stimmungshaft-leisen A. P. Tschechows, in Deutschland durch G. Hauptmann (»Biberpelz«, 1893) oder etwa L. Thoma oder C. Zuckmayer (»Der Hauptmann v. Köpenick«, 1931). Seit Ende des 19. Jh.s führt der zunehmend krassere Realismus der Milieuschilderung zu immer schärferer Aggression, damit zum Umschlag des Komischen in Bitterkeit, Zorn, grellen Zynismus: Gesellschaftskritik wird zur sozialen Anklage, die K. zur ⁄ Groteske, Tragikomödie, zum sozialen Drama (W. Hasenclever, C. Sternheim, F. Wedekind u. a.), wobei die Bez. ›K.‹ z. T. provozierend programmat. für trag. angelegte Stücke verwendet wird (z. B. A. Schnitzler, »Bernhardi«, 1912, vgl. auch die Stücke der Iren S. O'Casey, J. M. Synge, B. Behan). – *In der modernen Entwicklung* macht sich das allgemeine Mißtrauen gegen die traditionelle Wirkungsästhetik der K. (und der Tragödie!) immer stärker bemerkbar. Komik und die in ihr implizierte Kritik erscheint angesichts des Zerfalls traditioneller Werte und der existentiellen Bindungslosigkeit als

Kategorie der Wirklichkeitserfassung unbrauchbar; die Folge sind Grenzüberschreitungen nach vielerlei Richtungen, einerseits zur Groteske (B. Brecht, F. Dürrenmatt, M. Frisch, P. Weiss, M. Sperr), zur ⟋Tragi-K., zur sarkast. oder resignativen Bestandsaufnahme (Ö. v. Horvath, P. Hacks), v. a. aber zur absurden Spiegelung der Wirklichkeit, die auch die Elemente der Farce (A. Jarry) und Groteske einbezieht (E. Ionescu, »Die kahle Sängerin«, 1950; J. Audiberti, »Glapioneffekt«, eine ⟩Parapsycho-K.⟨, 1961; J. Saunders, W. Hildesheimer, W. Mrozek u. v. a.), andererseits aber auch zum poet.-phantast., antirealist. existentiellen oder philosoph. Problemstück (R. Rostand, L. Pirandello, García Lorca, J. Giraudoux, J. Anouilh, Yeats u. a.). Als noch echte K.n innerhalb dieser Gruppe werden z. T. Ch. Frys K.n und M. Frischs »Don Juan und die Geometrie« (1953/1961) bezeichnet, z. T. auch G. B. Shaws »Pygmalion« (1913), dessen übrige K.n mit ihren deutl. propagierten polit. und sozial. Evolutionstheorien ebenfalls den Bereich der K. ausweiten, sie begründen in gewisser Weise die Tradition der sog. Polit-K. mit didakt. (dem Wesen der K. fremder) Zielsetzung. Sie entstand z. B. in Rußland seit 1920, vertreten von V. P. Katajev, M. A. Bulgákov und bes. W. Majakowskij (»Die Wanze«, 1929, »Das Bad«, 1930), in den USA (die bisher ohne nennenswerte K.nproduktion geblieben waren) durch G. S. Kaufman, G. Kanin, Th. Heggen, J. Logan, in England (in satir.-nichtdidakt. Absicht) durch P. Ustinov (»Die Liebe der vier Obersten«, 1951, »Romanoff und Julia«, 1956); in der Bundesrepublik vertritt etwa Rolf Hochhuth (»Die Hebamme«, 1971, »Lysistrate«, 1974), in der DDR Friedrich Wolf und E. Strittmatter (»Katzgraben«, 1950) diesen Typus.

⌑ *Texte*: Arntzen, H./Pestalozzi, K. (Hrsg.): Komedia. Dt. Lustspiele vom Barock bis zur Gegenwart. Texte u. Materialen zur Interpretation Bd. 1 ff. Bln./New York 1962ff.
Allgemeines: Mainusch, H. (Hg.): Europ. K. Darmst. 1990. – Grimm, R./Hinck, W.: Zw. Satire u. Utopie. Zur Komiktheorie u. zur Gesch. d. europ. K. Frkft. 1982. – Grimm, R./Berghahn, K. L. (Hrsg.): Wesen und Formen des Komischen im Drama. Darmst. 1975 (WdF 62). – Martini, F.: Lustspiele und das Lustspiel. Stuttg. 1974. – Schoeller, A. E.: Gelächter u. Spannung. Studien z. Struktur des heiteren Dramas. Zür. 1971.
Theorie: Holl, K.: Zur Gesch. der Lustspieltheorie von Aristoteles bis Gottsched. Bln. 1911, Nachdr. Nendelen 1976. – Altenhofer, N. (Hrsg.): K. u. Gesellschaft. K.ntheorien des 19.Jh.s. Frkft. 1973. – Haberland, P. M.: The development of comic theory in Germany during the 18th century. Göppingen 1971.
Dt. Komödie: Hinck, W. (Hrsg.): Die dt. K. vom MA. bis zur Gegenwart. Düss. 1977. – Steffen, H. (Hrsg.): Das dt. Lustspiel. 2 Bde. Gött. 1969. – Prang, H.: Gesch. des Lustspiels. Stuttg. 1968. – Holl, K.: Gesch. des dt. Lustspiels. Lpz. 1923.
Catholy, E.: Das dt. Lustspiel von der Aufklärung bis zur Romantik. Stuttg. 1982. – Klotz, V.: Bürgerl. Lachtheater. K., Posse, Schwank, Operette. Mchn. ²1984. – Steinmetz, H.: Die K. der Aufklärung. Stuttg. ³1978. – Die dt. K. im 20.Jh. 6. Amherster Kolloquium zur mod. dt. Lit. 1972. Hg. v. W. Paulsen. Hdbg. 1976. – Hinck, W.: Die europ. K. der Aufklärung. In: W. H. (Hrsg.): Neues Hdb. der Lit.wiss. Bd. 11: Europ. Aufklärung I, Frkft. 1974. – Thalmann, M.: Provokation und Demonstration in der K. der Romantik. Bln. 1974. – Haida, P.: K. um 1900. Mchn. 1973. – Catholy, E.: Das dt. Lustspiel vom MA. bis zum Ende der Barockzeit. Stuttg. 1969. – Arntzen, H.: Die moderne K. Mchn. 1968. – Hinck, W.: Das dt. Lustspiel des 17. u. 18.Jh.s und die italien. K. Stuttg. 1965.
Außerdt. Komödie: Schoell, K.: Die frz. K. Wiesb. 1983. – Brereton, G.: French comic drama from the 16th to the 18th century. Ldn. 1977. – Schulz, V.: Studien zum Komischen in Shakespeares K.n. Darmst. 1971. – Aubrun, Ch. V.: La

comédie espagnole (1600–1680). Paris 1966. – Norwood, G.: Greek Comedy. New York ³1963. – Herrick, M. T.: Italien comedy in the renaissance. Urbana (Ill.) 1960. – Yershov, P.: Comedy in the Soviet theatre. Ldn. 1957. – Wimsatt, W. K.: English stage comedy. New York 1955. – Duckworth, G. E.: The nature of Roman comedy. Princeton (N. Y.) 1952. – Körte, A.: Die griech. K. Lpz. 1914.   IS

Komparatistik, f. [lat. comparare = vergleichen], ⟋vergleichende Literaturwissenschaft.

Kompendium, n. [lat. = (Arbeits- oder Zeit-)Ersparnis], Bez. für Handbuch, Abriß, kurzgefaßtes Lehrbuch, Leitfaden, geraffte überblickartige Darstellungen eines Wissensgebietes, ⟋Repertorium.   GG*

Kompilation, f. [lat. eigentl. = Plünderung], seit dem 16.Jh. übl. Bez. für eine meist der Wissensvermittlung dienende Zusammenstellung von Textausschnitten aus einschlägigen Schriften; kann von unverarbeiteter Stoffsammlung bis zum anspruchsvollen enzyklopäd. Handbuch reichen; bes. beliebt in Spätantike und MA. – Auch Bez. für literar. Werke, in denen Stoffe und Episoden aus älteren Quellen nur oberfläch. verbunden aneinandergereiht sind (z. B. die Abenteuer-K.en in den epigonalen Artusromanen).   RG*

Komplimentierbuch [lat. complementum = Ergänzung, Anhang], Lehrbuch der Galanterie, des Gebrauchs von Formeln und Redewendungen, der Zeremonialwissenschaften, der Konversation, meist mit Exempla- bzw. Apophthegmasammlungen verbunden, die Komplimente für alle Situationen des gesellschaftl. (höf.) Lebens bereithielten; Teilgebiet der rhetor. und der ⟋Anstandsliteratur. – Die Komplimentierkunst war eine wesenhaft an das feudale System gebundene Ausprägung hierarch. genormter Verhaltensweisen mit dem Ziel, das Individuum zum polit. Menschen, zum Weltmann und Kavalier bzw. Hofmann heranzubilden. – Die Ursprünge der K.er liegen in den mal. Sittenbüchern und ⟋Tischzuchten; bes. einflußreich waren die Lehren des Italieners B. Castiglione (»Cortegiano«, 1528), der Spanier A. de Guevara und B. Gracián, des Engländers F. Bacon und der Franzosen F. de Callières, F. A. P. de Moncrif und J. B. M. de Bellegarde. In Deutschland fällt die Blütezeit der K.er in die Zeit von 1650–1750. Hier waren, nach den Übersetzungen v. a. frz. Vorbilder, die führenden Lehrmeister der Komplimentierkunst Ch. Weise (»Polit. Redner«, 1677) und J. Riemer (»Schatzmeister aller Freud- und Leidkomplimente«, 1681). Weise führte auch eine Systematisierung der Komplimente ein; sie werden gegliedert in Propositio oder Vortrag (Anliegen des Redners), Insinuatio oder Schmeichelei, Votum oder Wohlergehenswunsch und Servitorium oblatio oder Dienstanerbieten, manchmal noch Recommendatio oder Selbstempfehlung. – Die oft umständl. barocken Komplimente wurden im galanten Zeitalter den neuen Idealen der leichten Verständlichkeit, Zierlichkeit und Kürze angepaßt, repräsentativ sind hier A. Bohse, gen. Talander (»Getreuer Wegweiser zur Teutschen Rede-Kunst«, 1692 u. a.), J. Ch. Barth u. B. von Rohr (»Einleitung zur Ceremonialwissenschaft der Privat-Personen«, 1730). – In der Übergangszeit zwischen feudaler und bürgerl. Gesellschaft entstanden speziell für Bürgerl. abgefaßte K.er mit vereinfachten Anweisungen, die oft vom Widerspruch zwischen theoret. Ablehnung des Komplimentierwesens und prakt. Empfehlung seiner Muster geprägt waren, z. B. C. F. Hunold, »Manier höfl. und wohl zu Reden und zu Leben« (1710). Seit dem Auftreten von Thomasius bekämpfte das aufklärer. Bürgertum immer vehementer das überflüss., mit Heuchelei identifizierte Komplimentieren und propagierte neue moralist. »Tugend des Herzens«; bes. erfolgreich war A. v. Knigges »Über den Umgang mit Menschen« (2 Bde. 1788). In seiner Nachfolge entstanden die heute zahlreichen bürgerl. Benimm- und Sittenbücher.

⌑ Göttert, K.-H.: Legitimationen f. d. Kompliment. DVjs

1987. – Zaehle, B.: Knigges Umgang m. Menschen u. seine Vorläufer. Hdbg. 1933. – RL. GG

Komposition, f. [lat. compositio = Zusammensetzung], Aufbau eines Sprachkunstwerkes: K. meint in der Regel mehr als nur die äußere stoffl. oder formale Gliederung (↗tekton., ↗atekton. Bau), vielmehr werden Kategorien wie Einheit eines Werkes, äußere und innere ↗Form, das Verhältnis seiner Teile untereinander und zum Ganzen u. ä. einbezogen; heute wird der Begriff meist ersetzt durch »Struktur‹; vgl. bes. ↗Struktur im ↗Strukturalismus. S

Konfiguration, f., Bez. H. Arps für Arbeiten der bildenden Kunst, die auf einfache Formen reduziert sind, und für Gedichte (um 1930), die »Bilder und Laute des Unbewußten ohne Mittel des Rationellen« zusammenfügen sollten. Im Werk Arps ist der Übergang von der K. zur ↗Konstellation fließend (↗abstrakte Dichtung). D

Konflikt, m. [lat. conflictus aus confligere = feindl. zusammenstoßen], allgemein: Zwiespalt, Auseinandersetzung, Streit, auch: innerer Widerstreit von Motiven, Wünschen, Bestrebungen, Kollision polarer Kräfte, bes. eth. Werte. Bildet als augenfällige Verdichtung einer dualist. Weltsicht den Wesenskern des ↗Dramas (dramat. K.), der zur Lösung, zur ↗Katastrophe, drängt): in der Komödie und im Schauspiel handelt es sich um kom., heitere, auch ernste oder objektiv ungleichgewichtige (Schein-)K.e, z. B. zw. Liebe und übersteigerter Ehre in Lessings »Minna v. Barnhelm«, in der Tragödie um existentielle, meist antinom. K.e (trag. K.e, die in der dramat. Situation der Tragödie durch Scheitern des Helden zwar gelöst werden, grundsätzl. aber Aporien sind), z. B. der K. zwischen göttl. weltl. Gesetz in Sophokles' »Antigone«. IS

Königsberger Dichterkreis, auch: *Kürbishütte*, von Robert Roberthin in den zwanziger Jahren des 17. Jh.s in Königsberg gegründete bürgerl. Vereinigung von Musikern J. Stobaeus, H. Albert) und Dichtern (u. a. S. Dach, G. Mylius, A. Adersbach, Ch. Wilkau). Unter der eigenen Bez. von Sterblichkeitsbeflissenen und dem Emblem des Kürbisses verfaßten die (Gesellschaftsnamen tragenden) Mitglieder des K. D.es Kirchen- und Gesellschaftslieder und meist religiös getönte) Gebrauchslyrik wie Hochzeits- und Begräbnisgedichte, aber auch Schäferspiele und Opern. Ausgewählte Dichtungen und Kompositionen des K. D.es publizierte H. Albert in der Sammlung »Arien und Melodeyen« (1638/50) und in der »Musikal. Kürbishütte« (1641). ⊡ Schöne, A.: Kürbishütte und Königsberg. Mchn. 1975. – RL. HD

Konjektur, f. [lat. = Vermutung], im Rahmen der ↗Textkritik der verbessernde Eingriff des Herausgebers in den überlieferten Text. Im Ggs. zur einfachen ↗Emendation handelt es sich hier nicht um Ausbesserungen offensichtl. Überlieferungsfehler, sondern um Eingriffe, die z. T. der Beseitigung von ↗Korruptelen dienen, darüber hinaus aber den überlieferten Text auch dort ändern, wo er nach Meinung des Herausgebers) dem Stil, dem Wortgebrauch, der Metrik und der Reimtechnik des Autors und seiner Zeit nicht entspreche. Da K.en weitgehend auf ›Einfühlung‹ des Herausgebers in den Text und auf ›Erratung‹ (Divination) beruhen, und nicht immer Parallelstellen vorhanden sind, an denen der Herausgeber sich orientieren kann, besteht bei solchen Eingriffen die Gefahr der Subjektivität und der ›Herausgeberwillkür‹. – Während die K.alkritik in der klass. Philologie und bei der Bibelkritik auf Grund der Überlieferung (schulmäßige Überlieferung) meist sparsam betrieben wurde, war sie bei der Edition mal. Texte z. T. nicht genügend abgesichert, wie in der neueren Textkritik (Stackmann, Schweikle) moniert wird. K*

Konkordanz, f. [lat. = Übereinstimmung], 1. alphabet. Verzeichnis (Index) zu literar. und wissenschaftl. Werken, kann Wörter und Wendungen *(Verbal-K.)* oder Sachen und Begriffe *(Real-K.)* enthalten, und zwar

entweder alle Belegstellen oder ausgewählte Stellenangaben *(Hand-K.)*;
2. Bez. für Vergleichstabelle, in der unterschiedl. Seitenzählungen oder Numerierungen derselben Texte in verschiedenen Ausgaben einander gegenübergestellt werden. K.en sind unentbehrl. für die wissenschaftl. Arbeit an Texten, vgl. z. B. als früheste die Bibel-K.en, die K.en zum Werk Dantes (E. A. Fay, 1888, Nachdr. 1966), Shakespeares (M. Spevack, 1967/70 u. a.) oder Goethes (Goethe-Wörterbuch). HD*

Konkrete Dichtung, Reinhard Döhl; Apfelgedicht
(Apfel mit Wurm; 1965)

Konkrete Dichtung [zu lat. concretus = gegenständl.], neben ↗›abstrakte Dichtung‹, gelegentl. auch ›materiale Dichtung‹ (↗›materialer Text) geläufigste Bez. für die etwa seit 1950 international auftretenden Versuche in der modernen Literatur, mit dem *konkreten* Material der Sprache (Wörtern, Silben, Buchstaben) unmittelbar – und losgelöst von syntakt. Zusammenhängen und oft auch auf das Wort als Bedeutungsträger verzichtet – eine Aussage zu gestalten. Die wesentl. theoret. oder ideolog. begründeten Formen der k. D. stehen v. a. in der Tradition der »parole in libertà« Marinettis (italien. ↗Futurismus), der ›Verse ohne Worte« H. Balls, der ›elementaren‹ Dichtung K. Schwitters' (↗Dadaismus) und der ›Klänge‹ Kandinskys. Für die *Theoriebildung* waren von Bedeutung O. Fahlströms »Manifest für k. Poesie« (1953), E. Gomringers »vom vers zur konstellation« (1955) und A. und H. Campos' und D. Pignataris »Plano-Pilôto para poesia concreta« (1958). Die zwei wichtigsten Spielarten der k. D. sind die ↗visuelle Dichtung (Beispiele: Gomringers ↗Konstellationen, R. Döhls »Apfelgedicht«, Abb.) und die ↗akust. Dichtung (Beispiel: E. Jandls »Sprechgedichte«, z. B. das auf Schallplatte veröffentlichte »Schützengrabengedicht«). Vgl. auch ↗Darmstädter Kreis (2).
⊞ Garbe, B. (Hg.): Konkrete Poesie, Linguistik und Sprachunterricht. Hildesheim u. a. 1987. – Döhl, R.: Konkrete Lit. In: Durzak, M. (Hg.): Dt. Gegenwartslit. Stuttg. 1981. – Kopfermann, Th.: Konkrete Poesie. Bern/Frkft. 1981. – Wulff, M.: Konkrete Poesie u. sprach-immanente Lüge. Stuttg. 1978. – Schmieder, D./Rückert, G.: Kreativer Umgang mit konkreter Poesie. Freibg. 1977. – Kessler, D.: Unters. zur k.n D. Meisenheim a. Gl. 1976 *(mit wichtiger Bibliogr.).* – Hartung, H.: Experimentelle Lit. u. konkrete Poesie. Gött. 1975. – Wagenknecht, Ch.: Konkrete Poesie. In: Der Berliner Germanistentag 1968, hrsg. v. K. H. Borck u. R. Henss. Hdbg. 1970. – Bense, M.: Konkrete Poesie. In: Sprache im techn. Zeitalter, H. 15 (1965) Sonderheft: Texttheorie u. k. D.

Texte: Theoret. Positionen zur konkreten Poesie. Texte u. Bibliogr. Hrsg. v. Th. Kopfermann. Tüb. 1974. – An anthology of concrete poetry. Ges. u. hrsg. v. E. Williams. New York 1967. – Concrete Poetry. An international anthology. Ges. u. hrsg. v. St. Bann. London 1967.   S

Konsequente Dichtung, Bez. K. Schwitters' für ›konsequent‹ auf das elementare Material der Dichtung (Buchstaben, Buchstabenkonstellationen) ↗reduzierte Texte (auch: *elementare Dichtung*), die auf das Wort als Bedeutungsträger verzichten, z. B. Schwitters' »Ursonate« (1932). Da Schwitters an eine akust. Realisation seiner k.n D. dachte, gehört sie in die Tradition der ↗akust. Dichtung; sie stellt eine beachtl., radikale Vorstufe der späteren ↗konkreten Dichtung dar.

📖 Schwitters, K.: K. D. In: G. Zeitschr. f. elementare Gestaltung 1 (1924) H. 3, 45 ff.   D*

Konstellation, f., von E. Gomringer in Anlehnung an St. Mallarmé und in Nachfolge H. Arps seit 1953 verwandte Bez. speziell für eigene, allgemein für formal und inhaltl. weitgehend reduzierte, auf einer überschaubaren Verteilung geringen Wortmaterials basierender Gedichte Innerhalb der ↗konkreten Dichtung entspricht die K. weitgehend einem Gedichttyp der ↗visuellen Dichtung (Wortbild oder poet. Ideogramm), wie er auch bei der brasilian. Noigandres-Gruppe, im dt.sprach. Bereich bei C. Bremer, in den Veröffentlichungen der ↗Wiener Gruppe begegnet.

📖 Gomringer, E.: vom vers zur k. zweck u. form einer neuen dichtung. In: E. G.: worte sind schatten, die k.en 1951–1968. Reinbek 1969.   D

Konstruktivismus, m., von K. L. Selinski theoret. begründete russ. literar. Gruppierung 1924–1930, die sich neben ↗Imaginisten, den Vertretern des ↗Futurismus und des ↗Proletkults u. a. an der Diskussion um die Vorbedingungen einer wahren proletar. Kunst beteiligte. Bei der Alternative revolutionäre Form oder revolutionärer Inhalt entschieden sich die Konstruktivisten für die Unterordnung des Formalen unter das Thema. Bekannt geworden sind v. a. E. G. Bagrizki, Wera M. Inber und I. L. Selwinski.   D*

Kontakion, n. ↗Hymne.

Kontamination, f. [zu lat. contaminare = vermischen], 1. Ineinanderarbeitung verschiedener Vorlagen bei der Abfassung eines neuen Werkes. Das Verfahren wurde schon von den röm. Komödiendichtern (Plautus, Terenz: K.en aus griech. Komödien) angewandt; 2. Bez. der ↗Textkritik für das Vermischen von Lesarten verschiedener handschriftl. Textfassungen bei einer Abschrift (K.slesarten); 3. in der Sprachwissenschaft die wesentl. psycholog. bedingte Mischung von Wörtern oder syntakt. Formen, wobei aus Wortteilen neue Wörter (z. B. *eigenständig* aus *eigenartig* und *selbständig*) oder neue syntakt. Wendungen *(meines Wissens nach* aus *meines Wissens – meiner Meinung nach)* entstehen.   RG*

Kontext(ualität) [zu lat. contextus = Zusammenhang], man unterscheidet in der Forschung den kulturellen (darunter auch den literar.) und den sprachl. Kontext. 1. Der *literar. Kontext* meint weniger den in einem Werk gegebenen Zusammenhang als kohärentes Textsystem, als vielmehr die dem spezif. Text vorausliegenden und umgebenden Determinanten soziokultureller Art. Diese literaturwissenschaftl. K. untersucht die Abhängigkeit von Texten (Kunstwerken) und relativiert damit den Anspruch auf Werk-Autonomie und überhistor. Gültigkeit. Sie strebt nach einer Konvergenz zwischen Rekonstruktion histor. Verständnishorizonte durch Entkanonisierung der Texte und ihrer Deutungstraditionen, und freier Rezeption durch Rückgriff auf die Kontexte vergangener kommunikativer Systeme. 2. Der *sprachl. Kontext* läßt ein sprachl. Element in seiner semant. Nachbarschaft, syntakt. Konstellation oder auch

artikulator. Verbindung zu einem gesicherten Zeichen im Mitteilungsakt werden. Zu dieser innersprachl. K. gesellt sich auf pragmat. Ebene der *situative Kontext,* der für die (sprachl.) Kommunikation Voraussetzungen bereitstellt, in denen die sprachl. Zeichen eine andere Wertigkeit erhalten können. Der von J. R. Firth begründete strukturelle Kontextualismus stellte die Untersuchungen über die soziale Sprachpraxis über solche des Sprachsystems, wodurch diese Forschungsrichtung für theoret. und prakt. Arbeiten zum Spracherwerb einflußreich wurde.

📖 Firth, J. R.: The Tongues of Men and Speech. Oxford 1970 (Reprint). – Mitchell, T. F.: Principles of Firthian linguistics. Oxford 1975. – Schulte-Sasse, J.: Aspekte einer kontextbezogenen Literatursemantik. In: Historizität in Sprach- und Lit. wissenschaft. Mchn. 1974. – Robins, R H.: Idee- und Problemgesch. der Sprachwissenschaft. Frkf. 1973.   HW

Kontrafaktur, f. [lat. = Gegenschöpfung, Nachbildung] seit dem MA. nachweisbare Übernahme (und z. T. auch Bearbeitung) beliebter Melodien für *neue* Liedertexte. K.en sind als Melodiengemeinschaften bezeugt für mal. lat. und frz., mhd. und prov. Lieder (vgl. ↗Minnesang, bes. Ulrich von Liechtenstein, »Frauendienst«, Str. 358); das *Ersetzen weltl. Texte durch geistl.* war häufig in der Mystik (Heinr. v. Laufenberg, 15. Jh.) u. bes. dann im 16. und 17. Jh., vgl. z. B »O Welt, ich muß dich lassen« nach der Melodie des Volksliedes »Innsbruck, ich muß dich lassen« oder viele protestant. Kirchenlieder (z. B. M. Luthers »Vom Himmel hoch . . .« als K. zu »Aus fremden Landen komm ich her« P. Gerhardts geistl. K. »O Haupt voll Blut und Wunden« zu H. L. Haßlers Liebeslied »Mein G'müt ist mir verwirret« u. a.). Auch J. S. Bach hat aus eigenen weltl. Huldigungskantaten geistl. K.en zum kirchl. Gebrauch hergestellt, z. T. in seine Oratorien integriert (z. B. Eingangschor im Weihnachtsoratorium als K. einer Geburtstagskantate); auch ↗Parodie.

📖 Gennrich, F.: Die K. im Liedschaffen des MA.s. Langen 1965. – RL.   HD*

Konversation, f. [nach frz. conversation = Gespräch, Unterhaltung, zu lat. conversatio = Verkehr], kommunikative Sprachhandlung, die zu den elementaren Daseinsformen des Menschen gehört. – Seit der Antike sind Lehren für die Gesprächs- und Mitteilungskultur erarbeitet worden zumeist im Zusammenhang mit der ↗Rhetorik; aber auch in der Ethik (z. B. der Nikomachischen Ethik des Aristoteles) wird die K. in verschiedenen situativen und sozialen Bedingungen behandelt. Die Humanisten der ↗Renaissance haben eine Theorie der K. entworfen, die dem spontanen zwischenmenschl. ↗Gespräch ästhet. und moral. Qualitäten abfordert. Mit der ↗Aufklärung setzte sich die Forderung nach geistreicher und witziger K. durch; die neuere Zeit kultiviert unter dem Gesichtspunkt der psych. Entlastung im unvermittelten Gespräch die Version des ›small talk‹. – An der Erforschung der K. beteiligen sich Literatur-, Sprach- und Sozialwissenschaft. Die Analytik der K. hat *Voraussetzungen und Maximen der K.* erarbeitet. K. erfordert wenigstens zwei Personen mit wechselndem Sprechkontakt, die Teilnehmer haben sich innerhalb eines von allen verstandenen Signalsystems zu verständigen und sollten ein gemeinsames Interesse an der Sprachhandlung haben. Gemäß dieser regulativen Voraussetzung ist sowohl für den öffentl. wie für den privaten, für den mitteilenden wie für den unterhaltenden Akt der K. eine Gesprächstypologie vorgeschlagen worden: I. Monologe. II. Asymmetr. Dialoge (Befragungen, Beratungen, Beratungsgespräche Dienstleistungsdialoge). III. Symmetr. Dialoge (small talk Informationsaustausch/Unterhaltung, Diskussion).

📖 Franck, D.: Grammatik und K. Königstein/Ts. 1980.   HW

Konversationskomödie, Komödientypus des 19. und 20. Jh.s, in der die Darstellung der Probleme und Schein

probleme der ›höheren‹ Gesellschaft in erster Linie der Freude am Charme gepflegter und geistreicher oder spritzig-unverbindl. Unterhaltung dient. Typ. Vertreter der K. sind in England O. Wilde (»Lady Windermere's fan«, 1892, »A woman of no importance«, 1893 u. a.), in Österreich als Nachfolger E. v. Bauernfelds (»Bürgerl. und romantisch«, 1839) Hermann Bahr (»Das Konzert«, 1909) und, auf literar. höchstem Niveau, H. v. Hofmannsthal (»Der Schwierige«, 1921, wobei die Konversation zugleich vertiefend als Kommunikationsproblematik thematisiert ist). Als Gesellschaftsdichtung hat die K. vielfache Beziehungen zur ↗Boulevardkomödie.
💭 Barth, A.: Moderne engl. Gesellschaftskomödie. Mchn. 1987. – Bayerdorfer, H.-P.: Non olet – altes Thema u. neues Sujet. Zur Entwicklung der K. zw. Restauration und Jh.wende. Euphorion 67 (1973) 323–358.　　　　　　HD
Konversationslexikon, n., im 19.Jh. typ. Konzeption einer ↗Enzyklopädie.
Konzinnität, f. [lat. concinnitas = kunstgerechte Verbindung], rhetor. Bez. für eine die bloße grammat. Korrektheit überhöhende syntakt. Eleganz und klangl.-rhythm. Ebenmäßigkeit. In dem an Cicero orientierten dt. Sprachgebrauch meist auf den syntakt. ↗Parallelismus eingeschränkt. Dagegen ↗Inkonzinnität.　　　　　　　　　HD
Korn, auch: Kornreim, nach der Meistersingerterminologie ein Reim zwischen ↗Waisen verschiedener Strophen, d. h. zwischen Versen, die im jeweiligen Strophenverband selbst keine Reimentsprechung haben, sondern erst in der folgenden Strophe: 1. Str.: ababcKc, 2. Str.: dedefKf.　S
Korruptel, f. [lat. corruptela = Verderbnis], verderbte Textstelle. Sie wird in krit. Ausgaben entweder als unheilbar durch eine ›Crux markiert oder durch eine ↗Konjektur des Herausgebers ›verbessert‹.　　　　　　　　　K
Koryphaios, m. [gr. = der an der Spitze Stehende], in der frühen griech. Antike Bez. für Anführer von Parteien, Senat und für Heerführer, vereinzelt auch als Beiname für Götter (Artemis, Zeus). Später Bez. für den Vorsänger beim Vortrag des ↗Dithyrambus und für den Chorführer im gr. Drama, der den Rhythmus der Chorgesänge bestimmte und (neben einzelnen ↗Choreuten) den Chor in den Dialogen vertrat. In einigen Quellen steht der Name des K. für den ganzen Chor. Lukian verwendet K. synonym mit »der Höchste, Hervorragendste«, davon ist der moderne Ausdruck »Koryphäe« abgeleitet.　　　　　　　GG
Kosmisten, m. Pl., literaturwissenschaftl. Bez. für eine aus dem russ. ↗Proletkult hervorgegangene literar. Gruppe, die sich selbst als *Kusniza* (= Schmiede) bezeichnete.
Kothurn, m. [gr. kothornos = Stiefel], der zum Kostüm des Schauspielers in der antiken Tragödie gehörende hohe Schaftstiefel, der mit Bändern umwickelt bzw. vorn verschnürt wurde. Seit Aischylos mit erhöhten Sohlen, um den Schauspieler herauszuheben. Der K. wurde im Laufe der Zeit immer höher (seit 2.Jh. v.Chr. dicke viereckige Holzsohlen), in der röm. Kaiserzeit schließl. stelzenartig. Der Gegensatz hoher K. – niederer ↗Soccus (Schuh des kom. Schauspielers) steht in dieser Zeit metonym. für den Gegensatz Tragödie – Komödie und den Gegensatz erhabener Stil – niederer Stil.　　　　　　　　　　　K*
Kranzlied, spätmal. Volksliedgattung (15./16.Jh.), welche die Situation eines Rätselspieles im Wechselgesang zwischen jungem Mann und einem Kreis von Mädchen gestaltet. Der Kranz als Siegespreis gab der Gattung den Namen. Die Tradition fixierter Rätselwettkämpfe reicht bis in antike und altnord. Dichtung zurück (vgl. z.B. Edda, Wafthrudnirlied).
📖 Texte: L. Uhland (Hrsg.): Alte hoch- und niederdt. Volkslieder (Nr. 2 u. 3). Stuttg., Tüb. 1844; Nachdruck Hildesheim 1968. – RL.　　　　　　　　　　　　S
Krasis, f. [gr. = Mischung], artikulator. oder metr. bedingte Verschmelzung zweier Wörter durch Zusammen-

ziehung (Kontraktion) des auslautenden und des anlautenden Vokals, z.B. mhd. *si ist* zu *sîst,* gelegentl. auch unter Ausfall (Synkope) eines Konsonanten, z.B. mhd. *ez ist* zu *êst, daz ich* zu *deich* (hier mit Kontakt-Umlaut).　S
Kratineion, n. [gr.], Kratineus, m. [lat.], antiker Vers der Form: $-\cup\cup-|\cup-\cup-\|-\cup-\overline{\cup}-\cup-$; nach dem gr. Komödiendichter Kratinos (Mitte 5.Jh. v.Chr.) benannt.　　GG
Kreis von Médan [me'da; frz., auch groupe de M.], Freundeskreis um É. Zola, der seit 1877 in dessen Landhaus in Médan (einem Dorf nordwestl. von Paris) zusammentraf; zu ihm gehörten v. a. P. Alexis, H. Céard, L. Hennique, J.-K. Huysmans und G. de Maupassant. Im K. v. M. entwickelte Zola seine naturalist. Ästhetik (»Le roman expérimental«, 1880, s. ↗Naturalismus), zu der der Kreis – als eine Art prakt. Dokumentation – die Novellensammlung »Les soirées de Médan« (1880) veröffentlichte. Die beiden Werke gelten als Manifest des Naturalismus.
💭 Dumesnil, R.: La publication des Soirées de Médan. Paris 1933. – Deffoux, L./Zavie, E.: Le groupe de Médan. Paris 1920.　　　　　　　　　　　　　　IS
Kreis von Münster, am Katholizismus orientierter Kreis von Schriftstellern, Theologen und Pädagogen um den Staatsminister des Fürstbistums Münster, den Universitätsgründer und Schulreformator F. v. Fürstenberg (1729–1810) und die Fürstin Amalia v. Gallitzin (1748–1806); bestand von ca. 1765–1826. Zum engeren K. v. M. gehörten A. M. Sprickmann, F. K. Bucholtz auf Welbergen und später insbes. der Theologe und Pädagoge B. H. Overberg. In reger persönl. und briefl. Verbindung mit dem K.v.M. standen F. Hemsterhuis, F. H. Jacobi und J. G. Hamann (der 1788 in Münster starb), ferner die Dichter des ›Göttinger Hains, sowie F. G. Klopstock und M. Claudius, zeitweise auch J. G. Herder und Goethe (Besuch 1792); seit 1791 insbes. F. L. Graf zu Stolberg (der 1800 in Münster zum Katholizismus übertrat) und sein Kreis, zuletzt noch C. Brentano (mittelbar) und Luise Hensel sowie die junge Anette von Droste-Hülshoff (1813–19 durch Sprickmann). – Von *Bedeutung* war der K. v. M. 1. für die Entwicklung des Bildungswesens und den Aufbau des dreistuf. öffentl. Unterrichtssystems in Deutschland v. a. durch Fürstenbergs Reformen (allgem. Schulordnung seit 1768, Universitätsgründung 1773–1780); 2. als Sammelstelle für unterschiedl. irrationale Strömungen des 18.Jh.s, die der Aufklärung, aber auch der Weimarer Klassik krit. gegenüberstanden; der K.v.M. wirkte damit als Wegbereiter für entsprechende Richtungen in der dt. Romantik (F. Schlegel, F. v. Baader, Adam Müller, die Familie Hardenberg, C. Brentano u.a.) und 3. seit etwa 1800 überwiegend für die Erneuerung, Propagierung und Praktizierung eines entschiedenen Katholizismus, was dem K.v.M. auch den abschätzig gemeinten Beinamen ›fanatus sacra‹ eintrug.
💭 Göres, J.: Veränderungen 1774 : 1794. Goethe, Jacobi und der K.v.M. Katalog einer Ausstellung d. Goethe-Museums. Düsseld. 1974. – Loos, W./Trunz, E.: Goethe und der K.v.M. Münster/Westf. ²1974. – Sudhof, S.: Von der Aufklärung zur Romantik. Die Gesch. des K.v.M. Bln. 1973.　　　　　　　　　　　　　　　　RS
Kretikus, Creticus, m. [gr.-lat. = der Kretische], auch Amphimakros, antikes Tanzversmaß (mutmaßl. kret. Herkunft) der Form: $-\cup-$; begegnet in einem Tanzlied des Bakchylides und in den Chören der aristophan. Komödien; in der röm. Dichtung v.a. (als Tetrameter) in den ↗Cantica der Komödien des Plautus, gelegentl. bei Terenz und in der alten Tragödie (Livius Andronicus). Auflösung ($\cup\cup-/-\cup\cup$) und Mischung mit den ebenfalls fünfmorigen (↗Mora) Bakcheen (↗Bakcheus) und Päonen (↗Päon), aber auch mit Jamben und Trochäen sind häufig. Da die auf Formstrenge bedachte klass. röm. Dichtung den K. nicht verwendet, sind Nachbildungen in der dt. Dichtung äußerst selten (z.B.: »Dér in Nácht, / Quál und Léid / sich verlór, . . .«, H. Hiltbrunner, 1926). – In der rhetor. Tradition gilt der K.

als wichtiger Bestandteil der ⁄Klauseln (s. auch ⁄Di-K.).

K

Kreuzreim, auch: gekreuzter Reim, Wechselreim, eine der häufigsten Reimstellungen: ab ab (cd cd): *Sonne : Herz : Wonne : Schmerz;* konstituiert in der mhd. ⁄Stollenstrophe den ⁄Aufgesang. S

Kreuzzugsdichtung, mal. ep. und lyr. Dichtung, die einen mit den kirchenrechtl. Privilegien eines Palästinakreuzzugs ausgestatteten Glaubenskrieg gegen Heiden (u. a. im Hl. Land, im arab. besetzten Spanien, in Preußen) oder Ketzer zum Thema hat. Nach dem überlieferten Bestand lassen sich bei der *Kreuzzugsepik* unterscheiden: 1. Dichtungen, die den Kreuzzug propagieren, indem sie a) einen histor. Stoff auf das Kreuzzugsgeschehen hin aktualisieren oder b) die aktuellen Kreuzzugsereignisse, meist im Stil der Reimchronik, unmittelbar aus der Perspektive des Kreuzzugsteilnehmers oder aus der einer gewissen räuml. oder zeitl. Distanz festhalten. Dabei ist zwischen einer Darstellung zu unterscheiden, die ausschließl. den Kreuzzug thematisiert und einer, die ihn als Episode in einen größeren polit. Kontext stellt. – Kreuzzugspropaganda vor dem Hintergrund des 2. Kreuzzuges wird z. B. im »Rolandslied« des Pfaffen Konrad gesehen, das den 400 Jahre zurückliegenden Kriegszug Karls des Gr. gegen die span. Sarazenen (778) der afrz. »Chanson de Roland« entnimmt und zum Kreuzzug umstilisiert. Auch im »Willehalm« Wolframs von Eschenbach (um 1217) werden die histor. weit zurückliegenden Sarazenenkämpfe der Karolinger als Kreuzzug verherrlicht, freilich auch problematisiert. – Aktuelle Kreuzzugsereignisse propagieren die gereimten Kreuzzugschroniken. Zum 1. Kreuzzug diejenige von Richard le Pèlerin (»Chanson d'Antioche«, vor 1099), überliefert nur in einem prov. Fragment (»Canso d'Antiocha«, 1126–38) von Gregori Bechada und in der Umarbeitung von Graindor de Douai – hier erweitert um eine »Chanson des Chétifs« und eine »Chanson de Jérusalem«; zum Albigenser-Kreuzzug (1209–43) diejenige von Guilhem de Tudela und einem Anonymus (»Canson de la Crozada«, 1214 ff.); zu den Slawen-Kreuzzügen die anonyme »Livländische Reimchronik« (Ende 13. Jh.) und die »Kronike von Pruzinlant« (1330–40) des Nikolaus v. Jeroschin. Aus größerer zeitl. Distanz ist die genannten Werke ist die Anfang des 14. Jh.s vollendete »Kreuzfahrt Ludwigs des Frommen« geschrieben, die sich auf die Teilnahme des Landgrafen Ludwig III. v. Thüringen am 3. Kreuzzug bezieht. – Im weiteren polit. Kontext erscheint Kreuzzugspropaganda episod. gestaltet in der »Kaiserchronik« (1152–55, z. B. die Eroberung des Hl. Landes durch Gottfried v. Bouillon) und in Ottokars »Österreichischer Reimchronik« (1300–20), die an den Fall Akkons (1291) die Utopie einer prochristl. Intervention durch den König von Äthiopien anknüpft. 2. Als Hintergrunds- oder Rahmenhandlung werden die Kreuzzüge im Abenteuer- und Minneroman literarisiert, der die Stationen ritterl. Bewährung in die Märchenwelt des Orients verlegt. Kreuzzugs- und Brautraubmotive verquikken sich in den in der 2. Hä. d. 12. Jh.s entstandenen Spielmannsepen »Oswald«, »Orendel«, »König Rother« und »Graf Rudolf«. Empörer-Erzählung und Orientirrfahrt werden im »Herzog Ernst« mit Kreuzzugsepisoden verbunden. Die Trennung und Wiedervereinigung der Familie bzw. der Liebenden sind im »Wilhelm v. Wenden« Ulrichs v. Etzenbach (Ende 13. Jh.) und im »Wilhelm v. Österreich« Johannes' v. Würzburg (Anfang 14. Jh.) mit Heidenkonversion und Kreuzzugsabenteuer verknüpft. Im anonymen »Reinfried v. Braunschweig« (um 1300) ist die Kreuzfahrt der im Orient lokalisierten Abenteuer-Erzählung nach dem endgült. Verlust des Hl. Landes (1291) nurmehr histor. Kulisse. – Hauptmotiv auch der *lyr. K.* ist ein themat. und stilist. vielfach variierter Aufruf zum Kreuzzug. Nur die dt. Literatur überliefert im 13. Jh. einen Gattungsnamen, *crvceliet* (Reinmar der Videler). Sonst wird das

Kreuzlied von den zeitgenöss. Dichtern unter anderen Gattungen subsumiert (z. B. prov. ⁄Sirventes) oder bleibt ohne nähere Bez. – Der Hauptanteil der überlieferten Kreuzlieder entfällt auf die Palästinakreuzzüge, insbes. den *3. Kreuzzug* (1187–92), vgl. die Kreuzlieder der Trobadors Aimeric de Belenoi, Bertran de Born, Giraut de Bornelh, Pons de Capduelh, Gaucelm Faidit und Folquet de Marseille, des Trouvère Conon de Béthune, einigen lat. Anonymi (in den *Carmina Burana*) und die der Minnesänger Friedrich von Hausen, Albrecht von Johansdorf, Heinrich von Rugge und Hartmann von Aue. Die lat. und v. a. prov. Kreuzlieder zeigen neben der ständig geäußerten relig. Heilserwartung in ihren häuf. Raum- und Zeitbezügen, ihren Anspielungen auf polit. Ereignisse und Persönlichkeiten sowie ihrem teilweise scharf konturierten Feindbild eine ungleich höhere Aktualisierungstendenz als ihre dt. Pendants, die diese Stilzüge nahezu ausschließl. durch metaphys. Motive ersetzen: im Vordergrund steht hier nicht die Eroberung des Hl. Landes, sondern der Eintritt ins Paradies, nicht der äußere polit Feind, sondern ein verinnerlichter, der als Teil des eigenen Ich im Bund mit einem verführer. Welt den Zugang zum Paradies verwehrt. – Zum *2. Kreuzzug* (1145–49) sind nur wenige anonyme lat. (in den *Carmina Burana*) und afrz. Kreuzlieder erhalten, zum *ersten* (1096–99) gar keine. Auch der *4. Kreuzzug* (1198–1204) fand nur wenig literar. Resonanz, u. a. bei Raimbaut de Vaqueiras und Gaucelm Faidit. *Der 5.* (1228–29) wurde dagegen in zahlreichen Gedichten, v. a. in Kreuzzugs-Sprüchen reflektiert (Walther v. d. Vogelweide, Bruder Wernher, Freidank). Die unüberhörbare Skepsis Freidanks (Akkon-Sprüche) gegenüber der Kreuzzugsbewegung teilen auch Austorc d'Aurillac (Kreuzlied auf das Scheitern des von Ludwig IX. organisierten Kreuzzuges, 1248–54, zu dem die Trobadors Guilhem Figueira und Lanfranc Cigala noch enthusiast. aufgerufen hatten), weiter Ricaut Bonomel (der nach dem Verlust von Caesarea, 1265, sein Kreuzlied zum Antikreuz[zugs]lied verkehrt) oder Rutebeuf, während gleichzeit. die Trobadors Guilhem Fabre und Olivier del Temple sowie der Minnesänger Hawart noch die alte Kreuzzugsidee weiter propagieren. Auch nach der endgült. Vertreibung der Christen aus dem Hl.en Land (1291) findet die Kreuzzugsidee Fürsprecher u. a. in Barthel Regenbogen (nach 1314), Lunel de Monteg (1326), Ramon de Cornet (nach 1332) und Petrarca (um 1333).

Die ab Mitte des 14. Jh.s für Europa akut werdende Türkengefahr ruft als neuen Typus der K. das *Türkenlied* hervor, das den auf Palästina fixierten Kreuzzugsappell ablöst (u. a. von Mandelreiss, Michel Beheim und einigen Anonymi). Vergleichsweise wenige Gedichte nehmen auf die Kreuzzüge gegen die span. Araber, gegen die Slawen in Ostelbien und gegen die christl. Ketzer Bezug: u. a. Marcabrus Lied vom span. Sühnebad, das erste überlieferte Kreuzlied überhaupt (1137), Gavaudans ›Mohammedsappell‹ gegen die Mauren (1195/1210); Sighers Aufruf zur Preußenfahrt König Ottokars von Böhmen (1254/55); Konrad Attingers (1421), Muskatblüts (1431?) und Michel Beheims Haßgesänge gegen die Hussiten (1421–36). Am Rande der Gattung stehen die sog. Pilgerlieder (z. B. Wilhelm IX. v. Aquitanien), die Lieder, die das Kreuzzugsthema als Randmotiv, in einzelnen Strophen gegen Anspielungen, nur anschneiden, um damit den Konflikt zwischen Minne- und Gottesdienst (Friedrich v. Hausen, Albrecht v. Johansdorf, Hartmann v. Aue, Reinmar, Otto v. Botenlauben, Hiltbol v. Schwangau, Hugues de Berzé, Rubin), die Sehnsucht nach der/dem Geliebten oder der Heimat (Peire Bremon lo Tort, Marcabru, Guiot de Dijon, Peirol, Neidhart), der Abbruch eines enttäuschenden Minneverhältnisses (Giraut de Bornelh), Spott über Zeitgenossen (Huon d'Oisi), Herrscherlob (Gaucelm Faidit), Zeitkritik (Marcabru, Giraut de Bornelh, Guilhem Figueira) und Reisestrapazen (Gaucelm Faidit, Tannhäuser) zu motivieren.

◘ *Bibliographie:* Lesaffre, J./Petit, J.-M.: Bibliographie occitane 1972–73. Montpellier 1974. *Ausgaben:* Müller, Ulrich (Hrsg.): K. Tüb. ³1985. – Bédier, J./Aubry, P. (Hrsg.): Les chansons de croisade avec leurs mélodies. Paris 1909. Wiesniewski, R.: K. Darmst. 1984. – Hölzle, P.: Die Kreuzzüge in der okzitan. und dt. Lyrik des 12.Jh.s. 2 Bde. Göpp. 1980 (mit Bibliogr.). – Spreckelmeyer, G.: Das Kreuzzugslied des lat. MA.s. Mchn. 1974. – Rittner, V.: Kulturkontakte u. soziales Lernen im MA. Kreuzzüge im Lichte einer mal. Biographie. Köln/Wien 1973. – Böhmer, M.: Unterss. zur mhd. Kreuzzugslyrik. Rom 1968. – Ingebrand, H.: Interpretationen zur Kreuzzugslyrik Friedrichs v. Hausen, Albrechts von Johansdorf, Heinrichs von Rugge, Hartmanns von Aue u. Walthers v. d. Vogelweide. Diss. Frkft. 1966. – Wentzlaff-Eggebert, F.-W.: K. des MA.s. Bln. 1960. – Lewent, K.: Das altprov. Kreuzlied. In: Roman. Forschungen 21 (1908), 321–448. – RL.   PH

Kriegsdichtung, der Krieg als eine die Menschheit bewegende Macht begegnet in zahlreichen Dichtungen der Weltliteratur. Zum humanitären Problem wird er jedoch erst unter dem Eindruck der beiden Weltkriege (auch: *Anti-K.*). Bis zu dieser Zeit begegnet der Krieg meist als unabwendbares Menschenschicksal, als Fatum, damit weniger als zentrales Thema denn als Hintergrund für allgemein existentielle Probleme (vgl. z. B. die germ. Heldenlieder, Homers »Ilias«, die Tragödien von Aischylos [»Perser«] bis hin zu F. Schiller, H. v. Kleist, Ch. D. Grabbe u. a.), als Grundlage einer bestimmten Geschichtsauffassung (H. Stifter, »Witiko«; L. Tolstoi, »Krieg u. Frieden«, É. Zola u. a.) oder als Bestandteil von Geschichtsdichtungen im Gefolge W. Scotts (vgl. ⟋histor. Roman, ⟋Geschichtsdrama oder etwa Ch. F. Scherenbergs Schlachtepen seit 1849). Der Krieg wird in solchen Werken meist mythisiert, idealisiert, oft auch genrehaft sentimentalisiert, selten realist. beschrieben. Dies gilt insbes. für die zahlreiche Kriegslyrik, die im Ggs. zu den meisten Kriegsepen, -romanen und -dramen zu aktuellen Anlässen verfaßt wurde, etwa Kampf- und Schlachtgesänge (vgl. z. B. den germ. ⟋Barditus), volkstüml. Soldaten- und ⟋Landsknechtslieder und die kunstmäß. Kriegslyrik, die vielfältigen Emotionen (oft mit religiösem Einschlag, aber auch mit polem.-agitator. Mitteln) Ausdruck verleiht: neben Aufrufen zu Kampf- und Opfer-, aber auch Vernichtungsbereitschaft v. a. dem Schmerz, der Trauer über Tod u. Verwüstung, der Sehnsucht nach Frieden usw., so bereits in der Antike bei Tyrtaios, Simonides u. a., im MA. in den Kreuzzugsliedern (Bertran de Born, Friedrich v. Hausen, Neidhart u. v. a.), bes. dann im Barock in den Kriegs- und Trostgedichten (zum 30jähr. Krieg: M. Opitz, J. Rist, D. Morhof, J. Vogel »Kein selgrer Tod ist in der Welt«] u. a.). Bes. zahlreich entstand Kriegslyrik wieder in der Zeit der Kriege Friedrichs II. (E. v. Kleist, J. W. L. Gleim, »Grenadierlieder«, 1758; K. W. Ramler, H. W. von Gerstenberg u. v. a.) und während der Befreiungskriege (sog. Freiheitsdichtung: H. v. Kleist, E. M. Arndt, Th. Körner, M. v. Schenkendorf), die v. a. patriot. Gesinnung und Kriegsbegeisterung zu wecken suchten, ebenso wie die Flut von K.en aller Gattungen im Gefolge des dt.-frz. Krieges 1870/71 (z. B. Schneckenburger, »Wacht am Rhein«; unideolog. dagegen D. von Liliencrons impressionist. »Adjutantenritte«, 1883 oder seine »Kriegsnovellen«, 1895). Seit Ende des 19. Jh.s wird dann auch die inhumane Realität des Krieges Thema der K. Krasse Schilderungen moderner Kriegsführung treten an die Stelle der Heroisierung und Idealisierung, so etwa bei St. Crane (»Das Blutmal«, 1895, dt. erst 1954), Bertha v. Suttner (»Die Waffen nieder!« 2 Bde. 1889), G. B. Shaw oder R. Huch (»Der große Krieg in Dtschld.«, 1912–14). Solche *Anti-K.* entstehet dann bes. während und nach dem 1. Weltkrieg, v. a. in der expressionist. Lyrik (G. Heym, A. Stramm, J. R. Becher, F. Werfel, K. Bröger, H. Lersch

u. v. a.) aber auch im Drama (F. v. Unruh, R. Schickele, R. Goering, E. Toller u. a.) und im Roman (A. Zweig, L. Renn, »Krieg«, 1928; E. M. Remarque, »Im Westen nichts Neues«, 1929, u. a.), ebenso in Frankreich (z. B. H. Barbusse, »Das Feuer«, 1916; R. Rolland, G. Duhamel, J. Giono), England (R. Aldington, »Heldentod«, 1929; R. Brooke, W. Owens u. a.) und den USA (J. Dos Passos, »Three Soldiers«, 1921). Diese Anti-K. blieb im 20. Jh. entsprechend den krieger. Ereignissen (span. Bürgerkrieg, 2. Weltkrieg) dominierend (E. Hemingway, A. Malraux, B. Brecht, »Mutter Courage«, 1941), mit Ausnahme der nationalsozialist. kriegsverherrlichenden, mythisierenden Parteidichtung. Nach 1945 erschien eine unübersehbare Flut von K.en, meist Romane, aber auch Dramen u. Hörspiele, in denen in einer Mischung aus Dokumentation, Reportage u. Fiktion das Erlebnis des Krieges, der Gefangenschaft, auch der Konzentrationslager, der Résistance usw. bewältigt wurde. Zu den bekanntesten Autoren gehören Th. Plivier (»Stalingrad«, 1945), E. M. Remarque, P. Bamm, G. Gaiser (»Die sterbende Jagd«, 1953), H. H. Kirst (»Null-acht-fünfzehn«, 1954), G. Ledig (»Stalinorgel«, 1955), H. Gerlach, A. Kluge (»Schlachtbeschreibung«, 1964), A. Andersch (»Winterspelt«, 1974); W. Borchert (»Draußen vor der Tür«, 1947), C. Zuckmayer, H. Kipphardt, R. Hochhuth; auch die ⟋Heimkehrerromane (H. Böll, J. M. Bauer u. a.) sind zur Anti-K. zu rechnen. Internationales Aufsehen erregten ferner der franz. K.en von J. P. Sartre, C. Mauriac, P. Claudel, A. Camus, A. de Saint Exupéry, P. Eluard, L. Aragon, die Romane C. Malapartes oder etwa N. Mailers (»The naked and the dead«, 1948) und James Jones'. Neben dieser modernen Anti-K. tritt die verherrlichende, heroisierende oder apologet. K. zurück (zu nennen sind etwa W. Flex u. a. W. Beumelburg, E. Jünger, E. E. Dwinger, H. G. Konsalik, J. Steinhoff, »In letzter Stunde«, 1974). – In den jüngsten Anti-Kriegs- (bzw. Friedens-) Bewegungen dient v. a. wieder die sangbare Lyrik (Chansons, ⟋Protestsong, Balladen u. a.) als Medium für die Darstellung der Schrecken und Folgen von Kriegen.

◘ Müller, Hans-Harald: Der Krieg und die Schriftsteller. Stuttg. 1986. – Pfeifer, J.: Der dt. Kriegsroman 1945–1960. Königstein/Ts. 1981. – Vondung, K. (Hrsg.): Kriegserlebnis. Der Erste Weltkrieg in der literar. Gestaltung u. symbol. Deutung der Nationen. Gött. 1980. – Cooperman, S. R.: World War I and the American Novel. Baltimore (Md) 1967. – Bowra, C. M.: Poetry and the First World War. Oxf. 1961. – Weithase, I.: Die Darstellung von Krieg u. Frieden in der dt. Barockdichtung. Weimar 1953.   IS

Kriminalroman, -geschichte, -novelle, literar. Prosawerk, das die Geschichte eines Verbrechers oder eines Verbrechens erzählt (die Aufhellung eines Verbrechens, meist durch einen Detektiv, kennzeichnet die Sonderform des ⟋Detektivromans). Der K. reicht vom älteren Gaunerschwank oder (neuerdings) vom Kurzkrimi in Zeitungen und Zeitschriften über novellist. knappe Erzählwerke wie Th. Fontanes »Unterm Birnbaum« (1885) bis zu umfangreichen, oft mehrteil. Romanwerken, z. B. bei H. Fielding, H. de Balzac, V. Hugo, Ch. Dickens, vom effektvollen ⟋Kolportageroman zur tiefsinnig philosoph. Dichtung wie F. M. Dostojewskijs »Schuld und Sühne« (1866) und »Die Brüder Karamasow« (1879/80), von Verbrechergeschichten mit einfacher und einsinn. Erzählweise bis zu kompliziert gebauten und psycholog. komplexen Erzählgebilden etwa bei A. Döblin oder W. Faulkner. Häufig überschneidet sich der K. mit dem ⟋Abenteuer- oder ⟋Schelmenroman, im 18. und 19. Jh. auch mit dem ⟋Ritter-, ⟋Räuber- und ⟋Schauerroman. – Als Vor- und Frühformen des K. können ⟋Flugschriften und ⟋Volksbücher sowie ⟋Schwänke und ⟋Kalendergeschichten gelten, die an volkstüml. Überlieferungen über Gestalten wie Robin Hood, Mutter Courage und später z. B. Schinderhannes anknüpfen. Im 18. Jh. wurden dann Kriminalfälle aufgrund von Prozeßakten literar. bearbeitet, z. B. von Defoe und Fielding, aber insbes. im »Newgate Calendar« (1773 ff.) und in den vielbändigen »Causes célèbres et intéressantes« (seit 1734) von F. G. de Pitaval, deren dritte dt. Übers. (1792–95) von Schiller herausgegeben und eingeleitet wurde. Dem entsprechen im 19. Jh. »Der Neue Pitaval« von J. E. Hitzig und W. Alexis (1842–47, 60 Bde.) und die Kriminalgeschichten J. D. H. Temmes, im 20. Jh. etwa die von E. Schwinge unter dem Pseudonym Maximilian Jacta veröffentl. Darstellungen neuerer Rechtsfälle. Defoes »Moll Flanders« (1722), Fieldings »Jonathan Wild« (1743) und Schillers »Verbrecher aus verlorener Ehre« (1785) markieren die Übergänge zur literar. anspruchsvollen Kriminalerzählung, die dann durch Werke wie H. v. Kleists »Der Zweikampf« (1809) und E. T. A. Hoffmanns »Das Fräulein von Scuderi« (1819) festere Konturen erhielt. Balzac orientiert sich in Teilen seiner »Comédie humaine« (1829–54) noch an der histor. Figur des Verbrechers und späteren Kriminalisten Vidoc, frei gestaltet sind dann z. B. V. Hugos »Les Misérables« (1862) und viele Dikkens-Romane von »Oliver Twist« (1838) bis »Edwin Drood« (1870), ferner die gesamte Tradition des ∕Detektivromans seit E. A. Poe (1842 ff.), die Romane Dostojewskijs, Döblins »Berlin Alexanderplatz« (1929), Faulkners »Light in August» (1932) u. viele andere. Parallel zu diesen literar. anspruchsvollen Ausprägungen wurde der K. seit etwa 1841/42 (dem Erscheinungsjahr nicht nur von Poes ersten Detektivgeschichten, sondern auch von Eugène Sues Verbrecherroman »Die Geheimnisse von Paris«) immer mehr zu einer Hauptgattung der massenhaft verbreiteten Trivial- und Unterhaltungsliteratur. Dabei treten gelegentl. nationale Besonderheiten hervor, z. B. eine psychogisierende Linie in frz. K. (bei Émile Gaboriau, Maurice Leblanc und Gaston Leroux, dem Belgier Georges Simenon und dem Verfasserteam Pierre Boileau/Thomas Narcejac) oder ein zeit- und sozialkrit. Einschlag im dt. K. (schon bei J. D. H. Temme, dann bei Jacob Wassermann, »Der Fall Maurizius«, 1928, und Friedrich Dürrenmatts »Der Richter und sein Henker«, 1952; »Der Verdacht«, 1953), zu spüren auch in der Propagierung eines sozialistischen K. in der DDR. Vorherrschend aber blieb der angelsächs. K., zunächst angelegt als Poe in Form der kalkulierten, pseudowissenschaftl. Detektivgeschichte (u. a. die Briten Conan Doyle, Richard Austin Freeman, Ronald A. Knox, sowie die Amerikaner S. S. Van Dine [Pseudonym für W. H. Wright], Erle Stanley Gardner [auch unter Pseudonym A. A. Fair], Rex Stout und Ellery Queen [Pseudonym für das Autorenteam Frederic Dannay/Manfred B. Lee]). Stärker psycholog., teils auch eth. ausgerichtet sind in England dann Gilbert Keith Chesterton, Agatha Christie, Dorothy L. Sayers, Cecil Day Lewis (Pseudonym Nicholas Blake), Margery Allingham, John Dickson Carr (Pseudonym Carter Dixon) und Carter Brown, während Edgar Wallace dem Abenteuerroman, John Le Carré (Pseudonym für David Cornwell) und Ian Fleming dem Spionage- bzw. Agentenroman näher stehen. An der neueren amerikan. Prosa, insbes. an Hemingway, orientiert ist der mehr auf beunruhigende ›action‹ als auf befriedigende Lösung bedachte ›hard boiled‹ K. der Amerikaner Dashiell Hammet und Raymond T. Chandler; reduziert auf die brutale Verbindung von ›sex and crime‹ erscheint er bei Chester Himes und Mikey Spillane, differenziert und psycholog. vertieft dagegen bei Patricia Highsmith, ethnisch geprägt im italo-amerikan. Mafia-Roman »Der Pate« (1969) von Mario Puzo. In Australien und Neuseeland (A. W. Upfield, Edith March) sowie in Kanada (Margaret Millar, Donald Makkenzie) schließt der K. mit jeweils eigener Note an die Entwicklung in England und den USA an. Eigene Regionalakzente bieten der Sizilianer L. Sciascia (»Der Tag der Eule«, 1961, dt. 1964, »Tote auf Bestellung«, 1966, dt. 1971) und der Niederländer J. v. d. Wetering, auch Auto-

rengespanne wie die Schweden Sjöwall/Wahlöö oder die Turiner Frutteo u. Lucentini (»Die Sonntagsfrau«, 1972, dt. 1973) sowie die dt. Köln-, Frankfurt- oder Schwaben-Krimis samt entspr. Serien im Fernsehen. Bearbeitungen und eigene Produktionen dort und im Film gaben dem trivialen und unterhaltendem K. Auftrieb und weitere Verbreitung. Daneben kam und kommt es immer wieder zu Versuchen, den K. erzählkünstler. Neuansätze abzugewinnen, sei es durch distanzierte Verbrechensbeobachtung (T. Capote, »In Cold Blood«, 1966), sei es durch gezielte Demontage des trivialen Klischees bei P. Handke oder durch dokumentar. angelegte Werke über Verbrecher, Gefangene und Strafvollzug.

⌑ Bayer, I.: Juristen und Kriminalbeamte als Autoren des neuen dt. K.s Frkft. 1989. – Grimm, J.: Unterhaltung zwischen Utopie und Alltag . . . am Beispiel von K.en. Frkft. 1986. – Ermert, K./Gast, W. (Hg.): Der neue dt. K. Loccum 1985. – Suerbaum, U.: Krimi. Analyse einer Gattung. Stuttg. 1984. – Woeller, W.: Illustrierte Geschichte der Kriminalliteratur. Lpz. 1984. – Schönert, J.: (Hg.): Literatur und Kriminalität. Tüb. 1983. – Marsch, E.: Die Kriminalerzählung. Zürich/Mchn. ²1983. – Vogt, J. (Hrsg.): Der K. 2 Bde. Mchn. ²1980/81. – Nusser, P.: Der K. Stuttg. 1980. – Tschimmel, I.: K. und Gesellschaftsdarstellung. Bonn 1979. – Reclams K.führer. Hrsg. v. A. Arnold/Josef Schmidt, Stuttg. 1978. – E. Schütz (Hrsg.): Zur Aktualität des K.s. Mchn. 1978. – Schulz-Buschhaus, U.: Formen u. Ideologien des K.s. Wiesb. 1975. – Žmegac, V. (Hrsg.): Der wohltemperierte Mord. Zur Gesch. u. Theorie des K.s. Frkft. 1971. – Schönhaar, R.: Novelle u. Kriminalschema. Bad Hombg. 1969. ∕Trivialliteratur. – RL.   RS

Krippenspiel, ∕Weihnachtsspiel.

Krisis, f. [gr. = Entscheidung], im ∕Drama das Moment der Entscheidung: nach der am streng symmetr. gebauten klassizist. Drama entwickelten Theorie ist die K. der Augenblick auf dem Höhepunkt des dramat. Konflikts, in dem sich der Held durch eine bestimmte Entscheidung seiner Handlungsfreiheit begibt und damit den Umschwung der Handlung (∕Peripetie) einleitet. Die Handlung steht fortan unter der Kategorie des Müssens, sie treibt mit unausweichl. Notwendigkeit der ∕Katastrophe zu. Beispiel: im »König Ödipus« des Sophokles die Entscheidung des Ödipus, trotz den Warnungen des Teiresias, den Mörder des Laios zu suchen.   K*

Kritik, ∕Literaturkritik, ∕Theaterkritik, ∕Rezension.

Kritische Ausgabe, die nach den Grundsätzen der ∕Textkritik hergestellte Ausgabe (Edition) eines nicht authent. überlieferten literar. Werkes der Antike oder des MA.s (dagegen: ∕histor.-krit. Ausgabe). Sie enthält in der Regel den einleitenden Editionsbericht (mit einer detaillierten Übersicht über die zur Edition herangezogenen Textzeugen, die Handschriften), den krit. Text (mit Zeilenzähler), den krit. ∕Apparat (je nach Überlieferungslage und Textgeschichte mit einem Verzeichnis aller oder nur der textgeschichtl. relevanten ∕Lesarten: Entstehungsvarianten, Überlieferungsvarianten, ∕Konjekturen), eventuell einen Kommentar und ein Register. Die älteste k. A. eines mhd. Textes stammt von K. Lachmann, dem Begründer der germanist. Textkritik (Walther v. d. Vogelweide, 1827).   K

Kritischer ∕**Realismus,** stiltypolog. Begriff zur Abgrenzung des Realismusverständnisses des 20. Jh.s von dem des 19. Jh.s (poet. oder bürgerl. Realismus); vgl. auch den ›neuen Realismus‹ der ∕Kölner Schule. Dagegen ∕sozialist. Realismus.

Krokodil (eigentl. »Gesellschaft der Krokodile«), geselligliterar. Vereinigung, in der sich die (berufenen) Mitglieder des ∕Münchner Dichterkreises und einheim. Künstler, Literaten und Literaturliebhaber seit 1856 (bis 1883) zusammenfanden.   S

Kryptogramm, n. [gr. = verborgene Schrift], als Geheimschrift in einem Text (nach einem bestimmten System) versteckte Buchstaben, die eine vom eigentl. Text unabhängige Information enthalten, etwa Verfassername, ∕Widmung etc., z. B. als ∕Akrostichon, ∕Akroteleuton, ∕Telestichon; beliebtes Stilmittel der Spätantike, des MA.s, Barock oder der Anakreontik. HD*

Kryptonym, n. [gr. kryptos = verborgen, onoma = Name], Form des ∕Pseudonyms: ein Verfassername erscheint a) nur mit seinen Anfangsbuchstaben (z. B. H. J. C. V. G. P. für Hans Jacob Christoffel von Grimmelshausen Praetor [Schultheiß]), in abgekürzter (Kuba für Kurt Bartels) oder neu zuammengesetzter Silbenfolge (A. Brennglas für A. Glaßbrenner, P. Celan für P. Antschel), vgl. auch ∕Anagramm, oder ist b) als ∕Kryptogramm im Text versteckt. S

Küchenlatein [Übersetzung von mlat. latinitas culinaria], auch Mönchslatein, verballhorntes, barbar. Latein, speziell das schlechte Mönchs- und Universitätslatein des späten MA.s. Die Bez. findet sich erstmals bei dem Humanisten Lorenzo Valla (»Apologetus«, 15. Jh.), der Poggio Bracciolini vorwarf, dieser habe sein Latein bei einem Koch gelernt: wie ein Koch Töpfe zerbreche, so zerschlage er das grammat. richtige Latein. Populär wurde das Schmähwort in der Reformation, wo die humanist. Verfasser der ∕Epistolae obscurorum virorum« (Dunkelmännerbriefe, 1515–17) den Gegnern Reuchlins das verderbte Latein in den Mund legten. GG*

Kûdrûnstrophe, altdt. ep. Strophenform, Variante der ∕Nibelungenstrophe: 4 paarweise gereimte Langzeilen, von denen die ersten beiden und die Anverse der 3. und 4. Zeile der Nibelungenstrophe entsprechen (4k–3m), der Abvers der 3. Langzeile ist dagegen vierheb. klingend (4k), der der 4. Langzeile sechsheb. kl. (6k, Schlußbeschwerung); Eingangssenkung und Versfüllung sind frei, Zäsurreime sind häufig. – Bez. nach dem Epos »Kûdrûn« (1. Hä. 13. Jh.), das größtenteils in dieser Strophenform abgefaßt ist. K

Kuhreihen, Kuhreigen, m. [zu mhd. reien = Rundtanz im Freien], alpenländ. (Volks-)Lied, wohl aus Lockrufen zum Eintreiben des Viehs entstanden. Aufzeichnungen der (dem Jodel verwandten) Melodien reichen bis ins 16. Jh. zurück; gedruckte Textfassungen finden sich seit dem 18. Jh. Der »Emmenthaler K.« wurde 1808 in »Des Knaben Wunderhorn« aufgenommen. – RL. S

Kulisse, f. [frz. coulisse = Schiebewand], bestimmte Form der Seitendekoration der neuzeitl. Guckkastenbühne: Holzrahmen, die mit bemalter Leinwand bespannt und zu beiden Seiten der Bühne paarweise einander zugeordnet und nach rückwärts gestaffelt sind; sie sind auf Wagen befestigt und, auf Schienen, seitl. verschiebbar (der später auch im Schnürboden aufgehängt). – Die ca. 1620 durch G. B. Aleotti für das Teatro Farnese in Parma entwickelte K.nbühne löst im 17. Jh. allgem. das ältere Telari-System ab und bleibt bis zum Ausgang des 19. Jh.s die dominierende Form der Guckkastenbühne. ∕Bühne. K

Kultbuch, Buch, in dessen Inhalt oder Protagonisten eine meist jugendl. gesellschaftl. Gruppe ihr Lebensgefühl und ihre Lebensziele formuliert und bestätigt sieht, und das seinerseits Lebenshaltung und Lebensstil (bis hin zu Kleidung, Frisur, Gestik, Sprechweise, Vorlieben usw.) solcher Gruppen bestimmt. – Das K. wird entgegen den eigentl. Wesensmerkmalen von Büchern (die durch ihre Literarität distanzierende und reproduzierbare Vermittlung von Gefühlen, Wissen und Erfahrungen) als absolut wahr, als unmittelbare Lebenshilfe, als Lebensführer verstanden und, entsprechend früheren Reliquienkulten, kult. verehrt. Seine literar. Qualität ist ebenso irrelevant wie seine Entstehungszeit und Entstehungsumstände (vgl. z. B. E. Scheuermanns »Papalagi« mit dem Stigma der literar. ∕Fälschung und des Plagiats, entstanden 1920, seit den 70er Jahren K. linker Gruppen: 1989 über 1 Mill. Auflagen). Ablehnung

eines K.s durch andere Gruppen und v. a. durch die Elterngeneration kann seine Wirkung beträchtl. steigern. – Die Geschichte des K.s beginnt im 18. Jh. im Rahmen der aufklärer. Reflexion über tradierte, als überholt empfundene Lebens- und Gesellschaftsformen. Erste K.er sind die Werke J. J. Rousseaus, insbes. der Roman »Émile« (1762), die Formulierung eines neuen (bücher-, d. h. vernunftfeindl.) Erziehungsideals (worin Rousseau Defoes »Robinson« [1719] erstmals die Charakteristika eines K.s zuweist). – Berühmtestes K. ist Goethes »Werther« (1774; sogar nachgeahmte Selbstmorde, ›Wertherfieber‹). Weitere K.er v. a. gesellschafts- und sozialkrit. oder utop.-antizivilisator. ausgerichteter Gruppen sind H. D. Thoreaus Essaysammlung »Walden« (1854: Aufruf zu einer Erneuerung d. Individuums), im 20. Jh. H. Hesses »Steppenwolf« (1927 und nochmals in den 50er Jahren als K. der ∕Beatgeneration: Rechtfertigung von Kulturpessimismus, gesellschaftl. ∕Eskapismus, Flucht in Drogen und östl. Weisheitslehren), J. D. Salingers »Catcher in the Rye« (1951) und einige Jahre später C. Mac Innes »Absolute Beginners« (1959, in beiden: Verbindung von Gesellschaftskritik und utop. Teenagerideologie). – In jüngster Zeit existieren K.er (neben sog. Kult-Videos) v. a. in der New Age-Bewegung (Tolkien, M. Ende, F. Capra u. a.). IS

Kultlied, das religiösen Kulthandlungen zugeordnete Lied (Choral, Hymne). – In engerer Sinne Bez. für vorliterar. repr. Formen, die archaische kult. Rituale (Opferhandlungen, Prozessionen, Mysterien) begleiteten, wobei Wort, Musik und Tanz in mag.-apotropä. Funktion verbunden sind (∕Carmenstil). Das K. läßt sich als älteste poet. Ausdrucksform (neben ∕Arbeitslied, ∕Preislied und Totenklage) in fast allen Frühkulturen nachweisen. Es gilt als eine der Urzellen der Dichtung, da es keimhaft viele Dichtungsformen enthält. IS

Kulturindustrie, Begriff der Krit. Theorie, zuerst vorgestellt in »Dialektik der Aufklärung« von M. Horkheimer u. Th. W. Adorno (1947, Kap. 3: K. Aufklärung als Massenbetrug). K. bedeutet hier die Verkehrung der auf Allgemeinheit zielenden aufklärer. Bildungsidee unter der Herrschaft des kapitalist. Verwertungsinteresses und einer entsprechenden ideolog. Wirkungsabsicht. Entscheidend ist also nicht die industrielle Fertigung einzelner kultureller Produkte, auch nicht die Technik der massenhaften Reproduktion allein, sondern die am Profit orientierte Verteilung und Verbreitung des Produzierten: Die aus solcher Intention sich ergebende Schematisierung und Standardisierung bestimme dann die Erscheinung und die Wirkung von Kultur, schließe im Zirkel von Manipulation und Bedürfnis alles wesentl. Neue aus und nivelliere das histor. und ästhet. Verschiedene zur falschen Einheitlichkeit (z. B. in der Annäherung von überlieferter Kunst und moderner Unterhaltungsindustrie). Auf diese Weise befördere K. ideologisches statt krit. Bewußtsein und setze die Verdinglichung der Arbeitswelt fort, indem sie scheinhaft gerade deren Gegenteil – Individualität – verspreche und so in der Totalität des Systems stabilisierende Ersatzbefriedigung liefere. Damit sei eine Entwicklung der bürgerl. Kunst einseitig ans Ende gelangt, die seit der Aufklärung des 18. Jh.s gekennzeichnet ist durch das widersprüchl. Ineinander von Autonomie und Warencharakter im Zusammenhang des Marktes. In den Waren der K. sei die krit.-utop. Intention auf die Ausbildung von Subjektivität getilgt, dominiere der Tauschwert als Veräußerlichung in leere Repräsentation. Diese Nähe zum trüger. Schein der Reklame wird bestätigt vom neueren Deutungsmodell der ›Warenästhetik‹ (W. F. Haug), das von der Werbungsindustrie ausgeht und ihre ökonom. und ideolog. Funktionalisierung des Ästhet. belegt. H

Die schroffe Kritik an der K., die etwa von der Position W. Benjamins (»Das Kunstwerk im Zeitalter seiner techn. Reproduzierbarkeit«, 1936) stark abweicht, wurde von

Adorno selbst später differenzierter gefaßt und einer ›Revision‹ (Jay, M.: »Adorno in Amerika«) unterzogen. Als bedeutsames Motiv der gesamten ästhet. Theoriebildung Adornos gab der Begriff K. Anlaß zu empir. und histor. Untersuchungen innerhalb und außerhalb der Frankfurter Schule. J. Habermas, dessen Untersuchungen zum Verfall der bürgerl. Öffentlichkeit der krit. Perspektive der »Dialektik der Aufklärung« weitgehend entsprachen, weist in seiner Theorie des kommunikativen Handelns auch emanzipator. Potentiale von K., Medien- und Massenkommunikation auf und verringert so den Abstand zu positiveren Einschätzungen von Medien- und Massenkultur außerhalb der Frankfurter Schule.

📖 Erd, R. u. a. (Hg.): Krit. Theorie u. Kultur. Frkf. 1989. – Kausch, M.: K. und Populärkultur. Frkf. 1988. – Habermas, J.: Theorie des kommunikativen Handelns. II: Zur Kritik der funktionalist. Vernunft. Frkf. 1981. – Jay, M.: Adorno in Amerika. In: Friedeburg, L. v./Habermas, J. (Hg.): Adorno-Konferenz 1983. Frkf. 1983. – Haug, W. F.: Kritik der Warenästhetik. Frkf. 1971. – Adorno, Th. W.: Résumé über K. (1963). In: Ges. Schriften Bd. 10, Hg. v. R. Tiedemann. Frkf. 1970. – Enzensberger, H. M.: Einzelheiten I. Bewußtseins-Industrie. Frkf. 1962. – Horkheimer, M./Adorno, Th. W.: Dialektik der Aufklärung. (1947). Frkf. 1969. VD

Kunstballade, im Ggs. zur anonymen Volksballade die von namentl. bekannten Verfassern stammende ↗Ballade. – RL.

Künstlerdrama, Bühnenwerk (Tragödie, Komödie, Oper, auch Operette, Revue usw.), das den dramat. Konfliktstoff aus den Besonderheiten der Künstlerexistenz bezieht; kann von erfundenen Gestalten oder (als Untergattung des ↗Geschichtsdramas) von berühmten Persönlichkeiten aus allen Sparten der Kunst handeln. Gestaltet ist die Lebens- und Schaffensproblematik, die sich aus der Abgrenzung der Künstlerexistenz von den ›normalen‹ Lebensformen der bürgerl. Gesellschaft herleitet. Daher beginnt die Geschichte des K.s erst mit der Einführung und Durchsetzung des Genie-Begriffs im 18. Jh. und mit der gleichzeitig einsetzenden Tendenz einer vorwiegend psycholog. Motivation dramat. Ereignisse. Charakterist. für die meisten K.n ist, daß in den dargestellten Nöten und Gefährdungen des Künstlerdaseins sich biograph. Details (z. T. verschlüsselt) aus dem Leben der Autoren bekenntnishaft spiegeln. Beispiele sind die K.n A. G. Oehlenschlägers (z. B. »Correggio«, 1809), die Raphael-Dramen von J. L. Castelli (1810) und G. Ch. Braun (1819), die problemschweren Stücke K. L. Immermanns (»Petrarca«) und F. Hebbels (»Michelangelo«, 1855) oder Kostümdramen wie E. von Wildenbruchs »Meister von Tanagra«. Während diese sich nicht als rezeptionsbeständig erwiesen, sind die K.n, die den Konflikt von Gesellschaftsnormen und Individualanspruch exemplarisch und ohne Streben nach histor. Genauigkeit darstellen, einer offenbar unaufhörl. Aktualisierung fähig: z. B. Goethes »Tasso«, R. Wagners »Tannhäuser« und »Die Meistersinger von Nürnberg«, einige K.n G. Hauptmanns (»Michael Kramer«, 1900, »College Crampton«, 1892). Nachdem im ersten Drittel des 20. Jh. das K. mehr die Individualnöte des Schöpfertums thematisierte (v. a. in den Opern »Palestrina« von H. Pfitzner und »Cardillac« von P. Hindemith), wurde das K. in der Folgezeit vornehmlich als histor. Ausstattungsfilm (über Mozart, Schiller, Schumann, Toulouse-Lautrec, van Gogh u. a.) gepflegt. In jüngster Zeit hat die polit. motivierte Frage nach dem gesellschaftl. Standort und Stellenwert des Künstlers wieder zur Produktion von K.n angeregt: z. B. G. Grass' Brecht-Drama »Die Plebejer proben den Aufstand« (1966), P. Weiss' »Hölderlin« (1971) und G. Salvatore, »Büchners Tod« (1972).

📖 Collins, R. S.: The artist in modern German drama (1885–1930). Baltimore, Md. 1940. – Levy, E.: Die Gestalt des Künstlers im dt. Drama von Goethe bis Hebbel. Bln. 1929. – Goldschmidt, H.: Das dt. K. von Goethe bis R. Wagner. Weimar 1925. HW

Künstlerroman, Künstlernovelle, handeln vom Schicksal und Schaffen von Künstlern. Wie das ↗Künstlerdrama setzt der K.roman mit der Geniezeit des 18. Jh.s ein. Als erstes Werk dieser Gattung gilt der 1787 erschienene Maler-Roman »Ardinghello« von W. Heinse, in dem das beherrschende Thema der K.e, die existentielle Spannung zwischen Kunstwirken und Lebenswirklichkeit im Sinne der Genieästhetik durchgeführt wird, die dem Künstler mehr Lebens- und Genußrechte als anderen Menschen zuzusprechen gewillt war. Goethe versuchte dann im »Wilhelm-Meister« eine Versöhnung von künstler. Ambition und den Forderungen des prakt. Lebens – und damit eine Absage an den »ästhet. Immoralismus« Heinses. In den romant. K.romanen und -novellen wird dagegen wieder das Recht des Künstlers auf nichtbürgerl. Lebensweise und auf seine gesellschaftl. Außenseiterrolle thematisiert. Diese Entfernung von der konventionellen Lebensform kann zu einem totalen Lebensverzicht führen wie in L. Tiecks Roman »Franz Sternbalds Wanderungen«, 1798 (»Wer sich der Kunst ergibt, muß das, was er als Mensch ist und sein könnte, aufopfern«), sie kann aber auch für die Überschreitung der bürgerl. Normen, für Kunst- und Lebenssinnlichkeit plädieren wie in F. Schlegels »Lucinde« (1799), schließl. den Versuch einer umfassenden Poetisierung des Lebens unternehmen wie in Novalis' Fragment »Heinrich von Ofterdingen« (1802). Bevorzugen die K.romane vielfach die Form des biograph. ↗Entwicklungsromans, so wird in der K.↗novelle meist anhand einer charakterist. Episode die Künstlerproblematik exemplar. dargestellt wie in E. T. A. Hoffmanns »Fräulein von Scuderi« (1819), E. Mörikes »Mozart auf der Reise nach Prag« (1855), oder F. Hebbels früher Erzählung »Der Maler«. Nach den beiden bedeutendsten K.romanen des 19. Jh., Mörikes »Maler Nolten« (1832) und G. Kellers »Grüner Heinrich« (1854/55 u. 1879/80), beginnt diese Gattung sich immer weiter von autobiograph. Künstler-Biographien (↗biograph. Romane) mit dem Anspruch auf histor. Korrektheit wie die Schillerromane von H. Kurz (»Schillers Heimatjahre«, 1843) und W. v. Molo (»Schiller-Roman«, 1912–16), wie R. Rollands »Michelangelo« (1905), F. Werfels »Verdi« (1924), L. Feuchtwangers »Goya« (1951). Das (trag.) Künstlerschicksal wird aber auch zum Stoff für Trivialliteratur wie z. B. E. Brachvogels »Friedemann Bach«(1858). Viele Schriftsteller des 20. Jh.s wie G. Hauptmann, H. Hesse, E. G. Kolbenheyer u. a. haben sich der Darstellung der Künstlerproblematik zugewandt, jedoch hat nur Th. Mann das Thema von dem durch Krankheit und Dekadenz gezeichneten Künstler im Zwiespalt von Geist und Leben zentral in seinem Werk durchgeführt (»Tod in Venedig«, 1912; »Doktor Faustus«, 1947).

📖 Marcuse, H.: Der dt. K. (Diss. 1922) – Frühe Aufsätze. Frkft. 1978. – Deibl, M.: Die Gestalt des bildenden Künstlers in der romant. Dichtung. Diss. Wien 1955. – Laserstein, K.: Die Gestalt des bildenden Künstlers in d. Dichtung. Bln. 1931. HW

Kunstmärchen, literar. Erzählgattung, die im Unterschied zum anonymen Volks-↗Märchen ursprüngl. nicht in einer mündl. Form kollektiv tradiert, sondern als individuelle Erfindung eines bestimmten, namentl. bekannten Autors von Anfang an schriftl. festgehalten und verbreitet wird. Die Bez. ›K.‹ umfaßt sowohl betont artifizielle Erzählwerke als auch naive Schöpfungen; K. können eng am Schema der Volksmärchen orientiert sein (Ch. Perrault, »La belle au bois dormant«, 1697), aber auch das Übernatürl.-Wunderbare in freier Phantasie entwerfen und als Metapher für philosoph.-existentielle Aussagen benutzen (L. Tieck, »Der blonde Eckbert«, 1797) oder gar das Märchenhafte selbst zum Thema des Erzählens machen (Goethe, »Märchen«, 1795); sie können zu ↗Novelle, ↗Sage, ↗Legende u. ä. tendieren. – V. a. die K. der dt. Romantik (u. a. C. Brentano: »Rheinmärchen«, 1811 ff.; E. T. A. Hoffmann: »Der Goldene Topf«, 1814) und die Hans Christian Andersens (1835/48) gelten als Prototypen. Eine Gattung im strengen literaturwissenschaftl. Sinn bilden die K. allerdings nicht; sie sind vielmehr histor. jeweils anders ausgeprägte Auseinandersetzungen mit Wesen und Struktur des Volksmärchens im Kontakt mit literar. Moden (vgl. z. B. die Feenmärchen Ende des 17. Jh.s) oder geistesgeschichtl. Strömungen. Charakterist. für das K. des 20. Jh.s ist eine travestierende, die Leseerwartung düpierende Verarbeitung von Märchenelementen mit satir.-grotesk (meist gesellschaftskrit.) Intention, vgl. u. a. die K. von O. M. Graf (»Das Märchen vom König«, 1927), K. Schwitters (»Die Zwiebel«, 1919, »Altes Märchen«, 1925), A. Döblin (»Märchen von der Technik«, 1935), P. Hacks (»Der Schuhu und die fliegende Prinzessin«, 1967), W. Wondratschek (»Und der Prinz führte die Prinzessin ...«, 1972) oder die Anthologie »Die goldene Bombe« (hg. v. H. Geerken, 1970).

□ Klotz, V.: Das europ. K. Stuttg. 1985. – Wührl, P. W.: Das dt. K. Hdbg. 1984. – Tismar, J.: K. Stuttg. ²1983 (SM 155). – Ders.: Das dt. K. des 20. Jh.s. Stuttg. 1981. – Apel, F.: Die Zaubergärten der Phantasie. Zur Theorie u. Gesch. des K. Hdbg. 1978. – RL   JT*

Kunstprosa, Bez. E. Nordens für die kunstmäßig gestaltete antike Prosa(-Rede); steht zwischen sachl.-informierender Prosa und Verssprache, wird aber zur ↗gebundenen Rede gerechnet. Kennzeichnend ist ihre Ausformung nach den von der antiken ↗Rhetorik bereitgestellten Regeln für den gedankl. Aufbau (↗Disposition) und insbes. für eine kunstvoll ausgewogene rhythm. Gliederung der ↗Perioden (v. a. durch Antithese, Parallelismus und metrisierte Kola- und Periodenschlüsse, sog. ↗Klauseln oder ↗Cursus), welche die Rede der Poesie annähern, aber nicht gleichsetzen soll: K. sollte rhythm., nicht metr. sein (↗Numerus); kennzeichnend ist ferner die Anwendung von Tropen (↗Tropus) und ↗rhetor. Figuren, bes. der Klangfiguren (u. a. ↗Anapher, ↗Alliteration, ↗Homoioteleuton) und die Wahl und Stellung wohlklingender Wörter (↗Ornatus). – Die K. wurde in der Antike für die Gerichts-, Staats- und Prunk- oder Lobrede ausgebildet (bedeutende Meister: Gorgias, Isokrates, Cicero, Livius, Tacitus). Wechselnden Kunsttheorien und Stiltendenzen folgend (Attizismus – Asianismus), beherrschte sie auch den offiziellen und anspruchsvollen Schreibstil bis zum Beginn der Neuzeit. Bes. im MA. gewann die K. große Bedeutung und wurde z. T. über die Poesie gestellt: Meister der K. verfaßten oft ein- und dasselbe Werk in Versen und K. (Sedulius, Beda Venerabilis, Alkuin, Hrabanus Maurus u. a.); auch Poetiken (z. B. Johannes von Garlandia) und Artes dictandi behandelten vordringl. die K., erst in zweiter Linie metr. und akzentuierende Poesie. Seit dem 5. Jh. wurden neben und mehr verkünstelte, dunkle Ausdrucksformen beliebt (dem verdankt z. B. der »Abrogans«, dessen Übersetzung das 1. [althoch]dt. Buch darstellt, sein Entstehen); im 11. Jh. setzt, durch Rückgriff auf die K. Papst Leos I. (5. Jh.), eine Rückbesinnung auf klass. Formen ein (Wiederbelebung der Cursus-Regeln u. a.), die durch ihren Gebrauch in päpstl. Kanzleien traditionsbildend wurden. Bedeutende Beispiele einer spätantiken und mal. K. sind weiter die Schriften Augustins, Boëthius', Cassiodors, Alanus' ab Insulis, ferner Dantes »Monarchia« und Petrarcas »Epistolae«; in dt. Sprache die Übersetzungen Johannes' von Neumarkt (14. Jh.) oder Johannes von Tepls »Ackermann aus Böhmen« (um 1400). K. wurde in der humanist. orientierten ↗Renaissance, im ↗Manierismus und im ↗Barock auch in den europ. Volkssprachen gepflegt (↗Elegantia).

□ Norden, E.: Die antike K. 2 Bde. (1898), Nachdruck der 5. Aufl. Darmstadt 1968.   HW*

Kürenbergstrophe, ↗Nibelungenstrophe.

Kürze,
1. metrisch: ↗Länge,
2. stilistisch: ↗Brachylogie, ↗Lakonismus, auch: ↗Ellipse.

Kurzgeschichte, Lehnübersetzung des amerikan. Gattungsbegriffs ↗short story, mit diesem jedoch nicht deckungsgleich, da in der dt. Literaturgeschichte die K. abzugrenzen ist gegen andere etablierte Formen der Kurzprosa, insbes. der ↗Novelle, deren Dominanz (und Anpassungsfähigkeit an neue Tendenzen) eine frühzeit. Entwicklung der K. in Deutschland verhinderte (trotz Vorläufern wie E. T. A. Hoffmann und J. P. Hebel). So bleibt vor 1945 die dt. Kurzprosa überwiegend der Novelle, auch der ↗Anekdote (W. Schäfer) und ↗Skizze (P. Altenberg) verpflichtet. Ausnahme ist das Erzählwerk F. Kafkas, das eine eigenständ. und überaus einflußreiche Gestaltung der K. aufweist. Die produktive Rezeption der short story setzt daher erst mit großer Verspätung nach 1945 ein. In Deutschland muß so der Gattungsbegriff der K. in der Auseinandersetzung mit der Novelle gewonnen werden: Ihren Gestaltungsprinzipien (Illusionstechnik, ↗geschlossene Form, Konzentration auf das Besondere des Ereignisses und der Charakterisierung von Personen, Zeit und Lokalkolorit) stehen in der K. andere Prinzipien gegenüber, die bedingt sind durch ein geändertes Autor-Leser-Verhältnis bezügl. der Fiktionalität und die Veröffentlichung in Zeitschriften und Magazinen. Es sind dies geringerer Umfang, gedrängte, bündige Komposition, Verzicht auf Illusion u. Rahmen, offener Schluß, Typisierung der Personen, Neutralisierung der Umgebung, Ausarbeitung des Details, das metonymisch auf das Ganze verweist, Reduktion des ›unerhörten Ereignisses‹ der Novelle auf einen Moment inmitten alltägl. Begebenheiten, der dann allerdings in unerwarteter Wendung auf den Lebenszusammenhang verweist, u. a. m. Mit der Verwendung moderner Erzähltechniken wie Offenlegung des Erzählcharakters, Auflösung der linearen Handlung zugunsten mehr assoziativer Komposition, Aussparung des Narrativen, Montage etc., der Betonung der Brüchigkeit der Wirklichkeit, der Vorliebe für die Außenseiter der Gesellschaft, dem Bestreben, den Leser zu provozieren u. zu aktivieren, folgt die dt. K. allgemeinen Tendenzen der modernen Literatur. Eine *Entwicklung* verläuft von einfacheren Anfängen, themat. der Aufarbeitung der Vergangenheit gewidmet (W. Borchert, H. Böll), zur psychologischen (M. L. Kaschnitz), typ. (G. Eich), artist. (I. Aichinger), phantastisch-surrealist. (Kusenberg, Aichinger, W. Hildesheimer). Der große Erfolg der neuen Gattung, in der sich fast alle modernen dt. Autoren versuchen, hat neben soziologischen (neue Medien, Änderung des Leseverhaltens) v. a. literar. Gründe, etwa die Einfachheit u. der Verzicht auf Reflexion, welche die K. für einen literar. Neubeginn nach dem Krieg geeignet machten, die Unverbindlichkeit des Erzählens, die Eignung als Experimentierfeld, die Scheu vor größeren Formen u. a. Darüber hinaus kommt die K. den Tendenzen der modernen Literatur überhaupt entgegen, vgl. z. B. ihre Affinität zur modernen Lyrik, ihr Einfluß auf die innere Struktur des modernen Romans u. a. In jüngster Zeit scheint es, als würde die K. ihren Platz als Experimentierfeld der Prosa an noch reduziertere Formen abgeben.

□ Marx, L.: Die dt. K. Stuttg. 1985 (SM 216). – Kritsch Neuse, E.: Die dt. K. Bonn 1981. – Durzak, M.: Die dt. K. der Gegenwart. Stuttg. 1980. – Doderer, K.: Die K. in Deutschland. Darmst. ⁶1980. – Kilchenmann, R.: Die K. Formen u. Entwicklung. Stuttg. ⁵1978. – Rohner, L.: Theorie der K. Wiesb. ²1976. – RL   ED

Kurzzeile, auch Kurzvers, vgl. ↗Langzeile.

Kustoden, f. Pl. [lat. custos = Wächter, Hüter], Zahlen oder Buchstaben meist unten auf der letzten (Verso-)Seite einer Lage in handschriftl. Kodizes und Frühdrucken, die die richtige Ordnung bzw. Reihenfolge der Lagen gewährleisten sollten, da Blatt- bzw. Seitenzählung bis ins 13./14.Jh. unbekannt waren. – Eine ähnl. Funktion hatten die auf der letzten Seite einer Lage rechts unten vorweggenommenen Anfangswörter des Textes der folgenden Lage, sog. *Reclamanten*. Sie finden sich seit dem späten MA. statt oder zusammen mit K.   IS

Kviduháttr, m. [altnord. = Liedmaß, zu kviða = Lied und háttr = Art u. Weise, Maß, Metrum], Strophenmaß der /Skaldendichtung, gilt als kunstmäß. ausgebildete skald. Variante des edd. /Fornyrðislag: vier stabgereimte Langzeilen; im Ggs. zum Fornyrðislag zählen die Anverse der Langzeilen jeweils 3, die Abverse 4 Silben. Im Ggs. zu allen anderen skald. Strophenmaßen weist der K. weder Binnenreim (/Hending) noch feste Kadenzen auf. Er ist seit den Anfängen der Skaldendichtung (9.Jh.) nachweisbar. Bedeutende Beispiele sind das »Ynglingatal« des Þjóðolfr ór Hvini und die Gedichte »Sonartorrek« und »Arinbjarnarkviða« des Egill Skallagrímsson.   K*

Kyklos, m. [gr. = Kreis], auch Epanadiplosis, lat. Redditio (= Wiederholung), Inclusio (= Umschließung): ›Umrahmung‹, ›Umschließung‹ eines Satzes, Verses durch Wiederholung des 1. Wortes (der ersten Wörter) am Ende in derselben Form flektiert (/Polyptoton); Mittel der semant. oder klangl. Intensivierung: »Entbehren sollst du, sollst entbehren« (Goethe, »Faust«).   S

Kyōgen, n., /Zwischenspiel des jap. /Nō-Theaters.

Lai, m. [lε; afrz. von altir. lôid, laid = Lied, Vers, Gedicht], im Afrz. seit dem 12.Jh. Bez. für
1. reine Instrumentalstücke;
2. gereimte Kurzerzählungen, die Stoffe v. a. aus der Artus-Welt behandeln (*l.s narratifs;* bedeutendste Autorin: Marie de France, 2. Hä. 12. Jh.);
3. eine Gattung der Liedkunst (*l.s lyriques*, Minne- und relig. Lieder), die nicht auf Strophen (*concordia*) aufbaut, sondern auf einer meist großen Anzahl unterschiedl. langer Abschnitte (*discordia,* vgl. im 12./13. Jh. /Descort und den dt. /Leich); späte Blüte des lyr. L. im 14.Jh.: E. Deschamps, G. Machaut, J. Froissart, Christine de Pisan. – Nur indirekt durch die afrz. Dichter bezeugt und in ihrer Wesensart unbestimmbar sind die sagenhaften sog. *l.s bretons*. – L., Leich u. /Sequenz scheinen einen gemeinsamen vorliterar. Ursprung zu haben.
CD Kroll, R.: Der narrative L. als eigenständ. Gattung in d. Lit. d. MA.s. Tüb. 1984. – Ringger, K.: Die L.s. Zur Struktur d. dichter. Einbildungskraft der Marie de France. Tüb. 1973. – Baader, H.: Die L.s. Frkft. 1966.   MS*

Laienspiel, Theaterspiel von Laien; kann unterhaltenden, pädagog., religiösen, polit.-ideolog. (Arbeiter-, Agitproptheater), neuerdings auch psychotherapeut. Zwecken dienen. – Aus dem elementaren menschl. Spiel- und Nachahmungstrieb erwachsend, geht es als ältere *vor*künstler. Erscheinung dem *kunstmäß.* Theaterspiel vorauf und begleitet dieses von Anfang an, z. T. eng verknüpft mit Tanz und Pantomime; L. ist vielfach bis heute Bestandteil ländl. (weltl. u. religiöser) Jahreszeitenfeste (/Volksschauspiel, /Bauerntheater, bes. im alpenländ. Raum, z. B. Oberammergauer Passion seit 1634). Städt. L., getragen von der ganzen Gemeinde (wie das ländl. L.), von einzelnen Gilden, Zünften, (Kloster)schulen, Universitäten u. a. Korporationen, ist das /geistl. Spiel, das /Fastnachtsspiel, das Theater der /Meistersinger, /Rederijker, der /Basoche, der /Passionsbrüder, Jesuiten etc. L. ersetzte oder überwog zeitweilig das Berufstheater (z. B. im späten MA.; im 18.Jh. allein in Tirol 161 theaterspielende Gemeinden). Bis heute bestehen zahlreiche, in Vereinen aller Art organisierte L.gruppen, z. T. unter professioneller Leitung. Es gibt spezielle Verlage (Dt. L.-Verlag Weinheim, Bärenreiter Kassel/Baden u. a.), eigene Zeitschriften (z. B. »Der L.er«, 1949 ff., »Festl. Stunde«, 1950 ff., »Die L.-Gemeinde« [seit 1957 u. d. T. »Spiel«], 1950 ff. u. a.), Werkblätter, Ratgeber (z. B. von J. Gentges, 1949, R. Mirbt,

1959), Hand- und Taschenbücher für L.er herausgeben. Seit 1946 besteht eine L.-Beratungsstelle (Archiv, Lehrgänge, Tagungen mit Aufführungen usw.) in Wilhelmsfeld bei Heidelberg (Leiter H. Bernhard). – Der gelegentl. Inkongruenz von Wollen und Können der L.er stehen bei geeigneter Stückwahl (flächige, personenreiche Stücke in Prosa, bes. Dialekt) Begeisterung und Unmittelbarkeit gegenüber. Auf dieser eth. Basis strebte die aus der Jugendbewegung erwachsene sog. *L.-Bewegung* seit etwa 1912 eine Erneuerung des Berufstheaters an. Ihre jugendl. L.gruppen gaben dem modernen Bühnenstil befruchtende Impulse durch bewußten Verzicht auf herkömml. bühnen- und darstellungstechn. Mittel, durch Rückgriffe auf Volksstücke und mal. Spiele (»Jedermann«, /Fronleichnams-Sachs-Spiele), aber auch auf Shakespeare oder G. Büchner u. a., durch einen spätmal. Aufführungsstil (Massenszenen, chor.-rhythm. Bewegung), durch festspielart. Aufführungen in Sälen, Höfen, Kirchen, bes. aber im Freien (/Freilichttheater). Hauptvertreter der L.-Bewegung waren R. Mirbt (Theorie, Texte), M. Luserke (seit 1911), G. Haaß-Berkow (seit 1919), H. Holtorf, M. Gümbel-Seiling u. a.
CD Handb. f. Laientheater. Hrsg. v. R. Drenkow, H. K. Hoerning. Bln. 1968. – Budenz, T.: L., Sinn, Bedeutung, Verwirklichung. Nürnberg u. a. 1947. – Luserke, M.: Das L. Hdbg. 1930. – RL.   IS

Laisse, f. [lε; altfrz. = Dichtung in Versen, Lied, Melodie; auch: Abschnitt eines Heldenepos], Versabschnitt der altfrz. Heldenepos (/chanson de geste); besteht aus einer wechselnden Anzahl isometr. Verse, die durch gleichen Reim (sog. Tiradenreim, deshalb z. T. auch als *Tirade* bez.), in älteren Dichtungen auch durch gleiche Assonanz zusammengehalten werden. Gängige Versformen sind der 10-Silber, der 12-Silber und (seltener) der 8-Silber. Die Zahl der Verse pro L. schwankt im »Rolandslied« zwischen 5 und 35; kurze L.n von nur 2 Versen begegnen im »Wilhelmslied«; eine bes. umfangreiche L. findet sich im späten Epos »Hervi« (1443 Verse!). L.n sind stets Sinnabschnitte.   K

Lake School [ˈlɛik ˈskuːl; engl. = Seeschule], auch: Lake Poets oder Lakers (Byron). Freundeskreis der drei engl. romant. Dichter S. T. Coleridge, R. Southey und W. Wordsworth; die Bez. spielt auf deren zeitweil. Aufenthalt (1797) im engl. Lake District, dem Seengebiet von Cumberland und Westmorland an. Sie erschien (in abschätzigem Sinne) zuerst in einem Artikel F. Jeffreys in der Edinburgh Review, Aug. 1817. Die Dichter bildeten jedoch keine »Schule« im eigentl. Sinne.
CD Nicholson, N.: The Lakers. London 1955.   GG

Lakonismus, m., knappe und pointiert-sachl., ›abgekühlte‹ Ausdrucksweise z. B. die Antwort Ciceros auf die drängenden Fragen im Senat nach dem Schicksal der Verschwörer: »vixerunt« – sie haben gelebt); im Altertum v. a. den Lakedaimoniern (Spartanern) zugeschrieben und nach ihnen benannt. Eine Sammlung ›lakon.‹ Aussprüche gab schon Plutarch (1.Jh. n.Chr.) heraus (»Apophthegmata Lakonika«).   ED

Landlebenliteratur, s. /Bauerndichtung, /Dorfgeschichte.

Landsknechtslied, Sonderform des histor. Kriegs- und Soldatenliedes, von den freiwilligen Söldnern Kaiser Maximilians (seit 1486) gepflegt, lebendig bis zur Ablösung der Landsknechte durch ein stehendes Heer um 1620. L.er sind Erlebnis-, Berichts- und /Ständelieder in mehstroph., oft kunstvollen balladesken Tönen. Sie schildern geschichtl. Ereignisse des Leben und ordensmäßige Selbstverständnis der Landsknechte. Die bekanntesten, im 16.Jh. auch in Einzeldrucken verbreiteten L.er behandeln die flandr. Kriege Kaiser Maximilians, die Fehden Sickingens und Huttens (1523), die Schlacht von Pavia (1525) und die Taten und Verdienste des Landsknechtsführers Frundsberg. Unter den sich am Liedende selbst nennenden Autoren sind die bedeutendsten: Meinhart von Hamm, Jörg Graff, Nikolaus Manuel und Wilhelm Kirchhof. Die erhaltenen Melodien lassen erkennen, daß L.er eher Vortragslieder mit rezitativ. oder choralhaften Tönen und teilweise kurzem chor. Refrain waren als Marsch- und Schlachtgesänge. Durch die Erforschung des histor. Volksliedgutes im 19. Jh. und die Wandervogelbewegung des 20. Jh. haben einige L.er neue Popularität gewonnen: z. B. »Gott gnad dem großmächtigen Kaiser frumme« (J. Graff), »Wir zogen in das Feld . . .« oder »Unser liebe Fraue vom kalten Brunnen . . .«. HW

Landstreicherroman, auch: Vagabundenroman, Typus des ⁄Abenteuerromans, in dem sich der Held als Landstreicher aus freiheitl.-vitalen, religiös-eth., philosoph. oder gesellschaftskrit. Motiven heraus freiwillig außerhalb der Gesellschaft stellt; oft Nähe zum ⁄Schelmenroman. L.e entwickelten sich v. a. im Gefolge antibürgerl. Tendenzen zu Beginn des 20. Jh.s, *Höhepunkt* zwischen 1920 und 1930. Sie benutzen z. T. bewußt die Struktur und gesellschaftskrit. Intention des traditionellen Abenteuerromans, erschöpfen sich aber, bes. im Rahmen der Jugend- und ⁄Heimatkunstbewegung, oft auch in unrealist., einseit.-ideolog. Verklärung eines natur- und instinkthaften antiintellektuellen Daseins. Nach H. Bahrs L. »O Mensch« (1910) sind v. a. zu nennen: H. Hesse (»Knulp«, 1915), Klabund (»Bracke«, 1918), K. Hamsun (»Landstreicher«, 1928 ff.), M. Hausmann (»Lampion küßt Mädchen und kleine Birken«, 1928), ferner W. Bonsels, H. Sterneder, H. Reiser, nach 1945: O. Brües, G. Weisenborn, Georg Schwarz, H. Risse u. a.
🕮 Bollenbeck, G.: Armer Lump u. Kunde Kraftmeier. Der Vagabund in d. Lit. der 20er Jahre. Hdbg. 1978.   IS

Länge, in der antiken quantitierenden Metrik der mit einer langen Silbe gefüllte Versteil; Ggs. *Kürze,* der mit kurzer Silbe gefüllte Versteil. L. und Kürze entsprechen in der akzentuierenden Metrik ⁄Hebung und Senkung.   S

Langvers, vgl. ⁄Langzeile.

Langzeile, aus zwei kürzeren rhythm. Perioden (*Kurz-* oder *Halbzeilen,* An- und Abvers) gebildete metr. Einheit, bei der An- und Abvers zueinander in einem strukturalen Spannungsverhältnis stehen, das durch unterschiedl. Zahl der Silben, der Hebungen oder unterschiedl. Kadenzen konstituiert wird, und durch das die Kurzzeilen fest aufeinander bezogen werden und ihre rhythm. Selbständigkeit verlieren, im Unterschied zum additiven, jeweils rhythm. selbständ. Vers- (oder Reim-)paar oder zum *Langvers,* einem Vers von mehr als 5/6 Hebungen oder Takten, der eine geschlossene rhythm. Periode darstellt, die gewisse Binnengliederungen (Zäsuren) aufweisen kann, die aber nur ihrer inneren Strukturierung dienen. – L.n begegnen v. a. in älteren Perioden der einzelnen Literaturen; sie sind bes. beliebt als Verse der ep. Dichtung. Typ. Formen sind der sog. german. ⁄*Stabreimvers* (angelsächs., altsächs., ahd., altnord., modifiziert auch mittelengl.): 2 Kurzzeilen mit je 2 Haupthebungen werden durch Stabreim zur L. verknüpft; ferner die aus L.n gebildeten *altdt. ep. Strophenformen* (⁄Nibelungenstrophe, ⁄Kudrunstrophe, ⁄Titurelstrophe, ⁄Hildebrandston u. a.), die in den Anfängen des dt. Minnesangs auch als lyr. Strophenmaße Verwendung finden (Kürenberg, Meinloh von Sevelingen, Dietmar von Aist): Grundform ist der Vers der Nibelungenstrophe: eine L. aus einem Vierheber mit klingender und einem Dreiheber mit männl. Kadenz. – L.n und L.nstrophen außerhalb der dt. Literatur sind der altlat. ⁄Saturnier, der altind. Śloka, sowie die ep. Vers der akkad. Dichtung (z. B. des »Gilgamesch-Epos«).   K*

Laokoon-Problem, Bez. für den Problemkreis der prinzipiellen Unterschiede zwischen darstellender Kunst und Dichtung. Die Bez. geht zurück auf den Titel einer kunsttheoret. Schrift G. E. Lessings (»Laokoon oder über die Grenzen der Malerei und Poesie«, 1766), mit der er zu einer

Streitfrage der zeitgenöss. Aesthetik Stellung nahm. Er wendet sich insbes. gegen die Herrschaft der bildenden Kunst, die im Gefolge der ⁄ut pictura poesis-Theorie als Maßstab für Dichtung angesehen wurde (J. Spence, A. C. Ph. v. Caylus), und damit gegen die beschreibende Literatur, die sog. dichtende Malerei und malende Dichtung. Ausgehend von der hellenist. Figurengruppe des sterbenden Laokoon im Vergleich zu Vergils Schilderung des Laokoonschicksals (»Aeneis«, 2), versucht Lessing eine Grenzziehung zwischen den Künsten: Deren unterschiedl. Darstellungsmedien (Stein/Farbe – Wort) erfordere ein jeweils anderes Verhältnis zur ⁄Mimesis: die darstellende Kunst (Plastik, Malerei) erfasse ihren Gegenstand im *räuml. Nebeneinander* von Figuren und Farben, in einem »fruchtbaren Moment«, d. h. einem der Dauer standhaltenden (nicht rasch vorübergehenden, verzerrten) ›schönen‹ Anblick. Die Dichtung dagegen kann ihren Gegenstand nur in einem *zeitl. Nacheinander,* in bewegter Handlung erfassen (z. B. beschreibt Homer Achills Schild durch die Schilderung seiner Herstellung); sie kann dadurch auch Verzerrtes, Häßliches darstellen. Das L.-P. gehört zum Entwurf einer ⁄Wirkungsästhetik im Rahmen der Bestrebungen der Aufklärung, sich von normativen Regeln zu befreien.
🕮 Wellbery, D. E.: Lessings Laokoon. Cambridge 1984. – Hohner, U.: Z. Problematik der Naturnachahmung in d. Ästhetik des 18. Jh.s. Erlangen 1976.   S

Lapidarium, n. [zu lat. lapis = Stein], auch: (liber) lapidarius, lat. Bez. für ein mal. Steinbuch oder -verzeichnis, in dem Eigenschaften, Heil- u. Zauberkräfte der Edelsteine abgehandelt und z. T. allegor.-moral. gedeutet werden (vgl. ⁄Bestiarium). Unter griech.-lat., seit dem 11. Jh. auch unter arab. Einfluß im MA zahlreiche Lapidarien. Die bekanntesten *in mlat. Sprache* stammen von Marbod von Rennes (11. Jh.), Arnold dem Sachsen, Albertus Magnus (beide 13. Jh.), *dt.-sprach.* Lapidarien v. a. das Edelsteinverzeichnis im »Parzival« Wolframs v. Eschenbach (vv. 791,1 ff.) und das »Steinbuch« Volmars (Mitte 13. Jh.).
🕮 Engelen, U.: Die Edelsteine in d. dt. Dichtung des 12. u. 13. Jh.s. Mchn. 1978.   MS

Lapidarstil, m. [zu lat. lapis = Stein], knappe, wuchtige Ausdrucksweise in der in Stein gemeißelten, sich auf Wesentliches beschränkenden lat. Inschriften in der röm. Kapital- oder Monumentalschrift.   S

L'art pour l'art [larpur'la:r; frz. = die Kunst um der Kunst willen], von Victor Cousin (»Du vrai, du beau et du bien«, Paris 1836) stammende Formel für eine Kunsttheorie, die in Frankreich etwa zwischen 1830 und 1870 verbreitet und am entschiedensten von Théophile Gautier (zuerst in der Vorrede zu seinem Roman »Mademoiselle de Maupin«, 1835) vertreten wurde. Sie propagiert die Autonomie der Kunst in radikalisierender Fortführung gewisser sensualist. gerichteter Impulse der franz. Aufklärung und dann der Romantik, mit Anklängen an die Kunstphilosophie des dt. Idealismus: Kunst ist Selbstzweck, abgelöst von allen ihr fremden Zielen und Interessen religiöser, moral., polit., weltanschaul. Art, sie ist Gestaltung des »Schönen«, das verstanden wird als das Nutzlose schlechthin, das Überflüssige und damit das über jede Art von Bedürfnis Hinausgehende u. eth. Werten Überlegene. Künstler. Wirkung wird nur der ästhet. Gestaltung zugeschrieben, d. h. den verabsolutierten formalen Kunstmitteln; in deren bloßem Material das Inhaltliche degradiert ist (autonome, absolute Dichtung, poésie pure). Auf die reine Schönheit ist nicht nur das künstler. Schaffen ausgerichtet, an ihr haben sich auch Rezeption und Beurteilung zu orientieren. In der zum ⁄Ästhetizismus tendierenden Verherrlichung einer zweckfreien und das Natürliche übertreffenden Schönheit verknüpfen sich ein verfeinerter Epikureismus, der Befriedigung im ästhet. Genuß sucht, und ein rationalist. Einschlag, der zu einer späteren Annäherung des L. p. l. an die im 19. Jh. erstarkende Wissenschaft führt.

Die Theorie des L. p. l. ist in Verbindung mit der in diesen Jahren verbreiteten Selbsteinschätzung des Künstlers zu sehen; die mit dem Untergang der Aristokratie erworbene größere Unabhängigkeit des Künstlers ist eine hist. Voraussetzung für die These von der Unabhängigkeit der Kunst und bestimmt schließl. auch noch das Verhältnis des Künstlers zum nunmehr bürgerl. Publikum: die selbstgewählte Isolierung des nur mit seinesgleichen verkehrenden Künstlers begründet die betonte Distanz zum Publikum mit der Ablehnung utilitarist., vom Fortschrittsdenken bestimmter bürgerl. Lebens- und Wertvorstellungen (↗Bohème); die Abwehr des (dem Künstler von verschiedenen polit. Parteien angetragenen) sozialen Engagements folgt aus der prononcierten Interesselosigkeit an öffentl. Angelegenheiten (»Unparteilichkeit« und »Unpersönlichkeit« gelten als künstler. Tugenden), für sein Werk wie für die eigene Person lehnt der Künstler die Verbindlichkeit moral. und religiöser Normen ab (↗Dekadenzdichtung, ↗Dandyismus). Anhänger des L. p. l. waren in Frankreich bes. G. Flaubert, Ch. Baudelaire, die Brüder Goncourt, Ch. Leconte de Lisle, Th. de Banville, J.-K. Huysmans, in Engl. O. Wilde und W. Pater; die Symbolisten und die ↗Parnassiens standen ihm nahe wie in Dtld. später der ↗George-Kreis; der russ. ↗Formalismus vertrat ähnl. Vorstellungen.

⌑ Heisig, K.: L'a. p. l'a. Über den Ursprung dieser Kunstauffassung. Zs. f. Relig.- u. Geistesgesch. 14 (1962) 201–29 u. 334–52. – Cassagne, A.: La théorie de l'a. p. l'a. en France chez les derniers romantiques et les premiers réalistes. Paris ²1959. – Scheffler, K.: L'a. p. l'a. Lpz. 1929. GMS

Latinismus, m. [latinus = lat.], Nachbildung einer syntakt. oder idiomat. Eigenheit des Lateinischen in einer anderen Sprache, im Dt. v. a. Endstellung des Verbs oder Partizipialkonstruktionen (vgl. z. B. Goethes Novellendefinition: »eine *sich ereignete* unerhörte Begebenheit«). Als Latinismen werden gelegentl. auch die aus dem Lat. stammenden Lehn- und Fremdwörter bezeichnet. Verbale und syntakt. Latinismen begegnen seit dem Ahd. in Übersetzungen aus dem Lat., im Stil der (lat. Vorbildern verpflichteten) spätmal. Formelbücher und Briefsteller, in der aus diesen entwickelten Kanzleisprache und in der wissenschaftl. Sprache. S

Latinität, f., ↗Silberne, ↗Goldene Latinität.

Latinitas, f. [= lat. Sprache, latin. Recht], neuzeitl. literaturwissenschaftl. Bez. für den Bereich der mittelalterl. Literaturen, der in lat. Sprache verfaßt ist (auch: ›lat. MA.‹, ›Mittellatein‹), im Unterschied zu den mittelalterl. volkssprachl. Literaturen. S

Lauda, f., Pl. laude [it. = Lobgesang], geistl. Lobgesang zu Ehren Gottes, Christi, der Jungfrau Maria, der Heiligen, aber auch allegor. Figuren wie der Tugend u. a. in der spätmal. volkssprachl. Dichtung Italiens. – Seit dem 13. Jh. nachweisbar, entwickelt aus dem Schluß der Frühmette gesungenen lat. *laudes* des Breviers; sie wird zunächst innerhalb der geistl. Bruderschaften *(compagni dei laudesi)* gepflegt und ist dabei mehr. noch nicht festgelegt; die ältesten Laude sind in ↗Laissenstrophen, Reimpaaren und 6-Zeilern (Reimschema: ababcc) abgefaßt. Seit der Flagellantenbewegung von 1258/60 ist die L. v. a. das geistl. Prozessionslied der Geißlerbruderschaften *(compagni dei disciplinati);* hier erhält sie die feste Form der ↗Ballata. Aus diesen häufig dialog. gestalteten Prozessionsliedern entwickelt sich durch deren Ausgestaltung zu kleinen dramat. Szenen die **L. drammatica,** ein ↗Prozessionsspiel, neben der Devozione (dem ↗Predigtspiel) und der späteren ↗Sacra rappresentazione die bedeutendste Form des ↗geistl. Spiels im mal. Italien. In der L. drammatica setzen sich neben der Ballata auch andere metr. Formen durch, so die ↗Sestine, ↗Oktave und ↗Terzine. – Laude stammen u. a. von Jacopone da Todi (2. Hä. 13. Jh.), Lionardo Giustiniani (1. Hä. 15. Jh.), Lorenzo de Medici und Savonarola. Seit dem Anfang des 16. Jh. s kommt die L. aus der Mode. K*

Laudatio funebris, f. [lat.], im antiken Rom die private oder staatl. Leichenrede zur Verherrlichung der Taten und Tugenden eines Verstorbenen; bezeugt seit Ende 3. Jh. v. Chr., z. B. Q. Caecilius Metellus, L. f. für seinen Vater, 221 v. Chr.; schon in der Antike auf Grund des biograph. Gehalts als – allerdings histor. unzuverläss. – Geschichtsquelle benutzt; auch: ↗Epitaphios, ↗Elogium, ↗Eloge.
⌑ Vollmer, F.: Laudationum funebrium Romanorum historia et reliquiorum editio. Lpz. 1891. HD

Lautgedicht, verzichtet auf das Wort als Bedeutungsträger, besteht nur aus rhythm., z. T. auch gereimten Buchstaben und Lautfolgen; findet sich als Kinderlied und in Kinderrätseln oder Abzählversen, ferner im Bereich der ↗Unsinnspoesie vereinzelt bei J. H. Voss (»Lallgedicht« oder »Klingsonate«), J. L. Runeberg (»Höstsång«, »Herbstlied«), Ch. Morgenstern (»Das große Lalula«), P. Scheerbart (»Kikakoku«), dann programmat. als Möglichkeit einer sog. ↗akust. Dichtung im russ. Futurismus, Dadaismus, Lettrismus und wieder seit 1950 (vgl. ↗konkrete, ↗abstrakte Dichtung). S

Lautmalerei, auch: Klangmalerei, Onomatopoeie, Wiedergabe von sinnl. Eindrücken meist akust. (z. B. Tierstimmen), mittels ↗Synästhesie auch opt. Art (Bewegungen) durch sprachl. Bildungen (Einzelwort und Satz). L. ist als ursprüngl. Element in allen (natürl.) Sprachen vorhanden (im Dt. z. B.: *quaken, Kuckuck, Ticktack, zittern, watscheln),* sie wird in der Dichtung genutzt, um eine bes. intensive Verknüpfung von Sprachklang und Bedeutung zu erreichen und um durch solche Ausdruckssteigerung auch sinnl.-affektive Werte in erhöhter Unmittelbarkeit wiederzugeben (Schiller, »Der Taucher«: »Und hohler und hohler hört man heulen, . . . Und es wallet und siedet und brauset und zischt«). L. ist immer an die Kenntnis des Bedeutungsinhalts gebunden (und somit in unbekannten Sprachen nicht möglich), da die L. von dem Artikulationssystem einer jeweiligen Sprache abhängig ist und daher keine exakte Schallnachahmung erreichen kann. Wie jedoch die auffällige Ähnlichkeit metaphor. Lautbezeichnungen in sehr vielen Sprachen zeigt (»heller«, »dunkler« Vokal; »harter«, »weicher« Konsonant), besteht eine weitverbreitete Neigung, Lautqualitäten mit den gleichen Vorstellungen und Empfindungen zu verknüpfen und ihnen eine ursprüngl. Beziehung zu bestimmten Bedeutungen zuzuschreiben (Vokal -*i*- als Ausdruck für Helligkeit, Höhe, Freude, Vokal -*u*- als Ausdruck für Dunkelheit, Tiefe, Trauer; kurzer bzw. langer Laut für schnelle bzw. langsame Bewegung usw.). Man spricht hier von *Laut- oder Klangsymbolik* und meint damit entweder die (mehr oder minder subjektive, meist durch Lauthäufung intensivierte) Verbindung von Klangfarben und Bedeutungsinhalten in dichter. Zusammenhang oder aber die sich auf die Sprache überhaupt beziehende Auffassung, bestimmte Laute verkörpern zum Anfang an bestimmte Bedeutungen. Im Hintergrund von L. und Lautsymbolik steht allgemein das *Problem des Bezugs von Sprachlaut und Wortsinn,* die Streitfrage, ob die Übereinstimmung zwischen Wort und Sache von Natur aus bestehe kraft einer verborgenen Verwandtschaft oder aufgrund einer Übereinkunft innerhalb einer Sprachgemeinschaft. Seit Plato (»Kratylos«) und bes. wieder seit J. G. Herder und W. v. Humboldt wurde diese Frage immer erneut behandelt (mehrfach in Verbindung mit der heute allgemein abgelehnten Theorie, daß die menschl. »Ursprache« eine reine Nachahmung von Naturlauten, also insgesamt lautmalerisch gewesen sei). Seitens der Linguistik schließt man neuere bloßen Behauptungen aus und läßt den konventionalist. Aspekt neben dem lautmaler. Momenten bestehen, indem man letztere, soweit möglich, von den akust. und physiolog. Qualitäten der Sprachlaute her erklärt (die Artikulationsart von -*p*- und -*b*- z. B. läßt die Unterscheidung »hart« – »weich« leicht einsehen).
L. begegnet bereits in der antiken Lit. (Vergil, Ovid), im dt.

Sprachbereich dann, von den Poetiken (Opitz) unter Berufung auf Scaliger befürwortet, in der Dichtung des Barock als Mittel zur Bereicherung der Ausdrucksmöglichkeiten, mit zahlreichen Wortneuschöpfungen und in bisweilen übermäßiger Häufung. Behutsamer findet sie Verwendung in der Volksdichtung und als kunstvoll eingesetztes Mittel der Integration von Form und Bedeutung in der Dichtung der Klassik. Eine rhythm.-musikal. Verfeinerung erlebt die L. (gefördert durch vielfältige sprachtheoret. Erörterungen; bes. A. F. Bernhardi »Sprachlehre«, 1801–03) seit der Romantik in der Literatur des 19.Jh. (C. Brentano, E. Mörike, A. v. Droste-Hülshoff, R. Wagner); die Auffassung der Lautsymbolik wird von A. Rimbaud (in seinem Sonett »Voyelles«) vertreten, z. T. auch von den Impressionisten (D. v. Liliencron). Vielfach verschwimmen hier jedoch (unter dem Einfluß des franz. ↗Symbolismus) die Grenzen zwischen L. und Lautsymbolik. In der Dichtung des 20.Jh. nach dem Expressionismus ist die L. (wohl im Zusammenhang mit der stärkeren Berücksichtigung gedankl. Momente) geringer an der dichterischen Gestaltung beteiligt, ohne freilich deshalb ausgeschlossen zu sein.
📖 Wissemann, H.: Unters. zur Onomatopoiie. Hdbg. 1954. – RL. GMS

Lautreim, ↗Alliteration.

Lay [lei, engl., von afrz. lai], engl. Bez. für kurzes, zum Gesang bestimmtes lyr. oder ↗Erzähl-Lied, verwandt mit ↗Ballade; bevorzugt gebraucht für mittelalterl. Lieder mit geschichtl. oder abenteuerl. Thematik. Der Mittelalterkult des 19.Jh.s ließ neue L.s entstehen, z. B. W. Scotts »L. of the Last Minstrel« u. W. E. Aytouns »L.s of the Scottish Cavaliers«.
📖 Finlayson, J.: The form of the Middle English L. In: Chaucer Review 19 (1984/85). MS

Lebende Bilder, Schaubilder (auch Schautheater, stummes Theater, frz. *tableaux vivants*), z. T. mit Musik untermalte tableauartige (stumme, unbewegte) Darstellungen von Szenen aus der antiken Mythologie, christl. Überlieferung oder nationalen Geschichte u. a. durch lebende Personen auf einer Bühne, häufig nach dem Vorbild bekannter Werke aus der Malerei und Plastik, v. a. als prunkvolle Einlagen bei festl. Anlässen. – L. B. sind seit der Antike bezeugt (Kaiserin Theodora von Byzanz). Im Spät-MA. waren sie beliebt im Rahmen des ↗geistl. Spiels, so v. a. bei ↗Prozessionsspielen (auf Prozessionswagen) und ↗Predigtspielen zur szen. Vergegenwärtigung des Heilsgeschehens oder des Predigtstoffes, aber auch als Einlagen in größere dramat. Spiele, häufig mit der Funktion szen. Vergegenwärtigung präfigurativen Geschehens. Verwandt mit den mal. l. B.n sind die frz. pantomim. *mystères mimés* und die niederländ. *stommen spelen* in der Tradition der ↗Mysterienspiele. – Eine Blütezeit erlebten die l. B. in Renaissance und Barock, wo allegor., mytholog., christl. und histor. Darstellungen (Schaubilder) mit Hilfe einer raffinierten Bühnentechnik und prunkvoller Ausstattung eine zentrale Stelle in kirchl., höf. und städt. Festlichkeiten einnahmen (vgl. ↗Auto sacramental, ↗Jesuitendrama, ↗Intermezzi, ↗Maskenzüge, ↗Trionfi, Schluß-↗Apotheosen im höf. Barocktheater usw.); berühmt waren z. B. die *stommen vertoningen* der ↗Rederijkers im 16.Jh. Diese Tradition ist noch greifbar in den Schlußtableaus vieler Opern, z. T. auch Schauspielen (Schluß des »Egmont« oder »Faust II« von Goethe). – Ende des 18.Jh.s wurde die Tradition der l. B. durch die Contesse de Genlis (1746–1830), die Erzieherin der Kinder des Herzogs von Orléans, wiederaufgenommen; sie benutzte die l. B. zur Belehrung und Unterhaltung ihrer Zöglinge; an sie knüpfte dann Lady Hamilton mit ihren »Attitudes« (l. B. nach antiken Statuen) an. Das 19. Jh. pflegte l. B. v. a. im Rahmen bürgerl. Vereinsfestlichkeiten (Darstellungen aus der vaterländ. Geschichte). K*

Lebenserinnerungen, im 18.Jh. entstandene dt. Bez.

für autobiograph. Schriften (↗Autobiographie, ↗Memoiren). – RL.

Leberreim, kurzes, aus dem Stegreif verfaßtes Gelegenheitsgedicht mit beliebigem, meist scherzhaftem Inhalt (Wunsch, Rätsel, Spott, Trinkspruch), meist als Vierzeiler, dessen Eingangsvers das Stichwort Leber enthält, am häufigsten in der Form: »Die Leber ist von einem Hecht und nicht von einem(r)«, worauf ein Tiername folgt, auf den die nächste Zeile reimt, z. B. »und nicht von einer Schleie,/ Der Fisch will trinken, gebt ihm was,/ daß er vor Durst nicht schreie.« (Fontane). Die Lehre vom Sitz der Affekte in der Leber war wohl die Voraussetzung, das gemeinsame Verzehren der Leber der Anlaß. Nach wahrscheinl. mündl. Tradition 1601 erste Sammlung ndt. L.e von Johannes Junior, »Rhythmi Mensales«, diese waren Quelle für die hdt. Sammlung »Epatologia Hieroglyphica Rhythmica« (1605) des J. Sommer (Therander). Im 17.Jh. zahlreiche Sammlungen, z. B. als Anhang zu Georg Grefflingers Komplimentierbuch die von Heinrich Schaeve verfaßten »Jungfer Euphrosinens von Sittenbach züchtige Tisch- und Leberreime« (1665), ferner von A. M. Coller 1669, H. Brenner 1679 und verschiedene anonyme Sammlungen. Im 18.Jh. ›wenig geachtet‹ erhält sich der L. in ländl. Kreisen länger (1711 J. F. Rothmann »Lustiger Poet«, aber auch bei G. A. Bürger; später bei Hoffmann von Fallersleben »Weinbüchlein« 1829; und bei Fontane »Wanderungen durch die Mark Brandenburg«, 1882).
📖 Strückrath, O.: L.e aus alter und neuer Zeit. In: F. S. Krauss: Das Minnelied des dt. Land- und Stadtvolkes. Hanau ²1968. GG

Lectio difficilior, f. [lat. = die schwierigere Lesart], Begriff der ↗Textkritik, der besagt, daß die schwierigere Lesart anderen, ›einfacheren‹ Lesarten vorzuziehen sei, da diese sich aufgrund der Tendenz zur Vereinfachung beim Abschreiben eher als fehlerhaft erklären ließen als umgekehrt. Der Grundsatz der l. d. ist seit K. Lachmann, der solchen »inneren Kriterien« der Textherstellung mechan. Kriterien vorzog, umstritten. K

LEF, f. [Abk. für russ. *Lewi Front iskusstva* = linke Front der Kunst], Name einer 1923 in Moskau von W. Majakowski begründeten Literatengruppe um die Zeitschrift gleichen Namens (1923–25; 1927/28 als ›Novyj [neue] LEF‹). Das (wahrscheinl.) von Majakowski verfaßte Manifest (»Wir wollen keinen Unterschied zwischen der Poesie, der Prosa und der Sprache des wirklichen Lebens zulassen. Unser einziger Rohstoff ist das Wort, und das bearbeiten wir mit modernen Mitteln«) steht in der Tradition des ↗Futurismus, von dem sich die LEF dadurch abhob, daß ihre Vertreter keine Hohepriester der Kunst, sondern Arbeiter, die einen sozialen Auftrag ausführen, sein wollten. Das in H. 1 der Zeitschrift veröffentlichte Manifest nennt die Namen N. Assejew, W. Kamenski, A. J. Krutschenych, B. Pasternak, W. Chlebnikow, W. Majakowski, O. Brik und K. A. Wittfogel. Ihnen zugerechnet werden müssen v. a. noch S. M. Tretjakow und – wegen seines Beitrages »Die Marxisten und die formalist. Literatur« (H. 3, 1923) – A. Zeitlin. Wegen der von der LEF propagierten, Leben und Literatur verschmelzenden »Literatura fakta« (»Faktographie«) offiziell durchaus anerkannt, wurde sie schließl. in Folge des Formalismusstreites (↗Formalismus) immer schärfer kritisiert und schließl. unterdrückt. D

Legende, f. [mlat. legenda, Pl. von legendum = das zu Lesende; später auch als Sg. gebraucht], Darstellung einer heiligmäß., vorbildhaften Lebensgeschichte oder einzelner exemplar. Geschehnisse daraus. Die Bez. L. hat vom mal. kirchl. Brauch her, am Jahrestag eines Heiligen erbaul. Erzählungen aus seinem Leben in Kirchen und Klöstern vorzulesen. Sie wurden zu einem kirchl.-relig. Gegenstück der profanen Sage, gleichsam zur »Heldendichtung des Gottesstaates« (Ehrismann). Entscheidender als die Aufzeichnung histor. Zeugnisse und Traditionen zum Leben

eines Heiligen (wie in den theolog.-historiograph. Heiligenviten der Hagiographie) war die Demonstration eines vorbildl., gottgefälligen Erdenwandels, in dem sich Wunderba-
res manifestiert. Anders als in den ∕Mirakelspielen spielen
jedoch in der L. transzendente Mächte eine geringere Rolle
gegenüber der belehrenden Exemplifizierung personifizier-
ter Tugenden. Die Grenzen zwischen L. u. Mirakel sind
indes fließend. *Darbietungsformen* der L. sind 1. die volkstüml. Erzählung, die literar. zu den ∕einfachen Formen
gehört, 2. die poet. Ausgestaltung. – Nach den jeweiligen
Vorbildfiguren unterscheidet man Christus-, Marien- und
Heiligen-L.n. Letztere fanden ihre stärkste Verbreitung
durch die Propagierung lokaler Schutz-, Kloster- und Kir-
chenpatrone. Die ältesten L.n finden sich bereits in apokryphen Evangelien und Apostelgeschichten. Die seelsorger.
Eignung solcher Erzählstoffe wurde früh erkannt: Schon
im 3. Jh. empfahl Papst Eutychianus in einem in seiner
Echtheit allerdings angezweifelten Dekret, *L.nsammlungen*
(in sog. *Legendarien* oder *Passionalen*) für homilet. Zwecke
anzulegen. Die älteste erhaltene *lat.* Prosa-Slg. stammt von
Papst Gregor d. Großen (»Dialogi de miraculis patrum Ita-
licorum«, 6. Jh.), die bedeutendste mal. Slg. ist die lat.
»Legenda aurea« des Jacobus de Voragine (2. Hä. 13. Jh.),
mit reicher Nachwirkung; die umfassendste hagiograph.
Slg. wurde im 17. Jh. von Jean Bolland begonnen und von
den sog. Bollandisten fortgeführt (»Acta sanctorum«, 63
Bde., bis 1902, ca. 25 000 L.n). – Wie die Sagenstoffe fanden auch die L.n die verschiedensten *dichter. Ausformungen*
in L.n-epen, -romanen, -erzählungen, -balladen und -dra-
men. Eine Sonderform bilden die Heiligenhymnen, in welchen legendäre Geschehnisse der Panegyrik und Fürbitte
dienen. – Einen ersten breiteren Aufschwung nahm die L.
mit der Verbreitung der Heiligenverehrung im 6. Jh. Aus
dieser Zeit sind auch die ältesten poet. Gestaltungen (Gregor v. Tours, »Siebenschläfer-L.« u. a., Venantius Fortunatus etc.) überliefert. Eine zweite Blütezeit fällt in die Karolingik (z. B. Alkuins L. über den Heiligen Willibrord,
Walahfrid Strabos Gallus-Vita). Im 10. Jh. schuf Hrotsvit
von Gandersheim acht L.nerzählungen in Reimprosa und
sechs L.ndramen in Hexametern. Die ältesten *volkssprachl.*
Heiligendichtungen sind *Hymnen.* Sie stammen aus dem
9. Jh., so die afrz. »Eulaliasequenz«, das ahd. Georgs- und
Petruslied u. a. Erst im 11. Jh. begegnen *L.nerzählungen,*
z. B. das afrz. »Alexiusleben«, das mhd. »Annolied«, der
»Trierer Silvester« u. a.; Fürsten-L.n finden sich auch eingestreut in
die »Kaiserchronik« (1150; Crescentia, Faustinian). Die
Ausbreitung der Marienverehrung im 12. Jh. förderte die
Entstehung von ∕Mariendichtungen. Auch die höf. Epiker
greifen L.nstoffe auf, so Heinrich v. Veldeke (»Sente Ser-
vaes«), Hartmann v. Aue (»Der arme Heinrich«, »Grego-
rius«), dann im 13. Jh. Reinbot v. Dürne (»Der Heilige
Georg«), Rudolf v. Ems (»Der gute Gerhard«, »Barlaam u.
Josaphat«), Konrad v. Würzburg (»Silvester«, »Alexius«,
»Pantaleon«), Heinrich v. Freiberg (»L. vom Kreuzes-
holz«). Um 1300 entstanden die großen *gereimten L.n-*
Slg.en des dt. Ritterordens (∕Deutschordensdichtung): das
»Passional« (über 100 000 Reimverse), das »Väterbuch«,
um 1340 auch die ersten dt.sprach. Prosasammlungen, z. B.
das »Heiligenleben« Hermanns v. Fritzlar, weiter in breiter
Fülle Sammlungen von Christus- (z. B. »Der Saelden
Hort«, 13. Jh.) und Heiligen-L.n, u. a. eine weiblichen Heiligen gewidmete gereimte L.n-Slg. »Der maget Krône«
(15. Jh.), dann die L.n um vorbildl. dt. Fürsten wie »Heinrich u. Kunigunde« von Ebernand v. Erfurt (13. Jh.) oder
die »Hl. Elisabeth« (von Thüringen). Aus dem 14. u. 15. Jh.
sind auch *L.nspiele* bezeugt, z. B. Spiele um St. Dorothea
(ostmdt. Zeugnisse, 14. Jh.), St. Katharina, Maria, Helena,
St. Nikolaus, Alexius, Oswald, Georg (15. Jh.), aufgeführt
an den Festtagen der Heiligen oder im Anschluß an liturg.
bestimmte Spiele wie ∕Passions- und ∕Fronleichnam-
spiele; auch in Frankreich häufig (zw. 1400 u. 1510 sind 37

Legendenspiele überliefert, vgl. auch ∕Mirakelspiel). Mit
der Reformation trat das Interesse an der L. v. a. durch Luthers Kritik am Heiligenkult zurück. Erst im Zuge der
Gegenreformation und im Barock erfolgte u. a. im Rahmen
der Predigtliteratur (Abraham a Santa Clara) und des ∕Je-
suitendramas eine Wiederbelebung. Das 18. Jh. entdeckte
dann auch den poet. Reiz der L. (Herder), Goethe schuf
mehrere L.ngedichte (»L. vom Hufeisen«, »Der Gott und
die Bajadere«, »Paria«, »Siebenschläfer«). Eine besondere Vorliebe für die L. entwickelte sich im Gefolge der
Romantik, vgl. die L.ndramen L. Tiecks, die L.nballaden
Heines, Uhlands (»Der Waller«), Kerners, Mörikes (»Erz-
engel Michaels Feder«). – Mit G. Kellers L.nzyklus (»Sieben L.n«) beginnt die Phase der L.ndichtung, in der an die
Stelle naiver Gläubigkeit od. ästhet. Faszination mehr und
mehr die psycholog. Fundierung oder die iron. Distanz treten. Im 20. Jh. verfaßten L.nerzählungen G. v. Le Fort, G.
Binding, E. G. Kolbenheyer, H. Hesse (»Drei L.n aus der
Thebais«), Th. Mann (»Der Erwählte«), L.nspiele M. Mell
u. a., ein L.nballett »Josefs-L.« + H. Graf Kessler und H. von
Hofmannsthal. Auch in anderen europ. Sprachen entstan-
den in der Neuzeit bedeutsame L.ndichtungen, wie die alt-
christl. L.n von N. Leskow, die Christus-L.n von Selma
Lagerlöf, die L.ndramen von Paul Claudel und T. S. Eliot.
Die L. ist nicht nur eine christl. Literaturgattung; sie begeg-
net auch im Islam und im Buddhismus.
□ *Lexika:* Keller, H. L.: Reclams Lex. der Heiligen u. der
bibl. Gestalten. Stuttg. 1968. – Stadler, J. E. u. a.: Vollständ.
Heiligen-Lex. . . . Augsburg 1856–82.
Ausgabe: Die Legenda aurea des Jacobus de Voragine. Dt.
Übers. v. R. Benz. Neuausg. Köln 1969.
Karlinger, F.: L.-Forschung. Darmst. 1986. – Walz, H.: L.
Bambg. 1986. – Rosenfeld, H. L.: Stuttg. ⁴1982 *(dort aus-*
führl. Angaben zu Ausgaben u. Lit). – Kretzenbacher, L.: L.
u. Sozialgeschehen zw. MA. u. Barock. Wien 1977. – Bier-
mann, H.: Die dt.sprach. L.nspiele des späten MA.s u. der
frühen Neuzeit. Diss. Köln 1977. – Strunk, G.: Kunst u.
Glaube in der lat. Heiligen-L. Mchn. 1970. – RL.   S

Legendenspiel, ∕Legende, ∕Mirakelspiel.
Lehrdichtung, auch: lehrhafte, didakt. Dichtung (oder
Poesie). Wissensvermittlung und Belehrung in poet. Form.
Der Begriff ›L.‹ wird gelegentl. recht weit gefaßt: im
Anschluß an die Horazische Formel »prodesse et delectare« (nützen und ergötzen) wird er oft auch auf Dichtungen mit nur implizitem didakt. Tendenzen ausgedehnt (sog.
›indirekte L.‹ oder ›L. im weiteren Sinne‹). Entscheidend
für die Zuordnung zur Kategorie ›L‹ ist aber der primär
didakt. Zweck: die vom Verf. beabsichtigte Wissensvermittlung (im Ggs. zur zweckfreien ästhet. Gestaltung eines Stoffes). Die Grenzen sind jedoch fließend, zumal innerhalb
der L. formal und gehaltl. mustergült. Ausprägungen (Vergil, Goethe) neben simplen Versifizierungen eines Wissensgebietes stehen. Manche poet. Gattungen gehören wesensmäßig oder stoffbedingt zum Grenzbereich: ∕Fabel,
∕Priamel, ∕Parabel, ∕Bispel, ∕Gnome, ∕Legende,
∕Spruchdichtung, ∕Allegorie. – Die L. spielte in Altertum,
MA. und in der frühen Neuzeit eine so bedeutende Rolle,
daß sie den drei formalen Gattungen Lyrik, Epik, Dramatik
als vierte, *inhaltl. bestimmte Gattung* an die Seite gestellt
wurde (Ch. Batteux, J. G. Sulzer, vgl. ∕Dichtung). In L.en
wurden alle Wissensgebiete von der Religion über Philosophie, Morallehre, Naturkunde, Landwirtschaft bis zu Dichtungstheorien behandelt. In buchfernen Zeiten hatte die
poet. Form einen doppelten Zweck: der Vers diente 1. als
Gedächtnisstütze und hob 2. das Mitgeteilte seiner Bedeut-
samkeit entsprechend aus der Alltagssprache heraus. – Die
ältesten erhaltenen L.en (in Hexametern) sind Hesiods
»Theogonie«, eine Entstehungsgeschichte der Götter und
der Welt, und »Erga« (»Werke«, über Recht und
Arbeit, um 700 v. Chr.). Im 5. Jh. v. Chr. folgen die versifizierten philosoph. L.en der Vorsokratiker Xenophanes,

Parmenides und Empedokles (»Über die Natur«, »Reinigungen«). – In der *hellenist.* Literatur nimmt dann die systemat., wissenschaftl. L. einen breiten Raum ein; so handelt Menekrates von Ephesos (4. Jh. v. Chr.) über Bienenzucht, Aratos von Soloi (3. Jh. v. Chr.) über Himmelserscheinungen (»Phainomena«), Nikandros von Kolophon (2. Jh. v. Chr.) über Mittel gegen Schlangengifte (»Theriaka«) und gegen Speisevergiftungen (»Alexipharmaka«), Dionysios Perihegetes (2. Jh. n. Chr.) über Geographie. – Die älteste *röm. L.* sind die »Heduphagetica« des Ennius (239–169), ein gastronom. Lehrgedicht im Anschluß an Archestratos. Von weitreichender Wirkung waren im 1. Jh. v. Chr. Lukrez' »De rerum natura«, Vergils »Georgica« (über das Landleben, zugleich Natur-, Staats- und Lebenslehre) und Horaz' »De arte poetica«. L.en sind auch die »Didascalia« des Accius (170–85 v. Chr., Fragen der Lit., des Theaters und der Grammatik); eine literarhistor. L. in trochä. Septenaren verfaßte Porcius Licinus (2. Jh. v. Chr.), von Buchstaben, Silben und Versmaßen handelt die grammat. L. des Terentianus Maurus (2. Jh. n. Chr.), literar. ↗ Kataloge u. a. finden sich bei Ausonius (4. Jh. n. Chr.); Manilius (1. Jh. n. Chr.) schrieb ein Lehrbuch der Astrologie in Hexametern. – Die scherzhafte L. wurde v. a. von Ovid (45 v.–17 n. Chr.) gepflegt (»Ars amatoria«, »Remedia amoris«), Moraldidaxe bieten Spruchsammlungen wie die weitwirkenden anonymen »Disticha Catonis« (3. Jh. n. Chr.). – Die *christl.-apologet.* L. beginnt im 4. Jh. mit Commodianus (»Instructiones«, »Carmen apologeticum«) mit langer Tradition; zu nennen wäre auch Theodulfs vierbänd. L. in Distichen »Documenta fidei« (um 800). Auch in den *mal. volkssprachl. Literaturen* war die L. die populärste Form der Wissensvermittlung, vgl. etwa die altnord. Spruchdichtung »Hávamál« (10./11. Jh.) u. a., oder die mhd. Morallehren wie die höf. Tugendlehre »Der welsche Gast« des Thomasin von Circlære (1216), die Spruchsammlung Freidanks (»Bescheidenheit«, 13. Jh.), die Moralenzyklopädie »Der Renner« Hugos von Trimberg (1300). Neben diesen umfangreichen Werken finden sich bis ins Spät-MA. eine Fülle von gereimten Stände-, Minne- und Morallehren, von moral. Spruchsammlungen, Sitten- ↗ Spiegeln, ↗ Tischzuchten, ↗ Kalender-, Koch-, ↗ Schach-, Wahrsage- und Traumbüchern, ferner von naturkundl. Darstellungen (z. B. Volmars »Steinbuch«, 13. Jh., vgl. ↗ Lapidarium, s. auch ↗ Bestiarium, ↗ Fürstenspiegel, Erbauungsliteratur). Eine Grenzform bilden die ↗ Reimchroniken. Auch im Zeitalter des ↗ Humanismus hält die Vorliebe für systemat., rhetor. ausgeschmückte L.en an. Thomas Naogeorg z. B. schrieb eine religiöse L. »Agricultura sacra« (1550); in lat. Hexametern verfaßte der Dichtungstheoretiker Vida seine einflußreiche Poetik (1527), der im 17. Jh. N. Boileaus »L'art poétique« in Alexandrinern (1674) folgte. – Die letzte fruchtbare Zeit für die L. war die ↗ *Aufklärung,* deren Dichtungstheorien die Verbreitung von Moral und Wissen forderten. Epochale Wirkung hatten die anthropolog., philosoph. und religiösen L.en von A. Pope (»Essay on Man«, 1733), J. Thomson (»Seasons«, 1726 ff.) u. a., in der dt. Literatur insbes. auf B. H. Brockes (»Ird. Vergnügen in Gott«, 1721–48), A. v. Haller (»Alpen«, 1732), Ch. A. Tiedge (»Urania«, 1801) u. a.; Schillers philosoph. Gedicht »Der Spaziergang« (1795) und Goethes »Metamorphose der Pflanzen« (1798) und die »Metamorphose der Tiere« (Frgm. v. 1798/99?) sind Höhepunkte und zugleich ein die Gegensätze zwischen Didaktik und Dichtung aufhebender Abschluß der L., die im Gefolge eines neuen, fiktionalen Dichtungsbegriffes im 19. Jh. mehr und mehr zurücktrat. Als *Nachzügler* sind u. a. noch F. Rückerts gnom. »Weisheit des Brahmanen« (1836–39) zu nennen. Eine gewisse Aufwertung erfuhr die L. erst wieder im 20. Jh., vgl. B. Brechts Lehrgedichte; erstmals wurde von ihm auch die dramat. Form für didakt. Zwecke, insbes. für polit. Tendenzdichtung gewählt, vgl. die durch russ. Vorbilder (Tretjakow) angeregten ↗ Lehrstücke Brechts u. a.

⌶ Rötzer, H. G./Walz, H. (Hrsg.): Europ. L. Darmst. 1982. – Boesch, B.: Lehrhafte Lit. Mchn./Bln. 1977. – Effe, B.: Dichtung u. Lehre. Unters. zur Typologie des antiken Lehrgedichts. Mchn. 1977. – Siegrist, Ch.: Das Lehrgedicht der Aufklärung. Stuttg. 1974. – Sowinski, B.: Lehrhafte Dichtung des MA.s. Stuttg. 1971. – Albertsen, L. L.: Das Lehrgedicht. Aarhus 1967. – RL. S

Lehrstück, Bez. B. Brechts für eine Gruppe kleinerer Dramen aus den Jahren 1929/30, die, einer aggressiven marxist.-leninist. Gesellschaftslehre verpflichtet, an Modellsituationen Mißstände der Gesellschaft aufzeigen sollen (u. a. »Der Jasager und der Neinsager«, »Die Maßnahme«, »Die Ausnahme und die Regel«, »Die Rundköpfe und die Spitzköpfe«, »Das Badener Lehrstück vom Einverständnis«, »Der Brotladen«, »Die Mutter«). Brechts L.e sind vor allem für Schüler gedacht und verfolgen das Ziel, »die jungen Leute durch Theaterspielen zu erziehen«: die Praxis des Theaterspiels soll einen Erkenntnisprozeß auslösen, der wiederum in gesellschaftl. Praxis umschlägt. Die L.e stellen damit eine wichtige Station in der Entwicklung des Brecht'schen ↗ ep. Theaters dar, das nicht emotionales Erleben, sondern praxisbezogene Erkenntnis vermitteln will.

⌶ Knopf, J.: Brecht-Hdb. I Theater. Stuttg. 1986. – Mahal, G.: Auktoriales Theater. D. Bühne als Kanzel. Tüb. 1982. – Steinweg, R.: Das L. Stuttg. ²1976. K

Leich, m. [mhd., Pl.: L.s], Großform der mhd. (Sangvers-)Lyrik, vokales Musikstück, aufgebaut aus formal verschiedenen Abschnitten (Perikopen), die sich aus mehreren stroph. Elementen (Versikel) zusammensetzen. Musikal. handelt es sich um eine Reihungsform. Strukturell dem mhd. L. verwandt sind die lat. ↗ Sequenz und der frz. ↗ Lai (einschließ. ↗ Descort und ↗ Estampie – Instrumentallai). Je nachdem, welcher dieser Formen die einzelnen mhd. L.s bes. nahekommen, kann unterschieden werden zwischen dem *Sequenz-Typ* (Bauform der Versikelgruppen: A BB CC … YY Z oder, mit ›doppeltem Cursus‹, A BB CC … XX Y BB CC … YY Z), dem *Estampie-Typ* (im ›Großbau‹ triad. Gliederung: 3 meist wiederum dreifach unterteilbare ›Hauptteile‹), und dem *Lai-Typ* (keine rationale Bauform, sondern freie Reihung der Bauelemente) (Hugo Kuhn). – Die *Herkunft der L.form* in der mhd. Lyrik ist umstritten. Die ältere Forschung (F. Gennrich) leitet L. und Lai von der lat. Sequenz ab und führt die strukturellen Abweichungen auf Freiheiten zurück, die sich aus der Übernahme der lat. Form in die Volkssprache einstellten. Seit J. Handschin wird auch die Möglichkeit einer gemeinsamen vorliterar. Wurzel kelt. Ursprungs für Sequenz, Lai, L., Descort usw. erwogen, wobei der mhd. L. vom frz. Lai abgeleitet wird. Für diese Auffassung spricht die Etymologie: altfrz. *lai* geht auf altir. *lóid, laid,* Lied zurück; mhd. *leih* ist zwar germ. Ursprungs (got. *laiks,* Tanz; altnord. *leikr,* altengl. *lác,* Spiel, Kampf), hat jedoch seine spezif. mhd. Bedeutung (›L.‹) wohl erst unter dem Einfluß des klangähnl. altfrz. *lai* erhalten, evtl. gefördert durch die Tatsache, daß Lai und L. gleichermaßen häufig eingebaute ›Tanzteile‹. Auch die literaturgeschichtl. Daten stimmen zu dieser These: Der frz. Lai ist seit dem 1. Drittel des 12. Jh.s nachweisbar, in der mhd. Lit. ist der L. seit dem Ende des 12. Jh.s belegt. Den literaturgeschichtl. Hintergrund bildet die zweite Welle ir.-kelt. Einflusses auf die kontinentalen Literaturen im 12. Jh.; Ausgangspunkt wäre der zwar nicht überlieferte, jedoch vielfach bezeugte *Lai breton,* auf den sowohl der ep. *Lai narratif* mit seinen kelt. Märchen- und Sagenstoffen als auch der *Lai lyrique* zurückgeführt werden können. Die ältere Sequenz könnte auf die erste, frühmal. Welle ir. Einflusses auf die christl. Dichtung des Kontinents zurückgehen(?). – Die ältesten mhd. L.s stammen von Heinrich von Rugge (Kreuzl.), Ulrich von Gutenburg (Minnel.), beide Ende 12. Jh., und Walther von der Vogelweide (Marienl.). Die Blütezeit des mhd. L.s fällt ins 13. Jh.; kennzeichnend sind

themat. und formale Vielfalt (Minnethematik, religiöse, polit. Thematik; häufig sind Tanzl.s); seine Hauptvertreter sind Otto von Botenlauben, Ulrich von Liechtenstein, Ulrich von Winterstetten, Tannhäuser, Rudolf von Rotenburg, Reinmar von Zweter, Konrad von Würzburg, Hermann der Damen und Frauenlob. Seit dem 14.Jh. nimmt die dt. L.dichtung ab und beschränkt sich im SpätMA. auf geistl. Thematik. L.melodien sind nur aus dem 13. und 14.Jh. überliefert: vollständ. erhalten sind insgesamt 10 Melodien, u.a. vom Tannhäuser (L. IV), je 1 L. von Reinmar von Zweter und Hermann dem Damen, 3 L.s von Heinrich Frauenlob und das »Goldene ABC« des Mönchs von Salzburg (letzter mit einer Melodie überlieferter L. vom Ende des 14.Jh.s).
📖 Kuhn, H.: Minnesangs Wende. Tüb. ²1967. – Bertau, K. H.: Sangverslyrik. Über Gestalt und Geschichtlichkeit mhd. Lyrik am Beispiel des L.s. Gött. 1964. – Spanke, H.: Dt. u. frz. Dichtung des MA.s. Stuttg. u. Bln. 1943. Vgl. auch ⁄Sequenz. – RL   K*

Leimon-Literatur [gr. leimon = wasser- und grasreicher Ort, Aue; lat. prata], literar. Sammelwerke mit verschiedenartigem Inhalt, Bez. nach der mit »Leimon« betitelten griech. Exzerptensammlung des Pamphilos (2. Hä. 1.Jh., Alexandria), vgl. auch das fragmentar. erhaltene lat. Sammelwerk »Prata« des Sueton (1. Hä. 2.Jh., Rom), vgl. auch ⁄Silvae.   GG

Leipogrammatisch, Adj. [gr. leipein = weglassen, gramma = Buchstabe], Bez. für lyr. oder ep. Verse, in denen absichtl. ein bestimmter Buchstabe vermieden ist. Ältester formaler Manierismus, schon im 6.Jh. v.Chr. bezeugt (Gedichte ohne s[σ] von dem Dichter u. Musiker Lasos); findet sich dann u.a. in der alexandrin. Literatur im Gefolge der gnost.-kabbalist. Zahlen- und Buchstabenmystik (Tryphiodoros, 5.Jh.: in jedem Buch seiner [nicht erhaltenen] »Odyssee« kommt ein bestimmter Buchstabe nicht vor, Fulgentius: 1.e Weltgeschichte; in seiner Tradition auch im lat. MA.: Petrus Riga, 12.Jh.) und wieder in der Literatur des europ. ⁄Manierismus (16.Jh., bes. Spanien) und den daran anknüpfenden Strömungen der Moderne: ⁄Dadaismus, russ. ⁄Imaginismus (N. R. Erdmann, 1902–70) oder bei J. Weinheber (Gedichte ohne e, r, s). Bemerkenswert ist weiter der Roman ohne den Buchstabe e »La Disparition« (1969) von Georges Perec (dt. u. d. Titel »Anton Voyls Fortgang«, 1986), entstanden im Rahmen des ›Ouvroir de littérature potentielle‹ (Werkstatt f. potentielle Lit.), gegr. 1960 von R. Queneau u. F. Le Lionnais zur Erprobung neuer lettrist.-kombinator. Schreibverfahren; in diesen Zus.hängen auch Versuche von L. Harig, E. Helmlé u.a.; ⁄pangrammatisch.   IS

Leis, m., Pl. Leise(n) [mhd. kirleis, leise = geistl. Lied], früh bezeugte Bez. (etwa um »Herzog Ernst«) für die ersten geistl. volkssprachl. Gemeindelieder. Unklar ist, ob die Benennung ›L.‹ auf den jeweiligen Schlußvers dieser Lieder, den Anruf »Kyrie eleis(on)« zurückgeht, oder, wie bislang meist angenommen, auf eine Entstehung der L.en aus den Kyrie-Rufen, mit denen die Gemeinde denen des Priesters antwortete. Der L. wurde innerhalb der lat. Liturgie hoher Festtage gesungen. Ältestes dichter. Zeugnis ist das ahd. Petruslied (9.Jh., mit Neumen [Notenzeichen] überliefert), weitere mal. Beispiele sind der Oster-L. »Krist ist erstanden« und der Pfingst-L. »Nu bitten wir den heiligen geist« (bezeugt in einer Predigt Bertholds von Regensburg, 13.Jh.). ⁄Kirchenlied.
📖 Janota, J.: Studien zu Funktion u. Typus des dt. geistl. Liedes im MA. Mchn. 1968.   MS*

Leitmotiv, in der Musik wiederkehrende, einprägsame Tonfolge, die einer bestimmten Person, Situation oder Stimmung zugeordnet ist und durch ihr mehrfaches Auftreten voraus- und zurückweisende symbol. Bezüge zwischen einzelnen Werkpartien herstellt. Wegen seines gedankl.-literar. Einschlags findet sich das L. vorwiegend in instrumentaler Programmusik und in sog. sinfon. Dichtungen (z. B. bei Berlioz [»idée fixe«], Liszt, Richard Strauss, Fauré, Debussy und noch A. Schönberg), v.a. aber in wortgebundener Musik: Schon die barocken Oratorien und Passionen kennen wiederkehrende Ausdrucksmelismen. Bewußter eingesetzt ist das L. erstmals in der romant. Oper als sog. Erinnerungsmotiv (Spohr, E. T. A. Hoffmann, C. M. v. Weber, Marschner, Flotow, auch bei Schumann usw.). Zum beherrschenden Bauprinzip wurde es dann in den Musikdramen Richard Wagners. Die Bez. L. erschien erstmals 1871 in einem themat. Verzeichnis der Werke Webers, dann 1876 bei H. v. Wolzogen in einem Leitfaden durch R. Wagners »Der Ring des Nibelungen«; von ihm hat Wagner ihn übernommen. Seine mit einer fortschreitenden Auflösung der Tonalität verbundene L.technik wird maßgebend für die Opernkunst seiner Nachfolger. Begegnet in trivialisierter Form heute v. a. auch in Begleitmusiken zu Filmen und Fernsehspielen. – In der Literatur: analog dem L. in der Musik eine einprägsame, im selben oder in annähernd gleichen Wortlaut wiederkehrende Aussage, die einer bestimmten Gestalt, Situation, Gefühlslage oder Stimmung, auch einem Gegenstand, einer Idee oder einem Sachverhalt zugeordnet ist, die oft auch rhythm. und klangl. Mittel wie Reim und Alliteration verwendet und durch ihr mehrfaches Auftreten gliedernd und akzentuierend wirkt, Zusammenhänge vorausdeutend oder rückverweisend hervorhebt sowie zur literar. Symbolbildung eines Werkes beiträgt. Das L. erscheint z. B. als ⁄Refrain in Lied und Ballade, vor allem aber als eine Bauform des Erzählens, ist klar ausgebildet etwa in Goethes »Wahlverwandtschaften«, später bei Ch. Dickens, E. Zola, W. Raabe, Th. Fontane, M. Proust und Thomas Mann, der sich bewußt an der L.-Technik Richard Wagners orientierte. Im Drama verwandt haben das L. insbes. H. Ibsen und A. Tschechow, aber auch schon Goethe im »Faust«. Ähnlich wie in der Musik ist die L.-Technik heute gängiges Klischee der Trivial- und Unterhaltungsliteratur, aber auch immer noch Kunstmittel, z. B. bei Heinrich Böll. Häufig, aber irreführend bezeichnet man das vorherrschende ⁄Motiv oder Thema eines Werkes, seine Grundhaltung oder Grundstimmung selbst dann als L., wenn wörtl. oder annähernd wörtl. Wiederkehr von Aussagen nicht vorliegt. Vereinzelt geblieben sind Versuche (von Sperber, Körner und insbes. Krogmann), bei der Strukturanalyse eines Einzelwerks den Begriff ›L.‹durch den Begriff ›Kehrmotiv‹ zu ersetzen.
📖 Frenzel, E.: Stoff-, Motiv- und Symbolforschung. Stuttg. ⁴1978 (mit Literatur).   RS

Lektion, f. [lat. lectio = Lesen, Vorlesen], ursprüngl. Bez. für die Schriftlesung im Gottesdienst, dann auch übertragen auf die gelesenen (Bibel-)Abschnitte (die im Lektionar gesammelt wurden). Im 16.Jh. in die Schulsprache übernommen für die Behandlung (Vorlesen und Kommentieren) eines Textabschnittes aus einem Lehrbuch, für diesen Text oder Lehrstoff selbst, auch für Lernabschnitt, Lehrpensum oder Unterrichtsstunde. In übertragener Bedeutung: Zurechtweisung.   S

Lektionar, ⁄Lektion, ⁄Epistolar.

Lektor, m. [lat. = Leser],
1. wissenschaftlich oder literarisch gebildeter Verlagsangestellter, der die Buchproduktion eines ⁄Verlages steuert, indem er an den Möglichkeiten des Buchmarktes orientierte Buchkonzepte ausarbeitet und realisiert, eingehende Manuskripte begutachtet, Autoren für den Verlag sucht und Manuskripte mit ihnen berät. Die Tätigkeit des L.s hat sich im letzten Jahrzehnt unter dem Einfluß betriebswirtschaftl. Gesichtspunkte und neuer technol. Möglichkeiten immer mehr in Richtung auf Methoden verschoben, wie sie vom industriellen Produktmanagement gefordert sind;
2. wissenschaftl. Lehrbeauftragter an den Universitäten, der Vorlesungen und Seminare ergänzende praktische Kurse, z. B. Fremdsprachenübungen, abhält.   BL

Lekythion, n. [gr. = Fläschchen], altgriech. Vers der Form $-\cup-\cup-$; gedeutet als 2. Hälfte des jamb. ↗Trimeters nach der Penthemimeres, benannt nach einem gegen Euripides gerichteten Scherzwort der »Frösche« des Aristophanes, daher bisweilen auch ↗Euripideus genannt, obgleich diese Bez. meist für eine andere archiloch. Versform, die Verbindung eines jamb. Dimeters + L. (oder ↗Ithyphallikus) steht. HD*

Lemma, n. [gr. = Aufgenommenes, Aufgegriffenes],
1. Stichwort in Nachschlagewerken (Lexika, Wörterbüchern);
2. das im textkrit. ↗Apparat oder in den ↗Anmerkungen eines Kommentars aufgegriffene Stichwort aus dem Haupttext;
3. in älterem Sprachgebrauch: Motto, auch Titel eines literar. Werkes, der dessen zentrale Thematik thesenhaft zusammenfaßt, oder eine entsprechende ↗Kapitel- oder Bildüberschrift (↗Emblem). K

Leoninischer Vers, auch versus leoninus (lat.): daktyl. ↗Hexameter (seltener ↗Pentameter) mit ↗Zäsurreim; ↗Penthemimeres und Versende sind durch Reime (nach dem 11. Jh. meist zweisilbig) gebunden: »Nobilis hoc Hagano / fuerat sub tempore tiro« (»Waltharius«, v. 27). – Die Bez. stammt (nach Erdmann) evtl. von dem *cursus leoninus*, dem von Papst Leo dem Großen in seiner ↗Kunstprosa gepflegten rhythm. Satzschluß (↗Cursus), der durch syntakt. Parallelismus zu Gleichklängen führen konnte; von daher wurde die Bez. möglicherweise auf das ähnl. Phänomen im binnengereimten Hexameter übertragen. Als Namengeber wird teilweise auch ein (nicht belegter) Dichter Leo (12. Jh.) oder Leoninus (v. St. Victor) angenommen. – Der l. V. erscheint selten im klass. Latein (Vergil), häufiger erst in der Spätantike (Sedulius); in der Karolingerzeit gemieden (Einfluß der Klassik), nimmt seine Verbreitung seit dem 9. Jh. zu (z. B. »Ecbasis captivi«, Legenden der Hrotsvit, »Waltharius«, 10. Jh.), im 11. Jh. übertrifft er bereits die Zahl der reimlosen Verse (»Ruodlieb«). Im 12. Jh. geht seine Bedeutung im Rückgriff auf die Antike zeitweilig wieder zurück. Nachahmungsversuche in dt. Sprache finden sich im 15. Jh. bei Eberhard von Cersne (»Regel der Minne«) und Johannes Rothe (»Von den Ämtern der Städte und den Ratgebern der Fürsten«), im 16. Jh. bei Johannes Fischart.
📖 Klopsch, P.: Einf. in die mittellat. Verslehre. Darmst. 1972. – Erdmann, C.: Leonitas. In: Corona quernea, Festgabe f. K. Strecker. Lpz. 1941. GG*

Lesart, überlieferte oder durch Emendation bzw. ↗Konjektur hergestellte Fassung einer Textstelle. Die von der L. des Haupttextes abweichenden L.n (↗Varianten) werden im textkrit. ↗Apparat zusammengestellt. ↗Textkritik. K

Lesebuch, *Sammlung literar. Texte* aller Gattungen u. Formen, bei umfangreicheren Werken in Auszügen, z. T. mit Illustrationen, eine Art ↗Anthologie. Obwohl man unter L. vorwiegend das Schul-L. versteht, gibt es L.er auch für ein breiteres Leserpublikum (z. B. H. v. Hofmannsthals »Dt. L.«, 1922; in neuerer Zeit z. B. »Ein dt. L.« I, II, III, IV, hrsg. v. W. Killy, 1958 ff., oft auch mit krit.-provozierender Tendenz, sog. »Anti-L.«, z. B. »Versäumte Lektionen. Entwurf eines L.s«, hrsg. v. P. Glotz u. W. R. Langenbucher, 1965; oder »vorwärts u. nicht vergessen – ein l. klassenkämpfe im weimarer republik« hrsg. v. H. Boehncke, 1976). – *L.er f. den schul. Gebrauch* können als informierende Realienbücher, als rein literar. Sammlungen nach Gattungen (z. B. »L.« des Klett-Verlages, Stuttg. 1966 ff.) oder Themengruppen, neuerdings auch als literar. *und* sprachl.-grammat. Arbeitsbuch (z. B. »Lesen, Darstellen, Begreifen«, Hirschgrabenverlag, Frankfurt a. M. 1970 ff.) konzipiert sein, wobei die Auswahl der Texte grundsätzl. von den relig., gesellschaftl., polit. oder ideolog. beeinflußten pädagog. Zielen einer Epoche bestimmt sind. So war das L. in seinen frühesten Formen (↗Fibel, Elementar-,

ABC-Bücher) religiös ausgerichtet, das L. des aufklärer. 18. Jh.s sittl.-moral. (vgl. das l. L. für Gymnasien, hrsg. v. J. G. Sulzer, 1768), das L. im 19. Jh. propagierte die philosoph. Ethik der dt. Idealismus oder, seit ca. 1870, nationalist. Ideologien, das L. der pädagog. Reformbewegung Anfang 20. Jh. die Weckung des Gemüthaften, des Heimatgefühls (↗Dt.kunde), das nationalsozialist. L. die »völk.« Erziehung. Das *L. seit 1945* versucht in vielfält. Ansätzen die Erziehung zum toleranten, sozialen Menschen und krit.denkenden Demokraten, wobei allerdings, als Reaktion auf die polit. Indoktrination der L.s im 3. Reich, zunächst nach vorwiegend formal-ästh. Gesichtspunkten zus.gestellte L.er benutzt wurden. Von etwa 1963 ab sahen sich dann diese L.er im Rahmen der bildungsreformer. Bestrebungen starker Kritik ausgesetzt: Vorherrschaft konservativer Leitbilder, Darstellung einer heilen Welt in Religion, Familie, Berufsleben, Gesellschaft, Nichtberücksichtigung der modernen Arbeitswelt usw. Folge war eine neue L.-Generation: Das L. wurde vordringl. zum Sach- und Arbeitsbuch, das z. B. auch aktuelle sachbezogene, soziale und kulturkrit. Texte berücksichtigt, außerdem Beispiele aus dem Gebiet der Trivialliteratur aufnimmt (z. B. »Krit. Lesen«, Diesterweg-Verlag Frkft. a. M. 1974; »Widerspruch« L.«, Schöningh-Verlag, Paderborn 1971), oft mit Fragen zum Text, die sich unmittelbar an den Schüler wenden und die nach den Curricula und Lernzielen des Deutschunterrichts formuliert sind. Das früher wichtige Auswahlkriterium der Altersgemäßheit der Texte spielt bei den neuerl. Bestrebungen nach Vereinheitlichung des Schulwesens eine geringere Rolle. Die Kritik an diesen modernen L.ern richtet sich u. a. wieder gegen neue einseitige Ideologismen. In den 80er Jahren gab es Vorschläge, das L. wieder stärker an der Lit.geschichte zu orientieren (H. Schanze). Diese Tendenz schlägt sich in einigen Anthologien nieder (z. B. ›Dt. Dichtung in Epochen, ein lit.geschichtl. L.‹, hg. v. W. Kissling, Stuttg. 1988), findet sich aber kaum in den eigentl. L.n. Weiterführende Ansätze ergänzen den Lit.begriff durch Kinderbücher, Filme u. Inszenierungsberichte; sie präsentieren das Material in themat. Blöcken, so daß Projektarbeit möglich wird (›Lesezeichen‹, Klett 1986 ff.). Heute werden indes auf der Oberstufe des Gymnasiums vorwiegend originale Texte oder sog. ›Ganzschriften‹ (Dramen, Romane, Novellen usw.) verwendet, v. a. solche, die als Taschenbücher vorliegen. Das rechtl. geregelte (und ungeregelte) Fotokopieren hat L. etwas zurückgedrängt.
📖 Schanze, H.: Lit.geschichte u. L. Düsseld. 1981. – Baumgärtner, A. C.: Lit.-Unterricht mit dem L. Bochum 1975. – Arnold, H.-L.: Das L. der 70er Jahren. Köln 1973. – Frank, H. J.: Gesch. des Deutschunterrichts. Mchn. 1973. – Killy, W.: Zur Gesch. des dt. L.s. In: Germanistik, eine dt. Wissenschaft. Frkft. ³1971. – Kreft, J./Ott, G.: L. u. Lehrcurriculum. Düsseld. 1971. – Siebert, H./Klö.: Der andere Teil Deutschlands in d. Schulbüchern der DDR und der BRD. Hamb. 1970. – Helmers, H. (Hrsg.): Die Diskussion um das dt. L. Darmst. 1969. OB

Lesedrama, auch: Buchdrama, literar. Werk, das gattungsbestimmende Merkmale des dramat. Genres übernimmt (Darstellung von Handlung und Kommunikation durch redende, rollenfixierte Personen), ohne primär für eine theatral. Realisierung bestimmt zu sein, d. h. ohne Rücksichten auf techn. und personale Ausführbarkeit, Begrenzung der Spieldauer u. a. dramaturg. Forderungen zu nehmen. Ein gewandeltes Regieverständnis (weitreichende ↗Bühnenbearbeitungen, Verzicht auf naturalist. Illusionskulissen), eine perfektionierte Bühnentechnik und der Einfluß der von B. Brecht praktizierten Wiederentdeckung elisabethan. Bühnenstilisierung haben viele Dramen, die lang als L.en galten, für die theatral. Aufführung erschlossen, so Goethes »Faust II«, P. Claudels »Der seidene Schuh«, K. Kraus' »Die letzten Tage der Mensch-

heit«. Als L.en werden auch Werke bez., die möglicherweise nicht für eine bühnengemäße Darstellung, aber doch
für eine öffentl. Rezitation bestimmt waren wie evtl. die
Dramen Senecas oder Hrotsvits von Gandersheim, die dialogisierten Streitschriften des Humanismus und der Refor-
mationspublizistik, die ⁄Bardiete F. G. Klopstocks und die
romant. Satiren L. Tiecks, L. v. Arnims oder A. v. Platens.
In neuerer Zeit hat v. a. R. Hochhuth einen Typ des L.s
geschaffen, der wohl (mit starken Kürzungen) spielbar ist,
doch dessen Lesecharakter dadurch betont wird, daß die
Geschehnisse nicht permanent, sondern nur durch eine
große beigefügte Dokumentation beglaubigt werden, z. B.
im »Stellvertreter« (1963) und in »Soldaten« (1967) u. a.

HW

Lesegesellschaft,
1. im Rahmen des aufklärer. bürgerl. Bildungsenthusias-
mus seit 1750 entstandene private Zirkel zur Lektüre und
Diskussion neuerschienener (gegenseit. verliehener)
Bücher und Zeitschriften, seit 1775 auch *Lesekabinette* mit
oft gemeinsam erworbener Lit. – L.en bestehen als gesell-
kulturelle Vereinigungen z. T. bis heute. ⁄Aufklärung.
2. Als ›Dt. L. e. V.‹ 1977 gegründete, seit 1988 als ›Stiftung
Lesen‹ bundesweit tätige Organisation (Sitz Mainz) zur
Förderung von Buch u. Lesen. Ziel ist weniger die Hinfüh-
rung zum ›wertvollen‹ Buch als vielmehr, Lesemotivatio-
nen zu schaffen. Zielgruppen sind v. a. Kinder u. erwachsene Nicht-Leser. Zu den Leseförderungsprogrammen
gehören die Zus.arbeit mit den Medien (eigene Sendungen,
Buchempfehlungslisten zu ausgewählten Sendungen u. a.),
Vorlesewettbewerbe, Buchwochen usw. (die allerdings in
ihrer Wirkung von der Leseforschung, [⁄Lesergeschichte]
nicht durchweg positiv beurteilt werden).
🕮 zu 1) Zeim, Ch.: Die rhein. Lit. d. Aufklärung. Jena 1932,
Nachdr. 1982. – Dann, O. (Hg.): L.n und bürgerl. Emanzipation. Mchn. 1981. – Prüsener, M.: L.n im 18. Jh. Frkf.
1972.
zu 2) Groeben, N./Vorderer, P.: Leserpsychologie. 2 Bde.
Münster 1982/88.   IS

Leser
In einer L.-Typologie lassen sich unterscheiden:
1. der *reale L.* als Teil des außerhalb des Textes existierenden literar. ⁄Publikums; er ist Forschungsgegenstand der
⁄Literatursoziologie, speziell der ⁄Lesergeschichte;
2. der *intendierte L.* oder Adressat: die L.-Idee, die sich in
der Vorstellung des Autors gebildet hat und Form und Thematik des Textes bedingt. Als *idealer L.*, deren Kompetenz
mit der des Autors deckungsgleich ist, wird er nur selten
unter den realen L.n zu finden sein, in der Regel bleibt er
Fiktion;
3. der *fiktive L.*: die in den Text eingezeichnete L.-Figur, die
eine *Rolle* spielt, als Partner des Erzählers auftreten und diesem antworten, zustimmen und widersprechen kann.
Beliebt ist die Figur des f.n L.s im ⁄auktorialen Erzählen
seit dem 18. Jh. (aber auch schon im ⁄höfischen Roman
des MA.s);
4. der *implizite L.* (Bez. W. Isers): er besitzt keine reale Existenz, sondern verkörpert »den im Text vorgezeichneten
Aktcharakter des Lesens«, wodurch die von einem bekannten Horizont abweichende Intention des Textes als dessen
Sinn konstituiert wird. Der L. hat dem Text gegenüber die
Funktion der »Entdeckung«, indem er dessen »Unbe-
stimmtheitsstellen« (Ingarden) oder »Leerstellen« (Iser)
durch seine Vorstellung besetzt (⁄Rezeption).
🕮 Iser, W.: Der Akt des Lesens. Mchn. ²1984. – Ders.: Der
implizite L. Mchn. 1972. – The Reader in the Text. Hrsg. v.
S. R. Suleiman u. I. Crosman. Princeton 1980 *(mit annotierter Bibliogr.).* – Reader-Response-Criticism. Hrsg. v. J. P.
Tompkins. Baltimore u. Ldn. 1980 *(mit annotierter
Bibliogr.).* – Dichter u. Leser. Hrsg. v. F. van Ingen u. a. Groningen 1972. – Wolff, E.: Der intendierte L. In: Poetica 4
(1971).   MS

Lesergeschichte, interdisziplinärer Forschungszweig
(unter Beteiligung v. a. von ⁄Literatursoziologie, Erzie-
hungswissenschaft, Psychologie, Kommunikationsforschung, Demoskopie), der die Geschichte der Lektüre und
der verschiedenen Haltungen, die Menschen zu Texten einnehmen, untersucht. Themen der L. sind u. a.: die Motivationen des Umgangs mit Büchern und anderen Lesestoffen,
das Funktionieren des Leseprozesses, die Reaktionen des
Lesers auf einen Text *(response)*, alters-, schichten- und bil-
dungsspezif. Leseverhalten (z. B. Jugendliche als Leser,
Lektüre bei der ländl. Bevölkerung). Des weiteren erforscht
die L. die gesellschaftl. Formen und Konstellationen, in
denen sich die moderne Lesekultur herausgebildet hat,
befaßt sich mit deren Institutionen (z. B. Schule, ⁄Bibliot-
hek, ⁄Buchgemeinschaft, ⁄Buchhandel) und sucht eine
Typologie von Lesergruppen zu erarbeiten (der »eifrige
Leser«, der »Durchschnittsleser«, der »Nichtleser«).
Besonders in neuerer Zeit richten sich die Bemühungen der
L. auch auf Methoden der Leseerziehung (vgl. die Institu-
tion der »Dt. ⁄Lesegesellschaft«).
🕮 Klemenz-Belgardt, E.: Amerikan. Leseforschung. Tüb.
1982 *(mit umfangreicher Bibliogr.).* – Wittmann, R.: Buch-
markt u. Lektüre im 18. u. 19. Jh. Tüb. 1982. – Lesen u.
Leben. Hrsg. v. H. G. Göpfert u. a. Frkft. 1975 *(mit annotier-
ter Bibliogr.).* – Engelsing, R.: Der Bürger als Leser. L. in
Deutschland 1500–1800. Stuttg. 1974. – Lesen – Ein Hdb.
Hrsg. v. A. C. Baumgärtner. Hambg. 1973 *(mit Bibliogr.).* –
Salber, W.: Lesen u. Lesen-lassen. Zur Psychologie des
Umgangs mit Büchern. Frkft. 1971.   MS

Letrilla, f. [letr'ila; span. zu letra = Buchstabe, Schrift,
Brief], in span. Dichtung stroph. Gedicht oft satir. oder burlesken Charakters in (meist vertonten) Kurzversen; am
Ende jeder Strophe wird ganz oder teilw. der Hauptgedanke
als Estribillo (d. h. ⁄Refrain) wiederholt. Hauptvertreter im
17. Jh.: L. de Góngora und F. G. de Quevedo, im 19. Jh.:
Brèton de los Herreros.   MS

Lettrismus, m. [frz. lettre = Buchstabe], 1945 in Paris von
Isidor Isou begründet und fast ausschließl. repräsentierte
literar. Bewegung, die die von den Futuristen/Dadaisten
begonnene Reduktion der Sprache auf sinnfreie Buchsta-
ben- und Lautfolgen konsequent fortsetzte und systematisierte. »Wir haben das Alphabet aufgeschlitzt, das seit Jahrhunderten in seinen verkalkten vierundzwanzig Buchstaben hockte, haben in seinen Bauch neunzehn neue Buchstaben hineingesteckt (Einatmen, Ausatmen, Lispeln,
Röcheln, Grunzen, Seufzen, Schnarchen, Rülpsen, Husten,
Niesen, Küssen, Pfeifen usw. . . . .)«. Derart erweitert, stellt
das Alphabet für den L. ledigl. ein materiales Repertoire
akust. Zeichen dar, über das der Dichter kompositorisch
verfügt. Als ⁄akustische Dichtung stellen die Arbeiten des
L. ein wichtiges Verbindungsglied zwischen den akust.
Experimenten der Literaturrevolution und jüngeren
Arbeiten einer ⁄konkreten Dichtung seit etwa 1950 dar.
🕮 ⁄konkrete Dichtung.   D

Lever de rideau [lə've de ri'do; frz. Aufziehen des Vor-
hanges], ⁄Vorspiel (2).

Lexikon, n. [gr. lexikon (biblion) = das Wort betref-
fen(des Buch)], im 17. Jh. eingeführtes Kunstwort für ein
alphabet. geordnetes Nachschlagewerk, entweder für alle
Wissengebiete (⁄Enzyklopädie, Universal-L.), für ein spezif. Sachgebiet (⁄Real-L., Fachenzyklopädie) oder den
Wortschatz einer oder mehrerer Sprachen (auch Fach-,
Sonder-, Gruppensprachen), Wörterbuch.   S

Leys d'Amors, ⁄Gai Saber.

Libretto, n., Pl. Libretti [it. = kleines Buch], Textbuch
einer ⁄Oper, Operette, eines Musikdramas, Singspiels usw.
– Gedruckte Textbücher gibt es seit den Anfängen der Oper
(Ende 16. Jh.). Die Bez. ›L.‹ tritt jedoch erst im 19. Jh.
allgem. durchgesetzt. – Ein L. ist von Anfang an zur Vertonung bestimmt und erhält von daher seine spezif. Eigenart
(Hauptkriterien: Bühnenwirksamkeit und Eignung zur

Komposition). Es ist selten eigenständ. Dichtung von literar. Wert, häufig die Bearbeitung eines Schauspiels, wobei dessen Dialoge vereinfacht, dafür lange Monologe (für wirkungsvolle Arien) eingeführt werden. – Seit dem 19. Jh. konzipieren Komponisten zunehmend ihre L.i nach eigenen Intentionen selbst. In der Oper der Gegenwart wird häufig ein literar. bedeutender Text durch Musik zu deuten versucht (Literaturoper, ↗Musiktheater). In der von der Camerata fiorentina um 1600 entwickelten Oper (gedacht als Wiederbelebung des antiken Dramas) hatte das L. anfangs durchaus literar. Gewicht (Texte von O. Rinuccini und A. Striggio zur Musik von J. Peri und C. Monteverdi). – Mit der Entwicklung zur historisch-pathet. Opera seria trat der Text immer mehr hinter der Musik zurück. Statt einer geschlossenen Handlung sollte das L. Rahmen für belkantist. Virtuosität abgeben, Texte für Rezitative und Arien reihen. Vertreter solcher L.i sind im 18. Jh. A. Zeno u. P.Metastasio, Erfinder der sog. Intrigenoper u. mit 57 L.i der erfolgreichste Librettist seiner Zeit. – Die Rückkehr zur geschlossenen überschaubaren Handlung kennzeichnen dagegen die L.i von R. da Calzabigi für Glucks (gegen die opera seria konzipierten) Reformopern (»Orfeo«, 1762; »Alceste«, 1767; »Paris und Helena«, 1769). – Im Anschluß an Metastasio entstand das rein kom. L. für das dramma giocoso in der Tradition der ↗Commedia dell'arte: Hauptvertreter sind C. Goldoni u. L. da Ponte, Mozarts bedeutendster Librettist (»Figaros Hochzeit«, 1786; »Don Giovanni«, 1787; »Così fan tutte«, 1790). In Frankreich verfaßten L.i für den von J. B. Lully entwickelten Typus der tragédie en musique (nach dem Vorbild des klassizist. Sprechtheaters) so bedeutende Dichter wie Molière, Corneille, Racine, dann v. a. Ph. Quinault. Dieser erfolgreiche Operntypus wurde erst im 19. Jh. von der ↗Grand opéra abgelöst. Ihr Librettist wurde E. Scribe, der fruchtbarste und theatergewandteste Dramatiker seiner Zeit. Die *dt. Librettistik* war in ihren Anfängen von der italien. bestimmt: der Text der 1. dt. Oper, »Daphne« (1627, Musik von H. Schütz), ist eine Bearbeitung des L.s von Rinuccini durch M. Opitz. Ansätzen zu einer (vaterländ.-histor.) Oper dienen die L.i von Ch. F. Hunold, Ph. Harsdörffer und v. a. Ch. Postel (allein 28 L.i für die Hamburger Oper). Ab 1740 herrscht dann v. a. der italien. Opernstil. Im 18. Jh. verfaßten u. a. E. Schikaneder (Mozarts »Zauberflöte«), aber auch Wieland, Ch. F. Weisse, J. W. Goethe Texte für Opern oder Singspiele. Das L. der 1. romant. Oper (»Freischütz«, C. M. v. Weber, 1821) stammt v. J. F. Kind. – Das musikal. Durchkomponieren seit dem 19. Jh. beendete auch in der Librettistik die Nummerneinteilung. Insbes. seit R. Wagners eigenen Textdichtungen zu seinem musikdramat. ↗Gesamtkunstwerk hat sich der Grundsatz immer stärker durchgesetzt, daß Musik und Text sich wechselseitig bedingten, so daß viele Komponisten ihre Texte, die v. a. nun auch sozialkrit. oder philos. Themen aufgreifen, selbst verfaßten (vor Wagner schon A. Lortzing, später P. Cornelius, F. Busoni, H. Pfitzner, L. Janáček, P. Hindemith, F. Schreker, A. Schönberg, A. Berg, E. Krenek, W. Egk, G. v. Einem, C. Orff, L. Dallapiccola). Häufig wurde auch der Rückgriff auf literar. Vorlagen (vgl. z. B. die L.i für Strawinskis Werke nach Sophokles, A. Puschkin, H. Chr. Andersen, A. Gide, oder für Fortners Werke nach F. García Lorca) und die Zusammenarbeit von Komponist und Librettist möglich (W. H. Auden/Strawinski; B. Brecht/K. Weill; H. von Hofmannsthal/R. Strauß u. a.). Ohne Nachfolge blieb vorerst die »Abstrakte Oper Nr. 1« (1953) von B. Blacher und W. Egk, die auf der Basis eines L.s aus Wortneubildungen, Silben und Lauten ohne Handlung und Wortsinn menschl. Grundsituationen musikal. auszudrücken versucht. Experiment ist auch H. W. Henzes und H. M. Enzensbergers ›Recital‹ »El Cimarron« (1970), ein musiktheatral. Stück für kleines Ensemble mit polit. Tendenz.

□ Nieder, Ch.: Von d. »Zauberflöte« zum »Lohengrin«. Das dt. Opern-L. in d. 1. Hälfte d. Jh.s. Stuttg. 1989. – Link, K.-D.: Literar. Perspektiven des Opern-L.s. Bonn 1975. – Schletterer, H. M.: Zur Gesch. der dramat. Musik u. Poesie in Dtschld. Bd. 1. Augsb. 1963. – Honolka, K.: Der Musik gehorsame Tochter. Opern, Dichter, Operndichter. Stuttg. 1962. – Weisstein, U.: The L. as literature. New York 1960. – Scherle, A.: Das dt. Opernl. von Opitz bis Hofmannsthal. Diss. Mchn. 1955. – Istel, E.: Das L. Wesen, Aufbau u. Wirkung eines Opernbuches. Bln ²1915.   GG*

Liebesdichtung, Liebe als Phänomen menschl. Kommunikation, als eines der menschl. Grunderlebnisse ist ein literar. Zentralthema. Im allgem. werden unter ›L.‹ diejenigen Dichtungen subsumiert, die vordringl. den gefühlhaften, seel.-geist. Bereich einer Liebesbeziehung thematisieren. Die grundsätzl. Problematik einer Definition des Phänomens Liebe, die unterschiedl. Auffassung bei den einzelnen Dichtern und in verschiedenen Epochen erschweren jedoch eine Klassifizierung, z. B. sind die Grenzen zur sog. ↗erot. Lit. fließend, je nachdem, welche Bedeutung die sinnl.-körperl. Komponente einnimmt, wie z. B. bei den unbefangen sinnenfrohen ind. und asiat. Dichtungen (Liebe wird mit Sinnengenuß ident.) oder die L. der griech. u. röm. Antike (Sappho, Catull, Ovid). L. findet sich in allen literar. Gattungen; es überwiegen jedoch die lyr. Formen. Bis zum 18. Jh. ist diese lyr. L. nicht Selbstaussprache des Gefühls (↗Erlebnisdichtung), sondern (↗Rollenlyrik, der zwar durchaus persönl. Erlebnisgehalte zugrundeliegen können, die aber normativ und toposhaft gestaltet werden. Höhepunkte einer bis ins Metaphys. gesteigerten, inhaltl. u. formal höchst artifiziellen L. ist die Trobador- und Trouvèrelyrik und die dt. ↗Minnesang und, mit ähnl. Vergeistigung, die lyr. L. Dantes (»Vita nuova«, 1295) und Petrarcas (Canzoniere, hg. 1470). Berühmte L.en in seiner Nachfolge schrieben auch Frauen wie Louise Labé oder Gaspara Stampa (16. Jh.). Seit der Mitte des 18. Jh.s wird in der lyr. L. immer mehr das persönl. Liebesgefühl unmittelbar ausgesprochen, die je nach dem dichter. Rang des Autors überzeitl. Gültigkeit erreicht (Goethe, Mörike, Baudelaire) oder mehr oder weniger privat bleibt (Bürgers Molly-Gedichte). Aber auch die Rollenlyrik wird fortgeführt (Goethes »Westöstl. Diwan«). – In Drama und Epos, Roman und Novelle ist das Liebesthema oft mit anderen Themenbereichen verknüpft oder anderen Intentionen dienstbar gemacht, so im Abenteuerroman, Bildungsroman (z. B. Wielands »Agathon«, Goethes »Wilhelm Meister«), Familien-, Zeit- oder Gesellschaftsroman usw. Beliebt sind die Gestaltungen großer mytholog. oder histor. Liebespaare wie Dido u. Äneas (Vergil, Heinrich von Veldeke, Jodelle, zahlr. Melodramen des 18. Jh.s), Hero und Leander (Grillparzer), Romeo u. Julia (Shakespeare, Keller), Abälard u. Heloise (Hofmannswaldau, Pope, Rousseau). Oft werden geistig-seel. und sexuell-erot. Beziehungen kontrastiert (Herren-Diener-Sphäre, z. B. bei H. v. Kleist, »Amphitryon« oder Tannhäuser-Stoff bei L. Tieck, R. Wagner). Thematisiert werden hauptsächl. grundlegende, z. T. trag. Aspekte der Liebe wie Treue, Bewährung, Opfer, Verzicht (Racine, Mme de Lafayette, »Prinzessin von Cleve«, 1678; Abbé Prevost, »Manon Lescaut«, 1756; Goethe, »Clavigo«, »Stella« u. v. a.), seit dem 18. Jh. auch die Problematik der Tugend (S. Richardson) oder die Gefühlshingabe (»Werther«, im 19. Jh. gekennzeichnet durch emanzipator. Infragestellen der Institution der Ehe (G. Flaubert, »Madame Bovary«; Fontane, »Effi Briest«; Tolstoij, »Anna Karenina«), durch psycholog. Erfahrungen (Proust, Schnitzler), durch das Ausloten, Durchkosten und Durchleiden der eigenen Empfindungen bis hin zu deren Analysen und Zergliederungen (vgl. Selbstentblößungsliteratur), wobei seit dem 20. Jh. entsprechend der Enttabuisierung der überkommenen Moralbegriffe und einer zunehmenden Skepsis gegenüber menschl. Bindungen (F. Sagan) die L. immer mehr in sexuell-erot. Bereiche ausgreift (D. H. Lawrence, L. Durrell, Nabokov u. a.). ⌨ Krohn, R. (Hrsg.): Liebe als Lit. Mchn. 1983. – Brinkmann, H.: Gesch. d. lat. L. im MA. Tüb. ²1979.   S

Liebesgruß, ↗Minnebrief.

Liebhabertheater (Liebhaberbühne), Theaterspiel privater Gruppen (Dilettanten), vorwiegend das von Hofgesellschaften und, seit dem 18. Jh., auch bürgerl. gepflegte Bühnenspiel zur eigenen Unterhaltung. L. waren oft Ausgangspunkt literar. oder theatergeschichtl. Innovationen; bes. die bürgerl. L. entwickelten sich häufig als literar. engagiertes Regulativ zum offiziellen Kommerztheater. – Berühmt sind: die L. der frz. Höfe des 16. und 17. Jh.s (Entstehung des Balletts); das L. des Weimarer Hofes 1775–1784 (bzw. in Ettersburg bis 1795) durch die Mitwirkung Goethes als Autor, Schauspieler, Regisseur (1779 erste Aufführung der Prosa-»Iphigenie«mit Goethe als Orest), das L. des Fürsten A. Radziwill in Berlin (21. 5. 1819 erste Aufführung von Szenen aus »Faust I«, z. T. mit Berufsschauspielern und der theatergeschichtl. bahnbrechenden Ausstattung von C. F. Schinkel: der ersten geschlossenen Zimmerdekoration), das Düsseldorfer L. (K. Immermanns zukunftsweisende Shakespeare-Inszenierungen seit 1828). – Ende des 19. Jh.s lösten sich die L. aus dem privaten Bereich und organisierten sich zu jedermann zugängl. Amateurtheatern (s. ↗Laienspiel).   IS

Lied, sangbare lyr. Gattung, meist aus mehreren gleichgebauten u. gereimten Strophen (vgl. dagegen ↗Leich oder das altgr. ↗Chor-L.). Die geläufige Assoziation von L. und individuell erlebnishafter Gefühlsaussprache gründet auf dem von Goethe geschaffenenL.typus, ist nicht grundsätzl. mit dem histor. geprägten und in seiner Definition problemat. L.begriff verbunden. ›L.‹ bez. im German. ursprüngl. allgem. Gesungenes, zunächst wohl 1. die bei allen Frühkulturen vorauszusetzende *Kult- und Gebrauchs-›Lyrik‹*: formal durch Parallelismus, Assonanz, Reim, Alliteration etc. gebundene Versgruppen (vgl. ↗Carmenstil); noch im Mhd. bez. *liet* eine Strophe oder ein *ein*stroph. L., der Plural *diu liet* ein mehrstroph. L. Bezeugt sind althochdt. gesungene Zaubersprüche (ljoð), ferner altengl., ahd. u. mhd. Klage-, Zauber-, Spott-, Freundschafts-, Braut- und ↗Arbeits-L.er. ›L.‹ bez. aber in der Frühzeit auch 2. balladeske und ep., im Sprechgesang vorgetragene Dichtung, vgl. ↗Helden-L. (↗Heldendichtung) und noch im Mhd. ›Nibelungen-L.‹, ›Rolands-L.‹, »Liet v. Troye« usw., sogar ›L.‹ für ↗Geschichtsdichtungen wie die »Kaiserchronik« (so in v. 2). – Der heute geläufige (verengte) lyr. L.begriff ist bis ins 17. Jh. essentiell mit der Melodie verbunden, wie jetzt noch beim anonymen ↗Volks-L. und dem Gemeinschafts- oder Gesellschafts-L.; das sog. Kunst-L. (das Werk eines namentl. bekannten Verfassers) tritt seit dem 17. Jh. auch als nur literar. Produkt auf, das gelegentl. auch vertont werden kann. Das L. in seinen vielfält. histor. Ausprägungen wird außerdem differenziert nach seinem Inhalt: geistl.-relig. L. (Marien-, Kirchen-, Prozessions-L. etc.) und weltl. L. (Liebes-, Natur-, histor.-polit. L. etc.), nach seiner jeweil. soziolog. Zuordnung: höf. L., Stände-, Studenten-, Vaganten-, Soldaten-, Kinder-L. etc., nach der Art des Vortrags: Gemeinschafts-, Chor-, Tanz-, Solo-, Klavier-L. etc. und nach seiner Grundintention: Distanz- und Ausdrucks-L. (G. Müller). – *Geschichte:* Literar. faßbar wird das dt. L. erstmals als *relig. L.* (Petrus-, Gallus-L. 9., 10. Jh., Melker Marien-L., 12. Jh. u. a.), das im Gefolge der Ambrosian. ↗Hymnen-Tradition entstand, dann v. a. als weltl. L. im ↗Minnesang (12. Jh.), als Ausdrucksmedium einer feudalen Gesellschaft von höchstem gehaltl., formalen und wohl auch musikal. Raffinement (Melodien sind meist verloren). Vollender dieser mit Kürenberg beginnenden L.kunst sind Heinrich von Morungen und Reinmar der Alte, weiterführende gehaltl. Ausweitung erfährt sie durch Walther v. d. Vogelweide (Liebes-L.er) und Neidhart (parodist. Minne-

L.er). – Aus diesem höf. Minne-L. entsteht, entsprechend der sich wandelnden sozialen Struktur seit dem 13. Jh., in vielfach sich überlagernden Entwicklungen als neuer L.typus das *ständ.-bürgerl. Gemeinschafts-L.*: themat. verflacht oder ins Ep.-Didakt. ausgeweitet (Trink-, Scherz-, Schwank-, Handwerker-, Legenden-L.er), formal z. T. überbetont (↗Meistersang), meist aber mit einfacherer Vers-, Strophen-, Reim- und Melodiestruktur (Einstimmigkeit). Blüte dieser Meister- und (meist anonymen) Gemeinschafts- oder Gesellschafts-L.er in der 1. Hä. des 16. Jh.s (zahlreiche handschriftl. u. gedruckte ↗L.erbücher). Daneben behaupten sich das aus der lat. ↗Cantio entstandene volkssprachl. ↗Kirchen-L. (seit Luther) und das ↗Volks-L. Die formale und musikal. Neuanknüpfung an italien. L-traditionen (Madrigal, Kanzone, Villanelle) Ende des 16. Jh.s bedeutet das Ende des Gesellschaftsl.es der Meistersangtradition. J. Regnarts Sammlung dt. ↗Villanellen (ungekünstelte rein lyr. Strophen mit Refrain, 1576) und die Kanzonetten H. L. Haßlers (1590 u. 96) leiten die Geschichte des neueren dt. L.es ein. Während der breite Bürgerschicht diesen schlichten, oft volkstüml. L.typus Regnarts, Haßlers, Th. Hoecks, J. H. Scheins u. a. als (mehrstimm.) Gesellschafts-L. pflegte, entwickelte ihn das humanist. gebildete Bürgertum themat., formal u. musikal. fort: Die literar. Traditionen der lat. humanist. Kunstlyrik des 15. u. 16. Jh.s werden in die L.dichtung aufgenommen, die sich allmähl. als eigenständ. Text von der Musik trennt. Typ. für das *barocke Kunst- (oder Distanz-)L.* ist daher die rationalästhet. Verarbeitung humanist. Bildungsgutes in reflektierter, top. und rhetor., d. h. eigenwertiger Formulierung. Vertreter sind M. Opitz, die ↗Sprachgesellschaften, insbes. in Nürnberg u. Königsberg (S. Dachs u. H. Alberts »Arien«, 1638–50), ferner z. T. mit zukunftsweisenden Intentionen, P. Fleming, H. v. Hofmannswaldau, Ph. v. Zesen, K. Stieler u. a. Eine gefühlhafte Ausweitung erfährt dieser barocke L.typus zuerst in geistl. (kath. und protestant.) L.ern (F. v. Spee, J. Scheffler; J. Rist, P. Gerhardt u. a.), dann im Pietismus (G. Arnold, G. Tersteegen, N. L. v. Zinzendorf), dessen schwärmer. relig. Gefühlsaussprache im 18. Jh. säkularisiert auch im weltl. L. auftritt (J. Ch. Günther, J. W. Gleim, F. Hagedorn, ↗Anakreontik, sog. *rationales Seelen-L.*). Im Gefolge der Ausdrucksdichtung Klopstocks dienen Form und Sprache auch im L. dem Ausdruck (zunächst) sentimental. Empfindens (Pyra u. Lange, J. G. Jacobi, E. K. Klamer Schmidt, L. F. G. Goeckingk, sog. *empfindsames Seelen-L.*); neu entdeckt werden auch die gemüthaft-natürl. Volksliedtraditionen (M. Claudius, G. A. Bürger, ↗Göttinger Hain, »Des Knaben Wunderhorn«, 1806). Vollender dieser Tendenzen hin zum sog. Ausdrucks-L. ist Goethe, dessen L. die Echtheit unmittelbaren, individuellen Erlebens (insbes. der Natur) und gesetzhaft-klass. Form, d. h. Subjektivität und Objektivität, organ. verbindet (sog. *klass.-humanes Seelen-L.*). Sein L.typus bestimmt heute die L.definition (vgl. auch frz. ›le lied‹), mit gewissem Recht insofern, als die weitere Entwicklung des L.es im 19. Jh. zwar nehml. den Goetheschen Typus modifiziert, z. T. durch Übersteigerung des Gefühlhaften oder der Klangreize (C. Brentano, L. Tieck, Novalis, N. Lenau), die Betonung des Volksliedhaften (J. v. Eichendorff, A. v. Arnim, L. Uhland, J. Kerner), durch neue Themen (polit.-nationale L.er; M. Arndt, das Junge Dtschld.), Exotisches (Freiligrath, V. v. Scheffel) oder Überbetonung des Formalen (F. Rückert, ↗Münchner Dichterkreis). Als Meister des L.es sind noch H. Heine, A. v. Droste, E. Mörike, ferner Th. Storm und der alte G. Keller zu nennen. Während der Goethesche L.typus zu musikal. Schöpfungen von höchstem Rang anregte, wurde das L. gegen Ende des 19. Jh.s, seit dem Symbolismus und Impressionismus (C. F. Meyer, R. M. Rilke, St. George; D. v. Liliencron, O. J. Bierbaum), immer weniger sangbar und trat seit dem Expressionismus immer mehr hinter anderen lyr. Ausdrucksformen zurück. Künstl. Wiederbelebungsversuche der histor. Formen verblieben im Epigonalen (Wandervogel-L.er um 1900, H. Hesse, H. Carossa, J. Weinheber u. a.). Weiterentwickelt wurden nur die seit den Bauernkriegen nachzuweisenden Ansätze zu einem polit. engagierten sozialkrit. L. (sog. Bauernklagen), und zwar durch Rückgriffe auf den Volks-L.- und -Balladenton, v. a. aber (seit B. Brecht) auf formal und musikal. rezeptionsorientierte Elemente des distanziert-parodist. ∕Bänkelsangs, des (frz.) polit. Chansons und Couplets. Insbes. seit den Protestbewegungen der 60er Jahre ist das sozial- und gesellschaftskrit. L. (W. Biermann, F. J. Degenhardt) eine wichtige Form polit. Öffentlichkeit. ▯ Kross, S.: Gesch. des dt. L.es. Darmst. 1989. – Lohmeier, D./Olsson, B. (Hrsg.): Das weltl. u. geistl. L. im Barock. Amsterdam 1980. – Kreuzer, H. (Hrsg.): Das L. LiLi 34 (1979). – Suppan, W.: Dt. L.leben zw. Renaissance u. Barock. Tutzing 1973. – Sydow, A.: Das L. Gött. 1962. – Gennrich, E.: Grundr. einer Formenlehre des mal. L.es. Halle/S. 1932; Neudr. Tüb. 1970. – Müller, Günther: Gesch. des dt. L.es. Mchn. 1925; Nachdr. Darmst. 1959. – Kretzschmar, H.: Gesch. des neuen dt. L.es. Lpz. 1911; Nachdr. Hildesheim 1966. – Friedländer, M.: Das dt. L. im 18. Jh. Stuttg. 1902; Nachdr. Hildesheim ²1970. – RL   IS

Liederbuch,
1. Sammlung von Volks-, Gesellschafts- oder Studentenliedern (Bez. im Unterschied zu der ∕Liederhandschrift des Minne- oder Meistersangs; zunächst noch handschriftl. (z. T. aus persönl. Interesse, z. T. gewerblich) angelegt (z. B. das Locheimer und Rostocker L., das L. der Clara Hätzlerin, 15. Jh.); seit dem 16. Jh. auch Drucke (etwa das Ambraser L., 1582 oder das Raaber L., um 1600). Oft mit beigegebenen Noten oder wenigstens Angabe der Melodien (frühestes Beispiel das 1512 bei Erhart Öglin in Augsburg erschienene L., weiter u. a. G. Forsters »Schöne, fröhliche, frische, alte und neue teutsche Liedlein«, 1539–1556; das Antwerpener L., 1544 oder das »Groß L.«, Frkft. a. M. 1599).
2. In der Minnesangforschung auch Bez. für eine erschlossene (konzeptionelle oder zykl.) Folge von Liedern, wie sie sich in den erhaltenen Handschriften als Vorlage z. T. noch abzeichnen oder zumindest rekonstruieren lassen.   MS*

Liederhandschrift, mal. handschriftl. Lyriksammlung; in Klöstern oder im Auftrag adliger oder bürgerl. Mäzene entstanden und nach unterschiedl. Gesichtspunkten angelegt:
a) *Sammlungen (meist) anonymer Lieder* in z. T. sachl. Gruppierung, z. B. die (außer wenigen mhd. und altfrz. Strophen) hauptsächl. lat. Vagantenlyrik enthaltende Hs. der ›Carmina burana‹ (13. Jh., benannt nach dem Kloster Benediktbeuren oder die spätmhd. Kolmarer L. (2. Hä. 15. Jh.).
b) *Sammlungen von Liedern benannter Dichter,* wie die drei bekanntesten (um 1300 entstandenen) mhd. L.en, die Kleine Heidelberger L. mit 34 Autorenabschnitten oder die Weingartner L. mit 31 oder die Große Heidelberger L. mit 140 Autorennamen.
c) *Sammlungen des Werkes eines einzigen Lyrikers,* wie z. B. die Riedsche L. (mit Liedern Neidharts, 2. Hä. 15. Jh.) oder die Hss. mit Liedern Oswalds von Wolkenstein. Solche Einzelsammlungen sind erst aus der Zeit nach 1400 überliefert; vor dieser Zeit finden sie sich in gemischte Handschriften (mit ep. und didakt. Werken) eingegliedert, z. B. Lieder Walthers v. d. Vogelweide und Reinmars des Alten in der Würzburger Hs. des Michael de Leone (um 1350), oder Lieder Neidharts in der Riedegg'schen Hs. (Ende 13. Jh., neben Hartmanns »Iwein«, Strickers »Pfaffe Amis« u. a.). Die L.en bieten entweder nur den Text (wie die Heidelberger und Weingartner L.en) oder *Texte mit Noten:* (mit Neumen die ›Carmina burana‹, mit Quadratnoten die Jenaer L., mit Hufnagel-Notation die Kolmarer L., erstmals mit Mensuralnoten die L.en Oswalds. – Nach ihrem Inhalt lassen sich Minnesang-Hss. (Große Heidelberger L.), Sammlun-

gen von Spruchdichtung (Jenaer L.), Meistersinger-Hss. (Kolmarer L.), L.en mit Vagantenlyrik (›Carmina burana‹) unterscheiden. Beträchtl. Unterschiede finden sich auch bei der *Ausstattung:* neben schlichten Textaufzeichnungen (Kleine Heidelberger L.) stehen prachtvolle, mit Miniaturen und Initialen geschmückte Kodizes (Große Heidelberger L.); auf die frühen Pergament-Hss. folgen seit dem 15. Jh. zunehmend Papier-Hss. (Kolmarer L., Riedsche L.). – Während die Zahl der vollständig oder fragmentar. erhaltenen L.en relativ beschränkt ist (rund 30), ist z. B. die prov. Lyrik wesentl. reicher überliefert (nahezu 100 prov., afrz., it. Hss.). Eine dichter. Darstellung der Entstehung einer solchen L. (Große Heidelberger L.) bietet G. Keller in seiner Novelle »Hadlaub«. ▯ Schweikle, G.: Minnesang. Stuttg. 1989 (SM 244; S. 1–41 ausführl. Dokumentation). – Mittler, E./Werner, H. (Hg.): Codex Manesse. Die Gr. Heidelberger L. Katalog z. Ausstellung d. UB Heidelbg. Hdbg. 1988 (mit Bibl.).   S

Liedermacher, Bez. erstmals im 18. Jh. (bei F. v. Hagedorn) belegt; allgem. als Bez. für ›Autor‹; diese erhielt dann seit Anfang der 60er Jahre des 20. Jh.s im Zusammenhang mit der Ostermarsch-Bewegung und der Studentenrevolte eine konkretere polit. Bedeutung: als Verfasser engagierter, nicht selten agitator. Lieder (∕Protestsong), deren Komposition und Textdichtung in aller Regel von den Interpreten selbst geschaffen wurden und Einflüsse etwa von G. Kreisler, Leonard Cohen u. Georges Moustaki aufweisen, mit tagesaktuellen, meist system- u. gesellschaftskrit. Inhalten, die von antibürgerl., anarchist. Tendenzen über pazifist. u. antiimperialist. Botschaften bis zu linkschristl. u. sozialist. Aussagen reichen (vgl. etwa F. J. Degenhardt, W. Moßmann, W. Biermann oder H. Wader). Weitere Themen bezogen die L. aus der Umwelt-, der Friedens- und Frauenbewegung. Unter dem Einfluß restaurativer Kräfte in den 70er u. 80er Jahren gab die L.-Kultur der zunehmenden Kommerzialisierung durch die Unterhaltungsindustrie nach. Die Folge war eine wachsende Neigung zu Nabelschau (etwa André Heller), unverbindl. Unterhaltung (R. Mey) und seichtem Blödelbardentum (u. a. Mike Krüger, U. Roski). An die ursprüngl. Tradition knüpfen die leisen, resignativen Lieder von K. Wecker an. ▯ Rothschild, Th.: L. In: Polit. Lyrik. Mchn. ³1984 (text + kritik 9/9a). – Ders. (Hg.): L. Frkf. 1980.   Kr

Liedertheorie, von K. Lachmann geprägte Bez. für eine auf den Homerforscher F. A. Wolf zurückgehende Theorie über die Entstehung der großen ∕Heldenepen der Antike und des MA.s. Wolf stellte die These auf (1795), die homer. Epen seien das Werk vieler Dichter, ihr Kern seien kleine, durch ∕Rhapsoden mündl. verbreitete und von Generation zu Generation weitergegebene Episodenlieder, die erst unter Peisistratos zu den beiden großen Epen zusammengestellt worden seien, und zwar durch gelehrte Redaktoren, die ∕Diaskeuasten, an ihrer Spitze Onomakritos; Wolfs Schüler Lachmann arbeitete diese Theorie aus, indem er 16 Lieder rekonstruierte, aus denen er eine neuere Auffassung vom Urbestand des Werkes darstellten (»Betrachtungen über Homers Ilias«, 3 Abhandlungen, 1837–43, zusammengefaßt 1847) und indem er diese Theorie auf das mhd. Nibelungenlied übertrug und damit verallgemeinerte; für das Nibelungenlied nahm Lachmann einen Kernbestand von 20 Liedern an (»Über den ursprüngl. Gestalt des Gedichts ›Der Nibelunge Noth‹«, 1816; Ausgabe »Der Nibelunge Noth und Die Klage«, 1836, Kommentar 1837). Lachmanns Schüler wandten die L. auch auf andere mal. Heldenepen an, so K. Müllenhoff auf die ›Kûdrûn‹, für die als Grundbestand ein Zyklus von 5 Liedern angesetzt wurde. – Die L. konnte sich trotz der großen wissenschaftsgeschichtl. Bedeutung ihrer Vertreter in der Forschung nie ganz durchsetzen; zu ihren Gegnern gehörten Goethe und Schiller ebenso wie die Philologen J. Grimm, A. Holtzmann und F. Zarncke; seit den Epik-Studien P. W. Kers und A. Heuslers gilt sie als überholt.   K

Limerick, m. ['limərik; engl., wohl nach dem Kehrreim
»Will you come up to L.?« (bei Stegreifversen, die in
Gesellschaft vorgetragen wurden)], engl. Gedichtform
nicht sicher geklärter Herkunft, seit dem 19.Jh. nachweisbar; wegen ihres kom.-grotesken, häufig ins Unsinnige
umschlagenden Inhalts der ∕Unsinnspoesie zuzurechnen.
Besteht aus 5 Versen mit anapäst. Grundrhythmus, wobei
die dreiheb. Verse 1, 2 und 5 und die zweiheb. Verse 3 und 4
unter sich reimen (Reimschema aabba, oft phonet. Reime);
der 1. Vers beginnt fast immer mit der Nennung einer Person in Verbindung mit einer Ortsangabe:

There was a young lady of Riga
Who smiled as she rode on a tiger;
They came back from the ride,
With the lady inside
And a smile on the face of the tiger.

Als Meister des L. gilt Edward Lear (»Book of Nonsense«,
1846); die Form wird in den angelsächs. Ländern im 19.
und v. a. im 20.Jh. auch von bedeutenden Dichtern (A. Tennyson, A. Ch. Swinburne, L. Carroll) gepflegt; gelegentl.
auch in Deutschland nachgeahmt.   GG
Lindenschmidstrophe, ∕Morolfstrophe.
Linguistische Poetik, interdisziplinärer Bereich zwischen ∕Literaturtheorie und Linguistik, in dem die linguist.
Methoden der Sprachbeschreibung zur Analyse poet. Texte
(∕Literatursprache) genutzt werden. Teilbereiche sind,
gegliedert nach den Ebenen der Sprachbeschreibung:
a. Laut- und Formenlehre (Phonologie, insbesondere
Modelle der metrischen Phonologie, s. Selkirk, und Mor-
phologie); b. Syntax (Satzlehre: syntakt. Besonderheiten
poet. Texte; ∕Stilistik); c. Bedeutungstheorien (Semantik,
Pragmatik); d. Text- und ∕Diskursanalyse (Textlinguistik).
Erste systemat. Untersuchungen im Bereich der linguist.
Poetik entstanden im Umfeld der Prager Schule des
∕Strukturalismus und der Moskauer Schule des ∕Forma-
lismus (s. Jakobson).
□ Selkirk, L.: Phonology and Syntax. The Relation be-
tween Sound and Structure. Cambridge/Mass. 1984. –
Levinson, St.: Pragmatics. Cambridge 1983. – Althaus, H.
P./Henne, H./Wiegand, H. E. (Hg.): Lexikon d. Germa-
nist. Linguistik. Nr. 81 u. 82. Tüb. ²1980. – Jakobson, R.:
Poesie u. Sprachstruktur. Zürich 1970.   HH
Lipogrammatisch, ∕leipogrammatisch.
Lira, f. [span. = Leier (nach einem Gedicht Garcilasos de
la Vega, in dem der Dichter seine Kunst mit einer Leier ver-
gleicht)], Bez. mehrerer span. Strophenformen, jeweils
Kurzstrophen von 4–6 Zeilen mit regelmäß. Wechsel von 7-
u. 11silb. Zeilen und festem Reimschema, meist aus 2 Reimklängen. Die L. sind Adaptionen ital. Strophenformen, die
ihrerseits Versuche freier Nachbildungen horaz. Strophenmaße sind und in der ital. Dichtung des frühen 16.Jh.s die
ältere prunkvolle (petrarkist.) ∕Kanzone ablösen. – Bedeutendste Form der L. ist die *L. garcilasiana* oder *L. de Fra
Luís de León:* eine 5zeil. Strophe mit 7-Silbern in den Zeilen 1, 3 u. 4, 11-Silbern in den Zeilen 2, 5, Reimschema:
ababb. Sie wurde im 16.Jh. durch Garcilaso de la Vega
nach dem Vorbild des Bernardo Tasso in die span. Dichtung eingeführt; sie begegnet v. a. in der Lyrik (Fra Luís de
León, San Juan de la Cruz) und im Drama (Jerónimo Ber-
múdez, Guillén de Castro, Tirso de Molina) des 16.Jh.s,
dann wieder im Klassizismus und in der span. Romantik. –
Weitere Formen der L. sind die 4zeil. *Cuarteto-L.* (Zeilen 1
u. 3: 11-Silber, Zeilen 2 und 4: 7-Silber, Reimschema:
abab), die sich v. a. in den span. Horazübersetzungen des
16.Jh.s findet (Fra Luís de León, Francisco de la Torre) und
die sechszeil. *Sexteto-L.* oder *L. sestina* (Zeilen 1, 3, 5: 7-
Silber, Zeilen 2, 4, 6: 11-Silber, Reimschema ababcc); die
vom 16.Jh. bis zur Romantik in der Lyrik und im Drama
(Cervantes, Lope de Vega) häufig verwandt wird.   K
Literalsinn [lat. littera = Buchstabe], buchstäblicher
(wörtl.) Sinn einer Textstelle, im Ggs. zu deren metaphori-

schem, allegor. etc. Sinn, von Bedeutung für die Bibelauslegung; vgl. ∕Schriftsinn, ∕Exegese.   S
Literarische Fälschungen, ∕Fälschungen in d. Lit.
Literarische Geschmacksbildung, ›literar. Geschmack‹ meint entsprechend der von der 2. Hälfte des 17.
bis zum 1. Drittel des 18.Jh. auch im Span. (gusto), Franz.
(goût) und Engl. (taste) eingebürgerten Übertragung des
Geschmacks-Begriffs auf das Ästhetische (zuerst Baltasar
Gracián:»Handorakel«, 1647) das zunächst spontan-intui-
tive Reagieren auf die von einem dichter. Kunstwerk vermittelten Eindrücke, die Ansprechbarkeit auf künstler. Wirkungen bes. hinsichtl. der Formwerte (weniger der im
Kunstwerk enthaltenen außerästhet. Momente religiöser,
weltanschaul., eth., polit. Art usw.). Dabei soll aber das
individuelle ästhet. Empfinden als ein zugleich in hohem
Maße gesellschaftl. bestimmtes, geistiges Unterscheidungs-
und Auswahl-Vermögen von allgemeinen und jeweils differenziert angemessenen ästhet. Beurteilungskriterien her
begründbar sein. Neben der überwiegenden Beziehung auf
die Urteilsfähigkeit des Kunstrezipienten wird der Begriff
»Geschmack« gelegentl. auch selbst als ein künstler.-pro-
duktives Vermögen bestimmt. Bereits in der mhd. Blütezeit
läßt sich ein differenzierteres Bewußtsein ästhet. Werte-
grade als Voraussetzung für Geschmacksurteile beobachten (Literaturschau im »Tristan« Gottfrieds v. Straßburg).
Ein Diskussionsgegenstand wird jedoch der literar.
Geschmack erst im (an Geschmacksdebatten so reichen)
18.Jh. Bewegt von den krit.-ästhet. und pädagog. Interessen der ∕Aufklärung, wird die l. G. verstanden als die seit
am vorbildl. Kunstwerk orientierende Bildung und Erziehung des Publikums, als Förderung des Lesers hinsichtl.
einer selbständigen, krit. Beurteilung ästhet. Werte. Der
Literaturkritiker wird damit zum Geschmacks-Erzieher
(Gottsched, Bodmer, Breitinger, Nicolai, Wieland, Mendelssohn, Lessing, Winckelmann, Kant, Herder, Schiller).
Gegen Ende des 18. und im 19.Jh. verliert die l. G. den pädagog. Aspekt, der zumeist an eher normative ästhet.
Gesichtspunkte an mehr oder minder starr festgelegte
Wertmaßstäbe gebunden war (auch zugunsten einer wachsenden Einsicht in die [allerdings relative] Eigengesetzlichkeit von Kunstwerken), und wird im 20.Jh. zu einem bevorzugten Gegenstand der weitgehend deskriptiv-empirisch
orientierten ∕Literatursoziologie, die die Ausprägung
eines literar. Geschmacks auf ihre hist.-sozialen Bedingungen hin untersucht. L. G. gilt demnach als Leistung der kulturell führenden Gesellschaftsschicht; Geschmackswandel
in großem Ausmaß wird als Ergebnis sozialer Umschich-
tung gesehen, die zumeist auch eine Verschiebung der
sozialen Stellung des Künstlers und damit veränderte
Abhängigkeiten bedeutet (Ministeriale, Günstling eines
Mäzens, freier Schriftsteller usw.). Über die allgemeinere
Differenzierung nach Kulturkreis, Nation, Epoche hinaus
wird die geschmacksbestimmende Wirkung hist. Ereignisse, geistesgeschichtl. Umstürze, der Entdeckung neuer
Interessenbereiche sowie die Bedeutung von (hinsichtl.
Geschlecht, Alter, Beruf, Interessengemeinsamkeit usw.
unterschiedlichen) sozialen Gruppen untersucht; Beachtung gilt ebenso dem Einfluß von Verlagen, Buchhandel
und Buchgemeinschaften, Literaturtheorie, Schule und
Universität, Massenmedien und der von ihnen verbreiteten
Literaturkritik, Werbung usw. Unter veränderten Vorzeichen findet Probleme der l. G. neuerdings Aufnahme in
Fragestellungen der sog. Rezeptions- und Wirkungsästhetik. ∕Publikum, ∕Stil, Mode, ∕literar. Wertung, ∕Litera-
turkritik.
□ Klein, Hannelore: There is no Disputing about Taste.
Unters. zum engl. Geschmacksbegriff im 18.Jh. Münster
1967. – Schücking, Levin L.: Soziologie der l. G. Bern/
Mchn. ³1961.   GMS
Literarische Gesellschaften, Vereinigungen von Gelehrten und interessierten Laien zur Verbreitung und wis-

senschaftl. Erschließung literar. Werke. Während bis zum 19. Jh. die l.n G. ihr Interesse allgemein der jeweils zeitgenöss. Literatur und Sprache zuwandten (vgl. z. B. die ↗Sprachgesellschaften des 17. Jh.s, die ↗Dt. Gesellschaften des 18. Jh.s), entstanden seit dem 19. Jh. auch l. G., die sich dem Werk eines Dichters, bzw. der durch ihn repräsentierten Epoche widmen (jährl. Tagungen, Vortragsreihen, Aufführungen, Ausstellungen, auch Editions- und Forschungsvorhaben). Zur Veröffentlichung wissenschaftl. Forschungsergebnisse geben die l.n G. z. T. eigene Jahrbücher u. a. Publikationsreihen heraus; sie unterhalten ferner nicht selten auch bedeutende ↗Literaturarchive, Bibliotheken, Museen, Gedenkstätten. *Wichtige l. G.* sind: die *Dt. Shakespeare-Gesellschaft,* als älteste der dt. l.n G. gegründet 1864, Sitz Weimar, seit 1963 auch in Bochum (Dt. Shakespeare-G. West, 1500 Mitglieder); sie gehört, wie auch die Shakespeare-Gesellschaften in England (seit 1840), den USA (seit 1923), Japan (seit 1961) u. a. zur 1974 gegründeten Dachorganisation, der ›International Shakespeare-Association‹, Sitz Stratford-upon-Avon. – Die bedeutendste literar. G. ist die heute internationale *Goethe-Gesellschaft,* nach dem Vorbild der Shakespeare-G. gegründet 1885, Sitz Weimar, 1986 mit über 5000 Mitgliedern in 19 Ländern, zahlreichen Ortsvereinigungen, bes. in der Bundesrepublik und DDR. Unabhängig von den ausländ. Tochtergesellschaften der Weimarer Goethe-Gesellschaft gibt es in mehreren Ländern selbständig. Goethe-Gesellschaften, so in England (seit 1886), Österreich, den USA, Kanada, Japan, Australien. – Die *Dt. Schiller-Gesellschaft* wurde 1895 als ›Schwäb. Schillerverein‹ gegründet, Sitz Marbach a. N., 1988 über 3350 Mitglieder; sie ist Trägerin des Schiller-Nationalmuseums (seit 1903) und des ›Dt. Literaturarchivs‹ (seit 1955). Die *Dante-Gesellschaft* bestand erstmals 1865–78 in Dresden; sie wurde 1914 neu gegründet, Sitz Weimar, seit 1945 auch in München-Gräfelfing. Nach dem Muster der l. Gründung entstanden weitere Dante-Gesellschaften in den USA (1881 Cambridge/Mass., 1890 New York), Italien (1888: Società Dantesca Italiana, heute wichtigstes Zentrum der Danteforschung, bedeutend die ›Studi Danteschi‹ seit 1920) und England (1896). – Eine *vollständ. Übersicht* über die l.n G. (Akademien u. Stiftungen) in der Bundesrepublik, der DDR, der Schweiz und Österreich bietet Kürschners ↗Dt. Literaturkalender. 60. Jg. Bln., New York 1988 (Anschrift, Gründungsjahr, Ziele, Mitgliederzahl, Präsident); über die ausländ. l.n G. vgl. Cassel's Encyclopaedia of Literature, I., ed. v. S. H. Steinberg. Ldn. 1953.   IS

Literarische Wertung, Disziplin der ↗Literaturkritik, Beurteilung der ästhet. Qualität literar. Kunstwerke. Die Probleme der l. W. wurden v. a. im Zusammenhang mit der Selbstreflexion der Geisteswissenschaften im Anschluß an Dilthey zu einem wichtigen Gegenstand der Literaturwissenschaft. Theorie. Zwar gab es literar. Kritik seit der Antike als Bestandteil der literar. Produktion selbst (im MA. etwa die Abwehr weltl. Dichtung seitens der geistlichen und später umgekehrt) und seit dem 18. Jh. den neuen Typ des Literaturkritikers, jedoch wurde erst seit dem Ende jenes Jh.s (Herder) und dann in der Folge des alle normativen ästhet. Gesichtspunkte erschütternden Historismus das Bedürfnis wach, die Wertungskriterien ihrerseits zu legitimieren; dies führte schließl. zu der Erkenntnis, daß sich die Probleme der l. W. nicht von der wissenschaftl. Beschäftigung mit Literatur abtrennen lassen und sich der (gegenüber als nur analysierend und referierend verstandenen Literaturwissenschaft) selbständigen ↗Literaturkritik als einer eigenen Disziplin zuordnen lassen. Allgemein hat sich heute die Einsicht durchgesetzt, daß literaturwissenschaftl. Arbeit immer schon wertend verfährt, indem sie näml. logisch verschiedenartige Argumentationsweisen miteinander verknüpft, in denen in unterschiedl. Maße Wertung wirksam wird; so zum einen deskriptive Aussagen, deren

Wahrheitsgehalt zwar nachprüfbar ist, die aber, insofern sie aus dem überhaupt Beschreibbaren auswählen, ein wertendes Moment enthalten, weiterhin interpretative Behauptungen, die mehr oder minder adäquat und einleuchtend sind, und die eine Zustimmung nur erheischen, nicht erzwingen können, je nach dem Grad der Plausibilität der in ihnen sich durchsetzenden Perspektiven, und schließl. die Werturteile, die zwar nicht subjektiv-willkürl. sein wollen, da sie sich auf deskriptive und interpretative Feststellungen stützen, die aber ebensowenig objektiv-notwendig sein können, da Wertung immer die Anwendung (bewußter oder unbewußter) normativer Gesichtspunkte einschließt, deren intersubjektive Gültigkeit nicht vorausgesetzt werden kann. Sowenig Wertung auf eine psycholog. Basis, »Wertgefühl«, »Werterlebnis«, reduzierbar ist, sowenig sind Werte objektivierbare Gegebenheiten, die sich ›messen‹ ließen. Letzteres bildet das Kernproblem jeder Wertungstheorie, da derartige Gesichtspunkte wohl jeweils einem zu beurteilenden Kunstwerk angemessen sein müssen, im Grunde aber nur durch eine ihrer Anwendung immer vorausgehende Wesensbestimmung von Dichtung legitimiert werden können. Wird das Wesen von Dichtung in ihrem geschlossenen Gefüge-Charakter gesehen, in der Ganzheit der einzelnen Werks, so sind Wertungskriterien etwa innere Übereinstimmung, Harmonie (die aber Spannungsweite und Vielschichtigkeit einschließt), Abwechslung und Kontraststeigerung (bei Konstanz der Intention), Reichtum und Variabilität und zugleich Konsonanz und adäquate Funktionalität der Stilmittel; Bildhaftigkeit, Anschaulichkeit, Ausdrucksintensität sind dort Kriterien, wo die Dichtung als sinngeprägte, fiktionale Gestaltung streng von jeder begrifflichen, zweckhaften Aussage getrennt wird. Alle diese Gesichtspunkte zielen auf eine mehr oder minder werkimmanente Betrachtung von Literatur und orientieren sich an Forderungen (die für allgemeingültig gehalten werden) wie Einheit von Gehalt und Gestalt, Übereinstimmung von Bild und Sinn, Ausgewogenheit von Gedanklichem und Bildhaftem. – Gegenüber diesen Kriterien, die sich auf eine Erkenntnis der Seinsweise von Dichtung, ihrer ontolog. Struktur, berufen, gibt es andere, die Dichtung eher von ihrer Funktion im menschl. Lebenszusammenhang her bestimmen und außerästhetische Wahrheitsfragen einschließen, die also legitim sind: Sinnbildhaftigkeit, Ideengehalt, Fähigkeit, die gesellschaftl. Situation einer bestimmten Zeit und ihre Geistestätigkeit zu dokumentieren, einen jeweiligen Zeitgehalt auszudrücken, finden als Kriterien der l. W. dort bes. Beachtung, wo der Dichtung als einem Organ des Weltverständnisses und der menschl. Selbstreflexion eine grundsätzl. Erkenntnisbedeutsamkeit zugesprochen wird, während Gesichtspunkte wie konkreter Lebensgehalt, Lebenswahrheit, Natürlichkeit, das Menschlich-Allgemeine, das Zeitlos-Gültige eher auf Lebensbedeutsamkeit von Dichtung in einem allg. Sinn ausgerichtet sind. Schließl. sind die Kriterien zu nennen, die das Einzelwerk in eine literaturgeschichtl. Perspektive stellen und in der Originalität und Individualität, in der Schaffung einer ›neuen‹ Sprache, neuer Gefühls- und Sinngehalte einen besonderen Wert verwirklicht sehen. Alle diese Gesichtspunkte gehen häufig wechselnde Verbindungen ein, z. T. stehen sie auch in eher gespanntem Verhältnis zueinander. Ihre Vielfalt und scheinbare Beliebigkeit korrespondiert mit der Vielfalt der vorausgesetzten Konzepte von Wesen und Funktion der Dichtung; die Pluralität der Standpunkte ist unlösbar mit der Geschichtlichkeit des literar. Kunstwerks wie des Interpreten verbunden. Wertmodelle und ihre histor. Abfolge könnten helfen, den historischen Stellenwert der gegenwärtigen Position zu erkennen, und sie sich in Verbindung mit literatursoziolog. und rezeptionsgeschichtl. Fragestellungen dazu führen, die starre Trennung der ↗Dichtung von Unterhaltungsliteratur und

Trivialliteratur aufzugeben zugunsten einer differenzierten Stufenleiter künstler. Werte.

⌑ Lenz, B. u. a. (Hrsg.): Beschreiben, Interpretieren, Werten. D. Wertungsproblem in d. Lit. aus d. Sicht unterschiedl. Methoden. Mchn. 1982. – Müller-Seidel, W.: Probleme der l.n W. Stuttg. ³1981. – Gebhardt, P. (Hrsg.): Lit.kritik und l. W. Darmst. 1980. – Schulte-Sasse, J.: L. W. Stuttg. ²1976. – Hass, H.-E.: Das Problem der l.n W. Darmst. ²1970. – Wehrli, M.: Wert u. Unwert in d. Dichtung. Köln 1965. – Lockemann, F.: Lit.wiss. und l. W. Mchn. 1965. – RL (W., literar.).   GMS

Literarische Zeitschriften, auch: Literaturzeitschriften: erscheinen period. (wöchentl., monatl., vierteljährl.); zu unterscheiden sind:
1. *l. (Fach-)Z.* mit philolog.-literaturwissenschaftl. Forschungsergebnissen und Rezensionen literaturwissenschaftl. Werke,
2. *l. Z. mit literar. Originalbeiträgen* (auch in Fortsetzungen, Auszügen): allgem. ästhet., literatur- u. kulturkrit. Abhandlungen (auch über Kunst, Musik, Philosophie, Film usw.), mit literar. Programmen und Rezensionen (auch: kulturkrit. Z.),
3. ausschließl. *Berichts- und Rezensionsorgane* literar. Neuerscheinungen. Der Übergang von Typus 2 zum anspruchsvollen ↗Familienblatt ist fließend (z. B. zu Westermanns Monatsheften, Velhagen- u. Clasings Monatsheften »Nord-Süd«). Zum 2. u. 3. Typus gehören auch die ↗Feuilletons und Literaturbeilagen der großen Tages- u. Wochenzeitungen (daher und vom Format mancher l. Z. auch die Bez. ›Literaturzeitung‹). – L. Z. sind seit je wichtiger Faktor in der Geschichte der Literatur; sie sind Sprachrohr für neue literar. Richtungen und oft erster Publikationsort für viele bedeutende Dichtungen. *Geschichte:* L. Z. kamen im frühen *18. Jh.* auf, als sich im Rahmen eines allgemeinen, v. a. bürgerl. Bildungsstrebens (↗Aufklärung) ein breites Interesse insbes. literar. Fragen zuwandte. *Die erste dt. l. Z.,* »Beyträge zur Crit. Historie der Dt. Sprache, Poesie u. Beredsamkeit« (1732–44) schuf J. Ch. Gottsched in Anlehnung an die vordringl. an der Sprache interessierten Zeitschriften der ↗Sprachgesellschaften, an die engl. ↗moral. Wochenschriften und im Erfahrungsaustausch mit den Hrsg.n der 1. wissenschaftl. Zeitschrift Deutschlands, den »Acta eruditorum« (1682–1782 in lat. Sprache). L. Z. gewannen rasch an Bedeutung (im 18. Jh. über 300 l. Z.!); in ihnen spielte sich im folgenden z. B. der sog. ↗Literaturstreit ab (vgl. ↗Bremer Beiträge). Durch G. E. Lessing insbes. wurden die l.n Z. zu Trägern der ↗Literaturkritik und damit ein wichtiges Forum für die Bemühungen um die Herausbildung eines modernen Dichtungsverständnisses. Einflußreich u. weit verbreitet waren als wissenschaftl. Rezensionsorgan die (noch heute bestehenden) »Göttingischen gelehrten Anzeigen« (gegr. 1739) und F. Nicolais »Bibliothek der schönen Wissenschaften und freyen Künste« (1757–59, fortgeführt von Ch. F. Weiße bis 1806) u. v. a. seine ›Rezensieranstalt‹, die »Allgem. Dt. Bibliothek« (1765–1806), ferner das »Dt. (ab 1788 Neues Dt.) Museum« (hrsg. v. H. C. Boie, 1776–91) und, als Rezensionsorgan des ↗Sturm und Drang, einige Jahrgänge (bes. 1772) der ↗Frankfurter Gelehrten Anzeigen« (Mitarbeiter Goethe, J. H. Merck, J. G. Schlosser, J. G. Herder u. a.). Führende l. Z. der ↗Weimarer Klassik waren Ch. M. Wielands »Teutscher Merkur«(1773–1810), F. J. Bertuchs »Allgem. Literaturzeitung« (1785–1849) und, exklusiver, Schillers »Horen« (1795–97) u. Goethes »Propyläen« (1798–1800). Entscheidend für die weitere Ausbildung der l.n Z. wurde das »Athenäum« der Brüder Schlegel (1798–1800), das als programmat. Zeitschrift der romant. Bewegung gemäß den neu gewonnenen histor. Perspektiven *erstmals auch wissenschaftl.-philolog. Abhandlungen* aufnahm. Aus diesen Ansätzen entstehen *im 19. Jh.* die *wissenschaftl. l.n Z.:* Die 1. noch heute existierende lit. Zeit-

schrift dieses Typs ist die »Zeitschr. f. dt. Altertum« (hrsg. v. M. Haupt, 1841). Von den zahlreichen l.n Z., Almanachen und Taschenbüchern des 19.Jh.s (darunter die programmat.-krit. des ↗Jungen Deutschland) sind die langlebigen »Blätter für literar. Unterhaltung« (hrsg. v. A. Kotzebue, 1818–1898) zu nennen, ferner das »Literar. Zentralblatt« (begründet v. F. Zarncke, 1855–1924) und, als Organ des poet. Realismus (von höchstem Niveau) J. Rodenbergs »Dt. Rundschau« (1874–1942; 1945–1964, Beiträge von Storm, Keller, Heyse, C. F. Meyer, Fontane, s. auch ↗innere Emigration) und die ursprüngl. progressivere »Neue Rundschau« (gegr. 1890 von O. Brahm als »Freie Bühne für modernes Leben«, s. ↗Freie Bühne; Beitr. von Th. Mann, G. Hauptmann, Hofmannsthal, Hesse, Kafka, Rilke; besteht bis heute). Neben diesen beiden allen literar. Strömungen in ausgewogenem Urteil offenen l.n Z. waren bedeutsam: die kurzlebigen Programmzeitschriften des ↗Naturalismus wie die ↗Krit. Waffengänge« (Hrsg. die Brüder Hart, 1882–84), »Die Gesellschaft« (Hrsg. M. G. Conradi, 1895–1902) oder des ↗Jugendstils wie »Pan« (hrsg. v. R. Dehmel, E. v. Bodenhausen, 1895–1899), »Insel« (Hrsg. R. A. Schröder u. a., 1899–1902), »Jugend« (hrsg. v. G. Hirth, 1896–1940, bedeutsam allerdings nur bis 1914), die »Blätter für die Kunst« (Hrsg. St. George, 1892–1919): alles exklusive, literar.-künstler. Blätter wie später noch die »Corona« (gegr. v. M. Bodmer, H. Steiner; Verlag der »Bremer Presse«, 1930–1944). *Im 20. Jh.* steigt die Zahl der l.n Z. nochmals an, jedoch durch eine immer stärker werdende polit.-weltanschaul. Ausrichtung ist bis etwa 1930 die Zahl der rein l.n Z. rückläufig. Diese Tendenz zeigt sich etwa seit 1918 in den wichtigsten l.n Z. des ↗Expressionismus wie »Sturm« (hrsg. v. H. Walden, 1910–32), »Aktion« (Hrsg. F. Pfemfert, 1911–32), »Weiße Blätter« (Hrsg. E. E. Schwabach, seit 1915 R. Schickele, 1913–20) und bes. in den letzten Jahrgängen der zunächst progressiven l.n Z. wie der »Süddt. Monatsheften« (1904–36), der »Schaubühne« (ab 1918 »Weltbühne«, 1905–33, bzw. Prag/Paris 1939) und der »Neuen Bücherschau« (1919–29), progressiv-bürgerl.-konservativen l.n Z. wie dem weitverbreiteten »Kunstwart« (Hrsg. F. Avenarius, 1887–1932, dem volkspädagog. orientierten Bildungsblatt des bürgerl. Mittelstands) und der »Schönen (Neuen) Literatur« (Hrsg. Zarncke, W. Vesper 1900–1943). Eine Sonderstellung nimmt das kath. »Hochland« ein (Hrsg. K. Muth 1903–41 und wieder seit 1945, vgl. ↗innere Emigration). – Neutrale literar. Informationsblätter waren »Das literar. Echo«, seit 1923 »Die Literatur« (1898–1942, die führende literar. Informationsschrift, die 1943 in der Zs. »Europ. Lit.« aufging) und »Der neue Merkur« (1914–25). Eine unabhängige progressive l. Z. blieb »Die literar. Welt« (Hrsg. W. Haas, 1925–33). Nach 1933 wurden die l.n Z. gleichgeschaltet oder verboten, manche wurden von Exilverlagen fortgeführt oder neu gegründet (s. ↗Exilliteratur). Der Neuanfang 1945 zeitigte eine Fülle l.r Z., die zunächst v. a. über die internationale Literaturentwicklung informierten »Dt. Beiträge«, 1946–50; »Die Fähre«, 1946–49; »Die Gegenwart«, 1945–58; »Lancelot«, 1946–51; »Das Lot«, 1947–52) und über die literar. Information hinaus eine Aufarbeitung des Vergangenen anstrebten (»Die Wandlung«, 1945–49; »Der Ruf«, 1946–49; »Das goldene Tor«, 1946–51). Heute werden die Vielzahl alter und neuer l.r Z. und die vielen darin vertretenen literar. Tendenzen und Programme weniger von mangelndem literar. Interesse als von ökonom. Schwierigkeiten bedroht. *Wichtige allgemeine dt.-sprach. l. Z.* sind: a) *rein literar. Z.:* »Welt u. Wort« (1946–73); »Akzente« (1954ff.), »Neue Dt. Hefte« (1954ff.), »Lyr. Hefte« (1959ff.), »Theater heute« (1960ff.); »Tintenfaß« (1974ff.); »Litfaß« (1976ff.); »Schreibheft« (1977ff.); »Zibaldone« (1986ff.); b) *kulturkrit. orientierte Z.:* Neben »Neue Rundschau« und »Hochland« (s. o.) »Dokumente« (1945ff.), »Universitas«

(1946ff.), »Frankfurter Hefte« (1946ff.; ab 1984 als »Neue Gesellschaft/Frankf. Hefte«), »Merkur« (1947ff.), »Der Monat« (1948–71); c) *vorwiegend theoret.-polit. orientierte l. Z.*: »Das Argument« (1959ff.), »Kürbiskern« (1965–1987), »Kursbuch« (1965ff.), »konkursbuch« (1978ff.). *DDR:* »Theater d. Zeit« (1946ff.), »Sinn und Form« (1949ff.), »Neue dt. Lit.« (1953ff.); *Schweiz:* »Schweizer Monatshefte« (1921ff.); »Der Rabe« (1982ff.). *Österreich:* »Wort u. Wahrheit« (1946ff.), »Neues Forum« (1954ff.), »Lit. u. Kritik« (1955ff., bis 1966 u. d. T. »Wort in d. Zeit«), »Manuskripte« (1960ff.); umfassender Überblick in Kürschners Dt. Lit.Kalender. 〇 *Bibliographie:* Diesch, C.: Bibliographie der germanist. Zs. Lpz. 1927, Neudr. 1970 (bis 1920). – Wilke, J.: L. Z. des 18.Jh.s (1688–1789). 2 Teile. Stuttg. 1978. – Estermann, A.: Die dt. Lit.Zeitschriften. 1815–1850. 10 Bde. Nendeln 1977–81. – Hocks, P./Schmidt, P.: L. und polit. Z. 1789–1805. Stuttg. 1975. – King, J. K.: L. Z. 1945–1970. Stuttg. 1974. – Schlawe, F.: L. Z. 2 Bde. Stuttg.: Bd. 1 (l. Z. 1885–1910) ²1965; Bd. 2 ²(l. Z. 1910–33) ²1973. – Laakmann, D./Tgahrt, R.: L. Z. u. Jahrbücher 1880–1970. Marbach 1972. – Prokop, H. F.: Österreich. l. Z. 1945–1970. In: Lit. u. Kritik 50 (1970) 621–631. – Stomps, V. O.: Die literar. und Kunst-Zss. In: Dt. Presse seit 1945. Hrsg. v. H. Pross. Bern/Mchn. 1965, S. 173–210. – Raabe, P.: Die Zss. und Sammlungen des literar. Expressionismus. Stuttg. 1964. – Pross, H.: Lit. u. Politik. Gesch. u. Programme polit.-literar. Zss. im dt. Sprachgebiet seit 1870. Olten/Frbg. i. B. 1963.   IS

Literarisches Colloquium Berlin (LCB), 1963 mit Hilfe der Ford-Foundation von Walter Höllerer gegründetes u. heute zus. mit K. Riha geleitetes Institut, das den Zweck verfolgt, den Meinungs- und Erfahrungsaustausch zwischen Schriftstellern, Künstlern, Theater- und Filmregisseuren zu fördern; durch Zusammenarbeit mit Fernsehen und Rundfunk neue Möglichkeiten der Verbindung der Literatur mit den Massenmedien zu erproben; durch öffentl. Veranstaltungen, Diskussionen und durch Publikationen das literar. Leben Berlins anzuregen und Kontakte mit in- und ausländ. Autoren herzustellen. Die jährl. Veranstaltungen gelten jeweils der Theorie u. Praxis eines künstler. Problems u. vereinen Anfänger u. arrivierte in- und ausländ. Künstler sowie experimentelle Theatergruppen (Teilnahme u. a. des /Living Theatre, Theater am Geländer, Prag, Centro Universitario Teatrale Parma). Im eigenen Verlag erscheinen sowohl poet. Texte (Autoren u. a. G. Eich, G. Grass, L. Gustafsson, H. M. Enzensberger, G. Kunert, Th. Bernhard) als auch literaturtheoret. Abhandlungen. Organ des LCB ist die (seit 1961 bestehende) Zs. ›Sprache und techn. Zeitalter‹ (hg. v. W. Höllerer u. N. Miller). Seit 1989 vergibt das LCB auch einen /Literaturpreis (Berliner Preis f. dt.-sprach. Lit.; 1. Preisträger: Volker Braun, 1989).   JT*

Literatur, f. im umfassendsten Sinne jede Form *schriftl.* Aufzeichnung, im Unterschied zu ursprüngl. nur mündl. tradierten vor- oder unterliterar. sprachl. Formen (z. B. Sage, Märchen usw.), häufig v. a. für geistesgeschichtl. bedeutsame oder stilist. hochstehende fiktionale und nichtfiktionale Schriftwerke, oft auch speziell nur für Sprachkunstwerke (gleichbedeutend mit /Dichtung) gebraucht. Der Begriff L. erscheint auch unterteilt in ›hohe‹, ›schöne‹, ›schöngeist.‹ L. (Dichtung, /Belletristik, /Unterhaltungs-, /Trivial-, /Gebrauchs-, /Tendenz-, Zweck-L., in natur- und geisteswissenschaftl., techn., medizin., kirchl., polit. usw. L. Die Hauptwerke der verschiedenen /National-L.en werden unter der Bez. ›Welt-L.‹ zusammengefaßt. – Die ältere Schreibweise ›Litteratur‹ verweist auf lat. litteratura (von littera = Buchstabe, in gleicher Weise gebildet wie griech. Grammatik aus gramma = Buchstabe) und bedeutete ursprüngl. ›Buchstabenlehre‹, ›Kunst des Lesens u. Schreibens‹, seit hellenist. Zeit dann auch ›Deutung

dichter. Schriften‹ (vgl. z. B. bei Quintilian, 1.Jh. n. Chr.: L. = richtiger Sprachgebrauch und Dichtererklärung). Das Wort ›L.‹ ist in dt. Sprachgeschichte erstmals belegt 1571 bei Simon Roth (»Ein Teutscher Dictionarius«) im Sinne von ›Schrift‹, ›Schriftkunst‹, ›Schriftgelehrsamkeit‹. In der Bedeutung ›Wissenschaft‹, ›Gelehrsamkeit‹ wird es bis ins 18.Jh. verwendet, erst danach wird es eingeengt auf (bedeutsame) Schriftwerke. Bes. seit den 60er Jahren wird der L.begriff wieder in umfassenderem Sinne (jede Art schriftl. Kommunikation) diskutiert. 〇 Knapp, G. P. (Hg.): Wandlung des Lit.begriffs. Amsterdam 1988. – Arntzen, H.: Der L.Begriff. Münster 1984. – Orth, E. W. (Hg.): Was ist Literatur? Freiburg 1981. – Horn, A.: Das Literarische. Bln./New York 1978. – Kreuzer, H.: Veränderungen des L.begriffs. Gött. 1975.   S

Literaturarchiv, n. [zu lat. archium, archivum von gr. archeion = Rathaus, Regierungs-, Amtsgebäude], Institution zur Sammlung, Erhaltung, Erschließung und wissenschaftl. Auswertung literar. Dokumente (Manuskripte, Entwürfe, Briefe, Tagebücher, oft ganze Nachlässe, Erstdrucke und -ausgaben, auch Bilder u.a. Lebensdokumente). L.e sind literar. Epochen, einzelnen Dichtern oder Dichterkreisen, literar. Gattungen (z. B. Theater-Archive) oder Sachgebieten (z. B. Lit. einer Landschaft, Arbeiter-, Exilliteratur) gewidmet. Sie entwickelten sich im 19.Jh. innerhalb größerer Bibliotheken als *Sonderabteilungen* (vgl. z. B. das Hölderlin-L. der LB Stuttgart, das L. des ›Tunnels über die Spree der UB Berlin, das Barock-L. der Herzog-August-Bibliothek Wolfenbüttel, das L. zur Emblem-Literatur der LB Weimar). Dazu kamen in zunehmender Zahl auch L.e als *Bestandteil von Dichtermuseen* (etwa das Gleimhaus in Halberstadt, das Wieland-Museum in Biberach, das Goethe-Museum in Düsseldorf, das F.-Hebbel-Museum in Wesselburen, das Thomas-Mann-Archiv im Bodmerhaus in Zürich, das B.-Brecht-Archiv in Berlin u. v. a.). Auf Anregung W. Diltheys (1889) wurden L.e auch als *selbständ. Institute* gegründet, die inzwischen zu den wichtigsten Sammelstätten literaturhistor. Quellenmaterials und damit bedeutenden wissenschaftl. Forschungszentren (oft mit großen Spezialbibliotheken) geworden sind. *Die bedeutendsten selbständ. dt. L.e sind:*
1. das *Goethe- und Schiller-Archiv in Weimar:* gegründet 1885, *Sammelgebiet:* dt. Literatur des 18. und 19.Jh.s, insbes. der klass. dt. Literatur 1750–1850; 800000 Handschrifteneinheiten, angeschlossen die ›Zentralbibliothek der dt. Klassik‹, ca. 150000 Bde., vgl. auch /NFG;
2. das *Deutsche L. im Schiller-Nationalmuseum Marbach:* gegr. 1955 aus den Beständen des Museums, *Sammelgebiet:* schwäb. Dichter, Literatur seit 1750 nach Schwerpunkten, seit 1880 in vollständ. Dokumentation; 500000 Autographen, 500 Nachlässe, zahlreiche Sonderarchive (z. B. Cotta-Archiv mit 150000 Handschriften), Forschungsbibliothek zum 18.Jh. bis zur Gegenwart, 1980 etwa 230000 Bde.;
3. das *Freie Deutsche Hochstift* in Frankfurt: gegründet 1859, *Sammelgebiet:* Klassik und Romantik, etwa 25000 Handschriften, Fachbibliothek 1750–1875, ca. 120000 Bde.;
4. das *L. des Instituts für dt. Sprache und Literatur Berlin* (Dichter- und Gelehrte des 19.Jh.s);
5. die *L.e der Dt. Akademie der Künste* in (West- und Ost-) Berlin (Sonderarchive zur Literatur des 20.Jh.s);
6. das *Fritz Hüser-Institut für dt. u. ausländ. Arbeiterliteratur* in Dortmund. – Auf Grund der polit. Ereignisse im 20.Jh. (nationalsozialist. Kulturpolitik, Emigration) entstanden bedeutende L.e dt. Dichter auch *im Ausland,* z. B. in Jerusalem (u. a. Stefan Zweig, H. Heine), London (NS-Literatur, Exilliteratur); Cambridge/Mass. Harvard (Hofmannsthal, Beer-Hofmann, Rilke, Heine), New York (Joseph Roth), Los Angeles (F. Werfel), New Haven, Yale University (Kurt-Wolff-Verleger-Archiv, E. Toller, H. Broch), Princeton (Th. Mann). Eine genaue Übersicht über

L.e dt.-sprach. Literatur gibt das Informationshandbuch Dt. Lit.wiss., hg. v. H.-J. Blinn, Saarbrücken ²1990 u. das Quellenrepertorium zur neueren dt. Literaturgeschichte von P. Raabe u. G. Ruppelt, Stuttg. ³1981.
☐ Dilthey, W.: Archive für Literatur. In: Dt. Rundschau 58 (1889), 360–375. – Zeller, B.: Dt. L.e. In: 1. Internat. Bibliophilen-Kongreß Mchn. 1959, Ansprachen u. Vorträge. Bln. 1961, S. 106–116.   IS
Literaturatlas, Sammlung graph. und bildl. Darstellungen zur Literatur:
1. *geograph.* Karten mit Herkunfts- und Wirkungsorten, Reiserouten etc. einzelner Dichter, Zentren literar. Strömungen, Verbreitungsgebieten einzelner Werke usw.: z. B. Heimatskarte der dt. Lit. (85 × 66 cm), hrsg. v. K. Ludwig (Wien 1903, in Buchform mit Text Wien 1906);
2. *Karten und Werktabellen,* Diagramme u. a. schemat. Darstellungen, Zahlenmaterial zu literar. Entwicklungen, z. B. Dt. Kulturatlas, hrsg. v. G. Lüdtke und L. Mackensen (6 Bde. Bln. u. Lpz. 1928–40), dtv-Atlas z. dt. Lit., hrsg. v. H. D. Schlosser (Mchn. 1983).
3. ausschließl. *Bilddokumente,* z. B. Faksimiles, Illustrationen zu einzelnen Werken, Portraits der Dichter, Bilder aus ihrem Lebensumkreis, Abbildungen literar. Stätten usw., z. B. G. Könnecke, Bilderatlas zur Gesch. der dt. National-Litteratur (Marburg 1887, ²1895, als Auszüge z. B. Goethe [Marbg. 1900] oder Dt. L. [Marbg./Wien/N. Y. 1909]), G. v. Wilpert, Dt. Literatur in Bildern (Stuttg. 1957, ²1965) oder G. Albrecht, Dt. Lit.Gesch. in Bildern. 2 Bde. Lpz. 1969–71.   IS
Literaturbriefe, fingierte Briefe als Einkleidung literaturtheoret. oder allgemein kulturkrit. Erörterungen, z. T. als Einzelschrift, z. T. period. in Zeitschriften; bes. im 18. (und 19.) Jh. beliebte Form literaturkrit. Auseinandersetzungen, z. B. spielte sich der ↗Literaturstreit des 18. Jh.s zum großen Teil in L.n ab. Als erster verwendet diese Form J. J. Bodmer (»Crit. Briefe«, 1746), dann F. Nicolai (»Briefe über den itzigen Zustand der schönen Wissenschaften in Deutschland«, 1755) und v. a. G. E. Lessing, dessen period. erscheinenden »Briefe, die neueste Literatur betreffend« (1759/60, bis 1765 fortgeführt von Nicolai) die ästhet. Anschauungen der ↗Aufklärung prägten. Bedeutung für den ↗Sturm und Drang hatten die L. von W. v. Gerstenberg, H. P. Sturz u. a. (»Briefe über Merckwürdigkeiten der Litteratur«, 1766/67) und J. G. Herder (»Briefwechsel über Ossian . . .«, 1773). Literatur- und Kulturkritik in Briefen sind auch typ. für das ↗Junge Deutschland (Heine, Börnes »Briefe aus Paris«, 1832/34), F. Hebbel u. a. Literaturtheoret. bedeutsam ist ferner der fingierte »Brief des Lord Chandos« von H. v. Hofmannsthal (1902).   IS
Literaturdidaktik, Wissenschaft, die sich mit dem Lehren von Literatur beschäftigt. In der Zusammensetzung mit dem Grundwort ›Didaktik‹ (Lehrkunst) ist die Bez. erst seit 1960 gebräuchlich, als die L. zur wissenschaftl. Disziplin wurde. Ihre wissenschaftl. Begründung kann die L. erkenntnistheoret. vornehmen, etwa mit Husserls Beschreibung der Wahrnehmung, die immer einen Objektpol (Noema) und einen Subjektpol (Noesis) besitze, die beide so eng miteinander verknüpft seien wie die beiden Brennpunkte einer Ellipse, bei der die Veränderung des einen Pols auch den anderen beeinflusse. In der L. geht es somit um die Erforschung von Literatur in Verbindung mit der Wahrnehmungen des Subjekts, beides zusammengebunden durch die Methoden der Vermittlung und durch die Reflexion über die Ziele dieses Tuns.
Entstanden ist die wissenschaftl. L. in einer histor. Situation, in der die Auswahl literar. Texte für den Unterricht von den Stichworten ›Lebenshilfe‹, ›abendländ. Werte‹ und ›Erlebnispädagogik‹ bestimmt war. Die Kritik von Fachwissenschaftlern (Killy, Kayser) rief eine öffentl. Diskussion über das ↗Lesebuch hervor, in deren Verlauf wichtige literaturdidakt. Prinzipien für die Zusammenstellung

literar. Texte erarbeitet wurden: Gattungsanalysen als immer wieder anwendbares Mittel des Verstehens, Textstrukturen als Kennzeichnung auch des gesellschaftl. bestimmten Sinns, Literatur als Ort für interpretative und grammat. Sprachbetrachtungen, Texte in ihren Kontextuierungen als Informationen über die Welt und als Hilfe zum histor. Verstehen.
In den siebziger Jahren trat in der Fachdidaktik die Diskussion über die Zielsetzung des Literaturunterrichts in den Vordergrund: Literatur galt als Mittel zur Emanzipation des Menschen; der Deutschunterricht sollte die gesellschaftl. Unterschiede ausgleichen – die Unterrichtsmethode wurde demokratisiert (weg vom alles bestimmenden Lehrer), der Textbegriff wurde erweitert, so daß alle pragmat. und trivialen Texte im Unterricht benutzt werden konnten. Ein neuer Ansatz kam von der Rezeptionsästhetik (↗Rezeption), die den Blick zum Leser (zum Schüler) hin wandte, dem ein wesentl. Anteil an der Sinnherstellung zuerkannt wurde. Didakt. wirkten sich diese Einsichten zunächst so aus, daß die Lese-Interessen der Schüler die Textauswahl bestimmen sollten. Erst in den achtziger Jahren erlaubten die neuen Methoden des produktionsorientierten Literaturunterrichts den Schülern eine größere Subjektivität, indem sie Eingriffe am Text vorschlugen, die zu Deutungen des ästhet. Arrangements führen können.
In letzter Zeit beschäftigt sich die L. mit der zunehmenden Macht des Bildmedien, die den Leser durch den ›Seher‹ zu ersetzen droht. Hilfe kommt der L. hier wie auf anderen Gebieten durch die Psychologie, deren kognitive Wende auf die Verarbeitungstätigkeiten der Subjekte gerichtet ist.
In der fachdidakt. Unterrichtsforschung werden Einsichten über die Verfugung des gesamten Unterrichts angestrebt (Text; Lehrer mit Methode und Medium; Schüler; Ziele). Dabei ist die L. auf dem Wege, ein eigenes Forschungskonzept zu entwickeln, das weder in der reinen Quantifizierung noch in der bloßen Fallstudie gefunden werden kann. Es etabliert sich eine sog. Handlungsforschung, in der die Wissenschaftler praxisnahe sind und dem Lehrer Handlungseinsichten vermitteln, die ihn in die Lage versetzen, Forscher im eigenen Unterricht zu werden.
☐ Willenberg, H. u. a.: Zur Psychologie des Literaturunterrichts. Frkf. 1987. – Wolfrum, E. (Hg.): Taschenbuch des Deutschunterrichts. 2 Bde. Baltmannsweiler ⁴1986. – Hopster, N. (Hg.): Handbuch ›Deutsch‹. Sekundarstufe 1. Paderborn 1984. – Baumann, J./Hoppe, O. (Hg.): Handbuch f. Deutschlehrer. Stuttg. 1984. – Müller-Michaels, H.: Positionen d. Deutschdidaktik seit 1949. Königstein (Ts.) 1980. – Stocker, K. (Hg.): Taschenlexikon d. Lit.- und Sprachdidaktik. 2 Bde. Kronberg 1976.   W
Literaturfehde, ↗Dichterfehde, ↗Literaturstreit.
Literaturgeschichte, Literarhistorie.
1. Literatur in ihren histor. Zusammenhängen und Entwicklungen.
2. Darstellung einer in einer bestimmten Sprache verfaßten Literatur (z. B. dt. L., die in der Regel auch österreich. u. schweizer. Autoren umfaßt) oder der europ. (und teilweise auch außereurop.) Nationalliteraturen oder der aus europ. Sicht überzeitl. und übernationalen ›Weltliteratur‹, auch gattungsmäßig nach Epochen gegliederte Darstellungen einzelner Epochen (z. B. H. Hettner, Gesch. d. dt. Literatur im 18. Jh., 1870) oder die Geschichte einzelner Gattungen (z. B. G. Müller, Gesch. des dt. Liedes, 1925). Am bekanntesten und meist diejenigen literarhistor. Publikationen geworden, die eine Übersicht über die L. einer Nationalsprache von den Anfängen bis zur jeweil. Gegenwart bieten. – In der L. werden Biographik und Werkinterpretation verbunden, erweitert bisweilen durch den Versuch zur Einordnung der literar. Entwicklungen in die Ideen- und Geistesgeschichte und einer Deutung vor dem kulturhistor., neuerdings auch ökonom.-sozial. Hintergrund. Die Abkehr von der Biographik in der sog. geistesgeschichtl. Strömung gipfelte schließl. in einer L. ohne

Namen (J. Wiegand, Gesch. der dt. Dichtung in strenger Systematik nach Gedanken, Stoffen, Formen. Köln 1922, ²1928). Literaturgeschichtsschreibung führt, meist auf Grund einer implizierten Wertung, zu einer gewissen Kanonbildung, die bisweilen durch die ↗Literaturkritik oder durch ideolog. Dogmatik (im Nationalsozialismus, Marxismus) in Frage gestellt werden kann. Während eine L. früher i. d. Regel das Werk eines einzelnen Verfassers war, entstehen L.n im 20. Jh. meist als Gemeinschaftsunternehmen mehrerer Autoren. *Geschichte:* Als ↗Kataloge kanon. Werke finden sich literar. histor. Darstellungen seit *der Antike und dem MA.*, sie sind nicht immer von der Literaturkritik zu trennen. Der histor. Aspekt ist bei diesen Werken oft nicht Ausgangspunkt der Darstellung, sondern nur eine sekundäre Folge, so bei bibliothekar. Bestandsaufnahmen (Kallimachos, 3. Jh. v. Chr., Alexandria) oder Sammlungen mustergült. Texte im Dienste der Rhetorik und Poetik (Quintilian, 1. Jh. n. Chr.). Von weitreichender Bedeutung war die Vitensammlung Suetons »De viris illustribus« (1./2. Jh.). An sie knüpfte Hieronymus (4. Jh.) mit seinem Werk gleichen Titels an, in dem er die literatura heidn. Autoren von der scriptura christl. Autoren trennte. Dieses für das MA. vorbildhafte Werk gilt als *erste christl. L.* Fortgeführt wurde es von Gennadius (5. Jh.), der 90 Autoren nennt; ihm folgen Sigebert von Gembloux (11. Jh., 171 Namen), Honorius Augustodunensis (»De luminaribus ecclesiae«, um 1100, 290 Namen); im Gesprächsform stellte Konrad von Hirsau (12. Jh.) die heidn. und christl. Schulautoren zusammen. Diese Reihung chronolog. biograph. Übersichten gipfelt in der bedeutendsten lat. Schul-L. des MA.s, dem versifizierten »Registrum multorum auctorum« Hugos von Trimberg (1280). – Literarhistor. Aspekte ergaben sich auch im MA. Literaturexkursen, z. B. bei Rudolf v. Ems (1. Hä. 13. Jh.). Ein später Nachläufer der im Gefolge des Hieronymus entstandenen Schriftstellerkataloge ist der »Catalogus illustrium virorum Germaniam suis ingeniis . . .« (1486) des humanist. Abtes J. Trithemius. Von einer statist. Aufzählung zu einer Erklärung des Gewordenen gelangt erstmals D. G. Morhof, der ›*Vater der dt. L.*‹, der in seinem »Unterricht von der Teutschen Sprache u. Poesie« (1682) den Entwicklungen eines Dichters nachspürt. In seinem »Polyhistor litterarius« (1688–92) legte er die bis dahin umfassendste Welt-L. vor. Obwohl im 18. Jh. das histor. Interesse (Gottsched, Bodmer, Breitinger, Lessing, Herder) gerade an altdt. Literatur im Wachsen war, entstand keine eigentl. L. Die Kräfte waren offenbar absorbiert durch die Erschließung des Materials. Erst in der *Romantik* führte das im 18. Jh. sich ausbreitende Interesse an der älteren dt. Nationalliteratur zu Versuchen umfassenderer Überblicke, zunächst in Vorlesungen: J. A. Nasser, »Vorlesungen über die Geschichte der dt. Poesie« (gedruckt 1798/1800 mit Ansätzen einer Periodisierung); Adam Müller, »Über die dt. Wissenschaft und Literatur« (1806), A. W. Schlegel, »Vorlesungen über dramat. Kunst und Literatur« (Wien 1808), F. Schlegel, »Geschichte der alten und neuen Literatur« (Wien 1812, L. v. a als Stilgeschichte), A. W. Schlegel, »Geschichte der dt. Sprache und Poesie« (Bonn 1818, hrsg. 1913). 1795/98 veröffentlichte E. J. Koch eine u. a. Handschriften und Drucke registrierende Bücherkunde: »Compendium der dt. L. von den ältesten Zeiten bis auf Lessings Tod«, eine Art ›Vor-Goedeke‹ mit den Kategorien Chronologie und Biographie; ihnl. angelegtes, polyhistor. Werk ist auch J. G. Eichhorns »Gesch. der Literatur« (1805). Die *erste als Lese- und Hausbuch angelegte L.* ist der in folgenden immer wieder erweiterte »Grundriß der Geschichte der dt. Nationalliteratur« von A. Koberstein (1827, 5. Aufl. von K. Bartsch 1872 ff., 5 Bde.). Die jungdt. L., z. B. die »Gesch. d. dt. L.« von H. Laube (1839), ist mehr eine Apologetik der neueren Literurformen, ebenso die publizist. L. Th. Mundts (1842). Einen *Markstein in der Entwicklung* der Literaturgeschicht-

schreibung stellt die im Zeichen des Historismus geschriebene »Gesch. der dt. Dichtung« des Historikers G. G. Gervinus (1835 ff.) dar, in welcher die Literatur in die polit. Geschichte eingeordnet wird und als Ersatz für die fehlende polit.-nationale Einheit dient. Seit der Mitte des 19. Jh.s nimmt die Zahl der L.n, z. T. mit popularisierender, volksbildner. Tendenz, zu. Auffällig ist, daß ein Teil der einflußreichen L.n von Nicht-Philologen stammt: so schon die L. von Gervinus, weiter die des Theologen A. F. Ch. Vilmar (1845, christl. nationale Aspekte) oder des Journalisten Julian Schmidt (1853); weiter sind zu nennen die L.n von R. Prutz (1845, freiheitl.-antinationalist.), W. Menzel (1858, national-konservativ), H. Kurz (1851 ff. mit breiten Textbeispielen). W. Wackernagel berücksichtigte dagegen die philolog.-literarhistor. Forschung (1851/53); einen späten Versuch einer L. unter romant. Blickwinkel unternahm J. v. Eichendorff (1857). – K. Goedeke baute in seinem »Grundriß zur Gesch. der dt. Dichtung« (3 Bde., 1859/81) die bücherkundl. Vorarbeiten Kochs aus und schuf so das grundlegende Nachschlagewerk der dt. Literatur (weitergeführt in mehreren Aufl.: 1884 ff., 1910 ff., 1955 ff., bis jetzt 15 Bde.), neu bearb. Bln.-Ost 1985. Als *Höhepunkt der Literaturgeschichtsschreibung* des 19. Jh.s gilt W. Scherers »Gesch. der dt. Literatur« (1883), in der (im Gefolge H. Taines) die Prinzipien der positivist. Literaturbetrachtung (kausale Bedingtheiten und die Gesetzmäßigkeit histor. Abläufe) die Konzeption bestimmen (↗Literaturwissenschaft). Die letzte umfassende Darstellung der dt. Literatur lieferte J. Nadler mit seiner faktenreichen »L. der dt. Stämme und Landschaften« (1912/28). Gesamtdarstellungen aus einer Feder sind nach dieser Zeit nur noch als Studien- oder Hausbücher erschienen (A. Biese, 1907–11; P. Fechter, 1932; G. Fricke, 1942; H. Schneider, 1948; F. Martini, 1949 (¹⁸1984); O. Mann, 1964; H.-J. Geerdts, 1967). – Neben die chronolog. Werkbeschreibungen (mit Biographien) des 19. Jh.s treten im 20. Jh. immer mehr Versuche, L. als Geistes- und Problemgeschichte oder, in jüngster Zeit, L. in ihrer soziolog.-ökonom. Abhängigkeit zu erfassen. Gefördert wurde die Literaturgeschichtsschreibung des 20. Jh.s v. a. auch durch *Einzeldarstellungen bestimmter Epochen und Gattungen* oder *Sammelwerke.* Umfassende (bisweilen unvollendet gebliebene) *Gemeinschaftsarbeiten* sind die »Epochen der dt. Literatur« (6 Bde. 1912 ff.), die »Dt. Dichtung«(von A. Heusler, J. Schwietering, G. Müller, O. Walzel) im »Handbuch der Literaturwissenschaft« (1923 ff., Neubearbeitung auf 28 Bde berechnet, 1972 ff.), die »Gesch. der dt. Lit.« von H. de Boor, R. Newald u. a. (7 Bde. 1949 f.), die nach teilannalist. Prinzip angelegten »Annalen der dt. Lit.« (hrsg. v. H. O. Burger, 1952, ²1971). Sozialgeschichtl. ausgerichtet sind Sammelwerke »Dt. Lit. – eine Sozialgeschichte« (hrsg. v. H. A. Glaser, 1980 ff.) und Hansers »Sozialgesch. der dt. Lit. vom 16. Jh. bis zur Gegenwart« (hrsg. von R. Grimminger, 1980 ff.). Jeweils von Autorenkollektiven bearbeitet sind auch die L.n der DDR, so z. B. die elfbänd. »Gesch. der dt. Lit. von den Anfängen zur Gegenwart« (Leitung K. Gysi, K. Böttcher u. a. 1963–1976) und die ebenfalls elfbänd. L. gleichen Titels (Leitung H.-G. Thalheim, G. Albrecht u. a.) 1969–79. – Weitere neuere Sammelwerke sind: Th. C. van Stockum, J. van Dam: »Gesch. der dt. Lit. von den Anfängen bis zur Gegenwart« (2 Bde. 1934/35, ³1961); B. Boesch (Hrsg.): »Dt. L. in Grundzügen« (1946, ³1967); W. Kohlschmidt, M. Wehrli, H. Lehnert: »Gesch. der dt. Lit. von den Anfängen bis zur Gegenwart« (5 Bde., 1965–1980), V. Žmegač, Z. Skreb, L. Sekulič: »Gesch. der dt. Lit. von Anfängen bis zur Gegenwart« (1981), J. Bark (Hrsg.): »Gesch. der dt. Lit.« (auf 6 Bde. berechnet, 1983 ff.); E. Bahr (Hg.): »Gesch. der dt. Lit. v. MA. bis z. Gegenwart«, Tüb. 1987 ff.; Barbara Baumann/Birgitta Oberle: »Dt. Lit. in Epochen«. 2 Bde. Mchn. 1985; W. Beutin u. a. (Hg.): »Dt. L.« Stuttg. 1979, ³1989. Einen neuen

Weg beschreitet die »Gesch. der Lit. aus Methoden«, hrsg. von H. L. Arnold (20 Bde., 1972–1976), als Auswahl von typ. und repräsentativen Auszügen method. verschieden angelegter L.n, Monographien und literaturkrit. Arbeiten. – Als *Darstellungen einzelner Epochen* waren im 19. Jh. schon als vorbildl. voraufgegangen H. Heines »Romant. Schule« (1836), H. Hettners philos.-ästhet. ausgerichtete L. des 18. Jh.s (1870), R. Hayms »Romant. Schule« (1870); aus dem 20. Jh. sind zu nennen: *für das MA*. das immer noch grundlegende Werk G. Ehrismann, »Gesch. der dt. Lit. bis zum Ausgang des MA.s«, 4 Bde. (1918–35), dann H. Schneider, »Heldendichtung, Geistlichendichtung, Ritterdichtung« (1925), K. Bertau, »Dt. Literatur im europ. MA.« (2 Bde. 1972 f.) u. D. Kartschoke/J. Bumke/Th. Cramer: »Gesch. d. dt. Lit. des MA.s« (3 Bde. 1990); *für die Neuzeit* H. A. Korff, »Geist der Goethezeit« (1923/53), E. Ermatinger, »Dt. Dichter 1750–1900« (1948 f.), E. Alker, »Gesch. der dt. Lit. von Goethes Tod bis zur Gegenwart« (2 Bde. 1949 f.), A. Soergel, »Dichtung und Dichter der Zeit« (1911 ff.), F. Sengle, »Biedermeierzeit« (3 Bde. 1971, 72, 80) oder V. Žmegač (Hrsg.): »Gesch. der dt. Lit. vom 18. Jh. bis zur Gegenwart« (3 Bde. 1978 ff.). Weiter *Form- und Gattungsdarstellungen* wie A. Heusler, »Dt. Versgeschichte« (1925/29), P. Böckmann, »Formgeschichte der dt. Dichtung« (1949); W. Creizenach, »Gesch. des neueren Dramas« (1893–1916), K. Viëtor, »Gesch. der dt. Ode« (1923), G. Müller, »Gesch. des dt. Liedes« (1925), H. H. Borcherdt, »Gesch. des Romans u. d. Novelle in Dtschld.« (1926 u. 1949), F. Beißner, »Gesch. der dt. Elegie« (1941), J. Klein, »Gesch. der dt. Novelle« (1954) u. a. – Daneben finden sich auch, v. a. für ein breiteres Publikum gedacht, *illustrierte L.n*, z. B. J. Scherr, »Illustrierte Gesch. der Weltlit.« (2 Bde., [11]1927), die 7 Bände des Handbuchs der Lit.wissenschaft, die »Kurze Gesch. der dt. Lit.« (des Autorenkollektivs unter Leitung von K. Böttcher und H.-J. Geerdts, 1981) oder etwa G. von Wilpert, »Dt. Lit. in Bildern« ([2]1965) oder A. Salzer/E. v. Tunk: »Illustrierte Gesch. d. dt. Lit.«. 6 Bde. neu bearb. v. C. Heinrich u. a. Weinheim 1986; vgl. auch ⁄Literaturatlas und *L.n mit ausführl. Beigaben von Originaltexten* (meist für Schulzwecke), z. B. die franz. L. von A. Lagarde u. L. Michard, »Textes et Littérature« (6 Bde. Paris 1966) oder »La Letteratura italiana. Storie e testi«, hrsg. v. C. Muscetta (9 Bde. Bari 1970) oder J. Raulfs: »Dt. L. in Beispielen«. Rinteln 1986. – In *Tabellenwerken* wird in gewissem Sinne die Tradition mal. Register wieder aufgegriffen, vgl. z. B. K. Schmidt, »Vergleichende Tabellen über die Litteratur- und Staatengeschichte der neueren Welt« (1865), im 20. Jh. F. Schmitt u. G. Fricke, »Dt. Lit. in Tabellen« (1949–52) oder F. Schmitt u. J. Göres, »Abriß der dt. Lit. in Tabellen« (1955). – *Weitere L.n: Dt. L.n mit staatl. Begrenzung:* J. Nadler: L. der dt. Schweiz (1932); G. Calgari: Storia delle quatro letterature della Svizzera (1958); J. W. Nagl, J. Zeidler, E. Castle (Hrsg.): Dt.-österr. L. (1897–1937); J. Nadler, L. Österreichs (1948, [2]1951). Autorenkollektiv (Leitung H.-J. Geerdts): Lit. der Dt. Demokrat. Republik. Stuttg. 1972. *Ausländ. L.n* (in Auswahl): *Franz. L.n:* P. Brockmeier, H. H. Wetzel (Hrsg.): Franz. L. in Einzeldarstellungen (Stuttg. 1981 ff.); P. Brunel, Y. Bellenger u. a.: Histoire de la littérature française (2 Bde. Paris 1972); Littérature française. Coll. dir. par. C. Pichois (8 Bde. Paris 1968–72); J. Theisen: Gesch. der franz. Lit. (Stuttg. [2]1969); P.-G. Castex, P. Surer, G. Becker: Manuel des études littéraires français (6 Bde. Paris [2]1967–69); E. von Jan: Franz. L. in Grundzügen (Heidelbg. [6]1967); V. L. Saulnier: La littérature française (5 Bde. Paris 1963–65); Histoire de la littérature française. Publ. par J. Calvet (9 Bde. Paris 1931–38, 10 Bde. [2]1955–64); J. Bédier, P. Hazard: Histoire de la littérature française (2 Bde. Paris [2]1949). *Italien. L.n:* G. Contini: Letteratura italiana delle origine (Firenze 1970); G. Carsaniga: Gesch. der it. Lit. von der Renaissance bis zur

Gegenwart (Dt. Übers. Stuttg. 1970); A. Momigliano: Storia della letteratura italiana dalle origine ai nostri giorni (Milano [15]1969); E. Cecchi, N. Sapegno: Storia della letteratura italiana (9 Bde. Milano 1965–69); F. Flora: Storia della letteratura italiana (5 Bde. Verona [16]1967); M. Apollonio u. a.: Storia letteraria d'Italia (10 Bde. Milano [4]1966 ff.); F. de Sanctis: Storia della letteratura italiana (2 Bde. Bari 1870, neuere Auflagen bis 1958, dt. Übers. 1941–43). *Engl. L.n:* W. F. Schirmer u. a.: Gesch. der engl. u. amerikan. Lit. (Tüb. [6]1983); E. Standop, E. Mertner: Engl. L. (Hdbg. [4]1983); B. Ford (Ed.): The Pelican guide to English literature (7 Bde. Harmondsworth 1966–69); A. C. Baugh u. a. (Ed.): A literary history of England (3 Bde. London [2]1967); F. P. Wilson u. a. (Ed.): Oxford history of English literature (14 Bde. Oxford 1945 ff.); E. Legouis, L. Cazamian: Histoire de la littérature Anglaise (Paris [3]1930, engl. Übers. London [2]1947); A. W. Ward, A. R. Waller (Ed.): Cambridge history of English literature (15 Bde. Cambr. 1907–16). *Amerikan. L.n:* R. E. Spiller, W. Thorp u. a. (Ed.): Literary history of the United States (New York [4]1975; dt. Übers. 1959); R. Haas: Amerikan. L. (2 Bde. Hdbg. [2]1974); J. D. Hart: The Oxford Companion of American literature (New York [2]1965); Van Wyck Brooks: Makers and finders. A history of the writers in America (5 Bde. Cleveland, London 1944–52); W. P. Trent, J. Erskine u. a. (Ed.): Cambridge history of American literature (4 Bde. Cambr. 1918/21). *Geschichte der Weltlit.:* H. W. Eppelsheimer: Gesch. der europ. Weltlit. (Frkft. 1970) und Handbuch der Weltlit. v. d. Anfängen bis zur Gegenwart (Frkft. [3]1960); P. Wiegler: Gesch. der fremdsprach. Weltlit. (Mchn. [6]1949). ⁄Literaturlexikon.

▱ Simm, H.-J.: Abstraktion u. Dichtung. Zum Strukturgesetz der L. Bonn 1989. – Fohrmann, J.: Das Projekt der L. Entstehung u. Scheitern einer nationalen Lit.geschichtsschreibung zw. Humanismus u. Dt. Kaiserreich. Stuttg. 1989. – Haubrichs, W. (Hrsg.): Probleme der Lit.geschichtsschreibung (ohne Schul lungsauftrag. Tüb. 1980. – Haubrichs, W. (Hrsg.): Probleme der Lit.geschichtsschreibung. Gött. 1979 (Beiheft LiLi 10). – Marsch, E. (Hrsg.): Über Lit.geschichtsschreibung. Die historisierende Methode des 19. Jh.s in Programm u. Kritik. Darmst. 1975. – Weimann, R.: L. und Mythologie. Bln./Weimar [3]1974. – Jauss, H. R.: L. als Provokation. Frkft. 1970. – Barthes, R.: Lit. oder Geschichte Dt. Übers. Frkft. 1969. – Arnold, R. F.: Allgem. Bücherkunde zur neueren dt. L. Neu bearb. v. J. Herbert. Bln. [4]1966. – Teesing, H. P. H.: Das Problem der Perioden in der L. Groningen 1949. – Tieghem, P. v.: Les tendances nouvelles en histoire littéraire. Paris 1930. – Cysarz, H.: L. als Geisteswissenschaft. Halle 1926. – Lanson, G.: Méthodes de l'histoire littéraire. Paris 1925. – Unger, R.: L. als Problemgesch. Bln. 1924. – Merker, P.: Neuere dt. L. Gotha 1922. –

Literaturkalender, 1. period. erscheinendes Verzeichnis biograph. u. bibliograph. Daten lebender Schriftsteller. Maßgebl. Werk für die dt.sprach. Literatur ist ›Kürschners Dt. L.‹, 1879 u. d. T. ›Allgem. Dt. L.‹ gegründet und hrsg. von den Brüdern H. u. J. Hart, ab 1883 (Jg. 5–24) u. d. T. ›Dt. L.‹ hg. v. J. Kürschner, ab Jg. 25 (1903 ff.): ›Kürschner Dt. L.‹: Der Berücksichtige bis 1924 Autoren schöngeist. u. wissenschaftl. Literatur, seit 1925 erscheint gesonder ›Kürschners Dt. Gelehrtenkalender‹ (enthält außerdem einen Nekrolog, ein Verzeichnis der ⁄literar. Zeitschriften Autorenverbände, ⁄lit. Gesellschaften, Akademien, Stiftungen u. ⁄Lit.Preise). 2. Von Verlagen jährl. hg. Lese Merk- u. Notizbücher, meist mit literar. Kalendarium (Geburts-, Todestage v. Autoren) und themat., gattungs oder autororientierten literar. Beiträgen, meist zus.gestell aus verlagseigenen Produktionen, z. B. »Mit Goethe durc d. Jahr« (Artemis, hg. v. E. Biedrzynski, seit 1949), Reclam L. (hg. v. A. Haueis, seit 1955; seit 1981 auch rückschau ende »Jahresüberblicke«), Arche-L. (Arche Verlag Zürich u.v.a. – *Vorläufer* dieser L. können in den ⁄Musen-⁄Alma nachen und ↗Taschenbüchern des 18. Jh.s gesehen werden (1. dt.-sprach. L. etwa der »Göttinger Musenalmanach«, 1770ff.). ↗Biobibliographie, ↗Personalbibliographie. IS

Literaturkritik, Behandlung literar. Werke u. Stile, bei der die krit. Interpretation, Reflexion und ↗literar. Wertung im Vordergrund stehen. Stellt im Sinne einer prakt. Literaturtheorie einen vierten Bereich der Beschäftigung mit Literatur neben der histor. Erfassung und Darstellung der Literatur (↗Literaturgeschichte), der theoret. Reflexion (↗Literaturtheorie) und der übergeordneten, u. a. systematisierenden Klassifikation (↗Literaturwissenschaft) dar unter fakultativer Einbeziehung der Kriterien der allgem. Kunstkritik und der philolog. u. histor. Forschung. Zwischen den vier Bereichen finden sich zeit-, personen- und programmbedingt mannigfache Übergänge. L. wendet sich vornehml. der krit. Erfassung der jeweils *zeitgenöss. Literatur* zu. Es finden sich daneben auch Ansätze zu einer Revision literarhistor. Schulmeinungen, d. h. Versuche, eine vermeintl. Über- oder Unterbewertung eines Autors zu korrigieren (z. B. Arno Schmidt zu Stifter oder Fouqué). Die L. entnahm bis zum 18. Jh. ihre Maßstäbe meist bestimmten poetolog. Normen- und Regelkatalogen, literar. Traditionen und Autoritäten (vgl. die Rolle der antiken Autoren und der vermeintl. auf diesen basierenden Poetiken in Renaissance und Barock oder die Shakespeares im 18. Jh.), wobei diese selbst ins Kreuzfeuer der L. geraten konnten (vgl. im 17. Jh. in Frankreich »La querelle des anciens et des modernes«, im 18. Jh. der ↗Literaturstreit zw. Gottsched und Bodmer/Breitinger). Seit dem Ende des 18. Jh.s entfaltet ein gewisser Kategorienpluralismus entsprechend den sich überlagernden literar. Strömungen: die Maßstäbe wurden z. B. teilweise aus den Entstehungsbedingungen des Werkes (Herder), aber auch aus dem betreffenden Werk selbst abgeleitet (L. des ↗Sturm u. Drang). Außer den jeweils für bestimmte literar. Richtungen verbindl. literar.-formalen, ästhet. Kategorien wirken auf die L. bisweilen auch außerpoet. Gesichtspunkte, u. a. moral., eth., religiöse Bewertungen des Inhalts, aber auch Urteile über die geist., weltanschaul. oder polit. Haltung eines Autors (vgl. Schiller gegen Bürger, Heine gegen Platen). Der polit. Aspekt hat eine spezif. Relevanz im 20. Jh. bekommen (vgl. die russ. L. nach 1930, die nazist. L.). Zur Problematik der Wertungskategorien vgl. ↗literar. Wertung. – Das Forum der L. bilden v. a. die ↗literar. Zeitschriften; mit bes. Gewicht auf der Vermittlung zwischen dem zeitgenöss. Literaturbetrieb und einem breiteren Publikum auch Zeitungen (↗Feuilleton). Der L. dienen Rezensionen, Essays, Abhandlungen; ältere, mehr indirekte Formen sind ↗Literatursatiren und Parodien (↗Dichterfehden). L. wurde bis ins 20. Jh. häufig auch von bedeutenden Dichtern geübt. Erst im 20. Jh. tritt mehr und mehr der berufsmäßige L.er in den Vordergrund. *Geschichte der L.:* Literar. Kritik läßt sich bereits in der Antike feststellen, z. B. in literar. ↗Agonen: literar. Niederschlag fand sie u. a. in Werken wie dem »Certamen Homeri et Hesiodi«, dem Dichterwettstreit in den »Fröschen« des Aristophanes, in sophist. und hellenist. Dichterkommentaren und ↗Scholien. In der *röm. L.* tritt der criticus (Richter der Literatur) neben dem grammaticus (Kenner der Literatur); Maßstäbe lieferten Regeln der antiken Rhetorik und Poetik. Im *lat. MA.* findet sich daneben auch die religiös motivierte L. (vgl. Hrotsvits Vorreden zu ihren Dramen). In der *mhd. Literatur* dann ästhet., stilist.-wertende L., erstmals bei Gottfried von Straßburg (Prolog und Literaturstelle des »Tristan«), später bei Rudolf von Ems u. Konrad von Würzburg; moral. wertend dagegen wieder vornehml. Hugo von Trimberg (im »Renner«). Als ein Höhepunkt mal. Literaturbetrachtung gilt Dantes Selbstinterpretation seiner »Divina Commedia«(13. Brief). – Im Zeitalter des Humanismus bleibt L. meist in polit.-religiöser Polemik befangen. Erst *im 17. Jh.* beginnt im Anschluß an J. C. Scaliger (16. Jh.) mit M. Opitz

wieder eine krit. Auseinandersetzung mit überkommenen literar. Traditionen, wobei Formfragen im Vordergrund stehen (vgl. ↗Sprachgesellschaften oder D. G. Morhofs »Unterricht von der Teutschen Sprache und Poesie«, 1682). – L. auf breiterer Basis förderte jedoch erst der aufklärer. Impetus des 18. Jh.s: Die *L. der Aufklärung* orientierte sich themat. an den humanitären Aspekten, formal an den Normen der frz. Poetik (Boileau). Hauptvertreter aufklärer. L. waren J. Ch. Gottsched (»Versuch einer Crit. Dichtkunst«, 1730) und der Berliner Literatenkreis um den Verleger F. Nicolai (Sulzer, Ramler, Mendelssohn, Lessing), dessen literar. Zeitschriften (»Bibliothek d. schönen Wissenschaften . . .«, seit 1757, »Allgem. Dt. Bibliothek«, seit 1765) weitverbreitete Organe dieser L. waren. Eine Gegenbewegung gegen deren rationalist. Grundlegung zeichnet sich schon vor der Jahrhundertmitte ab durch die Schriften der Schweizer Bodmer u. Breitinger (vgl. J. J. Breitingers »Crit. Dichtkunst« 1740, auch ↗Literaturstreit). An die Stelle der Autoritäten der frz. Aufklärung werden im Zeichen des beginnenden Irrationalismus Milton und Shakespeare gesetzt. Höhepunkt einer die Gegensätze klärenden L. ist das Wirken Lessings (»Briefe, die neueste Literatur betreffend«, 1759/60, »Hamburg. Dramaturgie« 1767/69). Diese Reaktion führt dann im Sturm und Drang zum jede äußere Regel mißachtenden Kult des Genies, das sich seine Maßstäbe selbst setzt (lit.krit. Aufsätze Herders, des jungen Goethe). Die ↗*Weimarer Klassik* stellte dann ihre L. wieder unter objektive Wesensgesetze, v. a. der Gattungen (im Anschluß an die Ästhetik Kants, Schillers »Briefe über die ästhet. Erziehung des Menschen«, 1795, »Über naive u. sentimental. Dichtung«, 1795, und seine Zeitschrift »Die Horen« 1795–97, d. klass. Goethe, W. v. Humboldt). Dagegen führte die *romant. L.* zum Auflösung der klass. Normen mehr die Tendenzen der L. des Sturm und Drang fort (insbes. F. und A. W. Schlegel, L. Tieck, Novalis, Solger, Organ: »Athenäum«, 1798/1800) unter Einbeziehung literaturtheoret. (im Gefolge Fichtes und der Hermeneutik Schleiermachers) entwickelter Kategorien des Organischen, Geschichtlichen u. psycholog. Einfühlens. Die Entwicklung der L. seit dem *19. Jh.* ist gekennzeichnet durch ein Pendeln zwischen der Abhängigkeit von außerkünstler. Gesichtspunkten und einer z. T. esoter. Besinnung auf das Poetische. Eine erste Politisierung der L. zeigt sich im ↗*Jungen Deutschland* (Heine, Börne, Laube, Gutzkow, vgl. auch die Ablehnung Goethes). Die Strömungen des Historismus, Nationalismus, Ästhetizismus, Positivismus usw. wirken mannigfach auf die L. ein. Sie wird im 19. Jh. immer noch vornehml. von Dichtern getragen (Grabbe, Keller, Hebbel, Fontane, Hofmannsthal); im 20. Jh. tritt dann neben den Dichter als Literaturkritiker (Th. Mann, R. A. Schröder, B. Brecht, A. Schmidt, M. Walser u. a.) mehr und mehr der berufsmäßige Kritiker (Journalist. Rezensionstätigkeit; vgl. in den Ags. wird unterschieden zwischen review = Buchbesprechung und criticism = wissenschaftl. Kritik), vgl. z. B. die Berliner L. der Brüder Hart, P. Schlenthers, A. Kerrs, K. Tucholskys, H. Iherings, J. Babs u. a. oder der Wiener Kritikerschule (H. Bahr, K. Kraus, A. Polgar u. a.), oder v. W. Rychner, M. Reich-Ranicki, H. Krüger, J. Kaiser u. a., von Literaturwissenschaftlern im 19. Jh. noch vereinzelt F. Th. Vischer, neuerdings v. a. Hans Mayer, W. Jens, P. Wapnewski, F. J. Raddatz, u. a. Die frz. und engl. L. war immer wieder von beträchtl. Einfluß auf die dt.: Am Beginn der neueren frz. L. stehen der Abbé d'Aubignac (»Pratique du Théâtre«, 1657) und v. a. Boileau (»Art poétique«, 1674), im 18. Jh. Diderot (»Paradoxe sur le comédien«, 1770), im 19. Jh. Sainte-Beuve, Brunetière, J. Lemaître, Zola, im 20. Jh. P. Valéry, J. P. Sartre u. a. In England beginnt die eigentl. L. ebenfalls in der Aufklärung (Addison, A. Pope, J. Dennis, E. Young), im 19. Jh. prägen S. T. Coleridge, M. Arnold (»Essays in Criticism«, 1865 u. 88) u. W. Pater die

L., im 20. Jh. E. K. Chambers, W. P. Ker, T. S. Eliot, T. E. Hulme (∕Imagismus), I. A. Richards, V. Woolf. – Die amerikan. L. steht anfangs unter engl. Einfluß. Verschiedene literar. Strömungen und Organe bildeten Zentren der L., z. B. die Zeitschrift »Scrutiny« (1932–53) und der international anerkannte ∕New Criticism (J. C. Ransom, 1941). Der Einfluß der auf den literaturkrit. Arbeiten von K. Marx und F. Engels aufbauenden marxist. L. ist in den letzten Jahrzehnten in allen Bereichen der westl. L. deutl. zu spüren (G. Lukács, W. Benjamin, P. Rilla, Hans Mayer; B. Brecht, J. R. Becher; M. Gorki, W. Majakowski), während sie zu Beginn des 20. Jh.s (F. Mehring) zunächst noch relativ unbeachtet blieb.

⌨ Hohendahl, P. U. (Hg.): Gesch. der L. 1730–1980. Stuttg. 1985. – Frank, A. P.: Einführung in d. brit. u. amerikan. L. und -theorie. Darmst. 1983. – Hinck, W.: Germanistik als L. Frkf. 1983. – Graf, G.: L. und ihre Didaktik. Modellanalysen z. Wertungspraxis. Mchn. 1981. – Jens, W. (Hrsg.): Lit. und Kritik. Fs. M. Reich-Ranicki. Stuttg. 1980. – Strelka, J.: Werk, Werkverständnis, Wertung. Grundprobleme vergleichender L. Bern/Mchn. 1978. – Goeppert, S. (Hrsg.): Perspektiven psychoanalyt. L. Freiburg 1978. – Wellek, R.: Gesch. der L. 1750–1950. (1965). 3 Bde. Dt. Übers. Bln./New York 1977/78. – Kreuzer, H. (Hrsg.): Zur Terminologie der Lit.wissenschaft und L. LiLi 30/31 (1978). – Winter, H.: Literaturtheorie und L. Düsseld./Bern/Mchn. 1975. – Schwencke, O. (Hrsg.): Kritik der L. Stuttg. u. a. 1973. – Žmegač, V. (Hrsg.): Marxist. L. Frkft. ²1972. – Richards, I. A.: Prinzipien der L. Dt. Übers. Frkft. 1972. – Wellek, R.: Grenzziehungen. Beitr. zur L. Stuttg. 1972. – Mayer, Hans (Hrsg.): Dt. L. der Gegenwart. 1933–1968. Stuttg. 1972. – Erzgräber, W. (Hg.): Moderne engl. u. amerikan. L. Darmst. 1970. – Wellek, R.: Grundbegriffe der L. Dt. Übers. Stuttg. u. a. 1965. – Carloni, J.-C./Filloux, J.-C.: La critique littéraire. Paris ⁴1963. – Müller, Karl F.: Die literar. Kritik in der mhd. Dichtung und ihr Wesen. Frkft. 1933, Nachdr. Darmst. 1967. *Dokumentation:* Mayer, Hans (Hrsg.): Meisterwerke dt. L. 2 Bde. Bln. ¹⁻²1956.   S

Literaturlexikon, alphabet. geordnetes Nachschlagewerk zur Literatur, das entweder diese in ihrer Gesamtheit oder in gewissen Teilbereichen zu erfassen sucht. Zu unterscheiden sind 1. *Autorenlexika* zur Weltliteratur, zu einzelnen Nationalliteraturen und zu literar. Epochen mit biograph. Daten, Werkregister, z. T. auch Werkcharakterisierungen und (meist) bibliographischen Angaben. 2. *Werklexika* mit Inhaltsangaben (mit Interpretationen), Informationen über Entstehungszeit und Erscheinungsjahr sowie Spezialbibliographien der in ihnen vertretenen Titel; 3. *Reallexika,* die über literar. Formen, Gattungen, Arten, Stile, Epochen, Institutionen, Metrik, Rhetorik u. a. m. handeln; 4. *Stoff- und Motivlexika* und 5. *Mischformen,* die Autoren-, Werk- und Reallexika kombinieren.

1. *Autorenlexika* zur *Weltliteratur:* Lexikon der Weltliteratur. Biogr.-bibliogr. Hdwb. nach Autoren u. anonymen Werken. Hg. v. G. v. Wilpert. Stuttg. ³1988, 2 Bde; zu *Nationalliteraturen* (z. B. Deutschland): Kindlers Neues L. Hg. v. W. Jens. Mchn. 1988 ff. (auf 20 Bde. berechnet); Grimm, G. E./Max, F. R. (Hg.): Dt. Dichter. 8 Bde. 1988/90; Wilpert, G. v.: Dt. Dichterlexikon. Stuttg. ³1988; Lutz, B. (Hg.): Metzler Autoren-Lexikon. Stuttg. 1986; Albrecht, G. u. a.: Lexikon deutschsprachiger Schriftsteller. Von den Anfängen bis zur Gegenwart. Kronberg i. T. 1974. 3 Bde.; Kosch, W.: Deutsches L. Biogr.-bibliogr. Hdb. Hg. v. B. Berger u. H. Rupp. Bern u. Mchn. ³1968 ff. – *Epochen:* L. des 20. Jh.s. Hg. v. H. Olles. Reinbek 1971; Hdb. der deutschen Gegenwartslit. Hg. v. H. Kunisch. Mchn. ²1969–70. 3 Bde.; Die deutsche Lit. des MA.s. Verfasserlexikon. Hg. v. W. Stammler u. K. Langosch, 2. Aufl. hrsg. v. K. Ruh, Bln./New York 1978 ff. (bis 1990 7 Bde. A–R); Buchwald, W. u. a.: Tusculum Lexikon griech. u. lat. Autoren des Altertums u. des MA.s. Mchn. ²1963.

2. *Werklexika:* Wilpert, G. v.: Hauptwerke d. Weltlit. Stuttg. 1980; Knaurs Lexikon d. Weltlit. Hg. v. D. Krywalski. Mchn. 1979; Kindlers L. in 12 Bd.n. Zürich 1965–71; als dtv-Tb. 25 Bde., Mchn. 1974 (Grundlage: Bompiani, V. [Hg.]: Dizionario delle opere di tutti i tempi e di tutte le letterature. 9+2 Bde. Milano ²1964); Kindermann, H.: Lexikon der Weltlit. Wien/Stuttg. ³1951.

3. *Reallexika:* Metzler, L., hg. v. G. u. I. Schweikle, Stuttg. 1984, ²1990; Wilpert, G. v.: Sachwörterbuch d. Lit. Stuttg. ⁷1989; Krywalski, D. (Hg.): Handlexikon zur Lit.wiss. Mchn. 1974; Preminger, A. u. a.: The encyclopedia of poetry and poetics. Princeton 1974; Reallexikon der deutschen Lit.gesch. 4 Bde. Berlin 1925–31, ²1958–84; Dt. Philologie im Aufriß. Hg. v. W. Stammler. 3 Bde. Bln. ²1957–62.

4. *Stoff- und Motivlexika:* Frenzel, E.: Stoffe der Weltlit. Stuttg. ⁷1988; dies.: Motive d. Weltlit. Stuttg. ³1988; Mertens, V./Müller, U. (Hg.): Ep.Stoffe des MA.s. Stuttg. 1984. – 5. *Mischformen:* Bertelsmann L. Autoren u. Werke. dt. Sprache. Hg. v. W. Killy. Gütersloh/Mchn. 1990 ff. (auf 15 Bde. berechnet); Lexikon der engl. Lit. Stuttg. 1979; Engler, W.: Lexikon d. frz. Lit. Stuttg. 1974; Tieghem, P. v.: Dictionnaire des littératures. Paris 1968. 3 Bde.; Pongs, H.: Das kleine Lexikon der Weltlit. Stuttg. ⁶1967; Kleines literar. Lexikon. Hg. v. H. Rüdiger u. E. Kappen. Bern u. Mchn. ⁴1966–73. 2 Bde.; Lexikon sozialist. deutscher Lit. Von den Anfängen bis 1945. Monograph.-biograph. Darst. Hg. v. einem Autorenkollektiv. Halle 1963; Drabble, M.: The Oxford companion to English literature. Oxford ⁵1985; Hart, J. D.: The Oxford companion to American literature. New York ⁵1983.   PH*

Literaturpreis, period. vergebene, meist mit einem Geldpreis verbundene Auszeichnung von Schriftstellern zur Würdigung ihres Gesamt- oder eines Einzelwerkes oder zu ihrer Förderung. – L.e sollen das öffentl. Interesse an Literatur bestätigen. Sie können zugleich Instrument kulturpolit. Planung (und evtl. sogar Steuerung), Mittel der Kultursozialpolitik, der kulturellen Wirtschaftsförderung oder mäzenat. Repräsentation sein. Man unterscheidet nationale und *internationale* L.e, wie z. B. den ∕Nobelpreis (1901), den Veillonpreis (1947), den Europapreis Paolo Marzotto (1950), den Hansischen Goethepreis der Stiftung F. V. S. Hamburg (1950), den Großen internationalen Poesiepreis (gestiftet 1956 vom ›Maison International de la poésie‹, den Balzanpreis (1957), den Internat. Verlegerpreis und den Prix Formentor (gestiftet 1960/61 von den Verlagshäusern Einaudi, Gallimard, Grove Press, Rowohlt u. a.). *Nationale L.e* werden gestiftet
1. von *Staaten:* im dt.-sprach. Bereich z. B. der Nationalpreis für Kunst u. Lit. der DDR, der Heinrich-Mann-Preis (Akad. d. Künste der DDR, 1949), der Lessing-Preis des Ministeriums f. Kultur der DDR (1954) und der Heinrich-Heine-Preis des Ministerrats der DDR (1956); in der Bundesrepublik z. B. der Dt. Jugendliteratur-Preis (Bundesministerium für Jugend, Familie, Frauen, Gesundheit, 1956), der Andreas-Gryphius-Preis (Bundesministerium d. Innern, 1957) oder die Österreich. Staatspreise für Literatur (1950) und für Kinder- und Jugendbücher (1955/56);
2. von *Bundes-Ländern;* z. B. der Berliner Kunstpreis Junge Generation und der Fontane-Preis (Berlin, 1948), den Johann-Peter-Hebel-Preis (Baden, jetzt Bad.-Württ., 1935), der Schiller-Gedächtnispreis (Baden-Württ., 1955), der Georg-Büchner-Preis (u. a. Hessen, 1923), der Große Kunstpreis des Landes Nordrhein-Westfalen (1953), der Staatl. Förderungspreis für junge Künstler und Schriftsteller (Bayern, 1965); – der Georg-Trakl-Preis für Lyrik (Salzburger Landesregierung, 1952), der Kulturpreis d. Landes Kärnten (1971);
3. von *Städten:* z. B. der Frankfurter Goethe-Preis (1927), der Förderungspreis für Literatur (1928) und der Tukan-

preis (1965) der Stadt München; der Lessing-Preis der Freien Hansestadt Hamburg (1929); der Schiller-Preis d. Stadt Mannheim (1954); der Nelly-Sachs-Kulturpreis (Dortmund, 1961), der Heinrich-Heine-Preis (Düsseldorf 1972), der Thomas-Mann-Preis (Lübeck 1975) u. viele andere (über 40 Städte der Bundesrepublik verleihen L.e); – in der DDR der Goethepreis der Hauptstadt der DDR Berlin (1950); der Ingeborg-Bachmann-Preis (Klagenfurt 1977); die L.e der Stadt Zürich (1930) und der Stadt Bern (1939), der Premio Campiello (Venedig 1963) u. a.
4. von *Verbänden:* z. B. die L.e des Förderungswerkes des Kulturkreises im Bundesverband der dt. Industrie (1953), der Kulturpreis des DGB (1964), der L. des FDGB (DDR, 1955), der Gerhart-Hauptmann-Preis (Freie Volksbühne, 1953), der Hörspielpreis der Kriegsblinden (Bund der Kriegsblinden, 1951), der Kritikerpreis für Literatur (Verband dt. Kritiker, 1950/51);
5. von *Stiftungen:* z.B. der Eichendorff-L. (Eichendorff-Stiftung, 1923), die L.e der Stiftung F. V. S. Hamburg (Shakespeare-Preis, 1937/67, Johann Gottfried-von-Herder-Preis, 1964; Klaus-Groth-, Fritz-Reuter-Preis, 1954, Fritz-Stavenhagen-, Hans-Böttcher-Preis, 1958 u. a.); der Arno-Schmidt-Preis (A. Schmidt-Stiftung, 1982);
6. von *Akademien:* z.B. der Georg-Büchner-Preis, der Johann-Heinrich-Merck-, Sigmund-Freud- und Dt. Übersetzer-Preis (Dt. Akademie für Sprache und Dichtung), der Große L. (1950), der Adelbert-v.-Chamisso-Preis (f. dt. Lit. von Autoren nicht-dt. Muttersprache, 1984) u. der Preis für Exilliteratur (1988) der Bayer. Akademie der schönen Künste, der Grand Prix littéraire de l'Académie française (1912) u. a.;
7. von *Zeitschriften:* z.B. der Prix Fémina (Zeitschriften ›Fémina‹ und ›Vie heureuse‹, 1904), der Aspekte-L. (Zs.Aspekte, 1979);
8. von *Verlagen:* z. B. der Kleistpreis (1912–32, wieder seit 1985), der Prix Renaudot (1926), der Premio Viareggio (1929), der Prix Interallié (1930, s. auch internationale L.e), von *Einzelpersönlichkeiten,* z. B. der Nobelpreis, der Prix Goncourt (1903), die Pulitzerpreise (1917), der Villa-Massimo-Preis (Eduard Arnhold, 1912), der Gottfried-Keller-Preis (Martin Bodmer, 1922), der Premio Strega (G. Alterti, G. u. M. Bellonci, 1947), der Lion-Feuchtwanger-Preis (Marta Feuchtw., 1971), der Petrarca-Preis (H. Burda, 1975), der Döblin-Preis (G. Grass, 1978).
📖 Kürschners Dt. Literaturkalender. 60. Jg. Berlin u. a. 1988 (dt.-sprach. L.e). – Hdb. der Kulturpreise u. individuellen Kunstförderung in der BRD. Hg. v. K. Fohrbeck, Köln 1985. – Michael, H. u. a. (Hg.): Nederlandse literaire prijzen 1880–1985. s'Gravenhage 1986. – Weber, O. S.: Literary and library prizes. New York ⁹1976 (engl.-sprach. L.e). – Guide des prix littéraires. Paris 1966, Supplément 1971. – Clapp, J.: International dictionary of literary awards. New York 1963 (intern. L.e). IS

Literaturrevolution, Sammelbez. für die literar. Umwälzungen zu Beginn des 20.Jh.s, die sich in einer Vielzahl z. T. heterogener literar. Tendenzen und Gruppierungen in Europa herausbildeten: ∕Futurismus (in Italien und Rußland), ∕Expressionismus, insbes. ∕Sturmkreis (in Dtschld.), ∕Dadaismus (in der Schweiz, in Dtschld. u. Frankr.), Kubismus, ∕Surrealismus (in Frankr.), ∕Poetismus (in der Tschechoslowakei) u. a. Oft werden auch bereits der ∕Naturalismus als eine 1. Phase und die ästhetisierenden Gegenbewegungen (Symbolismus, Impressionismus) als 2. Phase (auch: 1. und 2. ›Moderne‹) einer L. bezeichnet. Gemeinsam ist den oft kurzlebigen und rasch fluktuierenden Gruppierungen der L. die Ablehnung des Bildungsbürgertums und seines Dichtungsverständnisses, überhaupt der traditionellen Dichtungsformen u. der bürgerl. Ästhetik, die Suche nach neuen Ausdrucksmöglichkeiten, insbes. durch akust. Experimente (∕abstrakte, ∕konkrete Dichtung, ∕Collage), die Radikalisierung ihrer

jeweil. Methoden, ihr Engagement innerhalb der gesellschaftl. Bewegungen und ihre jeweil. Bindung an Ideologien. Sie stellen oft widersprüchl. Teilaspekte, Teilphasen umfassender kultureller Veränderungen dar, indem sie, entsprechend der Polarität Kunst-Wirklichkeit, die Frage nach der Kunst für eine zu verändernde oder geänderte Wirklichkeit neu stellen. Eine Unterscheidung der einzelnen -ismen nach formalen (Stil)kriterien ist oft schwierig, da sie gelegentl. mit denselben Methoden ganz andere Ziele verfolgen, z. B. der italien. Futurismus die Verherrlichung des Krieges, der Züricher Dadaismus dagegen einen bedingungslosen Pazifismus. Sie sind zudem in sich selbst vielschichtig und widerspruchsvoll (z. B. Züricher gegen Berliner Dadaismus), überdies oft in sich zerstritten (z. B. Surrealismus). Eine reine Abgrenzung ist nur da mögl., wo Gruppen der L. innerhalb bestimmter gesellschaftl. Umwälzungen auch polit. Partei ergriffen, z. B. der russ. Futurismus für den Marxismus/Kommunismus, der italien. Futurismus für den Faschismus. Konsequenterweise sprechen deshalb verschiedene Autoren statt von ›L.‹ von ›Literatur und Revolution‹ (u. a. L. Trotzkij, vgl. auch sein mit A. Breton gemeinsam verfaßtes Manifest »Für eine unabhäng. revolutionäre Kunst«, 1938). Aber im Hinblick darauf, daß sich in den ästhet. Radikalisierungen und Erneuerungen aller Gruppen gleichsam auch die tiefgreifenden gesellschaftl. Veränderungen spiegeln, ist unter den gegebenen Einschränkungen die Sammelbez. ›L.‹ berechtigt. – Seit den 50er Jahren des 20.Jh.s entstanden eine Reihe experimenteller Versuche, *mit* statt *in* der Sprache zu arbeiten, z. T. in literar. Gruppierungen (∕Darmstädter Kreis, ∕Wiener Gruppe, ∕Stuttgarter Schule), z. T. durch Einzelgänger (erstmals H. Heissenbüttel in »Kombinationen«, 1954, »Topographien«, 1956; ferner A. Schmidt, H. C. Artmann u. a.), die an die Ergebnisse der L. anschließen; vgl. auch ∕konkrete Lit., ∕akustische Dichtung, ∕visuelle Dichtung, ∕Mischformen, ∕Computertexte, ∕Lettrisme, ∕Antiroman, ∕experimentelles Theater, ∕Antitheater.
📖 Pörtner, P. (Hrsg.): L. 1910–1925. Dokumente, Manifeste, Programme. 2 Bde. Darmstadt 1960/61. D*

Literatursatire, Sonderform der Literaturkritik, die weniger durch Argumentation als vielmehr durch die sprachl. Kunstmittel des Spottes, der Übertreibung und der Parodie zu wirken sucht. L. wendet sich gegen Stile, Gattungen, Einzelwerke oder Personen, selbst gegen Sprachmoden, Denkschablonen und philosoph. Schulen. Sie bedient sich fast aller poet. Mittel und Gattungen (vom Epos bis zum Epigramm, vom Strophenlied bis zur dramat. Form, von der Burleske bis zur Cento-Collage). Vielfach ist eine L. nur episod. in literar. Werke eingearbeitet, die selbst insgesamt nicht der Gattung L. angehören, vgl. z. B. die Komödien des Aristophanes, die polem. Passagen der »Ars poetica« des Horaz, die als Antiromanzen konzipierten Romane von Rabelais und Cervantes oder die frühen Satiren von Jean Paul (»Grönländische Prozesse«). In der mal. Dichtung können die den höf. Minnesang gerichteten Gedichte Neidharts, mehr noch die von Geltar und Kol von Niunzen als L. verstanden werden, ferner die gegen Wolfram zielende Invektive in der ›Literaturschau‹ von Gottfrieds »Tristan« (v. 4638–4690) und die zahlreichen parodist. Verwendungen der Minnesangterminologie in den Mären und Spielen des SpätMA.s. Von großer Wirkung auf die polit. Auseinandersetzungen im 16.Jh. waren die humanist. Epistolarsatire der »Dunkelmännerbriefe« von Crotus Rubeanus (1515) und U. v. Hutten (1517) oder die L. auf die Eberlinschen »Bundsgenossen« in Murners »Großem Lutherischen Narren«; die L. des 17.Jh. ist dagegen weithin innerliterar. Kritik: A. Gryphius (»Absurda comica oder Herr Peter Squenz«, 1647) und Ch. Wernicke (»Heldengedicht Hans Sachs genannt«, 1701) wenden sich gegen die Reste der Meistersingerrezeption; Moscherosch und Schorer (»Unartiger deutscher Sprachverderber«,

1643) tadeln die Sprachmode. In den poetolog. Auseinandersetzungen zwischen barockem Stilverständnis und der Kunstauffassung von Aufklärung und späterer Klassik wird zunehmend Literaturkritik mit satir. Mitteln betrieben: so von Ch. L. Liscow (»Vortrefflichkeit und Nothwendigkeit der elenden Scribenten«, 1734), von Ch. O. von Schönaich in der gegen Klopstock gerichteten L. »Die ganze Ästhetik in einer Nuß« (1756), von Lessing an einzelnen Stellen seiner »Literaturbriefe«. Goethe pflegte die L. in »Götter, Helden und Wieland« (1774), im »Faust« (erste Walpurgisnacht) und in den mit Schiller herausgegebenen »Xenien« (1796). Von den L.n der nachklass. Zeit sind die dramat. Werke von Tieck (»Der gestiefelte Kater«, 1797), Grabbe (»Scherz, Satire, Ironie und tiefere Bedeutung«, 1827) und Platen (»Der romant. Ödipus«, 1829) bedeutsam, ebenso die Literaturparodien Nestroys gegen Hebbel und R. Wagner. In Heines Platen-Schmähschrift »Die Bäder von Lucca« (1828) bedient sich die literar. Kritik des Mittels der Personalpolemik in der Form des journalist. Reiseberichts. Im 20. Jh. erscheint L. meist als Einzelzug in Werken (Dichter- und Künstlerkarikaturen bei Wedekind, Th. Mann u. a.) oder als Parodie (A. Holz, R. Neumann). Der Rückgang der L. in neuester Zeit kann z. T. erklärt werden aus der pluralist. Verunsicherung des Geschmacksurteils, der Ablehnung jeder normativen Poetik und dem nachlassenden Interesse an innerliterar. Auseinandersetzungen. ⁄Satire.

☐ Hilling, S.: Die L. der dt. u. frz. Klassik. Diss. Marburg 1950. ⁄Satire. HW

Literatursoziologie, untersucht die Literatur in ihrer gesellschaftl. Verflechtung. Ihr Gegenstand ist das Werk selbst (als sprachl., geformte und deutende Vorstellung von Welt) und die sozialen und ökonom. Voraussetzungen seiner Hervorbringung, Verbreitung, Aufnahme und Weiterverarbeitung. Beides zusammen erst liefert Einsicht in die – nicht einlinige – gesellschaftl. Bedingtheit des ästhet. Gebildes. Gegenstandsbestimmung, Theoriebildung und Untersuchungsverfahren der L. sind bis heute kontrovers. *Geschichte.* Die Problematik der Verankerung literar. Werke in der Gesellschaft war im 18. und 19. Jh. nur vereinzelt deutlich, auch wurde das Thema nicht systemat. behandelt. P. Merker proklamierte 1921 die »sozialliterar. Methode«, welche »die seel. und ästhet. Wandlungen von Dichtern und Publikum« aufdecken sollte. Er forderte, wie auch L. L. Schücking, eine Geschichte des Geschmacks (⁄literar. Geschmacksbildung). Die L. verlor sich bald in bloßem Empirismus, etwa in Untersuchungen über Mäzenatentum, Genie, Dichterkreise und Lesergeschmack; verloren wurde auch der Zusammenhang mit der Literaturwissenschaft, die, von der Geschichte absehend, nach dem Wesen des Kunstwerks fragte. Eine erste Blütezeit für literatursoziolog. Arbeiten entstand im Zus.hang mit der Entwicklung der Soziologie in den 20er und 30er Jahren des 20. Jh.s. Die Arbeiten von Kohn-Bramstedt, Balet, Auerbach u. a. lenkten das Interesse auf die Funktion der Literatur in der Kontaktzone von Text und Lesergruppen. Solche weiterführenden Untersuchungen wurden in die materialist. Literaturgeschichte eingelegt, für die G. Lukács eine umfassende Theorie entwarf. Für ihn gilt als das Eigentümliche jeder großen Kunst, daß sie die Phänomene und Probleme der Realität, die das Individuum nur unmittelbar, vereinzelt und verstellt wahrnimmt, auf einer höheren Stufe der histor. Typik zusammenfaßt. Auf dem Wege der Konzentrierung und Intensivierung gewähre so das Kunstwerk einen objekt. Einblick in das Wesen der jeweiligen Gesellschaft. – Die Wirkung von Lukács war in der westeurop. L. größer als in der marxist. Literaturwissenschaft der DDR, die eigene Wege ging und erst spät einen literatursoziolog. Ansatz herausarbeitete. In der Bundesrepublik erfolgte nach 1945 zunächst die Auseinandersetzung mit der L. der frühen 30er Jahre anhand der Bücher von A.

Hauser. Man knüpfte stark an die angelsächs. Soziologie und deren empir. Untersuchungen der Leserkulturen und des Verhältnisses von Kunst und Massenmedien an. Damit war die L. in der Bundesrepublik lange Zeit empir. bestimmt und Partikularproblemen zugewandt. Die Monographie von H. N. Fügen (1964) faßte diese Arbeiten zusammen und lieferte ein freilich zu enges theoret. Gerüst. Ihm zufolge hat sich L. als »spezielle Soziologie« zu verstehen, deren Gegenstand nicht das ästhet. Gebilde, sondern die soziale Interaktion der an Literatur Beteiligten sei. In der Gegenwart verarbeitet die L. Anstöße aus dem frz. Strukturalismus und der marxist. Literaturwissenschaft. Ferner werden der Leser, seine Bildungsgeschichte, seine Erwartung an Literatur und seine Lesemotivation wie auch deren Steuerung durch die Vermittlungsinstanzen untersucht, d. h. generell die Rezeption von Literatur im Zus.hang mit den gesellschaftl. Mechanismen der Sozialisation.

Probleme. 1. Vielfach bleiben literatursoziolog. Arbeiten stehen bei der Erarbeitung von Fakten über Herkunft, Klassenzugehörigkeit und ökonom. Situation von Leser und Autor. Eine Analyse solcher empir. Befunde muß auf literar. Werke bezogen sein. Gute Ergebnisse dazu brachte die Erforschung der Massenliteratur. Sie zeigte, wie die techn. und ökonom. Bedingungen der Literaturproduktion (neue Maschinen, Verteilerapparate, Abhängigkeit des Autors) hineinreichen in die Schreibform (Fortsetzungszwänge, Serienfertigung) und in die Qualität der Produkte und wie durch solche Literatur echte Bedürfnisse des Lesers durch Scheinbefriedigung korrumpiert werden.

2. Der Zus.hang zw. der Verfassung der Gesellschaft, dem Kollektivbewußtsein und der Literatur ist hingegen komplizierter klarzulegen am hochwertigen ästhet. Gegenstand. An einer mißverstehenden gradlin. Abhängigkeit des Einzelwerkes von der Art der sozial-ökonom. Situation kann man nicht lange festgehalten: Zu bedenken sind die komplexen Beziehungen zwischen der direkt wahrnehmbaren Wirklichkeit und den dies motivierenden Kräften, damit ein Verständnis der Kulturprodukte der Industriegesellschaft entwickelt werden kann, das nicht vorgestanzte ideolog. Muster übernimmt. Die ältere marxist. orientierte L. hatte die Zus.hänge zw. Literaturproduktion und Produktionsweise der Gesellschaft mit Begriffen wie ›Abbildung‹ und ›Widerspiegelung‹ beschrieben. Neuere Ansätze fragen genauer und im Einzelfall, *wie* die Zus.hänge auftreten und ob es sich bei ihnen um Kausalität, Abhängigkeit, Analogie o. ä. handle, vgl. die Arbeiten von L. Goldmann: Er spricht von einer »Homologie« zw. der Struktur des gesellschaftl. Bewußtseins (einer Klasse oder deren Gruppe), an der Autor und Leser teilhaben, und der Struktur ästhet. Konventionen und literar. Gattungen (insonderheit des modernen Romans).

3. Die L. spürt trotz der Vorarbeiten von W. Benjamin, Th. W. Adorno und G. Lukács nur zögernd den sozialen Implikationen des Kunstwerks, seines ästhet. Charakters, seiner Form und seines Sprachstils nach. Damit man aber »in der autonomen Gestalt der Gebilde, als ihres ästhet. Gehalts, eines Gesellschaftlichen innewerde« (Adorno), muß L. den gesellschaftl. Zeichencharakter literar. Werke aufschlüsseln. Der Weg führt über das strukturelle Detail, über das einzelne sprachl. Moment. Die Vieldeutigkeit der literar. Sprache kann die L. nicht ohne Mitwirkung anderer Disziplinen angemessen untersuchen. In der Kooperation etwa von Literaturwissenschaft, Lit. und Semiotik sind Kunstgebilde mit verschiedenen aufeinander bezogenen Fragestellungen, method. Verfahren und Techniken zu untersuchen.

☐ *Geschichte:* Fügen, H. N.: Die Hauptrichtungen der L. und ihre Methoden. Bonn ⁶1974. – Balet, L./Gerhard, E.: Die Verbürgerlichung der dt. Kunst, Lit. u. Musik im 18. Jh. Bln. ²1973. – Lukács, G.: Schrr. zur L. Hg. v. P. Ludz. Neuwied ⁵1972. – Fügen, H. N. (Hrsg.): Wege der L. Neuwied

²1971. – Hauser, A.: Sozialgesch. der Kunst u. Lit. Mchn. ³1967. – Merker, P.: Neue Aufg. der dt. Lit.Gesch. Zs.f. Deutschkunde, Erg. H. 16 (1921). *Probleme:* Sommer, D. u. a. (Hg.): Leseerfahrung, Lebenserfahrung. Lit.soziolog. Unters. Weimar 1983. – Zima, P. V.: Textsoziologie. Stuttg. 1980. – Scharfschwerdt, J.: Grundprobleme der L. Stuttg. 1977. – Bark, J. (Hrsg.): L. 2 Bde. Stuttg. u. a. 1974. – Adorno, Th. W.: Rede über Lyrik u. Gesellschaft. In: Noten zur Lit. Ges. Schrr. Bd. 11, hrsg. v. G. Adorno u. R. Tiedemann, Frkft. 1974. – Goldmann, L.: Soziologie des Romans. Dt. Übers. Neuwied ²1972. JB

Literatursprache, formal Teil der ↗Schriftsprache, mit dieser in enger Wechselbeziehung stehend, jedoch nicht durchweg mit ihr gleichzusetzen. Es gibt Epochen starker Annäherung, in denen die L. generell den Normen der Schriftsprache verpflichtet ist, auf diese jedoch Einfluß nehmen kann durch Bestätigung ihrer Normen, Etablierung anderer Normen, Neubildungen etc. In Epochen großer Distanz öffnet sich die L. dagegen weitgehend Sprachschichten unter dem Niveau der Schriftsprache oder entfernt sich von ihr durch extreme Stilisierung bis hin zum Gebrauch ferner Sprachstufen oder fremder Sprachformen (z. B. J. Joyce, »Finnegans Wake«). Im Verhältnis von L. und Schriftsprache ist außerdem der qualitativ andere Gebrauch von Sprache in der Dichtung zu berücksichtigen, der sich in der Aktualisierung und vielfält. Funktionalisierung aller Sprachebenen niederschlägt (↗Dichtung). Die mehr oder minder klar umrissene Gesamtstruktur von Tendenzen und Merkmalen der L. einer Epoche versucht man im Begriff des (Epochen)↗Stils zu erfassen. – *In Dtschld.* zeigt sich zum ersten Mal ein Bestreben zu überregionaler, einheitl. Sprachgestaltung in der mal. Blütezeit: dies führte zu einer L., die als erste dt. Schriftsprache angesprochen werden kann, jedoch den Verfall der höf. Dichtung nicht überdauerte. Nach der Begründung der nhd. Schriftsprache durch Luther entwickelt das Barock wieder eine relativ einheitl., durch Nachahmung lat., auch roman. Stilideale geprägte L., die Grundlage der weiteren Entwicklung ist. Nachdem seit der Mitte des 18.Jh.s L. und Gemeinsprache von der gleichen bürgerl. Schicht getragen werden, nähert sich die L. bei vielfältigsten Stiltendenzen wieder immer mehr der Gemeinsprache an. Im 19.Jh. tritt der Ggs. zw. der gesprochenen Umgangssprache und der Schrift- und L. wieder stärker ins Bewußtsein. Die daraus resultierende Skepsis und Kritik an der L. fördert allgem. eine Annäherung an die gesprochene Sprache, insbes. die Neigung zur Dialektliteratur. Prakt. wirksam wird diese Entwicklung im ↗Naturalismus, der bisher ausgeschlossene, niedrige und regionale Schichten der Sprache aufnimmt. Im 20.Jh. wird die Leitfunktion der L. nach und nach von der Zeitungssprache übernommen; sie zeigt seit der Jahrhundertwende, die allgem. durch eine Sprachkrise gekennzeichnet ist, widersprüchl. Tendenzen: einmal entfernt sie sich wieder von der Gemeinsprache in bewußter Suche nach Distanz (z. B. Symbolismus, Expressionismus), zum andern wird aber auch die vom Naturalismus eingeschlagene Richtung weiter verfolgt. Gerade die Synthese dieser widersprüchl. Elemente scheint das Charakteristikum eines Großteiles der L. des 20.Jh.s zu sein.

Blackall, E. A.: Die Entwicklung des Deutschen zur L. 1700–1775. Stuttg. 1966. ↗Dichtung, ↗Sprache. ED

Literaturstreit, Auseinandersetzung zwischen Vertretern verschiedener Dichtungskonzeptionen, Stilrichtungen, Literaturtheorien. Während seit in Antike und MA. ein L. dichtungsimmanent, d. h. innerhalb der poet. Gattungen selbst, abspielte (in spezif. ↗Streitgedichten, Exkursen in ep. Werken [Gottfried, Wolfram], als ↗Literatursatiren, vgl. ↗Dichterfehde), verlagerte sich der L. in der Neuzeit auf n die nicht-fiktionalen Formen der Abhandlung, des Essays, des Pamphlets, der Streitschrift, die selbständig oder in literar. Zeitschriften erschienen. – *Der erste bedeut-*

same moderne L. ist die von der Académie française ausgehende sog. »↗Querelle des anciens et des modernes« (2. Hälfte 17. Jh.) zwischen den Anhängern der antiken und der modernen Dichtung. Eine vergleichbare Auseinandersetzung findet zur selben Zeit in England statt. Ebenso bedeutsam ist der L. zwischen J. Ch. Gottsched in Leipzig (als Vertreter der rationalist. klassizist. Ästhetik) und den Zürchern Bodmer und Breitinger (als Vertreter eines eigengesetzl., schöpfer., von Phantasie und Intuition geprägten Dichtungsverständnisses). Diesem L. folgten weitere literaturtheoret. und ästhet. Diskussionen, z. B. zwischen Lessing/Herder und Ch. A. Klotz, den Vertretern des Sturm und Drang und F. Nicolai, den Romantikern und Schiller, die zur Konsolidierung (und Variierung) der modernen Literaturauffassung (d. h. der Abkehr von einer normativen Poetik) führten. Der L. der Naturalisten (A. Holz) gegen Neuromantik u. a. konservative Strömungen z. B. steht am Beginn der modernen Lyrik. – Bis heute sind dichtungstheoret. Auseinandersetzungen wichtige Phasen der Selbstfindung neuer künstler. Richtungen. ↗Literaturkritik, ↗Poetik. S

Literaturtheorie,

1. prinzipielle oder programmat. Überlegungen eines Autors zum literar. Schaffen. Solche liegen implizit in mehr oder weniger reflektierter Form jeder Art Literatur zugrunde. Oft jedoch werden sie als grundlegende Richtlinien von Dichtern oder Dichterkreisen in theoret. Schriften, in Manifesten oder Programmen formuliert (vgl. z. B. Goethe-Schiller-Briefwechsel; É. Zola, »Le roman expérimental«, 1880, die Manifeste des Naturalismus, Expressionismus, des russ. Formalismus usw.) oder in Prologen und Exkursen dichter. Werke angesprochen (erste Ansätze literaturtheoret. Äußerungen solcher Art finden sich in ahd. Zeit bei Otfried von Weißenburg, in mhd. Zeit bei Gottfried von Straßburg, Rudolf von Ems u. a.).

2. Solche expliziten Darlegungen, aber auch implizite Kriterien bilden die Ausgangspunkte für die moderne wissenschaftl. L., die im Rahmen der Literaturwissenschaft entwickelt wurde und die versucht, die älteren Disziplinen der ↗Poetik, ↗Rhetorik oder ↗Stilistik zu ersetzen. Sie sucht systemat. nach allgemeinverbindl., über die nationalsprachl. Grenzen hinausreichenden Prinzipien literar. Schaffens (sog. Universalien), reflektiert Methoden der Erfassung und Deutung von Literatur (↗Interpretation, ↗Hermeneutik – krit. Methodologie), sie erörtert grundlegende Problem des Verhältnisses von Inhalt und Form (Gehalt und Gestalt), der Stofforganisation und -verarbeitung, fragt nach stilist.-formalen Kategorien, erforscht Aspekte der Publikumsbezüge (synchron: Lesererwartung, diachron: Rezeption), der Literaturpsychologie, der sozialen Einbindung und Funktion von Literatur und ihrer Position innerhalb von gesellschaftl. und geistesgeschichtl. Entwicklungen. In der neueren L. lassen sich im wesentl. vier Richtungen unterscheiden: eine *abstrakt-zeichentheoret.* (Frage nach dem von der Normalsprache abweichenden semiot. System), eine *linguist.-strukturale* (Frage nach den sprachl. Medien und Vermittlungsfunktionen), eine *literatursoziologische* (Frage nach dem Verhältnis von Produzent und Rezipient im Rahmen gesellschaftl.-ökonom. Entwicklungen, nach den emanzipator. Ansätzen der Literatur) und eine *marxistische* (faßt Literatur als Ausdruck eines allgemeinen Bewußtseins, als Produkt einer objektiven gesellschaftl. Wirklichkeit, was die Frage nach der Autonomie der Künste aufwirft). L. steht vor einer mehr werkorientierten, wertenden ↗Literaturkritik und einer stärker histor. orientierten (deskriptiven) ↗Literaturgeschichte. Ihre verschiedenen Ansätze vereinigt und reflektiert als übergeordnete Instanz die systematisierende ↗Literaturwissenschaft (engl. als literary theory bez.). Eine Gefahr der L. liegt in ihrer Tendenz zu weitgehender Abstraktion, bei der die Fülle konkreter literar. Phänomene nicht immer

genügend erfaßt und berücksichtigt wird. Sie schiebt sich bisweilen als eigenständiges Philosophieren über eine Vorstellung von Literatur zwischen die Texte und ihre konkreten Deutungsmöglichkeiten. Neuere lit.theoret. Überlegungen laufen auch unter Begriffen wie ↗Poststrukturalismus, ↗Diskursanalyse, ↗Semiotik, weiter unter Kulturanthropologie, Methodendiskussion, Narratologie, Postmoderne. Vgl. auch ↗Methodologie. Sie bewegen sich z.T. in einer eigenen Begriffswelt.

🕮 Arntzen, H.: L.-Interpretation – Sprachkritik. In: Lit. als Sprache, Bd. 4. Münster 1989. – Eagleton, T.: Einf. in die L. Stuttg. 1988. – Minnis, A. J./Scott, A. B.: Medieval literary theory and criticism. Oxf. 1988. – Olsen, S. H.: The end of literary theory. Cambridge 1987. – Jefferson, A. (Hg.): Modern literary theory. London 1986. – Haug, W.: L.n im dt. MA. Darmst. 1985. – Culler, J. D.: On deconstruction. Theory and criticism after structuralism. Ithaka/New York 1982. – Wild, R.: Literatur im Prozeß der Zivilisation. Zur theoret. Grundlegung der Lit.wissenschaft. Stuttg. 1982. – Mainusch, H.: L. Mchn. 1981. – Siegel, H.: Sowjet. L. (1917–1940). Stuttg. 1981. – Weimar, K.: Enzyklopädie der L. Mchn. 1980. – Hamburger, K.: Wahrheit u. ästhet. Wahrheit. Stuttg. 1979. – Neumann, D.: L. und Geschichtsphilosophie. Stuttg. 1979. – Turk, H. (Hrsg.): Klassiker der L. Von Boileau bis Barthes. Mchn. 1979. – Turk, H.: L. Gött. 1976. – Söring, J.: Literaturgesch. und Theorie. Stuttg. 1976. – Falk, W.: Vom Strukturalismus zum Potentialismus. Ein Versuch zur Geschichts- und L. Freibg./Mchn. 1976. – Billen, J./Koch, H. H. (Hrsg.): Was will Lit.? Aufsätze, Manifeste, Stellungnahmen dt.sprach. Schriftsteller zu Wirkungsabsichten und Wirkungsmöglichkeiten der Lit. Paderborn 1975. – Naumann, M.: Zum Problem der Wirkungsästhetik in der L. Bln. 1975. – Pasternack, G.: Theoriebildung in der Literaturwiss. Mchn. 1975. – Winter, H.: L. und Literaturkritik. Düsseld. 1975 (mit Bibliogr.). – Lotman, J. M.: Aufsätze zur Theorie und Methodologie der Lit. u. Kultur. Hrsg. v. K. Eimermacher. Kronberg 1974. – Stüben, J.: Parteilichkeit. Zur Kritik der marxist. L. Bonn 1974. – Schlaffer, H. (Hg.): Erweiterung d. materialist. L. durch Bestimmung ihrer Grenzen. Stuttg. 1974. – Vietta, S. u. S.: L. Mchn. 1973. – Wellek, R./Warren, A.: Theorie der Lit. (1942). Dt. Übers. Frkft. 1971. – Trabant, J.: Zur Semiologie des literar. Kunstwerks. Glossematik und L. Mchn. 1970. – Strelka, J./Hinderer, W. (Hrsg.): Moderne amerikan. L.n Frkft. 1970. – Hamburger, K.: Die Logik d. Dichtung. Stuttg. ²1968. – Bense, M.: Theorie der Texte. Köln 1962. – Michaud, G.: Connaissance de la littérature. Paris 1957. S

Literaturwissenschaft,

1. umfassende Bez. für die wissenschaftl. Beschäftigung mit Literatur, oft nur als nicht näher bestimmtes Synonym für eine der nationalsprachl. Philologien (Germanistik, Anglistik usw.) oder als deren Oberbegriff gebraucht.
2. programmat. wird der Begriff ›L.‹ verwendet, meist mit dem Attribut *allgem.e L.* vgl. Ggs. zu Methode und Praxis der Literarhistorie und der Philologie (z.T. im Unterschied zu ›vergleichender L.‹). L. in diesem Sinne strebt eine theoret. Durchdringung und Systematisierung der Literaturforschung an. Sie versteht sich als eine Disziplin der Ästhetik und knüpft häufig an die idealist. Ästhetik Hegels und ihrer Fortbildungen, der intuitionist. (B. Croce), der phänomenolog. (Scheler), der psychoanalyt. (Th. Lipps, J. Volkelt) und der marxist. Ästhetik an. Ihr Interesse gilt dem Zeitlos-Schöpferischen, den allgem. Prinzipien des Sprachschaffens, den inneren Gesetzen der Formfindung, dem Typologischen, den Theorien der Interpretation, der Hermeneutik (s. auch ↗Literaturtheorie). Die L. versucht damit z.T., die althergebrachte ↗Poetik auszuweiten und zu ersetzen (R. Ingarden: Das literar. Kunstwerk. Eine Untersuchg. aus dem Grenzgebiet der Ontologie, Logik u. L. Halle 1931, ³1965; W. Kayser: Das sprachl. Kunstwerk. Eine Einf. in

die L. Bern 1948, ¹⁵1971). Sie versucht weiter, allgem. Strukturen, formale, motivl. oder themat. Kategorien aller Literaturen zu erfassen, Methoden und Ergebnisse der Poetik, Stilistik, Literaturtypologie, -soziologie, -psychologie und -philosophie zu kombinieren. Sie weitet ihr Aufgabengebiet nicht nur über die nationalsprachl. Grenzen der traditionellen Studienfächer (Germanistik, Anglistik, Romanistik usw.) hinweg aus (↗Weltliteratur im wirkungsästhet. Sinne), sondern auch über die herkömml. Gegenstände der älteren Literaturgeschichtsschreibung und Philologie (bei denen jedoch auch immer wieder Ausweitungen im Sinne einer allgem. Kultur- und Geistesgeschichte zu beobachten sind, vgl. ↗Germanistik, ↗dt. Philologie, ↗german. Philologie). Das Interesse der L. gilt ferner nicht nur der sog. hohen Literatur, der Dichtung, sondern allen literar. Produktionszweigen, den Gebrauchstexten ebenso wie der Trivialliteratur, den Comics oder Kinderbüchern usw. Sie geht damit noch über die weitgefaßte Gegenstandsdefinition des anglo-amerikan. literary criticism hinaus, zu dessen Aufgabengebiet immer schon theolog., histor., polit. Schriften zählten. Ferner untersucht sie Formen und Bedingungen der literar. ↗Rezeption. Eine weitere kennzeichnende Grenzüberschreitung der L. liegt auch in einer gegenüber den traditionellen Philologien stärkeren *interdisziplinären Orientierung*, so an Philosophie (Dilthey: Geistesgeschichte; Heidegger, Sartre: Existentialismus; Husserl: Phänomenologie), Psychoanalyse (Freud, Jung), Entwicklungspsychologie (Kretschmer, Spranger), Kunstgeschichte (Wölfflin, Worringer), Soziologie (Troeltsch, M. Weber, Simmel) oder am dialekt. Materialismus. – Der Begriff ›L.‹ taucht erstmals in der Einleitung der »Geschichte der Literatur der Gegenwart« (1842) des jungdt. Kritikers Th. Mundt auf, dann bei dem Hegelianer K. Rosenkranz (1848). Es ist für die spätere programmat. Fixierung des Begriffes kennzeichnend, daß er bei solchen Literaturforschern zuerst begegnet, die nicht von der Philologie her kommen. Zunächst machte die ↗positivist. L. method. Anleihen bei den Naturwissenschaften. Unter dem Einfluß des Historismus wurden diese aber noch vornehml. für die Literaturgeschichtsschreibung fruchtbar gemacht (Taine, Scherer). Erst die Reaktion auf eine bisweilen beziehungslose Faktenhäufung der positivist. L. und einen wertungsfreien Historismus förderte die theoret. Ansätze zu einer allgem. L. So forderte dann E. Elster im Rahmen seiner psycholog. Literaturbetrachtung erstmals konsequent, die Literaturgeschichte von der Philologie zu trennen und letztere zur allgem. L. auszuweiten (Prinzipien der L., 1897). Ihm folgen zunächst v.a. die Vertreter der sog. *geistesgeschichtl. Richtung* im Anschluß an W. Dilthey (Das Erlebnis u.d. Dichtung, 1905), die eine philosoph. Vertiefung des Ansatzes der histor. Schule u. eine Lösung von naturwissenschaftl. Methodik verfochten und an die Stelle des kausalgenet. Erklärens das ›Verstehen‹ setzten. Ihr Organ wurde die von R. Rothacker u. P. Kluckhohn begründete ›Dt. Vierteljahrsschrift f. L.u. Geistesgeschichte‹, 1. Jg. 1923. – Die Offenheit der L. gegenüber den verschiedenartigsten Einflüssen führte zu einem die westl. L. der Gegenwart kennzeichnenden, z.T. kritisierten und befehdeten Methodenpluralismus. Gewisse Gemeinsamkeiten lassen sich ledigl. in der jeweils verschieden starken Ausrichtung auf das dichter. Werk beobachten. In den geistesgeschichtl. Darstellungen war der histor. Aspekt subliumiert; es erhielten größere geist. Zusammenhänge und Strömungen den Vorrang vor dem Einzelwerk und einer positivist. Faktizität. Dies zeigt sich nicht nur bei einer der Geisteswissenschaft an sich fernliegenden Sparte, der Biographie (vgl. z.B. F. Gundolfs biograph. ›Mythologie‹ »Goethe«, 1916), sondern auch in ideen- und problemgeschichtl.-ontolog. Arbeiten über Themen des Irrationalismus wie denen von H. Nohl, R. Unger (über Hamann), P. Kluckhohn (über die Romantik), W. Rehm (über das

Todesproblem). Als Gegenbewegungen gegen eine spekulative Geisteswissenschaft und die Unterordnung der Literatur unter außerliterar. Aspekte entstanden die *formalästhet. Besinnungen* auf das literar. Werk, so die in der Romanistik entwickelten Stilanalysen, die ›explication de texte‹ (L. Spitzer, K. Voßler, B. Auerbach, H. Hatzfeld) und die durch diese romanist. Impulse angeregte Formanalyse M. Kommerell, K. May, G. Müller), die schließl. in die ↗werkimmanente Interpretation mündete (Staiger, vgl. auch die zahlreichen Interpretationsbände der letzten Jahrzehnte, u. a. von B. von Wiese). Der von Rußland ausgehende ↗Formalismus wandte sich unter Berücksichtigung inguist. Methoden (Trubetzkoy) vornehml. der Formensprache literar. Texte zu. Der mit ihm in vielem gleichstrebende amerikan. ↗New criticism fand sein Hauptinteressengebiet in der poet. Sprache (T. S. Eliot, W. Empson, J. C. Ransom), mit Berücksichtigung der Ergebnisse der modernen Anthropologie, Psychologie und Soziologie (K. Burke, E. Wilson, R. Wellek, A. Warren). Eine vierte, auf das literar. Werk zentrierte Richtung nahm ihren Ausgang vom *anthropolog. Strukturalismus* (C. Lévi-Strauss) unter Einbeziehung gesellschaftl. Strukturen (L. Goldmann) oder der on N. Chomsky begründeten strukturalist. Linguistik. Die neuere Linguistik förderte auch in der L. Versuche, wie schon einmal im Positivismus, durch Anlehnung an die naturwissenschaftl. Methoden, jetzt der Informatik und statistik, eine stärkere Exaktheit der wissenschaftl. Erfassung von Literatur zu gewinnen (M. Bense, W. L. Fischer, N. Fucks, vgl. auch ›Mathematik u. Dichtung‹, hg. v. H. Kreuzer u. R. Gunzenhäuser. Mchn. ²1971); vgl. auch ↗Textlinguistik. Der histor. Materialismus hat eine ideolog. sich scharf gegenüber der bürgerl. L. abgrenzende L. ervorgebracht (F. Mehring, G. Plechanow, A. Lunatcharski, G. Lukács), die auf die westl. L. mannigfach einwirkt, v. a. auf die ↗Literatursoziologie, die Rezeptionsforchung und auf die Versuche einer Entlarvung der sozialen, deolog. u. systemerhaltenden Hintergründe der Literatur. Die Eckpositionen der literaturwissenschaftl. Strömungen im 20. Jh. bilden die nach 1945 v. a. gepflegte, z. T. esoer. werkimmanente Interpretation (vgl. auch ↗Dichtungsvissenschaft) auf der einen Seite und eine ideologiebelaene, gesellschaftsorientierte Theoriebildung auf der anderen. Eine Scheidung der L. und der ↗Literaturkritik ist dabei nicht immer möglich.

□ Schlaffer, H.: Poesie u. Wissen. Frkf. 1990. – Wagennecht, Ch. (Hg.): Zur Terminologie der L. Stuttg. 1989. – ʻohrmann, J./Müller, Harro (Hg.): Diskurstheorien u. L. ʻrkf. 1988. – Japp, U.: Lit. und Modernität. Frkf. 1987. – Wild, R.: Lit. im Prozeß d. Zivilisation. Zur theoret. Grundegung der L. Stuttg. 1982. – Harth, D./Gebhardt, P. Hrsg.): Erkenntnis der Lit. Theorien, Konzepte, Methoen der L. Stuttg. 1982. – Scharfschwerdt, J.: Lit. und L. in er DDR. Stuttg. 1982. – Gutzen, D./Oellers, N. u. a.: Einührung in die neuere dt. L. Bln./Mchn. ⁴1982. – Weimar, K.: Enzyklopädie d. L. Mchn. 1980. – Schmidt, Siegfr. J.: irundriß der empir. L. Braunschweig/Wiesb. 1980. – Breella, L.: Das Verstehen literar. Texte. Stuttg. 1980. – Krenzlin, N.: Das Werk »rein für sich«. Zur Gesch. des erhältnisses von Phänomenologie, Ästhetik und L. Bln. 979. – Nemec, F./Solms, W. (Hrsg.): L. heute. Mchn. 979. – Link, J.: Literaturwissenschaftl. Grundbegriffe. 1chn. ²1979. – Frank, A. P.: L. zwischen Extremen. 3ln./New York 1977. – Schulte-Sasse, J./Werner, R.: Einf. a die L. Mchn. 1977. – Marino, A.: Kritik der literar. egriffe. Cluj-Napoca 1976. – Ingarden, R.: Gegenstand u. ufgabe der L. Hrsg. v. R. Fieguth. Tüb. 1976. – Spillner, ..: Linguistik und L. Stuttg./Bln. u. a. 1974. – Glaser, H. A. . a. (Hrsg.): L. und Sozialwissenschafte. 3 Bde. Stuttg. d. 1 ²1973, Bd. 2 u. 3 1974. – Harth, D. (Hrsg.): Propädeuk der L. Wissenschaftsgesch., Methodenlehre. Mchn. 973. – Heinrichs, H. J.: Spielraum Lit. L. zwischen Kunst

und Wissensch. Mchn. 1973. – Arnold, H. L./Sinemus, V. (Hrsg.): Grundzüge d. Literatur- und Sprachwissenschaft. Bd. 1: L. Mchn. 1973. – Reiß, G. (Hrsg.): Materialien zur Ideologiegesch. der dt. L. (von W. Scherer bis 1945). 2 Bde. Tüb. 1973. – Krauss, W.: Grundprobleme der L. Reinbek ²1973. – Girnus, W./Lethen, H./Rothe, F.: Von der krit. zur histor.-materialist. L. Mchn. 1972. – Ihwe, J.: Linguistik in der L. Mchn. 1972. – Groeben, N.: Literaturpsychologie. L. zw. Hermeneutik und Empirie. Stuttg. 1972. – Ihwe, J. (Hrsg.): L. und Linguistik. 3 Bde. Frkft. 1971. – Salm, P.: Drei Richtungen der L. Scherer-Walzel-Staiger. Tüb. 1970. – Wehrli, M.: Allgem. L. Bern ²1969. – Lempicki, S. v.: Gesch. der dt. L. bis zum Ende des 18. Jh.s. Gött. ²1968. – Bertram, E.: L. und Gesch. Hrsg. v. H. Buchner, Darmst. 1966. – Conrady, K. O.: Einf. in die neuere dt. L. Hamb. 1966. – Hatzfeld, H.: Initiation à l'explication de textes français. Mchn. 1957. – RL. – ↗Methodologie. S

Litotes, f. [gr. = Schlichtheit], rhetor. Stilmittel, ↗Tropus, Mittel der ↗Meiosis, der untertreibenden Ausdrucksweise oder des Understatement: statt eines Superlativs oder Elativs wird die Verneinung des Gegenteils gesetzt, z. B. »nicht unbekannt« (eigentlich: *sehr bekannt, berühmt*). Indem weniger gesagt als gemeint wird, ist die L. der ↗Emphase, durch den Gebrauch des Gegenteils der ↗Ironie verwandt.
ED

Littérature engagée [literatyrãgaʒe; frz. = engagierte Literatur], von Jean-Paul Sartre im Zusammenhang seiner Existenzialphilosophie vorgeschlagene Bez. für eine von ihm geforderte Literatur der Praxis«, der »Stellungnahme« des »in der Literatur« stehenden Dichters im Ggs. zu einer reinen »Seins-Literatur« (vgl. ↗existentialist. Literatur). Für Sartre, der in seinem literar. Werk eine derartige l. e. zu praktizieren versuchte, ist Literatur dabei wesentl. »das Werk einer totalen Freiheit, die sich an vollkommene Freiheiten wendet und so auf ihre Weise, als freies Produkt einer schöpfer. Aktivität, die Totalität der menschl. Situation manifestiert« (»Über Literatur«, 1950). Im Rahmen einer Ende der 50er Jahre als Reaktion auf den Sartreschen Begriff einer l. e. einsetzenden Entwicklung sucht Claus Bremer 1966 mit seinen »engagierenden Texten« bewußt vom »engagierten« Text ab mit dem Ziel, Engagement und Experiment sinnvoll zu verbinden (operationelle Lit.; vgl. die Veröffentlichungen z. B. in »Augenblick. Zeitschrift für Tendenz und Experiment«, 1958–1961). D*

Living Newspaper [ˈliviŋ ˈnjuːˌspeipə; amerik. = lebende Zeitung], amerikan. Variante des ↗Lehrstücks im Stil des nicht-aristotel., ↗epischen Theaters, eine Art dramatisierten Journalismus' mit polit.-gesellschaftl. Thematik; die L. N.s experimentierten im Formalen mit Elementen aus Zirkus, Varieté, Ballett, Film, Musik. Geschaffen in den 30er Jahren am New Yorker ›Federal Theatre‹ von Joseph Losey, Arthur Arent u. Maros Watson, übte das L. N. bes. mit seinen filmischen Momenten einen großen Einfluß auf das amerikan. Theater aus; im 2. Weltkrieg wurde es in England der Erwachsenenbildung u. der Heerespropaganda dienstbar gemacht. MS

Living Theatre [ˈliviŋ ˈθiətə; engl.], 1951 von Julian Beck und seiner Frau Judith Malina (Schülern von E. Piscator) in New York gegründete Theatertruppe (ca. 30 Spieler, z. T. Laien), die durch die Verbindung von Stückwahl, Aufführungsstil, kollektiver Lebensform und polit. Engagement internationale Berühmtheit erlangte. Das L. Th. war in den 1960er Jahren in Amerika und Europa die einflußreichste off-Broadway-Truppe. – Der Name L. Th. benennt das Programm: in erklärter Opposition zu den verkrusteten Formen und konventionellen Inhalten des etablierten Theaters sollte Theater für die Lebenspraxis lebendig werden, inhumanes Verhalten angeprangert und die Utopie friedfertigen Zusammenlebens der Menschen u. Nationen modellhaft vorgeführt werden. Aus den Theorien K. S. Stanislawskis, E. Piscators und A. Artauds entwickelte das L.Th. sein eige-

nes Konzept: mit den formalen Mitteln des ⌐Theaters d. Grausamkeit (exzessive, ritualisierte Gebärdensprache und Choreographien, Einsatz v. Sprechchören, naher Kontakt zum Publikum) Brutalität von Herrschaft, die Situation der sozial Ausgestoßenen, der rassisch und moralisch Diffamierten, die Unerträglichkeit von Krieg und Gewalt auf der Szene körperl. spürbar und verständl. zu machen, um die Notwendigkeit friedl. Zusammenlebens zu erweisen. – Das L. Th. spielte zunächst in Privatwohnungen, ab 1952 im Cherry-Lane-Theatre, 1957–63 im eigenen Theater. Das *Repertoire* umfaßte neben Stücken von B. Brecht (»Mann ist Mann«), G. Stein (»Dr. Faustus lights the lights«), J. Genet (»Die Zofen«), J. Gelber (»The Connection«) v. a. auch eigene Produktionen wie »The Apple« (1961) und, mit weltweitem Erfolg, »The Brig« (1963, Text von Kenneth Brown), mit der das L. Th. einen Weltgeneralstreik für den Frieden zu organisieren suchte, was ihm Verfolgungen einbrachte. 1963 wurde das L. Th. in New York zwangsweise geschlossen. Nach Tourneen durch Europa (1964–68 mit den Stücken »Mysteries«, 1964 und »Paradise now«, 1968) und die USA und dem Versuch eines Neuanfangs in Brasilien 1970, wirkte das L.Th. ab 1971 wieder in den USA und Europa (1974–78) als polit. ⌐Straßentheater für eine neue Zielgruppe der Arbeiter, Bauern, Arbeitslosen und Entfremdeten. Nach dem Tod J. Becks 1985 wurde es von J. Malina und Hanon Reznikow (dem Hauptdarsteller der Truppe) weitergeführt.
Ⓞ Buchholz, I./Malina, J.: L. Th. heißt Leben. Linden 1980. – Silvestro, C.: The Living Book of the L. Th. Dt. Übers. Köln 1971. – Biner, P.: Le L. Th. Lausanne ²1970.
JT*

Ljodaháttr, m. [ljoðaːtər; altnord. = Spruchweise, zu ljoð = Vers, Strophe und háttr = Art u. Weise, Maß, Metrum], altnord. Strophenmaß v. a. der edd. Merk-, Spruch- und Zauberdichtung (»Havamál«), »Versmaß der (Zauber)lieder« (A. Heusler), besteht aus einer doppelten, bisweilen auch dreifachen Folge von je einer Langzeile aus zwei 2heb., durch Stabreim verbundenen Kurzzeilen und einer 2- bis 3heb. sog. Vollzeile (die in sich stabt). Die Versfüllung ist im Ggs. zu den meisten anderen altnord. Strophenformen relativ frei. – Eine Variante des L., bei dem die Abfolge von Lang- und Vollzeile unregelmäßig ist, heißt *Galdralag* (Weise der Zaubergesänge). K*

Loa, f. [span. = Lob, Lobgedicht], im älteren span. Drama dialog. Vorspiel, Rede oder Prolog; einem monolog. ⌐Auto als *L. sacramental,* vor einer ⌐Comedia als *L. humana;* enthält Lob des Autors oder der Persönlichkeit, der das Stück gewidmet war, des Publikums, der Stadt oder des Stückes selbst, mit dem Zweck, auf das Stück vorzubereiten, das Verdienst der Schauspieler zu rühmen oder das Wohlwollen des Publikums zu erlangen (⌐Captatio benevolentiae); anfangs in Prosa (z. B. »Introitus« von B. de Torres Naharro, 15./16. Jh.), dann in den gebundenen Formen der ⌐Oktave, ⌐Redondilla und ⌐Romanze. – Auch Bez. für ein Drama von geringem Umfang, das allegor. eine berühmte Person oder ein glückl. Ereignis feiert. GG

Locus amoenus, m. [lat. = lieblicher Ort], literar. ⌐Topos, fiktive Landschaft aus bestimmten stereotypen Elementen (Hain, Quelle usw.) zusammengesetzt, Requisit und Kulisse insbes. der ⌐Schäferdichtung und ⌐Idylle (Theokrit, Vergil); gelangte aus antiker und spätlat. Dichtung in die mal. Literatur (⌐Minnesang, insbes. ⌐Pastorelle, aber auch Epik, vgl. *Minnegrotte* in »Tristan« Gottfrieds von Straßburg) und v. a. barocke Literatur (⌐arkad. Poesie); konnte auch christl. als Paradieslandschaft umgedeutet werden, wobei die Vorstellung des ›entlegenen Gartens‹ hereinspielt.
Ⓞ Garber, K.: Der l. a. und der locus terribilis. Bild u.

Funktion der Natur in der dt. Schäfer- und Landlebendichtung des 17. Jh.s, Köln/Wien 1974. – Thoss, D.: Studien zum l. a. im MA. Wien/Stuttg. 1972.   ED

Logaödische Reihen [zu gr. logaoidikos (aus logos = Prosa und ode = Gesang, Poesie) = aus Prosa und Poesie bestehend], von R. Westphal und A. Roßbach im Anschluß an eine Hephaistion-Stelle eingeführte, heute nicht mehr gebräuchl. Bez. für die ⌐äol. Versmaße und ihre zahlreichen Kombinationen und Fortentwicklungen in der gr.(-lat.) Metrik.   K

Logographen, m. Pl. [zu gr. logos = Wort, Prosa, graphein = schreiben],
1. heute umstrittene Bez. F. Creuzers für frühgriech.-ion. Historiker u. Geographen (7.–5. Jh. v. Chr.), die ihre teils legendär-myth., teils sachl. fundierten Berichte über Städte, Landschaften, Götter- u. Königsgenealogien usw. in ⌐Prosa abfaßten. Da sie am Beginn der Entwicklung einer frühgriech. Prosaliteratur stehen, wurde die Bez. später auch ausgeweitet auf ›Prosaschriftsteller‹. Bedeutende L. waren Hekataios von Milet und Hellanikos von Mytilene; ihre nur fragmentar. erhaltenen Werke gelten als stoffl. Quellen Herodots.
2. Bez. für att., jurist. geschulte Redner, die gegen Honorar Gerichtsreden für prozessierende Bürger verfaßten, die diese dann vor Gericht in eigener Sache vortrugen. Der 1. bekannte Logograph war Antiphon aus Rhamnus (5. Jh. v. Chr.; 15 Reden erhalten), er gehört wie der berühmteste Lysias (von 233 Reden 34 erhalten), zum Kanon der 10 att. Redner.   IS

Lokalstück, Theaterstück, das lokale Eigentümlichkeiten (meist) einer Stadt (seltener einer Landschaft), d. h. Typen, Dialekt, lokale Sitten und Verhältnisse, spiegelt; kann als rein unterhaltende oder satir. ⌐Posse (oft mit Gesang), als moralisierendes ⌐Sittenstück oder soziales ⌐Volksstück konzipiert sein, wobei die Grenzen untereinander sowie zu anderen Formen des ⌐Volkstheaters fließend sind, z. B. zu ⌐Zauberstück, Literaturparodie, mytholog. Karikatur, z. B. auch zum ⌐Bauerntheater. – L.e entstanden jeweils aus lokalen städt. Theatertraditionen (Intermedien, Possen, bürgerl. Rührstücken) im 18. Jh.; Blütezeiten waren die polit. restriktive *Vormärz* mit zeitsatir. u. zeitkrit. Lokalposen, insbes. in Wien (J. Nestroy), Hamburg (G. N. Bärmann, J. H. David), Darmstadt (E. E. Niebergall), Berlin (D. Kalisch, A. Glaßbrenner) und der *Naturalismus* (L. mit sozialer Tendenz: L. Anzengruber/Wien, G. Hauptmann/Berlin, J. Stinde/Hamburg).   IS

Losbuch, mal. Gebrauchsbuch meist antiken oder arab. Ursprungs, im großer Verbreitung und method. Vielfalt der Prognostikation epidemologischer, metereologischer, politischer, religiöser und alltäglicher Inhalte diente. Im Spektrum der mal. ⌐Artes fällt die Erstellung und Benutzung von L.ern unter die ›Verbotenen Künste‹ (Magie, Mantik, Berufsgaunertum, betrügerische Praktiken von Handwerkern und Kaufleuten), die dem Verdikt von Kirche und Rechtsprechung unterlagen. – Das *wichtigste* und lange Zeit verbindlich gebliebene *mantische System* des MA.s hat Isidor v. Sevilla im 7. Jh. entworfen, unter dem er (analog zur antiken Viierelementetheorie) die mant. Künste der Geomantie, Hydromantie, Aeromantie und Pyromantie begriff. Weitere Systementwürfe stammten von Hrabanus Maurus, Hugo v. St. Victor, Thomas v. Aquin, Berthold v. Regensburg u. a. Das systemat. Hauptwerk spätmal. Mantik hat der in zahlreichen Wissensgebieten seiner Zeit versierte Hans Hartlieb mit seinem »Puoch aller verpoten kunst« (1455/56) verfaßt, in dem er trotz seiner vermutl. durch den päpstlichen Legaten Nikolaus v. Kues bewirkten Konversion eine breite Kenntnis in den L.ern angewandten Losmethoden zeigte.
Ⓞ Schneider, Karin: Ein L. Konrad Bollstätters. Wiesb. 1973.   BI

Lost generation [ˈlɔst dʒenəˈreiʃən, engl. = verloren

Generation], eine Gruppe amerikan. Schriftsteller der zwanziger Jahre, die das Erlebnis des Ersten Weltkrieges pessimist. gestimmt und desillusioniert hatte. Die Bez. wurde geprägt nach der an E. Hemingway gerichteten Bemerkung G. Steins »you are all a lost generation«, die Hemingways Roman »The sun also rises« (1926) als Motto vorangestellt war. Zur Gruppe der l.g. werden neben Hemingway E. E. Cummings, M. Cowley, J. Dos Passos und F. S. Fitzgerald gerechnet. Ihre gegen die amerikan. Traditionen rebellierenden Werke sind geprägt durch Illusionslosigkeit und einen bis zum Zynismus und Nihilismus gesteigerten Bindungsverlust. – Die Bez. wurde auch auf europ. Schriftsteller der Zeit nach dem 1. Weltkrieg ausgedehnt (E. M. Remarque, E. Toller, W. E. S. Owen, L. Aragon, A. Huxley).

◻ Fitch, N. R.: Sylvia Beach and the l.g. New York/London 1983. – Kazin, A.: Amerika. Selbstkenntnis u. Befreiung. Dt. Übers. Freibg./Mchn. 1951. GG

Lösungsdrama, von P. Kluckhohn geprägte Bez. für Dramen, in denen eine trag. Situation durch positive Lösung des Konfliktes überwunden wird und zwar 1. durch göttl. Eingreifen (Gnaden- oder Erlösungsdrama), z. B. in der Antike die »Eumeniden« des Aischylos (↗deus ex machina), in der Neuzeit christl. Dramen wie Calderóns »Standhafter Prinz«; eine Umkehrung und Persiflage dieses Typus des L.s zeigt B. Brechts »Der gute Mensch von Sezuan«, 2. durch innere Wandlung des Menschen (Läuterungsdrama), z. B. Calderóns »Das Leben ein Traum«, Goethes »Iphigenie«, H. v. Kleists »Prinz von Homburg«.

◻ Kluckhohn, P.: Die Arten des Dramas. DVjs 19 1941). HD

Ludi, m. Pl., Sg. ludus [lat. = Spiel], öffentl. Kampf- und Theaterspiele im antiken Rom; es gab sog. *l. circenses* (Zirkusspiele, z. B. Pferde- und Wagenrennen, Gladiatorenkämpfe, Tierhetzen) und *l. scaenici* (dramat. Aufführungen). – Die röm. l. sind etrusk. Ursprungs; sie fanden jährl. im Rahmen der großen kult. Feste statt. Von den grundsätzl. vergleichbaren griech. Festspielen (etwa den Dionysien) unterscheiden sie sich v. a. dadurch, daß die röm. Bürger an den Wettkämpfen und Aufführungen nicht aktiv beteiligt sind. Hervorzuheben sind die in die Zeit der Republik zurückgehenden *kult.* l. gegenüber den oft nur kurzleb. der Kaiserzeit (oft zu Ehren bestimmter Kaiser, Siege usw.), denn Dramenaufführungen fanden nur an den wichtigen republikan. l. statt, so an den *l. Romani* (auch: l. Magni, seit 366 v. Chr., 12.–15. Sept., zu Ehren des Jupiter Optimus Maximus), die *l. Florales* (seit 240 [38] v. Chr., 28. April, zu Ehren der Flora), die *l. Plebei* (seit 216 v. Chr., 15. Nov., zu Ehren Jupiters), die *l. Apollinares* (seit 212 v. Chr., 13. Juli, zu Ehren Apollos), die *l. Megalenses* (seit 204 v. Chr., 10. April, zu Ehren der Magna Mater), die *Cerialia* (seit 202 v. Chr., 12.–19. April, zu Ehren der Ceres). Im Anschluß an die lat. *l. scaenici* wurden auch die lat. ↗geistl. spiele des MA.s als l. bez., z. B. *ludus paschalis* (Osterspiel), *ludus de Antichristo* (Antichristspiel) u. a. K*

Ludlamshöhle, Wiener gesell. Kreis von Schauspielern, Dichtern und Musikern u. a., 1817 von dem Burgschauspieler Karl Schwarz gegründet, benannt nach A. G. Oehlenschlägers gleichnam. Theaterstück von 1817; Mitglieder u. a. J. Ch. v. Zedlitz, J. F. Castelli, F. Grillparzer, K. v. Holtei, E. v. Bauernfeld, C. M. v. Weber, der Maler M. M. Daffinger, der Ästhetiker J. Jeitteles. 1826 von der Polizei wegen angebl. staatsgefährdender Tätigkeit aufgelöst, wurde die L. danach unter verschiedenen Namen (z. B. »Baumannshöhle«, »Grüne Insel«, zuletzt »Neue L.«) wieder eingerichtet, bestand bis 1973. HD*

Lügendichtung, unterscheidet sich von anderer fiktionaler phantast., märchenhafter oder symbol.-allegor. Dichtung (die ebenfalls durch keine unmittelbaren Wirklichkeitserfahrungen bestätigt wird) dadurch, daß die Lügen als Spieler. Affront gegen einen von Dichtung ohnedies nicht

einlösbaren Wahrheitsanspruch, nicht aber als dichter. Chiffren für rekonstruierbare Wirklichkeit verstanden werden sollen. Dabei ist das Lügen stets an histor. Wirklichkeitsbegriffe und Wahrhaftigkeitsansprüche gebunden, die durch ihre radikale Umkehrung ins Unglaubhafte zugleich kritisiert oder karikiert werden können. Erlogenes kann aber zu späteren Zeiten den Wert einer Realität erhalten, z. B. die Entdeckung der Neuen Welt in Lukians »Wahren Geschichten« oder die zu einem Topos der L. gewordenen Mondreisen, soweit sie nicht, wie Cyrano de Bergerac oder Jules Verne, dem Genre des ↗utop. Romans angehören, der im Ggs. zur L. nicht das evident Unmögliche, sondern das potentiell Mögliche darstellen will. – L. kann entwede 1. das Lügen zum dichter. Verfahren machen, wie es insbes. im Lügen*roman* geschieht, der sich seit der Antike an Stoff u. Form der »Odyssee« orientiert; kennzeichnend sind die Perspektive der Ich-Erzählung, pikareske Episodenfolge und oft das Handlungsschema des Reiseberichts, z. B. die »Wahren Geschichten« Lukians, die oriental. »Abenteuer Sindbads des Seefahrers«, die »Wunderbaren Reisen« Münchhausens und seiner zahlreichen, z. T. parodist. Nachfolger (↗Münchhausiade). Diesem Modell sind auch Lügenmären wie das mal. »Schneekind« (Modus Liebinc), Wunschlügen-Erzählungen wie das »Schlaraffenland« verpflichtet. – Dieser Gattung des lügenden Erzählens stehen 2. zahllose Werke gegenüber, die das Lügen als menschl., moral. defektes Verhalten mit satir. oder kom. Absicht, darstellen: von Plautus' »Miles gloriosus« über Rabelais' »Gargantua«, Gryphius' »Horribilicribrifax Teutsch«, Ch. Reuters »Schelmuffsky« bis hin zu Daudets »Tartarin de Tarascon« ist der verlogene Aufschneider ein beliebter Typ der ep. und dramat. Lügendichtung. Wo allerdings der moral. Anspruch eines Werkes das ästhet. Vergnügen am dargestellten Lügen übersteigt, pflegt man die Bez. ›Lügendichtung‹ nicht zu verwenden, z. B. bei Molières »Tartüff« oder H. v. Kleists »Zerbrochenem Krug«.

HW

Lullaby, n. [lʌləbai; engl., von lautmalendem to lull = beruhigen, vgl. dt. einlullen], engl. Wiegenlied oder Refrain eines solchen; formal u. entstehungsgeschichtl. meist den ↗Carols zugerechnet. Blütezeit im 15. (damals meist als *Lullay* bezeichnet) u. 16. Jh. MS

Lustige Person, kom. Person, kom. Bühnenfigur; begegnet in vielfach variierter Gestalt unter verschiedenen Namen und nationalen Ausprägungen; typ. Eigenschaften sind Gefräßigkeit, sexuelle Triebhaftigkeit, Possenreißerei, Tölpelhaftigkeit, Prahlsucht, Spottlust, kom. Räsonierbedürfnis, Gerissenheit und Intrigantentum; hervorgekehrt sind bei den einzelnen Vertretern die jeweils als typ. angesehenen nationalen Eigenschaften in grotesker Vergröberung; häufiges Rollenetikett: Diener oder Bote. Die *Funktion* der l. P. besteht 1. in der Erheiterung der Zuschauer durch die Ausdrucksmittel der mim. und gest. bestimmten Sprache, durch Scherzformeln, Stegreifeinlagen, Akrobatenakte usw., 2. in der Durchbrechung der Bühnenillusion durch direkte Anrede des Publikums (↗Beiseitesprechen) im publikumsnahen Aktionsraum (Bühnenrand), 3., sofern die l. P. nicht als Zentrum einer Posse, sondern als Nebenfigur im ernsten Drama auftritt, in der Relativierung des Bühnengeschehens; sie wiederholt und kontrastiert als antithet. Parallelfigur zum Handeln des Geschehen auf niederer Ebene, parodiert edle Gefühle und held. Tugenden und dekouvriert das Verstiegene aus der Perspektive des ›gesunden Menschenverstandes‹ (Hinck). Frühformen finden sich schon in ↗Mimus und antiker Komödie als ↗Parasit, gerissener Sklave, soldat. Maulheld (Epicharm, Menander, Plautus, Terenz), im mal. dt. Osterspiel als Salbenverkäufer oder Gehilfe unter den Namen Pusterbalk, Lasterbalk oder Rubin, im frz. Mysterienspiel als Schäfer Riflart, Le Fou (Narr) oder Le Sot (Tor). Die l. P. ist Hauptperson im ↗Fastnachtspiel des 15./16. Jh.s in der Gestalt des teils tölp., teils verschlagenen Bauern (H. Sachs), ferner im ↗Stegreifspiel der ↗engl. Komödianten des 16./17. Jh.s als Clown Jan Bouchet, Stockfisch und ↗Pickelhering, sowie in den Improvisationen der ↗Commedia dell'arte als gerissener Diener ↗Arlecchino, in Frankreich als ↗Guignol, Harlequin (Harlekin) oder Jean Potage, in Spanien als ↗Gracioso (Lope de Vega). Die dt. Ausprägung dieser typ. Figur ist der ↗Hanswurst. In der Tradition dieser internat. l. P. steht auch Stranitzkys Neuschöpfung des Salzburger Hanswurst (Anfang 18. Jh.), der unter verschiedenen Namen (Kasperl, Staberl) die zentrale Figur des ↗Wiener Volkstheaters blieb (Kurz-Bernardon, Hafner, Raimund, Nestroy).

□ Riss, U.: Harlekin. Katalog d. Ausstellung des österr. Theatermuseums. Wien 1984. – Haida, P.: Von d. kom. Figur zur Komödie. DU 36 (1984). – Driesen, O.: D. Ursprung des Harlekin. Mchn./Bln. 1904, Nachdr. Hildesheim 1977. – Catholy, E.: Kom. Figur u. dramat. Wirklichkeit. In: Festschr. H. de Boor, Tüb. 1966. – Hinck, W.: Das dt. Lustspiel des 17. u. 18. Jh.s und die Bez. Komödie. Commedia dell'arte und théâtre italien. Stuttg. 1965. – Hohenemser, H.: Pulcinella, Harlekin, Hanswurst. In: Die Schaubühne 33 (1940).   PH*

Lustspiel, dt. Übersetzung von lat. *comoedia,* erstmals 1536 im Titel eines anonymen Stückes (»ein L. und vast ehrliche kurtzweile«), zur erst wieder im 17. Jh. gebraucht (A. Gryphius), seit dem 18. Jh. allgem. übl. (Gottsched 1757) und mit ↗Komödie synonym verwendet. – In der modernen Literaturwissenschaft wurde z. T. versucht, die Bez. ›L.‹ einzuengen auf Werke, in denen das ↗Kom. stoffl., formal oder strukturell in gedämpften leisen Ausprägungen gestaltet oder durch den Aspekt des ↗Humors gedeutet wird, deren Wirkung also nicht im spött.-aggressiven Lachen (wie in der Komödie) sondern in Lächeln und versöhnl. Heiterkeit bestehe. Die Problematik dieser Versuche liegt (abgesehen von der nur im dt.sprach. und niederländ. Bereich mögl. Anwendung dieser terminolog. Differenzierung und der von Autoren meist nicht praktizierten Unterscheidung) 1. in der fragwürdig. kategorialen Gleichsetzung des (objekt.) Komischen mit (subj.) Humor, 2. in der nur subj. Ermessen anheimgestellten Grenzziehung zwischen aggressiver und versöhnl.-heiterer Aussage, so daß die Klassifizierung einzelner Werke an L.e schwankt. Allgem. gelten als L.e Shakespeares Komödien, nicht unumstritten aber z. B. Lessings »Minna von Barnhelm«, die Märchenspiele der Romantiker (L. Tieck, C. Brentano, G. Büchner, »Leonce und Lena«), F. Raimunds Zauberstücke und H. v. Hofmannsthals »Der Schwierige« und »Der Unbestechliche«. Problemat. sind auch Differenzierungen, die die Komödie als dem roman. Wesen gemäßer vom L. als german. oder nur dt. Wesen gemäßer absetzen.

□ ↗Komödie. – RL.   IS

Lyoner Dichterschule, ↗École Lyonnaise.

Lyrik, f. [nach griech. Lyra = Leier], poet. ↗Gattung, ursprüngl. zur Lyrabegleitung vorgetragene Gesänge. Literar. faßbar im Abendld. erstmals bei den Griechen; erwuchs wie auch in anderen Kulturkreisen (oriental., chines., ind., polynes. usw.) aus der Einbettung in den Mythos (↗Zauberspruch, mag. Beschwörung, ↗Totenklage, Segensformel, Kinder-, ↗Arbeits-, Kriegslied; ↗einfache Formen, ↗Kultlied) und entwickelte im Lauf ihrer Geschichte einen großen Formenreichtum; sie gestaltet die unterschiedlichsten Inhalte des menschl. Seins und Erlebens und der Arbeitswelt, wobei die ursprüngl. Bindung an Gesang und Musik (↗Lied) nie gänzl. verlorengeht (vgl. heute den ↗Protestsong). L. wurde erst im 18. Jh. als dritte Hauptgattung der Poesie (neben Epik und Drama) klassifiziert (↗Dichtung). Sie wird bis heute verschiedentl. als Urform der Dichtung angesprochen, läßt aber im Hinblick auf die Vielfalt ihrer historisch, kulturell und gesellschaftlich unterschiedl. ausgeprägten Erscheinungsweisen keine

einheitl. und vollständige Begriffsbestimmung zu, zumal der längere Zeit vorherrschende, an Goethe-Zeit und Romantik orientierte L.-Begriff (↗lyrisch) sich heute zunehmend einer Kritik ausgesetzt sieht. Neue Definitionsversuche möchten die Wesensbestimmung von L. als empfindsam-subjektivem Ausdruck von Unmittelbarkeit, Gemüt, Gefühl (Erlebnis, Verinnerung des Gegenstands in einer Stimmung, Abstandslosigkeit zwischen Subjekt und Objekt, Inhalt und Form, Dichter und Leser, musikal. Wirkung) in ihrer Gültigkeit histor. eingeschränkt wissen, und verweisen mit stärkerer Betonung des Artifiziellen gegenüber dem Liedhaften auf die lange Reihe des lyr. ↗Manierismus, v. a. aber auf die von der Antike bis ins 18. Jh. reichende Tradition einer von der ↗Poetik in ihrem gesellschaftl.-öffentl. Stellenwert bestimmten L. (↗Rollen-L.). ebenso wie auf die durch neuartige weltanschaul.-gehaltl. Momente bedingte L. der Moderne. Relativ konstante *Elemente der L.* (in typologischer, nicht klassifikator. Hinsicht) in Bezug auf die *äußere Form* sind ↗Rhythmus (Betonung in nahezu regelmäßiger Abfolge; vgl. auch ↗freie Rhythmen) und ↗Vers; gegebenenfalls ↗Metrum, ↗Reim und ↗Strophe; ↗Bild; Kürze. Dem entspricht hinsichtl. *de inneren Form:* Konzentration, Abbreviatur komplexer Verhältnisse, Sinnverdichtung und Bedeutungsintensität, also die Qualität des Lakonischen als Ergebnis sprachl. Verdichtung und Ökonomie, die v. a. durch Wiederholungen ein Gewebe von (gedichtimmanenten) Verweisungen und Bezügen herstellt und deren Addition und Variation in einer (mehr oder minder akzentuierten) Summation zusammenfaßt (die Wiederholung kann inhaltl. oder formale Kennzeichen betreffen: Wörter, Wortgruppen, Verse [↗Refrain], rhythm. oder syntakt. Strukturen, bes. auch Klangidentitäten). *Arten der L.* lassen sich (unter Vernachlässigung der hist. Perspektive) unterscheiden nach dem Gegenstand (Liebes-L., polit. L. usw.), nach dem Grad der lyr. Gestaltung (vom ↗Lied als formal anspruchslosem, unmittelbarem Ausdruck naturbezogenen Gefühls bis zur höchst bewußt durchgeformten, durchgeistigten Kunst-L., deren künstler. Gestalt zum Eigenwert werden kann, der sachl. Gehalt weitgehend verdrängt) und nach Maß und Ar des Anteils der dichterischen Subjektivität (Verhältnis Subjekt – Objekt). In letzterer Hinsicht lassen sich Lied und ↗Gnome (Spruch) schemat. einander gegenüberstellen mit der Einschränkung, daß das Lied ebensowenig rein subjektive Empfindung ausdrückt wie die Gnome rein objektiven Gehalt. Demgemäß bildet das eine Extrem die *Stimmungs-L.,* in der die subjektive Empfindung das Objektiv durchtränkt und auflöst, um so die Verschmelzung von Ich und Wirklichkeit zu gestalten. Häufig mit ihr gleichgesetz wird der eigentl. weitere Begriff der *Erlebnis-L.,* die die Einheit von Subjekt und Objekt nicht nur als gefühlvolle Ineinanderfließen, sondern auch als bewußte Einstellung des Ich auf erfahrene Wirklichkeit zeigt. Als ein Überindivi duell-Allgemeines erscheint das Gegenständliche in de hymnischen L. (↗Hymne, ↗Dithyrambus) mit ihrem nach die leidenschaftl.-enthusiast. Subjektivität als Ergriffensein von einer höheren Lebensmacht, einer Idee, einem Objek tiv-Allgemeingültigen darstellt, wie andererseits die ↗Ge danken-L. (im Unterschied zur ↗Lehrdichtung) phi los.-theoret. Gegenstände immer unter der Perspektive per sönl. Betroffenheit bietet. Fließend sind die Übergänge zur ↗Ode, deren Ton häufig strenger, gemessener, feierliche ist und die durchaus eine Distanz zwischen Subjekt une Objekt bewahrt. Als Gegenextrem zur Stimmungs-L versucht das ↗Dinggedicht, ein Gegenständliches in sei nem Wesen objektiv-neutral zu erfassen (vgl. auch den Ver such, den naturalist. ↗Sekundenstil in die L. einzuführen) Nicht in dieses Schema paßt die ↗absolute Dichtun, (↗poésie pure, ↗abstrakte Dichtung) mit ihrer Absicht, di Sprache selbst, deren Strukturen und Eigenwerte zum Gegenstand zu machen und abgelöst von subjektiven Inten ionen und objektiven Gehalten Dichtung als Selbstzweck u verwirklichen, wobei die Subjektivität z. T. dennoch wieterum als willkürlich-diktatorische Phantasie sich in den Vordergrund rückt. – *Geschichte der L.:* Im alten *China* ist .. die höchstgeachtete Form der Dichtung, es überwiegt Volksliedartiges, oft mit lehrhaftem Charakter (»Shihhing« = »Buch der Lieder«, L. von 1500–500 v. Chr.), in der Zeit der Klassik (Tang-Dynastie, 618–907) dichten Li Tai Po und Tu Fu (beide 8. Jh.). Auch in *Japan* gilt L. als orbildl. Dichtung, Regelformen sind Tanka und Haikai (Haiku) (Matsuo Bascho, 17. Jh.). Der zunächst religiösymn. Dichtung der *Inder* (»Rig-Weda«) gesellen sich späer lehrhafte Spruchdichtung und L. mit erot. Inhalten Kalidasa, Ende 4./Anfang 5. Jh.). In *Ägypten* wird hymn. Dichtung gepflegt: Totenklagen (»Totenbuch«) und Verhrung der Sonne (Hymnus auf Aton). Der Parallelismus der Versteile als Stilmittel der babyl.-assyr. Hymnen begeget auch in der enthusiast.-hymn., von religiösem Pathos rfüllten, aber auch dem Sinnlich-Diesseitigen zugewandten *hebräischen* L. (Psalmen, »Das Hohelied«, Siegesymne Mirjams, Kriegsgesang Deborahs), die im MA. in der L. des span. Judentums (mit Einflüssen von arab. und prov. L.) erneut aufblüht (Jehuda ben Halevy, 1085–1140). Die *arab.* L. des MA. enthält Totenklagen, dann Kriegsnd Liebeslieder und Spruchdichtung, ihre Gedichtform es Ghasel (vgl. auch Kasside) wird von der *pers.* L. bernommen, die nach der vorchristl. Lehrdichtung »Awesta«) im MA. in teils mystisch-pantheist. Spruchichtung und teils sinnenfroher, weltzugewandter Liebes.. eine neue Blüte erlebt (Omar Ibn Chayyâm, Rumi, Sa'di, Iafes, Djami). Die *abendländ.* L. beginnt bei den *Griechen* orwiegend als Festdichtung zu den verschiedensten Anläsen (Lobes-, Sieges-, Trauergesänge, Trink-, Hochzeitslieer usw.). Zur L. im engeren Sinne zählt nur das zur Leier esungene Lied (die sog. Melik): das dor. Chorlied (Alkan, Stesichoros, Ibykos, Simonides, Pindar, Bakchylides) nd die dem äol.-jon. Sprachraum (Lesbos) entstammende, on einem Einzelinterpreten vorgetragene monodische L. Terpander, Alkaios, Sappho, Anakreon). Heute rechnet nan zur L. auch die Jambendichtung (vorwiegend Spottichtung; Archilochos, Semonides, Hipponax), die Eleie (Totenklage, aber auch andere Themen; Tyrtaios, Mimermos, Solon, Theognis) und das Epigramm (ursprüngl. uufschrift auf Grab und Weihgegenstand; Simonides, späer Leonidas von Tarent, Asklepiades). Unter dem Einfluß er hellenist. steht die *röm.* L. An alexandrin. Künstlern Kallimachos) geschult, dichten Catull und wenig später ibull und Properz; wie auch Ovid übernehmen sie v. a. die legie, Horaz die Ode, Martial das Epigramm und entwikeln sie mit artist. Virtuosität zu einer höchst differenzierten ormkunst. Die zunächst noch vorwiegend lat. *L. des MA.s* urzelt in antik-christl. Bildungstraditionen, seit dem ./10. Jh. werden in Klosterschulen geistl. Gesänge und ehrdichtung (Sequenzen: Notker Balbulus; Marien-L.; päter Thommaso da Celano: »Dies irae«) gepflegt; zu nen gesellt sich die auch weltl. L. der Vaganten. Daneen entwickelt sich die nationalsprachl. Dichtung einerseits enfalls als geistl. L., andererseits (nach Anfängen in eim. Tradition: Kürenberg) in der klass. Periode 1170–1230) unter dem Einfluß der höfischen Kultur des ittertums als Minnesang, der sich von der Provence Trobadors) her verbreitet und als Gesellschaftsdichtung it höchst kunstvollen Formen der Bestätigung der ritterl. ultur dient (Friedrich von Hausen, Reinmar, Heinrich on Morungen, Walther von der Vogelweide), weiterhin als olit. Spruchdichtung (Walther). Die Motive und Formen ilden eine verbindl. Konvention (Dienst an der Dame, ugend und »Maß«, hohe und niedere Minne: Walther; Tagelied), die sich in der Abwandlung und Bereicherung es Bekannten und Gültigen manifestiert, und die erst mit em Verfall der Ritterkultur und den vordringenden

satir.-iron. auf Realistik ausgerichteten Zügen ihre Vorbildlichkeit verliert (Neidhart), wobei einerseits die Individualisierung, andererseits das Beharren auf traditionellen Formen (Aufkommen des Bürgertums) für entschiedene Wandlung sorgt. – Die nationalsprachl. *ital.* L. findet zu den überkommenen provenzal. Formen (Kanzone, Sestine) neue hinzu (Sonett, Madrigal) und erlebt mit den Dichtungen Dantes und Petrarcas (14. Jh.) einen Höhepunkt bereits zu Beginn der Renaissance, wobei v. a. Petrarca bis ins 16. Jh. großen Einfluß ausübt (Petrarkismus). Bedeutende Lyriker sind in der Folgezeit Michelangelo, Tasso (16. Jh.), Metastasio (18. Jh.) im 19. u. 20. Jh. Leopardi, Carducci, D'Annunzio, Ungaretti, Montale. – Die *franz.* L. nach Villon (15. Jh.) gerät im 16. Jh. unter ital. Einfluß (Margarethe von Navarra, C. Marot) und wendet sich dann antiken Motiven und Formen zu (Ronsard, Pléiade). Eine Blüte erlebt sie nach der L. des 18. Jh.s (poésie fugitive, später Chénier), der Romantik (Lamartine, Hugo, de Vigny, de Musset) und der strengeren Formkunst der Parnassiens (L'art pour l'art) erst mit der (die Moderne einleitenden) L. Baudelaires und des Symbolismus: Rimbaud, Mallarmé, daneben Verlaine, Lautréamont, Laforgue. Bedeutende Lyriker auf der Wende zum und im 20. Jh. sind Valéry, Apollinaire, Saint-John Perse, Char. Über Frankreich hinaus greifen Bewegungen wie Dadaismus und Surrealismus (Aragon, Eluard). – Auch die *engl.* L. steht zunächst unter ital. Einfluß (engl. Sonett). Ihre Entwicklung geht über den Euphuismus, eine engl. Variante des Manierismus über Spenser, Shakespeare, Donne (metaphysical poets), Milton zur franz. beeinflußten L. des 18. Jh. (Pope), zur empfindsamen (Thomson, Gray, Akenside), dann volkstüml. (Burns) und romant. L. (Blake, Byron, Shelley, Keats) und im späteren 19. Jh. zur L. Tennysons, Brownings, Swinburnes, Hopkins', Thompsons. Im 20. Jh. gilt die L. von Yeats, Eliot und Auden als die bedeutendste, wobei Einflüsse nordamerikan. Lyriker (Poe, Whitman, Emily Dickinson, Pound [Imagismus], Frost, MacLeish) eine große Rolle spielen. – Die *L. der Humanisten in Dtld.* ist Gelehrtendichtung nach lat. Mustern. Neben ihr entsteht im Zusammenhang mit der Reformation das protestant. Kirchenlied (Luther; geistl. Kontrafaktur, Volkslied). Das *Barock* mit seinen großen Gegensätzen und Spannungen vereinigt Gesellschaftsdichtung (galante Dichtung, Nymphenlieder, Scherzgedichte, Nachahmung gelehrter Muster, Schäferidylle, heroische Gedichte: Opitz, Weckherlin, Dach, Fleming, Harsdörffer, Zesen, Hofmannswaldau, Lohenstein, Logau) und relig. L. (Catharina R. von Greiffenberg, Czepko, Gryphius, Spee, Gerhardt und, mit myst. Einflüssen, Angelus Silesius und Kuhlmann). – Das *18. Jh.* bringt eine stärkere Differenzierung (wachsendes Leserpublikum, vermehrte Publikationsmöglichkeiten: Moral. Wochenschriften), es ist zugleich jenes Jh., in dem der gesellschaftl. befestigte, prinzipielle Konsensus zwischen Dichter und Rezipienten über den traditionsgebundenen und verbindl. gültigen Kanon der Motive und Formen sich verliert. Gedanken-L. und Lehrdichtung der nüchternen Zuschnitts (Brockes, Haller, E. v. Kleist) stehen neben rokokohafter Gesellschafts-L. (Hagedorn, Gleim, Uz, Wieland), L. der Empfindsamkeit mit pietist. Einflüssen (Gellert), Klopstocks L. (Göttinger Hain), die mit ihrer Befreiung des Gefühls zur Wegbereiterin des Sturm und Drang wird (Herder: Volkslieder, der junge Goethe, Lenz, Hölty, Bürger). Die Zeit der sog. Weimarer Klassik (vor dem Hintergrund des dt. Idealismus) dauert nur kurz (Goethes symbol. L., Schillers Gedanken-L.; Hölderlins L. besitzt eine Sonderstellung). Während in Goethes Symbolverständnis Realität und individuelle Erfahrensweise einen Ausgleich in ihrer Verbindung zu einem beides vermittelnden Sinn (Idee, das Allgemeine) finden, emanzipiert sich die Subjektivität in der Folgezeit stetig bis hin zur modernen L., in der die Individualität des Sprechenden sich abgelöst hat von einer als unverfügbar und unergründlich angesehenen Wirklichkeit. An die spekulativ-idealist., relig., zugleich von irrationalen Tendenzen bewegte *Frühromantik* (Novalis, Brüder Schlegel) knüpfen die Modernen an, nachdem die naturinnige Stimmungs-L. der *Hoch-* und *Spätromantik* (Brentano, Eichendorff) abgelöst ist durch eine teils eher gedankl. orientierte, teils ins Private gewendete (Mörike, Grillparzer, Lenau; ⁄Biedermeier), dann realist. L. (Droste, Hebbel, Storm, Keller), durch formkünstlerische (Platen, Rückert) und sozialkrit.-polit. L. (Heine, ⁄Junges Dtld.). Neben der symbolischen (C. F. Meyer) steht die sog. Epigonen-L. (⁄Münchner Dichterkreis), gegen die der ⁄Naturalismus antritt (Conradi, Holz) ebenso wie der ⁄Symbolismus (George; z. T. Hofmannsthal, Rilke). *Um die Jh.wende* begegnet impressionist. L. (Liliencron), später ⁄Arbeiterdichtung unter dem Einfluß von Naturalismus und ⁄Expressionismus. Letzterer vereinigt in sich mannigfaltige Richtungen (vgl. auch ⁄Charonkreis): Polit. Aktivismus (Becher), experimenteller Dadaismus, Bürgerschrecks-L. (früher Benn, früher Brecht; vgl. auch ⁄Kabarett), kosmische Naturpoesie (Mombert), Visionen und Sozialutopien (Ehrenstein, Goll), imaginativ-melanchol. Verinnerlichung, Magisches (Trakl, Heym, E. Lasker-Schüler). Der Expressionismus wird abgelöst durch Natur-L. (Loerke), relig. L. (R. A. Schröder), sog. Gebrauchs-L. (Brecht) und die heroisierende nationalsozialist. L. Nach 1945 gibt es neben einer eher rückwärts gewandten Richtung die sog. Kahlschlag-L. (Eich, Schnurre), die weiterentwickelte L. der Antipoden Benn und Brecht und in der Nachfolge des Letzteren sozialkrit. L. (Enzensberger, Fried), daneben Natur-L. (Eich, Bobrowski) und hermet. L. (Celan, I. Bachmann, Huchel, ⁄Hermetismus). Als eine Folge der im 18.Jh. eingeleiteten Subjektivierung läßt sich die seit dem letzten Jh. stetig wachsende Tendenz ansehen, die lyr. Produktion mit dichtungstheoret. Reflexion zu begleiten, wobei lyr. und theoret. Hervorbringung verschiedentlich (vgl. ⁄konkrete Literatur) als zwei aufeinander angewiesene Momente einer einheitlichen Sprachübung gedeutet worden sind. In jüngster Zeit scheint die konkrete Literatur an eine Grenze gelangt zu sein. Zu konstatieren ist eine Hinwendung zum Dialekt, eine Rückkehr zu traditionellen Formen (Reime), andererseits eine neue resignative Sensibilität, die auch das Naturgedicht (Klagen um zerstörte Natur) wieder einbezieht (P. Huchel, Walter H. Fritz, R. D. Brinkmann, R. Kirsch, Sarah Kirsch, R. Kunze, G. Kunert, W. Wondratschek, P. Turrini, K. Konjetzky, J. Bekker u. v. a.).

☐ Ruprecht, D.: Unters. zum L.verständnis in Kunsttheorie, Lit.historie u. Lit.kritik. Gött. 1987. – Grimm, R. (Hg.): Zur L.-Diskussion. Gött. ³1987. – Austermühl, E.: Poet. Sprache u. lyr. Verstehen. Studien z. Begriff der L. Hdbg. 1981. – Ledanff, S.: Die Augenblicksmetapher. Über Bildlichkeit u. Spontaneität in d. L. Mchn. 1981. – Killy, W.: Elemente der L. Mchn. ²1972. – Killy, W.: Wandlungen des lyr. Bildes. Gött. ⁶1971. – Pestalozzi, K.: Die Entstehung des lyr. Ich. Bln. 1970. – Hocke, G. R.: Manierismus in der Lit. Reinbek ⁵1969. – Lehnert, H.: Struktur u. Sprachmagie. Stuttg. 1966. – Böschenstein, B.: Studien zur Dichtung des Absoluten. Zür./Freibg. 1968. – Jünger, F. G.: Rhythmus u. Sprache im dt. Gedicht. Stuttg. ²1966. – Pfeiffer, J.: Umgang mit Dichtung. Hdbg. ⁸1954.
Geschichte: Kemper, H.-G.: Dt. L. d. frühen Neuzeit. Bd. 1 1987 (auf 6 Bde. berechnet). – Janik, D. (Hg.): Die frz. L. Darmst. 1987. – Herzog, U.: Dt. Barock-L. Mchn. 1979. – Schutte, J.: L. des dt. Naturalismus. Stuttg. 1976. – Mahal, G.: L. der Gründerzeit. Tüb. 1973. – – Dronke, P.: Die L. des MA. Mchn. 1973. – Hoffmeister, G.: Petrarkist. L. Stuttg. 1973. – Wittschier, H. W.: Die L. der Pléiade. Frkft./M. 1971. – Göller, K. H. (Hrsg.): Die engl. L. 2 Bde.

Düsseld. 1968. – Haller, R.: Gesch. der dt. L. vom Ausgang des MA.s bis zu Goethes Tod. Bern/Mchn. 1967. – Bowra C. M.: Poesie der Frühzeit. Mchn. 1967. – Henry, P. L.: The early Engl. and Celt. L. London 1966. – Friedrich, H.: Epochen der ital. L. Frkft./M. 1964. – Klein, J.: Gesch. der dt. L. Wiesb. ²1960.
Moderne: Korte, H.: Gesch. d. dt. L. seit 1945. Stuttg. 1989 – Engel, M.: R. M. Rilkes ›Duineser Elegien‹ u. die moderne L. Stuttg. 1986. – Weissenberger, K. (Hrsg.): Die dt. L. von 1945–1975. Düsseld. 1981. – Rey, W. H.: Poesie der Antipoesie. Moderne dt. L. Hdbg. 1978. – Schlenstedt S. u. a. (Hrsg.): Welt im sozialist. Gedicht. Bln./Weimar 1974. – Klein, Ulr.: L. nach 1945. Mchn. 1972. – Hamburger, M.: Die Dialektik der mod. L. Mchn. 1972. – Knörrich O.: Die dt. L. der Gegenwart. Stuttg. 1971. – Müller, Hart mut: Formen mod. dt. L. Paderborn 1970. – Galinski, H. (Hrsg.): Die mod. engl. L. Bln. 1967. – Burger, H O./Grimm, R.: Evokation u. Montage. Gött. ²1967. – Friedrich, H.: Die Struktur der mod. L. Hbg. 1967. – Benn Gottfr.: Probleme der L. Wiesb. ⁸1966. – Hofmannsthal, v.: Das Gespräch über Gedichte. 1904. – Holz, Arno: Die Revolution der L. 1899.   GM

Lyrisch, bezeichnet 1. die Zugehörigkeit eines literar. Wer kes zur poet. Gattung ⁄Lyrik, 2. eine der drei poet. Grund haltungen der drei »Naturformen der Poesie« (Goe the), von E. Staiger (anthropolog.) auch als »fundamental Seinsmöglichkeit« (neben ⁄episch, ⁄dramat.) definier die sich im einzelnen Dichtung. Sinne in den einzelnen Dichtunge jedoch nie rein verwirklichen. Als l. gilt demnach die stim mungshafte Verschmelzung von Subjekt und Objekt al Ergebnis der Verinnerlichung (»Verinnerung«) der gegen ständl. Wirklichkeit, wobei in der Dichtung die sprach Gestaltung unter Preisgabe des gedankl. Moments und de präzisen gegenständl. Konturierung v. a. auf musikal Klangwirkungen abzielt. Als allgem. Qualität aufgefaßt, is das L. nicht an eine bestimmte Darbietungsform gebunder es kann auch im Drama (lyr. Drama, z. B. früher Hof mannsthal, Maeterlinck) und in der Epik (Goethe, »Wer ther«, Hölderlin, »Hyperion‹«) begegnen. Der Begriff ›l. bleibt aber insofern problemat., als er trotz seine Anspruchs auf (anthropolog.) Allgemeinheit an einer bestimmten Art von Lyrik, am ⁄Lied und der sog. Stim mungslyrik, orientiert ist, so daß andere Qualitäten wi bewußte künstler. Formung erst ausgeschlossen bleiben.

☐ Grimm, R. (Hrsg.): Zur Lyrik-Diskussion. Darms ²1974. – Staiger, E.: Grundbegriffe der Poetik. Züric ⁸1968.   GMS

Lyrisches Drama, Dramentyp, in dem lyr. Element (Stimmungen und Formen) stark hervortreten u. der durc Kürze (oft Einakter), Handlungs- und Figurenarmu gekennzeichnet ist. Ein dem lyr. Ich vergleichbare ⁄›Held‹ und seine innere Welt stehen im themat. Zentrun während die dramat. Konstellation (Ereignis, Figuren Interaktion) nur illustrative, gelegentl. (z. B. bei Hofmanns thal) auch krit. Funktion besitzt. Unterarten sind l. D.s w drama statique, bzw. ⁄Mono- und ⁄Duodrama sin Extremformen des Typus. – Der Begriff ›l. D.‹, der im 18.Jh. aufkommt, bezeichnete ursprüngl. die Textvorlag musikal. Formen wie Oper, Singspiel, Kantate, Oratorium Er subsumiert histor. recht disparate Phänomene wie di mit Instrumentalmusik untermalten Mono- und Duodra men des 18.Jh.s (z. B. J. J. Rousseau, »Pygmalion«, 1762 Goethe, »Proserpina«, 1778, Schiller, »Semele«, 1782), di lyr.-dramat. Dichtungen des Symbolismus (z. B. Maeter linck, »Princesse Maleine«, 1889, »Les Aveugles«, 1890 »L'Intruse«, 1890, Hofmannsthal, »Der Tod des Tizian« 1892, »Der Tor und der Tod«, 1893, »Das kleine Wel theater«, 1897, »Das Bergwerk zu Falun«, 1899) und di lyr.-ekstat. Dramen des Expressionismus (u. a. von O Kokoschka, H. Walden, A. Stramm, A. Mombert, A. Wo 'enstein). Das l. D. der Moderne schert aus der Gattungstradition aus, wie sich an der Zusammensetzung des Kanons literar. Vorbilder zeigt, an dem es sich formal orientiert: er reicht vom Proverbe dramatique des 17.Jh.s über die europ. Romantik, die japan. ⁄Nô-Spiele bis hin zur Moderne selbst (Strindberg), enthält aber das eigentl. Gattungsvorbild des 18.Jh.s nicht. In engem Zusammenhang mit anderen, ebenfalls spezif. modernen Spielarten der dramat. Gattung (etwa dem ⁄ep. und ⁄absurden Theater) erweist es sich als Beitrag zu einer umfassenden Revision der dramat. Form, die mit der Einsicht in die Unwiederholbarkeit des klass. Dramas in der Moderne notwendig geworden war (vgl. u. a. T. S. Eliot, Ch. Fry, W. B. Yeats).

ᗉ Szondi, P.: Das l. D. des Fin de siècle, hg. v. H. Beese. Frkft./M. 1975. – Köster, A.: Das l. D. im 18.Jh. Preuß. Jbb. 68 (1891) 188–201. – RL.   VD

Lyrisches Ich, Ich-Sprecher (oder Sprecherin) eines lyr. Gedichts, der nicht mit dem Verfasser (dem ›Autor-Ich‹) gleichgesetzt werden kann, der auch nicht das (oft im Titel zu identifizierende) Ich eines Rollengedichts (⁄Rollenlyrik) ist. Vielmehr ist das 1. I. Aussagesubjekt eines (zwar beim Autor durchaus zugrundeliegenden subjektiven) Gefühls, einer Erfahrung oder Erkenntnis, die durch den Grad der ästhet. Objektivierung und symbol. Verdichtung zu einer persönlichkeitsüberhobenen emotionalen oder fakt. Wirklichkeitsaussage werden, die über das subjektive Erlebnis eines Autors hinausführt. Das solche Wirklichkeitsaussagen tragende, formulierende 1. I. bietet damit zugleich Identifikationsmöglichkeiten für den Leser (vgl. z. B. Liebes-, Klagegedichte, Gedankenlyrik u. ä.). – Oft ist es indes nicht möglich, genau zwischen persönl.-individuellem (autobiograph.) dem überpersonalen 1. I. zu unterscheiden. Der Reiz vieler lyr. Gedichte liegt geradezu in den vielen Bedeutungsnuancen des ›Ichs‹. K. Hamburger spricht von der »Variabilität und Unbestimmtheit der Ich-Bedeutungen« eines lyr. Gedichts (S. 226), dem »Unbestimmtheitscharakter«, zu dem »auch die Differenz oder Identität zwischen 1. I. und Dichter-Ich« gehöre.

ᗉ Sorg, B.: Das 1. I. Untersuchungen zu dt. Gedichten von Gryphius bis Benn. Tüb. ²1985. – Gnüg, H.: Entstehung u. Krise der lyr. Subjektivität. Vom klass. 1. I. bis zur modernen Erfahrungswirklichkeit. Stuttg. 1983. – Hamburger, K.: Die Logik d. Dichtung, Stuttg. ³1977, S. 187–232. – Pestalozzi, K.: Die Entstehung des 1. I. Bln. 1970.   IS

Lysiodie, f. ⁄Hilarodie.

Mädchenlied, ⁄Minnesang.

Mädchenliteratur, analog zu dem Begriff der intentionalen ⁄Kinder- und Jugendliteratur (KJL) die Literatur, die explizit für Mädchen herausgegeben oder verfaßt worden ist. Intentionale M. gibt es bereits im MA und in der frühen Neuzeit: sie ist überwiegend religiöser und lehrhafter Art. Im *letzten Drittel des 18. Jh.s* setzt unter dem Einfluß der aufklärer. Pädagogik eine stärkere Ausdifferenzierung und quantitative Ausweitung ein. Es dominieren (nichtfiktionale) moralisch-belehrende Schriften, die alle Mädchen auf ihre dreifache Bestimmung als Hausfrau, Gattin und Mutter vorbereiten sollen (J. H. Campe: »Väterl. Rath für meine Tochter«, 1789). Daneben gibt es Romane und Monatsschriften sowie, v. a. für das jüngere Mädchen, unterhaltende Lesebücher. Seit *Beginn des 19. Jh.s* tritt die nichtfiktionale M. zurück zugunsten des sentimental-religiösen Prüfungs- und Läuterungsromans (Ch. F. W. Jacobs) und insbes. der moral. Erzählung (J. Glatz). Religiosität wird als eines der wesentl. Merkmale des weibl. ›Geschlechtscharakters‹ angesehen. Aus den volkstümlichen, episch weiter ausholenden »Erzählungen und Novellen für die reifere weibl. Jugend« der Biedermeier- und Nachbiedermeierzeit (z. B. R. Koch) entsteht die *Backfischerzählung,* die sich auf die Darstellung der engen Welt des wohlbehüteten jungen bürgerl. (oder adeligen) Mädchens bis zur Verlobung oder Verheiratung beschränkt. Die Back-

fischzeit wird verstanden als Schonraum, in dem das Mädchen noch möglichst lange Kind sein darf und soll, und gleichzeitig als Übergangsphase, in der es sich zur ›Dame‹ zu wandeln hat (die gleichwohl auch noch kindl.-spontan bleiben soll: Th. von Gumpert, C. Helm, E. von Rhoden). Der große Erfolg von E. von Rhodens »Der Trotzkopf« (1885) führte zu einer Unzahl von Neuauflagen (bis heute), Fortsetzungsbänden und zahllosen Nachahmungen sowie Abwandlungen des »Trotzkopf«-Modells, die das Mädchen jeweils in einer moderneren, der eigenen Zeit angepaßten Rolle zeigen. Seit *Beginn des 20. Jh.s* verschiebt sich das Mädchenbild noch mehr in Richtung auf die Betonung des Spontan-Kindlichen bzw. Natürl.-Liebenswerten (E. Ury: »Nesthäkchen«-Reihe). In einer anderen Tradition, näml. der des ⁄Familien- und Heimatromans, stehen dagegen die »Heidi«-Bücher von J. Spyri (1880/81). – Im 1. Weltkrieg zeigt die M. starke militarist. und nationalist. Tendenzen, die sich bereits seit der Reichsgründung abzuzeichnen beginnen. Die konservative Entsagungsideologie der M. gegen Ende der Weimarer Zeit geht bruchlos über in die NS-M., die je nach den polit.-ökonom. Erfordernissen entweder die mütterl.-aufopfernde Komponente oder das Kämpferische im Mädchenbild betont. – Das Gros der M. nach 1945 bis zum Beginn der 70er Jahre und noch darüber hinaus ist geprägt von der traditionellen Backfischliteratur und ihren modernen Varianten; die Bücher für jüngere Mädchen werden bestimmt durch Internatsgeschichten wie E. Blytons »Hanni-und-Nanni«-Serie. Trotz den modernen Abwandlungen des Mädchenbildes wird dem Mädchen kein selbstbestimmtes Leben zugestanden. Erst unter dem Einfluß der Studenten- und später der Frauenbewegung entstehen seit Beginn der 70er Jahre auch Mädchenbücher, die die geschlechtsspezif. Sozialisation in Frage stellen und den Rahmen des traditionellen Mädchenbuchs verlassen, indem sie realist. oder die Probleme eines Mädchens schildern (emanzipatorische M.); hier kann sich das Geschlechtsspezifische des Adressatenbezugs auch tendenziell auflösen.

Handbuch zur Kinder- und Jugendlit. Vom Beginn d. Buchdrucks bis 1750. Hg. v. Th. Brüggemann u. O. Brunken. Stuttg. 1987; Von 1750–1800. Hg. v. Th. Brüggemann u. H.-H. Ewers. Stuttg. 1982.

ᗉ Moore, Niekus C.: The Maiden's Mirror. Wiesbaden 1987. – Zahn, S.: Töchterleben. Frkf. 1983. – Grenz, D.: M. Stuttg. 1981. – Dahrendorf, M.: Das Mädchenbuch u. seine Leserin. Weinheim/Basel ³1978. ⁄Kinder- und Jugendliteratur.   DG

Madrasha, Pl. Madrashe ⁄Hymne.

Madrigal, n. [von lat. cantus materialis = einfacher Gesang (im Ggs. zum cantus formalis) oder von cantus matricalis = muttersprachl. Gesang; schon früh jedoch mit it. mandriano = Hirt in Zusammenhang gebracht, was auch die Inhalte der Gattung beeinflußte], seit 1313 in Italien bezeugte volkssprachl. Gattung gesungener Lyrik, meist polem., satir. oder moral. Inhalts. Sie wird jedoch bald, bes. unter dem Einfluß der Dichtung Petrarcas, *bukol.-idyll. Liebesdichtung.* Die älteren M.e zeigen einen festeren Formtyp: Einstrophigkeit aus 2–3 Terzetten und 1–2 angeschlossenen Reimpaaren (3stimm., textadäquate Vokalkomposition, Vertreter J. da Bologna, F. Landino). Im 16.Jh. wird das M. formal weitgehend freier: es umfaßt 6–13 Verse verschiedener Länge (7–11 Silben) in freier Anordnung und Reimstellung, die auch reimlose Zeilen (⁄Waisen) zuläßt. Ist die M.strophe länger als das 14zeil. Sonett, spricht man von *Madrigalon.* Ende des 16. Jh.s, v. a. aber im 17. Jh., wird wieder eine verbindlichere Form (13 Zeilen, in 3 Terzette und 2 Reimpaare gegliedert) angestrebt, vgl. die poetolog. Abhandlung C. Zieglers »Von den M.n« (1653). Dieses M. wurde zur wichtigsten europ. Gattung weltl. Vokalmusik (4- und mehrstimm., mit reicher harmon. und klangmalerischer Ausgestaltung). Vertont

wurden hauptsächl. Texte von F. Petrarca, P. Bembo, L. Ariost, T. Tasso, G. Guarini; (bedeutende Madrigalisten des 16. und 17. Jh.s waren in Italien A. Gabrieli, L. Marenzio, C. Gesualdo und C. Monteverdi, in Frankreich C. Janequin, in Deutschland H. L. Haßler, L. Lechner, J. Gallus, H. Schütz und Ch. Demantius, in England W. Byrd, Th. Morley und J. Wilbye. Palestrina und O. di Lasso schrieben auch geistl. M.e Das M. bildet ferner die wichtigste Textform der barocken Opern und Oratorien. Es wird überdies im sog. galanten Stil (B. Neukirch, E. Neumeister, Ch. Hölmann, J. Ch. Günther), in der ⁄Anakreontik (F. v. Hagedorn, Ch. F. Gellert, Goethes »Leipziger Lieder«) und Romantik (A. W. Schlegel, L. Uhland, J. v. Eichendorff) zu einer selbständ. literar. Gattung.
☐ Vossler, K.: Das dt. M. Gesch. seiner Entwicklung bis in die Mitte des 18. Jh.s (1898), Nachdr. Wiesb. 1972. – Das M. Zur Stilgesch. der ital. Lyrik zw. Renaissance u. Barock. Hg. v. U. Schulz-Buschhaus. Bad Homburg v. d. H. u. a. 1969. – Einstein, A.: The Italian M. 3 Bde. Princeton (N. J.) 1949.   HW*

Madrigalverse, in italien. ⁄Madrigalen u. a. verbreitete unstroph. Kombination von akzentuierenden Reimversen unterschiedl. Hebungszahl. Sie wurden im Dt. zunächst in mit Musik verbundenen Texten nachgebildet (Kantate, Oratorium, Singspiel, Oper); begegnen aber auch in von Musik unabhängigen Texten, z. B. bei A. Gryphius (»Catharina von Georgien«, 1647), bei Lessing (Fabeln und Erzählungen) und v. a. in Goethes »Faust« (vgl. Schülerszene), daher auch *Faustverse*; finden sich auch in moderner Lyrik, etwa bei Ernst Stadler (»Zwiegespräch«).   S

Magazin, n. [arab. machzan, Pl. machazin = Warenlager, Lagerhaus], Bez. und Titel(bestandteil) für period. Zeitschriften, Rundfunk- und Fernsehsendungen mit locker zusammengefügten Beiträgen, oft zu bestimmten Themen oder für bestimmte Rezipientengruppen (Reise-, Kultur-, Literatur-, Wirtschafts-, Jugend-M.). – Als Titel erstmals 1731 in England (»The Gentleman's Magazine«, hg. v. E. Cave), seit 1741 in den USA, seit 1748 in Deutschland, bes. für Familienblätter und wissenschaftl. Zeitschriften (z. B. »M. für die Philosophie des Rechts«, 1798 ff., »Pfennig-M.«, 1833 f.). Bekanntestes modernes Nachrichten-M. ist »Der Spiegel« (1947 ff.).   IS

Magischer Realismus, Ende der zwanziger Jahre aus dem Spätexpressionismus entstandene, diesen ablösende Nebenströmung zur ⁄Neuen Sachlichkeit. Gegenüber der von ihr vertretenen Auffassung einer ›objektiven‹ Wirklichkeit will der m. R. die hinter der Wirklichkeit verborgenen, irrealen und irrationalen, ›magischen‹ Sinnzusammenhänge deutl. machen, hier neben dem ⁄Expressionismus auch dem ⁄Surrealismus in manchem verpflichtet. Der m. R. wurde v. a. in der westdt. Nachkriegsliteratur bedeutsam, u. a. durch eine bevorzugte Todessymbolik. H. Kasacks »Die Stadt hinter dem Strom« (geschrieben 1942–44 u. 1946, erstmals 1946 im Berliner »Tagesspiegel« veröffentlicht) gilt zus. mit E. Langgässers ebenfalls im Kriege geschriebenem Roman »Das unauslöschliche Siegel« (1946) als Hauptwerk dieser literar. Richtung, der ferner (z. T. nur mit einzelnen Werken) die Autoren E. und G. F. Jünger, E. Kreuder, H. E. Nossack und als Nachzügler W. Warsinsky (»Kimmerische Fahrt«, 1953) zugerechnet werden. Die Bez. dieser nicht erst heute krit. gesehenen literar. Bewegung bürgerte sich erst nach 1945 ein, inhaltl. wurde der m. R. u. a. 1948 in der Zeitschrift »Aufbau« diskutiert.
☐ Trommler, F.: Realismus in der Prosa. In: T. Koebner (Hrsg.): Tendenzen der dt. Lit. seit 1945. Stuttg. 1971.   D*

Magodie, f. ⁄Hilarodie.

Maikäferbund, rhein. Dichterkreis in Bonn 1840–46, begr. von J. G. Kinkel und dessen Frau Johanna. Vereinsabzeichen war ein Maikäfer am grünseidenen Band. Die Mitglieder (neben J. G. und J. Kinkel u. a. A. Kaufmann, W. Müller von Königswinter, A. Schlönbach, zeitweilig auch

K. Simrock und J. Burckhardt) sollten in die wöchentl. Sitzungen einen Bogen mit eigenen oder fremden Versen oder mit Prosa zur krit. Besprechung mitbringen; die poet. Briefe der Mitglieder, deren Verse in der Nachfolge Geibels standen, hießen »Maikäferbriefe« (abgekürzt »M. K.-Briefe«) oder »Maubriefe«. (Der einzig erhaltene siebente – und letzte – Sitzungsbericht befindet sich in der Bonner Univ. Bibliothek).   GG*

Makame, f. [arab. maqāma = ursprüngl. Stammeszusammenkunft, dann die dort gehaltenen Reden, schließl. auch literar. Kunstvortrag], arab. rhetor.-poet. Kunstform in metr. freier ⁄Reimprosa mit Verseinlagen, Sinnsprüchen und einer Vorliebe für seltene Wörter, literar. Zitate oder Anspielungen. Die einzelnen M.n, meist Schelmengeschichten, sind verbunden durch eine fiktive Gestalt, vor deren Kunst, sprachl. Treffsicherheit und moral. Pointierung ein Erzähler berichtet. Trotz dem hohen Schwierigkeitsgrad der Texte blieben die sprachl. Schmuckmittel der M. bis in neuere Zeit für die arab. Lit. stilbildend. – Das Prinzip der aneinandergereihten Schelmengeschichten wirkte auf die hebrä. Literatur des MA.s (der span. Jude Charisi, gest. vor 1235, verfaßte ein weit verbreitetes, seit 1578 mehrfach gedrucktes M.n-Werk »Taschkemoni« und auf den späteren pikaresken Roman. Als Schöpfer der literar. Form der M. gilt Al-Hamadhāni (966–1008). Höhepunkt der Gattung sind die 50 »Maqāmāt« des Al-Hariri (1054–1122), die durch F. Rückerts Übersetzung (»Die Verwandlungen des Abu Seid von Serug, oder die M.n des Hariri«, 1826) Einfluß auf dt. Reimprosa (R. M. Rilke) gewannen.   HW

Makkaronische (maccaron.) Dichtung, Spielart der kom. Dichtung, vorwiegend Verserzählungen (aber auch Epigramme u. a.), deren Wirkung auf der spieler. Verschmelzung zweier Sprachen beruht, wobei die eine außer einem Teil des Wortmaterials das grammat. und syntakt. Grundgerüst liefert, dem das Wortmaterial aus der anderen Sprache angepaßt wird, z. B. *Quisquis habet Schaden, pro Spott non sorgere debet*. Die m. D. setzt bei Autor und Rezipient Kenntnis des benutzten Sprachen voraus, ist also scherzhafte Gelehrtendichtung, meist ⁄Parodie oder ⁄Satire. – Der *Name* ›m. D.‹ bezieht sich auf den Helden des ersten größeren Werkes dieser Dichtart, einen Makkaroni-Hersteller aus Padua. – Nach Vorläufern in der Spätantike z. B. bei Ausonius, hat die m. D. ihre *Blütezeit im Humanismus* des 15./16. Jh.s. Grundlage ist dabei das Lat. als internationale Gelehrten- und Dichtersprache, durchsetzt mit Elementen der westeurop. Volkssprachen. Den musterhaften (und namen)gebenden Anfang macht die 1490/93 posthum erschienene, 684 Verse umfassende Satire des Paduaners Tifi degli Odassi »Carmen Macaronicum de Patavinis quibusdam arte magica delusis«. Hauptvertreter der m. D. ist dann Teofilo Folengo (Pseudonym Merlinus Coccaius) mit »Baldus« (1517/21), einer Parodie auf die Großepik Vergils und Dantes und die Ritterromane, »Zanitonella« (1519), einer travestierten Schäferidylle, und der m. a. kom. Tierepos der Antike orientierten »Moscaea« über einen Krieg zwischen Fliegen und Ameisen (häufig übersetzt; dt. 1580 u. 1612, frz. 1606, meist ohne die charakterist. Sprachmischung) und vielen anderen m. D.n. Nachfolger sind C. Orsini mit »Magister Stoppinus« und C. Scrofa (Pseudonym Fidenzio Glottocrisio), der kom. Dichtungen in ital. Sprache mit lat. Einsprengseln schrieb, also eine m. a. kehrt wie die damalige m. D. verfuhr. Diese sog. *Poesia Fidenciana* wird aufgrund ihres Inhalts, der Verspottung unfähiger oder hochmütiger Gelehrter (Pedanten), auch als *pedanteske Dichtung* bez. – In *Frankreich* wurde die m. D. aufgegriffen von Antonius de Arena, R. Belleau und noch verwendet von Molière in der Travestie einer Doktorprüfung im »Eingebildeten Kranken« (1673). – In *Deutschland* finden sich Ansätze zu einer m. D. in Th. Murners Satiren »Von dem großen luther. Narren« (1522) und »Ketzerka-

ender« (1527), später in anonymen Streitschriften, in man-
:hen Fastnachtsspielen von H. Sachs und bes. bei J. Fisch-
Irt, der in seiner »Geschichtklitterung« (1590) den Begriff
m. D.‹ mit *Nuttelverse* (Nudelverse) eindeutscht, und an
lessen »Flöhhatz« (1573) die erste größere dt. m. D.
inknüpft: die anonyme ndt.-lat. (später auch obdt.-lat.)
›Floia« (1593), eine Parodie auf Vergils »Aeneis«. Stärker
.eitsatir. ist das ebenfalls anonyme »Cortum Carmen de
Rohtrockis atque Blaurockis« (um 1600) über das
.chlimme Treiben der Hilfstruppen des Herzogs von
Braunschweig. Auch manche Schwänke über Student und
Bauer, etwa in M. Lindeners »Katzipori« (1558) oder J.
Flitners »Nebula Nebulorum« (1620) haben Züge der
m. D., wie überhaupt die dt. m. D. des 16./17.Jh.s v. a. Stu-
lentendichtung ist. Daneben stehen, abgesehen von Elementen der m. D. in vielen dt. Lustspielen des Barock, die
Burleske »Fahrimus in Schlittis« von J. M. Moscherosch
17.Jh.), die anonymen »Rhapsodiae ad Brautsuppam«
18.Jh.) oder die anonyme Kölner Fastnachtsdichtung
›Frauias« (19.Jh.?), die mit folgendem Verspaar beginnt:
»Jungfras Weibrasque singam, quae possunt corpore
choeno/ Et wortis blickisque behexere menschulos jun-
zos«. Danach blieb die m. D. auf knappe Scherzworte
•eschränkt wie das bekannte »Totschlago vos sofortissime
iisi vos benehmitis bene!« von B. v. Münchhausen. – Auch
n *England* findet sich m. D. seit dem 16.Jh., etwa bei J.
Skelton, in der dem Schotten W. Drummond (17.Jh.) zuge-
chriebenen »Polemo Midinia«, bei R. Brathwait, insbes.
•ei A. Geddes (»Epistola macaronica ad fratrem«, 1790),
owie vereinzelt noch im 19.Jh. bei G. Abbot à Beckett und
•ei dem Amerikaner J. Appleton Morgan. Eine
•prachl.-graph. *Abart* der m. D. schuf E. Lear in seinem
»Book of Nonsense« (1846) als ›Nonsense Botany‹ mit
Pflanzennamen wie ›Armchairia comfortabilis‹ und ent-
prechender Zeichnung, woran noch K. Halbritter mit sei-
er »Tier- und Pflanzenwelt« (1975) anknüpft. Eine wei-
ere Abart der m. D. ergab sich aus der Verschmelzung von
It. und engl. Sprachzügen im sog. Pennsylvania-Dutch,
•rstmals im 19.Jh. in Gedichten von H. Harbaugh, neuer-
lings bei Kurt M. Stein, z.B. »Durch das sungekisste
.andscape/Motorn wir auf concrete Blazes«.
☐ Dahl, J.: Maccaron. Poetikum. Mchn. 1962. – Paoli, U.
E.: Il latino maccheronico. Florenz 1959. – RL.   RS*

Málaháttr, m. [altnord. = Redeton, zu mál = Rede,
Geschichte, u. háttr = Art u. Weise, Maß], altnord. Stro-
•henmaß der ⁄edd. Dichtung aus 4 Langzeilen, Bez. nach
Snorri Sturlusons »Jüngerer Edda« (»Hattatal«), Spielart
les ⁄Fornyrðislag, von dem es sich durch schwerere Zei-
enfüllung (mehr Silben, in der Regel in der Halbzeile fünf
und mehr – statt vier im Fornyrðislag) und durch häufigere
Stabsetzung unterscheidet (drei Stäbe in einer Langzeile);
ieml. regelmäßig durchgeführt im »Jüngeren Atlilied«
»Atlamál en groenlenzko«).   MS*

Manier, f. [zu lat. manus = Hand, mlat. manuarius =
iandlich, frz. manière = Art u. Weise],
. *allgem.:* Art u. Weise eines Tuns oder Verhaltens; in die-
em Sinne erstmals als Fremdwort *(maniere)* bei Gottfried
. Straßburg (»Tristan«, um 1210), häufiger gebraucht seit
lem 16.Jh.; im 17.Jh. v. a. in der Bedeutung ›gutes Beneh-
nen, gesellschaftl. Sitte‹ (vgl. noch heute im Plural: gute
Janieren).
2. in *Kunst u. Literatur:* ursprüngl. Synonym für ›Stil‹, für
lie einem Künstler oder einer Epoche eigentüml. Darstel-
ungsweise (vgl. E. T. A. Hoffmann, »Fantasiestücke in
Callots M.«). Goethe ordnete M. zwischen ›simpler Natur-
iachahmung und dem Stil« als Ausdruck des original
Schöpferischen ein. In negativem Sinne, wohl unter dem
Einfluß von ›manieriert‹ = gekünstelt (Winckelmann,
8.Jh.), meint M. die epigonale, äußerl., übertriebene, oft
iuch routinierte Nachahmung eines Stils. – Vgl. dagegen
manierist. Stil‹ im Sinne der Kunstauffassung des ⁄Manie-
ismus.   S

Manierịsmus, m., gesamteurop. Epochenbegriff, aus der
Kunstgeschichte in die Literaturwissenschaft übernommen
für die Übergangsphase von der Renaissance zum Barock
(1530–1630); umfaßt die einzelnen nationalen Ausprägungen (den italien. ⁄Marinismus / concettismo, den span.
⁄Gongorismus / cult(eran)ismo, ⁄conceptismo, den engl.
⁄Euphuismus, die frz. ⁄preziöse Literatur und einzelne
Stilhaltungen des dt. Barock, ⁄Schwulst), tendiert jedoch
zu einem weiteren Umfang. Die Abgrenzung des M. von
Renaissance und Barock wird in formalstilist. Hinsicht
dadurch erschwert, daß Ausdrucksmittel und -gebärden
des M. z. T. schon in der Hochrenaissance entwickelt werden und sich noch im Barock finden. In inhaltl. Hinsicht
läßt sich aber der M. gegenüber dem Ordnungsstreben,
Rationalismus und Naturalismus dieser Epochen absetzen.
Der M. erscheint geistesgeschichtl. als Epoche der Krise
von Kultur und Gesellschaftsordnung. Er ist gekennzeichnet durch ein antithet. ambivalentes Weltgefühl, antinaturalist. Affekt, irrationalist. Grundhaltung und exklusives,
elitäres Gebaren. Die Wirklichkeit wird durch einseitiges
Interesse am Problemat.-Interessanten, Bizarren und Mon-
strösen ins Groteske und Phantastische verzerrt, ins Traumhafte aufgelöst und, im Rückgriff auf esoter. Wissenschaften und Sprachalchemie, oft zur Überwirklichkeit gesteigert. Die Grundpositionen des M. stehen jeweils in charakterist. Spannung zu ihrem Gegenteil: Das Irrationale
erscheint als Umschlag höchster intellektueller Anspan-
nung; Vision steht neben Kalkül, verzerrte Wirklichkeit
neben realist. Detail; Häßliches wird als schön bez. Die
Vereinigung des Disparaten zu einer künstlichen Einheit
(discordia concors) wird zum Stilprinzip. Sprachl. wird eine
hermet. dunkle, durch überreiche Verwendung von Tropen,
Metaphern, ⁄Concetti und gelehrten Anspielungen verrätselte, uneigentl. Sprechweise angestrebt, die bei aller Betonung der Phantasie durchaus intellektualist. Grundcharak-
ter hat, jedoch auf den Umschlag ins Paradoxe, den Choc,
den neuen überraschenden Effekt abzielt (vgl. auch die
Vorliebe für ⁄Embleme). Diese Grundkategorien des
manierist. Ästhetik sind letztl. nicht originell, sondern
Hypertrophien, Deformationen und Forcierungen traditioneller, schon im ⁄Asianismus entwickelter Stilmittel (vgl.
auch ⁄hermet. Lit.). Von den Theoretikern des M. sind bes.
der Spanier B. Gracián (»Agudeza y Arte de Ingenio«,
1648) und der Italiener E. Tesauro (»Cannocchiale Aristotelico«, 1654) hervorzuheben. Als bedeutendster Dichter
des M. gilt der Spanier Luis de Góngora, der zu seiner Zeit
bekannteste und einflußreichste war der Italiener G.
Marino; zu nennen sind ferner in Spanien A. de Ledesma,
L. Vélez de Guevara, F. G. Quevedo y Villegas; in Frankreich M. Scève, J. de Sponde, A. d'Aubigné, Th. de Viau. Im
Umkreis des M., ohne in ihm aufzugehen, meist auch an seinem zeitl. Peripherie, stehen bedeutende Werke u. a. von T.
Tasso, M. de Cervantes, W. Shakespeare, den ⁄metaphysi-
cal poets und des ⁄Petrarkismus. In Deutschland wurde
der M. auf Grund der polit.-sozialen Verhältnisse und fehl-
lender geistesgeschichtl. Voraussetzungen erst relativ spät
rezipiert. Er findet sich z. B. bei G. Ph. Harsdörffer (»Poetischer Trichter . . .«, 1647–53) und den Schlesiern D. C. von
Lohenstein und Hofmannswaldau. – *Der Begriff des lit. M.*
ist noch relativ neu (E. R. Curtius 1948); seine Notwendigkeit überhaupt und insbes. die Abgrenzung vom teilweise
gleichzeitigen Barock (der wie jener auf die Krise der
Renaissance zurückgeht) ist bis heute umstritten. Dies gilt
in noch höherem Maß von der Überführung des Epochenbegriffs M. in den eines geistesgeschichtl. und literar-histor.
konstanten ›antiklassischen‹ Typus (Curtius, Hocke), der
in verschiedenen Epochen dominiere (nach Hocke in Hellenismus, Silberner Latinität, spätem Mittelalter, ›bewußtem‹ M., der Romantik, insbes. der romanischen Länder, u.
der Moderne zwischen 1880 und 1950). Auf jeden Fall hat
die Entdeckung struktureller Ähnlichkeiten zwischen

manierist. und moderner Lyrik (auf die schon manche der Dichter hinwiesen) einen Prozeß der Neubewertung des literar. M. in Gang gesetzt, der die meist übliche Abwertung auf Grund klassizist. Normen ablöst.
📖 Curtius, E. R.: Europ. Lit. u. lat. MA. Bern ⁸1973. – Hauser, A.: Ursprung der mod. Kunst und Lit. Die Entwicklung des M. seit d. Krise der Renaissance. Mchn. 1972 (Neuausg. von: A. H.: Der M. (1964). – Lange, K. P.: Theoretiker des literar. M. Mchn. 1968. – Thalmann, M.: Romantik und M. Stuttg. 1963. – Manierismo, barocco, rococò: Concetti e termini. Convegno internazionale Roma 1960. Rom 1962. – Hocke, G. R.: M. in der Lit. Sprach-Alchimie und esoter. Kombinationskunst. Hbg. 1959. – Scrivano, R.: Il manierismo nella letteratura del cinquecento. Padua 1959. *Dokumente:* Henninger, G. (Hrsg.): Beispiele manierist. Lyrik. Mchn. 1970. ED*

Manifest, n. [lat. manifestus = handgreiflich, offenbar], Programmschrift; im Bereich der Literatur, Musik, bildenden Kunst und Architektur Grundsatzerklärung zumeist einer Gruppe, aber auch einzelner Künstler, in der sie ihre künstler. Auffassungen veröffentlichen, bzw. eine Stil- und Kunstrichtung in zumeist scharfer Abgrenzung gegenüber herrschenden Tendenzen proklamieren. Wenn auch im Grunde jede künstler. Programmschrift ein M. ist, spricht man von ›M.‹ i. allgem. erst seit der Kunst- und ↗Literaturrevolution um die Jahrhundertwende. Dabei wird unter M. sowohl die Proklamation eines neuen -ismus (z. B. F. T. Marinetti: »Fondazione e Manifesto del Futurismo«, 1909) als auch die nachträgliche programmat. Fundierung einer bereits herrschenden Stil- und Kunstrichtung (z. B. K. Edschmid: »Über den Expressionismus in der Literatur und die neue Dichtung«, 1918) verstanden.
📖 M. e u. Dokumente zur dt. Lit. Stuttg. 1962–1984: Realismus u. Gründerzeit. 2 Bde. Hrsg. v. M. Bucher u. a. 1975. – Naturalismus 1880–1892. Hrsg. v. E. Ruprecht. 1962. – Jh.wende 1890–1910. Hrsg. v. E. Ruprecht u. D. Bänsch. 1981. – Expressionismus. Hrsg. v. Th. Anz u. M. Stark. 1982. – Weimarer Republik 1918–1933. Hrsg. v. A. Kaes. 1984. D

Männlicher Reim, einsilbiger, auf eine Hebung endender ↗Reim: *Tanz : Kranz,* Ggs. ↗weibl. Reim. Die Bez. ›männl.‹ und ›weibl. Reim‹ stammen aus der silbenzählenden franz. Metrik: einsilb. Formen sind maskulin *(fils, grand),* zweisilb. feminin *(fille, grande).* GG*

Mantel- und Degenstück [Übersetzung für span. comedia en capa y espada, auch: comedia de ingenio (= Geist, Witz, Erfindungsgabe)], bes. im 17. Jh. verbreitete Untergattung der span. ↗Comedia, span. Variante des europ. ↗Sittenstücks, benannt nach der Alltagskleidung der Hauptfiguren (Kavaliere und vornehme Bürger; behandelt Themen und Gestalten des span. Alltagslebens (z. B. gesellschaftl. Normverletzungen, Ehrenhändel u. a.). Charakterist. für das M. ist das weitgehende Fehlen der Dekoration (Seitenbehänge), ein festes, aber nicht im Stil der ↗Commedia dell'arte typisiertes Personal (Kavalier, Dame oder Mädchen von Stand, kom. Figur des ↗Gracioso u. a.), eine kunstvoll entwickelte Handlung mit Verwechslungen und ↗Intrigen, die realist. Darstellung und der Vorrang des Mimischen. Wichtige Autoren sind Lope de Vega (mit zahllosen Stücken, z. B. »Der Ritter vom Mirakel«, 1621), P. Calderón de la Barca (»Dame Kobold«, 1629), Tirso de Molina (»Don Gil mit den grünen Hosen«, 1635), A. Moreto y Cabaña, J. Ruiz de Alarcón y Mendoza. HR*

Manuskript, n. [lat. manu scriptum = mit der Hand geschrieben],
1. handgeschriebener Text,
2. jede Art Druckvorlage, ob handschriftl., maschinengeschrieben (Typskript) oder ein früherer (meist korrigierter) Druck;
3. handschriftl. Buch der Antike und des MA.s. S

Märchen, n. [seit dem 15. Jh. bezeugte Diminutivform zu ›Mär‹ < mhd. *maere* = Kunde, Bericht, Erzählung], phantast., realitätsüberhobene, variable Erzählung, deren Stoff aus mündl. volkstüml. Traditionen stammt und bei jeder mündl. oder schriftl. Realisierung je nach Erzähltalent und -intention neu gestaltet sein kann; anders gestaltet sein kann: fest bleibt jeweils der Erzählkern (Handlungsfolge, Figurenkonstellation, Motive, auch Bildsymbole wie z. B. die Dornenhecke im ›Dornröschen‹-stoff, vgl. seine schriftl. Ausformung bei Basile, Perrault, Grimm.) Von solchen auf volkstümliches, anonymes Erzählgut zurückgehenden *Volks-M.* unterscheiden sich die einmaligen Erfindungen und Fassungen der ↗Kunst-M. namentl. bekannter Autoren. – M. wurden in Europa erst in der Neuzeit – nach vermutl. meist längerer mündl. Überlieferung – in breiterem Maße gesammelt und literarisiert *(Buch-M.).* Sache und Begriff wurden v. a. durch die verbreitete M.-sammlung der Brüder Grimm (1812/15) bestimmt. Während aber in dieser Sammlung mündl. Erzählgut im ursprünglichen, weitgefaßten Sinne vereinigt ist (enthält auch Legenden, Sagen, Fabeln, Schwänke), versteht die Forschung heute unter dem Begriff ›M.‹ i. d. Regel das *Zauber-M.* (im frz. Kulturkreis: Feen-M., s. ↗Feengeschichten).
Als Erzähltypus wird das M. (nach A. Jolles) neben ↗Legende, ↗Sage, ↗Mythe zu den ↗einfachen Formen, den Grundtypen sprachl. Gestaltens, gezählt; es wird auch als abgesunkener Mythos gedeutet (Grimm). Von diesem läßt es sich durch das Fehlen der Göttersphäre abgrenzen, von der Sage durch fehlende histor. und geograph. Bezüge, von der Legende durch das Fehlen der relig. Dimension. Eine strikte Abgrenzung ist allerdings nicht immer möglich, da in diesen Gattungen z. T. dieselben Bauelemente (in unterschiedl. Gewichtung) verwendet werden.
Das als ›wunderbare Erzählung‹ eingegrenzte M. ist in d. Regel gekennzeichnet durch Raum- und Zeitlosigkeit, die wie selbstverständl. wirkende Aufhebung der Natur- und Kausalgesetze (Verwandlungen, sprechende Tiere, Pflanzen, Gegenstände usw.), das Auftreten von Fabelwesen (Riesen, Zwerge, Hexen, Drachen usw.), Einschichtigkeit (Zentrierung auf Heldin oder Held), Handlungsstereotypen (Auszug, Vertreibung, Mißachtung des Helden, seine Bewährung durch Aufgaben- oder Rätsellösung, v. a. stereotypem Schluß (ausgleichende Gerechtigkeit, Sieg des Guten und Wiederherstellung einer harmon. Ordnung, mit – z. T. grausamer – Bestrafung des Bösen; selten ist der Triumph des Bösen, vgl. »Herr Korbes«, »Das Lumpengesindel«), durch stereotype Schauplätze (Schloß, Häuschen, Wald, Höhle, Quelle usw.), Requisiten (Brunnen, Zauberring, -spiegel, -lampe usw.) und Farben (gold, schwarzweiß, rot-weiß), durch die Strukturierung mit Symbolzahlen (Dreizahl: 3facher Kursus der Handlung, 3 Wünsche usw. – Siebenzahl: 7 Zwerge, 7 Jahre Frist usw.) und v. a. typisiertes Personal (König, Königstochter, -sohn, Heldin oder Held meist von niederer Herkunft, mißachtet oder abhängig von bösen Schwestern, Brüdern, Stiefmüttern usw.), meist namenlos oder mit Allerweltsnamen (Hans, Gretel) oder sprechenden Namen (Allerleirauh, Schneewittchen u. a.) belegt – meist auch dualist. gruppiert (arm – reich; gut – böse; schön – häßlich), wobei die positiven Eigenschaften häufig den sozial Niederen zukommen (arm = gut = schön oder tapfer; reich = böse = häßlich oder feige). Kennzeichnend ist ferner die Formelhaftigkeit der Sprache (Eingangs-, Schlußformeln, stereotype Wiederholungen, Beschwörungs- und Merkverse), auch in der Literarisierung geprägt von den Elementen der ↗oral poetry. – Je nach Präferenz, Variation und Kombination der einzelnen Motive und Strukturelemente ergeben sich histor. und ethn. M.typen: etwa Unterschiede zwischen europäischen (kelt., german., roman.) und oriental.-ind. M. – Randtypen sind *Legenden-M.* (»Marienkind«), *Schwank-M.* (»Unibos«), *Lügen-M.* (»Dietmarsisches Lügenm.«), Rätsel-M.
Trotz dem naiven Grundton waren M. ursprüngl. nicht für

Kinder gedacht, sondern gehörten zum Fundus des mündl. Erzählguts für die gesellige Unterhaltung der Erwachsenen (Spinnstubengeschichten, vgl. noch heute oriental. M.-erzähler auf Märkten und in Kaffeehäusern). M. waren Versuche, die als unzulängl. erfahrene Welt in einer erzählten Utopie zurechtzurücken, ein »wunschgeborener Gegenentwurf zum Alltag« (Klotz). Im M. können auch innere Erlebnisse, krit. Phasen der Reifung, zwischenmenschl. Beziehungsprobleme oder existentielle Schuldgefühle in metaphor. Bilder transponiert sein. *Geschichte*: *M.motive* finden sich international seit den ersten literar. Überlieferungen, so etwa in den babylon.-assyr. Gilgameschgeschichten (2. Jt. v. Chr.: Tiermensch, Lebenskraut), in altägypt., arab.-islam., jüd., griech. und röm. Literatur, vgl. z. B. Homers »Odysseus« (9./8. Jh. v. Chr.: Kirke, Polyphem) oder die »Metamorphosen« des Ovid (1. Jh. n. Chr.), weiter in mittelalterl. lat. und volkssprachl. Werken, z. B. im lat. »Ruodlieb« (11. Jh.: Zwerg, sprechender Vogel), in den afrz. Lais der Marie de France (um 1200: »Lanval«) oder der ∕*matière de Bretagne* (»Yvain«: Zauberbrunnen; »Perceval«: Dümmlingsmotiv, s. ∕Artusdichtung); mhd. Literatur enthalten etwa die Jugendgeschichte Siegfrieds (Tarnkappe, Drachenkampf) oder »Herzog Ernst« (Orientfahrt) M.motive, wie sie – in verschiedensten Funktionen und Ausprägungen – in Werken aller Gattungen bis zur Gegenwart verarbeitet sind (vgl. etwa G. Grass' »Blechtrommel«, 1959).

Das M. als *selbständige* Gattung begegnet ebenfalls, wenn auch seltener, seit den frühesten literar. Aufzeichnungen: so in der altägypt. Literatur (2-Brüder-M. des Papyrus Westcar, 2. Jt. v. Chr.), in röm. Literatur das M. von Amor und Psyche im »Goldenen Esel« des Apuleius (2. Jh. n. Chr.), in mittelalt. Überlieferung etwa der »Asinarius« (M. vom Tierbräutigam, um 1200) oder die in die »Gesta Romanorum« (um 1300) eingefügten M. wie »De perfectione vite« (Nr. 17, ein Bewährungsm.). – Vereinzelt stehen dann in der dt. Literatur der beginnenden Neuzeit eine Fassung des Aschenputtel in der »Gartengesellschaft« des Martin Montanus oder den Predigten des J. Geiler von Kaisersberg (16. Jh.) und eine Bärenhäuterversion in den Simplizianischen Schriften Grimmelshausens (17. Jh.). – In italien. Literatur finden sich M. erstmals häufiger in den Erzählsammlungen von G. F. Straparola (»Le piacevoli notti«, 1550/53: Geschichte vom Tierprinzen, vom Wilden Mann, gestiefelten Kater u. a.) und G. Basile (»Lo cunto de li cunti«, dt. ›M. aller M‹, 1634/36, darunter Aschenputtel, Rapunzel, Schneewittchen, Dornröschen). Durch ihre kunstvolle Erzähltechnik stehen diese Texte jedoch an der Grenze zum Kunstm. Auf ihnen basiert dann die Sammlung von Ch. Perrault »Contes de ma mère l'Oye« (1697), die wie die Feenmärchen beliebten Unterhaltungsstoff für die frz,. Salonkultur lieferten. Mit der Übersetzung der oriental. Erzählsammlung »1001 Nacht« ins Franz. durch J. A. Galland (1704/17) wurde der oriental. Stoffbereich, der z. T. auf ind. und pers. Quellen des 8.–10. Jh. zurückgeht und der durch Kaufleute, Reisende und Pilger vereinzelt schon seit dem 14. Jh. in Italien bekannt gewesen war, breiter erschlossen. – Seit Mitte des 18. Jh.s wurden die frz. M.sammlungen auch in der dt. Literatur rezipiert: Es entstehen Übersetzungen und freie Bearbeitungen von Ch. M. Wieland (»Dschinnistan«, 1786–89), F. J. Bertuch (Blaue Bibliothek, 1790–1800) u. a., die teils durch ihre artifizielle Stilhaltung, teils durch freie Kombination von M.motiven zum Kunstm. tendieren. Gegen die frz. Moderichtung wendet sich J. K. A. Musäus mit seiner Sammlung »Volksm. der Deutschen« (1782–86), die jedoch ebenfalls kunstvoll ausgearbeitet sind. – Gegenüber diesen zwischen Kunst- und Volksm. stehenden, dem galanten Zeitstil angepaßten Bearbeitungen überlieferter Stoffe setzt mit der Romantik die Besinnung auf das M. als *volkstümliche mündl.* Erzählung ein. Die Brüder J. und W. Grimm versuchen als erste, M. in

volkstüml. einfachen Erzählformen zu fixieren (»Kinder- und Hausmärchen«, 2 Bde. 1812/15: 156 Texte, 7. Aufl. 1857: 210 Texte). Allerdings sind auch die M. der Grimms in zweifacher Weise Kunstprodukte, da sie sowohl den Inhalt ›reinigten‹ (und damit die M. auch für Kinder geeignet machten) und die Sprache nach ihren Vorstellungen des Volkstümlichen stilisierten (insbes. seit der 2. Aufl., 1819). In ihrem Gefolge verstärkte sich im 19. Jh. die Sammeltätigkeit sog. Volksdichtungen. Unter den zahlreichen Sammlungen sind die populäre M.sammlung von L. Bechstein (1845 ff.) und die forschungsorientierten regionalen M.sammlungen von K. Müllenhoff (schleswig-holstein. M., 1845), S. Grundtvig (dän. M., 1854/61), A. N. Afanasjev (russ. M., 1855/73), J. F. Campbell (schott. M., 1860/62), P. Sébillot (frz. M., 1884) u. a. hervorzuheben. Die Übersetzung der ind. M.- und Fabelsammlung »Pañcatantra« (entstanden 1.–6. Jh. n. Chr.) durch Th. Benfey, 1859, leitete die Erschließung weiterer außereurop. M. ein. – M.stoffe wurden auch in ∕M.dramen, M.opern, M.filmen verarbeitet.

Forschung: Die wissenschaftl. Beschäftigung mit dem M. setzt mit den Brüdern Grimm ein (vgl. ihre Anmerkungen zu den »Kinder- u. Haus.M.«, seit 1822 als Bd. 3). Das 19. Jh. wandte sich insbes. der Frage nach der *Herkunft* zu und entwickelte u. a. die Mythen- und Erbtheorie (M. als Überreste von Mythen: Grimm) und mehrere monogenet. Herkunftstheorien (Wandertheorien: Herkunft aus Indien: Th. Benfey; aus dem babylon. Kulturraum: H. Winckler, H. Jensen; aus Ägypten: H. Braun, oder der kret.-minoischen Welt: W. F. Peuckert); dagegen richtete sich die polygenet. (anthropolog. oder ethnolog.) Theorie (Entstehung gleichartiger M.motive bei allen Völkern gleicher Erlebnisstrukturen und ähnl. kulturelller Bedingungen: A. Bastian, E. B. Taylor, W. Wundt u. a.). – Untersuchungen zur *M.-Deutung* reichen von frühen Auffassungen der M. als Symbole für Naturvorgänge (A. Kuhn, E. Schwartz, F. M. Müller) über aitiolog. Deutungen bis hin zu tiefenpsycholog. (Verdichtung und Verschiebung des Sexualtriebs: S. Freud; M. als Spiegel des kollektiven Unbewußten: C. G. Jung, Ch. Bühler u. a.) und anthroposoph. Deutungen (M. als Bilder leibseel. Menschheitsentwicklung: R. Steiner). – Gegenüber diesen mehr spekulativen Theorien widmet sich die Forschung im 20. Jh. v. a. der klassifizierenden Sammlung und Sichtung des vorhandenen M.materials, seinen Oikotypen (regionalen Ausprägungen), Varianten und Schichten, und komparatist., histor.-geograph. und typolog. Untersuchungen (insbes. durch die Finn. Schule). Bedeutend wurde die Erarbeitung eines Klassifizierungssystems und die Anlage von internationalen und regionalen Typen- und Motivregistern durch A. Aarne (1910) und St. Thompson (seit 1928). – Weitere Forschungsrichtungen befassen sich mit *M.strukturen* (Unterscheidung von *Konglomerat-M.* als loser Ereignisfolge und *Ketten-M.* als wiederholte Abwandlung eines Motivs: C. W. v. Sydow, auch V. Propp, A. Dundes), *Form- und Stilfragen* des M.s (A. Jolles), *Wechselbeziehungen* von oralen und literar. Traditionen (A. Wesselski), Fragen der *Realitätsbezüge* (M. als kulturhistor. und sozialgeschichtl. Quellen: L. Röhrich, H. Bausinger), ›Lebensraum‹ und Lebensbedingungen von M., M.erzähler und Erzählgemeinschaften (sog. biolog. M.-forschung: G. Henßen, L. Dégh u. a.). Die marxist. M.-forschung stellt das soziale Problematik des M.s heraus und befaßt sich mit ihrer kollektivist. Ursprungsthese zu der der Romantik zurück (M. als Produkt des ›schöpfer. Volksgeistes‹). Ferner wird das M. auch als Werk einer schöpfer. anonymen Einzelpersönlichkeit und damit als ästhet. Gebilde zu erfassen versucht (R. Petsch, C. J. Obenauer, M. Lüthi: »Kleinformen symbol. Dichtung«). Schließl. gelten neuere amerikan. (feminist. orientierte) Untersuchungen den Rollenstereotypen und Verhaltensmustern der M. (R. Bottigheimer, M. Tatar). Wichtige Forschungsstätten sind das ›Intern. Institut für

M.forschung‹ in Kopenhagen und das ›Zentralarchiv der dt. Volkserzählungen‹ in Marburg. Forum für die wissenschaftl. Diskussion ist v.a. die Zs. ›Fabula‹, hrsg. v. K. Ranke, seit 1957.
Sammlungen: Supplementserie der Zs. Fabula. Hg. v. K. Ranke. Bln. 1959ff. – Die M. der Weltlit. Hg. v. F. v. d. Leyen u. P. Zaunert (Reihe Diederichs). Jena u. a. 1912ff.; Neuausg. 1964ff.
Handbücher: Enzyklopädie des M.s. Hg. v. K. Ranke. Gött. Bd. 1 (1977) – Bd. 6, 2/3 (Buchst. G., 1989). – Scherf, W.: Lexikon der Zaubern. Stuttg. 1982. – Aarne, A./Thompson, St.: The Types of the Folktale. Helsinki ³1961. – Thompson, St.: Motif-Index of Folk-Literature. 6 Bde. Kopenhagen ²1955–58.
📖 Lüthi, M.: Das Volksm. als Dichtung. Gött. ²1990. – Lüthi, M.: M. 8. Aufl. bearb. v. H. Rölleke. Stuttg. 1990 (SM 16). – Grätz, M.: Das M. in der dt. Aufklärung. Stuttg. 1988. – Karlinger, F.: Grundzüge einer Geschichte des M.s im dt. Sprachraum. Darmst. ²1988. – Tatar, M.: Hard Facts of the Grimms' Fairytales. Princeton Univ. Press 1987. – Bottigheimer, R. B.: Fairytales and Society. Philad. 1986. – M.forschung u. Tiefenpsychologie. Hg. v. W. Laiblin. Darmst. ³1986. – Wege der M.forschung. Hg. v. F. Karlinger. Darmst. ²1985. – Lüthi, M.: Das europ. Volksm. Bern/Mchn. ⁸1985. – Bettelheim, B.: Kinder brauchen M. Stuttg. ²1980. – Röhrich, L.: M. u. Wirklichkeit. Wiesb. ⁴1979. – Bühler, Ch./Bilz, J.: Das M. und die Phantasie des Kindes. Frkf. ⁴1979. – Röhrich, L.: Sage und M. Erzählforschung heute. Freibg. 1976. – Propp, V. J.: Morphologie des M.s. Hg. v. K. Eimermacher. Frankf. ²1975. – Beit, H. v.: Symbolik des M.s. 3 Bde. Bern 1952–57; Bd. 2 u. 3 ⁴1971. – Klotz, V.: Weltordnung im M. Neue Rundschau 1970. – Dégh, L.: M., Erzähler u. Erzählgemeinschaft. Bln 1962. – Anmerkungen zu den Kinder- und Haus-M. der Brüder Grimm. Neu bearb. v. J. Bolte und G. Polívka. 5 Bde. Lpz. 1913–32; Nachdr. Hildesheim 1963. – Leyen, F. von der: Die Welt der M. 2 Bde. Düsseld. 1953/54. – RL.   S

Märchendrama, Bühnendichtung, deren Handlung, Personen, dramaturg. Mittel (Vermeidung histor. Zeit- u. Ortsangaben, Bevorzugung von bühnentechn. Illusionskünsten) aus dem beim Publikum als bekannt vorausgesetzten Fundus der Volks- oder Kunstmärchen entlehnt sind. Dem M. werden zuweilen auch Bühnenwerke zugerechnet, die nur einzelne Märchen- oder Legendenmotive (H. v. Kleist, »Käthchen v. Heilbronn«) oder Traumerlebnisse (Calderón, Grillparzer, Strindberg) gestalten. – Das M. im engeren Sinne ist gekennzeichnet durch eine konsistente Märchenwelt, die mit illusionären, z. T. parodist. eingesetzten Mitteln Zeit- und Literaturkritik beabsichtigt. So sind schon z. B. C. Gozzis M.en polem. und travestierende Stücke gegen zeitgenöss. Literaten (z. B. C. Goldoni); sie hatten entscheidenden Einfluß auf die dt. Literatur, z. B. F. Schiller (»Turandot«), L. Tieck (»Ritter Blaubart«, »Der gestiefelte Kater«, »Prinz Zerbino«), C. Brentano (»Ponce de Leon«), G. Büchner (»Leonce u. Lena«), A. v. Platen (»Der gläserne Pantoffel«), F. Hebbel (»Rubin«). G. Hauptmann dagegen hat in seinen M.en (»Die versunkene Glocke«, »Und Pippa tanzt«) die Märchenmotive nicht mehr als Spiel mit der Illusion benutzt, um Wirklichkeit verschlüsselt aufzuzeigen, sondern stilisierte das Unwirkliche als myst.-allegor. Gegenwelt zur Realität. – Das M. als Möglichkeit chiffrierter Gesellschaftskritik haben in neuerer Zeit u. a. Jewgeni L. Schwarz (»Der Drache«, 1943 u.a.) u. W. Biermann (»Der Dra-Dra. Die große Drachentöterschau«, 1970) verwendet.
📖 Kober, M.: Das dt. M. Frkft./M. 1925, Nachdr. Hildesheim 1973.   HW

Märe, n. [mhd. daz mære = Kunde, Bericht, Erzählung, Pl. diu mære = Nachricht, Rede, Dichtung, daher nhd. f. *die* Mär], *im MA.* Bez. sowohl f. Heldenepos, höf. Roman, dessen Stoff oder Überlieferung, aber auch für andere For-

men des ep. Erzählens. Da das Wort ›M.‹ seit Mitte 13. Jh.s in zahlreichen Belegen v. a. auf die kleinep. Reimpaardich tungen angewandt ist, wurde *in neuerer Forschung* de Begriff ›M.‹ *(n.)* als Gattungsbez. auf mhd. Verserzählun gen eingegrenzt, d. h. für jene etwa 220 aus der Zeit zw. 125 u. 1500 (von Stricker bis H. Folz) überlieferten weltl., ir vierheb. Reimpaaren verfaßten, etwa 100–2000 Vers umfassenden Erzählungen schwankhaften, höf.-galante oder moral.-exemplar. Inhalts. Die M.nstoffe, fast aus nahmslos internationales Erzählgut, finden sich ebenso ir den lat. *ridicula* wie in den afrz. ⁄Fabliaux und später i den Versschwänken der Meistersinger (H. Sachs), in der Prosa-Schwanksammlungen, Predigtmärlein, teilweis auch in den ⁄Fastnachtsspielen des 16. Jh.s.
📖 Schirmer, K.-H. (Hrsg.): Das M. Darmst. 1983. – Köpf G.: M.ndichtung. Stuttg. 1978 (mit ausführl. Bibliogra phie). – RL   HW

Marginalien, f. Pl. [zu lat. margo = Rand], Randbemer kungen:
1. handschriftl. ⁄Glossen, krit. Anmerkungen usw. ir Handschriften, Akten, Büchern;
2. auf den Rand einer Buchseite *(marginal)* gedruckte Ver weise (Quellen, Zahlen, Inhaltsangaben zum Text), insbes bei theolog. u. (rechts-)wissenschaftl. Werken.   I

Mariendichtung, poet. Darstellungen um die bedeutend ste christl. Heilige in allen Gattungen, Stilen u. Tendenzen von der liturg. distanzierten Verehrung bis zum volkstüml Schwankhaften. Die *Stoffe* entstammen hpts. den Apokry phen des NT, die *Bilder* u. *Symbole* der mariolog. Dogmen auslegung (Augustin, 5. Jh.), der Marienpredigt und -mystik (insbes. seit dem 12. Jh.). – Früheste M. ist aus dem byzantin. Raum bezeugt, im Abendland setzt sie nach Vor läufern (Sedulius, Ennodius, 5. Jh.) ein mit der Einrichtung der Marienfeste (7. Jh.), zunächst in *lat.* Sprache mit Hym nen (Hrabanus Maurus, 9. Jh.) und Sequenzen (Notker Bal bulus, †912, Hermann der Lahme, 11. Jh.), von dener einige bis heute lebendig blieben, z. B. »Ave maris stella« (9. Jh.), »Ave praeclara«, »Salve regina« (10. Jh.?) ode »Stabat mater« (13. Jh.?) – aber auch mit ep. Marienvier (z. B. Hrotsvit v. Gandersheim, 10. Jh.). Die Voraussetzung für eine *volkssprachl.* M. schuf im 12. Jh. die kluniazens Reform durch die Erweiterung des Marienkults (durch Zisterzienser u. Prämonstratenser): Vertreter dt.sprach. *ep M.* sind Priester Wernher (»Marienleben«, 1172), Walthe v. Rheinau (Ende 13. Jh.), Bruder Philipp (Anf. 14. Jh., 88 Handschriften!), der Schweizer Wernher (Ende 14. Jh.) oder Konrad v. Heimesfurt (»Von unser vrowen hinvart« 13. Jh. u. a.). Diese Werke basieren mehr oder weniger au der weitverbreiteten lat. »Vita beatae Mariae virginis et sal vatoris rhythmica« (13. Jh.), die Stoff und Formtypen fü die weitere Ausgestaltung der M.en bereitstellt, insbes. fü die zahlreichen *Marien-*⁄*Legenden* in Reim und Prosa, die sich seit Anfang 13. Jh.s in Sammlungen (»Passional«: ⁄ Marienlegenden, »Der maget crône«, 14. Jh.) oder in andere Werke eingelagert finden. Die *Marienlyrik,* die Lob preis mit Fürbitte und Gebet verbindet, ist noch enger an lat. Vorbildern orientiert, so die dt. ⁄Sequenzen, ⁄Leichs ⁄Hymnen und ⁄Leisen) des 12. Jh.s (Melker und Arnstei ner Marienlied, Mariensequenzen aus Muri und St. Lamb recht, Vorauer Sündenklage, Walthers Marienleich). Sei dem 13. Jh. entstehen im Gefolge relig. Massenbewegun gen (Marienbruderschaften, später Geißler) volkstüml Marienlieder, oft als Eindeutschungen lat. Hymnen ode Cantiones oder als Kontrafakturen (Mönch v. Salzburg, 14. Jh., Heinrich von Laufenberg, 15. Jh.); daneben findet sich vom späthöf. Minnesang beeinflußte didakt.-spekula tive mariolog. Spruchlyrik (Reinmar v. Zweter, Marner, F v. Sonnenburg), oft mit manierist. Formkünsteleien (Frau enlob, Heinrich v. Mügeln), die im ⁄Meistersang allegor. und formal übersteigert bis ins 16. Jh. weitergepflegt wird (Muskatblüt, Hans Folz, Hans Sachs, vgl. auch Kolmare

Liederhs.). Umfangreiche *Sonderformen* innerhalb der Marienlyrik sind kunstvolle Reihungen des internationalen mariolog., insbes. des myst. Formel- und Bilderschatzes wie z. B. das »Rhein. Marienlob« (um 1230), die von Manierismen überwucherte »Goldene Schmiede« (1275, 2000 Verse) Konrads v. Würzburg, die zwischen Legende u. Hymne steht und weithin vorbildhaft wurde (Eberhard v. Sax, 1300, Bruder Hansen, Ende 14. Jh., Hermann v. Sachsenheim, »Goldener Tempel«, 1455) oder die aus den Ave-Maria-Gebeten (Marienpsalterien, Rosarien) entwickelten, ebenfalls von Formspielereien geprägten, bis zu 50 Strophen umfassenden *Mariengrüße* (Brun v. Schonebeck, 13. Jh., Mönch v. Salzburg, 14. Jh.), die noch von den Humanisten in antiken Strophen gepflegt werden (S. Brant, 1498). – Eine weitere Sonderform ist die dramat.-lyr. *Marienklage*, Anf. 13. Jh. aus den lat. Karfreitagssequenzen (v. a. dem »Planctus ante nescia« Geoffroys de Breteuil, 12. Jh.) mehr oder weniger frei entwickelte Klagemonologe Marias am Fuße des Kreuzes (bes. ostmdt. Zeugnisse), die zu Dialogen mit Christus und Johannes ausgebaut (Königsberger, Lichtenthaler Klage, 13. Jh., Bordesholmer, 15. Jh. und Prager Klage, 16. Jh.) und aus der Liturgie in das ↗geistl. Spiel übernommen wurden (z. B. Benediktbeurer, Alsfelder ↗Passionsspiel), wie auch die mal. ↗*Legenden-* und ↗*Mirakelspiele* Wundertaten Mariae dramat. gestalteten – eine Tradition, die bis ins Barock (↗Jesuitendrama, Bidermann; in Spanien: Lope de Vega) lebendig blieb. Mit dem Ende des MA.s endet zugleich die Blütezeit der M., deren Entwicklung in den anderen westeurop. Kulturen ähnl. verlief: In *Frankreich* ragen die ep. Marienviten von Robert Wace und Hermann von Valenciennes (12. Jh.), die Legendensammlungen Gautiers de Coinci (»Les miracles de la Sainte Vierge«, ca. 1220), die Mirakelspiele Rutebeufs (13. Jh.) und die Marienlyrik der Trobadors (Peire Cardenal, 13. Jh.) und der Trouvères hervor, in *Spanien* die bedeutenden, von König Alfons X. v. Kastilien u. a. verfaßten 422 ep. und lyr. Marienlieder »Cantigas de Santa Maria« (um 1250) oder die Legendensammlung Gonzalos de Berceo »Miraclos de Nuestra Señora« (13. Jh.); in den *Niederlanden* entstanden im 13. Jh. die schönsten Gestaltungen der weitverbreiteten Marienlegenden »Theophilus« und »Beatrijs«. – Nach der Reformation wird die Tradition der M., abgesehen von volkstüml. Überlieferung (Volksbücher), nur im ↗Kirchenlied und in den barocken Kunstliedformen der Jesuiten F. v. Spee, Angelus Silesius, L. von Schnüffis und (neulat.) von J. Balde u. N. Avancini fortgeführt. Erst Ende des 18. Jh.s erfährt die M. eine sentimental.-künstler., auch von Protestanten getragene Neubelebung durch die frühromant. Rückwendung zum MA. (Herder, F. u. A. W. Schlegel, Novalis, Brentano, Eichendorff). Daneben erscheint M. nur noch als Ausfluß individueller Glaubenserfahrung, nicht mehr von kollektiver Glaubensgewißheit getragen, so bei A. v. Droste-Hülshoff, R. M. Rilke, R. A. Schröder, R. J. Sorge, R. Schaumann, G. von Le Fort, R. Schneider, F. Werfel, im Rahmen des Renouveau Catholique P. Claudel.

📖 Schäfer, Gerhard: Unters. zur dt.sprach. Marienlyrik des 12. u. 13. Jh.s (Diss. Tüb.), Göpp. 1971 (mit Bibliogr.). – Delius, W.: Gesch. der Marienverehrung. Mchn./Basel 1963. – Büse, K.: Das Marienbild in der dt. Barockdichtung. Düsseld. 1956. – Hendricks, M.: Die Madonnendichtung des 19. u. 20. Jh.s. Diss. Marbg. 1948. – RL. IS

Marinismus, m., (it. marinismo), italien. Ausprägung des literar. ↗Manierismus, benannt nach G. Marino, dessen lyr. u. ep. Werke (»La lira«, Ged. 1608/14, »Adone«, Épos 1623) viel bewundert und nachgeahmt wurden (C. Achillini, G. Lubrano u. a.) und zu gesamteurop. Einfluß gelangten. Theoretiker des M. war E. Tesauro (»Cannocchiale Aristotelico«, 1654); wegen der stilprägenden Verwendung des ↗concetto wird der M. auch als *concettismo* (Konzettismus), mit Bezug auf seine Blütezeit auch als *secentismo* (it. se(i)cento = 17. Jh.) bez.

📖 Ferrero, G. G. (Hrsg.): Marino e i Marinisti. Opere. Mailand/Neapel 1954. IS

Marionettentheater, Form des ↗Puppentheaters. Marionetten sind bereits im alten China, in Ägypten, Griechenland und Rom bezeugt. – Seit dem MA. ist Italien das klass. Land des M.s, beliebt war es aber auch in den anderen europ. Ländern; Paris z. B. besaß seit dem Ende des 16. Jh.s verschiedene M.; am bekanntesten das von P. Brioché und dessen Sohn Jean am Pont-Neuf (um 1650). In ganz Europa gab es Wanderbühnen mit Typen, die die jeweilige Mentalität der Herkunftsvolkes spiegelten (vgl. etwa den it. Pulcinella, frz. Polichinelle, engl. Punch, russ. Petruschka, türk. Karagöz, dt. Hanswurst). In Deutschland bestanden Wanderbühnen bis ins 20. Jh., daneben früh auch schon stehende M., etwa die Theater von J. A. Stranitzky (1676–1726) in München, Augsburg, Nürnberg (um 1709), von der Puppenspielerfamilie Hilverding in Wien (1672), Prag (1698), Danzig, Stockholm, Lübeck, Lüneburg, mit Puppen bis 1 m Größe. Gespielt wurden Spektakel-, Rühr- und Heimatstücke, Komödien, Opern und Operetten: 1674 z. B. führte La Grille das M. in Paris als »Opéra des Bamboches« ein (zum Spiel der lebensgroßen Puppen wurde hinter der Bühne gesungen). Joseph Haydn komponierte verschiedene Opern für das M. in Wien (»Dido«, »Philemon und Baucis oder Jupiters Reise auf die Erde«, 1773). Das neuere M. wurde 1858 von Franz Graf Pocci und Joseph L. Schmid (»Papa Schmid«) in München begründet, wo 1900 auch das erste M.-Gebäude eröffnet wurde. Im 20. Jh. bekannt geworden sind in *Deutschland* bes. die stehenden Bühnen von Paul Brann (M. Münchner Künstler) und Ivo Puhonny (M. Baden-Baden), daneben die M. in Augsburg (›Puppenkiste‹), Bad Tölz, Köln, Düsseldorf, Stuttgart, Steinau, in *Österreich* das Wiener M. von R. Teschner und das Salzburger M. (A. Aicher, Programm u. a. Opern von Mozart), in der *Schweiz* das Züricher M. (gegr. 1918), in *Italien* das ›Teatro dei Piccoli‹ in Rom. In der Tschechoslowakei, in Polen und der UdSSR bestehen bedeutende staatl. M.; vgl. ↗Puppenspiel.

📖 Chesnais, J.: Histoire génerale des Marionnettes. Paris 1947; Nachdr. 1980. – Purschke, H. R. (Hrsg.): Das allerzierlichste Theater. Mchn. 1968. – Kraus, C.: Die Salzburger Marionetten. Salzburg 1966. – Mignon, P. L.: M. Lausanne 1963. – Wittkop-Ménardeau, G.: Von Puppen u. Marionetten. Zür./Stuttg. 1962. – Baty, G./Chavance, R.: Histoire des marionnettes. Paris 1959. GG*

Marschlied, das zum Marschieren gesungene Chorlied, charakterisiert durch einen gleichförm. Rhythmus, dessen Geradtaktigkeit die natürl. Bewegungsform des menschl. Gehens aufnimmt. Gehört zu den primitiven Formen des Gemeinschaftsgesangs (vgl. auch ↗Arbeitslied). Frühen Eingang in die Literatur hat es in der ↗Parodos (Einzugslied des Chors) der griech. Tragödie gefunden. K

Martinslieder, ↗Brauchtumslieder, gesungen am Abend des 11. Nov., dem Jahrestag der Beisetzung des hl. Martin v. Tours (†um 400), dem man am Vorabend:
1. oft alte Kinderlieder u. volkstüml. Verse, die beim Martinsfeuer, beim Sammeln des Brennmaterials u. beim Gabenheischen gesungen wurden. Verbreitung v. a. in N- u. W.-Deutschland, Holland u. Flandern.
2. ↗Gesellschaftslieder, die seit dem MA. bei Gelagen zu Ehren des als Patron der Winzer gefeierten Heiligen erklangen u. vielfach fahrenden Scholaren zugeschrieben werden.

📖 Wagner, Hans: Die rhein. M. in liedgeograph. u. motivgeschichtl. Darstellung. In: Rhein. Vierteljahrsbll. 3 (1933). – Jürgensen, W.: M. Untersuchung u. Texte. Breslau 1910. – RL. MS

Märtyrerdrama, dramat. Darstellung des Lebens, Leidens und Sterbens der Christentums. Schon *das MA.* kannte sowohl lat. (»Gallicanus«, »Dulcitius« von Hrotsvit von Gandersheim, 10. Jh.) wie volkssprachl. (»Ludus de beata Katarina«, Thüringen um 1350)

szen. Darstellungen des Lebens meist heiliggesprochener Märtyrer, sog. Legendenspiele (vgl. ⁊Mirakelspiel, ⁊geistl. Spiel). In der *Reformationszeit* wurde vereinzelt das Handlungsmodell des M.s auf Personen angewandt, die nicht zu den von der Kirche kanonisierten Märtyrern zählten (J. Agricola, »Tragedia Johannis Huss«, 1537, vgl. ⁊Reformationsdrama). Auch das lat. ⁊Jesuitendrama gestaltet gelegentl. Märtyrerstoffe (J. Bidermann, »Cassianus«, 1602; »Philemon Martyr«, 1618). In der *barocken Tragödie* (⁊schlesisches Kunstdrama) wurde das M. zu einer wichtigen Form geistl. Haupt- und Staatsaktionen. So sind in den drei bedeutendsten M.en von A. Gryphius (»Catharina von Georgien«, 1647, »Carolus Stuardus«, 1650, »Papinianus« 1659) die Märtyrer höchste histor. Standespersonen, die gegenüber tyrann. Mächten ihr Bekenntnis und ihre ›bewehrte Beständigkeit‹ mit dem Tode bezahlen müssen (M. daher auch als *Tyrannendrama* bez.). Neben hohem rhetor. Sprachprunk und der ausführlichen dialog. Diskussion eines christl. Stoizismus zeichnete sich die szen. Darbietung zuweilen durch theatral. Drastik aus: z. B. wird Papinian auf offener Bühne gefoltert und ermordet. Neben Gryphius sind J. Ch. Hallmann (»Mariamne«, 1669, »Sophia«, 1671) und J. A. von Haugwitz (»Schuldige Unschuld Oder Maria Stuarda«, 1683) Repräsentanten des dt. M.s, Lope de Vega und Calderón des span., Ph. Massinger des engl. und P. Corneille (»Polyeucte Martyr«, 1641) des franz. M.s.

ꀕ Neuss, R.: Tugend u. Toleranz. D. Krise d. Gattung ›M.‹ im 18. Jh. Bonn 1989. – Szarota, E. M.: Künstler, Grübler u. Rebellen. Studien zum europ. M. des 17. Jh.s, Bern/Mchn. 1967.　HW

Maske, *(im Theater)* [wohl aus arab. mas-chara = Scherz, Maskerade, Spaßmacher, maskierte Person], man unterscheidet

1. die *Schminkmaske,* d. h. die Veränderung des Gesichtes eines darstellenden Künstlers (Schauspielers, Tänzers, Sängers usw.) mittels Schminke, Bart, Perücke entsprechend seiner Rolle und den Bühnenbedingungen (Fernwirkung, Scheinwerferlicht). Die Tradition der Schmink-M. als fiktionales Mittel geht zurück bis zu den Ursprüngen des ⁊Dramas: vgl. die Bleiweiß-M. des ⁊Mimus.

2. die *abnehmbare, plast. M.* verschiedensten Materials. Sie ist v. a. Kennzeichen der att. Tragödie und Komödie entsprechend deren kult. Wurzeln (Dionysoskult, Identifikationsriten, totemist. Vorstellungen, Heraushebung des myth. Geschehens aus dem Bereich des Alltäglichen). Als künstler. und, bei der beschränkten Zahl von 1–3 Schauspielern, auch prakt. Mittel vermutl. von Thespis (6. Jh. v. Chr.) eingeführt; sie bestand aus Kork, Holz, später v. a. stuckierter, helmart. geformter und seit Aischylos naturwahr bemalter Leinwand mit Augen- und Mundöffnungen und fest angefügter Perücke, meist in Form eines hohen Dreiecks oder Bogens. Die klass. Zeit kannte wenige Typen mit harmon. Zügen für die Tragödie, mit verzerrten für die Komödie (und die ⁊Phlyaken), tierähnl. für das ⁊Satyrspiel. Seit dem Hellenismus und bes. dann im *röm. Theater* werden die Typen vermehrt und die Formen ins Pathetisch-Groteske übersteigert (übergroße Augen- und Mundöffnungen, hoher Perückenaufsatz, vgl. die Entwicklung des ⁊Kothurn), jedoch in Rom erst seit dem 1. Jh. v. Chr. (bis zum 4. Jh.) allgem. üblich: zuvor war den Schauspielern, als Unfreien, das Tragen von M.n verboten; nur in der von freien Bürgern aufgeführten ⁊Atellane waren M.n zugelassen. – 4 feste Typen mit dunklen Lederhalbm.n tauchen dann auch in der italien. ⁊Commedia dell'arte (16. Jh.) auf. Sonst wird (abgesehen von ausdrückl. M.nspielen, Balletten u. Pantomimen an den Renaissance- und Barockhöfen; ⁊Intermezzo) seit dem MA. die plast. M. von der Schmink-M. verdrängt. Nach vereinzelten Versuchen (Goethe, Terenzaufführung, 1801) wurde sie erst seit ca. 1920 ab und zu wieder verwendet bei historisierenden Aufführungen

antiker Stücke, z. B. seit 1936 im röm. Freilichttheater Augst (bei Basel) oder den Ödipusaufführungen Sellners 1952, J. L. Barraults 1955 u. a., aber auch bei modernen Stücken als Mittel der Stilisierung oder Verfremdung (z. B. Brechts Inszenierung seines »Kaukas. Kreidekreises«, 1954) oder Psychologisierung (z. B. E. O'Neill, »The great god Brown«, 1926 oder J. Genet, »Les Nègres«, 1957). Schmink- und plast. M.n sind im asiat. Theater noch heute wichtiges, aus rituellen, mag.-kult. Wurzeln tradiertes Requisit.

ꀕ ⁊Drama, ⁊Tragödie, ⁊Komödie, ⁊Commedia dell'arte.　IS

Maskenzüge, auch: Maskenspiele, eine in der Renaissance in ganz Europa verbreitete theatral. Unterhaltung, die v. a. in Italien zu hoher Blüte gelangte. Aus ihren Ursprüngen in alten Karnevalsbräuchen (die u. a. in student. Spielen weiterlebten) entfalteten sich (zuerst in der ital. Frührenaissance) prunkvolle Umzüge und Maskenspiele mit revueart. Abfolgen lose verbundener Schaunummern, u. a. mit allegor. und antik-mytholog. Gestalten und Themen. Szen. dramaturg. bedeutsam ist die Entwicklung der ⁊Wagenbühne *(carro).* In der Folge entwickelte sich daraus eine Reihe verwandter Formen wie die ital. ⁊Trionfi, die frz. *entrées,* die Hochzeitsspiele, die ⁊Intermezzi, die sakralen Prozessionen. In Frankreich und v. a. in England entstand aus diesen Ansätzen die ⁊Masque.

ꀕ Fêtes de la Renaissance. Hg. v. J. Jacquot. 2 Bde. Paris 1968.　HR

Masque, f. [ma:sk; engl.-frz. = Maske], im 17. Jh. in Frankr. und England geläuf. Bez. für eine theatral. Mischform, in der sich Pantomime, Tanz, Musik, Bühneneffekte und Prachtausstattung zu einem höf. Spektakel verbanden, das zusammen mit den erhabenen, meist mytholog. Inhalten mehr der Selbstdarstellung des Hofes als der Vorführung dramat. Konflikte diente. Die M. verdankt ihre Entstehung einerseits heim. Traditionen des Mummenschanz, die entscheidenden Anstöße aber den ⁊Maskenzügen- oder -spielen der franz. und v. a. der ital. Renaissance, deren Bühnentechnik und höf. Stilisierung sie übernahm. Sie gelangte v. a. unter den Stuarts zu hoher Blüte. Die adeligen Laiendarsteller wurden zunehmend von Berufsschauspielern abgelöst, sie im burlesk-kom. ⁊Nachspiel, der sog. *Antimasque.* Ihren Höhepunkt erreichte sie durch die Beiträge so berühmter Künstler wie I. Jones als Ausstatter und B. Jonson als Autor. Die M. wurde insbes. für die Weiterentwicklung der Bühnentechnik und des Musik- und Tanztheaters (Purcell, Händel) bedeutungsvoll.

ꀕ Welsford, E.: The court-m., a study in the relationship between poetry and the revels. New York 1967. – Orgel, S.: The Jonsonian M. Cambridge/Mass. 1965.　HR

Massenszenen, Szenen in dramat. und musikdramat. Werken, in denen sich eine größere Menschenmenge (meist Komparsen und Laien) auf der Bühne bewegt. M. stehen im Ggs. zu Monologen und Dialogszenen und stellen andere spezif. Anforderungen an die dramentechn. und inszenator. Gestaltung: M. können dramaturg. motiviert sein (vgl. z. B. das ›Volk‹ als handelnde ›Person‹ bei Schiller, »Tell« [Rütliszene II, 2], »Räuber«[II, 3], bei G. Hauptmann, »Weber«, A. Schönberg, »Moses u. Aaron« u. a.) oder nur Rahmen oder Hintergrund bilden (wie z. B. in vielen Opern-Chorszenen). Gelegentl. ist eine dramaturg. Motivation nur dadurch gegeben, daß einzelne Personen aus der Masse ›heraustreten‹, reden und handeln (z. B. Goethe, »Egmont«, Ch. D. Grabbe, »Napoleon oder die hundert Tage« I, 1). M. sind häufig im Drama der ⁊offenen Form mit histor., lokalgeschichtl. und nationalen Stoffen; solche Dramen sind bes. auch für Freilichtaufführungen geeignet. – M. begegnen schon im griech. Drama (⁊Chor), im mal. ⁊geistl. Spiel und in der Barocktragödie, insbes. im ⁊Jesuitendrama oder in Shakespeares ⁊Historien; sie sind kennzeichnend dann für viele (⁊Geschichts-)Dramen des

19. Jh.s (Büchner, Grabbe, Hebbel, vgl. auch den Inszenierungsstil der ⁄Meininger), des Expressionismus (G. Kaiser, »Gas I«, »Gas II«, Toller u. a.), z. T. auch noch der Gegenwart (T. Dorst, P. Weiss). OB

Materialer Text, auf das sprachl. Material (Silben, Buchstaben) ⁄reduzierter Text; die Bez. begegnet v. a. im Umkreis der ⁄Informationsästhetik.

Matière de Bretagne, f. [ma′tjɛ:r, frz. = Stoff], Bez. f. den kelt.-breton. Sagenkreis um ›König Artus‹; literar. faßbar in der ⁄Artusdichtung.

Mauerschau, ⁄Teichoskopie.

Maxime, f. [lat. von maxima regula = höchster Grundsatz], Grundsatz, Richtschnur der Lebensführung. – Zunächst in der Logik, von Boëthius ausgehend, die obersten Grundsätze, die weder beweispflichtig noch beweisbar sind und von denen andere Sätze hergeleitet werden können, nennen bereits im lat. MA. die Lebensregel. Als literar. Kunstform zuerst bei La Rochefoucauld (1665) und Vauvenargues (1746), dann bei Goethe (seit 1809) und A. Schopenhauer (1851). I. Kant verwendet in seiner Ethik ›M.‹ im Sinne von subjekt. prakt. Grundsatz im Ggs. zum Imperativ, dem obj. Grundsatz. S

Mäzenatentum [nach Maecenas (ca. 70–8 v. Chr.), Berater des Kaisers Augustus und Förderer röm. Dichter, z. B. Vergil, Horaz, Properz].

Die Unterstützung durch Gönner war über Jh.e die wichtigste Voraussetzung für die Entstehung von Literatur, deren Autoren in aller Regel ökonom. nicht abgesichert waren. Die hohen Materialkosten (etwa für Pergament u. Farben) setzten überdies erhebl. Mittel voraus. Schon bei den Griechen gab es Mäzene wie Hieron von Syrakus (6./5. Jh. v. Chr.), der u. a. Aischylos u. Pindar, – oder König Archelagos (400 v. Chr.), der Euripides förderte. Im MA waren es meist geistl. u. weltl. Herren, die aus Neigung u. repräsentativen Bedürfnissen als Auftraggeber und Mäzene auftraten. Entstehung u. Entwicklung der ⁄höf. Dichtung sind daher nicht vorstellbar. Berühmte Literatur-Zentren waren etwa der Hof Hermanns von Thüringen, die Residenz der Babenberger in Wien oder der Stauferhof. Im SpätMA übernimmt auch das städt. Patriziat diese Funktion. In der Renaissance sind v. a. die Medici als Förderer der Dichtung bezeugt. Höf. M. führte im Barock zu der Gattung des Widmungsgedichts (⁄Dedikation; späte Auswirkung noch bei Rilke). In der Neuzeit wurde die mäzenat. Förderung durch Gönner, die auf Willkür und Abhängigkeit beruhen konnte, immer stärker von einem System öffentl. Förderung und vertragl. Absicherung abgelöst. In den letzten Jahren kamen neue Formen der Unterstützung durch Stiftungen und Sponsoren auf. ⁄Hofdichter.

📖 Scholz, M. G.: Zum Verhältnis von Mäzen, Autor und Publikum im 14. u. 15. Jh. Darmst. 1987. – Bumke, J. (Hg.): Literar. M. Darmst. 1982. – Ders.: Mäzene im MA. Mchn. 1979. – Holzknecht, K. J.: Literary Patronage in the Middle Ages. Philadelphia 1923. – McDonald, W. C.: German medieval literary patronage from Charlemagne to Maximilian I. Amsterdam 1973. Kr

Mediaevistik, f. [lat. medius = mittel, aevum = Zeitalter], Sammelbez. für die verschiedenen wissenschaftl. Disziplinen, die sich mit mal. Literatur, Kunst, Geschichte usw. beschäftigen, meist über nationale Ausrichtungen hinausführend; Bez. abgeleitet von *Mediaevist* = Erforscher des MA.s. Organe: Répertoire des médiévistes européens. Poitiers 1960; 2. u. 3. Aufl. u. d. T.: Répertoire international des médiévistes. Poitiers ²1965, ³1971. – Medium Aevum. Hrsg. v. C. T. Onions. Oxford. Bd. 1 ff. 1932 ff. S

Mediengermanistik, Bez. für Bestrebungen der jüngeren Germanistik, die Medien, Mediensprünge und -bedingungen der Literatur (⁄Gesamtkunstwerk, Mündlichkeit und Schriftlichkeit, ⁄Theater, ⁄Bänkelsang, ⁄Buch, Rundfunk [⁄Hörspiel], Film, Fernsehen [⁄Fernsehspiel]) in den Mittelpunkt des Forschungsinteresses zu rücken.

Der Begriff subsumiert dabei sowohl die Forderungen einer künftigen Film- (K. Kanzog, 1980) und Hörspielphilologie (R. Döhl, 1982) als auch Bestrebungen zu interdisziplinärer Forschung zwischen Literaturwissenschaft einerseits und Kunst-, Musik-, Theater-, Rundfunk-, Film und Kommunikationswissenschaft andererseits.

📖 Kittler, F. A.: Aufschreibsysteme 1800/1900. Mchn. 1985. – Kreuzer, H. (Hg.): Literaturwissenschaft – Medienwissenschaft. Hdbg. 1977. – Schanze, H.: Medienkunde für Literaturwissenschaftler. Mchn. 1974. – Benjamin, W.: Das Kunstwerk im Zeitalter seiner techn. Reproduzierbarkeit (1935) Frkf. 1963. D

Meininger, Hoftheatertruppe des Herzogs Georg II. von Sachsen-Meiningen (1826–1914), der nach einschläg. Studien (Historienmalerei, Archäologie, Geschichte) zusammen mit der Schauspielerin Ellen Franz ein Musterensemble aufbaute, das Ch. Kean viel verdankte und »eine ›Summa‹ des realist. deutschsprach. Theaters« (Kindermann) bot. Die M. strebten, teilweise mit den Methoden des zeitgenöss. Positivismus, nach szen. und psycholog. Realismus der Darstellung. Dem diente die Ausstattung mit histor. getreuen Kostümen aus »echtem Material«(die Figurinen sind im sog. Meininger Kostümkodex erhalten), ein histor. exaktes ⁄Bühnenbild (meist »echte« Versatzstücke vor gemaltem Horizont statt Soffitten, ⁄Ausstattungsstück), eine naturalist. Geräuschkulisse und eine raffiniert stimmungsmalende Beleuchtung (Anfänge der Lichtregie, Gas u. Elektrizität), psycholog. durchgearbeitete, individualisierte ⁄Massenszenen u. a. – Studien des Geschichtshintergrundes, des Milieus, Analyse der Texte, obligates Sprechtraining, extrem lange und gründl. Proben dienten der Schauspielererziehung und sollten das psycholog. Rollenverständnis und Ausdrucksvermögen vertiefen. Die Bemühungen um ein homogenes Ensemble, um ein stilist. geschlossenes Bühnen-⁄Gesamtkunstwerk und die Musteraufführungen dienten die M. mit Bestrebungen R. Wagners und F. v. Dingelstedts. – Die M. spielten möglichst die Originaltexte (ungekürzt), am häufigsten Schiller und Shakespeare, seit einiger Zeit auch Ibsen. Der Zusammenklang von historisierendem Detail und suggestiver Atmosphäre, von psycholog. Ensemble- und Einzeldarstellung zerbrach bei den Nachahmern im Zerrbild der »Meiningerei«. Die M. selbst unternahmen von 1874–1890 triumphale Gastspielreisen (2591 Vorstellungen) in Europa und Amerika; sie beeinflußten die weitere Entwicklung des Theaterstils nachhaltig: M. Reinhardt, K. Stanislawski, A. Antoine, A. Appia und P. de Leur haben von ihnen gelernt und machte ihrer Ideen sind bis heute fruchtbar (Chorregie bei W. Felsenstein).

📖 Osborne, J. (Hrsg.): Die M. Texte zur Rezeption. Tüb. 1980. – Hahm, Th.: Die Gastspiele der Meininger Hoftheaters im Urteil d. Zeitgenossen unter bes. Berücks. der Gastspiele in Berlin u. Wien. Diss. Köln 1971 (mit Bibliogr.). HR

Meiosis, f. [gr. = Verringerung, lat. Minutio = Verminderung], in der ⁄Rhetorik bewußte, oft parteil. Verkleinerung, Verharmlosung oder gar Unterschlagung eines gewichtigen Sachverhaltes (bei Quintilian daher auch Bez. für *fehlerhaftes* Auslassen von Wörtern oder Satzteilen). Häufige Mittel sind ⁄Litotes, ⁄Euphemismus, ⁄Ironie, ⁄Emphase, engl. understatement. RS

Meistersang, zunftmäßig betriebene Liedkunst der in den Städten seßhaften Dichter-Handwerker des 15. u. 16. Jh.s. *Vorläufer* des M.s sind die fahrenden Spruchdichter des SpätMA.s, die sich selbst als *meister* bezeichnen, etwa Frauenlob oder Heinrich v. Mügeln; diese weisen in ihren Werken bereits wesentl. Merkmale des M.s auf; ebenso fahrende Dichter des 15. Jh.s wie Michel Beheim. Bald nach dem Tod von Hans Sachs (1576) setzte der Niedergang des M.s ein, sein Ende kam jedoch erst spät im 19. Jh. (Meistersingervereinigungen bestanden in Ulm bis

1839, in Memmingen bis 1875). Als *Stifter* verehrte der M. die »4 gekrönten Meister« Frauenlob, Regenbogen, Marner, Mügeln, als den Ursprungssitz Mainz, wo Frauenlob um 1315 die erste Meistersingerschule begründet haben soll. Bis ins Jahr 962 weist die Sage vom Ursprung des M.s, nach der die »12 alten Meister«, darunter neben den Genannten Walther v. d. Vogelweide u. Wolfram v. Eschenbach, von Papst u. Kaiser (Otto d. Großen) autorisiert u. privilegiert worden seien. Darin bekunden sich Selbstverständnis u. Selbstwertung des M.s: ein bewußtes Epigonentum; der Glaube an die Lehrbarkeit der Kunst; das Bestreben, mit den Vorbildern zu wetteifern. Die Anlehnung an ⁄Minnesang u. ⁄Spruchdichtung zeigt sich in der *Form* der Meisterlieder (⁄Meistersangstrophe, ⁄Stollenstrophe) wie in ihrem *Inhalt*: Tendenzen der Spruchdichter weiterverfolgend, legen die Meistersinger großen Wert auf den *sin*, betonen ihre gelehrte Bildung u. neigen stark zum Lehrhaften u. Erbaulichen. Die Norm wird beherrschend: Alles läßt sich in Regeln fassen, schön ist, was der Regel gemäß ist. Im *Stoff*repertoire des M.s haben geistl. Themen Vorrang: Zunächst werden mariolog. Themen bevorzugt, mit dem Fortschreiten der Reformation stellt sich der M. mehr u. mehr in den Dienst des Protestantismus. Formale Neuerungen des M.s sind u. a. das Prinzip der Silbenzählung, die strenge Alternation (z. T. mit ⁄Tonbeugung), Regeln, Praktiken und Terminologie sind niedergelegt in sog. Schulkünsten, in Protokollen u. Schulordnungen u. bes. in der ⁄*Tabulatur* (einflußreich war v. a. die Nürnberger Tabulatur). Die Meistersinger einer Stadt organisierten sich in der Vereinigung der *Singschule*, die auch die einzelne Singveranstaltung bezeichnen konnte. Hier unterscheidet man zwischen dem *Hauptsingen* in der Kirche, das relig. Stoffen, später auch ernsten weltl. Stoffen vorbehalten blieb, u. dem der Unterhaltung dienenden *Zechsingen*, das im Wirtshaus stattfand. Der Vortrag der Lieder war durchweg solistisch u. ohne Instrumentalbegleitung. In der *Anfangsphase* des M.s durften die Dichter nur poetisch produktiv sein, d. h. keine eigenen Weisen erfinden, sondern lediglich den Tönen der 12 alten Meister neue Texte unterlegen; *gegen 1480* vollzog der von Worms nach Nürnberg gekommene Hans Folz eine grundlegende Reform: Fortan konnte nur der ein Meister werden, der einen neuen ⁄Ton (d. h. Text u. Melodie) geschaffen hatte. Die oft eigenartigen Namen der Töne (z. B. »Kurze Affenweise«) verhalfen ihren Schöpfern zu einem gewissen Urheberschutz. Meisterlieder durften nicht gedruckt werden, sie gingen in den Besitz der jeweiligen Schule über. Die Meistersingerzunft legte Wert auf eine strenge Hierarchie: Auf der untersten Stufe standen die ledigl. reproduzierenden *Singer*; wer auf eine der autorisierten Melodien einen eigenen Text verfassen konnte, durfte sich *Dichter* nennen; als *Meister* galt der Schöpfer eines neuen Tons; an der Spitze dieser Pyramide schließlich rangierten die ⁄*Merker*. Die *Zentren* des M.s lagen in S.- u. SW.-Deutschland. In der ersten Phase galt *Mainz* als führender Ort des M.s, später gingen die wesentl. Impulse von *Nürnberg* aus, das seinen Ruhm bes. Hans Sachs (1494–1576) verdankte, mit Georg Hager, Hans Glöckler u. a. aber eine ganze Reihe weiterer bedeutender Meistersinger aufzuweisen hatte. Der *Augsburger* Singschule (Blütezeit ebenfalls im 16. Jh.) gehörten z. B. Onofrius Schwarzenbach u. Martin Dir an. Von anderen Orten, an denen der M. gepflegt wurde, sind v. a. zu nennen: *Straßburg, Freiburg, Colmar* (1546 durch Jörg Wickram gegr.), *Ulm, Memmingen, Steyr, Iglau, Breslau*. Die bedeutendste erhaltene *Sammlung von Meisterliedern* ist die sog. Kolmarer Liederhandschrift (heute Staatsbibl. München). Beschreibungen von Theorie u. Praxis des M.s lieferten u. a. A. Puschman: »Gründtlicher Bericht des Deudschen Meistergesanges« (Görlitz 1571, Neuausg. 1888), C. Spangenberg: »Von der Musica und den Meistersängern« (Straßburg 1598, Neuausg. 1861) u. J. Ch. Wagenseil: »Von der Meister-Singer

holdseligen Kunst . . .« (Altdorf 1697). Die wissenschaftl. Forschung hat sich mit dem M. seit der Frühzeit der Germanistik beschäftigt; gleichwohl ist der Quellenbestand noch immer nicht zureichend erschlossen. Ein spätromant. Bild des M.s lebt fort in Richard Wagners »Meistersingern von Nürnberg«.

🕮 Brunner, H. u. Wachinger, B. (Hg.): Repertorium d. Sangsprüche u. Meisterlieder des 12. bis 18. Jh.s. Tüb. 1986 ff. – Hahn, R.: Meistergesang. Lpz. 1985. – Schanze, F.: Meisterl. Liedkunst zw. Heinrich v. Mügeln u. Hans Sachs. 2 Bde. Mchn. 1983/84. – Hahn, R.: D. Meistergesang in d. Gesch. d. Germanistik. Zs. f. Germanistik 4 (1983). – Brunner, H. u. Rettelbach, J. (Hg.): Die Töne d. Meistersinger. In Abb. u. mit Materialien. Göpp. 1980. – Petzsch, Ch.: Singschule. Ein Beitr. z. Gesch. des Begriffs. ZfdPh 95 (1976) 400–416. – Wagenseil, J. Ch.: Buch von der Meister-Singer holdsel. Kunst. Hg. v. H. Brunner. Göpp. 1975 (Faks.). – Brunner, H.: Die alten Meister. Mchn. 1975. – Nagel, B.: M. Stuttg. ²1971. – Der dt. M. Hg. v. B. Nagel. Darmst. 1967. – Nagel, B.: Der dt. M. Poet. Technik, musikal. Form u. Sprachgestaltung der Meistersinger. Hdbg. 1952. – RL   MS

Meistersangstrophe, von den Meistersingern aus dem mhd. Minnesang übernommene ⁄Stollenstrophe. Das Normalschema (musikal. *Barform* genannt) AA/B wird i. d. Regel durch Hinzufügung eines Stollens oder Stollenteils nach dem Abgesang erweitert (Reprisenbar AA/BA oder AA/BA'). Eine M. umfaßt durchschnittl. 20–30 Verse, doch kommen auch überkurze (5 Verse) u. überlange (100 Verse u. mehr) Strophen vor. Ein Meistersingerlied besteht aus mindestens 3 M.n. Terminolog. beschrieben von den Theoretikern des ⁄Meistersangs. Auch ⁄Bar, ⁄Ton.

🕮 Plate, O.: D. Kunstausdrücke der Meistersinger. Straßburger Studien 3 (1888) 147–224; gekürzter Wiederabdr. in: Der dt. Meistersang. Hg. v. B. Nagel. Darmst. 1967, S. 206–263.   MS*

Melancholie, f. [gr. = Schwarzgalligkeit], Schwermut; bereits in der Antike, die den Begriff in der Säfte- und anschließenden Temperamentenlehre medizin. entwickelte, auch mit außerordentl. menschl. Begabung verbunden. Nach der einseitig moral.-theolog. Abwertung der M. im MA greift die ⁄Renaissance den Zusammenhang von M. und Genie neu auf, der fortan in der auf Philosoph.-Literarisches konzentrierten Auseinandersetzung mit den negativen und positiven Aspekten der M. bestimmend wirkt: Durch alle Veränderungen der psycholog. und sozialgeschichtl. Begründungen hindurch erscheint M. nun als Folge zunehmender Säkularisation und Individuation, als Begleitung selbstbestimmten Denkens in der Verunsicherung durch den Verlust vorgegebener transzendenter Normen, als Ausdruck der Handlungshemmung in der entfremdend erfahrenen Diskrepanz zwischen Wollen und Können, Theorie und Praxis. So hat W. Benjamin die M. wie die ⁄Allegorie im Trauerspiel des 17. Jh.s unter der Voraussetzung geschichtl. Immanenz gedeutet; so wird die M. gerade im 18. Jh. der bürgerl. Aufklärung zu deren Konsequenz und Widerspruch. Der melanchol. Rückzug in die ⁄Innerlichkeit, in Natur und Einsamkeit, die Selbstreflexion und Selbstbeobachtung bis hin zur Hypochondrie bedeuten nicht nur gesellschaftl. ⁄Eskapismus (W. Lepenies), sondern gleichzeitig Kritik am rationalen Optimismus und abstrakt behaupteten Fortschritt durch die weiterreichenden Forderungen einer durch die realen Verhältnisse unbefriedigten Subjektivität (z. B. Goethe, »Die Leiden des jungen Werthers«, K. Ph. Moritz, »Anton Reiser«). In dieser Spannung zeichnet sich das untergründige Verbindung von M. und ⁄Utopie ab. Konstitutiv wird sie im klass.-romant. Programm, das die Idealisierung der Kunst geschichtsphilosoph. aus der Reflexion der Entfremdung ableitet (z. B. in Schillers Ästhetik des ›Sentimentalischen‹ oder in Fr. Schlegels Konzept der ›Universalpoesie‹ und der ›Neuen

Mythologie‹); weiter zu verfolgen ist die Verbindung in der bis heute ununterbrochenen Tradition auch themat. explizierter M.-Dichtungen, die melanchol. Erfahrung in stellvertretender ästhet. Praxis aufheben (z. B. G. Benn).
□ Klibansky, R./Panofsky, E./Saxl, F.: Saturn und M. Frkf. 1990. – Hohmann, J. S. (Hg.): M. Ein dt. Gefühl. Trier 1989. – Sauerland, K. (Hg.): M. und Enthusiasmus. Frkf. u. a. 1988. – Burton, R.: Anatomie der M. (1621), aus d. Engl. übertr. und mit einem Nachw. versehen v. U. Horstmann. Zürich/Mchn. 1988. – Völker, L. (Hg.): »Komm, heilige M.« Eine Anthologie dt. M.-Gedichte. Stuttg. 1983. – Ders.: Muse M., Therapeutikum Poesie. Mchn. 1978. – Mattenklott, G.: M. in d. Dramatik des Sturm u. Drang. Königstein (Ts.) ²1985. – Schings, H.-J.: M. und Aufklärung. Stuttg. 1977. – Benjamin, W.: Ursprung d. dt. Trauerspiels. (1928) Frkf. 1972. – Lepenies, W.: M. und Gesellschaft. Frkf. 1972. – ∕Weltschmerz.   H

Melische Dichtung, Melik, f. [zu gr. melos = Lied, Gedicht], Bez. für die (griech.) gesungene (chor. und monod.) Lyrik, Lieddichtung (∕Chorlieder, ∕Hymnen, ∕Oden).   OB

Melodram, gleichzeitige oder abwechselnde Verwendung von Sprechstimme und Musik in einer szen. Darbietung; bekannt seit dem Altertum (griech. ∕Tragödie), erscheint dann im ∕Schuldrama, in der Oper (»Fidelio«, Kerkerszene; ∕Freischütz«, Wolfsschluchtszene) und im modernen ∕Musiktheater. Hier werden neue Differenzierungen entwickelt, zuerst durch Fixierung von Tonhöhe und Rhythmus der Sprechstimme (E. Humperdinck, »Die Königskinder«, 1897), dann durch Verfeinerung ihrer Notation bei A. Schönberg (»Moses und Aaron«). Eine Mischung verschiedener M.formen enthalten A. Bergs Opern (»Wozzeck«).
□ Stephan, R.: Zur jüngsten Gesch. des M.s. Archiv f. Musikwiss. XVII, 1960. – Martens, H.: Das M. Bln. 1932.   HR*

Melodrama,
1. *musikal.-dramat. Mischgattung,* die auf dem Prinzip des ∕Melodrams basiert (auch: ∕lyr. Drama, ∕Mono-, ∕Duodrama). Nach den beliebten, galant-empfindsamen Mono- oder Duodramen des 18.Jh.s pflegt die Romantik das *Konzert-M.,* d. h. die Rezitation von Gedichten, v. a. Balladen, zu Klavier- oder Orchesterbegleitung (z. B. R. Schumann, »Balladen«, op. 122, 1852; »Manfred«, 1848; F. Liszt, »Lenore«, 1858). – Das 20.Jh. übernimmt das herkömml. M. (zuerst M. Strauß »Enoch Arden«, 1900) oder differenziert es (A. Schönberg, u. a. »Pierrot lunaire«, 1912): Es wird mannigfach kombiniert mit Ballett oder Pantomime (A. Honegger, »Amphion«, 1931), mit Solo- oder Chorgesang (A. Honegger, »Johanna auf dem Scheiterhaufen«, 1935), mit szen. Formen überhaupt (W. Walton, »Façade«, 1931; I. Strawinsky, »Persephone«, 1934; H. W. Henze, »Das Wundertheater«, 1949). Melodramat. Formen beherrschen auch die Anfänge des Hörspiels.
2. aus dem musikal.-dramat. M. hervorgegangene *Dramenform mit charakterist. Inhalt und Aufführungsstil;* sie entwickelte sich zu einer der populärsten Theaterformen der europ. Romantik in England und Frankreich mitbedingt durch Gesetze, die das Sprechstück auf wenige lizenzierte Bühnen beschränkten und damit die anderen Bühnen zwangen, auf Singspiel, Musikpantomime, Burletta und das musikal.-dramat. M. auszuweichen. Die Musik trat in letzterem jedoch bald zurück: charakterist. wurde ein aufwendiger, pathet. Inszenierungsstil, der Vorrang schauriger und vielfronter Effekte vor einer glaubhaften Handlung, mittelalterl. (»gothick«) oder oriental. Schauplätze und Helden. Teilweise in der Tradition des sentimentalen ∕Rührstücks wurde das M. um 1800 in Frankreich begründet von G. de Pixérécourt (120 M.en), in England von Th. Holcroft (»A Tale of Mystery«, 1802). Wichtiges *Vorbild* waren Schillers »Räuber«, sowohl für die Massenproduk-

tion von M.en als auch für die anspruchsvollen romant. Dramatiker (F. Grillparzer, »Die Ahnfrau«, 1817; G. G. N. Byron, »Manfred«, 1817; P. B. Shelley, »The Cenci«, 1819; V. Hugo, »Hernani«, 1830), die sämtlich Elemente des M.s verwendeten. – Das M. bereicherte die Bühnentechnik (Hulins »Clous sensationnels«, L. J. M. Daguerres Lichteffekte und Panoramadekorationen zur Illusion unendl. Weite). Die Autoren planten den Stimmungsreiz von Bühnenbild, Kostüm, Beleuchtung und Musik bewußt in ihre Stücke ein und gaben oft präzise Vorschriften (vgl. »Hernani«, Karlsgruft und Schlußszene).
□ Smith, James L.: M. London 1973. – Veen, J. van der: Le mélodrame musical de Rousseau au romantisme, Den Haag 1955. – Istel, E.: Die Entstehung des dt. M.s. Bln. 1906.   HR*

Melos, n. [gr. = Glied, übertragen: 1. Lied, Gedicht, Wehklage, 2. Melodie], in der Literatur, ausgehend von der schon im Griech. übl. weiteren Bedeutung ›Ton des Redners‹, Bez. für Sprachklang(-melodie), ∕Klanggestalt einer Dichtung.   OB

Memoiren, n. Pl. [memoʾaːrən, frz. = Denkwürdigkeiten, von lat. memoria = Erinnerung, Gedenken], literar. Darstellung des eigenen Lebens oder eines ›denkwürd.‹Teiles daraus, wobei die Schilderung öffentl., polit. und kulturgeschichtl. Ereignisse, die Erinnerung an berühmte Zeitgenossen oder das eigene polit., kulturelle oder gesellschaftl. Wirken im Vordergrund stehen. Jedoch sind die Grenzen zur (mehr den eigenen geist.-seel. Entwicklungsprozeß nachvollziehenden) ∕Autobiographie fließend, zumal für beide dieselben Strukturen (chronolog. Gestaltung aus der Retrospektive unter systematisierenden und einheitl. wertenden Kategorien) typ. sind. Als M. werden gemeinhin v. a. die Erinnerungen von Persönlichkeiten des öffentl. Lebens bezeichnet. Sie sind wichtige, allerdings krit. zu würdigende Quellen für den Historiker und Kulturkritiker, da sie oft auch bislang unbekanntes Material (Briefe, Dokumente usw.) enthalten. *Antike und MA.* überliefern nur toposhaft objektivierte Darstellungen (∕Hypomnemata, Commentarii, vgl. Caesars »Commentarii de bello Gallico«, die gelegentl. als ›M.‹ bez. werden). – Die früheste und reichste M.-Literatur besitzt *Frankreich.* Nach eher chronikart. Anfängen (J. de Joinville, 13.Jh.; J. Froissart, 14.Jh. und Ph. de Commynes, 15.Jh.) erlebt sie eine Blüte im 17.Jh. (P. de Brantôme, Richelieu, La Rochefoucauld, Kardinal Retz, Herzog v. Saint-Simon u. v. a.). In dieser Tradition stehen die M. der frz. Revolutionsepoche (C. Desmoulins, P. A. de Beaumarchais, Mirabeau, J. Necker, J. de Lafayette, Madame de Staël u. a.), der Napoleonischen und Nachnapoleon. Epoche (B. de Las Cases, B. de Constant, G. Sand, F. R. de Chateaubriand u. v. a.). – Mit ähnl. Höhepunkten verläuft die Entwicklung in *England* (17.Jh.: E. Hyde Earl of Clarendon, H. of Cherbury; 18.Jh.: H. Bolingbroke, Robert Walpole, D. Hume, E. Gibbon u. a.) und *Italien* (18.Jh.: C. Goldoni, G. G. Casanova), während in *Deutschland* nach chronikart. Versuchen seit dem 16.Jh. (Götz von Berlichingen u. a.), den v. a. bekenntnishaften Werken im 18.Jh. und den (frz. geschriebenen) M. Friedrichs II. v. Preußen erst im 19.Jh. eine eigentl. M.-Literatur entsteht (K. A. Varnhagen von Ense, 1824/30; K. L. Immermann, 1840/43; E. M. Arndt, 1858; M. von Meysenbug, 1876; Fürst K. von Metternich, postum 1880/84; O. von Bismarck, 1898/1921). Auch in neuerer Zeit ist das Interesse an den M. von Politikern, Schauspielern, Schriftstellern usw. groß (vgl. z. B. die M. von W. Churchill, 1948/54; Ch. de Gaulle, 1955/59 und 1971; K. Adenauer, 1965/68; H. Brüning, 1970, H. A. Kissinger 1979/82; E. Canetti, 1977/80/85; Hans Mayer, 1982/84: W. Brandt und F. J. Strauß, 1989 u. a.). – Die Bedeutung der M.-Literatur für die jeweilige Zeitgeschichte wird auch durch *M.sammlungen* dokumentiert, vgl. die »Collection des mémoires relatives à la révolution d'Angleterre« (33

Bde., Paris 1823 ff.) oder die »Dt. M.-Bibliothek« (100 Bde., Stuttg. 1890 ff.). – Eine gewisse Opposition gegen die Beliebtheit vordergründiger M. signalisieren A. Malraux' »Anti-M.« (1967).

⚏ Westphal, M.: Die besten M. aus 7 Jh.n. Lpz. 1923. – Young, M. N. (Hg.): Bibliography of memory. Philad. 1961. OB*

Memorabile, n. [lat. memorabilis = denkwürdig], archaischer Poesietypus (↗einfache Formen), der histor. fixierte einmalige Ereignisse erzählt, die zum Beweis der Glaubwürdigkeit mit unverwechselbaren Einzelzügen ausgestattet sind, im Unterschied zum verallgemeinernden ↗Kasus.

⚏ ↗einfache Formen. GG*

Memorabilien, f. Pl. [aus lat. memorabilis = denkwürdig], Denkwürdigkeiten, Erinnerungen, gelegentl. Titel für ↗Memoiren, z. B. bei K. L. Immermann (»M.«, 1840/43) oder seit dem 19. Jh. für Xenophons von Athen »Apomnemoneumata Sokratous« (Erinnerungen an Sokrates, 4. Jh. v. Chr.: Memorabilia Socratis). S

Ménestrel, m. [prov.-altfrz., von spätlat. ministerialis = Beamter], in der frz. Literatur des MA.s Bez. für den im Dienst eines Hofes stehenden Jongleur (↗Spielmann, ↗Joculator), dann (im 13. Jh.) auch für den Jongleur überhaupt; auch ↗Minstrel. MS

Menippea, f., eigentl. Satura Menippea, menippeische ↗Satire.

Mentalitätsforschung [Neubildung, abgeleitet von frz. mentalité = Sinnesart, zu mlat. mentalis = geistig], in jüngerer Zeit stark beachtetes Sondergebiet histor. Wissenschaften, in dem versucht wird, individuelle und kollektive, spontane und vermittelte Verhaltensweisen in Denken, Fühlen und Handeln bestimmter histor. Epochen zu erfassen und zu beschreiben. Zu einem bestimmenden Fragekomplex erhoben wurde das Verhältnis von Wirklichkeit und Wissen, von Materialem und Mentalem (z. B. erlaubt die Quantität des zu Kirchenkerzen verarbeiteten Wachses Rückschlüsse auf die Qualität der gleichzeitigen Frömmigkeitskultur). Durch diese method. Voraussetzungen kann sich M. von herkömml. Geistes- und Ideengeschichte abgrenzen, und sich zugleich von der dominierenden kausalitätsbestimmten Geschichtsmetaphysik distanzieren. – Die M. etablierte sich als Spezialdisziplin mit der 1929 von M. Bloch und L. Febvre herausgegebenen Zeitschrift ›Annales. Économies, Sociétés, Civilisations‹ und blieb lange Zeit ein Forschungsgebiet der französischen Historiographie. Deren Postulat einer *histoire totale* zielte darauf, umfassende Bezüge innerhalb eines histor. Zeitraumes als Mentalitätskonstitution und ›Meinungsklimate‹ zu erfassen, wobei die Fülle der zu berücksichtigenden Faktoren von myth. Überlieferungen bis zum ökonom. System, von familiaren Lebensformen bis zu den Herrschaftsinstitutionen reichen, um daraus eine Totale der *atmosphère mentale* eines Zeitalters zu rekonstruieren. Neben vielen umfänglichen Mentalitätsmonographien (z. B. Geschichte des Todes, der Kindheit etc.) ist ein wichtiges Ergebnis der M. die Erschließung und begriffl. Konstatierung weitreichender Fremdheiten vergangener Epochen, die als method. Ansatz verhindern, vergangene Signale identifikatorisch zu empfangen. Zugleich wird M. damit für die eigene Zeit aktualisierbar: Sie reflektiert (nicht zuletzt durch die betonte Hinwendung zu mal. Mentalitäten) so die Innovationen und Defizite der eigenen Epoche. Die M. als übergreifende Bemühung ist auf Interdisziplinarität angewiesen: es beteiligen sich an ihr Humanethologie, Psychologie, Philologie, Sozialanthropologie. Trotz der Unschärfe des Begriffes ›Mentalität‹ wird aus der (inzwischen internationalen) Forschung und ihren Ergebnissen deutlich, daß im Mittelpunkt des Interesses die vitalen Empfindungen und deren gesellschaftl. Regulierungen, die emotionalen Wunschprojektionen und das davon aktivierte Denken stehen. Als Rekonstruktion vergangener und verlorener

Gefühlskultur ist die M. auch für die Literaturwissenschaft fruchtbar gemacht worden, z. B. bei Versuchen, Minnedichtung, Mystik, mal. Schwankdichtung in mentalitätsgeschichtl. Zusammenhang neu zu verstehen und zu bewerten.

⚏ Dinzelbacher, P.: Gefühl und Gesellschaft im MA. In: G. Kaiser u. J. D. Müller (Hg.): Höf. Literatur. Düsseldorf 1986. – Schulze, H.: Mentalitätsgeschichte. In: Geschichte in Wissenschaft und Unterricht 36 (1985). – Nitschke, A.: Histor. Verhaltensforschung. Stuttg. 1981. HW

Merkdichtung, auch: Katalog- oder Memorialdichtung, Katalogverse: archaische Dichtungsform, die Wissensstoff (v. a. aus Mythologie, Helden- und Fürstengeschichte) in gebundener Rede (Versen) zur kult. Überhöhung – auch als Gedächtnisstütze – aufzählt. Sowohl in der antiken als auch german. Literatur (bes. aus Island, Norwegen, England: Stabreimverse) überliefert. ↗Katalog. – Vgl. auch die seit dem mal. Grammatikunterricht üblichen (bisweilen sinnlosen) *Merkverse* der Schüler zum Behalten von Regeln oder Fakten. S

Merker,
1. im ↗Minnesang fiktive Aufpasser u. Neider *(merkaere),* die die Begegnung der Liebenden verhindern oder überwachen u. deren Existenz wie das zugrundeliegende Prinzip der *huote* überhaupt vom lyr. Ich meist beklagt wird. Im späteren MA. erscheint gelegentl. die Unterscheidung von guten u. schlechten M.n.
2. Im ↗Meistersang die (realen) Zensoren u. Schiedsrichter, die – meist zu viert im ›Gemerk‹, einem durch Vorhänge abgeteilten Raum, sitzend – als Vorsteher der Singschule die Liedvorträge nach den Regeln der ↗Tabulatur beurteilen u. Verstöße registrieren.

⚏ ad 1) Seibold, L.: Studien über die Huote. Bln. 1932. – ad 2) ↗Meistersang. – RL. MS

Merkvers, ↗Merkdichtung.

Merzdichtung, spezif. Ausformung des ↗Dadaismus in Deutschland: Teil der sog. *Merzkunst, eine* Sammelbez., unter der K. Schwitters seine Arbeiten in den verschiedensten Kunstgattungen subsumierte und z. T. in seiner Zeitschrift »Merz« (1923–32, insges. 24 Hefte) veröffentlichte. Das Wort »Merz«, ein Kürzel aus ›Kommerz‹ soll den Objet-trouvé-Charakter der Merzkunst signalisieren: Die M. ist abstrakt. Sie verwendet analog der Merzmalerei als gegebene Teile fertige Sätze aus Zeitungen, Plakaten, Katalogen, Gesprächen usw., mit und ohne Abänderung« (vgl. hierzu auch die ›i-Theorie‹ Schwitters', ferner ↗abstrakte Dichtung, ↗Collage). Das berühmteste (wenn auch nicht typischste) Merzgedicht ist »An Anna Blume« (1919). K. Schwitters verstand sich als Gesamtkünstler, intendierte ein ↗Gesamtkunstwerk, das aber künstler. Utopie blieb, auch die propagierte »Merzbühne«, auf der das »Merzgesamtkunstwerk« inszeniert werden sollte, war nicht realisierbar. Die »Merzbauten« in Hannover und Oslo wurden zerstört, ein dritter Merzbau in Little Langdale blieb unvollendet. D

Mesodos, m. [gr. = Zwischengesang], ↗Proodos.

Mesostichon, n. [gr. mésos = mitten, stichos = Vers], schmückende Figur in Gedichten, bei der die in der Mitte der Verse stehenden Buchstaben, von oben nach unten gelesen, einen bestimmten Sinn ergeben; das M. ist weit seltener als ↗Akrostichon u. ↗Telestichon. MS

Messiade, f. [von Messias = der Gesalbte, Titel des im AT verheißenen Heilskönigs], geistl. Epos über Leben u. Leiden Christi; die Gebundenheit an die Evangelienvorlage behindert im allgem. eine freie künstler. Entfaltung des Stoffes. M.n sind z. B. die ↗Evangelienharmonien (↗Diatessaron« des Syrers Tatian, um 170 n. Chr., der altsächs. »Heliand«, um 830, Otfrieds ahd. Evangelienbuch, vor 870). Am einflußreichsten war das Hexameter-Epos »Der Messias« (1748–73) von F. G. Klopstock, das zahlreiche Nachahmungen fand, etwa J. K. Lavaters »Jesus Messias oder die Zukunft des Herrn« (1780) und »Jesus Messias.

Oder die Evangelien u. die Apostelgeschichte, in Gesängen« (1783/86), im 19. Jh. F. Rückerts »Leben Jesu. Evangelienharmonie in gebundener Rede« (1839), F. W. Helles Christusepen (1870–96 u. 1886) u. a. Im Anschluß an E. Renans populärwissenschaftl. Werk »La Vie de Jésus« (1863) entstanden auch romanhafte Darstellungen, oft mit Neudeutungen des bibl. Stoffes, im 20. Jh. z. B. W. v. Molo, »Legende vom Herrn« (1927), Emil Ludwig, »Der Menschensohn« (1928), R. Ranke-Graves, »King Jesus«(1954), M. Brod, »Der Meister« (1952). Nicht als M. bez. werden die Spiegelungen des histor. Heilands in modernen Christusgestalten, z. B. die Romane »Der Narr in Christo Emanuel Quint« (1920) v. G. Hauptmann, »Jesus im Böhmerwald« (1927) von R. Michael, »Der wiederkehrende Christus« (1926) von R. Huch, und – trotz des Titels – die Ekloge »The Messiah« (1712) v. A. Pope, welche die Prophezeiungen Jesaias behandelt, oder G. F. Händels Oratorium »Der Messias« (1742). GG*

Meßkatalog, gedrucktes, nach Sachgebieten geordnetes Verzeichnis der auf den Messen im 16.–19. Jh. feilgebotenen Bücher und Musikalien des dt. und z. T. auch ausländ. Buchhandels, mit Vorankündigungen projektierter Bücher. Begründet 1564 von G. Willer (Augsburg), erschienen M.e zu den bis 1574 jährl. (Michaelismesse 29. 9.), dann halbjährl. (Ostern und Michaelis) in Frankfurt abgehaltenen ↗Buchmessen (von 1598–1749 vom Rat der Stadt hrsg.); seit 1594 auch für die neueingerichtete Leipziger Buchmesse (begr. v. H. Grosse, seit 1759, hrsg. von der Weidmann'schen Verlags-Buchhandlung). Ende des 18. Jh.s verloren M.e allmähl. ihre Bedeutung zugunsten zuverlässigerer Halbjahreskataloge (J. C. Hinrichs) und Bücherlexika (W. Heinsius, Ch. G. Kayser); sie erschienen letztmals 1860. Für bibliograph. und statist. Auswertung meist zu ungenau und lückenhaft, sind M.e jedoch literarhistor. immer noch eine unschätzbare Fundgrube für die Quellen- und Werksgeschichte.
◻ Blum, R.: Vor- u. Frühgesch. der nationalen Allgemeinbibliogr. Frkft. 1959. IS

Mester de clerecía, (span.), ↗Cuaderna vía.

Metabole, f. [gr. = Veränderung, Wechsel], s. ↗Variation (1).

Metalepsis, f. [gr. = Vertauschung], ↗Tropus zwischen ↗Metapher und ↗Metonymie: Ersetzung eines polysemant. Wortes durch ein synonymes Wort zu einer im gegebenen Kontext nicht gemeinten Teilbedeutung, z. B.: er ist ein *Gesandter*, aber kein ›*Geschickter*‹ (gesandt → geschickt: kann auch bedeuten: *gewandt, fähig*); begegnet auch bei ↗Homonymen; gern für Wortspiele verwendet, in der Literatur schon bei Homer, vgl. »Ilias« 8, 164, »Odyssee«, 15, 299). GG*

Metamorphose, f. [gr. metamorphosis = Verwandlung], Gestaltwandel, z. B. die Verwandlung eines Menschen in ein Tier, eine Pflanze oder auch in unbelebte Natur; begegnet in Mythologie (Zeus als Stier, als Schwan, Daphne als Lorbeerbaum), Märchen (Froschkönig u. a.) und aitiolog. Sagen (Watzmannsage), sowie in *Dichtungen* aller Zeiten: vgl. schon bei Homer (»Odyssee«: Zauberin Kirke, Verwandlung in Schweine), dann v. a. in hellenist. Literatur (Apuleius, »Der goldene Esel«, 2. Jh.); die berühmteste Zusammenfassung antiker Verwandlungsgeschichten sind Ovids »Metamorphosen« (15 Bücher, ca. 10 n. Chr.). M.n finden sich auch in altnord. Dichtung (Lied vom Drachenhort: Otr – Fischotter, Fafnir – Drache), in der Neuzeit u. a. in Shakespeares »Sommernachtstraum« (Zettel – Esel) oder in F. Kafkas Erzählung »Die Verwandlung« (Käfer), in E. Ionescos Stück »Die Nashörner« u. a. S

Metanoia, f. ↗Correctio.

Metapher, f. [gr. metaphora = Übertragung], uneigentl. sprachl. Ausdruck (↗Tropus): das eigentl. gemeinte Wort (verbum proprium) wird ersetzt durch ein anderes (immutatio), das eine sachl. oder gedankl. Ähnlichkeit (similitudo)

oder dieselbe Bildstruktur aufweist, z. B. Quelle für ›Ursache‹. Die Sprache springt dabei, im Unterschied zur ↗Metonymie, gleichsam von einem Vorstellungsbereich in einen anderen (Sprungtropus). Der antike Rhetoriker Quintilian (1. Jh. n. Chr.) definierte die M. als verkürzten ↗Vergleich (brevior est similitudo), bei dem ledigl. die Vergleichspartikel weggefallen sei: das Gold ihrer Haare (M.) – ihr Haar ist wie Gold (Vergleich). Bei einem beträchtl. Teil der M.n läßt sich auch jeweils ein tertium comparationis ausmachen. Diese rationale Erklärung reicht bei M.n, die sich bildl. verselbständigen, so daß das Assoziationsgefüge nicht mehr eindeutig aufzuschlüsseln ist, allerdings nicht immer hin. Solche absoluten M.n begegnen v. a. in der Dichtung der Neuzeit. – M.n treten phänomenolog. in einer solchen Vielfalt auf, sie berühren sich zudem bisweilen mit anderen Tropen wie ↗Allegorie, ↗Symbol, ↗Personifikation, daß eine eindeutige Klassifizierung und Abgrenzung nicht immer mögl. ist. Eine prinzipielle Scheidung ergibt sich *funktional* zwischen den meist unbewußt verwendeten M.n und den bewußten. *Unbewußte M.n,* von denen die der Alltagssprache voll ist, sind einmal die sog. *notwendigen M.n:* sie treten für Lücken im semant. Katalog ein, wenn die Sprache für die Bez. einer Sache keine eigentl. Benennung kennt, sie sind Übertragungen auf Grund von bildhaften Gemeinsamkeiten, z. B. Fluß-Arm, Fuß des Berges, Stuhl-Bein (↗Katachrese). Notwendige M.n entstehen stets von neuem, wo das Bedürfnis nach Benennung neuer Sachen und Phänomene auftritt, also auch in Wissenschaft und Technik: Motor-Haube, Glüh-Birne, elektr. Strom, Last-Glied. Zu diesen M.n treten die *verblaßten, konventionalisierten, selbstverständl. M.n* (auch: *Ex-M.n, tote M.n*) je nach ihrem Verfremdungsgrad und ihrer bildhaften Potenz: das kalte Herz, schreiende Farben, faule Ausrede; Aktien fallen, der Motor heult auf; Baumkrone, Schweigen des Waldes, Leitfaden usw. – Von diesen unbewußten, habituellen M.n sind die *bewußten, akzidentiellen* M.n zu trennen, die ihren poet., stilist. Wirkung wegen gesetzt werden und die insbes. in dichter. Sprache durch Analogie und Assoziation eine zusätzl. expressive Tiefendimension erschließen, den Bedeutungsraum erweitern, da mit der übertragenen Benennung außer der Information emotionale Wirkungen und bildhafte Vorstellungen geweckt werden. Die M. ist deshalb ein bes. Kennzeichen schöpfer. Phantasie. Sie kann für den Grad der Versinnlichung und der Vergeistigung einer Aussage bedeutsam sein (↗Poetizitätsgrad als Moment der ↗Wirkungsästhetik). – Die Typologie kann sich weiter an folgenden Aspekten orientieren:
1. *formal* nach der ersetzten Wortart: Adjektiv-M.n (flammender Zorn), Verb-M.n (Zorn entflammen), Substantiv-M.n (Flammen des Zorns),
2. *syntakt.:* ein- und mehrgliedrige M.n (Auge des Himmels für ›Mond‹),
3. *semant.* (im Anschluß an Quintilian): Übertragungen von Leblosem auf Belebtes (Schiff der Wüste für ›Kamel‹), von Belebtem auf Lebloses (Bauch von Paris), von Belebtem auf Belebtes (Beschimpfung eines Menschen mit Tiernamen), von Leblosem auf Lebloses (Luftschiff für ›Zeppelin‹, vgl. ↗Metonymie), weiter Versinnlichung von geist. oder abstrakten Eigenschaften (ein kühler Kopf, Glanz des Ruhms), Übertragung eines prakt. Begriffs auf einen geistigen (lesen – ursprüngl. ›auf-lesen‹), Wiedergabe von Sinnlichem durch Geistiges (drohende Wolke). Nach den verschiedenen Graden der semant. Divergenz zwischen den Bezugswörtern werden noch differenziert *direkte M.n* (Steine reden) und *indirekte M.n* (Steine schweigen),
4. *modal: kühne M.n* (»der Märkte runder Wirbel stockt zu Eis«, G. Heym), *absolute M.n* (d. h. M.n, welche sich über die unmittelbare Anschauung erheben, z. B. im Symbolismus, Surrealismus, in moderner hermet. Lyrik),
5. nach ihrer Frequenz *stereotype M.n* (entsprechen dem ↗Epitheton ornans). – Die Häufigkeit bestimmter M.nty-

pen kann kennzeichnend für einen Epochen- oder Individualstil sein, bei Homer fällt z. B. die stereotype M. auf, im Barock und in der Neuzeit z. T. eine Vorliebe für die kühne M. – Bei der Verwendung von M.n bei Erkenntnisvorgängen, v. a. in der Philosophie (Heidegger) kann der M. auch kognitive Funktion zukommen. – Metaphor. Begriffsneubildung und deren Konventionalisierung sind ein ständiger Prozeß, der wesentl. den dynam., schöpfer. Charakter der Sprache ausmacht, grundsätzl. der Bereicherung der sprachl. Ausdrucksmöglichkeiten dient.

⊞ Kurz, G.: M., Allegorie, Symbol. Gött. ²1988. – Haverkamp, A. (Hg.): Theorie der M. Darmst. 1983. – Köller, W.: Semiotik und M. Stuttg. 1975. – Mauser, W. (Hrsg.): Die M. Frkft. 1974. – Hawkes, R.: Metaphor. New York/London 1972. – Shibles, W. A.: Metaphor, an annotated bibliography and history. Whitewater (Wis.) 1971. – Ingendahl, W.: Der metaphor. Prozeß. Düsseld. 1971. – Pongs, H.: Das Bild in d. Dichtung. 3 Bde. Marburg ¹⁻³¹1963–69.   ED/S

Metaphorik, f. [gr. metaphora = Übertragung], zus.fassende Bez. für den uneigentl., anschauungs- und assoziationsreichen Sprachstil, für die poet. Bildlichkeit, die durch Tropen (↗Tropus) wie ↗Metapher, ↗Metonymie, ↗Metalepse, ↗Vergleich, ↗Gleichnis, ↗Personifikation, ↗Allegorie, ↗Kenning usw. konstituiert wird und als Mittel der Wirkungsästhetik der Vorstellungsintensivierung dient. Vgl. auch ↗Bild.

⊞ Nieraad, J.: »Bildgesegnet u. bildverflucht«. Forschungen z. sprachl. M. Darmst. 1977. – Pausch, H.: Kommunikative M. Bonn 1974.   S

Metaphrase, f. [aus gr. meta = nächst, nahe bei u. phrasis = Wort, Rede],
1. wortgetreue Übertragung einer (auch fremdsprachl.) Versdichtung in Prosa (im Ggs. zur ↗Paraphrase),
2. erläuternde Wiederholung eines Wortes durch ein Synonym.   GG*

Metaphysical poets [mɛtə'fizikəl 'pouits; engl. = metaphysische Dichter], Sammelbez. für eine Reihe engl. Lyriker des 17. Jh.s, wie J. Donne, G. Herbert, R. Crashaw, H. Vaughan, A. Marvell u. a., erstmals verwendet von J. Dryden, eingebürgert im 18. Jh. durch S. Johnson. Im 18. u. 19. Jh. weithin unbeachtet oder unterschätzt, wurden die m. p. in den ersten Jahrzehnten des 20. Jh.s wiederentdeckt (v. a. von T. S. Eliot). Hauptcharakteristika der vielfach religiös, auch myst. getönten Gedichte der m. p. sind: Ironie, Satire, Vorliebe für das Paradoxe (conceit, s. ↗Concetto), dialekt. Räsonnement, eine Verbindung des Emotionalen mit dem Intellektuellen, die Kunst psycholog. Beobachtung und eine gelehrte Bildersprache, vgl. ↗Euphuismus, ↗Manierismus.

⊞ Esch, A.: Die ›metaphys.‹ Lyrik. In: Epochen d. engl. Lyrik. Düss. 1970. – Miner, E.: The metaphysical mode from Donne to Cowley. Princeton (N.J.) 1969.
Ausg.: Metaphysical lyrics and poems of the 17th century. Selected and edited by H. J. C. Grierson. Oxford ⁷1950. MS

Metaplasmus, m. [gr. = Umformung], in ↗Rhetorik und ↗Metrik (↗Prosodie) Abweichung von der sprachl. korrekten Form eines Wortes oder Satzteils; gilt im Ggs. zum meist als Fehler oder Stilbruch abgelehnten ↗Barbarismus als erlaubte dichter. Freiheit zum Ausdruck einer bestimmten individuellen, archaisierenden oder mundartl. getönten Stilhaltung, ist aber auch des Wohllauts oder des metr. Gleichmaßes wegen zugelassen. – M. entsteht durch *Hinzufügung oder Auslassung von Lauten am Wortanfang:* Prothese (lat. gnatus statt natus) und ↗Aphärese (lat. mittere statt omittere, dt. 'raus statt heraus), *im Wortinnern:* ↗Epenthese (span. corónica statt cronica) und ↗Synkope (span. espirtu statt espiritu, dt. drin statt darin) oder *am Wortende:* Paragoge (frz. avecque poet. für avec, dt. niemand statt mhd. nieman) und ↗Apokope (ich hatt' einen . . .), manchmal verbunden mit ↗Synalöphe u. a. – Als M. gelten auch Dehnung oder Kürzung von Lauten

oder Silben, also ↗Dihärese (2) und ↗Synizese. Häufig als M. verwendet werden veraltete (archaische) oder mundartl. Formen und Ausdrücke, daraus ergibt sich oft der sog. *Reim-M.,* sei es als ↗unreiner Reim (brennen: können), sei es als ↗Assonanz (neige: reiche) oder als sog. ↗Augenreim (rauchen: Frauchen).   RS

Methodologie, f. [gr. meta = nach, 'odos = Weg > methodos = Weg zu etwas, logos = Lehre], auch: Methodik (Zus.-fassung von Methoden). Lehre von den Wegen und Verfahren, den Methoden zur Erfassung und Deutung von Objekten und Phänomenen; handelt prinzipiell von Möglichkeiten der Erkenntnisgewinnung (Heuristik) und der Darstellung von so gewonnenen Erkenntnissen. M. umfaßt begriffserweiternd auch den jeweiligen Erkenntnisrahmen und die Erkenntnisziele. – Bei *literar.* Werken dienen die einzelnen Methoden insbes. der Erfassung und Deutung von inhaltl. und formalen Ausprägungen, deren histor., sozialen und biograph. Bedingtheiten, ihrer Wirkung und Rezeption.

Basis der M. sind verschiedene allgemeine method. *Modi* (Grundoperationen): Sie können sein: *induktiv* (aus lat. inducere = hinführen): vom Einzelnen zum Ganzen fortschreitend (kennzeichnend für die philolog. Meth.) – *deduktiv* (lat. deducere = ableiten): vom Ganzen aufs Einzelne schließend, oft ausgehend von apriorist. Setzungen (z. B. ↗Literaturtheorie) – *analytisch* (gr. analysis = Auflösung): Aufschlüsselung eines Ganzen, Rückführung auf seine Elemente (z. B. ↗Poetik) – *synthetisch* (gr. synthesis = Zusammensetzung): Gewinnung einer höheren Ordnung aus Einzelelementen (z. B. ↗Literaturgeschichte: Zusammenschau unterschiedl. Erkenntnisbereiche) – *dialektisch* (gr. dialektikos = zur Disputierkunst gehörig): Bildung einer Synthese aus Thesis und Antithesis, Abwägung des Für und Wider (sic et non) einer Hypothese – *typologisch* (gr. typos = Muster, Vorbild): Ordnen nach Grundmustern (meist diachron, z. B. Gattungsgeschichte, ↗Poetik, ↗Rhetorik) – *taxonomisch* (gr. taxis = Ordnung): Ordnen nach gemeinsamen Merkmalen (meist synchron, z. B. Epochendarstellungen) – *genetisch* (gr. genesis = Werden): Verfolgung der Entstehung eines Werkes (z. B. Stoffgeschichte, ↗Biographie) – *genealogisch* (gr. genealogia = Stammbaum): Ordnen nach verwandten Zusammenhängen (z. B. ↗Überlieferungsgeschichte) – *aitiologisch* (gr. aitia = Ursache): Suche nach Ursprüngen und Gründen eines Phänomens (z. B. Märchenforschung) – *strukturalistisch* (lat. structura = Zusammenfügung, Bau): Suche nach gemeinsamen geistigen oder formalen Grund-Strukturen – *axiologisch* (gr. axia = Wert): wertende Darstellung (z. B. ↗Literaturkritik) – *axiomatisch* (gr. axioma = Rang, Ansehen): auf einer (vermeintl.) absoluten Wahrheit aufbauend (z. B. marxist. Lit.theorie) – *komparatistisch* (lat. comparare = vergleichen): Suche nach (relativen) Maßstäben aus dem Vergleich (innerhalb eines dichter. Werks, aber auch bei Werken verschiedener Autoren einer oder verschiedener Sprachen oder Epochen). – Über diesen Grundoperationen (Modi) baut sich eine zunehmend größere Zahl von werkbezogenen und werktranszendierenden Interessen-, Frage- und Forschungs-*Richtungen* auf, deren Prämissen und Erkenntnisziele nicht immer klar definiert, kategorial geschieden – und zu scheiden sind, die sich z. T. überschneiden und (notwendig) ergänzen. Meist ergibt sich schon durch die Heterogenität der Gegenstände ›Literatur‹ und ›Sprache‹ ein (im Grunde zweckdienlicher) Methoden-Pluralismus, dem sich gelegentlich ein meist ideolog. fixierter Methoden-Monismus entgegenstellt. Unterschiedl. Methoden führen bisweilen zu einem nicht immer fruchtbaren theoret. Methodenstreit. Manche Forschungsrichtungen konnten sich als eigenständige Disziplinen (mit eigenen Lehrstühlen) etablieren (z. B. ↗Literatursoziologie, Komparatistik). – Methoden können ausgesprochen werkbezogen (Inhalt oder Sprache, Stil, Metaphorik usw.), andere autor-, rezipienten-, überlieferungs- oder allgemein gesellschafts- und zeitbezogen sein, wobei auch Kombinationen, etwa geschichts- und autorbezogen, werk- und gesellschaftsbezogen usw. auftreten. Eine beträchtl. Zahl method. Richtungen lehnt sich in Fragestellungen und method. Instrumentarium an umfassendere geistige (Zeit-)Strömungen an, v. a. an philosoph. Richtungen (Positivismus, Phänomenologie, Marxismus, Existentialismus u. a.), aber auch an Geschichts- und Kunstwissenschaft, Behaviorismus, Ethnologie, Soziologie, Linguistik, Informatik, Semiotik oder heute den ↗Poststrukturalismus. Primär *werkbezogene Methoden* sind: 1. die ↗*werkimmanente Interpretation* (vgl. frz. explication de texte, engl. intrinsic approach): mit wechselndem Zugriff wird versucht, Texte unter weitgehendem Verzicht auf histor. und biograph. Daten aus ihrem gegebenen Wortlaut heraus zu verstehen, Wörter und Sachen der Texte zu erklären (vgl. ↗Exegese, ↗New Criticism, russ. ↗Formalismus). 2. *die textphilolog. Methode* (↗Textphilologie): bemüht sich um die Herstellung eines authent. Textes, meist aus vom Autor nicht autorisierten Hss. oder Drucken, um die Reinigung eines überlieferten Textes von tatsächlichen oder vermeintl. späteren Ergänzungen und Verunklärungen. Arbeitsziel ist meist eine wissenschaftl. ↗Edition (↗Textkritik, ↗Hermeneutik).

Primär werktranszendierende Methoden sind 1. *die literarhistor. Methode,* eine Grundmethode a) der *Literaturgeschichtsschreibung* jeder Provenienz, entwickelt im Gefolge des Historismus: versucht Abläufe, Konstellationen und Tendenzen nationaler und internationaler literar. Entwicklungen mit mehr oder weniger engem Textbezug herauszuarbeiten und darzustellen (verbunden mit einer gewissen ↗Kanon-Bildung); dabei können bestimmte Fragerichtungen Akzente setzen, vgl. z. B. die positivist. Literaturgeschichtsschreibung (W. Scherer), die geistesgeschichtl. (J. Schwietering), die sozialgeschichtl. (A. Hauser, H. A. Glaser) oder die marxist. materialist. Literaturgeschichtsschreibung (K. Gysi/K. Böttcher). b) Die histor. Methode wird auch bestimmend für eine Reihe unterschiedl. histor. Zugriffe, in denen bestimmte Einzelaspekte ins Zentrum rükken, z. B. Stilgeschichte (im Gefolge des Kunsthistorikers H. Wölfflin etwa F. Strich), Formgeschichte (P. Böckmann), Ideengeschichte (H. A. Korff), Stoff- und Motivgeschichte (E. Frenzel), Gattungsgeschichte (der Elegie: F. Beißner, der Ode: K. Viëtor, der Novelle: J. Kunz u. a.) – 2. Auf geistige, mentale oder soziale Hintergründe literar. Schaffens (mit Hilfe entsprechender übergreifender Disziplinen) nehmen Bezug: a) die *soziolog. Methode* (↗Literatursoziologie): bemüht sich um die sozialen Bedingtheiten und ökonom. Abhängigkeiten von Literatur, b) die *psycholog.* oder *psychoanalyt. Methode:* sie versucht im Anschluß (und im Gegensatz) zu den Lehren von S. Freud, C. G. Jung u. a. Reflexe des Unbewußten (und des Bewußtseins) bei den Autoren und ihren Werken aufzuspüren.

Autorenbezogen ist die biographisch-genet. Methode: sie wurde v. a. entwickelt im Positivismus: unter der Formel vom «Ererbten, Erlernten, Erlebten» wird die Entwicklung eines Autors, seines Werkes und seines Verhältnisses zu seiner Zeit untersucht.
Vgl. auch ↗positivist. Lit.wiss., ↗geistesgeschichtl. Lit.wiss., ↗morpholog. Lit.wiss., ↗literar. Wertung, ↗vergleichende Lit.wiss., ↗wechselseitige Erhellung, ↗Strukturalismus, ↗Informationsästhetik, ↗Texttheorie, ↗Poststrukturalismus.
📖 Janik, D.: Lit.-Semiotik als Methode. Tüb. 1985. – Kreuzer, H./Viehoff, R. (Hg.): Methoden u. Lit.-wiss. Gött. 1981 (Beih. LiLi 12). – Urban, B./Kudszus, W. (Hg.): Psychoanalyt. u. psychopatholog. Literaturinterpretation. Darmst. 1981. – Strelka, J. P.: Methoden d. Lit.-wiss. Tüb. 1978. – Titzmann, M.: Strukturale Textanalyse. Mchn. 1977. – Klein, A./Vogt, J.: Methoden d. Lit.-wiss. Düsseld. ⁴1977. –

Medvedev, P.: Die formale Methode in d. Lit.wiss. Stuttg. 1976. – Rüdiger, H. (Hg.): Komparatistik. Stuttg. 1973. – Gansberg, M./Völker, P. G.: Methodenkritik der Germanistik. Stuttg. ⁴1973. – Žmegač, V./Škreb, Z. (Hg.): Zur Kritik literaturwissenschaftl. M. Frkf. 1973. – Grimm, R./Hermand, J. (Hg.): Methodenfragen der dt. Lit.wiss. Darmst. 1973. – Pollmann, L.: Literaturwissenschaft u. Methode. Frkf. ²1973. – Hauff, J./Heller, A. u. a.: Methodendiskussion. 2 Bde. Frkf. ²1972. – Žmegač, V. (Hg.): Methoden der dt. Lit.wiss. Frkf. 1972. – Hermand, J.: Synthet. Interpretieren. Zur Methodik der Lit.wiss. Mchn. ²1969. – Maren-Grisebach, M.: Methoden der Lit.wiss. Mchn. ²1982. – Beaurline, L. A. (Hg.): A Mirror for modern Scholars. Essays in Methods of research in Literature. New York 1966. – Gadamer, H. G.: Wahrheit u. Methode. Tüb. ²1965. S

Metonomasie, f. [gr. = Umbenennung], Veränderung eines Eigennamens durch Übersetzung in eine fremde Sprache, z. B. Schwarzerd in ›Melanchthon‹, Bauer in ›Agricola‹; bes. bei den humanistischen Gelehrten des 15. u. 16. Jh.s beliebt. S

Metonymie, f. [gr. = Umbenennung], Mittel der uneigentl. Ausdrucksweise (↗Tropus): Ersetzung des eigentl. gemeinten Wortes (verbum proprium) durch ein anderes, das in einer realen geist. oder sachl. Beziehung zu ihm steht, im Unterschied zur ↗Synekdoche, die innerhalb desselben Begriffsfeldes bleibt (Dach für Haus) und zur ↗Metapher, die in eine andere Bildsphäre springt. Nach Art der Zusammenhangs ergeben sich verschiedene Typen der M.: z. B. steht der Erzeuger für das Erzeugnis (*vom Bauern* leben), der Erfinder für die Erfindung (*einen Porsche fahren, Zeppelin* fliegen), der Autor für dessen Werk (*Goethe lesen*), eine Gottheit für deren Zuständigkeitsbereich (*Venus* für Liebe), ein Gefäß für dessen Inhalt (*ein Glas trinken*), Ort, Land, Zeit für Personen (*England erwartet . . ., das 20. Jh. glaubt*), ein Sinnbild für Abstraktes (*Lorbeer* für Ruhm) usw. Nach dem Grad der Abweichung des Begriffsinhalts des Tropus von dem verbum proprium steht die M. zwischen Metapher als extremer und Synekdoche als geringer Abweichung; die Abgrenzung bes. gegenüber der letzteren ist fließend und z. T. willkürlich. M. und Metapher können als polare Typen der Begriffsverknüpfung aufgefaßt werden. ED*

Metrik, f. [gr. metrikē téchnē = Kunst des Messens], Verslehre, systemat. und histor. Erfassung der ästhet. relevanten u. strukturbildenden Gesetzmäßigkeiten der Verssprache wie Lautwiederholungen (↗Alliteration, ↗Reim u. ä.) und v. a. die quantitativ und evtl. qualitativ geordneten Silbenabfolgen (M. im engeren Sinn). Metr. Grundeinheit ist der ↗Vers als rhythm. Ganzes; er kann Teil einer ungegliederten Folge formal gleicher Verse sein (↗stich. Anordnung) oder Teil einer größeren Einheit, bestehend aus einer bestimmten Zahl gleicher oder in der Abfolge geregelter ungleicher Verse (↗Strophe); trifft keiner der beiden Fälle zu, besteht ein Minimum an Regularität (↗freie Rhythmen). – Baustein des Verses ist die Silbe. Zu unterscheiden sind 1. silbenzählende M.en, die nur die Anzahl der Silben pro Vers festlegen und Zäsuren und Versschluß durch feste Druckakzente markieren (z. B. franz. M.) von solchen, die zwei Silbenklassen unterscheiden –und zwar 2. nach Dauer (lang – kurz: quantierende M., z. B. die griech.-lat. M.), 3. nach dynam. Akzent (betont-unbetont: akzentuierende, z. B. engl., dt. M.) oder 4. nach dem Ton (hoch – tief: umstrittenes Beispiel der klass. chines. M.) – und deren Abfolge regeln. Der Vers kann entweder eine feste, nicht weiter gegliederte Binnenstruktur haben oder durch feste ↗Zäsuren unterteilt und in kleinere Einheiten (↗Dipodien, ↗Versfüße, ↗Takte) zerfallen. Durch fixierte Klangwiederholungen (End-, Zäsur-, Binnenreime usw.) können bestimmte Silben hervorgehoben und der Vers seiner strukturiert werden. – Die Anwendung eines der vier metr. Prinzipien in einer Sprache hängt von deren phonet. Struktur, die bestimmte Möglichkeiten ausschließt, sowie von Tradition und Vorbild ab. Die Nachahmung der Metrik einer Einzelsprache in einer anderen ist daher oft nur durch Umdeutung der versbildenden Prinzipien möglich (etwa betont für lang, unbetont für kurz bei der Nachahmung antiker Metren im Dt.). – Aussagen über die ästhet. Wirkung metr. Strukturen und das Verhältnis von ↗Metrum und ↗Rhythmus sind, streng genommen, jeweils nur für eine Sprache und deren Literatur möglich. Sie sind neben der Beschreibung des metr. Prinzips, des Bestandes an Vers-, Strophen- und Gedichtformen und ihrer Genese und Entfaltung sowie ihrem Auftreten in der Dichtung Gegenstand der M.en der einzelnen Sprachen und Literaturen.

☐ *griech. Metrik:* Snell, B.: Griech. M. Gött. ⁴1982. – Korzeniewski, D.: Griech. M. Darmst. 1968.

röm. Metrik: Drexler, H.: Einf. in die röm. M. Darmst. ³1980. – Hornig, W.: Theorie inter systemat. lat. M. Frkft. 1972. – Crusius, F.: Röm. Metrik. Mchn. ⁷1963.

mittellat. Metrik: Klopsch, P.: Einf. in die mittellat. Verslehre. Darmst. 1972.

dt. Metrik: Breuer, D.: Dt. M. und Versgesch. Mchn. 1981. – Wagenknecht, Ch.: Dt. M. Eine histor. Einf. Mchn. 1981. – Hoffmann, Werner: Altdt. M. Stuttg. ²1981. – Schlawe, F.: Neudt. M. Stuttg. 1972. – Paul, H./Glier, I.: Dt. M. Mchn. ⁶1966.

engl. Metrik: Malof, J.: A manual of English meters. Bloomington (Ind.) 1970. – Raith, J.: Engl. M. Mchn. 1962.

franz. Metrik: Baehr, R.: Einf. in die frz. Verslehre. Mchn. 1970. – Elwert, W. Th.: Frz. M. Mchn. ²1966.

span. Metrik: Baehr, R.: Span. Verslehre auf histor. Grundlage. Tüb. 1962.

italien. Metrik: Elwert, W. Th.: Italien. M. Mchn. 1968.

slaw. Metrik: Unbegaun, B. G.: Russian versification. Oxford 1956. ED*

Metrum, n. [lat. = Vers-, Silbenmaß, gr. metron], im weiteren Sinn: Versmaß, d. h. das abstrakte Schema der nach Zahl und gegebenenfalls Qualität der Silben mehr oder minder fest geordneten Silbenabfolge eines Verses (↗Metrik), z. B. ↗Dimeter, ↗Trimeter, ↗Hexameter, ↗Blankvers, ↗Alexandriner, ↗Endecasillabo, ↗Vierheber usw. – Die vielfält. Variationsbreite der konkreten Realisierungen des abstrakten M.s auf Grund der Spannung oder des Widerstands der autonomen Sprachbewegung gegen die metr. Organisation wird vielfach (bei akzentuierenden Metriken) als Quelle des ↗Rhythmus angesehen. Im engeren Sinn: kleinste metr. Einheit: ↗Versfuß (z. B. ↗Daktylus, ↗Jambus) oder ↗Dipodie. ED*

Migrantenliteratur, ↗Ausländerliteratur

Milieudrama, Bühnenwerk, in dem der Held nicht durch eigene Aktivität in ein individuelles, selbstverschuldetes oder numinoses Schicksal, in eine trag. oder kom. Handlung verwickelt wird, sondern in dem seine sozialen Bindungen, die Moralvorstellungen und Verhaltensnormen einer gesellschaftl. Schicht sein Schicksal bestimmen. Der eher passive Held als Repräsentant und Opfer einer Gesellschaftsschicht begegnet schon in einzelnen Dramen des ↗Sturm und Drang (J. M. R. Lenz, »Die Soldaten«), selbst in der ↗Weimarer Klassik (F. Schiller, »Wallensteins Lager«) und im frühen ↗Realismus (G. Büchner, Grabbe). Im ↗Naturalismus wird dann diese Form des M.s zur bestimmenden Gattung (H. Ibsen, A. Tschechow, G. Hauptmann). Seine reinste Ausprägung wird dort erreicht, wo als Held ein soziales Kollektiv eingesetzt wird, d. h. wo das Geschehen nicht durch eine ausgeprägte, verantwortl. handelnde Individualität bestimmt wird (G. Hauptmann, »Die Weber«, M. Gorki, »Nachtasyl«, in der Oper G. Puccini, »La Bohème«). Den heute herrschenden Gesellschaftstheorien (»pluralist. Gesellschaft« oder »Klassengesellschaft«) kann das M. nicht mehr gerecht werden, da ein isoliertes Milieu nicht mehr repräsentativ für gesellschaftl. oder individuelles Handeln ist. Dennoch wirkt die

Dramaturgie des M.s weiter in der Dramatik um soziale Randgruppen, im sozialkrit. (Fernseh-)Film und im milieuorientierten Boulevardstück.

☐ Hoefert, S.: Das Drama des Naturalismus. Stuttg. ³1979. HW

Mime, m. [gr. mimos = Nachahmer], im 18. Jh. eingeführte Bez. für Schauspieler (statt des abschätzigen ›Komödiant‹), heute veraltet. – Ursprüngl. der antike fahrende Tänzer, Gaukler und Possenspieler, bezeugt seit 5. Jh. v. Chr. (↗Mimus), der als ehrlos galt und streng vom Schauspieler (↗Hipokrites) der staatl. Theater geschieden war. Die

Mimesis, f. [gr. = Nachahmung], Zentralbegriff der Ästhetik und Kunsttheorie seit der Antike: bez. das Verhältnis von Erfahrungswirklichkeit und künstler.-nachschaffender Gestaltung (↗Fiktion), wobei im Laufe der Begriffsgeschichte sich sowohl die Auffassung von Nachahmung als auch von Wirklichkeit gewandelt hat (vgl. ↗Poetik, passim). Dabei konnten unter M. (auch mit ›nachbildender Darstellung‹ übersetzt) einmal Wirklichkeits*kopie,* dann wieder Wirklichkeits*verwandlung,* ja selbst *Entwürfe neuer Realitätsvorstellungen* verstanden werden (vgl. dagegen ↗Imitatio). In der Antike bez. M. zunächst die mit Musik und Tanz nachvollzogene Darstellung eines kult. Vorgangs. Bei Platon (»Politeia« 3 u. 10) und Aristoteles (Poetik) bez. der Begriff dann eine allen Künsten gemeinsame Grundlage. Während aber Platon den M.-Begriff einsetzt, um die Künste der Unwahrhaftigkeit zu verdächtigen und sie als Wirklichkeitsfälschung abzuwerten, sucht Aristoteles mit der v. a. an den literar. Gattungen exemplifizierten M. die Künste als realitätsbezogen und aus dem psycholog. Nachahmungstrieb des Menschen abgeleitet zu rechtfertigen. – Mit der Wiederentdeckung der aristotel. Poetik in der Renaissance (Erstdruck 1481) gewann der M.-Begriff wieder an Bedeutung und wurde zu einem wesentl. Terminus der poetolog. Auseinandersetzungen in der Kunsttheorie der frz. und dt. Klassik (G. E. Lessing, »Laokoon«, 1766, K. Ph. Moritz, »Über die bildende Nachahmung des Schönen«, 1788); er gelangte zu neuer Bedeutung in der Realismus-Debatte des 20. Jh.s, deren ↗Widerspiegelungstheorie (G. Lukács) auf das M.-Problem zurückweist, wobei jedoch die Fragen nach dem, was Wirklichkeit sei und welchen Grad der Totalität die M. in der Kunst zu erreichen habe, in den Vordergrund der Kontroverse gerückt wird. – E. Auerbach nahm den Begriff ›M.‹ wieder auf in der eingeschränkten Bedeutung einer Interpretation der Wirklichkeit in literar. Darstellung. ↗Poesie.

☐ Auerbach, E.: M. Mchn. ⁵1971. – Tomberg, F.: M. der Praxis u. abstrakte Kunst. Neuwied u. Bln. 1968. – Koller, H.: Die M. in der Antike. Bern 1954. – Lukács, G.: Probleme der M. I–IV; in: G. L.: Werke, Bd. 11, 1: Ästhetik I, 1. Neuwied u. Bln. 1963. HW

Mimiamben, m. Pl. [gr.], meist dialog. kom. oder satir. Gedichte der ↗Choliambus (Hinkjambus) des Hipponax (6. Jh. v. Chr.), die in der Art des ↗Mimus alltägl. Leben realist. abbildeten. In hellenist. Zeit v. a. von Hero(n)das von Kos (3. Jh. v. Chr.; z. B. »Die Kupplerin«, »Der Bordellwirt« u. a.), in röm. Zeit von Gnaeus Matius (1. Jh. v. Chr.) gepflegt. Vorgetragen wurden sie wohl auf ähnl. Weise wie der Mimus von einer Hauptperson und verschiedenen Nebenpersonen oder von nur einem Schauspieler. Vgl. auch ↗Jambendichtung. GG

Mimus, m. [lat., gr. mimos = Possenspiel(er)], antike Bez. sowohl für den Possenreißer als auch für seine Darbietungen, insbes. für die improvisierten, volkstüml., drast.-realist. szen. Darstellungen aus dem Alltagsleben. – Die Schwierigkeiten, die sich einer Rekonstruktion der Geschichte des M. entgegenstellen, sind durch die schlechten Quellenverhältnisse bedingt (keine Texte), die mit dem nicht-literar. Charakter der Gattung zusammenhängen. Seine Wurzel hat der M. vermutl. im mim. Gebärdentanz (Verwandlungstänze; Imitationen bestimmter Tiere, Fruchtbarkeitsdämonen

u. a.). Histor. greifbar wird der *griech. M.* zuerst im dor. Peloponnes und in den dor. Kolonien Unteritaliens und Siziliens, wo er sich bis ins 8. Jh. v. Chr. zurückverfolgen läßt (/Phlyaken). Die literar. Zeugnisse (nur Verfassernamen und Titel erhalten) reichen bis ins 5. Jh. v. Chr. zurück: Hauptvertreter sind Epicharmos in Megara und Syrakus und Sophron in Syrakus. Der *sophron. M.* (als Hochform der Phlyakenposse) bringt Stoffe aus dem Leben des kleinen Mannes (Kauf und Betrug, Diebstahl, Ehebruch und Kuppelei, Gerichtsszenen usw.), seine Bühne ist das schlichte, auf öffentl. Plätzen aufgeschlagene Brettergerüst ohne Ausstattung. Die Personen sind fest umrissene Typen wie der Narr, der Dümmling, der geprellte Wirt, der betrogene Ehemann, das buhler. Weib, der aufschneider. Soldat, der Parasit, der Advokat u. a. Die Kostüme des Narren (Bleiweißbemalung, Trikot, Riesenbauch, Lederphallus, Spitzmütze), des Dümmlings (Eselsohren) und des geprellten Ehemanns (Hörner) erinnern an den phall. und morphast. Ursprung des mim. Spiels. Der in vulgärer Alltagssprache abgefaßte (Prosa)dialog des sophron. M. ist improvisiert. Formale und genet. Verwandtschaft zwischen dem sophron. M. und dem klass. att. Drama ist vorhanden, doch unterscheidet sich der M. vom att. Drama grundsätzl. dadurch, daß Chöre, Masken und Kothurn fehlen, und daß neben männl. auch weibl. Mimen auftreten. Seit dem 4. Jh. v. Chr. sind Gruppen wandernder Berufsmimer bezeugt. Durch sie wird der M. dann im hellenist. Raum verbreitet. In dieser Zeit ist der griech. M. in einer *Fülle von Formen* belegt, so die *röm. M.* *Paignion* (Vorführen von Tieren [Tanzbären u. a.], Imitation von Tierstimmen, akrobat. Kunststücke, Possenreißereien bis zum mim. Spiel mehrerer Personen), der *dor. M.* mit den Themen und Typen der Phlyakenposse und der sophron. Mimen, der *ion. M.*, der den Themenkreis der mim. Darbietung erweitert und neue, mehr literar. Formen entwickelt: hierher gehören etwa die solist. vorgetragenen Formen der *Magodie,* /*Hilarodie, Lysiodie* und *Simodie* oder die /*Kinädenpoesie.* Ferner unterscheidet man stoffl. den *biolog. M.* (gr. biologos = das Leben abschildernd) von vielstümml. Stoffen der dor. Tradition und mytholog. M., zu der etwa die ion. Mythentravestien gehören, formal die der dor. Tradition verpflichtete *Mimologie* (Prosa, allenfalls gehöht zu Jamben) und die ursprüngl. ion. *Mimodie* (lyr. Maße, Gesangsvortrag, als Kostüm – gänzl. abweichend – ein feierl. weißes Gewand und ein Kranz im Haar), weiter nach der Darbietungsform den *dramat. M.* und den *rezitativen M.* (in dem Texte in Dialogform von einem Solorezitator vorgetragen werden); zu diesem gehören auch die rein literar. /*Mimiamben* des Hero(n)das und der ebenfalls literar. bukol. M. des Theokrit (realist. Darstellungen aus dem Hirtenleben, meist in Dialogform). – Wieweit die osk.-latin. /*Atellane* genet. vom südital.-sizil. M. abhängt, ist nicht geklärt, doch sind die Parallelen in Stoff und Darbietungsform (feste Typen) unübersehbar. – Der seit dem 3. Jh. v. Chr. bezeugte *röm. M.* dagegen ist sicher griech. Ursprungs. Er begegnet zuerst als Gebärdentanz bei den Ludi Apollinares des Jahres 212 v. Chr., seit dem 2. Jh. v. Chr. sind mim. Spiele fester Bestandteil der Ludi Florales. Typ. Formen sind Ehebruchs-, Räuber- und Banditenstücke, Märchen- und Zauberpossen, stets mit zahlreichen Personen und buntem Szenenwechsel. Die Personen sind nach wie vor die Typen des dor. Spiels: der phall. Narr begegnet als Sannio (= Grimassenschneider) und Scurra (Possenreißer), der Dümmling als Stupidus, meist mit Glatze (*mimus calvus*). Spitzhut (*mimus apiciosus*) und Pritsche (oder Prügel); Männer tragen den *centiculus* (Flickenrock), sonst ist die Kleidung die des tägl. Lebens, Masken und Kothurne fehlen wie beim griech. M. (daher *mimus planipes* = M. auf ebenen Füßen). Neben extemporiertem Prosadialog sind auch Gesangseinlagen *(cantica)* nach dem Muster der ion. Mimodien mögl. Die Bühne wird zwar ins Dionysostheater verlegt (M. als

Nachspiel, s. Atellane), doch spielt er zunächst nur auf einem in der Orchestra aufgestellten Brettergerüst; erst in der Kaiserzeit wird die große Bühne benützt. – Trotz kirchl. Widerstände gegen die Unmoralität des M. (Cyprianus, Arnobius, Lactantius, Ambrosius, Augustinus u. a.) ist der M. in Rom bis ins 6. Jh. lebendig, ein Verbot erfolgte 525 durch Justinian, dessen Gattin Theodora selbst Mimin war. – *Im MA.* lebt der antike M. fort in den Darbietungen der /Joculatores (Gaukler), die als Akrobaten, Schausteller und Tierbändiger, Musiker, Sänger, Erzähler vielfach bezeugt sind und meist in Gruppen auftreten; auch weibl. Mimen gehören zu ihnen. Von anderen Gruppen der /Fahrenden wie /Vaganten und Spielleuten (mhd. *spilman, spilwîp*) sind sie nur schwer zu unterscheiden. Mim. Spiele der Gaukler sind nicht belegt, doch sind seit dem 13. Jh. (Adam de la Halle, *Adamsspiel*) lat. und volkssprach. Formen des Dramas greifbar, deren Themen und Typen ebenso wie ihre Darbietungsform denen des antiken M. entsprechen, so daß mit einer durchgehenden unterliterar. Tradition auch hier zu rechnen ist. Hierzu gehören das lat. *Interludium,* die frz. / *Farce,* der span. /*Entremés,* wobei die frz. Bez. des Narren als *maistre mimin* auf seine Herkunft aus dem M. weist. In der Tradition des M. gehört auch der spätmal. Hofnarr, in Frankreich in die Zeit Ludwigs XIV. bezeugt; seine Tracht ist die des *mimus calvus* oder *mimus apiciosus* (Glatze oder Spitzhut), seltener das Eselskostüm des Dümmlings oder das Hahnenkostüm, hinzu kommt die Pritsche. – Mim. Tradition ist im spätmal. /Fastnachtsspiel ebenso gegenwärtig wie bei Shakespeare (der Narr, die »Lustigen Weiber von Windsor« mit Falstaff als literarisiertem M. großen Stils) und den /engl. Komödianten, in der in / Commedia dell'arte, in der /Hanswurstiade, im /Kasperltheater und /Puppenspiel, ebenso wie im / Wiener Volkstheater. – Da der antike und mal. M. zahlreiche Parallelen im Drama Vorder- und Mittelasiens (z. B. die ind. Narrenfigur des /Vidûṣaka) hat, scheint H. Reichs These, der M. sei die Grundlage der dramat. Weltliteratur überhaupt, mindestens diskutierenswert. ▯ Wiemken, H.: Der griech. M. Diss. Gött. 1951 *(mit reicher Lit.).* – Reich, H.: Der M. Ein literar.-entwicklungsgeschichtl. Versuch. Bln. 1903, 2 Bde., Nachdr. Hildesheim/ New York 1974. K*

Minneallegorie, in eine allegor. Handlung eingekleidete Minnereflexion und /Minnelehre. Zu unterscheiden ist bei der mannigfachen Mischformen zwischen eigentl. /Allegorien, die der Auslegung (Allegorese) bedürfen und Personifikationsdichtungen, in denen nur allegor. Figuren (z. B. Frau Minne) in einem für sich verständl. Geschehen auftreten. – M.n begegnen zunächst als Teil größerer Werke, z. B. die Minnegrotte-Episode im »Tristan« Gottfrieds v. Straßburg oder *Joie da la curt* im »Erec« Hartmanns von Aue. Seit dem 13. Jh. finden sich auch selbständ. M.n wie im MA. hochberühmte »Rosenroman« des Guillaume de Lorris u. J. de Meung (um 1230/80), die »Minneburg«, »Das Kloster der Minne« (14. Jh.), »Der Minne Regel« Eberhards von Cersne (nur teilweise allegorisiert), »Die Mörin« Hermanns von Sachsenheim (15. Jh.). Charakterist. für diese M.n sind Eingangstopoi wie Spaziergang, Traum oder Vision des Dichters, Begegnung mit Personifikationen (Minne, Âventiure oder Tugenden); meist symbol. Örtlichkeiten des Geschehens (Grotte, Burg, Garten), die oft noch bes. allegor. ausgedeutet werden. Die v. a. im Spät-MA. beliebte Form der M. ist oft im /geblümten Stil gestaltet. Eine *Sonderform* der M. ist die *Jagdallegorie,* in der das Verhältnis der Liebenden im Ablauf einer Jagd dargestellt wird: der Liebende als Jäger, die Geliebte als Wild, der Jagdablauf als Werbungsprozeß; Jagdhunde repräsentieren einzelne Haltungen, Eigenschaften und Zustände des Liebenden *(Canifizierung),* vgl. »Die Jagd« Hadamars von Laber (1. Hä. 14. Jh.) mit zahlreichen Nachahmungen wie die »Königsberger J.« (2. Hä. 14. Jh.), P. Suchenwirts

»Geiaid« u. a., z. T. noch unveröffentl. Texte. Eine polit. J. findet sich im »Seifried Helbling« (Gedicht IV, zur Adelsverschwörung von 1295).
🕮 Blank, W.: Die dt. M. Stuttg. 1970. – Lewis, C. S.: The Allegory of Love. A Study in medieval tradition. Oxford ⁸1965. – RL.   S/HSt

Minnebrief, auch: Liebesbrief, Liebesgruß, mal. Briefgedicht, an einen Liebespartner unmittelbar gerichtetes Minnelied oder Reimpaargedicht. Das *brieve und schanzune tihten* gehörte nach Gottfried von Straßburg (»Tristan«, v. 8139) zur höf. Bildung. – M.e finden sich zuerst in handlungsbestimmender Funktion in ep. Werken (u. a. »Ruodlieb«, 11. Jh., »König Rother«, »Eneit« Heinrichs v. Veldeke, 12. Jh., »Parzival« Wolframs v. Eschenbach, nach 1200); in der Form eines M.s beginnt der Leich Ulrichs v. Gutenburg (Ende 12. Jh.); ein M.wechsel findet sich in der ↗»Minnelehre« Johanns v. Konstanz (13. Jh.). – Selbständ. M.e sind erst aus dem Spät-MA. überliefert (z. B. von Hugo von Montfort, 14. Jh.); seit dem 14. Jh. sind außerdem Musterbriefe in sog. Liebesbriefstellern erhalten. – Ein umfangreicherer M. wird auch als ↗Büchlein bez. – Eine Sonderform, einen M. in Prosa, enthält der »Frauendienst« Ulrichs v. Lichtenstein.
🕮 Meyer, Ernst: Die gereimten Liebesbriefe des dt. MA.s. Diss. Marb. 1898.   MS*

Minnehof, ↗Cour d'amour.

Minneklage, ↗Minnesang.

Minnelehre, Minnedidaktik, begegnet in der mal. Lit. in verschiedenen Formen:
1. als selbständ., meist umfangreicheres Werk in Form eines *Prosatraktats* (z. B. die lat. Abhandlung »De amore« des Andreas Capellanus, um 1180) oder als *Reimpaardichtung* (z. B. das älteste dt. Tugend- und M. geltende Fragment »Der heiml. Bote«, 2. Hä. 12. Jh., oder die »M.« Johanns v. Konstanz, 13. Jh.); 2. als kürzere gereimte ↗*Minnerede* (↗*Büchlein)*3. als ↗*Minneallegorie.* M. begegnet 4. integriert in ep. Werken als handlungsbedingte Unterweisung einer bestimmten Person (z. B. Belehrung Lavinias in der »Eneit« Heinrichs v. Veldeke) oder als erläuternder Exkurs (z. B. »Parzival« Wolframs v. Eschenbach, v. 532, 1 ff.); 5. kann eine M. auch die implizite Quintessenz eines gesamten ep. oder lyr. Werkes sein (z. B. Veldekes »Eneit«, »Moriz von Craûn«oder manche Minnelieder Reinmars des Alten und Walthers v. d. Vogelweide u. a.); Vorbild für mal. M.n war oft Ovids »Ars amatoria«. Persiflagen auf M.n finden sich später etwa in Wittenwilers »Ring« (um 1400) oder in »Der Geuchmatt« Th. Murners (1519).   S

Minnelied ↗Minnesang.

Minnelyrik ↗Minnesang.

Minneparodie ↗Minnesang, ↗dörperl. Poesie.

Minnerede, Sonderform der im Spät-MA. beliebten ↗Reimrede: didakt. Reimpaargedicht (100–2000 Verse), im Unterschied zum Minnelied gesprochen, nicht gesungen, vorgetragen. Enthält neben den aus dem Minnesang überkommenen Themen des Frauenpreises, der Minneklage v. a. Erörterungen des Wesens der Minne, ihrer Gebote und Regeln (↗Minnelehre). – M.n sind häufig als Streitgespräch, als (Mutter-Tochter-)Dialog, als ↗Minneallegorie gestaltet; ältestes Beispiel ist das »Büchlein« Hartmanns von Aue (Ende 12. Jh., Minneklage und Streitgespräch über die Minne); bes. verbreitet waren M.n dann im 14. u. 15. Jh. (Meister Altswert, Teichner, P. Suchenwirt und zahlreiche Anonyma).
Ausgabe: Mhd. M.n. Hrsg. v. K. Matthaei. 2 Bde. 1913, 1938; Nachdr. Dublin/Zürich 1967.
🕮 Glier, I.: Artes amandi. Unters. zu Gesch., Überlieferung u. Typologie der dt. M.n. Mchn. 1971.   S

Minnesalut, ↗Salut d'amour.

Minnesang, im eigentl. Sinne die verschiedenen Formen mhd. Liebeslyrik (Minnelyrik), manchmal auch undifferenziert zus.fassend für alle Arten mhd. Lyrik, z. B. auch

für Kreuzzugslyrik, moral., religiöse, polit. ↗Spruchdichtung. – Der mhd. M. entwickelt sich seit der 2. Hä. des 12.Jh.s. Er bildet bis ins Spät-MA. eine Fülle von Formen und Themen aus, die teilweise auf unterliterar. Formtraditionen zurückgehen (Frings), teilweise von der damit zusammenhängenden lat. ↗Vagantendichtung beeinflußt sind (H. Brinkmann), aber auch Anregungen von den provenzal. ↗Trobadors und den frz. ↗Trouvères aufnehmen, gelegentl. sogar von der antiken Liebeslyrik (Schwietering). Inwieweit die früh-mal. arab. Hoflyrik für den M. von Bedeutung war (Burdach), ist ebenso eine offene Frage wie überhaupt der Anteil und das Gewicht der verschiedenen vermuteten Vorbilder und parallelen Strömungen in den Nachbarliteraturen. Einer einsinnigen Herleitung des Phänomens M. steht auf alle Fälle die Vielschichtigkeit seiner Erscheinungsformen, aber auch die Eigenständigkeit vieler Texte entgegen. Der M. ist ↗höf. Dichtung; er entfaltet sich mit der Entstehung der höf.-ritterl. Kultur unter den Stauferkaisern (von Friedrich I. bis Friedrich II.; Heinrich VI. dichtete selbst Minnelieder). Er war ↗Gesellschaftsdichtung, war Sprachrohr und Medium der Selbstdarstellung der höf. Gesellschaft. Er fand sein Publikum an den kulturellen Zentren, z. B. am Stauferhof (rhein. Minnesänger, Walther v. d. Vogelweide), bei Reichstagen (Mainzer Hoffest 1184), an Fürstenhöfen (in Wien, auf der Wartburg) oder in Städten. Über der M. entwickelte sich zu einer subtilen, variantenreichen Formkunst. Wort und Melodie stammen meist vom selben Verfasser, der seine Lieder i. d. Regel auch selbst vortrug. M. ist anfangs primär auch Vortragskunst (vgl. z. B. Gottfrieds von Straßburg Literaturstelle im »Tristan«, Nachruf Walthers v. d. Vogelweide auf Reinmar); erst im Laufe des 13. Jh.s wird er mehr und mehr auch zur Leselyrik, wie die erhaltenen Hss. aus der Zeit um 1300 zeigen. In seiner Geschichte zeichnen sich verschiedene Phasen ab: Die *1.* Phase bildet der sog. *donauländ.* M. (ca. 1150–1170), zu ihm zählen hauptsächl. an der Donau zu lokalisierende Dichter wie Kürenberg, der Burggraf von Regensburg, Meinloh von Sevelingen, Dietmar von Aist. Ihre Lieder handeln von wechselweisem Liebessehnen von Frau und Mann, sind einfache Liebeslyrik. Formales Kennzeichen ist die ↗Langzeile. Typ. sind *Frauenstrophen,* in denen eine Frau ihre Liebessehnsucht ausspricht. – Mit der *2.* Phase beginnt der eigentl. *(sog. hohe)* M. Er erscheint erstmals nach 1170 bei den rhein., unter westl. Einfluß stehenden Minnesängern um Friedrich von Hausen und Heinrich von Veldeke (Rudolf von Fenis, Blligger von Steinach u. a.). Zentrales Thema wird nun der höf. ↗*Frauendienst:* Die Liebenden begegnen sich jetzt nicht mehr als Partner, vielmehr wird ein fiktives Dienstverhältnis zu einer Frau gestaltet, das zwar auf Belohnung durch Liebesgunst abzielt, aber als hoffnungslos dargestellt wird, da die Frau zu einem unerreichbaren Ideal emporstilisiert wird. Weniger die ↗Merker und die *huote* (die Aufsicht durch die beobachtende Gesellschaft), als vielmehr diese Idealität entrückt sie dem Werbenden, der jedoch durch diesen nimmer erlahmenden Minnedienst eth. geläutert und geadelt wird (vgl. Albrecht v. Johansdorf MF 93, 12). M. thematisiert v. a. zwei leidbedrohte Grenzsituationen, Werbung und Abschied (Kreuzzug, Tagelied). Zentralbegriffe sind *triuwe, mâze* und der *hôhe muot.* Dieser spirituelle M. ist nicht Erlebnis-, sondern Rollenlyrik, ästhet. Spiel mit einem poet. Formelschatz in einem fiktionalen Ideenraum. So wie das lyr. Ich keine bestimmte Person darstellt, wendet sich diese Lyrik auch nicht an eine individuelle Herrin. Die *frouwe* ist vielmehr Inbegriff des Weiblichen, darüber hinaus Inbegriff aller eth., schwer zu erringenden Werte (auch Personifikation der höf. Gesellschaft). Damit wird das lyr. Ich zum Träger einer kollektiven Gefühlshaltung (s. ↗Mentalitätsforschung). Im Minnedienst wird einerseits (soziolog.) eine Transponierung der sozialen Abhängigkeit der zahlenmäßig größten Teils des Publikums, des sich neu

konstituierenden Standes der Ministerialen, ins Erotische gesehen, eine Sublimierung der sozialen Bindung dieser höf. Dienstmannen, andererseits, vielleicht wesentlicher, ein poet. Ausdruck eines allgemeinen ritterl. Bewährungsethos vor letztl. unbegreifl. Mächten, eines Strebens nach einem selbstgesetzten hohen Ziel mit ungewissem Erfolg. – Für die Ausbildung dieses Minnekultes wurden neben roman.-arab. Einflüssen auch Einwirkungen der in der 2. Hä. des 12.Jh.s aufkommenden Marienverehrung vermutet. Der *Höhepunkt* dieser kollektiven Leidenserotik wird in der *3. Phase* nach 1190 mit den Liedern Reinmars des Alten und Heinrichs von Morungen (mit sensualist. Transzendierung des Frauenbildes) erreicht. Walther v. d. Vogelweide, der bedeutendste mhd. Lyriker, stellt dann, z. T. in einer ↗Dichterfehde gegen Reinmars Minneprogramm, die v. ihm propagierte Hochstilisierung des Frauenbildes in Frage und preist (evtl. im Anschluß an vagant. Lieder) statt der spiritualisierten hohen Minne die *herzeliebe* (niedere Minne), in der die Frau wieder als Partnerin (*wîp* oder in der Figur des *frouwelîn* und der unhöf. *maget*) auftritt. In diesen als Gegentypus zu den Liedern der hohen Minne geschaffenen sog. *Mädchenliedern* wird dann auch die Liebesvereinigung angesprochen, oft im Stil der ↗Pastorelle (»Under der linden«, L. 39, 11). Liebesvereinigung thematisieren auch die ↗Tagelieder, wobei diejenigen Wolframs von Eschenbach schließl. im Preis der ehel. Liebe gipfeln. Die Abkehr dieser beiden bedeutenden Dichter vom Ritual der hohen Minne leitet in gewissem Sinne zur letzten Entwicklungsstufe des M.s über, der *4. Phase* seiner *Parodierung* und Persiflierung (↗Gegensang) bei Neidhart (nach 1210); dieser führt in seinen Sommer- und Winterliedern die übersteigerten Werbetopoi durch Übertragung in ein außerhöfisches Milieu ad absurdum (↗dörperl. Poesie). – Mit Neidhart ist der Themenbereich des M.s im wesentl. ausgeschritten. Die Minnesänger des 13. u. 14.Jh.s beschränken sich weitgehend darauf, die vorgegebene Form- und Themenmuster zu variieren und zu spezifizieren. Sie führen z.T. die Tradition des hohen M. weiter (Burkhard von Hohenfels, Gottfried von Neifen), oft durch äußerstes Formraffinement gesteigert (Neifen, Konrad v. Würzburg), oder folgen Neidharts Spuren (wie wiederum Neifen oder Steinmar u. a.). Im 14. Jh. wurde mit dem Niedergang der höf. Ritterkultur und dem Aufkommen einer bürgerl. Kultur in den Städten der M. weitgehend durch den ↗Meistersang abgelöst. Zwischen den beiden Kunsttraditionen stehen Dichter wie Frauenlob (um 1300) oder Heinrich von Mügeln (14.Jh.); eine individuelle Sonderstellung nimmt der bisweilen als letzter Minnesänger apostrophierte Oswald von Wolkenstein ein.
Zur wichtigsten *Strophenform* des M.s wurde nach dem Beginn mit einfachen Reimpaarstrophen (nach roman. Strophen und preist (evtl. die ↗*Stollen-* oder *Kanzonenstrophe* mit immer kunstvolleren Vers- und Reimkombinationen. Neben den *Hauptgattungen* (Minneklage, Frauenpreis- und Werbelieder) finden sich als bes. Gattungen ↗Wechsel, ↗Kreuzzugslieder, ↗Tage-, Mädchen-, ↗Tanz-, ↗Herbst-, ↗Ereignislieder u.a. – Naturtopoi begegnen v. a. im frühen M. und in den Liedern des 13.Jh.s (↗Natureingang). Nach vereinzelten Anfängen im 12.Jh. (Ulrich von Gutenburg, Heinrich von Rugge) tritt die kunstvolle Form des ↗Leichs v. a. im 13.Jh. vermehrt auf (Tannhäuser, Ulrich v. Winterstetten u. a.). – *Überliefert* ist der M. in der Hauptsache in Handschriften aus dem Ende des 13.Jh.s und dem 14.Jh. Kleinen und Großen Heidelberger (A u. C) u. der Stuttgarter oder Weingartner Liederhandschrift (B), ferner der Würzburger Handschrift (E); vgl. ↗Liederhandschriften. Zum mhd. M. sind im Unterschied zum roman. in den Haupthandschriften in d. Regel keine *Melodien* verzeichnet. Eine ungefähre Kenntnis der musikal. Vortragsform vermögen aber vermutete Kontrafakturen zu roman. Liedern zu geben. Melodieauf-

zeichnungen liegen erst seit dem 14.Jh. vor, in größerer Zahl zu Texten von Neidhart, Hugo von Montfort und Oswald von Wolkenstein. In der Großen Heidelberger Liederhandschrift sind bis zum Anfang des 14.Jh.s rund 140 Autoren genannt, davon entfallen ins 12.Jh. die 21 in der Sammlung »Des Minnesangs Frühling« aufgeführten Dichter und Walther v. d. Vogelweide mit seinen Frühliedern. *Wiederentdeckt* wurde der M. im 18.Jh.; die ersten Ausgaben stammen von J. J. Bodmer (»Proben der alten schwäb. Poesie des Dreyzehnten Jahrhunderts«, 1748, »Sammlung von Minnesingern aus dem schwäb. Zeitpuncte«, 2 Bde. 1758/59); nachgebildet wurden Themen des M.s erstmals von J. W. L. Gleim (»Gedichte nach den Minnesingern«, 1773); zuerst übersetzt wurde er von L. Tieck (1803). Die wissenschaftl. Beschäftigung setzte mit der krit. Waltherausgabe Karl Lachmanns (1827) ein. Gegen seine am altphilolog. Methoden orientierte idealtyp. Textherstellung wendet sich eine neuere, stärker überlieferungsorientierte ↗Textphilologie (Schweikle, Moser/ Tervooren).
Bibliographie: Tervooren, H.: Bibliographie zum M. Bln. 1969.
Ausgaben:
Gesamtausgabe: Minnesinger. Dt. Liederdichter des 12., 13. u. 14.Jh.s. Hrsg. v. F. H. von der Hagen. 4 Teile. Lpz. 1838. Nachdr. Aalen 1963.
M. 12. Jh.: Des M.s Frühling. Hrsg. v. M. Haupt. Lpz. 1857. Neu bearb. v. C. v. Kraus. Lpz. 1940, [35]1970. 36. Aufl. bearb. v. H. Moser und H. Tervooren. I Texte, II Erläuterungen u. a. Stuttg. 1977, Bd. I [38]1988.
M. 13. Jh.: Dt. Liederdichter des 13.Jh.s. Hrsg. v. C. v. Kraus. 2 Bde. Tüb. [2]1978. – M. des 13.Jh.s. Ausgewählt v. H. Kuhn. Tüb. [2]1962. – Die Schweizer Minnesänger. Hrsg. v. K. Bartsch. Frauenfeld 1886. Nachdr. Darmst. 1964.
Walther v. d. Vogelweide: Die Ged. Walthers v.d. Vogelweide. Hrsg. v. K. Lachmann. Lpz. 1827. Neu bearb. von H. Kuhn. Bln. 1965.
Ausgaben mit Übersetzung: M. Mhd. Texte mit Übertragungen u. Anmerkungen. Hrsg. v. H. Brackert. Frkft. 1983. – Epochen d. dt. Lyrik. Bd. 1: Von d. Anfängen bis 1300. Hrsg. v. W. Höver u. E. Kiepe. Mchn. 1978. – Die mhd. Minnelyrik. Bd. 1: Die frühe Minnelyrik. Texte u. Übertragungen, Einf. u. Kommentar von G. Schweikle. Darmst. 1977. – Dt. M. 1150–1300. Einf. sowie Ausw. und Ausg. der mhd. Texte von F. Neumann, Nachdichtung von K. E. Meurer (1954). Stuttg. [2]1974. – Wehrli, M.: Dt. Lyrik des MA.s. Auswahl u. Übersetzung. Zürich [6]1984.
Ausgaben mit Melodien: Taylor, R. J.: The art of the Minnesinger. 2 Bde. Cardiff 1968. – Moser, H./Müller-Blattau, J.: Dt. Lieder des MA.s. Texte u. Melodien. Stuttg. 1965. – Jammers, E.: Ausgewählte Melodien des M.s. Tüb. 1963.
⌷Schweikle, G.: M. Stuttg. 1989 (SM 244). – Wolf, Alois: Überbieten u. Umkreisen. Überlegungen zur mal. Schaffensweise am Beispiel d. M.s. In: Fs. H. Rupp. Bern 1989. – Räkel, H.-H. S.: Der dt. M. Einf. mit Texten u. Materialien. Mchn. 1986. – Müller, Ulrich (Hg.): Minne ist ein swaerez spil. Unters. z. M. Göpp. 1986. – Fromm, H. (Hg.): Der dt. M. II. Darmst. 1985. – Müller, Ulrich: Die mhd. Lyrik. In: Lyrik des MA.s. II. Hrsg. v. H. Bergner. Stuttg. 1983, S. 7–227 *(mit Bibliogr.).* – Sayce, O.: The medieval German lyric 1150–1300. Oxf. 1982. – Schweikle, G.: Vom Edieren mhd. Lyrik. Beitr. 104 (1982). – Ders.: Die frouwe der Minnesänger. ZfdA 109 (1980). – Wapnewski, P.: Waz ist minne. Studien zur mhd. Lyrik. Mchn. [2]1979. – Wenzel, H.: Frauendienst u. Gottesdienst. Studien zur Minneideologie. Bln. 1974. – Dronke, P.: The medieval Lyric. London 1968, dt. Übers.: Die Lyrik des MA.s. Mchn. 1973. – Fromm, H. (Hrsg.): Der dt. M. Darmst. [5]1972. – Brinkmann, H.: Entstehungsgesch. des M.s. Halle 1926, Nachdr. Darmst. 1971. – Köhler, E.: Vergleichende soziolog. Betrachtungen zum roman. u. dt. M. In: Der Berliner Ger-

manistentag 1968. Hrsg. v. K. H. Borck u. R. Henß. Hdbg.
1970. – Jungbluth, G. (Hrsg.): Interpretationen mhd. Lyrik.
Bln. u. a. 1969. – Kuhn, H.: Minnesangs Wende. Tüb.
²1967. – Wechssler, E.: Das Kulturproblem des M.s. Halle
1909, Nachdr. Osnabrück 1966. – Jammers, E.: Das königl.
Liederbuch des dt. M.s. Hdbg. 1965. – Kolb, H.: Der
Begriff d. Minne und d. Entstehen der höf. Lyrik. Tüb.
1958.   S
Minnesänger (Minnesinger), Dichter, Komponist und
Vortragender mhd. Lyrik, i. e. Sinne von mhd. ↗Minne-
sang. Als ältester M. gilt Kürenberg (Mitte des 12. Jh.s), als
einer der letzten Oswald von Wolkenstein (1377–1445). Die
bekanntesten M. (Friedrich von Hausen, Reinmar der Alte,
Heinrich von Morungen, Walther von der Vogelweide,
Gottfried von Neifen) dichteten in der Zeit der stauf. Herrscher, die neben manchen Landesfürsten, wie Landgraf
Hermann von Thüringen, auch ihre Mäzene waren. Im
Unterschied zu den provenzal. ↗Trobadors und den frz.
↗Trouvères ist über das Leben der meisten M. wenig
bekannt. Unter ihnen finden sich Vertreter aller Stände:
Hochadel (Kaiser Heinrich, König Konrad, Herzog Heinrich von Breslau, Markgraf Otto von Brandenburg, Graf
Rudolf von Neuenburg-Fenis), Geistliche (Bruder Eberhard von Sax), Ministerialen (Friedrich von Hausen, Heinrich von Rugge), Städter (Johannes Hadloub) und ↗Fah-
rende unbekannter Herkunft (Niune, evtl. auch Reinmar
der Alte, Walther v. d. Vogelweide u. a.).   S
Minstrel, m. [ˈminstrəl; engl., von altfrz. ↗ménestrel, mini-
sterel], berufsmäßiger Rezitator u. Sänger im mal. England.
Oft mit ↗Spielmann, ↗Joculator, Jongleur gleichbedeutend gebraucht, in den Konturen aber ähnl. unscharf wie
diese. Von der engl. Romantik wurde der m. poet. überhöht
und mit einer pittoresken Aura versehen, vgl. W. Scotts
»Lay of the last m.« (1805).   MS
Mirakelspiel [von lat. miraculum = Wunder], ↗geistl.
Spiel des MA.s, das Leben u. Wundertaten der Heiligen u.
der Jungfrau Maria behandelt. Grenzen zum Legendenspiel (↗Legende), in dem das Moralische gegenüber dem
Wunderbaren stärker betont ist, sind fließend. Seit dem 12.
u. 13. Jh. bes. in Frankr. verbreitet (»Li jus de Saint Nicho-
lai« von Jehan Bodel d'Arras, um 1200; »Le Miracle de
Théophile« von Rutebeuf, um 1260), dann auch in Eng-
land, den Niederlanden u. Deutschland (im 15. Jh. das
nddt. »Spiel von Theophilus« u. Dietrich Schernbergs
»Spiel von Frau Jutten«, 1480). Im 14. u. 15. Jh. werden
Marienmirakel, häufig Bearbeitungen von erzählenden
Vorlagen, beliebt: vgl. die 40 afrz. »Miracles de Nostre
Dame par personnages« (14. Jh.) oder das in Drucken des
16. Jh.s überlieferte holländ. Marienmirakel »Marie-
ken van Nijmegen«. Bedeutsam für die Geschichte des
↗Dramas ist die Einführung kom. Elemente (↗Farce). Die
Tradition des M.s wurde im 20. Jh. wiederaufgenommen
(z. B. K. G. Vollmoellers Pantomime »Das Mirakel«,
Urauff. 1911). – Von der engl. Forschung werden die Bez.
M. (Miracle play) u. ↗Mysterienspiel (Mystery play) oft
unterschiedslos gebraucht.
🕮 Ukena, E.: Die dt. M.e des Spät-MA.s. Studien und
Texte, 2 Bde. Bern u. Frkft. 1975. – English Miracle plays,
Moralities and Interludes. Hg. v. A. W. Pollard, Oxford
⁸1927.   MS
Mischformen,
1. gelegentl. Bez. für literar. Formen, die durch *Gattungsver-
mischung* entstanden, etwa ↗Ballade, ↗Prosagedicht, ↗ep.
Theater, ↗Schäferdichtung, romant. Roman, im Bereich
der techn. Medien etwa das ↗Hörspiel.
2. werden als M. künstler. Ausdrucksmöglichkeiten
bezeichnet, die sich durch *Annäherung der einzelnen Kunstarten,* durch dabei entstandene Grenzverwischungen herausgebildet haben, etwa im Bereich zwischen bildender
Kunst und Literatur die sog. *Textgraphik,* das *Text- und
Buchstabenbild* (mit den Vorstufen der ↗visuellen Dich-

tung), im Bereich zwischen Musik und Literatur etwa die
sog. *Text-Sound-Composition* (mit den Vorstufen der
↗akust. Dichtung), im Bereich zwischen bildender Kunst
und Musik etwa eine sog. *musikal. Grafik.* – Geschichtl.
haben sich derartige M., bedingt u. a. auch durch die Versuche, die traditionellen Kunstgattungen und -arten aufzubre-
chen und neu zu beleben, v. a. im Umkreis und in der Folge
einer sog. Kunst- und Literaturrevolution herausgebildet.
Sie sind in den 60er und 70er Jahren mehrfach durch
umfangreiche, auch internationale Ausstellungen belegt
worden (u. a. »Schrift und Bild«, Amsterdam und Baden-
Baden, 1963; »akust. texte/ konkrete poesie/ visuelle
texte«, Amsterdam, Antwerpen, Stuttgart, Nürnberg,
Liverpool u. a., 1970 ff.; »Grenzgebiete der bildenden
Kunst. Konkrete Poesie. Bild, Text, Textbilder. Computerkunst. Musikal. Graphik.« Stuttgart u. a. 1972 f.).
🕮 Döhl, R.: Poesie zum Ansehen, Bilder zum Lesen? Not-
wend. Vorbericht u. Hinweise zum Problem der M. im
20. Jh. In: Gestaltungsgesch. u. Gesellschaftsgesch. Hg. v.
H. Kreuzer. Stuttg. 1969, S. 554–582. – Kataloge der
genannten Ausstellungen.   D
Mischprosa, Verquickung lat. und deutscher Wörter,
Satzteile und ganzer Sätze in der Übersetzungs- und kom-
mentierenden Gelehrtenprosa bes. des 11. Jh.s (Notker von
St. Gallen, Williram von Ebersberg). Die lat. Wörter oder
Partien sind dabei meist Zitate aus der Bibel oder antiken
Vorlagen, Abstrakta oder geistl.-allegor. Interpretationen.
Im 16. Jh. wird M., bedingt durch die lat. Schultradition, als
Mittel der Rede (Luthers Tischgespräche), der Satire
(Quodlibet-Disputationen) und der Sprachspiel-Virtuosität
(Fischart) wieder gepflegt (vgl. auch ↗makkaron. Dich-
tung).
🕮 Stolt, B.: Die Sprachmischung in Luthers Tischreden.
Stockholm, Göteborg u. a. 1964.   HW
Missale, n. [lat. missa = Messe], liturg. Buch (Meßbuch),
das Zeremonien, Gebete, Gesänge und Lesungen für die
Messen des Kirchenjahres enthält. Ältestes Beispiel ist das
M. von Bobbio (um 700), bedeutendstes das *M. Romanum*
(13. Jh.), das von 1570–1969 für die kath. Messe verbindl.
war. Initiiert durch Papst Paul VI., erscheint seit 1969 ein
neues M.   S
Miszellen, f. Pl., auch: Miszellanéen [lat. aus miscellus =
gemischt], Sammelbez. für (meist kleinere) Aufsätze verschiedenen Inhalts, bes. für kurze Beiträge (½–1 Druckseite) in wissenschaftl. Zeitschriften.   IS
Mittelreim, Reim zwischen Wörtern im Innern aufeinanderfolgender Verse (nicht an Zäsuren), z. B. *Nu muoz ich*
min alten nôt/ . . . /ir gruoz mich vie, diu mir gebôt (Reinmar
d. Alte, MF 31 ff.).   S
Mittenreim, Reim zwischen Versende und einem Wort im
Innern eines vorangehenden oder nachfolgenden Verses:
Wa vund man sament so manic liet / man vunde ir niet im
kunicrîche (Hadloub, SMS XXVII, 8).   S
Moderne [nach frz. moderne aus spätlat. modernus =
neu; erst. 18. Jh. als Fremdwort übernommen],
1. *Das M.,* insbes. im ↗Jungen Deutschland eingebürgerter
Begriff für dessen emanzipator. künstler., gesellschaftspolit. und kulturphilosoph. Bestrebungen. Ebenso wie der
ältere, in seinem sachl. Gehalt vielfach schwankende literaturtheoret. Begriff ›modern‹, mit welchem jeweils neue
literar. Strömungen i. typolog. und ästhet. fixiert wurden (meist in Kontrastspannung zu ›antik‹), entzieht sich
auch ›das M.‹ einer genaueren Definition.
2. *Die M.,* von Eugen Wolff (im Verein ↗Durch) für das
literaturtheoret. Programm des ↗Naturalismus geprägte
Bez. (»Die M., zur Revolution u. Reform der Literatur«,
1887); die Bez. wurde dann von H. Bahr grundsätzl. ausgedehnt auf *alle* neueren, v. a. jedoch auf die antinaturalist.
Literaturströmungen (↗Impressionismus, ↗Symbolismus,
↗Neuromantik, ↗Dekadenzdichtung), insbes. die diesen
folgenden literar. Tendenzen ↗Jung-Wiens (»Zur Kritik

der M.«, 1890, »Studien zur Kritik der M.«, 1894, vgl. auch die Halbmonatsschrift »Die M.« 1891 ff., hrsg. v. L. Berg und E. M. Kafka). Zur Differenzierung der beiden Phasen der sog. ⁄Literaturrevolution werden auch ›erste M.‹ und ›zweite‹ oder ⁄Wiener M.‹ unterschieden.
3. Gelegentl. findet sich der Begriff ›die M.‹ auch als allgem., unprogrammat. Bez. für die neuere literar. Entwicklung seit ca. 1914 (vgl. »Literatur« II, 2, hrsg. v. W.-H. Friedrich u. W. Killy, Fischer-Tb 35, 2, 1973) oder zur Kennzeichnung der jeweils neuesten avantgardist. künstler. Strömungen.
□ *zu 2)* Die literar. M. Dokumente zum Selbstverständnis der Lit. um die Jh.wende. Eingeleitet, kommentiert u. hrsg. v. G. Wunberg. Frkft. 1971.
zu 3) Elm, Th./Hemmerich, G.: Zur Geschichtlichkeit der M. Mchn. 1982. – RL.   IS
Modernismo, m. [span. = Modernismus], lateinamerikan. und span. literar. Strömung, ca. 1890–1920, die die Thematik und Sprache des literar. Realismus ablehnte und im Gefolge des franz. ⁄Symbolismus (v. a. P. Verlaines) eine Erneuerung der Dichtung nach der Kunsttheorie des ⁄l'art pour l'art anstrebte: *themat.* durch die (z. T. hermet.-verschlüsselte) Gestaltung auch des Gedankl.-Subjektiven, des Irrationalen und Wirklichkeitsüberhobenen, v. a. aber *sprachl.-formal* durch die Erschließung neuer subtiler rhythm. und klangl. Ausdrucksmöglichkeiten und durch syntakt. und metr. Experimente, wobei auch Anregungen der ⁄Parnassiens und Rückgriffe auf altspan. Traditionen (Góngora, Mystiker, Romanzeros, Cancioneros) bedeutsam wurden. – Nach dem kuban. Vorläufer J. Martí wurde der Nicaraguaner Rubén Darío der führende Repräsentant des M.; seine Werke (»Azul«, 1888, »Prosas profanas«, 1896, »Cantos de vida y esperanza«, 1905) beeinflußten nachhaltig die gesamte lateinamerikan. und span. Dichtung. Weitere Vertreter sind der Bolivianer R. Jaimes Freyre, der Argentinier L. Lugones, in Uruguay J. Herrera y Reissig, der Kolumbianer G. Valencia, die Guatemalteken E. Gomez Carillo und R. Arévalo Martínez, der Peruaner C. Vallejo und die Spanier R. M. del Valle-Inclán (»Sonatas«, 1902–05), A. und M. Machado y Ruiz, F. Villaespesa, J. R. Jiménez, J. Guillén und L. Cernuda. Dem M. stand z. T. in enger Wechselbeziehung (Jiménez, M. Machado y Ruiz) zu den Bestrebungen der ⁄Generation von 98. ⁄Ultraismo.
□ Gullón, R.: El m. Madrid 1980. – Ferreres, R.: Los límites del m. y del 98. Madrid 1964. – Gullón, R.: Direcciones del m. Madrid 1964. – Henríquez Ureña, M.: Breve historia del m. Mexiko²1962.   IS
Modus, m. [lat. = Maß, Melodie, Weise],
1. *mal.* Bez. a) für die 8 Kirchentonarten (seit dem 8.Jh. nach byzantin.-syr. Vorbild) dorisch, hypodor., phryg., hypophryg., lyd., hypolyd., mixolyd., hypomixolyd.); b) für rhythm. Typen der lat. (rhythm.-akzentuierenden) Dichtung, die 6 Metren der antiken Dichtung entsprechen (trochäisch, jamb., daktyl., anapäst., spondäisch, tribrachisch).
2. Bez. für lat., in den *Carmina Cantabrigiensia* überlieferte Gedichte des 10. u. 11.Jh.s, in denen zu einer damals geläuf. ⁄Sequenz-melodie neue geistl. oder weltl. (anekdot., humorist.) Texte gestaltet wurden (⁄Kontrafaktur). Die Bez. ›M.‹ geht zurück auf eine Wolfenbütteler Handschrift, in der vor jedem Gedicht als eine Art Titel die zugehör. Melodie *(modus)* vermerkt ist, z. B. »M. qui et Carelmannic« : Sequenz über Christi Leben – nach der Melodie eines älteren Liedes auf einen Karlmann, oder »M. Ottinc« : Panegyricus auf alle drei Ottonenkaiser – nach der Melodie zu einem älteren Text auf Otto I.; ähnl. »M. Liebinc« (Schwank vom Schneekind) oder »M. Florum« (Lügenschwank).   S
Molossus, m., antiker Versfuß aus drei langen Silben (–––); begegnet i. d. Regel nur als Ersatz (Kontraktionsform) anderer Versmaße, z. B. für eine jamb. oder troch. Dipodie, einen Choriambus (–◡◡–), einen Ionicus a

minore (◡◡––) oder a maiore (––◡◡); Bez. nach den Molossern in Epirus.   S
Monodie, f. [gr. monodía = Einzelgesang], allgemein: einstimmiger (begleiteter oder unbegleiteter) Gesang im Ggs. zur mehrstimm. Polyphonie. Monod. war aller Gesang bis ins 9.Jh., die Instrumente spielten die Melodie mit (vgl. Gregorianik, Minne- und Meistersang). M. wird auch ein mehrstimm. Satz genannt, in dem eine Melodie eindeutig führt (z. B. Opernarie), ferner der Sologesang v. a. in Madrigalen des Barock. Speziell:
1. *in der altgriech. Lyrik* das zu Instrumentalbegleitung vorgetragene Sololied (Ggs. ⁄Chorlied). Zur monod. Lyrik rechnen ⁄Elegie, ⁄Jambendichtung und die sog. mel. M. (⁄Oden); bekannte Dichter dieser Form sind Alkaios, Anakreon, Archilochos, Hipponax, Sappho, Tyrtaios u. a.
2. *in der att. Tragödie* eine vom Schauspieler zum Instrument (Aulos, Lyra, Kithara) gesungene Partie von größerem Umfang, meist mit klagendem Charakter. Bei Euripides tritt der Anteil des Chors deutl. zugunsten der M. zurück, in der sich Wort, Musik, Mimetik und Requisit effektvoll vereinigen. Kritik dieser sich zunehmend verselbständigenden Form bei Aristophanes; Fortführung der M. in der röm. Tragödie und bes. der röm. Komödie (Plautus), vgl. ⁄Cantica (1).
□ Barner, W.: Die M. In: Die Bauformen der griech. Tragödie. Hrsg. v. W. Jens, Mchn. 1971.   GG
Monodistichon, n. [zu gr. monos = allein], für sich konzipiertes, einzelnes ⁄Distichon (Zweizeiler), häufig als ⁄Epigramm, z. B. Goethe/Schiller, »Xenien«(1796, eleg. Disticha) oder als didakt., relig., polit. Sentenz, z. B. D. v. Czepko, »Sexcenta monodisticha sapientium« (1655), Angelus Silesius; »Cherubin. Wandersmann« (1675; beides Monodisticha aus Alexandrinern).   S
Monodrama, Ein-Personen-Stück, eine der Sonderformen des ⁄lyr. Dramas (vgl. ⁄Duodrama, ⁄Melodrama). Der Begriff stammt aus der Lit.theorie des 18.Jh.s u. bez. eine *literar. Modeerscheinung:* einen von Instrumentalmusik untermalten heroisch-sentimentalen oder lyr. Monolog einer (meist weibl.) Gestalt. Wurde von J. J. Rousseau geschaffen (»Pygmalion«, 1762) und, v. a. nach dem erfolgreichen dt. M. von J. Ch. Brandes (»Ariadne auf Naxos«, 1772), auch von Herder, Goethe (»Proserpina«, 1778) u. a. gepflegt. – Unter modernen Ein-Personenstücken sind zu nennen: »Ostpolzug« (1926) von A. Bronnen; »Geliebte Stimme« (1930) von J. Cocteau; »Krapps letztes Band« (1959) von S. Beckett; »Der Herr Karl« (1962) von H. Qualtinger; »Wunschkonzert« (1972) von F. X. Kroetz.
□ Demmer, S.: Unters. zu Form u. Gesch. des M.s. Köln 1972. – Raffelsberger, J.: Das M. in der dt. Lit. des 18. Jh.s. Diss. Wien 1955. – RL.   VD*
Monographie, f. [Kunstwort aus gr. monos = allein u. graphein = schreiben],
Einzelschrift; im Unterschied zu Zeitschriften, Handbüchern, Kongressberichten oder Sammelwerken (⁄Buchbindersynthesen‹) das M. ein von einem Verfasser einem begrenzten Thema gewidmetes, abgeschlossenes Buch, das systematische, historische, biographische Informationen zu vereint, daß zugleich Wissens- und Forschungsstand zum Zeitpunkt der Fertigstellung der M. in ihr dokumentiert werden. Der umfängl. und ganzheitl. Anspruch dieser Wissenschaftsgattung ist ihrer Herkunft aus dem Positivismus des 19. Jh.s haben die M. in jüngerer Zeit in den geistes- und gesellschaftswissenschaftl. Fächern seltener werden lassen, wogegen Wort und Sache in den Naturwissenschaften, namentl. der Biologie, noch verbreitet sind.   HW
Monolog, m. [gr. monos = allein, logos = Rede], Rede einer einzelnen Person. Ggs. ⁄Dialog.
1. *M. im engeren Sinn* (›Selbstgespräch‹) kommt als Kunstform in bestimmten Formen der Lyrik oder in Tagebuchaufzeichnungen vor (Ich-Aussprache): enthält sowohl rein gefühlsbestimmte Aussagen als auch gedankl. Auseinan-

dersetzungen. Zu unterscheiden davon ist der ↗innere M., der zwar durch die gleiche Rederichtung bestimmt wird, aber durch Äußerung von Gedanken und Bewußtseinsvorgängen neue Möglichkeiten der Mitteilung (Wiedergabe des Unterbewußten) erschließt.

2. *M. im weiteren Sinne* ist im Ggs. zum M. als Selbstgespräch an bestimmte konkrete (nicht-literarische) Kommunikationssituationen gebunden, die sachl. (etwa durch größeres Wissen des Sprechenden) oder psych. (durch ›über die Köpfe der anderen hinwegreden‹) motiviert sein können. Die Erzählung, der Vortrag, die Predigt vor schweigenden Zuhörern werden in diesem Sinn als M. verstanden. Auch in Romanen oder Dramen findet sich diese Form häufig. Als *Sonderform* können M.-Serien mehrerer Personen angesehen werden, bei denen es zu keinem Dialog kommt, entweder weil das Aneinandervorbeireden konstitutiv für die Aussage wird (z. B. monolog. Sprechen mehrerer Personen in Becketts Dramen) oder weil eine ›höhere Regie‹ durch Rollenverteilung den Dialog verhindert wie in den Typen der Welttheater- oder Totentanzspiele.

3. *der dramat. M.* ist auf der Illusionsebene Selbstgespräch, von der Kommunikationsebene her hat er dagegen wicht. Mitteilungsfunktion für den Zuschauer. R. Petsch unterscheidet nach der Stellung im Drama den *Rahmen-M.* am Anfang oder Ende des Dramas, den *Brückenm.* als Verbindung zwischen den einzelnen Teilen der Handlung, den *Kernm.* als Zentrum des dramat. Vorgangs und die *M.kette* aus mehreren M.en, die sich innerhalb des Dramas zu einer Kette zusammenschließen. – W. Kayser unterscheidet nach der Funktion den *techn. M.* als Übergang zwischen verschiedenen Auftritten (z. B. häufig bei J. Nestroy, etwa »Der Zerrissene«, III, 8 u. ö.), den *ep. M.* zur Mitteilung von auf der Bühne nicht dargestellten oder nicht darstellbaren Vorgängen, oft in der Exposition (z. B. Goethe, »Iphigenie«, I, 1), den *lyr. M.,* der die seel. Gestimmtheit einer Person ausdrückt (z. B. Gretchens M. »Meine Ruh' ist hin«, »Faust« I), den *Reflexionsm.,* der eine Situation durch eine Figur reflektiert oder einen Kommentar der Lage gibt; er übernimmt das ursprüngl. Aufgabe des griech. Chors (z. B. F. Grillparzer, »König Ottokars Glück u. Ende«, V, v. 2818–2874), den eigentl. *dramat. M.,* der zur Entscheidung in Konfliktsituationen führt und konstitutiv ist für den Fortgang der Handlung (z. B. Goethe, »Die natürl. Tochter«, V, 6 oder Schiller, »Die Räuber«, IV, 5). Er findet seinen reinsten Ausdruck im Drama der ↗geschlossenen Form, wo er meist den dramat. Höhepunkt darstellt, oft gipfelnd in einer ↗Sentenz. Den Sprechenden charakterisiert ein hoher Reflexions- und Bewußtseinsgrad, was sich auch in der Gliederung, der rhetor. und stilist. Geformtheit des M.s ausdrückt. M. und Dialog sind im Drama der geschlossenen Form nach Funktion und Form deutl. voneinander abgegrenzt, während im Drama der ↗offenen Form der Übergang fließender ist. – Nicht in allen Epochen der Literaturgeschichte nimmt der dramat. M. die gleiche Stellung ein. In der antiken Tradition gewinnt er v. a. mit dem Zurücktreten des Chors an Bedeutung. Im Drama der Renaissance und des Barock dient er als Mittel der Darstellung einer prunkvoll ausgeschmückten Rhetorik, aber auch als Darstellung der Höhepunkte in sittl. Entscheidungen. J. Chr. Gottsched gibt ihm v. a. eine dramentechn. Funktion. Nach Shakespeares Vorbild wird er im Drama G. E. Lessings als Reflexionsm. eingesetzt. Im Sturm und Drang dient er in erster Linie der Selbstanalyse und charakterenthüllenden Stimmungen und Affekten. In der Klassik findet der M. seinen Höhepunkt als Mittel der Seelenanalyse und als integriertes dramat. Element in Entscheidungssituationen vor der Lösung oder Katastrophe. Im Realismus, wo die psycholog. Wechselwirkung im Dialog in den Vordergrund rückt, v. a. aber im Naturalismus, wo der M. als dem Gesetz der Natürlichkeit widersprechend verstanden wird, tritt er immer mehr zurück und läßt nur noch Raum für den stummen *Gebärdenm.* Im Drama des Expressionismus wie des Symbolismus wird er wieder aufgenommen als Ausdrucks- und Stimmungsmittel. Im Drama der Moderne spielt der M. eine Rolle in der Form des monolog. Aneinandervorbeisprechens, Ausdruck der Unmöglichkeit des Dialogs.

🕮 Matt, P. v.: Der M. In: Beitr. zur Poetik des Dramas, hrsg. v. W. Keller, Darmst. 1976, S. 71–90. – Mukařovsky, J. M.: Dialog u. M. In: J. M. M.: Kapitel aus der Poetik. Frkft. 1967, S. 108–149. – Kayser, W.: D. sprachl. Kunstwerk. Bern/Mchn. ¹⁶1973. – Petsch, R.: Wesen u. Formen d. Dramas. Halle 1945. – RL.   IA

Monometer, m. [gr. = Einzelmaß], Bez. der antiken Metrik für einen Vers, der aus nur einer metr. Einheit besteht, z. B. einer jamb., troch. oder anapäst. ↗Dipodie; findet sich hauptsächl. als ↗Klausel (troch. Dipodie, Ditrochäus) ; vgl. ↗Dimeter, ↗Trimeter etc.   S

Monopodie, f. [gr. = Einzel-(Vers)fuß], Maßeinheit für Versfüße, die nur einzeln (monopodisch), nicht zu einer ↗Dipodie zusammengefaßt gemessen werden, z. B. ↗Daktylus, ↗Kretikus, ↗Choriambus u. a. In den freien lat. Nachbildungen griech. Versmaße herrscht durchweg M.   S

Monostichisch, ↗stichisch.

Monostrophisch,
1. Bez. für ein nur aus einer Strophe bestehendes Gedicht oder Lied, kennzeichnend z. B. für den frühen dt. Minnesang;
2. Dichtung aus lauter gleichen Strophen, z. B. »Nibelungenlied«, »Oberon« (von Ch. M. Wieland, Stanzen), im Ggs. zu Dichtungen mit wechselnden Strophenformen wie z. T. das griech. ↗Chorlied (↗Epode) oder die Pindar. ↗Ode.   S

Montage, f. [mɔnˈtaːʒə, frz. = Zusammenfügen, -bauen], aus dem Bereich der Filmtechnik übernommene Bez. für das Zusammenfügen von Texten (Textteilen) sprachl., stilistisch, inhaltl. unterschiedlicher, oft heterogener Herkunft. In die Vorgeschichte wären u. a. die ↗Cento-Dichtung, das ↗Cross-Reading zu rechnen. Die Technik der M. begegnet bes. seit der ↗Literatur-Revolution in allen Gattungen: in der Lyrik (G. Benn, H. M. Enzensberger), der Erzählprosa (J. Dos Passos, »Manhattan Transfer«, A. Döblin, »Berlin Alexanderplatz«, auch: ↗Collage), im Drama (G. Kaiser, »Nebeneinander«, F. Bruckner, »Die Verbrecher«, P. Weiss, »Die Verfolgung und Ermordung Jean Paul Marats [. . .]«) und im Hörspiel. – So vielfältig wie die Möglichkeiten der M. (entsprechend den film. Techniken der Ein-, Vor- und Rückblende, dem harten Schnitt, der Gegenüberstellung von Großaufnahme und Totale, von stehendem Bild und Kameraschwenk), so vielfältig sind auch die Funktionen: Benn z. B. strebte mit seiner »M.kunst« eine neue Totalität an, den Dadaisten diente die M. heterogensten Materials zur ästhet. Provokation, zur Hervorbringung eines ästhet. Schocks, das ep. Theater Brechts versuchte die zur Kritik herausfordernde Konfrontation (↗Verfremdungseffekt), im montierten Roman sollen u. a. verschiedene Wirklichkeitsbereiche durchsichtig und durchlässig gemacht werden. – Bis Mitte der 60er Jahre werden dabei die Bez. M. und Collage etwa synonym verwendet, seither setzt sich jedoch (auch in Opposition zur Bennschen Vorstellung von ›Artistik‹) zunehmend die Bez. Collage durch, wobei wiederholt der durch sie mögliche Realitätsbezug hervorgehoben wird.

🕮 Durzak, M.: Zitat und M. im dt. Roman der Gegenwart. In: M. D. (Hrsg.): Die dt. Lit. der Gegenwart. Stuttg. 1971, 211 ff. – Leclercque, M.: M. in der zeitgenöss. dt. Lyrik. Diss. Wien 1962. – Grimm, R.: Montierte Lyrik. In: GRM NF. 8 (1958), 178 ff.   D

Mora, f. [lat. = Verweilen, Verzögerung], von G. Hermann in die antike Metrik eingeführter Begriff für die kleinste metr. Zeiteinheit, eine metr. Kürze (◡); eine metr. Länge besteht demnach aus zwei Moren (◡◡ = –); von A. Heusler auch für die ↗Taktmetrik übernommen (x).   S

Moralische Wochenschriften, Zeitungstypus der
↗Aufklärung. Entstand in *England* aus der bürgerl.-puri-
tan. Protesthaltung gegen die galanten Sitten der Aristokratie; *vorbildhaft* in ganz Europa wurden die von den ↗Essay-
isten R. Steele und J. Addison herausgegebenen m. W.
»The Tatler« (1709–11), »The Spectator« (1711–12) und
»The Guardian« (1713). M. W. waren in ganz Europa (u.
z. T. in Nordamerika, s. Rau) außerordentl. beliebt: in
Dtschld. sind für das 18. Jh. über 500 Titel nachgewiesen;
Blütezeit um 1750–80. – Die m. W. verarbeiteten das rationalist., später auch das pietist.-empfindsame Gedankengut
der Zeit mit dem Ziel der Belehrung und v. a. sittl.-moral.
Erziehung des Bürgertums. Sie enthalten Beiträge zur
Jugenderziehung, Frauen- und Geschmacksbildung, prakt.
Ratschläge zur Lebensgestaltung, moral.-erbaul. oder relig.
Betrachtungen und – typ. für die dt. m. W. – aesthet. Diskus-
sionen, insbes. literarische Beiträge (Rezensionen, Übersetzungen, Sprachpflege, literaturtheoret. Fragen). Ausgespart blieben, im Ggs. zum engl. Vorbild, polit. Themen.
Beliebte *Darbietungsformen* sind das Gespräch (meist zw.
feststehenden Typen), Briefe, Tagebücher neben gelehrten
Abhandlungen (↗Essay), als fiktive Formen ↗Fabel,
Satire, Portrait, Allegorie. Die Beiträge erschienen anonym; sie stammten häufig von den Herausgebern selbst;
von allen wichtigen Dichtern der Zeit ist indes die Mitarbeit
an m. W. bezeugt. – Trotz der Beliebtheit waren die m. W.
meist kurzlebig (maximal 3 Jahre), das Erscheinen unregelmäßig (tägl., monatl., i. d. Regel 1–3mal wöchentl.). Jahrgänge beliebter m. W. wurden bereits im 18. Jh. mehrmals
nachgedruckt. Wichtiges Zentrum für dt. m. W. war Hamburg: dort erschien die *1. dt. m. W.,* »Der Vernünftler«
(1713–14, v. J. Mattheson, z. T. nur Auszüge aus dem engl.
Vorbildern) und eine der populärsten und mehrfach nachgeahmten, »Der Patriot« (1724–26 u. a. v. B. Brockes und
M. Richey). Die für die dt. Literatur *bedeutendsten* m. W.
kamen in Zürich und Leipzig heraus: In Zürich J. Bodmers
und J. Breitingers »Discourse der Mahlern« (1721–22) und
bes. (als wichtige 4. Serie) »Die Mahler oder Discourse von
den Sitten der Menschen« (1723); in Leipzig J. Ch. Gottscheds »Die vernünftigen Tadlerinnen« (1725–27) und
»Der Biedermann« (1727–29). In diesen m. W. wurde literaturtheoretischen und ästhet. Fragen ein breiter Raum
zugestanden; insbes. der sog. ↗Literaturstreit spielte sich in
ihnen ab. – Aus den m. W. entwickelten sich später einerseits spezielle Erziehungsorgane (z. B. »Pädagog. Unterhaltungen«, 1777, hrsg. v. Basedow und Campe), Frauenzeit-
schriften (z. B. »Die dt. Zuschauerin«, 1747 hrsg. v. J.
Möser), religiöse (z. B. »Christl. Sonntagsblatt«, 1792 f. v.
Lavater) oder schöngeistig-↗literar. Zeitschriften, andererseits die mehr unterhaltenden ↗Familienblätter. Eine
durch Originalität und Qualität herausragende Zeitschrift
ist »Der Wandsbecker Bote« (1771–75) von M. Claudius.
Die m. W. waren ein entscheidender Faktor bei der Entwicklung des bürgerl. Selbstverständnisses im 18. Jh.; Haltung und Stil der bürgerl. Literatur des 19. Jh.s wurden
nachhaltig von ihnen beeinflußt.
Ausgaben: Gottsched, J. Ch.: ›Der Biedermann‹, eine
m. W. Faks.druck d. Originalausg. von 1727–1729. Mit
einem Nachw. u. Erläuterungen hrsg. v. W. Martens. Stuttg.
1975. – Der Patriot. Hrsg. v. W. Martens. 3 Bde. Bln.
1969–1970 (Bd. 4: Einf. u. Kommentar in Vorber.).
🕮 Rau, F.: Zur Verbreitung u. Nachahmung des ›Tatler‹
und ›Spectator‹. Hdbg. 1980. – Schneider, U.: Der moral.
Charakter. Ein Mittel aufklär. Menschendarstellung in
den frühen m. W. Stuttg. 1976. – Martens, W.: Die Botschaft der Tugend. Die Aufklärung im Spiegel der m. W.
Stuttg. 1968. – RL.   IS

Moralisten,
1. allgem. Philosophen und Schriftsteller, die in ihren Werken das menschl. Tun und Verhalten unter bestimmten
Moralgesetzen behandeln.

2. spezielle Bez. für eine Gruppe franz. Schriftsteller des
17. Jh.s, die sich, im Anschluß an Montaigne (16. Jh.), im
Rahmen der ↗Salon-Literatur bes. der Analyse der
menschl. Psyche widmeten und ihre pessimist.-misanthrop.
Lebenserfahrungen in kunstvoller Rhetorik zur Belehrung
ihrer Zeitgenossen darboten. Bevorzugte literar. Formen
sind Maximen oder Aphorismen, der Essay und Briefe. Zu
den M. werden gezählt F. de La Rochefoucauld (Hauptwerk »Réflexions ou sentences et maximes morales«,
1665), Saint-Évremond u. J. de La Bruyère (Hauptwerk:
»Les caractères de Théophraste traduits du grec avec les
caractères ou les moeurs de ce siècle«, 1688). Bisweilen
werden auch ähnl. Ziele verfolgende Schriftsteller der frz.
Aufklärung (18. Jh.) wie der Marquis de Vauvenargues und
S.-R. N. Chamfort (»Maximes, pensées, caractères et anec-
dotes«, 1795) dazugerechnet.
Ausgabe: Die franz. M. Dt. Übers. u. hrsg. v. F. Schalk.
2 Bde. Neuausg. Wiesb. 1952.
🕮 Stackelberg, J. v.: Franz. Moralistik im europ. Kontext.
Darmst. 1982.   S
Moralität, f. [von frz. moralité, spätlat. moralitas = Sitt-
lichkeit], Sonderform des spätmal. Dramas, von betont
lehrhafter Tendenz: Personifizierung und Allegorisierung
abstrakter Begriffe und Eigenschaften (Tugenden und
Laster, Leben und Tod und dergl.), die sich meist im Widerstreit um die Seele der als Typus dargestellten Zentralfigur
(Humanum Genus, Jedermann) befinden. Charakterist. ist
die Verbindung frühhumanist. Gelehrsamkeit und rhetor.
Sprachgestaltung mit volkstüml. Elementen und ↗leben-
den Bildern. Die Aufführungen fanden meist zur Fastenzeit
auf mehrteil. Etagen- oder ↗Wagenbühnen statt. – Seit dem
ausgehenden 14. Jh. vertreten in Frankreich und bes. in
England (»The Castell of Perseverance«, 1. Viertel d.
15. Jh.s; »Everyman«, Druck nach 1500), dann auch in Italien und den Niederlanden (*Zinnespel,* bekanntestes Werk
»Spieghel der salicheit van Elckerlijc« von Pieter van Diest
[Petrus Dorlandus?] vor 1495). In Deutschland nennt ein
Lübecker Titelverzeichnis mehrere M.en noch aus der
1. Hä. d. 15. Jh.s; erst kurz vor und während der Reformationszeit aber gewinnt die M. unter humanist. Einfluß wei-
tere Verbreitung; wichtige Vertreter der Gattung sind »Die
X alter dyser welt« (um 1515) von Pamphilus Gengenbach,
der »Hecastus« (1538) des Reformkatholiken Georg
Macropedius und der »Mercator« (1540) des Protestanten
Thomas Naogeorg. Obwohl vom ↗geistl. Spiel ausgehend,
weist die M. Züge auf, die zum weltl. Drama hinführen
(Personen und Handlung außerhalb des bibl. Rahmens).
Wiederbelebt wurde die M. im 20. Jh. u. a. durch H. v. Hof-
mannsthals »Jedermann« (1903–11).
🕮 Miyajima, S.: The Theatre of Man: Dramatic Technique
and Stagecraft in the English Medieval Morality Plays. Cleve-
don, Avon 1977. – Potter, R.: The English Morality Play.
London u. Boston 1975.   MS
Moritat, f. [Etymologie ungeklärt (erste Belege aus dem
17. Jh.), entweder von lat. moritas = erbaul. Geschichte,
Moralität, von rotwelsch moores (aus jidd. mora) = Lärm,
Schrecken oder Verballhornung aus ›Mordtat‹ (in diesem
Sinne erstmals im Lahrer Kommersbuch, 1862)], Bez. für
Lied (und Prosatexte) des ↗Bänkelsangs. bes. für die parodist. übertreibenden Lieder.   GG*
Morolfstrophe, in der mhd. Spielmannsepos »Salman
und Morolf« (12. Jh.) verwendete Strophenform aus Vierhebern: auf ein Reimpaar folgt eine Waisenterzine
(a a b x b: Kadenzen: m m m k m; auch Varianten kommen
vor). Mit Abwandlungen (z. B. der Kadenzen der letzten
drei Verse [k l m k l]: *Lindenschmidstrophe*) und Erweiterungen (↗Tirolstrophe) bis ins Spät-MA. beliebt, bes. auch im
Volkslied.   MS*
Morpholog. Literaturwissenschaft, [zu Morphologie
(Wortbildung des Physiologen K. F. Burdach, von Goethe
aufgegriffen) nach gr. morphē = Form, Gestalt], Versuch

einer theoret. Fundierung der Literaturwissenschaft im Anschluß an die morpholog. Schriften Goethes. Hauptvertreter: G. Müller und H. Oppel. – Die m. L. begreift die dichter. »Gestalt« als Erscheinung der organ. Natur. Sie betrachtet Dichtung als »Gestaltganzes«, d. h. als lebendigen Organismus, der durch ein »Gestaltgesetz«, eine der Schöpferkraft der Natur vergleichbare »organisierende Mitte«, zusammengehalten wird. Die einzelnen Elemente und Ebenen der Gestaltung, die am dichter. Kunstwerk sichtbar werden, faßt sie als »Metamorphosen« dieses Gestaltungsgesetzes auf, durch die hindurch das »Werden der Ganzheit« verfolgt werden könne. Einen bewußten dichter. Schaffensprozeß lehnt sie ebenso ab wie die Möglichkeit rationaler Analyse und Erklärung von Dichtung; auch die Persönlichkeit des Dichters deutet sie nur als Erscheinungsform des dichter. Gestaltungsgesetzes; den einzigen Zugang zur Dichtung sieht sie im »erkennenden Anschauen und anschauenden Erkennen«. – Der morpholog. Ansatz blieb in der Literaturwissenschaft ohne spürbare Resonanz.

📖 Oppel, H.: M. L. Goethes Ansicht und Methode. Mainz 1947. Nachdruck Darmst. 1967. – Müller, G.: Die Gestaltfrage in der Lit.wiss. u. Goethes Morphologie. Halle 1944 (= Die Gestalt, H. 13).   K

Motet, f. [frz. m., von mot = Wort], Form der altfrz. Sangverslyrik des 12.–14.Jh.s: mehrstimm. Komposition mit einer Grundstimme (Tenor) und zwei bis drei Oberstimmen mit jeweils verschiedenen Texten: Der Text der Grundstimme besteht i. d. R. nur aus einem Wort (daher die Bez.) oder einer kurzen Wortgruppe, meist in lat. Sprache und liturg. Ursprungs. Demgegenüber können die Texte der Oberstimmen in frz. Sprache abgefaßt sein und weltl. Inhalte haben; diese Texte sind heterometr. gebaut, unstroph. u. ungleich lang, die Reimstellung ist frei. Hauptvertreter: Guillaume de Machaut. Seit dem 14.Jh. in ganz Europa als wicht., musikal. artist.-variationsreiche Gattung der Kirchenmusik *(Motette)* verbreitet (Palestrina, Orlando di Lasso).   K

Motiv, n. [von mlat. motivus = bewegend], *allgem.* Beweggrund einer menschl. Haltung oder Handlung, *speziell* in Kunst und Literatur ein stoffl.-themat., situationsgebundenes Element, dessen inhaltl. Grundform schematisiert beschrieben werden kann, z. B. das mit vielen histor. Stoffen verbundene M. des ›Dreiecks‹-Verhältnisses, des unerkannten Heimkehrers, des Doppelgängers, der feindl. Brüder etc. Neben diesen *Situations-M.en* sind auch die sog. *Typus-M.e* (Einzelgänger, Bohemien, böse Frau etc.) den M.en zuzuordnen, deren Kontinuität bei allem histor. Wandel ihrer stoffl. Verwirklichung auf der Annahme menschl. Verhaltenskonstanten beruht. Dagegen sind *Raum- und Zeitm.e*(Schloß, Ruine, Nebel, Wettlauf mit der Zeit etc.) in stärkerem Maße abhängig vom jeweiligen Standort. Außer diesen inhaltl. Unterscheidungen grenzt man M.e nach ihrer formalen Funktion voneinander ab: *primäre* oder *Kernm.e*, *sekundäre* oder *Rahmenm.e* und *detailbildende* oder *Füllm.e*, wozu auch die *blinden* oder *ornamentalen M.e* gerechnet werden, die eher für den Stil als für den Stoff eines Werkes bestimmend sind, jedoch im Kriminalroman häufig zur Verunsicherung des Lesers eingesetzt werden. Drittens wird noch nach der vorherrschenden Gattungszugehörigkeit von M.en unterschieden, so daß man spezif. *Dramen-M.e* (Bruderzwist), *lyr. M.e* (Dämmerung, Liebesleid, Waldeinsamkeit) und vor allem *Volkslied-* und *Märchen-M.e* gesondert und in ihrer Funktion wie in ihren histor. Ausprägungen untersucht und z. T. katalogisiert hat. – Aus der Musik wurde die Technik des bedeutungsvoll ornamentalen ↗Leitmotivs v.a. durch Th. Mann eingeführt.

Bibliographie: Schmitt, Franz A./Bauerhorst, K.: Stoff- u. M.gesch. der dt. Lit. New York/Bln. ³1976.
📖 Frenzel, E.: Vom Inhalt der Lit. M., Stoff, Thema.

Freibg. u.a. 1980. – Frenzel, E.: M.e der Weltlit. Stuttg. ³1988. – Thompson, St.: Motif-Index of Folk-Literature. 6 Bde. Kopenhagen ²1955–58. – RL.   HW

Motto, n. Pl. -s [ital. von vulgärlat. muttum = Wort], 1. der einer Schrift vorangestellte Leitspruch, meist dem Werk als ganzem vorangestellt, kann aber auch auf einzelne Teile (Kapitel, Akte, Bücher) bezogen sein (vgl. Goethe, »West-östl. Divan«, Büchner, »Leonce und Lena«); findet sich bes. häufig in erzählender Prosa, aber auch in wissenschaftl. u. essayist. Werken (z. B. Goethe: »Materialien zur Geschichte der Farbenlehre«; Nietzsche: »Die fröhliche Wissenschaft«, Hofmannsthal: »Das Gespräch über Gedichte«), in Reisebeschreibungen (Goethe: »Italienische Reise«, Heine: »Harzreise«), autobiograph. Schriften (Goethe: »Dichtung und Wahrheit«), im Drama (Schiller: »Die Räuber«, Halbe: »Jugend«, Bernhard: »Der Ignorant und die Wahnsinnige«) und in der Lyrik (Goethe: »Elegie«, Schiller: »Das Lied von der Glocke«, Enzensberger: »Die Macht der Gewohnheit«). M.s sind häufig Zitate aus antiken Werken (z. B. Sophokles in Hölderlin: »Hyperion«, Sallust in Schiller: »Fiesko«, Ariost in Hofmannsthal: »Andreas oder die Vereinigten«); der Bibel (z. B. Böll: »Ansichten eines Clowns«); klassischen Werken der Weltliteratur (z. B. Dante: »Göttliche Komödie« in Th. Mann: »Doktor Faustus« sowie in Koeppen: »Tod in Rom«, Shakespeare: »Sommernachtstraum« in Eichendorff: »Viel Lärmen um Nichts«, Chamisso: »Peter Schlemihl« in Raabe: »Akten des Vogelsangs«); Werken der Philosophie (z. B. Kierkegaard: »Entweder – Oder« in Frisch: »Stiller«); und der Volksweisheit (Nietzsche: »Die fröhliche Wissenschaft«, jap. Redensart in S. Lenz: »Brot und Spiele«). Manchmal dient das M. der ausdrückl. Beziehung auf das literar. Vorbild (Broch: »Tod des Vergil«). Der Traditionszusammenhang kann durch den Gebrauch eines M.s auch gerade in Frage gestellt werden. Unter dem Aspekt der Kommunikationssituation und Funktion des M.s ist zunächst zu unterscheiden zwischen stärker aussagebetonten, also auf den Produktionsprozeß des Textes bezogenen Formen (z. B. Frisch: »Biografie«, Koeppen: »Tauben im Gras«) und stärker adressatenbezogenen, also den Rezeptionsprozeß lenkenden Formen (Droste-Hülshoff: »Die Judenbuche«, Werfel: »Der veruntreute Himmel«, H. Kant: »Die Aula«, Ch. Wolf: »Nachdenken über Christa T.«). Bes. in programmat. verstandener Literatur wie etwa im sozialist. Realismus findet sich häufig die zweite Form des M.s. – Im Unterschied zum M. im wissenschaftl. Werk liegt im literar. Werk meist eine Wechselwirkung zwischen M. und Werkaussage vor: Die Aussage des M.s kann durch die Aussage des Werkes eine neue Nuance oder eine neue Bedeutung erhalten, die Aussage des Werkes kann aber ebenso durch das M. nuanciert, akzentuiert, kontrastiert oder vertieft werden. Die genaue Bestimmung der Funktion des M.s kann daher von großer Bedeutung für die Analyse eines literar. Werkes sein.
2. Bestandteil des ↗Emblems (auch Lemma, Inscriptio). IA

Muckrakers, Pl. [ˈmʌk ˈreɪkəz; engl. = Schmutzwühler, amerik. auch Sensationsmacher, zu engl. muckrake = Mistgabel], von Th. Roosevelt 1906 geprägte Bez. (nach einem Zitat aus »The Pilgrim's Progress« von J. Bunyan) für eine Gruppe amerikan. Editoren, Journalisten und Schriftsteller, die seit etwa 1890 die polit., wirtschaftl. und sozialen Mißstände geißelten und für Reformen kämpften. Höhepunkt ihres Kampfes, die später sog. *muckraking movement*, waren 1903 die journalist. schonungslosen Aufsätze von L. Steffens, R. St. Baker und Ida M. Tarbell in »McClure's Magazine« (insbes. über die Korruptionsversuche der Industrietrusts). Weitere M. (die meist auch naturalist., sozialkrit. Romane verfaßten) waren u. a. Ch. E. Russel, U. Sinclair (»The Jungle«, 1906), D. G. Phillipps (seine Artikelserie »The Treason of the Senate«, 1906, war Anlaß für Roosevelts Rede) und E. Markham (»Children in

Bondage«, 1914 über Kinderarbeit). Die muckraking period endete etwa 1910/12.

⊡ Hornung, A.: Narrative Struktur u. Textsortendifferenzierung. Die Texte des Muckraking Movement (1902–12). Stuttg. 1978. IS

Muiderkring, m. ['moeÿdərkriŋ; niederl. = Muiderkreis], holländ. Freundeskreis in der 1. Hälfte des 17. Jh.s um den Dichter und Historiker P. C. Hooft im Muiderschloß in Muiden, Provinz Nordholland. Die seit 1621 jeden Sommer stattfindenden Zusammenkünfte dienten der Pflege von Literatur (formvollendete Lyrik, Drama) und Musik. Regelmäß. Teilnehmer waren u. a. die Gelehrten C. von Barlaeus (Baerle) und G. Vossius, gelegentl. Gäste die Dichter J. van den Vondel und C. Huygens; zu den bedeutenden Frauen zählte die Sängerin Francisca Duarte. Der M. hatte entscheidenden Anteil an der Entwicklung der Literatur zur Hochblüte innerhalb der niederländ. Renaissance-Kultur (sog. ›Goldenes Zeitalter der Lit.‹).

⊡ Leendertz, P.: Uit den M. 1935. HD

Multimediaveranstaltung, auch: Multi-Mediaschau, Bez. für Versuche seit den 60er Jahren, mehrere Kunstarten, ihre ⁄Mischformen unter Einbeziehung verschiedener techn. (audiovisueller) Medien (Film, Projektion, Lichtorgel, Tonband usw.) in zeitl. Abfolge, aber auch simultan vorzustellen. Mit M.en experimentierte z. B. F. Kriwet (Graphik und Dichtung) und D. Schönbach (kinet. Kunst und Musikcollage). Happenings oder Environments können M.en sein. Gegen ein traditionelles Kunstverständnis, eine traditionelle Kunstdarstellung gerichtet, stellen die M.en eine dem ⁄Gesamtkunstwerk und seinen Absichten vergleichbare Erscheinung dar, wobei der bes. Akzent nicht nur auf eine Aufhebung der Kunstgattungen, sondern auch auf eine Aufhebung der Diskrepanz von Leben und Kunst gelegt wird. Vorläufer hat es bes. im ⁄Dadaismus gegeben. Trotz mehrfacher, z. T. aufwendiger Versuche haben sich die M.en bisher jedoch nicht überzeugend durchsetzen können. Dagegen werden auf ihnen erprobte und als wirkungsvoll erkannte Darbietungsmöglichkeiten von der Unterhaltungsindustrie (u. a. bei sog. Pop-Shows, Pop-Festivals u. ä.) gezielt eingesetzt. D*

Münchhausiade, f., seit der Mitte des 18. Jh.s gebräuchl. Bez. für eine spezielle Ausprägung der ⁄Lügendichtung (meist Reise-, Kriegs- oder Jagderlebnisse), die sich mit dem Namen des ersten Erzählers dieses Genres, des Freiherrn K. F. H. von Münchhausen (1720–1797), verbinden. Die Ur-M.n wurden ohne Wissen und Willen des Erfinders von einem anonymen Autor 1781 und 1783 in Berlin im »Vademecum für lustige Leute« als »M-h-s-nsche Geschichten« veröffentlicht. R. E. Raspe publizierte 1785 anonym eine engl. Übersetzung der M.n, doch mit vollem Namen des ›Lügenbarons‹. Dieses Werk wurde noch im gleichen Jahr von G. A. Bürger – wohl unter Mitarbeit von G. Ch. Lichtenberg – ins Deutsche rückübersetzt und um einige Geschichten erweitert (Entenfang, Kanonenkugelritt etc.); in der 1. und 2. Auflage fügte Bürger insgesamt 13 M.n hinzu. Schon wenig später erschienen zu dem erfolgreichen Buch epigonale Fortsetzungen, darunter der »Nachtrag zu den wunderbaren Reisen« von H. T. L. Schnorr (1789) und der »Lügenkaiser« von L. von Alvensleben (1833 und 1835). Neben diesen M.n, die vom Erfolg des Vorbilds durch Ergänzungen, Fortsetzungen oder Bearbeitungen für die Jugend zu profitieren suchten, stehen literar. Werke, die sich mit der histor. und exemplar. Person Münchhausens beschäftigen: Romane (K. L. Immermann 1839, P. Scheerbart 1906, C. Haensel 1933), Dramen (F. Lienhard 1900, W. Hasenclever 1933–35), Opern (M. Lothar 1933) und Drehbücher (E. Kästner 1943).

⊡ Schweizer, W. R.: Münchhausen und M.n. Mchn./Bern 1969. HW

Münchner Dichterkreis, von König Maximilian II. v. Bayern 1852 initiierter Kreis hauptsächl. norddt. Schrift-steller. Die einheim. Literaten (u. a. F. Graf Pocci, F. von Kobell, F. Trautmann, L. Steub) standen dem Kreis eher reserviert gegenüber. Seine führenden Köpfe waren E. Geibel und P. Heyse; ferner gehörten dazu F. Bodenstedt, M. Carrière, F. Dahn, F. Dingelstedt, M. Greif, J. Grosse, W. Hertz, H. Leuthold, H. Lingg, Melchior Meyr, W. H. Riehl, A. F. von Schack, J. V. v. Scheffel. Sie trafen sich bei den nicht nur-literar. königl. »Symposien«. 1856 regte Heyse die Gründung einer gesellig.-literar., auch Einheimischen offenstehenden Vereinigung nach dem Vorbild des ⁄Tunnels über die Spree an. Diese nannte sich nach H. Linggs Gedicht »Das Krokodil zu Singapur« *Gesellschaft der Krokodile* (mit amphib. Decknamen der Mitglieder). – Die wichtigsten Anthologien des M. D.es sind das 1862 von Geibel hrsg. »Münchner Dichterbuch« und das 1882 von Heyse hrsg. »Neue Münchner Dichterbuch«. Nach Maximilians Tod (1864) und Geibels Fortgang (1868) verlor der Kreis seinen Elan. (Das Krokodil bestand jedoch bis 1883). Die *literar. Bedeutung* des M. D.es liegt in der Pflege nichtpolit., klassizist. Dichtung, die zuerst gegen das ⁄Junge Deutschland, später gegen ⁄Realismus und ⁄Naturalismus gerichtet war. Der im Kreis geschätzten Virtuosität im Formalen entspricht die rege Übersetzertätigkeit seiner Mitglieder, doch führten der Formkult, das Vermeiden des Häßlichen, die Betonung der Dichterwürde, wie auch das histor. und romant. Thematik oft zu epigonalem Ästhetizismus, der sich v. a. in den Verserzählungen, den Epen und den undramat. Schauspielen zeigt.

⊡ Krausnick, M.: Paul Heyse und der M. D. Bonn 1974. – Giroday, V. de la: Die Übersetzertätigkeit des M.D.es. Wiesb. 1978. – Die Krokodile. Ein M.D. Texte und Dokumente. Hrsg. v. J. Mahr. Stuttg. 1987. – RL. GG*

Mundartdichtung, auch Dialektdichtung, gibt es im eigentl. Sinne erst seit der Entwicklung einer allgem. verbindl. Hoch- oder Schriftsprache, in Deutschland etwa seit dem 17. Jh. Vorher war jede Dichtung mehr oder weniger mundartl. geprägt (Schriftdialekte), auch wenn sich durch naheliegende Literatursprache wie mhd. Blütezeit, durch die Amtssprache der Kanzleien und schließl. den Buchdruck gewisse Ausgleichstendenzen abzeichnen. – In der griech. Antike blieben indes die literar. Gattungen auch nach der Ausbildung der Koine denjenigen Mundarten verbunden, in denen sie entstanden waren, etwa die Lyrik dem äol. Dialekt. – M. entsteht in der dt. Literatur neben der hochsprachl. Dichtung aus unterschiedl. Gründen: aus regionaler Selbstbehauptung (niederdt. Bewegung im 19. Jh.), aus volkstüml., folklorist., aber auch eskapist. Motiven, aus dem Bestreben nach stärkeren Realitätsbezügen, einer behagl. bis satir.-kom. Wirkung wegen, aber auch zur Gesellschaftskritik oder als Sprachspiel. In echter M. sollte der Dialekt das tragende Medium sein. Grenzfälle stellen solche Werke dar, in denen vor einem hochsprachl. Hintergrund mundartl. Elemente in verschiedenen Funktionen (Milieuechtheit, Komik, Behagen) verwendet werden, meist in Dialogen, aber auch im Genrestanzen (J. Gotthelf). – Die phonet. Umsetzung des Dialekts (als grundsätzl. gesprochener Sprache) ins Schriftbild ist schwierig und z. T. kontrovers. Da es hier keine Lesetraditionen gibt, ist M. im mündl. Vortrag (Lyrik, Drama) am wirkungsvollsten und kann am ehesten auch regionale Grenzen überschreiten. Die Rezeption gedruckter M. ist dagegen meist regional beschränkt. *Geschichte:* Als *1. literar. bedeutsame M.* gilt das ›Schertz-Spill‹ »Die Gelibte Dornrose« (in schles. Mundart) in A. Gryphius' Doppeldrama »Verlibtes Gespenste«, 1660. In der Tradition der barocken Rustikaltravestie steht die bibl. Komödie »Schwäb. Schöpfung« von S. Sailer (aufgef. seit 1743, gedr. 1819). Als Nachahmung Theokrits verstand J. H. Voß seine Idyllen in ndt. Sprache (»De Winterawend«, 1777, »De Geldhapers«, 1778). Schwanktraditionen verpflichtet sind die Nürnberger Gedichte von J. K. Grübel (1798–1812). – Auf breiterer

Basis entwickelt sich eine *M. in Romantik und Biedermeier* im Gefolge der Entdeckung und Wertschätzung vor- und unterliterar. Volksdichtung und der wissenschaftl. Bemühungen um die Erweiterung und Vertiefung des Sprachbewußtseins im allgem. und um eine elementare, älteren Sprachstufen nähere Volkssprache im besonderen, die man u. a. in den Dialekten zu fassen glaubte. Nach dem Vorbild von Voß entstand eine M. von beträchtl. Stilhöhe (z. T. in Hexametern u. a. klass. Formen!), wurde der Dialekt literaturfähig gemacht: vgl. v. a. J. P. Hebel (»Alemann. Gedichte«, 1803), J. F. Castelli, F. Stelzhamer (österr.), J. M. Usteri (Zürich) oder J. G. D. Arnold (elsäß. Alexandrinerkomödie). Aus philolog. Interesse (oft im Zusammenhang mit Mundartwörterbüchern) verfaßten ferner Wissenschaftler (z. T. mit Worterklärungen versehene) M. in ihnen fremden Dialekten (A. H. Hoffmann von Fallersleben, F. von Kobell, M. Rapp u. a.). M. war also zunächst Literatur für Gebildete und Kenner, während volkstüml. Literatur eine einfache Hochsprache verwendete (Hebels »Schatzkästlein«). Parallel entfaltete sich, rezipiert von allen Schichten, die Tradition des Volkstheaters, meist mit Dialektmischungen (Wien: Raimund, Nestroy), aber auch reinen Dialektstücken (K. Malß, E. E. Niebergalls hess. »Datterich«, 1841), wie sie bis heute gepflegt werden (L. Anzengruber, H. Boßdorf, H. Ehrke, P. Schurek, L. Thoma, K. Valentin u. a.). – Erst etwa *seit 1850* entsteht eine volkstüml.-realist., meist humorist. unterhaltende M. im Rahmen der ↗Heimat- und Bauernliteratur, vorwiegend idyll. Lyrik. Bemerkenswert sind die (von dem Germanisten K. Müllenhoff geförderte) Gedichtsammlung »Quickborn« (1852/57), eine poet. Gestaltung der Dithmarscher Landschaft, von K. Groth und die sozialkrit. Werke F. Reuters (das Versepos »Kein Hüsung«, 1858, die Romane »Ut mine Festungstid« 1862, »Ut mine Stromtid«, 1863 u. a. in mecklenb. Dialekt). Reuter setzte sich auch (gegen Groth) theoret. mit den mögl. Implikationen eines sog. Literaturdialekts auseinander (Schreibung, Provinzialität, Ideologisierungsgefahr u. a.). – Programmat. wird der Dialekt (als Zeichen hilflosen Gefangenseins) eingesetzt im ↗Naturalismus (G. Hauptmann, F. Stavenhagen u. a.), eine Tradition, die bis in die Gegenwart reicht (F. X. Kroetz, M. Sperr), und – mit umgekehrter Tendenz – in der ↗Heimatkunst, in welcher der Dialekt als Symbol der Stammesbindung und des Gemüthaft-Echten zum ideolog. genützten Element wird. Diese konservative bis restaurative M. ist mehr oder weniger ausgeprägt bis heute lebendig (in z. T. qualitätvollen Beispielen: L. Thoma [bayr.], S. Blau [schwäb.], R. Kinau [ndt.]) und wird bes. durch Funk (Hörspiele) und Fernsehen (Ohnsorg-Theater, Komödienstadl), Klein- und Freilichtbühnen gepflegt (immer wieder auch mit Dialektfassungen von Weltliteratur, z. B. Molière, hessisch von W. Deichel, schwäb. von Th. Troll, Goethe, »Faust« v. F. H. Schaefer). *Neue Dimensionen* einer M. erprobten in den 50er Jahren die ↗Wiener Gruppe durch sprachspieler. Experimente (v. a. visuelle Verfremdungen: H. C. Artmann, »med ana schwoazzn dintn«, 1958, G. Rühm, F. Achleitner), neuerdings ähnl. der Schweizer K. Marti, der Frankfurter K. Sigel oder der Münchner H. Achternbusch. – Seit Mitte der 70er Jahre tritt verstärkt eine progressive M. hervor, die den Dialekt zur Gesellschaftskritik von unten und innen (Entlarvung kleinbürgerl. Verhaltensweisen), z. T. auch für Protest und Agitation (Umweltprobleme) einsetzt, meist im breiter rezipierbaren mündl. Vortrag, oft als Songs (wobei Elemente des amerik. folksongs verarbeitet werden). Gedruckter M. sind oft Platten beigelegt, vgl. z. B. die M. von O. Andrae (ndt.), L. Soumagne (Köln), A. Gulden (saarld.), F. Kusz (Nürnbg.), G. C. Krischker (Bambg.), W. Staudacher (hohenl.), G. Holzwarth, P. Schlack (schwäb.), M. Bosch (bad.), C.-L. Reichert (München), J. Berlinger (bayr. Wald), H. Bucher (Wien), A. Weckmann (elsäß.). Eigene (konservative und

progressive) Verlage, Zeitschriften (seit 1981 z. B. »Allmende, internat. Regionalzeitschr.«, hrsg. u. a. v. A. Muschg und M. Walser, »schwädds«, hrsg. v. W. König) und Gesellschaften (von der konservat. ndt. ›Fehrsgilde‹, der schwäb. ›August-Lämmle-Gesellschaft‹ bis zum progressiven ›Verein für Mundartfreunde Bayern‹), Tagungen und Preisverleihungen dokumentieren M. als einen Literatur-Trend ebenso wie ihre Parodierung durch den Phantasiedialekt ›Starkdeutsch‹ von M. Koeppel (seit 1979). – Ähnl. Entwicklungen sind auch in anderen Ländern zu beobachten, in England z. B. seit der Romantik (bes. in Schottland: R. Burns), in Frankreich v. a. im 19. Jh. (M. der Provence [↗Félibrige, F. Mistral], der Gascogne und Bretagne, ↗Regionalismus), in Italien mit bes. ausgeprägter Tradition infolge der langen polit. Zerrissenheit (vgl. v. a. neapolitan., venezian. M. [C. Goldoni], seit dem 20. Jh. erneut auch sizilian., toskan., friulan. M. [P. P. Pasolini]). In allen diesen Ländern u. Regionen wird seit ca. 1970 Mundart u.M. in Protestbewegungen eingesetzt.

📖 Hoffmann, F./Berlinger, J.: Die neue dt. M. Hildesheim 1978. – Jaeger, M.: Theorien der M. Tüb. 1964. – Schön, F.: Gesch. der dt. M. 4 Bde. Lpz. 1920/39. – Greyerz, O. v.: Die M. der dt. Schweiz. Frauenfeld/Lpz. 1924. – Eckart, R.: Handb. zur Gesch. d. plattdt. Lit. Bremen 1911. – Holder, A.: Gesch. der schwäb. Dialektdichtung. Heilbronn 1896, Neudr. Kirchheim 1975. – RL.   OB/JS

Musenalmanach, seit Mitte des 18. bis ins 19. Jh. beliebtes belletrist. Publikationsorgan nach dem Vorbild des Pariser ›Almanach des Muses‹ (1765–1833): jährl. erscheinende Anthologie meist noch unveröffentl. Dichtungen, vorwiegend von Lyrik u. a. poet. Kleinformen, aber auch Dramen- und Epen(auszügen), Übersetzungen, Kompositionen, oft auch mit Kalendarium und Illustrationen (Kupfern). M.e wurden v. a. vom gebildeten Bürgertum rezipiert (dagegen ↗Kalender); sie waren meist kurzlebig und durch häufigen Wechsel der Hrsg. in Tendenz und Niveau schwankend. Neben allgemeinen M.en gab es themat. oder regional gebundene und sehr viele, die auf Grund ihres rein unterhaltenden Inhalts eher zu den anspruchsloseren ↗Taschenbüchern zu rechnen sind. – *Bedeutsam* sind M.e, in denen sich durch Hrsg. und Beiträger literar. Strömungen manifestieren oder in denen bedeutende literar. Werke erstmals publiziert wurden: so der ›Göttinger M.« (1770–1804) [Nachdr. 1979], als 1. dt. M. begründet von H. Ch. Boie und F. W. Gotter, wichtig als Publikationsorgan des ↗Göttinger Hains, insbes. Jg. 1774–1776), nachgeahmt u. a. im Leipziger »Almanach der dt. Musen« (1770–87) und im »Hamburger M.« (1776–80 [Nachdr. 1979], hrsg. v. J. H. Voß, Mitarbeit von Klopstock, Boie, F. v. Stolberg, Matthisson, J. G. Jacobi), ferner die nur in einem Jg. erschienene u. fast allein von F. Schiller bestrittene »Anthologie auf d. Jahr 1782« (Nachdr. 1973) mit den meisten seiner Frühgedichte, als auch bedeutendster Schillers »M.« 1796–1800 (Nachdr. 1969; Mitarbeit Goethe, Herder, A. W. Schlegel, L. Tieck, Hölderlin), in dem »Venetian. Epigramme« (1796) und die »Xenien« (1797) und die Balladen (1798) erschienen. Die Romantiker A. W. Schlegel und L. Tieck gaben in Jena den »M. für das Jahr 1802«(Nachdr. 1972; Mitarbeit: Novalis, Schelling), A. v. Chamisso und K. A. Varnhagen den »Grünen M.« (1804–1806, Organ des ↗Nordsternbundes), J.Kerner den »Poet. Almanach« (1812f.: Mitarbeit Fouqué, Uhland, Schwab, Hebel), A. Wendt, A. v. Chamisso und G. Schwab den »Dt. M.« (1830–39; Nachdr. 1979; Mitarbeit Eichendorff, Rückert, Schwab, Lenau, A. Grün, Freiligrath) heraus. Ein Wiederbelebungsversuch war der »Cotta'sche M.« (1891: C. F. Meyer, P. Heyse, Bodenstedt, Lingg), dem der programmatischere und progressivere »Moderne M.« von O. J. Bierbaum (1893–94: A. Holz, M. Halbe, R. Dehmel, J. Schlaf, M. Dauthendey, H. Bahr) folgte. Im 20. Jh. wurde die Tradition der M.e v. a. von Verlagen (mit Proben ihrer Neuer-

scheinungen) weitergeführt (Fischer, Insel, Piper, Suhrkamp u. a.); programmat. Bedeutung gewann der »Almanach neuer Dichtung: Vom Jüngsten Tag« (1917 mit expressionist. Dichtung) des Kurt-Wolff-Verlages.
⊡ s. ⁄Almanach, ⁄Taschenbuch. – Mix, Y. G.: Die dt. M.e des 18. Jh.s. Mchn. 1987. – Hay, G.: Die Beiträger des Voß'schen M.s. Hildesheim 1975. – Zuber, M.: Die dt. M.e u. schöngeist. Tbb. des Biedermeier 1815–48. AGB 1, Frkf. 1958. – Pissin, R.: Almanache d. Romantik. Bln. 1910, Nachdr. 1970. – RL.   IS

Musenanruf, ⁄Topos, gehört zu den festen Versatzstükken der altgriech. u. röm. Dichtung, vgl. etwa bei Homer, Vergil, Horaz u. a. (daneben trat in der röm. Kaiserzeit die ⁄Apotheose der Caesaren). Musen waren in der griech. Antike Quellgottheiten, Schutzgöttinnen der Künste und Wissenschaften; zunächst 3, dann 9 Schwestern im Gefolge Apollons (»Musagetes« = Musenführer), Töchter von Zeus und Mnemosyne (gr. Gedächtnis), die in Kultstätten (Museion) verehrt wurden: u. a. Erato (Liebeslied), Kalliope (Epik), Euterpe (Lyrik), Melpomene (Tragödie) und Thalia (Komödie). – In der altchristl. Dichtung wurde der M. wegen seiner Herkunft aus heidn. Bräuchen abgelehnt; als poet. Topos etablierte sich dafür aber die Distanzierung vom Anruf der Musen. Schon die karoling. Humanismus greift indes auf die Tradition des M.s zurück. Auch im Tristanroman Gottfrieds v. Straßburg (v. 4862 ff.) findet sich ein (für das MA unüblicher) M., der als Kontrafakt eines christl. Inspirationsgebetes zu deuten ist. In der Literatur der Neuzeit belebt sich das Musen-Motiv neu – sei es auf dem Wege der christl. Aneignung (Calderón), sei es in bewußter Anknüpfung an antike Traditionen (17./18. Jh.).
⊡ Barmeyer, E.: Die Musen. Ein Beitrag zur Inspirationstheorie. Mchn. 1968. – Curtius, E. R.: Europ. Lit. u. lat. MA., Bern ²1954, S. 235–252.   Kr

Musikdrama, von Th. Mundt geprägte Bez. für eine künstler. Einheit von Dicht- und Tonkunst im Ggs. zur Tonuntermalung im Schauspiel mit Musik (z. B. »Rosamunde« v. H. v. Chézy/F. Schubert, 1823, »L'Arlésienne« von A. Daudet/G. Bizet, 1873 u. a.). Da dies R. Wagners Forderungen nach dem dichter.-musikal. ⁄Gesamtkunstwerk vorwegnimmt, wird ›M.‹ seit je für seine Werke und ihre Nachfolge verwendet. Wagner hat ›M.‹ und ›musikal. Drama‹ zwar in seinen späteren Schriften selbst gebraucht, als Bez. für seine Werke aber abgelehnt, denen er selbst andere Benennungen gegeben habe (z. B. ›Handlung‹, ›Bühnenfestspiel‹). – Die Bez. ›M.‹ wird auch gebraucht, um eine literar., szen. und musikal. anspruchsvolle Alternative zur rein musikal. ›Opernkulinarik‹ zu betonen. ⁄Oper.
⊡ Ingenhoff, A.: Drama oder Epos? R. Wagners Gattungstheorie d. musikal. Dramas. Tüb. 1987. – Dahlhaus, C.: Vom M. zur Literaturoper. Salzbg. 1983. – Wagner, R.: Über die Benennung »M.«. In: Sämtl. Schr. u. Dichtungen. Bd. 9, Lpz. ⁶1912/14. – Mundt, Th.: Krit. Wälder. Lpz. 1833.   HR

Musiktheater,
1. Bez. für die verschiedenen *Verbindungen von Wort, Musik und Bühne* im 20. Jh., die sich im Zuge der Reformversuche der ⁄Oper in den ersten Jahrzehnten dieses Jh.s einbürgerte, zunächst für Gegenpositionen zu Spätromantik und Verismo. Man erstrebte neue, mehr als bloß illustrative Beziehungen von Wort und Musik, griff dazu auf histor. und volkstüml. Formen zurück und entwickelte gleichzeitig neue musikal. und dramaturg. Formen. Charakterist. ist das Aufbrechen erstarrter Opernschemata und ihre Kombination mit den Mitteln des Sprechtheaters und Balletts (Strawinsky, Orff, Blacher), des Oratoriums (Strawinsky, Honegger, Milhaud), des Films (Brecht/Weill, Claudel/Milhaud), des Funks und Fernsehens (Blacher, Menotti, Henze), der Pantomime und des Melodramas (Schönberg, Kagel; Bartok, Dallapiccola). Häufig werden

literar. anspruchsvolle (oft zeitgenössische) Texte und Stoffe vertont, z. B. in A. Bergs »Wozzeck«, W. Fortners »Bluthochzeit« (Literaturoper). – Nach der Experimentierphase vor dem 2. Weltkrieg tritt heute die Entwicklung neuer musikal. und theatral. Ausdrucksmittel zurück gegenüber der gelegentl. eklekt. Verfügung über Bekanntes (Britten, Henze, Egk, Fortner).
2. Bez. (gelegentl. sogar als Fremdwort im Englischen) für einen *Aufführungsstil* musikdramat. Werke, der sich mit den Opernreformen seit Beginn des 20. Jh. entwickelt hat. Konzepte für eine spezif. Opernregie wurden v. a. von dt. Regisseuren entwickelt: M. Reinhardt, G. Gründgens, O. F. Schuh, G. R. Sellner u. a. Sie verlangten den Singschauspieler nicht als geniale Ausnahme (W. Schröder-Devrient, F. Schaljapin), sondern als Regel, die Integration des musikal. und szen. Ausdrucks im Interesse psycholog. Wahrheit. Entscheidende Anstöße kamen von W. Felsenstein und seinen Schülern (J. Herz, G. Friedrich), welche psycholog. Realismus und die Herausarbeitung gesellschaftl. Bezüge betonten und dazu auch Methoden Stanislawskis (Subtext) heranzogen, weiter von Wieland Wagner, der psycholog. Intensität mit symbolstarker Abstraktion verband, wobei er Ideen A. Appias und G. Craigs zur Bühnen- und Beleuchtungsreform nutzte. Einflußreiche Vertreter des neueren M.s sind weiter etwa G. Rennert, J. P. Ponnelle und O. Schenk.
⊡ Rennert, G.: Opernarbeit. Inszenierungen 1963–1973. Mchn. 1974. – Richard Wagner u. das neue Bayreuth. Z. Diskussion um den neuen Aufführungsstil. Hg. v. W. Wagner, Mchn. 1962. – Felsenstein, W./Melchinger, S.: M. Bremen 1961.   HR*

Mysterienspiel [spätlat. ministerium = Altardienst], ⁄geistl. Spiel des MA.s, das aus der kirchl. Liturgie abzuleiten ist und dessen Handlung auf bibl. Erzählungen basiert (vgl. z. B. Dreikönigsspiele u. a.). Begegnet seit dem 12. Jh. in Frankreich (Mystère) und England (Mystery play). Insbes. das franz. M. ist durch gelegentl. kunstvolle Verssprache, theolog.-intellektuelle Durchdringung des Stoffes und zahlreiche allegor. Szenen ausgezeichnet; neben anonymen M.en finden sich hier auch Werke namentl. bekannter Dichter wie J. Bodel, Eustache Marcadé, Arnoul Gréban, Jean Michel. Die M. waren z. T. extrem umfangreich (bis zu 62 Tsd. Verse), ihre Spieldauer betrug z. T. Tage und Wochen; in England gab es ganze M.-Zyklen, z. B. der »York Cycle« mit 48 erhaltenen Stücken (Aufführungen zwischen 1378 u. 1580). – In neuerer Zeit Wiederbelebungsversuche. Die Forschung (bes. in England) setzt das M. häufig mit ⁄Mirakelspiel gleich; in Deutschland werden speziellere Gattungsbezeichnungen (⁄Osterspiel, ⁄Weihnachtsspiel meist bevorzugt.
⊡ Dutka, J.: Music in the English Mystery Plays. Kalamazoo 1980. – Diller, H.-J.: Redeformen des engl. M.s. Mchn. 1973. – Woolf, R.: The English Mystery plays. London 1972. – Prosser, E.: Drama and religion in the English Mystery plays. Stanford, Calif. 1961. – ⁄auch Mirakelspiel, ⁄geistl. Spiel.   MS*

Mystifikation, f. [gr.-lat. = Täuschung, Vorspiegelung], irreführende, ungenaue oder verschlüsselte Angaben über Autorschaft, Entstehungsbedingungen, Erscheinungsjahr, auch Verlag und Druckort eines literar. Werkes ohne zwingende (polit., moral.) Gründe, aus Freude am Versteckspiel, Herausforderung der Kritik, auch zur Erfolgssteigerung (hier Grenze zur ⁄literar. Fälschung fließend). Mittel sind halbgelüftete Anonymität, ⁄Pseudonyme, fingierte Quellen, mehrdeutige Untertitel, geheimnisvolle Begleitbriefe (an Verlage), Pressenotizen usw., vgl. z. B. die stets wechselnden Pseudonyme Tucholskys, die verschlüsselten Titelblätter der Werke Grimmelshausens u. a. Barock-Autoren, die als ›freie Übersetzungen‹ berühmter oder angebl. verschollener Autoren deklarierten Romane »Castle of Otranto«(H. Walpole), »Walladmor« (W. Alexis) u. a.; auch ⁄Pastiche.   S

Mystik, f. [von gr. mýein = sich schließen, die Augen schließen], Sonderform relig. Anschauung und relig. Verhaltens, die einen bestimmten Frömmigkeitstypus hervorbrachte, den v. a. folgende *Merkmale* kennzeichnen:
1. Das Ziel des Mystikers richtet sich auf eine erfahrbare Verbindung mit Gott bis hin zu einer als ›Vereinigung‹ bzw. ›Identität‹ mit ihm (unio mystica) erlebten Nähe.
2. Dieses Ziel wird mit Hilfe verschiedener bewußtseinserweiternder Praktiken (u. a. Kontemplation, Meditation, Askese) erstrebt.
3. ist für den myst. Frömmigkeitstypus eine anti-institutionalist. Grundtendenz gegenüber der etablierten Religion charakterist., v. a. gegenüber der häufig als Erstarrung aufgefaßten Orthodoxie (was zur Verurteilung vieler Mystiker als Ketzer führte: Meister Eckhart). Im Zusammenhang mit diesem der M. eigenen krit. Potential steht häufig die Höherbewertung der individuellen relig. Vorstellungswelt gegenüber einer kollektiven oder sozialen Objektivation von Religion.
Die abendländ.-christl. myst. Bewegungen wurden gespeist durch hellenist. Mysterienkulte, durch christl.-gnost. Systeme (Origenes, 3. Jh., Athanasios, 4. Jh.) und v. a. die myst.-neuplaton. Schriften des sog. Pseudo-Dionysius Areopagita (um 500). Von Bedeutung waren die spezif. Ausformungen im 12. Jh. durch Hugo von St. Victor und Bernhard von Clairvaux (gefühlsbetonte Braut- und Christus-M., relig. Erotik im Anschluß an das Hohe Lied, Einfluß bes. auf Frauenklöster); in Deutschland bes. verbreitet vom 13.–15. Jh., Höhepunkt 14. Jh. *Die Bedeutung der M. für die Literatur* liegt in der Erfahrung u. Erschließung vordem unbekannter Gefühlsbereiche und deren Darstellung in der *Sprache,* die zu einem differenzierten Instrument von hoher Prägekraft und weitreichender Wirkung entwickelt wurde: Aus der Spannung zw. dem Drang des Mystikers, sich mitzuteilen u. dem Wissen um die Inadäquatheit der Worte für die Beschreibung myst. Erlebens (der via oder unio mystica) entsteht eine expansive, unruhig in immer neuen Ansätzen nach Bildern, Vergleichen, Symbolen suchende Sprache. Hervorstechende Merkmale sind oft poet.-kühne Metaphorik (bes. Natur-, Liebes-, Lichtmetaphern), sind Paradoxa, Oxymora, Hyperbeln, Ellipsen, Reihungen, Wiederholungen, Steigerungen, (oft antithet.) Parallelismen, Intensiv- und Zärtlichkeitsbildungen (überheilig, übernamenlos, schreiendes Herz, sterbende Not), sodann eine bei Bilderreichtum abstrahierende Tendenz durch ›uneigentl.‹ Verwendung des konkreten Wortschatzes (z. B. An-stoß, Aus-bruch, in sich gehen, außer sich sein), Substantivierungen (das Sein, das Tun usw.), neue Wortbildungen (Zus.setzungen mit Vor- und Endsilben: begreifen, er-fahren, ent-blößen, durch-schauen; Erhabenheit, Beweglich-keit, Verzück-ung u. a.). Diese Sprach- und Stilmerkmale und die Vermeidung scharf umrissener Aussagen verleihen der myst. Sprache eine fließende Bewegtheit, schwebende Leichtigkeit von großem ästhet. Reiz als adäquatem Ausruck myst. Entgrenzungsstrebens. *Literar. myst. Äußerungen* stehen auf der Grenze zwischen fiktionaler und nicht-fiktionaler Literatur. Sie verwendeten v. a. folgende literar. Gattungen: Bibelkommentar, Predigt, Traktat, Gebet, Brief, Lebensbeschreibung (Vita), Bericht von Visionen und anderen Offenbarungen, Lehrgedicht oder lyr. Dichtungsformen, die sich, entsprechend der zur Expansion neigenden myst. Prosa, zu Großzyklen weiten (vgl. die Werke myst. Barockdichter). Aus der Vielzahl der myst. Literatur ragen als *Werke hoher künstler. Qualität,* zugleich auch als Beispiele der verschiedenen myst. Erfahrensweisen heraus: Das St. Trudperter Hohe Lied (12. Jh.), die Schriften der Hildegard von Bingen (12. Jh.) und der Mechthild von Magdeburg (»Das fließende Licht der Gottheit«, um 1260, Visionen in der Tradition Bernhards von Clairvaux: affektiv erlebte ekstat.-begeisterte Rückschau auf die unio mystica, reiche Braut- und Liebesmetaphorik

aus der Hohe-Lied- und Minnesangtradition, die erste unmittelbare Erlebnisaussprache in dt. Prosa). Sodann die spekulativen Predigten (seit 1314) Meister Eckharts über die Gottesgeburt in der Seele und die Erkenntnis göttl. Natur. Ihm gelingt es erstmals, die dt. Sprache zum Medium für rein geist. Formen myst. Erfahrung zu machen, indem er Erkenntnismethoden der negativen Theologie des Pseudo-Dionysius-Areopagita übernimmt und weiterentwickelt. Zu seinen bedeutendsten Schülern zählen J. Tauler und H. Seuse. Während Tauler in seinen Predigten die spekulative M. Meister Eckharts in prakt. Lebenslehre ummünzt, entwickelt Seuse in seinen Werken, v. a. in seiner Autobiographie, neue Formen einer poet. Stilisierung myst. Denkens und myst. Lebenserfahrung. – Myst. Literatur entsteht wieder *im Barock,* das die mal. myst. Sprachgebärde zu affekthaft-pointiert. Bewegtheit steigert (J. Böhme, »Morgenröte im Aufgang«, 1612, ersch. 1634; J. V. Andreae, »Chym. Hochzeit«, 1616, A. v. Franckenberg); bedeutend sind v. a. auch die umfangreichen myst. Gedichtsammlungen von F. von Spee (»Trutznachtigall«, 1649), D. v. Czepko (»Sexcenta Monodisticha Sapientium«, 1655), J. Scheffler, d. i. Angelus Silesius (»Der Cherubin. Wandersmann«, 1675: 6 Bücher mit 1665 Sinnsprüchen), Q. Kuhlmann (»Himml. Liebesküsse«, 1671: 50 Sonette; »Kühlpsalter«, 1684/86: 8 Bücher). Myst. Traditionen prägen auch die Sprache des ↗Pietismus und, säkularisiert, der ↗Empfindsamkeit. Myst. Ideengut und myst. Sprachduktus (v. a. die Tendenz zur stilist. Entgrenzung) kennzeichnen auch die Werke der ↗Romantik (Wiederentdeckung Meister Eckharts und J. Böhmes durch F. X. Baader; Novalis, »Hymnen an die Nacht«, 1800; C. Brentano). – Im 20. Jh. lassen sich myst. Motive v. a. bei R. M. Rilke, Else Lasker-Schüler, Elisabeth Langgässer nachweisen.
[ ] Dinzelbacher, P.: Literatur christl. M. im Abendland. Stuttg. 1990. – Ders. (Hg.): Wörterb. d. M. Stuttg. 1989. – Wagner-Egelhaaf, M.: M. der Moderne. Stuttg. 1989. – Ruh, K. (Hg.): Abendländ. M. im MA. Stuttg. 1986. – Dinzelbacher, P./Bauer, D. R. (Hg.): Frauen-M. im MA. Ostfildern 1985. – Ruh, K.: Franziskan. Schrifttum im dt. MA. 2 Bde. Mchn. 1965/84. – Haas, A.: Sermo mysticus. Freiburg/Schw. 1979. – Quint, J.: Textbuch z. M. des dt. MA. Tüb. ³1978. – Wentzlaff-Eggebert, F.-W.: Dt. M. zwischen MA u. Neuzeit. Bln. ³1969. – Ruh, K. (Hg.): Altdt. u. altniederländ. M. Darmst. 1964. – RL.   OB/IS

Mythe, f. [gr. mythos, m. = Geschichte; Genus im Dt. in Anlehnung an Sage, Legende usw.], archaischer Poesietypus (↗einfache Formen), der im Mythos wurzelnde Ereignisse erzählt (z. B. Tells Apfelschuß) oder ird. Phänomene deutet (z. B. Erklärung des Fadens an der Bohne).
[ ] ↗einfache Formen.   S

Mythos, m. [gr. = Rede, Geschichte, (sagenhafte) Erzählung], Götter-(und Helden)sage, Versuche früher Kulturstufen, Fragen des Ursprungs der Welt (kosmogon. M.), ihres Endes (eschatolog. M.), der Entstehung der Götter (theogon. M.), des Menschen (anthropogon. M.) und bestimmter Naturphänomene (aitiolog. M.) in Bildern, durch Personifikationen (Anthropomorphismus) oder mehr oder weniger ausgeschmückte Geschehnisfolgen zu erfassen. Der M. läßt sich auch als Versuch erklären, Moralisches, Existentielles oder Mystisches in Symbolen zu gestalten. Der M. weist eine Bezüge zum Kult auf: Um die bestehende Ordnung der Welt zu sichern, wurden myth. Geschehnisse (insbes. kosmogon. und die mit ihnen oft verbundenen Kämpfe der Mächte des Lichts gegen die der Finsternis und des Chaos) zu bestimmten Zeiten als kult. Spiel rituell wiederholt (↗Drama, ↗Tragödie). Die Gesamtheit der myth. Überlieferung eines Volkes wird als *Mythologie* bez., ein Begriff, der ursprüngl. den Vortrag eines M. bezeichnete (von gr. mýthous légein = Mythen sagen). M. als mündl. vorgetragene (affirmative) Aussage gehört zu den ↗einfachen Formen (↗Mythe). Mythen kerne wurden jedoch schon früh ästhet. geformt, *in Dichtung transformiert,* wobei ihre ursprüngl. Glaubensrealität gebrochen wurde: Die Literarisierung des M. ist eine Form seiner Auflösung. Dieser Prozeß beginnt schon bei den ältesten europ. Mythendarstellungen (Homer, Hesiod), die die griech. Mythen verstofflichten oder systematisierten und in genealog. Zusammenhänge brachten (Göttergeschlechter, vgl. ↗Kataloge), durch diese Rationalisierung aber ihren urtüml.-naiven Charakter reduzierten. Dies geschah auch bei der späteren *Mythenexegese* der Stoiker und Neupythagoräer, bei der Handlung und Sinn auseinandertreten, dem ursprüngl. Geschehen eine sekundäre Bedeutung gegeben wird (so wenn z. B. das Netz, in dem Ares und Aphrodite von Hephaistos gefangen werden, als die Verstrickung der Seele bei ihrer Inkarnation gedeutet wurde, wobei Aphrodite mit der Seele, Ares mit dem Körper gleichgesetzt und Hephaistos als Demiurg verstanden wurde). – In der Tradition der myth. Überlieferung wurden die alten Kerne immer wieder abgewandelt und kombiniert, traten neue Motive und Themenkreise hinzu, die auch Eingang in das griech. Drama und die griech. Epik fanden. – Der *M. der Römer* steht, soweit literar. faßbar, ganz unter griech. Einfluß, der selbst den röm. Gründungsm. (die Aeneassage) bestimmte, der zur Grundlage des röm. Nationalepos, der »Aeneis« des Vergil wurde. Im *christl. Abendland* wird der M. auf verschiedenen Ebenen rezipiert: als bloßer Stoff, als Kunstwerk, als Modell neuer Mythenbildung, als histor. Objektivierung eines überzeitl. Phänomens. – Die stoffl. Rezeption des *MA.s* verwendet den M. in rationalist. Deutung (M. als die in die Sphäre der Götter gehobene Geschichte früher Perioden der Menschheit: ↗Euhemerismus, ↗Allegorese) als pseudo-histor. Substrat und zur ↗Personifikation von abstrakten Begriffen. – In der *Renaissance,* einer Epoche der breiten Neurezeption der antiken Mythologie, werden die Mythen re-individualisiert und einem ästhet.-rhetor. Kanon einverleibt; die Mythologie wird ästhet. Ausdruck der platon.-christl. Spaltung von Ideal und Wirklichkeit. Bemerkenswert ist die Herausbildung neuer Mythologeme wie Faust, Don Juan u. a. – *Im 18. Jh.* tritt neben die griech. die nord. Mythologie (↗Bardendichtung) und z. Folge aufklärer. Bibelkritik, die die Vielfalt, Synthese von Imagination und Reflexion, kollektive Entstehung und Allgemeinbesitz u. ä.) werden zum Modell einer Poetik, die in Berücksichtigung der Distanz von myth. und modernem Bewußtsein utop. Züge hat. Entsprechend verlagert sich der Schwerpunkt von der Neugestaltung und -deutung des M. auf die Schöpfung neuer Mythen, ›mythopoesis‹ (F. Schlegel, Novalis). Die »Bewahrung des Mythischen tritt die Kunst noch in R. Wagners Neubelebung nord. Mythologie auf; in Zuspitzung der romant. Position wird der myth. Wahrheitsbegriff Konkurrent des begriffl.-abstrakten. – Für die Dichtung *des 20. Jh.s* war v. a. die psychoanalyt. Deutung durch S. Freud (M. als Ausdruck verdrängter individueller Wünsche) und insbes. C. G. Jung (M. als seel. Erfahrung überindividueller Wahrheiten) folgenreich. M. und Literatur können in dieser Auffassung in gleicher Weise als Objektivierungen von im kollektiven Unterbewußtsein verankerten Archetypen verstanden werden; die Aktualisierung arch. Mythen in der modernen Dichtung kann so unmittelbar wirklichkeitsdeutenden Anspruch erheben. Neben Jung und K. Kerényi übten auch die älteren Mytheninterpretationen von J. J. Bachofen und im angelsächs. Raum von J. G. Frazer einen starken Einfluß auf die Dichtung aus (Th. Mann, H. Broch, A. Döblin, J. Joyce, T. S. Eliot, E. Pound).

□ *Lexika:* Brunel, P.: Dictionnaire des Mythes littéraires. Paris 1988. – Gottschalk, H.: Lexikon der Mythologie der europ. Völker. Bln. 1973. – Haussig, H. W. (Hrsg.): Wörterbuch der Mythologie. Stuttg. 1965 ff. – Roscher, W. H. (Hrsg.): Ausführl. Lexikon der griech. u. röm. Mythologie. 10 Bde. Lpz. 1884–1937, Nachdruck Hildesheim 1965. – Kerényi, K. (Hg.): Die Eröffnung d. Zugangs zum M. Darmst. ⁴1989. – Frank, M.: Vorlesungen über d. Neue Mythologie. 2 Bde. Frkf. 1982/88, Bd. 1 ²1988. – Eliade, M.: M. u. Wirklichkeit; dt. Frkf. 1988. – Graevenitz, G. v.: M. Stuttg. 1987. – Bohrer, K. H. (Hg.): M. u. Moderne. Frkf. 1983. – Gockel, H.: M. und Poesie. Frkft. 1980. – Otto, W. F.: Dionysos, M. u. Kultus. Frkft. ⁴1980. – Koopmann, H. (Hrsg.): M. und Mythologie in der Lit. des 19. Jh.s. Frkft. 1979. – Rhighter, W.: Myth and Literature. London 1975. – White, J. J.: Mythology in the modern novel. Princeton (N. J.) 1971. – Weimann, R.: Lit. gesch. u. Mythologie. Bln./Weimar 1971. – Fuhrmann, M. (Hrsg.): Terror u. Spiel. Probleme der Mythenrezeption. Mchn. 1971. – Schmidt-Henkel, G.: M. u. Dichtung. Bad Hombg. u. a. 1967. – Grimal, P. (Hrsg.): Mythen der Völker. 3 Bde. Dt. Übersetzung. Frkft./Hamb. 1957. – Grassi, E.: Kunst u. M. Hamb. 1967. – RL   ED*

Mythologie, ↗Mythos.

Nachahmung, ↗Mimesis, ↗Imitatio, ↗Pastiche.

Nachdichtung, formbedachte und gehaltkonforme (sehr) freie Übersetzung einer Dichtung als Versuch einer Nachschöpfung (z. B. die Übersetzungen Dantes, Shakespeares oder der Symbolisten durch St. George), auch geistesverwandte Neuschöpfung (z. B. die meist fälschl. als Übersetzungen bez. mhd. Artusromane nach frz. Vorbildern).

□ Wais, K.: Über die Kunst der N. Weimarer Beitr. 19 (1973).   S

Nachdruck,
1. unveränderter Wiederabdruck (Reprint) eines Schriftwerkes, bes. häufig seit 1945 v. a. bei älteren wissenschaftl. Ausgaben und Standardwerken (auch ↗Neudruck).
2. widerrechtl. Vervielfältigung eines gedruckten Werkes (auch: *Raubdruck, editio spuria);* war ein schon von Luther beklagtes verfügter. Problem seit der Frühzeit des Buchdrucks, dem erst die Urheberrechtsgesetze des 18. (preuß. Landrecht 1794) und 19. Jh.s begegneten. Da N.e wegen der Honorarersparnis billiger waren, brachten sie den Autoren ein rechtmäß. Druckern oder Verlegern beträchtl. Einbußen. – Polit. motivierte N.e (sog. »sozialisierte Drucke«) finden sich in jüngster Zeit (neben polit., philosoph., soziolog. Lit. etwa auch von Arno Schmidt, »Zettels Traum«).   S

Nachlese, postum herausgegebene Sammlung von Werken eines Dichters, die nicht in dessen gesammelte Werke aufgenommen waren oder sich unveröffentlicht im Nachlaß fanden; vgl. ↗Paralipomena.

Nachspiel, kurzes, heiter bis derb possenhaftes Spiel (*Nachcomoedie,* auch Pantomime, Ballett usw.), das in der europ. Theatertradition bis Ende des 18. Jh.s der Hauptaufführung eines dramat. Werkes folgte, ohne mit diesem in themat. Zusammenhang zu stehen: vgl. das ↗Satyrspiel als Abschluß der griech. Tragödientrilogie, das Exodium (meist eine ↗Atellane) im röm. Theater, den ↗Klucht am Ende der mal. ↗Abele-spelen und ↗Moralitäten, die volkssprachl. Schwänke als N.e des lat. ↗Schuldramas (Humanistendrama, Jesuitendrama), die ↗Jigs, Pickelheringspiele und ↗Hanswurstiaden der europ. Komödianten und dt. ↗Wanderbühnen (erstes dt. N. »Vom Bauern Mopsus, der seine Frau verprügelt«, 1581 bezeugt), die ↗Entreméses und Sainetes des span. Theaters, die Farcen um Arlecchino (aus der Tradition der ↗Commedia dell'arte) im europ. Theater des 17. u. 18. Jh.s (verfaßt u. a. auch von Molière). N.e waren beim dt. Theaterpublikum äußerst beliebt, so daß Gottscheds Theaterreformversuch zwar den ↗Hanswurst (nb. in einem N!) als Zentralfigur zeitweilig von der Bühne verbannen (Lpz. 1737), nicht aber überhaupt die burlesken N.e abschaffen konnte: er empfahl als N.e dagegen ausgearbeitete Einakter (oft Schäferspiele), wie sie i. d. Folge die Gottschedin, J. Ch. Krüger, J. Quistorp, aber auch Gellert, Lessing, Marivaux oder Lesage verfaßten. Aber noch 1757 folgte z. B. auf Lessings »Miß Sara Sampson« in Lübeck das N.»Der vom Arlekin betrogene Pantalon u. Pierrot« als pantomim. Ballett. Erst Ende d. 18.Jh.s erlosch allmähl. die Sitte der N.e. – Von dieser Tradition zu unterscheiden sind N.e, die mit dem Hauptstück in themat. Zus.hang stehen, es z. B. allegor. ausdeuten (so z. T. im Jesuitendrama) oder einen themat. Nachtrag oder Ausblick bieten (so vielfach seit dem 19. Jh., z. B. M. Frisch,»Biedermann u. d. Brandstifter«, A. Miller,»Tod des Handlungsreisenden«). – RL   IS

Nachtstück, ursprüngl. Bez. für Gemälde, auch Graphiken mit figürl. oder landschaftl. Darstellung einer nächtl. Szene in vorwiegend dunkler Farbgebung, seit dem 17. Jh. eigene Bildgattung. – Im 18. Jh. auch Bez. für mehrsätz., aus der Suite entwickelte Musikstücke meist unterhaltender Art (auch als Nachtmusik oder Notturno bez.); dabei meint die Bez. anfangs nur die Aufführungszeit bei Nacht, seit der Romantik auch einen entsprechenden Stimmungswert. In Anlehnung an Bildkunst und möglicherweise auch Musik wird um 1800 auch die *literar. Gestaltung einer nächtl. Szene* mit ›N.‹ (seltener ›Vigilie‹) bez., vorbereitet durch die in England schon um 1700 geläuf. Bez. night-piece für literar. Texte (R. Herrick, 1648, insbes. Th. Parnell, 1718) sowie E. Youngs »Night-Thoughts« (1742/45); hinzu kommt das Interesse der Romantik an Geistererscheinungen, Träumen, Magnetismus u. ä., wofür die romant. Naturphilosophie Material und gedankl. Rüstzeug lieferte (Mesmer, Schelling, Baader, insbes. aber die populären »Ansichten von der Nachtseite der Naturwissenschaft«, 1808 von G. H. Schubert). – Als ›N.‹ gilt zunächst eine Passage entsprechenden Stimmungsgehaltes innerhalb eines Textes, etwa von Dante oder aus Schauerromanen oder der ›Gräberpoesie‹. Durchgehend als N. gestaltet sind die pseudonymen »Nachtwachen des Bonaventura« (1804); als charakterisierender Titel (oder Untertitel) erscheint es bei E. T. A. Hoffmann, vgl. »Der goldene Topf« (1814, gegliedert in zwölf ›Vigilien‹) und den Novellenzyklus »N.e« (1817, der insgesamt acht Erzählungen und damit die wichtigsten Spielarten der literar. N.en umfaßt). Von den literar. N.en gingen wiederum Anregungen auf die anderen Künste aus (abgesehen von den Buchillustrationen Hoffmannscher Texte); v. a. auf R. Schumann; seine »N.e« op. 23 (1839) beziehen sich eindeutig auch auf Hoffmann. Ähnl. verhält es sich mit der Vertonung von Nacht- und Mondgedichten Goethes, Eichendorffs, Heines und Mörikes durch Schubert, Schumann und Hugo Wolf, aber auch mit instrumentalen Nachtmusiken nach literar. Vorlagen (W. H. Veit nach Goethe, Heine, Mosen; H. Huber nach Tennyson; E. Hartog nach Lamartine; H. Rabaud nach Lenau u. a.). Wie eng gerade der Bezug zwischen Musik und Literatur im Umfeld N. bis ins 20.Jh. blieb, zeigen Gedichte wie »Chopin« und »Notturno« bei G. Benn.
📖 Leopoldseder, H.: Groteske Welt. Ein Beitr. z. Entwicklungsgesch. der N.e in der Romantik. Bonn 1973.   RS

Naiv und sentimentalisch [naiv: frz. naïf aus lat. nativus = natürlich, angeboren; sentimentalisch: frz. sentimental = empfindsam], typolog. Begriffspaar, von F. Schiller für zwei schöpfer., reziproke Grundhaltungen entwickelt in der Abhandlung »Über naive und sentimentalische Dichtung« (›Horen‹ 1795/96) aus der Gegenüberstellung seiner Dichtung und Dichtungsauffassung mit der Goethes. N. nennt er dabei Einklang, Übereinstimmung mit der Natur, realist. Beobachtung und anschaul. Nachahmung des Wirklichen (↗Mimesis/Realismus). Für diese Dichtung gelten als repräsentativ Homer, Shakespeare und Goethe. Als s. wird

ein Dichter bezeichnet, der aus einem Zwiespalt zwischen sich und der Natur heraus schafft und diesen spekulativ, im der Reflexion und der Idee durch die Darstellung des Ideals zu überwinden sucht (Idealismus). Hierzu zähl Schiller Euripides, Horaz, sich selbst und die Dichter der Moderne. Ihre spezifischen Gattungen sind die ↗Satire ↗Elegie, ↗Idylle. – Neben diesem Begriffspaar wurden in der Kunsttheorie weitere ähnl. intendierte Begriffe gebildet: intuitiv-spekulativ (Schiller bereits 1794 im Brief wechsel mit Goethe), objektiv-interessant (F. Schlegel) antik-romantisch (A. W. Schlegel, vgl. dazu auch die ↗›Querelle des anciens et des modernes‹ im 17.Jh. in Frankreich, vgl. ↗Literaturstreit), apollinisch-dionysisch (Nietzsche).
📖 Hermand, J.: Schillers Abhandlung »Über n.e und s.e Dichtung« im Lichte der Popularphilosophie des 18.Jh.s. PMLA 1964, S. 428–441. – Binder, W.: Die Begriffe ›n. und ›s.‹ in Schillers Drama. Jb. d. Schiller-Ges. 4 (1960 140–157. – Weigand, P.: A Study of Schiller's Essay »Über n.e und s.e Dichtung and a consideration of its influence in the 20th century. New York 1952. – Meng, H.: Schiller Abhandlung ›Über n.e und s.e Dichtung‹. Frauenfeld/Lpz 1936. – RL   S

Nänie, f. [lat. nenia, naenia = Totenklage], in der röm Antike in ursprüngl. Bedeutung die nicht literar. fixiert und bereits im 3. Jh. v. Chr. bei den Dichtern verachtete pr+ mitive Totenklage, die von Verwandten des Toten oder von bezahlten Klageweibern beim Leichenbegängnis zur Flöte gesungen wurde. Später Bez. für die an ihre Stelle tretend förml. ↗Laudatio funebris; von Horaz (Carm. II 1, 38 auch mit den kunstgemäßen Trauerliedern (↗Threnos ↗Epikedeion) von Simonides und Pindar gleichgesetzt (in dieser Tradition und im Anschluß an Odyssee 24, 55 ff Schillers »N.«).   HI

Narrativik, f. [lat. narrare = erzählen], neuere Bez. für Erzählforschung, deren Interesse über die ältere, primär an der Erzählkunst orientierte Gattungspoetik hinaus sich bes der Erzähltheorie, den Situationen und Strukturen des Erzählens und bestimmten Epochenspezifika zuwende die aber auch den Akt des Erzählens, Fragen der Kommu nikation und der Erzählerpsychologie ins Blickfeld rückt Vgl. ↗Epik, ↗Erzählforschung, ↗Perspektive, ↗persona les, ↗auktoriales Erzählen, ↗Ichform, ↗oral poetry.
📖 Erzählforschung. Hrsg. v. E. Lämmert. Stuttg. 1982.   S

Narrenliteratur, satir., meist in Versen verfaßte Literatur gattung mit moral.-didakt. Anspruch, in welcher die Zeit- un Moralkritik begründet wird mit der allgemeinmenschl. angeborenen oder verschuldet erworbenen Narrheit Durch die umgekehrte Vermittlungsperspektive, die Dar stellung des Widersinnigen als des Normalen, erscheint di N. als Negativbild der populareth. Weisheitslehren; Beleh rung und Besserung soll durch Polemik und Karikat erreicht werden. – N. ist international verbreitet und finde sich seit der Antike. Bes. im Spät-MA wird der Narr, u. a auch unter dem Einfluß der 14. Jh. bezeugten Hof narren, zu einer beliebten Figur in Schwänken und Fas nachtspielen. N. wird eine der erfolgreichsten Gattunge des späten 15. u. 16. Jh.s. Nach einigen akadem. Vorläu fern, z. B. »Monopolium philosophorum vulgo schelm zunfft« (gedruckt Straßburg 1489), erreicht N. ihr Blüte mit S. Brants 1494 in Basel erschienenem »Narre Schyff« (mit vielen z. T. Dürer zugeschriebenen Holz schnitten): es wird bestimmt für die ↗Satire des 16. Jh.s es erlebte viele Auflagen und wurde darüber hinaus ins Lat übersetzt (J. Locher 1497), als Grundlage für 146 Predigte von Geiler v. Kaisersberg (1498) gewählt und von viele Humanisten als Homer, Dante und Petrarca übertref fendes Werk gefeiert. Zu den bedeutenden Werken der N zählen weiter das lat. verfaßte »Morias enkomion seu Lau stultitiae« (Lob der Torheit) von Erasmus von Rotterdam (1511), Th. Murners reiche polem. N. (»Narrenbeschwö ung«, 1512; »Schelmenzunft«, 1512; »Die Geuchmatt«, 519; »Von dem großen Lutherischen Narren«, 1522), P. iengenbachs »Gouchmat der Buhler« (1521), H. Sachs' Das Narren Schneiden« (1558). Im 17. und frühen 18. Jh. ebt die N. fort in Grimmelshausens »Simplizissimus« 1668), Ch. Weises »Die drey ärgsten Ertz-Narren In der antzen Welt« (1672), J. Beers »Narren-Spital« (1681) oder .braham a Santa Claras »Centifolium stultorum« (1703). Närrisches und Narrenfiguren bei Shakespeare, Cervantes, 1 Schwanksammlungen (»Klaus Narr« 1552, »Lale- uch«, 1597) oder bei Dichtern des 19. Jh.s (G. Büchner, 'h. D. Grabbe, L. Tieck) sind Reflexe der Gattung, stehen ber außerhalb der N. im eigentl. Sinne.

⊐ Hess, G.: Dt.-lat. Narrenzunft. Mchn. 1971. – Könneker, .: Wesen u. Wandlung der Narrenidee im Zeitalter des lumanismus. Wiesbd. 1966. – RL. HW

lationale Forschungs- und Gedenkstätten der lass. dt. Literatur in Weimar (NFG), 1953 vom Mini- erstrat der DDR gegründete Institution zur zentralen Ver- altung, Pflege und wissenschaftl. Organisation der in und m Weimar gelegenen histor. Erinnerungsstätten und rchive der Epoche 1750–1850. In der NFG zusammenge- aßt sind 1. das *Goethe- und Schiller Archiv* (∕Literaturar- niv), 2. das *Goethe-Nationalmuseum* (im Goethehaus in Veimar) und über 30 weitere Gedenkstätten, Museen, arkanlagen usw. der klass. Epoche, 3. das 1954 gegrün- ete *Institut für dt. Literatur* (im Weimarer Schloß, Auf- abe: neue Erforschung der literar. Epoche 1750–1850, iteraturtheorie und -soziologie, Beziehungen zur osteu- op. Literatur), 4. die *Zentralbibliothek der Dt. Klassik* (1969 us der Fusion der Thüring. Landesbibliothek und anderer orschungsbibliotheken entstanden; 1974: 780 000 Bde., asbes. Fachbibliothek zur dt. Klassik, ca. 150 000 Bde.). IS

lationalepos, Bez. für dasjenige (Helden-)Epos einer lation, das angebl. deren nationale Eigenart am reinsten estaltet. Im Unterschied zum Begriff ∕Volksepos, der die ienese eines Epos erklären will, zielt der Begriff ›N.‹ auf as Wesen und der Dichtung, die er in Beziehung u dem ›unverwechselbaren‹ Nationalcharakter des Volkes etzt, in dessen Kulturkreis sie entstanden ist. Fragwürdig t bei dieser Definition die Reduktion nationaler Eigen- haften auf einen ahistor. Idealtypus und die Reduktion er Dichtung auf ein nationales Identifikationsmuster. –)er Begriff leitet sich her aus dem Herderschen Konzept er ∕Nationalliteraturen; er erhält in Deutschland sein iepräge im Zusammenhang mit dem seit der Romantik nd den ›Befreiungskriegen‹ erstarkenden Nationalbe- ußtsein und findet sich in der nationalen Literatur- hichtsschreibung des 19. Jh.s. Als N.epen gelten u. a. das Gilgameschepos« für Sumer, Babylonien und Assyrien, Ilias« und »Odyssee« für Griechenland, die »Aeneis« für om, das »Rolandslied« für Frankreich, »Beowulf« für ngland, das »Nibelungenlied« für Deutschland, das Kalevalaepos« für Finnland, die »Lusiaden« für Portu- al, das »Mahābhārata-Epos« für Indien, das »Shāh- lamé« (Königsbuch) für Persien. GG

lationalliteratur, das in einer bestimmten Nationalspra- ne umfaßte Schrifttum. Der *Begriff* begegnet erstmals 780 bei Leonhard Meister (»Beiträge zur Geschichte der t. Sprache und N.«). Ein vertieftes Konzept einer N. urde im 18. Jh. im Rahmen des Bemühens um ein eigenes iürgerl.) histor. Selbstverständnis entwickelt, v. a. von J. G. lerder: Sein Entwurf einer Literaturtheorie fordert eine N. us dem Bewußtsein der Spannung ästhet. und polit. Per- iektiven, klass. und moderner Elemente und aus dem Wis- en um die charakterist. Eigenschaften einer nationalen iprache, d. h. einer Literatur, die nationale Verhältnisse, mpulse und Energien als spezif. Leistung der Sprache zur)arstellung bringt (vgl. später Goethes Konzept einer 'Weltliteratur). – Im 19. Jh., insbes. seit den sog. Befrei- ngskriegen und dem darauf folgenden verstärkten Natio-

nalbewußtsein, erscheint der Begriff häufig verflacht und eingeengt auf (auch als Forderung erhobene) Literatur, die in der ›Muttersprache‹ Wesenszüge eines unverwechselba- ren, typ. ›Nationalcharakters‹ gestalte (vgl. ∕National- epos). S

Nationaltheater, staatl. subventioniertes, für eine Nation repräsentatives, vorbildliches Theater, z. B. die Comédie française in Paris oder das London National Theatre (seit 1961). – In Deutschland wurde die Idee eines N.s im 18. Jh. entwickelt (J. E. Schlegel 1746/47, Ch. F. Gellert 1751, J. G. Sulzer 1760) im Gefolge der Bemühungen um eine Reform des Theaterwesens und um ein *nationales*, d. h. das dt. bürgerl. Selbstverständnis widerspiegelndes ∕Drama (als Ersatz für die zahllosen aus dem Frz. übersetzten Dra- men). Aufführungsort und damit zugleich Diskussionsfo- rum politischer u. sozialer Zustände sollte ein »N.« sein, eine stehende, vom Bürgertum getragene (vom Hof und sei- ner Zensur unabhäng.) Institution. 1767 suchten erstmals J. F. Löwen und G. E. Lessing in Hamburg ein privat finan- ziertes N. zu verwirklichen. Ihr Scheitern 1769 an organisa- tor. und finanziellen Schwierigkeiten war symptomat. für die damal. Versuche, stehende N. einzurichten: Durch die unzureichende Förderung des Bürgertums wurden oder blieben die stehenden Theater vom Adel mehr oder weniger finanziell (und ideolog.) abhängig. Einige dieser ∕Hof- theater wurden jedoch in »N.« umbenannt, allerdings nur im Sinne eines für alle Stände offenen ∕Volkstheaters: so in Wien (1776), Stuttgart (1778), Mannheim (1779), Berlin (1786) u. a. Im 19. Jh. verstärkten sich die Bemühungen um ein repräsentatives, künstler. unabhäng. N., z. B. auch in Osteuropa, Skandinavien und der Schweiz (E. Devrient 1848, R. Wagner 1849, G. Keller 1860, vgl. ∕Fest- spiel). Das 1919 in Weimar eingerichtete »Dt. N.« (unter E. Hardt, Pflege der ∕Moderne!) blieb der vorläufig letzte Versuch in Deutschland. – Durch hervorragende Persön- lichkeiten erreichten einige Bühnen zeitweilige repräsenta- tive Bedeutung im Sinne eines N., z. B. das Hoftheater Wei- mar 1791–1817 durch Goethe, 1856–67 durch F. v. Dingel- stedt, das »K. K. Hof- und N.« Wien 1814–32 durch J. Schreyvogel, 1849–67 durch H. Laube oder die Bühne der ∕Meininger 1870–1890.

◫ Krebs, R.: L'idée du théâtre national dans l'Allemagne des Lumières. Wiesb. 1985. – Bauer, Roger (Hg.): Ende d. Stegreifspiels. – Die Geburt des N.s. Mchn. 1983. – Meyer, Reinhart: Von der Wanderbühne zum Hof- und N. In: Sozialgesch. der dt. Lit. Bd. 3: Dt. Aufklärung bis zur frz. Rev., hg. v. R. Grimminger, Mchn. 1980, S. 186–216. – Feu- stel, W.: N. u. Musterbühne v. Lessing bis Laube. Diss. Greifswald 1954. – RL. IS

Natur in der Dichtung, Bedeutung und Funktion der N. i. d. D. der verschiedenen Zeiten und Völker ist je nach Kul- turstufe, kollektivem oder individuellem Verhältnis zur Natur mannigfachen Wandlungen unterworfen. Neben der radikalen Aussparung der Natur v. a. in Phasen einer stark transzendierenden Geistigkeit begegnen solche der mag., sachl.-objektiven Spiegelung, der Mythisierung und Mysti- fizierung, der Beseelung (Anthropomorphisierung, mit aitiolog. Funktion in Naturmythen, -sagen und -märchen) oder der poet.-ästhet. Stilisierung. Neben naivem Naturge- fühl steht Natursentimentalisierung. N. i. d. D. reicht von ihrer Beschwörung als allgemeinstem Daseinsraum des Menschen bis zu der detaillierten Naturbeschreibung (Kleinwelt von Blumen, Steinen, Käfern usw.). Natur kann affektiv, kosmisch oder religiös (insbes. Natur- und ∕Er- lebnislyrik seit Goethe) oder lehrhaft erfahren werden, kann Ausdruck eines Einheits- und humanen Ordnungs- empfindens, Allbewußtseins, Pantheismus etc., aber auch des Unterlegenheits- und Distanzgefühls, einer Trennungs- angst zwischen Mensch u. Natur sein (Hymnen, Oden, Ele- gien, Mythendichtung). Natur kann weiter Rahmen oder Träger charakterist. Existenzformen sein, dabei zivilisa-

tionskritische (»Zurück zur Natur«, Sehnsucht nach einer ›heilen‹ Welt), utop. oder antitechn. Tendenzen implizieren (heroische Landschaft, ∕locus amoenus, ∕Schäferdichtung, ∕Dorfgeschichte, ∕Bauerndichtung). Sie kann innere Situationen u. Veränderungen spiegeln (»Sympathie der Natur«) oder, oft eth. interpretiert, kontrastiv begleiten (Romane der Romantik u. des Realismus). Die Natur kann alleiniges Thema einer Dichtung, kann aber auch nur metaphor. u. gleichnishaft als Einkleidung anderer Themen gebraucht sein, da sie einen unerschöpfl. Vorrat poet. Bilder liefert (insbes. in manierist. Dichtung).
Grundsätzl. kann Natur in allen Dichtungsgattungen gestaltet sein, sie zeigen jedoch unterschiedl. Affinität zu Naturelementen: im Ggs. zum Drama insbes. die Lyrik und bestimmte ep. Gattungen (∕Idylle). In der *antiken Dichtung* begegnet Natur v. a. in Idylle und Elegie (Theokrit, Properz, Tibull, Horaz, Vergil). In der *frühmal. Lit.* tritt die Natur stark zurück, entsprechend der durch das Christentum bedingten Spiritualisierung, die zu Naturferne oder gar Naturfeindlichkeit führt (contemptus mundi). Wenige Ausnahmen schließen sich an antike Vorbilder an wie etwa Walahfrid Strabo, »Buch vom Gartenbau« (9. Jh.). Mit Beginn der *volkssprachl. weltl. Dichtung* findet Natur, allerdings in poetolog. Topoi eingegrenzt (∕Natureingang, locus amoenus), erstmals einen breiteren Raum, v. a. in der Lyrik und im ∕höf. Roman (Gottfried von Straßburg, »Tristan«). *Humanismus und Renaissance* knüpfen wieder an antike, insbes. die arkad. Dichtung an, z. T. überformt durch gesellschaftl. oder theolog. Zweckbestimmungen (breite Ausbildung d. Naturmetaphorik). Die stilisierende Fixierung der Natur ändert sich eigentl. erst mit der *Aufklärung*. Natur wird jedoch immer noch nur in einer vom Menschen gestalteten Form akzeptiert (vgl. etwa die frz. Gartenbaukunst im Gegensatz zur ›natürlicheren‹ engl. des 18. Jh., oder das höf.-barocke ›Natur‹theater und das ›Ruinentheater‹ usw.). Noch ganz auf rationalist. Religiosität gestellte Naturauslegung findet sich bei B. H. Brockes, pathet. Lehrdichtung bei A. v. Haller. Erst mit dem Gefühlskult (∕Empfindsamkeit) wird dann ein originäres Erleben der Natur (J. J. Rousssseau, E. Youngs ∕Gräberpoesie, J. G. Hamann, J. G. Herder) möglich. Dies äußert sich in schwärmer. Naturpreis in ∕Ossian. Dichtung, bei F. G. Klopstock, der volksliedhaften Lyrik des ∕Göttinger Hains u. M. Claudius' und der hymn. Dichtung des ∕Sturm und Drang (insbes. die Hymnen des frühen Goethe; »Werther«). In der *Romantik* weitet sich das Naturerlebnis einerseits zur Naturschau und -mystik (Novalis, F. Hölderlin), andererseits zum sehnsücht. Wunsch nach Einklang und Verschmelzung (C. Brentano, L. Tieck, J. v. Eichendorff, W. Wordsworth, P. B. Shelley u. a.) oder weltschmerzler. Dämonie (Lord Byron, ∕Nachtstücke). *Im 19. Jh.* wird die romant. Natursymbolik abgelöst durch minutiöse (Biedermeierdichtung, E. Mörike) oder exot. Detailmalerei (F. Rückert, F. Freiligrath) oder Versuche genauer Landschaftsbeschreibung, teilweise in Parallelisierung von Naturgewalt und Menschenschicksal (A. Stifter, Th. Storm, »Schimmelreiter«, G. Keller, C. F. Meyer, W. Raabe u. a.). Im Naturalismus ist die Natur kein literar. Thema, um so mehr in den Gegenbewegungen des ∕*Impressionismus* und ∕*Symbolismus* mit extrem subjektiven Naturstimmungen oder alltagsverklärender Idyllik (J. Schlaf, A. Holz, D. von Liliencron, O. Loerke, H. v. Hofmannsthal, R. M. Rilke), in der *Neuromantik* mit religiös-myth. Naturschau, ebenso dann im ∕Expressionismus, bes. in der Lyrik (A. Mombert, R. Dehmel, Th. Däubler, M. Dauthendey). Im 20. Jh. hatte die N. i. d. D. zunächst, nicht zuletzt in Entfaltung von F. Nietzsches Lehre der »Wiederkehr des Gleichen«, eine Hochkonjunktur. Extreme in der Auffassung von Natur bildeten negative Darstellungen (Fäulnis, Verwesung, z. B. bei G. Benn, B. Brecht) und positiv-utop. Konzeptionen der Natur als einer heilen Welt, als Zuflucht und Gegenwelt zur

zerstörer. modernen Zivilisation (K. Hamsun, E. Wiechert). Diese Aspekte wurden abgelöst durch eine Tendenz zur Naturmagie (vgl. die Lyrik Celans, H. Pionteks, I. Bachmanns). In den 60er Jahren schien die Zeit der ›reinen‹ Naturdichtung vergangen: »Heute hat die Natur etwas Unnatürliches und Wind und Wetter wirken übertrieben« stellte G. Benn im »Fazit der Perspektiven« fest und für G. Eich, der sich vom Naturlyriker zum sozialkrit. Warner entwickelte, war Natur »eine Form der Verneinung«. Die Verdrängung der Natur aus der Literatur fand in der gegenstandslosen abstrakten Kunst ihren adäquaten Ausdruck. Eine neuerl. literar. Hinwendung zur Natur (insbes. in der Lyrik) angesichts der zunehmenden Naturzerstörung durch den zivilisatorisch blind gewordenen Menschen zeichnet sich seit den 70er Jahren ab (Sarah Kirsch u. a.). ∕Naturlyrik.

□ Ahrends, G./Seeber, H. U. (Hg.): Engl. und amerikan. Naturdichtung im 20. Jh. Tüb. 1985. – Wolpers, Th. (Hg.): Motive u. Themen romant. Naturdichtung. Gött. 1984. – Gerndt, S.: Idealisierte Natur. Stuttg. 1981. – Grimm, R./Hermand, J. (Hrsg.): Natur u. Natürlichkeit. Stationen des Grünen in der dt. Lit. Königstein 1981. – Lobsien, E.: Landschaft in Texten. Stuttg. 1981. – Heise, H.-J.: Natur als Erlebnisraum d. Dichtung. Düsseld. 1981. – Ritter, A. (Hrsg.): Landschaft u. Raum in d. Erzählkunst. Darmst. 1975. – Fairclough, H. R.: Love of nature among the Greeks and Romans. New York 1963. – Tieghem, P. van: Le sentiment de la nature dans le préromantisme européen. Paris 1960. – Müller, Andreas: Landschaftserlebnis u. Landschaftsbild. Stuttg. 1955. – Flemming, W.: Der Wandel des dt. Naturgefühls vom 15. zum 18. Jh. Halle/S. 1931. – Biese, A.: Das Naturgefühl im Wandel d. Zeiten. Lpz. 1926. – Ganzenmüller, H.: Das Naturgefühl im MA. Lpz. 1914. S/WC

Naturalismus,
1. *Stiltendenz* in Literatur und Kunst, die versucht, die Wirklichkeit genau abzubilden ohne subjekt. Beimischung oder Stilisierung; findet sich schon in der Antike (z. B. bei Homer »Odyssee« V., 313 ff.) oder im MA. (z. B. Boccaccio, »Decamerone«: Schilderung der Pest).
2. *Europ. literar. Richtung,* ca. 1870–1900, in der die genaue Beschreibung der ›Natur‹, d. h. der sinnl. erfahrbaren Erscheinungen, zum ästhet. Prinzip erhoben ist. Wird gele gentl. als die 1. Phase innerhalb der europ. ∕Literaturrevolution verstanden. Der N. wurzelt geistesgeschichtl. im ∕Realismus: Dessen weitgespannte analyt.-nachdenkl implizit krit. Beschreibung existentieller Möglichkeiten wird verengt auf die Darstellung moral. u. wirtschaftl Elends, insbes. in Kleinbürgertum und Proletariat, auf die Situation der Ausgestoßenen in den Großstädten, auf Armut, Krankheit, Laster, Verbrechen usw. Verbunden damit sind eine engagierte Kritik am Bürgertum, an dessen Optimismus, doppelter Moral u. Gleichgültigkeit gegenüber den ungelösten zivilisator. Problemen der entstehenden Industriegesellschaft, ferner soziales Mitgefühl und z. T. auch konkrete Vorschläge zur Verbesserung der bestehenden Zustände. Der N. wird daher auch als Radikalisierung des Realismus, als »Realismus in Angriffsstellung« (Hermand) bez. Seine Vertreter empfanden sich als ›konsequente Realisten‹ oder ›Neu-Realisten‹, erst seit G. Hauptmann wird ›N.‹ die allgem. übl. Bez. – *Grundlagen des N.* sind die Erkenntnisse der Naturwissenschaft, die darauf fußende Philosophie des Positivismus (A. Comte), die Physiologie C. Bernards, die Evolutionstheorie Ch. Darwins, insbes. aber die Milieutheorie H. Taines, d. h. die Auffassung des Menschen als eines von Milieu u. Rasse bzw. Erbanlagen oder sozialen Verhältnissen (Marx/Engels) determinierten Wesens. Konsequenzen aus diesem materialist.-mechanist. Weltbild für das literar. Theorie zogen erstmals die Brüder Goncourt mit der Auffassung der Literatur als ∕Document humain, als Resultat einer wissenschaftl. exakten Erforschung u. authent. Dokumentation des Stoffs

fes (vgl. ihr »Journal« v. 24. 10. 1864 und ihre Romane, insbes. »Germinie Lacerteux« 1864, mit programmat. Einleitung). Zum eigentl. *Programmatiker und* unbestrittenen *Haupt des europ. N.* wurde É. Zola. Beeinflußt v. a. von Diderot u. Balzac und in direktem Anschluß an die Brüder Goncourt entwickelte er eine *naturalist. Ästhetik:* Kunst wird definiert als literar. Experiment mit naturwissenschaftl. Methoden, das durch genaueste Beobachtung und Beschreibung lückenlos die ursächl. Zusammenhänge des determinierten menschl. Daseins beweisen müsse. Auswahl u. Ordnungsprinzipien des Stoffes sind dem Dichter noch überlassen: »Kunst ist ein Stück Natur, gesehen durch ein Temperament«. Dieses Programm wurde seit ca. 1870 erarbeitet im sog. ↗Kreis von Médan und als Sammlung von 6 Essays unter dem Titel des ersten Beitrags »Le roman expérimental« 1880 veröffentlicht. Verwirklicht wurde diese Konzeption in einer Novellensammlung des Kreises (»Les Soirées de Médan«, 1880) und in Zolas 20bänd. Romanwerk »Les Rougon Macquart« 1872–93, der ›Naturgeschichte einer Familie‹ über fünf Generationen hinweg, in der die Kausalzusammenhänge zwischen kranker Erbmasse und Milieu, Charakter und Schicksal herausgearbeitet sind. Zola verbindet hier die minutiöse Beobachtungstechnik des ↗Impressionismus mit objektivierender Darstellung in einem sachl.-exakten Erzählstil, der oft auch in rein deskriptiven Partien Umgangsprachliches, Dialektismen, ja Argot einschließt. Vorbildhaft wurden insbes. die Romane »L'Assomoir« (Die Schnapsbude, 1877), »Nana« 1880) und »Germinal« (1884, die ›Bibel des N.‹). Neben Zola sind v. a. noch G. de Maupassant (Novellen) und H. Becque (Dramen) zu nennen. – Eine ähnl. Entwicklung vollzog sich gleichzeitig in *Skandinavien:* seit ca. 1870. Im Anschluß an die Forderungen des Literaturkritikers G. Brandes nach unparteiischer, exakter Analyse der Zeittendenzen in der Literatur (vgl. »Literatur des modernen Durchbruchs«, 1883) entstanden die gesellschaftskrit. Dramen H. Ibsens und die ep. u. dramat. Werke A. Strindbergs der 80er Jahre, die sowohl in ihrem psycholog. N. als auch durch neue dramat. Strukturen (Einakter, Auflösung der geschlossenen Dramenform, Stationendrama) für den dt. N. von großer Bedeutung waren. Ähnl. starke Impulse gingen von dem soziale u. existentielle Probleme ergründenden Werk F. M. Dostojewskis aus, v. a. aber von L. N. Tolstois scharf beobachteten psycholog. Analysen menschl. Erscheinungen. Neben seinem Romanwerk wirkte hier bes. sein Bauerndrama »Nacht der Finsternis« (1886; dt. 1890) vorbildhaft. *Der dt. N.* steht zunächst ganz unter dem Einfluß Zolas, seit ca. 1887 auch Ibsens, Tolstois u. Dostojewskis. Seine *1. Phase* (ca. 1880–86) ist bestimmt von programmat. Diskussionen. Zentren sind *München* (M. G. Conrad, K. Alberti, K. Bleibtreu, O. E. Hartleben) und *Berlin,* wo in zahlreichen, sich rasch bildenden, oft fluktuierenden, sich befehdenden Zirkeln um die Brüder H. und J. Hart, in einer Fülle von Pamphleten, Programmen u. Manifesten ein eigenes Selbstverständnis erarbeitet wird. Dieses orientiert sich neben den europ. Vorbildern auch an früheren revolutionären Bewegungen wie dem ↗Sturm u. Drang und v. a. dem frz. N. durch M. G. Conrad und O. Welten) mit der Forderung nach polit. nationaler Erneuerung durch sozialist. Ideen (Brüder Hart) und eine aggressive Ablehnung der sog. ↗Gründerzeitliteratur. Diese Tendenzen bestimmten die Zeitschrift ›Krit. Waffengänge‹ der Brüder Hart, mit der die Bewegung einsetzte, ferner das programmat. Vorwort (von H. Conradi und K. Henckell) der Lyrik-Anthologie »Moderne Dichtercharaktere« (1885 hg. v. W. Arent u. a.), K. Bleibtreus »Revolution der Literatur« (1886) und

weitgehend noch das *1. literar. Organ des dt. N.,* »Die Gesellschaft«(seit 1885 hg. von M. G. Conrad in München). Die Klärung u. Systematisierung des naturalist. Kunstverständnisses leistet der Berliner Verein ↗›Durch‹ (K. Küster, L. Berg, E. Wolff, B. Wille, W. Bölsche, A. Holz, J. Schlaf, die Brüder Hart u. a.), der auch die *wichtigsten Programmschriften* hervorbringt, so von W. Bölsche: »Die naturwissenschaftl. Grundlagen der Poesie« (1887, eine rationalist. Begründung der naturalist. Ästhetik im Gefolge von Zolas Experimentalroman) und v. a. A. Holz: »Die Kunst. Ihr Wesen u. ihre Gesetze« (1891); Holz entwickelt hier erstmals klar auch eine neue naturalist. Stil- und Darstellungstechnik (photograph. getreues Abschildern eines Geschehens in zeitl.-genauem Ablauf, den sog. ↗Sekundenstil, Ablehnung jegl. Freiheit der Erfindung, Auswahl oder Anordnung des Stoffes, Bevorzugung des Dialogs vor der Deskription). Er prägt für diesen über Zola hinausführenden ›konsequenten N.« die Formel: »Die Kunst hat die Tendenz, wieder die Natur zu sein. Sie wird sie nach Maßgabe ihrer jeweiligen Reproduktionsbedingungen und deren Handhabung«, abgekürzt: »Kunst = Natur – x «. – Mit der Verwirklichung dieser Theorien beginnt die produktive *Hauptphase des N.* (ca. 1886–1895); sie ist bestimmt durch das dramat. Werk G. Hauptmanns (der bedeutendsten Leistung des dt. N.). Hauptmann verarbeitet die Einflüsse Zolas (Milieuschilderung, Bloßlegung der sozialen u. psych. Mechanismen), A. Holz' (minutiöse Beschreibungstechnik) und Ibsens (analyt. Dramenstruktur, offener Schluß, genaueste Bühnenanweisungen) zu eigenständ.-eindringl. sozialen Dramen wie v. a. »Vor Sonnenaufgang« (1889) oder die das kollektive Schicksal einer sozialen Schicht beschreibenden »Weber« (1892/93), die Komödie »Biberpelz« (1893) oder »Florian Geyer« (1896; Anwendung des naturalist. Prinzips auf das histor. Drama), »Fuhrmann Henschel« (1898), »Rose Bernd« (1903) u. a. Daneben sind als Dramatiker zu nennen: A. Holz/J. Schlaf (»Familie Selicke«, 1889), H. Sudermann (»Ehre«, 1890), J. Schlaf (»Meister Oelze«, 1892), M. Halbe (»Jugend«, 1893), G. Hirschfeld (»Die Mütter«, 1896), O. E. Hartleben (»Rosenmontag«, 1900) u. a. – Die einen Skandal entfesselnde Aufführung der »Gespenster« Ibsens 1887 führte 1889 zur Gründung des Theatervereins ↗»Freie Bühne« (Mitglieder u. a. M. Harden, E. Wolff, die Brüder Hart, 1. Direktor O. Brahm), der die z. T. von der Zensur verbotenen naturalist. Dramen in geschlossenen Vorstellungen in einem neuen perfektionist. Bühnenstil realisiert (absolute Wirklichkeitstreue in Bühnenbild, Maske, Kostüm, Sprechtechnik, Gestik usw.). Wichtiges krit. Forum zur Durchsetzung der neuen Dramatik wurde die von O. Brahm gegründete Zs. »Freie Bühne f. modernes Leben« (1890, ab 1894 u. d. T. »Neue dt. Rundschau«, seit 1904 »Neue Rundschau«). – Während das dt. naturalist. Drama europ. Rang erreichte, blieb *die naturalist.* Prosa hinter der Frankreichs und Rußlands zurück. Stilgeschichtl. bedeutend sind die Prosaskizzen und -studien von J. Schlaf/A. Holz, in denen die neue Technik des Sekundenstils erprobt wird: »Papierne Passion« (1887) u. »Papa Hamlet« (1889 u. d. Pseudonym Bjarne P. Holmsen) oder G. Hauptmanns »Bahnwärter Thiel« (1888); sie sind jedoch gegenüber dem ↗Impressionismus nicht eindeutig abzugrenzen. Aber weder die gesellschaftskrit. Großstadt- oder Sozialromane (M. Kretzer, »Meister Timpe«, 1888 u. viele andere, P. Lindau, F. Mauthner), die oft als Zyklen geplant wurden (M. G. Conrad, »Was die Isar rauscht«, München-Zyklus, 3 Bde. 1888–93; K. Alberti, »Der Kampf ums Dasein«, Berlin-Zyklus, 6 Bde. 1888–95), noch die Künstlerromane aus dem Berliner Milieu (H. Conradi, »Adam Mensch«, 1889; K. Bleibtreu; W. Bölsche u. a.) sind mehr als Stilbilder mit sozialkrit. Tendenz. – Dasselbe gilt für *die naturalist.* Lyrik, die v. a. neue Stoffe (soziale Not, Großstadt, Technik) erschloß und mit nationalem und sozialrevolutionärem Pathos, jedoch in traditionellen Formen gestaltete, vgl. die Anthologie von 1885 (W.

Arent, K. Henckell, J. u. H. Hart, J. H. Mackay, H. Conradi, J. Schlaf u. a.) oder das »Buch der Zeit« (1886) von A. Holz. Eine formale Erneuerung versuchte nur A. Holz in seinen »Phantasus«-Heften (seit 1886; erschienen 1898): sprachl. Musikalität, Reim, Vers u. Strophe werden zugunsten einer nur vom Rhythmus bestimmten ›Prosalyrik‹ aufgegeben. – Um 1895 verliert die Bewegung an Stoßkraft, beginnt ein Trend zur Vereinzelung; einige Vertreter schließen sich neuen literar. Richtungen, z. T. Gegenströmungen (↗Neuromantik, ↗Impressionismus, ↗Dekadenzdichtung, ↗Symbolismus) an, in denen Intuition, Phantasie und Irrationalismus wieder Bedeutung gewinnen, und die z. T. wesentl. breiter als der N. rezipiert werden (H. Bahr, vorübergehend G. Hauptmann). Der N. wirkte aber nachhaltig auf die gesamte nachfolgende Entwicklung 1) durch die Erschließung neuer Stoffbereiche, 2) neuer dramat. Strukturen (Einflüsse auf das expressionist. Drama und bis zu Piscator u. B. Brecht), 3) durch die Präzisierung der beschreibenden Darstellungsmittel und 4) die Verwendung von Umgangssprache und Dialekt im literar. Text (Einflüsse allgem. auf die Erzählprosa, insbes. aber auf ↗Milieudrama u. ↗Volksstück z. B. bei L. Thoma, Ö. v. Horváth, C. Zuckmayer bis zu F. X. Kroetz und W. Bauer). – Demgegenüber wiegen die außerliterar. Vorwürfe der Konzentration auf extreme Ausnahmesituationen ohne Öffnung einer Alternative (F. Mehring), des Mangels an Einsicht in die eigentl. Problematik gesellschaftl. Realität, der Faszination des Elends, der nur innerhalb der ästhet. Fiktion geäußerten Kritik, gering. Auch: ↗Verismus, Verismo.

⌑ Brauneck, H./Müller, Ch. (Hg.): N. Manifeste u. Dokumente z. dt. Lit. 1880–1900. Stuttg. 1986. – Moe, V. I.: Dt. N. u. ausländ. Lit. Frkf. 1983. – Chevrel, Y.: Le naturalisme. Paris 1982. – Möbius, H.: Der N. Epochendarstellung u. Werkanalyse. Hdbg. 1982. – Mahal, G.: N. Mchn. ²1982. – Hoefert, S.: Das Drama des N. Stuttg. ³1979. – Brands, H.-G.: Theorie u. Stil des sog. »konsequenten N.« von Arno Holz u. Joh. Schlaf. Bonn 1978. – Daus, R.: Zola und der frz. N. Stuttg. 1976. – Schutte, J.: Lyrik des dt. N. Stuttg. 1976. – Brauneck, M.: Lit. u. Öffentlichkeit im ausgehenden 19.Jh. Studien z. Rezeption des naturalist. Theaters in Dtschld. Stuttg. 1974. – Scheuer, H. (Hrsg.): N. Bürgerl. Dichtung u. soziales Engagement. Stuttg. 1974. – Cowen, R. C.: Der N. Kommentar zu einer Epoche. Mchn. 1973. – Hamann, R./Hermand, J.: N. Mchn. 1972. – Schulz, G.: Zur Theorie des Dramas im N. In: R. Grimm (Hrsg.): Dt. Dramentheorien. Bd. 2, Frkft. 1971. – Münchow, U.: Dt. N. Bln. (Ost) 1968. – Ruprecht, E. (Hrsg.): Literar. Manifeste des N. 1880–1892. Stuttg. 1962. – Martino, P.: Le naturalisme français 1870–1895. Paris ⁶1960. – Beuchat, G.: Histoire du naturalisme. 2 Bde. Paris 1949. – Mehring, F.: Lit. Gesch. von Hebbel bis Gorki. Bln. 1929. – RL. OB/IS

Natureingang, die im Minnesang und in der (daran anknüpfenden) Volksliedtradition gängige Naturdarstellung im Einleitungsteil eines Liebesgedichts, – nicht realist. Naturschilderung, sondern eine toposhafte, stereotype Aufreihung bestimmter Requisiten der Frühlings- oder Winterlandschaft (*diu grüene heide, bluomen unde klê; diu linde; diu kleinen vogelín; der kalte snê*). Entscheidend ist der parallele oder gegenläufige Bezug der Naturdarstellung zur Minnethematik: Frühlingsfreude weist auf Minnehoffnung, Winterklage auf Minneleid. – Im 12.Jh. noch selten (Dietmar von Aist, Heinrich von Veldeke), im Minnesang des 13.Jh.s besonders beliebt (Neidhart, Gottfried von Neifen, Ulrich von Winterstetten).

⌑ Wulffen, B. v.: Der N. im Minnesang u. im frühen Volkslied. Mchn. 1963. K

Naturformen der Dichtung, Bez. Goethes für die Gattungstrias Epik, Lyrik, Dramatik. – In den »Noten und Abhandlungen zu besserem Verständnis des west-östl. Divans« (1819) unterscheidet Goethe im Rahmen seiner Erörterung poetolog. Grundbegriffe zwischen »Dichtarten« und »N. d. D.«. Als *»Dichtarten«* bezeichnet er dabei die inhaltl.-stoffl. oder formal-stilist. mehr oder weniger fest umreißbaren Werktypen wie Elegie, Epigramm, Fabel usw., die im Mittelpunkt der bis ins 18.Jh. dominierenden normativen Gattungspoetik standen. Ihnen stellt er als *»N. d. D.«* »Epos, Lyrik und Drama« gegenüber, die er als zeitl. nicht fixierbare Manifestationen menschl. Grundhaltungen deutet und als »klar erzählend«, »enthusiast. aufgeregt«und »persönl. handelnd« charakterisiert. Sie können in jedem individuellen Gedicht zusammenwirken, z. B. in der ↗Ballade und, als Großform, in der att. ↗Tragödie, aber auch in reiner Form auftreten, z. B. im homer. Epos, da hier alles durch die distanzierende Haltung des Erzählers geprägt sei. Goethes Begriff der N. d. D. berührt sich damit weitgehend mit dem modernen, anthropolog. begründeten Gattungsbegriff E. Staigers (»Grundbegriffe der Poetik«, 1946). – ↗Gattungen. K

Naturlyrik, ist themat. entweder auf Natur als Grundlage und allgem. Daseinsraum des Menschen oder auf einzelne Naturerscheinungen und ›Dinge‹ bezogen. Sie kann sowohl auf *einheitssuchendes Naturgefühl* wie auf erfahrungskrit. *Naturbewußtsein* zurückgehen. Dank der Bedeutung zentraler Naturerfahrungen (Heilkraft, Wiederkehr des Gleichen, Vergänglichkeit) bezieht sich N. meist auf *Naturphilosophie*, geht damit über ihren gegenständl. Charakter (Gedichte über Landschaften, Blumen usw.) hinaus: es kommen zivilisationskrit., utop., antitechn. Haltungen zum Ausdruck. Sofern der Dichter als Genie (↗Geniezeit) unmittelbaren Zugang zur Natur beansprucht, kann N. auch prophet. fordernde bzw. warnende Impulse geben. Seit dem Wiederaufleben antiker Naturreligiosität am Ende des 18.Jh.s werden Naturerscheinungen mit bekenntnishafter Anteilnahme gedeutet. Das Fremde der Natur (Magiebegriff) wird in den offenen Zeichenraum poet. Bilder, Chiffren, Metaphern einbezogen und vermag dies so zu vermenschlichen, allerdings unter Gefahr anthropomorph harmonisierenden Denkens (Ausstattung der außermenschl. Natur mit humanen, geist. sittl. Attributen). Folge ist oft eine betonte Abkehr von sozialen, polit., histor. Motiven, die Hinwendung zu subjektiver Naturmystik oder -mythologie, die Bildungswissen mit poetisierter Wahrnehmung durchsetzt. Freiwerdend von aufklärer.-didakt. Lehrzweck wie von stimmungshafter Liedseligkeit des Einsseins mit Natur als verläßlicher Umwelt (Lob des einfachen Lebens), kann N. auch Traditionen der religiös-hymn. Naturbegeisterung erneuern. Ohne die Bedeutung der Natur als Erbin der fragwürdig gewordenen christl. Religion läßt sich die an religiösen Anspielungen und Säkularisationen reiche N. nicht verstehen. Unterschiedl. Grade der Vergeistigung, gegensätzl. kulturpolit. Positionen treffen sich in der Aufwertung der poet.-ästhet. Aura, so daß die Spannweite der N. von harmloser Idyllik (Antwort auf Verstädterung, Technifizierung) bis zu pathet., eleg. und spruchart. Formen reicht. *Antike Dichtung* gestaltet Naturgefühl vorzügl. in Idyll und Elegie (Theokrit, Properz, Tibull). *MA.* und *Barock* überformen N. durch gesellschaftl. bzw. theolog. Zweckbestimmungen, so daß im eigentl. Sinn erst mit der *Aufklärung* von N. gesprochen werden kann: Noch ganz auf rationalist. Religiosität gestellte Naturauslegung bei B. H. Brockes (»Irdisches Vergnügen in Gott«, 1721–48), pathet. Lehrdichtung bei A. v. Haller (»Die Alpen«, 1732), Naturpreis und Überhöhung der Landschaft im Aufschwung hymn. und odischer Formen bei F. G. Klopstock, bei Dichtern des ↗Göttinger Hain und im ↗Sturm und Drang (der frühe Goethe: »Ganymed«). M. Claudius dichtet in pastoralem Rahmen. Hohen Eigenwert erhalten Naturanrufung und -deutung der mit Liebenden und Dichtern sympathisierenden Naturelemente bei Novalis und Hölderlin (»An den Äther«, »Menons Klage um Diotima«, »Der gefesselte Strom«).

Naturwissenschaftl. und histor. Anregungen bestimmen *Sonderausprägungen* eleg.-lehrhafter (»Die Metamorphose der Pflanzen«) und universalist.-meditativer N. im klass. und späten Werk Goethes (»Chinesisch-deutsche Jahres- und Tageszeiten«). Gegenüber der »idealisch« und schwärmerisch geschauten Natur am Ende des 18.Jh.s offenbart sich deren Wesen hier im Geheimnis und im Gedanken des nach inneren Wachstumsgesetzen sich wandelnden Organismus. *Romantische N.* zielt dagegen auf stimmungshafte, sehnsücht. Einstimmung und Begegnung (C. Brentano, J. v. Eichendorff). An die Stelle symbol. Struktur treten wieder allegor. und personifizierende Momente, was einen erneuten Zwiespalt zwischen ›Geist‹ und ›Welt‹ (Natur als weltschmerzl. Gedichten N. Lenaus als formelhafte Adressatin von Leid und seltenem Glück). Aus spätaufklärer. Naturkunde gewinnt A. v. Droste-Hülshoff Material für ihre Dämonik und Gefährdung gestaltende N.; ihr beschreibendes, ding- und situationsbenennendes Verfahren führt weiter zur *N. des 19. und 20.Jh.s:* C. F. Meyer, Th. Storm, G. Keller suchen dabei klass. Ausgleich zwischen Abstraktion und Einfühlung, während Freude am (oft exot.) Detail die N. von F. Rückert, F. Freiligrath und D. v. Liliencron bestimmt. Die Erfahrung der Eigenständigkeit der Natur trägt zur Aufwertung der ›Gott-Natur‹ bei (E. Haeckels Weiterführung der Spinoza- und Goethetradition) – im Poetischen wird damit das objektivierende ›Dinggedicht‹ vorbereitet. Religiöse Motive speisen die neuromant. Reaktion auf den Naturalismus, die mit myth. und spekulativ kosmolog. Redeweisen in Lyrik und Versepos hochgradige Subjektivität verwirklicht, daneben alltagsverklärende Idyllik pflegt (J. Schlaf: »In Dingsda«, 1892; »Frühling«, 1894; A. Holz: »Phantasus«, 1898/99; Th. Däubler: »Das Nordlicht«, 1910). Kosm. Überschwang und ekstat.-visionäre Selbststilisierung kennzeichnen »vorexpressionist.« Dichter wie A. Mombert (»Die Blüte des Chaos«, 1905; »Der himmlische Zecher«, 1909), R. Dehmel, M. Dauthendey, O. zur Linde (in dessen Umkreis östl. Philosophie, die auf Schopenhauer wirkt, gegen szientif. Bewußtsein eingesetzt wird). R. Steiners Anthroposophie hilft Ch. Morgenstern zu naturgläubiger ›Überwindung‹ Nietzsches, der weltanschaul. Weisungen wichtiger als neue lyr. Formen sind. Strengere ästhet. Maßstäbe werden vom ›*Begründer‹ der spezifischen N. des 20. Jh.s.,* O. Loerke, gesucht, um einen krit.-reflexiven, der anthropomorphen Kurzschlußproblematik bewußten Dialog mit »Frau Welt« zu führen, der zur Entwicklung moderner Metaphorik beiträgt. Auch seine dichtungstheoret. Schriften haben Tiefenwirkung in der Literatur der Jahrhundertmitte, so bei W. Lehmann (»Bewegliche Ordnung«, 1947), der den substantiv. verknappten, Mythologie und Naturwissen verschmelzenden Ausdruck sucht. Im Gegensatz zu ihm halten K. Weiss und E. Langgässer an christl. Erlösungsbedürftigkeit auch im »Sinnreich der Erde« fest. Weltanschaul. ungebunden, greift K. Krolow lyr. Errungenschaften der modernen roman. Literatur in zunehmend entpathetisierter N. auf. Bei G. übernimmt der Verweis auf die vieldeutigen »Botschaften des Regens« (1955) gesellschaftl. warnende Funktion, auch in P. Huchels und J. Bobrowskis Lyrik zielt die Naturthematik zunehmend auf histor. und eth. Selbsterfahrung. Die Zeit der ›reinen‹, mit Mythenzitat sich überzeitl. einrichtenden N. wird seit den 60er Jahren als vergangen betrachtet.

📖 Haupt, J.: Natur u. Lyrik. Stuttg. 1983. – Heukenkamp, U.: D. Sprache der schönen Natur. Studien zur N. Weimar 1982. – Marsch, E. (Hg.): Moderne dt. N. Stuttg. 1980, ²1985. – Ketelsen, U.-K.: Die Naturpoesie d. norddt. Frühaufklärung. Stuttg. 1974. – Richter, K.: Lit. u. Naturwissensch. Eine Studie z. Lyrik d. Aufklärung. Mchn. 1972. – Hackenbroch, I.: Die Blume in der modernen roman.

Lyrik. Bensberg 1972. – Schneider, Ludwig: Naturdichtung des dt. Minnesangs. Bln. 1938. **WG**

Naturtheater, ↗Freilichttheater.

Négritude, f. [negri'tyd, zu frz. nègre = Neger], von A. Césaire (Martinique) in einem freirhythm. Gedicht »Cahier d'un retour au pays natal» (Zurück ins Land der Geburt, 1939) geprägter Begriff für die Gesamtheit der kulturellen Werte der Schwarzen Welt. Er impliziert die Rückbesinnung auf afrikan. Bewußtsein u. afrikan. Formtraditionen (ekstat. Rhythmus, mag.-affektive Bildsprache), verbunden mit der Forderung der Loslösung aus europ.-kolonialist. Bevormundung. – Zu den bedeutendsten Vertretern einer N.-Literatur (in frz. Sprache) zählen weiter L. G. Damas (Frz. Guayana), A. Diop (Senegal), Gründer der wichtigsten Zeitschrift der N., »Présence Africaine«, 1947ff., und v.a. der Theoretiker der N., der Präsident der Republik Senegal, L. S. Senghor, der in seinen myst. Gedichten (»Chants d'ombre« 1945, »Chants pour Naett«, 1949) versucht, eine Assimilation afrikan. und europ. Geistigkeit zu erreichen. – Die N. wirkte auf die in Europa, Amerika, Afrika und in der Karibik lebende schwarze Intelligenz als philosoph. und polit. Basis einer erstrebten ›Afrikanität‹, eines auf Humanität gegründeten Selbstwertgefühls.

📖 Michaux, G.: N. Paris 1979. – Senghor, L. S.: N. et humanisme. Paris 1964. – Piquion, R.: Les trois ›grands‹ de la n. Port au Prince, Haiti, 1964. – Jahn, J.: Gesch. der neoafrikan. Lit. Düsseld. 1966. **S**

Neidhartspiel, ältester greifbarer Typus eines weltl. Dramas in dt. Sprache, bereits in der Mitte des 14.Jh.s nachweisbar; stoffl. steht es in enger Beziehung zu den Schwankerzählungen um die Figur des histor. Dichters Neidhart (1. Hälfte 13. Jh., vereint im Schwankbuch »Neidhart Fuchs« um 1500) und gehört wie diese entstehungsgeschichtl. nach Österreich. Neidhart, der dem dt. Minnesang eine neue Wendung gegeben hatte, indem er seine Motive durch Übertragung in reale Bereiche dörperl. Milieu travestierte, erscheint in den N.en als ritterl. Bauernfeind. Im Mittelpunkt steht der sog. *Veilchenschwank:* Neidhart findet im Frühling das erste Veilchen, deckt es mit seinem Hut zu und geht, die erste Herzogin von Österreich anzuzeigen; in seiner Abwesenheit ersetzen die Bauern das Veilchen durch ihre Exkremente; Neidhart kommt mit der Herzogin und ihrem Hofstaat zurück; man tanzt den Frühlingsreigen um den Hut; die »Untat« wird entdeckt, die Herzogin erhebt laut Klage über die augenscheinl. Beleidigung; Neidhart rächt sich blutig an den Bauern. – Die Forschung sieht die Wurzel der N.e aufgrund des Veilchenschwankes in vorliterar. volkstüml. Jahreszeitenspielen und Frühlingsfeiern. – Im einzelnen sind überliefert:
1. *Das St. Pauler N.* (um 1350; Handschrift des Benediktinerstiftes St. Paul/Kärnten; 58 Verse; höf. stilisierte Sprache; als sprechende Personen treten außer dem *Praecursor* [Prologsprecher] nur Neidhart und die Herzogin auf);
2. das *Sterzinger Szenar eines N.s* (eine ↗Dirigierrolle, 15.Jh.; Sterzinger Spielsammlung Vigil Rabers) und das dazugehörige, erst kürzl. aufgefundene *Sterzinger N.* (15.Jh.; 796 Verse; ca. 60 Mitwirkende, davon ca. 40 sprechende Personen; die Handlung ist um einen weiteren Neidhart-Schwank erweitert);
3. das *Große N.* (15.Jh.; Wolfenbütteler Sammelhandschrift; 2268 Verse; 103 Mitwirkende, davon 68 sprechende Personen; höf. stilisierte Sprache, formale Nähe zum ↗geistl. Spiel; außer dem Veilchenschwank werden noch sechs weitere Neidhart-Schwänke und eine Teufelsszene dargestellt);
4. das *Kleine N.* (Ende 15.Jh.; überliefert in derselben Wolfenbütteler Sammelhandschrift; 207 Verse; formale Nähe zum Nürnberger ↗Fastnachtspiel; beschränkt sich auf den Veilchenschwank und eine Teufelsszene). Unabhängig von der Tradition der spätmal. N.e ist H. Sachsens Fastnachtsspiel »Der Neidhart mit dem feyhel« (1557).

📖 *Ausgabe:* Margetts, J. (Hg.): N.e. Graz 1982 (mit ausführl. Bibliographie).   K
Nekrolog, m. [gr. nekros = Leiche, logos = Rede],
1. biograph. Nachruf auf einen Verstorbenen, auch Sammlung solcher Biographien.
2. Kalender- oder annalenart. Verzeichnis der Todestage bzw. der Toten, v. a. mal. kirchl. oder klösterl. Gemeinschaften (Äbte, Vorsteher, Stifter) für die jährl. Gedächtnisfeier, auch: Obituarium, liber defunctorum, Totenannalen, Jahrtag-, Toten- oder Seelbuch. Genealog. u. sprachwiss. bedeutende N.e sind u. a. aus den Klöstern Fulda, Prüm u. Lorch (8. Jh.) erhalten.   GG*
Neologismus, m. [aus gr. neos = neu, logos = Wort], in der Sprachgeschichte verbreitete Neubildung von Wörtern zur Erweiterung des Wortschatzes für neue Begriffe und Sachen. Neologismen können gebildet werden:
1. aus dem vorhandenen Wortmaterial durch Ableitungen (z. B. *Leiden-schaft,* N. des 17. Jh.s. von v. Ph. v. Zesen), durch Zusammensetzungen *(Null-Wachstum),* überhaupt durch Kombination vorgegebener Sprachelemente,
2. durch Übersetzungen von Fremdwörtern (z. B. *empfindsam* für engl. sentimental, von G. E. Lessing),
3. durch Bedeutungsverlagerung (z. B. *Zweck* = ursprüngl. ›Nagel‹, seit dem 16. Jh. ›konkreter Zielpunkt zum abstrakten Ziel‹).
Besonderen Bedarf an Neologismen haben die verschiedenen Fach- und Sondersprachen; die wissenschaftl.-techn. Sprache bildet N.en oft aus griech. oder lat. Elementen *(Automobil, Monem)* oder formt Kunstwörter *(DIN-Norm).* Viele N.en wurden habitualisiert und werden nicht mehr als solche empfunden, sind in den allgemeinen Sprachschatz aufgenommen. Davon zu unterscheiden sind einmalige, meist auf einen dichter. Kontext beschränkte N.en *(feuchtverklärt,* Goethe). N.en werden bes. in manierist. Literatur auch als Stilmittel eingesetzt, von daher nimmt die Bez. ›N.‹ häufig auch den Nebensinn ›gekünstelte, gewaltsame Neubildung‹ an.   S
Neorealismo, m. [it. = Neu-Realismus], auch: Neoverismo, italien. literar. Richtung, die unmittelbar nach dem 2. Weltkrieg insbes. die erzählende Prosa bestimmte: Durch Rückgriff auf Aussagetechniken des Realismus und Naturalismus (↗Verismo: G. Verga) und nach Vorbildern wie W. Faulkner, J. Dos Passos, J. Steinbeck, E. Hemingway u. a. zielt der N. auf die schonungslose Bloßlegung der sozialen und polit. Wirklichkeit während des Faschismus, der Widerstandsbewegung, der Kriegs- und Nachkriegszeit. Bevorzugte Formen sind Chronik, Reportage (autobiograph.) Berichte, in oft dialektgefärbter Alltagssprache und immer mit starkem sozialkrit., linksorientiertem Engagement. – *Vorläufer* des N. sind A. Moravia (»Gli indifferenti«, 1929 u. a.), C. Bernari, I. Silone (»Fontamara«, 1930). Als *Begründer des N.* gilt E. Vittorini (»Uomini e no«, 1945); weitere Vertreter sind V. Pratolini (»Il quartiere«, 1944, »Cronache di poveri amante«, 1947), C. Levi (»Cristo si è fermato a Eboli«, 1945: eines der Hauptwerke des N.), C. Pavese, F. Jovine, J. Calvino, B. Fenoglio. Über Italien hinausgehende Resonanz erhielt der N. durch *neorealist.* Filmkunstwerke (Manifest des film. N.e bereits 1943 in der Zeitschrift »Cinema«; bes. durch die Filme von R. Rossellini (»Roma, città aperta«, 1945, »Paisà«, 1946), V. de Sica (»Ladri di biciclette«, 1948), L. Visconti (»La terra trema«, 1948) und P. Germi (»In nome della legge«, 1949). – Ende der 50er Jahre wandten sich einige Vertreter des literar. N. neuen artifiziell-manierist. Strömungen zu (E. Vittorini, J. Calvino, vgl. ↗Gruppo 63). Im Film griffen in den 60er Jahren P. P. Pasolini, B. Bertolucci und E. Petri die Tendenzen des N. wieder auf.
📖 Lehmann, C.: N. in Italien. Beitr. z. rom. Philol. 1982. – Lombardi, O.: Narratori neorealisti. Pisa 1960. – Rondi, B.: Il N. italiano. Parma 1956.   IS
Neostrukturalismus, s. ↗Poststrukturalismus.

Neoteriker, m. Pl. [gr. neóteroi = die Neueren, die Modernen], sog. jungröm. Dichterkreis (in Rom, Mitte des 1. Jh. v. Chr.), dessen lat. schreibende Mitglieder vorwiegend aus den kelt. Gebieten Oberitaliens u. Südfrankreichs stammten. *Vorbild* der N. ist die alexandrin. Kunst aus dem Umkreis des Kallimachos – vom Zeitgenossen Cicero deshalb als ›Neuerer‹ und ›modern‹ verurteilt. *Kennzeichnend* sind eine artist. Kunstauffassung und eine gelehrt anspielungsreiche, empfindungsvolle, ausgefeilte Schreibweise, die Ablehnung der Großformen Epos und Tragödie, die Vorliebe für Kleinformen wie ↗Epyllion, ↗Elegie (als Liebesdichtung) und ↗Epigramm. Im Unterschied zum reservierten Akademismus der Alexandriner zeigen sich Leben und Dichtung der N. aber bestimmt durch ein starkes persönl., teils auch polit. Engagement und einen ausgeprägten Individualismus, zu verstehen als Antwort auf die geschichtl. Situation im Übergang von der röm. Republik zum Prinzipat (vgl. als eine bevorzugte Form der N. die ↗Invektive als persönl. oder polit. Schmähgedicht). Als Vermittler der alexandrin. Vorbilder gelten der griech. Parthenios und der aus Oberitalien gebürtige C. Helvius Cinna. *Die führenden Köpfe* sind Valerius Cato und C. Licinius Calvus. Als N. gelten ferner M. Furius Bibaculus, Caecilius Memmius, Q. Cornificius, Ticida und der junge Asinius Pollio, außerdem eine Reihe hochbegabter, geist. und gesellschaftl. sehr selbständiger Frauen wie Sempronia (Gattin des Decius Iunius Brutus), Cornificia (Schwester des Cornificius), Hortensia (Tochter des Redners Hortensius) und später Sulpicia (Gattin des Staatsmanns und Kunstfreunds Marcus Valerius Messala Corvinus). Die Werke dieser N. blieben nicht erhalten (außer den Elegien der Sulpicia unter den Schriften Tibulls), gut überliefert aber sind die Dichtungen des genialen *Hauptvertreters* der Gruppe, des Gaius Valerius Catullus aus Verona. Mit Catulls frühem Tod ist auch die Blütezeit der N. vorüber. Den N.n nahe stehen Cornelius Gallus (aus Südfrankreich) und Cornelius Nepos, möglicherweise auch der junge Vergil mit den ihm zugeschriebenen Frühwerken »Culex« und »Ciris«. Der reife Vergil und auch Horaz distanzierten sich zwar von den Dichtungen und Manierismen der N., denen jedoch die Herausbildung der augusteischen Dichtung stark verpflichtet ist. Als Vorbilder bewundert und nachgebildet wurden die N. von der Renaissance (Ulrich v. Hutten) bis ins 19. Jh. (E. Mörike), als Vorlage für Musik sogar bis ins 20. Jh. (Carl Orff u. a.). Als N. bezeichnet man gelegentl. auch die sog. ›poetae novelli‹ des 2. Jh. n. Chr., insbes. Alfius Avitus, Septimius Serenus und Terentianus Maurus, und zwar wegen ihrer gelehrten Stoffe und ihrer sprachl. wie metr. Kunstfertigkeit, die aber meist über virtuose oder verspielte Künstelei nicht hinausgeht.
📖 Granarolo, J.: L'époque néotérique ou la poésie romaine d'avantgarde au dernier siècle de la République. In: Aufstieg u. Niedergang der röm. Welt, 3. Hrsg. v. H. Temporini. Bln./New York 1973, S. 278–360.   RS
Neoverismo, [it.], s. ↗Neorealismo.
Neudruck, im Unterschied zum unveränderten ↗Nachdruck eines Werkes meist Bez. für einen Abdruck eines älteren Werkes, der mit Textbesserungen, einer allgemein einführenden oder der neueren Forschungslage Rechnung tragenden Einleitung, neuer Bibliographie usw. versehen wurde, z. B. bekannt »Dt. Neudrucke«, hg. v. der Dt. Forschungsgemeinschaft.   S
Neue Sachlichkeit, ursprüngl. eine Bez. der Kunstkritik (1925), die zur Benennung ähnl. Tendenzen in der Literatur übernommen wurde (u. a. H. Kindermann: »Vom Wesen der n. S.«, in: Jb. des Freien Dt. Hochstifts, 1930). Die n. S. erwuchs aus der Spannung irrationaler und rationaler Tendenzen der damaligen Literatur. Sie ist eine Reaktion auf das Pathos, auf die das Irrationale betonende, subjektivgefühlsbeladene, utop.-idealisierende Geisteshaltung des (Spät)Expressionismus. Dennoch können der n.n S. zuzu-

rechnende Werke durchaus noch expressionist. Züge tragen. Zum ausländ. *Vorbild* wurde Upton Sinclair. Bei unterschiedl. ausgeprägter polit. Konzeption und Haltung (neben marxist. und dem Marxismus nahestehenden Autoren umfaßt die n. S. durchaus auch Rechtstendenzen, u. a. bei E. Jünger, H. Johst, E. W. Moeller) erstreben die Autoren der n. S. die Darstellung einer ›objektiven‹ Wirklichkeit, die Behandlung der zeitgenöss. Umwelt mit ihren sozialen u. wirtschaftl. Zuständen. Der Begriff n. S. bez. dabei nicht nur das intendierte Resultat, sondern eher eine vielperspektiv., oft widersprüchl. Tendenz, nachdem sich die ›neue Wirklichkeit‹, mit der man sich auseinandersetzte, vielfach verändert und differenziert hatte (S. Freud, A. Einstein, Marxismus usw.). An inhaltl. Fragen mehr als an formalen interessiert, bevorzugen die Autoren der n.n S. die Aussagemöglichkeiten einer tatsachenorientierten, im weitesten Sinne dokumentar. Literatur: das dokumentar. Theater (E. Piscator), spezielle Sonderformen des Rundfunks (Aufriß, Hörbericht, Hörfolge), die ↗Reportage (E. E. Kisch), die (wissenschaftl. Quellen aufbereitende) Biographie, den desillusionierenden Geschichtsroman (R. Neumann, L. Feuchtwanger), u. a. in der Überzeugung, daß »Tatsachen« gegenüber »verlogener Gefühlsdichtung (. . .) erlebter, erschütternder als alle Einfälle der Dichter« wirken (H. Kenter). – Im *Drama* und auf dem Theater dominiert das ↗Zeit- und ↗Lehrstück (B. Brecht, F. Bruckner, Ö. v. Horváth, G. Kaiser, C. Zuckmayer, die nachexpressionist. Dramen E. Tollers und W. Hasenclevers), in der *Prosa* wird eine bes. Form des Gegenwartsromans gepflegt (A. Döblin, H. Fallada, E. Kästner, L. Renn, A. Seghers). Als Autoren neusachl. Gebrauchs*lyrik*, sog. Zivilisations-Chansons, treten hervor: Brecht, W. Mehring, E. Kästner, J. Ringelnatz; von diesen Lyrikern einer gelegentl. auch sog. »polit.-sozialen Sachlichkeit« heben sich mit »Gedichten der n. S. und Naturmagie« (H. R. Paucker) Lyriker wie O. Loerke, W. Lehmann, E. Langgässer, G. Britting, G. Eich und P. Huchel ab (vgl. auch ↗mag. Realismus). Eine der n.n S. vergleichbare Tendenz, die allerdings aus anderen Entwicklungsbedingungen abzuleiten ist, läßt sich in den sechziger Jahren in der Malerei und in der Literatur beobachten (↗Dokumentarliteratur). Etwa in dieselbe Zeit fallen auch die ersten Bemühungen, die n. S. histor. aufzuarbeiten.

📖 Paucker, H. R.: N. S. – Lit. im Dritten Reich u. im Exil. Stuttg. 1976. – Lethen, H.: N. S. 1924–1932. Studien zur Lit. des ›Weißen Sozialismus‹. Stuttg. ²1975. – Grimm, R./Hermand, J. (Hrsg.): Die sog. Zwanziger Jahre. Bad Hombg. 1970. – Denkler, H.: Sache u. Stil. Die Theorie der n.n S. Wirk.Wort 18 (1968) 167–185.   D

Neuklassizismus, auch: Neuklassik; Strömung in d. Literatur um 1900, die als Reaktion sowohl auf den ↗Naturalismus als auch auf die sog. ↗Dekadenzdichtung (↗Impressionismus, ↗Neuromantik) ein Neuanknüpfen an die klass. Kunsttraditionen forderte, d. h. Objektivität der Darstellung, Sprachzucht, Formstrenge (insbes. die Rückbesinnung auf die Gattungsgesetze) und die Gestaltung ideellsittl. Werte. Der N. wurde theoret. begründet und weitgehend getragen von Paul Ernst (»Das moderne Drama«, 1898, »Der Weg zur Form«, 1906, zahlreiche Dramen und Novellen), ferner von Samuel Lublinski (»Bilanz der Moderne«, 1904, zahlreiche Tragödien), zeitweilig auch von Wilhelm von Scholz; dem N. zugerechnet werden u. a. auch Isolde Kurz und Rudolf G. Binding.

📖 Wöhrmann, A.: Das Programm der Neuklassik. Frkf. u. a. 1979.   IS

Neulat. Dichtung, lat. Dichtung der Neuzeit; ihre Anfänge fallen ins 14. Jh. (it. Frühhumanismus u. Renaissance), sie ist orientiert am klass. Vorbild der röm. Antike und löst damit das Mittelalter ab (d. h. die durch zahlreiche ›Barbarismen gekennzeichnete mal. Verkehrs- u. Gelehrtensprache). Die neulat. Literatursprache erobert im Laufe des 15. Jh.s das

ganze christl. Europa und setzt sich später auch in den europ. Kolonien Nord- u. Südamerikas durch. An Bedeutung verliert die durch nationale Grenzen in ihrer Wirkung nicht beschränkte n. D. erst mit der Ausbildung der modernen europ. Nationalliteraturen. N. D. steht damit am Anfang der neueren europ. Literaturgeschichte. Im einzelnen lassen sich folgende Entwicklungsphasen unterscheiden:
1. ↗Humanismus von den Anfängen bis ins 1. Drittel des 16. Jh.s; 2. Reformation, in der die n. D. zum Instrument aktueller polit. Auseinandersetzungen wird; 3. der durch Gegenreformation und Absolutismus charakterisierte ↗Barock. – Soziolog. ist die n. D. an den *Gelehrtenstand* gebunden: Philologen und Geistliche (seit dem letzten Drittel des 16. Jh.s namentl. Jesuiten), daneben auch Ärzte, Advokaten und Beamte. Der neulat. *Literaturbetrieb* wird weitgehend vom akadem. Ritual bestimmt – hierzu gehören die Einrichtung von Lehrstühlen für Poesie und Poetik, die Gründung poet. Sozietäten oder etwa die Verleihung des Dichterlorbeers durch den Kaiser bzw. die Universität Wien (vgl. ↗poeta laureatus) oder die Ausschreibung poet. Wettbewerbe (zuletzt der seit 1845 – ! – jährl. ausgeschriebene Hoeufft-Wettbewerb für lat. Dichtung in Amsterdam). – *Themat. und formal* ist die n. D. zunächst durch die antike Tradition bestimmt, doch entwickelt sie, besonders seit der Reformation, auch neue Themen und Formen. Besonders beliebt sind Elegie und ↗Ekloge, ↗Heroide, ↗Ode und ↗Hymne, das hero. ↗Epos (mit bibl. und legendar., histor. und biograph. Inhalten), das allegor. Epos (mit geistl. Thematik) und das kom. Epos, ↗Satire und ↗Epigramm, Lehrgedicht, ↗Fabel und namentl. das ↗Schuldrama, dem zunächst didakt. Bedeutung innerhalb der Rhetorikausbildung zukommt und das im 16. und 17. Jh. zu den wirksamsten Instrumenten reformator. und gegenreformator. Agitation und Volksmission wird (↗Humanistendrama, ↗Jesuitendrama); zahlreich ist auch lat. ↗Gelegenheitsdichtung, insbes. Lobgedichte auf Städte und Landschaften.

Zu den *Begründern der n. D.* gehören Petrarca, Boccaccio und Enea Silvio de Piccolomini, zu ihren ersten *Vertretern in Deutschland* J. Wimpfeling und M. Ringmann in Straßburg, Beatus Rhenanus in Schlettstadt, W. Pirckheimer in Nürnberg, C. Celtis und C. Mutianus Rufus in Erfurt, J. Nauclerus und H. Bebel in Tübingen, J. Locher in Ingolstadt. Die n. D. Deutschlands im 16. Jh. wird repräsentiert durch den Erfurter Kreis (den »Mutian. Orden«) um Eobanus Hessus, Euricius Cordus, J. Micyllus und J. Camerarius, den Wittenberger Dichterkreis um Melanchthon, G. Sabinus und J. Stigel, und durch die Rektoren der Sächs. Fürstenschulen wie G. Fabricius; ihre überragenden Vertreter sind Erasmus von Rotterdam und Ulrich von Hutten, Johannes Secundus, Th. Naogeorgus, P. Lotichius Secundus und P. Melissus Schede, N. Cythraeus und N. Frischlin sowie F. Dedekind. Zu den neulat. Dichtern des späten 16. und des 17. Jh.s in Deutschland zählen die Benediktiner S. Rettenbacher und die Jesuiten J. Pontanus, J. Gretser, J. Bidermann, J. Masen sowie J. Balde. In lat. Sprache dichteten auch M. Opitz, P. Fleming und A. Gryphius. Zu den (meist zweisprachigen) neulat. Dichtern Europas gehören auch die Italiener Ariost und Tasso, der Franzose Du Bellay, die Briten G. Buchanan, F. Bacon und J. Milton, der Pole Sarbievus, der Niederländer D. Heinsius, der Däne L. Holberg. *Zeitgenöss. Vertreter* der n. D. sind H. Weller (seit 1922 17facher Preisträger des Hoeufftianums) und J. Eberle (1963 Krönung zum »poeta laureatus«).

📖 Acta conventus Neo-Latini Laviniensis. First intern. Congress of Neo-Latin studies Löwen 1971. Mchn. 1973. – Conrady, K. O.: Lat. Dichtungstradition u. dt. Lyrik des 17. Jh.s. Bonn 1961. – Ellinger, G.: Gesch. der neulat. Lit. Deutschlands im 16. Jh. 3 Bde. Bln./Lpz. 1929–33. – RL. W.

Neu-↗Philologie, zusammenfassende Bez. für die Literatur- und Sprachwissenschaften, die sich mit den *neuzeitl.*

europ. Sprachen und Literaturen (und ihren überseeischen Zweigen) beschäftigen; sie gliedert sich entsprechend in german., dt., engl. Philologie (auch: Germanistik, Anglistik, Romanistik usw.). Bez. gebildet im Unterschied zur ›Alt-Philologie‹, die sich mit der griech.-röm. Antike befaßt. – Vgl. auch Zeitschriften wie ›Neuphilolog. Mitteilungen‹ (Helsinki 1899 ff.), ›Neophilologus‹ (Groningen 1915 ff.), ›Studia neophilologica‹ (Uppsala 1928 ff.). ⁄Literaturwissenschaft.   S

Neuromantik, Ende des 19.Jh.s geprägte Bez. für eine literar. Strömung, die als Reaktion auf den ⁄Naturalismus im Rahmen einer breiteren geist. Auseinandersetzung mit der dt. ⁄Romantik um 1890 entstand (H. Bahr: ›neue Romantik‹ bereits 1891; auch ›Wieder-Romantik‹: J. Bab; ›Moderne Romantik‹: R. Huch; ›nervöse Romantik‹: H. Bahr). Neben wissenschaftl. Beschäftigung mit der Romantik (R. Huch 1899 u. 1902), neben Neuausgaben u. Anthologien wurden auch Themen u. Motive der Romantik (histor., exot., relig. Stoffe, Märchen, Mythen, Träume usw.) aufgegriffen u. literar. gestaltet. Zentrum dieser wieder gefühlsbestimmten, harmonisierenden u. sehr erfolgreichen lit. Richtung war der Verlag Eugen Diederichs, Lpz. (vgl. die Versuche eines literar. Progamms 1900 u. bes. 1906 »N.« v. L. Coellen). Entscheidender als die stoffl. Rückgriffe wurden aber die kunsttheoret. u. ästhet. Einflüsse und Anregungen aus franz. Literaturströmungen wie ⁄Impressionismus, ⁄Dekadenzdichtung (⁄l'art pour l'art) und bes. dem ⁄Symbolismus. Nach Art und Grad der Umsetzung entstanden verschiedene heterogene Ausprägungen (vgl. z. B. ⁄George-Kreis, Wiener ⁄Moderne, Rilke u. a.). Da diese Differenzierungen mit der Bez. ›N.‹ nicht erfaßt werden, wird sie heute meist durch ›Symbolismus‹, »Stilkunst um 1900« (Hermand) oder ›literar. ⁄Jugendstil‹ (Jost) ersetzt. Den neuromant. Zielsetzungen (romant. Stoffe in traditionellen Formen) entsprechen aber z. B. die Balladen von A. Miegel und B. von Münchhausen u. a., die ep. oder dramat. Werke R. Huchs, A. Schaeffers, K. G. Vollmoellers, E. Stuckens, E. Hardts und v. a. einzelne Werke G. Hauptmanns (»Hanneles Himmelfahrt«, 1893, »Die versunkene Glocke«, 1896 u. a.).

📖 Paulsen, W. (Hrsg.): Das Nachleben der Romantik in der modernen dt. Lit. Hdbg. 1969. – Hamann, R./Hermand, J.: Dt. Kunst u. Kultur v. d. Gründerzeit bis zum Expressionismus. Bd. 4: Stilkunst um 1900. Bln. 1967. – Lublinski, S.: Der Ausgang der Moderne. Vom Naturalismus zur N. Dresden 1909. – RL.   IS

New Criticism ['nju: 'kritisizm; engl. = neue Kritik], anglo-amerikan. literaturwissenschaftl. Richtung, entstanden zu Beginn des 20.Jh.s als Gegenbewegung zur positivist.-soziolog. Literaturwissenschaft, bei der Dichtung zum Dokument für außerliterar. Fragestellungen abzusinken drohte. Dagegen konzentriert sich der N.C. ganz auf das literar. Kunstwerk als organ., vielschicht., autonome Einheit und auf seine Rezipienten. Er propagiert ausschließl. die Arbeit am Text *(close reading)* und behandelt – unter weitgehendem Verzicht auf histor. und biograph. Hintergründe – u. a. Fragen der deskriptiven ⁄werkimmanenten, funktionalen Interpretation, der Stil- und Strukturanalyse, Probleme der Bildlichkeit, der Metaphorik, des Symbolcharakters der Dichtung, d. h. der sprachl. Ambiguität *(intrinsic method). Grundlagen* für die sprachl. Textanalysen sind die semant. Untersuchung der Sprache als eines Systems von Zeichen von J. A. Richards/Ch. K. Ogden (»The Meaning of Meaning«, 1923) und bes. das speziell die »emotive« Sprache der Dichtung untersuchende Werk Richards' »Principles of Literary Criticism« (1925). Als method. neuen Ansatz zur Interpretation eines (v. a. lyr.) Textes wird die Entschlüsselung der semant. Vielschichtigkeit (der Ambiguität) des Mediums Sprache, ihrer *denotations* (Bezeichnungen) und *connotations* (Nebenbedeutungen) verstanden. Die Bez. ›N. C.‹, die der literaturkrit. Rich-

tung den Namen gab, entnahm J. C. Ransom einem Vortragstitel J. E. Spingarns (»The N. C.«, 1910), eines Schülers B. Croces, der bereits 1910 zahlreiche method. Überlegungen der späteren ›new critics‹ (in z. T. extremen Formulierungen) vorweggenommen hatte. Der N. C. entwickelte sich dann seit den 20er Jahren und gilt als eine der bedeutenden Leistungen der modernen Literaturkritik (Höhepunkt anfangs der 40er Jahre). *Vertreter* sind zunächst die Dichterkritiker T. S. Eliot (mit zahlreichen wichtigen und sehr erfolgreichen, aber eher unsystemat. methodolog. Essays wie »The sacred Word«, 1920 u. v. a.), Th. E. Hulme, W. B. Yeats und E. Pound, ferner als bedeutende *Theoretiker* W. Empson (»Seven Types of Ambiguity«, 1930), J. C. Ransom (»N.C.«, 1941), C. Brooks, der einflußreichste Vertreter des N. C. neben Ransom (»The well wrought Urn«, 1947), R. P. Blackmur (»Language as Gesture«, 1952), weiter A. Tate, W. K. Wimsatt und R. P. Warren (alle meist als ehemalige ⁄Fugitives auch Lyriker). Mitte der 50er Jahre vollzieht sich eine Wendung, z. T. durch die Vertreter selbst (Ransom, Brooks), von der reinen Textanalyse zu histor., soziolog. und sozial-psycholog. Fragestellungen (schon bei K. Burke, »The Philosophy of literary Form«, 1941), zumal die Methoden des N. C. eher für die Lyrik und für Prosa-Kurzformen als für Drama und Roman geeignet waren. Sie begünstigten jedoch die Verbindung von literar. Kritik und Linguistik (als Werkzeug der Stilbeschreibung), vgl. die Arbeiten aus der Prager Schule (R. Wellek, R. Jakobson), vgl. auch ⁄Formalismus.

📖 Lentricchia, F.: After the N. C. Chicago 1980. – Lüthe, R.: N. C. und idealist. Kunstphilosophie. Bonn 1975. – Weimann, R.: ›N. C.‹ und die Entwicklung der bürgerl. Lit.wissenschaft. Mchn. ²1974. – Halfmann, U.: Der amerikan. N. C. Frkft. 1971 (mit Bibliogr.).   S

Nibelungenstrophe, mhd. Strophenform, Bez. nach ihrer Verwendung im »Nibelungenlied«: vier paarweise reimende ⁄Langzeilen; die Anverse sind vierhebig, meist mit weibl. klingender, selten männl. Kadenz, die ersten drei Abverse dreihebig, der letzte Abvers vierhebig, jeweils mit männl. Kadenz. Kadenz:

V. 1–3 : (x)/x̀x/x̀x/–́/x̀ // (x)/x̀x/x̀x/x̀

uns ist in álten máerèn // wúnders víl geséit

V. 4 : (x)/x̀x/x̀x/–́/x̀ // (x)/x̀x/–́/x̀x/x̀

mán gesách an héldèn // víe so hérlich gewánt.

Auftakt und Versfüllung sind relativ frei; neben zweisilb. Senkung (x͜◡◡: *heleden*) begegnet v. a. Senkungsausfall (einsilb. Takt oder ⁄beschwerte Hebung), in 8. Regel im 2. Takt des 4. Adverses. Diese erweiterte Schlußkadenz, die wohl durch »Austextieren eines gesungenen Melismas am Strophenschluß« (Mohr) entstanden ist, verleiht dem letzten Vers einen bes. Nachdruck und macht die Sinneinheit der Strophe hörbar; diese Schlußbeschwerung trägt auch zum Eindruck der blockhaften Fügung der N.n bei. Der letzte Vers enthält oft Sentenzen, Zusammenfassungen und die für die mhd. Epik charakterist. ⁄Vorausdeutungen. Kadenzwechsel findet sich relativ selten (z. B. NL, Str. 13). Nach der Reimordnung gliedert sich die N. in die Paare 2 + 2, nach der rhythm. in 3 + 1; die Syntax schwankt zwischen beiden oder umspielt diese Ordnung durch häuf. Verwendung von Enjambements (⁄Haken- oder Bogenstil, z. B. NL, Str. 32), auch über die Strophengrenze hinaus (Strophenjambement, Strophensprung, z. B. NL, Str. 30/31). Gelegentl. erscheinen Zäsurreime (vgl. Str. 1, 17 u. a.). – Verwendet ist die N. auch in der Lyrik des Kürenbergers (um 1160), in der Elegie Walthers v. d. Vogelweide und in der »Kûdrûn« (um 1230, etwa 6 % der Strophen). Die Genese ist umstritten; erwogen werden Zusammenhänge mit einer mündl. tradierten ahd. Langzeilenstrophe, auch mit der mittellat. Vagantenstrophe (⁄Vagantenzeile). – Verwandte Strophen sind die ⁄Kudrunstrophe, ⁄Walther-Hildegund-, und ⁄Rabenschlachtstrophe und der ⁄Hildebrandston, der zur oft benutzten Variante der N. in Volksballade, im Volks- und Kirchenlied wird.   GG*

Niederländ. Komödianten, in Wandertruppen organisierte niederländ. Berufsschauspieler, in Deutschland von der Mitte des 17. Jh.s (1649 Gastspiel einer Brüsseler Truppe in Schloß Gottrop/Holstein) bis ins 18. Jh. nachweisbar. Vorbild sind die ↗engl. Komödianten, deren Bedeutung und Einfluß sie jedoch nicht erreichen. Wirkungsgebiete der n. K. waren vor allem Niederdeutschland und Skandinavien. Die namhaftesten Truppen waren die von J. B. van Fornenbergh (1648 Brüssel, 1649 Den Haag, 1665 Hamburg, 1666 Riga und Stockholm), B. van Velsen (1652 Köln), J. Sammers, J. van Rijndrop (1703 Hamburg) und A. Spatsier. Gespielt wurden fast ausschließl. niederländ. Stücke (Trauerspiele von Vondel, Hooft, Bredero; Lustspiele u. a. von P. Langendijk). Der Theaterstil entsprach im wesentl. dem der engl. Komödianten (Aktionstheater; ↗lust. Person: ↗Pickelhering; vgl. auch ↗Nachspiel); die Bühnenausstattung war jedoch aufwendiger (Verwendung der Kulissenbühne mit 4 Grunddekorationen: Wald, Garten, Thronsaal und Bauern- oder Wirtsstube); die Kostüme waren nach histor. Gesichtspunkten gestaltet. Zu den Besonderheiten der Aufführungen gehören die ↗lebenden Bilder *(Vertoningen)* zwischen den einzelnen Akten.

📖 Junkers, H.: Niederländ. Schauspieler u. niederländ. Schauspiel im 17. u. 18. Jh. in Deutschland. Den Haag 1936. K

Nō, n. [jap. = Fertigkeit, Fähigkeit, Kunst], jap. dramat. Kunstwerk, in dem Dichtung, pantomim. Darstellung, stilisierter Tanz, Gesang und Musik eine Einheit bilden. Durch die Darstellung des Übersinnlichen im Sinnlichen, des Unsagbaren hinter dem Ausgesagten ist das N. eng mit der Tradition des Zen-Buddhismus verknüpft: Es zielt auf Befreiung von der Welt der äußeren Erscheinungen und auf myst. Kontemplation. Zeit, Ort und Charaktere werden im N. nicht realist. behandelt, tatsächliche Ereignisse erscheinen abgeschwächt, nur das Wesentliche der Erfahrung des Lebens erscheint in konzentrierter Form. Durch diese hohen geistigen Ansprüche, durch die streng stilisierte Form, Armut an Handlung, Kunst der Verweise, Anspielungen und Beziehungen ist das N. eine höchst aristokrat. Kunstform. Im Gegensatz zum ↗Kabuki, dem Theater der Kaufmannsschicht, wurde das N. daher in der Zeit seiner Blüte von der Adelsschicht der Samurai getragen. Das N. in seiner heutigen Form geht zurück auf Kan'ami Kiyotsugu (1333–1384) und dessen Sohn Zeami Motokiyo (1363–1443), die sich vom kult. Theater des Sarugaku (volkstüml. Spiele mit Gesang und Tanz) u. a. zurückgriffen. Sie schrieben eine große Zahl von N.-Stücken und gründeten eine Schauspielschule, die Kanze-Schule (aus K̲a̲n̲'ami und Z̲e̲ami). Später wurden von Rivalen weitere Schulen gegründet, so daß heute fünf verschiedene Schulen und Stilrichtungen des N. bestehen, die ihre eigene Tradition besitzen. Durch strenge Familientradition und mündl. Überlieferung wurde das N. in allen Einzelheiten der Aufführung und Darstellung verhältnismäßig getreu bewahrt und gibt heute noch weitgehend ein Bild der Darbietungen im 14. Jh.

Nach den *äußeren Formen* ist das N. strengen Gesetzen unterworfen. Äußerste Stilisierung zeigt schon die Bühne, die ursprüngl. im Freien stand: eine quadrat., in den Zuschauerraum vorspringende Plattform von 5½ m Seitenlänge wird von vier Eckpfeilern begrenzt, die ein Giebeldach tragen. Hinten links liegt der Auftrittsteg, an dessen Seite drei Kiefern gepflanzt sind. Einziger Bühnenschmuck ist das Bild einer stilisierten Kiefer auf der Rückwand und einer Bambusstaude auf der Seitenwand. An der Rückwand sitzen die Musiker (Flöte und Trommeln), auf der rechten Bühnenseite der Chor (8–12 Personen). Auch Requisiten werden nur angedeutet; verbindl. ist ein Fächer: er kann z. B. Messer, Schwert, Laterne, Tablett, Schreibgerät oder gar fallenden Regen oder Schnee darstellen. Prächtig dagegen sind die Kostüme, v. a. des Hauptdarstellers, der oft auch eine holzgeschnitzte Maske trägt. Dieser Hauptdarsteller, Shite genannt, meist ein übernatürl. Wesen, hat die großen Gesang- und Tanzpartien auszuführen. Sein Gegenspieler, Waki, ist der Mittler zwischen übernatürlicher Welt und Zuschauer. Beider Begleiter, Tsure genannt, erscheinen ledigl. als Verlängerungen der Hauptfiguren, so daß das N. eigentl. ein Zweipersonenstück ist. Aber auch die beiden Hauptrollen unterliegen dem Gesetz der künstler. Reduktion, stellen also keine naturalist. Charakterstudien dar. Frauenrollen werden von Männern gespielt, nur für einige festgelegte Rollen werden Kinder eingesetzt.

Die *Stücke* sind personen- und handlungsarm und nach festem Schema aufgebaut: Einleitung: Auftritt des Waki – »Entwicklung«: Auftritt des Shite, Dialog zwischen Shite und Waki, Erzählung des Shite – Höhepunkt und Abschluß: meist Tanz des Shite. Ursprüngl. bestand eine Vorstellung aus fünf N.stücken, deren Zusammenstellung streng festgelegt war; zwischen den einzelnen Stücken war jeweils ein derb-kom., jedoch auch stilisiertes Zwischenspiel (als reines Sprechtheater), ein sog. *Kyōgen*, eingelagert. Heute besteht eine Aufführung meist aus zwei Stücken mit einem Kyōgen. Die Fünfteilung der ursprüngl. Aufführungen zeigt sich noch heute in der Einteilung der N.-Spiele in fünf verschiedene Gruppen mit streng unterschiedenen Inhalten: 1. Eröffnungsspiele um Gottheiten, die zunächst unerkannt auftreten und sich im Laufe des Stückes im Tanz offenbaren. 2. Stücke von gefallenen Kriegern und Helden, die ihren Todeskampf noch einmal erleben. 3. Stücke von Geistern schöner Frauen und Liebender, die ihr Leben in Lied und Tanz noch einmal darstellen. Eine vierte Gruppe zeigt den größten Reichtum an Themen: die Handlung spielt hier zu Lebzeiten des Helden. Eine bes. bedeutende Form innerhalb dieser Gruppe bilden die N. der Rasenden, in denen die Wahnsinn des Helden den Höhepunkt darstellt. In der fünften Gruppe stehen im Zentrum Dämonen und Geister der Unterwelt, mit einer Darstellung des Dämonischen im Tanz. Die *Stoffe* zu diesen Stücken sind aus jap. literar. Tradition genommen, aus Historie und Legende, die dem Zuschauer durch ep. Dichtungen vertraut sind. Die *Texte,* in denen Prosapassagen in der Hochsprache des 14. Jh.s mit Versen wechseln, enthalten daher ein reiches Gefüge von Anspielungen auf histor. Ereignisse oder Legenden und Sagen (erhalten sind 240 Stücke).

Der Einfluß des N. auf das europ. Theater setzt mit der Jahrhundertwende ein. Wesentl. Voraussetzungen dafür sind Bestrebungen wie die Abwendung vom aristotel. Dramenbegriff, von der naturalist. Darstellung des Geschehens, die wachsende Bedeutung der Pantomime, die Aufhebung der Illusionsbühne sowie die Erneuerung durch das ↗epische Theater. Stoffl. Übernahmen aus N.-Dramen finden sich bei W. B. Yeats, M. Maeterlinck, P. Claudel und B. Brecht.

📖 Keene, D.: Nō. The classical theatre of Japan. Tokyo 1973. – Inoura, Y.: A history of Japanese theatre. I: Noh and Kyogen. Yokohama 1971. – Bohner, H.: Nō. 2 Bde. Tokyo 1956–59. IA

Nobelpreis für Literatur, jährl. verliehener internat. Literaturpreis (neben Preisen für Physik, Chemie, Medizin und Erhaltung des Friedens) der Nobelstiftung, 1901 nach einer testamentar. Verfügung des schwed. Chemikers A. Nobel (gest. 1896) eingerichtet. Jury ist die Schwed. Akademie der Künste; ausgezeichnet werden stets international anerkannte Schriftsteller, z. T. allerdings auch solche, deren Bedeutung oder Wirkung bereits historisch ist. Das Durchschnittsalter der Preisträger liegt zw. 60 und 70 Jahren; bis 1989 waren nur 9 Autoren jünger als 50 (jüngster: R. Kipling: 42); 4 Preisträger waren über 80 Jahre alt. Ausgezeichnet werden auch stilist. brillante Philosophen, Historiker oder Politiker (Th. Mommsen 1902, R. Eucken 1908, H. Bergson 1927, W. Churchill 1953). Der N. gilt als der am weitesten anerkannte Literaturpreis; allerdings wurde er auch zweimal *verweigert* (1958 gezwungenermaßen von B. Pasternak, 1964 von J.-P. Sartre). Viermal wurde er an je zwei Schriftsteller vergeben (1904 an den Spanier J. Echegaray y Eizaguirre und den Franzosen F. Mistral, 1917 an die Dänen K. A. Gjellerup und H. Pontoppidan, 1966 an Nelly Sachs und S. J. Agnon, Israel, 1974 an die Schweden H. Martinson und E. Johnson). 1909 wurde mit Selma Lagerlöf erstmals eine Frau ausgezeichnet; weitere *Preisträgerinnen* sind die Italienerin G. Deledda (1926), die Norwegerin S. Undset (1928), die Amerikanerin P. S. Buck (1938), die Chilenin G. Mistral (1945) und Nelly Sachs (1966). – Bereits 1913 wurde der Inder R. Tagore ausgezeichnet, aber erst seit 1945 wird neben europäischer und angloamerikan. auch allgem. außereurop. Literatur in breiterem Maße in das Bewertungsfeld einbezogen. So fiel der N. an Chile 1945 (G. Mistral) und 1971 (P. Neruda), Israel 1966 (S. J. Agnon), Guatemala 1967 (M. A. Asturias), Japan 1968 (J. Kawabata), Australien 1973 (P. White), Kolumbien 1982 (G. García Márquez), Nigeria 1986 (Wole Soyinka), Ägypten 1988 (Nagib Machfus). – Die meisten N.e für Literatur erhielt Frankreich (13), es folgen USA (9), England/Irland (8), Schweden (7), Italien und Spanien (5), Rußland (UdSSR) (4), Norwegen, Dänemark, Polen (3). – 7 N.e für Literatur fielen an *Deutschland:* 1902 Th. Mommsen (85jährig), 1908 R. Eucken, 1910 P. Heyse (80jährig), 1912 G. Hauptmann, 1929 Th. Mann, 1946 H. Hesse, 1972 H. Böll. Die N.e für Literatur *der letzten fünf Jahre* wurden vergeben: 1985 an den Franzosen C. Simon, 1986 an den Nigerianer Wole Soyinka, 1987 an den in den USA lebenden Russen J. Brodsky, 1988 an den Ägypter Nagib Machfus, 1989 an den Spanier C. J. Cela. 1914 und 1918, ferner 1935 und 1940–1943 wurde der N. für Literatur nicht vergeben.

⊞ Espmark, K.: Der N. für Lit. Gött. 1988. – Martin, W. (Hg.): Verzeichnis der N.träger. ²1988. – Wasson, T. (Hg.): Nobelprizewinners. New York 1987.   IS

Noël, m. [frz. nɔːɛl; von lat. natalis (dies) = Geburtstag], seit dem 16. Jh. schriftl. bezeugte Weihnachtslieder, die sich teilweise an ältere Volksliedtraditionen anschlossen (vgl. engl. ⁄Carol).

⊞ Smidt, J. R. H. de: Les N.s et la tradition populaire. Amsterdam 1932.   S

Nom de guerre, m. [frz. nõdˈgɛːr = Kriegsname], ⁄Pseudonym, ⁄Deck-, Künstler-, auch Spottname, evtl. mit Anspielung auf ›kämpferische‹ literar. Auseinandersetzungen (in Polemiken, Streitschriften usw.), die zur Pseudonymität zwangen. Ursprüngl. Name, den ein Soldat beim Eintritt in die Armee annahm, vgl. ähnl. die Klosternamen der Mönche.   S

Nom de plume, m. [frz. nõdˈplym = (Schreib)federname], ⁄Pseudonym eines Schriftstellers, eines *homme de plume* (Mannes der Feder).   S

Nomenklatur, f. [lat. = Namenverzeichnis],
1. Benennung wissenschaftl. Gegenstände und Methode der Klassifizierung der Begriffe.
2. Gesamtheit der Fachausdrücke einer Wissenschaft oder Kunst, auch deren systemat. Ordnung; auch ⁄Terminologie.   S

Nominalstil, s. ⁄Verbalstil, ⁄Stil.

Nonarime, f. [lat. = Neunzeiler, Neunreimer], s. ⁄Stanze.

Nonsense-Dichtung, -Verse [ˈnɔnsəns, engl. = Unsinn], auch ⁄Unsinnspoesie.

Nordsternbund, Berliner Dichterkreis der ⁄Romantik im 1. Jahrzehnt des 19. Jh.s; angeregt durch Theorie und Dichtung A. W. Schlegels und L. Tiecks. Publikationsorgan war der »Grüne Almanach« (1804–06); Mitglieder: A. von Chamisso, F. de la Motte-Fouqué, J. E. Hitzig, D. F. Koreff, F. W. Neumann und K. A. Varnhagen von Ense.   GG

Nostalgie, f. [zu gr. nostos = Heimkehr, álgos = Schmerz, Traurigkeit], Heimweh und Sehnsucht nach Vergangenem. Wortschöpfung des Basler Arztes J. Hofer (»Dissertatio medica de Nostalgia oder Heimwehe«, 1678) für die durch unbefriedigte Sehnsucht nach der Heimat begründete Art von Melancholie oder Monomanie. Seit der Romantik setzt sich N. als Fachbegriff der Psychiatrie und medizin. Psychologie durch. Bis zur Jh.wende galt N. als Ursache schwerer Depressionen (heute durch Begriffe wie ›Nostomanie‹, ›Pathopatridalgia‹ ersetzt). Das Adjektiv ›nostalgisch‹ entsteht um 1800. Ausdrücke wie ›regard nostalgique‹ oder ›pensée nostalgique‹ häufen sich bes. in der franz. Literatur der Romantik. Das ital. ›nostalgico‹ bezeichnet auch romant. Lieder (vgl. franz. ›chanson nostalgique‹).

Als früheste Zeugnisse von *N. in der Literatur* gelten Odysseus' Sehnsucht nach der Heimat, Ovids Heimweh nach Rom (desiderium patriae) und Vergils Gedicht von dem aus der Heimat vertriebenen Bauern. Abgesehen von Vorläufern im Humanismus begegnet die N. v. a. in der Literatur des 18. Jh.s. Neben dem Heimweh auf Grund der Isolierung von der Familie kommt als neue Komponente der Sehnsucht nach einfachen, unverdorbenen Sitten der ländl. Welt hinzu (Albrecht von Haller, »Die Alpen«, J. J. Rousseau). Beide Linien setzen sich im 19. Jh. fort (A. W. und F. Schlegel). Das Wort ›N.‹ selbst dringt erst in der Romantik in die Literatursprache ein. Im Ggs. zu Deutschland wird das Wort in Frankreich seit V. Hugo, H. de Balzac, Ch. Baudelaire in verschiedenen Bedeutungsvarianten verwendet: 1. als heftiges Heimweh (Hugo), 2. als Sehnsucht nach fremden Ländern (Baudelaire, »Spleen de Paris«, G. de Maupassant, »Au soleil«), 3. als melanchol. Sehnsucht nach Verlorenem (G. Duhamel), 4. als Sehnsucht nach dem Nichts (J.-P. Sartre).

Seit der Jh.wende rückt N. einerseits die räuml. Heimatlosigkeit des Menschen in den Vordergrund, andererseits die Suche des Menschen nach der »verlorenen Zeit« (M. Proust). An die Stelle von Heimweh tritt ferner eine eher unbestimmte Sehnsucht. Verbunden wird damit die Paralysierung von Signalen und Symbolen einer vermeintl. besseren Vergangenheit, vgl. in Deutschland die Kategorie des einfachen Lebens (⁄Heimatkunst: J. Langbehn, F. Lienhard, A. Bartels, G. Frenssen, H. Stehr, G. Kolbenheyer, E. Wiechert), die neben Wissenschaftsfeindlichkeit, Großstadtfeindlichkeit, Schicksalsfrömmigkeit, Verinnerung und Innerlichkeit N. als literar. Ideologie kennt. Daneben tritt der Begriff auch in kulturkrit. Arbeiten auf (D. Riesman, A. Mitscherlich). – In der sog. N.-Welle (seit etwa 1972) gilt N. als Schlüsselwort für die schwärmer. Rückwendung zu Jugendstil, zu Kitsch und Kunst der frühindustriellen Kultur und umschreibt das Bedürfnis nach Idylle und sentimentaler Verspieltheit. Mode, Musik, Film und Literatur propagieren mit N. die dekorative Hinwendung zu Hollywood und den Zwanziger Jahren (F. S. Fitzgerald, »The Great Gatsby«, 1925, Verfilmung mit sensationellem Erfolg); dabei ist N. als Modewort raschem Verschleiß ausgesetzt.

⊞ Lange, Th.: Idyll. und exot. Sehnsucht. Formen bürgerl. N. in der dt. Lit. des 18. Jh.s. Kronberg/Ts. 1976. – Müller-Seidel, W.: Lit. u. Ideologie. In: Dichtung, Sprache, Gesellschaft. Hrsg. v. V. Lange u. H.-G. Roloff, Frkft. 1971, S. 593–602.   GK

Nota, f. [lat. = Zeichen, Merkmal], textkrit. Zeichen, z. B. ⁄Asteriskus (für eine unvollständ. überlieferte Stelle, eine Crux, als Hinweis für Anmerkungen) oder ⁄Paragraph u. a. Erstmals bei der Edition antiker Schriftsteller von alexandrin. Philologen (Zenodotus, 3. Jh. v. Chr., Aristarchos, 2. Jh. v. Chr.) verwendet, von mal. Gelehrten übernommen.
          S

Nouveau roman, m. [nuvoroˈmã; frz. = neuer Roman], nach 1945 in Frankreich entstandene experimentelle Form des ⁄Romans (auch: Dingroman), die sich von den Strukturen und Bedingtheiten des herkömml. Romans löst, insbes. vom allwissenden Erzähler und von einem realitätsorientierten, von bestimmten Gestalten getragenen Handlungsverlauf und Geschehniszusammenhang (↗Antiheld). Die Kategorien von Raum und Zeit werden überspielt; in der Darstellung fallen die Welt der Erscheinungen und die Ebene der Sinnbezüge auseinander, Oberflächen- und Tiefenstruktur divergieren. Der N. r. bildet einen realitätsunabhängigen, eigenen Sinnkosmos, in dem die Dinge ein isoliertes, von der Kausalität befreites Gewicht erhalten. Die Dingwelt wird mit laboratoriumsähnl. Distanziertheit registriert, der Erzählvorgang ebenso in Frage gestellt wie die Möglichkeit des Schreibens überhaupt. Beliebte Motive sind das Buch im Buch (Nathalie Sarraute, »Les fruits d'or«, 1963) und die Suche nach neuen Identitäten. Der subjektive Perspektivismus reicht zurück bis zur Desillusionierungstechnik in G. Flauberts »Éducation sentimentale« (1869) und zu theoret. Überlegungen bei Stendhal. Der N. r. knüpft v. a. an M. Proust und J. Joyce an; vorbereitet wurde er durch die bereits vor 1945 entstandenen Werke N. Sarrautes (»Tropismes«, 1938), die eine der wichtigsten Vertreterinnen des N. r. wurde, neben A. Robbe-Grillet (»Les gommes«, 1953; »Le voyeur«, 1955; »La jalousie«, 1957; »Dans le labyrinthe«, 1959, auch Drehbuch »Letztes Jahr in Marienbad«) und M. Butor (»L'emploi du temps« und »La modification«, 1957, »Degrés«, 1960, daneben umfangreiche theoret. Darstellungen zum N. r., z. B. »Répertoire« I–III, 1960–68 u. a.); weitere Vertreter sind F. Ponge, J.-M. Clézier, J. Cayrol, Claude Simon. ↗Anti-Roman.

📖 Jefferson, A.: The n.r. and the poetics of fiction. Cambridge ²1984. – Burmeister, B.: Streit um den n. R. Bln. 1983. – Wehle, W. (Hrsg.): N. R. Darmst. 1980. – Arnaudiès, A.: Le n. r. 2 Bde. Paris 1974. – Wehle, W.: Franz. Roman d. Gegenwart. Erzählstruktur u. Wirklichkeit im N. R. Bln. 1972. – Ricardou, R.: Pour une théorie du n. r. Paris 1971. – Netzer, K.: Der Leser des N. R. Frkft. 1970. – Sturrock, J.: The French new novel. London 1969. – Wilhelm, K.: Der N. R., ein Experiment der frz. Gegenwartslit., hrsg. v. W. Stolz. Bln. 1969. – Zeltner-Neukomm, G.: Die eigenmächt. Sprache. Zur Poetik des N. R. Olten u. Freibg. 1965. S

Novelle, f. [it., eigentl. = kleine Neuigkeit, zu lat. novus, novellus = neu], Erzählung in Prosa, seltener Versform, gestaltet ein real vorstellbares Ereignis oder eine Folge weniger, aufeinander bezogener Ereignisse, die gemäß dem Namen ›N.‹ den Anspruch auf Neuheit erheben. Die Ereignisfolge beruht auf einem *zentralen Konflikt,* der inhaltlich meist einen Gegensatz von Außergewöhnlichem oder Neuartigem mit Normalem bzw. Hergebrachtem herausstellt; *formal* bedingt er die straffe, überwiegend einlinige Handlungsführung, das pointierte Hervortreten von Höhe- und Wendepunkten sowie die Tendenz zur ↗geschlossenen Form, bei der ein Konflikt bis zur Entscheidung durchgeführt ist. Dies bedingt weiter einen stark raffenden und funktional auswählenden Handlungsbericht, besondere Vorausdeutungs- und Integrationstechniken (oft schon im Titel), etwa durch ein sprachliches ↗Leitmotiv oder durch ein Dingsymbol, ferner den gezielten Einsatz szen. Partien an Höhepunkten und das Zurücktreten ausführlicher Schilderungen äußerer Umstände oder psych. Zustände. Der N. schreibt man deshalb oft ein hohes Maß an Objektivität der Darstellung zu, doch steht dem ebenso häufig eine ganz bestimmte, durchaus subjektive Erzählhaltung gegenüber. Deutlichstes Anzeichen für den Anspruch der N. auf Aktualität ist die beliebte Zusammenstellung von mehreren N.n zu einem *Zyklus,* der nicht nur gesellige Erzählsituationen, sondern eben auch einen gesellschaftl. und jeweils zeitnahen Bezugsrahmen für jeden Einzeltext abgibt; gleiches leistet unter anderen Voraussetzungen die ebenfalls häufige Verfugung von Rahmen- und Binnenhandlung in EinzelN.n. Die N. unterscheidet sich durch solche Aktualität und durch ihren ausdrücklichen Realitätsbezug von ↗Legende,

↗Fabel und ↗Märchen, durch konsequente Ausformulierung des zentralen Konflikts und die Tendenz zur geschlossenen Form von der jüngeren ↗Kurzgeschichte, durch bewußt kunstvollen Aufbau und gehaltliches Gewicht von ↗Anekdote, ↗Schwank, ↗Kalendergeschichte und anderen Kleinformen des Erzählens, durch die Konzentration auf Ereignis und Einzelkonflikt vom ↗Roman. *Geschichte:* Ansätze zur Gestaltung von *Erzählungen nach Art der N.* finden sich in der Volksliteratur, in pers., ind. und arab. Sammelwerken (wie »1001 Nacht«), bei antiken Historikern (Herodot, Livius) und Erzählern wie Aristides von Milet (»Milesische Geschichten«, um 100 v. Chr.), Petronius (»Satyricon«, um 50 n. Chr.) und Apuleius (»Der Goldene Esel«, 2. Jh. n. Chr.), zuletzt in den kürzeren Verserzählungen des MA.s, den altfrz. (u. altprovenzal.) ↗Fabliaux und ↗Lais oder in einem Werk wie dem mhd. »Moriz von Craûn« (um 1200). *Bewußt als Prosakunstwerk* gestaltet (und entsprechend mit der aus dem Provenzal. ins Italien. übernommenen Bezeichnung ›novela‹ versehen) erscheint die N. gegen Ende des MA.s in der Toskana, zunächst im anonymen »Novellino«, dann vor allem in der »Decamerone« (1348–53) des G. Boccaccio, der damit auch die zykl. und zugleich zeitbezogene Rahmenform für lange Zeit verbindlich macht. Ihm folgen in England G. Chaucers »Canterbury Tales« (1391–1399, in Versform), in Frankreich die anonymen »Cent Nouvelles Nouvelles« (1440) und das »Heptaméron des nouvelles« der Margarete von Navarra (1558). Eine eigenständige Form ohne Rahmen entwickeln in Italien Matteo Bandello (entst. 1510/60) und in Spanien M. de Cervantes (»Novelas ejemplares«, 1613). Von Boccaccio bis Cervantes haben sich so in den roman. Literaturen die Hauptarten der europ. N. herausgebildet. *In Dtschld.* stehen gegen Ende des 18. Jh.s neben Ch. M. Wielands elegganten Verserzählungen für die ›wahre Geschichte‹ Schillers und moral. Erzählungen A. Meissners und A. Lafontaines, ferner neben Übertragungen aus den roman. Sprachen Nachbildungen wie noch Wielands Zyklus »Das Hexameron von Rosenhain« (1805). Eine neue Aktualität gewinnt Goethe der N. ab, indem er in den »Unterhaltungen deutscher Ausgewanderten« (1795) die Rahmenhandlung des Zyklus auf die Franz. Revolution bezieht. Sie wird auch der Fluchtpunkt für die Novellistik der dt. Romantik und H. von Kleists. Damit entsteht im Übergang von der früh- zur hochbürgerlichen Zeit eine *spezifisch dt. Sonderform der N.* Teils wird sie weiter zyklisch dargeboten wie bei E. T. A. Hoffmann in den »Serapionsbrüdern« (1819–21) oder bei G. Keller im »Sinngedicht« (1881) und versuchsweise noch in A. Döblins »Hamlet« (1956), teils in Romane eingebaut, wie bei Goethe in den »Wahlverwandtschaften« (1809) und in »Wilhelm Meisters Wanderjahren« (1807–1829). Häufiger ist sie als Einzeltext konzipiert und nur lose mit anderen verbunden wie bei E. T. A. Hoffmann in den »Nachtstücken« (1814–17), bei A. Stifter in den »Studien« (1840–50) und den »Bunten Steinen« (1843–53) oder bei Keller in den »Leuten von Seldwyla« (1856–74). Vorherrschend wird die Einzel-N. schon bei Kleist und in der Romantik (A. v. Arnim, C. Brentano, Fouqué, L. Tieck, J. v. Eichendorff), aber auch bei Goethe (»Novelle«, 1828) und dann bei E. Mörike, G. Büchner, Droste, F. Grillparzer, J. Gotthelf, P. Heyse, W. Raabe, Th. Fontane und vielen anderen, oft in höchst kunstvoller Verflechtung von Rahmen- und Binnenhandlung wie bei Storm und C. F. Meyer. Auch kommt es zu *Differenzierungen* durch die Ausbreitung von Erzählerreflexionen, Charakterzeichnungen, Zustandsschilderungen und zur Abgrenzungen etwa zwischen *Schicksals-N., Stimmungs-N., Charakter-N., Problem-N.* usf. Sammelbecken für die neuere dt. N. sind Anthologien wie der »Dt. Novellenschatz« (1871) von P. Heyse und H. Kurz. – Parallel zu dieser dt. Sonderentwicklung und relativ unabhängig von ihr bildet sich die N. auch sonst in *europ. Romantik und Realismus* fort, und zwar meist mit Bedacht auf psycholog. Feinzeichnung und oft in Richtung auf die weniger streng gefügte Kurzgeschichte, so bei P. Mérimée, A. Daudet und G. de Maupassant in Frankreich, bei A. Puschkin, N. Gogol, F. Dostojévskij, J. S. Turgenev und A. Čechov in Rußland, bei J. P. Jacobsen in Dänemark, bei R. Stevenson, E. A. Poe, N. Hawthorne, H. Melville, St. Crane und Henry James in *England* und den USA. *Im 20. Jahrhundert* verstärkt sich die Formenvielfalt der N. und auch die Tendenz zur Annäherung an andere Erzählarten, insbes. an Kurzgeschichte, Anekdote und sogar Roman. Daneben kommt es vor allem in Dtschld. zur Weiterbildung und Wiederbelebung der überlieferten Schreibweise, sei es in restaurativem Sinn wie bei P. Ernst, R. Binding, W. Bergengruen, E. Wiechert u. a. oder auch bei F. Werfel, E. Strauss, St. Zweig, Ricarda Huch, St. Andres u. a., sei es mit durchaus eigenständigen Ausformungen wie bei Th. Mann, A. Döblin, F. Kafka, R. Musil, H. v. Doderer, Anna Seghers, G. Grass, M. Walser u. a. Trotz Ansätzen zu Stagnation und Auflösung erweist sich so die N. auch für das 20. Jh. als eine anpassungsfähige und lebendige Erzählgattung. *Theorie:* Seit der bewußten Ausbildung einer dt. Sonderform der N. um 1800 mehren sich die Versuche, ihre Gattungsmerkmale auch theoret. zu erfassen. *Goethe* betont den Vorrang des Ereignishaften und des Neuen, indem er die N. als »eine sich ereignete unerhörte Begebenheit« kennzeichnet; themat. fixiert er »den Konflikt des Gesetzlichen und des Ungebändigten, des Verstandes und der Vernunft, der Leidenschaft und des Vorurteils«. *A. W. Schlegel* (und ähnlich L. Tieck) betonen die Notwendigkeit »entscheidender Wendepunkte, wo das die Hauptmassen der Geschichte deutlich ins Auge fallen«. *Th. Mundt* hebt den Einzelfall und die Komposition auf den »Schluß und die Pointe« hin hervor, *F. Th. Vischer* die formale Gestaltung als »Ausschnitt« und einzelne »Situation«, die »eine Krise hat und uns durch eine Gemüths- und Schicksalswendung mit scharfem Accente zeigt, was Menschenleben überhaupt sei«. *P. Heyse* kommt es ebenfalls auf den »einzelnen Conflict« und auf »das Ereigniß« an; den straffen Handlungsumriß nennt er »Silhouette«, den Umgang mit leitsymbol. Voraussdeutungs- und Integrationstechniken nach einer Boccaccio-N. – etwas mißverständlich und oft mißverstanden – den »Falken« (⌐Falkentheorie). Seit etwa 1915 wurde diese Theoriediskussion von der Literaturwissenschaft aufgegriffen. Zwischen Extremen wie der Klage über eine vermeintl. Formzertrümmerung oder der Preisgabe aller Klassifikationsversuche angesichts der Formenvielfalt und des Versagens normativer Regelsysteme haben sich dabei auch Ansätze zur Einkreisung eines »Spielraums novellist. Erzählens«(B. v. Wiese) ergeben, doch ist die Diskussion über die N. und ihre Theorie noch keineswegs abgeschlossen.

⌘ Aust, H.: N. Stuttg. 1990. – Herbst, H.: Frühe Formen der dt. Novelle im 18. Jh. Bln. 1985. – Wiese, B. v.: N. Stuttg. [8]1982. – Kunz, J.: Die dt. N. im 19.Jh. Bln. [2]1978. – Ders.: Die dt. N. im 20.Jh. Bln. 1977. – Eitel, W. (Hrsg.): Die roman. N. Darmst. 1977. – Kunz, W. (Hrsg.): Darmst. [2]1973. – Ders.: Die dt. N. zw. Klassik u. Romantik. Bln. [2]1971. – Schröder, R.: N. u. N.ntheorie in der frühen Biedermeierzeit. Tüb. 1970. – Polheim, K. K. (Hrsg.): Theorie u. Kritik der dt. N. von Wieland bis Musil. Tüb. 1970. – Schönhaar, R.: N. u. Kriminalschema. Bad Homburg v. d. H. 1969. – Neuschäfer, H.-J.: Boccaccio u. der Beginn der N. Mchn. 1969. – Pabst, W.: N.ntheorie u. N.ndichtung. Zur Gesch. ihrer Antinomie in den roman. Literaturen. Hdbg. [2]1967. – Rosenfeld, H. F.: Mhd. N.nstudien. Lpz. 1927, Nachdr. New York/London 1967. – RL

RS

Novellette, f. [ital. novelletta], kurze ⌐Novelle; im Engl. (das die Bez. ›novel‹ für ›Roman‹ verwendet) auch Bez. für Novelle überhaupt; in der Musik des 19. und 20.Jh. Bez. für ein einsätziges Charakterstück.   RS

Numerus, m. [lat. = abgemessener Teil, Harmonie, Reihe, Rhythmus (= Strukturierung eines Bewegungsablaufs)], in der lat. Poetik und Rhetorik die geregelte Abfolge der langen und kurzen Silben. Unterschieden werden: *der poet. N.,* der die gesamte Rede nach strengen Gesetzen in regelmäßig wiederkehrenden Silbenfolgen gliedert; grundlegende Einheit sind die ⌐Versfüße, die zu festen, durch ⌐Zäsuren gegliederten Versen zusammengebunden werden, und *der Prosa-N.,* der an sich keine Gesetze kennt; in der Rhetorik wurden jedoch gewisse N.-Regeln verbindl., die, als Teil des ⌐Ornatus, der Rede akust. Wohlklang garantierten, z. B. ausgewogene Mischung der langen und kurzen Silben, jedoch ohne konkrete Annäherung an den Vers (u. a. Vermeidung von ⌐Jambenfluß), v. a. aber die Verwendung geregelter Silbenfolgen am Anfang und bes. am Ende einer Periode (auch einzelner Kola), sog. ⌐Klauseln. – Zum Spannungsverhältnis zwischen autonomer Sprachbewegung und N. vgl. ⌐Rhythmus.   DW[*]

Nyland-Kreis, eigentl. »Bund der Werkleute auf Haus Nyland« (nach dem Nieland-Hof in Hopsten/Westfalen), 1912 in Bonn von Josef Winckler, Wilhelm Vershofen u. Jakob Kneip begründete Vereinigung von Künstlern, Wissenschaftlern, Industriellen und Arbeitern, der u. a. Gerrit Engelke, Heinrich Lersch, Albert Talhoff, Max Barthel, Karl Bröger, Alfons Petzold mehr oder weniger eng verbunden waren. Im Ggs. zu den Hauptströmungen der Literatur der Zeit, jedoch in gelegentl. sprachl. Nähe zum expressionist. Pathos, suchte der N. nach einer »Synthese von Imperialismus und Kultur, Industrie und Kunst, von modernem Wirtschaftsleben und Freiheit«. Um allseits ihre Unabhängigkeit zu wahren, sollten die Mitglieder einen prakt. Beruf ausüben und ihre Werke anonym veröffentlichen. Diese sind charakterisiert durch eine Überschätzung der weltüberwindenden Kraft der Technik (vgl. Wincklers »Eiserne Sonette«, 1914, als erstes, Lerschs »Mensch in Eisen«, 1926, als eines der letzten Werke des N.s) und Versuche, das Wirtschaftsleben sowie die Industrie- und Arbeitswelt dichter. darzustellen (vgl. v. a. Vershofens »Fenriswolf«, 1914). Einfluß auf den N. hatten E. Zschimmers »Philosophie der Technik« und R. Dehmels Industrielyrik. Die Zeitschrift »Quadriga« (1912–14, nach 1918 u. d. T. »Nyland«) sammelte neuartige Arbeiten des N.es, dessen Verleger v. a. E. Diederichs (Jena) war. Von den 20er Jahren an wurden die ursprüngl. Intentionen mehr oder weniger deutl. zurückgenommen. Symptomat. ist die Zuwendung zum landschaftl. gebundenen Schelmenroman (Winckler, »Der tolle Bomberg«, 1922), zum heiteren Volksroman (Kneip, »Hampit, der Jäger«, 1927), zu einem erfolgreichen ›bodenständ. Erzählen‹, wobei in Wincklers »Pumpernickel« (1925) oder Vershofens »Geschichte eines Hauses«, »Poggeburg« (1934), das »Haus Nyland« nicht mehr ideolog. Nenner, sondern nur noch Ort des Erzählgeschehens ist. – Auch ⌐Arbeiterliteratur.

⌘ Hoyer, F. A.: Die Werkleute auf Haus Nyland. Diss. Tüb. 1941.   D

Obszöne Literatur [Etymologie umstritten, evtl. zu lat. obscena = von der Szene weg, d. h. nicht auf der Bühne (öffentl.) zeigbar = anstößig, unzüchtig], umstrittene und schillernde Bez. für literar. Werke, die als unanständig, schamlos empfunden werden, »Sitte und Anstand verletzen« (so das Strafgesetzbuch), ›unzücht.‹ Gedanken ausdrücken, bzw. hervorrufen. Dabei wird zwischen o.r L. und ⌐pornograph. Literatur häufig nicht unterschieden (s. B. P. Englisch). Während Autoren wie I. Bloch u. a. eindeutig festlegen, o. L. sei »ausschließl. zum Zweck geschlechtl. Erregung verfaßt, werde also auch nur aus diesem Grunde konsumiert, macht M. Hyde mit Recht darauf aufmerksam, daß, wenn auch Pornographie »immer obszön« sei, dies nicht umgekehrt gelte. So sei z. B. »die Beschreibung eines Stuhlgangs zweifellos als obszön zu bezeichnen«. In dieser Richtung argumentieren weitere Autoren, wenn sie z. B.

die Darstellung von Brutalität und Unterdrückung als obszön bez. Auch ein Unterscheidungsversuch zwischen Pornographie und einer Kunst mit obszönen Elementen hat aus dem inhaltl.-terminolog. Dilemma nicht herausgeführt. Unbestritten kann das Obszöne (in allen seinen Spielarten) legitimes Element der Überzeichnung, z. B. der Satire sein (altgriech. Komödie: Aristophanes). Ähnliches gilt für das allgem. als obszön eingeschätzte Werk des Marquis de Sade, das als »revolutionär« und befreiend angesehen wird, da es das Unvorstellbare konzipiere, da »die Überschreitungen der Sprache ein Beleidigungsvermögen« besäßen, »das mindestens ebenso stark« sei »wie das der moral. Überschreitungen« (R. Barthes). Verwischt sich also einerseits die Grenze zwischen pornograph. und o. L., so verwischt sich andererseits die Grenze zwischen dem »Obszönen als legitimem Element des Kunstwerks« (Mertner, Mainusch) und einer »erot. Literatur. – Letztl. resultiert die Definitions- und Verständnisschwierigkeit aus der (gesellschaftl.) Relativität der Begriffe. »Es hängt von der Einstellung des Lesers oder Betrachters ab, dessen Entscheidung gewöhnl. weitgehend von dem Ruf des Schriftstellers oder Künstlers beeinflußt wird« (Hyde); aber auch dessen Entscheidung wird ebenso von tradierten oder herrschenden Moralvorstellungen, gesellschaftl. Tabuisierungen, der Kodifizierung von Begriffen wie Schamgefühl, Sitte, Anstand beeinflußt. Auf die subjektive Einstellung des Lesers, Betrachters zielte D. H. Lawrence mit seiner Bemerkung: »Was für den einen Pornographie ist, bedeutet für den anderen das Lachen des Genius«.

📖 Glaser, H. A.: Wollüst. Phantasie. Sexualästhetik der Lit. Mchn. 1974. – Brockmeier, P.: Lust u. Herrschaft. Stuttg. 1972. – Gorsen, P.: Sexualästhetik. Zur bürgerl. Rezeption von Obszönität u. Pornographie. Hamburg 1972. – Mertner, E./Mainusch, H.: Pornotopia. Das Obszöne und die Pornographie in der literar. Landschaft. Frkft./Bonn 1970. – ⁄erot. Literatur. D*

Occupatio, f. [lat. = Besetzung, Abhaltung (durch andere Dinge)], ⁄rhetor. Figur, Erwähnung eines Gegenstandes oder Sachverhaltes, der angebl. (später, bes. im MA., auch tatsächlich) übergangen, nicht in der Rede behandelt werden soll, und auf den dadurch um so deutlicher hingewiesen wird. ⁄Paralipse. S

Ode, f. [gr. = Gesang], in der griech. Antike Sammelbez. für alle zu Musikbegleitung vorgetragene *stroph. (chor. und monod). Dichtung.* Dabei zeigt die *Chorlyrik,* v. a. Pindars (wie die Chorlieder der Tragödie), triad. Form (vgl. ⁄Pindar. O.): auf O. und ⁄Antode (⁄Anti- oder Gegenstrophe) folgt die ⁄Epode (Abgesang). Es gibt in der Chorlyrik keine verfügbaren, über die einzelnen Lieder hinausgehenden feststehenden Strophenschemata, wie sie im *lyr. Einzelgesang* (der ⁄Monodie) der äol. Lyriker Alkaios, Sappho u. a. als feste ⁄Odenmaße (z. B. sapph., alkäische Strophe) entwickelt wurden. Auch von der Thematik und der Stillage her unterscheiden sich die pathet. chor. Preisgesänge Pindars von leichteren, aus der Situation heraus entstandenen monod. Einzelliedern. – Bei der Übernahme der griech. O. in die röm. Literatur hebt Horaz diese Trennung z. T. auf, indem er in seine von der monod. Tradition geprägten Formen außer thmat. Anklängen (Carm. 1, 12) auch Stilelemente der Chorlyrik wie den komplizierten Periodenbau und die dunkle Sprache aufnimmt (Carm. 4, 2). Obwohl Horaz nur noch für Rezitation und Lektüre dichtet, nennt er seine Gedichte (entsprechend der röm. Tradition, vgl. ⁄Hymne) noch »Carmina« (Lieder, ⁄Carmen). Die Bez. O. wird zuerst von kaiserzeitl. Kommentatoren (Pomponius, Porphyrio, 3. Jh.) angewandt. – Als Bez. für das *neulat. gesungene Kunstlied* führt C. Celtis die O. in die neuere Literatur ein. P. de Ronsard verfaßt 1550–52 in fünfbänd. O.nwerk in gr. Sprache. Er ahmt dabei nicht nur die dreigliedrige Form Pindars nach (O. auf Heinrich II.), sondern auch die silbenzählenden Odenmaße der Monodie, ersetzt

allerdings das antike Prinzip des auf Silbenquantitäten beruhenden Metrums durch den Reim. In *Deutschland* bemüht sich danach als erster G. R. Weckherlin um die O., dann M. Opitz, der zwar an der Sangbarkeit der O. und auch an der Trennung der pindar. von der im engeren Sinne lyr. O. festhält, das Prinzip des Silbenzählens aber zugunsten einer akzentuierenden Metrik aufgibt. Aber die O. ist nicht mehr durch eine metr. Form bestimmt, sondern durch die Art des Vortrags, durch die Thematik und den Stil. Die Liedform ist auch in Zukunft (z. B. Fleming, bis hin zu Herder) Bedingung der leichteren O. Pindarische Formen dagegen finden Eingang in die barocke Tragödie (Gryphius: »Reyen«) und in die feierl. Gelegenheitsdichtung. Diese pathet. Formtradition wird durch den frz. Klassizismus (Boileau) und die dt. Aufklärung gestärkt, wo die Erhabenheit in Stil und Gehalt (philosoph.-moral. Themen) zum wesentl. Merkmal wird, bei »schöner Unordnung« (»beau désordre«) der äußeren Form. Als verwandte Dichtung werden von nun an die Psalmen der Bibel neben die O. des Pindarischen Typus gestellt. Für diese neuen, religiös-moral. O. wird auch der Begriff der ⁄Hymne verwendet. Doch auch die leichtere Form lebt wieder auf, als die Dichter der Empfindsamkeit Horazische Themen (Natur, Geselligkeit, Liebe) in nachempfundenen Horazischen Maßen aufnehmen, erstmals auch ohne Reim (1752: Horazübersetzung durch S. G. Lange). Den entscheidenden Schritt in der Assimilation der antiken Odenmaße geht dann F. G. Klopstock, der die Rhythmisierung des deutschen Verses nach dem Wortakzent mit der des antiken Verses nach Quantitäten in Einklang zu bringen sucht. Der Ton dieser O.n ist pathet. und schwungvoll, der Sprache der Prosa bewußt fern, so daß sich die seit Ronsard weitgehend getrennt laufenden Traditionen der Horazischen und Pindarischen Odenform verbinden. Daneben schafft Klopstock aus dem anverwandelten antiken Versmaterial neue Strophenformen, bis hin zu den ⁄freien Rhythmen gehaltenen O.n (»Die Frühlingsfeier«), die in den variablen Versen Pindars und den Psalmen ihr Vorbild haben. Der heutige Begriff der O. als eines pathet. hohen Gedichts ist stark durch Klopstock geprägt (vgl. Klopstock, »Von d. Nachahmung des griech. Silbenmaßes im Deutschen«, 1756). In seiner Nachfolge steht u. a. die Odendichtung des ⁄Göttinger Hains und die Dichtung des jungen Goethe in freien Rhythmen. Für den ⁄Sturm und Drang war Pindar eines der genialen Vorbilder. Einen zweiten Höhepunkt erreicht die dt. O. bei F. Hölderlin, der teils das alkäische oder asklepiadeische Odenmaß, teils die freie Form Pindars (»Hyperions Schicksalslied«) nachahmt. An diesen O.n setzten denn auch Versuche der Literaturwissenschaft an, die >Gespanntheit< als Gattungsmerkmal der O. als einer überzeitl. Form zu bestimmen. Im 19. Jh. versucht der ⁄Münchner Dichterkreis und v. a. A. v. Platen, die Horazischen Odenformen ohne den gespannt hohen Ton Klopstocks und Hölderlins nachzugestalten, den gespannt hohen Stil dieser Tradition wieder zur Geltung zu bringen. R. A. Schröder und R. Borchardt bemühten sich im 20. Jh. um eine bewußte Neubelebung der O., ebenso F. G. Jünger und J. Weinheber. – Als europäische Bewegung findet sich die Odendichtung in Renaissance und Barock außer in Frankreich und Deutschland auch in England (Cowley, Dryden, Pope), Italien (Tasso, Alamanni, Chiabrera), Spanien (Ponce de León, Fernando de Herrera). Im 19. Jh. verformen Victor Hugo und Musset in Frankreich die Odenform. Ihr Landsmann Lamartine, Manzoni (Italien) und Byron (England) dichten die O. auf Napoleon. Die pathet. O. erneuert im 20. Jh. D'Annunzio.

📖 Jump, J. D.: The Ode. London 1974. – Janik, D.: Gesch. der O. und der »Stances« von Ronsard bis Boileau. Diss. Tüb. 1968. – Schlüter, K.: Die engl. O. Bonn 1964. – Hossfeld, R.: Die dt. horazische O. von Opitz bis Klopstock. Diss. Köln 1962. – Madison, C.: Apollo and the nine. A

history of the O. London 1960. – Viëtor, K.: Geschichte der
dt. O. Mchn. 1923, Nachdruck Hildesheim 1961. – RL.
DW

Odenmaße, feste Strophenformen der altgriech. monod.
Lyrik (im Unterschied zur altgriech. Chorlyrik): vierzeilige,
v. a. aus den ↗äol. Versmaßen gebaute Strophen der im
7./6. Jh. v. Chr. lebenden Lyriker Alkaios, Alkman, Archilochos, Asklepiades, Hipponax und Sappho. In der Nachwirkung (v. a. bei Horaz) am lebendigsten waren:
1. die *alkäische Strophe* aus zwei alkä. Elfsilblern, einem
Neunsilbler und einem Zehnsilbler (↗alkäische Verse);
Schema:

⏒–⏑–⏒|–⏑⏑–⏑⏒
⏒–⏑–⏒|–⏑⏑–⏑⏒
⏒–⏑–⏒–⏑–⏒
–⏑⏑–⏑⏑–⏑–⏒

Zuerst von Alkaios und Sappho verwendet, von Horaz in
die röm. Lyrik übernommen (Carm. 3, 1–6 u. a.), von F. G.
Klopstock in die dt. Dichtung eingeführt (»An J. H. Voß«,
»An Fanny«), auch von L. Ch. H. Hölty (»Auftrag«) und
bes. F. Hölderlin (»An die Parzen«, »Rousseau«, »Abendphantasie«) verwendet.
2. die *asklepiadeischen Strophen,* fünf von Horaz teils aus
der griech. Lyrik übernommene, teils von ihm neugeschaffene O. Grundelement ist der äol. kleine oder große ↗As-
klepiadeus (minor oder maior). Man unterscheidet:
a) die *1. asklepiad. Strophe* aus vier kleinen Asklepiadeen
(z. B. Carm. 1, 1);
b) die *2. asklepiad. Strophe* aus drei kleinen Asklepiadeen
und einem ↗Glykoneus (carm. 1, 6), Schema:

–⏑–⏑⏑–|–⏑⏑–⏑⏒
–⏑–⏑⏑–|–⏑⏑–⏑⏒
–⏑–⏑⏑–|–⏑⏑–⏑⏒
–⏑–⏑⏑–⏑⏒

c) die *3. asklepiad. Strophe* aus zwei kleinen Asklepiadeen,
einem ↗Pherekrateus, einem Glykoneus (Carm. 1, 5),
Schema:

–⏑–⏑⏑–|–⏑⏑–⏑–
–⏑–⏑⏑–|–⏑⏑–⏑–
–⏑–⏑⏑–⏑–
–⏑–⏑⏑–⏑⏒

d) die *4. asklepiad. Strophe* aus zwei Disticha aus Glykoneus und Asklepiadeus minor (z. B. Carm. 1, 3);
e) die *5. asklepiad. Strophe* aus vier großen Asklepiadeen
(z. B. Carm. 1, 11). – Strophen im strengen Sinne sind nur
die 2., 3. und 4. asklepiad. Strophe. – Nach dem Vorbild des
Horaz wurden sie auch in dt. Sprache nachgeahmt, besonders die dritte, so von Klopstock (»Der Zürchersee«), Hölty
(»Die Liebe«), Hölderlin (»Heidelberg«, »Der Abschied«), J. Weinheber (»Ode an die Buchstaben«), aber
auch die zweite (Klopstock, »Friedrich V.«).
3. die *sapphische Strophe* aus drei sapph. Elfsilblern (Hen-
dekasyllabi) und einem ↗Adoneus (z. B. Horaz, Carm. 1,
22); Schema:

–⏑–⏒–⏑⏑–⏑–⏒
–⏑–⏒–⏑⏑–⏑–⏒
–⏑–⏒–⏑⏑–⏑–⏒
–⏑⏑–⏒

Zuerst in den Liebesliedern der Sappho und bei Alkaios
belegt, von Catull und Horaz in die röm. Lyrik übernommen, in dt. Sprache nachgeahmt von Klopstock (»Der
Frohsinn«, z. T. auch mit Varianten, z. B. Stellungswechsel
des Choriambus), Hölty (»An die Grille«), einmal auch
von Hölderlin (»Unter den Alpen gesungen«), ferner von
A. v. Platen (»Los des Lyrikers«), N. Lenau, J. Weinheber,
G. Britting.
4. die *archiloch. Strophen,* drei relativ seltene O. des Horaz,
die er nicht aus äol. Versen, sondern, nach dem Vorbild der
↗Epoden des Archilochos (vgl. ↗archiloch. Verse), aus
daktyl. und jamb. Vers(teilen) bildete. Man unterscheidet
a) die *1. archiloch. Strophe* aus zwei Disticha aus daktyl.

↗Hexameter und katalekt. ↗Tetrameter, z. B. Carm. 1, 7;
Schema:
2mal: –⏑⏑–⏑⏑–|⏑⏑–⏑⏑–⏑⏑–⏑
–⏑⏑–⏑⏑–⏑–⏑–
(entspricht, mit Synaphie, der 12. Epode des Horaz);
b) die *2. archiloch. Strophe* aus zwei Disticha aus daktyl.
Hexameter und ↗Hemiepes (z. B. Carm. 4, 7). Schema:
2mal: –⏑⏑–⏑⏑–|⏑⏑–⏑⏑–⏑⏑–⏑⏑
–⏑⏑–⏑⏑–
c) die *3. archiloch. Strophe* aus zwei Disticha aus ↗Archilo-
chius und katalekt. jamb. ↗Trimeter, z. B. Carm. 1, 4);
Schema:
–⏑⏑–⏑⏑–|⏑⏑–⏑⏑–⏑–⏑–⏒
⏒–⏑–⏒|–⏑–⏑–⏒
Nachgebildet in dt. Sprache wurde die 2. archiloch. Strophe
von Klopstock (»An Giseke«, »An Ebert«).
5. die *hipponakteische Strophe* aus zwei Disticha aus katalekt. trochä. Dimeter und katalekt. jamb. Trimeter (z. B.
Horaz, Carm. 2, 18); Schema:
–⏑–⏑–⏑⏒
⏑–⏑–|–⏑–⏒;
(die Bez. ist ungeklärt, da die Strophenform für Hipponax
nicht bezeugt ist, bei Archilochius findet sich als ähnl. Verbindung nur jamb. Trimeter und jamb. Dimeter). DW*
Offene Form, auch: atektonisch, Begriff der Ästhetik,
übertragen auf die Poetik für literar. Werke, die im Ggs. zur
↗geschlossenen Form keinen streng gesetzmäßigen Bau
zeigen, atekton. sind. – Kunstwerke der o. F. finden sich
v. a. in Epochen und Stilrichtungen, die in Opposition zu
klass. Form und normativer Poetik stehen, etwa im ↗Sturm
und Drang, in der ↗Romantik, im ↗Expressionismus. Charakterist. Stilform ist die ↗Parataxe, das lockere Aneinan-
derfügen von Einzelaussagen, oft in freier Assoziation (statt
der log. ordnenden und hierarch. gliedernden ↗Hypotaxe),
abgebrochene Aussagen, unvollendete Sätze, Stammeln,
freies Strömen der Gedanken (Affinität zum ↗inneren
Monolog). Anstelle der typisierenden, gehobenen, einheitl.
Sprache der geschlossenen Form tritt die individualisierende, dem jeweiligen Sprecher angemessene, polyperspek-
tiv. Sprache. In der Lyrik wird der Rhythmus wichtiger als
Versmaß und Strophenformen (Bedeutung der ↗freien
Rhythmen). Dem Stilprinzip der Parataxe entspricht das
Bauprinzip der nebengeordneten Teilaspekte, also etwa die
Betonung der Einzelszene (z. B. Goethes »Faust«) im Ggs.
zur Bedeutung der Akte im Drama der geschlossenen
Form. Diese ›szenische‹ Kompositionsform findet sich
auch in narrativen Texten in der Betonung der Einzelepi-
sode (z. B. Büchners »Lenz«) anstelle streng gliedernder
Kapiteleinteilung. Anfang und Ende sind weniger deutlich
markiert als in der geschlossenen Form, kennzeichnend ist
der offene Schluß. Die ↗drei Einheiten verlieren ihre
Bedeutung. Die Ganzheit wird nicht mehr sichtbar, sie stellt
sich nur in Ausschnitten und Bruchstücken dar.
 Faas, E.: O. F.en in d. mod. Kunst u. Lit. Zur Entstehung
einer neuen Ästhetik. Mchn. 1975. ↗geschlossene Form.
IA

Oktave, f. [lat. octavus = der achte] ↗Stanze.
Oktett, n. [lat.-ital. von lat. octo = acht], Strophe aus 8 Zeilen, auch für die Zusammenfassung der beiden Quartette
des ↗Sonetts gebraucht. S
Oktonar, m. [lat. octonarius = aus acht bestehend], freiere
lat. Nachbildung der altgriech. ↗Dipodien, akatalekt. ↗Te-
trameter, wird nicht nach ↗Dipodien, sondern ↗Monopodien (8
ganzen Versfüßen) gemessen, von größerer Beweglichkeit
als das griech. Vorbild (vgl. ↗Senar, ↗Septenar). Jamb. O.e
erscheinen (im Ggs. zum Griech., wo akatalekt. jamb.
Tetrameter nur einmal belegt sind) häufig in Komödien
(Plautus, Terenz) und Tragödienfragmenten (Accius); der
troch. O. ist dagegen auf melische Partien und Stellen
emotionaler Erregung beschränkt. IS
Onomastikon, n. [gr. eigentl. o. biblion zu onoma =
Name, biblos = Buch],

1. antikes oder mal. Namen- oder Wortverzeichnis zu bestimmten Sachgebieten, z. T. mit sachl. Erläuterungen, Synonyma und Etymologien.
2. kürzeres Gedicht auf einen Namenstag (carmen o.). S
Onomatopoeie, f. [aus gr. onoma = Name, poiein = schöpfen], Bildung oder Verwendung klangnachahmender, lautmalender Wörter (sog. *onomatopoietica,* z. B. Kuckuck, brummen, zirpen); vgl. ↗Lautmalerei.
◻ Wissemann, H.: Unters. zur O. Hdbg. 1954.   HW*
Onomatopoietische Dichtung, Texte, deren Ziel es ist, durch ↗Onomatopoeie die akust.-sinnl. Eindrücke, die das Bezeichnete in der Realität besitzt oder auslöst, nachzubilden, sei es durch herkömml. oder in der Kunstpoesie seit der Antike immer wieder neu erfundene onomatopoiet. Wörter (onomatopoietica) oder durch eine besondere rhythm.-metr. Zusammenstellung ursprüngl. nicht schallimitierender Wörter, vgl. z. B. in der Homer-Übersetzung von J. H. Voß »Hurtig mit Donnergepolter entrollte der tükische Marmor« (Odyssee XI, 598). In der manierist. Lyrik des Barock wurde die O. bes. vom Nürnberger Dichterkreis (G. P. Harsdörffer, J. Klaj, S. v. Birken) gepflegt, gelegentl. nicht ohne Selbstironie, vgl. z. B. » . . . Des Gukkuks Gukke trotzt dem Frosch und auch die Krükke./ Was knikkt und knakkt noch mehr? kurtz hier mein Reimgeflikke« (Klaj, 1644). In der Klassik (etwa in Bürgers »Lenore«, Schillers »Glocke«, Goethes »Hochzeitslied«, später in Kopischs »Heinzelmännchen«) wurde die Onomatopoeie als Mittel klangl. Veranschaulichung des Dargestellten eingesetzt; in der Romantik dagegen nahm sie mehr den Charakter einer *Lautsymbolik* an, die den Stimmungswert der Vokale und Konsonanten betonte und dem Sprachklang einen über das Illustrative hinausgehenden Vermittlungswert beimaß (z. B. H. v. Brentano, »Ehegeheimnis der Diphthonge«. Im 20. Jh. findet sich Onomatopoeie in den dadaist. Lautgedichten (H. Ball), neuerl. in den mit den Klangassoziationen einzelner Phoneme arbeitenden Gedichten E. Jandls (»Laut und Luise«, 1966). ↗Lautmalerei.
◻ Gaier, U.: Form u. Information. Funktionen sprachl. Klangmittel. Konstanz 1971.   HW
Oper, f. [von ital. opera (musica) = (Musik-)Werk], Theatergattung mit unterschiedl. Wechselbeziehungen von Wort, Musik und szen. Darbietung. – Verbindungen von Dichtung und Musik sind alt, vgl. etwa die mal. Lyrik (↗Trobadorlyrik, ↗Minnesang) oder antike und mal. Epen, für welche rhapsod. Vortrag (mit Sing-, nicht Sprechstimme) vermutet wird. Die Rolle der Musik im antiken Drama ist nicht sicher belegt; belegt sind dagegen im ↗geistl. Spiel des MA.s Wechselgesänge, Chöre, Einzellieder als integrale Bestandteile. Auch weltl. Stücke mit Musik sind bezeugt (Adam de la Halle, Schäferspiel »Le jeu de Robin et Marion«, 1283). – Im 16. Jh. nimmt die Tendenz zur musikal. Ausgestaltung szen. Darbietungen auffallend zu: Eine Aufführung wie die des Luzerner Passionsspieles konnte mit ihrem enormen theatral. Aufwand durchaus den Eindruck eines opernhaften Gesamtkunstwerks vorwegnehmen. Bes. in Italien wurden in klass. Tragödien musikal. ↗Intermezzi (Chöre, Arien, Tänze usw.) eingefügt. Auch die immer leichter werdenden ↗Schäferspiele waren mit Melodien angereichert, vgl. Tasso, »Aminta« (1573), G. B. Guarini, »Il pastor fido« (1590). In diesen Umkreis gehören auch Madrigalkomödien wie O. Vecchi, »Amfiparnasso« (1594) oder die ↗Trionfi. Auch das dt. Fastnachtspiel endet schließl. in einer (von den engl. Komödianten beeinflußten) ↗Singspielform (vgl. J. Ayrer). Szen. Darstellungen mit Musik waren also um 16. Jh. durchaus beliebt. Dennoch beginnt 1594 im Hause des Grafen Bardi in Florenz (im Kreise der sich dort versammelnden Dichter, Komponisten und Gelehrten, der sog. *Camerata*) eine neue Entwicklung: Mit dem ›dramma per musica‹ »Dafne« (Text O. Rinuccini, Musik J. Peri) wurde unter dem Einfluß

humanist. Rückbesinnung auf die Antike ein bewußter Versuch unternommen, abseits der übl. Text-Musik-Kombinationen das antike Drama zu erneuern, für das eine ähnl. Symbiose vermutet wurde. Dieser musikal.-dramat. Neueinsatz war ganz auf das handlungsbestimmte Wort ausgerichtet, das im Sprechgesang (Rezitativ) vorgetragen und durch Chöre ergänzt wurde. An die Stelle der herkömml. Polyphonie trat das neue Prinzip des Generalbasses, über dem sich die Vortragsstimme entfaltete. Diese starke Ausrichtung auf das Wort wurde bereits vom ersten bedeutenden Opernkomponisten, C. Monteverdi, modifiziert durch die Bedeutung, die er dem Orchesterpart einräumte (reiche Besetzung, selbständ. Instrumentalpartien). Als *erste wirkl. O.* gilt sein »Orfeo« (1607, Text von A. Striggio). Der Idee nach eine Erfindung der Renaissance, erhielt die O. ihre eigentl. Gestalt erst im Barock, dessen Repräsentationsbedürfnis sie von ihrer Struktur her entgegenkam: Neben die seitherigen Solopartien (↗Arien) treten nun immer kunstvollere Duette, schließl. auch Ensemble- und breite Chorszenen. Die szen. Darbietung des Stoffes (der weiterhin der antiken Mythologie und Geschichte entnommen wird) entwickelt sich zu opulentem Schaugepränge in eigens dafür gebauten Theatern. Ein neuer Abschnitt der O.ngeschichte beginnt mit der Öffnung der (anfangs nur dem Adel vorbehaltenen) Kunstform für ein breiteres, zahlendes Publikum: Venedig eröffnet 1637 ein öffentl. O.nhaus. Getragen zunächst von italien. Truppen, trat die O. einen Siegeszug durch Europa an (Paris, Wien, Salzburg, München). Ansätze zu eigenem O.nschaffen zeigten sich in den europ. Ländern nur zögernd: In Deutschland etwa mit dem höf. Festspiel »Daphne«(1627, Text: M. Opitz, Musik: H. Schütz – nicht erhalten) oder dem »Geistl. Waldgedicht Seelewig« (1644, Text G. Ph. Harsdörffer, Musik: J. Staden). Einem breiteren Vordringen der O. standen in Deutschland die Zeitumstände (Dreißigjähr. Krieg) entgegen, in Frankreich und England die dortigen starken einheim. Theatertraditionen (frz. Klassik, Shakespeare). Die Geschichte einer franz. National-O. beginnt erst 1659 mit einem Schäferspiel von P. Parin u. R. Cambert. 1671 wird die 1. frz. O.nbühne eingeweiht, die ›Académie Royale de Musique‹ (die heutige Grand Opéra). Insbes. das Werk J. B. Lullys, der seit 1664 mit Molière zusammenarbeitete (↗Comédie-ballet), erstrahlte allmähl. das beliebte Ballet du cour: Er entwickelte den für die frz. O. bedeutsamen Typus der *tragédie en musique* (Texte v. Ph. Quinault), die sich formal an der frz. Tragödie (5 Akte), musikal. an Monteverdi anschließt (rezitativ. Soloszenen und Instrumentalsätze, bereits auch eine Frühform der Ouvertüre). Ein integraler Bestandteil der frz. Oper wurde das Ballett. Die engl. O.ngeschichte setzt zur selben Zeit ein, allerdings ganz nach ihrem Vorbild und erlebt ihren Höhepunkt in der Opera seria G. F. Händels (seit 1711). Die *Opera seria* im italien. Stil wird die das Hochbarock kennzeichnende Gattung: Ganz im Gegensatz zu den Gründungsintentionen ist bei ihr die (meist mytholog.-heroische) Handlung sekundär (der ↗Deus ex machina löst alle Probleme); wichtig sind v. a. eine pompöse Ausstattung und die artist. Präsentation der menschl. Stimme. Aus der in den Opera seria kontrapunkt. eingeschobenen heiteren Zwischenspielen entwickelt sich die *Opera buffa* (kom. O.), die dem heroischen Pathos der Opera seria eine unterhaltende, anspruchslose Handlung, der üppigen Harmonik und dem Koloraturwesen einfache Liedformen (auch Duette, Terzette und Ensembles) entgegenstellte (Pergolesi, Cimarosa). – Ein satir. Gegenentwurf zur hochstilisierten Opera seria entstand in England in der ↗Ballad opera (volkstüml. Stoffe und Lieder, Arienparodien, possenhafte Prosadialoge); bekanntestes Beispiel ist die »Beggar's opera« (1728) von J. Gay (Text) und J. Ch. Pepusch (Musik).
Die weitere Entwicklung der O. vollzog sich in einem gegensätzl. Rahmen: Auf der einen Seite die Tradition der

Opera seria: das Übergewicht der Musik, die Gesangsartistik, das Schaugepränge, mytholog. und allegor. Handlungsschablonen – auf der anderen Seite die mannigfachen Versuche, die O. bei all ihrer theatral. Künstlichkeit mit einem gewissen Maß an natürl. Dramatik auszustatten, ein ausgewogenes Verhältnis von Musik und Text zu erreichen. Hauptrepräsentant der Opera seria im 18. Jh. in Dtschld. war J. A. Hasse (Texte meist von Metastasio); vgl. auch Mozarts »Idomeneo« (1781). In ihrer Tradition steht im 19. Jh. die in Frankr. entwickelte ↗ grand opéra (Hauptrepräsentant G. Meyerbeer). Die *Gegenbewegungen* werden getragen 1. von der Rückbesinnung auf die antikisierenden Anfänge durch die Reform-O.n Ch. W. Glucks (Darstellung sittl. Grundideen in einheitl. Handlung, Gleichstellung von Musik und Dichtung, beherrschend werden orchesterbegleitete Rezitative, Verzicht auf Schauprunk); erstes Beispiel ist »Orfeo« (1762) von Gluck. 2. von der u. a. aus der Ballad opera hervorgegangenen Singspieltradition mit Höhepunkten bei Mozart (»Entführung aus dem Serail«, 1782; »Zauberflöte«, 1791) und, im 19. Jh., den romant. sog. Spiel.O.n (Weber, Lortzing). 3. vom Versuch, einen Stoff musikdramat. durchzugestalten, die Personen musikal. zu charakterisieren. Auch hier stellt Mozart den Höhepunkt dar (»Figaros Hochzeit«, 1786; »Don Giovanni«, 1787). Er steht am Anfang einer Entwicklung, die in die Konzeption eines ↗ Gesamtkunstwerkes mündet, die dann R. Wagner actual (in seinen Spätwerken) realisierten. Zugleich ändert sich auch die Stoffwahl der O. Neben antike Stoffe (Gluck) treten solche aus der Nationalgeschichte, der Zeitgeschichte (Türken-, Revolutions-O.n, Beethoven, »Fidelio«, 1805), der Sage (Weber, »Freischütz«, 1821), der zeitgenöss. Literatur (»Figaros Hochzeit«), vgl. auch die Schauer-O.n im Gefolge der ↗ gothic novel u. a.
Seit dem 18. Jh. sind, zusammenhängend mit der allgemeinen gesellschaftl. Wertschätzung der O. (trotz ihrer Zentrierung an Höfen), immer wieder Bestrebungen zu beobachten, eine › National-O.‹ zu schaffen (vgl. das von Joseph II. 1778 ins Leben gerufene › Nationale Singspiel‹). Schon zu Beginn die 18. Jh.s gab es in Hamburg kurzzeitig ähnl. bürgerl. Bestrebungen (R. Keiser, vgl. auch ↗ Nationaltheater). Bes. in den slaw. Ländern wurde die O. im 19. Jh. zu einem nationalen Anliegen der Selbstfindung mit Besinnung auf eigene Stofftraditionen (vgl. in Rußland M. Glinka, »Das Leben für den Zaren«, 1836, in der Tschechoslowakei F. Smetana, »Die verkaufte Braut«, 1866). – Eine Neuerung des 20. Jh.s ist die sog. Literatur-O., die Vertonung von nicht als ↗ Libretto bearbeiteten Theaterstücken, z. B. »Salome« (O. Wilde/R. Strauß), »Woyzeck« (G. Büchner/A. Berg) oder »Prinz von Homburg« (H. v. Kleist/H. W. Henze), »Die Soldaten« (J. M. R. Lenz/B.-A. Zimmermann) u. a., ↗ Musiktheater.

Handbücher: Kloiber, R.: Handb. d. O. Kassel ⁵1985 (auch dtv). – Krause, Ernst: O. von A–Z. Lpz. 1961. – Riemann, H.: O.n-Hdb. Lpz. 1884–1893.
📖 Fischer, Jens Malte (Hg.): O. und O.ntext. Hdbg. 1985. – Oehlmann, W.: O. in vier Jh.en. Stuttg./Zürich 1984. – Mayer, Hans: Versuche über die O. Frkf. 1981. – Seeger, H. (Hrsg.): O. heute. Bln. (Ost) 1978. – Crosten, W. L.: French grand opéra. New York 1948, Nachdr. 1972. – Kretzschmar, H.: Gesch. d. O. Lpz. 1919, Nachdr. Wiesb. 1970. – Krause-Graumnitz, H.: Vom Wesen der O. Bln. 1969. – Krause, E.: Die gr. O.nbühnen Europas. Lpz. 1966. – Stuckenschmidt, H. H.: O. in dieser Zeit. Velber 1964. – Pahlen, K.: O. der Welt. Zürich 1963. – Schmidt-Garre, H.: O. Eine Kulturgesch. Köln 1963. – RL – MGG.   S

Operationelle (auch: operative) **Literatur,** Ende der 60er/Anfang der 70er Jahre häufiger verwendete Bez. für ↗ polit. Dichtung, die sich, bei fließender Grenze zur ↗ engagierten Literatur, bzw. ↗ Littérature engagée, den ästhetisch formalen Leistungen der Moderne in implizit polit.

Absicht bedient und sich insofern von der vordergründigen Propaganda- und ↗ Tendenzdichtung unterscheidet.   D

Opisthographon, n. [gr. = auf der Rückseite Beschriebenes], in der Papyrologie Bez. für einen ausnahmsweise auch auf der Rückseite beschriebenen Papyrus. ↗ Anopisthographon.   K

Oppositio, f. [lat. = Entgegensetzung], ↗ rhetor. Figur:
1. ↗ Antithese.
2. Koppelung einer negativen und positiven Formulierung derselben Aussage (etwa ↗ Litotes + direkte Aussage): er ist nicht reich, er ist sehr arm; al weinde, sunder lachen. Mittel der ↗ Amplificatio, beliebt in der Bibel und mal. Literatur.   S

Oral poetry [ˈɔːrəl ˈpouitri; engl. = mündl. Dichtung], Forschungsrichtung, die sich mit Tradierung, Form, Struktur und Themen des mündl. Epos in schriftlosen Kulturen auseinandersetzt. Nach Ansätzen im 19. Jh. entwickelt von Milman Parry mit Bezug auf die (hypothet. als o. p. aufgefaßten) Epen Homers, von seinem Schüler A. B. Lord empir. an zeitgenöss. südslaw. Sängern (Guslaren, nach deren einsait. Streichinstrument) verifiziert. Als *Ergebnisse* werden herausgestellt: eine ausgeprägte Formelhaftigkeit des Erzählens, stereotype Beschreibungsmuster (Topoi) und Wiederholungen, direkte Darstellung, stich. Versfolge, einfache, wiederholbare Melodiemodelle. Solche Kennzeichen wurden bereits früher aus literar. Epen der Frühzeit wie Homers Ilias und Odyssee, Beowulf, Nibelungenlied abgeleitet, vgl. auch ↗ ep. Gesetze der Volksdichtung. Themat. gestaltet werden in der o. p. vor allem Heldenschicksale, Brautwerbungen u. a. Abenteuer, Begegnungen mit metaphys. Wesen; z. T. sind auch histor. Anlässe auszumachen, ferner religiös-kult. (schamanist.) Themen. – O. p. ist bis in die Gegenwart v. a. bei slaw. Völkern verbreitet (↗ Byzantinen der Russen, Südslawen), ferner bei Griechen, Finnen, Esten und Türken.
📖 Erzgräber, W./Volk, S. (Hg.): Mündlichkeit u. Schriftlichkeit im engl. MA. Tüb. 1988. – Zumthor, P.: La lettre e la voix. Paris 1987. – Ong, W. J.: Orality and literacy. London u. a. 1982; dt. Opladen 1987. – Zumthor, P.: Introduction à la poésie orale. Paris 1983. – Voorwinden, N./de Haan, M.: Das Problem d. Mündlichkeit mal. ep. Dichtung. Darmst. 1979. – Haymes, E. R.: Das mündl. Epos. Eine Einf. in die o. p.-Forschung. Stuttg. 1977 (mit ausführl. Bibl.). – Parry, A. (Hrsg.): The making of Homeric verse: The collected papers of M. Parry. Oxford 1971. – Lord, A. B.: The singer of tales. Cambridge (Mass.) 1960. Dt. Übers. 1965.   S

Orchestra, f. [gr. = Tanzplatz; zu orcheo = tanzen], ursprüngl. der kult. Tanzplatz vor dem Tempel des Dionysos mit dem auf einem stufenförmigen Podest errichteten Altar des Gottes als Mittelpunkt. Auf diesem Platze finden die chor. Begehungen zu Ehren des Dionysos statt, aus denen sich im Laufe des 6. Jh.s v. Chr. das gr. Drama entwickelt (↗ Chor). Der Übergang von der chor. zur dramat. Aufführung bedingt zunächt die Verlegung des Altars an den Rand der O., später die Trennung der O. von Tempel und Altar. In *klass. Zeit* ist die O. damit die zwischen dem Bühnenhaus (gr. ↗ Skene) und dem amphitheatral. aufsteigenden Zuschauertribüne (gr. theatron, lat. cavea) gelegene Spielfläche, die sich der Geometrisierung des Theaterbaus im 5. Jh. v. Chr. kreisrunde Form hat (so im Theater des Lykurg, 4. Jh. und im Theater von Epidauros, 3. Jh.; beim älteren Theater von Thorikos handelt es sich um eine rechteckige Terrasse). Durch die in der späten Tragödie (Euripides) und in der neueren Komödie zunehmende Bedeutungslosigkeit des Chores verliert die O. ihre eigentliche Funktion; Spielfläche ist jetzt vor allem das ↗ Proskenion. Die O. wird in der Folge im *röm. Theater* (Vitruv) auf den Halbkreis reduziert und nimmt hier in der Regel die Magistratssitze auf, in den Nachbildungen der Renaissance (Teatro olimpico, Vicenza; Palladio) zunächst die Hofgesellschaft. Mit der Entwicklung der perspektiv. Spielraumbühne werden die Instrumentalisten aus dem hinteren Bühnenraum in den Halbkreis zwischen Bühne und Zuschauer, in die ehemalige O. verlegt: Die Bez. des Ortes geht auf die Instrumentalisten über (erstmals bei J. J. Rousseau, »Dictionnaire«, 1767). K

Ordensdichtung ╱Deutschordensdichtung, ╱Jesuitendichtung, ╱Freimaurerdichtung.

Orientalisierende Dichtung, zu unterscheiden sind drei Arten der Einwirkung oriental. D. auf dt. Lit.:
1. Rezeption oriental. Stoffe und Themen.
2. Produktive Aneignung oriental. Ideen und Philosopheme,
3. Nachbildung oriental. Lit., v. a. Lyrik nach Form und Gehalt. Lit.geschichtl. gilt nur die 3. Gruppe als o. D.; es ist die Phase dt. Dichtung, die mit Goethes »West-östlichem Divan« eröffnet wird und oriental. Dichtformen wie ╱Ghasel und ╱Makame pflegt. *Im MA.* beeinflußt der *islam. Orient* indirekt (über Frankreich und Italien) die dt. Lit. v. a. durch die Kreuzzüge: vgl. stoffl. Übernahmen in der Novellistik (etwa aus »1001 Nacht« in den »Gesta Romanorum«), in Märchen und Sagen und in der höf. Epik (z. B. Parallelen zwischen dem Epos »Wis und Ramin« und der Tristansage; der edle Heide im »Parzival«; Orientfahrt im »Herzog Ernst«). *Seit dem 14. Jh.* (Türkenbedrohung im Südosten) rückt das Interesse für den *osman.* Nachbarn in den Vordergrund. Anregend wirken neben dem unmittelbaren Ereignis der ersten Belagerung Wiens 1529 die verschiedenen Reiseberichte und Erinnerungen ehemaliger türk. Kriegsgefangener (B. Georgevic, H. Schiltberger, G. Mühlbacher) auf die Fastnachtsspiele (Hans Rosenplüt 1453), die Türkendramen des Humanisten (15. Jh.: J. Locher, J. Greff; 16. Jh.: J. Prasinus, P. Pantzer, T. Kobler, J. Ayrer u. a.) und die Türkenspiele des 16./17. Jh.s. In der *2. Hälfte des 17. Jh.s* wird die Auseinandersetzung zwischen Christen (Märtyrertypus) und Türken (Typus des despot. Herrschers) in den barocken Kunstdramen (Gryphius, Lohenstein, Haugwitz), den Jesuitendramen (bayr.-öster. Raum) und in Romanen und Novellen (Zesen, Happel, Harsdörffer) gestaltet. Bes. die 2. türk. Belagerung Wiens von 1683 fand reichen, v. a. motiv. Widerhall in Drama und Oper (CH. H. Postel, 1686 u. a.). Im Anschluß an das 1647 entstandene Reisebuch des Adam Olearius und dessen Übersetzung von Saadis »Gulistan« (1656) rückte Persien in den Gesichtskreis dt. Lit. *Exot. o. D.* bildete sich v. a. in Frankreich und Italien und wirkte von dort auf die dt. Epik und Dramatik des *Barock* (Gryphius, Lohenstein; v. Zesen, A. H. v. Braunschweig, A. Bohse-Talander). *Maurischen* Stoff bearbeitete E. W. Happel in seinem »Afrikanischen Tarnolas« (1689). – *Hinterindische* Stoffe wirkten auf den höf.-histor. Barock-Roman, z. B. H. A. v. Zigler und Kliphausens »Asiatische Banise« (1689). *Tibet* ist der Schauplatz von W. F. Meyerns Roman »Dya-na-sore« (1787). Trotz früher Berührungen *Chinas* mit Europa (Johannes von Montecorvino, Marco Polo) tritt chines. Lit. und Kultur erst im 16. und 17. Jh. in das europ. Bewußtsein, hauptsächl. als Folge jesuit. Missionen. Aus Reisebeschreibungen entnimmt der Barockroman fernöstl. Kostümierung (E. W. Happel »Asiatischer Onogambo«, 1673; D. C. v. Lohenstein in »Arminius« 1689 f.). *Japan* taucht vor der Reisebeschreibungen E. Kämpfers (1777 dt.) und Franz von Siebolds (1832–52) in den jesuit. »Märtyrerdramen« des 17. Jh.s zum ersten Mal als Schauplatz literar. Werke auf. – Gefördert durch die aufkommende Wissenschaft der Orientalistik (J. J. Reiske, B. D. Michaelis, J. G. Eichhorn) brachte die *Aufklärung* dem philosoph. und theolog. Phänomen des Islam und der Gestalt Mohammeds ein größeres Verständnis entgegen. *Türk.,* meist heitere und märchenhafte Motive und Gestalten dringen in italien. Oper und dt. Singspiel des 18. Jh.s ein (Gluck, Mozart, Boieldieu, Rossini). Zahlreiche Übersetzungen, allen voran die frz. der »Tausendundeinenacht«(1704/14) von A. Galland, rufen

eine nachahmend orientalisierende Belletristik hervor (Bearbeitungen von Bohse-Talander, J. G. Schummel, J. H. Voß u. a.): ╱Feengeschichten, »morgenländische Erzählungen« (z. B. Ch. M. Wielands »Oberon«, 1780), aber auch zeitkrit. und satir. Schriften (Voltaire) und fingierte Reisebriefe (Montesquieu »Lettres persanes«, 1721). Zahlreiche Dichter der Aufklärung wie Ch. F. Gellert, F. v. Hagedorn, A. v. Haller, J. W. Gleim, G. E. Lessing (»Nathan«) bedienen sich oriental. Motive, bes. im Drama und der phantast. Erzählung. Der Kontakt zwischen Orientalisten und Schriftstellern oder die Personalunion zwischen Dichter und Übersetzer (Brüder Schlegel, F. Rückert) förderte den Einfluß oriental. Lit. Auch J. G. Hamann und J. G. Herder wandten ihre Aufmerksamkeit *oriental.* Dichtung zu, wobei Herder v. a. auf die moral.-didakt. Bedeutung hebr., arab., pers. und ind. Dichtung hinwies (1792 »Blumen aus morgenländischen Dichtern, Blätter der Vorzeit«, »Rosenthal«: Proben aus Saadis »Rosengarten«). Goethe wurde zur Beschäftigung mit dem Islam und der Person Mohammeds (1773 »Mahomets Gesang«) auch von der ersten dt. Koran-Übersetzung D. F. Megelins (Frankfurt 1772) angeregt. Reisebeschreibungen und Import chines. Waren (Porzellan, Seide, Kunstgewerbe) lassen es zu einer in Frankreich aus auf dem Kontinent sich ausbreitenden *»chinesischen Mode«* kommen (Chinoiserien des Rokoko). Übertragungen philosoph. Hauptwerke Chinas, v. a. die konfuzian. Morallehre, wirken auf die ╱Enzyklopädisten und Voltaire, in Deutschland bes. auf Leibniz und Ch. Wolff. Philosoph. Einflüsse lassen sich nachweisen in A. v. Haller und Wielands *Staatsromanen* (»Usong«, 1771; »Der goldene Spiegel«, 1772), in Gedichten und Verserzählungen G. K. Pfeffels und L. Unzers. Schiller und Goethe haben sich trotz Reserviertheit gegenüber der China-Mode mit chines. Themen beschäftigt: von Schiller stammen die »Sprüche des Konfucius« (1795, 1797), eine fragmentar. Bearbeitung des chines. Romans »Eisherz und Edeljaspis« (1800/01), die Nachdichtung von C. Gozzis »Turandot« (1801). Goethe hat chines. Lyrik nachzudichten versucht und in den »Chinesisch-deutschen Jahres- und Tageszeiten« (1827) ein knappes Pendant zu den »Diwan«-Gedichten geschaffen. Die *Romantik* schätzte die oriental. Dichtungen als der Antike gleichrangig. F. Schlegel versuchte nach theoret. Reflexionen (»Gespräch über die Poesie«, 1800), durch Übertragungen aus dem *Pers.* und aus dem *Sanskrit* (1808 »Über die Sprache und Weisheit der Inder«) die Poesie gemäß seinem romant. Zielen zu erneuern; sie zeichnen sich gegenüber den Vorgängern durch größeres Bemühen um geistiges Verständnis oriental. Eigenart aus. Stufen der Aneignung *indischer Dichtung* kennzeichnen G. Forsters Übersetzung von Kalidasas Drama »Sakuntala« (1791, nach der engl. Übers. von W. Jones), die Herdersche Sammlung »Gedanken einiger Bramanen« (1792) und die Übersetzungen der Brüder Schlegel. Sie wirken v. a. auf den romant. Heidelberger Kreis (Görres, Creuzer); Übersetzungen ind. Dichtung beeinflussen Goethe (1797 »Vorspiel auf dem Theater«, »Der Gott und die Bajadere«, 1824 »Paria«), W. v. Humboldt, Novalis, E. T. A. Hoffmann, H. Heine, K. Gutzkow, Schelling, Hegel, Schopenhauer, R. Wagner u. a. – Rückert überträgt ind. Dramatik, Lyrik und Epik (»Nala und Damajanti«, »Sāvitri«, »Gītagovinda« u. a.), die ihn zu den 20 Büchern seiner eigenen Versspruchdichtung »Die Weisheit des Brahmanen« (1836/39) anregen. Die buddhist. Religion übt über das Werk Schopenhauers, Wagners, Nietzsches u. a. tiefreichenden Einfluß auf die Philosophie Deutschlands aus. Einen weiteren Einfluß auf dem Weg geistigen Eindringens in östl. *(pers.) Poesie* und zugleich die *wichtigste Stufe* »produktiver Rezeption« bedeutet Goethes »West-östlicher Divan« (1819), für den zwar v. Hammer-Purgstalls einflußreiche Schriften (bes. »Geschichte der schönen Redekünste Persiens«, 1818;

»Der Diwan von Mohammed Schemsed-din Hafis«, 1812/13) entscheidend angeregt worden ist, auf ältere Interessen jedoch zurückgreift und der eine dichter. Synthese des Westens und des Ostens anstrebt, ohne jedoch anders als näherungsweise die oriental. Dichtformen nachzuahmen. Seit Goethe ist Hafis der meistübersetzte und meistgenannte pers. Dichter im 19. Jh. Aus polit. Motiven entsteht in der *Romantik,* im *Jungen Deutschland* und im *Vormärz* das negative Bild von der erstarrten, »mumienhaften«Kultur Chinas: die polit. Lyriker kritisieren mit Hilfe des China-Symbols die europ. Reaktion (Heine, A. H. Hoffmann von Fallersleben); der Chinese wird im Lustspiel zur belächelten Figur. Neue positive Beschäftigung verdankt sich Übersetzungen aus der 2. Hälfte des 19. Jh.s (V. v. Strauß). Infolge der freiwilligen Abriegelung *Japans* von der Außenwelt (1639–1854) beginnt die Phase kultureller Einwirkung trotz vereinzelter Forschungsreiseberichte im 18. und im Anfang des 19. Jh.s erst nach der Mitte des vorigen Jh.s. Im *Jugendstil* sind japan. Einflüsse deutl. erkennbar. – *O. D. im engeren Sinne* schaffen die an Goethes »Diwan« anschließende Dichtung an die *Dichtformen des Orients,* ⁄ Ghasel, ⁄ Makame, ⁄ Kasside u. a. in dt. Sprache adäquat *nachzubilden* suchen. Das gilt für die zahlreichen Übersetzungen Rückerts aus der gesamten oriental. Lit. (Arabien, Indien, Persien, Vorderasien, Ostasien), seine eigenen, an pers. Vorbilder anknüpfenden oder motivl. nicht oriental. Dichtungen und für die (an keine oriental. Vorbilder angelehnten) ersten dt. Ghaselen A. v. Platens (1823). Die Nachbildung der arab.-pers. Formen beschränkt sich i. a. auf die Reimordnung; das quantitierende Silbenmaß findet nur in seltenen Fällen eine Entsprechung (etwa in Platens Verdeutschungsversuch von Nisamis »Iskandernameh«). In den epigonalen Dichtungen des ⁄ Münchner Dichterkreises ist die Ghaselen- neben der Sonetten-»Fabrikation« von bes. Bedeutung. Hervorzuheben sind die Ghaselen von F. v. Dingelstedt (»Lieder eines kosmopolit. Nachtwächters«, 1842), G. Keller und H. von Hofmannsthal (»Gülnare«-Ghaselen, 1890). Drei weitere, in diesem Zusammenhang zu nennende Dichter sind G. F. Daumer (F. v. Bodenstedt und A. F. Graf von Schack. Mit Bodenstedts »Mirza-Schaffy«-Liedern (1851) war o. D. Mode geworden. Zahlreiche unbedeutende Dichter versuchten sich nun an oriental. Themen und Formen, gelegentl. auch bekanntere Dichter wie W. Müller, N. Lenau, E. Geibel, H. Leuthold, H. Lingg, D. v. Liliencron. Eine bes. Ausprägung inhaltl. o. D. ist die sog. exot. Dichtung von Vertretern der europ. Romantik und des Biedermeier. Gegenüber dem Einfluß in der Lyrik fällt derjenige in der Epik und Dramatik kaum ins Gewicht: in diesen handelt es sich ohnehin mehr um stoffl.-gehaltl. als um formale Einwirkung. Orientalisierende *Komödien* stammen u. a. von L. Fulda, K. Vollmoeller, A. Oehlenschläger, F. Kürnberger, P. Heyse. *O. Verserzählungen* und *-epen* von Platen (»Die Abassiden«, 1834), Geibel, J. Grosse u. a. – *Reiseberichte* in der Art Fürst Pücklers, *Romane* und *Erzählungen* verfaßten etwa H. Stieglitz (»Bilder des Orients«, 1831–33), L. Schefer (»Palmiero«, »Der Zwerg«), A. G. Suttner (»Die Adjaren«, »Schamul«), R. Lindau, J. Ph. Fallmerayer, A. F. v. Schack u. a. Formalen Einfluß *pers.* Dichtung findet sich *im 20. Jh.* etwa in Gedichten St. Georges, O. Loerkes, R. Hagelstanges, Ch. Morgensterns, J. Weinhebers, M. Bruns' (»Garten der Ghaselen«, 1925). Themat. und stoffl. wirkt in allen drei Dichtarten und -epen von zahlreich Schriftsteller die Türkei, etwa auf: H. Böhlau, R. Lindau, F. C. Endres, A. T. Wegner, K. H. Strobl, Th. Däubler u. a. *Arabien und Persien* auf L. Jacobowski, P. Scheerbart, F. Blei, H. Bethge, M. Dauthendey, P. Ernst, R. C. Muschler, E. Weiss, K. Edschmid, J. Knittel, K. May, A. Miegel, W. Seidel, F. Schnack, W. Schmidtbonn, K. Wolfskehl, G. Eich, F. Hörschelmann, H. v. Hofmannsthal, L. Derleth, Th. Däubler. Klabund u. a. *Armenien, Georgien und Kaukasien* wirken

nur vereinzelt (A. Gryphius, F. Grillparzer, Bodenstedt); nach Erschließung ihrer Lit. durch Übersetzungen sind Einflüsse etwa auf das Werk B. Brechts (»Kaukasischer Kreidekreis«), Th. Däubler (»Nordlicht«) und F. Werfel (»Die 40 Tage des Musa Dagh«) zu verzeichnen. Im 20. Jh. entsteht eine exot. Art *ind. Dichtung* (R. Kipling); daneben reizt *buddhist. Thematik,* insbes. die Gestalt Buddhas zu verschiedenen Gestaltungen an (z. B. K. Gjellerup, »Der Pilger Kamanita«, 1903; F. Mauthner, »Der letzte Tod des Gautama Buddha«, 1912; H. Hesse, »Siddharta«, 1922; »Indischer Lebenslauf« im »Glasperlenspiel«; A. Schaeffer »Das Kleinod im Lotos«, 1923; A. Döblin »Manas«, 1927; Th. Mann, »Die vertauschten Köpfe«, 1944). *Ind. Stoffe* sind in erzählender Literatur verarbeitet von M. Dauthendey, H. Sudermann, O. Loerke, St. Zweig, E. Wiechert; dramat. bearbeitet von L. Feuchtwanger, M. Luserke; lyr. von L. Scharf, R. A. Schröder, H. Bethge, P. Zech, F. Werfel. Die *malaiische Welt* (Java) hat M. Dauthendey zu Erzählungen und Gedichten inspiriert. In der ersten Hälfte des Jh.s wirken neben *chines. Kunst* die Übersetzungen von R. Wilhelm (seit 1910), V. Hundhausen und F. Kuhn (20er Jahre): bes. die taoist. Welt (zahlreiche Übersetzungen des »Tao-te-king«). Chines. Motive finden sich u. a. in den erzählenden Werken von O. J. Bierbaum (»Das schöne Mädchen von Pao«, 1899), A. Paquet (»Held Namenlos«, 1912), A. Döblin (»Die drei Sprünge des Wang-lun«, 1915), F. Kafka (»Beim Bau der chinesischen Mauer«, 1918/19), H. Hesse (»Das Glasperlenspiel«, 1943), in verschiedenen Stücken B. Brechts (»Der gute Mensch von Sezuan«, 1942, Lehrstücke, Lyrik), M. Frischs (»Bin oder die Reise nach Peking«, 1945, »Die chinesische Mauer«, 1946) und bes. häufig in Nachdichtungen des chines. Kreidekreismotivs (Klabund, H. Günther, Brecht). In der Lyrik bes. wirksam die spätexpressionist. übersteigerten Nachdichtungen Klabunds; bedeutsam ferner die Nachdichtungen von H. Bethge, A. Ehrenstein und G. Eich. *Japan. Lit.* mit Erzählungen, Romanen, Tagebüchern wird durch Übersetzungen v. a. im 20. Jh. in Europa bekannt. In dt. Lit. zeigen sich von *japan. Thematik* beeinflußt etwa M. Dauthendey in verschiedenen Erzählsammlungen (»Die acht Gesichter am Biwasee«, 1911), P. Altenberg, B. Kellermann, F. Thieß, Max Brod u. a. Japan. Motive des ⁄ Nô-Spiels (Samurai, Selbstopfer) behandeln W. v. Scholz (»Die Pflicht«, 1932), Mirko Jelusich, B. Brecht, G. Kaiser (»Der Soldat Tanaka«, 1940) und Klabund. Nachdichtungen der *japan. Gedichtformen* des ⁄ Haiku, des Sedoka und des Tanka wurden versucht von H. Bethge, Klabund, Max Bruns, M. Hausmann u. a. Als Beispiel einer bemerkenswerten Rückwirkung dt. auf fernöstl. Lit. sei der posthume Erfolg der Werke Hermann Hesses in Japan erwähnt. 🕮 Fuchs-Sumiyoshi, A.: Orientalismus in d. dt. Lit. Hildesheim 1984. – Ganeshan, V.: Das Indienbild dt. Dichter um 1900. Bonn 1975. – Aurich, U.: China im Spiegel d. dt. Lit. des 18. Jh.s. Bln. 1935; Nachdr. 1967. – RL   GG*

Original, n. [lat. originalis = ursprünglich],
1. Vom Urheber stammende Fassung eines literar. od. künstler. Werkes, im Unterschied zur Kopie, Nachbildung, Zweitfassung, Umarbeitung, Fälschung.
2. Druckvorlage (Manu-, Typoskript).
3. rechtswirksame Urschrift, Urtext, auch fremdsprachl. Text im Verhältnis zu seiner Übersetzung;
4. eigenwilliger Mensch, Sonderling; literar. v. a. in der Erzählkunst des 19. Jh.s gestaltet: Keller: »Leute von Seldwyla«, Raabe: »Stopfkuchen«, Dickens, Balzac u. a.   S

Ornatus, m. [lat. = Schmuck], in der antiken ⁄ Rhetorik Teil der *elocutio* (sprachl. Ausarbeitung) der durch die *inventio* gefundenen und der *dispositio* (⁄ Disposition) geordneten Gedanken einer Rede. Durch eine über die bloße Korrektheit hinausgehende Schönheit des Ausdrucks soll der Hörer für den Inhalt und die Ziele der Rede eingenommen werden. Mittel des O. sind in erster

Linie die Tropen (↗Tropus: Metapher, Metonymie, Synekdoche u. a.), ↗rhetor. Figuren und der akust. Wohlklang (↗Numerus). Je nach der vom Redner beabsichtigten Wirkung werden mehrere Qualitäten des O. unterschieden und den drei ↗Genera dicendi zugeordnet. Danach kennzeichnet leichter O. (d. h. hauptsächl. Beschränkung auf ↗Konzinnität, ↗Elegantia) das *genus humile (docere* = unterrichten, belehren), mittlerer O. (v. a. rhetor. Wort- und Sinnfiguren) das *genus mediocre (delectare* = erfreuen, Erregung gemäßigter Affekte: Ethos), schwerer O. (d. h. reiche Verwendung von Tropen und aller Figuren) das *genus grande* oder *sublime (movere* = rühren, Erregung starker Affekte: Pathos). Die Forderung der Stilmischung und die zahlreichen Variationsmöglichkeiten der Schmuckmittel erschwerten jedoch eine prakt.-konkrete Unterscheidung. In Spätantike und MA. wurde daher daneben eine ausgeprägtere Scheidung in *O. facilis* (leichter Schmuck) und *O. difficilis* (schwerer Schmuck) üblich (sog. Zwei-Stil-Lehre), wobei sich v. a. der *O. difficilis* auch in volkssprachl. Literaturen einer gewissen Beliebtheit erfreute (↗geblümter Stil, ↗Manierismus). DW*

Orphische Dichtung, die angebl. auf Orpheus zurückgehenden heiligen Schriften der orph. Sekten. – Vollständig erhalten sind:
1. eine Sammlung von 87 *orph.* ↗*Hymnen* (insgesamt ca. 1200 Hexameter), vermutl. das Kultbuch einer kleinasiat. orph. Gemeinde; es handelt sich um Hymnen an verschiedene gr. und kleinasiat. Gottheiten wie Dionysos, Adonis, aber auch an Physis (»Natur«) und Nomos (»Gesetz«); die meisten dieser Hymnen stammen wohl erst aus dem 2. Jh. v. Chr.; 2. die *orph. Argonautika,* eine dem Orpheus in den Mund gelegte Darstellung des Argonautenzuges, die in den Grundzügen der Argonautika des Apollonios Rhodios folgt, daher wohl ebenfalls in das 2. Jh. v. Chr. zu datieren; Orpheus begleitet nach dieser Überlieferung den Argonautenzug als Seher und Sänger (insgesamt 1336 Hexameter); 3. die *orph. Lithika,* ein dem Orpheus erst seit Joh. Tzetzes (12. Jh.) zugeschriebenes Gedicht, das die wundertätigen Kräfte der Steine besingt (774 Hexamter).
Hinzu kommen *363 Fragmente,* größtenteils aus der röm. Kaiserzeit (meist Zitate in neuplaton. Schriften), die vor allem auf zwei größere Werke zurückweisen: a) die *24 Bücher der orph. hieroi logoi (»Heilige Reden«),* deren Kern wohl noch im 6. Jh. v. Chr. entstanden ist; ihre Themen sind Theogonie und Kosmogonie, Göttergenealogie u. a. myth. Erzählungen. b) das *Katabasis des Orpheus in den Hades,* in der Orpheus von seiner Fahrt in die Unterwelt berichtet; sie war wohl im wesentl. die Quelle für die Jenseits- und Seelenwanderungslehre der Orphiker. Zum orph. Schrifttum gehören auch die *orph. Totenbücher,* Texte auf Goldblättchen, die den Toten beim Begräbnis beigegeben werden. K

Orthonym, [gr. ortho = richtig, onoma = Name], ↗anonym.

Ossianische Dichtung, entstand im Gefolge der sog. ↗kelt. Renaissance in der 2. Hälfte des 18. Jh.s. Der schott. Dichter James Macpherson veröffentlichte 1760 die Gedichte »Fragments of Ancient Poetry collected in the Highlands of Scotland, and translated from the Gaelic or Erse Language«, und die Epen »Fingal, an Ancient Epic Poem in Six Books« (1762) und »Temora, an Epic Poem« (1763; 1765 als gesammelte o. D.en, 1773 in endgültiger Fassung), die er als Übersetzungen der Werke eines gäl. Dichters Ossian aus dem 3. Jh. ausgab, und die viele Bewunderer fanden (Goethe, Napoleon), tatsächl. aber eigene Gedichte nach kelt. Motiven im empfindsamen Zeitstil waren. – Held dieser Dichtungen ist Fingal, der Vater des Sängers Ossian; Ossian selbst stellt sich als der letzte Überlebende dar, der die Toten seines Stammes in rhythm. Prosa eleg. besingt. Von einem originalen irischen Sagen-Zyklus um Finn und Ossian sind Prosafragmente des 9. und 10. Jh.s sowie spätere Gedichte erhalten. Macpherson

selbst wurde durch Balladen um Ossian, die seit dem 12. Jh. in Irland entstanden (Laoithe Fianaígheachta, Laoithe Oisín) und in Schottland seit dem 13. Jh. verbreitet waren, zu seinen Dichtungen angeregt. Nach ersten Übersetzungen (erste anonyme Teilübersetzung 1762) schuf 1768/69 M. Denis die erste vollständige Übertragung, allerdings in einer vom Original abweichenden, von Klopstock übernommenen Form in Hexametern (Übersetzungen auch 1774 von Goethe im »Werther«, 1782 von Herder, 1806 von F. L. Graf zu Stolberg; bis 1800 erschienen insgesamt 4 Gesamt- und 24 Teilübersetzungen, von 1800–1868 neun Gesamt- und zahlreiche Einzelübersetzungen). Die Übertragung von Denis fand trotz Herders Kritik begeisterte Aufnahme und rief eine kurzlebige Modeliteratur hervor. Die o. D. wirkte auf Klopstock, die ↗Bardendichtung (Denis, K. F. Kretschmann, H. W. v. Gerstenberg) und weitere Nachahmer (L. L. Haschka, K. Mastalier u. a.), und (als düstere Landschafts- und Stimmungsdichtung) auf die jüngere Generation der »Sturm- und Drang«-Dichter (Bürger, ↗Göttinger Hain, Lenz, Klinger, Goethe, Schiller und den Romantiker L. Tieck). – Ossian wurde im Verlauf der Genie-Debatte neben Shakespeare zum Muster des regelungebundenen, freischaffenden Künstlers (vgl. Herders Theorie der »Volkspoesie«: »Briefwechsel über Ossian und die Lieder alter Völker«, 1773). Das erwachende Nationalbewußtsein spielte den zum german. Barden umstilisierten Ossian gegen frz. Regeldichtung und gegen das antike Vorbild Homer aus. Breites literar. Interesse beanspruchten im 18. Jh. auch die Auseinandersetzung über die Echtheit der Gedichte Macphersons und über die irische oder schott. Herkunft Ossians; 1829 deckten Drummond und O'Reilly die Dichtung endgültig als Fälschung Macphersons auf. Die o. D. als Umformung eines histor. Textes gewann ihre Bedeutung als wichtiges Dokument der Auseinandersetzung zwischen Geniebewegung und Aufklärung. Sie verband ein myth.-irrationales Geschichtsbild mit sentimentalischer Natursehnsucht (Rousseau) und schwermütig-eleg. Stimmungshaftigkeit (Young) auf eine den empfindsamen und kraftgenial. Bewegungen bes. entgegenkommende Weise.

📖 Dunn, J. J.: Macpherson's »Ossian« and the Ossianic controversy: A supplementary bibliography. In: Bulletin of the New York Public Library 75 (1971). – RL. GG

Osterspiel, ältester und für die Entwicklungsgeschichte des ↗geistl. Spiels bedeutendster Typus des mal. Dramas; führt das österl. Heilsgeschehen in dramat. Gestaltung vor und ist, wie das geistl. Spiel des MA.s überhaupt, liturg. Ursprungs. An seinem Anfang steht der *Ostertropus,* der den Gang der drei Marien zum Grabe gestaltet (sogenannte *Visitatio;* älteste Texte aus Limoges und St. Gallen, 10. Jh.; bibl. Grundlage: Matth. 28, 1–7, Marc. 16, 1–8, Luc. 24, 1–9). Der kurze Text des Ostertropus ist dialog. strukturiert; auf die Frage der Engel: *Quem queritis in sepulchro, o Christicolae?* (Wen suchet ihr im Grabe, ihr Christinnen?) und die Antwort der Marien: *Ihesum Nazarenum crucifixum, o caelicolae* (Jesum von Nazareth, den Gekreuzigten, ihr Himmlischen) folgen die Verkündigung der Auferstehung durch die Engel: *Non est hic, surrexit, sicut praedixerat* (Er ist nicht hier, er ist auferstanden, wie er es vorhergesagt hatte) und der Auftrag an die Frauen: *Ite, nunciate, quia surrexit de sepulchro* (Gehet, verkündet, daß er aus dem Grabe auferstanden ist). Eine in mehreren abweichenden Textfassungen überlieferte Antiphon der Marien bildet den Abschluß. – Der Ostertropus war ursrpüngl. ein Teil des Introitus der Ostermesse; er wird noch im 10. Jh. in das Offizium der österl. Matutin übernommen. In diesem Rahmen entsteht, als Vorstufe des eigentl. O.s, die lat. *Osterfeier,* bei der der Text des Tropus zur Grundlage einer dramat. Darstellung gemacht wird (Rollenverteilung, Andeutung von Kostümen, einfache Requisiten, typ. Gesten; nachweisbar zuerst in der »Regularis Concordia« für die engl. Benediktinerklöster, zwischen 965 und 975). Die ältesten Fassungen der v. a. seit dem 11. Jh. zahlreich dokumentierten Osterfeier (der früheste im dt. Sprachraum nachweisbare Text ist der im Troparium des Klosters Reichenau, noch 10. Jh.) halten sich an den Rahmen des Tropus, doch kommt es bald zu mehreren Erweiterungen des Textes, deren wichtigste die Aufnahme der Ostersequenz »Victimae paschali laudes« (11. Jh.; Verfasser: Wipo) darstellt (zuerst in der Osterfeier von St. Lamprecht, 12. Jh.). Noch im 12. Jh. erfolgt dann eine vereinheitlichende Überarbeitung des Textes der *Visitatio*-Szene; gleichzeitig wird die Osterfeier um eine zweite Szene erweitert, den Wettlauf der Apostel Johannes und Petrus zum Grabe (nach Joh. 20, 1–10), der zu einer vom Chor gesungenen Antiphon pantomim. dargestellt wird (zuerst in der Osterfeier von Augsburg). Eine letzte Entwicklungsstufe der Osterfeier (älteste Fassung aus Einsiedeln, ebenfalls noch 12. Jh.) ist mit der Aufnahme der Szene Christus als Gärtner und Maria Magdalena (nach Joh. 20, 11–18) erreicht, die mit der Erscheinung des auferstandenen Christus den liturg. Rahmen bereits sprengt. Damit ist der Übergang von der kirchl. Liturgie zum dramat. O. markiert. Das *lat. O.* zeichnet sich gegenüber der älteren Osterfeier einmal durch Szenen aus, die nicht unmittelbar liturg. oder bibl.-kanon. Tradition entstammen, wie z. B. die Salbenkrämer-(Mercator-, Apothecarius-)Szene (zuerst in Vich, Nordfrankreich, noch 12. Jh.), zum anderen durch längere metr.-rhythm. gegliederte Textabschnitte (10–15-Silber). Zu den ältesten vollständ. erhaltenen lat. O.en (13. Jh.; ein Fragment aus dem Kloster Monte Cassino stammt noch aus dem 12. Jh.) gehören die von *Origny-Sainte-Benoîte* und *Klosterneuburg*. Der Text von Origny-Sainte-Benoîte enthält das Grundgerüst eines O.s, im Text von Klosterneuburg kommen Wächterszenen und die Höllenfahrt Christi hinzu. Das fragmentar. überlieferte *O. aus Benediktbeuren* weist weitere textl. und szen. Neuerungen auf. Der Text von *Ripoll* (Spanien) erweitert das O. um das »Peregrinusspiel« (Gang der Jünger nach Emmaus). – *Dt. O.e.*, neben ihnen auch zweisprachige *lat.-dt. O.e.*, sind seit dem 13. Jh. aus den verschiedensten dt. Sprachlandschaften überliefert. Sie repräsentieren eine Vielzahl von Spieltypen; der Versuch der Forschung, sie auf eine gemeinsame Quelle im rhein. Ur-O. des 13. Jh.s (H. Rueff), zurückzuführen, dem das *O. von Berlin* (1460, Mainz; Verfasser: G. Biel?) bes. nahe kommen soll, ist fraglich. Bereits das älteste dt. O., das *O. von Muri* (Mitte 13. Jh., Aargau) nimmt deutl. eine Sonderstellung ein; es zeigt den Einfluß höf.-ritterl. Dichtung. Das *lat.-dt. O. von Trier* (14./15. Jh.) und das *O. von Regensburg* (16. Jh.) beschränken sich auf die Szenen der Osterfeier. Im *O. von Innsbruck* (Mitte 14. Jh.) nimmt Derb-Kom., Groteskes und Obszönes breiten Raum ein (Teufelsszene mit einer auch sonst bezeugten Ständesatire, Salbenkrämerszene, scherzhafte Anrede des als Gärtner verkleideten Christus an Maria Magdalena, Wettlauf der Jünger zum Grab); ähnlich sind die *O.e von Wien* (Hs. von 1472, Schlesien) und *Erlau* (15. Jh., Kärnten). Die Spiele von *Wolfenbüttel* (15. Jh., Braunschweig) und *München* (16. Jh.) verzichten dagegen auf alle kom. Elemente; ebenso das nur fragmentar. erhaltene *O. von Breslau* (Ende 14. Jh.; Handschrift des 15. Jh.s), das als einziges dt. O. Melodien überliefert. Dem *O. von Redentin* (1464, Lübeck?; Verfasser: P. Kalff?) fehlt die *Visitatio*-Szene; dafür ist hier die Höllenfahrtsszene bes. breit ausgestaltet. Das *O. von Osnabrück* (1505; Verfasserin: Gertrude Brickwelde) fügt in die Höllenfahrtsszene eine theolog. Disputation ein. Die *O.e von Bozen* (15. Jh., aus dem Nachlaß des Bozener Schulmeisters B. Debs übergegangen in den Besitz des Sterzinger Malers V. Raber; – »Bozen III und V«, 6 Aufführungen zwischen 1481 und 1555 nachgewiesen; »Bozen VIII und X«) und *Sterzing* (15. Jh.) sind auf volkstüml. Breitenwirkung angelegte Bürgerspiele. – Im 16. Jh. bricht die Tradition der O.e ab. Ver-

schiedene Versuche einer Wiederbelebung im 20. Jh. waren erfolglos; eine Ausnahme bildet C. Orffs O. von 1956 (»Ludus de resurrectione Christi«).

⊡ Die lat. Osterfeiern u. O. des MA.s, hrsg. v. W. Lipphart. Teil 1–6, Bln., New York 1975–81. – Wimmer, R.: Dt. u. Lat. im O. Unterss. zu den volkssprachl. Entsprechungstexten der lat. Strophenlieder. Mchn. 1974. – Steinbach, R.: Die dt. Oster- u. Passionsspiele des MA.s. Köln u. Wien 1970 *(enthält eine vollständ. Bibliographie zur Gesch. des dt. O.s und zu den einzelnen O.en)*.   K

Ottaverime, f. auch ǫttava rịma [it. = Achtzeiler, zu otto = acht, rima = Reim(zeile)], s. ⁄Stanze.

Oxymoron, n. [gr. oxys = scharf, moros = dumm: scharfsinnige Dummheit], ⁄rhetor. Figur: Verbindung zweier sich gedankl.-log. ausschließender Begriffe, sei es in einem Kompositum (»traurigfroh«, Hölderlin) oder bei einem attribuierten Substantiv, z. B. »stets wacher Schlaf«, »liebender Haß«, »kalte Glut« (G. Marino, sog. *contradictio in adiecto* [lat. = Widerspruch im Beiwort; umgangssprachl. als fehlerhaft gewertet, vgl. z. B. kleinere Hälfte). Das O. ist kennzeichnend für manierist. Stilhaltungen oder abgeschlochenes Weltgefühl (z. B. »jauchzender Schmerz«, H. Heine, vgl. ⁄Dekadenzdichtung), aber auch für das Bestreben, polare Gegensätze zu vereinen (z. B. »übersinnlicher sinnlicher Freier«, Goethe, Faust I).   S

Päan, (Paian) [gr. = Helfer, Heiler, Retter, Arzt], 1. Beiname Apollos, seit Ende 5. Jh. v. Chr. auch anderer Götter.
2. altgr. chor. Bitt-, Dank- oder Sühnelied (auch Schlacht- u. Siegesgesang), ursprüngl. an Apollon gerichtet und wohl aus kult. Chorrufen seines Beinamens ›P.‹ entstanden; seit Ende des 5. Jh. v. Chr. auch anderen Göttern (insbes. Artemis, Asklepios, Athene, Zeus), im Hellenismus auch vorzügl. Menschen gewidmet. – Inhaltl. u. formal nicht festgelegt, kennzeichnend ist aber der (oft als ⁄Refrain auftretende) Anruf »Jé paian!«; dagegen ist der sog. ⁄Päon nicht die Regel. P.e sind vielfach bezeugt; aus klass. Zeit sind nur Fragmente, u. a. von Pindar, Bakchylides, Sophokles, erhalten.   IS

Paarreim, einfachste und häufigste Reimbindung: aa bb cc usw.; bes. im ahd. und mhd. Versepos, im mal. Spiel, im barocken Alexandriner und allgem. in volkstüml. Dichtung.   S

Pageant ['pædʒənt; engl. = Prunk, Schaubild, -prozession, im bes. ⁄Wagenbühne], ⁄Bühne.

Paignion, n., Pl. Paignia [gr. = Spielzeug, Spiel, Tanz, Kunstwerk, lat. Pägnium], antike Bez. für scherzhaft (-erot.) Poesie, auch für burleske, mim.-gest. Vorträge u. Tänze. Während Platon auch die Komödie als P. bezeichnet, steht in der späteren ästhet. Terminologie P. für poet. Kleinformen, meist bukol. Inhalts oder von besonderer metr. Kunstfertigkeit, z. B. ⁄Figur(en)gedichte (Technopaignia), vgl. auch die »Erotopaignia« von Laevius (1. Jh. v. Chr., 6 Bücher vermischten erot.-galanten Inhalts).   IS

Palimbacchius, Antibacchius, m. [gr.-lat.], ⁄Bacchius.

Palimpsest, m. oder n. [von gr. palim = wieder u. psestos = abgeschabt (scil. biblos = Buch)], Handschrift, auf der die ursprüngl. Schrift beseitigt und durch eine jüngere ersetzt ist (lat.: *codex rescriptus*). Selten Papyrushandschriften, die zumeist mit einer schwer abwaschbaren Ruß-Gummi-Tinte beschrieben waren. Die überschriebenen Texte sind gewöhnlich Urkunden und Briefe. Von dem widerstandsfähigeren (und als Überlieferungsträger jüngeren) Pergament konnte dagegen die ursprüngl. Schrift (mit Metalltinte) leicht abgeschabt oder abgewaschen werden. Name und Technik des P.es existierten schon in der Antike (Cic. fam. 7, 18, 2). Die Mehrzahl der P.e sind jedoch Texte des 4.–7. Jh.s, die im 8./9. Jh. u. a. wegen der Kostbarkeit des Schreibmaterials von Mönchen überschrieben wurden. Bei diesen P.en sind die getilgten Texte teils Werke der heidn. Antike (Ciceros »De re publica«), teils christliche, bes. wenn sie mehrfach vorhanden waren oder als unwichtig erschienen (Ulfilasbibel). Mittel, um überschriebene Texte wieder lesbar zu machen, waren zuerst chem. Reagentien, die jedoch das Material stark angriffen, seit 1920 eine mit ultravioletten Strahlen arbeitende photogr. Methode. Dt. P.-Institut in Beuron (gegr. 1912 v. A. Dold). ⌑ Dold, A. (Hrsg.): P.-Studien. Beuron 1955. – Colligere Fragmenta. Fs. f. A. Dold, hg. v. Bonifatius Fischer u. V. Fiala. Beuron 1952 *(mit Bibliogr.).* DW

Palindrom, n. [gr. = Rückwärtslauf], sprachl. sinnvolle Folge von Buchstaben, Wörtern oder Versen, die anazykl. sind, d. h. die auch in umgekehrter Richtung gelesen denselben oder einen anderen korrekten Wortlaut ergeben. Deuten einige Zeugnisse darauf hin, daß das P. zunächst ein Mittel ritueller Sprachmagie war (etwa bei Umschriften auf runden Weihegefäßen, die bei jeder Richtung des Umschreitens lesbar sein sollten), galt es doch schon seit der Antike als sprachartist. Spiel. Es lassen sich unterscheiden: *Wort-P.*e wie Anna, Reliefpfeiler u. a.; *Satz-P.*e wie das seit dem 1. Jh. n. Chr. auch als mag. Quadrat überlieferte, in seiner Deutung umstrittene symbol. P. »SATOR AREPO TENET OPERA ROTAS« (wörtl.: Der Sämann Arepo hält durch seine Arbeit die Räder) oder Schopenhauers P. »Ein Neger mit Gazelle zagt im Regen nie«; *Sinnspiel-P.*e, bei denen die Umkehrung ein anderes, aber einen Bedeutungszusammenhang ermöglichendes Wort ergibt wie EVA – AVE (Maria) oder ROMA – AMOR (s. Goethe, Röm. Elegie I); *Vers-P.*e, bei denen nach der Strophenmitte die einzelnen Verse des ersten Teils in spiegelverkehrter Anordnung wiederholt werden, z. B. im P. von Walther von der Vogelweide »Nieman kan mit gerten . . .«. In der Musik spielt das P. als sog. *Krebs* eine große Rolle, bes. in der Fugen- und Kanonkomposition (J. S. Bachs »Musikal. Opfer«) und in der Schönbergschen Zwölfton-Kompositionstechnik, in der das *Töne-P.* eine der vier Veränderungsmöglichkeiten der »Reihe« ist. ⌑ Dornseiff, F.: Das Alphabet in Mystik u. Magie. Lpz. ²1925, Neudr. Lpz. 1980. HW

Palinodie, f. [gr. = Widerrufslied], eine vom selben Verfasser stammende Gegendichtung zu einem eigenen Werk, in der die früheren Behauptungen, Wertungen und Mitteilungsabsichten mit denselben formalen Mitteln (Gleichheit des Metrums, Reims, Strophenbaus) widerrufen werden. Nach der von Plato (»Phaidros«, 243 A) mitgeteilten Legende verfaßte der Lyriker Stesichoros (6. Jh. v. Chr.) die erste P., in der er seine frühere Helena-Schmähung zurücknahm und dafür das ihm wegen dieses Tadels geraubte Sehvermögen wiedererlangte. Namentl. in der Poesie des 16. und 17. Jh.s wurde die P. wieder aufgegriffen als Spiel der gelehrten Dichtung, in dem die Unaufhebbarkeit der inhaltl. Gegensätze (»antithet. Weltgefühl«) auch bei ident. formalen Mitteln vorgeführt wurde. In *allgemeinerer Bedeutung* wird ›P.‹ auch für jeden dichter. Widerruf der Weltfreude und Gegenwartshörigkeit verwandt, bes. für die mal. »Frau-Welt«-Gedichte, für die sog. »Abschieds-»Elegie« Walthers von der Vogelweide »Owê war sint verswunden . . .«) und für die Weltabsage-Poesie der Barockzeit. HW

Palliata, f. [lat., eigentl.: fabula palliata], bedeutendste Gattung der röm. Komödie, beruht auf dem griech. Vorbild der neuen att. Komödie (Menander, 4. Jh.), von der sie im Ggs. zur jüngeren ⁄Togata Milieu und Kostüm übernimmt (*pallium,* lat. Bez. für das *himation,* das Obergewand der Griechen, daher die Bez.); anstelle der ⁄Maske tragen die Schauspieler der P. jedoch ledigl. eine Perücke. Hauptvertreter der P. sind Plautus und Terenz; ihre insgesamt 26 Stücke, die unter ihrem Namen überliefert sind, bilden zugleich die wichtigste Quelle für die nur spärl. bezeugte neue att. Komödie. K

Pamphlet, n., Form publizist. Angriffsliteratur, benannt nach der im MA. weit verbreiteten lat. anonymen Distichen-Komödie »Pamphilius seu de amore« (12. Jh.), trägt ihre meist auf Einzelereignisse des polit., gesellschaftl. oder literar. Lebens bezogene Polemik vorzugsweise persönl. attackierend, weniger sachbezogen argumentierend vor, zeichnet sich durch den Reichtum stilist. Offensivmittel (Ironisierung des Gegners, rhetor. Fragen, Schlagwörter, Zitatencollage u. a.) aus. Das P. erschien zunächst als Einzelschrift geringen Umfangs (in England seit dem 14. Jh.), dann als gedruckte ⁄Flugschrift, zumal in den Niederlanden im 16. und 17. Jh. (»pamfletten«). Über Frankreich gelangten Wort und Sache um 1760 nach Deutschland. Im 19. Jh. bezeichnete frz. *pamphlétaire* einen engagierten publizist. Schriftsteller (H. de Rochefort, É. Zola), der seine P.e weitgehend außerhalb der institutionalisierten Medien verbreitete, galt der heutige Sprachgebrauch das Wort P. vornehml. zur Kennzeichnung jeder für ungerecht oder unbegründet erachteten essayist. Polemik. Aus der Bez. für eine Verbreitungsart und eine journalist. Haltung wurde weitgehend ein negativer Wertbegriff. HW

Panegyrikus, m. [Adj. zu gr. panegyris = festl. Versammlung], feierl. lobendes, später auch: ruhmredig prahlendes Werk der Dichtung oder Redekunst, in dem bedeutende Taten, Institutionen oder Persönlichkeiten gepriesen werden. In der Antike war der P. zunächst eine Gattung der Rhetorik: die öffentl. gehaltene Festrede, die sich der Mittel des Lobpreises (meist der Zuhörer, des Anlasses, vergangener Taten usw.: *genus laudativum*) der öffentl. Volkserbauung *(popularis delectatio)* oder auch einer Argumentation durch positiv übertreibende Wertungen *(forma suadendi)* bediente. Insbes. seit der Kaiserzeit wurde der P. eine bes. Form poet. Huldigungen, v. a. der Herrscher (⁄Hofdichtung); nach einer Blüte in der Spätantike lebte panegyr. Dichtung wieder auf in der Renaissance- und Barockliteratur mit Preis- und Lobsprüchen (z. B. auch auf Städte), poet. Leichbegängnissen, Festspielen und Widmungsgedichten. Einflußreich waren dabei die antiken Vorbilder, zumal die panegyr. Reden des Isokrates (»Panathenaikos«), Demosthenes, Cicero (»Pro imperio Cn. Pompei«) und die seit 1513 vielfach gedruckte Sammlung spätantiker »Panegyrici latini« aus dem 3. und 4. Jh. n. Chr. Die Form panegyr. Beredsamkeit wurde auch in satir.-parodist. Absicht verwandt, z. B. von Erasmus von Rotterdam in seinem »Morias enkomion seu laus stultitiae« (Lob der Torheit, 1509). HW

Pangrammatisch, Adj. [gr. pan = all, gramma = Buchstabe], Bez. für lyr. oder ep. Verse, bei denen alle oder möglichst viele Wörter mit demselben (meist symbolhaft zu deutenden Buchstaben) beginnen (auch: Tautogramm, vgl. ⁄Alliteration, dagegen ⁄Stabreim). Als einer der ältesten Manierismen seit dem 3. Jh. v. Chr. bekannt, häufig bes. in Spätantike und MA. (Hucbald, »Ecloga de calvis« für Karl den Kahlen, 9. Jh.: alle Wörter der 146 Verse beginnen mit c; auch in der prov. und afrz. Minnelyrik), findet sich weiter in manierist. Strömungen: im 15./16. Jh. in Frankreich (⁄Rhétoriqueurs, C. Marot, J. A. Baïf: vers lettrisés), im 17. Jh. in Spanien u. Deutschland (Nürnberger Pegnitzschäfer) und wieder im ⁄Symbolismus, dem russ. ⁄Imaginismus, italien. ⁄Hermetismus (Edoardo Cacciatore) oder auch in ⁄abstrakter Dichtung (W. Abish, »Alphabetical Africa«, 1974). ⁄Leipogrammatisch. IS

Pantalone, eine der vier kom. Grundtypen der ⁄Commedia dell'arte; der alte, geizig-geschäftige und liebeverblendete venezian. Kaufmann, der als Gegenspieler des Liebespaars von diesem gefoppt wird; tritt auf in Halbmaske mit langer, dünner Hakennase, Spitzbart, Brille, schwarzer Kappe und rotem (später schwarzem) Mantel, langen, nach ihm benannten roten Hosen, mit roten Strümpfen und gelben türk. Schnabelschuhen. Im 17. Jh. allmähl. Wandel zum harmlos griesgrämigen Ehrenmann, bei Goldoni schließl. – ohne Maske – zunehmend mit menschl. Zügen ausgestattet. HD

Pantragismus, m. [gr. pan = All, tragikos = tragisch], Bez. für die Idee eines das ird. Geschehen und jedes menschl. Dasein beherrschenden trag. Weltgesetzes, das den Menschen in unausweichl., unüberwindl. Konflikte stürzt, vgl. im MA. das »Nibelungenlied«, im 19.Jh. F. Hebbels Tragödien (F. Hebbel, »Mein Wort über das Drama«, 1843). S

Päon (Paion), m., antiker Versfuß aus drei Kürzen und einer Länge. Je nach der Stellung der Länge unterscheidet man: 1.P. (–◡◡◡); 2.P. (◡–◡◡); 3.P. (◡◡–◡) und 4.P. (◡◡◡–); Bez. nach der (gelegentl.) Verwendung im ↗Pään (dem feierl. Hymnus an Apoll), von emphat.-enthusiast. Charakter. – *Dt. Nachbildungen* sehr selten, z.B. F. G. Klopstock, »Die Sommernacht«: »Wenn der Schimmer/ von dem Monde/ nun herab/ in . . .« (3. P.). IS

Parabase, f. [gr. = das Vorrücken, auch: Abschweifung], eines der Bauelemente der altatt. Komödie: Unterbrechung am Ende des 1. Teils der Komödienhandlung (nach dem ↗Agon): Chor und Chorführer wenden sich unmittelbar ans Publikum, um zu aktuellen polit., sozialen oder auch kulturellen Ereignissen und Problemen Stellung zu beziehen oder die Absichten des Dichters zu interpretieren (die Komödienhandlung geht währenddessen als ›verdeckte Handlung‹ weiter). Die meisten P.n bestehen aus 7 Teilen: Das *Kommation* (= das Stückchen), ein kurzes, in lyr. Silbenmaßen oder Anapästen abgefaßtes, vom Chor vorgetragenes Gesangsstück, leitet zur eigentl. P. über; der Chor rückt dabei in die Mitte der Orchestra vor und nimmt die Masken ab. Es folgt die *eigentl. P.,* eine längere Ansprache des Chorführers in anapäst. Tetrametern (daher auch *anapaistoi,* »Anapäste«, genannt); sie endet in ein ↗*Pnigos,* einer auf einen Atemzug gesprochenen langen Sentenz in anapäst. Hypermetern. Eine vom 1. Halbchor gesungene *Ode* (Anruf der Götter) leitet über zum ↗*Epirrhema,* einer vom 1. (Halb)chorführer gesprochenen Reihe von Vierzeilern satir. Inhalts (meist trochä. Tetrameter). Diesen Teilen respondieren die *Antode* (vom 2. Halbchor vorgetragen) und das *Antepirrhema* als Abschluß der P. durch den 2. (Halb)chorführer. Diese strenge Form der (aristophan.) P. wird häufig variiert; auch Doppelung des Schemas ist möglich. Mit dem Übergang zur neuen att. Komödie und der damit verbundenen Entpolitisierung entfällt die P. als Bestandteil der Komödie. Nachahmungen in der dt. Literatur finden sich bei F. Rückert (»Napoleon«, 1815) und A. v. Platen (»Die verhängnisvolle Gabel«, 1826, »Der romant. Ödipus«, 1829). – RL. K

Parabel, f. [gr. = das Nebeneinanderwerfen, Gleichnis], allgemein ein zur selbständigen Erzählung erweiterter ↗Vergleich, der von nur *einem* Vergleichspunkt aus durch Analogie auf den gemeinten Sachverhalt zu übertragen ist, ohne direkten Verweis wie beim ↗Gleichnis (jedoch oft auch gleichbedeutend verwendet). In der antiken Rhetorik (Aristoteles, Rhet. 2, 20) wird die P. (wie die Fabel) zu den erdichteten Paradigmen (↗Exempel) gezählt, die als in die Rede eingelegte Geschichten die Argumentation verstärken sollen. Beispiel: Sokrates legt die Unsinnigkeit des Losverfahrens zur Bestimmung von Athleten dar, um analog die Auslosung der Führer des Staates als untaugl. Prinzip zu erweisen. P.n in diesem Sinn sind auch Menenius' Agrippa Geschichte vom »Magen und den Gliedern«, Fiescos Erzählung vom Tierreich (Schiller, »Fiesco«, 2, 8). – Aus einem situativen Kontext herausgelöst, kann die P. auch auf eine allgemeine Wahrheit zielen. Hier ist die Grenze zur ↗Fabel fließend (zur Unterscheidung s. Lessing, Abhandlungen zur Fabel I). Hierzu gehören die in Lessings Fabelbücher eingestreuten P.n (»Der Besitzer des Bogens« 3,1) oder Boccaccios Ringp. (»Decamerone«, 1, 3), die Lessing im »Nathan« ausgebaut und in einen neuen Zusammenhang gestellt hat. Goethes »Buch der Parabeln« (»Westöstl. Diwan«) weist auf eine zweite Tradition der Parabeldichtung, die aus dem Orient, bes. dem Buddhismus und Judentum (AT) kommt u. im Dienst religiöser Verkündigung, dann v. a. auch Jesu im NT, steht. Die neutestamentl.

Forschung unterscheidet das Gleichnis, das den allgemeingült. Regelfall darstelle und die P., die einen prägnanten, von der Norm auch abweichenden Einzelfall vorführe u. dadurch die Möglichkeit besitze, neue Erfahrungen hervorzurufen, Paradoxes auszudrücken, die Wirklichkeit zu transzendieren, z. B. in der Bibel die P. »Vom verlorenen Sohn«, dann die P.n F. Kafkas (»Vor dem Gesetz«), wo der myth. Bezug der P.form, wie aller Bildersprache, deutlich wird. In diese Tradition kann man auch die dialekt. offenen »Geschichten vom Herrn Keuner« B. Brechts und manche seiner »Me-ti«-Texte stellen, sowie als ganzes P.stück der religiöses Denken parodierende »Gute Mensch von Sezuan«. Auch U. Johnson verwandelt in »Jonas zum Beispiel« ein biblisches Thema.

📖 Billen, J. (Hg.): Die dt. P. Darmst. 1986. – Elm, Th.: Die moderne P. Mchn. 1982. – Brettschneider, W.: Die moderne dt. P. Entwicklung u. Bedeutung. Bln. ²1979. – RL. DW

Paradiesspiel (Paradeisspiel), Spätform des ↗geistlichen Spiels. Thema: Erschaffung der ersten Menschen, Sündenfall, Vertreibung aus dem Paradies. Im MA. meist noch unselbständig, mitunter als Einleitungsteil des ↗Osterspiels, ↗Passionsspiels, ↗Fronleichnamsspiels, auch des ↗Prophetenspiels u. des ↗Weihnachtsspiels, womit die ganze christl. Heilsgeschichte vom Sündenfall bis zur Erlösung umspannt war. Von wahrscheinl. starkem Einfluß auf die Herausbildung selbständiger P.e war die »Tragedia von schepfung, fal vnd austreibung Ade auss dem paradeyss« (1548) des Hans Sachs. Gepflegt wurde das P. v. a. als Volksschauspiel vom Elsaß bis nach S-Ungarn, mit Zentren bes. im SO des dt. Sprachraums. Zu den berühmtesten P.en gehören die aus Oberufer bei Preßburg (1915 von R. Steiner wiederbelebt) u. aus Trieben (Steiermark). Einzelne Spiele werden, meist zur Weihnachtszeit, noch heute aufgeführt.

📖 Klimke, C.: Das volkstüml. P. u. seine mittelalterl. Grundlagen. Breslau 1902, Nachdr. Hildesheim 1977. MS

Paradigma, n. [gr. = Beispiel, Muster], ↗Exempel.

Paradigmenwechsel [gr. paradeigma = Beispiel, Muster]. Der von Th. S. Kuhn 1967 eingeführte Begriff des P.s bezeichnet die wissenschaftsgeschichtl. Ablösung einer älteren Methodik durch eine neue, die begründet, systematisch, revolutionierend und in ihrem Innovationsanspruch so dynamisch sein muß, daß sie »für eine gewisse Zeit einer Gemeinschaft von Fachleuten Modelle und Lösungen liefert«. Das zunächst die kopernikan. Wenden in der Naturforschung erfassende und beschreibende Modell wurde von der Literaturwissenschaft aufgegriffen, als die von H. R. Jauß inaugurierte *Rezeptionsästhetik* (↗Rezeption) eine Antwort auf die Frage suchte, ob hier ein »großer paradigmat. Wechsel der Literaturwissenschaft« zu konstatieren sei. Historisch ergab eine Sichtung der neuzeitl. gültigen Paradigmen: 1. das humanist. Beispiel von der Renaissance bis zur Klassik, das dem Prinzip der ↗imitatio (Nachahmung) huldigte und die antiken Normen zu rekonstruieren und zu erneuern suchte; 2. das romantische Paradigma, das sich im Historismus und Positivismus des 19. Jh.s erfüllte; 3. das bis in die 70er Jahre dieses Jh.s dominante Paradigma des ästhet. Formalismus und der immanenten Textdeutung. Die Rezeptionsästhetik verstand sich als Überwindung dieser Verstehensmuster und bot sich als viertes Paradigma an, nicht allein durch die Fragerichtung, die auf geschichtl. diagnostizierbare Wandlungen der Wirkung eines Werkes zielte und Aktualität der Antworten verhieß, sondern auch dadurch, daß an die Stelle einer Methodendominanz ein Methodenpluralismus im Sinne forschender Interdisziplinarität treten sollte. Dieses neue Paradigma erstrebte die Verbindung von ästhet. und rezeptionsgeschichtl. Interpretation, die Durchdringung hermeneut. und struktraler Methodik, schließl. die Erweiterung des Forschungsgegenstandes, der z. B. außer der kanon. Literatur auch Trivial-

und Medientexte einbeziehen sollte. In neuester Zeit deutet sich an, daß Poststrukturalismus und Dekonstruktivismus das Selbstverständnis eines fünften Paradigmas entwikkeln, das die Aufhebung aller sinnfixierten Paradigmatik betreibt.
📖 Bayertz, K.: Wissenschaftstheorie u. Paradigmabegriff. Stuttg. 1981. – Nemec, F. u. Solms, W. (Hg.): Literaturwissenschaft heute. Mchn. 1979. – Jauß, H. R.: P. in der Literaturwissenschaft. In: Linguist. Berichte 1 (1969). – Kuhn, Th. S.: Die Struktur wissenschaftl. Revolutionen. Frkf. 1967.   HW

Paradoxon, n., Pl. Paradoxa [gr. = das Unerwartete], scheinbar alog., unsinnige, widersprüchl. Behauptung, oft in Form einer Sentenz oder eines Aphorismus (Gedanken-Pointe), die aber bei genauerer gedankl. Analyse auf eine höhere Wahrheit hinweist, z. B. »Wer sein Leben findet, der wird es verlieren« (Matth. 10, 39) oder »sus lebet ir tôd« (Gottfried v. Straßburg, »Tristan«). Ursprüngl. Bez. für die didakt. motivierte, absichtl. nicht unmittelbar einleuchtende Formulierungsweise der Stoiker, dient das P. allgem. als ein Mittel der Verfremdung, der absichtl. Verrätselung einer Aussage oder des emphat. Nachdrucks; es ist wesentl. Kennzeichen manierist. Stilhaltung (vgl. ↗Concetto, ↗Oxymoron) und findet sich entsprechend v. a. in ↗Manierismus und ↗Barock, in der Mystik u. a. religiös bestimmter Literatur (zur Auflösung rational unzugängl. theolog. Aussagen: vgl. M. Luther »Paradoxa«, 1518, S. Frank, »Paradoxa ducenta octoginta«, 1534 u. a.), im ↗Symbolismus, ↗Expressionismus usw.   S

Paragoge, f. [gr. = Hinzuführung], s. ↗Metaplasmus.

Paragramm, n. [gr. = Einschiebsel, Zusatz], Sinn-Verdrehung einer Aussage durch Änderung meist des ersten Buchstabens eines Wortes oder Namens, häufig als Wortspiel mit scherzhafter Wirkung; berühmt ist das P. aus dem Namen von Kaiser Claudius Tiberius Nero: Caldius Biberius Mero (= der vom Wein glühende Trunkenbold, Weinsäufer), vgl. Sueton, Vita des Kaisers Tiberius, Kap. 42.   GG

Paragraph, m. [gr. paragraphein = dazuschreiben, schriftl. hinzufügen], ursprüngl. Bez. für jedes neben ein Wort oder einen Text gesetzte Zeichen (Nota); heute beschränkt auf das Zeichen ›§‹; war in der Antike insbes. Interpunktionszeichen, diente später auch zur Bez. eines Abschnittes in literar. Werken, im Drama z. B. für den Einsatz eines neuen Sprechers, in Lyriksammlungen einer neuen Liedes (z. B. in der Manesse-Handschrift) oder einer neuen Strophe etc.; in der Neuzeit v. a. übl. zur Kennzeichnung und fortlaufenden Numerierung von Abschnitten in Gesetzestexten oder in wissenschaftl. Werken; zugleich auch Bez. für solche Abschnitte.   S

Paraklausithyron, n. [gr. = bei verschlossener Tür (gesungenes Lied)], Gattung der griech.-röm. Liebeslyrik: Lied eines Liebhabers vor der verschlossenen Tür seines Mädchens, wohl volkstüml. Ursprungs; Literarisierung erst in alexandrin. Zeit durch Kallimachos und Asklepiades; Theokrit überträgt das P. ins Bukolische (Lied eines Hirten vor der Grotte seines Mädchens). Vertreter des P.s in röm. Lit. sind Horaz, Catull, Properz.   K*

Paralipomena, n. Pl. [zu gr. paralipomenon = Übergangenes, Ausgelassenes], Textvarianten, Fragmente, Ergänzungen, Nachträge usw., die bei der endgült. Fassung eines literar. Werkes nicht berücksichtigt oder für die Veröffentlichung (zunächst) ausgeschieden wurden, vgl. z. B. die beiden Bücher ›P.‹ im AT (als Ergänzung der Bücher Samuelis und der Könige) oder die P. zu Goethes »Faust«. P. sind wichtig für textkrit. oder textgenet. Untersuchungen. ↗Edition.   GK

Paralipse, f. [gr. paraleipsis = Unterlassung, lat. praeteritio = Besetzung, Abhaltung von anderen Dingen], rhetor. Figur: Hervorhebung eines Themas oder Gegenstandes durch die nachdrückliche (nicht eingehaltene) Erklärung, daß darauf aus bestimmten Gründen nicht näher eingegan-

gen werde, eingeleitet durch Wendungen wie »Ich will nicht davon sprechen, daß . . .«; oft Mittel der ↗Ironie. Vgl. etwa Shakespeare, »Julius Caesar« (1599), Rede des Antonius; III, 2: Ch. M. Wieland, »Der Vogelsang« (1778): »Ich sage nichts von . . .«, oder Th. Mann, »Der Erwählte« (1951): »Ich will weiter kein Rühmens machen . . .« (hier folgt z. B. eine 3/4seitige Ausführung dessen, was angebl. nicht gerühmt werden soll).   S

Parallelismus, m. [von gr. parallelos = gleichlaufend], 1. in engerem Sinne: P. membrorum, ↗rhetor. Figur; unterschieden wird a) syntakt. P., der syntakt. Gleichlauf mehrerer (2–3) gleichrangiger Kola, entspricht dem ↗Isokolon, z. B. »als ich noch Kind war, redete ich wie ein Kind, dachte ich wie ein Kind, urteilte ich wie ein Kind« (1. Kor. 13, 11), und b) semant. P., die Spaltung einer Aussage in zwei (oder mehr) Aussageeinheiten gleichen oder gegensätzlichen Inhalts, wobei das 2. Glied auch den Gedanken des ersten fortführen kann; man unterscheidet daher beim semant. P. synonymen P. (auch Synonymie): »so muß ich dich verlassen, von dir scheiden« (Schiller, »Wallenstein«), antithet. P.: »sie forderts als eine Gunst, gewähr es ihr als Strafe« (Schiller, »Maria Stuart«) und synthet. P.: »den Mund aufmachen, der Vernunft das Wort reden und die Verleumdet beim Namen nennen« (G. Grass). – Der P. membrorum ist formkonstituierend u. a. in der hebräischen Poesie (Psalmen), in der mhd. Dichtung, der Sakralsprache, im Volkslied, in jüngster Zeit auch in der Werbung. Häufig ist die Verbindung mit ↗Anapher, ↗Epipher, ↗Symploke oder dem ↗Homoioteleuton.
2. im weiteren Sinne: strukturales Kompositionselement in Dichtungen, die Wiederholung gleichrangiger Teile, etwa in der Fabel eines Werkes (vgl. z. B. im Märchen dreimaliges Wiederholen von Wünschen, Aufgaben, Begegnungen, Träumen, im Abenteuerroman parallel strukturierte Abenteuer, jeweils mit bestimmenden Abweichungen, häufig auch Steigerungen) oder in der Konfiguration in Drama und Roman, z. B. Wiederholung bestimmter Personengruppierungen auf verschiedenen Ebenen (adliges, Diener-Liebespaar, Herren-Diener, häufig in klassizist. Dramen). – Zusammen mit seinem Gegenstück, der Opposition, bildet der P. ein Grundelement zur Bestimmung der Dichtungsstruktur.   IA*

Paramythie, f. [aus gr. para = über hinaus und mythos = Sage, Geschichte, Erzählung], kurze poet. Erzählung, die aus einem meist mytholog. Motiv schließl. eine religiös-sittl. Maxime entwickelt wird. Die Bez. für die seit der Antike bekannte Gattung (vgl. ↗Parabel, ↗Gleichnis, ↗Apolog u. a.) prägte J. G. Herder für seine Sammlung von Prosa-P.n (»Zerstreute Blätter«, 1. Slg. 1785, u. a. »Die Wahl der Flora«, »Der sterbende Schwan«); in seiner Nachfolge entstanden ähnl. Sammlungen von F. A. Krummacher (»Apologen und P.n«, 1809) und F. Gleich (»P.n«, 1815). Als P.n gelten auch Goethes »Nektartropfen« (1781), Herders Gedicht »Das Kind der Sorge« (1787) oder F. Rückerts »Die gefallenen Engel«.   IS

Paränese, f. [gr. parainesis = eth. Ermahnung, Ermunterung, Warnung, Rat],
1. Begr. der altgriech. Ethik u. Erziehungslehre (Sokrates).
2. Mahnrede oder -schrift, auch ermahnender oder ermunternder Teil einer Predigt oder eines Briefes (z. B. die P.n der Paulusbriefe); auch die Nutzanwendung einer Predigt oder Fabel wird mit P. bez. (paränet. Schriften = Erbauungsschriften).   IS

Paraphrase, f. [aus gr. para = neben, in der Nähe und phrasis = Wort, Rede],
1. erweiternde oder erläuternde Wiedergabe eines Textes in derselben Sprache, v. a. zur Verdeutlichung des Sinnes, etwa bei einer Interpretation; auch: freie Prosa-Umschreibung einer Versdichtung,
2. freie, nur sinngemäße Übertragung (Übersetzung) eines Textes in eine andere Sprache, im Ggs. zur ↗Metaphrase;

berühmt sind die P.n des »Hohen Liedes« von Williram von Ebersberg (11.Jh.).   S

Parasit, [gr. parasitos = Mitspeisender, Gast], Typenfigur der mittleren und v. a. der neuen att. u. der röm. Komödie: der komisch-sympath. Schmarotzer, der sich durch kleine Dienste in reichen Häusern einschmeichelt; erscheint als Nebenfigur oft in Begleitung von Hetäre oder ╱Bramarbas, z. B. *Chaireas* im »Dyskolos« (Griesgram) des Menander, *Gnatho* im »Eunuchus« des Terenz. Figur und Motiv des P.en sind fast in allen literar. Epochen nachweisbar. Die Moderne kennt v. a. auch Parodierung und Pervertierung des P.en, vgl. M. Frisch, »Biedermann und die Brandstifter«, Selma Urfer, »Die Gäste« u. a. m.   GK*

Parataxe, f. [gr. = Nebeneinanderstellung, Beiordnung], s. ╱Hypotaxe.

Paratext [zu gr. para = über, hinaus]. Begriff der poststrukturalist. Poetik: Text, der nicht eigentl. zu einem literar. Werk gehört (z. B. Klappentext, ╱Widmung, ╱Motto, ╱Titel, Vorwort, auch Name d. Autors), aber doch mit anderen P.en zusammen ein Bezugssystem zu diesem bildet, einen »pragmat. Hof« (Genette), der die Rezeption des Werkes wesentl. beeinflußt, ohne daß der Leser sich dessen bewußt ist: z. B. wird aus Art u. Umfang eines Vorwortes, über die Funktion der ersten Leserinformation hinaus, die Einstellung des Autors zur Subjektivität des eigenen Werkes deutlich (╱Dialogizität). – Darüberhinaus werden in der Diskursforschung P.e nicht nur in bezug auf ein Einzelwerk untersucht, sondern auch in die im jeweiligen histor. Kontext feststellbaren Regeln eingeordnet. ╱Intertextualität.
📖 Genette, G.: Seuils. Paris 1989; dt. u. d. T.: P.e. Frkf. 1989.   IS

Parechese, f. [gr. = Lautnachahmung], ╱rhetor. Figur, Form der ╱Paronomasie.

Parekbasis, f. [gr. = Seitenweg], ╱Exkurs.

Parenthese, f. [gr. parenthesis = Einschub], ╱rhetor. Figur: grammat. selbständ. Einschiebsel in einen Satz, das dessen grammat. Zusammenhang unterbricht, ohne jedoch dessen syntakt. Ordnung zu verändern. Der Umfang schwankt zwischen einem Wort und einem Haupt- und Nebensätze gliedernden Abschnitt. Sie enthält meist eine erwünschte, unbedingt notwend. Mitteilung oder eine affektiv erklärbare Interjektion: »So bitt ich – ein Versehn wars, weiter nichts – ╱Für diese rasche Tat dich um Verzeihung« (H. v. Kleist, »Penthesilea«). – Der visuellen Kenntlichmachung dienen Gedankenstriche, runde oder eckige Klammern, Kommata, in mündl. Rede eine Pause. Allzu häufig angewandt, kann parenthet. Schreiben zur Manier werden, welche die Lesbarkeit eines Textes stark beeinträchtigt.   GG*

Parerga, n. Pl. [zu gr. parergon = Nebenwerk, Zusatz], als Nebenarbeit entstandene Schriften, auch Titelbez. für Sammlung kleinerer Schriften, z. B. A. Schopenhauer: »P. und Paralipomena«, 1851.   S

Parison, n. [gr., eigentl. parison schema = fast gleiches (Schema)], ╱Isokolon.

Parnassiens [par'nasjē; frz.], auch: École parnassienne, frz. Dichterkreis in der 2. Hälfte des 19.Jh.s; Name nach der Anthologie »Le parnasse contemporain« (erschienen in 3 Lieferungen 1866, 1871, 1876), in der die Gedichte der Mitglieder gesammelt wurden. – Bestimmt von dem ästhet. Prinzip des ╱l'art pour l'art (Th. Gautier) und nach dem Vorbild der virtuosen Formkunst Th. de Banvilles propagierten die P. Dichtungen von äußerster formaler Strenge, insbes. von vers- und reimtechn. Perfektion und gegenstandsbezogener, unpersönl. Darstellung, z. T. in bewußter Opposition zu den gefühlsbezogenen, formal entgrenzten Dichtungen der Romantik, deren Stoffe sie jedoch übernahmen (Geschichte, v. a. MA., zeitl. und räuml. ╱Exotismus, v. a. der Orient). Haupt der P. war Ch. M. Leconte de Lisle, bedeutende Vertreter P. Louÿs (»Chansons de Bili-

tis«, 1894) und v. a. J. M. de Heredia, dessen Sonette (»Trophäen«, 1893, dt. 1909) eine seit der ╱Plejade (16.Jh.) nicht mehr erreichte formkünstler. Vollendung zeigen, ferner der frühe R. F. A. Sully-Prudhomme, C. Mendès, L. Dierx, F. Coppée u. a.; zeitweilige Berührung mit den P. hatten auch Ch. Baudelaire, P. Verlaine und St. Mallarmé durch einzelne Beiträge in der Anthologie.
📖 Decaunes, L. (Hg.): La poésie parnassiens. Paris 1977. – Racot, A.: Les P. Paris 1968. – Martino, P.: Parnasse et symbolisme. Paris [11]1964.   IS

Parodie, f. [gr. = Gegengesang], in den ältesten Quellen wird als P. eine neue, gesprochene, gegenüber einer älteren musikal.-rezitativischen Vortragsart des Epos bezeichnet. Daraus entwickelte sich die umfassendere Bedeutung: Ein literar. Werk, das in satir., krit. oder polem. Absicht ein vorhandenes, bei den Adressaten der P. als bekannt vorausgesetztes Werk unter Beibehaltung kennzeichnender Formmittel, aber mit gegenteiliger Intention nachahmt. Der durch das so entstandene Auseinanderfallen von Form und Aussageanspruch gewonnene Reiz des Komischen ist dabei umso wirkungsvoller, je größer die Fallhöhe vom Parodierten zur P. ist. Daher zehren auch die bedeutendsten P.n der Weltliteratur weithin von der Prominenz ihrer Vorbilder (Homer-P.n der Antike) oder von der meist standesgebundenen Wertschätzung eines literar. Genres (Cervantes' »Don Quijote« als P. der beliebten Ritterromane). Da die P. nicht allein Werke, sondern auch Rezeptionshaltungen und Bildungskonventionen, für die ein Werk repräsentativ wurde, in die krit. Absicht einbezieht, ist sie nicht so sehr eine innerliterar. parasitäre Form der Auseinandersetzung, sondern mehr noch literar. Zeitkritik, die oft genug den Anspruch auf Eigenwert erhebt und einlöst. Bes. in Zeiten, in denen gesellschaftl. und soziale Auseinandersetzungen in einer literar. interessierten Öffentlichkeit ausgetragen wurden, erreichte die P.-Produktion Höhepunkte und Gipfelleistungen. Daher erklärt es sich z. T., daß P.n meist im Gefolge jener Werke und Gattungen entstanden sind, die bei den Zeitgenossen etabliert waren und nachträgl. vielfach mit dem Prädikat des »Klassischen« geehrt wurden. Vornehml. durch ihren höheren Kunstanspruch, ihre formalen Übernahmen und ihre umfassendere krit. Intention unterscheidet sich die P. von der ╱Travestie, ╱Literatursatire und z. T. dem ╱Pastiche. Zeigt das reiche *Geschichte der Parodie,* daß kaum eine literar. Gattung, kaum ein bedeutender Stoff von deren anti-emotionalen Verfahren verschont wurde, so sind es doch *zwei Hauptrichtungen,* gegen die die P. sich wendet: 1) Gegen alle Formen des Heroischen und 2) gegen die konventionell Sentimentalen. Die P.n beginnen mit den gegen Homer gerichteten kom. Epen vom schlauen Tölpel »Margites« oder vom pseudoheroischen »Froschmäusekrieg« (»Batrachomyomachia«, 5. Jh. v. Chr.). Es folgen P.n auf die Tragödien des Euripides durch Aristophanes (»Frösche«), Eubulos, Menander u. a. Die zumal Epen und Dramen treffende antihero. P. wendet sich im MA. gegen höf. Ritterdichtung (H. Wittenwilers »Ring«, Rabelais' »Gargantua et Pantagruel«), in der neueren Literatur v. a. gegen antikisierende Heldengedichte (A. Pope »The Rape of the Lock«; in Frankreich entstehen im 17.Jh. etwa 700 P.n auf die klass. Tragödie; gegen die heroische Barockoper wendet sich J. Gays »Beggar's Opera«). Dem antiheroischen und antiklass. Effekt verpflichtet sind auch die deutschen P.n auf Werke von Goethe (F. Nicolai, »Freuden des jungen Werther«, F. Th. Vischer, »Faust III. Teil«), Schiller, später v. a. die Hebbel- und Wagnerp.n Nestroys. – Die gegen das konventionell Sentimentale gerichteten P.n beginnen mit Numitorius' »Antibucolica« gegen Vergil, setzen sich im mlat. P.n der Vaganten und in den P.n auf den Minnesang (Neidhart, Steinmar) fort, finden reichen Stoff in der empfindsamen und trivialen Dichtung des späten 18. und 19.Jh.s bis hin zu den P.n R. Neumanns (»Mit fremden Federn«, 1927) oder in neuester Zeit P. Rühmkorfs (»Irdisches Vergnügen in g«, 1959). ∕burlesk, ∕komisches Epos, ∕makkaron. Dichtung. ∕Gegensang.

📖 Schweikle, G. (Hg.): P. u. Polemik in mhd. Dichtung. Stuttg. 1986. – Schiendorfer, M.: Ulr. v. Singenberg, Walther u. Wolfram. Zur P. in d. höf. Lit. Bonn 1983. – Freund, W.: Die literar. P. Stuttg. 1981. – Verweyen, Th./Witting, G.: Die P. in d. neueren dt. Lit. Eine systemat. Einführung. Darmst. 1979. – Karrer, W.: P., Travestie, Pastiche. Mchn. 1977. – Stackelberg, J. v.: Literar. Rezeptionsformen. Übersetzung, Supplement, P. Frkft. 1972. – Gegengesänge. Lyr. P.n vom MA. bis zur Gegenwart. Hg. v. E. Rotermund. Mchn. 1964. – Lehmann, P.: Die P. im MA. Mit 24 ausgew. parodist. Texten. Stuttg. ²1963. – RL.   HW

Parodos, f. [(seitl.) Zugang, Einzug],
1. im gr.-röm. Theater der seitl. Zugang zur ∕Orchestra, durch den der ∕Chor zu Beginn des Dramas feierl. Einzug hält.
2. Im gr.(-röm.) Drama das Einzugslied des Chors beim Betreten der Orchestra, im weiteren Sinne überhaupt die ganze erste Chorpartie eines ∕Dithyrambus, einer Tragödie oder Komödie. – Ursprüngl. bildet die P. den Anfang eines Stückes. Seit Thespis(?) kann ihr jedoch ein von Schauspielern gesprochener dialog. oder monolog. ∕Prolog vorausgehen. Bereits bei Aischylos finden sich mehrere Grundtypen der P.: Sie kann bestehen: aus einem in (Marsch-)∕Anapästen abgefaßten Rede des Chorführers und einem daran anschließenden stroph. Chorlied (vgl. »Die Hiketiden«, »Die Perser«, »Agamemnon«), nur aus einem stroph. Chorlied (»Die Choëphoren«), aus einzelnen Chorstimmen, die sich erst allmähl. zu einem geschlossenen Chorgesang vereinen (»Die Sieben gegen Theben«, »Die Eumeniden«), aus Wechselgesang und Wechselrede zwischen Chor und Schauspieler, wobei der Schauspieler in anapäst. Versen spricht (»Prometheus«; epirrhemat. P., vgl. ∕Epirrhema); sie wird in der Tragödie von Sophokles und Euripides und v. a. in der Komödie von Aristophanes weiterentwickelt und vielfach variiert. – Ein zweites Einzugslied des Chors (nach zeitweiliger Abwesenheit) oder das Einzugslied eines zweiten Chores heißt *Epiparodos* (zusätzl. P., z. B. Aischylos, »Eumeniden«, Sophokles, »Ajax«); vgl. auch ∕Exodos, ∕Stasimon, ∕Epeisodion. K

Paroemiacus (Paroimiakos), m. [lat.-gr. = Sprichwortvers], altgriech. Vers der Form ◡◡–◡◡–◡◡––; oft mit dem ∕Enoplios gleichgesetzt (Wilamowitz) und wie dieser als Ausprägung eines griech. Urverses gedeutet; Bez. nach seiner Verwendung im griech. Sprichwort oder Denkspruch (paroimia); auch in Marschliedern; entspricht metr. dem gern als ∕Klausel verwendeten röm. katalekt. anapäst. Dimeter.   S

Paroimiographie, f. [gr. paroimia = Sprichwort, graphein = schreiben], in der Antike die wissenschaftl. Beschäftigung mit Sprichwörtern, zunächst unter philosoph. und histor. Aspekt (Aristoteles, Klearchos von Soloi, Theophrastos), seit alexandrin. Zeit systematisierend und klassifizierend (Aristophanes von Byzanz, 220 v. Chr.); auf den Sammlungen des Didymos (1. Jh. v. Chr.), Lukillos von Tarrha (1. Jh.) und Zenobios (2. Jh.) beruht das wichtigste Sprichwörterkompendium, das alphabet. ›Corpus paroimiographorum‹ (9. Jh.), auf das alle späteren mal. Sprichwörtersammlungen zurückgehen.

📖 Leutsch, E. von/Schneidewin, F. W. (Hg.): Corpus Paroemiographorum Graecorum. 2 Bde. Gött. 1839 u. 1851, Nachdruck mit Ergänzungsband, Hildesheim 1958 u. 61.   IS

Paromoion, n., auch: Paromoiosis [von gr. paromoios = ähnlich], rhetor. (Klang-)Figur: über den selben Anfangsbuchstaben (∕Alliteration, ∕Homoioprophoron) hinausreichender Gleichklang von Wörtern unterschiedl. Bedeutung: **rex, rege, res** misera tuis (Virgil).   S

Paronomasie, f. [gr. = Wortumbildung, lat. Annominatio, Adnominatio], ∕rhetor. Figur: Wortspiel mit Wortbedeutungen durch Zusammenstellen von Wörtern

1. desselben Stammes mit bestimmten Bedeutungsverschiebungen: »wer sich auf den *verläßt,* der ist *verlassen«* (vgl. dagegen ∕Polyptoton, ∕figura etymologica) oder
2. von Wörtern verschiedener Herkunft und Bedeutung, aber gleicher oder ähnl. Lautung: »kümmert sich mehr um den *Krug* als den *Krieg«,* » . . . *Rheinstrom . . . Peinstrom . . .«* (Schiller, »Wallensteins Lager«, Kapuzinerpredigt), auch als *Parechese* (= Lautnachahmung) bez.   S

Pars pro toto [lat. = der Teil für das Ganze], uneigentl. Ausdruck, ∕Tropus, bei dem ein Teil einer Sache das Ganze bezeichnet: z. B. *Dach* für Haus; eng gefaßte Form der ∕Synekdoche, vgl. auch ∕Metonymie.   S

Parteilichkeit, von G. Lukács in die Ästhetik eingeführter autorbezogener Begriff, der den (im Sinne einer aktiven Beeinflussung der Gesellschaft gemeinten) werkbezogenen Begriff der Tendenz ersetzen soll, entsprechend der Forderung des ∕sozialist. Realismus nach Parteigeist (russ. *partijnost),* d. h. der Durchdringung des literar. Werkes und dessen Identifikation mit Zielen und Methoden der kommunist. Partei, wobei sich die polit. engagierte Literatur im Ggs. zur »reinen Kunst« versteht. P. ist eine Methode der theoret. und prakt. Auswertung des Marxismus-Leninismus; es geht dabei um jene Stellungnahme in der Literatur, die Erkenntnis und objekt. Gestaltung gewährleisten soll. Deshalb steht P. nach Lukács nicht wie ›Tendenz‹ im Widerspruch zur Objektivität bei der Wiedergabe und Gestaltung der Wirklichkeit. Die richtige dialekt. Abbildung und schriftsteller. Gestaltung der Wirklichkeit setzen vielmehr in seinem Sinne P. voraus. Sie bezieht sich auf »jene Klasse, die Trägerin des geschichtl. Fortschritts in unserer Periode ist«. Die Frage der P. des Dichters wurde bereits von F. Freiligrath und G. Herwegh (1843) diskutiert. Herwegh begrüßte jede P. als Fortschritt in der Entwicklung, während Freiligrath postulierte: »Der Dichter steht auf einer höheren Warte als auf den Zinnen der Partei«. Im folgenden wurden die Begriffe ›Parteinahme‹ oder ›Tendenz‹ in der Literatur dann v. a. von F. Engels (»Über Kunst und Literatur II«) und F. Mehring in Anlehnung an Kants »Zweckmäßigkeit ohne Zweck« erörtert. Nach Lukács ist P. »die Erkenntnis und die Gestaltung des Gesamtprozesses als zusammengefaßte Totalität seiner wahren treibenden Kräfte, als ständige, erhöhte Reproduktion der ihm zugrunde liegenden dialekt. Widersprüche«.

📖 Buch, H.-Ch. (Hrsg.): P. der Lit. oder Parteilit. Reinbek 1972. – Lukács, G.: Tendenz oder P. In: G. L.: Werke Bd. 4, Neuwied 1971.   GK

Partheneion, n. [gr. = Jungfrauenlied], altgriech., von einem Mädchenchor vorgetragenes Chorlied; erhalten sind nur der Schluß eines P. von Alkman (wahrscheinl. ein Prozessionslied für Artemis) und drei Fragmente aus Pindars ledigl. bezeugten zwei Büchern »Partheneia« und »Anhang zu den Partheneia« (Verse über die Unsterblichkeit, Bruchstücke eines Kultliedes der Daphne und eines Liedes auf Pan, in choriamb. und äol. Maßen); auch von Bakchylides werden Partheneia erwähnt.   K*

Partijnost [russ. = Parteigeist], ∕Parteilichkeit.

Partimen, n. [prov. = Teilung; dilemmat. Frage], provenzal. ∕Streitgedicht (Tenzone), das von meist zwei Dichtern gemeinsam verfaßt ist. Ein bestimmtes Thema, v. a. aus dem Bereich der höf. Liebe, wird zu Beginn, meist in Form eines Dilemmas mit zwei Alternativen, festgelegt, dann in gesungenem Wettstreit durchdiskutiert, in der Regel ohne abschließende Entscheidung. Das P., auch als *Joc partit* genannt und im altfrz. *Jeu parti* nachgeahmt, wurde bes. in der Zeit zwischen 1180 u. dem Ende des 13. Jh.s gepflegt. Die Bez. ›P.‹ taucht im 14. Jh. in den Handschriften auf; überliefert sind über 100 P. – Verwandt sind der italien. ∕Contrasto, in der mittellat. Lit. ∕Altercatio, ∕Disputatio, ∕Conflictus, dt. Nachahmungen im strengen Sinne gibt es nicht.

📖 Schnell, R.: Zur Entstehung d. altprov. dilemmat. Streitgedichts. GRM 64 (1983). – Köhler, E.: P. (joc partit). GRLMA II, 1 (1979). – Neumeister, S.: Das Spiel mit der höf. Liebe. Das altprovenzal. P. Mchn. 1969.   MS

Paso, m. [span., eigentl. = Schritt], kurze schwankhafte Dialogszene aus dem span. Volksleben in Prosa, im 16.Jh. von Lope de Rueda als ∕Zwischen- oder ∕Nachspiel für die ∕Comedia geschaffen (berühmt z. B. »Las aceitunas«, »Los criados«). P.s waren insbes. durch die Gestalt des Bobo, eines Vorläufers des ∕Gracioso, sehr beliebt; bisweilen wurden bis zu 3 P.s in einen Akt eingefügt. Sie gelten als unmittelbare Vorläufer der ∕Entreméses und blieben wie diese bis ins 20.Jh. lebendig (∕Género chico). Die P.s L. de Ruedas wurden postum von Juan de Timoneda, der selbst P.s verfaßte, herausgegeben. Texte: P.s completos. Hrsg. v. F. Garcia Pavón, Madrid 1967.   IS

Pasquill, n. [ital. pasquillo = Schmähschrift], meist anonyme oder pseudonyme, gegen eine bestimmte Persönlichkeit gerichtete Schmähschrift. Die Bez. geht zurück auf einen durch seinen Witz bekannten röm. Schuster oder Schneider *Pasquino* in der 2. Hälfte des 15.Jh.s. Nach seinem Tod wurde in der Nähe seiner Werkstatt der Torso einer röm. Kopie der hellenist. Darstellung des Menelaos mit der Leiche des Patroklos gefunden und seit 1501 vor dem Palazzo Braschi aufgestellt. An dieser vom Volksmund Pasquino genannten Skulptur wurden Satiren und Epigramme (sog. *Pasquinata*) angeheftet; die Erwiderungen brachte man an der gegenüberstehenden Figur des Marforio (Mars fori, einer auf dem Forum gefundenen Statue des Mars) an, so daß sich oft satir.-epigrammat. Dialoge entwickelten, an denen u. a. als berühmtester *Pasquillant* auch Pietro Aretino beteiligt war. Persönl. satir. Schriften gerieten immer wieder in die Nähe des als unmoral. betrachteten P.s. – Im Rahmen der Satirentheorie der Aufklärung ist eine Abgrenzung der Satire vom P. ein unerläßl. Bestandteil der Reflexion über das Wesen und die Funktion der Satire. Als Beispiel eines dt. P.s gilt Goethes »Fastnachtsspiel . . . vom Pater Brey . . .« (gegen M. Leuchsenring).   GG

Passionsbruderschaften, spätmal., meist bürgerl.-weltl. Gesellschaften, welche die oft 2–3 Tage dauernden ∕Passionsspiele u. a. ∕geistl. Spiele organisierten und finanzierten (meist mit städt. Hilfe). Die Spieler (nur Männer), Mitglieder der P. oder Städter aller sozialen Schichten, auch Adel und Geistlichkeit, spielten umsonst und stellten i. d. Regel auch die Kostüme; *bezahlt* wurden jedoch der Darsteller des Judas, Musikanten, Gaukler (oft Darsteller der Teufel) und die zahllosen Helfer (oft über 1000 Mitwirkende). – Die P.en spielten in den mal. Städten eine bedeutende Rolle und bestanden oft auch nach dem Rückgang der Passionsspiele weiter (Organisation weltl. Stücke u. ä.). – Berühmte P.en waren die Pariser *Confrérie de la Passion* (seit 1380, ab 1548 weltl. Inszenierungen, bestand bis 1677), in Rom die *Archiconfraternità del Gonfalone* (1. Aufführung 1489), die Wiener *Gottesleichnamsbruderschaft* (1437 zum 1. Mal bezeugt, berühmtester künstler. und organisator. Leiter der Bildschnitzer W. Rollinger) und die bis ins 20.Jh. bestehende Luzerner *Bruderschaft der Bekrönung unseres lieben Herrn Jesu Christi* (gegründet 1470, berühmtester Spielleiter im 16.Jh. Renward Cysat). Von literarhistor. Bedeutung sind die von den P.en tradierten Passionstexte, ihre Spielbücher (∕Dirigierrollen), Rechnungsbücher (Raitbücher), Regieskizzen und Bühnenpläne.   IS

Passionsspiel (auch: Passion, m. [!]). Leiden und Sterben Jesu Christi in dramat. Gestaltung, neben dem ∕Osterspiel bedeutendster Typus des mal. ∕geistl. Spiels. Die Tradition des P.s läßt sich, im Ggs. zum Osterspiel, nicht über das 13.Jh. zurückführen; seine Blütezeit fällt ins 15. u. 16.Jh. Bes. Beliebtheit erfreute sich das P. im dt.-sprach. Raum. – Das P. hat sich im Ggs. zum älteren Osterspiel nicht im liturg. Rahmen herausgebildet. Meist wird seine Entstehung mit der Tendenz erklärt, das vorösterliche Heilsgeschehen in das Osterspiel einzubeziehen. Daß sich das P. im

Spät-MA. mehr und mehr durchsetzen konnte und andere Formen des geistl. Spiels im dt.sprach. Raum weitgehend verdrängte oder absorbierte, hängt mit einer allgemeinen geistesgeschichtl. Wende zusammen, die sich im Wandel des Christus-Bildes ausdrückt: an die Stelle des früh- und hochmal. Weltherrschers, des Christus Pantokrator, tritt der leidende Christus. Die meisten P.e beschränken sich nicht auf eine Darstellung des eigentl. Passionsgeschehens, sondern beziehen in ihre Handlung die ganze christl. Heilsgeschichte des AT und NT ein; sie münden fast immer in ein Osterspiel. Die Aufführung dieser umfangreichen Spiele erstreckte sich, v. a. seit dem 15.Jh., oft über 2 bis 3 Tage, oft mit Tausenden von Mitwirkenden. Diese Bürgerspiele waren damit nicht nur lebendige Glaubenszeugnisse, sondern zugleich glanzvolle (und entsprechend aufwendige) Selbstdarstellungen der spätmal. Stadtgesellschaft. – Bei den beiden einzigen *lat.* P.en des dt.sprach. Raums (überliefert in der Hs. der Carmina burana, 13.Jh.) handelt es sich um ein P. von äußerster Knappheit (»Benediktbeuren I«: meist nur kurze, der Bibel entnommene Prosasätze) und ein umfangreicheres (»Benediktbeuren II« mit Gesängen aus dem Palmsonntagsantiphonar und lat. Vagantenstrophen). Verbindungen zu beiden Spielen (Übereinstimmungen in Text u. Musik) zeigt ledigl. das dt. P. aus Wien (mdt. Fragment, Anfang 14.Jh.). Bei den übrigen dt. P.en lassen sich keine Einflüsse lat. Spieltradition nachweisen. – Die meisten *dt.* P.e lassen sich auf drei großen Spielkreisen ordnen:

1. Der *westmdt. (Frankfurter) Spielkreis* hat eine bes. lange Tradition (13.–16.Jh.). Älteste Vertreter sind die Frankfurter Dirigierrolle (frühes 14.Jh., Regiebuch, Baldemar von Peterweil zugeschrieben, enthält Bühnenanweisungen und die Anfangsworte der einzelnen Redeabschnitte des 2täg. Spiels) und das P. aus St. Gallen (frühes 14.Jh., Handlungsrahmen ähnl. wie in der Dirigierrolle, insgesamt knapper). Die weiteren westmdt. P.e zeigen im Ganzen Übereinstimmungen mit diesen beiden, weichen jedoch in Einzelheiten stark voneinander ab, so die 3tägigen P.e aus Frankfurt (Hs. von 1493), Alsfeld (frühes 16.Jh.), Fritzlar und Heidelberg (1514, W. Stüeckh zugeschrieben).

2. Der *Tiroler Spielkreis* zeigt die reichste und zugleich geschlossenste Spieltradition. Gespielt wurde außer in Bozen, Brixen, Sterzing und Meran auch nördl. des Brenner in Hall und Schwaz und im italien. Sprachgebiet (Cavalese, Trient). Die Spieltradition setzt im Ggs. zum Frankfurter Kreis erst sehr spät ein (Ende 15.Jh.); die einzelnen Spieltexte weichen nur geringfügig voneinander ab, so daß man von *einem* Tiroler P. sprechen kann. Dies ist wohl v. a. dem Wirken zweier Humanisten zu verdanken, B. Debs (Bozen) und V. Raber (Sterzing, Bozen), die nicht nur die Texte sammelten, sondern auch die Gestalt des Tiroler P.s beeinflußten. Der Handlungsrahmen des Tiroler P.s ist gedrungener; eine Besonderheit des 3täg. Spiels stellt die Serie von *Sproßdramen* dar, die sich um das P. lagern: Spiele für Mariae Lichtmeß (Darstellung im Tempel bis Flucht nach Ägypten), Palmsonntag (sog. Vorspiel: Geschichte Jesu), Karsamstag (Klage der Marien und der Propheten), Ostermontag (Emmaus), Himmelfahrt und Pfingsten. Von den zahlreichen, bis heute nur teilweise edierten Texten des Tiroler P.s sind bes. bedeutend die aus Sterzing (2 Handschriften), Bozen (4 Handschriften), Hall und Brixen. In den weiteren Umkreis der Tiroler P.s gehört noch das P. aus Augsburg (Ende 15.Jh.), das seinerseits die Vorlage für den ältesten P.text aus Oberammergau (1634) bildete.

3. Vertreter eines *alemann.* Spielkreises sind das Donaueschinger P. (aus Villingen stammend, 2. Hä. 15.Jh., 2täg. Spiel) und das Luzerner P. (Text von 1616, Tradition bis in die Mitte des 15.Jh.s zurückreichend). Für *Straßburg* und *Colmar* sind P.e bezeugt, jedoch nicht erhalten. – Der Rückgang der P.-Tradition seit dem 16.Jh. fällt mit der Ausbreitung des Protestantismus zusammen. Nur in kath. Gebieten

blieb das P. teilweise über das 16. Jh. hinaus lebendig, so in Südtirol (Sarntal, Kastelruth, Mühlbach im Pustertal), wo die alte Spieltradition im 18. Jh. wiederaufgenommen und erst mit der Revolution von 1848 wieder eingestellt wurde und, bis heute, in Oberammergau und Erl.

📖 Bergmann, R.: Studien zu Entstehung u. Gesch. der dt. P.e des 13. u. 14. Jh.s. Mchn. 1972. – Steinbach, R.: Die dt. Oster- und P.e des MA.s (mit ausführl. Bibliographie). Köln u. Wien 1970.   K

Pastiche, n. [pas'ti:ʃ; frz., von it. pasticcio = Pastete, Mischmasch, Kunstfälschung], Bez. für die Imitation eines Personal- oder Epochenstils. Der kunst- und musikwissenschaftl. Begriff wurde Anfang des 18. Jh.s in Frankreich (später auch in anderen Sprachen als Fremdwort) auf den literar. Bereich übertragen; dabei wird wird P. in 2 verschiedenen Bedeutungen verwendet:
1. synonym mit ⁄ literar. Fälschung, ⁄ Mystifikation (analog dem kunstwissenschaftl. Begriff), ein P. in diesem Sinne sind z. B. P. Louÿs »Lieder der Bilitis« (1894, dt. 1900, als Lieder einer angebl. Schülerin der Sappho ausgegeben).
2. häufiger als Bez. für eine namentl. gekennzeichnete *Stilimitation;* dabei wird unterschieden: a) *P. involuntaire:* Imitation aus Mangel an Originalität, Grenzziehung aber subjektiv: Mérimée bez. z. B. Flauberts Roman »Salambô« als P. von Victor Hugo; b) *P. voluntaire:* P. als verfremdetes oder iron.parodierendes Stilmittel (z. B. im »Erwählten« v. Th. Mann) oder als Übung zur Entwicklung des eigenen Stils (vgl. M. Proust, »P.s et Mélanges«, 1919). P.s voluntaires werden desto höher bewertet, je größer die stilist. Virtuosität, d. h. je ähnlicher das P. dem Stil des imitierten Autors (der imitierten Epoche) ist: vgl. dagegen die stilist. Übertreibungen der ⁄ Parodie.

📖 Karrer, W.: Parodie, Travestie, P. Mchn. 1977. – Hempel, W.: Parodie, Travestie und P. Zur Gesch. von Wort u. Sache. GRM 46 (NF 15) (1965).   IS

Pastorelle, f. [auch: Pastourelle, frz. = Schäferlied, Hirtengedicht, prov. pastoreta], in der europ. Literatur des MA.s weit verbreitete lyr. Gedichtform, in der ein Ritter versucht, eine ländl. Schöne zu verführen. Charakterist. ist eine ep.-dramat. Darstellungsweise; Bauelemente sind
1. der ⁄ Natureingang (⁄ locus amoenus),
2. das Minnegespräch (Werbegespräch zw. dem Ritter und dem Mädchen und
3. (sofern der Ritter Gehör findet) die ›P.n-Umarmung‹. Dieses Grundschema läßt vielfach variiert. Ausgebildet wird die P. in der mittellat. Dichtung; sie stellt das ritterl.-feudale Pendant zur antiken Bukolik und zur neuzeitl. ⁄ Schäferdichtung dar. Die *älteste überlieferte volkssprachl.* P. stammt von dem prov. Lyriker Marcabru (Mitte 12. Jh.), *Hauptvertreter* sind in Frankreich Jean Bodel (um 1200) und Jean Froissart (um 1400), in der dt. Literatur Gottfried von Neifen und der Tannhäuser (P.nthematik in der Form des ⁄ Leichs, P.nleich), später Oswald von Wolkenstein (um 1400). Den Vorformen bei Walther v. d. Vogelweide (»Under der linden« oder bei Neidhart fehlt der Aspekt der Verführung. – In der frz. Dichtung wird die P. gelegentl. zum Dramolett (⁄ Singspiel) ausgebaut, so von Adam de la Halle, »Jeu de Robin et Marion«, um 1280.

📖 Brinkmann, S. C.: Die dt.sprach. P. Diss. Bonn 1976. – Romances et pastourelles françaises des 12ᵉ et 13ᵉ siècles. – Afrz. Romanzen u. Pastourellen. Hg. v. K. Bartsch. Lpz. 1870, Nachdr. Dramst. 1967.   K*

Pathos, n. [gr. = Leid],
1. in der Poetik des Aristoteles der Teil des ⁄ Tragödie, der durch Tod oder tiefe Schmerzerfülltheit der Handlung im Zuschauer die Affekte *eleos* und *phobos* (Jammern und Schaudern, auch: Mitleid und Entsetzen) erzeugt (vgl. ⁄ Katharsis).
2. in der antiken ⁄ Rhetorik dem *genus grande* (⁄ Genera dicendi) zugeordneter Affekt momentaner seel. Erschütterung, der beim Publikum (im Ggs. zur sanften Affektstufe

des rhetor. Ethos) durch die theatral. Vorführung furchtbarer und grausiger Gegenstände oder starke Verfremdung (⁄ Hyperbeln, ⁄ Apostrophen usw.) hervorgerufen wird.
3. In der neuzeitl. Ästhetik eine Stilform, die die leidenschaftl. Darstellung ihrer Gegenstände mit dem Ausdruck hohen moral. und sittl. Anspruchs verbindet. Kennzeichnend für den dichter. Stil F. Schillers, der das P. in der Abhandlung »Über das Pathetische« (1793) auch theoret. begründet. Schon in der Romantik ironisiert, geriet es in Deutschland bes. durch den Wilhelminismus und das Dritte Reich als »hohles P.« in Mißkredit. An seine Stelle rückte – etwa bei H. Böll – ein programmat. neues P. der Bescheidenheit.   HD

Patriarchade, f. [gr. patriarches = Stammväter], ⁄ Epos über bibl. Ereignisse, vorwiegend aus der Zeit der Urväter. P.n entstanden im 18. Jh., angeregt durch Miltons »Paradise lost« (1667, dt. v. J. J. Bodmer, 1724), die ⁄ moral. Wochenschriften und v. a. Klopstocks »Messias« (1748 ff.) vor dem geist. Hintergrund von Pietismus und ⁄ Empfindsamkeit, Höhepunkt um 1750. Die in ep. breiten Hexametergesängen abgefaßten P.n verbinden die Themen des AT.s mit Liebesgeschichten, Göttermaschinerie, Träumen, Gesichten, Prophezeiungen, Liedern, gelegentl. auch mit Satire und naturwissenschaftlichen Darlegungen. Charakterist. sind die Idee einer sittl. Erneuerung mit bes. Betonung von Tugend, Naturschwärmerei und die Darstellung des einfachen Lebens: »In der P. sieht man ein geistl. Arkadien« (Wiegand). – Die P. bleibt hauptsächl. auf den Kreis protestant. Geistlichkeit beschränkt. Vertreter: J. J. Bodmer (»Noah, 1750 ff., »Jacob und Joseph«, 1751, »Synd-Flut«, 1751), Ch. M. Wieland (»Der gepryfte Abraham«, 1753), J. F. W. Zachariä (»Die Schöpfung der Hölle«, 1760), J. K. Lavater (»Adam«, 1779), F. (Maler) Müller (»Adams erstes Erwachen«, 1778, »Der erschlagene Abel«), F. K. von Moser u. a.; Bodmer versuchte auch die Verbindung von AT und Antike (»Menelaus und David«, 1782); in seiner »Colombona« (1753) wird die Entdeckung Amerikas als P. abgewandelt. Mit »Joseph« (1754) überträgt Bodmer die P. ins Dramatische, die Bez. ›P.‹ ist hier jedoch umstritten. S. Geßners »Tod Abels« (1758) vereint P. mit Prosa und Idylle. – Literarhistor. wird die P. als Gegenströmung zum Rokoko verstanden.   GK*

Pause, in der ⁄ Taktmetrik (nach Andreas Heusler) eine vom metr. Schema geforderte Takteinheit, die sprachl. nicht ausgefüllt ist; solche P.n (metr. Zeichen ∧) begegnen im Versinnern und v. a. am Versende, bes. bei gesungener oder rezitativ. vorgetragener Dichtung wie Heldenepik oder Minne- und Meistersang, vgl. z. B. Hildebrandslied (v. 49a) –x̣ ∧ /x̣x́ ∧ ∧ (wêwurt skihit) oder die Langzeilen 1–3 der Nibelungenstrophe:
x́x/x̣x/×̣x ∧ ∧ / x̣x/x̣x ∧ ∧ /∧ ∧.   S

Pausenreim, auch: Pause, bindet das erste und letzte Wort eines Verses, Verspaares oder einer Strophe (z. B. Gottfried von Neifen, KLD V, VI u. a.); begegnet v. a. im Minne- und Meistersang, vgl. z. B. Walther v. d. Vogelweide: wol *vierzec jâr hab ich gesungen oder mê⁄ von minnen und als iemen* sol (L 66, 27). – Der Begriff P. stammt aus der Meistersingerterminologie.   S

Pedanteske Dichtung [zu it. pedante = Pedant], Satire auf pedant. Gelehrte, Form der ⁄ makkaron. Dichtung.

Pegnitzschäfer, auch: Pegnes. Blumenorden, eine der bedeutendsten ⁄ Sprachgesellschaften.

P. E. N., PEN, PEN-Club [pɛn; Abk. für engl. *p*oets (Lyriker), *p*laywrights (Dramatiker), *e*ssayists (Essayisten), *e*ditors (Herausgeber), *n*ovelists (Romanschriftsteller), vgl. auch engl. pen = Schreibfeder], internationale Schriftstellervereinigung (Sekretariat London, Glebe-House); 1921 von der engl. Schriftstellerin C. A. Dawson-Scott gegründet; tritt für weltweite Verbreitung aller Literatur, für ungehinderten Gedankenaustausch auch in Krisen- und Kriegszeiten ein; die Mitglieder verpflichten sich zur Bekämpfung von Ras-

sen-, Klassen- und Völkerhaß, zum aktiven Eintreten für Pressefreiheit und Meinungsvielfalt. Mitglied können »qualifizierte Schriftsteller, Herausgeber und Übersetzer« nach Wahl durch die Zentren ihrer Heimatländer und Unterschrift unter die PEN-Charta werden (1988: 84 Zentren mit ca. 10 000 Mitgliedern in 70 Staaten). Kongresse finden jährl. auf internat. und nat. Ebene statt. Bes. Verdienste erwarb sich der P.E.N. bei der Vermittlung der Nationalliteratur junger und kleinerer Staaten, u. a. durch das seit 1950 in Zusammenarbeit mit der UNESCO herausgegebene »PEN Bulletin of selected books«. Erster internat. Präsident war J. Galsworthy (1921–33). Unter der Präsidentschaft von H. Böll (1971–74) verstärkter Einsatz für polit. verfolgte Schriftsteller. Präsident seit 1986 Francis King (Groß-Brit.). *Das dt. Zentrum* wurde 1937 aus dem internat. Verband wegen Verstoßes gegen die Satzungen ausgeschlossen; bereits 1934 war in London durch Emigranten ein *PEN-Club dt.sprach. Autoren im Ausland* gegründet worden. 1949 wurde in Göttingen das dt. Zentrum neu etabliert. Aufgrund ideolog. Gegensätze spaltete es sich 1951 in ein Dt. P.E.N.-Zentrum der Bundesrepublik (1952 anerkannt, seit 1972 *P.E.N.-Zentrum Bundesrepublik Deutschland,* Sitz in Darmstadt, Mitgliederzahl 1988: 458, bisherige Präsidenten E. Kästner, B. E. Werner, D. Sternberger, H. Böll, H. Kesten, W. Jens, M. Gregor-Dellin, seit 1989 Carl Amery) und ein *Dt. P.E.N.-Zentrum Ost und West* (seit 1967 *P.É.N.-Zentrum Dt. Demokrat. Republik,* Sitz in Berlin [Ost], Präsident 1990: H. Knobloch). – Ein österr. *PEN-Club* besteht seit 1922; seit 1973 gibt es einen sog. *Gegen-PEN* junger Autoren, die *Grazer Autorenversammlung* (Präsident 1978: H. C. Artmann), die aber nicht den Status eines offiziellen Zentrums anstrebt. – Schweizer PEN-Clubs befinden sich in Basel, Genf und Winterthur. 1989 wurde erstmals auch ein sowjet. PEN gegründet (Präsident: Anatoli Rybakow).
📖 PEN International. Hg. v. G. E. Hoffmann. Mchn. 1986. – PEN Schriftstellerlexikon Bundesrep. Deutschland. Hg. v. M. Gregor-Dellin u. E. Endres. Mchn. 1982.   IS

Pentameter, m. [zu gr. pentametros = aus 5 metr. Einheiten, vgl. pente = fünf, metron = Versmaß, Metrum], aus 5 Metren (Versfüßen, Dipodien) bestehender Vers, insbes. der *daktyl.* P. der Form: –∪∪|–∪∪|–||–∪∪|–∪∪|–∪ (= 2 daktyl. katalekt. Tripodien; konstituierend ist die unveränderl. ↗Dihärese (auch: Inzision) nach der 3. Länge (Hebung). Die Bez. ›P.‹ trotz eindeutigen 6 Metren rührt von der antiken Definition des P.s her, nach der er als Verdoppelung des 1. Hexameterteils bis zur ↗Penthemimeres (–∪∪–∪∪–), d. h. als 2 ↗Hemiepe aufgefaßt wurde, wobei die 2 unvollständ. Metren der Halbfüße als 5. Metrum gezählt wurden. – Die Daktylen der 1. Tripodie (oder des 1. Hemiepes) können wie beim ↗Hexameter durch Spondeen ersetzt werden, in der 2. Tripodie bleiben sie meist erhalten. Insbes. durch die Dihärese zwischen den zwei zusammenstoßenden Hebungen wirkt der P. stauend, abschließend, geeignet für Parallelismen, Antithesen. – Der P. tritt selten allein auf (Spätantike, Martianus Capella), fast immer in Verbindung mit dem daktyl. Hexameter im sog. eleg. ↗Distichon (↗Elegie, ↗Epigramm). Zur Übertragung des antiken Verses in die dt. akzentuierende Dichtung vgl. ↗Hexameter, ↗Distichon.   HW*

Penthemimeres, f. [aus gr. pente = 5, hemi = halb, meros = Teil; lat. semiquinaria], in der antiken Metrik die ↗Zäsur nach dem 5. halben Fuß eines Verses; wichtigste Zäsur des *jamb.* ↗Trimeters ∪–|∪–|∪||–|∪–|∪–|∪(–) und v. a. des *daktyl.* ↗Hexameters (erscheint hier oft zus. mit der ↗Trithemimeres, ↗Hephthemimeres oder der ↗bukol. Dihärese): –∪∪|–∪∪|–||∪∪|–∪∪|–∪∪|–∪. Im leonin. Hexameter (↗leonin. Vers) reimt meist das Wort vor der P.auf das Versende. In dt. Nachbildungen erscheint die P. des jamb. Trimeters als weibl. Zäsur nach der 2. Hebung, die P. des Hexameters als männl. Zäsur nach der 3. Hebung (»Ríngsúm/ rúhet die / Stádt; ‖ stíll/ wírd die er-/léuchtete/Gásse«, Hölderlin, »Brot und Wein«).   HW

Periakten-Bühne [gr. periagein = herumdrehen], ↗Telari-Bühne.

Peri(h)egesen, f. Pl. [gr. = Rundführungen], antike, bes. in hellenist. Zeit gepflegte Literaturgattung: Beschreibung von Ländern, Städten, Sehenswürdigkeiten u. a. (mit Exkursen aller Art) in Form einer fingierten Führung. Verfasser von P. hießen *Peri(h)egeten,* ältester wohl Nymphodoros von Syrakus (3. Jh. v. Chr.), Hauptvertreter Pausanias (2. Jh., Beschreibung Griechenlands in 10 Büchern, der »antike Baedeker«). – Den P. verwandt sind die *Periploi* (Sg. Periplus = das Umherschiffen), mit Exkursen angereicherte Beschreibungen von Schiffs- und Forschungsreisen; Hauptvertreter Avienus (»Ora maritima« in jamb. Trimetern, 4. Jh.); ursprüngl. Bez. für katalogart. Beschreibungen von Küsten und Häfen für naut. und wirtschaftl. Zwecke. S

Perikope, f. [gr. = Abschnitt],
1. System aus mehreren Strophen, z. B. in der antiken Chorlyrik die Folge Strophe – Antistrophe – Epode, im mhd. Leich der aus Versikeln bestehende Großabschnitt.
2. In der Liturgie der für jeden einzelnen Tag des Kirchenjahres festgelegte Leseabschnitt aus Evangelien oder Episteln, der auch zur Grundlage der Predigt gemacht wird.   K

Perioche, f. [gr. = Inhalt], in der Antike kurze Inhaltsangabe zu größeren, bes. histor. Werken, z. B. die »Periochae« zum Geschichtswerk des Livius. – Im (lat.) ↗Jesuitendrama Bez. des ↗Theaterzettels mit dt.-sprach. Inhaltsangabe.   S

Periode, f. [gr. periodos = Kreislauf, regelmäß. Wiederkehr],
1. in der ↗Rhetorik eine gegliederte Satzeinheit, auch Folge von inhaltl. eng aufeinander bezogenen Sätzen (zus.gesetzte P.); dient der Kombination oder Gegenüberstellung mehrerer gleichgerichteten oder gegensinn. Gedanken. Die P. besteht jeweils aus einem spannungsschaffenden (ersten) Teil, der *Protasis* (gr. = Voranstellung, oft ein Bedingungssatz) und einem spannungslösenden (zweiten) Teil, der *Apodosis* (gr. = Nach- oder Folgesatz), die syntakt. koordiniert (zwar ... aber, wie ... so) oder subordiniert (wenn ... dann) sein können; ihre Reihenfolge kann auch umgekehrt sein. Beide Teile können jeweils aus einem ↗Kolon *(einfache* oder *zwei-kolige P.)* oder mehreren Kola bestehen; in diesem Falle sollte die Anzahl der Kola und Kommata in beiden Teilen etwa gleich sein. Die *vier-kolige P.* (2 Kola = Protasis, 2 Kola = Apodosis) gilt als die ausgewogenste Struktur. In längeren P.n (die noch in Groß- und Klein-Protasis bzw. -Apodosis gegliedert werden) wird oft die ↗Anapher zur gliedernden Übersicht benutzt. P.nschlüsse wurden durch ↗Klauseln (im MA. durch ↗Cursus) geregelt. ↗Kunstprosa.
2. metr., aus mehreren Kola (↗Kolon) bestehende Einheit, deren Ende in der antiken Dichtung durch eine Pause (Zeichen ‖) markiert ist; P.n in diesem Sinne sind z. B. ↗Hexameter, ↗Trimeter usw., in der mhd. Dichtung bilden mehrere, durch eine bestimmte Reimstellung (z. B. abba) zusammengefaßte Verse eine P.
3. bestimmter Zeitabschnitt, ↗Epoche.   S

Periodenstrophe, freie Kombination gleicher oder verschiedener iso- oder heterometr. Versperioden, markiert durch die unterschiedlichsten Reimschemata, z. B. Walther v. d. Vogelweide, König-Friedrichs-Ton: aaa/bccb/ddd oder Goethe, »Der Schatzgräber«: abbc/addc; zu unterscheiden von der Reimpaarstrophe (z. B. Walther v. d. Vogelweide, Reichston, Goethe, »Erlkönig«) oder strukturell zweigeteilten ↗Stollenstrophe. ↗Strophe.   S

Periodika, n. Pl. [gr. periodos = regelmäß. Wiederkehr], regelmäßig (wöchentl., monatl., vierteljährl. etc.) unter demselben Titel erscheinende Veröffentlichungen wie Zeitschriften, Jahrbücher etc.   S

Peripetie, f. [gr. peripeteia = Wendung, plötzl. Umschwung], Begriff aus der Tragödientheorie des Aristoteles (Poetik, Kap. 11); gehört zu den Strukturelementen der ↗Tragödie; bezeichnet den (meist plötzl. eintretenden)

Umschlag der dramat. Handlung, oft ein Umschlagen der Glücksumstände des Helden; für die innere Entwicklung der Handlung bedeutet sie den Wendepunkt, an dem den Helden die Möglichkeit freien Handelns entzogen wird (↗Krisis); von dem an die Handlung (in ihrem ›fallenden Teil‹) notwendig der ↗Katastrophe zutreibt. Bes. wirkungsvoll ist die P., wenn sie mit einer ↗Anagnorisis (Erkenntnis) verbunden ist. – Im streng gebauten 5akt. Drama tritt die P. am Ende des 3. oder zu Beginn des 4. Aktes ein, im 3akt. Drama am Ende des 2. oder zu Beginn des 3. Aktes.   K*

Periphrase, f. [gr. periphrasis = Umschreibung, lat. Circumlocutio], rhetor. Stilmittel, ↗Tropus: (oft mehrgliedrige) Umschreibung einer Person, einer Sache oder eines Begriffs durch kennzeichnende Tätigkeiten, Eigenschaften oder Wirkungen, z. B. »jenes höhere Wesen, das wir verehren« für Gott (H. Böll); dient der ↗Amplificatio, der poet. Ausschmückung eines Textes (↗Ornatus), der verhüllenden Nennung eines tabuisierten Wortes (*Freund Hein* für Tod, ↗Euphemismus) oder der ↗Anspielung (so bes. häufig in manierist. Stilhaltungen). Spezif. Formen der P. sind ↗Antonomasie, ↗Synekdoche, ↗Metonymie und ↗Adynaton.   S

Periploi, m., Pl. (Sg. Periplus), ↗Peri(h)egesen.

Permutation, f. [lat. = Vertauschung], strenges oder unsystemat. Durchspielen der mögl. Kombinationen (d. h. Platzwechsel) einzelner Glieder eines Verses, Satzes oder Wortes, eingesetzt in den verschiedenartigsten Funktionen in der Kabbalistik, Sprachmystik, der experimentellen, speziell in der ↗konkreten Dichtung, aber auch der ↗Unsinnspoesie. Seit der Spätantike in einzelnen Beispielen belegt (Athenaios, 3. Jh. n. Chr.), erfährt die P. ihre erste theoret. Ausprägung und Benennung als *Proteus-* oder *Wechselvers, Wechselsatz* – durch J. C. Scaliger (1561), dessen Hexameter »Perfide sperasti diuos te fallere Proteu« zum programmat. Beispiel wurde. In der Dichtung des Barock begegnen P.en zahlreich und vielfältig (Q. Kuhlmann, Harsdörffer), im 18. und 19. Jh. dagegen nurmehr als spieler. Unsinnspoesie (A. v. Chamisso). Erst in der experimentellen Literatur des 20. Jh.s häufen sie sich wieder, jetzt unter der Bez. ›P.‹ – verstanden als »kombinatorik einfacher elemente mit begrenzter verschiedenheit, die der wahrnehmung die unermeßlichkeit des feldes der möglichkeiten« öffne (Moles). Eines der bekanntesten Beispiele der Gegenwart sind die in ihren Versen beliebig kombinierbaren 10 Sonette R. Queneaus »Cent mille milliards de poèmes«, 1961. Weitere Beispiele für Satz-, Wort-, aber auch Buchstaben-P.en finden sich v. a. im weiteren Umkreis einer konkreten Dichtung u. a. bei C. Bremer, E. Gomringer, E. Williams, im Ausnutzen sprachspieler. Möglichkeiten, bes. auch des Sprachwitzes v. a. bei L. Harig.
    ⌑ Wagenknecht, Ch.: Proteus u. Permutation. In: Konkrete Poesie II. Text u. Kritik H. 30. Mchn. 1971, S. 1 ff. – Moles, A. A.: erstes manifest der permutationellen kunst. Stuttg. o. J. [1963] (rot 8).   D*

Peroratio, f. [lat. = Schlußrede], auch Conclusio, vgl. ↗Rhetorik, ↗Disposition.

Persiflage, f. [persi'fla:ʒ; frz. von siffler = auspfeifen], seit d'Alembert, 1735, gebräuchl. Ausdruck für eine literar.-polem. Haltung oder Form, die mit kunstvollmokantem Spott den Gegenstand oder die Person ihres Angriffs lächerlich zu machen sucht; vielfach durch nachahmende Übertreibung bestimmter Stilmanieren oder Steigerung der Mitteilungsabsicht ins Absurde. Die P. ist kaum jemals eine selbständ. literar. Form, vielmehr meist ledigl. ein Teil oder Mittel von ↗Satire, ↗Parodie oder ↗Travestie. Als Beispiele für P. können die Figuren des Peeperkorn (= G. Hauptmann) oder Naphta (= G. Lukács) in Th. Manns »Zauberberg« oder die sprachimmanente Gesellschaftskritik in O. Wildes Konversationskomödien gelten.
    ⌑ Kraus, W.: Z. Wortgesch. von P. In: Archiv f. d. Stud. d. neueren Sprachen u. Lit. 201 (1964), 1–28.   HW

Personalbibliographie, f.
1. ↗Bibliographie zu einem einzelnen Dichter: erfaßt Werke und die dazu erschienene Sekundärliteratur, auch: Monobibliographie (z. B. H. Bürgin: Das Werk Thomas Manns, Frkft. 1959);
2. eine nach diesem Prinzip (Verfassernamen) geordnete Bibliographie (z. B. J. Hansel: P. zur dt. Literaturgeschichte. Bln. 1967); auch ↗Biobibliographie.
    ⌑ Prohl, J.: Elemente u. Formen der P.n zur dt. Lit.gesch. Bonn 1979. – Hansel, J./Paschek, C.: P. zur dt. Lit.gesch. Bln. ²1974. – Internat. P. 1800–1943. Hrsg. v. M. Arnim. Bd. 1 Lpz. ²1944. Bd. 2 Stuttg. ²1950, Bd. 3 (1944–59, hrsg. v. B. Bock u. F. Hodes) Stuttg. 1963.   S

Personales Erzählen, auch: einsinnige Erzählhaltung, einpersoniger Perspektivismus, internal view-point (Lubbock); Bez. F. K. Stanzels für eine Erzählstruktur, bei der das fiktionale Geschehen nur aus der ↗Perspektive einer der am Geschehen beteiligten fiktiven Personen berichtet wird, d. h. statt einer allseit. Darstellung der erzählten Welt erfährt der Leser diese subjektiv gedeutet und je nach Funktion, Charakter oder seel. Verfassung der erlebenden Person (Mittelpunkts-, Randfigur, klug, kombinierend, weitsichtig – naiv, unwissend) mehr oder weniger relativiert oder fragmentarisch. Das p. E. verändert damit auch die Rolle des Lesers, der zum aktiven Mitgestalten, zur Sinngebung gezwungen wird. Darsteller. Mittel dieser Struktur sind ↗erlebte Rede und ↗innerer Monolog. – Das p. E. löst seit Mitte des 19. Jh.s das ↗auktoriale Erzählen immer mehr ab. Theoret. untermauerte Versuche finden sich erstmals bei den Brüdern Goncourt, A. Holz und J. Schlaf (↗Sekundenstil), dann (z. T. mit anderen Strukturen gemischt) bei vielen großen europ. Erzählern, insbes. bei J. Joyce und F. Kafka, ins Extrem gesteigert im ↗Nouveau roman. – Eine *Sonderform* ist der sog. mehrpersonige Perspektivismus, bei dem ein fiktives Geschehen Konturen gewinnt durch die subjektiven Aspekte und Bewußtseinsinhalte mehrerer fiktiver Personen. Ziel ist, im Anschluß an die philosoph. Richtung des Perspektivismus, eine Annäherung an ein objektives Bild, den wahren Kern des Geschehens zu erreichen (vgl. z. B. die Romane Virginia Woolfs, G. Gaiser, »Schlußball«). Thematisiert ist der Perspektivismus bei M. Proust.
    ⌑ Stanzel, F. K.: Theorie des Erzählens. Gött. 1979. – Stanzel, F. K.: Typ. Formen des Romans. Gött. ⁷1974. – Neuhaus, V.: Typen multiperspektiv. Erzählens. Köln/Wien 1971. ↗Perspektive.   IS

Personalstil ↗Stil.

Personifikation, f. [aus lat. persona = Maske, Gestalt, facere = machen], Art der ↗Allegorie: abstrakte Begriffe (Welt, Liebe, Tugend, Zeit, Tod usw.), Kollektiva (Städte, Länder), Naturerscheinungen (Flüsse, Tagesanbruch, Abendröte), Tiere (↗Fabel) oder leblose Dinge, Konkreta werden als handelnde und redende menschl. Gestalten dargestellt, ›personifiziert‹ (mit und ohne Titulierung), z. B. als ›Frau Welt‹, »Schwager Chronos« (Goethe), »Gevatter Tod« (Claudius), »Vater Rhein« (Hölderlin), »es träumt der Tag ...«, »gelassen stieg die Nacht ...« (Mörike) usw. – Findet sich als wesentl. Grundzug im Mythos (griech. Chronos = Gott der Zeit, griech. Nike, lat. Victoria = Siegesgöttin), in aitiolog. Märchen und Sagen, in vielen Religionen, dann auch als veranschaulichendes *Kunstmittel* in Dichtung und ↗Rhetorik (Prosopopoeie, ↗Ethopoeie, lat. personae fictio = [Um]bildung als Person), wo sie den ↗Tropen als Sonderform der ↗Metapher zugeordnet ist. Tatsächl. ist der Übergang von einer (oft nur in einzelnen Zügen durchgeführten) P. zur nur metaphor. Zuordnung von Verben und Adjektiven aus menschl. Lebensbereichen zu Konkreta oder Abstrakta fließend (das Auto ›streikt‹, die ›lachende‹ Sonne). Zu unterscheiden sind ferner habitualisierte, toposhafte, in die Vorstellungstraditionen aufgenommene P.en von akzidentiellen P.en, die nur in einem bestimmten Kontext erscheinen.   S

Perspektive, f. [aus lat. per-spicere = mit dem Blick durchdringen, wahrnehmen], literaturtheoret. Bez. für den Standort, von dem aus ein Geschehen dargestellt wird. Er charakterisiert die Darbietungsform v. a. der erzählenden Prosa, aber auch der Lyrik. Man unterscheidet 1. den räuml. und zeitl. Abstand zum Geschehen *(Nah*-oder *Fern-P.),*der von Bedeutung ist für die Erzählweisen, 2. die durch die Weite des Überblicks bestimmte *P.skala,* durch die der Erzählerstandpunkt festgelegt wird. Die P.wahl ist eines der entscheidendsten Kriterien zur Objektivierung bzw. Subjektivierung des Dargestellten. – Zu 1: Die *Nah-* oder *Fern-P.* bestimmt die Erzählweisen: die szen. Darstellung setzt immer räuml. Nähe voraus, während die Berichtform aus zeitl. und räuml. Überschau (panoramisch), aus mehr oder weniger entfernter P. gegeben wird. Zu 2.: Der Erzählerstandpunkt ist dagegen im wesentl. durch die Breite der *P.skala* festgelegt. F. Stanzel unterscheidet a) eine P. der allwissenden Überschau *(╱auktoriales Erzählen),* b) eine in eine Person der Handlung verlegte P. des beschränkten Blickwinkels *(╱personales Erzählen)* und c) die Erzählsituation der *╱Ich-Form,* bei der der Erzähler mit zur dargestellten Welt gehört. Diese Einteilung wird jedoch den Abstufungen zwischen subjektiver und objektiver P., v. a. innerhalb der personalen Erzählsituation, nicht ganz gerecht. L. Doležels Einteilung in *Sprechertexte* und *sprecherlose Texte* liefert für die verschiedenen Abstufungen weitere Differenzierungen. Die ›view point‹-Theorie‹ P. Lubbocks unterscheidet zwischen *external* und *internal view point,* die ›vision-Theorie‹ J. Pouillons zwischen *vision par derrière* (aus der Überschau) und *vision avec* (aus der Mitschau), durch T. Todorov genauer bestimmt als *Sicht von oben* (der Erzähler weiß mehr als die Figuren, bzw. alles), *Sicht mit den Figuren* (der Erzähler weiß genau so viel wie die Figuren) und *Sicht von außen* (der Erzähler weiß weniger als die Figuren). – Ein bewußt eingesetztes Darstellungsmittel ist der *P.nwechsel* (z. B. Döblin, »Berlin Alexanderplatz«). Er findet sich gattungstyp. in *╱Rahmenerzählungen* und im *╱Briefroman* mit verschiedenen Briefschreibern. Er hat die Hauptfunktion, die partielle Überschau nur aus einem Blickwinkel Dargestellten zu erweitern, zu ergänzen und evtl. zu korrigieren.

📖 Stanzel, F. K.: Typ. Formen des Romans. Gött. ⁷1974. – Doležel, L.: Die Typologie des Erzählers. In: Lit.wissenschaft u. Linguistik, hg. v. J. Ihwe, Bd. III, Frkft. 1972, S. 376–392. – Todorov, T.: Die Kategorien der literar. Erzählung. In: Der Strukturalismus in der Lit.wiss., hg. v. H. Blumensath. Köln 1972, S. 263–294. – Lämmert, E.: Bauformen des Erzählens. Stuttg. ⁷1980. – Lubbock, P.: The craft of fiction. New York ²1955. – Pouillon, J.: Temps et roman. Paris 1946.   IA

Petrarkismus, m., Stilrichtung der europ. Liebeslyrik vom 14. bis zum 17./18. Jh.,die (indirekt) auf die Dichtung F. Petrarcas zurückgeht, indem sie aus ihr charakterist. Motive, Form- und Stilelemente entlehnt. Dabei entwickelte sich bald eine feste Schematik, die durch stereotype Formulierungen, Antithetik und Hyperbolik, Metaphorik usw., durch ähnl. Themen und Motive wie der hohe *╱Minnesang* (Sehnsucht u. Liebesschmerz des sich im Dienst um die verzaubernde, unnahbare, tyrann. Frau verzehrenden Mannes) geprägt ist und auf eine formal-ästhet. Virtuosität abzielte, in der äußerer Wohllaut oft mehr galt als gedankl. Tiefe. Entscheidend für den Durchbruch des P. in den Volkssprachen waren die neulat. Dichter (v. a. J. C. Scaliger, auch D. Heinsius, H. Grotius u. a.). Hauptvertreter in Italien: P. Bembo (»Rime«, 1530) u. G. B. Guarini; in Spanien: J. de Montemayor; in Frankreich: die Dichter der *╱Pléiade* u. der *╱École lyonnaise;* in Deutschland: M. Opitz, dann v. a. P. Fleming, der aber gleichzeitig zum Überwinder des P. wird. Früh schon läuft eine mit Mitteln der Satire arbeitende Gegenbewegung, der Anti-P., parallel (vgl. z. B. *╱Capitolo).*

📖 Minta, St.: Petrarch and Petrarchism. Manchester 1979. – Forster, L.: Das eiskalte Feuer. Studien zum europ. P. Dt. Übers. Kronberg 1976. – Keller, L. (Hrsg.): Übersetzung u. Nachahmung im europ. P. Stuttg. 1974. – Hoffmeister, G.: Petrarkist. Lyrik. Stuttg. 1973.   MS

Phalaikeion, n.; auch: phalaikeischer *╱*Hendekasyllabus, altgr. äol. 11silb. Vers *(╱*äol. Versmaße): ein um einen *╱*Bakcheus verlängerter *╱*Glykoneus: ◡◡–◡◡–◡–◡–◡; benannt nach dem hellenist. Dichter Phaleikos von Phokis, der das Ph. stich. verwendete; erscheint als Element von Strophen aber schon bei Sappho, den Tragikern u. a.; in der röm. Literatur v. a. bei Catull.   S

Pherekrateus, m., antiker lyr. Vers der Form ◡◡–◡◡––, eines der Grundmaße der äol. Lyrik *(╱*äol. Versmaße), benannt nach dem att. Komödiendichter Pherekrates, jedoch schon bei Sappho und Anakreon belegt; charakterist. Verwendung im 3. (in dt. Lit. häufig nachgebildeten) asklepiadeischen Strophe *(╱*Odenmaße).   S

Philhellenismus, m. [zu Philhellene = Griechenfreund, Bez. geprägt von Herodot], allgemein: Verehrung der klass. antiken Kultur. – Im engeren Sinne: Polit. u. literar. Bewegung in der 1. Hälfte des 19. Jh.s: begeisterte Anteilnahme am griech. Freiheitskampf gegen die osman. Unterdrückung 1821–29 (u. während der Zeit des griech.-bayr. Königtums 1830–1843). Gespeist aus idealist.-klassizist., christl.-romant. und liberalen Ideen, fand der Ph. vor dem Hintergrund der Restauration weiteste Resonanz in fast ganz Europa und in den USA (bekämpft von Metternich, aber gefördert z. B. vom bayr. König Ludwig I.). Die polit. Begeisterung führte zu Freiwilligen-Aufgeboten, Griechenvereinen (Sach- u. Geldspenden). Es entstanden Kunstwerke (Delacroix) u. eine Fülle literar. Beiträge aller Gattungen, insbes. Gedichte. Vorbildhaft war das aktive u. literar. Engagement Lord Byrons (Tod im gr. Freiheitskampf 1824). Über die Tagesproduktion hinaus ragen ferner Beiträge von A. de Chateaubriand, A. de Lamartine, P. J. de Béranger, V. Hugo, A. v. Chamisso, W. Waiblinger (»Lieder der Griechen«, 1823) und W. Müller (Griechen-Müller, »Lieder der Griechen«, 1821–24). Literarhistor. bedeutsam wurde der Ph. als eine erste (wegen Zensur und Verfolgung verschlüsselte) Phase der polit. Dichtung des *╱*Vormärz (ab 1830 analog aus Anlaß des poln. Freiheitskampfes auch *Polenlieder,* N. Lenau, A. v. Chamisso, A. v. Platen). Dagegen sind umgekehrt Einflüsse der südosteurop. (Volks)dichtung gering, vgl. aber C. C. Fauriels Sammlung »Chants populaires de la Grèce moderne« (2 Bde. 1824/25) und die Nachdichtungen von W. Müller, A. v. Chamisso und Goethe (»Neugriech. Liebe-Skolien«, 1825). – RL.

📖 Woodhouse, Ch. M.: The Philhellenes. London 1969. IS

Philippika, f. [griech.], nach den Reden des Demosthenes gegen König Philipp II. von Makedonien geprägte Bez. für die Form der Angriffsrede, z. B. Ciceros »Orationes Philippicae« (14 Kampfreden gegen Antonius).   HD

Philologie, f. [aus gr. philos = Freund, logos = Wort, Rede, Buch], Wissenschaft, die sich um das Verständnis und die Vermittlung literar., bes. dichter. Werke und deren geist., kulturelle und soziale Zusammenhänge bemüht. Die Arbeit der Ph. beginnt 1. mit der Sicherung des Wortlautes eines Textes durch Überprüfung der Überlieferung, wobei bei älteren, insbes. in Handschriften überlieferten Texten die Ph. oft aus verschiedenen Fassungen einen authent. Text zu gewinnen, echte Partien und *╱*Interpolationen zu trennen sucht (Verfahren der *╱*Textkritik). Zur Text-Ph. gehört auch die Frage nach dem tatsächl. Autor eines unter einem bestimmten Namen überlieferten Textes (z. B. Verfasserfrage im Appendix Vergiliana, Plautus-Kritik, bei mal. Werken wird die überlieferte Autorennung oft angezweifelt, z. B. bei Neidhart); bei anonymen oder pseudonym überlieferten Werken forscht die Ph. nach dem mutmaßl. Autor (z. B. der »Nachtwachen des Bonaventura«,

1804). Weitere Untersuchungsbereiche sind 2. lautl., morpholog., syntakt. und semant. Analysen eines Textes *(Wort-Ph.)*, die Verifizierung der dargestellten Sachen *(Sach-Ph.)*, 3. ordnet sie die Texte nach den Kategorien des Stoffes, der Form, der Struktur, des Gehaltes (poetolog. Analyse, deskriptive Strukturdeutung). 4. werden die Texte in ihre literarhistor., polit.-sozialen, gesellschaftl. Zusammenhänge gestellt (histor. Analyse). Ziel ist die ↗Interpretation, eine das Werk als ganzes oder auch nur in einem Teilaspekt erschließende Exegese, die im Altertum und im MA. bisweilen auch über den eigentl. Wortsinn hinausführte zur ↗Allegorese (↗Schriftsinn). Die Ph. bedient sich bei ihren Untersuchungen, entsprechend den verschiedenen Aspekten und Problemen eines Textes, der Ergebnisse anderer Wissenschaftszweige, die ihr teilweise zu-, teilweise auch untergeordnet werden, so der Prosodie, Metrik, Rhetorik, Poetik, Stilistik, der Grammatik, Sprachgeschichte, Lexikographie, der Literaturgeschichte und -theorie, der Epigraphik, Paläographie und der Geschichte. Die Resultate ihrer Untersuchungen sammeln sich in Lexika, in Kommentaren, in krit., histor.-kritischen, kommentierten Ausgaben, Werkinterpretationen und Literaturgeschichten. *Geschichte:* Die Anfänge philolog. Arbeit reichen bis in die *Antike* zurück. Schon im 6. Jh. v. Chr. setzten die Bemühungen um das Verständnis und die (z. T. allegor.) Auslegung der Werke Homers ein. Es entstanden die ersten Kommentare und Glossen (↗Scholien) zu literar. Werken, es entwickelten sich systematisierende Wissenschaftszweige wie Rhetorik, Poetik und Grammatik als Hilfe für eine normgemäße Erfassung, Deutung und Verfertigung von Texten (Protagoras, 5. Jh.; Gorgias, 4. Jh. v. Chr.); bis ins 18. Jh. wirkte insbes. Aristoteles durch seine ↗Rhetorik und ↗Poetik. Einen Höhepunkt erlebte die Ph. im Zeitalter des *Hellenismus*. Zentrum wurde Alexandria, wo mit dem Museion die umfassendste Bibliothek und Forschungsstätte des Altertums entstand. Zur alexandrin. Philologenschule, die sich v. a. dem Sammeln, Klassifizieren, Systematisieren (↗Kataloge, Pinakes), Kommentieren, der krit. Sichtung und Edition, und seit dem 2. Jh. v. Chr. auch der lexikal. Aufschlüsselung widmete, zählen u. a. Zenodotos, Kallimachos, Eratosthenes (der sich als erster als *Philologe* bezeichnete), Aristophanes von Byzanz (3. Jh. v. Chr.), Aristarchos von Samothrake und Apollodoros (2. Jh. v. Chr.). Seit dem 2. Jh. v. Chr. bildete sich eine method. Gegenbewegung zur alexandrin. Schule in Pergamon (von der Stoa beeinflußte Allegorese: Krates von Mallos). In der *röm. Antike* folgten die philolog. Bemühungen der alexandrin. Schule; die prakt. Zwecke des Unterrichtes traten dabei in den Vordergrund, d. h. die grammat. u. rhetor. Aufbereitung der Werke der griech. Antike (M. T. Varro), seit dem 1. Jh. auch die krit. Kommentierung (Q. Asconius), Edition (Marcus V. Probus) und Lexikographie (Verrius Flaccus, Festus), v. a. aber die enzyklopäd. Kompilierung des erreichten Wissensstandes. Die *Spätantike* ist gekennzeichnet durch Lehrbücher in Form von Exzerpten als kanon. gewordenen Werken (Aulus Gellius, 2. Jh.) und durch immer wieder neue Kommentare (Porphyrios; 3. Jh.: zu Homer, Platon, Aristoteles, Plotin; Aelius Donatus, 4. Jh.: Kommentar zu Vergil und, für die Dramentheorie folgenreich, zu Terenz; Servius, 4. Jh.: zu Vergil; Macrobius, 5. Jh.: zu Vergil und Cicero), Grammatiken (Flavius S. Charisius, Diomedes und v. a. wieder Aelius Donatus, 4. Jh. u. Priscianus, 6. Jh.) und Enzyklopädien (Martianus Capella, 5. Jh.; Cassiodorus, 6. Jh.; Isidor von Sevilla, 7. Jh.), Werke, die zu Grundbüchern der mal. Ph. wurden. Insbes. die Werkkommentare (accessus ad auctores) werden z. T. zu Vorstufen einer Literaturgeschichtsschreibung. Sie sind meist nach folgendem Schema angelegt: Leben des Dichters, Titel und Art des Werks, Absicht des Autors, Zahl und Ordnung der Bücher, Gesamtdeutung. Die *Ph. des MA.s* beschränkte sich weitgehend darauf, den spätantiken Wissensstand im Rahmen des

↗Trivium (Rhetorik, Grammatik, Dialektik, vgl. ↗Artes liberales) anhand dieser Lehrbücher auszuwerten und die antiken Schriftsteller als Schulautoren zu tradieren. Die antike Ph. fand jedoch in gewissem Rahmen auch volkssprachl. Nachfolge, v. a. auf roman. Boden: so in den Biographien der Trobadors (↗vidas), in Werkerläuterungen (↗razos), in einer altprov. Grammatik (»Donatz proensals«, 13. Jh.), in der sog. »Orthographia gallica« (um 1300) oder einer Regelpoetik wie der »Leys d'amors« des Guilhem Molinier (Mitte 14. Jh.). Eine Zwischenstellung nimmt Dantes lat. Traktat über die italian. Sprache ein (»De vulgari eloquentia«, 1304). In ↗*Renaissance* und ↗*Humanismus* vollzog sich eine verstärkte Hinwendung zur Antike und eine aktive Wiederbelebung philolog. Studien. Am Anfang steht wie in Alexandria das Entdecken, Sammeln und Edieren antiker Schriften. Erste Ansätze zeigen sich in Italien schon im 14. Jh. (Petrarca, Boccaccio). Mit der Berufung des griech. Gelehrten Manuel Chrysoloras aus Konstantinopel nach Florenz (1397) trat neben dem bisher vorherrschenden röm. Altertum auch das griech. wieder in den Gesichtskreis (M. Ficino, Haupt der platon. Akademie in Florenz, 15. Jh.). Die eigentl. philolog. Auswertung setzt ein mit A. Poliziano (Übersetzungen griech. Autoren, Textkritik: »Centuria prima miscellaneorum«, 1489) und erreichte einen Höhepunkt durch die Editionen antiker Autoren (Aldus Manutius). Für Deutschland sind K. Celtis (1459–1508, u. a. Edition der »Germania« des Tacitus), R. Agricola (1494–1566, Terenz-Übersetzung) zu nennen. In Frankreich wirkten v. a. J. C. Scaliger (von großem Einfluß insbes. durch seine »Poetices libri septem«, 1561), in den Niederlanden D. Heinsius (1580–1655), H. Grotius (1583–1645) und T. Hemsterhuis (1685–1766), in England R. Bentley (1662–1742). Ph. war bis ins 18. Jh. Altertumswissenschaft, klass. Gelehrsamkeit. *Die neuere Entwicklung* zu einer strengen Methodik wird repräsentiert durch Gelehrte wie F. A. Wolf (1759–1824), G. Hermann (1772–1848), A. Böckh (1785–1867) und K. Lachmann (1793–1851). – Aus den ersten Entdeckungen der eigensprachl. Vergangenheit im Humanismus entwickelten sich im 18. Jh. nationalsprachl. Ph.n, die wiederum mit der Aufdeckung verschütteter Traditionen einsetzten (J. J. Bodmer, Ausgabe des Nibelungenliedes, der ↗Minnesangs) und seit J. G. Herder und der Romantik mit der Betonung auch histor. Aspekte ausgebaut wurden. K. Lachmann übertrug die textkrit. Prinzipien der klass. Ph. auf mhd. Werke und begründete durch seine bis heute gült. Editionen die ↗dt. Ph. Neben der Alt-Ph. (auch ›klass. Ph.‹) etablierten sich dann im 19. Jh. mehr und mehr die verschiedenen Neu-Ph.n: neben der dt. die engl., roman., slaw. Ph. (auch als ↗Germanistik, Anglistik, Romanistik, Slawistik bezeichnet), von denen sich gegen Ende des 19. Jh.s die moderne ↗Literaturwissenschaft und Sprachwissenschaft (Linguistik) abhoben. Der Arbeitsbereich der Ph. war in den verschiedenen Epochen ihrer Geschichte unterschiedl. umfassend, wie auch die *Bedeutungsentwicklung des Wortes ›Ph.‹* ausweist: Bei Platon meinte ›Ph.‹ allgem. wissenschaftl. Arbeiten, im Hellenismus dann einerseits das Streben nach gelehrter Bildung, andererseits aber auch nur Glossierungstätigkeit im Ggs. zur bedeutsameren Tätigkeit des Kritikos, des Interpreten. Im 16. Jh., in dem das Wort zuerst auch in dt. Sprache auftaucht, wird darunter vornehml. eine streng auf den literar. Text bezogene Tätigkeit verstanden. Im 19. Jh. weitete sich der Begriff wieder aus: Ph. umfaßte die Untersuchung von Sprache, Dichtung, Kunst, Recht, Religion, Mythologie, d. h. Ph. war nun alle Gebiete des geist. Lebens eines Kulturvolkes umfassende Wissenschaft, vgl. auch die Bez. ›Klass.‹ und ↗›German. Altertumskunde‹, ↗›German. Ph.‹ ↗›Deutschkunde. Erst nach der Abspaltung der Literatur- und Sprachwissenschaft, Ende des 19. Jh.s, engt sich die Bedeutung ein auf das heut. Wortverständnis (vgl. Duden).

Lexikon: Ducrot, O./Todorov, T.: Dictionnaire encyclopédique des sciences du language. Paris 1972. ⌷ Pfeiffer, R.: Die klass. Ph. von Petrarca bis Mommsen (1976). Dt. Übers. Mchn. 1982. – Pfeiffer, R.: Gesch. der klass. Ph. von d. Anfängen bis z. Ende d. Hellenismus (1968). Dt. Übers. Mchn. ²1978. – Böckh, A.: Encyklopädie u. Methodologie der philol. Wissenschaften (1877); Nachdr. Darmst. 1966. – Wilamowitz-Moellendorff, U. v.: Gesch. der Ph. Lpz./Bln. 1927; Nachdr. 1959. ∕Germanistik, ∕Lit.wiss.   S

Phlyaken, m. Pl., Sg. phlyax [gr.; evtl. dor. Nebenform für gemeingr. phlyaros = unnützes Geschwätz, Posse, viell. auch Ableitung von Phleon = der Schwellende, eine Bez. des Dionysos als Vegetations- und Fruchtbarkeitsgottheit], Bez. sowohl der Schauspieler einer in den dor. Kolonien Unteritaliens und Siziliens nachweisbaren Ausprägung des ∕Mimus als auch die zu dieser Gattung gehörigen Stücke. Überliefert sind ledigl. Titel und die Namen einiger Verfasser von Ph., der sog. Phlyakographen (unter ihnen Rhinton von Syrakus, 3. Jh. v. Chr., 38 Titel); Texte sind nicht erhalten. Eine Rekonstruktion der Ph. als Werktypus ist jedoch mögl. auf Grund von Vasenbildern (ca. 185 »Ph.vasen« aus Apulien, Campanien und Sizilien). Danach können thematisch unterschieden werden: Genreszenen aus dem tägl. Leben (z. B. Bordellszenen, Gerichtsszenen u. ä.), Götterburlesken (z. B. Liebesabenteuer des Zeus) und Mythentravestien. Zum Kostüm der Ph. gehörten Dickbauch, Phallus, Zottelgewand und groteske Maske (dagegen ∕Mimus).   K

Phosphoristen, schwed. romant. Dichterkreis, gegründet 1807 in Uppsala von P. D. A. Atterbom als »Musis amici« (seit 1808 als ›Auroraförbundet‹ [Aurora-Bund]) mit dem Ziel der Erneuerung der (bisher nach franz. Vorbildern ausgerichteten) schwed. Literatur im Sinne der dt. (Jenaer) ∕Romantik und der idealist. Philosophie. Die Bez. ›Ph.‹ nach der Zeitschrift »Phosphoros« (1810–13, 1813–24 u. d. T. »Svensk literaturtidning«), in der viele theoret. und poet. bedeutende Werke des Kreises (z. B. Atterboms lyr. Zyklus »Blommorna«, 1812) veröffentlicht wurden. Die bedeutendsten Ph. neben Atterbom waren C. F. Dahlgren und V. F. Palmblad; dem Kreis nahe stand auch E. J. Stagnelius. Auch: ∕Got. Bund.   IS

Phrase, f. [gr. phrasis = Ausdruck],
1. in der antiken Rhetorik (s. Quint. VIII, 1, 1): im weiteren Sinne die sprachl.-stilist. Ausformulierung der in einem Text insgesamt verwendeten Gedanken (vgl. lat. *elocutio*); im engeren Sinne eine einzelne Wortgruppe oder Wendung, im Unterschied zur lexis, dem Einzelwort. – Im 16. Jh. wurde das spätlat. *phrasis* als Fremdwort ins Dt. übernommen, ursprüngl. in der antiken rhetor. Bedeutung; später setzt sich in Anlehnung ans Franz. der abwertende Sinn von ›leere Redensart‹, ›Geschwätz‹ durch, s. ›Ph.n dreschen‹, ›hohle Ph.‹.
2. nach der Terminologie der seit Bloomfield (1926) entwickelten Konstituentenstrukturgrammatik bezeichnen Ph.n die einzelnen Einheiten eines Satzes, die durch einen Stammbaum *(phrase-marker)* hierarch. dargestellt werden können. Beispiel:

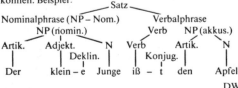

Nominalphrase (NP – Nom.)   Verbalphrase
NP (nomin.)   Verb   NP (akkus.)
Artik.   Adjekt.   N   Verb   Artik.   N
         Deklin.   Konjug.
Der   klein – e   Junge   iß – t   den   Apfel
                                                    DW

Phraseologie, f. [von gr. phrasis = Ausdruck und logos = Lehre], Lehre von den Redewendungen, die einer Sprache, einer bestimmten Epoche, einem Autor oder Werk eigentüml. sind; auch eine entsprechende Sammlung. – Ph.n werden zusammengestellt zur Schulung in einem

bestimmten, als normativ angesehenen Stil (z. B. dem Ciceros im Lat.), oder um das Erlernen einer Fremdsprache zu erleichtern.   DW*

Phraseonym, n. [gr. phrasis = Ausdruck, onoma = Name], Sonderform des ∕Pseudonyms: statt des Verfassernamens steht eine umschreibende Bez., z. B. by a lady (in der dt. Übers. ›von einer anonymen Dame‹) für Jane Austen (»Sense and sensibility«, 1811), »Gedichte eines Lebendigen« (d. i. G. Herwegh).   S

Phrenonym, n. [gr. phren = Gemüt, onoma = Name], Sonderform des ∕Pseudonyms: statt des Verfassernamens wird ein Gemütszustand oder eine Charaktereigenschaft genannt, z. B.: von einem Liebhaber der langen Weile für J. G. Hamann (»Sokrat. Denkwürdigkeiten«, 1759); die Gesellschaftsnamen der Mitglieder der ∕Sprachgesellschaften waren vorwiegend Ph.e (der Suchende für J. G. Schottel, der Vielbemühte für A. Ölschläger).   S

Pickelhering [engl. pickleherring = Salzhering], Name der ∕lust. Person (neben Jan Bouchet, John Posset, Stockfish) in den Stücken der ∕engl. u. ∕niederländ. Komödianten; vermutl. Anfang d. 17. Jh.s v. d. Schauspieler Robert Reynolds geschaffen. P.spiele sind bis zum Ende des 17. Jh.s weit verbreitet, insbes. als ∕Nachspiele; im 18. Jh. wird in Deutschland der Name ›P.‹ durch ∕Harlekin oder ∕Hanswurst in den Hintergrund gedrängt.   IS

Pie quebrado, m. [span. pie = Vers(fuß), quebrado = zerbrochen, entzwei], eigentl. copla de p. q.: span. Verskombination: Verbindung eines 4-(auch 5-)silbigen und eines 8silbigen Verses (d. h. eines halben, *gebrochenen* 8-Silbers und eines 8-Silbers); populärstes Bauelement der mal. span. Dichtung, benützt u. a. von G. de Berceo (13. Jh.), König Alfonso X., Juan Ruiz und den Dichtern der ∕Cancioneiros. Eigentl. werden auch längere Verse in entsprechender Kombination (6/12; 7/14; 8/16 u. a.) als C. de p. q. bez.   S

Pierrot, m. [pjε'ro:; frz.], frz. Komödienfigur: dummpffiger Diener in weißer Maske und sackartig weitem, weißem Kostüm; im 17. Jh. in der Pariser ∕Comédie italienne entwickelt nach dem zweiten Zane (∕Zani) der ∕Commedia dell'arte, der oft als *Piero, Pedrolino* (Peter, Peterchen), auch *Frittolino, Tortellino* usw. auftrat.   IS

Pietismus, m. [zu lat. pius = fromm], gegen Ende des 17. Jh.s entstandene, bis ins 18. Jh. wirksame religiöse Bewegung des dt. Protestantismus, die der in Institutionalismus und Dogmatismus befangenen altprotest. Orthodoxie einen an der Praxis christl. Handelns und Lebens orientierten Glauben entgegenstellte und eine auf Vollkommenheit hin orientierte, individualist.-subjektivist. Frömmigkeit entwickelte. Entscheidend ist die Wiedergeburt des einzelnen zu einem neuen Sein, die als subjektiv erlebter ›Durchbruch der Gnade‹, als ›Erweckung‹ oder ›Bekehrung‹ erfahren wird. Typ. Gemeinschaftsform der Erweckten sind Konventikel (bekannt v. a. N. L. von Zinzendorfs Herrnhuter Brüdergemeine, seit 1728), die sich v. a. prakt. Theologie widmen (Seelsorge, missionar. und pädagog. Tätigkeiten: Bibelstudium, ∕Kirchenlied, ∕Predigt, reiche ∕Erbauungsliteratur). Richtungsweisender *Ausgangspunkt des P.* ist die Schrift »Pia Desideria« (1675) von J. Spener, *Zentrum* seit 1691 die Universität Halle (A. H. Francke). Obwohl der P. durch einen gewissen eth. Rigorismus der Kunst keine direkten Impulse gab, war er doch für die Weiterentwicklung der Literatur in allgem. geistiger und in sprachl. Hinsicht von entscheidender Bedeutung: Der im P. geweckte Subjektivismus, die schwärmer. Hingabe an das eigene Gefühl, die Erziehung zu Selbstbeobachtung und -analyse, die Ausbildung eines verfeinerten psycholog. Deutungsvermögens waren wichtige Voraussetzungen für die Entfaltung des neuzeitl. Individualismus: Die religiösen Erlebnisformen traten säkularisiert in allen Lebensreichen in Erscheinung (insbes. z. B. im beseelten Naturgefühl und Freundschaftskult). – Zugleich schuf sich die gefühlsbetonte subjektive Frömmigkeit des P. eine eigene Sprache, in der Sprachelemente der mal. Mystik, des Barock, verwandter religiöser Richtungen des Auslandes und der Lutherbibel zu einer neuen »Sprache der Seele« zusammenflossen (nach Langen). Sie ist charakterisiert einerseits durch Verbalsubstantive und Abstrakta auf -ung, -heit, -keit, andererseits v. a. aber durch bewegungshalt. Verben, insbes. Präfixbildungen (zer-fließen, durch-dringen u. a.), die bes. Art religiösen Erlebens, das Aufeinanderzustreben von Seele und Gott zum Ausdruck bringen. Diese Sprache wurde gepflegt in zahlreichen Briefen, Tagebuchaufzeichnungen, ↗Autobiographien und einer Fülle gefühlsbetonter Kirchenlieder (G. Arnold, G. Tersteegen, N. L. v. Zinzendorf), aber auch in säkularisierten sog. pietist. ›Seelenliedern‹ (I. J. Pyra und S. G. Lange, ↗Hallischer Dichterkreis). Insbes. durch F. G. Klopstock wurde sie zum Instrument des Gefühlsaussprache, der seel. Ergriffenheit, der irrationalen Erlebnisgestaltung schlechthin (»Messias«, 1748 ff., Oden). Sprache und Erlebnisformen des P. prägen neben den eigentl. empfindsamen Dichtungen (↗Empfindsamkeit) z. B. auch den ↗Bildungsroman, die sog. ↗Erlebnisdichtung Goethes und z. T. die romant. Dichtung und Philosphie (Novalis, J. G. Fichte, F. Schleiermacher). Über diesen allgem. geist. und sprachl. Einfluß hinaus wurden u. a. I. Kant, G. E. Lessing, J. G. Herder, der junge Schiller (durch s. Mutter) und Goethe (S. v. Klettenberg, vgl. »Bekenntnisse einer schönen Seele« in »Wilhelm Meisters Lehrjahre«, 6. Buch), J. K. Lavater, J. H. Jung-Stilling, M. Claudius, K. Ph. Moritz, F. Hölderlin u. a. vom pietist. Gedankengut beeinflußt.

📖 Martens, W.: Lit. u. Frömmigkeit in d. Zeit d. frühen Aufklärung. Tüb. 1989. – Beyreuther, E.: Gesch. des P. Stuttg. 1978. – Kaiser, G.: P. und Patriotismus im literar. Deutschland. Frkft. ²1973. – Lange, A.: Der Wortschatz des dt. P. Tüb. ²1968. – Ritschel, A.: Gesch. des P. 3 Bde. Bonn 1880/86, Nachdr. Bln. 1966. – RL.   IS

Pikaresker, (pikarischer) Roman, auch: Pikareske (nach novelas picaresca zu span. picaro = Schelm, Gauner), Bez. für den im Spanien des 16. Jh.s entstandenen und in ganz Europa erfolgreichen ↗Schelmenroman im Gefolge des anonymen »Lazarillo de Tormes« (1554).   S

Pinakes, m. Pl. [gr. Sgl. pinax = Brett, (Schreib-)Tafel, Verzeichnis, ↗Katalog], s. auch ↗Bibliographie.

Pindarische Ode, moderne Bez. für diejen. Form des altgr. ↗Chorliedes, die zwei gleich gebaute Strophen (Ode-Antode, Strophe-↗Antistrophe, vermutl. von Halbchören gesungen) und einer metr. (u. evtl. auch im Umfang) abweichenden 3. (vom ganzen Chor gesungenen) Strophe (↗Epode) besteht; diese Triade kann wiederholt werden. Im Ggs. zu den ↗Odenmaßen der monod. Lyrik können sie rhythm.-metr. Schemata der p.n O. aus den verschiedensten Versmaßen komponiert sein; bes. beliebte Verse sind ↗Daktyloepitriten. – Die dreiteil. Form der griech. chor. Poesie ist seit 600 v.Chr. (Stesichoros) üblich, die Bez. ›p.O.‹ bezieht sich auf ihren größten Vertreter, Pindar (5. Jh. v. Chr.), dessen erhaltenes Werk (4 Bücher ↗Epinikien) einen Höhepunkt der triad. Chorlyrik darstellt und die weitere Entwicklung der abendländ. Lyrik stark beinflußte. Von Horaz bis zum 19. Jh. wurden zwar v. a. die Thematik (Preisgesänge), die pathet. Feierlichkeit, dunkle Sprache und der komplizierte Periodenbau als ›pindarisch‹ nachgeahmt, allerdings in sogenannten ↗freien Rhythmen, nicht in triad. Form (A. Cowley, F. Hölderlin, vgl. ↗Ode, ↗Hymne), aber auch die authent. dreigliedr. Struktur (z. T. mit Reim) wurde nachgebildet, so in der neulat. Dichtung (K. Celtis), von denen ins ital. ↗Pindaristen, der frz. ↗Pléiade (Ronsard 1550: »À Michel de l'Hospital«), im Barock (M. Opitz, A. Gryphius in den Reyen seiner Tragödien u. a.), von Ben Jonson und v. a. Th. Gray (»The Bard«, 1754, u. a.), G. Parini, U. Foscolo, G. Carducci u. a.   IS

Pindaristen, m. Pl., Bez. für diejenigen italien. Dichter des 16. u. 17. Jh.s, die sich bemühten, die griech. antiken Lyriker, insbes. Pindar, aber auch Anakreon u. a., metr. getreu nachzubilden; früheste Versuche in lat. Sprache von B. Lampridio, in italien. Sprache von G. G. Trissino und v. a. L. Alamanni; sie wurden vorbildhaft für die frz. ↗Pléiade, von der dann wiederum die ital. P. des 17. Jh.s, v. a. G. Chiabrera und F. Testi, in ihrer Nachfolge A. Guidi und V. da Filicaia beeinflußt wurden. Das Wirken der it. P. war von entscheidender Bedeutung für die Ausbildung einer it. Dichter-Sprache.   IS

Plagiat, n. [lat. plagiarius = Menschenräuber, Seelenverkäufer], widerrechtl. Übernahme und Verbreitung von fremdem geist. Eigentum. Der P.s-Vorwurf wird in allen Sparten der Kunst und Wissenschaft erhoben, wenn ein Verfasser Werke, Werkteile, Motive eines andern Autors sich aneignet, in wissenschaftl. Werken Passagen aus fremden Arbeiten ohne Zitatkennzeichnung und Quellenangabe übernimmt, oder fälschl. das Recht der Priorität eines Gedankens für sich beansprucht. Das P. verstößt gegen zwei Normen:
1. im Sinne einer *moral. Verfehlung* gegen den in der Genieästhetik verankerten Originalitätsanspruch oder gegen das Gebot wissenschaftl. Ehrlichkeit;
2. im Sinne einer *rechtl. Verfehlung,* die sich gegen den geschützten Eigentumscharakter von geist. Produkten vergeht. – Sind schon in der Antike Plagiatsvorwürfe erhoben worden, z. B. von Aristophanes (»Wolken«, v. 553 ff.), so galt doch eine zitierende Übernahme meist eher als Ehrung für den Zitierten, weil vorausgesetzt werden konnte, daß er auch den Namensnennung identifiziert werden konnte. Erst mit dem Eigentumsbegriff des 18. und 19. Jh.s beginnt das P. ein rechtsfähiger Tatbestand zu werden, zunächst freil. mehr, um die Verleger- als die Autorenrechte zu schützen. Das Urheberrechtsgesetz (von 1965) schützt den Autor gegen P. durch strafrechtl. Vorschriften und durch Unterlassungs- und Schadenersatzansprüche. In der Literatur sind P.s-Prozesse selten, da Motive, Handlungsverläufe oder Formulierungen meist so verwandelt übernommen und in einen so veränderten Kontext eingebracht werden, daß ein Vorsatz widerrechtl. Aneignung wegen des Fehlens eindeutiger, nicht durch einen schöpfer. Prozeß überformter Text-, Motiv- oder Gedankenparallelen nicht nachgewiesen werden kann. P.-Vorwürfe wurden z. B. erhoben gegen Brechts Verwendung von Villon-Versen in der Übersetzung von K. L. Ammer, gegen Th. Manns Einführung der musikal. Zwölftontechnik im »Doktor Faustus« ohne Namensnennung Schönbergs. *In der bildenden Kunst* sind P.e vielfach Fälschungen gleichzusetzen, aber auch Übernahmen von gesetzl. geschützten Bildmotiven (z. B. Micky Mouse, Hummelfiguren) haben zu P.s-Auseinandersetzungen geführt. Die meisten Prozesse um P.e gab es *im Bereich der (Unterhaltungs-)Musik,* darunter den erfolgreichen P. Kreuders gegen H. Eisler, der eine Schlagermelodie Kreuders als Hauptmotiv für die DDR-Nationalhymne übernommen hat.

📖 Rosenfeld, H.: Zur Gesch. v. Nachdruck u. P. In: Börsenbl. f. d. Dt. Buchhandel 25 (1969), 3211–28. – Hauffe, H. G.: Der Künstler u. sein Recht. Mchn. 1956. – RL.   HW

Planipes, m. [lat. pes = Fuß, planus = flach, platt], Bez. des ↗Mimus, dessen Schauspieler ohne Maske und ↗Kothurn (oder ↗Soccus) auftraten.   S

Planctus, m. [lat. = Wehklagen], Klagelied oder -schrift in der lat. Lit. des MA.s, z. B. »P. ecclesiae in Germaniam« (1337) von Konrad von Megenberg; insbes. auch für ↗Totenklage.   S

Planh, m. [prov. aus lat. ↗planctus = Wehklagen], in der provenzal. Dichtung Klagelied auf den Tod eines Freundes, der Geliebten, eines Fürsten, eines Gönners, aber auch über ein öffentl. Unglück; vgl. afrz. ↗Complainte. Da sich im P. neben Lob auch Tadel findet, wird gelegentl. die Grenze zum ↗Sirventes fließend. Berühmte P.s unter den etwa 40 überlieferten stammen von Gaucelm Faidit (über den Tod von Richard Löwenherz, Ende 12. Jh.), Giraut de Bornelh (über den Tod Heinrichs V., Vizegrafen von Limoges, 2. Hälfte 12. Jh.). S

Pleias, f. [gr. = Siebengestirn], eine Gruppe von 7 trag. Dichtern, die am Hofe des Ptolemaios II. Philadelphos (285–246 v. Chr.) in Alexandria gewirkt haben sollen. Die überlieferten Namenslisten weichen im einzelnen voneinander ab. Die Suda (Enzyklopädie d. 10. Jh.s) nennt z. B. Homeros von Byzantion, Sositheos, Lykophron von Chalkis, Alexandros Aitolos, Sosiphanes, Philikos und Dionysiades. Von den Tragödien der P. ist außer einigen Titeln nichts erhalten. K*

Pléiade, auch: Pléjade, f. [von gr. pleias = Siebengestirn], Bez. für einen Dichter- bzw. Literatenkreis von jeweils sieben Mitgliedern, im Anschluß an die ⁄Pleias, eine Gruppe von sieben alexandrin. Tragödienautoren des 3. Jh.s v. Chr. – Die bekanntesten P.n sind: 1. *die franz. P.,* die bedeutendste Dichterschule der franz. Renaissance um P. de Ronsard und J. Du Bellay; sie erwuchs aus einem lyr. Zirkel Ronsards am Collège Coqueret in Paris, den er 1552 noch ›brigade‹ (von ital. brigata = Gesellschaft, Truppe) nannte; 1556 übernahm er (in einer Ode) die Bez. ›Pléiade‹ von dem frz. Humanisten M. A. Muret. In wechselnder Zusammensetzung gehörten der P. jeweils sieben Dichter an, neben Ronsard und Du Bellay u. a. E. Jodelle, R. Belleau, J. Dorat, J. A. de Baïf, P. du Tyard, J. Peletier. – Du Bellays »Deffence et Illustration de la Langue Françoyse« (1549), Peletiers »Art poëtique« (1555) und Ronsards »Abrégé de l'Art Poétique François« (1565) sind die wichtigsten theoret. Werke der P. Gemeinsam ist ihnen die Bewunderung antiker und italien. Literatur, deren Gattungen und Formen (Epos, Tragödie, Komödie, Ode, Elegie, Epigramm, Sonett u. a.) normative Muster für die eigene Produktion darstellten. Durch bewußte Bereicherung (z. B. Gebrauch altfranz. Wörter, Neologismen u. a.) sollte das Franz. zu einem dem klass. Griech. und Latein ebenbürtig. komplexen sprachl. System ausgebaut und dadurch ›literaturfähig‹ gemacht werden. Die P. vertrat eine idealist. Konzeption des Dichterberufs: ein kompetenter Beherrscher poet. Verfahren werde erst durch göttl. Inspiration zum ›wahren‹ Dichter, dessen ästhet. Leistung sein kurzes Erdendasein verewige. Intentionen und Ziele dieses Programms, das sich von den Traditionen mal. franz. Dichtung radikal löste, hatten starken Einfluß auf die spätere franz. Literatur. Die wichtigsten Dichtungen der P. sind die Oden, Hymnen und Sonette Ronsards, die u. a. auch M. Opitz nachhalt. beeinflußten. 2. *die russ.,* auch *Puschkinsche P.,* (spätere) Bez. für einen heterogenen Kreis meist aristokrat. russ. Dichter um A. Puschkin (1799–1837), sowie generell für alle russ. Poeten seiner Generation, die die Romantik, das sog. goldene Zeitalter der russ. Literatur, repräsentierten. Die Puschkinsche P. traf sich meist im Salon des Barons A. A. Delwig in Petersburg, eines Freundes Puschkins (und seit 1825–31 Hrsg. von Almanachen, seit 1829–31 auch des »Literaturblattes«). Mitglieder des Kreises, die z. T. schon dem ⁄Arzamas-Kreis angehört hatten, waren u. a. P. A. Wjasemski (Literaturkritik, Satire, epikurä. Lyrik), N. M. Jasykow (anakreont. Lieder, »Dorpater Gedichte«), D. W. Wenewitinow (philosoph. Lyrik), K. F. Rylejew (⁄Dekabristenführer, polit. Gedichte), J. A. Baratynski (klassizist. Gedankenlyrik, »Auf den Tod Goethes«) und W. Küchelbecker (Dekabrist, Oden, Mithrsg. der Zeitschrift »Mnemosyne«, 1824/25). Charakterist. für die russ. P. ist die Hochschätzung der Versdichtung als der einzig angemessenen poet. Gattung, das Postulat des sog. ›guten Geschmacks‹ (klar strukturierte Verse, unpathet. Sprache) und das Streben nach einer Synthese von Klassizismus (Sprache) und Romantik (Motive, ›russ. Byronismus‹). Puschkins Auffassung von der Eigengesetzlichkeit der Dichtung (»Ziel der

Poesie ist die Poesie selbst«, vgl. ⁄l'art pour l'art) wurde von den meisten Poeten der P. geteilt.

🕮 *frz. P.:* Bellenger, Y.: La P. Paris 1978. – Wittschier, H. W.: Die Lyrik der P. Frkft. 1971. – Chamard, H.: Histoire de la P. 4 Bde. Paris 1939/40. *russ. P.:* Stender-Petersen, A.: Gesch. d. russ. Lit. II. Mchn. 1986. – Lavrin, J.: Pushkin and Russian Literature. London 1947. KH

Pleonasmus, m. [gr.-lat. = Überfluß, Übermaß], meist überflüssiger, synonymer Zusatz zu einem Wort oder einer Redewendung; kann Stilfehler sein (schwarzer Rappe, neu renoviert), aber auch ein Stilmittel zur nachdrückl. Betonung (mit meinen eigenen Augen); ursprüngl. pleonast. sind auch Komposita wie *Wal*fisch, *Lind*wurm, *Maul*esel, deren abgeblaßtes Grundwort synonym verdeutlicht wurde. Vgl. auch die meist zweigliedrige ⁄Tautologie (ganz und gar). S

Plot, m. [plɔt; engl. Komplott], poetolog. Bez. für die Handlung in literar. Werken, im Unterschied zum vergleichbaren allgemeineren Begriff ⁄Fabel, jedoch primär auf die kausale und log. Verknüpfung der Handlungen und Charaktere bezogen. Von P. spricht man deshalb bes. im Hinblick auf Novelle und Kriminalroman, sowie in Bezug auf nichtepische, final gespannte Dramenformen (vgl. Th. Otways Komödientitel »A Plot Discovered«). HD

Pnigos, n. [gr. = Atemlosigkeit] auch makron (= das Lange), in der alten alt. Komödie ein sprech- und atemtechn. Kunststück: eine in einem Atemzug (daher Bez.), sehr rasch zu sprechende lange Sentenz im schnell, jedoch nicht durch Katalexe (Verspausen) gegliederten Metrum, insbes. als Schluß der epirrhemat. Teile (⁄Epirrhema) in ⁄Agon und ⁄Parabase. IS

Poem, n. [gr. poiema, lat. poema = Werk, ⁄Dichtung], Bez. für ›Gedicht‹, in neuerer Zeit meist abschätzig gebraucht. S

Poesia Bernesca, f., ⁄Capitolo (1).

Poesia Fidenciana, f., ⁄makkaronische Dichtung.

Poesie, f. [gr. poiesis = das Machen, Verfertigen, Dichten, griech., lat. poesis], Ende des 16. Jh.s aus dem Franz. (poésie) übernommenes Fremdwort (Fischart 1575) insbes. für Versdichtung (im Ggs. zur Prosa); der Verdeutschung ›Dichtkunst‹, ⁄Dichtung‹ umfaßt beide Darbietungsformen. Im Griech. bez. *poiesis* das freie Schöpfertum im Unterschied zur nachschaffenden ⁄Mimesis (lat. imitatio). S

Poésie fugitive, f. [poe'zi fyӡi'tiv; frz. = flücht. Poesie], auch: poésie légère (leichte P.), frz. Sammelbez. für die kleineren Nachhalt des frz. ›Rokoko‹ (vgl. P. mit frivolerot. oder iron.-satir. Einschlag) heiteren Lebensgenuß im Sinne des Horazischen carpe-diem und im Stil Anakreons und der antiken Bukolik besingen (⁄Anakreontik). Entstand Ende des 17. Jh.s im Gefolge des epikura. Materialismus des Philosophen P. Gassendi und wurde bes. gepflegt im ⁄Salon der Ninon de Lenclos und der ›Société du Temple‹ (einem libertinist. Kreis von Edelleuten und Schriftstellern, die sich im Pariser Bezirk Le Temple trafen); Vertreter: Chapelle, G. A. de Chaulieu, Ch. A. La Fare, der junge Voltaire, A. Hamilton, ferner die sog. petits maîtres J. B. de Grécourt, A. Piron, Kardinal de Bernis, J. B. L. Gresset und Gentil-Bernard, der »Anacréon de la France«, u. a. S

Poésie pure [poe'zi'pyr; frz. = reine Poesie], im Unterschied zur ⁄littérature engagée diejen. Dichtung, die sich autonom, als Selbstzweck, in tendenz- und ideologiefreiem Raum entfaltet, die sich, von verabsolutierten Kunstmitteln getragen, weder den Gesetzen der herkömml. Logik noch denen der Realität unterwirft (z. B. sind persönl. Elemente u. a. Inhalte ledigl. ›Material‹ der sprachl. Gestaltung). Eine p. p. wurde programmat. gefordert und verwirklicht v. a. von den Vertretern der Kunsttheorie des ⁄L'art pour l'art, insbes. von Ch. Baudelaire und St. Mallarmé, die allen späteren Dichtern die Stil- und Ausdrucksmöglichkeiten

einer p. p. bereitstellten, s. ↗absolute Dichtung. – Der *Begriff* p. p. findet sich bei Ch. A. Sainte-Beuve, bei J. M. de Heredia, der seine »Trophées« (1865–92) als p. p. bez., und bei P. A. Valéry, der sich mit der p. p. oder *poésie absolue* theoret. auseinandersetzt. Als p. p. gelten z. T. die Wortkunst des ↗Sturmkreises, die Dichtungen Rilkes, Georges, G. Benns oder Ezra Pounds, die Experimente des ital. ↗Hermetismus, die verbalen Konstruktionen (Sprachgitter usw.) der modernen Lyrik (I. Bachmann, P. Celan u. a.) und die sog. ↗abstrakte oder konkrete Dichtung.
⊔ Decker, H. W.: Pure poetry 1925–30. Theory and debate in France. Berkeley u. Los Angeles (Calif.) 1962. – Bremond, H.: La p. p. Paris 1926 (dt.: Mystik u. Poesie. Frbg. 1929). S

Poet laureate [ˈpouit ˈlɔ:riit; engl. = ↗Poeta laureatus].

Poeta doctus, m. [lat.], gelehrter, gebildeter Dichter, der weder naiv, noch aus göttl. Inspiration (↗poeta vates) noch aus der Kraft der eigenen Subjektivität (Originalgenie) schafft, der vielmehr das künstler. Wirken problematisiert und durch Anknüpfung an klass. Muster oder durch eingeschobene Reflexionen, Anspielungen, Verweise, Zitate das frühere u. gegenwärt. Bildungsgut in sein Werk bewußt integriert. Der p. d. setzt für das Verständnis seiner Werke ein gebildetes Publikum (oder einen Kommentar) voraus. Er war das dichter. Ideal des Hellenismus, der röm. Neoteriker, er begegnet dann wieder in Humanismus und Renaissance *(poeta eruditus)*, im Barock und in der Frühaufklärung (bis hin zu Gottscheds »Krit. Dichtkunst«, 1730). Das Erwachen bürgerl. Subjektivität im 18. Jh. setzte dann dem gelehrten Literatentum mit dem Geniebegriff eine neue Auffassung des Dichterberufs entgegen; im 20. Jh. jedoch ist, nach Ansicht der Literaturkritik (W. Jens), nur noch der p. d. zu gült. Aussagen fähig; poetae docti sind z. B. E. Pound, T. S. Eliot, Saint-John Perse, Th. Mann, G. Benn, H. Broch, R. Musil u. a. K*

Poeta eruditus, m. [lat. eruditus = aufgeklärt, gebildet, kenntnisreich], Renaissance-Bez. für den gebildeten Dichter (↗poeta doctus). S

Poeta laureatus, m. [lat. = der lorbeergekrönte Dichter], ursprüngl. gr. Brauch, den Sieger im dichter. Wettstreit (Agon) mit dem Lorbeerkranz auszuzeichnen; wurzelt im Kult des Apollon (Daphne-Mythos). Er wurde in der *röm. Kaiserzeit* erneuert: Stiftung des Capitolin. Agon durch Domitian: der Sieger in gr. und lat. Poesie und Prosa wird auf dem Capitol durch den Kaiser mit dem Lorbeerkranz gekrönt. Im *Hoch-MA.* kommt es zu ersten vereinzelten Versuchen, die mit dem Zusammenbruch des röm. Kaisertums abgebrochene Tradition der (capitolin.) Dichterkrönung wiederaufleben zu lassen: Friedrich I. Barbarossa krönt den mittellat. Epiker Gunther von Pairis für sein Barbarossa-Epos mit dem Dichterlorbeer. Mit Beginn des *Humanismus* nach 1300 nimmt die Anzahl der Dichterkrönungen zu: während Dante noch vergebl. hofft, in seiner Vaterstadt Florenz zum p. l. gekrönt zu werden (Paradiso 25, 7–9), wird 1314 der Humanist A. Mussato in Padua durch den Bischof und den Rektor der Universität mit dem Lorbeerkranz ausgezeichnet. 1341 erfolgt dann in Rom die berühmteste der humanist. Dichterkrönungen, die des Petrarca durch den Senator O. d'Anguillara, die bewußt an die Antike anknüpft. Die erste neuere Dichterkrönung durch einen Kaiser ist die Zanobi da Stradas durch Karl IV. in Pisa (1355). Friedrich III. krönt 1442 in Frankreich Enea Silvio da Piccolomini, 1487 in Nürnberg den dt. Neulateiner K. Celtis. Maximilian I. macht die Dichterkrönung endgültig zur festen (akadem.) Institution, indem er 1501 an der Universität Wien das *Collegium poetarum atque mathematicorum* gründet und diesem das *privilegium creandi poetas* überträgt. Die zum p. l. Gekrönten erhalten gleichzeitig das akadem. Recht, an allen Schulen und Hochschulen des Reiches über Poetik und Rhetorik Vorlesungen zu halten. Bald erhalten auch die Rektoren anderer Universiäten das Recht, Dichterkrönungen vorzunehmen. Nur gelegentl. nimmt der Kaiser noch selbst die Dichterkrönung vor (z. B. 1518 auf dem Reichstag zu Augsburg Krönung Ulrichs von Hutten durch Maximilian). Bis ins 17. Jh. werden ausschließl. (neu)lat. Dichter zum p. l. gekrönt, unter ihnen J. Locher, N. Frischlin und P. Melissus Schede. Die ersten deutschsprachigen Dichter, denen der Titel des p. l. verliehen wird, sind M. Opitz (1625) und J. Rist (1644). Im 18. Jh. gerät die Dichterkrönung mehr und mehr in Verruf; die Auszeichnung Schönaichs durch Gottsched als Dekan der Philosoph. Fakultät der Universität Leipzig wird von den jüngeren Zeitgenossen als Farce empfunden. Goethe lehnte die Dichterkrönung, die in Rom feierl. vollzogen werden sollte, ab. Die vorerst letzte Dichterkrönung kraft kaiserl. Privilegs war die K. Reinhards durch den Bürgermeister von Minden (1804). 1963 erhielt J. Eberle für seine neulat. Dichtungen den Titel des p. l. durch die Universität Tübingen verliehen, die damit an die alte kaiserl./akadem. Tradition anknüpfte. – Auch andere europ. Herrscher, einschließl. der Päpste, pflegten Dichter zum p. l. zu ernennen. Eine feste Institution bis heute ist z. B. die Krönung zum *poet laureate* durch die engl. Könige. Der engl. Titel des *poet laureate* war lange mit einem offiziellen Hofamt verbunden – die Träger dieses Titels (es gibt jeweils nur *einen* poet laureate) waren bis ca. 1820 verpflichtet, an nationalen und dynast. Festtagen die Festtagsoden zu verfassen. Mit einem Ehrensold aus der Hofkasse ist der begehrte und als hohe Auszeichnung empfundene Titel bis heute verknüpft. Der erste *poet laureate* war B. Jonson (Krönung 1616 durch James I.). Bedeutende spätere Träger des Titels waren J. Dryden (1668), Th. Shadwell (1688, nach Drydens aus polit. Gründen erfolgter Absetzung), W. Wordsworth (1843), A. Tennyson (1850), A. Austin (1896), R. Bridges (1913), J. Masefield (1930), C. Day-Lewis (1967), J. Betjeman (1972), seit 1985 Ted Hughes.
⊔ Verweyen, Th.: Dichterkrönung. In: Lit. u. Gesellschaft im dt. Barock. Hdbg. 1979 (GRM Beih. 1). K

Poeta vates, m. [lat.], der Dichter als priesterl. Seher; die Bez. geht zurück auf den Philologen Varro (»De poematis«, »De poeta«, 42 v. Chr.), der *vates* (= priesterl. Seher) irrtüml. für die altröm. Bez. für ›Dichter‹ gehalten hatte; *vates* wird von Horaz und Vergil aufgegriffen zur Bez. der Auffassung des Dichters als eines allein aus göttl. Inspiration und Berufung Schaffenden. Beide erscheinen als poetae v. z. B. in visionären Verkündigung eines neuen Weltalters (Vergil, 4. Ekloge) oder in der Apotheose des Augusteischen Friedensreiches (Horaz, »Carmen saeculare«, Vergil, »Aeneis«). – In der Neuzeit treten F. G. Klopstock, in Anlehnung an Vergil und Horaz (»Messias«, Öden), im 19. Jh. Ch. Baudelaire und A. Rimbaud (»Lettres du voyant«, 1871), im 20. Jh. Stefan George als poetae v. auf. Ggs. ↗poeta doctus. K*

Poète maudit, m. [pɔˈɛt moˈdi; frz. = verfemter, Dichter], der in seiner Genialität von der Gesellschaft verkannte und ausgeschlossene Dichter, der, als bürgerl. Werte verachtend, oft am der Grenze zum Wahnsinn oder Tod nur seinem Kunstideal (dem ↗l'art pour l'art) lebt. Die Existenzform des p. m. beschreibt bereits A. de Vigny (»Stello«, 1832 über N. J. L. Gilbert, Th. Chatterton und A. Chénier); der Begriff selbst findet sich dann 1884 bei P. Verlaine (»Les p. s m. s«, 1884 u. 1888, sechs literar. Studien über T. Corbière, A. Rimbaud, St. Mallarmé, M. Desbordes-Valmore, Villiers de l'Isle-Adam und ihn selbst) und wird dadurch insbes. zur Kennzeichnung der Generation nach Ch. Baudelaire verwendet. ↗Bohème. S

Poetik, f. [gr. poietike = Dichtkunst], Lehre von der Dichtkunst, definiert
1. als *Dichtungstheorie*, d. h. als theoret. Auseinandersetzung mit dem Wesen der Dichtung und der poet. Gattungen, ihren Funktionen, ihren spezif. Ausdrucksmitteln;
2. als *normative prakt. Anweisung* zum ›richtigen‹ Dichten und, im Zusammenhang damit,

3. als *Dichtungskritik*. Alle drei Ansätze bestimmen die Geschichte der europ. P. gleichermaßen. *Antike:* Am Anfang der europ. P. steht die (fragmentar.) Schrift des Aristoteles »Peri poietikes« (»Über die Dichtkunst«), die schon insofern von fundamentaler Bedeutung ist, als sich seit der Renaissance nahezu alle späteren poetolog. Strömungen, direkt oder indirekt, positiv oder negativ (z. B. B. Brecht) auf sie berufen; sie hat im Laufe der Geschichte zahlreiche, z. T. erhebl. divergierende Deutungen erfahren; ihre Grundbegriffe sind bis heute umstrittener Gegenstand poetolog. und literaturwissenschaftl. Diskussion. Die P. des Aristoteles ist im wesentl. Gattungs-P. und beschäftigt sich v. a. mit den Gattungen der ↗Tragödie, z. T. der ↗Komödie und des ↗Epos, enthält darüber hinaus jedoch auch Erörterungen allgemeiner Art. Aristoteles rechnet die Dichtkunst zu den mimet. Künsten; er definiert sie als *mimesis* einer *praxis*, und zwar mit spezif. Mitteln, zu denen außer dem Wort *(logos)* auch rhythm. *(rhythmos)* und tonale Mittel *(melos, harmonia)* gehören. Der vieldeutige Begriff der ↗*Mimesis* (Nachahmung) darf dabei, nach heutiger Anschauung, nicht im Sinne einer (naturalist.) reproduzierenden Nachahmung einer vorgegebenen Wirklichkeit verstanden werden; auch ihre Definition als typisierende (»überhöhende«) Darstellung der Wirklichkeit (in diesem Sinne beruft sich der marxist. ↗sozialist. Realismus auf Aristoteles) ist zu eng; gemeint ist vielmehr ↗Fiktion, d. h. die produktive, freie Gestaltung mögl. Wirklichkeit. Ebensowenig bedeutet *praxis* ›Handlung‹ im vordergründigen Sinne (Aristoteles gebraucht den Begriff auch im Hinblick auf Malerei, Musik und andere mimet. Künste), sondern das ›in sich Zweckvolle‹ der fiktionalen Wirklichkeit des dichter. Kunstwerks. Seine Gestalt erhält das dichter. Kunstwerk bei den von Aristoteles untersuchten literar. Großformen durch den ↗*Mythos*, dessen Umschreibung als ›Fabel, plot, Handlungsgerüst usw.‹ damit ebenfalls nur vordergründig ist. Nicht weniger problemat. als diese Grundbegriffe ist die aristotel. ↗Wirkungsästhetik der Tragödie, in deren Mittelpunkt die Lehre von der ↗*Katharsis* steht, die heute nicht mehr als moral. Besserung, sondern als psych. Prozeß, als Abreaktion angestauter Affekte verstanden wird. Die zweite P. der Antike, von ähnl. Wirkung (zumindest bis ins 18. Jh.), ist die »Epistola ad Pisones« (»Brief an die Pisonen«) des Horaz, seit Quintilian meist als »Ars poetica« (»Dichtkunst«) zitiert. Dieses Hexametergedicht ist, im Ggs. zur P. des Aristoteles, keine systemat. Abhandlung, sondern streift eine Fülle einzelner Aspekte. Zu den zentralen Themen gehört die Lehre vom *decorum*, von der ›Angemessenheit‹ der einzelnen formalen Elemente (wie Gattung, Versart usw.) einer Dichtung gegenüber dem Dichtungsganzen. Wirkungsgeschichtl. von besonderer Bedeutung ist die Definition der Aufgaben des Dichters als *prodesse* und *delectare* (nützen und Vergnügen bereiten). – Neben Aristoteles und Horaz (andere P.en der Antike sind verloren, so die des Neoptolemos von Parion, auf die Horaz vermutl. zurückgreift, und des Eratosthenes, beide 3. Jh. v. Chr., und die des Philodemos von Gadara, 1. Jh. v. Chr., gegen den sich Horaz möglicherweise wendet) wirkten auf die spätere Entwicklung der europ. Poetik die rhetor. Lehrbücher der Antike ein, Cicero (»De inventione«), Dionysius von Halikarnassos, die anonyme »Rhetorica ad Herennium« (lange Cicero zugeschrieben), Pseudo-Longinus (»Peri hypsous«/»De sublimitate«, »Vom Erhabenen«) und Quintilian (»Institutio oratoria«). Die geschichtl. v. a. mit dem letzteren verbundene »Assimilation der P. durch die Rhetorik« (H. Boëtius) seit der Spätantike bedeutet eine Verschiebung des Interesses von Grundsatzfragen auf Fragen des Stils, vom theoret. und literaturkrit. Ansatz (bei dem Aristoteles dominiert) zum normativen Regelkanon. Dichtkunst wird zu einer erlernbaren Kunstfertigkeit, die dem System der ↗Rhetorik entsprechend verfährt, und auf dem Dualismus von *res und verba*

(Stoff und sprachl. Form) aufbaut. *Mittelalter:* Während des ganzen MA.s wurde P. nur im Rahmen der Rhetorik betrieben, die einen festen Platz im Lehrsystem der ↗Artes liberales innehatte (theoret. gehörte sie zur Grammatik). Aristoteles war unbekannt, Horaz zwar bekannt, aber ohne Einfluß. Die ausschließl. auf die lat. Dichtung bezogenen P.en des MA.s beschränkten sich zunächst auf knappe Abrisse der Verslehre (Beda Venerabilis, »Ars metrica«, um 700). Erst im 12./13. Jh. entstehen umfangreiche Lehrbücher einer rhetor. bestimmten »Ars versificatoria« (»Dichtkunst«), deren bedeutendste Vertreter Matthäus von Vendôme, Gottfried von Vinsauf, Gervais von Melkley, Johannes von Garlandia und Eberhardus Alemannus sind. Von zentraler Bedeutung sind die Lehre von der ↗Amplificatio, der sprachl. Erweiterung der Aussage, die zu den Hauptaufgaben des Dichters gerechnet wird, und die Lehre vom ↗Ornatus, dem Schmuck der Rede durch ↗rhetor. Figuren und Tropen. Dabei stehen unvermittelt nebeneinander die in der Tradition der antiken Unterscheidung von ↗Attizismus und ↗Asianismus begründete *Zwei-Stil-Lehre* mit dem *ornatus facilis* und *ornatus difficilis* (leichtem und schwerem, dunklem Stil), die auch auf die volkssprachl. Dichtung des MA.s gewirkt hat (↗*trobar leu* und *trobar clus* in der provenzal. Dichtung, der ↗*geblümte Stil* der mhd. Dichtung), und die *Drei-Stil-Lehre*, die die traditionelle Dreiheit von *stilus gravis, stilus mediocris* und *stilus humilis* (hoher, mittlerer, niederer Stil) ständig umdeutet (die drei Stilarten werden auf die drei Hauptwerke des Vergil bezogen, sog. *rota Vergilii*, vgl. ↗Genera dicendi). – Zu einer Wende in der Geschichte der mal. P. führt Dantes Schrift »De vulgari eloquentia« (»Über die Volkssprache«), die schon auf Grund ihrer Hinwendung zur volkssprachl. Dichtung den engen Rahmen der mal. *ars versificatoria* durchbricht. Im it. Frühhumanismus propagieren A. Mussato, F. Petrarca und G. Boccaccio eine Neubewertung der Dichtkunst, indem sie sie rangmäßig der im MA. alles beherrschenden Theologie gleichstellen. Damit ist der Übergang zur P. der Neuzeit gegeben. *Renaissance und Barock:* Die intensive Beschäftigung mit antiker Dichtung und Rhetorik seit dem 14. Jh. führte auch zur Neuentdeckung der P. des Aristoteles (1. Ausgabe des griech. Textes 1508 durch Aldus Manutius, 1. lat. Übersetzung durch G. Valla, 1498, fehlerhaft, und A. Pazzi, 1536, Standardübersetzung der folgenden Zeit) und zur Neubeschäftigung mit Horaz (Übersetzung in die Volkssprache durch L. Dolce, 1535). Die Aristoteles- und Horaz-Kommentare des 16. Jh.s (F. Robortello, 1548; V. Maggi und B. Lombardi, 1550; P. Vettori, 1560; L. Castelvetro, 1576) bilden die Grundlage der it. Renaissance-P., deren bedeutendste Vertreter J. C. Scaliger (»Poetices libri septem«, 1561) und S. A. Minturno (»De poeta«, 1559; »L'arte poetica«, 1563) sind. Zu den wesentl. Charakteristika der it. Renaissance-P. gehören das normative Regelsystem und die Orientierung an der Rhetorik, von der her auch Aristoteles und Horaz interpretiert werden. Der Dichter wird als ↗*poeta doctus* (oder poeta eruditus) gesehen, der über die Regeln der P. und Rhetorik verfügt. Die aristotel. Mimesis wird als *imitatio* (Nachahmung) verstanden und um Sinne einer die Fiktionalität des Kunstwerks verkennenden *Wahrscheinlichkeitslehre* interpretiert; sie erhält dabei den Nebensinn der Nachahmung der mustergültigen klass. Autoren (v. a. Vergil für das Epos, Seneca für das Drama). Als Zweck der Dichtung gilt die Dreiheit von *docere* (Belehrung, Information), *delectare* (Unterhaltung) und *movere* (emotionale Rührung). Die Katharsis-Lehre des Aristoteles wird im Sinne eines moral. Erziehungsprogramms umgedeutet: als Befreiung von den in der Tragödie vorgeführten Lastern und sittl. Läuterung durch »Furcht und Mitleid«. Die Lehre von den drei genera dicendi wird in der ↗*Ständeklausel* verfestigt, ebenso wie das damit zusammenhängende Gesetz der ↗*Fallhöhe* und die aus dem Wahrscheinlichkeitsdogma abgeleitete Lehre von den ↗ *drei Einheiten* in die Tragödientheorie des Aristoteles hineininterpretiert wird. Ende des 16. Jh.s entsteht in Italien, gewissermaßen als Gegenbewegung zur klassizist. Renaissanc-P., die P. des Manierismus. Ihre Vertreter sind G. Marino (vgl. ↗ *Marinismus*), P. S. Pallavicino und E. Tesauro (»Il cannocchiale Aristotelico«, 1654; 1661). Sie fordern die Befreiung der poet. Einbildungskraft von den klassizist. Regeln und dem Wahrscheinlichkeitsdogma, das die poet. Fiktion letztl. als Lüge abwertet, und damit die freie Metapher und den ↗ *Concetto*, die spitzfindige Wendung. Das seit der Spätantike unbestrittene System von Stoff und Form wird damit auf die Form verkürzt, die sprachl. Mittel vom Stoff emanzipiert. Die Kontroverse zwischen klassizist. und manierist. P. im 17. Jh. (Vertreter der klassizist. Richtung im 17. Jh. ist D. Bartoli) spaltet die it. Dichtung und Dichtungslehre des Barock in einen traditionellen (klassizist., »attizist.«) und einen progressiven (experimentierfreudigen, »asianist.«) Typus. – Eine ähnl. Entwicklung zeigt die frz. Poetik. Im 16. Jh. bildet sich zunächst nach antiken und it. Vorbildern eine klassizist. P. heraus. Hauptvertreter sind Th. Sebillet und die Dichter der ↗ Pléiade, J. Du Bellay (»Deffence et Illustration de la Langue Françoyse«, 1549), J. Peletier du Mans und P. de Ronsard (»Abrégé de l'Art Poétique François«, 1565). Eine Synthese ihrer Ansätze findet sich zu Beginn des 17. Jh.s bei V. de Fresnaye. Im 17. Jh. wird die klassizist. frz. Dichtungstheorie durch P. de Deimier (1610), G. de Scudéry, H.-J. de Mesnardière (1640), Abbé d'Aubignac (1657), R. Rapin (1674) und v. a. N. Boileau (»Art poétique«, 1674) ausgebaut. Gemeinsam ist allen diesen Werken der normative Charakter, die klassizist. Tragödientheorie mit der Ständeklausel, mit den drei Einheiten, mit der pädagog.-moral. Deutung der Katharsis. Der Zweck der Dichtung wird in einer Verbindung von *utilité* (Nutzen) und *plaisir* (Gefallen) gesehen. Mimesis wird als Naturnachahmung gedeutet; Dichtung hat sich an die Gebote der *raison* (Vernunft), an die *vraisemblance* (Wahrscheinlichkeit) und die *bienséance* (Angemessenheit) zu halten. Eine erste Relativierung dieser *doctrine classique* findet sich bei P. Corneille (»Trois discours sur le poème dramatique«, 1660, vgl. die ›Querelle du Cid‹). Die eigentl. Gegenbewegung gegen den Klassizismus wird durch Ch. Perrault ausgelöst (»Parallèle des Anciens et des Modernes«, 1688–97), der die ewige Gültigkeit der antiken Muster bestreitet. Die folgende ›Querelle des anciens et des modernes‹ hat in der Geschichte der frz. Poetik eine ähnl. Bedeutung wie die Auseinandersetzung zwischen Klassizisten und Manieristen in der it. P. des 17. Jh.s (vgl. ↗ *Literaturstreit*). – Die it. und frz. P. der Renaissance geben den Anstoß für die Ausbildung der *dt. Renaissance- und Barock-P. im 17. Jh.*. Die niederländ. P. (D. Heinsius, »De tragoediae constitutione«, 1611; G. Vossius) nimmt dabei eine vermittelnde Stellung ein. Am Anfang der dt. P. steht M. Opitz mit dem »Buch von der Deutschen Poeterey« (1624), das einen klassizist. Standpunkt vertritt. In seiner Nachfolge stehen Ph. von Zesen (»Hochdt. Helicon«, 1640), J. P. Titz (»Zwey Bücher Von der Kunst Hochdeutsche Verse und Lieder zu machen«, 1642), J. Klaj (»Lobrede der Teutschen Poeterey«, 1645), Ph. Harsdörffer (»Poetischer Trichter«, 1647–63), A. Tscherning (»Unvorgreifliches Bedencken über etliche mißbräuche in der deutschen Schreib- und Sprach-Kunst«, 1659), G.-W. Sacer (»Nützliche Erinnerungen wegen der deutschen Poeterey«, 1661), A. Buchner (»Anleitung zur Deutschen Poeterey«, 1665), D. G. Morhof (»Unterricht von der Teutschen Sprache und Poesie«, 1682), A. C. Rotth (»Vollständige Deutsche Poesie«, 1688) und J. Weise (»Curiöse Gedancken Von Deutschen Versen«, 1692), wobei sich v. a. bei den Nürnbergern (Klaj, Harsdörffer) und bei Zesen Einflüsse des Manierismus zeigen (besondere Betonung der Sprachartistik). – Auch in Spanien setzt sich im 17. Jh. die manierist. P.

durch (B. Gracián, »Agudeza y Arte de Ingenio«, 1642, erweitert 1648). – In der engl. P. des 16. und 17. Jh.s hat sich der klassizist. (»aristotel«) Standpunkt (Hauptvertreter ist Ph. Sidney, »The Defence of poesie«, auch: »An Apology for Poetry«, 1595) angesichts des Shakespeare'schen Dramas der ↗ offenen Form nie ganz durchsetzen können. In England entsteht vielmehr eine P., die zwischen dem klassizist. Regelkanon und der These von der Einmaligkeit und Individualität jedes einzelnen Kunstwerks einen vermittelnden Standpunkt bezieht (J. Dryden, »Of Dramatick Poesy: An Essay«, 1668; A. Pope, »Essay on Criticism«, 1711). – *Aufklärung:* Die Kontroverse zwischen klassizist. und manierist. P. im Zeitalter des Barock setzt sich im aufgeklärten 18. Jh. auf anderer Ebene fort. Es kommt zu einer Abkehr vom »akadem.« humanist. Ideal einer bloß sprachl. Transformation der klass. Muster in die moderne Nationalsprache zur einer Neubegründung der P. auf der Basis des gesellschaftl. Verhaltens der Gebildeten. In den Mittelpunkt der Diskussion tritt das *Geschmacksproblem: bon goût* und *bel esprit* werden zu Maßstäben der Poesie. Bedeutendste Vertreter der frz. P. sind hier, in ihren Grundanschauungen bereits kontrovers, J. P. de Crousaz (»Traité du beau«, 1715) und J. B. Dubos (»Réflexions critiques sur la poésie«, 1717), die die Befähigung zum Geschmacksurteil allein dem *Gefühl* zuerkennen, sowie Ch. Batteux (»Les beaux-arts réduits à un même principe«, 1746), der dem Gefühl die *Vernunft* als letztl. entscheidend vorschaltet. Erste Vertreter einer dt. am Geschmacksurteil orientierten P. sind Ch. Thomasius (»Welcher Gestalt man denen Franzosen im allgemeinen Leben und Wandel nachahmen soll«, 1687) und J. U. v. König (»Untersuchung vom guten Geschmack«, 1727). Der Gegensatz zwischen vernunftbezogener und gefühlsbezogener P. bricht auf im Literaturstreit zwischen J. Ch. Gottsched (»Versuch einer Critischen Dichtkunst«, 1730 u. ö.) und den Zürchern J. J. Bodmer und J. J. Breitinger (»Critische Dichtkunst«, 1740; »Von dem Wunderbaren in der Poesie und dessen Verbindung mit dem Wahrscheinlichen«, 1740; »Über die poet. Gemälde der Dichter«, 1741). Gottsched ist der letzte große Vertreter einer normativen und klassizist. P., die den gesamten Bereich der Poesie von der Vernunft her zu regeln versucht. Das literar. Kunstwerk entspringt danach dem *Witz*. Auch der gute Geschmack wird nur als Äußerung der Vernunft verstanden. Jede Form subjektiver Willkür in der Dichtung wird abgelehnt; alles hat unter dem *Gesetz der Wahrscheinlichkeit* zu stehen, das hier letztmals mit dem Anspruch absoluter Gültigkeit formuliert wird. Die Objektivität des Kunstschönen wird durch das Abbildverhältnis des mimet. Kunstwerks zur Schönheit der Natur garantiert, die sich ihrerseits aus der Vernunft der göttl. Schöpfungsordnung herleitet. Mimesis wird mithin als Abbildung der Natur, Dichtung als zweite Malerei begriffen: Gottsched und seine Zeitgenossen berufen sich bei dieser Definition auf einen, mißverstandenen, Satz aus der P. des Horaz: ↗ *ut pictura poesis* (ein Gedicht ist wie ein Bild). Bodmer und Breitinger stellen, unter dem Einfluß des engl. Sensualismus (J. Addison, S. Johnson), dem Gottsched'schen Vernunftprinzip und dem Wahrscheinlichkeitsdogma die *schöpfer.* »*Einbildungskraft*« und das *Wunderbare* entgegen. Auch J. E. Schlegel (»Abhandlung, daß die Nachahmung der Sache, der man nachahmet, zuweilen unähnl. werden müsse«, 1741) und sein Bruder J. A. Schlegel (krit. Abhandlungen im Anhang seiner Batteux-Übersetzung) wenden sich vom klassizist. Standpunkt ihres Lehrers Gottsched ab; an die Stelle des herrschenden alles beherrschenden »Witzes« tritt das »Herz«. Zu einer der P. der Klassik vorbereitenden Relativierung des klassizist. Aristoteles-Verständnisses kommt es dann bei G. E. Lessing (17. Literaturbrief, 1759; »Hamburgische Dramaturgie«, 1767–69), der auch die *ut pictura poesis*-Theorie, die von Bodmer und Breitinger ebenso vertreten wird wie von Gottsched, widerlegt (»Laokoon«, 1766). – *Vom Sturm und Drang bis zur Gegenwart:* Gottscheds »Critische Dichtkunst« war der vorläufig letzte Versuch einer Fundamentalp. Der erwachende Subjektivismus, der sich bei Bodmer und Breitinger bereits ankündigt und der nach der Jahrhundertmitte durch J. J. Rousseau, durch E. Young's »Conjectures on Original Composition« (1759, gegen die Kanonisierung der antiken Muster gerichtet und für die »Originale« der Gegenwart) und durch die Ästhetik J. G. Hamanns (»Aesthetica in nuce«, 1762; die Dichtung als Offenbarung der Seele) neue Impulse erhält, und der ↗Sturm und Drang leiten eine grundsätzl. Wende in der Geschichte der Dichtungstheorie ein, die endgültige Abwendung vom poetolog. System und die Hinwendung zum Dichter, der als Originalgenie begriffen wird, dessen Schaffen nicht in Vernunft, sondern auf *»Empfindung, Begeisterung, Inspiration«* gründet, das an keine ewigen Regeln gebunden ist und das die Originalität seines Volkes und seiner Epoche verkörpert. Poet. Vorbilder sind v. a. W. Shakespeare mit seinem als nicht-aristotel. verstandenen Drama der offenen Form und Macphersons »Ossian«. Vertreter der Sturm und Drang-P. sind J. G. Herder, H. W. v. Gerstenberg (»Briefe über Merkwürdigkeiten der Literatur«, 1766/67, der junge Goethe (»Rede zum Schäkespears Tag«, 1771) und J. M. R. Lenz (»Anmerkungen über das Theater«, 1774). – Nach der Abkehr vom poetolog. System im Sturm und Drang erscheint P. einerseits nur noch praxisorientiert in der Form des Essays, in dem v. a. die Dichter und Schriftsteller selbst zu Fragen ihrer Kunst Stellung beziehen, oder in der Form des Aphorismus (besonders beliebt in der Romantik), andererseits, theoret.-abstrakt, im Rahmen der allgemeinen Ästhetik, die poetolog. Fragen auf Fragen des Kunstschönen reduziert (z. B. F. Schiller, F. W. Schelling, K. W. F. Solger, G. W. F. Hegel, Jean Paul und, im 20. Jh., G. Lukács) oder, seltener, der Psychologie (W. Dilthey). Hinzu kommt, mit zunehmendem Gewicht, die literaturwissenschaftl. Forschung. Konservative und progressive Richtungen der verschiedensten Art setzen dabei die seit dem Aufkommen des it. Manierismus Ende des 16. Jh.s aktuelle Kontroverse in der P. fort. Die von den Manieristen eingeleitete *Trennung von Sprache und Gegenstand* wird dabei durch die P. der Romantik (F. Schlegel, Novalis; Theorie von der »progressiven Universalpoesie«) und des Symbolismus (E. A. Poe, P. Verlaine) erneut vertreten. Die entgegengesetzte Strömung wird v. a. durch ↗Realismus und ↗Naturalismus repräsentiert. Zu den im engeren Sinne poetolog. Problemen, mit denen sich die P. seit dem ausgehenden 18. Jh. beschäftigt, gehört nach wie vor die Gattungstheorie, um die sich zunächst v. a. die P. der Klassik bemüht (erste Ansätze im Briefwechsel Goethes und Schillers, 1797, deren Ergebnisse Goethe in seinem Aufsatz »Über ep. und dramat. Dichtung«, 1827, zusammenfaßt), von deren verschiedenen Ansätzen (Schillers naive und sentimental. Dichtung gehören hierzu ebenso wie Hölderlins Lehre vom »Wechsel der Töne«) sich dann Goethes Lehre von den ↗Naturformen der Dichtung durchsetzt. Die hier erstmals festgehaltene Gattungstrias (Epik, Lyrik, Dramatik) wird bis in die jüngste Gegenwart vielfach diskutiert (J. Petersen, »Die Wissenschaft von der Dichtung«, 1939; E. Staiger, »Grundbegriffe der P.«, 1946: anthropolog. Fundierung der Lehre vom »Epischen, Lyrischen, Dramatischen«; K. Hamburger, »Die Logik der Dichtung«, 1957: sprachlog. Fundierung der poet. Gattungen, die von K. Hamburger in die »fiktionale« mimet. Gattung – d. h. ep. oder dramat. Fiktion – und in die »lyr.« Gattung unterteilt werden). Auch das Mimesis-Problem wird immer wieder erörtert (Theorie des ↗sozialist. Realismus; Mimesis als typisierende = »überhöhende« ↗Widerspiegelung gesellschaftl. Wirklichkeit). Die P. des 20. Jh.s erhielt einen neuen Impuls durch B. Brechts krit. Auseinandersetzung mit der aristotel.

Wirkungsästhetik der Tragödie (Begründung des ↗ep. Theaters mit seiner antiaristotel. Dramaturgie). ▯ Rötzer, H. G. (Hrsg.): Texte zur Gesch. der P. in Deutschland. Darmst. 1982. – Klopsch, P.: Einf. in d. Dichtungslehren des lat. MA.s. Darmst. 1980. – Braak, I.: P. in Stichworten. Kiel/Wien ⁶1980. – Jakobson, R.: P. Hrsg. v. E. Hohnstein u. T. Schelbert. Frkft. 1979. – Wiegmann, H.: Gesch. d. P. Stuttg. 1977. – Frz. P.en. Tl. I: Texte zur Dichtungstheorie vom 16. bis zum Beginn des 19. Jh.s. Hg. von F.-R. Hausmann, E. Gräfin Mandelsloh u. H. Stab. Stuttg. 1975. – Fuhrmann, M.: Einf. in die antike Dichtungstheorie. Darmst. 1973. – Dichtungslehren der Romania aus der Zeit der Renaissance u. des Barock. Hg. u. eingeleitet von A. Buck, K. Heitmann, W. Mettmann. Frkft. 1972. – Boëtius, H. (Hrsg.): Dichtungstheorien der Aufklärung. Tüb. 1971. – Herrmann, H. P.: Naturnachahmung u. Einbildungskraft. Zur Entwicklung der dt. P. von 1670 bis 1740. Bad Homburg u. a. H. 1970. – Thalmann, M.: Romantiker als Poetologen. Heidelb. 1970. – Dyck, J.: Ticht-Kunst. Dt. Barockp. u. rhetor. Tradition. Mchn. ²1969. – Körner, J.: Einf. in die P. Frkft. ³1968. – Lange, K. P.: Theoretiker des literar. Manierismus. Mchn. 1968. – Faral, E.: Les arts poétiques du XIIᵉ et du XIIIᵉ siècles. Paris 1962. – Markwardt, B.: Gesch. der dt. P. Bln. 1937–67, Bd. 1 ³1964, Bd. 2 u. 3 ²1971. – RL. ↗Linguist. Poetik. K

Poetische Lizenz, f. [lat. licentia poetica = ↗dichterische Freiheit].

Poetischer Realismus, von O. Ludwig (»Shakespeare-Studien«, 1871) geprägte Bez. für die typ. (idyll.-resignative) Ausprägung des ↗Realismus in Deutschland in der 2. Hälfte des 19. Jh.s; auch als ›bürgerl. Realismus‹ bez.

Poetismus, m., tschech. Kunstströmung seit ungefähr 1920, zeitl. etwa parallel mit dem frz. ↗Surrealismus und ihm in manchem verwandt. Der P. entwickelte sich in Berührung und Austausch mit anderen experimentellen Kunstströmungen der Zeit, dem ital. und bes. dem russ. ↗Futurismus, dem frz. Kubismus und dem ↗Dadaismus. Er interessierte sich für Außenseiter-Autoren des 19. Jh.s wie Poe, Baudelaire, Rimbaud, für eine sog. primitive Kunst (Negerplastik, -musik, indian. Totems usw.), die naive Malerei (H. Rousseau), aber auch für Unterhaltungskunst (Varieté, Zirkus), die frühen Stummfilmgrotesken (Chaplin), ferner für die psychoanalyt. Triebforschung (Freud) und Wahrnehmungs-Psychologie. Eine wichtige Rolle spielten G. Apollinaires »Calligrammes« und sein Aufsatz »L'esprit nouveau et les poètes«, 1918. – Zentrum war die Künstlergruppe *Devětsil* (= Neunkraft, tschech. für Pestwurz), gegründet am 5. 10. 1920 in Prag, ein Zusammenschluß marxist. orientierter junger Künstler. Zumindest für die ersten Jahre stehen sie der ↗Proletkult-Bewegung nahe (J. Wolker; K. Teige, »Neue proletar. Kunst«, 1922). Die ursprüngl. Ablehnung der Technik, die später revidiert wurde (Teige, »Der Konstruktivismus und die Liquidierung der ›Kunst‹«, 1925), führte zu einer Hinwendung zum Menschen: Kunst sollte nicht ästhet. Zutat zum Leben, vielmehr Teil des Lebens sein. Das erste Manifest des P. ist Teiges »P.«, 1924; Teige versteht den P. als »Kunst zu leben und zu genießen«; von Anfang an haben der Humor und das Spielerische eine wichtige Bedeutung. – 1926–28 waren die ertragreichsten Jahre des P.: seit 1927 erschienen die Zeitschrift RED, die Manifeste u. a. von J. Fučik, V. Nezval und Teige, die Werke von Nezval (dem bedeutendsten Poeten des P.), K. Biebl, E. F. Burian, A. Hoffmeister, J. Seifert u. a. Teiges zweites »Manifest des P.« (1928) ist zugleich Bestandsaufnahme, kann sich auf Vorhandenes (auf die erprobte Synthese der verschiedensten Kunstarten, akust., visuelle Poesie, »Radiopoesie«, das »befreite Theater«) berufen, wenn es eine »Poesie für alle Sinne« fordert. – Die Gründung einer Prager surrealist. Gruppe 1934 durch Teige und Nezval markiert das Ende des P. Er geriet sowohl in ideolog. als auch polit. Fragen in

Ggs. zur kommunist. Parteilinie. Erst im sog. Prager Frühling entdeckte man für kurze Zeit die Leistung und Bedeutung des P. neu, der sich »ungefähr mit dem Begriff des sozialist. Humanismus umschreiben« läßt. (P. Kruntorad).

📖 Brousek, M.: Der P. Mchn. 1975. – Drews, P.: Devětsil u. P. Mchn. 1975. – Teige, K.: Liquidierung der Kunst. Analysen, Manifeste. Mit e. Nachw. hrsg. v. P. Kruntorad. Frkft. 1968.   D*

Poetizitätsgrad, m., Bez. f. den jeweiligen poet. Ausdruckswert eines Satzes im Vergleich zu einer syntakt. Variante oder zu einem anderen Satz; Begriff gebildet im Anschluß an die »Transformationsregeln« der Linguistik; soll der genaueren Bestimmung der poet. Valenz von Texten dienen.

📖 Koch, W. A.: Poetizität. Hildesheim 1981.   S

Pointe, f. [poˈɛ̃:tə; frz. = Stachel, Stich], seit dem 18. Jh. ins Deutsche übernommener Begriff für den Akt im auf Komik angelegten (komisierenden) Sprachhandeln, der den Lacheffekt beim Rezipienten auslöst. Die P. ist als ›Kipp-Phänomen‹ Zielpunkt der Gattung ↗Witz. Konstituiert sich der Witz in seinem Erzählteil aus zwei- oder mehrsinniger Semantik, dann reduziert die P. das sprachl. Geschehen am Ende auf eine unerwartete Einsinnigkeit (wodurch der Witz sich von anderen ästhet. Texten unterscheidet). Die P. als ›Überschneidungsstelle‹ der mehrwertigen Semantik führt damit zum Zusammenbruch des vorher aufgebauten Erwartungsschemas und zwingt den Rezipienten, seine bisherige Verstehensleistung für einen Moment zu revidieren. Diese Revision führt zu affektökonomischem Lachen.

📖 Stroszeck, H.: P. und poet. Dominante. Frkf./M. 1970.
                                                          HW

Politische Dichtung, Sammelbez. für Dichtungen, die polit. Ideen, Vorgänge, Aspekte thematisieren. Eine nähere Wesensbestimmung hängt ab von der jeweiligen Definition der Begriffe *Politik, politisch:* Sofern diese aufgefaßt werden als Bestandteil der histor.-gesellschaftl. Existenz des Menschen, ist jede Dichtung als Produkt einer Interdependenz zw. Verfasser und Gesellschaft politisch; eingeschränkter wird unter p. D. auch die Gestaltung polit., histor. oder sozialer Stoffe und Probleme verstanden, z. B. in histor. oder zeitkrit. Romanen, Novellen, Dramen, Balladen (wie L. N. Tolstoijs »Krieg und Frieden«, W. Shakespeares Historiendramen u. ä.). *In speziellem Sinne* gelten als p. D. diejen. Werke, die mit der Absicht einer direkten polit. Beeinflussung oder Wirkung verfaßt wurden, die also künstler.-literar. Formen in den Dienst einer polit. Auseinandersetzung stellen (sog. ↗Tendenzdichtung oder engagierte Literatur). Nach Art der polit. Ziele und Objekte wird p. D. unter Bez. wie vaterländ., ↗Freiheits- oder ↗Kriegsdichtung, gesellschaftskrit. (↗Gesellschaftskritik), ↗soziale Dichtung, ↗Arbeiterliteratur usw. spezifiziert, wobei vielerlei Übergänge, auch zu den Politisches nur als Stoff verwertenden Werken, feststellbar sind. Die *Skala der polit. Zielsetzungen* reicht von panegyr. Zustimmung zu bestehenden polit.-gesellschaftl. Systemen bis zu scharfer Kritik; p. D. kann der Information, Aufklärung, Analyse von Zuständen dienen, Anklage oder Appell sein, sie kann sich auf Bloßstellung und Entlarvung beschränken, aber auch Änderungen propagieren, sei es als Entwurf utop. Modelle (vgl. die Reichsidee im MA., das Naturreich Rousseaus u. a.), sei es als konkrete Programme; p. D. kann objekt.-sachl. oder perspektiv. verzerrt, pauschal, exemplifizierend oder simplifizierend, emotional oder agitatorisch argumentieren, sie kann sich direkt oder verschlüsselt (auch anonym) artikulieren, letzteres oft wegen einer staatl. Zensur, aber auch aus satir.-parodist. Absichten (z. B. Montesquieu, »Lettres persanes«, 1721). – P. D. ist jeweils aus einem speziellen aktuellen Anlaß entstanden und damit an diesen gebunden und nur aus ihrem histor. Kontext heraus voll zu verstehen. Das macht ihre *literar. Wertung* problematisch: formal-ästhet. Kategorien, nach denen Tendenz und Funktionalität negativ bewertet werden, sind ebensowenig adäquat wie eth. Aspekte oder die Beurteilung vom jeweil. modernen polit. Standpunkt aus. Auch die Kategorien der marxist. Literaturkritik werden nur einem Teil der p. D. gerecht (↗Parteilichkeit). P. D. kann sich aller *literar. Formen* bedienen; bevorzugt werden jedoch die schnell zu konzipierenden und zu rezipierenden *lyr., lyr.-didakt.* und *ep. Kleinformen,* meist in affektiver, aggressiver oder witzig pointierter, gedrängter Aussage und oft durch eingäng. Melodien unterstützt, deren Assoziations- und Breitenwirkung die polit. Stoßkraft verstärken können, z. B. Gedicht und Lied, Spruch, Hymne, Chanson, (↗Protest-)Song, dann Epigramm, Gnome, Ballade, Fabel. Häuf. sind auch *kurze Prosaformen* wie ↗Flugblatt u. ↗Flugschrift, ↗Pamphlet, ↗Traktat, Dialog, Brief und moderne publizist. Formen wie (Reise)bericht, Essay, Feuilleton, Reportage, Kurzgeschichte usw., ferner *dramat. Kleinformen* wie Einakter, Sketches oder Hörspiele. Beliebte *Verfahren* dieser p. D. sind Satire, Parodie, Travestie und Kontrafakturen aller Art (z. B. von Kirchen- u. a. bekannten Liedern oder Chorälen, Psalmen, Postillen, Katechismen, in neuester Zeit auch die Umfunktionierung von Moritaten, Kinderreimen, Märchen). Ep. Großformen (Romane, Epen) sind dagegen für ein aktuelles polit. Engagement weniger geeignet. Viele Romane wurden jedoch auch in mehr oder weniger ausgeprägter polit. Absicht verfaßt und haben auf lange Sicht das polit. Bewußtsein beeinflußt, so z. B. die utop. ↗Staatsromane des 17. u. 18.Jh.s, die ↗Zeit- und Gesellschaftsromane des Realismus, die sozialkrit. Romane des Naturalismus und viele histor. Schlüsselromane. Ähnliches gilt für das *Drama* als literar. Werk. Seine Realisation *auf der Bühne* jedoch, seine Konfrontation mit einem Publikum kann einer bewußt oder unbewußt implizierten polit. Aussage Nachdruck verleihen, wie z. B. einerseits das Echo auf Schillers »Räuber« (1781/82), auch auf Opern wie Verdis »Ernani« (1844) oder »Die Schlacht von Legnano« (1849), andererseits Zensurbestimmungen (etwa für Grillparzers oder Nestroys Werke) und Aufführungsverbote (z. B. für G. Hauptmanns »Weber«, E. Tollers »Masse Mensch«) zeigen. Die gesellschaftl. Funktion des Theaters wurde auch immer wieder zur ideolog. Beeinflussung und Propagierung polit., religiöser oder humanist. Ideen eingesetzt, vgl. z. B. die alte att. ↗Komödie, das ↗Jesuitendrama, in der Neuzeit – nach Vorläufern (O. Brahm) und Vorbildern (z. B. den russ. Versuchen seit der Oktoberrevolution, ↗Proletkult) – konsequent seit E. Piscator (»Das polit. Theater«, 1929), vgl. z. B. das ↗Lehrstück des Arbeitertheaters oder B. Brechts, das ↗Zeitstück, das simplifizierende ↗Thesenstück oder das analysierende Dokumentarstück (↗Dokumentarliteratur). In jüngster Zeit wird darüber hinaus durch entsprechende Inszenierungen, Adaptationen, Neu- oder Uminterpretationen auch klassischen Stücken einseitig-polit. Charakter verliehen (z. B. Schillers »Räubern«, R. Wagners Werken usw.). Sonderformen sind das meist von Laien realisierte ↗Agitproptheater, das antiliterar. ↗Straßentheater und das sich an ein literar. gebildetes und polit. informiertes Publikum richtende ↗Kabarett. *Geschichte.* P. D. gab es zu allen Zeiten und in allen literar. Kulturen, insbes. jedoch in polit. Krisen- und Umbruchzeiten. Berühmt sind P. D. der Antike die »Perser« des Aischylos (5. Jh. v. Chr., anläßl. des Untergangs der pers. Flotte), die polit. Invektiven in den Komödien des Aristophanes zur Zeit des Zerfalls der athen. Polis, die gesellschaftskrit. Epigramme und Satiren Martials und Juvenals. *Im MA.* bringt bes. die stauf. Politik zur Verwirklichung einer Reichsidee bedeutsame p. D. hervor, so den lat. »Ludus de Antichristo«, aber die Werke des Archipoeta und bes. die Appell- und Zeitdiagnose verbindende ↗Spruchdichtung Walthers von der Vogelweide, die auch die mal. Kreuzzugspolitik begleitet (wie auch die Lieder Friedrichs von Hausen, Rugges Kreuzleich oder Freidanks Akkonsprüche). – Einen Höhepunkt erreicht p. D. wieder in den religiösen und polit. Kämpfen des *16. Jh.*s (Reformation, Bauernkrieg), zumal sie jetzt durch den Buchdruck weite Verbreitung findet (Flugblätter, Pamphlete, Kalender). Zu nennen sind v. a. die satir., proreformator. p. D. von P. Gengenbach und U. von Hutten, der auch ein dt. Nationalbewußtsein formuliert, und die antireformator. p. D. von Th. Murner. – Literar.-polit. Engagement kommentiert *im 17. Jh.* den 30jähr. Krieg und die Türkenkriege (bittere Polemik z. B. bei J. Ch. v. Grimmelshausen, beschwörende Mahnung bei F. v. Logau und A. Gryphius), sowie die innerpolit. sozialen Verhältnisse: einer höf.-affirmativen p. D. (/Hofdichter, /-dichtung; /Festspiele) steht eine national bestimmte, iron.-satir. antihöf. Dichtung gegenüber (J. M. Moscherosch), die auch im 18. Jh. nicht verstummt. – Das im *18. Jh.* erwachende bürgerl. Selbstbewußtsein äußert sich v. a. in wirkungsvollen polit. Traktaten (J. Möser, Th. Abbt, J. G. Zimmermann) und Utopien (/Staatsromanen; /Robinsonaden: J. G. Schnabel, A. v. Haller, Ch. M. Wieland u. a.), gegen Fürstenwillkür jedoch auch affektiv und offen sozialkrit. (G. E. Lessing, Ch. F. D. Schubart, F. Schiller, J. M. R. Lenz, H. L. Wagner, J. A. Leisewitz, vgl. /Sturm und Drang). Aber auch die friederizian. Eroberungszüge wurden in propagandist. Lyrik gefeiert (E. v. Kleist, K. W. Ramler, J. W. L. Gleim, A. L. Karsch[in]), ebenso die Befreiungskriege in einer antinapoleon., mit stärksten agitator. Mitteln operierenden, pathet. sog. Freiheits- oder vaterländ. Dichtung (H. J. v. Collin, H. v. Kleist, Th. Körner, E. M. Arndt u. a.). – Nach dem v. a. theoret. (von L. Wienbarg) im modernen Sinne reflektierte p. D. entsteht erstmals in der Zeit des /*Jungen Deutschland* und des *Vormärz.* Sie stellte sich in den Dienst des Kampfes für Liberalismus (insbes. Meinungsfreiheit) und sozialen Fortschritt. Der Druck der Restauration (Zensur, Verbote, Verfolgungen, z. B. Heine, Wienbarg, Herwegh, Freiligrath, Prutz) zwang jedoch zu Verschlüsselungen: eine erste Phase ist die Freiheitsdichtung für Griechenland (/Philhellenismus) und Polen (N. Lenau, A. v. Chamisso, A. von Platen u. a.). Dann gewann die breitenwirksame polit. Publizistik des Jungen Deutschland (L. Börne, H. Heine, L. Wienbarg, K. Gutzkow) mit fingierten Reiseberichten, Briefen usw. große Bedeutung; polit. verstanden wurden auch die /Zeit- und Gesellschaftsromane und die histor. Dramen (K. Gutzkow, H. Laube, E. Willkomm, K. L. Immermann, Th. Mundt) und v. a. die Lyrik (H. Heine, G. Herwegh, F. Freiligrath, R. E. Prutz, G. Weerth, A. H. Hoffmann von Fallersleben u. a.), die durch der entstehenden Arbeiterbewegung Impulse gab (/Arbeiterliteratur). – Einen weiteren Höhepunkt erlangte die p. D. im /*Naturalismus:* Gestützt auf die Gründerzeitkritik F. Nietzsches und die Ideen K. Marx' formuliert sie v. a. soziale Anklagen und Appelle gegen das wilhelmin. Bürgertum, insbes. die kapitalist. Praxis der Industrialisierung (M. Kretzer, G. Hauptmann, A. Holz, K. Henckell, J. H. Mackay u. a.). – Ausbruch und Verlauf des 1. Weltkrieges zeitigten wieder eine reiche p. D. Charakterist. ist die Polarisierung in hymn.-begeisterte nationale /Kriegsdichtung und die pazifist., jetzt erstmals vordringl. internationale, auch literar. neue Wege suchende Antikriegsdichtung des /*Expressionismus* neben einer verstärkten sozialkrit., antibürgerl. D. (F. v. Unruh, E. Toller, E. Mühsam, B. Brecht, C. Frank, J. R. Becher, H. Mann u. a.). Auch das seit seiner Entstehung polit. aktive Kabarett ist hier zu nennen (vgl. /Dadaismus). – Eine radikale Politisierung der Literatur erzwingt die Kulturpolitik des Nationalsozialismus (/Blut- und Bodendichtung). Parallel geht eine total verschlüsselte p. D. der /inneren Emigration und die im Ausland sich äußernde, hauptsächl. human-eth. ausgerichtete p. D., die für ihre Enthüllungen, Warnungen und Appelle v. a. publizist. Organe und Medien einsetzt (Th. Mann, /Exilliteratur). *Seit 1945* artikuliert

sich in der DDR die Literatur, vornehml. im Rahmen des /sozialist. Realismus, polit. affirmativ und systemstabilisierend. In der Bundesrepublik war nach 1945 die p. D., meist als Antikriegsdichtung und Auseinandersetzung mit der unmittelbaren Vergangenheit (/Gruppe 47) ein Teilbereich neben anderen, wieder in Freiheit formulierten dichter. Äußerungen. Immer mehr wurde aber das polit. Engagement eine wesentl. Forderung des dichter. Selbstverständnisses. Damit ist heute ein Großteil der zeitgenöss. Literatur politisch orientiert, sei es durch existentielle Diagnose, durch allgem. Zeit- oder konkrete Gesellschaftskritik, als Aufruf zu Engagement, als Warnung und Protest, und, bes. bei der ›Neuen Linken‹, als Appell zur Systemveränderung, insbes. *seit dem Vietnamkrieg und den Studentenunruhen* (1968). Charakterist. sind einerseits die Formen des Agitprop und des Straßentheaters, zum andern eine ›Praxisnähe‹ durch exakte Dokumentation. Zu nennen sind P. Weiss (»Gesang vom lusitan. Popanz«, 1967; »Viet Nam«, 1968; »Trotzki im Exil«, 1970, »Hölderlin«, 1971), R. Hochhuth (Dramen), M. Walser und G. Grass (bes. in ihren Dramen), H. Kipphardt, H. M. Enzensberger (»Das Verhör von Habana«, 1970; »Der kurze Sommer der Anarchie«, 1972, Herausgabe der polit. engagierten Zs. ›Kursbuch‹ seit 1965, Gedichte), A. Andersch, G. Wallraff und F. Engelmann ([Industrie]-Reportagen), F. X. Kroetz (Verbindung mundartl. Volksstücke mit polit. Agitation), ähnl. Y. Karsunke, E. Fried (»und Vietnam und«, 1966 u. weitere polit. Gedichtbände), F. Ch. Delius (»Wenn wir, bei Rot«, Ged. 1969 u. a.), P. O. Chotjewitz (Hörspiele u. a.), P. Rühmkorf, H. Böll, G. Zwerenz u. a. Breiteste Resonanz fanden und finden bis heute (Friedensbewegung) daneben die sog. /*Liedermacher* (Protestsong, Bänkel, Chanson, Balladen – Verbreitung auch durch die Medien, Schallplatte), etwa W. Biermann, F. J. Degenhard, D. Süverkrüp, H. D. Hüsch, W. Mossmann, H. Wader, K. Wecker u. a. Auch das Kabarett behielt seine wicht. Funktion in der literar.-polit. Szene.

⧉ Krauß, Henning (Hg.): Lit. der Frz. Revolution. Stuttg. 1988. – Otto, U.: Die histor.-polit. Lieder u. Karikaturen des Vormärz u. der Revol. von 1848/49. Köln 1982. – Hinderer, W. (Hrsg.): Gesch. der polit. Lyrik in Deutschland. Stuttg. 1978. – Reisner, H.-P.: Lit. unter der Zensur. Die polit. Lyrik des Vormärz. Stuttg. 1975. – Stein, P. (Hrsg.): Theorie der p. D. Mchn. 1973. – Kuttenkeuler, W. (Hrsg.): Poesie u. Politik. Zur Situation der Lit. in Deutschland. Stuttg. u. a. 1973. – Schöne, A.: Über polit. Lyrik im 20. Jh. Gött. ³1972. – Stein, P.: Polit. Bewußtsein u. künstler. Gestaltungswille in der polit. Lyrik 1780–1848. Diss. Hbg. 1971. – Melchinger, S.: Gesch. d. polit. Theaters. Velber 1971. – Bingel, H. (Hrsg.): Dt. polit. Lyrik seit 1945. Stuttg. 1963. – Jens, W.: Lit. u. Politik. Pfullingen 1963. – Arnold, R. F./Volkmann, E. (Hrsg.): P. D. Dt. Lit. in Entwicklungsreihen Bd. 1–8, 10. Lpz. 1930–39. – AL. IS

Politischer Vers [gr. stichos politikos = gemeinverständl. Vers], beliebter Vers der mittelgr. (byzantin.) u. neugr. Dichtung; beruht im Ggs. zu den Metren der byzantin. Gelehrtenpoesie und der antikisierenden neugr. Dichtung nicht auf dem /quantitierenden, sondern auf dem silbenzählend/akzentuierenden Versprinzip; der p. V. umfaßt 15 Silben mit einer festen Zäsur nach der 8. Silbe und zwei festen Akzenten, die i. d. Regel auf die 8. und 14. Silbe fallen, so daß sich ein rhythm. Spannungsverhältnis zwischen männl. Zäsur und weibl. Kadenz ergibt: x x x x x x x x́ / x x x x x x x. K

Polymetrie, f. [gr. polys = viel, metron (Silben)maß], Verwendung verschiedener Versmaße in einer (Vers- oder prosimetr.) Dichtung, auch in einer Strophe, vgl. z. B. die antiken und viele mal. Strophenformen, den mal. /Leich u. a. /

Polyptoton, n. [aus gr. polys = viel, ptosis = Fall], /rhetor. Figur: Wiederholung desselben Wortes in verschiedenen Flexionsformen, z. B. homo hominis lupus, » . . .ben zi bena« (Merseburger Zauberspruch), Auge um Auge; vgl. dagegen die ↗figura etymologica, auch ↗Paronomasie. S

Polysyndeton, n. [gr. = vielfach Verbundenes], ↗rhetor. Figur: *syndet. Reihung,* d. h. Verknüpfung mehrerer gleichgeordneter Wörter, Wortgruppen oder Sätze durch dieselbe Konjunktion, z. B. »und es wallet und siedet und brauset und zischt« (Schiller, »Der Taucher«), Ggs. ↗Asyndeton. S

Pop-Literatur [anglo-amerik. aus popular = allgem. verständl.], an den Begriff Pop-Art angelehnte Bez. für die Literatur der sog. Pop-Kultur. Zu unterscheiden ist 1. die populäre ↗Unterhaltungsliteratur (auch Kommerz-Pop), wie ihn etwa die Zeitschriften ›Life‹, ›Playboy‹, ›twen‹, ›Bravo‹ anbieten und 2. eine Literatur, die mit provokanter Exzentrik, Monomanie, Obszönität, Unsinnigkeit und Primitivität gegen eine derart. Unterhaltungsliteratur ebenso gerichtet ist wie gegen eine Elite-Kunst, gegen etablierte ästhet. Normen. Vergleiche mit dem ↗Dadaismus, dem objet trouvé des ↗Surrealismus sind problemat., obwohl sich die P. gleichfalls als Un-Kunst, Gegen-Kunst begreift (Tom Wolfe: »The Kandy-Kolored Tangerine-Flake Streamline Baby«, 1965). Die P. arbeitet mehr oder weniger rigoros mit Elementen, Techniken, Mustern trivialer Literatur-Genres (des ↗Kriminal- oder ↗Wildwestromans, der ↗Science-Fiction-Literatur, der ↗Comics, der Reklametexte) wie allgemein mit fast allen Objekten des Massenkonsums (»All is pretty«, Andy Warhol). Je nach Maß des verwendeten Materials und seiner Verarbeitung läßt sich eine rigorose P. von einer Literatur unterscheiden, die sich Pop-Elemente ledigl. unter anderen für ihre ästhet. Zwecke nutzbar macht (z. B. P. Handke, »Die Innenwelt der Außenwelt der Innenwelt«, 1969; E. Jandl, »Sprechblasen«, 1968), obwohl eine Grenze zwischen beidem (z. B. bei P. Chotjewitz) nicht immer leicht zu ziehen ist. – Rigorose P. begegnet in der Bundesrepublik seit Ende der 60er Jahre prakt. in allen Gattungen: im Roman (H. v. Cramer, »Der Paralleldenker«, 1968), in der Lyrik (R. D. Brinkmann, »Die Piloten«, 1969), im Drama (H. G. Behr, »Ich liebe die Oper«, 1969), im Hörspiel (F. Kriwet, »Apollo Amerika«, 1969) und – bedingt durch den Grunde multimedialen Charakter des Pop – natürl. auch in den Grenzbereichen zwischen Literatur und bildender Kunst (Kriwet, »Stars«, 1971) oder zwischen Literatur und Musik. Zur rigorosen P. sind schließl. noch die Vertreter der ↗Cut-up-Methode zu rechnen. – Auch in polit. links orientierter Literatur wurde gelegentl. mit Pop-Elementen gearbeitet, mit der Begründung, daß in einer Gesellschaft, »die ihre Realität allein in Waren- und Marktwerten mißt«, die »aufklärende Kunst materiellen und ästhet. Warencharakter annehmen und auf den Markt gehen« müsse, um die Objekte des »tägl. Gebrauchs« mit »polit. Vorstellungen« anzufüllen (U. Wandrey, »Polit. Kunstgewerbe, Prop Art«, 1968). Insbes. Kriwets oder Brinkmanns Beiträge zur rigorosen P. (Brinkmann übersetzte z. B. u. a. F. O'Hara aus dem Amerikan. und gab zusammen mit R. R. Rygulla die Anthologie »Acid – Neue amerikan. Szene«, 1969, heraus) signalisieren deutl. die amerikan. Herkunft und Grundprägung der P., einer Pop-Kultur, nach R. Goldstein »America's single greatest contribution to the world« (»The Poetry of Rock«, 1968). ▢ ↗Underground-Literatur. D

Populismus, m., frz. populisme [von lat. populus = Volk], franz. literar. Richtung, 1929 begründet von L. Lemonnier (Manifeste 1929 und 1930) und A. Thérive im Anschluß an die literar. Zielsetzung der (jedoch hauptsächl. sozial-reformer. ausgerichteten) russ. Populisten des 19. Jh.s (Narodniki, ca. 1860–95). Der P. erstrebte eine sozialkrit. engagierte Literatur, die (v. a. im Roman) Probleme und Konflikte der einfachen Leute, insbes. der Arbeiterklasse, nüchtern und realist. (ohne idealisierende oder polem. Verzerrungen) als Lektüre für das einfache Volk darstellen sollte. Er wandte sich sowohl gegen den

Intellektualismus und Psychologismus der (seiner Meinung nach) realitätsfernen bürgl. Literatur als auch gegen den Extremismus des ↗Naturalismus. – *Hauptvertreter* waren neben Thérive (»Sans âme«, 1928 u. a.) und Lemonnier (»La femme sans péché«, 1931) v. a. E. Dabit (»L'hôtel du nord«, 1929: das Meisterwerk des P., »Villa Oasis«, 1932) und Jean Prévost (»Les frères Bouquinquant«, 1930). 1931 stiftete A. Coullet-Tessier den »Prix populiste«, der u. a. an Dabit, J. P. Sartre und Christiane Rochefort (1961) verliehen wurde. – Konsequenter als der P. forderte die *École prolétarienne* des vom P. herkommenden Schriftstellers und Journalisten H. Poulaille spezif. Proletarierromane, die ein revolutionäres Bewußtsein vermitteln sollten.

▢ Ionescu, G. (Hg.): Populisme. London 1969. – Ragon, M.: Les écrivains du peuple. Paris 1947.   IS

Pornographische Literatur, auch Pornographie [von gr. pornos = Hurer, bzw. porne = Dirne und graphein = schreiben], unscharfe, in ihrer Bedeutung umstrittene Bez. einer spezif. Form der ↗erot. Literatur. *Ursprüngl.* Darstellung der Prostitution und Literatur zur Prostituierten-Frage (»Le Pornographe ou les idées d'un honnête homme sur un projet de règlement pour les prostituées«, London 1769, frz. 1776, dt. 1918, Restif de la Bretonne Mitarbeiter?). – Davon zu trennen sind die sog. *Libri obscoeni,* »deren Verfasser sich in deutl. unzücht. Reden ergehen und frech über die Geschlechtsteile sprechen oder schamlose Akte wollüst. und unreiner Menschen in solchen Worten schildern, daß keusche und zarte Ohren davor zurückschaudern« (J. D. Schreber, »De libris obscoenis«, 1688), doch findet in den folgenden Jahrhunderten zunehmend eine Vermischung dieser beiden Begriffe statt. *Im allgem. Sprachgebrauch* (auch in der Rechtsprechung) wird p. L. (gelegentlich auch ›harte Pornographie‹) heute einer zum Schmutz-und-↗Schundliteratur zugerechnet als literar. unqualifizierte Darstellung des Geschlechtlichen, speziell des Geschlechtsaktes in der monotonen Addition seiner mögl. Positionen und Perversionen zum ausschließl. Zweck sexueller Stimulation. Dieser Einschätzung entsprechen in der wissenschaftl. Literatur Unterscheidungen zwischen p.r, obszöner, sotad. Literatur einerseits und ↗erot. Lit. andererseits (u. a. P. Englisch), zwischen einer literar. anspruchsvollen und einer »ästhet. kaum hoffreigedenen« Pornographie (u. a. M. Hyde), zwischen Pornographie und einer obszönen Kunst (Mertner, Mainusch), die ihre obszönen Elemente ästhet. sublimiert. – Das his heute nicht gelöste, nicht nur terminolog. Dilemma beruht v. a. darauf, daß die meisten Autoren die histor. Bedingtheit moral. Normen und ästhet. Wertvorstellungen übersehen. Das landläuf. Verdikt über p. L. resultiert ebenso wie eine dadurch mitbedingte Produktion aus den Moralvorstellungen und der idealist. Ästhetik des bürgerl., prüden 19. Jh.s V. a. gegen erstere wandte sich D. H. Lawrence mit seinem berühmten Essay »Pornography and Obscenity«, 1919 (dt. 1931): Nicht die Darstellung des Geschlechtlichen, der Sexualität und Liebe sei obszön oder Pornographie, sondern die verkitschte, verlogene Sentimentalität ›volkstüml.‹ Literatur, von Presse und Film. Nicht gelten läßt Lawrence die Argumentation, pornograph. sei jene Literatur, die sexuelles Begehren wecke, da er darin nichts Anstößiges sehen könne. Dieser *Aspekt der Wirkung,* aber auch der Wirkungsintention, scheint für die p. L. zentral zu sein (vgl. so auch de Sade, Einleitung zu »Die 120 Tage von Sodom«, 1785, ersch. 1904). Die Frage der Wirkung p.r L. ist jedoch bis heute nicht befriedigend beantwortet. Doch ist gerade ihre Beantwortung notwendig, weil Gesetzgebung und Rechtsprechung immer wieder von der (wissenschaftl. nicht gesicherten) Behauptung einer schädl. Wirkung p.r L. ausgehen. Mit Recht rückt deshalb neuerdings der Wirkungsaspekt stärker in den Mittelpunkt der wissenschaftl. Diskussion.

▢ ↗erot. Lit., ↗obszöne Lit. – Kronhausen, E. und P.: Pornographie u. Gesetz. Mchn. 1963. – Rolph, C. H.: Does pornography matter? London 1961.   D

Positionslänge, s. ↗Prosodie.
Positiver Held, der vom ↗sozialist. Realismus geforderte vorbildl. Charakter, der, im Ggs. zu Vertretern einer spätbürgerl. Selbstzergliederung gekennzeichnet ist durch Klassenbewußtsein, Treue zur Partei und den unerschütterl. Kampf für den Sozialismus. Die innerhalb der kommunist. Kritik wiederholt gestellte Frage nach der Zulässigkeit von Fehlern und Schwächen des p. H. führte zur Konstruktion des sog. *mittleren* oder *werdenden Helden,* der auf dem Weg zum p. H. ist; die Frage wurde aber z. T. auch mit dem Hinweis auf die konkrete Dialektik von Individuellem und Gesellschaftlichem als abstrakt verworfen und statt dessen die Bedeutung der parteil. Darstellung der Konfliktsituationen in der Vordergrund gerückt. (↗Held, ↗Antiheld).
📖 Dreher, W.: Der p. H. histor. betrachtet. In: Neue Dt. Lit. 3 (1962).   HD

Positivistische Literaturwissenschaft [vgl. lat. positivus = gegeben], im Anschluß an den philosoph. Positivismus, wie er von A. Comte (1798–1857) formuliert worden war, orientierte sich in der 2. Hälfte des 19. Jh.s auch die Literaturwissenschaft stärker an Gegebenem, Tatsächlichem, positiv Faßbarem. Sie versuchte durch die Übernahme naturwissenschaftl. Methoden mit den expandierenden Naturwissenschaften wissenschaftl. Schritt zu halten. *Vorbild* für den literarhistor. Positivismus wurde die »Geschichte der engl. Literatur« (1864) des frz. Historikers und Philosophen Hippolyte Taine, in der das literar. Geschehen unter den Gesichtspunkten von race, milieu, moment befragt wurde. Das *Haupt* des dt. literatur- und sprachwissenschaftl. Positivismus wurde W. Scherer. Er übernahm für seine »Geschichte der dt. Sprache« (1868) die Prinzipien der Vererbungslehre Darwins und legte damit den Grund für die Lautgesetze der späteren Junggrammatiker (H. Paul, W. Braune, E. Sievers). Seine »Geschichte der dt. Literatur« (1880–83) ist nach den Kategorien des Ererbten, Erlernten, Erlebten aufgebaut; der histor. Ablauf wird in einem gesetzmäß. Wechsel von männl. und weibl. Epochen, von Blüte- und Verfallszeiten gesehen. Sein Schüler Erich Schmidt propagierte die sog. histor.-genet. Methode (»Erkennen des Seins aus dem Werden«). Am konsequentesten versuchte R. Heinzel naturwissenschaftl. Gesetzmäßigkeiten in der Literatur zu entdecken (»Über den Stil der altgerm. Poesie«, 1875). – Die p. L. bemühte sich v. a. um Ursachen- und Motivforschung, um die Entdeckung histor. Kausalitäten, um eine Festlegung des geschichtl. Werdens auf das empir. Feststellbare. Ihrem Ideal naturwissenschaftl. Objektivität gemäß befaßte sie sich v. a. mit Sammeln, Beschreiben, Klassifizieren, wandte sich gegen Spekulation, gegen Metaphysik. Eine zentrale Rolle spielten ↗Biographie, ↗Stoff- und Motivgeschichte, die Suche nach Stilparallelen, nach Vorbildern, Einflüssen, nach äußeren Bedingungen eines Kunstwerkes. – Die Vertreter der p. L. schufen v. a. bedeutsame Dichterbiographien, so zu Winckelmann (C. Justi 1866–72), Klopstock (F. Muncker, 1888), Lessing (Th. W. Danzel, 1850–54, E. Schmidt, 1884–92), Herder (R. Haym, 1880–85), Goethe (K. Goedeke, 1874, H. Düntzer, 1880, R. M. Meyer, 1895), Schiller (J. Minor, 1890) und grundlegende Ausgaben, so von Herder (B. Suphan, 1877–1913), Goethe (Sophien-Ausgabe, 1887–1919), Schiller (K. Goedeke, 1867–76), H. v. Kleist (E. Schmidt, 1904–05). Begründet wurden auch wichtige Editionsreihen, z. B. die ›Altdt. Textbibliothek‹ (H. Paul, 1882 ff.), die ›Neudrucke dt. Literaturwerke des 16. u. 17. Jh.s‹ (W. Braune, 1881 ff.), die ›Dt. Nationalliteratur‹ (J. Kürschner, 1882–99). Für die Bücherkunde wurde K. Goedekes ›Grundriß zur Gesch. d. dt. Dichtung‹ (1859–81) richtungweisend. Überwunden wurde die p. L. um die Jahrhundertwende durch die geisteswissenschaftl. Methode W. Diltheys, der an die Stelle des naturwissenschaftl. Erklärens das geisteswissenschaftl.

Verstehen setzte (»Das Erlebnis und die Dichtung«, 1905). Neopositivist. Züge tragen manche Sparten der modernen Literaturwissenschaft, v. a. die Versuche der Computerisierung literar. und sprachwissenschaftl. Fragestellungen. ↗Literaturwissenschaft.
📖 ↗Lit.wissenschaft, ↗Germanistik.   S

Posse, f. [frz. (ouvrage à) bosse = erhabene Arbeit, im 15. Jh. ins Dt. entlehnt als bosse, posse mit der verengten Bedeutung ›Scherzfigur am Brunnen‹; die übertragene Bedeutung ›Scherz, Unfug‹ ist seit dem 16. Jh. belegt (zuerst bei Paracelsus)], als P.n werden verschiedene Formen des volkstüml.-niedrigen kom. Theaters in der neuzeitl. Literatur bezeichnet. Ihre wichtigsten Kennzeichen sind die Dominanz des Stofflichen gegenüber der Gestaltung (eine große Rolle spielt in den P.n die Improvisation), das einfache Handlungsgefüge, die vordergründige Situations- oder Charakterkomik und der Verzicht auf Belehrung; den Mittelpunkt bildet meist die ↗lust. Person in ihren verschiedensten histor. Ausprägungen. Die als P.n bezeichneten Stücke stehen somit durchweg in der Tradition des ↗Mimus, des ↗Fastnachtsspiels und der ↗Commedia dell'arte. – Die Gattungsbez. P. begegnet zuerst im 17. Jh. für die kurzen derb-kom. ↗Nachspiele der Wanderbühne (ältester Beleg das Stückeverzeichnis der Velten'schen Truppe: 1679 Aufführung der »P. von Münch und Pickelhäring«). Mit Gottscheds Theaterreform werden P. und lust. Person von der dt. Bühne verbannt (1737). Sie kehren danach zunächst nur noch aus dem Frz. übersetzte kom. Einakter bezeichnet; in deren Tradition stehen einzelne dt. Produktionen der Zeit um 1800 (A. v. Kotzebue) und in der 1. Hälfte des 19. Jh.s (E. Raupach, H. Laube). Eine Sonderstellung nimmt das Volkstheater ein, das aufgrund lokaler Traditionen bis weit ins 19. Jh. an der lust. Person festhält. Im ↗Wiener Volkstheater entwickelt sich z. B. seit der 2. Hälfte des 18. Jh.s die *Wiener Lokalp.* (mit J. A. Stranitzkys Hanswurst, J. J. Laroches Kasperl, A. Hasenhuts Thaddädl, J. E. Schikaneders dummem Anton, M. Stegmayers Rochus Pumpernickel und A. Bäuerles Staberl als lust. Person); ihren Höhepunkt stellen die P.n Nestroys dar (»Einen Jux will er sich machen« u. a.). Zur Wiener Lokalp. gehört auch die *Zauberp.,* die durch das Eingreifen guter und böser Feen und Geister in die menschl. Handlung charakterisiert ist (z. B. Nestroys »Lumpazivagabundus«); auch ↗Lokalstück; ↗Farce. – RL   K

Postfiguration, f. [lat. post = nach, figuratio = Darstellung], im Unterschied zur ↗Präfiguration die bewußte typolog. Stilisierung eines Geschehens oder einer Gestalt nach bibl. oder myth. Muster in der mal. Literatur oder Kunst, z. B. in der mal. Legende der Heilige Georg als P. Christi. Literar. gestaltet bei Th. Mann, »Josef u. s. Brüder« (J. als P. von Osiris oder Tammuz des ägypt. u. sumer. akkad. Mythos).
📖 Tschirch, F.: Der Heilige Georg als figura Christi. Festschr. H. de Boor, Tüb. 1966, S. 1–19.   S

Postille, f. [mlat. *postilla,* aus *post illa (verba textus)* = nach jenen (Worten des Textes)], Bez. für die Auslegung eines Bibeltextes, die diesem jeweils abschnittweise folgt, auch für die Erklärung bibl. Bücher überhaupt, für den auslegenden Teil einer Predigt oder für ganze Predigt, wenn sie der Schriftauslegung dient; schließl. noch allgemeiner für einen Predigtjahrgang zu den Perikopen. P.n wurden im Gottesdienst verlesen (Kirchen-P.) oder dienten der häusl. Erbauung (Haus-P.). Von großer Wirkung auch auf die spätere Zeit waren Luthers Kirchen-P. (1527) und die Hand-(Haus-)P. von L. Goffiné (1690). Iron.-verfremdend gebraucht B. Brecht den Begriff für seine Gedichtsammlung »Haus-P.« (1927).   MS

Poststrukturalismus, gelegentl. auch ›Neostrukturalismus‹ bzw., auch etwas unscharf, ›Dekonstruktivismus‹, eine in Frankreich der späten 60er Jahre vom orthodoxen ↗Strukturalismus sich abspaltende, vorwiegend krit.

orientierte Richtung geistes- und sozialwissenschaftlicher Forschung. Die Gruppe, die u. a. durch M. Foucault, J. Derrida, J. Kristeva, G. Deleuze, F. Guattari, J. Baudrillard repräsentiert wird, hat bisher zwar nicht die Geschlossenheit einer Schule, hat aber doch beträchtl. internationale Gefolgschaft (in den USA und der BRD) gefunden. Die Einheit der internationalen Gruppierung läßt sich deutlicher als in irgendeiner Doktrin oder einer verbindl. Programmatik am ›Feindbild‹ (U. Horstmann) erkennen: der Distanzierung vom Strukturbegriff des älteren Strukturalismus, dem »Haß auf logozentr. Hierarchien«, der Attacke auf » den idealist. Vorrang der Identität vor der Nichtidentität, des Universellen vor dem Partikularen, des Subjekts vor dem Objekt, der spontanen Präsenz vor der sekundären Rhetorik, der zeitlosen Transzendenz vor der empir. Geschichte, des Inhalts vor der Ausdrucksform« (M. Ryan), der Rede vor der Schrift. Nach H. Bloom, der neben P. de Man, J. H. Miller, G. Hartman der sog. Yale-Schule der Dekonstruktion zugerechnet wird und zu den Vertretern des amerik. P. gehört, vollzieht der P. *im Bereich der Literaturwissenschaft* den Bruch mit einem vierfachen Credo der ›Orthodoxie‹: der Anschauung, das Kunstwerk besitze oder erzeuge »Präsenz« (»the religious illusion«), »Einheit« (»the organic illusion«), eine bestimmte »Form« (»the rhetorical illusion«), oder »Sinn« (»the metaphysical illusion«). Der Bruch mit Grundvoraussetzungen des traditionellen Kunstbegriffs involviert insbes. den Begriff der ›Repräsentation‹ (der künstler. Mimesis von Wirklichkeit). Hinzu kommt, u. a. in J. Baudrillards radikaler Kulturkritik, die Zerstörung der Illusion kulturellen Fortschritts unter den herrschenden Bedingungen, die Diagnose der kulturellen Situation der Gegenwart als einer Epoche der Postmoderne. Das Verfahren poststrukturalist. Text-Lektüre bezeichnet der Begriff ›Dekonstruktion‹, der fordert, daß die Analyse bei der Konstruktion von Strukturen nicht innehalte, sondern bis zu dem Aufhebung fortgesetzt werde. Die vorläufigen Bewertungen des P. betonen sowohl die Radikalität der Destruktion des kulturellen Erbes, der in der post-liberalen Phase der histor. Entwicklung eine gewisse Berechtigung zukomme (R. Weimann), die Affinität zu feminist. Ansätzen der Literaturforschung (T. Eagleton), sowie die literarwissenschaftl. Fruchtbarkeit (↗Diskurs-, ↗Intertextualitäts-Diskussion), die tendenzielle Überschreitung der Grenze von Kunst und Wissenschaft in der diskursiven Praxis des P. und seine bei aller Radikalität des Bruchs bestehenden unterschwelligen Verknüpfungen mit den histor. Ursprüngen der Literaturwissenschaft, nämlich der Hermeneutik der Romantik (M. Frank).

📖 Man, P. de: Allegorien des Lesens. Frkf. 1988. – Eagleton, T.: Einf. in die Literaturtheorie. Stuttg. 1988. – Schlaeger, J. (Hg.): Kritik in der Krise. Theorie der amerikan. Lit.kritik. Mchn. 1986. – Schiwy, G.: P. und ›Neue Philosophen‹. Reinbek 1985. – Weimann, R.: Mimesis u. die Bürde der Repräsentation. Der P. und das Produktionsproblem in fiktiven Texten. WB 31 (1985). – Forget, Y. (Hg.): Text u. Interpretation. Dt.-frz. Debatte. Mchn. 1984. – Frank, M.: Was ist Neostrukturalismus? Frkf. 1983. – Horstmann, U.: Parakritik u. Dekonstruktion. Eine Einf. in den amerikan. P. Würzburg 1983. – Ryan, M.: Marxism and Deconstructionism. Baltimore 1982. – Culler, J.: Dekonstruktion. Derrida u. die poststrukturalist. Lit.-theorie. (1982), dt. Reinbek 1988. – Kittler, F. A. (Hg.): Austreibung d. Geistes aus den Geisteswissenschaften. Programme des P. Paderborn 1980. – Bloom, H.: Kabbalah and Criticism. New York 1975. VD

Poulter's (eigentl. poulterer's) **measure,** n. [ˈpoultɔ ˈmeʒə; engl. = Geflügelhändlermaß], in der engl. Dichtung paargereimte Kombination von Sechs- und Siebenhebern (mit Auftakt), ursprüngl. in unregelmäß., dann in regelmäß. Wechsel; beliebt seit dem 12. Jh. in volkstüml. engl. Dichtung wie Reimpredigt, Reimchronik, Mirakelspiel und Moralität. Blüte im 16. Jh. (H. H. Earl of Surrey, N. Grimald, A. Brooke, »Romeus und Juliet«, 1562), wiederaufgegriffen in der Romantik (Th. Campbell). Im p. m. begegnen die ersten Alexandriner der engl. Literatur. IS

Praeteritio, f. [lat. = Unterlassung, Übergehung], ↗rhetor. Figur, s. ↗Paralipse.

Praetexta, f. [lat. eigentl.: fabula praetexta], die nationalröm. Form der ↗Tragödie, sie beruht, wie das röm. Drama überhaupt, auf gr. Vorbildern, verwendet jedoch, im Gegensatz zur gräzisierenden *fabula* ↗*crepidata,* Stoffe aus der röm. Sage und Geschichte. Die Schauspieler treten entsprechend in röm. Kostümen (ohne Masken) auf; das Gewand des Helden ist dabei die *toga praetexta,* die purpurgesäumte Amtstoga der hohen Magistrate (danach die Bez.). – Begründer der P. ist Naevius, von dem zwei Praetexten bezeugt sind (»Clastidium«, ein patriot. Festspiel über den Sieg des M. Claudius Marcellus über die Galater im Jahre 222 v. Chr.; »Lupus«, eine Dramatisierung der Romulus-Sage). Von den Praetexten des Ennius (u. a. »Sabinae«, über den Raub der Sabinerinnen) und des Pacuvius (»Paulus«, über den Sieg des L. Aemilius Paulus bei Pydna 168 v. Chr.) und des Accius (»Brutus«; »Aeneadae«, ein Stück über das Selbstopfer des P. Decius Mus) sind nur einzelne Bruchstücke überliefert, die jedoch kein Gesamtbild der Gattung P. vermitteln. Die einzige vollständig erhaltene P. ist die dem Seneca zugeschriebene (heute allgemein für unecht gehaltene) »Octavia«, die den Tod der ersten Gattin des Nero dramat. gestaltet; sie gilt als untyp. Werk der Spätzeit. K

Präfiguration, f. [lat. prae = vorher, figuratio = Darstellung], Begriff für jene spezif. Form des mal. typolog. Denkens, das Personen, Ereignisse und Handlungen des AT.s als prophet. Vorzeichen des christl. Heilsgeschehens auffaßte. Diese sich an Paulus' Römerbrief 5, 14 (Adam als präfigurierter Typus zu Christus) anschließende Denkweise bestimmte weite Bereiche der mal. geistl. Kunst, in denen die heilsgeschichtl. Bedeutung des AT.s für die Lebens- und Passionsgeschichte Christi veranschaulicht wurde, so in zahlreichen Sequenz-Gesängen, in den Oster- und Passionsspielen (Sündenfall-, Abraham- oder Prophetenszenen), in den bildhaften Gegenüberstellungen Eva – Maria, Elias – Christus, Synagoge – Ecclesia z. B. in ↗Biblia typologica, ↗Heilsspiegel und Freskenzyklen. Auch: ↗Postfiguration, ↗Figuraldeutung.

📖 Auerbach, E.: Typlog. Motive in der mal. Lit. Krefeld 1953. HW

Praktik, f. [mlat. practica = Übung, Praxis], Bez. für insbes. im 16. u. 17. Jh. verbreitete, volkstüml. ↗Kalender mit astrolog. Wettervorhersagen, allgem. Prophezeiungen, Horoskopen, medizin. Ratschlägen (z. B. Aderlaßzeiten) usw. Bis 1849 immer wieder aufgelegt wurde z. B. die »Bauern-P.« von 1508 (mit der frühesten dt. Sammlung gereimter Bauern[Wetter]regeln). Diese beliebten, meist primitiven Nachbildungen der lat. Prognostica (Wetterregeln) für ein einfaches Publikum wurden früh Zielscheibe satir. Darstellungen; am bekanntesten sind J. Fischarts »Aller Practick Großmutter« (1572) und F. Rabelais' »Pantagrueline Prognostication« (1533). S

Predigt [von lat. praedicare = öffentl. ausrufen, laut verkündigen], Verkündigung des Wortes Gottes an die Gemeinde durch den Prediger. Im MA. unterschied man: 1. den *(lat.) Sermo* in gehobener, oft kunstvoller Rede, als themat., d. h. sich einen Bibelvers zum Thema wählende P.; 2. die einfachere, schmucklose, volkstüml. *volkssprachl. Homilie.*

Zu 1: sie richtet sich nach den Vorschriften der antiken Rhetorik, wodurch die P. ein wesentl. Glied in der Fortsetzung der Tradition der antiken ↗Rede darstellt. Beispiele hierfür sind die oft log. disponierten P.en der Scholastik u. der Mystik mit ihren von der ↗Hypotaxe bestimmten, weiträumigen Satzgefügen, aber auch noch die von der offiziellen Kanzleisprache beeinflußten P.en der Jahrzehnte nach Luther; auch in der P. der neueren Zeit spielt die Rhetorik noch immer eine große Rolle. Aus dem MA. sind zahlr. P.- u. Materialsammlungen (z. B. »Tractatus de diversis materiis praedicabilibus« von St. von Bourbon, 13. Jh.), Handbücher für den Prediger (z. B. »Speculum ecclesiae«, 12. Jh.), Anweisungen zur P. (›Artes praedicandi‹) bekannt.

Zu 2: zur Volkspredigt griff man überall dort, wo die ungelehrten, des Lateins nicht kundigen Schichten des Volkes angesprochen werden sollten, so bei der Missionierung der Germanen oder im Zeitalter Karls d. Gr.; bes. bedeutsam sind die P.en der Bettelorden im 13. Jh. mit ihrer volksnahen Anschaulichkeit (v. a. Berthold v. Regensburg). Vorgeprägt sind diese Züge schon in der dialogisierende Formen entwickelnden, leidenschaftl. Art der P. bei Bernhard v. Clairvaux; sie dominieren auch später wiederholt in den P.en Geilers v. Kaisersberg (Ende 15. Jh.) u. Abrahams a Santa Clara (17. Jh.), jeweils stark mit Elementen des Humors, der Komik u. Satire durchsetzt und mit ⁄Exempeln (Predigtmärlein) ausgeschmückt, u. v. a. in den dramatisch zupackenden P.en Luthers (vgl. auch ⁄Diatribe). *Die Einwirkung der P. auf die Dichtung* ist noch nicht umfassend untersucht. Die Kreuzzugs-P.en des MA.s haben sich mehr oder minder stark in der zeitgenöss. ⁄Kreuzzugsdichtung niedergeschlagen. Vermutl. haben sich auch in der P. naturgemäß enthaltenen zahlr. Formen des Hörerbezugs auf die in der mal. Literatur deutl. hervortretenden Momente des Kontakts zwischen Erzähler u. Publikum ausgewirkt. Im ganzen gesehen ist die volkssprachl. P., je mehr sie sich vom lat. Vorbild löste, von großer Bedeutung für die Herausbildung der dt. Sprache u. für die Entwicklung eines dt. Prosastils (⁄Reimpredigten sind verhältnismäßig selten). Die P.en des hohen MA.s können nur bedingt als Zeugen für den Individualstil eines Predigers herangezogen werden, da sie oft nur als rekonstruierte P.-Nachschriften existieren.

Bibliographie: Rhetorik u. Theologie (darin Bibliogr. zur P. u. Homiletik 1975–85). In: Rhetorik 5 (1986). – Morvay, K. u. Grube, D.: Bibliographie der dt. P. d. MA.s. Mchn. 1974. ⊡ Welzig, W. (Hg.): Katalog gedruckter dt.-sprach. kath. Predigtsammlungen. 2 Bde. Wien 1984/87. – Seidel, K. O. (Hg.): Sô predigete etelîche. Beitr. zur dt. u. niederländ. P. im MA. Göpp. 1982. – Welzig, W. (Hg.): P. u. soziale Wirklichkeit. Amsterdam 1981. – Linsenmayer, A.: Gesch. der P. in Deutschld. v. Karl dem Großen bis z. Ausgange des 14. Jh.s. Mchn. 1886. Nachdr. Frkft. 1969. – Cruel, R.: Gesch. der dt. P. im MA. Detmold 1879. Nachdr. Hildesheim 1970. – RL   MS

Predigtmärlein, Erzählung beliebigen Charakters (⁄Exempel, ⁄Legende, ⁄Anekdote, ⁄Sage, ⁄Fabel, ⁄Schwank u. a.), die zum Zweck der Exemplifizierung der kirchl. Lehre in die Predigt des MA.s u. der Barockzeit, zuweilen auch noch späterer Epochen, eingeschaltet ist. Die Sammlungen der P. gelten als wichtige Quellen für die europ. Erzählforschung.
⊡ P. der Barockzeit. Exempel, Sage, Schwank u. Fabel in geistl. Quellen des oberdt. Raumes. Hg. v. E. Moser-Rath. Bln. 1964.   MS

Predigtspiel, Typus des spätmal. ⁄geistl. Spiels, v. a. für Italien (sog. *Devozione*) seit dem 15. Jh. und (nach italien. Vorbildern) für Südfrankreich (Laval, 1507; Montélimar, 1512) bezeugt. Vom Franziskanerorden zur bildl. Verdeutlichung des Predigtinhalts geschaffen. Meist handelt es sich um ⁄lebende Bilder und stumme Spiele, z. T. auch kurze szen. Dialoge, die an entsprechender Stelle in die Predigt eingefügt sind und vom Prediger der gläubigen Volksmasse erläutert werden. – Ihre szen. Realisierung ist uneinheitl.; beim *P. von Perugia* (1448 im Rahmen einer Karfreitagspredigt des Roberto da Lecce auf dem Domplatz aufgeführt) gruppieren sich die Darsteller, die zunächst in einer Art Pro-

zession aus dem Dom heraustreten und über den Platz ziehen (Kreuztragungsszene), vor dem Prediger zu drei ineinander übergehenden Bildern (Kreuzigung, Marienklage, Kreuzabnahme). Das *P. von Laval* – in der Kirche aufgeführt – bedient sich dagegen einer Bühne, deren Vorhang sich jeweils auf ein Zeichen des Predigers (»Ostendatis!«) zu den insgesamt 40 Bildern öffnet.   K

Preisgedicht, poet. Lob von Personen (Gott, Göttern, Heiligen, Fürsten, Frauen, Dichtern, Freunden), Städten und Ländern (v. a. barocker Städtepreis), Sachen (traditionell etwa Wein, Natur, Jahreszeiten) u. Idealen (Freundschaft, einfaches Leben, Freiheit u. a.), auch dt. Sammelbez. für ⁄Enkomion, ⁄Hymne, ⁄Panegyrikus, ⁄Laudatio, ⁄Eloge usw., s. auch ⁄Preislied.
⊡ Georgi, A.: Das lat. und dt. P. des MA.s. Bln. 1969.   HR

Preislied, Gattung der ⁄german. u. mal. Dichtung: panegyr.-ep. Lied, das, z. T. im Wechselgesang zweier Berufssänger, an german. Fürstenhöfen vorgetragen wurde; verherrlichte Taten und Tugenden von Fürsten in idealisierender Übersteigerung; überliefert sind P.er nur in späten nordgerm. Quellen (⁄Skaldendichtung); für die Frühzeit sind sie bezeugt bei Tacitus, Priskos (über Attilas Trauerfeier) u. im »Beowulf«. In dieser Tradition steht wohl auch ein ahd. Fürstenpreis wie das ⁄Ludwigslied«. – Die weltl. mal. Lyrik kennt neben dem Fürstenpreis (Walther v. d. Vogelweide, spätere Spruchdichter) auch den Frauenpreis des ⁄Minnesangs.   HR*

Prenonym, n. [frz. prénom aus lat. prae-nomen = Vorname], Form des ⁄Pseudonyms: statt seines vollständ. Namens gibt der Verfasser nur seine(n) Vornamen an, z. B. Jean Paul (J. P. Friedrich Richter).   S

Preziöse Literatur [frz. précieux = kostbar, geziert], 1. allgem. Bez. für antiklass., manierist. *Stilformen* in der frz. (aber auch dt.) Literatur, die in verschiedenen Epochen dominierten (⁄Manierismus), aber auch kennzeichnend sind für Werke einzelner Dichter, z. B. für J. Giraudoux.
2. Bez. für die in der 1. Hälfte des 17. Jh.s entstandenen franz. *literar. Werke,* die dem manierist. (barocken) Stilideal verpflichtet sind. *Préciosité* bedeutet dabei nicht nur formale Artistik, esoter. Künstlichkeit und metaphor. Verrätselung der dichter. Sprache, sondern auch Wille zu exklusiver Verfeinerung und Reglementierung aller Lebens- und Ausdrucksformen. Gepflegt wurde das Ideal der Préciosité, nach Ansätzen im ⁄Petrarkismus und der ⁄École lyonnaise, im Umkreis der aristokrat. Pariser ⁄Salons. Tonangebend war von ca. 1625–1660 das Hôtel de Rambouillet, in dem sich Staatsmänner (Richelieu, der Condé), Gelehrte und Dichter zusammenfanden. Es erhielt seine bes. Note durch eine Reihe gebildeter Frauen, die sich als ›Les Précieuses‹ bezeichneten und eine Art spätpetrarkist. Frauenkult initiierten, dessen Reglement in der allegor. ›Carte du Tendre‹ (1654, veröffentlicht im Roman »Clélie«, 1654/60 von M. de Scudéry), einem psycholog. Schema der Liebesempfindungen, festgehalten wurde. Mittelpunkt waren die Marquise de Sablé und M. de Scudéry, später M. de Sévigné und M.-M. de La Fayette (die alle auch eigene Salons unterhielten). Als Dichter preziöser L. sind zu nennen: V. Voiture, J.-L. Guez de Balzac, La Calprenède, J.-F. Sarasin, G. Ménage, J. de Benserade, P. Pellisson-Fontanier u. a. Neben dem ⁄heroisch-galanten Roman wurden v. a. Lyrik u. a. poet. Kleinformen gepflegt (Epigramm, Rätsel und insbes. das literar. Porträt). 1660 sammelte B. de Somaize den preziösen Wortschatz in zwei Wörterbüchern; Auswüchse und Übertreibungen, v. a. der preziösen Verhaltensformen, verspottete Molière in »Les précieuses ridicules« (1659) und »Les femmes savantes« (1672).
⊡ Zimmer, W.: Die literar. Kritik am Preziösentum. Meisenheim 1978. – Rosmarin, L.: The précieux and epicureans as honnêtes gens. New Haven (Conn.) 1967. – Lathuillère, R.: La préciosité. 2 Bde. Genf 1966. – Bray, R.: La pré-

ciosité et les précieux. De Thibaut de Champagne à Jean Giraudoux. Paris 1948.
Ausgabe: Mongrédien, G. (Hrsg.): Les précieux et les precieuses. Paris 1963 *(mit Bibliogr.).* IS

Priamel, f. oder n. [lat. praeambulum = Vorspruch], einstrophiger, metr. weitgehend freier, meist paargereimter Spruch, der zunächst eine Reihe miteinander nicht in unmittelbarer Beziehung stehender Sachen, Handlungen oder Vorkommnisse aufzählt, um sie in einem pointierten Schluß einer überraschenden Gemeinsamkeit zuzuordnen. Das meist mit einer moral.-didakt. oder humorist. Absicht vorgetragene P. ist eine nur im deutschen Sprachgebiet belegte Form, die sich der Diktion des ↗Sprichworts (Parataxe, Bildbereich des bäuerl. oder bürgerl. Lebens, Assonanzreime) annähert und Improvisationscharakter hat. Beispiel: Münch und pfaffen, / geiß und alte affen, / hurn, buben und filzläuse, / wo die nehmen oberhand / verderben sie ein ganz land. Ähneln schon einzelne Sprüche des 12.Jh.s (Spervogel) den P.n, so entfaltet sich die Gattung doch erst im 15.Jh., bes. bei den Nürnberger Fastnachtsspiel- und Spruchdichtern H. Rosenplüt und H. Folz. P.n sind gelegentl. Bestandteile der Fastnachtsspiele, sie finden sich aber auch in besonderen Sammlungen (Codices in Wolfenbüttel und Donaueschingen). Letzte Ausläufer der heute literar. und volkstüml. bedeutungslos gewordenen Spruchform sind die P.sammlung von Hanns Steinberger (1631) und einige p.artige Sinngedichte von Fr. v. Logau (1654).
⊞ Eis, G.: P.-Studien. Interpretationen u. Funde. In: Festschr. f. Franz Rolf Schröder. Hg. v. W. Rasch. Hdbg. 1959, S. 178–195. HW

Priapea, n. Pl. (gr.), kurze Gedichte mit heiter-erot. bis drast.-obszöner Thematik in unterschiedl. Versmaßen (u.a. dem ↗Priapeus), oft mit epigrammat. Schlußpointierung, häufig eine dem antiken Fruchtbarkeitsgott *Priapus* in den Mund gelegte Rollenlyrik zur Abwehr von Flurschäden und Unfruchtbarkeit; P. erscheinen zuerst inschriftl. auf Priapusstatuen oder -amuletten, sie wurden dann seit Euphronios (275 bis ca. 200 v. Chr.) zu einem literar. Genre, das besonders in der röm. Kaiserzeit gepflegt wurde und von dessen Beliebtheit eine ca. 80 Gedichte umfassende Sammlung (»Carmina Priapea«, älteste Handschrift bei Boccaccio) zeugt. P. schrieben u.a. Horaz (Satiren I, 8), Catull, Martial (die Autorschaft Vergils, Ovids und Tibulls an einigen P. ist umstritten). – Im weiteren Sinne bezeichnet man als P. auch die auf Sexualkomik abzielenden Sprüche und kleinep. Gattungen des Spät-MA.s, sowie die Nachbildungen der antiken P. im Humanismus (Simon Lemnius, »Monachopornomachia«, 1540) und in der Weimarer Klassik (Goethe, »Venezian. Epigramm«, 142, »Röm. Elegien«, 23–24).
⊞ Carmina P.: Gedichte an d. Gartengott (gr./lat.-dt.). Ausgew. u. erläutert v. B. Kytzler, übers. v. Carl Fischer. Zür. u. Mchn. 1978. HW

Priapeus, m. [gr.-lat.], ↗äol. Versmaß der Form ◡◡–◡◡–◡– ‖ ◡◡–◡◡– –; Verbindung eines ↗Glykoneus mit einem ↗Pherekrateus, Dihärese nach dem Glykoneus, benannt nach seiner Verwendung für ↗Priapea seit dem 3.Jh. v.Chr., jedoch schon im 6.Jh. v.Chr. bei Sappho und Anakreon bezeugt. HW*

Primärliteratur [frz. primaire = zuerst vorhanden], im Ggs. zur erklärenden ↗Sekundärliteratur diejenigen (meist dichter., philosoph.) Werke, welche mit deren Hilfe interpretiert und vermittelt werden. S

Pritschmeisterdichtung, in der Tradition der mal. ↗Herolds- oder Wappendichtung stehende Gelegenheitsu. Stegreifdichtung des 16. u. 17.Jh.s. Ihre Verfasser, die Pritschmeister, tragen ihren Namen nach der Pritsche, einem Schlag- und Klapperholz, mit dem die Aufmerksamkeit der Zuhörer erregt wurde. Sie hatten die Aufgabe, fürstl. u. reichsstädt. Feste, Hochzeiten, Turniere, Schüt-

zenfeste, hochgestellte Persönlichkeiten poet. zu verherrlichen. Ihre meist in Versen abgefaßten Beschreibungen (wichtige Quellen für die geschichtl. u. kulturgeschichtl. Forschung) wurden nur gelegentlich gedruckt. Zu den bekanntesten Pritschmeistern zählen Lienhart Flexel, Hans Weyttenfelder u. Heinrich Wirri (vgl. die späteren ↗Hofdichter). – RL. MS

Problemgeschichte, philosoph. orientierte Richtung der literar-histor. Geisteswissenschaft (↗geistesgeschichtl. Literaturwissenschaft), begründet von R. Unger; P. versucht im Anschluß an W. Dilthey, den literar. Werken zugrundeliegenden psych. Probleme und deren geist.-seel. Bedingungen aufzudecken. Hauptwerk: R. Unger, Hamann und die dt. Aufklärung, 1911. S

Problemstück, Drama, das ein konkretes, meist aktuelles Problem (eine soziale, gesellschaftskrit., polit. usw. Frage) behandelt, im Unterschied zu dem auf allgemein-verbindl. Menschheitsfragen bezogenen ↗Ideendrama. Wie bei diesem sind Handlung, Charaktere und Sprache, oft unter Verzicht auf Mehrdimensionalität, im Hinblick auf das Problem konstruiert, seine Handlung spielt dagegen meist in einer realist. gezeichneten Gegenwart. Die Beleuchtung verschiedener Aspekte eines Problems trennt das P. vom ↗Thesen- oder Tendenzstück (↗Tendenzdichtung), in dem meist ein Aspekt hervorgehoben, eine bestimmte Meinung verfochten wird; jedoch ist die Grenze fließend. P.e sind z.B. A. Camus, »Die Gerechten« (polit. Mord), M. Frisch, »Andorra« (Antisemitismus). IS

Professorenroman, vgl. ↗antiquarische Dichtung, ↗historischer Roman.

Programm, n. [gr. programma = öffentl. Anschlag], Darlegung von Zielen, Richtlinien, Grundsätzen, Produktionsvorhaben usw., z.B. von polit. Parteien (Partei-P.), literar. Gruppen (↗Manifest), Unternehmen (Verlags-P.); festgelegte Folge von Darbietungen innerhalb eines bestimmten Zeitraumes (Theaterspielplan, Fernseh-, Rundfunk-P.) oder innerhalb einer Veranstaltung (Fest-, Konzert-, Tagungs-P.), auch Bez. für gedruckte Zettel oder Broschüren mit diesen u.a. Angaben (z.B. Namen der Mitwirkenden, Einführungen, biograph. Abrisse usw., ↗Theaterzettel); im 19.Jh. Bez. der anläßl. einer Schulfeier verfaßten Schrift, oft mit einer wissenschaftl. Abhandlung (Schul-P.). S

Prokatalepsis, f. [gr. = das Zuvorkommen], s. ↗Antizipation.

Prokeleusmatikus, m., antiker Versfuß aus vier kurzen Silben (◡◡◡◡), sog. Brachysyllabus; entsteht i.d. Regel entweder als Auflösung der Länge eines ↗Anapäst (steigend: ◡◡◡◡) oder eines ↗Daktylus (fallend: ◡◡◡◡); als selbständ. Metrum nicht bezeugt. S

Prokephal, Adj. [gr. = vor dem Kopf, Anfang], in Analogie zu griech. ↗akephal gebildetes Adjektiv zur Kennzeichnung eines Verses, der am Anfang um eine unbetonte Silbe verlängert ist (entspricht dem ↗Auftakt). S

Prolegomena, n. Pl., Sg. Prolegomenon, [gr. = das im Voraus Gesagte], Vorrede, Vorbemerkungen, Einführung(en) zu größeren wissenschaftl. Werken, vgl. z.B. das (für die Entstehungstheorien zu frühzeitl. Epen bedeutsam gewesene) Werk »P. ad Homerum« von F.A. Wolf (1795). S

Prolepsis, f. [gr. = Vorwegnahme],
1. ↗rhetor. Figur, gr. Bez. für ↗Antizipation;
2. sinnbetonte Voranstellung eines aus der normalen Syntax gelösten Wortes oder Satzteils: »Mir welch ein Moment war dieser!« (Goethe, »Tasso«); durch P. kann die rhetor. Figur des ↗Hyperbatons entstehen. S

Proletkult, m. [Abk. von russ. *Proletarskaja Kultura* = proletar. Kultur], sowjetruss. Bewegung (organisiert seit Sept. 1917), die unter Negierung der bürgerl. Traditionen eine spezif. proletar. Massenkultur entwickeln wollte. Für die Theoretiker des P.s, v.a. A.A. Bogdanov, war nicht die Sozialisierung der Produktionsmittel, sondern die

geist.-kulturelle Erziehung des Proletariats die Voraussetzung zur Aufhebung der Klassen (»Literatur von Proleta-
riern für Proletarier«). Der P. versuchte, dieses Ziel durch
umfangreiche erzieher. Arbeit in Bildungszentren und kulturellen Zirkeln, möglichst unabhängig von der Partei,
durchzuführen. Man experimentierte bes. mit oft in kollektiven Improvisationen entwickelten Massenschauspielen,
Maschinenkonzerten und Formen des ⁄Straßentheaters
als Mittel zur Kreativitätsförderung und Bewußtseinsorga-
nisation des Proletariats. 1920 spaltete sich die Gruppe junger avantgardist. Literaten um V. T. Kirillow und V. Kasin,
die sog. Kusniza (= Schmiede, in der Lit.wiss. als ›*Kosmisten*‹ bez.) ab; sie glorifizierten in freirhythm. Hymnen, in
pathet. Stil, kosm.-visionären (daher die Bez.) Metaphern
und Bildern – z. T. auch vom ⁄Futurismus beeinflußt –
Arbeiterklasse, Industriewelt und proletar. Revolution. –
Nach der Verurteilung der Autonomie der Bewegung durch
Lenin (1921) sank die Bedeutung des P.s; 1923 wurde er zur
»gefährl. Abweichung« erklärt. Nach entsprechender
Modifizierung der ursprüngl. Intentionen wurde die Arbeit
zur Entwicklung einer proletar. Kultur nach 1923 von der
⁄Vorpostlern, dann der ›Russ. Assoziation proletar.
Schriftsteller‹ (RAPP), auf internationaler Ebene von der
›Internationalen Vereinigung revolutionärer Schriftsteller‹
(IVRS), weitergeführt. Die wichtigsten Mitglieder des P.s
waren neben Bogdanov v. a. A. W. Lunatscharski, Bes-
salko, Kalinin, Kercenev, Lebedev-Poljanski. Wichtigstes
Organ des P. war die Zeitschrift ›Proletarskaja Kultura«
(1918–21).

⚏ Gorsen, P./Knödler-Bunte, E.: P. 2 Bde. Stuttg.
1974/75. – Lorenz, R. (Hg.): Dokumente des P.s. Mchn.
1969. – Seemann, K.-D.: Der Versuch einer proletar. Kulturrevolution in Rußland 1917–22. In: Jbb. f. Gesch. Osteu-
ropas. NF 9 (1961). KH

Prolog, m. [gr. prologos = Vorrede, Vorspruch], Einleitung eines dramat. (seltener auch ep.) Werkes, die als integrierter oder selbständ. Teil szen. dargestellt oder (monolog. oder dialog.) von Figuren des Werks oder von einer nur
im P. auftretenden Gestalt (im Drama des 16.Jh.s z. B. einer
Personifikation, im modernen Drama einem ›Sprecher‹)
erzählt wird. – Seine Funktionen sind v. a. die Begrüßung
und Huldigung des Publikums, die Information (z. T. als
eine Art ⁄Exposition) über das Stück, auch die Verdeutlichung von Handlungsstrukturen oder die Vorausdeutung
auf den Schluß (Möglichkeit der Rahmentechnik in Verbindung mit einem ⁄Epilog; der P. kann ferner ideolog.
Reflexionen enthalten, didakt., moral. oder sozialkrit.
Anliegen erörtern, auch eine Selbstdeutung des Werkes
durch den Autor sein. Der P. kann zweigeteilt sein in einen
prologus praeter rem (⁄Proömium 3): unmittelbare Wendung des Autors an die Leser oder Hörer, und einen *prologus ante rem:* Hinweise auf das Werk und seine Geschichte
und Tendenzen (vgl. z. B. im »Tristan« Gottfrieds v. Straßburg). – Eine selbständ. Form des P.s ist der sog. *Fest-P.,* der
zu besonderen Anlässen gehalten wurde (vgl. z. B. die P.e
Goethes zur Eröffnung des Weimarer Hoftheaters unter
seiner Leitung 1791 u. anläßl. des Leizpiger Gastspiels dieses Theaters 1807 oder sein Dank-P. anläßl. der Schiller-
trauerfeier 1805). Nach Aristoteles, der den P. als den vor
der ⁄Parodos stehenden ersten Teil des Dramas bezeichnet, soll Thespis (ca. 500 v. Chr.) der ›Erfinder‹ des P.s sein.
Die den griech. Tragödien (z. B. den »Persern« des Aischylos), Komödien (u. a. der »Lysistrata« des Aristophanes)
und Satyrspielen (z. B. dem »Kyklops« des Euripides) oft
vorangestellten P.e verweisen bereits auf die vielfält. Funktionen. – Die Römer verwenden u. a. didakt. P.e; P.e mit
Quellennachweisen finden sich bei Plautus, selbständige,
außerhalb des eigentl. Stückes stehende P.e bei Terenz. – Im
MA. eröffnet der P. häufig auch Epen (vgl. Hartmann von
Aue, »Der arme Heinrich«, Wolfram von Eschenbach,
»Parzival«, Gottfried von Straßburg, »Tristan und Isolt«),

es sind meist religiös-didakt. oder poetolog. Erörterungen
als Einführung in das Werk. Bes. das ⁄geistl. Spiel verwendet P.e häufig, mehr oder weniger formelhaft enthalten sie
Begrüßung, Inhaltsangabe und relig. Auslegungen, ebenso,
mit pragmatischen Funktionen (Bitte um Ruhe und Aufmerksamkeit), das ⁄Fastnachtsspiel und Meistersingerdrama. – Im Rahmen der Antikenrezeption der Renaissance wurde auch der antike P. wiederbelebt, er erscheint
im lat. ⁄Humanistendrama jedoch gegenüber dem antiken
Beispiel stark didakt. erweitert. Im Barock ist der P. allgemein verbreitet, sowohl in italien. Opern (vgl. z. B. »Euridice« von J. Peri/O. Rinuccini, 1600) als auch dramat. Werken (bei Lope de Vega, Calderón, Molière, z. T. auch bei P.
Corneille und J. Racine, bei Ch. Marlowe, z. T. auch bei
Shakespeare); im dt. ⁄Reformations- und ⁄Jesuitendrama
ist er konventionell erstarrt (von A. Gryphius parodiert im
»Peter Squentz«). Seit dem 17. Jh. lösen ⁄Theaterzettel allmähl. die P.e ab, jedoch sind sie bei den dt. Wandertruppen
noch bis Ende des 18.Jh.s üblich. G. E. Lessings Lob des
autonom. P.s im engl. Drama (»Hamburg. Dramaturgie«, 7. Stück, 1776) war richtungweisend für eine *neue
Konzeption des P.s* in der dt. Klassik (vgl. Goethe, »Pandora«, »Faust«; F. Schiller, »Wallenstein«, »Jungfrau von
Orleans«). Vielfältiger als in der Klassik wird der P. in der
dt. Romantik gehandhabt, bes. L. Tieck experimentiert in
Komödien und Trauerspielen mit verschiedenen P.formen
(»Ritter Blaubart«, »Der gestiefelte Kater«, »Die verkehrte Welt«, »Genoveva«). Im Realismus und Naturalis-
mus verschwindet der P. fast gänzlich, etwa seit der
Jh.wende (frz. Symbolismus) ist eine Neubelebung festzu-
stellen (Neuklassik, Neuromantik). Autoren des 20.Jh.s
wie F. Molnár (»Liliom«), Th. Wilder (»Unsere kleine
Stadt«), T. S. Eliot (»Mord im Dom«) oder T. Williams
(»Glasmenagerie«) stellen ihren Stücken wieder häufiger
P.e voran; in dt. Dramen verwenden ihn u. a. H. v. Hof-
mannsthal (»Jedermann«, »Das kleine Welttheater«), G.
Hauptmann (»Schluck und Jau«) und F. Wedekind (»Die
Büchse der Pandora«). Auf neue Möglichkeiten des P.s
(Analyse, desillusionierender Kommentar usw.) verweisen
viele Stücke B. Brechts (»Baal«, »Der Jasager und der
Neinsager«, »Die Maßnahme«, »Herr Puntila und sein
Knecht Matti«). P.e finden sich auch in den Dramen von P.
Weiss, H. Lange und P. Hacks; im modernen Film, Fern-
sehspiel und Hörspiel haben p.-ähnl. Formen oft eine wich-
tige Bedeutung. ⁄Argumentum.

⚏ Banerjee, N.: Der P. im Drama der dt. Klassik. Diss.
Mchn. 1970. – Mason-Vest, E.: P., Epilog u. Zwischenrede
im dt. Schauspiel des MA.s. Diss. Basel 1949. – Nestle, W.:
Die Struktur des Eingangs in der antik. Tragödie. Stuttg. 1930,
Nachdr. Hildesheim 1967. – Zellweker, E.: P. und Epilog
im dt. Drama. Wien 1906. – RL. IA*

Proodos, m. [gr. = Vorgesang, auch Pro-ode], im altgr.
⁄Chorlied gelegentl. am Anfang, vor Strophe und Antistrophe, stehender responsionsloser Abschnitt aus rhythm.
selbständ. Bau; Gegenstück zu dem zw. Strophe und Antistrophe gelegentl. eingeschobenen *Mesodos* und der
⁄Epode (2). S

Proömium, n., Pl. Proömia, Proömien, [gr. pro-oimion =
1. das vor dem Gesang (οἴμη) Vorgetragene oder 2. das den
Weg (οἶμος) Bereitende]. In der antiken Literatur werden
als P.a bezeichnet:
1. die kitharod. sog. Homerischen ⁄Hymnen, die vermutl.
von den Rhapsoden vor dem eigentl. Epenvortrag dargeboten wurden,
2. Vorreden zu Epen mit ⁄Musenanruf, Themenangabe
usw.; finden sich in knapper Form z. B. schon in »Ilias«
und »Odyssee«, in den Epen Hesiods, dann bei Lukrez,
Vergil (»Georgica«), Ovid u. a., aber auch in Prosawerken
(Herodot, Thukydides), auch ⁄Prolog,
3. in der Rhetorik die Eröffnung einer Rede (auch Exordium), enthält die Anrede der Hörer, meist eine ⁄Captatio

benevolentiae und allgem. oder persönl. Betrachtungen; berühmt sind die P.a des Demosthenes (Slg. v. 56 P.a erhalten) und Cicero. S

Propädeutik, f. [gr. propaideuein = vorher unterrichten], einführender Unterricht, der auf das Studium eines bestimmten Wissensgebietes vorbereiten soll, z. B. Logik als P. für das Studium der Philosophie, im MA. die *artes liberales* (↗Artes) als P. für die ›höheren‹ Studienfächer Recht, Medizin und v. a. Theologie. S

Propemptikon, n. [gr. zu pro-pémpein = geleiten], antikes Abschieds- und Geleitgedicht, das einem Scheidenden, meist in feststehenden Wendungen (Topoi), Segenswünsche mit auf die Reise gibt (vgl. dagegen ↗Apopemptikon). Propemptika sind überliefert von Theokrit, Ovid, Horaz (Carmina I, 3 : an Vergil), Statius u. a.
🕮 Jäger, F.: Das antike P. Diss. Mchn. 1913. S

Prophetenspiel, Typus des ↗geistl. Spiels im MA., bei dem die bibl. Propheten in Disputation mit den Juden das Kommen Christi ankündigen. Auch die antiken Sibyllen, Vergil oder Augustinus können als Zeugen für die Ankunft des Messias auftreten. Seinen Ursprung hat das P. in der pseudo-augustin. Predigt »Contra Judaeos, Paganos et Arianos Sermo de Symbolo« (5. oder 6. Jh.). Für die Entwicklung war wohl die Verwendung dieser Predigt als *lectio* im Gottesdienst bedeutsam (schon halbdramat., mit Wechsel der Deklamation), woraus dann der »Ordo Prophetarum«, eine dramat. Prozession der Propheten, entstand, der endlich, mit immer stärkerer Aufschwellung, zum eigentl. P. ausgeformt wurde. Die Anfänge des P.s sind in einer Hs. des 11. Jh.s aus Limoges zu fassen; Laon (13. Jh.) und Rouen (14. Jh.) sind die bedeutendsten Stationen des P.s in Frankreich. Im dt. Bereich wird von Aufführungen in Regensburg (1194) und Riga (1204) berichtet, erhalten ist das Fragment aus viell. noch aus dem frühen 14. Jh. stammenden Marburger P.s. Häufig fungiert das P. als Prolog zum ↗Weihnachtsspiel, vgl. die Weihnachtsspiele aus Benediktbeuren (lat., 1. Hälfte des 13. Jh.s) und St. Gallen (dt. Niederschrift um 1400); es kann auch mit einem ↗Paradiesspiel oder ↗Passionsspiel gekoppelt sein.
🕮 Sepet, M.: Les prophètes du Christ. Étude sur les origines du théâtre au moyen âge. Paris 1878. Nachdr. Genève 1974. MS

Propositio, f. [lat. = Darlegung (des zu beweisenden Sachverhalts einer Rede)], vgl. ↗Rhetorik, ↗Disposition.

Prosa, f. [lat. prorsa (oratio) = Rede, die etwas geradewegs sagt], die ungewungene, nicht durch formale Mittel (Metrum, Reim) ›gebundene‹, regulierte Schreib- und Redeweise: sie umfaßt die ungezwungene, auf schlichte Kommunikation beschränkte Alltagsrede (vgl. ›prosaisch‹) ebenso wie kunstmäßig ausgestaltete Redeformen. Sie kann Ausdrucksmedium sachl.-zweckgebundener, nichtfiktionaler, aber auch fiktionaler (dichter.) Aussage sein und sich durch Wortwahl, Bilder, Metaphern, Periodenbau, Syntax und v. a. Rhythmus der ↗gebundenen Rede, der Verssprache, annähern, vgl. ↗freie Rhythmen, ↗P.gedicht, ↗rhythm. P., auch ↗Reim-P. Der Ggs. zwischen zweckorientiert-sachl. und künstler. P. reicht bis in die Antike zurück, in der erstmals in *Ionien* P. als literar. Darstellungsform für die im 6. Jh. v. Chr. einsetzende philosoph.-wissenschaftl. Welterfassung benutzt (Vorsokratiker, ↗Logographen) und zu einem variationsreichen Ausdrucksmedium für bestimmte Gattungen entwickelt wird. Diese P.literatur der Historiographie (Herodot, Thukydides), Philosophie (Platon), Biographie und Naturwissenschaft (Hippokrates) tritt der älteren Versdichtung gleichgewichtig gegenüber: Insbes. der polit. und forens. Rede liefert dann die ↗Rhetorik zur Steigerung ihrer Wirkmöglichkeiten rhythm.-stilist. Regeln (z. B. für Perioden- und Satzschlüsse: ↗Klauseln). Diese ↗Kunst-P. (Lysias, Demosthenes, Gorgias, Isokrates) wirkt jahrhundertelang vorbildhaft, zunächst auf die röm. histor. P. (Caesar, Livius, Taci-tus, Sallust), die philos.-rhetor. P. (Cicero), auf die mal. patrist., philosoph. u. histor. P. (Augustin, Eusebius, Bernhard v. Clairvaux, Thomas von Aquin; Einhart, Otto von Freising u. a.) bis hin zu der P. der Humanisten (E. S. Piccolomini, Th. Morus, Erasmus von Rotterdam) und der Sprache der Kanzleien (z. B. Karls IV., 14. Jh.). – Im Laufe ihrer weiteren Geschichte greift die P. in immer *neue Gebiete und Gattungen* (z. B. Didaktik, Predigt) aus. In den fiktionalen Bereich dringt sie jedoch erst allmähl. vor: In der Spätantike ist P. für satir. Formen (Petronius, Lukian, Apuleius, »Der goldene Esel«) belegt; sie findet sich dann wieder im Spät-MA., wo sie den Stoff der formal abgenützten verflachten höf. Epen und der gereimten Schwank- und Fabelliteratur in P.fassungen einem neuen Lesepublikum zuführt (↗P.auflösung: z. B. P.-Lanzelot, P.-Tristan, ↗Volksbücher, Elisabeth von Nassau-Saarbrücken, H. Steinhöwel, N. von Wyle u. a.). – Eine Ausnahme sind die einer eigenständ. mündl. Erzähltradition verpflichteten, aus dem 13. Jh. schriftl. überlieferten isländ. *Sagas* (Sögur) in realist., sachl.-lapidarer »reinster« P. (Ranke). – Eine *dt.-sprach.* P. entwickelt sich seit dem 9. Jh. in Übersetzungen aus dem Lat. (Tatian, 830, Notker Labeo, um 1000). Sie wird zur Sprache des Rechts (Sachsenspiegel, 13. Jh.), der Chroniken (Eike von Repgow), der Predigten (Berthold von Regensburg) und erreicht erste Höhepunkte in den Schriften der Mystiker (Meister Eckhart, J. Tauler, H. Seuse). Auf der Schwelle zur neuzeitl. P. steht als singuläres Meisterwerk der »Ackermann aus Böhmen« von Johannes von Tepl, dessen elementare Sprachgewalt durch Verarbeitung italien. Vorbilder wirkungsvoll gesteigert ist. Luthers Bibelübersetzung schafft dann ein einheitl. Idiom und ein bewußtes Verhältnis zu den Ausdrucksmitteln der Sprache (S. Brant, J. Fischart). Die breite Ausbildung einer neuzeitl. P. leistet *die italien. Renaissance* in eigenständ. Verarbeitung der klass. Vorbilder. Ein Gipfel der Erzähl-P. ist schon G. Boccaccios »Decamerone« (1350), der nicht nur strukturaal, sondern auch formal wegweisend in ganz Europa wird (Margarete von Navarra). Für die wissenschaftl.-polit., die histor. und biograph. P. der Renaissance sind zu nennen: L. B. Alberti, G. Pico della Mirandola, N. Macchiavelli, P. Bembo, F. Guicciardini, B. Castiglione, G. Cardano, B. Cellini, G. Vasari. Kongenial sind seit dem 16. Jh. die Prosaisten *in Spanien.* Hier entsteht der neuzeitl. europ. P.-Roman (»Lazarillo de Tormes«, J. de Montemayor, M. de Cervantes, ferner satir. (F. G. de Quevedo, B. Gracián), religiöse (I. von Loyola, Teresa von Avila, Juan de la Cruz) didakt. (A. de Quevara) und histor. P. (G. Pérez de Hita) von weitreichender Wirkung. – Auch *die frz.* P. entfaltet sich seit dem 16. Jh. zu einem geschmeidigen Kunstmittel, vgl. z. B. die Werke von F. Rabelais, die volkstüml. Elemente und rhetor. Kunstformen mischen, die P. M. de Montaignes, die für die P.-Gattung, den ↗Essay, konstituiert (wie in England F. Bacon, R. Steele, J. Addison), oder die glänzenden Prosaisten des 17. Jh.s B. Pascal, J.-B. Bossuet, F. de La Rochefoucauld, J. de la Bruyère, Mme M. de Scudéry und Mme M.-M. de La Fayette. In Nachahmung dieser bedeutenden außerdt. Leistungen und in Fortbildung älterer Traditionen (↗Sprachgesellschaften) erreicht die dt. P. im Barock Anschluß an den europ. Standard (J. J. Ch. von Grimmelshausen, Ph. von Zesen, Abraham a Santa Clara). Von nun an ist die europ. P. in der zweckhaften und in der fiktionalen Darstellung den antiken Mustern ebenbürtiges Medium aller Wirkabsichten und Ausdruckshaltungen, aller Epochen- und Individualstile. Sie wird zum Medium der wichtigsten ep. Gattungen; ihre weitere Geschichte ist in diesem (fiktionalen) Bereich die des ↗Romans, der ↗Novelle, ↗der Kurzgeschichte usw.; im 18. Jh. dringt sie ins Drama vor (wo sie vordem nur als Sprache der niederen Stände und evtl. der Komödie verwendet wurde) und wird im 19. Jh. die vorherrschende dramat. Sprachform; seit der Romantik erobert sie sich auch Bereiche der

Lyrik (freie Rhythmen, Prosagedicht). Die Geschichte des Essays, des ⟋Feuilletons, der ⟋Memoirenliteratur, der ⟋Bio- und ⟋Autobiographie ist die Geschichte hervorragender P.schriftsteller. Als Meister auf dem Gebiet der kulturkrit., histor., polit., philosoph., naturwissenschaftl. P. sind u. a. zu nennen: G. E. Lessing, G. Forster, A. Müller, H. Heine, die Historiker E. Gibbon, Th. B. Macaulay, F. K. von Savigny, G. G. Gervinus, L. von Ranke, J. und C. Burckhardt, weiter A. Schopenhauer, F. Nietzsche, S. Freud, O. von Bismarck, F. von Lasalle, R. Luxemburg, W. Churchill (Nobelpreis).

⊞Grawe, Ch.: Sprache im P.werk. Bonn ²1985. – Behrmann, A.: Einf. in d. Analyse von P.texten. Stuttg. 1982. – Anderegg, J.: Fiktion u. Kommunikation. Ein Beitr. zur Theorie der P. Gött. ²1977. OB/IS

Prosaauflösung, Auflösung einer Versdichtung in eine Prosafassung gleicher Sprache, im Unterschied zur Übersetzung, Untergruppe des Prosa⟋romans; als älteste P. gilt der aus dem Artussagenkreis abgeleitete sog. Prosa-Lanzelot (afrz. um 1220, mhd. um 1230); gepflegt in Deutschland dann v. a. im 15. Jh.: meist wurden höf. Versromane des 12. bis 14. Jh.s in Prosa umgeschrieben, z. B. der »Tristrant« Eilharts von Oberge (Druck der P. »Tristrant und Isalde«, 1484), der »Wigalois« Wirnts von Grafenberg (Druck der P. 1493).

⊞Brandstetter, A.: P. Studien z. Rezeption der höf. Epik im frühnhd. Prosaroman. Frkft. 1971. MS*

Prosagedicht [nach frz. poème en prose], frz. literar. Gattung: lyr. Aussage in formal geschlossener, kunstvoll strukturierter und klangl.-rhythm. ausgestalteter Prosa, die den Eigenbewegungen einer dichter. Aussage adaequater und ungebrochener als metr. gebundene Formen Ausdruck verleihen soll; oft in kurze Absätze (Lautréamont: »Gesänge«) gegliedert; steht zwischen ⟋rhythm. Prosa und ⟋freien Rhythmen (⟋vers libre). Geschaffen von A. Bertrand (»Gaspard de la nuit«, 1826–36, hrsg. 1842) in Weiterentwicklung der romant. poet. Prosa etwa F.-R. de Chateaubriands und entsprechend der romant. Tendenz zur Vermischung und Entgrenzung der Gattungen; aufgegriffen von A. Rabbe und M. de Guérin (»Centaure«, 1835, »La bacchante«, 1836), jedoch erst durch die Bertrand-Rezeption Ch. Baudelaires (»Petits poèmes en prose«, 1869 posthum: 50 P.e) breiter bekannt; gepflegt u. a. auch von Lautréamont (»Les chants de Maldoror«, 1869), A. Rimbaud (»Les illuminations«, entstanden 1872, »Une saison en enfer«, 1873, z. T. P.e), F. Ponge oder Saint-John Perse, auch v. O. Wilde. Das P. blieb aber als Gattung nicht unumstritten (P. Verlaine, Th. de Banville). Für die *dt. Literatur* schlug L. Fülleborn (erstmals 1966) die Bez. ›P.‹ vor für entsprechende Dichtungen seit der Vorromantik und Romantik, die z. T. als Prosahymnen, -idyllen, -elegien, Skizzen oder poet. Prosa bezeichnet worden waren (S. Geßner, Ch. M. Wieland, der junge Goethe, Jean Paul, A. v. Arnim), und die seit 1900 bis zur Gegenwart immer häufiger auftreten (F. Nietzsche »Zarathustra«, Expressionisten, Dadaisten, Kafka, B. Brecht, E. Lasker-Schüler, G. Trakl, H. Heißenbüttel, P. Handke, Sarah Kirsch u. a.).

Frz. P.: Texte: Chapelan, M.: Anthologie du poème en prose. Paris 1959.
Lit.: Bernard, S.: Le poème en prose de Baudelaire jusqu'à nos jours. Paris 1959. – Rauhut, F.: Das frz. P. Hamburg 1929.
Dt. P.: Texte: Fülleborn, U./Dencker, K. P. (Hrsg.): Dt. P.e des 20. Jh.s. Mchn. 1976. – Dies.: Dt. P.e vom 18. Jh. bis zur letzten Jh.wende. Mchn. 1985.
⊞Simon, J.: The Prose Poem. New York 1987. – Fülleborn, U.: Das dt. P. zu Theorie u. Gesch. einer Gattung. Mchn. 1970. IS

Prosarhythmus, Gliederung der ungebundenen Rede durch bestimmte Akzentuierungen. Im Unterschied zum Versrhythmus (vgl. ⟋Rhythmus) fehlen beim P. die Erwar-

tungskonstituenten eines durch Metrum und Reim geregelten Verlaufs. Seine spezif. Form erhält er durch die jeweilige akzentuelle Gliederung des Sprachflusses, durch die Art des Wechsels von betonten und unbetonten Silben, von langen und kurzen Wörtern, durch bestimmte Klangfolgen, durch Wortstellung, Satzgliederung (längere oder kürzere Kola, Hypotaxe, Parataxe, Pausen) und Sinngebung. Die antike und mal. ⟋Kunstprosa regelte überdies Periodenschlüsse durch metr., bzw. rhythm. Formeln (⟋Klauseln, Cursus). Im Vortrag können außerdem Sprechgeschwindigkeit, Tonhöhe, Sprachmelodie mitwirken. Der P. kann sich dem Versrhythmus anpassen (⟋Jambenfluß); er kann bei einzelnen Dichtern unterschiedl. ausgeprägte und kennzeichnende Formen annehmen, vgl. etwa den lyr.-fließenden P. bei E. Mörike oder R. M. Rilke, den ep. ausladenden P. etwa bei Th. Mann oder den dramat. gespannten bei H. v. Kleist.

Prosimetrum, n. [lat., gr.], Mischung von Vers und Prosa in literar. Werken, in antiker Literatur z. B. in der menippe. ⟋Satire (Varro, Petronius, Lukian; die Verseinlagen mußten polymetr. sein), in altnord. Literatur z. B. in den Heidreksrätseln oder dem »Lied vom Drachenhort«. S

Proskenion, n. [gr. = vor der ⟋Skene], im antiken Theater der Platz vor dem Bühnenhaus (Skene); ursprüngl. ein erhöhtes Podest, auf das sich die (meist drei) Auftrittstore (Thyromata) der Skene öffneten und von dem Treppen oder seitl. Rampen in die ⟋Orchestra hinabführten. Nachdem in hellenist. Zeit Chorauszüge an Bedeutung verloren hatten, wurde das P. zur Hauptspielfläche: Es wurde vergrößert, seitl. durch vorspringende Seitenflügel des Bühnenhauses (Paraskenien) begrenzt, die Rückwand überhöht und durch Pfeiler, Säulen, Nischen usw. prunkvoll gegliedert; hier wurden nun auch dekorative Elemente (bemalte Vorhänge in den Öffnungen u. a.), verschieb- und drehbare Wände und Aufbauten (Periakten, vgl. später die ⟋Telaribühne) eingesetzt; bei Vitruv ist bereits ein Vorhang vor der Skene nachgewiesen. – In der neuzeitlichen Guckkasten-⟋Bühne wird die vorderste Spielfläche zwischen Vorhang und Orchestergraben als *Proszenium* bez.; seitl. des Proszeniums befinden sich die Proszeniumslogen (»Bühnenlauben«). S/K

Prosodiakus, m. [lat.-gr. = Prozessionsvers], altgriech. Vers der Form ⏑–⏑⏑–⏑⏑–; gedeutet als katalekt. Form des ⟋Enoplios und damit als weitere Ausprägung eines vermuteten griech. Urverses (vgl. auch ⟋Parömiakus); Bez. nach seiner Verwendung im ⟋Prosodion (Prozessionslied). S

Prosodie, f. [gr. prosodïa = Akzent], bezeichnet in der Antike zunächst nur den (musikal.) Akzent bzw. die Lehre vom (musikal.) Akzent; seit Sextus Empiricus (2. Jh. n. Chr.) auch die Lehre von den Silbenquantitäten. Heute ist P., als sprachl. Hilfsdisziplin der ⟋Metrik, die Lehre von den für die Versstruktur konstitutiven Elementen einer Sprache, näml. *Quantität* (lang : kurz), ⟋*Akzent* (betont : unbetont), *Tonhöhe* (hoch : tief; im allgemeinen nicht von metr. Relevanz) und *Wortgrenze.* – Für die auf dem ⟋quantitierenden Versprinzip beruhenden *gr. und lat. Verse* gelten folgende prosod. Regeln:

1. eine Silbe ist *von Natur* (gr. physei, lat. naturā) lang, wenn ihr Vokal lang ist, wobei Diphthonge als lange Vokale gelten;
2. eine Silbe ist *durch Stellung* (gr. thesei; lat. positione) lang, wenn ihr Vokal kurz ist, auf diesen aber zwei oder mehr Konsonanten folgen (Positionslänge);
3. eine Silbe ist kurz, wenn ihr Vokal kurz ist und auf diesen (in zweisilb. Wort) höchstens ein Konsonant folgt;
4. eine Ausnahme bilden Silben mit kurzem Vokal und Konsonantengruppe p/t/k + r/l; diese Silben werden prosod. unterschiedl. gewertet; im homer. Epos gelten sie im allgemeinen als lang, bei den gr. Tragikern und den altlat. Szenikern meist als kurz, in der klass. lat. Dichtung werden sie je nach Bedarf als lang oder kurz gemessen;

5. eine Silbe, die auf einen langen Vokal ausgeht und damit eigentl. lang ist (Regel 1), wird dann als kurz gewertet, wenn die folgende Silbe mit einem Vokal einsetzt *(vocalis ante vocalem corripitur)*. Dazu kommen einige Sonderregeln, die v. a. den ↗ *Hiat* (Zusammenstoß zweier Vokale in der Wortfuge, im Lat. auch auslautender Vokal + m vor folgendem anlautenden Vokal) betreffen, z. B. ↗ *Elision* (Ausfall des auslautenden Vokals), ↗ *Aphärese* (Ausfall eines anlautenden Vokals), ↗ *Synalöphe* (Vokalverschleifung des auslautenden und anlautenden Vokals), ↗ *Krasis* (Entstehung eines neuen langen Vokals), bei Hiat innerhalb eines Wortes ↗ *Synizese* (Verschmelzung zweier Vokale zu einem Diphthong) oder *Kontraktion* (Zusammenziehung zweier Vokale zu einer Länge). – Weitere Sonderfälle bilden die ↗ *Dihärese* (2) (zweisilb. Messung eines Diphthongs, z. B. -eus), ↗ *Synkope* (Ausstoßung eines kurzen Vokals zwischen zwei Konsonanten), ↗ *Apokope* (Abstoßen eines Vokals am Wortende), *Jambenkürzung* (jamb. Silbenfolge, d. h. Folgen von Kürze + Länge, können unter bestimmten Bedingungen als Doppelkürzen gewertet werden), *Endsilbenkürzung* (lange Endsilbenvokale können kurz gemessen werden; nur lat. seit der Kaiserzeit) und die im Hexameter gelegentl. notwend. *metr. Dehnung* in einer Folge von drei oder mehr kurzen Silben. – Außerdem beschäftigt sich die P. mit ↗ *Dihärese*, ↗ *Zäsur* und ↗ *Pause* (Periodenende), die jeweils mit einer Wortgrenze zusammenfallen müssen; dabei werden allerdings bestimmte Wortgruppen als Einheiten behandelt, die durch Dihärese, Zäsur oder Periodenschluß nicht getrennt werden dürfen. Es handelt sich v. a. um Wortgruppen, die durch Proklisis oder Enklisis entstehen (z. B. schön wär's statt wäre es u. a.). – Bei den auf dem ↗ akzentuierenden Versprinzip beruhenden *dt. Versen* beschäftigt sich die P. v. a. mit Fragen der Kongruenz zwischen Versakzent (Iktus) und Wortakzent (↗ *Tonbeugung*, ↗ schwebende Betonung); für die *ahd. und mhd. Verse,* bei denen das akzentuierende Versprinzip unter bestimmten Bedingungen aufgrund der sprachl. vorhandenen Opposition kurzer und langer Tonsilben noch modifiziert wird, gelten auch noch Quantitätsregeln. – Diese entsprechen dabei im wesentl. denen des Griech. und Lat.; außerdem zählen einsilb. Wörter im Ahd. und Mhd. stets als lang und können mithin eine ↗ beschwerte Hebung ausfüllen. Prosod. Erscheinungen wie Elision, Aphärese, Synalöphe usw. sind in ahd. und mhd. Texten vielfach zu beobachten, ohne daß sie sich jedoch, wie in der griech. und lat. P., in strenge Regeln fassen ließen; die regelmäßige Anwendung solcher prosod. Mittel in den sog. krit. Ausgaben hat in den mal. Handschriften keine Entsprechung. – Auch für die *neuhochdt.* P. gibt es kein verbindl. Regelsystem; häufig begegnet hier nur die Elision des unbetonten -e am Wortende, von den Theoretikern auf den Fall des Hiats beschränkt (echte Elision), in der Praxis aber vielfach auch vor folgender Konsonanz feststellbar (Apokope). Ein bes. Problem der neuhochdt. P. ist die Nachbildung gr. und röm. Metren in dt. Sprache, für die seit Opitz grundsätzl. gilt: gr.-röm. Länge wird durch betonte, gr.-röm. Kürze durch eine unbetonte Silbe wiedergegeben; Einzelfragen sind umstritten; mit ihnen beschäftigte sich v. a. die P. des 18. Jh.s (F. G. Klopstock, K. Ph. Moritz, J. H. Voss), im 20. Jh. erneut A. Heusler. Die P. der nach dem ↗ silbenzählenden Versprinzip gebauten *roman. Verse* stellt v. a. dafür Regeln auf, welche Silben eines Wortes als metr. relevant gezählt werden, welche nicht; dabei decken sich die Regeln für die einzelnen roman. Sprachen nicht. Ein weiteres Grundproblem der P. der roman. Metriken ist der Hiat, der in den einzelnen roman. Sprachen ebenfalls unterschiedl. behandelt wird.
K*

Prosodion, n. [gr. pros-odos = das Herankommen, feierl. Aufzug], altgriech. kult. Prozessionslied; chor. Bitt- oder Danklied, beim tänzer. bewegten Hinschreiten zum Tempel oder Altar von Jünglings- oder Mädchenchören zur Flöten-

begleitung gesungen (Verwendung von ↗ Prosodiakus und ↗ Paroimiakus); ursprüngl. nicht auf bestimmten Kult beschränkt, später jedoch bes. im Apollonkult übl., daher oft auch als ↗ Päan bez. Bezeugt sind Prosodia von Bakchylides und Pindar (von ihm z. B. 2 Bücher »Prosodia«), jedoch nur wenige Fragmente erhalten.
S

Prosopopoeie, f. [gr. aus prosopon = Gesicht, poiein = schaffen, hervorbringen, machen], s. ↗ Ethopoeie.

Prospekt, m. [lat. prospectus = Ausblick], meist auf Leinwand gemalter Hintergrund der Guckkasten(-Kulissen)bühne, auch als Zwischen-P. zur Trennung von Vorder- und Hinterbühne; heute zur Verwandlung hochgezogen oder versenkt, früher seitl. auseinandergezogen oder über senkrecht stehende Walzen abgerollt (Wandel-P.). – Der P. ist seit der Entdeckung der Perspektive in der Malerei (15. Jh.) Bestandteil der Winkelrahmen-, der Telari- und Kulissenbühne (↗ Bühne, ↗ Bühnenbild), zunächst zeigte er Gemälde in Zentralperspektive (meist Straßenfluchten, Palastanlagen: Torelli in Paris, L. Burnacini in Wien, 17. Jh.), die jedoch den Schauspielern wegen der vorgetäuschten großen Tiefe nur ein Agieren im Vordergrund erlaubten. Seit F. und G. Galli da Bibiena (17./18. Jh.) wird die praktikablere Winkelperspektive (mehrere Fluchtpunkte) angewendet, die im barocken Theater zu pompösen Raumgestaltungen genutzt wurde. – Seit der Erfindung der Drehbühne werden insbes. Luft- und Landschafts-P.e durch den Rundhorizont (Cyclorama) und Wandel-P.e durch laufende Projektionen ersetzt.
IS

Proszenium, n. [lat. proscaenium aus gr. ↗ Proskenion].

Protagonist, m. [gr. prot-agonistes = erster Kämpfer], in der griech. Tragödie der erste Schauspieler (im Ggs. zum Deuteragonisten und Tritagonisten, dem zweiten und dritten Schauspieler). Der Überlieferung nach hat Thespis als erster dem Chor einen Schauspieler (↗ Hypokrites) gegenübergestellt und damit aus der chor. Aufführung die eigentl. Tragödie geschaffen. Aischylos stellt diesem P.en den *Deuteragonisten* (als *Gegen*spieler auch als *Ant*agonist bez.) gegenüber und ermöglichte damit den Dialog. Den dritten Schauspieler, den *Tritagonisten* (oft für kleinere Rollen), soll Sophokles in die Tragödie eingeführt haben (tatsächl. findet er sich schon in der »Orestie« des Aischylos). Seitdem beobachtet das antike Drama (Tragödie wie Komödie, gr. wie röm. Drama) ein sog. *Dreischauspielergesetz,* nach dem allenfalls drei Schauspieler gleichzeit. auf der Bühne sein und sich am Dialog beteiligen können. Ob dies gleichzeit. bedeutet, daß bei einer Aufführung nie mehr als drei Schauspieler mitwirkten, die gegebenenfalls mehrere Rollen spielen, wie die (allerdings erst in nachchristl. Zeit belegten!) Bez. P., Deuteragonist und Tritagonist nahelegen, ist umstritten. Im heut. Sprachgebrauch wird mit P. eine aus einer Gruppe (Ensemble, Team, Mannschaft, Partei u. ä.) aktiv herausragende Person bezeichnet.
K

Protasis, f. [gr. = Voranstellung],
1. nach Donat (Terenzkommentar, 4. Jh.) der erste der drei notwend. Teile einer dramat. Handlung (vor ↗ Epitasis und ↗ Katastrophe); in der P. (1. Akt) werden die Verhältnisse und Zustände dargestellt, aus denen der dramat. Konflikt entspringt (↗ Exposition, ↗ erregendes Moment).
2. erster Teil (Vordersatz) einer ↗ Periode.
S

Protestsong, m., Gattung der ↗ polit. Dichtung: sozial- oder systemkrit., oft provokativ-aggressives Lied als Protest gegen allgemeine Mißstände oder konkrete Ärgernisse. Eingängig in Melodieführung (Instrumentalbegleitung: Gitarre, Trommeln u. ä.), Form (einfache Reime, meist Refrain), Stil (ep.-balladesk, Anreden, Ausrufe, Fragen, Zitate, holzschnittartig-plakative Vereinfachung), v. a. im öffentl. Vortrag vor gr. Massen (Einzel- und Chorgesang, Hörerbeteiligung) von beträchtl. Wirkung. – Erste Ausprägung in den USA während der bis 1954 neueinsetzenden Phase der Bürgerrechtsbewegung; Anknüpfung hier v. a. an Blues, Gospelsongs und sozialkrit. Volkslieder (Joan Baez,

Bob Dylan, Ph. Ochs, T. Paxton u. a.). – In der BRD wurden P.s im Rahmen der Demonstrationswellen der 1960er Jahre (Ostermarschierer, Studentenrevolte) als Mittel gewaltlosen Widerstands eingesetzt und von bedeutendem Einfluß. Vorbilder der dt. sog. ↗Liedermacher waren H. Heine, A. H. Hoffmann v. Fallersleben, B. Brecht, der polit. ↗Bänkelsang und das ↗Agitproptheater; viele P.s berühren sich auch mit der (v. a. modernen) ↗Ballade oder dem polit. ↗Chanson. Vertreter sind u. a. F. J. Degenhardt, W. Moßmann, H. D. Hüsch, D. Süverkrüp und W. Biermann. Trotz der Aufnahme stets neuer Themen und trotz neuer Autoren (St. Krawczyk, 1988 aus der DDR ausgew., G. Schöne) ebbt die P.welle zusehends ab (s. ↗Liedermacher). ⌑ Hinck, W. (Hg.): Geschichte im Gedicht. Texte u. Interpretationen. Protestlied, Bänkelsang, Ballade, Chronik. Frkf. 1979. – Riha, K.: Moritat, Bänkelsang, Protestballade. Frkf. 1975. – Schwendter, R.: Theorie d. Subkultur. Köln 1971. – Hetmann, F. (Hg.): Protest. Lieder aus aller Welt. Frkf. 1967.   IS

Proteusvers, Bez. der Renaissancepoetik für die ↗Permutation, die Vertauschung von Wörtern im Vers.

Proverb(ium), n. [lat.], veraltete Bez. für ↗Sprichwort.

Proverbe dramatique [prɔ'verb drama'tik; frz. = dramat. Sprichwort], auch: Comédie proverbe, Proverbecomédie / frz. dramat. Gattung: kurzes, meist heiter-erbaul. Stück, in dem die ›Wahrheit‹ eines Sprichwortes vorgeführt werden soll, die sich in der Pointe des Schlusses darstellt. Meist einfache Intrigenhandlung mit typisiertem Personal, aber realist. Detailgenauigkeit in der jeweils zeittyp. Ausstattung (Moden, Möbel usw.). Vorläufer der P.s sind Sprichwörterdarstellungen als Scharade oder Stegreifspiel, die in Adelskreisen d. 17. Jh.s (bes. bei Landaufenthalten) beliebt waren (geschildert von Comtesse de Murat, »Voyage de Campagne«, 1699). Als eigentlicher Begründer gilt Carmontelle (L. Carrogis), der für den Herzog v. Orléans eine Reihe von P.s d.s – ursprüngl. gedacht als unterhaltende ↗Lesedramen – konzipierte (8 Bde. 1768–81). – Schon Ende des 18. Jh.s wurden P.s d.s nicht mehr nur in den ↗Salons und adl. Privattheatern, sondern auch im öffentl. Theatern am Boulevard aufgeführt (Ch. Collé, J.-F. Desmahis), wobei stoffl. über die Salonkultur hinaus bürgerl. Themen und tagespolit. Ereignisse aufgegriffen wurden. Der *Höhepunkt des P. d.* liegt in der 1. Hä. des 19. Jh.s (sog. manie des proverbes), nicht zuletzt auf Grund der Möglichkeit, mit dem P. d. die Zensurbestimmungen zu umgehen. Klass. Vertreter ist M. Th. Leclercq (»P.s d.s«, 1823–27/28 und 1831–35). Bedeutend sind dann v. a. die P.s d.s von A. de Musset, der die inhaltl. u. formalen Grenzen der überlieferten Muster überschreitet (psycholog. Konflikte, unwirkl. Umwelt, trag. Ende; mehrere Akte, häuf. Szenenwechsel, vgl. »On ne badine pas avec l'amour« (1833); »Il ne faut jurer de rien«, »Comédies et proverbes« (1853). P.s d.s verfaßten u. a. auch E. Scribe, O. Feuillet, P. Bourget, H. Bordeaux, A. Maurois. ⌑ Schmidt-Clausen, U.: Michel-Théodore Leclercq und das p. d. der Restauration. Braunschw. 1971. – Brenner, C. D.: Le développement du p. d. en France et sa vogue au XVIIIe siècle. Berkeley 1937.   IS

Prozessionsspiel, Form des ↗geistl. Spiels des MA.s, entwickelte sich im Rahmen von Prozessionen und ähnl. feierl. Begehungen. Seine bedeutendste Ausprägung ist das ↗Fronleichnamsspiel, das sich besonders in England großer Beliebtheit erfreute. P.e sind auch die it. Laude drammatiche (↗Lauda). Eine Sonderform des P.s stellen die bei Festprozessionen auf einzelnen Wagen aufgebauten ↗lebenden Bilder dar. – Die typ. Bühnenform ist die ↗Wagenbühne. In der Tradition der mal. Bühnenwagen stehen die bis heute bei festl. Umzügen mitgeführten »Wagen« mit Darstellungen verschiedenster Art.   K

Psalmen, m. Pl.; Sg. Psalm [gr. psalmós = das zum Saitenspiel vorgetragene Lied], 150 hebr. liturg. Lieder aus dem 10.–2. Jh. v. Chr., gesammelt im AT im ›Buch der P.‹, dem *Psalter* (= Sammlung von P.), mit (später zugefügten) Angaben über Verfasser (u. a. David, Salomo, Moses, Kinder Kohra), Entstehung und Vortragsweise; heute als anonymes hebrä. Liedgut verschiedener Herkunft und Tradition aufgefaßt. Unterschieden werden
1. hymn. Preisgesänge,
2. Klagelieder (größte Gruppe),
3. Dank(opfer)lieder,
4. (histor.) Königs-P.,
5. P. für einzelne kult. Feste und individuelle Anliegen. – Charakterist. sind neben Ausdrucksstiefe und hymn. Frömmigkeit rhythm. zweigeteilte Verse mit paralleler oder antithet. Gedankenführung bei syntakt. Gleichlauf (↗Parallelismus membrorum) und ein Wechselvortrag in gehobenem Sprechgesang *(Psalmodieren)* zwischen zwei Chören oder zwischen Vorsänger und Chor (Gemeinde; Antiphon, bzw. Responsorium). – Der Psalter wurde (in lat. Version) von der christl. Kirche als Grundlage des Gottesdienstes übernommen und gehört seitdem zu den meistübersetzten Werken überhaupt. Seit dem 9. Jh. finden sich Interlinearversionen (St. Gallen, Reichenau) und Prosaübertragungen (z. T. mit Kommentaren) zunächst zur Unterweisung des Klerus, später auch für Laien. Das älteste Beispiel stammt von Notker Labeo in St. Gallen (gest. 1022). Seit dem 14. Jh. ist eine lange Reihe von Prosaübertragungen bezeugt, die in zahlreichen Handschriften und Drucken überliefert ist. Einen Höhepunkt erreicht diese Übersetzertätigkeit in der Reformation mit M. Luthers P.übersetzung (im Rahmen seiner Bibelübersetzung) als lockere Paraphrasen des hebr. Textes in bildkräft. poet. Sprache (1534). Diese *Prosa*übertragungen wurden zugleich Grundlage für ein von Luther gefordertes volkssprachl. Gemeindelied, das als wichtiger Träger des neuen Glaubensgutes werden sollte. Luther selbst formte vorbildhaft 8 der von ihm übers. P. in einfache, *gereimte Volksliedstrophen* um (z. B. »Ein feste Burg« nach Psalm 46). Seinem Beispiel folgten fast alle reformator. Dichter. Ihre P.umdichtungen (auf der Basis der Lutherschen Prosaübersetzung) vereinigt erstmals die sog. ›Reimpsalter‹, hg. von J. Aberlin (1537, mit Texten von über 30 Dichtern, u. a. Zwingli und Calvin). Bald erschienen auch Gesamtbearbeitungen eines Verfassers, u. a. v. J. Dachser (1538 als erstem), Burkhart Waldis (1553 mit aktuellen Anspielungen), J. Ayrer (1574), C. Spangenberg (1582). Neben Luthers P. wirkten vorbildhaft auch die frz. sog. Psalmlieder C. Marots (ergänzt und 1562 hg. von Th. Beza), ebenfalls in schlichten volkstüml. Stil- und Strophenformen. Dieser v. a. für den Calvinismus bedeutsame sog. *Hugenottenpsalter* wurde ins Dt. übersetzt von P. Melissus-Schede (50 P., 1572) und A. Lobwasser (1573), dessen (mit Rücksicht auf die Melodien) silbengetreue Gesamtübersetzung zur erfolgreichsten aller P.dichtungen wurde und bis ins 18. Jh. Grundlage des Gesangbuches der Reformierten war. Mit Luther und Lobwasser mündet dieser volkstüml.-sangbare Zweig der P.rezeption in die Geschichte des ↗Kirchenliedes. – Daneben entwickelte sich eine Tradition der *künstler.-literar.* P.rezeption: lat. und volkssprachl. Nachdichtungen der Urtexte in den jeweils zeittyp. Stil- und Versformen und zumeist ohne Melodien (Leselyrik). Im 16. Jh. sind 15 lat. P.dichtungen belegt (u. a. Eobanus Hessus, »Psalterium Davidis« in elleg. Versen, 1542); im 17. Jh. erschienen dt.sprach. Psalter in gereimten Alexandrinern und gelehrtem emblemat. Stil (u. a. von J. Vogel 1628, P. Fleming 1631, M. Opitz 1637, A. H. Buchholz 1640, C. C. Dedekind 1669, W. H. v. Hohberg 1675); im 18. Jh. in vielgestaltigen gereimten Vers- und Strophenformen, unter Klopstocks Einfluß auch reimlos, in antiken Odenformen oder freien Rhythmen (S. G. Lange, »Oden Davids«, gereimt 1746, J. A. Schlegel 1766–72, J. K. Lavater 1765, J. A. Cramer 1755–64, F. L. v. Stolberg, antike Formen, nach 1800, gedr.

1918). Die P.übersetzungen M. Mendelssohns und J. G. Herders (»Vom Geist der ebrä. Poesie«, 1782/83) kehren zur poet. Prosaübertragung zurück und versuchen, auch den charakterist. Parallelismus membrorum des hebrä. Urtextes nachzuformen. Sie gelten als die schönsten P.übersetzungen seit Luther. – Im 19. und 20. Jh. bedient sich die P.dichtung des ganzen verfügbaren poet. Formenvorrats; Extremformen sind »Die P. in stabreimenden Langzeilen« von W. Storck (1904) und die den Urtexten auf verschiedene Weise überzeugend sich nähernden P.übertragungen Th. Taggers (1918), M. Bubers 1927) und R. Guardinis (1950), alle in freien Rhythmen. – Viele der volksliedhaft nachgestalteten P. sind zum allgemeinen Liedgut geworden (Luther, P. Gerhardt). Aber auch durch die lapidare Bildkraft und myth. Eindringlichkeit ihrer sprachl. Urform haben die P. die dt. Lyrik nachhaltig bereichert.
⌑ Neumann, P. H. A. (Hg.): Zur neueren P.-Forschung. Darmst. 1976. – Gerstenberger, E. u. a.: P. in der Sprache unserer Zeit. Zürich/Köln 1972. – Gunkel, H.: Die P. Gött./Zürich ⁵1968. – Schöndorf, K. E.: Die Tradition der dt. P.übersetzung. Tüb. 1967. – Weiser, A.: Die P., übers. u. erklärt. 2 Tle., Gött. ⁶1963. – Kraus, H.-J.: P., Neukirchen-Vluyn ²1961. – Mowinckel, S.: P.studien. 2 Bde. 1921–24, Neuauflage Amsterdam 1961. – RL.   IS

Psalter, m. [gr. psalterion, ein antikes Saiteninstrument, daraus kirchenlat. psalterium = ╱Psalmen-Buch, Psalmensammlung des AT],
1. allgem. Sammlung von Psalmen;
2. Zentralbuch für klösterl. Chorgebete (enthält v. a. die 150 Psalmen). Seit dem 13. Jh. auch Bez. für Gebets- und Andachtsbuch für Laien, meist mit Kalendergeschichten angereichert und mit Heiligen- und Monatsbildern reich ausgestattet: vgl. z. B. den Stuttgarter P. (Anf. 13 Jh.) des Landgrafen Hermann v. Thüringen.   S

Pseudandronym, n. [gr. aus pseudos = Lüge, unecht, aner, andros = Mann, onoma = Name], Männername als ╱Pseudonym einer Schriftstellerin, George Sand für Aurore Dupin-Dudevant, George Eliot für Mary Ann Evans.   S

Pseudepigraphen, n. Pl. [gr. pseudos = falsch, unecht, epigraphein = zuschreiben],
1. antike Schriften, die unter falschem Namen umlaufen, teils als Fehler der Überlieferung (irrtüml. Zuschreibung), teils absichtl. einer Autorität untergeschoben, um ihnen bes. Beachtung oder bestimmten Institutionen Vorteile zu sichern; Motive dt. nicht zu unterscheiden; P. sind z. B. der ╱ep. Kyklos (Homer zugeschrieben), die Phalaris-Briefe, die sog. Pseudo-Anakreon, – Kallisthenes, – Cato, – Vergil usw.
2. in der protestant. Terminologie Bez. für die jüd. ╱Apokryphen, eingeführt von J. A. Fabricius (1713).   S

Pseudogynym, n. [gr. aus pseudos = Lüge, unecht, gyné = Weib, onoma = Name], Frauenname als ╱Pseudonym eines Schriftstellers, z. B. Clara Gazul für Prosper Mérimée.   S

Pseudonym, n. [gr. pseudos = falsch, onoma = Name], fingierter Name, Deckname, Künstlername (╱nom de plume, ╱nom de guerre), bes. bei Künstlern u. Schriftstellern. Die Wahl eines P.s kann aus den verschiedensten Gründen erfolgen, häufig aus berechtigter oder vermeintl. Furcht vor Verfolgung oder anderen Konsequenzen (Bloßstellungen, Skandale), insbes. bei polit., relig., erot. oder satir. Schriften, auch aus Scheu, Unsicherheit, Bescheidenheit der Öffentlichkeit gegenüber, aus Familien- oder Standesrücksichten, z. B. bei adligen oder nebenberufl. Künstlern (z. B. Carmen Sylva für Königin Elisabeth von Rumänien, Anastasius Grün für Anton Alexander Graf von Auersperg), zur Vermeidung häufig vorkommender (G. Meyrink für G. Meyer; Kasimir Edschmid für Eduard Schmid), wenig einprägsam oder klanglos (Klabund für A. Henschke) oder aus allzu auffallend, unschön, lächerl.

(Albert Paris Gütersloh für A. C. Kiehtreiber) oder schwierig (Josef Conrad für Teodor Jósef Konrad Korzeniowskij; Guillaume Apollinaire für Wilhelm Apollinaris de Kostrowitski) empfundener Namen, aus humorist. Gründen (Munkepunke für A. R. Meyer, Deutobold Symbolizetti Allegoriowitsch Mystifizinsky für F. Th. Vischer) oder der Lust an der ╱Mystifikation. – Es gibt eine *Vielzahl pseudonymer Formen.* Am häufigsten die Wahl eines beliebigen Namens, wobei Frauen z. T. auch Männernamen (╱ *Pseudandronym),* seltener Männer Frauennamen (╱ *Pseudogynym)* wählen; es gibt ferner Teil-P.e: Zusätze (W. Schmidtbonn für W. Schmidt) oder Verkürzungen, z. B. auf den Vornamen (╱ *Prenonym)* oder auf das Namenende (N. Lenau für N. Franz Niembsch Edler von Strehlenau, auch als ╱Telonisnym) und das Spiel mit den Buchstaben des eigenen Namens im ╱Anagramm (Voltaire), im ╱Kryptonym (P. Celan) und ╱Ananym (C. W. Ceram). Weiter werden unterschieden nach der Art des gewählten Namens das ╱Aristonym (Adelsname), das ╱Ascetonym, Hagionym oder *Hieronym* (Heiligenname), das ╱Allonym (prominenter Name); statt eines Personennamens setzt das ╱Geonym eine Herkunftsbez., das ╱ *Phraseonym* eine Wendung, das ╱ *Phrenonym* einen Gemütszustand oder eine Charaktereigenschaft, das ╱Sideronym einen astronom. Begriff, das ╱ *Titlonym* den Titel eines anderen Werkes usw. – Es gibt ephemere, nur für eine Zeitspanne oder für ein Werk gewählte P.e (Loris = der junge Hofmannsthal, die P. e K. Tucholskys) und beständige P.e, die völlig an die Stelle des eigentl. Namens treten, z. B. Angelus Silesius, Molière, Stendhal, Jeremias Gotthelf, Mark Twain, Knut Hamsun, Karl Valentin, Peter Altenberg; ist neben dem P. auch der eigentl. Name des Autors geläufig, z. B. Novalis – Friedr. von Hardenberg, manchmal sind die Träger eines P.s lange unbekannt (B. Traven) oder bleiben überhaupt zweifelhaft (Bonaventura). – Grenzfälle des P.s sind das ╱ *Traductonym,* v. a. Gräzisierungen (Melanchthon) und Latinisierungen (Agricola), wie sie bes. in Humanismus und Barock beliebt waren, ferner die Mystifikation und die literar. ╱Fälschung. – Über P.e im Altertum und im MA. ist wenig bekannt; erst einige Male häufiger zu beobachten ist das P. mit dem Aufkommen des Buchdrucks und im Zusammenhang mit den polit. und religiösen Auseinandersetzungen in Humanismus und Reformation. Die klass. Zeit des P.s ist das Barock mit der Vorliebe für Aufschwellung (Abraham a Santa Clara für J. U. Megerle) und Buchstabenmystifikationen (beliebt bes. Anagramme und Kryptonyme), während im 18. Jh. viele Schriften hauptsächl. ╱anonym, d. h. ohne jegl. Verfasserangabe oder mit Asteronym (***) oder Stigmonym (…) erscheinen mußten; auch Drucker, Verleger und Verlagsorte wurden bis ins 18. Jh. verschleiert. Heute sind P.e namensrechtl. geschützt (BGB § 12). – P.e oder pseudonym erschienene Werke sind erfaßt in sog. *P.en-Lexika,* z. B. von E. Weller, Lexicon P.orum, ²1882, Nachdruck 1963; F. Atkinson: Dictionary of literary P.s. London ³1982; speziell für *dt. Autoren:* M. Holzmann, H. Bohatta, Dt. P.en-Lexikon, Wien u. Lpz. 1906, Nachdr. 1961, Kürschners ╱Literaturkalender; *engl. Autoren:* S. Halkett, J. Laing, Dictionary of Anonyms and P.s, 8 Bde. London ²1926–1956; *franz. Autoren:* C. M. Quérard, Les supercheries littéraires dévoilées. 3 Bde. Paris ²1869–71, Nachdr. 1964/65; *belg. Autoren:* J. V. de le Court, Dictionnaire des Anonymes et P.es. Bibliographie Nationale 1, Brüssel 1960; *italien. Autoren:* A. Santi, Dizionario pseudonimico degli enigmografie italiani, Modena 1956, R. Frattarolo: Anonimi e pseudonimi. Roma 1955; *skandinav. Autoren:* H. Ehrencron u. A. Müller: P.-Lexikon, Kopenhagen 1940, H. Pettersen, Norsk Anonym og P.-Lexikon, Oslo 1924; *nordamerikan. Autoren:* W. Cushing, Initials and P.s. New York 1886–88; für *lat. P.e:* A. Franklin, Dictionnaire des noms, surnoms et p.s latins … Paris ²1879, Nachdr. 1961.

⚏ Söhn, G.: Literaten hinter Masken, eine Betrachtung über das P. in der Lit. Bln. 1974. – Taylor, A., Mosher, F. J.: The bibliographical history of anonyma and pseudonyma. Chicago 1951.   S

Psychologischer Roman, Typus des Prosaromans, insbes. des 19. Jh.s, in dem die Darstellung u. Analyse seel. Vorgänge im Vordergrund stehen. Die Bez. ist problemat., 1. weil die ›Darstellung innerer Vorgänge im Widerspruch zu äußeren Geschehnissen‹ (nach Hegel – Schopenhauer – Th. Mann) zur Grunddefinition des Romans gehört und 2. weil psycholog. Vorgänge und Motivationen auch für andere Romantypen wie den ↗autobiograph., den ↗biograph., ↗histor., z. T. auch den ↗Bildungs-, ↗Familien-, ↗Gesellschafts-Roman konstitutiv sind. – Spiegelungen psych. Vorgänge finden sich vereinzelt schon etwa bei Gottfried von Straßburg (»Tristan«) oder in Grimmelshausens »Abentheuerl. Simplicissimus« (V. Buch, 23. Kap.). Sie gewinnen bes. Interesse mit der Ausbildung des neuzeitl. Individualismus und Subjektivismus seit der europ. Vorromantik im Gefolge von Sensualismus, Pietismus, ↗Empfindsamkeit, z. B. in den engl. Familienromanen oder (als entelechiale seel. Reifungsprozesse) im ↗Bildungsroman (Ch. M. Wieland, »Agathon«, 1766/67, Goethe, »Wilhelm Meister«). Als *erste Vertreter* eines eigentl. p.n R.s gelten J. J. Rousseaus »Nouvelle Héloïse« (1761), K. Ph. Moritz' »Anton Reiser« (mit dem Untertitel »Ein p. R.«, 1785), F. Schlegels »Lucinde« (1799), Goethes »Wahlverwandtschaften« (1809), H. B. de Constants »Adolphe« (1816), in denen Seelenzustände erstmals eingehend beschrieben werden. Die Gattung erlebt ihre *Blütezeit* im Realismus und Naturalismus, deren literar. Theorien die krit., vorurteilsfreie Beobachtung der inneren und äußeren Wirklichkeit, die psycholog. Wahrscheinlichkeit fordern. Meisterhafte, z. T. mit wissenschaftl. Exaktheit zergliedernde Seelenanalysen sind *in Frankreich* die Romane bzw. Novellen von Stendhal (v. a. »Rot u. Schwarz«, 1830), G. Flaubert (v. a. »Madame Bovary«, 1857), P. Bourget, G. de Maupassant, in *England* von W. M. Thackeray (»Jahrmarkt der Eitelkeit«, 1847/48), in *Deutschland* von O. Ludwig, F. Spielhagen (»Problemat. Naturen«, 1861), H. Kurz, F. von Saar, C. F. Meyer und z. T. G. Keller, in *Rußland* von M. J. Lermontow (»Ein Held unserer Zeit«, 1840) und v. a. von F. M. Dostojewskij, der die Gattung zum Höhepunkt führt: Er erweitert nicht nur die Darstellung der Innenwelt um das Patholog.-Abgründige und weitet die Probleme ins Theolog.-Philosophische aus, er versucht auch erstmals, anstelle des übl. ↗auktorialen Erzählens und Deutens die psych. Vorgänge durch die Erzählstruktur (Selbstdarstellung der Personen, Reduzierung des äußeren Geschehens) unmittelbar zu gestalten. Ausbau u. Verfeinerung dieses ↗personalen Erzählens (↗erlebte Rede, ↗innerer Monolog, Simultantechnik usw.), ferner die Verarbeitung der tiefenpsycholog. Erkenntnisse S. Freuds und die Gestaltung seel. Krankheitskomplexe (im sog. psychoanalyt. Roman) kennzeichnen die späteren bedeutsamen p.n R.e, die jedoch stets auch in weitere Problemkreise ausgreifen, so die Romane von Th. Fontane seit »Adultera«, 1882, bes. »Effi Briest« (1895 »fast wie mit dem Psychographen geschrieben«), A. Schnitzler (»Lieutenant Gustl«, 1901), R. M. Rilke (»Malte Laurids Brigge«, 1910), St. Zweig, den frühen H. Hesse und Th. Mann bis hin zu M. Proust, J. Joyce, V. Woolf, H. Broch. Seit dem Expressionismus tritt das Interesse an psycholog. Fragen zurück. Der individuelle Held wird ersetzt durch den Zeittypus, durch den die Totalität der modernen Welt eher zu erfassen sei. Eine moderne Entwicklung des p.n R.s bilden u. U. jene Romane, die die Probleme ins Surrealist. oder Existentielle transponieren (F. Kafka). Sie werden gewöhnl. aber nicht als p.e R.e bez. ⚏ Fürnkäs, J.: Der Ursprung des p.n R.s. Stuttg. 1977. – Steinecke, H.: Romantheorie in Dtschld. I: Die Entwicklung des Gattungsverständnisses v. d. Scott-Rezeption bis zum programmat. Realismus. Stuttg. 1975.   OB*

Publikum, n. [lat. = Öffentlichkeit], Interessenkreis, für den ein Kunstwerk bestimmt ist oder der es rezipiert (Leser, Zuhörer, Zuschauer); durch die im 20. Jh. hinzugekommenen Medien wurde der Publikumsbegriff ausgeweitet, man spricht z. B. vom Film-, Rundfunk-, Fernseh-P. In dem Maße, wie – v. a. während der letzten Jahrzehnte – die Gesellschaftlichkeit der Literatur erkannt wurde, geriet der Faktor P. immer stärker in das Gesichtsfeld der Literaturwissenschaft, wuchs das Bedürfnis, die seit jeher praktizierte Literaturgeschichte ›von oben‹ (von der Produzentenseite her) durch eine Literaturgeschichte ›von unten‹ (von der Seite des P.s her) zu ergänzen. Das P. ist ein zentrales Forschungsobjekt der ↗Literatursoziologie, der Rezeptions- u. der Wirkungsästhetik (↗Rezeption). Je nach dem Verhältnis zwischen Darbietenden u. P. unterscheidet man 1. ein *direktes* oder *Präsenz-P.,* z. B. das P. bei Theater-, Opern-, Konzertaufführungen, bei Dichterlesungen u. Rezitationen oder das P. in frühen Literaturphasen (für den westl. Kulturbereich etwa des MA.s), dem Literatur durch Vorlesen oder Rezitieren vermittelt wird. Die Intensität der Kommunikation zwischen Darbietenden u. direktem (Präsenz)P. ist naturgemäß bes. groß, der Vortragende oder Schauspieler kann, je nach der Reaktion des P.s, in seinem Programm variieren, kann extemporieren u. dgl. Neben das Präsenz-P. tritt schon in der Antike u. wieder im MA. durch die Zunahme der Lektüre 2. das *indirekte oder verstreute P.* (von ↗Lesern). Innerhalb dieses Nebeneinanders zweier Publika verlagert sich in der Neuzeit, da Literatur mehr u. mehr in Buchform auf den Markt gelangt, der Schwerpunkt immer stärker in Richtung auf dieses P. – Das Funktionieren des Kunstmarkts hängt in hohem Maße vom Faktor P. ab. Im Reagieren auf die künstler. Erzeugnisse zeigt sich das P. als geschmacksbestimmend (↗literar. Geschmacksbildung – vgl. z. B. das Verhältnis zwischen Dickens' Romanen u. ihrem P.: Beifall u. Konsumbereitschaft des P.s bewirken den Erfolg eines Werkes, sein Desinteresse oder Mißfallen kann zum Absetzen eines Stückes vom Theaterspielplan oder einer Serie aus dem Fernsehprogramm führen. Literar. oder künstler. Moden sind nicht zuletzt aus dieser Relation zu erklären. Andererseits kann die Kunstproduktion u. -distribution bildend, erzieherisch, tendenziös auf das P. einzuwirken versuchen. Solche Wechselwirkungen (eines ihrer Produkte ist z. B. der ↗Bestseller) sind allerdings um so schwerer zu fassen, als mit der wachsenden Differenzierung des Literaturbetriebs die Beziehungen zwischen Produktion u. P. u. die Einflüsse des P.s auf die Entstehung von Literatur sich immer mehr kompliziert haben. Der Frage, welches P. jeweils als Empfänger einer bestimmten Literatur anzusehen sei, sucht die Literatursoziologie mit empir. u. demoskop. Methoden nachzugehen. Dabei lassen sich verschiedene Publikumsschichten gegeneinander abgrenzen; extreme Beispiele sind etwa: das P. der Lyrik Celans u. das P. von Trivialromanen. In manchen Epochen kann das P. literar. Werke relativ homogen sein (z. B. das – im weitesten Sinne – adlige P. der höf. Dichtung des MA.s), in anderen heterogen (z. B. das P. Shakespeares). In der frühen Neuzeit wurden durch das wachsende Lesevermögen u. durch die Erfindung des Buchdrucks nach u. nach neue Publikumsschichten erschlossen. Vom Begriff des *realen P.s,* d. h. den Empfängern, die ein Kunstwerk hörend oder lesend oder zuschauend tatsächl. rezipieren, sind andere Begriffe zu trennen, so der des *intendierten P.s,* auf das innerhalb eines Werkes selbst (meist in der Vorrede) oder von außen her, durch anderweitige Äußerungen eines Autors (z. B. Briefe, Kommentare) abgezielt wird. Es kann mit dem realen P. annähernd identisch sein, zwischen beiden können aber auch erhebl. Divergenzen bestehen, wenn das intendierte P. als ideales P. gezeichnet ist, das kein Pendant in der Wirklichkeit hat. Dabei wird das P. bereits als ↗Fiktion begriffen, vollends dann, wenn es als Rolle, entsprechend der des

Erzählers, in das Werk hineingedichtet ist. Eindrucksvolle Beispiele eines solchen fiktiven P.s finden sich etwa bei Wolfram v. Eschenbach oder Jean Paul. Die Publikumsbewußtheit der Autoren kann mehr oder weniger stark ausgeprägt sein; manche Autoren vermeiden es geradezu, das von ihnen intendierte P. kenntl. zu machen oder eine Publikumsrolle in der Intentionalität ihrer Werke zu verankern, bis hin zur Extremposition des monolog. Dichtens: solche Autoren geben vor, ohne jeden Gedanken an ein P. ihr Werk verfaßt zu haben (vgl. z. B. einschlägige Äußerungen Rilkes). Wie viele Aspekte der Publikumsforschung bedarf auch dieser noch einer eingehenden Untersuchung. ↗Lesergeschichte.

⌑ Kindermann, H.: Das Theater-P. des MA.s. Salzbg. 1980. – Kindermann, H.: Das Theater-P. der Antike. Salzbg. 1979. – Klotz, V.: Dramaturgie des P.s. Mchn. 1976. – Strelka, J.: D. gelenkten Musen. Wien u. a. 1971. – Auerbach, E.: Lit.sprache und P. in d. lat. Spätantike und im MA. Bern 1958. – Fechter, W.: Das P. der mhd. Dichtung. Frkft. 1935, Nachdr. ebda 1966.   MS

Pulcinella, m. [pultʃinɛla; it.], aus dem neapolitan. Volkstheater stammende faul-gefräßige, list. Dienerfigur der ↗Commedia dell'arte, Typus des zweiten Zane (↗Zani): mager und bucklig, mit heiserer Stimme, Vogelnase, Schnurr- und Backenbart, im weiten weißen Kittel und weißen Hosen, mit einer Spachtel im Gürtel und einem Zweispitz auf dem Kopf, seit Ende des 17. Jh.s in bartloser Halbmaske und kegelförm. hohem Hut. Der P. wurde während des 17. Jh.s in ganz Europa beliebt, insbes. als zentrale ↗lust. Person des Puppenspiels, zunächst in Frankreich (als Polichinelle), wo er bunte Kleider und einen doppelten Buckel bekommt, seit etwa 1670 in England (als Punch), wo er klein und dick wird, seit Mitte des 17. Jh.s in Deutschland, seit dem 18. Jh. (als Petruschka) in Rußland.   HD*

Punch, m. [pʌntʃ], engl. Komödienfigur, vgl. ↗Pulcinella.

Puppenspiel (Puppentheater, heute bevorzugt auch: Figurentheater), Theaterspiel mit Puppen oder anderen mechan. bewegten Figuren, entweder als stummes Spiel oder von einem Kommentator begleitet (asiat. P.e) oder mit unterlegten menschl. Stimmen. Man unterscheidet P.e mit plast. Figuren: Hand-P., ↗Marionettentheater, Stock- oder Stab-P. und P.e mit bewegl. oder starren Flachfiguren: ↗Schattenspiel, mechan. Theater, Theatrum mundi, Modell- oder Papiertheater. Das P. wird z. T. als vollkommenstes, absolutes Theater angesehen, da die Puppe einerseits durch Starre, Mangel an Mimik, andererseits durch unbegrenzte Form-, Bewegungs- und Verwandlungsmöglichkeiten (Fabelwesen, Veränderung der Größe, Fliegen, Verschwinden, Verwandeln, Verselbständigung einzelner Körperteile usw.) die schöpfer. Imaginationskraft und Phantasie des Spielers und Rezipienten auf vielfält. Weise freisetzt und stimuliert. – Das P. ist allen Dramenformen und Stoffen zugängl., tendiert jedoch oft zu Vereinfachungen (Personenzahl, Dialog, Problematik; vgl. den berühmtesten P.stoff, ›Dr. J. Faust‹). Charakterist. sind (bes. für Hand- und Stock-P.e) volkstüml. Stoffe, Improvisationen, die es erlauben, das Publikum ins Spiel einzubeziehen (Frage-Antwort, Aufpasserfunktionen usw.) und auf Aktuelles anzuspielen. Diese Eigenschaften machen das P. für pädagog. Zwecke geeignet; es findet sich als Spielzeug für Kinder (vgl. Goethe, Dichtung u. Wahrheit, 1. Buch) und ist heute integrierter Bestandteil der Vorschul- und Schulerziehung, wurde aber von Anfang an auch zu ideolog. und propagandist. Zwecken eingesetzt, z. B. bei der Missionierung Japans durch buddh. Mönche, zur Vergegenwärtigung von Glaubensinhalten in der christl. Kirche seit dem 7. Jh.; Beispiele in jüngerer Zeit sind P.e zur Truppenbetreuung in beiden Weltkriegen oder die Marionetten- und Schattenspiele zur kommunist. Propaganda auf dem ›langen Marsch‹ der chines. Revolutionäre. – Das P. war jahrhundertelang eine v. a. dem ↗Mimus verwandte volkstüml.

Unterhaltung und hat eine Fülle v. a. lustiger stehender Typen ausgebildet, die z. T. bis heute die einzelnen P.arten und ihre nationalen Ausprägungen kennzeichnen. Sie wurden meist aus dem Menschentheater, insbes. der Commedia dell'arte, übernommen und mit nationalen Zügen ausgestattet, so der dt. ↗Hanswurst und Kasperl (↗Kasperltheater), der italien. ↗Pulcinella, der sich als Punch im engl., als Polichinelle im frz., als Petruschka im russ. P. findet, der frz. ↗Guignol, der tschechoslowak. Kasparek, der türk. Karagöz u. a. – Während sich in den asiat. Ländern das P. in seinen verschiedenen Arten zu autonomen Kunstgattungen entfaltete (Japan, Java; ↗Wayang purwa u. kulit), blieb es im europ. Bereich entweder volkstüml.-derb und kunstlos, ohne Anspruch auf Illusion und meist ohne literarisierten Text, oder wurde möglichst eng dem Menschentheater angenähert. Erst im 20. Jh. wurde ein künstler. eigenständ. P. geschaffen. P. kann von Laien und Berufsspielern realisiert werden. Dem wohl priesterl. P.er der Frühkulturen und den hochgeachteten Künstlern in asiat. und oriental. Ländern steht in Europa bis in die Neuzeit der sozial wenig angesehene P.er, der zugleich fahrender Gaukler und Schauspieler war, gegenüber. Erst seit Mitte des 19. Jh.s wird der P.er eher auch als Künstler respektiert. Dagegen umfaßte das Publikum des P.s von Anfang an alle Stände. Geschichte: Sowohl hinsichtl. der frühesten Ausprägung des P.s als auch seiner Herkunft (Indien? Griechenland? Polygenese?) gibt es nur Theorien. Schon im alten Ägypten ist die Verwendung von bewegten Puppen (durch Wasser, Sand, heiße Luft) bei kult. Feiern bezeugt, eine Tradition, der sich auch die mal. christl. Kirche bediente (Engel mit bewegl. Flügeln usw.) und die säkularisiert im 18. Jh. zu großer Blüte gelangte (Automaten). P.e erwähnen Xenophon (5. Jh. v. Chr.), Pseudo-Aristoteles, Platon und Horaz, früheste Bildzeugnisse stammen aus mal. Handschriften des 12. (Hortus deliciarum der Herrad von Landsberg: Abb. von Marionetten) und 14. Jh.s (Hs. des Alexanderromans von Jehan de Grise in Oxford: Handp.). Neben weiteren späteren bildl. u. schriftl. Zeugnissen, z. B. bei Hugo von Trimberg, im Redentiner Osterspiel u. a.), bezeugen seit dem 15. Jh. Gesuche um Spielerlaubnis, Spielverbote, Steuern für Zulassungen usw. die Häufigkeit und Beliebtheit des P.s auch. auf Jahrmärkten, aber auch in Bürgerhäusern (Zeugnis von 1479 aus Wien) und an Höfen (z. B. Maximilian I. im »Freydal«). Wandertruppen-Prinzipale boten in schlechten Zeiten ihre Stücke als billigere P.e an. In England entstanden schon Ende des 16. Jh.s, in Frankreich im 17. Jh., auch feste Puppentheater (in Deutschland erst 1802, Hänneschen Theater in Köln), die dem eigentl. Theater oft Konkurrenz machten; in England z. B. war während der Restauration das P. die einzige Repräsentanz der Theaterkunst. Während Hand-P. und Marionettentheater die volkstüml. Unterhaltung blieben, interessierten sich Adel und Bürgertum im Gefolge der Chinoiseriemode seit Ende des 17. Jh.s auch für das Schattenspiel, im 18. Jh. für das sog. mechan. Theater, auf dem automat. betriebene Figuren sich reigen- oder festzugartig bewegten, oder für das sog. Theatrum mundi, dessen starre, flache Figuren auf Laufschienen bewegt und zu Panoramen oder Dramenszenen gruppiert wurden; anspruchsloser waren die Papier-, Heim- oder Modelltheater des 19. Jh.s mit flachen Holz- oder Papierfiguren zum Aufstellen in Pappmodellbühnen, die in vielen europ. Ländern (z. B. die Modelle von M. Trentsensky und J. F. Schreiber, in England die Pollockschen Papiertheater) v. a. in Bürgerhäusern weit verbreitet waren. Mit der Entdeckung der Volkskunst in der Romantik wurde auch das P. ästhet. reflektiert (A. v. Arnim, J. Kerner, E. Mörike, S. A. Mahlmann, bes. H. v. Kleist, »Über das Marionettentheater«, 1810). L. Tieck und C. Brentano verfaßten Stücke ausdrückl. für das P. Mitte des 19. Jh.s versuchte Graf Pocci das P. für pädagog. Zwecke zu erneuern: er bearbeitete v. a. Märchen für die Puppenbühne Joseph

Schmids und machte seit 1858 München zur bekanntesten P.-Stadt. Eine eigentl. *Erneuerung des P.s* setzte etwa 1910 ein, z. T. angeregt durch das hohe künstler. Niveau des asiat. P.s. Bedeutende Bühnenbildner wie A. Appia, E. G. Craig oder Alexandra Exter, bildende Künstler wie Natalia Gontscharowa, P. Klee, Sophie Täuber-Arp, A. Calder und bes. Künstler des Bauhauses (O. Schlemmer) förderten das Bestreben, unter engem Anschluß an herrschende Kunstrichtungen und neue techn. Errungenschaften (Lichtregie) eigenständ. Figuren und Bühnenformen zu entwickeln. Bemerkenswert wurden die P.e von Paul Brann in *München* (Mitarbeit: O. Gulbransson, Hans Thoma, P. Klee, W. Kandinski), Richard Teschner in *Wien* (javan. Spieltechnik, Mitarbeit: G. Klimt, A. Roller), der Graphiker Ivo Puhonny in *Baden-Baden,* Toni Sarg und bes. Bill Baird in *New York,* die *Hohensteiner* P.e von M. Jacob oder die berühmten Marionetten von A. Aicher in *Salzburg,* A. Roser in *Stuttgart.* Bedeutend sind auch die *tschechoslowak.* P.e, die seit der Jh.wende v. a. eine wichtige polit. Funktion haben, bes. durch die Figuren des Spejbl und Hurwinek von J. Skupa (1920), für die auch Karel Čapek Stücke verfaßte, ferner die *russ.* P.e, die von dem Maler und Schauspieler Sergei Obraszow, dem bedeutenden Leiter des Puppentheater-Zentralinstituts der Sowjetunion, seit 1925 entwickelt, in ihren Spielmöglichkeiten erweitert (z. B. das Stab-P.) und auch theoret. fundiert wurden. Auch nach dem 2. Weltkrieg wurden die Versuche um das P. fortgesetzt (Stilisierungstendenzen, neue Materialien, Mischformen v. Mensch u. Puppe, von verschiedenen Puppentypen), z. B. von Harry Kramer, Michael Meschke (Stockholmer Figurentheater), Jan Roets, Feike Boschma, Neville Tranter, Rod Burnett oder Jim Henson (durch TV u. Film weltberühmt gewordene Muppet-shows). – P.er sind heute in nationalen *Vereinigungen* organisiert, in der Bundesrepublik z. B. im ›Dt. Bund für P.e‹ (1928–1933, Neugründung 1948). International ist die UNIMA (Union International des Marionnettes), 1929 von I. Puhonny angeregt, Neugründung 1957 mit aktiven Zentren v. a. in sozialist. Ländern. – Seit 1949 besteht in Bochum das ›Dt. Institut für P.‹ mit international ausgerichteten Kongressen, internationalen Festwochen (Fiduna) u. mehreren Schriftenreihen, z. B. Monographien ›Meister des P.s‹ und die Zs. ›Figurentheater‹ (seit 1963 als 6. Jg. der von 1930–33, 1948–51 vom ›Dt. Bund für P.e‹ hrsg. Zs. ›Der P.er‹).

📖 Purschke, H. R.: Über das P. und s. Geschichte. Frkf. 1984. – Raab, A.: Theaterpuppen in Vergangenheit u. Gegenwart. Kaufbeuren 1979. – Simmen, R./Bezzola, L.: Die Welt im P. Zürich 1972. – Malik, J./Kolar, E.: Das Puppentheater in der Tschechoslowakei. Prag 1970. – McPharlin, P.: The puppet theatre in America: a history 1524–1948. Boston (Mass.) ²1969. – Speaight, G.: The history of English toy theatre. London/Boston ²1969. – Küpper, G.: Aktualität im P. Emsdetten 1966. – Baird, B.: The art of the puppet. New York 1965. – Niculescu, M. u. a. (Hrsg.): Puppentheater der Welt. Zeitgenöss. P. in Wort u. Bild. Bln. 1965. – Benegal, S. u. a. (Hrsg.): Puppet theatre around the world. New Delhi 1960. – Fedotow, A.: Technik des Puppentheaters. Lpz. 1956. – Boehm, M. v.: Puppen und P. 2 Bde. Mchn. 1929. – RL.

Handbuch: Batchelder, M.: The puppet-theatre-handbook. London 1948.   IS

Purismus, m. [zu lat. purus = rein], Bez. für Bestrebungen, eine Nationalsprache ›rein‹ zu erhalten, d. h. insbes. Fremdwörter und Sprachmengereien, aber z. T. auch ↗Neologismen und Verstöße gegen idiomat. Korrektheit zu bekämpfen. P. ist gewöhnl. kennzeichnend für Phasen starken Nationalbewußtseins und erscheint oft als Gegenbewegung gegen mod. Überfremdungen einer Sprache, vgl. etwa schon in der röm. Antike der archaisierende ↗Attizismus (Cicero, Quintilian) im Ggs. zum ↗Asianismus (auch ↗Barbarismus), oder das purist. Bestrebungen seit dem

16. Jh. in Italien (Accademia della crusca, 1582), Frankreich (Académie française, 1635), den Niederlanden und Belgien (↗Rederijkers) und im Anschluß daran auch in Deutschland, wo bes. die ↗Sprachgesellschaften die mit Latein durchsetzte Rechts- und Kanzleisprache, v. a. aber die übertriebene Vermengung der Sprache des gesellschaftl. u. kulturellen Lebens mit span., italien. und franz. Wörtern und Floskeln bekämpften, teils in Satiren (vgl. ↗Alamodeliteratur), teils durch Verdeutschungsvorschläge, die die dt. Sprache vielseitig bereicherten (J. G. Schottel, J. M. Moscherosch, Ph. von Zesen, G. Ph. Harsdörffer u. a.). Dieser sog. *schöpfer.* P. wurde um 1800 wieder gefordert, insbes. von J. H. Campe (»Reinigung u. Bereicherung«), im 19. Jh. dann u. a. von J. D. C. Brugger (Verein für die Reinsprache, 1848) und F. L. Jahn (Turnersprache), seit 1885 vom Allgem. ↗Dt. Sprachverein, der jedoch nicht frei von Pedanterie und Deutschtümelei (Kampf gegen »falsche Sprachgesinnung« und »Verwelschung«) war (vgl. dagegen den von der Nachfolge-›Gesellschaft f. dt. Sprache‹ aus vertiefter Einsicht in das Wesen der Sprache vertretenen gemäßigten P.). Auch in jüngster Zeit sind trotz der veränderten Bewertung der Fremdwortfrage purist. Bestrebungen zu beobachten, z. B. in Frankreich das ›Verbot‹ zahlreicher angloamerikan. Ausdrücke.   IS

Puy, m. [pɥi; mfrz. = Anhöhe, lat. podium = Getäfel, Ehrenplatz], mal. frz. Vereinigung von kunstbeflissenen Bürgern und Künstlern zur Pflege von Dichtkunst (↗Dit, ↗Chanson, ↗Jeu parti), Theaterspiel (↗Mirakel-, ↗Mysterienspiele) und Musik, z. T. in öffentl. Wettkämpfen. Der Leiter eines P. wurde *prince* (Fürst, König) genannt. – Der Name P. wird von der Stadt Le Puy in der Auvergne abgeleitet, in der die älteste derartige Vereinigung gegründet worden sein soll. Im 13. Jh. war bes. der *P. von Arras* ein bedeutendes literar. Zentrum, dem fast 200 Dichter angehört haben sollen, darunter die beiden berühmten Trouvères Jean Bodel und Adam de la Halle. Bedeutende P.s entstanden bes. in nordfranz. Städten wie Amiens, Douai, Rouen, Valenciennes; ihre eigentl. Blütezeit erlebten sie vom 14. bis 16. Jh.; die Dichtkunst der P.s verharrte späterhin in epigonalen, überkommenen Formen, vgl. den dt. ↗Meistersang.   S

Pyrrhichius, m., auch: Dibrachys [gr. = zweimal Kurzer], antiker Versfuß aus 2 Kürzen bzw. kurzen Silben (◡◡), sog. Brachysyllabus; entsteht durch Auflösung einer langen Silbe; benannt nach seiner Verwendung im griech. Waffentanz (pyrrichē).   S

Quadrivium, n. [lat. = Vierweg], Teilgebiet der Artes liberales (↗Artes), umfaßt die höheren Fächer Geometrie, Arithmetik, Astronomie und Musik, vgl. auch ↗Trivium.   S

Quantität, f. [lat. quantitas = Größe, Menge], Silbenlänge, vgl. ↗Metrik, ↗quantitierendes Versprinzip, ↗Prosodie, ↗akzentuierendes Versprinzip, ↗Akzent.

Quantitierende Dichtung, Dichtung, deren ↗Metrik auf dem ↗quantitierenden Versprinzip beruht. ↗Prosodie.

Quantitierendes Versprinzip, Versstruktur, die aus einer geregelten Abfolge langer und kurzer Silben konstituiert wird. Auf dem qu. V. beruht die klass. griech. und röm. (lat.) Metrik, entsprechend der Struktur der altgriech. und der lat. Sprache, deren wichtigstes prosod. Merkmal die Opposition kurzer und langer Silben ist (wobei der Wortakzent der Prosasprache sekundär wird), hinter der andere prosod. Merkmale, wie der musikal. Akzent im Griech. und der wohl überwiegend dynam. Akzent im Lat., zurücktreten. In spätantiker Zeit (3./4. Jh. n. Chr.) allerdings setzt sich sowohl im Griech. wie im Lat. ein starker dynam. Akzent durch, unter dessen Einfluß die Oppositionen der Silbenquantitäten aufgehoben werden (»Quantitätenkollaps«). Seit dieser Zeit finden sich neben den nach wie vor *metrice* (d. h. messend = quantitierend) gebauten Versen der Gelehrtenpoesie (ohne Verankerung in der gesprochenen Sprache) v. a. im kirchl. Bereich (Hymnendichtung) und in der ↗Vagantendichtung neue, *rhythmice* (d. h. akzentuierend-silbenzählend) gebaute Verse, wohl im Anschluß an die Volksdichtung (↗akzentuierendes Versprinzip, ↗silbenzählendes Versprinzip). Das Nebeneinander beider Techniken bestimmt die griech. (und lat.) Verskunst bis heute. – Auf dem qu. V. beruhen auch die Metrik der altind. Kunstdichtung, die arab. Metrik und (nach deren Vorbild) die Metrik der hebr. Kunstdichtung des MA.s. – Die Metrik der germ. Sprachen beruht grundsätzl. auf dem akzentuierenden Versprinzip. Da die älteren germ. Mundarten allerdings auch noch die Opposition kurzer und langer Tonsilben kennen, wird hier das akzentuierende Versprinzip modifiziert: unter bestimmten Bedingungen sind auch die Silbenquantitäten zu beachten. In der mhd. Metrik etwa gilt dies für die ↗beschwerte Hebung (Voraussetzung: Länge), die ↗Hebungsspaltung (Voraussetzung: offene Tonsilbe) und, im Zusammenhang damit, für die klingende ↗Kadenz und die 2silbig männl. Kadenz. Mit dem Verlust der kurzen offenen Tonsilben, bedingt meist durch Vokaldehnung, entfallen diese Modifikationen. K

Quartett, n. [aus it. quarto, lat. quartus = vierter], vierzeil. Abschnitt eines Gedichtes, v. a. im ↗Sonett. S

Quatrain, m. [ka'trɛ̃; frz. = Vierzeiler], in der franz. Metrik *allgemein* jede vierzeilige Strophenform, auch die Quartette des ↗Sonetts; *im engeren Sinne* eine bestimmte Form des Vierzeilers aus 4 ↗Alexandrinern oder 4 ↗vers communs, gängiges Reimschema abba; in der frz. Dichtung seit dem 16. Jh. v. a. als Form des ↗Epigramms und der ↗Gnome gebraucht; in dieser Funktion bes. im 17. Jh. auch in dt. Dichtung (M. Opitz, Ph. v. Zesen, F. v. Logau), später noch bei G. E. Lessing und A. v. Platen. K

Quelle, stoffl. Basis eines literar. Werkes, aus der ein Autor die Kenntnis eines bestimmten Geschehnisablaufs, von Figuren- und Motivkonstellationen schöpft, die er dann meist nach eigenen Vorstellungen verwertet. Man unterscheidet
1. *schriftl.* Vorlagen, z. B. ältere literar. Bearbeitungen desselben Stoffes, histor. oder biograph. Schriften,
2. *mündl. Überlieferungen,* u. a. Sagen-, Märchen-, Liedtraditionen, volkstüml. Erzählgut, eigene Erlebnisse,
3. auch *bildl.* Anregungen (Gemälde, vgl. z. B. Th. Storm, »Aquis submersus«, H. v. Kleist, »Der zerbrochene Krug«). Die Qu. eines literar. Werkes kann angegeben sein (vgl. z. B. die Qu.nberufungen in mhd. Epen und der ↗Dokumentarliteratur), manchmal auch nur fingiert sein (um ein literar. Werk durch eine Autorität abzusichern oder als Mystifikation, z. B. das Kyot-Problem im »Parzival« Wolframs von Eschenbach, vgl. Qu.*nfiktion*) oder auch als historisierendes Stilmittel eingesetzt werden (vgl. ↗chronikale Erzählung, ↗Rahmenerzählung). – Die krit. Überprüfung der Echtheit oder Glaubwürdigkeit vermuteter oder vom Autor angegebener Quellen leistet die Qu.*nkritik*. S

Querelle des anciens et des modernes, f. [frz. kə'rel des äsjɛ e de mɔ'dɛrn], ↗Literaturstreit in der frz. Lit. der 2. Hä. d. 17. Jh.s, ausgetragen zwischen Vertretern einer an der Antike orientierten Literaturauffassung und solchen, welche die Lösung vom antiken Vorbild propagierten und die Behandlung v. Stoffen auch aus der Bibel u. v. a. neuerer Geschichte forderten, sich für zeitgemäße, progressive Tendenzen einsetzten. Ausgelöst wurde die Q. durch den Vortrag des Gedichtes »Le siècle de Louis le Grand« von Ch. Perrault, 1687 in der Académie française. Die hierin propagierten Ideen vertiefte Perrault in einem 4bänd. Werk » Paralleles des anciens et des modernes« (1688/97). In beiden Werken wird die Überlegenheit der zeitgenöss. Literatur über ihre Vorläufer in der Antike gepriesen. Unterstützung fand Perrault von Fontenelle (»Digressions sur les anciens et les modernes«, 1688). Für den überzeitl. ›klass.‹ Rang der antiken Literatur plädierten dagegen N. Boileau (»L'Art poétique«, 1674), J. de La Bruyère, J.-B. Bossuet, Fénelon, P. D.

Huet und J. B. Racine. 1701 suchte Boileau einen gewissen Ausgleich der Positionen, indem er in einem Brief an Perrault die Vorzüge und Schwächen beider Auffassungen gegeneinander abwog. – 1714 flackerte die Kontroverse wieder auf im Anschluß an die Homer-Übersetzung der Mme Dacier, die sie gegen A. H. La Motte, einem Vertreter der ›modernes‹, in der Schrift »Des causes de la corruption du goût« (1714) verteidigte. – Diese in weitere gesellschaftl. Bereiche ausgreifende Q. zwischen Konservativismus und Fortschrittsglauben hatte etwa gleichzeitig eine ins Wissenschaftl.-Philosoph. verschobene Parallele in England in dem »Quarrel of the ancients and moderns«, ausgetragen v. a. von W. Temple, dem Verfechter der klass. Tradition (»Of ancient and modern learning«), und W. Wotton als dem Anwalt progressiver Tendenzen (»Reflections upon ancient and modern«, 1694), in den sich auch J. Swift für W. Temple mit »The battle of books« einmischte. S

Quintilla, f. [kin'tilja; span. = Fünfzeiler], seit dem 16. Jh. gebräuchl. span. Strophenform aus fünf achtsilb. sog. span. ↗Trochäen, Reimschema meist ababa, aber auch andere Reimordnungen häufig; die volkstüml. Dichtung verwendet statt Reimen Assonanzen. Sonderformen der Q. ergeben sich durch Ersetzung einzelner Achtsilbler (meist der 2. oder 5. Zeile) durch kürzere Verse. K

Rabenschlachtstrophe, mhd. Strophenform, verwendet in der zum Dietrichsagenkreis gehörenden Heldendichtung »Die Rabenschlacht«: im Unterschied zu anderen Strophen der Heldenepik nur drei Langzeilen:
4ka–3ka / 4ka–3mb / 4kc–6kc. S

Rahmenerzählung, Erzählform, die in einer umschließenden ep. Einheit (Rahmen) eine fiktive Erzählsituation vorstellt, die zum Anlaß oder mehrerer in den Rahmen eingebetteter Binnenerzählungen wird. Der Typus R., bei dem der zwischen Rahmengeschehen und fiktiver Zuhörerschaft vermittelnde Erzähler der Binnenhandlung auch als Figur der Rahmenhandlung erscheint, kann auch als die Ursituation allen Erzählens (mündl. Erzähler als Vermittler zwischen Vorgang und Zuhörern) verstanden werden. Man unterscheidet
1. *die gerahmte Einzelerzählung,* deren Rahmen oft als fingierte Quelle (Chronik, Tagebuch, Brief u. dgl., vgl. chronikale Quelle/Erzählung) Authentizität vortäuschen soll;
2. *die zykl. R.,* in der verschiedene, themat. mehr oder weniger zusammengehörige Einzelerzählungen zu einer geschlossenen Einheit zusammengefaßt sind. Typ. für die zykl. R. ist das Erzählen anläßl. einer unfreiwilligen Wartezeit, sowie die Ausrichtung der Erzählungen auf ein didakt. oder unterhaltendes Ziel. Ferner gibt es Romane mit mehreren aufeinander wie auf den Gesamttext bezogenen Erzähleinlagen (z. B. Goethes »Wilhelm Meister«). – Voraussetzung für Logik und Wirksamkeit der R. ist die Korrespondenz von Rahmen und Gerahmtem. Der Rahmen erscheint häufig nur als (potentiell zu einer eigenen Geschichte ausbaubare) Klammer oder wird im Sinne einer Exposition oder Einstimmung in das Geschehen verwendet. Darüber hinaus kann der Rahmen der Spannungsförderung und Kontrastwirkung (zeitl.: Gegenwart – Vergangenheit, gegensätzl. Gegenstände, eth. Wertungen usw.), der Erklärung motivl. oder assoziativer Verknüpfungen, der Motivation bestimmter Darstellungsformen (z. B. ↗Ich-Form, Wechsel der Erzählstile und Perspektive) dienen. Der Grad der Verknüpfung zwischen Rahmen und Binnenerzählung ist ein ebenso wichtiges Element der R. wie die jeweil. Kombination der Erzählerrollen (ein einzelner Erzähler, verschiedene Erzähler). Die Erweiterung der Rolle des im Rahmen auftretenden Erzählers durch reflektierende Einschübe, Vorleser- und Manuskriptfiktionen bis zur Thematisierung der Erzählsituation selbst kann die Entwicklung der R. zur hochartifiziell-experimentellen Kunstform, die zu assoziativ bedingten Kettenformen oder wechselnde Perspektiven bewirkenden Schachtelformen führen

kann. Die jeweiligen erzählperspektiv. Varianten schaffen ferner ein ›distanzierendes Moment‹zwischen Vorgängen der Binnenhandlung, fiktivem Adressaten und realem Leser, das die R. zum geeigneten Element für Verfremdungseffekte, Ironie oder Kritik macht. Die R. ist eine wichtige Ausprägung der ↗Novellendichtung, in der erst das distanzierende Moment des Rahmens und die Vermittlerrolle des Erzählers die novellist. Ausgangssituation, das gesellschaftl. Erzählen, konstituieren. – Die Technik der R. taucht erstmals in indischen und pers. Dichtungen auf, zunächst als lose Sammelform mit Reihung illustrierender Einzelfälle als Exempel für einen das Rahmenziel darstellenden didakt. Zweck. Bekanntestes oriental. Beispiel für die zykl. Erzählungen »1001 Nacht«; auch im Abenteuerzyklus der »Odyssee« findet sich die Technik der R. Boccaccios »Decamerone« (1348–53) macht insbes. den Gesellschaftsbezug der R. deutlich. Wichtige zykl. R.en der europ. Literatur sind G. Chaucers »Canterbury Tales« (1386–1400), Margarete von Navarras »Heptameron« (1585) und G. B. Basiles »Pentamerone« (1634–36). In Deutschland wird die R. im Anschluß an Goethes »Unterhaltungen deutscher Ausgewanderten« (1795) zu einer der wichtigsten Erzählformen des 19. Jh.s, verwendet von C. Brentano (»Geschichte vom braven Kasperl und dem schönen Annerl«), L. Tieck (»Phantasus«), A. v. Arnim (»Wintergarten«), E. T. A. Hoffmann (»Serapionsbrüder«), H. Heine (»Florentinische Nächte« und W. Hauff (Märchenzyklen). G. Keller gestaltete nach Ansätzen (»Der Landvogt von Greifensee« und »Die Leute von Seldwyla«) in seinen »Züricher Novellen« und im »Sinngedicht« zykl. Formen der R., während C. F. Meyers »Hochzeit des Mönchs« und »Der Heilige« dem Typus ›gerahmte histor. Einzelerzählung‹ zuzuordnen sind. Bedeutende Autoren des 19. Jh.s, die mit der Erzählform R. experimentierten, sind neben Th. Storm und P. Heyse vor allem K. L. Immermann (»Epigonen«, »Münchhausen«), J. Gotthelf (»Die schwarze Spinne«), A. Stifter (»Granit«) und F. Grillparzer (»Der arme Spielmann«). Im 20. Jh. erscheint die R. mit neuen Kombinationen von Binnenerzählung und Rahmen u. a. bei St. Andres (»Das Grab des Neides«), St. Zweig (»Schachnovelle«), G. v. Le Fort (»Die Verfemte«) und W. Bergengruen (»Der letzte Rittmeister«). Über den engeren Bereich der R. hinaus wird die Rahmentechnik auch in Epos und Roman, in Drama und Oper (Vorspiel, Prolog, ↗Spiel im Spiel) sowie im Film (Rückblendetechnik) angewandt.

📖 Marz, E.: Goethes R.en. Frkf. 1985. – RL. – ↗Novelle.

KH

Rätsel [spätmhd. *raetsel* < raten]. Gattung der unter- bzw. außerliterar. u. literar. didakt. (↗Spruch-)Dichtung: Absichtl. verhüllende Umschreibung einer Person, eines Gegenstandes, Tieres, konkreten oder abstrakten Sachverhalts u. ä., die aufgelöst, erraten, werden sollen. Die Umschreibung oder Verschlüsselung bedient sich v. a. mehrsinniger Semantik, der Metaphorik, des Vergleichs, der Personifizierung oder Mythisierung. – Zu unterscheiden sind *unlösbare R.*, religiöse oder philosoph. Aporien und R.fragen, die nur ein Eingeweihter richtig beantworten kann, wodurch er sich als Mitglied eines Kult- oder Sozialverbandes ausweist (nach Jolles älterer R.typus myth. Ursprungs, dagegen F. Panzer), und *lösbare R.*, die scharfsinnige Kombination und ein bestimmtes allgemein verfügbares Sachwissen voraussetzen. Zu ihnen gehören auch die sog. ›Haupt(lösungs)-R.‹, wohl myth. Herkunft, deren Lösung oder Nichtlösung über Leben und Tod entscheidet, z. B. das Sphinx-R., das »Wafthrudnirlied« in der Edda, die sog. Ilo-R. – Die formale Ausprägung des R.s reicht von der einfachen Frage in Prosa bis zur mehrzeiligen, meist gereimten (stabgereimten, assonierenden) Strophe. Neben dem isolierten Fragetypus findet sich das mit der Antwort kombinierte, oft auch formal verbundene R. Dieser Typus erscheint meist integriert in Sagen

(Sphinx-R.), sog. R.märchen (Prinzessin Turandot, Rumpelstilzchen), R.schwänke (»Pfaffe Amîs« des Stricker) und -erzählungen (Typus: Kaiser und Abt). – Das R. wird auf mag. Wurzeln zurückgeführt; der lösbare Typus hatte von Anfang an auch gesellig-soziale Funktionen (›Unterhaltungsexamen‹), vgl. etwa die überlieferten R.-wettkämpfe (Salomon und die Königin von Saba im AT, der »Wartburgkrieg« u. a.) oder die Hochzeitsrätsel (bis 17. Jh.). Bis heute gehören R. zum Repertoire von Conférenciers u. a. Unterhaltern; sog. Denksportaufgaben oder R.spiele in Quizform sind in Funk und Fernsehen äußerst beliebt. R. finden sich heute ferner in Kinderbüchern und Unterhaltungszeitschriften, dort zusammen mit weiteren R.formen wie Buchstaben-R. (Logogryph), Zahlen-R. (Arithmogryph), Bilder-R. (↗Rebus), ↗Anagramm, ↗Palindrom, ↗Homonym und bes. den modernen R.formen wie Kreuzwort- und Silbenr.

Geschichte: Das R. gehört als ↗einfache Form in nahezu allen Kulturkreisen zu den ältesten Volksdichtungen. Bestimmte R.typen (Verrätselung von Tieren, sog. ›Kuh-R.‹, bäuerl. Gegenständen, Berufen, Naturerscheinungen) sind variiert in vielen Frühkulturen bezeugt. Zu den *ältesten erhaltenen R.n* gehören die Sanskrit-R. des »Rigweda« (1000 v. Chr.), die des abendländ. R.überlieferung stark beeinflußend. Frühe Zeugnisse sind auch R.spiele und R.dichtungen der Araber und Juden (Simson-R. im AT). Bei den Griechen erscheinen R. im Epos bei Homer und Hesiod, im Drama u. a. bei Sophokles, weiter bei Pindar, Herodot, Heraklit, Platon u. a. – Vorbild für spätere R.dichter wurde v. a. der Römer C. F. Symphosius (4./5. Jh.) mit einer Sammlung von 100 R.n (in je 3 Hexametern, zum Gebrauch am Saturnalienfest). Sie beeinflußte nachhaltig die mal. Tradition, v. a. die gelehrte anglolat. R.dichtung des 7. u. 8. Jh.s (vgl. das »Aenigmatum liber« des Bischofs Aldhelm von Malmesbury) oder die R. im altengl. »Exeterbook«. Auch in die »Gesta Romanorum« (13./14. Jh.) fand die Sammlung Eingang. Beliebt waren im lat. MA. auch scherzhafte bibl. und relig. R.-fragen, wie zahlreiche Sammlungen sog. »Joca Monachorum« (Hss. aus d. 8.–11. Jh.) belegen, bes. Adam- und Jonas-R. sind bis heute lebendig. – Auf altnord. R.-Traditionen verweisen die sog. Heidreks-R. (Heidreks gátur) in der Älteren Edda (überl. aus dem 13. Jh.). – Bekannte mhd. R.dichtungen sind der »Wartburgkrieg« (2. Teil, Mitte 13. Jh.) und das »Trougemundslied« (14. Jh., R.gespräch zwischen Fahrendem und Gastgeber) und die R.sprüche Reinmars von Zweter und nachfolgender Spruchdichter und Meistersinger. – Im Humanismus wurden katechismusartig aufbereitete R.fragen im Unterricht verwendet, die ebenfalls auf die Sammlung des Symphosius zurückgehen (J. Camerarius, J. Pontanus). Zusammengefaßt wurden die meist gelehrten humanist. R. in der »Aenigmatographie« von N. Reusner (gedr. 1599). Das bereits seit 1500 mehrfach nachgedruckte »Straßburger R.buch« mit 336 geistl., weltl., auch obszönen volkstüml. R.n diente wie viele andere gedruckte R.hefte einem breiten Unterhaltungsbedürfnis der Zeit. – Die pädagog. Impulse und die bürgerl. Geselligkeitskultur des 18. und frühen 19. Jh.s sowie die von Herder initiierte Entdeckung und Wertschätzung der Volkspoesie förderten auch das Interesse am R.: es entstehen sog. *Kunst-R.,* literar. R.formen, die sich durch künstler. Formgebung und gedankl. Tiefe von den volkstüml. R.n abheben, vgl. z. B. G. A. Bürger (»Der Abt u. der Kaiser«), F. Schiller (»Parabeln u. R.«, »Turandot«), Goethe, J. P. Hebel, C. Brentano, W. Hauff u. v. a. Zugleich setzte die Sammlung volkstüml. R. und die wissenschaftl. Beschäftigung mit R.formen ein (J. u. W. Grimm, J. Görres). – Die bedeutendste R.sammlung stellte R. Wossidlo 1897 zusammen.

📖 Schönfeldt, A.: Zur Analyse d. R. ZfdPh 97 (1978). – Schupp, V. (Hg.): Dt. R.buch. Stuttg. 1972. – Hain, R.: R. Stuttg. 1966 (SM 53). – Bodker, L. u. a.: The nordic riddle.

Terminology and bibliography. Kopenhagen 1964. – Panzer, F.: Das Volks-R. In: Die dt. Volkskunde. Hg. v. A. Spamer, I, 1934. – Jolles, A.: Einfache Formen. (1929). Darmst. ⁶1982. – RL.   IS

Raubdruck, widerrechtl. ↗Nachdruck.

Räuberroman, Romantypus mit der Zentralfigur des edlen, außerhalb geltender Gesetze stehenden Räubers, der einerseits Untaten begeht und oft als ›Verbrecher‹ erscheint, andererseits jedoch als Befreier und Beschützer der Armen und Rechtlosen auftritt. Der R. entsteht v. a. in polit. Übergangsphasen, in denen alte Herrschaftsstrukturen brüchig werden und neue sich durchsetzen. – Als *Vorstufe* gilt eine engl. volksbuchartige Prosaerzählung von 1678 um Robin Hood, eine histor. nicht recht zu fassende Figur aus dem England des 12./13.Jh.s. Ihre literar. Fixierung beginnt gegen 1500 mit Volksballaden, die bis in die Sammlungen des 17. u. 18.Jh.s weiterlebten (»Robin Hoods Garland«, 1670, die Sammlungen Percys, 1765 und Ritsons, 1795); sie spiegelt sich im Drama und der Geschichtsschreibung des elisabethan. Zeitalters (und lebt bis zur Gegenwart in zahlreichen Bearbeitungen bis hin zu Jugendbüchern und Filmen fort). Zu Volksüberlieferungen solcher Art gesellen sich im 17. u. 18.Jh. Züge aus dem verwandten ↗Schelmenroman, vgl. v. a. D. Defoe, »Colonel Jacque« (1722), H. Fielding, »Jonathan Wild the Great« (1743) und, erweitert um die Figur des See-Piraten, Defoes »Captain Singleton« (1720) bis zu J. F. Coopers »Red Rover« (1827). Neue Antriebe ergeben sich aus der bürgerl. Auflehnung gegen das ancien régime und ihre sich anbahnende Verfestigung bürgerl. Normen: Protesthaltung und Freiheitspathos, wie sie v. a. der dt. ↗Sturm und Drang artikuliert, verbinden sich mit der Konzeption des edlen Wilden (Rousseau) und ihrer Übertragung auf den edlen Räuber, die durch das zu dieser Zeit weitverbreitete Bandenwesen auch einen aktuellen Bezug bekommen. Insbes. Schillers Drama »Die Räuber« (1781) faßt diese Tendenzen zusammen und wird zum Vorbild auch für den *eigentl. R.*: Er entwickelt sich z. T. im Sog der gleichzeit. entstehenden massenhaft verbreiteten, nur marktorientierten reinen Unterhaltungsliteratur, so daß sich zwei sich vielfält. überlagernde Grundrichtungen ergeben: Die eine verbindet künstler. Anspruch mit psycholog. Vertiefung und sozialwie zeitkrit. Zielen, so Schillers »Verbrecher aus verlorener Ehre« (1786), H. v. Kleists »Michael Kohlhaas« (1810) oder der Rost-Hitzler-Strang in A. v. Arnims »Angelica die Genueserin und Cosmus der Seilspringer« (1812) oder »Der Sonnenwirt« von H. Kurz (1854). Im Zusammenhang mit diesem künstler. anspruchsvollen Typus werden oft auch die R. von L. Frank (»Die Räuberbande«, 1914, mit ihren Fortsetzungen 1927 und 1932 sowie v. a. »Die Jünger Jesu«, 1950) oder von G. Berto (»Mein Freund, der Brigant«, 1951) gezählt, in Teilen auch Döblins »Die drei Sprünge des Wang-lun« (1915), mit histor. Einschlag ferner die Robin-Hood-Episoden in W. Scotts »Ivanhoe« (1819) oder »Rob Roy« (1817), Coopers »Bravo« (1830), denen andere literar. Fassungen histor. Räuberschicksale entsprechen, z. B. C. Zuckmayers Moritatenstück »Schinderhannes« (1927). – Bei der zweiten Grundrichtung wird neueren R.s tritt an die Stelle des künstler.-krit. Anspruchs die Befriedigung von Sensationsbedürfnissen und privaten oder sozialen Wunschvorstellungen: Dazu gehört die Geborgenheit in der Bande, insbes. bieten die Räuberbraut und andere Frauen im Bannkreis des Räubers Gelegenheit zu sentimentalen oder erot.-schlüpfrigen Einlagen. Die offene Disposition der Zentralgestalt läßt auch die Anlehnung an andere Sparten der Unterhaltungsliteratur, z. B. an die ↗gothic novel, den ↗Schauerroman oder den ↗Geheimbundroman zu. So zeigt H. Zschokke, »Abällino der große Bandit« (1794), Ch. A. Vulpius, »Rinaldo Rinaldini, der Räuberhauptmann« (1799, der immer wieder bearbeitete und bis ins 20.Jh. wohl erfolgreichste dt. R.) oder die

Massenproduktionen C. G. Cramers (»Der Domschütz und seine Gesellen«, 1803 u. a.). Der Rückgriff auf die Geschichte ergibt zudem Überschneidungen mit dem ↗Ritterroman, z. B. bei W. Scott und H. Zschokke oder C. G. Cramer. Später berührt sich der triviale R. häufig mit dem ↗Kriminalroman (z. B. bei E. Sue und Dumas, auch Ch. Dickens). Die meist lose Fügung des R.s als handlungsintensive Ereigniskette läßt ihn auch als Spielart des ↗Abenteuerromans erscheinen, sei es speziell wie im ↗Wildwestroman und seinen outlaw-Figuren, sei es allgemein wie bei Dumas, Gerstäcker (»Die Flußpiraten des Mississippi«, 1848 u. a.) oder R. L. Stevenson (»Die Schatzinsel«, 1882). ▯ Anrich, G.: Räuber, Bürger, Edelmann, jeder raubt so gut er kann. Neunkirchen 1975. – Appell, J. W.: Die Ritter-, Räuber- und Schauerromantik. Lpz. 1859, Nachdr. Lpz. 1967. – Müller-Fraureuth, C.: Die Ritter- und R.e. Halle/S. 1894, Nachdr. Hildesheim 1965. – Beaujean, M.: Der Trivialroman in d. 2. Hä. des 18.Jh.s. Bonn 1964. – Greiner, M.: Die Entstehung der modernen Unterhaltungslit. Hrsg. u. bearb. von Th. Poser, Reinbek 1964. ↗Schauerroman. ↗Trivialliteratur.   RS*

Raumdrama, vgl. ↗Figurendrama.

Razo, f. [ˈraːzo; prov. = Sinn, Kommentar], Mal. Prosakommentare zu prov. Liedern, die in den erhaltenen Hss. den Liedtexten vorangestellt sind; umreißen deren Vorgeschichte, Umstände, den Anlaß der Entstehung u. erklären gegebenenfalls auch ↗Anspielungen auf die im Text genannten Personen (oft im ↗Senhal versteckt); gelegentl. sind R.s auch nur durch Biographisches ausgeschmückte Prosa-/↗Paraphrasen. R.s wurden evtl. mit den Liedern zusammen vorgetragen. Seit dem 14. Jh. finden sie sich auch in gesonderten Hss.-Abteilungen zusammengestellt, werden zunehmend zu kurzen Erzählungen erweitert. Vgl. auch ↗Vida.   S

Realismus, m. [von lat. res = Sache, Wirklichkeit], I. Bez. einer *Richtung* im erkenntnis-theoret. ›Universalienstreit‹ *der scholast. Philosophie des MA.s,* die vor allem von Anselm von Canterbury (1033/34–1109) und Wilhelm von Champeaux (1070–1121) gegen den Nominalismus (↗Universalien keine Realität außerhalb des Denkens) vertreten wurde (Begriffs-R. gegen Begriffs-Idealismus). Grundannahme dieses philosoph. R. ist, daß die Allgemeinbegriffe oder Universalien (z. B. ›die Menschheit‹) gegenüber den konkreten Einzeldingen (z. B. ›dieser Mensch‹) einen höheren Grad an Wirklichkeit besitzen. Unter dem Einfluß der durch den Neuplatonismus vermittelten antiken Ideenlehre werden die Universalien als schaffende Gedanken Gottes, der höchsten Realität (»ens realissimum«), verstanden, denen damit nicht nur der Rang substantieller Seinsfülle, sondern zugleich ein höchster Wert in der Hierarchie der Wirklichkeit zugemessen wird. II. *Begriff der Ästhetik,* der die Art und Weise der Beziehungen zwischen histor. Wirklichkeit und ihrem Nachvollzug in Kunstwerken bezeichnet. Obwohl der Begriff für die ästhet. Theorie aller Künste von entscheidender Wichtigkeit ist, wurde er am ausführlichsten doch in bezug auf Literatur diskutiert. Die seit etwa 150 Jahren geführte *Realismusdebatte* hat dennoch keine Möglichkeit gefunden, den Begriff so festzulegen, daß die mit ihm verbundenen Inhalts- und Wertvorstellungen in einer das systemat. und das histor. Interesse umfassenden Definition vereint werden könnten. Gründe für diese Definitionsschwierigkeiten liegen sowohl in den unterschiedlichen Anwendungsbereichen als auch in den gegensätzl. philosoph. Wirklichkeitsauffassungen, auf die sich der Begriff R. erstreckt. – **Theorie:** 1. *Der polemische Begriff:* Seit seinem ersten Erscheinen als stilist. und inhaltl. Kennzeichnung in einer Rezension des »Mercure français« (1826) ist ›Realismus‹ nicht nur ein klassifizierender oder beschreibender, sondern ebenso ein polem. Ausdruck gegen idealist. und romant. Kunstauffassung, später auch gegen den Naturalismus. Daher ist mit seiner Verwendung stets nicht nur die Frage nach dem (schon in der aristotelischen Poetik problematisierten) Verhältnis von Mimesis (Nachahmung, Abbildung von Wirklichkeit) und Poiesis (Prozeß der freien künstler. Verarbeitung) thematisiert, sondern zugleich eine histor. oder ideolog. bedingte Wertung impliziert. Bis heute hat das Wort ›R.‹ seine Funktion als Oppositionsbegriff gewahrt: »Der Realismus ist die Ideologie, die jeder gegen seinen Nachbarn ins Feld führt« (A. Robbe-Grillet 1965).

2. *Der Epochenbegriff.* Da der Begriff R. in der Zeit zwischen 1830 und 1880 zuerst grundlegend diskutiert wurde, nicht nur als kunsttheoret. Terminus, sondern auch als Selbstkennzeichnung der künstler. Standpunktes (G. Courbet gab seiner Gemäldeausstellung 1856 den plakativen Titel »Du Réalisme«), wurde versucht, die Anwendung des wissenschaftl. Begriffs auf die Bez. einer histor. begrenzten *Stilepoche des 19. Jh.s* festzulegen. Für solche Verkürzung des Begriffsinhalts spricht, daß die auch heute noch vorherrschenden Bedeutungsmerkmale von R. auf die Wirklichkeitssicht des 19. Jh.s zurückweisen: R. wird gemessen anhand der wiedergegebenen, zeitbezogenen Aktualität, der mitgeteilten Reflexion über soziale, ökonom., polit. und ideolog. Zeiterscheinungen, an den dargestellten Kausalzusammenhängen von gesellschaftl. und individueller Daseinsform, der Exaktheit des zeitl. und räuml. Details, der psycholog. Differenzierung der dargestellten Personen und jenem Anspruch, Wirklichkeit nicht als statist. festgelegte Situation, sondern als »Dialektik der Kulturbewegung« (G. Keller) zu begreifen. Damit steht der ästhet. Begriff in enger Beziehung zu den Problemen der expansiven Industrialisierung Europas und zugleich zum wissenschaftl. Bewußtseinshorizont der Zeit, wie er von der nachidealist. Philosophie L. Feuerbachs, dem Positivismus A. Comtes, den verschiedenen Richtungen des philosoph. Materialismus von M. Stirner, K. Marx oder L. Büchner, aber auch von den neuen naturwissenschaftl. Erkenntnisformen der Physik (R. Mayer), Psychologie (J. F. Herbart, Th. Waitz) und entwicklungsgeschichtl. Biologie (Ch. Darwin) vertreten wurde. Gegen diese einheitl. Epochenbezeichnung wurde geltend gemacht, daß einerseits der R. stark unterschiedene nationale Ausprägungen erfahren habe, andererseits aber große Bereiche der Kunst dieser Epoche, z. B. die ↗ Zauberstücke, viele Opern (R. Wagner), das idealisierende ↗ Geschichtsdrama u. a. – nicht mit dem Terminus R. erfaßt werden können.

3. *Der kunsttypologische Begriff.* Entgegen den begriffsgeschichtl. Voraussetzungen und trotz dem Gebrauch als Epochenbez. beschreibt ›Realismus‹ in der ästhet. und kunsttheoret. Nomenklatur auch *eine geschichtsübergreifende Konstante* für die Mittel und Möglichkeiten künstler. Weltaneignung. Dieser allgemeine kunsttypolog. Begriff ist in hohem Maße kontrovers, da seine inhaltl. Bestimmung stets selbst histor. bestimmten Normen des Wirklichkeitsverständnisses unterliegt und daher bei seiner Anwendung auf Geschichte anachronist., bei seiner Anwendung auf Beschreibungs- und Bewertungstypologien ideolog. geprägt ist. Zudem geht man bei diesem zeitlosen R.begriff meist nur von den in den Werken sich dokumentierenden Wirklichkeitsperspektiven aus und läßt den Gesichtspunkt unberücksichtigt, in welchem Verhältnis diese Werkperspektive zur Realitätssicht und den Wirklichkeitserwartungen der Rezipienten steht. Umstritten sind zumal der Wirklichkeitsbegriff, seine Vermittlungsmöglichkeit (»Widerspiegelung«) im Kunstwerk und die damit verbundene Wirkungsabsicht. *Positionen der neueren Auseinandersetzung* sind u. a. in den Arbeiten von G. Lukács, B. Brecht, R. Wellek und Th. W. Adorno bezogen. Im Anschluß an Hegel mißt Lukács den R. nach den Kriterien einer ›falschen‹, d. h. nur auf die Montage von realen Details und äußerl. Fakten bedachten Objektivität und einer ›richtigen‹ Objektivität, die sich aus der (im Einklang mit der marxist. Philo-

sophie stehenden) Erkenntnis der gesellschaftl. Gesetzmäßigkeiten ergibt, und der allein die Fähigkeit zugestanden wird, einen R. zu erreichen, der die »wahre Darstellung des Ganzen der Wirklichkeit, ihrer allseitigen, bewegten, sich entfaltenden Totalität« bietet. Gegen diese Auffassung wurde geltend gemacht, daß die Totalitätsforderung ein Künstlertum als genieästhet. Vorbild verlange, daß das Problem, ob Wirklichkeit je eine totale Abbildbarkeit – und wenn: mit welchen Kunstmitteln – besitze, nicht gelöst ist, und daß der statisch-stiltypolog. Begriff den Aspekt der krit. Wirklichkeitsreproduktion einzuengen oder gar auszuschließen scheint. So stellte Brecht dagegen die Forderung nach einem ›intentionalen R.‹, der »die Wirklichkeit wiedergeben soll wie zugleich beeinflussen, verändern, für die breiten Massen der Bevölkerung verbessern will« (1954). Th. W. Adorno setzte sich gegen Lukács für einen *R. der Negation* ein, der ›Wirklichkeit‹ nicht mitteile, um Kunst wahrscheinlich zu machen, sondern die Wahrheit über die Wirklichkeit auszusagen suche. Das könne jedoch nicht erreicht werden durch eine Reproduktion etablierter Realität, sondern nur durch eine »Kündigung der äußeren und inneren Abbildlichkeit«. Gegen solche normativ-poetischen Modelle des R. wurde argumentiert, daß »Kunst eine Scheinwirklichkeit ist, die symbolisch für Wirklichkeit steht« (R. Wellek) oder daß Kunst eine eigene Welt des Wirklichen schaffe, die in keinem einfach kausalen Verhältnis zu einer im positivist. Sinne datierbaren oder meßbaren Wirklichkeit stehe. In diesem Sinne ist selbst für die phantast. Dichtung E. A. Poes oder E. T. A. Hoffmanns der Begriff R. verwandt worden. – **Geschichte:**

1. *Realismus als Stilmerkmal.* Unterstellt man nicht das Axiom, daß die Kunst stets auf ›Wirklichkeit‹ antworte, sondern geht man von einem Realismusverständnis aus, das sich durch konkrete, histor. Mitteilung des Faktischen bestimmt, dann kann *R. als überzeitl. Konstante* besonders in Spät- und Übergangszeiten beobachtet werden, in denen zumindest ein quantitativer Zuwachs an Elementen der äußeren Wirklichkeit die Kunstwerke charakterisiert. So spricht man (abgesehen vom ohnedies unterschiedl. Realitätsbezug der einzelnen Kunstarten und Gattungen) von einem R. der spätattischen Tragödie (Euripides) und Komödie (Aristophanes), von einem R. (Petronius), besonders aber von einem *R. des Spät-MA.s* für jene Gattungen, die im Gegensatz zur idealisierenden Kunst der höf. Welt vom frühbürgerl. Denk- und Daseinsinteresse bestimmt sind. Der spätmal. R. ist weithin gattungsgebunden und läßt sich am deutlichsten erkennen in ↗ Schwänken, ↗ Fabliaux, ↗ Novellen (Boccaccio), ↗ Fazetien (Poggio), ↗ Satiren (F. Rabelais, S. Brant, Th. Murner), seltener in der Lyrik (F. Villon). Ausgeprägt realist. Züge tragen auch die spezif. städt.-bürgerl. Kunstrepräsentationen wie die ↗ Oster-, ↗ Passionsspiele, die Meistersingerdichtung (↗ Meistersang) und v. a. die ↗ Fastnachtsspiele und Werke der didakt. Literatur (↗ Grobianismus). Wie in der Literatur ist auch die *spätmal. bildende Kunst* – techn. auch durch die Einführung der Zentralperspektive bestimmt – dem realist. Stiltypus zuzuordnen. Dies gilt für viele Altar-, bes. Kreuzigungsbilder (Grünewald, J. Ratgeb) wie für die individuellen Porträts (Dürer, Holbein d. J.) und weite Bereiche der Graphik (Petrarca-Meister, L. Cranach). Mit der Kennzeichnung R. wurde sodann auch jene, vor allem *epische Literatur des 17. Jh.s* bedacht, die nicht zu den höf.-absolutist. Formen der Haupt- und Staatsaktionen gezählt wird, sondern die, z. T. unter dem Einfluß des span. Pikaro-Romans, detailtreue Beschreibungen aus dem Leben der mittleren und niederen Stände bietet, und die sprachl. nicht dem ›genus grande‹ der barocken Rhetorik verpflichtet ist (Grimmelshausen, J. Beer, Ch. Reuter). Mit der Entdeckung der Innerlichkeits-Realität im 18. Jh. beginnt eine als ›empir. R. der Aufklärung‹ bezeichnete Kunst, die mit psycholog. Beobachtung das Problem von

empfindsamer Individualität und rational bestimmter Daseinsform der Gesellschaft thematisiert (S. Richardson, H. Fielding, D. Diderot; in Deutschland werden hierzu auch Dichter des ↗Sturm und Drang wie J. M. R. Lenz gerechnet). Trotz der grundlegenden Diskussion Schillers (»Über naive und sentimentalische Dichtung«, 1795), in der die gegensätzl. Weltanschauungsweisen des Realismus und Idealismus und ihre Verwirklichungsmöglichkeiten in der Poesie erörtert wurden und in der R. bereits als stilist. Kontrastbegriff ausgeführt ist, blieb den beiden Kunstperioden Klassik und Romantik die Zuordnung zur realist. Kunst weithin vorenthalten. Die Anwendung des allgemeinen stiltypolog. Begriffs (sieht man von der Epochenbezeichnung im 19. Jh. ab) findet dann erst wieder in den Kontroversen des 20. Jh.s statt, wo R. als Oppositionsbegriff gegen Neuromantik, ↗Expressionismus, ↗Surrealismus, ↗Neue Sachlichkeit etc. wieder polem. und grundsätzl. Bedeutung erhält. Aus diesen Auseinandersetzungen wurde auch der Terminus des ↗sozialist. R. entwickelt, der unter persönl. Mitwirkung Stalins 1932 in den Statuten des sowjet. Schriftstellerverbandes festgeschrieben wurde und bis heute normative Verbindlichkeit besitzt: Der sozialist. R. verlangt ↗Parteilichkeit, Volkstümlichkeit und fordert vom Künstler »eine wahrheitsgetreue, konkret-histor. Darstellung der Wirklichkeit in ihrer revolutionären Entwicklung«. Damit soll zugleich eine Abgrenzung vom bürgerl. R. des 19. und vom ›krit. R.‹ des 20.Jh.s (A. Döblin, L. Feuchtwanger, E. Hemingway, R. Rolland, A. Zweig, H. Mann) auch in der begriffl. Zuordnung gewonnen werden.
2. Realismus als Kunstperiode. Für nahezu alle europ. Nationen bezeichnet ›R.‹ die Kunstproduktion der Zeit zwischen 1830 und 1880. Führend in der Praxis wie in der programmat. Auseinandersetzung war Frankreich. Der frz. R. ist bestimmt durch eine ausgeprägt sozialkrit. Thematik und eine desillusionist., antibürgerl. Haltung. Im Erzählverfahren wird – entsprechend der Ausklammerung des erkenntnistheoret. Fragestellung in der Positivismus-Philosophie A. Comtes – eine Darstellungsmethode entwickelt, die auf den individuell vermittelnden Erzähler verzichtet. Dies erreichte konsequent G. Flaubert (»Madame Bovary«, 1857), der sich jedoch gegen die Etikettierung »Realist« wehrte. Zu den bedeutendsten literar. Realisten Frankreichs zählen Stendhal (»Rouge et noir«, 1830), H. de Balzac (»La comédie humaine«, 1829–54), G. Flaubert, die Brüder Goncourt (»Germinie Lacerteux«, 1864) und J. Champfleury, der mit seinen programmat. Vorreden und seinen Aufsätzen in der Zeitschrift »Le Réalisme« (1856–75) einflußreich wurde für die Festlegung des Stil- und Epochenbegriffs. Neben den Werken der realist. Erzählkunst erreichten die Dramen von A. Dumas fils (»La dame aux camélias«, 1848), aber auch die ↗Vaudevilles von E. Labiche (»Un chapeau de paille d'Italie«, 1851) große Wirkung und Verbreitung. In Deutschland wurde der literar. R. trotz bedeutender Vorläufer im Drama (G. Büchner, Chr. D. Grabbe), in der Kunst der Restaurationszeit (Biedermeier) und des Vormärz (K. Gutzkow, H. Heine, G. Weerth) erst nach der Revolution 1848 zur bestimmenden, auch theoret. diskutierten Stilrichtung. Kennzeichnend für den R. der deutschsprachigen Literatur ist die weniger gesellschaftskrit. Haltung, die Neigung zu idyll. Resignation und zu einer Erzählweise, die sich des distanzierenden Humors bedient. Der von O. Ludwig (»Shakespeare-Studien«, 1871) dieser Kunstperiode zugedachte Titel des poet. R. beschreibt eine Wirklichkeitsnachbildung, die sich einerseits vom frz., andererseits vom berichtenden Journalismus dadurch unterscheidet, daß sie Realität verklärt, sich durch die Subjektivität der Erzählperspektive auszeichnet und weithin auf den Einbezug extremer Wirklichkeit (z. B. des abstoßend Häßlichen) verzichtet. Neben einigen Romanen sind für diese Literatur bes. kürzere Erzählformen (↗Novelle) entscheidend geworden. Zu den Vertretern des poet. R. zählen J. Gotthelf, A. Stifter, B. Auerbach, G. Freytag, Th. Storm, G. Keller, C. F. Meyer, W. Raabe, während für die Romane Th. Fontanes wie auch für die von Th. Mann der Terminus bürgerl. R. zur stilist. und histor. Unterscheidung geprägt wurde. Daß der R. des 19. Jh.s eine übernationale Erscheinung, gleichwohl mit nationaler Eigenheit ist, belegen die Werke des vielfach humorist., durch emotional-sozialkrit. Mitleidspathos ausgezeichneten Werke des engl. R. (W. M. Thackeray, Ch. Dickens, G. Eliot), die sozialutop. engagierten und zu detaillierter Beschreibung psycholog. Individualwirklichkeit neigenden Romane der russ. Realisten (F. Dostojewski, L. N. Tolstoi, I. S. Turgenjew, I. A. Gontscharow) und die dem sog. symbol. R. zugeordneten Dichtungen der amerikan. Literatur des 19. Jh.s (H. Melville, N. Hawthorne).

📖 Cowen, R. C.: Der poet. R. Mchn. 1985. – Osterkamp, B.: Arbeit u. Identität. Studien zur Erzählkunst des bürgerl. R. Würzbg. 1983. – Müller, Udo: R. Begriff u. Epoche. Freibg. 1982. – Stern, J. P.: Über literar. R. Mchn. 1982. – Müller, Klaus-D. (Hrsg.): Bürgerl. R. Königstein/Ts. 1981. – Bucher, M./Hahl, W. u. a. (Hrsg.): R. und Gründerzeit. Manifeste u. Dokumente zur dt. Lit. 1848–1880. 2 Bde. Stuttg. 1981. – Aust, H.: Literatur des R. Stuttg. ²1981. – Lauer, R. (Hrsg.): Europ. R. Darmst. 1980. – Preisendanz, W.: Wege des R. Mchn. 1976. – Brinkmann, R.: Wirklichkeit u. Illusion. Studien über Gehalt u. Grenzen des Begriffs R. für die erzählende Dichtung im 19.Jh.s. Tüb. ³1976. – Grimm, R./Hermand, J. (Hrsg.): R.theorien in Lit., Malerei, Musik und Politik. Stuttg. 1975. – Martini, F.: Dt. Lit. im bürgerl. R. 1848–1898. Stuttg. ⁴1981. – Kinder, H.: Poesie als Synthese. Ausbreitung eines dt. R.-Verständnisses in d. Mitte des 19.Jh.s. Frkft. 1973. – Schanze, H.: Drama im bürgerl. R. (1850–1890). Frkft. 1973. – Auerbach, E.: Mimesis. Dargestellte Wirklichkeit in d. abendländ. Lit. Bern/Mchn. ⁵1971. – Brinkmann, R. (Hrsg.): Begriffsbestimmung des literar. R. Darmstadt ³1987. – Lukács, G.: Schr. zur Literatursoziologie. Hrsg. v. P. Ludz. Neuwied/Bln. ³1968. – Lukács, G.: Probleme des R. 3 Teile. Neuwied 1964–74. – RL. HW

Reallexikon, n. [zu mlat. realis = sachl., aus lat. res = Sache, vgl. Realien = Dinge], auf die Sachbegriffe eines bestimmten Wissensgebiets beschränkte (Fach- oder Spezial)-↗Enzyklopädie, auch: Sachwörterbuch, Architektur-, Kunst-, ↗Literaturlexikon usw. IS

Rebus, m. oder n. [lat. = durch Dinge (ausdrücken)], graph. dargestelltes ↗Rätsel, das mit dem Gleichklang bestimmter Wörter und Silben spielt. Anders als im ↗Wortspiel werden im R. Gegenstände abgebildet und mit Silben und Zeichen (Ziffern, Buchstaben, Noten) so zusammengestellt (neben-, unter-, übereinander etc.), daß sich aus der Lautfolge ihrer Benennungen ein neuer Begriff oder Satz ergibt; z. B. Bild: Äste + Bild: Tisch = »ästhetisch«, 2g = »Zweige« (diese Art R. wird auch als Bilderrätsel bez.); berühmt ist der (angebl.) R.wechsel zwischen Friedrich II. v. Preußen und Voltaire: F.: $\frac{\text{P}}{\text{sou}}$-p(er) à Sans-$\frac{\text{sou}}{}$-ci, V.: G a (= G grand = J'ai grand à (= venez sans J'ai grand à (p)pétit). – R.se sind ferner Suchbilder (deren Bildelemente ein weiteres Bild im Bild verbergen) und Scherzgedichte, in deren Druckbild Wörter (Silben) durch Abbildungen von Dingen ersetzt sind, deren lautl. Benennung derjenigen der ausgelassenen Silbe(n) entspricht, z. B. Harsdörffer (»An einen Kalendermacher«): »Da, wie die Ge[Bild: Stier]ne sagen . . .«. – Die Bez. (in Deutschland etwa seit 1710 belegt) geht vermutl. auf den aus Picardie stammenden Pasquill-Sammlung »De rebus quae geruntur« zurück, die um 1600 in der Picardie von Notariatsschreibern (↗Basoche) jährl. mehr oder weniger verschlüsselt oder doppeldeutig verfaßt und dargestellt wurden (vgl. frz. écriture in r., r. de Picardie). – Die Praxis, Lautformen graph. darzustellen, findet sich bereits in der Antike (bildl. Darstellung von Namen auf Siegeln) und bes. in der mal. Heraldik (Berliner Stadtsiegel

1280: zwei kleine Bären *[berlin]* als Schildhalter) und der barocken Emblematik. Höchste Blüte im 15./16. Jh. in Frankreich (viele Homonyme): Wahlsprüche, Buchtitel, Inschriften etc. werden (auf oft sehr gekünstelte Weise) zu R.sen verarbeitet (verspottet von Rabelais im »Gargantua« I, 9, 1534), im 17. Jh. dann auch in Deutschland; 1684 stellt z. B. M. Mattsperger 750 Bibelstellen in R.sen dar, sogar Teile des Corpus iuris werden zu R.sen verarbeitet. Diese Spielereien blieben bis ins 19. Jh. in allen Schichten beliebt; sie gelangten durch die R.-Almanache des Biedermeier seit Mitte des 19. Jh.s in die Unterhaltungsspalten der Wochenschriften und Journale.   IS

Redaktion, f. [frz. rédaction = Fassung], Begriff der altphilolog. und mediaevist. ↗Textkritik für unterschiedliche, handschriftl. überlieferte Textversionen, die auf Grund eigenständ. ↗Archetypus (einen gemeinsamen Grundtext) zurückgeführt werden können; dabei bleibt offen, ob es sich jeweils um Bearbeitungen durch den Autor selbst oder einen nach einem eigenen Konzept vorgehenden Redaktor handelt; vgl. z. B. die R.en des »Nibelungenliedes« in den Handschriften A, B und C; auch ↗Fassung.   S

Rede,
1. zum mündl. Vortrag bestimmter didakt., je nach Situation und Zweck meist stilist. entsprechend ausgearbeiteter Gebrauchstext suasor. oder appellativen Charakters. Im Ggs. etwa zum wissenschaftl. Vortrag versucht die R. nicht nur durch Argumente, sondern auch durch gedankl. und stilist. Kunstgriffe zu überzeugen. Im gesellschaftl. und polit. Bereich von großer Bedeutung, vgl. z. B. die polit. R. (Wahl-R.), die Gerichtsrede (Plädoyer des Staatsanwaltes und der Verteidiger), die Preisrede oder Laudatio (Fest-, Grab- und Gedenkrede) sowie die in den relig. Bereich gehörende Kanzel-R. oder ↗Predigt. – Die wirkungsvolle R. wird bestimmt von den (bewußt oder unbewußt angewandten) Regeln der ↗Rhetorik, die in der griech. Antike ausgebildet wurden, bes. in Spätantike und MA. wirksam waren und bis ins Barock die gesamte Literatur beeinflußten. In der griech. Polis, v. a. in demokrat. Athen, erlebte die polit. R. durch die Einrichtung der Volksversammlung einerseits und der Rhetorikschulen andererseits ihre erste Blüte; die berühmtesten griech. Redner waren Isokrates (»Kranzrede«) und Demosthenes (»Philippika«). Für das republikan. R. als einflußreichster Meister der polit. und jurist. R. v. a. Cicero zu nennen. In Rom wurde erstmals die R. auch literarisiert, d. h. ihrem eigentl. Zweck entfremdet und für die schriftl. Fixierung stilisiert oder sogar nur für die schriftl. Überlieferung verfaßt, nicht ›gehalten‹ (z. B. einige Verres-R.n Ciceros). – In Spätantike, MA. bis zum Barock herrschte entsprechend den polit. Verhältnissen die affirmativ-huldigende R. vor, ferner das wissenschaftl. Streitgespräch, sowie die durch die hohen Schulen geförderte ↗Disputatio. Mal. R.n sind bes. im Zusammenhang mit den Kreuzzügen überliefert. Anfänge der agitator. R. finden sich im Bauernkrieg (z. B. F. Geyer, Th. Münzer, U. v. Hutten). – Die polit. R. gewinnt wieder gr. Bedeutung mit der Proklamation der Menschenrechte, der neuzeitl. Parlamentarismus, insbes. im Zusammenhang mit der Franz. Revolution (R.n von Robespierre, St.-Just im Konvent). Die größte Tradition der polit. R. besitzt England, wo die Glorious Revolution (1688) und die Bill of Rights (1689) den Kampf zwischen Monarchie und Parlament zu dessen Gunsten entschieden hatten (D. Hume, H. Blair, W. Pitt d. J. u. a.). – Infolge der polit. Verhältnisse (und vielleicht auch auf Grund der dt. Mentalität) kann die polit. R. in Deutschland nicht auf eine lange Tradition zurückblicken. Vorherrschend war noch im 18. Jh. die affirmative R., obwohl es seit der Aufklärung, v. a. im dt. Idealismus und der dt. Romantik Forderungen (Gottsched, Herder, Th. Abbt, H. Heine, Görres) und Ansätze zur polit. R. gibt (E. L. Posselt, G. A. Bürger, G. Forster, Fichtes »R.n an die dt.

Nation«, Adam Müller). – In der Folge profilierten sich in Deutschland als Redner v. a. O. v. Bismarck (z. B. seine R. im dt. Reichstag anläßl. der Diskussion um die Sozialistengesetze), sein Gegner im Reichstag, E. Richter, ferner A. Bebel und K. Liebknecht, die eine sozialist. R.kunst mit agitator. Tendenz begründeten, und in den Zwanziger Jahren W. Rathenau, G. Stresemann und F. Naumann. Im Dritten Reich wurde die R. zur Demagogie mißbraucht (A. Hitler, J. Goebbels). – In der parlamentar. Demokratie der Bundesrepublik ragen seit ca. 1950 Th. Heuss, C. Schmid, F. Erler, R. Barzel und Helmut Schmidt als Redner heraus. In England gilt W. Churchill (v. a. mit seinen im Krieg gehaltenen R.n) als ein Höhepunkt der modernen engl. R.kunst, in Frankreich Ch. de Gaulle mit seinen glorifizierenden R.n, in den USA John F. Kennedy.

Texte: Hinderer, W. (Hrsg.): Dt. R.n. Stuttg. 1973.
📖 Hinderer, W.: Über dt. Lit. u. R. Mchn. 1981. – Klaus, G.: Die Macht des Wortes. Bln. 1972. – Jens, W.: Von dt. R. Mchn. ³1983 (dtv 1972). – Gauger, H.: Die Kunst der polit. R. in England. Tüb. 1952.
2. in der Sprach- und Literaturwissenschaft Bez. der Wiedergabeform einer Aussage, entweder als ↗*direkte* R. (die wörtl. zitierte Äußerung einer Person), ↗*indirekte* R. (die nicht wörtl., mittelbare, referierte, vom Verb des Hauptsatzes abhängige R.), ↗*auktoriale* R. (die unmittelbare Wendung eines fiktiven Erzählers an den Leser, ↗auktoriales Erzählen) oder ↗*erlebte* R. (die Wiedergabe innerer Vorgänge in der 3. Person).   OB/IS
📖 Klemm, I.: Fiktionale R. Königstein/Ts. 1984.

Redefiguren, ↗rhetorische Figuren.

Redensart, verbaler, bildhafter Ausdruck, z. B. *die Daumen drücken* (halten), der im Ggs. zum ↗Sprichwort erst in einem Satz seine kommunikative Funktion erfüllt *(ich drücke dir die Daumen, damit du gewinnst),* aber im Ggs. zur ↗Formel (Redewendung) nicht mehr in der ursprüngl. Bedeutung erfaßt wird.   S

Rederijkers, m. Pl. ['re:dərɛikərs, niederl., volksetymolog. Umbildung zu frz. ↗Rhétoriqueurs], bürgerl. Dichter und Literaturliebhaber im niederländ. Sprachraum (v. a. Flandern, Brabant) im 15. u. 16. Jh. Die R. waren ähnl. den städt. Zünften in sog. *R.kamers* organisiert, die sich poetische, meist programmat. Namen, Embleme und Devisen zulegten (z. B. hieß die *älteste R.kamer* in Amsterdam »De Eglantier« [Rosenstrauch, Emblem: Kreuz Christi, Devise: »in liefde bloyende – in Liebe blühend/blutend]; über 300 R.kamers sind namentl. bekannt. Der Vorsitzende wurde »Fürst« oder »Prinz« genannt, zentrale Figur war der »Factor«, der Theaterdichter und Regisseur im jährl. in wechselnden Städten stattfindenden Wettbewerb *(landjuweel),* für den die betreffende Kammer das Thema für Gedichte, Theaterstücke und Festzüge stellte. – Die R. warfen und gestalteten außerdem die städt., kirchl. und weltl. Feste, Prozessionen, v. a. die feierl. Empfänge *(incomste,* vgl. ↗Trionfi) fürstl. Persönlichkeiten, die – zugleich Darstellungen städt. Selbstbewußtseins – mit großem Schaugepränge realisiert wurden (Prunkwagen, Triumphbogen mit »lebenden Bildern usw.), aufsehenerregend waren z. B. die Einzüge Karls V. (1520), Prinz Philipps v. Spanien und Ernsts v. Österreich (1549) oder Erzherzog Alberts von Österreich (1599) in Antwerpen oder der 12stünd. Festzug mit 223 Wagen auf dem *landjuweel* 1561. *Hauptformen des R.theaters* waren die allegor. *Zinnespelen* (↗Moralitäten) und die possenhaften *Esbatementen* (↗Kluchten). *Hauptform der Lyrik* war der sog. *Refrain (referein),* ein stroph. Gedicht mit einem sich wiederholenden Endvers *(stock).* Man unterschied ernsthafte *(in 't vroede),* kom. *(in 't sotte)* und *amoureuze* Refrains. Die Dichtungen folgen normative Regeln (zahlreiche Poetiken, u. a. von M. de Castelein und P. C. Hooft). Ihre lehrhafte Tendenz verbindet sie mit den spätmal. ↗Meistersingern, die Verarbeitung frühhumanist. Gelehrsamkeit (Alle-

gorien, rhetor. Schmuck) mit der Renaissance- und Barockdichtung. Bedeutende *Vertreter* sind im 15. Jh. C. van
Rijssele, A. de Roovere, Petrus Dorlandus, im 16. Jh. M. de
Castelein, Anna Bijns, C. Everaert, P. C. Hooft, G. A. Bredero, R. Visscher, H. L. Spieghel. – Nach 1556 wurden die
R. als Anhänger reformator. Gedankengutes zunehmend
verfolgt (Herzog Alba); nach dem Fall Antwerpens 1583
flohen viele R. in die (seit 1609 unabhängigen) nördl. Niederlande (Holland), die Zentrum der Renaissanceliteratur
des 17. Jh.s wurden.
📖 R.studien, Bd. I, Gent 1964 ff. – Mak, J. J.: De R.
Amsterdam 1944. S
Redondilla, f. [span. zu lat. rotundus = rund, auch Lied
zu einem Rundtanz], span. Strophenform, Vierzeiler aus
Trochäen, gewöhnl. Achtsilblern *(R. mayor),* weniger häufig Sechssilblern *(R. menor)* mit den Reimschemata abab
(= älterer Typ, seit dem 11. Jh. nachweisbar) und abba
(bezeugt seit 14. Jh.): gilt heute als eigentl. R.form; Blüte im
Siglo d'Oro (16. / 17. Jh.) als selbständ. Strophe in Lyrik und
Drama, z. B. bei J. de La Cueva (»Tutor«, 1579, über 90%
der Strophen sind R.s), Lope de Vega, Tirso de Molina, G.
de Castro y Bellvis und Montalbán. Während die R. in der
Lyrik Lateinamerikas seit Juana Inés de la Cruz (17. Jh.)
lebendig blieb, wurde sie in Spanien erst in der Gegenwart
neu belebt. IS
Reduzierter Text, auf wenige Wörter, auf syntakt. freie
Wortfolgen, auf nur ein Wort, eine Buchstabenfolge oder
einzelne Buchstaben verknappte Texte (Expressionismus,
z. B. Sturmkreis; Dadaismus; experimentelle, v. a. ⁄kon-
krete Dichtung), oft verbunden mit gleichzeitiger visueller
Aufbereitung (z. B. K. Schwitters' »elementar«-Gedichte,
»gesetztes Bildgedicht«, E. Gomringers »schweigen«). R.
T.e betonen in ihrer inhaltl. Vereinfachung und formalen
Auflösung v. a. den *Materialwert der Sprache,* des Wortes,
seiner Bausteine, der Silben und Buchstaben (daher auch:
materialer Text). Eingesetzt seit der Literaturrevolution in
Opposition gegen traditionelle Inhalts- und Formvorstel-
lungen, gilt die Reduktion heute als Mittel zur Konzentration und Vereinfachung, aber auch als gemäßes poet. Verfahren einer auf schnelle Kommunikation drängenden
Zeit, wobei allerdings die Reduktion »Witz entwickeln«
sollte (Heißenbüttel).
📖 Heißenbüttel, H.: Reduzierte Sprache. In: H. H.: Über
Lit. Olten 1966, S. 11–22. D*
Referein, Refrein, m. [niederländ. = Refrain(gedicht),
bes. von den ⁄Rederijkers gepflegt].
Reformationsdrama (protestant. Schuldrama), aus dem
lat. ⁄Humanistendrama in der 1. Hälfte des 16. Jh.s entstandenes religiöses *dt.sprach.* Tendenzdrama im Dienste
der Reformation, angeregt und gefördert von Luther und
Melanchthon. Es bleibt, was Form und Aufführungspraxis
betrifft, als ⁄Schuldrama dem Vorbild des Humanistendramas verhaftet (meist 5 Akte, Aktgliederung durch Chöre
oder Choräle, Szeneneinteilung, Prolog und Epilog, Argumentum, Verwendung der ⁄Terenz-⁄Bühne); im allgemeinen ⁄Knittelverse (Ausnahme: das Drama P. Rebhuns,
der, unter Beachtung des dt. Akzents und daher gewissermaßen die Opitz'sche Versreform des 17. Jh.s vorwegneh-
mend, antike Jamben und Trochäen nachzubilden versucht). Die Stücke sind, ähnl. ihren lat. Mustern, mäßig im
Umfang, die Handlung ist gestrafft, das Personal zahlenmäßig beschränkt. Die reformator. Ziele und die Grundsätze einer protestant. Ethik stehen im Mittelpunkt des
Interesses. – Die *Zentren* des R.s liegen in Sachsen, dem
Ausgangspunkt der reformator. Bewegung. Die bedeutendsten *Vertreter* sind J. Greff (»Spiel von dem Patriarchen
Jacob und seinen zwelff Sönen«, 1534; »Judith«, 1536; ein
Osterspiel, 1538; »Abraham«, 1540) und Gabriel Rollen-
hagen in Magdeburg, P. Rebhun (»Susanna«, 1536;
»Hochzeit zu Cana«, 1538), H. Ackermann und J. Krügin-
ger (= Crigingerus) in Zwickau, J. Agricola (»Huss«, 1537)

und später C. Spangenberg im Mansfeldischen und J. Chry-
seus in Allendorf. Von Sachsen aus strahlt das R. in die
reformierten Gebiete Norddeutschlands (H. Knaus [=
Chnustinus] in Hamburg, F. Dedekind in Braunschweig/
Lüneburg, B. Hederich in Mecklenburg und L. Hollonius in
Pommern), nach Nürnberg (G. Mauritius und L. Culmann)
und Württemberg (N. Frischlin), aber auch in den kath.
Westen (J. von Gennep in Köln) und Südosten (W.
Schmeltzl und Th. Brunner in Österreich) aus. In der
Schweiz (G. Binder in Zürich, S. Birck [= X. Bethulius] in
Basel) und im Elsaß (J. Wickram) verbindet es sich mit der
Tradition der Schweizer Bürger- und Volksschauspiele, die
teilweise noch dem spätmal. geistl. Drama verpflichtet sind
und sich gegenüber dem eigentl. R. durch größeren Text-
umfang, reicheres Personal (Massenszenen), einen beweg-
ten Handlungsgang und ihren Episodenreichtum auszeichnen. Die *Stoffe* des R.s stammen v. a. aus der Bibel; die Blütezeit des R.s im 16. Jh. fällt mit der Blütezeit der ⁄bibl.
Dramas in der Reformation. Daß die Stoffe zusammen.
allegor. Stoffe behandelt (z. B. der Jedermann-Stoff). Seltener sind Stoffe aus der volkssprachl. Erzählliteratur
(Schöne Magelone, Griseldis; Erzählungen der Gesta
Romanorum; Boccaccio), antike Literaturstoffe (Äneas-
Sage), histor. (Alexander; Lucretia, die Horatier und Curia-
tier; Hannibal, Scipio; Huss) und zeitgeschichtl. (Luther,
Türkenkriege) Themen. — Wie das gleichzeit. lat. R. (s.
Humanistendrama) und das Drama der Gegenreformation
(⁄Jesuitendrama) wirkt das dt.sprach. R. auf das ⁄schles.
Kunstdrama, das im 17. Jh. die Reformationsdramen
ablöst.
📖 ⁄Schuldrama, ⁄Humanistendrama. K*
Reformationsliteratur, wird in der Zeit zwischen Lut-
hers Thesenanschlag (1517) und dem Augsburger Reli-
gionsfrieden (1555) angesetzt. Da es in dieser Periode kaum
eine literar. Publikation gab, die nicht die Thematik der
Glaubensauseinandersetzungen behandelte oder berührte
(›luther. Pause‹ der dt. Literatur), kann man unter R.
nahezu sämtliche diesem Zeitraum angehörende literar.
Erscheinungen in lat. und dt. Sprache verstehen. Da außer
der Schulrhetorik und den formalen Richtlinien in den
Meistersingertabulaturen keine verbindl. zeitgenöss. Poetik
existierte, ist auch eine Eingrenzung des Begriffs durch eine
Unterscheidung von Gebrauchs- und Kunstliteratur nicht
durchführbar, zumal viele (z. T. mit traditionellen Kunstmitteln arbeitende) Publikationen, die außerhalb des
eigentl. Reformationskampfes zu stehen scheinen (Fastnachtsspiele, Schulordnungen, Grammatiken, sogar sog.
Syphilis- und Podagraliteratur), dennoch Bezug nehmen
auf die geistl. und sozialen Kontroversen der Reformationszeit. Die Bez. ›R.‹ umfaßt überdies nicht nur das *reformator. Schrifttum* im Sinne der Lutheranhänger, sondern
ebenso auch die *Veröffentlichungen zum dt. Bauernkrieg*
(1525), weiter *gegenreformator. Publikationen* wie Neuauflagen, Bearbeitungen und Übersetzungen vorreformator.
Werke, die als histor. Rechtfertigungen und aktualisierte
Argumentationsmittel im Glaubenskampf eingesetzt wurden. In diesem Sinne zählen zur R. z. B. auch Luthers Ausgaben der spätmal. »Theologia deutsch« (1516 und 1518)
wie auch seine Bibelübersetzung und -kommentierung. Die
verbreitetste *Publikationsform* der Reformationszeit ist die
⁄Flugschrift, die sich unterschiedl. literar. Formen von
Traktat, Sendschreiben, fiktivem Gesetzestext (Eberlin von
Günzburg, »Die fünfzehn Bundesgenossen«, 1521) bis zur
fastnachtspielähnl. satir. Farce (»Dialogus von zweyen
pfaffenköchin«, anonym 1522) bediente. Neben die
eigentl. Kampf- und Unterweisungsschriften treten die
satir. Dichtungen: in lat. Sprache entweder in dialog.-dra-
mat. Formen (»Eccius dedolatus«, 1520), als Nachbildung
antiker Versmaße (S. Lemnius, »Monachopornomachia«,
1540, ein obszöner Angriff gegen die Wittenberger Refor-
matoren) oder als rhetor.-parodist. Strafpredigten (J. Oeco-

lampadius, »Canonicorum indoctorum Lutheranorum ad Joh. Eccium responsio«, 1519). – Die *volkssprach.* Satire wählte auf *protestant.* Seite zumeist kleinere, zu agitator. Aufführung geeignete dramat. Formen (N. Manuel, »Der Totenfresser«, 1522 in Bern aufgeführt), Vortragsgattungen der meistersinger. Spruchdichtung (H. Sachs, »Die Wittembergisch Nachtigall«, 1523) oder arbeitet mit neuen Mitteln der Bildpublizistik (L. Cranach, »Passional Christi und Antichristi«, 1521). – Im *kathol.* Lager erscheint die Satire vielfach in umfänglicheren Paarreim-Werken, repräsentativ in Th. Murners polem. Epos »Von dem großen Luther. Narren«, 1522 und in D. von Soests »Ein gemeyne Bicht« (pseudonym 1533), einer dramat. aufgebauten Verssatire gegen die westfäl. Wiedertäufer. Großen Raum in der R. nehmen die protestant. *Bekenntnis- und Kampflieder* ein. Dazu zählen einerseits die sich der moritatenhaften Gattung des ↗ *histor. (Volks)lieds* anschließenden Lieder wie Luthers »Ein newes Lied« (1523, über den Tod der Brüsseler Märtyrer), andererseits jene *Lieder,* die für den volkssprachl. Gesang einer reformierten Liturgie bestimmt sind wie Th. Müntzers Hymnenübersetzungen (»Deutsch Euangelisch Messze«, 1524) oder die im ersten Gesangbuch von J. Klug (Wittenberg 1529) gesammelten ↗ *Kirchenlieder.* – Zu den literar. Gattungen der Reformationszeit, die sich durch ihre Verbindung von didakt. Absicht und künstler. Anspruch (trotz aller Zeitbezogenheit) über die unmittelbare Tagesproblematik und zugleich über die Traditionen der mal. Exempelliteratur und geistl. Spiele zu erheben suchten, gehören die in Prosa oder Versen neugefaßten ↗ *Fabeln* (Luther, E. Alberus, B. Waldis, J. Mathesius) und die für Schulaufführungen bestimmten *protestant. Dramen.* Unter den *neulatein.* Dramatikern der R. errangen weite Verbreitung G. Macropedius (»Asotus«, 1520; »Rebelles«, 1535), G. Gnaphaeus (»Acolastus sive de filio prodigo«, 1529 – dieses Drama erreichte im 16. Jh. über 60 Auflagen und zahlreiche Übersetzungen) und Th. Naogeorg (»Tragoedia nova Pammachius«, 1538; ↗ *Humanistendrama*). Zu den z. T. mehrfach aufgeführten Werken des *deutschsprach.* ↗ *Schuldramas* zählen B. Waldis' »De parabell vam verlorn Szohn« (1527), J. Greffs »Spiel von dem Patriarchen Jacob« (1534), S. Bircks »Bel. Ain Herrliche Tragedi wider die Abgötterey« (1535), P. Rebhuns »Susanna« (1536) und J. Agricolas »Tragedia Johannis Huss« (1537), worauf J. Cochlaeus mit seinem polem. Dialog »Ein Heimlich Gespräch von der Tragedia Johannis Hussen« (1538) antwortete (↗ *Reformationsdrama*). Neben die Unterweisungs-, Erbauungs- und katechet. Literatur tritt in der zweiten Hälfte des 16. Jh.s die fast ausschließl. von luther. orthodoxen Schriftstellern verfaßte didakt.-satir. ↗ *Teufelsliteratur,* die mit M. Friderichs »Saufteufel« (1552) beginnt und mit dem Sammelwerk »Theatrum Diabolorum« (3. Auflage 1587) ihren Höhepunkt und Abschluß findet.

📖 *Bibliographie:* Schottenloher, K.: Bibliographie zur dt. Gesch. im Zeitalter der Glaubensspaltung 1517–1585. 7 Bde. Stuttg. 1956–66. – Walz, H.: Dt. Lit. der Reformationszeit. Darmst. 1988. – Könneker, B.: Die dt. Lit. der Reformationszeit. Mchn. 1975. – RL.   HW

Refrain, m. [rəˈfrɛ̃; frz. eigentl. = Echo, von afrz. refraindre, lat. refingere = wieder brechen, anschlagen], auch: Kehrreim, regelmäßig wiederkehrende Laut- oder Wortgruppe in stroph. Dichtung. Unterschieden wird zwischen *Ton-R.,* Nachahmung des Klangs von Musikinstrumenten oder anderer Geräusche (Klappern der Mühle u. ä.), Interjektionen, neugebildete Empfindungslaute (»juchheidi«) und *Wort-R.,* der aus einem Einzelwort, einer Wortgruppe oder ganzen Sätzen bestehen kann; der Umfang des R.s reicht daher von einem Wort bis zu mehreren Versen und zur ganzen Strophe. Er steht ursprüngl. und zumeist am Strophenende, begegnet aber auch als *Anfangs- (Gegen-)*

und *Binnen-R.,* gelegentl. sind auch zwei oder alle drei Arten miteinander verbunden. Taucht der R. nicht in jeder Strophe, sondern in größeren, aber meist regelmäß. Abständen auf, spricht man von *period. R.* Im *festen R.* bleibt der Wortlaut in der Wiederholung erhalten, im *flüss. R.* wird zur Anpassung an den jeweil. Stropheninhalt der Wortlaut verändert. Formal u. inhaltl. kann der R. eng oder auch nur lose mit der Strophe verbunden sein. Anfangs- und Binnen-R. sind metr. und syntakt. sowie inhaltl. meist eng mit der Strophe verknüpft, End-R. seltener; den festen R. kennzeichnet eine meist nur lose Verknüpfung im Unterschied zur engeren beim (histor. jüngeren) flüss. R. Als das (ggf. variierte, aber immer wiedererkennbare) Alte stellt der R. im rhythm. Wechsel mit einem jeweils Neuen einen Ruhepunkt dar, ein retardierendes Moment, das zugleich gliedert und dem Ganzen Einheit und Abrundung verschafft; als Wort-R. dient er v. a. in der Kunstlyrik der Konzentration und Intensivierung hinsichtl. des Inhalts ebenso wie der (auch formalen) Harmonisierung. – Aus dem Wechselgesang von Vorsänger und Chor entstanden, ist der R. in der Volksdichtung, in Kinder- und Tanzliedern (↗ Ballade, ↗ Balada, ↗ Triolett, ↗ Rondeau usw.) vieler Völker verbreitet. Als Kunstmittel begegnet er bereits in der antiken Dichtung, während des MA.s im Minnesang ebenso wie in religiöser Dichtung, später im Kunstlied bes. bei Goethe und Brentano, außerdem etwa bei D. G. Rossetti u. F. Garcia Lorca. In der dt. Lyrik des 20. Jh.s findet sich der R. v. a. bei B. Brecht, ansonsten begegnet er in ↗ Chanson und ↗ Schlager.

📖 Hausner, R.: Spiel mit dem Identischen. In: Sprache, Text, Gesch. Hg. v. P. K. Stein. Salzbg. 1980. – Meyer, Richard M.: Die Formen des R.s. Euphorion 5 (1898) 1–24.
                                                                        GMS

Regie, f. [frz. = Verwaltung, Leitung], Bez. für die Einrichtung, Einstudierung und Leitung (↗ *Inszenierung*) von Schauspielen, Opern, Filmen, Fernseh- und Hörspielen. Der Aufgabenbereich eines ›Regisseurs‹ umfaßt
1. die Werkdeutung,
2. v. a. die Arbeit mit dem Schauspieler (Besetzung, Gestaltung und Einstudierung einer ↗ Rolle: Wort-, Bewegungs-R.),
3. zus. mit dem Bühnenbildner die Wahl des Bühnenbildes, der Kostüme, Requisiten usw.,
4. den Einsatz der Technik (Licht, Bühnenmechanik, Projektionen, Geräusche, Musik), bei Opern
5. Zusammenarbeit mit Chorleiter und Dirigent,
6. die Anlage und Leitung der einzelnen Szenen (Ensemblespiel, Szenen-R.) auf den Proben bis hin zur Premiere und
7. die Überwachung der Aufführung während der Spielzeit (diese wird oft auch einem R.assistenten bzw. Abendregisseur überlassen). Bei Oper, Film, Fernseh- und Hörspiel müssen außerdem die Eigenheiten der jeweil. Medien beachtet bzw. deren Möglichkeiten voll ausgenutzt werden. R. kann u. U. auch die Aufgaben des ↗ Dramaturgen, insbes. die der Auswahl und evtl. (Bühnen-)Bearbeitung der Textvorlage umfassen. – Die Intentionen der Regie können verschieden sein. Sie reichen von Versuchen einer in allen Einzelheiten originalgetreuen Interpretation über die Umsetzung und Übertragung der vom Autor festgelegten Möglichkeiten und Absichten auf die Gegebenheiten einer bestimmten Bühne, einer bestimmten Zeit, an einen bestimmten Ort, für ein bestimmtes Publikum, für ein bestimmtes Medium, bis zur freien. Neuinterpretation eines Werkes nach bestimmten sozialen, ökonom., ästhet. und ideolog. Gesichtspunkten, schließl. zur freien Produktion, für die der Text nur noch (oft ein unverbindl.) Ausgangspunkt ist (R.theater). Die Interpretationsvielfalt bei der R., die zu willkürl. Inszenierungen führen kann, wird heute bei neuzeitl. Werken durch das Urheberrecht eingeschränkt, das bei Änderungen des Werkcharakters die Zustimmung des Autors voraussetzt. – Von der Antike bis zum ausgehen-

den 18. Jh. wurde die R. meist von Theaterdirektoren, Autoren, prominenten Schauspielern (Ekhof, Schröder, Iffland), Lehrern, Geistlichen (Mysterienspiele des MA.s), auch von wohlhabenden Bürgern (↗Choregen der antiken Tragödie) und bildenden Künstlern ausgeübt. Meist beschränkte sich ihr Wirken auf Einrichtung und Überwachung des szen. Ablaufs und die Sprachgestaltung des jeweil. Werkes. R.-führende Autoren waren z. B. W. Shakespeare, Lope de Vega, Calderón, Molière, C. Goldoni, F. Raimund, J. Nestroy, R. Wagner, in der Neuzeit B. Brecht, F. Dürrenmatt, F. X. Kroetz. – Seit der Etablierung fester Theater trat die R. dann verstärkt als eine eigene Gestaltungsinstanz hervor (Goethe in Weimar, K. L. Immermann in Berlin, H. Laube in Wien). Georg II., Herzog von Sachsen-Meiningen, schuf als erster einen eigenen R.stil (↗Meininger). Die neuen Möglichkeiten der techn. Entwicklung, die für die Stilrichtung des Naturalismus als notwend. erachtete analyt. Durcharbeitung der Rollen und grundsätzl. die Umsetzung neuer theaterwissenschaftl. Erkenntnisse in die Praxis gaben der R. seit etwa 1900 ein zunehmendes Gewicht. *Bedeutende Regisseure* des naturalist. Theaters waren u.a. K. Stanislawskij, A. Antoine, in Deutschld. O. Brahm. Die Einbeziehung des Unglaubhaften und Zauberhaften und ein effektvoller Einsatz des Bühnenbildes kennzeichnen die R. M. Reinhardts (Berlin, Wien, 1873–1943), die zur Überwindung des Naturalismus beitrug. Die Auflösung dieses Illusionstheaters beginnt mit dem Drama des Expressionismus (u. a. L. Jessner, E. Piscator, W. E. Meyerhold, E. G. Craig); sie wurde fortgeführt u. a. von H. Hilpert, G. Gründgens, L. Müthel, H. Schweikhart, B. Brecht) bis hin zu einer alle Stilrichtungen je nach Werk und Werkdeutung krit. einsetzenden R. Unter Benutzung der vielfältigsten Elemente wie z. B. Farbe, Licht, Tanz, Pantomime, Show- und Zirkuseffekte wurde die R. zu einer eigenständigen Instanz, die der Interpretation eines dramat. Werkes neue Möglichkeiten eröffnete. Moderne Vertreter dieser keiner festen Stilrichtung mehr verpflichteten R. sind u. a. P. Brooks, I. Bergman und L. Visconti, B. Sobel, J. Savary, R. Wilson, K. M. Grüber u. a., in Deutschland: B. Barlog, K. H. Stroux, R. Noelte, P. Zadek u. E. Wendt. In letzter Zeit ist auch eine Entwicklung über das Teamwork in der Theaterarbeit (S. Strehler, P. Palitzsch) hin zum Produktionskollektiv zu erkennen, wo die Schauspieler gleichberechtigt mit einem Regisseur zusammen neue Inszenierungen bzw. neue Stücke schaffen (z. B. J. Grotowskij, A. Mnouchkine, P. Stein, C. Peymann). Ähnlich ist auch die Entwicklung in der Opern-R. Von der R. der Komponisten (W. A. Mozart, R. Wagner, G. Verdi) über die von Dirigenten (A. Toscanini, G. Mahler, F. Mottl, H. v. Karajan) kam es zu einer eigenständigen, umfassenden Opern-R. (W. Wagner, W. Felsenstein, G. Rennert, G. Friedrich, P. Chéreau, H. Kupfer, Ruth Berghaus). Die Ähnlichkeiten in der Entwicklung der Filmregie sind schon allein dadurch bedingt, daß große Filmregisseure oft am Theater begannen bzw. arbeiten (S. Eisenstein, F. Lang, I. Bergman). – Die Regisseure in Fernsehen und Hörspiel kommen ebenfalls meist aus Theater und Film.

📖 Mainusch, H.: R. u. Interpretation. Mchn. 1985. – Löffler, P.: R./Melchinger, U.: Zur Gesch. der R. In: Atlantisbuch des Theaters. Hrsg. v. M. Hürlimann. Zürich 1966, S. 325–330, 331–340. – Walter, K.: Spielleitung. Mchn. 1966. – Schwarz, H.: R. Bremen 1965.   MK*

Regionalismus, m. [zu lat. regio = Richtung, Gegend, Landschaft],
1. allgem. Bez. für literar., meist konservative Richtungen (auch Tendenzen in einzelnen Werken), bei denen bestimmte landschaftl.(-bäuerl.) Regionen und die dort waltenden Lebensgesetze zum darsteller. Zentrum werden, vgl. z. B. die ↗Heimatdichtung des 19. Jh.
2. Régionalisme (re'ʒɔna'lism), frz. literar. Bewegung seit

Mitte des 19. Jh.s, deren Vertreter, gegen die frz. Zentralismus gewendet, die Eigenständigkeit der Provinzen betonen, wobei sie v. a. das bodenständ. Bauerntum als nationale und religiöse Kraftquelle gegen Gefahren der Verstädterung im Gefolge der Industrialisierung rühmen. Der Bezugsrahmen ist oft geprägt durch eine myth. Verklärung von Heimat und einfachem bäuerl. Sein, durch Idealisierung von Landschaft und Landleben. Den Autoren mit überregionalem Echo gelang es indes, der Gefahr einer Ideologisierung zu entgehen, im Spezifischen das allgemein Existentielle darzustellen; jedoch mündete der R. oft auch in einen umfassenderen Nationalismus. Für manche Dichter stellt der R. allerdings nur eine Phase in ihrem Schaffen dar (M. Barrès). Der R. nahm seinen Ausgang von der Provence, die auch die umfangreichste Literatur hervorbrachte. Hier gründeten F. Mistral u. a. (1854) den Bund ↗Félibrige, dessen Mitglieder vorwiegend provenzal. schrieben (häufig sind auch zweisprach., d. h. provenzal.-frz. Ausgaben). Weitere Vertreter des provenzal. R. sind P. A. Arène (Schüler Mistrals und Mitarbeiter A. Daudets), J. d'Arbaud, H. Bosco, Th. Monnier, J. Giono. – Die zweite Landschaft, die eine reichere regionalist. Literatur hervorbrachte, ist die Bretagne: A. Brizeux (Epos »Les bretons«, 1845), A. Le Braz, Ch. Le Goffic (Gedichte »Amour breton«, 1889). Die regionalist. Literatur anderer Landschaften erreichte selten überregionale Bedeutung; Ausnahmen sind für die Auvergne H. Pourrat, für Savoyen H. Bordeaux, für die Cevennen A. Chamson, für das Waadt (frz. Schweiz) Ch.-F. Ramuz. – Ähnl. Bestrebungen finden sich, allerdings in unterschiedl. Ausprägung, auch in anderen Nationalliteraturen, z. B. in *Italien,* wo nach der nationalen Einigung 1870 literar. Gegenbewegungen gegen den in der Verwaltung um sich greifenden Zentralismus einsetzten, vgl. z. B. das Werk des Sizilianers G. Verga oder der Grazia Deledda. In *Spanien* geht ein R. z. T. parallel mit separatist. Bestrebungen, etwa in Galicien (E. Pardo Bazán), im Baskenland (A. de Trueba, P. Baroja) und in Katalonien (M. Aguiló y Fuster). – Die Übergänge zwischen einem tendenziell gegen einen kulturellen Zentralismus und der gegen eine städt. Überfremdung ausgerichteten R. und einer betont konservativen, auf menschl. Grundwerte und die Kräfte der Natur sich besinnenden ↗Heimatliteratur sind in vielen Fällen fließend (vgl. ↗Heimatkunst).   S

Register, n. [mlat. registrum], alphabet. Zusammenstellung (↗Index) aller in einem wissenschaftl. Werk vorkommenden Namen oder Begriffe (Personen-, Ortsnamen-R., Sach-R.), meist als Anhang, bei größerem Umfang auch als gesonderter Band beigegeben. R. sind eine unerläßl. Hilfe zur raschen Aufschlüsselung komplexer Zusammenhänge.   S

Reicher Reim [nach frz. rime riche], im Dt.: Reime auf in der Regel zwei vollvokal. Reimsilben, z. B. *Wahrheit : Klarheit;* im Franz.: Reime, bei denen auch der dem Tonvokal voraufgehende Konsonant zum Reim gehört, z. B. *jalouse : pelouse.*   S

Reien, m. [mhd. *reie, reige* = Reihen, Reigen(tanz)],
1. mhd. Bez. a) für (ursprüngl. bäuerl.) Tanz, der im Freien ›gesprungen‹ wurde (vgl. Neidhart, Hpt 4, 8), gelegentl. auch ›getreten‹ (geschritten: Neidhart, Hpt 60, 29); b) für ↗Tanzlied (z. B. Neidharts Lied Hpt 26, 9).
2. literaturwissenschaftl. Bez. für eine Strophenform (Reienstrophe), die für mhd. (Tanz-)Lieder häufig benutzt wurde. Kennzeichnend ist die einleitende Reimpaarbasis (aa), an welche sich beliebig andere (auch heterometrische) Versperioden anschließen, Grundform: aa bxb. – Verwendet v. a. von Neidhart (Sommer-, Schwanklieder), vereinzelt auch von Tannhäuser, Ulrich von Liechtenstein, Ulrich von Winterstetten, Johannés Hadloub, später im Volkslied. ↗Strophe.

📖 Schweikle, G.: Neidhart. Stuttg. 1990 (SM 253).   S

Reim, Gleichklang von Wörtern vom letzten betonten

Vokal ab *(singen : klingen; Rat : Tat)*. Die *Etymologie* des Wortes ist umstritten. E. G. Graff (1836), J. Trier (1942) u. a. setzen ahd. *rîm* (Reihe, Zahl) als Grundwort an, A. Schmeller (1836), L. Wolff (1930) u. a. leiten ›R.‹ von lat. *rhythmus*, der Bez. für nicht quantitierende, z. T. mit R. versehene Verse, ab. Die Grundbedeutung ist wohl ›Verszeile‹, so noch in ›Leber-R.‹, ›Kinder-R.‹, ›Kehr-R.‹. Die ältesten mhd. Belege bei Gottfried von Straßburg und Rudolf von Ems lassen beide Deutungen, R. und /R.-vers, zu. Auch der älteste Beleg für das Verbum *rîmen* in Albers »Tnugdalus« (12. Jh.) ist doppeldeutig. – Der R. begegnet in der dt. Literatur seit ihren Anfängen in ahd. Zeit. Die erste umfangreichere Dichtung, das Evangelienbuch Otfrieds von Weißenburg, ist ebenso gereimt wie kleinere ahd. Gedichte (»Ludwigslied«, »Georgslied« u. a.). Umstritten ist *die Herkunft des ahd. R.s.* W. Grimm stellte ihn in die Tradition einer altheim. R.dichtung; dafür sprechen die poetolog. Äußerungen Otfrieds von Weißenburg, weiter z. B. die R.verse, die Notker Teutonicus um 1000 als Beispiele für volkssprachl. Dichtungen anführt. W. Wackernagel hatte demgegenüber auf die lat. Hymnendichtung als Anreger für volkssprachl. R.dichtungen verwiesen, obwohl die lat. Hymnendichtung einen dem ahd. R. ebenbürtigen R. erst *nach* der ahdt. Zeit zeigt (/Hymnenvers). H. Brinkmann verwies neuerdings auf ir.-lat. Mönchsdichtungen, die jedoch durch eine eigenartige Mischung von R. und /Stabreim gekennzeichnet sind. Die Vulgatmeinung, daß der R. als christl. Formelement im Zuge der Christianisierung den german.-heidn. Stabreim verdrängt habe, übersieht die umfangreiche angelsächs. und altnord. christl. Stabreimdichtung, so daß die Gründe für das Überwiegen des End-R.s in ahd. Dichtung, die Vorherrschaft des Stabreims z. B. in angelsächs. Dichtung eher, wie schon J. Grimm vermutete, mit der jeweil. Sprachstruktur (im Angelsächs. und Altnord. stärkerer Anfangsakzent als im Ahd.) zusammenhängt (so v. a. G. Schweikle). Grundsätzl. findet sich der R. als Stilmittel in jeder Sprache, z. B. im Chines. und den semit. Sprachen, aber auch im Griech. (/Homoioteleuton, /Homoioptoton, d. h. grammat. bedingter Gleichformreim, vgl. /Reimprosa) und Lateinischen. Zum *verskonstituierenden Prinzip*, zum Versband, wurde er in Europa in den nicht Quantitäten messenden, akzentuierenden Sprachen (neben der Alliteration). *Der R. in der dt. Dichtung* war nicht von Anfang an ›rein‹. Anfangs genügte auch nur eine teilweise Übereinstimmung der Laute (/Assonanz, Halb-R.). Die Ansprüche an die R.-Reinheit stiegen mit den Ansprüchen an die allgem. Dichtungsästhetik im 12. Jh. Mit Heinrich von Veldeke in der Epik und Friedrich von Hausen in der Lyrik wird dann der reine R. zur Regelform. In den folgenden Jahrhunderten entwickelt er sich zu einem kunstreich ausgestalteten Versprinzip, das über die bloße Funktion als Verskonstituente mannigfache weitere ästhet. Funktionen (Gliederung, Schmuck, Symbolträger, Mittel zur Distanzierung usw., vgl. auch *Sinn-R.*, /*Klang-R.*) übernehmen kann. In volkstüml. Dichtung finden sich aber bis heute noch Ungenauigkeiten. Die verskonstituierende Funktion (»der R. macht den Vers«) wurde erst im 18. Jh. in Frage gestellt im Zusammenhang mit der Nachbildung antiker Metren (Klopstock) und durch den aus dem Engl. übernommenen /Blankvers. Der zunehmenden Abnützung des R.s begegnete die Dichtung im 20. Jh. einerseits mit der Bevorzugung ausgefallener R.e (Fremdwörter, Fachtermini: R. M. Rilke, G. Benn), andererseits mit der Hinwendung zu reimlosen Formen (bes. seit 1945). Nur in volkstüml. Dichtung, im Schlagern und der Werbepoesie, behauptet der R. noch seine alte Position. – Neuerdings wird dem R. auch in formal anspruchsvoller Dichtung wieder mehr Beachtung geschenkt (R. D. Brinkmann, P. Rühmkorf, Sarah Kirsch u. a.). Die R.e werden nach verschiedenen Kriterien eingeteilt:
1. *nach Reimformen:* unterschieden wird a) *nach Qualität:*

/reiner R. (auch Vollr.), /unreiner R. (auch Halbr., Mundartr., letzterer bei Dialektaussprache evtl. rein, vgl. Goethe: *neige : -reiche*), /Assonanz (nur Vokalgleichklang). b) *nach Quantität:* einsilb., auch /männl. R., zweisilb., auch /weibl. R., dreisilb., auch /gleitender R., /reicher R. (auch zwei vollvokal. Silben), /Doppelr., /erweiterter R. (auch Vorr., umfaßt auch Silben vor dem letzten Hauptton), /rührender R. (Sonderformen /ident. R., äquivoker R.), /Schüttelr. (Vertauschung der Anfangskonsonanten). c) *nach grammat. Aspekten:* /Stammsilben- oder Haupttonsilbenr., Bildungs- oder Nebensilbenr., /Endsilbenr. (bes. kennzeichnend für die ahd. u. frühmhd. Zeit), /grammat. R. (R.folge aus flektierten Formen derselben Wörter), /gebrochener R. (bei einem Kompositum steht nur der 1. Teil im R., der 2. hinter der Verszäsur).
2. *nach der Reimstellung: R.e am Versende* (/Reimschema): a) *mit einem R.klang* nach der Zahl der am R. beteiligten Wörter: /Paarr. (aa), /unterbrochener R. (xaya), /Dreir. (aaa), /Reimhäufung mit der Sonderform des /Einr.s (auch Reihen-, Tiradenr.), /Kornr. (reimloser Vers einer Strophe reimt mit dem entsprechenden in einer Folgestrophe). b) *Gruppierung mehrerer R.klänge:* /Kreuzr. (abab), /verschränkter oder erweiterter Kreuzr. (abc[d] : abc[d]), /umarmender R. (abba), /Schweifr. (aabccb), /Zwischenr. (aabaab), /Kettenr.e, z. B. Terzinenr. (aba bcb, /Terzine). – *R.e im Versinnern:* /Binnenr. (aba bcb), /Schlagr., /Mittelr. – *R.e von Versinnern zum Versende:* /Inr. (in mlat. Hexametern, sog. /leonin. Hexametern, auch: leonin. R.), /Mittenr. – *R.e von Versanfang zum Versende:* übergehender (überschlagender) R., /Pausenr. – *R.e am Versanfang:* /Anfangsr.
⌨ Nagel, B.: Das R.problem in d. dt. Dichtung. Vom Otfriedvers zum freien Vers. Bln. 1986. – Die Genese der europ. Endr.-Dichtung. Hg. v. U. Ernst u. P.-E. Neuser. Darmst. 1977 (WdF 444), mit Bibliogr. – Trier, J.: Zaun u. Mannring. PBB 66 (1942), 232–264. – Neumann, Friedr.: Gesch. des nhd. R.s von Opitz bis Wieland. Bln. 1920. – Grimm, W.: Zur Gesch. des R.s. Bln. 1852 (wieder in: Kl. Schriften IV, 1887). – RL.   S

Reimbibel, mal. umfangreichere gereimte Darstellung bibl. Stoffe, z. B. die /Evangelienharmonie Otfrieds von Weißenburg (9. Jh., NT), die frühmhd. /Wiener Genesis«(11. Jh., Teile des ATs) oder die sog. »mittelfränk. R.« (Anf. 12 Jh., eine Heilsgeschichte). Die Bez. ›R.‹ wird z. T. auch für die Anfangsteile (Bücher des ATs) nicht vollendeter gereimter Weltchroniken verwendet, z. B. für die unvollendete /Reimchronik Rudolfs von Ems (13. Jh., reicht nur bis zum Tod Salomons); auch /Historienbibel.   S

Reimbrechung, /Brechung. – RL.

Reimchronik, mla. volkssprachl. Geschichtsdarstellung in Reimpaarversen, oft Versbearbeitungen lat. (Prosa)quellen. Die älteste dt. R. ist die anonym überlieferte »Kaiserchronik« (ca. 1150, reicht von Caesar bis zur Mitte des 12. Jh.s); eine dt. Versbearbeitung der lat. »Chronica terrae Prussiae« (1326) von Petrus v. Dusburg schuf Nikolaus v. Jeroschin (»Krônike von Pruzinlant«, 1331 ff.); vgl. /Chronik.   S

Reimformel, /Formel.

Reimhäufung, auch: Haufenreim, Folge von mehreren gleichen Endreimen (a a a a; vgl. /Dreireim) in einer Strophe oder einem Abschnitt; schon in ahd. Dichtung bei Otfried von Weißenburg, als virtuoses Stilmittel dann in mhd. Lyrik, bes. im /Leich, ferner bei M. Beheim, H. Folz, H. Sachs und J. Fischart (»Flöhhatz«: 17 Verse mit gleichem Reim). – Eine Sonderform ist der /Einreim (auch Reihen-Tiradenreim).   S

Reimlexikon,
1. Zusammenstellung aller im Wortschatz einer Sprache enthaltenen Reimmöglichkeiten (Wörter gleicher Reimendungen) als Hilfsmittel der Reimfindung.
2. Zusammenstellung der in einem dichter. Werk (oder

mehreren Werken desselben Verfassers) vorkommenden Reime (mit Stellenangaben) zum schnellen Auffinden bestimmter Stellen und als Mittel zur Klärung form- und sprachgeschichtl. Fragen. – R.lexika kommen in der italien. Renaissance auf; das älteste ist Pellegrino Moretos »Rimario de tutte le cadentie di Dante e Petrarca« (1528), das beispielhafte Reimbindungen der beiden Dichter zusammenstellt; umfassender sind die R.lexika von Benedetto di Falco (zu Dante, Petrarca, Boccaccio, Ariost, Pulci u. a., 1535) und von Onofrio Bononzio (1556), ferner das bekannteste und als poet. Grundbuch lange Zeit gültige R. von Girolamo Ruscelli (1559). – *Das erste dt. R.* (zugleich ein dt.-lat. Wörterbuch) stammt von Erasmus Alberus (1540). Die barocke Auffassung einer nach normativen Regeln erlernbaren Dichtkunst brachte dann im 17. Jh. zahlreiche R.lexika hervor; sie erschienen meist als Anhang in poet. Handbüchern, so in Ph. v. Zesens »Hochdeutschem Helikon« (1640, geordnet nach auslautenden Konsonanten), in J. P. Titz' »Zwei Büchern von der Kunst, hochdt. Verse und Lieder zu machen«(1642), in G. Werners »Deutschem Daedalus« (1675) und J. Hübners »Poet. Handbuch« (1696; geordnet nach reimenden Vokalen und darauffolgenden Konsonanten, sog. rückläufiges Wörterbuch), das bekannteste und bis zum Ende des 18. Jh.s mehrfach aufgelegte R. Selbständ. erschienen M. Grünwalds »Reicher« und ordentl. Vorrath der männl. und weibl. Reime« (1693) und das umfangreiche, auch Fremdwörter und Mundartreime und schwer reimende Wörter registrierende »Allgem. dt. R.« (2 Bde., 1826) von Peregrinus Syntax (d. i. F. F. Hempel); ihm folgten bis in die Gegenwart zahlreiche Reimlexika, u. a. von W. Steputat (1891, ²1963), Poeticus (d. i. F. J. Pesendorfer, 1921), H. Harbeck (1953 und 1956), S. A. Bondy (1954), E. Gardemin (²1957), K. Peltzer (1966). – Wissenschaftl. Reimregister zu literar. Werken wurden erstmals gefordert von J. Grimm und K. Lachmann; das erste R. dieser Art stammt von W. Grimm (zu Freidank, 1834). Im Anschluß daran entstanden zahlreiche R.lexika zu mhd. Werken; zu Werken neuzeitl. Dichter blieben R.lexika vereinzelt (E. Belling zu Schiller 1883, zu Lessing 1887).
📖 Leclercq, R.: Aufgaben, Methode u. Gesch. der wissenschaftl. Reimlexikographie. Amsterdam 1975. – RL.   S

Reimpaar, zwei durch ⁄Paarreim (aa bb cc) verbundene Verse (bisweilen auch ⁄Langzeilen, vgl. ⁄Nibelungenstrophe); Grundform der ahd. und mhd. Dichtung, begegnet sowohl stich. (z. B. in der mhd. Epik) als auch stroph. (z. B. in der ahd. Epik in der frühen mhd. Lyrik, im Volkslied); in volkstüml. Dichtung bis heute gebräuchl. – In der frühdt. Dichtung stimmt das R. meist mit der syntakt. Gliederung der Texte überein, erst seit dem 12. Jh. wird die R.grenze syntakt. mehr und mehr überspielt, ›gebrochen‹ (vgl. ⁄Brechung, auch ⁄Reimvers).   S

Reimpaarsprung, Fortführung der Syntax über die Reimpaargrenze hinweg, vergleichbar dem ⁄Haken- oder Bogenstil der Stabreimdichtung; vgl. auch ⁄Enjambement (Zeilensprung), ⁄Brechung.   S

Reimpredigt, Gattung der mal. geistl. didakt. Dichtung: religiös-moral. Belehrung, Aufruf zur Buße, Sündenwarnung in Reimpaarversen; als Ausdruck intensiver Laienmissionierung bes. verbreitet im 11. und 12. Jh., z. B. »Memento mori«, die »Rede vom Glauben« des Armen Hartmann oder die Bußgedichte Heinrichs von Melk.   S

Reimprosa,
1. In der Antike rhetor. ausgeschmückte Prosa, deren Satz- ⁄Klauseln reimen (⁄Homoioteleuton); begegnet bes. bei Gorgias, beliebt auch in spätantiker Lit. und in lat. Lit. des MA.s.
2. Auch in dt. Literatur findet sich vergleichbare mit Reimen durchsetzte Prosa, vgl. etwa die Darstellungen der hymn.-ekstat. Visionen mal. Mystiker (Hildegard von Bingen, H. Seuse), in neuerer Zeit einzelne Prosawerke von R.

M. Rilke (»Cornet«) oder Th. Mann (»Der Erwählte«). Hierher zählen auch lyr. Texte in rhythm. Prosa »mit freischaltenden Reimen« (E. Stadler), z. B. von Stadler, J. Ringelnatz, F. Werfel, M. Dauthendey. – R. findet sich auch in oriental. Literaturen, z. B. in den Märchen aus »1001 Nacht«, in altjüd. Gebeten, früharab. Dichtung, im Koran und bes. in der ⁄Makame.
3. Von W. Wackernagel geprägte Bez. für die unregelmäßig gefüllten ⁄Reimverse der frühmhd. geistl. Lehrdichtung, die jedoch nicht in der Tradition der spätantiken R. steht.
📖 – RL.   S

Reimrede, kürzere lehrhafte Reimpaardichtung (mhd. *rede*), bes. im Spät-MA. verbreitet, pragmat. Reduktionsform der mhd. Sangsprüche. Themat. werden unterschieden: ⁄Minnerede, geistl. Rede (z. B. Hartmanns »Rede vom Glauben«, 12. Jh.), auch ⁄Reimpredigt) didakt. Rede (bes. vom Stricker, 13. Jh.), polit. und ⁄Ehren-Rede. Weitere Verfasser von R.n sind im 14. Jh. der König vom Odenwald, Otto Baldemann von Karlstadt, Lupold Hornberg von Rotenburg und, als Meister dieser Gattung, Heinrich der Teichner (über 700 R.n, v. a. Ständelehren und prakt. Heilslehren) und Peter Suchenwirt (moral. u. religiöse Sprüche, ⁄Herolds- oder Wappendichtung), im 15. Jh. Hans Rosenplüt (polit.-histor. R.n) und Hans Folz. Auch: ⁄Bispel, ⁄Märe, ⁄Priamel.   S

Reimschema, schemat. Darstellung der Reimfolge einer Strophe oder eines Gedichtes, meist mit Kleinbuchstaben (gleiche Buchstaben für sich entsprechende Reimklänge); z. B. R. für eine der häufigsten Formen des ⁄Sonetts: abba abba cdc dcd. Zur Kennzeichnung wörtl. wiederkehrender Vers- oder Refrainzeilen werden auch Großbuchstaben verwendet, vgl. z. B. das R. des ⁄Trioletts: ABaAabAB.   S

Reimspruch, gereimte gnom. Kleinform, v. a. das gereimte Sprichwort (»Morgenstund hat Gold im Mund«) u. andere volkstüml. Formen wie Merkvers, ⁄Arbeitslied, Kinder- und Neckreim, ⁄Leberreim usw. Schon im MA. bezeugt, zur Kunstform ausgebildet durch Freidank (13. Jh.) und F. von Logau (»Erstes Hundert dt. Reimensprüche«, 1638, und »Deutscher Sinngedichte Drey Tausend«, 1654); vgl. noch im 19. Jh. Hoffmanns von Fallersleben »Dt. Weinbüchlein«, 1829, auch ⁄Denk-, ⁄Sinnspruch.   S

Reimvers, ein durch ⁄Endreim bestimmter Vers, insbes. der vierhebige (oder viertaktige) Reimpaarvers, das metr. Grundmaß der ahd. (Otfried von Weißenburg) und mhd. Epik. Kennzeichnend sind Füllungsfreiheit in ⁄Auftakt und Binnentakten (unterfüllte, einsilbige oder überfüllte, meist dreisilb. Takte), akzentuierende Versrhythmik (in der Regel dem Sprachakzent folgend) und die Kadenzgestaltung (neben einsilbigen bes. klingende und männl. zweisilb. Kadenzen). Durch die Füllungsfreiheit kann der ahd. R. im Umfang zwischen 4 und 10 Silben schwanken. Seine Herleitung vom lat. ⁄Hymnenvers ist problemat., da sich dieser wesentl. vom ahd. R. unterscheidet, der als im metr. Grundmaß wohl kaum aus einer anderen Sprache und Literatur übernommen werden mußte. Er tendiert im höf. Epos zur Alternation, jedoch ist die Füllungsfreiheit auch bei formbewußten Dichtern wie Gottfried von Straßburg nie suspendiert. Im Minnesang erfährt der viertakt. R. mannigfache Variationen (Erweiterungen und Verkürzungen), die paarige Gruppenbildung wird mehr und mehr differenziert bis hin zu den reich verschränkten Vers- und Reimstruktur der hochmal. Minnelyrik (Walther von der Vogelweide u. a.). Seit dem Spät-MA. blieb aber auch der freier gehandhabte R. bes. in volkstüml. Dichtung bis heute erhalten (⁄Knittelvers). – RL.   S

Reiner Reim, nach A. Heusler (Dt. Versgesch.) auch: *Vollreim,* lautl. Übereinstimmung zweier oder mehrerer Wörter vom letzten betonten Vokal an: *mein : dein, Herzen : Schmerzen;* die Grenze zum ⁄unreinen Reim ist fließend bei Formen wie *fließen : grüßen.* – Der r. R. wird Ende des

12. Jh.s in Epik (Heinrich von Veldeke) und Lyrik (Friedrich von Hausen) zur Regel.   S
Reisebericht, umfassende Bez. für die vielfält. Darstellungen von Reisen und Reiseerlebnissen, die – im Unterschied zum ∕Reiseroman – topographische, ethnolog., (kunst-)histor., wirtschaftl. und gesellschaftspolit. Fakten sowie persönl. Erfahrungen und Eindrücke des Reisenden (manchmal ins Fiktive ausgeweitet) vermitteln wollen. Je nach Intention des Verfassers lassen sich unterscheiden:
1. *geographische Schriften und wissenschaftl. Reisebeschreibungen:* mit Reisen verbunden ist die gesicherte Information. Nicht immer zuverlässig im modernen Sinne, wenngleich vielfach zu Unrecht angezweifelt, sind die *antiken R.e:* (Skylax um 500 v. Chr.; Pytheas um 330 v. Chr.; Poseidonios: »Peri okeanou« um 80 v. Chr.; Ptolemäus' Geographiebuch um 150 n. Chr.; daneben die ∕Periegesen und Periploi, Vorläufer der Reisehandbücher und der modernen Reiseführer; erhalten ist Pausanias' »Periegesis tes Hellados« um 170 n. Chr. – *Im Hoch-MA.* berichten v. a. arab. Reisende von Fahrten durch Afrika und in den Fernen Osten (Abu Al Idrisi [† 1166] oder der Marokkaner Ibn Battuta [1302–77]). – Eine exakte Berichterstattung (häufig in Form von Tage- oder Logbüchern) über Forschungs- und Entdeckungsreisen zu Lande und zur See löst *in der Neuzeit* die mehr spekulativen R.e des MA.s ab. Empir.-experimentelle Erforschungen und deren Berichte wurden zunächst unter dem Protektorat wissenschaftlicher Körperschaften (u. a. »The Royal Society«, gegr. 1660) durchgeführt (G. Forster: R. über die 2. Weltumsegelung Cooks 1772–75, ersch. engl. 1777, dt. 1778/80). Die Aufklärung, deren Tendenz zu universaler Weltsicht nach Kenntnissen über die entlegensten Völker und Kulturen strebte, förderte den engagierten, individuellen Einsatz bei gewissenhaften geograph. und ethnolog. Erkundungsfahrten (A. v. Humboldt: »Amerikareise«, 1811), bevor im Zuge der ausgedehnten Kolonialpolitik die (auf Merkantilismus und Machtzuwachs ausgerichteten) Staatsinteressen bestimmend für die Erforschung (und Annexion) weiter Gebiete Afrikas und Asiens wurden. Die Pionierfahrten der großen Entdecker (F. Nansen, R. F. Scott, D. Livingstone, H. M. Stanley: »The Congo«, 1885) vollzogen sich davon weitgehend unbeeinflußt, wenngleich sie unfreiwillig die wissenschaftl. Voraussetzungen für jene Entwicklung lieferten. Der Tenor mancher R.e kam der für Dokumentationen menschl. Expansionstriebs empfänglichen Zeit sehr entgegen (so: S. Hedin: »Von Pol zu Pol«, 1911). Bewußte Gegenposition beziehen später R.e, die eindringl. die Auswüchse des Kolonialismus schildern (A. Gide: »Reise zum Kongo«, 1927). Durch die Industrialisierung und den anhaltenden techn. Fortschritt, die den Industrienationen den planmäßigen Einsatz großer Sach- und Geldmittel ermöglichten, mündeten die Einzelaktionen in die zeitgenöss. wissenschaftl. Forschungsprojekte (Meeresboden, Höhlen, Hochgebirge, Raumfahrt), deren Forschungsberichte nur im weitesten Sinne zu den R.en gerechnet werden können.
2. *literar. Reisebeschreibungen:* ihnen liegen tatsächl. Reisen zugrunde, die jedoch subjektiv ausgestaltet werden und bisweilen Faktisches und Fiktives, Authentisches und Kolportiertes verbinden, aber stets Anspruch auf Glaubwürdigkeit erheben. Als *frühester R.* dieser Art darf der berühmte »Il Milione« (1298/99) des venezian. Kaufmanns Marco Polo gelten, ein Werk, das bis ins späte MA. die europ. Vorstellungen vom Fernen Osten prägte. Es folgen *im 15. Jh.* Pilgerberichte und Reisebeschreibungen wie »Hans Schiltbergers Raisbuch« (um 1420), das, wie auch sonst gelegentl. bei mal. Verfassern üblich, Kapitel aus anderen Werken (u. a. aus Marco Polo, aus den »Reisen des Ritters John Mandeville durch das Gelobte Land, Indien und China«, einem franz. Roman des 14. Jh.s) wörtl. übernimmt, ferner die »Pilgerreise« eines Grafen von Katzenelnbogen (1434), die »Beschreibung der Reyß ins Heylig Land« von Hans

Tucher (1482) und B. von Breydenbachs »Peregrinationes in Terram Sanctam« oder » . . . heilige(n) reysen gein Jherusalem« (lat. u. dt. 1486). – Jeweils eine eigene Gattung repräsentieren das Reisetagebuch von M. de Montaigne (1580/81, ersch. 1774), *im 18. Jh.* die in amüsantem Plauderton geschriebenen Reisebriefe der Lady Mary W. Montagu (»Letters from the East«, 1763) und Goethes nach Briefen und Tagebucheinträgen zusammengestellte, autobiographische »Italienische Reise« (1786–88, ersch. 1829), welche die Situation des europäischen Bildungsreisenden exemplarisch darstellt. Die R.e des Jungen Deutschland (v. a. H. Heines »Harzreise«, 1826, »Deutschland. Ein Wintermärchen«, 1843 als Versdichtung) verbinden Natur-, Landschaftsbeschreibung und lyr. Stimmungsbilder mit Gesellschaftssatire und ideolog. Agitation u. schaffen damit ein breites Spektrum, das für die kommenden Autoren richtungweisend wirkt: Sie begründen die informativen und zugleich unterhaltsamen essayist.-feuilletonist. R.e: Von den humorvollen, autobiographischen, dabei für die Selbstinterpretation der Vereinigten Staaten bedeutsamen Schilderungen M. Twains (»Roughing It«, 1872, »Life on the Mississippi«, 1883), R.en des Historikers und Gelehrten F. Gregorovius (»Wanderjahre in Italien«, 1856–77) und Th. Fontanes lebendigen, realist. »Wanderungen durch die Mark Brandenburg« (1862–82) führt die Reihe über die zeitgenöss. R.e E. Peterichs (Griechenland, Italien), die episod. unverbundenen Reiseminiaturen H. Bölls (»Irisches Tagebuch«, 1957) und E. Canettis (»Die Stimmen von Marrakesch«, 1968) zu den vielen, teils literar. anspruchsvollen, teils analyt.-krit. oder nur werbepsycholog. orientierten Beiträgen von Reiseschriftstellern, Globetrottern und Touristik-Fachleuten, die in Illustrierten, Journalen, Tageszeitungen und speziellen Reisemagazinen (»Merian«) publiziert werden.
□ Wolfzettel, F.: Ce désir de vagabondage cosmopolite. Wege u. Entwicklung des frz. R.s im 19. Jh. Tüb. 1986. – Maçzak, A./Teuteberg, H. J. (Hg.): R.e als Quellen europ. Kulturgesch. Wolfenbüttel 1982. – Krasnobaev, B. J. (Hg.): Reisen u. Reisebeschreibungen im 18. u. 19. Jh. als Quellen d. Kulturbeziehungsforschung. Bln. 1980. – Wuthenow, R.-R.: Die erfahrene Welt. Europ. Reiselit. im Zeitalter d. Aufklärung. Frkf. 1980. – Stewart, W. E.: Die Reisebeschreibung u. ihre Theorie in Dtschld. des 18. Jh.s. Bonn 1978. – Moritz, R.: Unters. zu den dt.sprach. Reisebeschreibungen des 14.–16. Jh.s. Diss. Mchn. 1970. – Link, M.: Der R. als literar. Kunstform von Goethe bis Heine. Diss. Köln 1963. – Lepszy, H. J.: Die R.e des MA.s u. der Reformation. Diss. Hamb. 1953.   FD
Reiseroman, Darstellung von Reisen und Reiseerlebnissen innerhalb einer ep. Großform, in der die Fiktion der Reise entweder als ein das Geschehen durchgehend überlagerndes und log. verknüpfendes Leitmotiv oder als Katalysator verwendet wird, durch den andere substantielle Anliegen des Romans eingekleidet, leichter variiert oder klarer konturiert werden können. Die Bez. ›R.‹ ist inhaltl., nicht nach formalen Kriterien definierter Gattungsbegriff; die Zuordnung sehr unterschiedl. Romantypen zum Begriff ›R.‹ ist daher problemat. Um den spezif. Typen des R.s gerecht zu werden, muß dem Begriff ein signifikantes Attribut beigefügt werden, so daß sich unterscheiden lassen: *der abenteuerl. R.:* Zentrum ist der umherziehende Held, der eine Anzahl gefährl., amouröser oder heiterer Begegnungen erlebt, die, episod. aneinandergereiht einen lockeren Handlungsbogen schaffen (∕Abenteuerroman). Ausgehend von der homerischen »Odyssee« über die mal. ∕Spielmannsdichtung (»Herzog Ernst«) ergeben sich fließende Übergänge zum roman. ∕Amadis- und ∕Ritterroman (von Cervantes im »Don Quijote«, 1605–15, parodiert), weiter zum pikar. oder ∕Schelmenroman und zu dem »curieuse Reisen« bevorzugenden barocken Gesellschaftsroman (z. B. E. W. Happel: »Der asiat. Onogambo«,

1673), parodiert von Ch. Reuter in seiner Satire »Schelmuffskys wahrhafftig Curiöse und sehr gefährl. Reisebeschreibung zu Wasser und zu Lande«(1696/97). Eine bes. erfolgreiche Form des abenteuerl. R.s wird nach D. Defoes »Robinson Crusoe« (1719) die ⁄Robinsonade, die bewußt das Fabulieren des spätbarocken Romans durch die Fiktion des Dokumentarischen auflöst. – Während Jean Paul mit seinem humorist., von der Vorliebe für Kauziges und Abstruses geprägten R. »D. Katzenbergers Badereise« (1809) bei den Zeitgenossen kaum Resonanz findet, schaffen Ch. Sealsfields (»Cajütenbuch«, 1841), F. Gerstäcker (»Flußpiraten«, 1848), K. May (»Durch die Wüste«, 1892) als Repräsentanten der aufblühenden Unterhaltungsliteratur einen neuen Typus des ›Volksbuchs‹, dessen exot. Zauber und spannungsgeladene Atmosphäre bis heute ein breites Publikum erreichen (auch ⁄Exotismus). – Strukturell mit dem abenteuerl. R. verwandt ist der *Lügenroman,* insbes. die ⁄Münchhaus(en)iaden, phantast. Geschichten um die Person des Freiherrn K. F. H. von Münchhausen, vgl. G. A. Bürger »Wunderbare Reisen zu Wasser und zu Land und lustige Abentheuer des Freyherrn von Münchhausen« (1786), ferner der sog. *phantast. R.,* der einsetzt mit »Der fliegende Wanders-Mann nach dem Monde« (1659) und der »Kurtzen und Kurtzweiligen Reise-Beschreibung nach der obern neuen Monds-Welt« (1660) von B. Venator und in J. Vernes zukunftsvisionären (auf der Basis technolog. Erkenntnisse realisierten) Raum- und Unterwasserfahrten gipfelt (»Von der Erde zum Mond«, 1865). Dieser begründet seinerseits die moderne ⁄Science-Fiction-Literatur, den phantast.-techn. Reise- und Entdecker-Roman, der sich betont glaubwürd. präsentiert und im Vertrauen auf die Wissenschafts- und Fortschrittsgläubigkeit des modernen Menschen Anspruch auf die Wahrscheinlichkeit, wenn nicht Authentizität grandioser Möglichkeiten zukünftiger Welten erhebt. Andere Intentionen hat dagegen der *satir.-utop. R.:* Bereits Lukian (um 180 n. Chr.) parodiert in den »Wahren Geschichten« die pseudogeograph. und -histor. Augenzeugenberichte des Ktesias, Iambulos und sogar Herodots und schuf damit die Gattung der satir. Reiserzählung. – Im ersten modernen Staatsroman, Th. Mores »Utopia« (1516), dient dann das Reiseelement bzw. die Fiktion von bewohnten Gestirnen, fernen Inseln und Kulturen als Folie, vor der die moral., gesellschaftl. und polit. Unzulänglichkeiten des Menschen im allgemeinen und des eigenen Staatssystems im besonderen aufgedeckt werden. Im Mittelpunkt dieser R.e steht der Repräsentant einer selbstgefälligen, egozentr. Gesellschaft, durch dessen Begegnung mit dem Fremdländischen sein Status und damit das anthropozentr. Weltbild stark relativiert werden. Am stärksten ist diese Tendenz ausgebildet bei Cyrano de Bergerac (Doppelroman »Histoire comique contenant les éstats et empires de la lune et du soleil«, 1657 und 1662), J. Swift (»Gullivers sämtl. Reisen«, 1726) und Voltaire (»Micromégas«, 1752). Ein neuer Typus des R. entwickelt sich im 18.Jh. im sog. *empfindsamen R.:* er steht nicht nur zeitl. in der Nähe des ⁄Bildungsromans, auch inhaltl. ergeben sich Gemeinsamkeiten zwischen der Darstellung des äußeren Werdegangs und des charakterl. Reifens des Helden (z. B. K. Ph. Moritz, »Anton Reiser«, 1785). Erfolgreich war v. a. jener R.typus, der nach dem Vorbild L. Sternes (»A sentimental journey«, 1768) vertreten wurde von J. T. Hermes (»Sophiens Reise von Memel nach Sachsen«, 1769–73), J. G. Schummel (»Empfindsame Reise durch Deutschland«, 1770–72), J. K. A. Musäus (»Physiognom. Reisen«, 1778f.), M. A. Thümmel (»Reise in die mittägl. Provinzen von Frankreich«, 1791–1805). Wiewohl repräsentativ für die Spätaufklärung (rationale Analyse, empfindsame Selbst- und Naturbeobachtung, verweist dieser Typus bereits auf den *R. der frühen Romantik,* die diesem eine völlig neue Sinngebung verleiht: die gegenständl. Welt verdient nur insoweit Erwähnung, als sie im Reisenden

Reflexionen u. Empfindungen (Mitleid, Liebe, Zärtlichkeit) auslöst. Novalis' »Heinrich von Ofterdingen« (1802) kann als Musterbeispiel des frühromant. R.s gelten. Er verwahrt sich ausdrückl. gegen einen Vergleich mit Goethes idealtyp. Entwicklungsromanen »Wilhelm Meisters Lehrjahre« (1795) und »Wilhelm Meisters Wanderjahre« (1821), da im frühromant. R. die Zeitlichkeit aufgehoben sei und der Mensch nur mehr durch Gefühl und Besonnenheit erkennen könne, wer er selber ist. Dennoch sind die Verflechtungen – auch mit dem psycholog. Roman (Tiecks »William Lovell«, 1795), dem Bildungsroman (Jean Pauls »Titan«, 1800/03) und dem ⁄Künstlerroman (Tiecks »Franz Sternbalds Wanderungen«, 1798) – so offensichtl., daß eine einseitige, ausschließl. Zuordnung zu einem der Romantypen ungenügend wäre. In der neueren deutschen Reiseliteratur (insbes. seit 1945) läßt sich parallel zur allgemeinen geist. und literar. Entwicklung der Zeit eine Wende von der primär imaginativen, romanhaften Erzählweise hin zum nicht-fiktionalen, reflektierenden, autobiographischen ⁄Reisebericht erkennen, wobei aber der Reiseablauf nur noch Symbolwert besitzt, essayistische, autobiographische, aber auch lyrische und fiktive episode Elemente dagegen stil- und strukturbestimmend werden. Diese Elemente bzw. deren Verschmelzung innerhalb eines Werkes dokumentieren den fluktuierenden Charakter der zeitgenöss. Reiseliteratur (E. Jünger, W. Koeppen, J. Urzidil, H. Böll, S. Lenz, A. Andersch, E. Kästner, H. Fichte).

📖 Reise u. Utopie. Zur Lit. der Spätaufklärung. Hg. v. H. J. Piechotta. Frkft. 1976. – Adams, P. G.: Travelers and travel liars 1660–1800. Berkeley (Calif.) 1962. – Gove, P. B.: The imaginary voyage in prose fiction. London 1961. FD*

Reizianus, m., Reizianum, n., mod. Bez. (gebildet von dem klass. Philologen G. Hermann nach den Namen seines Lehrers F. W. Reiz)
1. für die akephalen ⁄Pherekrateus ◡–◡◡––, eine der Grundformen der ⁄äol. Versmaße;
2. für ein gleichstrukturiertes, aber durch Auflösungen von Längen und neue Zusammenziehung dabei entstehender Doppelkürzen variantenreiches Kolon der lat. Dichtung, das v. a. als ⁄Klausel (Plautus), aber auch als 2. Zeile von Disticha erscheint, deren 1. aus jamb. oder anapäst. Tetrapodien besteht (sog. versus Reizianum). S

Reminiszenz, f. [lat. reminisci = sich erinnern], Stelle in einem literar. oder musikal. Werke, die an andere Werke erinnert. Man unterscheidet 1) *die unbewußte R.:* sie reicht von sprachl.-stilist. Anklängen an andere dichter. (histor. oder zeitgenöss.) oder sonstige literar. Texte (aus Geschichte, Wissenschaft usw.) bis zur Aufnahme von Motiven, Handlungssequenzen und Charakteren. 2) *die bewußte R.:* sie kann als Stilmittel direktes ⁄Zitat, ⁄Anspielung, ⁄Ironie oder ⁄Parodie sein; dem Leser bleibt dabei der Verweischarakter immer offenbar, im Ggs. zum ⁄Plagiat, wo der Autor die Übernahme kaschiert. In zahlreichen Fälle dokumentiert die R. nur die Gelehrsamkeit und das vielseit. Wissen eines Autors (⁄poeta doctus, ⁄antiquar. Dichtung), doch kommt ihr auch ästhet. Wert zu bei stil-spezif. Verwendung (Jean Paul). Allerdings übersteigt die nichtästhet. Funktion oft die ästhet. (z. B. in ⁄Satiren, Polemiken oder Texten mit starkem Realitätsbezug). – Verweisen die R.en auf frühere Partien desselben Textes, so spricht man im Rahmen einer (formalen) Erinnerungstechnik von *Rückverweisen* analog den ⁄Vorausdeutungen (Ahnungen, Prophezeiungen, Träume). GG*

Renaissance, f. [rənɛ'säːs; frz. = Wiedergeburt], allgemein die seit dem 19.Jh. übl. gewordene Bez. für geist. und künstler. Bewegungen, die bewußt an ältere Bildungs- und Kulturtraditionen anzuknüpfen versuchen (z. B. ⁄kelt. R.), insbes. die Rückbesinnung auf Werte und Formen der griech.-röm. Antike in Literatur, Kunst, Philosophie und Wissenschaft. Obwohl diese Erscheinung in verschiedenen Zeitaltern anzutreffen ist (⁄karoling. R.), wird der Begriff

›R.‹ in d. Regel v. a. auf die Ende des 14. Jh.s von Italien auf andere Länder Europas ausstrahlende geist. Bewegung bezogen, d. h. auf die Phase des allmähl. Übergangs von den mal. zu den für die Neuzeit charakterist. Vorstellungs-, Denk- und Darstellungsformen, bei dem die Auseinandersetzung mit der Antike eine Rolle spielt. Ihr Ende wird im allgem. mit dem Sacco di Roma, der Plünderung Roms durch die Truppen Karls V. (1527), angesetzt. Dieses Ereignis war ein säkularer Schock, der die Voraussetzungen der Kunst in Italien von Grund auf änderte. Zu diesen Veränderungsfaktoren müssen aber auch die Reformation und die folgenden gegenreformator. Kräfte gerechnet werden, die der geist. Bildung und der Kunst der Epoche andersartige Maßstäbe setzten (↗Manierismus, ↗Barock). Die *Ursprünge der R.* liegen in Italien. Voraussetzung war die verstärkte Hinwendung zur philosoph.-literar. wie auch zur künstler. Vorstellungs- und Denkart der Antike, die bereits Petrarca einleitete. Führend in dieser humanist. Bewegung war Florenz, wo erstmals auch die röm. Architektur und Kunst prakt. und theoret. (Werke Vitruvs) systemat. erforscht wurden (Poggio Bracciolini, F. Biondo). Aus diesem Zusammenspiel von literar. Erforschung (↗Humanismus) bzw. Nachahmung lat. Schriftsteller (↗neulat. Dichtung) einerseits und bildnerischer Nachahmung bzw. künstlerischem Wettbewerb mit den antiken Kunstwerken andererseits erwuchs eine neue geist. Bewegung, die bald ganz Italien und Europa ergriff. Hinzu kamen die polit. und gesellschaftl. Bedingungen in Italien mit einem hochentwickelten Stadtleben und einem relativ stabilen polit. und gesellschaftl. Friedenszustand seit Mitte des 15. Jh.s (Frieden von Lodi 1454 zwischen dem Herzogtum Mailand, den Republiken Venedig und Florenz, dem Kirchenstaat [Rom] und dem Königreich Neapel), der den Aufschwung von Kultur und Künsten begünstigte. *Träger* sind in den Stadtrepubliken die führende Bürgerschicht (Verwaltungsbeamte, Vertreter der Akademien und Universitäten und die zu Wohlstand gelangten Mitglieder von Gilden und Zünften), in den anderen Stadtstaaten treten (bes. als Mäzene und Rezipienten) v. a. die Höfe hervor. – Durch die Lösung der Menschen aus der mal. Ordnung und ihren Lebensnormen entstand ein neues Selbstbewußtsein, ein Erkennen der Individualität, die eine *neuartige Kreativität* hervorbrachte. Diese neue Bewußtseinslage äußerte sich v. a. in einer stärkeren Betonung des tätigen Lebens (vita activa) gegenüber der im MA. noch als Ideal geltenden Kontemplation (vita contemplativa), vgl. die programmat. Abhandlung des Bankiers und Humanisten (!) G. Manetti »De dignitate et excellentia hominis« (1452). Diese Zuwendung zur Lebenswirklichkeit dokumentieren auch die zahlreichen Tage- und Hausbücher, Kriegs-, Reise und Lebensberichte: die Anfänge der ↗Autobiographie. Der Diesseitsbejahung entspricht ferner die Ausbildung einer urban-verfeinerten Gesellschaftskultur, wie sie B. Castiglione in seinem »Cortegiano« (1508/16) entwirft (Ideal: Verbindung humanist. Bildung und ästhet. Lebensformen), ein Werk, das rasch in ganz Europa Verbreitung fand. – Aus einer modern-realist. Weltsicht entstanden ferner die neuen Ansätze einer histor.-polit. Analyse von F. Guicciardini und N. Machiavelli, dessen (den moralisierenden ↗Fürstenspiegel ablösender) aus realer polit. Erfahrung geschriebener Traktat »Il Principe« (1513) das moderne Staatsdenken prägte. – Die bedeutendsten Errungenschaften der R. liegen aber auf dem Gebiet der bildenden Kunst (Architektur, Plastik, Malerei; Projektionsregeln, Erforschung der menschl. Anatomie, freistehende Plastik, Zentralperspektive), vgl. in der Früh-R. v. a. F. Brunelleschi, L. B. Alberti, Donatello, L. Ghiberti, Masaccio, A. Mantegna, Piero della Francesca, A. del Pollaiuolo, in der Hoch-R. v. a. D. Bramante, Leonardo da Vinci, Raffael, Michelangelo, Tizian. Dieser Hochblüte der Kunst und der humanist. Studien entsprach eine *Entfaltung des dichter. Schaffens* auch in der Volks-

sprache, das v. a. von der verfeinerten Hofkultur der ital. Stadtstaaten gefördert wurde. Neu ist dabei die geist. anregende Rolle der Frau als Mäzenatin (in Mailand Beatrice d'Este, in Mantua Isabella d'Este, in Urbino Elisabetta Gonzaga u. a.). Die prunkvollen städt. und höf. Umzüge (↗Trionfi) und Feste mit dramat. Aufführungen und den eingelagerten vielgestalt. ↗Intermezzi zogen zahlreiche Künstler und Literaten an die Höfe (Blüte der panegyr. Gattungen, Literarisierung volkssprachl. unterliterar. lyr. Formen wie z. B. ↗Barzellatta, ↗Caccia, ↗Strambotto, Karnevalslieder: Lorenzo de' Medici, L. Pulci, A. Poliziano u. a.). – Florenz und Rom wurden Ausgangspunkt der sog. ↗Commedia erudita (erste Charakterkomödien, z. T. erstmals in Prosa: Machiavelli, Ariost, Bibbiena, Aretino). Eine weit über Italien hinausreichende Bedeutung gewann der Hof von Ferrara, an dem als bewußte Kunstschöpfung ein höf.-heroisches Buch-↗Epos entwickelt wurde: Stoffe der Karolinger-(Roland-) und Artussagenkreise wurden in burlesker bis distanziert ernster Haltung und vollendeter Form (↗Stanzen) gestaltet. Aus dem Umkreis der Medici stammt noch der burleske »Morgante« (1466/70) von L. Pulci, aus dem Umkreis der Este dann M. M. Boiardos »Orlando innamorato« (1486), L. Ariostos »Orlando furioso« (1516 ff.) und dann später T. Tassos »Gierusalemme liberata« (1570/75): äußerst erfolgreiche Werke, die neben zahlreichen Nachahmungen, Fortsetzungen, Dialektfassungen oder Parodien (T. Folengo, »Orlandino«, 1526) weit über Italien und das 16. Jh. hinaus wirkten (Spenser, Voltaire, Wieland, Byron). – Ähnl. Impulse gingen vom Hof in Neapel aus, wo G. Pontano und v. a. I. Sannazaro unter Rückgriff auf die hellenist.-bukol. Poesie den ep.-lyr. Typus der ↗Schäferdichtung (insbes. den Schäferroman: »Arcadia«, 1504) erneuerten, die ebenfalls in ganz Europa Nachahmung fand. Begleitet wurde das dichter. Schaffen durch neue Dichtungstheorien (G. G. Trissino, J. C. Scaliger u. a. vgl. ↗Poetik), die bis ins 18. Jh. das europ. Kunstschaffen bestimmten. Bedeutung für die Verbreitung des vielfält. literar. Schaffens erlangte Venedig durch die Offizin des A. Manutius, der mit wichtigen Erstveröffentlichungen und krit. Ausgaben griech. und lat. Autoren den Grund für die venezian. Druck- und Verlegertradition legte, wobei auch die volkssprachl. Tradition wichtig wurde. Einen wichtigen Beitrag zur R.kultur leistete ferner das in der Nachfolge des Niederländers A. Willaert stehende Musikleben Venedigs (bes. an San Marco), welches von Gabrieli bis zu C. Monteverdi zu einer lange andauernden Blüte führte. Die von Italien ausgehende Wirkung der R. erfaßte (z. T. sich mit manierist. Ausprägungen verbindend) fast alle europ. Länder im 15. und 16. Jh. Mehrere Jahrhunderte lang war es üblich, daß Humanisten und Künstler zunächst zum Studium nach Italien gingen. – In *Frankreich* folgten (in einer eigenständ. Entwicklung) auf die humanist. Forschungen von J. Badius und G. Budaeus die volkssprach. Werke der Margarete von Navarra, von F. Rabelais, C. Marot, M. Scève, J. Du Bellay, P. de Ronsard (↗Plejade) bis hin zu M. de Montaigne. In *England* stehen neben den humanist. Werken von J. Colet und Th. More die Dichtungen von E. Spenser, Ph. Sidney, Ch. Marlowe, W. Shakespeare und F. Bacon. – In *Portugal* führt die Aufnahme italien. R.einflüsse zu hoher literar. Blüte, insbes. durch F. de Sá de Miranda, A. Ferreira und D. Bernardes (formale Erneuerung der Lyrik), durch B. Ribeiro (Einführung der Schäferdichtung) und bes. L. de Camões mit den »Lusiaden« (1572, das portugies. Nationalepos nach dem Vorbild Vergils und Ariosts). – In *Spanien* dagegen konnten die Einflüsse der R. nach Einrichtung der Inquisition (1478) nur mit gewissen Einschränkungen verarbeitet werden. Sie finden sich z. B. in der Lyrik bei Garcilaso de la Vega, in der span. Ausformung des Amadisromans und bei J. de Montemayor (Schäferroman). – In *Deutschland* bestanden zunächst enge Beziehungen zwischen der italien. und dt.

Humanisten (R. Agricola, K. Peutinger, W. Pirckheimer) und der von Deutschland ausgehenden Buchdruckerkunst. Dann aber behindern die Reformation und die nachfolgenden (Kriegs)wirren die Verarbeitung der italien. Einflüsse. Sie werden erst im 17. Jh. aufgenommen und barock umgeformt. Allgemein blieb jedoch die Wirkung der R. nicht nur auf das 16. und 17. Jh. beschränkt, sondern hat z. B. im Klassizismus am Ende des 18. und im 19. Jh. neue Bedeutung erlangt.

□ Burke, P.: Die R. in Italien. 2 Bde. dt. Berlin 1984. – Buck, A. (Hg.): R. u. Reformation. Gegensätze u. Gemeinsamkeiten. Wiesb. 1984. – Stackelberg, J. von: Frz. Lit., R. und Barock. Mchn. 1984. – Heller, R.: Der Mensch in der R. Köln 1982. – Buck, A. (Hrsg.): Die Rezeption der Antike. Zum Problem der Kontinuität zw. MA. und R. Hbg. 1981. – Weimann, R. (Hrsg.): Realismus in der R. Aneignung d. Welt in der erzählenden Prosa. Bln./Weimar 1977. – Burckhardt, J.: Die Kultur der R. in Italien. Stuttg. ¹⁰1976. – Buck, A.: Die Rezeption der Antike in den roman. Literaturen der R. Bln. 1974. – Heydenreich, L. H.: Italien. R. Mchn. 1972. – Buck, A. (Hg.): R. und Barock. 2 Bde. (Neues Hdb. d. Lit.wiss. Bde 9 u. 10). Darmst. 1972. – Weiss, R.: The R. Discovery of classical antiquity. New York 1970. – Buck, A. (Hrsg.): Zu Begriff u. Problem der R. Darmst. 1969. – Huizinga, J.: Das Problem der R. (1953), Nachdr. Darmst. 1967. – Bauer, H.: Kunst u. Utopie. Studien über das kunst- und Staatsdenken in der R. Bln. 1965. – Chastel, A.: Italien. R. Dt. Übers. Mchn. 1965. – Saitta, G.: Il pensiero italiano nell' umanesimo e nel rinascimento. 3 Bde. Florenz 1961. – Paatz, W.: Die Kunst der R. in Italien. Stuttg. ³1961. – Tilley, A.: The literature of the French Renaissance. 2 Bde. New York ²1959.   IS

Renouveau catholique, m. [rənuvo katɔ'lik; frz. = kath. Erneuerung], um 1900 in *Frankreich* einsetzende Bewegung zur Erneuerung der Literatur aus dem Geiste eines essentiellen Katholizismus. Ihre Vertreter bilden keine Schule im eigentl. Sinne, sie sind oft Konvertiten, die sich gegen den modernen Wissenschaftskult und gegen den Materialismus v. a. im literar. ↗Naturalismus wandten, aber auch gegen die autoritäre Starre der Kirche. Sie gestalten aus einem eth. Engagement heraus existentielle Probleme in symbolhafter Überhöhung. Ein Hauptthema ist der Kampf zwischen Gut und Böse. – *Organ* war zunächst die Zeitschrift »Cahiers de la Quinzaine« (1900–1914), gegründet von Ch. P. Péguy, der in seinem 1910 publizierten relig. Werk »Le Mystère de la Charité de Jeanne d'Arc« eine Leitgestalt des R. c. (Kampf für Wahrheit und Gerechtigkeit) geschaffen hatte. *Weitere Vertreter* des R. c. sind E. Psichari (»Le voyage du Centurion«, postum 1916), Leon Bloy (»La Femme pauvre«, 1897), J.-K. Huysmans (»La cathédrale«, 1898), F. Jammes, P. Bourget, M. Jouhandeau, G. Bernanos (Trilogie »Sous le soleil de Satan«, 1925; »Journal d'un Curé de Campagne«, 1936), F. Mauriac (1912 Gründung des Magazins für kath. Kunst und Literatur »Les Cahiers«; »Thérèse Desqueyroux«, 1927), J. Rivière (Herausgeber der »Nouvelle Revue française«, seit 1918, »A la trace de dieu«, 1925), H. Alain-Fournier, Julien Green, H. de Montherlant (»La Relève du Matin«, 1920), Luc Estang, E. Baumann u. a. Bedeutendster Vertreter des R. c. ist Paul Claudel (»L'annonce faite à Marie«, 1912; »Le soulier de satin«, 1929, und weitere bedeutende Romane, lyr., dramat., krit. und dichtungstheoret. Schriften). – Ähnl. Strömungen finden sich zu Beginn des 20. Jh.s auch in anderen europ. Literaturen, vgl. in *England* z. B. T. S. Eliot, Graham Greene, E. Waugh, B. Marshall, in *Schweden* S. Undset, in *Deutschland* E. von Handel-Mazzetti, G. von Le Fort, E. Langgässer, W. Bergengruen, F. Werfel, Reinhold Schneider, E. Schaper u. a.

□ Guissard, L.: Littérature et pensée chrétienne. Paris 1969. – Bloching, K.-H.: Die Autoren des literar. R. c. Frankreichs. Bonn 1966. – Griffiths, R. M.: The reactionary revolution: the catholic revival in French literature 1870–1914. New York 1966. – Maugendre, L.-A.: La renaissance catholique au début du XXᵉ siècle. 2 Bde. Paris 1963/64. – Weinert, H.: Dichtung aus dem Glauben. Hamb. ²1948. – Calvet, J.: Le R. c. dans la littérature contemporaine. Paris ²1931.

Dt. Strömung: Grenzmann, W.: Dichtung u. Glaube. Bonn ⁶1968.

Anthologie: Chaigne, L. (Ed.): Anthologie de la Renaissance catholique. 4 Bde. Paris 1938–47.   S

Repertorium, n. [zu lat. reperire = auffinden, ermitteln], 1. Verzeichnis, ↗Register (z. B. das »R. Germanicum«, hg. v. Dt. Histor. Institut Rom: Verzeichnis der in den päpstl. Archiven seit 1378 erwähnten dt. Namen). 2. Nachschlagewerk, systemat. Zusammenfassung bestimmter Sachgebiete, ↗Kompendium.   S

Reportage, f. [repɔr'ta:ʒə; frz. = Berichterstattung], Augenzeugenbericht, welcher (meist kurz) ein Ereignis aus der unmittelbaren Situation heraus darstellt. Als Typus der ↗Dokumentarliteratur sollte sie grundsätzl. Fakten und Details zuverlässig und sachlich referieren; sie kann aber durch deren Auswahl und Anordnung, durch atmosphär. Färbung, persönl. Engagement, eine bes. Perspektive des ›Reporters‹ mehr oder weniger stark subjektiv geprägt sein. Gerichtet an einen breiten Leser- oder Hörerkreis, formuliert sie in der Regel spontan, einfach in Wortwahl und Syntax. Nach einigen Vorläufern (Expeditionsberichte u. a.) wird die R. Ende des 19. Jh.s als Form des modernen Journalismus entwickelt. Einen Höhepunkt erreicht sie in den (oft allerdings dem ↗Feuilleton angenäherten) R.n von E. E. Kisch (R.nbände: »Hetzjagd durch die Zeit«, »Der rasende Reporter«, beide 1926, »Wagnis in aller Welt«, 1927, »Entdeckungen in Mexiko«, 1945) und dem tschech. Journalisten J. Fučik (»R.n unter dem Strang geschrieben«, 1945). Mit der Entstehung der Massenmedien gewinnt die R. eine immer größere Bedeutung und erfaßt heute alle Gebiete des öffentl. Lebens. Sie ist jeweils von der Eigenart der einzelnen Medien geprägt: während bei der Presse-R. und, bes. unmittelbar, der Rundfunk-R. der Text ganz im Vordergrund steht, ergänzen sich bei Illustrierten- und Fernseh-R.n Text und Bild, wobei der Text oft nur das Bild kommentiert. Seit Mitte der 60er Jahre bedient sich bes. die sozialpolit. engagierte Literatur (u. a. ↗Gruppe 61, ↗Werkkreis 70) der dokumentierenden R., welcher oft Gesprächsprotokolle oder Tonbandaufnahmen von Interviews einmontiert sind, um ihre Authentizität und Intensität zu verstärken, vgl. z. B. G. Wallraff, »Dreizehn unerwünschte R.n« (1969), »Neue R.n« (1974) oder E. Runge, »Bottroper Protokolle«, 1968. Die R. wird auch in fiktionaler Literatur verwendet, sei es als ↗Montage (z. B. F. Dürrenmatt, »Der Besuch der alten Dame«, 3. Akt) oder als ep. Gestaltungsmittel (z. B. in den R.nromanen M. von der Grüns).

□ Geisler, M.: Die literar. R. in Deutschld. Königstein/Ts. 1982. – Siegel, Ch.: Die R. Stuttg. 1978 (mit Bibliogr.).   OB*

Résistanceliteratur [rezis'tɑ̃:s, frz. = Widerstandslit.], auch: littérature clandestine [= heiml. Literatur], behandelt Geschehnisse und Probleme der franz. polit. Résistance-Bewegung im 2. Weltkrieg (seit etwa 1940), teils im Geiste des aktiven Widerstandes, teils aus der Retrospektive, sowohl in fiktionalen Gattungen als auch in Essays, Tatsachenberichten usw. Die *bedeutendsten Vertreter,* die v. a. dem Surrealismus und Existentialismus verbunden waren, sind L. Aragon (»Les bons Voisins«, 1942; »France écoute!«, 1944 und »Le crève-cœur«, Ged., 1941: das *Modellwerk der R.*), P. Eluard (»Les Armes de la douleur«, R. 1944; »Poésie et verité 1942«, Lyrik, 1942), Vercors (d. i. J. Bruller, »Le silence de la mer«, Erz., 1942), A. Camus (»Lettre à un ami allemand«, 1943), J. P. Sartre (»Morts sans sépulture«, Dr. 1946), R. Vailland (»Drôle de jeu«, als ›*Epos der Résistance*‹ bez., R. 1945), R. Gary (»L'éducation européenne«, R. 1945), D. Rousset (»L'uni-

vers concentrationnaire«, Reportage 1946), M. Clavel (»Les incendiaires«, Dr. 1946). Louise Weiss (»La Marseillaise«, Tatsachenbericht 1947) u. a. Die R. erschien meist unter Decknamen in den Zeitschriften »Poésie 40«, »Fontaine«, »Confluences«, »Les lettres françaises«, den in England herausgegebenen »Cahiers de Silence« oder als heimlich gedruckte »Editions de Minuit« des gleichnam., 1942 von Vercors gegründeten Verlags.
⊡ Kohut, K. (Hrsg.): Lit. der Résistance u. Kollaboration in Frkr. 3 Bde. Tüb. 1982. – Michel, H.: Histoire de la Résistance en France. Paris ²1969.   S

Responsion, f. [lat. responsio = Antwort], 1. Sinn-, Motiv- oder Formentsprechung zw. einzelnen Teilen (Akten, Abschnitten, Strophen, Sätzen) einer Dichtung, z. B. sind Reim-R.en über das Reimschema hinausgehende Lautentsprechungen zw. einzelnen Strophen. 2. In der Rhetorik eine antithet. angelegte Antwort auf eine selbstgestellte Frage.   S

Responsorium, n. [lat. responsare = antworten], ╱Antiphon.

Retardierendes Moment, dramaturg. Begriff, schon von Goethe (im Briefwechsel mit Schiller vom April 1797) benutzt für die Unterbrechung eines Handlungsverlaufs durch Geschehnisse, die vorübergehend zur (nur scheinbaren) Abänderung oder sogar Umkehrung des vorgezeichneten Handlungsziels führen (vgl. ╱Katastasis). In diesem Sinne ist das r. M. im vorletzten Akt des Dramas das »Moment der letzten Spannung« (G. Freytag) und bewirkt als solches in der Tragödie die fälschl. Hoffnung auf die mögl. Errettung des Helden vor der drohenden ╱Katastrophe, in der Komödie dagegen die durch das Ende widerlegte Furcht vor der unwiderrufl. Verfehlung des erhofften Glücks. Doch findet sich das Kunstmittel des r. M. auch an anderen Stellen des Dramas und in anderen literar. Gattungen, bes. in Novelle und Ballade, sowie im Epos und im Roman (bes. Kriminalroman).   HD

Retroensa, f. ╱Rotrouenge.

Revolutionsdrama, Sonderform des ╱Geschichtsdramas, gestaltet Ereignisse einer histor. Revolution oder eines Revolutionsvorhabens, meist mit deutl. Bezügen zu aktuellen Zeitfragen, vgl. G. Büchner, »Dantons Tod« (1835), die R.en der Junghegelianer und des Jungen Deutschland wie Rudolf Gottschall, »Maximilian Robespierre« (1845); Wolfgang Robert Griepenkerl, »Maximilian Robespierre« (1849), »Die Girondisten« (1852); F. Lasalle, »Franz von Sickingen« (1859) u. a. Heute ist die Bez. v. a. übl. für solche Dramen seit Expressionismus und Neuer Sachlichkeit, die mit deutl. sozialrevolutionärer Tendenz gesellschaftl. Veränderungen propagieren, z. B. E. Toller, »Die Maschinenstürmer« (1922); Friedrich Wolf, »Der arme Konrad« (1924), »Die Matrosen von Cattaro« (1930), »Thomas Münzer« (1952). Verwandt sind das histor. ╱Lehrstück B. Brechts (z. B. »Die Tage der Commune«, 1949) oder P. Hacks' (z. B. »Das Volksbuch vom Herzog Ernst«, 1957, »Der Müller von Sanssouci«, 1958) und das Dokumentarstück (P. Weiss, H. Kipphardt). ╱Polit. Dichtung.
⊡ Rothe, W.: Dt. Revolutionsdramatik seit Goethe. Darmst. 1989.   IS

Revue, m. [re'vy; frz. = Überschau, Rundschau, Zusammenstellung], 1. Bühnendarbietung aus lose aneinandergereihten Musik-, Tanz-, Gesangs-, Artistennummern, dramat. Szenen u. a., mit oft nur lockerem themat. Zusammenhang. Die Erscheinungsformen reichen von der literar. oder polit. R., die Unterhaltungscharakter mit anspruchsvoller Thematik verbindet (Übergang zum ╱Kabarett), bis zur reinen Ausstattungsr. mit aufwendigen Dekorationen, Kostümen und perfektionist. Bühnenmaschinerie als Selbstzweck (sog. Shows). Die R. entstand in Frankreich. Vorformen sind spätmal. Folgen von Possen, die eine krit.-parodist. Übersicht über die Ereignisse eines vergangenen Jahres zu geben

versuchten; als Vorläufer der Ausstattungs-R.n können die Festunterhaltungen (╱Intermezzi, ╱Zwischen- u. Nachspiele) und Dramenaufführungen (╱Jesuitendrama) der Renaissance und des Barock gelten. – Die R. im heutigen Sinn kam im 19. Jh. während des 2. Kaiserreiches auf (in Künstler-Cafés und sog. cabarets artistiques; älteste: Chat Noir, Folies Bergères, Moulin Rouge) und wurde um 1900 auch in England (Londoner Music Halls), den USA (Follies, Skandals, Vanities) und Deutschland (Berlin: Metropoltheater, Admiralspalast) populär. Nach dem 2. Weltkrieg wurden die R.n weitgehend vom Musical und der reinen Show verdrängt (Eis-R.n, Tanz-R.n). Montagetechnik und Episodenreihung der R., auch die Fortsetzung einer Spielhandlung in anderen Medien (z. B. durch Filme) wurden in den zwanziger Jahren für Erneuerungsversuche des als überlebt angesehenen bürgerl. Theaters eingesetzt, insbes. von E. Piscator für sein polit. Theater (z. B. in der Inszenierung von A. Tolstois »Rasputin« als »Schicksals-R.« und »direkte aktion«, 1927). Ähnl. Versuche, die R.formen für das Theater fruchtbar zu machen, sind in jüngeren Inszenierungen zu beobachten (z. B. bei P. Zadek, vgl. u. a. »Kleiner Mann, was nun«, v. T. Dorst nach H. Fallada, 1972). 2. Titelbestandteil zahlreicher, v. a. franz. Zeitschriften, mit themat. universaler Orientierung (vgl. engl. Review, dt. Rundschau).   MK

Reyen, m. [mhd. reie, reige, nhd. Reigen = Tanz, wörtl. Übers. von gr. choros], im ╱schles. Kunstdrama des 17. Jh.s Bez. für den ╱Chor. Eingeführt nach dem Muster des Niederländers J. van den Vondel, haben die R. zunächst aktgliedernde Funktion, darüber hinaus jedoch auch emblemat. Charakter, d. h. sie sollen das individuelle Geschehen der Akte (»Abhandlungen«) auf eine Ebene allgem. Bedeutung heben, z. T. mit vorausdeutender Funktion. Die R. in den Trauerspielen A. Gryphius' sind meist noch Chöre im eigentl. Sinne, teilweise aus Statisten der Handlung gebildet (z. B. in »Catharina von Georgien«, »Papinian«), meist jedoch aus allegor. Figuren; bevorzugte Form ist die ╱Pindar. Ode. Seine Nachfolger (D. C. v. Lohenstein, J. Ch. Hallmann, A. A. von Haugwitz) gestalten die R. zu teilweise umfangreichen allegor. Zwischenspielen aus. Lohenstein fügt im Ggs. zu Gryphius meist auch dem 5. Akt des Trauerspiels einen R. bei.   K*

Rezension, f. [zu lat. recensere = sorgfältig prüfen], 1. krit. Betrachtung und Wertung dichter. und wissenschaftl. Werke oder von Theater-, Film-, Fernsehaufführungen und Konzerten in Tageszeitungen (╱Feuilleton) und wissenschaftl. Fachzeitschriften. 2. Teil der ╱Textkritik.   S

Rezeption, f. [lat. recipere = aufnehmen, empfangen], allgemein das über geschichtl. Zeiträume und die Grenzen der Nationalliteraturen sich erstreckende Art und Weise der Überlieferung, Verbreitung und Wirkung einzelner Werke oder Stile. Seit Mitte der 60er Jahre hat sich der Begriff inhaltl. erweitert und nunmehr nicht mehr nur ein Gebiet der histor. vergleichenden Literaturwissenschaft, sondern allgemein jede Art der kommunikativen Aneignung von Literatur durch ╱Leser oder Hörer (Rezipienten). Die rezeptionsästhet. Fragestellung sucht sich sowohl von der textimmanenten und strukturalist. Analyse (›Produktionsästhetik‹) als auch von der auf histor. funktionale Festlegung bedachten marxist. ╱Widerspiegelungstheorie (›Darstellungsästhetik‹) zu unterscheiden, indem sie ausgeht von der jeweils durch veränderte Rezeptionsbedingungen bestimmten Offenheit des Bedeutungs- und Sinnangebots im literar. Kunstwerk, das sich erst durch die Verschmelzung mit dem ╱Erwartungs-, Verständnis- und Bildungshorizont des Lesers konkretisiert. Die Feststellung einer jeweils histor. geprägten Erwartung kann nur durch eine synchron verfahrende Rekonstruktion der geschichtl. Bewußtseinsformen und ihrer Bedingungen erforscht werden, damit eine sich artikulierende R. nicht als subjektive Antwort auf die Subjektivität des selbst von R. (Sprache, Literatur, Zeitgeist) abhängigen Kunstwerks unverbindl. und zufällig bleibt.

🕮 Rautenberg, U./Grosse, S.: Die R. mal. Dichtung. Bibliographie ihrer Übersetzungen u. Bearbeitungen s. Mitte 18. Jh. Tüb. 1989. – Jauß, H. R.: Die Theorie der R. Frkf. 1988. – Ibsch, E. (Hg.): R.forschung zw. Hermeneutik u. Empirik. Amsterd. 1987. – Köpf, G. (Hrsg.): R.spragmatik. Mchn. 1981. – Reese, W.: Literar. R. Stuttg. 1980. – Scholz, M. G.: Hören u. Lesen. Studien zur primären R. der Lit. im 12. u. 13. Jh. Wiesb. 1980. – Link, H.: R.sforschung. Stuttg. 1980. – Warning, R. (Hrsg.): R.sästhetik. Mchn. ²1980. – Stückrath, J.: Histor. R.forschung. Stuttg. 1978. – Grimm, G.: R.sgeschichte *(mit Bibliogr.)* Mchn. 1977. – Zimmermann, B.: Literatur-R. im histor. Prozeß. Mchn. 1977.   HW

Rhapsode, m. [gr. rháptein = zus.nähen, oidé = Gesang, die Bez. deutet auf die Fähigkeit, Gesänge improvisierend aneinander zu reihen], wandernder Sänger, die im alten Griechenland ursprüngl. in der Fürstenhalle, später allgem. bei Festen und Leichenfeiern ep. Gedichte (↗Rhapsodien) vortrug. Sein Standeskennzeichen war ein Stab *(rhabdos,* nicht namengebend!). Rh.n waren bis ins 5. Jh. v. Chr. die wichtigsten Träger der ep. Überlieferung, wobei sie die Dichtungen teils wörtl. tradierten, teils auf der Basis einer in Jahrhunderten entwickelten ep. Formelsprache schöpfer. weitergestalteten. Der Vortrag wurde durch einfache Griffe auf der Leier untermalt, entwickelte sich aber im Laufe der Zeit mehr und mehr zur bloßen Deklamation. Als Rezitatoren *fremder* Dichtungen (bes. Homer und Hesiod) finden sich die Rh.n in sog. *Rh.nschulen* zusammengeschlossen (↗Homeriden auf Chios); sie trugen auch eigene Wettkämpfe aus, wurden jedoch schon im 5. Jh. v. Chr. als unzuverlässige Überlieferer der Texte und wenig achtenswerte Literaturvaganten getadelt: einen solchen Vertreter der Verfallszeit charakterisiert Platon im Dialog »Ion«. – Mit dem gr. Rh. vergleichbar ist evtl. der altengl. ↗Skop. Ein Versuch W. Jordans, das Rh.ntum im 19. Jh. neu zu beleben, ist gescheitert.   HW*

Rhapsodie, f. [gr., Etymologie s. ↗Rhapsode], in der Antike Bez. für einzelne Abschnitte oder Gesänge der homer. Epen, dann für eine Dichtung oder ein Musikwerk, deren themat. Vielfalt, assoziative Reihungsform und improvisative Darstellungsweise mit der Vortragspraxis antiker ↗Rhapsoden verglichen werden können. Später nannte man auch freirhythm. Werke der ekstat. Lyrik Rh.n. Seit dem 18. Jh. wurde diese Bez. wieder aufgegriffen für die Lyrik der Sturm- und Drangepoche, vgl. z. B. Chr. F. D. Schubarts balladeskes Gedicht »Der ewige Jude. Eine lyr. Rh.« (1783). Durchgesetzt hat sich der Begriff jedoch erst im 19. Jh. für musikal. Werke, die entweder Vokalkompositionen nach Texten der Sturm- und Drangperiode sind (J. F. Reichardts Goethe-Vertonungen, J. Brahms' »Alt-Rhapsodie« nach Goethes »Harzreise im Winter«), oder für virtuose Solo- und Orchesterkompositionen, die eine freie, oft potpourrihafte Form bevorzugten und vielfach auf volkstüml. Melodien und Tanzrhythmen zurückgriffen. Eine der ersten Instrumental-Rh.n schrieb der Dichter F. Grillparzer (Klavierkomposition 1832), berühmt wurden vor allem die 19 »Ungar. Rh.n« (1839–1886) von F. Liszt, die Klavier-Rh. (1893) von J. Brahms, die Rh. für Klavier und Orchester (1904) von B. Bartók und die orchestrale »Rhapsody in Blue« (1924) von G. Gershwin.

🕮 Salmen, W.: Gesch. der Rh. Zürich u. Freib. i. Br. 1966.
                                                                   HW

Rhesis, f. [gr. = Rede], in der griech. ↗Tragödie die *längeren* Sprechpartien der Schauspieler in Monolog und Dialog im Unterschied zu den gesungenen Partien (↗Chorlied, ↗Monodie, ↗Amoibaion, ↗Kommos) und den ebenfalls gesprochenen, aus kürzeren Redeteilen bestehenden ↗Sti-

chomythien. Metren der Rh. sind der iamb. ↗Trimeter und (seltener) der trochä. ↗Tetrameter. Inhaltl. gehören zur Rh. v. a. die ep. Teile der Tragödie (↗Botenbericht, ↗Teichoskopie usw.).   K*

Rhetorik, f. [gr. techne rhetorike = Redekunst], Fähigkeit, durch öffentl. Rede einen Standpunkt überzeugend zu vertreten und so Denken und Handeln anderer zu beeinflussen und Theorie bzw. Wissenschaft dieser Kunst. Von anderen Formen der sprachl. Kommunikation hebt sich die Rh. durch die Betonung der impressiven bzw. konnotativen Funktion der Sprache ab (Rh. = persuasive, überzeugende Kommunikation). Die Antike, in der die Rh. entstand, unterscheidet drei Situationen, in der der Redner allein durch seine Überzeugungskraft auf andere einwirken kann:

1. die Rede vor Gericht *(genus iudicale,* heute: Forensik, berühmter Vertreter Lysias), 2. die Rede vor einer polit. Körperschaft *(g. deliberativum,* berühmter Vertreter Demosthenes), 3. die Festrede auf eine Person *(g. demonstrativum,* ber. Vertreter Isokrates).
Die Sachkompetenz des Redners wird jeweils vorausgesetzt *(disponibilitas* = Verfügbarkeit des Redners). Die Rh. stellt ihm ein Repertoire von Anweisungen und Regeln zur Verfügung, an Hand derer er seinen Stoff aufbereiten kann. Sie ist daher nicht nur ein Inventar sprachl. Techniken und Kunstformen, sondern auch eine heurist. Methode, eine »Technik des Problemdenkens«.
In der *Vorbereitung der Rede* werden *5 Phasen* unterschieden:
1. In der *inventio* (lat. *invenire* = finden) werden die zum Thema passenden Gedanken gesucht, wobei als Leitfaden die *loci* bzw. *topoi* (lat., gr. = Örter – nach den Örtern in einem räuml. vorgestellten Gedächtnis) dienen, die seit dem MA. in dem sog. Inventionshexameter zusammengefaßt werden, der die relevanten Fragestellungen aufzählt: »quis, quid, ubi, quibus auxiliis, cur, quomodo, quando?« (wer, was, wo, womit, warum, wie, wann?, vgl. auch ↗Topik).
2. In der *dispositio* (Gliederung, ↗Disposition) wird aus den Gedanken, die die *inventio* zutage fördert, eine Auswahl getroffen. Der Redner kann zwischen drei Wegen wählen: der rationalen Argumentation *(docere* = belehren), der Erregung von Affekten milderer Art (rhetor. Ethos, *delectare* = erfreuen), um sich der Gewogenheit des Publikums zu versichern, oder heftigerer Art (rhetor. ↗Pathos, *movere* = rühren), um es zu erschüttern und seine Emotionen anzusprechen (vgl. auch ↗Genera dicendi). Die Wahl der Gedanken und der Methoden nach Redezweck *(utilitas causae)* und Situationsangemessenheit *(aptum)* erfolgt durch die Urteilskraft *(iudicium)* des Redners. – Die interne Disposition der Rede folgt einem Dreierschema: Anfang *(caput),* Mittelteil *(medium),* Ende *(finis).* Der 1. Teil enthält die Anrede an das Publikum *(exordium),* der 2. die Darlegung des Sachverhaltes *(propositio)* sowie die Erörterung *(argumentatio)* mit Beweisgründen *(probationes)* und Widerlegungen *(refutatio),* der 3. Teil den Schlußfolgerung und erneute Wendung ans Publikum *(conclusio, peroratio).* Der inneren Gliederung der Gedanken folgt
3. die *elocutio,* die Einkleidung der Gedanken *(res)* in Wörter *(verba).* Dabei zu beachtende Kategorien (Stilqualitäten, *virtutes dicendi)* sind Sprachrichtigkeit *(puritas),* Klarheit *(perspicuitas)* der Sprache, ihre gedankl. Angemessenheit *(aptum)* und Kürze des Ausdrucks *(brevitas).* ↗Rhetor. Figuren und ↗Tropen, d. h. standardisierte Abweichungen von der natürl. Sprache, sollen, als Mittel der Affekterzeugung, die Aufmerksamkeit auf die Aussage lenken, sie sollen weiter einem ästhet. Bedürfnis (Schmuck und Eleganz der Rede, ↗Ornatus) dienen und für Abwechslung im Ausdruck sorgen; sie überlagern als sekundäre Strukturen die primären der Grammatik und müssen die Mitte halten zwischen zu geringer Abweichung, die Eintönigkeit erzeugt,

und zu starker, die dunkel wird. – Schließl. werden 4. in der *memoria* (Aneignung der Rede im Gedächtnis) mnemotechn. Hilfen und 5. in der *pronuntiatio* (Vortrag) der wirkungsvolle Vortrag der Rede behandelt. – Neben den Stilarten (*genera dicendi: genus facile* oder *humile* – schlichter Stil, *genus medium* oder *mediocre* – mittlerer Stil, *genus grande* oder *sublime* – erhabener Stil) unterscheidet die Rh. ferner Wortfügungsarten wie *structura polita* (gr. *synthesis glaphyra* – glatte Fügung), *structura media* (mittlere Fügung) und *structura aspera (gr. synthesis auster* – rauhe, harte Fügung). Von ihrem Anwendungsbereich her ergeben sich mannigfache Überschneidungen der Rh. mit der Topik, Dialektik und bes. mit der ∕Poetik, die sich zwar method. und der Intention nach gegenüber der Rh. abgrenzen läßt, formal und kategorial jedoch über weite Strecken mit ihr übereinstimmt. Solange eine normative Poetik verbindl. war, übte auch die Rh. einen bedeutenden Einfluß auf Literatur und Poetik aus, wobei sie selbst einem Prozeß der Literarisierung unterlag (Rh. = *ars bene dicendi* gegenüber der Grammatik = *ars recte dicendi*). Als ∕Stilistik ist die Rh. maßgebl. an der Entwicklung der ∕Kunstprosa beteiligt. Aus der in der Antike gelehrten Fähigkeit, zu einer beliebigen Situation sprechen zu können, entwickelt sich, teilweise als selbständ. Gattung, die fingierte ∕Rede oder der fingierte ∕Brief. Insgesamt stellt die Rh. eine der eindrucksvollsten systemat. wissenschaftl. Leistungen der Antike dar. Seit dem 5. Jh. v. Chr. (verlorene Schrift von Korax und Teisias) wird sie didakt. und wissenschaftl. behandelt (u. a. Gorgias von Leontinoi, Isokrates, Aristoteles, Theophrast, Hermagoras von Temnos, Cicero) und gehört zur antiken Allgemeinbildung. Eine Blütezeit erlebt sie in der Spätantike (neben vielen anderen Quintilian, Apollodoros v. Pergamon, Pseudolonginus). Die mal. Rh. knüpft wissenschaftl., didakt. (Rh. als eine der ∕artes liberales) und prakt. (Entwicklung der Homiletik) an diese antike Tradition an. Sie wird in Renaissance und Humanismus durch den Rückgriff auf antike Quellen neu belebt und wirkt durch die neulat. Dichtung bis in die Aufklärung weiter. – Daneben steht allerdings seit Plato eine Tradition der Rh.feindlichkeit, klass. durch I. Kant formuliert (Rh. = »die Kunst, sich der Schwäche der Menschen zu seiner Absicht zu bedienen«). Der Zusammenbruch der rhetor. Tradition erfolgt gegen Ende des 18.Jh.s. Einerseits können die erkenntnismäß. Voraussetzungen der Rh. als Handlungswissenschaft dem neuen, naturwissenschaftl. orientierten Wahrheitsbegriff der Aufklärung nicht standhalten, andererseits wendet sich das Bedürfnis nach individuellem, subjektivem Ausdruck gegen die normative, typisierende Regelhaftigkeit der Rh., so daß Rh. und Dichtung in scharfen Gegensatz treten. Ihre Nachfolge als Wissenschaft tritt die Stilistik an, die jedoch nie die Verbindlichkeit der Rh. erreicht hat, was die Kunst des sprachl. Ausdrucks als Lehrinhalt beeinträchtigte und nahezu eliminierte. Die Rh. überlebt bis zu einem gewissen Grad in ihren traditionellen Gebieten (der Rede); daneben entwickeln sich jedoch neue Formen der Rh. (Publizistik, Werbung, *public relations* u. dgl.) mit spezialisierten Sprachformen.

⏏ Kopperschmidt, J. (Hg.): Rh. 2 Bde. (ersch. Bd. 1: Rh. als Texttheorie). Darmst. 1990. – Baumhauer, O. A.: Die sophist. Rh. Stuttg. 1986. – Ueding, G./Steinbrink, B.: Grundriß der Rh. Stuttg. ²1986. – Ueding, G.: Rh. des Schreibens. Königstein 1985. – Fuhrmann, M.: Die antike Rh. Mchn. 1984. – Ders.: Rh. u. öffentl. Rede. Konstanz 1983. – Eisenhut, W.: Einf. in die antike Rh. u. ihre Gesch. Darmst. ³1982. – Perelman, Ch.: Das Reich der Rh. Mchn. 1980. – Schlüter, H.: Grundkurs der Rh. Mchn. ⁴1977 *(mit Bibliographie)* – Schanze, H. (Hrsg.): Rh. – Beitr. zu ihrer Gesch. in Dtschld. vom 16.–20.Jh. Frkft. 1974. – Dubois, J. u. a.: Allgem. Rh. Dt. Übers. Mchn. 1974. – Curtius, E. R.: Europ. Lit. u. lat. MA. Mchn. ⁸1973. – Lausberg, H.: Hdb.

der literar. Rh. 2 Bde. Mchn. ³1989. – Barner, W.: Barockrh. Tüb. 1970. – RL.   ED

Rhétoriqueurs, m. Pl. [retɔri'kœːr; frz. = Rhetoriker, Redner], spätmal. frz. Dichter, die im 15. u. 16.Jh. als Hofbeamte und Historiographen v. a. am burgund. Hof wirkten (deshalb auch: *burgund. Rh., burgund. Dichterschule*). Ihre nach normativen Regeln verfaßten lyr., panegyr. und moral.-didakt., oft allegor. Dichtungen sind gekennzeichnet durch rhetor. Schmuck und metr. und reimtechn. Virtuosität. Bevorzugte Gattungen sind ∕Ballade, ∕Chant royal, ∕Rondeau. *Vorbilder* waren G. de Machaut und Eustache Deschamps (insbes. durch seine Poetik »Art de dictier et de fere chançons«, 1392). *Vertreter* sind Alain Chartier, G. Chastellain, Jean Marot, J. Bouchet (Haupt der Rh. von Poitiers), G. de Crétin, J. Molinet (Poetik »Art de Rhétorique vulgaire«, 1493) und als bedeutendster J. Lemaire de Belges, der durch die Aufnahme italien. Formen- und Gedankenguts ein Vorläufer der ∕Pléiade wird. Die Rh. gelten als die Wegbereiter der dann von C. Marot eingeleiteten franz. literar. Renaissance.

⏏ Zumthor, P.: Le masque et la lumière. La poétique des grands Rh. Paris 1978. – Liebrecht, H.: Les chambres de Rhétorique. Brüssel. 1948.   IS

Rhetorische Figuren [lat. rhetoricus = die Rede betreffend, figura = Gestalt, Wendung], auch: sprachl. Schemata: Stilfiguren zur Verdeutlichung, Veranschaulichung, Verlebendigung oder Ausschmückung einer sprachl. Aussage durch syntakt. Besonderheiten – ohne wesenhafte Änderung des gemeinten, eigentl. Wortlauts – im Ggs. zu den bildhaften, uneigentl. metaphor. ∕Tropen (die allerdings manchmal ebenfalls als rh. F. bezeichnet werden). Rh. F. bilden sich in der Sprache spontan, v. a. bei emotional gesteigertem Sprechen u. begegnen auch in d. Alltagssprache; sie werden seit der Antike *bewußt* zur kunstmäß. Ausgestaltung der Sprache in der Dichtung, in der polit. Rede, der Gerichts- und Festrede, seit dem MA. auch in der Predigt, v. a. zur Beeinflussung und Überredung eines Publikums eingesetzt. Sie bieten vorgeprägte Schemata für einen gehobenen Sprachduktus und eine differenzierte Gedankenführung. – Die rh. F. wurden in der antiken ∕Rhetorik ausgebaut (vgl. z. B. die ∕Gorgianischen Figuren), klassifiziert und systematisiert, wobei sich durch unterschiedl. Auffassungen einzelner Formen öfters auch Überschneidungen in der Kategorisierung ergaben; sie werden auch heute noch weitgehend mit den Bez. der lat., seltener den griech.Rhetorik benannt. Unterschieden werden Wortfiguren (figurae elocutionis) und Gedanken-(Sinn-)figuren (figurae sententiae); im weiteren Sinne werden zu den rh.n F. auch grammat. Figuren und Klangfiguren gezählt.

Als *Wortfiguren* werden bezeichnet die wiederholte oder variierte Setzung von Wörtern oder Wortfolgen: 1. die Wiederholung eines Wortes oder einer Wortfolge a) in gleicher oder verwandter Bedeutung unmittelbar hintereinander (z. B. ∕Geminatio, ∕Epanodos), mit Abstand (z. B. ∕Anapher, ∕Epipher, ∕Symploke, ∕Epanalepsis), b) in abgewandelter Form (z. B. ∕Polyptoton, ∕Figura etymologica, ∕Paronomasie), 2. als Häufung von Wörtern desselben Sinnbezirkes (z. B. ∕Accumulatio, ∕Epiphrasis, ∕Klimax, auch: ∕Pleonasmus, ∕Tautologie).

Sinnfiguren ordnen den Gedankengang, die innere Organisation einer Aussage mit dem Ziel der semant. Erweiterung oder Verdeutlichung (z. B. ∕Vergleich, ∕Parenthese, ∕Antithese, ∕Hysteron proteron, ∕Chiasmus, ∕Apostrophe, ∕Interiectio, ∕Exclamatio, ∕Dubitatio).

Als *grammat. Figuren* gelten 1. die Änderung des übl. Wortlautes (z. B. ∕Aphärese, ∕Apokope, ∕Elision, ∕Epenthese), 2. die Abweichung von grammat. korrektem Sprachgebrauch (z. B. ∕Aposiopese, ∕Ellipse, ∕Enallage, ∕Tmesis, ∕Hendiadyoin, ∕Zeugma), 3. die Abweichung von der üblichen Wortstellung (z. B. ∕Hyperbaton, ∕Inversion).

Klangfiguren prägen die akust. Gestalt eines Satzes; sie entstehen auch spontan, z. T. durch ↗Parallelismus, bes. beim ↗Isokolon; sie dienen bei bewußter Verwendung der klangl. Gliederung einer Periode, z. B. ↗Homoioteleuton, ↗Homoioptoton, ↗Homoiarkton, ↗Reim, ↗Alliteration, ↗Onomatopoeie, ↗Klausel, ↗Cursus.

⌑ Lausberg, H.: Elemente d. literar. Rhetorik. Mchn. ²1963. – Arbusow, L.: Colores rhetorici, 2. Aufl. hg. v. H. Peter, Gött. 1963. – Lausberg, H.: Hdb. d. literar. Rhetorik. 2 Bde. Mchn. ²1973. ↗Rhetorik. S

Rhopalicus, m., ↗Keulenvers.

Rhyme royal [raim ˈrɔiəl; engl. = königl. (Reim-)Strophe, auch: ↗Chaucer-Strophe].

Rhythmische Dichtung, als »rhythmi (rythmi, rithmi)« werden im Mittellatein Gedichte bezeichnet, die nicht quantitierend (»metrice«) nach dem Muster der klass. lat. Dichtung, sondern *akzentuierend-silbenzählend* (»rhythmice«) gebaut sind. – Sprachhistor. Voraussetzung für die Entstehung der mittellat. rh. D. sind der exspirator. Akzent, der sich im Spätlatein, spätestens im 3. Jh., (wieder) durchsetzt, und der damit verbundene Schwund des Gefühls für Quantitäten. Kennzeichen der rh. D. im einzelnen sind die Übereinstimmung von Versiktus und Wortakzent (↗akzentuierendes Versprinzip), die feste Silbenzahl der Verse (↗silbenzählendes Versprinzip), die Gliederung der Verse durch feste ↗Zäsuren und, im Laufe des Früh-MA.s zunehmend, der Gebrauch des ↗Reims zur Kennzeichnung rhythm. Einheiten. – Die Bez. *Rhythmus* wird im Mittellatein gelegentl. auch auf volkssprachl. Dichtungen, die sich durch Akzentuierung und Endreim auszeichnen, übertragen (z. B. das althochdt.»Ludwigslied«–»Rithmus teutonicus de piae memoriae Hluduico rege . . .« und das frühmittelhochdt.»Annolied«–»Rhythmus de S. Annone Coloniensi archiepiscopo«). K

Rhythmische Prosa, rituelle, rhetor. oder poet. Prosa, in der bestimmte rhythm. Figuren oder metr. Modelle wiederkehren, die den Text von der Umgangssprache abheben, aber auch von den in Lyrik und Versepik angewandten metr. Gesetzmäßigkeiten unterscheiden. Wichtigste Kennzeichen der rh. P. sind syntakt. Entsprechungen im Satzbau (Parallelismus), Alliteration und Reim (Homoioteleuton) und metr. oder rhythmisierte Satzschlüsse. Rh. P. waren die frühen kult.-mag. Beschwörungsformeln, Gebete, Zaubersprüche usw., die möglicherweise aus der Koordinierung von rituellen Tanzschritten und Sprache entstanden (vgl. ↗Carmenstil). Rh. P. ist auch die antike ↗Kunstprosa, die mit spezif. Regeln (↗Numerus, ↗Ornatus) kunstvoll rhythm. durchgebildet wurde. – Im weiteren Sinne wird der Ausdruck rh. P. auch auf Werke angewandt, die sich durch poet. Sprachmittel und von der Normgrammatik abweichende Satzkonstruktionen von der Alltags- und Gebrauchsprosa unterscheiden, ohne antiken Mustern verpflichtet zu sein, z. B. Luthers Psalmenübersetzungen, R. M. Rilkes »Cornet« (auch ↗Prosagedicht, ↗Prosarhythmus). HW*

Rhythmus, m. [gr. rhythmós; Etymologie nicht geklärt. Nach älterer Auffassung von gr. rhéo = fließen, also Bewegungsfluß«, nach neuerer Erkenntis von gr. erýo = ziehen, spannen, also = Spannungsgefüge, das, was einer Bewegung Halt u. Begrenzung gibt], in der Literaturwissenschaft werden Prosa- oder Sprachrh. und Versrh. unterschieden. Der Rh.-Begriff gehört zu den umstrittensten Begriffen der Verstheorie. Das System der allgem. Rhythmik faßt *Rh.* zunächst als *physiolog.-psycholog. Phänomen* auf. Ausgangspunkt sind rhythm. Grunderfahrungen des Menschen wie Herz- und Pulsschlag (unwillkürl.) oder Bewegungen des Gehens und Springens (willkürl.); das Wesen des Rh. wird von den rhythm. Wirkungen dieser Grunderfahrungen auf die Zeitvorstellung übertragen: Objektiv leere Zeitstrecken werden mit subjektiven Empfindungsgehalten gefüllt; sie werden wahrgenommen als

gegliederte und strukturierte Bewegungsabläufe, die gekennzeichnet sind durch einen Wechsel von Spannung und Lösung, von ›schweren‹ und ›leichten‹ Zeitteilen und durch die period. Wiederkehr dabei entstehender Gruppierungen von Zeitteilen. Der *Versrh.* ergibt sich danach aus der *Übertragung des rhythm. Zeitgefühls auf die Sprache.* – Über diesen physiolog.-psycholog. fundierten Rh.-Begriff hinausgehend, hat die allgem. Rhythmik den Rh. auch zu physikal. (Pendelbewegung, Welle) und schließl. kosmolog. Erscheinungen (Ebbe und Flut, Tag und Nacht, Sommer und Winter, Geburt und Tod) in Beziehung gesetzt; danach erscheint *Rh. als mikro- und makrokosm.* ›Ur-Phänomen‹, zu dessen zahlreichen Manifestationen auch Sprach- und Versrh. gehören. – Sprach- und Versrh. können aber auch sprachimmanent erklärt werden und zwar durch sprachübergreifende und sprachgliedernde Elemente (Druckakzent: betont – unbetont; musikal. Akzent: hoch – tief; Quantität: lang – kurz; Morphem-, Wort-, Satzgrenze). Erst durch sie erhält die Sprache ihre vielfach strukturierte und dadurch faßbare Schallform. *Sprachrh. ist demnach der zur Sprache als Schallform gehörige Wechsel betonter und unbetonter, langer und kurzer Silben, periodenöffnender und periodenschließender Satzmelodien usw.,* Versrh. eine Steigerung und Überhöhung der rhythm. Eigenschaften der Sprache. Diese kommt zustande durch die Organisation der Sprache nach außersprachl. Gesichtspunkten, z. B. Alternation betonter und unbetonter oder langer und kurzer Silben, period. Wiederkehr bestimmter Gruppen. Korrespondenzen auf lautl. (Reim, Stabreim) und syntakt. Ebene (Parallelismus; Anapher, Epipher usw.) können stützend hinzukommen. Klang- und Stilfiguren sind damit nicht nur sprachl. Schmuck, sondern haben aufgrund der Spannung, die sich aus Wiederholung und Variation ergibt, auch rhythm. Bedeutung. Geschichtl. betrachtet, kann die Organisation der Versprache mit der gesellschaftl. Funktion primitiver Formen versifizierter Sprache (↗Arbeitslied, ↗Marschlied, Wiegenlied, ↗Tanzlied) erklärt werden: Bewegungsvorgänge und Sprachbewegung werden koordiniert; Klang- und Stilfiguren lassen sich entsprechend auf mag. und kult. Funktionen (in Zauberspruch, Beschwörungsformel, Kultlied) zurückführen. Entscheidend in den histor. Formen versifizierter Sprache ist jedoch der ästhet. Aspekt. Die Spannung zwischen dem vornehml. nach ästhet. Gesichtspunkten strukturierten Organisationsmuster versifizierter Sprache, dem Versschema, und der sprachl. Realisierung (d. h. die Spannung zw. Hebung und Senkung, Versfuß, Vers, Strophe einerseits und betonter und unbetonter, langer und kurzer Silbe, Kolon, Satz, Satzgefüge andererseits), d. h. zwischen heteronomer und autonomer Sprachbewegung, macht das Wesen des Versrh. aus, der jedoch von der Struktur der jeweiligen Sprache wesentl. abhängt. Je nachdem, welche Elemente in einer Sprache dominieren, lassen sich dabei verschiedene *Versprinzipien* unterscheiden:

1. das ↗*quantitierende Versprinzip* (für die rhythm. Gestalt des Verses konstitutiv ist die geregelte Abfolge langer und kurzer Silben; so in der Verskunst der klass. indogerman. Sprachen: Gr., Lat., Altind., aber auch in der klass. arab. Dichtung);

2. das ↗*akzentuierende Versprinzip* (für die rhythm. Gestalt des Verses konstitutiv ist die geregelte Abfolge druckstarker und druckschwacher Silben; so in der Verskunst der neuzeitl. germ. Sprachen einschließl. Dt. und Engl.); Sonderfälle sind

3. das *akzentzählende Versprinzip:* für die rhythm. Gestalt des Verses konstitutiv ist ledigl. eine feste Anzahl stark akzentuierter Silben, die unbetonten Silben sind verstechn. nicht relevant, so v. a. im germ. ↗Stabreimvers (mit 2 + 2 Akzentgipfeln, um die herum sich die anderen mehr oder weniger schwach artikulierten Silben proklit. und enklit. gruppieren, und die durch den Stabreim noch gestützt wer-

den), weiter im freien ↗Knittelvers und, außerhalb der europ. Dichtung, in den hebr. Psalmversen; und 4. das *akzentuierend-alternierende Versprinzip* (druckschwache und druckstarke Silben alternieren regelmäßig; so in zahlreichen dt. und engl. Versen); schließl. 5. das ↗*silbenzählende*, (genauer: akzentuierend-silbenzählende *Versprinzip* (für die rhythm. Struktur des Verses konstitutiv ist eine feste Anzahl von Silben pro Vers; Zäsuren und Versschluß sind durch feste Druckakzente markiert; die rhythm. Periodizität des Reimes kann, stützend, hinzukommen; so in der Verskunst der roman. Sprachen). Problemat. in diesem Zusammenhang sind die ↗*freien Rhythmen*, wie sie sich in der dt. Dichtung seit dem 18. Jh., die Verse antiker Chorlyrik nachgestaltend, herausgebildet haben; doch läßt sich auch hier die (sogar extrem starke) Spannung registrieren, die durch die ästhet. Überhöhung der Sprache zustandekommt und den eigentüml. Rh. ausmacht. Die verschiedenen Versprinzipien können, der jeweiligen Sprachstruktur entsprechend, konkurrieren oder zusammenwirken; Beispiele für das Konkurrieren des quantitierenden und des silbenzählend-akzentuierenden Versprinzips zeigt die mittellat. Verskunst, für das Zusammenwirken des quantitierenden und akzentuierenden Versprinzips die alt- und mittelhochdt. Dichtung und die Verskunst der Skalden. Mit der Deutung des Versrh. aus der jeweiligen Sprachstruktur sind die Versuche der älteren Forschung (v. a. Heusler und in seiner Nachfolge zahlreiche Handbücher bis heute), *Versrh. analog zu Erscheinungen des musikal. Rh.* unter Zuhilfenahme des ↗Takt-Begriffs zu erklären und darzustellen, grundsätzl. nicht vereinbar (vgl. ↗Taktmetrik). Auch die Tatsache, daß alle frühzeitl. Versdichtung gesungen vorgetragen wurde, ist kein Argument für ihre rhythm. Deutung mit Hilfe des Taktbegriffes; histor. nachweisbar ist vielmehr, daß der Rh. gesungener Lyrik zunächst der rhythm. Bewegung des Textes folgt. Dies gilt für die ganze Lyrik der Antike ebenso wie für die des MA.s. Empir. Untersuchungen haben außerdem ergeben, daß die zum Taktbegriff gehörige Isochronie selbst bei strengster Alternation kein Kennzeichen von Versrh. ist. – Die terminolog. *Differenzierung von Metrum und Rh.* wechselte im Laufe der histor. Entwicklung. Die antike Theorie bez. mit Rh. allgemein die Strukturierung eines zeitl. Bewegungsablaufs, mit Metrum den an das Material der Sprache als rhythm. Substrat gebundenen Rh., d. h. den Vers – Mittellat. heißen *rhythmi (rythmi, rithmi)* akzentuierend-silbenzählende (und endreimende) Gedichte im Ggs. zu den quantitierenden *metrica dicta;* Rh. und Metrum bezeichnen also verschiedene Versprinzipien. – In der neueren Literatur ist Metrum meist die Bez. für das Versschema als abstraktes Organisationsmuster des Verses, im Ggs. zum Versrh., der durch die Spannung zwischen diesem Versschema (= Metrum) und der sprachl. Füllung entsteht. Der *Rh.-Begriff der neueren Theorie* bezieht sich also auf die *individuelle Realisierung eines Metrums.* Im Anschluß an gegensätzl. Definitionen in der Musikwissenschaft werden Metrum und Rh. aber auch entweder gleichgesetzt oder die Verhältnisse umgekehrt, das Metrum wird als sekundäre Rationalisierung einer rationalen rhythm. Bewegung verstanden. – Die rhythm. Gestalt eines Verses entzieht sich uneingeschränkter rationaler Deutung und Analyse. Eine umfassende Theorie des Versrh. fehlt daher bis heute. Bei W. Kaysers Unterscheidung von ›fließendem, strömendem, bauendem und tanzendem Rh.‹ handelt es sich ledigl. um einen Ansatz, der in der Forschung nicht weitergeführt wurde.

□ Seidel, W.: Rh. Eine Begriffsbestimmung. Darmst. 1976. – Ders.: Über Rh.theorien d. Neuzeit. Bern/Mchn. 1975. – Schultz, Hartwig: Vom Rh. der modernen Lyrik. Mchn. 1970. – Schmidt, Julius: Der Rh. der frz. Verses. Wiesb. 1968. – Müller, U.: Der Rh. Bern/Stuttg. 1966. – Lockemann, F.: Der Rh. des dt. Verses. Mchn. 1960. – Jünger, F.

G.: Rh. u. Sprache im dt. Gedicht. Stuttg. 1952. – Klages, L.: Vom Wesen des Rh. Zürich/Lpz. ²1944. – RL.   K*

Rima, f., Pl. rimur [isländ. = Reimgedicht, Ballade], seit dem 13./14. Jh. bezeugte volkstüml. Gattung der isländ. Dichtung, isländ. Variante der skandinav. Volksballade (↗Folkevise, ↗Kaempevise): stroph. gegliederte ep. Gedichte von durchschnittl. 40–50, meist 4zeil. Strophen. Die verschiedenen *Strophenformen* (über 2000) sind charakterisiert durch die Verbindung typ. Formelemente der ↗Skaldendichtung – wie ↗Stabreim, ↗Hending (d. h. Binnenreim skald. Art), Silbenzählung, gelegentl. Gebrauch von ↗Kenningar – mit solchen der kontinentalen Ballade wie Vierzeiligkeit der Strophe (im Ggs. zu den Sechs- und Achtzeilern der Skaldendichtung), Vierhebigkeit der einzelnen Zeile (daneben auch Wechsel von Vier- und Dreihebern), Endreim, Reimschema abab; im Ggs. zur gesprochenen skald. Dichtung wird die R. gesungen (wie die festländ. Ballade), teilweise zum Tanz. – Die *Stoffe* stammen aus der Tradition der isländ. ↗Sagas (Heldensage, höf.-ritterl. Stoffe, Märchenstoffe, isländ. Lokal- und Familiengeschichte). – In der volkstüml. Dichtung Islands war die R. bis weit ins 19. Jh. die vorherrschende Form. Im Rahmen der isländ. Romantik (1. Hä. 19. Jh.) kam es zu einer Neubelebung der R. auf literar. anspruchsvollem Niveau (Sigurður Breiðfjörð: »Núma Rímur«, eine ep. Darstellung der ältesten Geschichte Roms; Bólu-Hjálmar [Jónsson]). – Von den mehr als 1000 erhaltenen Rímur-Zyklen ist nur ein kleiner Teil ediert. Die meisten sind, nach ausschließl. mündl. Überlieferung teilweise mehrere Jahrhunderte hinweg, erst im 17., 18. oder 19. Jh. handschriftl. aufgezeichnet worden. Die Handschriften befinden sich heute in der Staatsbibliothek Reykjavik.   K

Rispetto, m., toskan. Ausprägung des ↗Strambotto.

Ritornell, n. [it. zu ritorno = Wiederkehr], auch stornello, m. kl. Kampf, italien. Gedichtform volkstüml. Ursprungs: besteht aus einer beliebigen Anzahl von Strophen zu 3 Zeilen, von denen jeweils 2 durch Reim oder Assonanz verbunden sind (gängiges Reimschema: axa; seltener aax oder xaa; es kann innerhalb eines R.s von Strophe zu Strophe variieren). Die Versform ist grundsätzl. frei, doch bevorzugt die Kunstdichtung den ↗Endecasillabo. Die 1. Zeile einer Strophe ist häufig kürzer als die anderen und kann auch aus einer kurzen Apostrophe (z. B. dem sog. »Blumenruf«) bestehen, oft im Wechselgesang vorgetragen. – *Dt. Nachbildungen* des italien. R.s finden sich bei F. Rückert, P. Heyse, Th. Storm (»Frauen-R.«: »Blühende Myrte – / Ich hoffte, süße Frucht von dir zu pflücken:/ Die Blüte fiel; nun seh' ich, daß ich irrte«).

□ Schuchardt, H.: R. und Terzine. Halle 1875.   K

Ritterdrama, im allgemeinen ein Drama, dessen ›Held‹ eine Ritterfigur ist, z. B. P. Corneilles »Cid« (1636) oder D. C. von Lohensteins »Ibrahim Bassa« (1650–55); *im engeren Sinn* das Drama des ausgehenden 18. Jh.s, das unter dem Einfluß von Goethes »Götz von Berlichingen« (1773) Stoffe und Personal dem mal. Rittertum entnahm, etwa F. M. Klinger, »Otto« (1775); J. A. von Törring, »Agnes Bernauerin« (1780) und »Kaspar der Thorringer« (1779/85); J. M. von Babo, »Otto von Wittelsbach« (1782), J. von Soden, »Ignez de Castro« (1784), L. Tieck, »Karl von Berneck« (1793/95), K. F. Hensler, »Donauweibchen« (1797). Die Renaissance mittelalterl. Ritterthematik steht einerseits im Zusammenhang mit der Genie-Periode des ↗Sturm und Drang, dessen Ideal überlebensgroßer Menschen durch Projektion in ›altdeutsche‹ Vergangenheit publikumswirksam auf die Bühne gebracht werden konnte, andererseits mit den nationalen und historist. Strömungen der ↗Romantik, die das dt. MA. glorifizierten; aus der Verwandtschaft zu Genie- und Spektakelstücken näherte das R. sich dem ↗Schicksalsdrama. A. Klingemanns »Vehmgericht« (1810), H. von Kleists »Käthchen von Heilbronn« (1810) und L. Uhlands »Ernst, Herzog von

Schwaben« (1818) sind Ausdruck dieser romant. Phase des R.s. Nachwirkungen begegnen noch in V. Hugos »Burggrafen« (1843) und in R. Wagners frühen Musikdramen (»Tannhäuser«, 1845, »Lohengrin«, 1850). GG

Ritterroman, Romantypus, in dem sich das Identifikationsangebot einer Vorbildfigur, histor. Interesse, Fabulierfreude und das Element des Abenteuerl. als Unterhaltungswert vereinigen. Er ensteht seit dem Ausgang des MA.s mit den ∕Prosa-Auflösungen der Artus- und Heldenepik sowie anderer höf. Versromane. Dabei weist der *frühe R.* zwei Grundformen auf: v. a. für Aristokratie und Bildungsbürgertum die zahlreichen Versionen des ∕Amadisromans und (nach der Parodie im »Don Quijote« des Cervantes) der ∕heroisch-galante Roman des Barock; für ein breiteres Publikum die Ritterpartien in den ∕Volksbüchern, die bis ins 18.Jh. hinein aktuell bleiben. Im 18.Jh. ergeben sich neue Impulse im Zusammenhang mit der Ausbildung eines spezif. histor. Bewußtseins (in Deutschland insbes. seit J. G. Herder): neben dem neueren ∕Geschichtsdrama und dem histor. Roman allgemeiner entsteht der von beiden mitgeprägte *neuere R.* als eine spezielle Sparte der massenhaft verbreiteten, marktorientierten ∕Trivialliteratur. Dabei kommt es von Anfang an zu Überschneidungen mit anderen Trivialgattungen, insbes. mit dem ∕Räuberroman, der engl. ∕gothic novel und dem ∕Schauerroman, die den R. oft überwuchern, später auch verdrängen. Ausgeprägte R.e schrieben L. Wächter (»Männerschwur und Weibertreue«, 1785), F. Ch. Schlenkert (»Friedrich mit der gebissenen Wange«, 1785/88), C. G. Cramer (»Hasper a Spada«, 1792/93), Ch. H. Spieß (»Die Löwenritter«, 1794/95) und H. Zschokke (»Kuno von Kyburg«, 1795/99). Eng verwandt mit dem R. ist das Ritterdrama als gleichzeit. Modeform des Trivialtheaters.

☐/∕Räuberroman, ∕Trivialliteratur. RS

Robinsonade, f., Bez. für Nachahmungen von D. Defoes ∕Abenteuer- und ∕Reiseroman »The Life and strange surprising Adventures of Robinson Crusoe of York, Mariner« (1719) über das Inselexil eines Schiffbrüchigen. Defoes Quelle war der in W. Rogers Reisebericht »A cruising voyage around the world« (1712) beschriebene unfreiwill. Aufenthalt des schott. Matrosen A. Selkirk auf Juan Fernandez 1704–09. – Stoff und Motiv waren zwar schon vor Defoe bekannt und literar. geformt (z. B. von H. Neville, »The Isles of Pine«, 1668 und, von diesem beeinflußt, von J. Ch. v. Grimmelshausen im 6. Buch des »Abenteuerl. Simplizissimus« der Ausg. 1670 u. a.). Durchschlagenden europ. Erfolg hatte jedoch erst Defoes Roman (mit zwei eigenen Fortsetzungen 1719 und 1720; 1. dt. Übers. von M. Vischer bereits 1720). In der Fiktion des Dokumentarischen läßt der Autor (als Tatsachenbericht in der ∕Ichform) den von Optimismus, pragmat. Vernunft und Sentiment geprägten Helden einen detailgetreu geschilderten Neuaufbau und Nachvollzug der menschl. Kultur vorführen, der in erzieher. Absicht einer als verderbt klassifizierten zeitgenöss. Kultur entgegenstellt wird und ganz den aufklärer. Tendenzen des 18.Jh.s entspricht. – Die *bedeutendste* unter den zahllosen R.n ist J. G. Schnabels »Wunderliche Fata einiger Seefahrer . . .« (1731–43; 1828 von L. Tieck neu hg. u. d. T. »Die Insel Felsenburg«), der das Motiv zur Utopie ausweitet, indem er die Gründung eines auf den sozialen und moral. Prinzipien der Aufklärung beruhenden Gemeinwesens durch ein gestrandetes Paar darstellt. Die meisten R.n, z. B. »Der holländ. (1721), der Teutsche, sächs. (1722), der franz. (1723), der schwed., amerikan. Robinson (1724) usw.«, blieben dagegen bloße Nachahmungen, die zwar z. T. die erzieher. Tendenz betonten (J. H. Campe, »Robinson, der Jüngere«, 1779/80, 120 Aufl., Übersetzungen in 25 Sprachen, oder J. D. Wyss, »Der schweizer. Robinson« 4 Bde. 1812/27), meist aber nur die rein abenteuerl. Seite des Vorbildes imitierten, entweder phantastisch-spektakulär oder unter Berücksichti-

gung des jeweil. naturwissenschaftl. Wissens und der aktuellen Zeittendenzen, wie z. B. F. Marryats R. »Masterman Ready« (1841/43, dt. 1843 u. d. T. »Der neue Robinson oder Schiffbruch der Pacific«) oder die R.n von L. Feldmann (1852), G. H. v. Schubert (1848), L. Fulda (1895), E. Reinacher (1919) u. a. – Seit dem 19.Jh. taucht der Robinsonstoff auch in *Um- und Weiterdichtungen* auf (Saint-John Perse, 1909), ferner in *Komödien* (A. G. Oehlenschläger, »Robinson in England«, 1819; K. v. Holtei, »Staberl als Robinson«, 1845, F. Forster, »Robinson soll nicht sterben«, 1932), *Balletten, Maskenzügen, Opern, Operetten* (J. Offenbach, 1867) und *Filmen* (Drehbuchentwurf v. H. von Hofmannsthal, postum 1935; seit 1910 ca. 6 Verfilmungen, u. a. von L. Buñuel, 1952). Als eine *Parodie* der utop. R. gilt G. Hauptmanns »Insel der großen Mutter« (1924). ☐ Bartsch, K.: Die R. im 18. Jh. In: Škreb, Z./Bauer, U. (Hg.): Erzählgattungen d. Triviallit. Innsbruck 1984. – Fohrmann, J.: Abenteuer u. Bürgertum. Zur Gesch. der dt. R.n im 18.Jh. Stuttgt. 1981. – Liebs, E.: Die pädagog. Insel. Studien z. Robinson des ›Robinson Crusoe‹ in dt. Jugendbearb. Stuttg. 1977. – Ellis, F. H.: 20th century interpretations of Robinson Crusoe. Englewood (N. J.) 1969. – Stokkum, Th. C. van: ›Robinson Crusoe‹. Vor-R.n und R.n. In: Th C. van St.: Von F. Nicolai bis Th. Mann. Groningen 1962. – RL IS

Rokoko, n. [zu frz. rocaille = Muschel], Ende des 18.Jh.s in Paris Spottname für die verschnörkelten Formen des Régence- und des Louis-Quinze-Stils, dann erweitert auf alles Lächerlich-Altmodische. In Deutschland wurde der Begriff von den Jungdeutschen zur negativen Etikettierung des Restaurationsgeschmacks übernommen; er entwickelte sich dann gegen Ende des 19. Jh.s in der Kunstgeschichte zu einem wertfreien Stil- und Epochenbegriff, der sich in den 20er Jahren auch im Literaturwissenschaft durchsetzte. – Die Blütezeit des *literar. dt. R.* liegt zwischen 1740 und 1780. Es übernimmt die Grundtendenzen der Aufklärung und behält Vernunft als oberstes Prinzip bei, leitet sie aber um in ein neues Lebensgefühl, eine heitere, weltimmanente Lebensfreude, einen verfeinerten Sinnengenuß, der in ästhetischem Spiel und graziöser Form Leben und Kunst harmon. zu verbinden sucht. Die kunsttheoret. Basis der R.kunst ist die Auffassung des Schönen als des zugleich moral. Guten, das dem Begriffen Anmut oder Grazie (des schönen Guten, gr. kalokagathia) umschrieben wird. Dabei wird Grazie nach frz. Vorbild gefaßt als die Verbindung von sinnl. Reiz und Geist (Witz, esprit), nach engl. Vorbild als Vereinigung von Vernunft und Gefühl (Shaftesbury: moral grace). In der R.dichtung, auch als *Graziendichtung* bez., erscheinen so die myth. Figuren der Grazien über ihre Rollen- und Staffagefunktion hinaus programmat. als Sinnbilder kunsttheoret. Auffassungen (vgl. Ch. M. Wieland, »Musarion oder die Philosophie der Grazien«, 1768, »Die Grazien«, 1770, J. G. Jacobi, »Charmides und Theone oder die sittl. Grazie«, 1773, J. G. Herder, »Fest der Grazien« u. a.). – Wie im Barock bleibt die Dichtung des R. gesellschaftsbezogen und bleibt gesellig (∕Gesellschaftsdichtung), aber alles Repräsentative und Heroisch-Großartige der voraufgehenden Epoche wird abgelehnt zugunsten des Kleinen, Intimen, Zierlichen und Iron.-Scherzhaften oder Empfindsamen. Das Natürliche wird zum Ideal, das sich jedoch nicht an der Natur, sondern an literar. Vorbildern orientiert, so am idealen Arkadien der überlieferten Hirten- und ∕Schäferdichtung; Anakreon, Horaz, Catull werden zu Leitbildern eudämonist. Lebensgenusses, und mit der Lebenshaltung des ›carpe diem‹ entsteht als R. diesen Vorbildern auch die wichtigsten *Themenkreise*: Lieben, Trinken, Singen, Freundschaft, Geselligkeit, Natur (vgl. ∕Anakreontik). – Das dt. R. ist Teil einer europ. Kulturströmung; es steht bes. unter dem Einfluß der engl. Naturlyrik (E. Waller, M. Prior, J. Gay) und der frz. höf.-∕galanten Dichtung. Sie werden indes dem

Geschmack des dt. Bürgertums anverwandelt, das in Deutschland Hauptträger des literar. R. ist. Dabei ergibt sich ein starker, gelegentl. thematisierter Widerspruch zwischen literar. Ideal und bürgerl. Existenz, bes. in den provinziellern Zentren Halle (╱Hallescher Dichterkreis) und Leipzig gegenüber dem weltoffenen Hamburg. Entsprechend seinem Hang zum Kleinen und Zierlichen bevorzugt das R. Kurzformen wie Lyrik, Verserzählung, Idylle, Epyllion, Singspiel, Dramolett. Die Grenzen zwischen den Gattungen werden fließend, Mischformen sind bes. beliebt. – Hauptvertreter der dt. R. v. Hagedorn, Ch. F. Gellert, E. v. Kleist, J. E. Schlegel, J. W. L. Gleim, J. P. Uz, J. N. Götz, Ch. F. Weiße, G. E. Lessing, S. Geßner, Ch. M. Wieland, H. W. v. Gerstenberg, M. A. v. Thümmel, J. G. Jacobi, der jge. Goethe. Die R.tradition riß nie ganz ab und lebte im Biedermeier und um 1900 bes. in Österreich wieder auf.

⌷ Perels, Ch.: Studien zu Aufnahme u. Kritik der R.-Lyrik zw. 1740 und 1760. Gött. 1974. – Maler, A.: Der Held im Salon. Zum antihero. Programm der dt. R.-Epik. Tüb. 1973. – Anger, A.: Literar. R. Stuttg. ²1968. – Anger, A.: Dt. R.dichtung, ein Forschungsbericht. Stuttg. ²1968.╱ – RL.

GH

Rolle,
1. Text eines Schauspielers, früher zum Memorieren einzeln auf Papier*rollen* aufgezeichnet, heute meist aus vollständigen Bühnentexten erarbeitet.
2. Auch Bez. für die sog. *Rollenfächer,* die entweder aus Kriterien wie Alters-, Geschlechts- und Gesellschaftszugehörigkeit, z. B. der geizige Alte, die junge Liebhaberin, der listige Bediente, oder aus immer wiederkehrenden Typen (z. B. den einzelnen Charaktermasken der ╱Commedia dell'arte) abgeleitet wurden. Weitere Einteilungen nach Haupt- und Neben- (bzw. Episoden-)Rollen, aber auch nach dramat. Gattungen (z. B. komische und trag. Rolle). Schon Dalberg und Goethe verwarfen die Einengung des Schauspielers durch das Rollenfach, das heute, zumal unter dem wachsenden Einfluß der ╱Regie, seine Bedeutung als Eignungskriterium weitgehend verloren hat.

⌷ Doerry, H.: Das R.nfach im dt. Theaterbetrieb des 19. Jh.s. Bln. 1926. – Diebold, B.: Das R.nfach im dt. Theaterbetrieb des 18. Jh.s. Lpz./Hamb. 1913.

HD

Rollenlyrik, Sammelbez. f. lyr. Gedichte, in denen der Dichter eigene oder nachempfundene Gefühle, Gedanken, Erlebnisse oder Reflexionen einer Figur, meist einem für seine Zeit kennzeichnenden Typus (Liebender, Hirte, Wanderer usw.), in ╱Ich-Form (Monolog) in den Mund legt. R. wird als solche oft schon durch den Gedichttitel ausgewiesen (z. B. Goethe, »Künstlers Morgenlied«, H. Heine, »Lied des Gefangenen«, R. M. Rilke, »Sappho an Alkaios«), oft ergibt sich der Rollencharakter aus der Selbstdarstellung der redenden Gestalt (E. Mörike, »Das verlassene Mägdlein«, Frauenmonologe und Frauenstrophen im ╱Minnesang) oder aus dem Inhalt. – Die Tradition der R. (insbes. der Liebesdichtung) reicht von der Antike bis in die Mitte des 18. Jh.s, bis zur Entfaltung des neuzeitl. Individualismus, und ist bestimmt durch die gesellschaftl. geprägten Normen der ╱Poetik, d. h. durch toposhaft und normativ gehandhabte Form-, Motiv- und Stoffmuster. Berühmte Beispiele aus der Antike sind Simonides' »Klage der Danae«, Theokrits »Amaryllis«, Tibulls »Sulpicia an Cerinthus«. Weitere Höhepunkte der abendländ. R. sind die Minnedichtungen der Trouvères und Trobadors, der dt. ╱Minnesang, die mittellat. Vagantenlyrik, die Lyrik Petrarcas und des ╱Petrarkismus, die ╱Eklogen der Hirten- und ╱Schäferdichtung der Renaissance und des Barock und die anakreont. Lyrik (╱Anakreontik, ╱poésie fugitive). – R. wird auch in der Epoche der sog. Erlebnislyrik (╱Erlebnisdichtung) des 18. und 19. Jh.s als reine lit. Gattung gepflegt (Goethe, Mörike), sie tritt dagegen im 20. Jh. seltener in Erscheinung, etwa bei H. v. Hofmannsthal (»Der Schiffs-

koch, ein Gefangener, singt« u. a.), R. M. Rilke (»Der Goldschmied«), F. Wedekind (»Der Tantenmörder«), F. G. Jünger (»Klage des Orest«). – Nicht ausdrücklich als solche gekennzeichnete R. wurde bisweilen als autobiograph. Bekenntnisdichtung mißverstanden (vgl. z. B. die Auffassung des mhd. Minnesangs in der Literaturwissenschaft des 19. Jh.s). ╱Lyrik.

S

Roman, m., Großform der Erzählkunst in Prosa, die sich dadurch schon äußerlich vom ╱Epos u. vom Vers-R. ebenso unterscheidet wie durch Umfang u. Vielschichtigkeit von ep. Kleinformen, insbes. von ╱Novelle u. ╱Kurzgeschichte. Das *Wort* ›R.‹ geht zurück auf die in Frankreich seit dem 12. Jh. geläufige Bez. ›romanz‹ für volkssprachl. Schriften in Vers oder Prosa, die nicht in der gelehrten ›lingua latina‹, sondern in der allgemein verständlichen ›lingua romana‹ verfaßt waren. Mit dem wachsenden Lektürebedarf nach Erfindung des Buchdrucks u. mit dem gleichzeitigen Hervortreten normativer Dichtungstheorien seit dem Ausgang des MA.s wird für den R. die *Prosaform konstitutiv;* damit verbunden ist eine gegenüber dem Epos abwertende Beurteilung. Erst im Lauf des 18. Jh.s setzt der R. in Theorie u. Praxis seine Anerkennung durch, zunächst als Medium für Unterhaltung u. Unterweisung, dann auch als Kunstform. In dieser breiten Streuung ist er heute die vorherrschende u. am weitesten verbreitete Literaturgattung. Die unterschiedlichen, oft gegensätzl. Zielsetzungen u. Äußerungsformen der Gattung, ihre noch völlig unabgeschlossene Entwicklung, die eher von Experimentierfreude als von der Verpflichtung auf einen Formenkanon getragen ist, schließl. die weit auseinanderliegenden Publikumsschichten, die sie anspricht, erschweren es, den R. insgesamt u. in seinen Unterarten zu erfassen. Alle Versuche dazu haben mit vielfachen Überschneidungen zu rechnen. Kaum einzugrenzen ist eine *Aufteilung nach Stoffen u. dargestelltem Personal,* also in ╱Abenteuer-, ╱Ritter-, ╱Räuber-, ╱Schelmen-, ╱Kriminal-, ╱Künstler-, Bauern-, Heimat-, Dorf-, Großstadt-, ╱Familien-, ╱Reise-, Seefahrer-Wildwest-, Zukunfts-, ╱Historischen R. u. a. Als ähnl. vielgestaltig erweist sich eine *Gliederung nach Themen u. behandelten Problemen,* also in Liebes-, Ehe-, Tendenz-, ╱Zeit-, Dekadenz-, ╱Staats-, ╱Erziehungs-, ╱Entwicklungs-, ╱Bildungs-, Gesellschafts-, ╱psychologischen, sozialen R. u. a.; andere Gliederungsweisen richten sich *nach dem Erzählverfahren* im R., sei es nach der äußeren Form (╱Ich-, Er-, ╱Brief-, ╱Fortsetzungs-, Tagebuch-R. u. a.), sei es nach der ›Erzählsituation‹ (Stanzel) u. ihrem perspektiv. Folgen (Ich-R.; auktorialer, d. h. von einem Erzähler souverän präsentierter R.; personaler, d. h. aus dem äußeren wie inneren Blickwinkel einer Figur gestalteter R.), sei es pauschaler nach ›Substanzschichten‹ (W. Kayser) u. ihrem jeweiligen Überwiegen (Geschehnis-, Figuren-, Raum-R.), sei es schließl. nach der *erzählerischen Grundhaltung, Aussageweise u. Zielsetzung* (religiöser, erbaulicher, didakt., satir., kom., humorist., empfindsamer, idealist., realist., phantast., philosoph., polit. R. u. a.). Zu beachten sind häufig die *Adressaten,* z. B. beim Schlüssel-R., aber auch beim Jungmädchen- u. Frauen-R., ferner Anspruch und Verbreitungsweise u. daraus resultierende *Rangabstufungen* mit dem Schund-, Trivial-, Kolportage-R. auf der einen Seite, dem Unterhaltungs-R. im Mittelfeld u. dem Problem- oder auch Experimental-R. auf der anderen Seite. – *Geschichte:* Vor der Entwicklung des R.s in Europa haben sich unter teils vergleichbaren, teils ganz andersartigen Voraussetzungen r.hafte Erzählformen herausgebildet. Die frühesten finden sich in *Indien,* wo im 2. Jh. v. Chr. neben der älteren großen Versepen des »Mahâbhârata«u. »Râmâyana« das Prosawerk »Brhatkatha« (= Der große R.) tritt. Seine Urfassung ist nicht erhalten, doch blieb es in vielen Bearbeitungen, Teilfassungen, Rezensionen u. Kompilationen bewahrt, z. B. im »Vasudevahindi« (Die Irrfahrt des Vasudeva, entstanden noch vor dem 6. Jh. n. Chr.) u.

insbes. in dem Sammelwerk »Ozean der Erzählungsströme« des kaschmirischen Versdichters Somadeva aus dem 11. Jh. n. Chr. Die charakterist. Schachteltechnik des ›großen R.s‹ prägt auch andere Erzählsammlungen, z. B. die »25 Erzählungen eines Leichendämons« (1. Jh. v. Chr.) oder die »70 Geschichten eines Papageien«, die schwer zu datieren sind, aber nachhaltige Resonanz hatten, etwa im neupers. »Papageienbuch« oder in der mongol. u. in der arab. Erzählkunst. Dem R. zuzuordnen sind ferner die Fürstenspiegel u. Prinzenbücher der Inder, insbes. das mit Tierfabelgut angereicherte »Panjatantra« (Fünfbuch, entstanden zwischen dem 1. u. 6. Jh. n. Chr.), das sowohl auf die pers. u. arab. als auch auf die hinterind. u. indones. Lit. wirkte. In Indien selbst ist es Vorläufer für R.e in ausgefeilter Kunstprosa, etwa für die »Taten u. Abenteuer der 10 Prinzen« des südind. Dichters Dandin (um 700 n. Ch.r). – Abgesehen vom ind. Einfluß u. von den vorwiegend mündl. überlieferten Volkserzählungen hat sich in Hinterindien, Indochina u. Indonesien eine eigene R.-Lit. erst spät herausgebildet. In *Persien* sind neben den ind. Einflüssen u. dem eigenständigen Epos (insbes. dem »Shah-Name« von Firdusi) aus dem 8. Jh. n. Chr. vor allem die Ursprünge des »Sindbad-Name« zu verzeichnen, von denen es zahlreiche orient. u. europ. Versionen gibt, in Dtschld. z. B. noch das Volksbuch »Von den Sieben Weisen« (Ende 14. Jh., Druck 1473). In den *arab.* *Ländern* gingen zunächst im 11. Jh. aus der Koranexegese weitgespannte Prophetengeschichten hervor. Später kam mit den ↗Makamen eine Art Schelmen-R. hinzu. Auch die Märchensammlungen wie »1001 Nacht« enthalten r.hafte Züge, und schließl. spiegelt sich die Auseinandersetzung mit den Kreuzfahrern in einer Anzahl arab. Volksromane. Im Fernen Osten hat vor allem *Japan* eine reichhaltige R.-Literatur aufzuweisen, insbes. das Monogatari, eine Gattung höfischer Erzählprosa, die während der Fujiwara-Zeit in erster Linie von adeligen Frauen gepflegt wurde um 1000 n. Chr. In der »Genji monogatari« der Hofdame Murasaki Shikibu kulminierte, dem zugleich heroischen u. empfindsamen R. um das wechselvolle Geschick des quasi-histor. Prinzen Genji. Im Verlauf des Übergangs zu einer zunächst ritterlich-feudal, dann verstärkt bürgerl. geprägten Gesellschaft ergibt sich anfangs als rückblickend-histor. R. das »Rekishi monogatari«, dann die weiter verbreiteten Kriegserzählungen des »Gunki monogatari«. Während der Isolation unter dem Shogunat der Tokugawa-Familie (1603–1868) bilden sich neue, mehr umgangssprachl. und daher volkstümlichere R.-Formen heraus, zuerst erotische, gegen Ende aber meist moralisierende Werke, als deren Hauptvertreter Ihara Saikaku gilt, dann eine Art didakt.-moral. R., vertreten durch Kyokutei Bakin, daneben vor allem humorist. Dichtungen, z. B. von Jippensha Ikku u. Shikitei Samba, u. schließl. der sentimentale Liebes-R. eines Tamenaga Shunsui u. a. – In *China* kam es auf Grund der Eigenart der Hof- u. Beamtenliteratur weder zu einem Epos noch zu einer frühzeitigen Fixierung umgangssprachl. Erzählguts in der offiziellen Schriftsprache. Erst mit dem Verfall der Sung-Dynastie u. in Auseinandersetzung mit der mongol. Fremdherrschaft (12.–14. Jh. n. Chr.) ergaben sich neue geist. Anstöße u. damit die Grundlagen für einen weit verbreiteten Lese-R. Den geschichtl. Wandel spiegelt als erstes Werk der histor. Abenteuer- u. Räuber-R. »Shui-hu chuan« (Die Räuber vom Liang Schan-Moor, 14. Jh.). Einen realist. sozialkrit. Einschlag hat der erot. Sitten-R. »Pflaumenblüte in der Goldvase« (16. Jh.), während der »Traum der roten Kammer«(Ende des 18. Jh.s) gesellschaftl. Verfall einer Familie aufzeigt. – Seit dem späteren 19. Jh. ist für den Orient insgesamt die Auseinandersetzung mit dem europ. R. entscheidend. Gleiches gilt für die Entfaltung u. für die Ansätze einer eigenständigen R.-Lit. in der Neuen Welt u. in Afrika. In *Europa* finden sich *Vorstufen* des R.s in der Prosaliteratur der griech. Geschichtsschreiber seit Herodot (5. Jh. v. Chr.), ferner in den histor. u. polit. Schriften Xenophons (»Anabasis«, »Kyropädie«) sowie in den teils histor.-geograph., teils phantast. Berichten des Ktesias (»Persika«, »Indika«, beide 4. Jh. v. Chr.) und in der verlorenen Urfassung des Alexander-R.s, der dann über das r.hafte Geschichtswerk des Römers Curtius Rufus (um 50 n. Chr.) u. eine spätantike Kompilation in griech. Sprache (Ende 3. Jh. n. Chr.) zur Grundlage zahlreicher Versionen im Vorderen Orient u. in Europa wurde, bis hin etwa zum dt. Alexanderbuch Joh. Hartliebs (1444, Druck 1472) u. zuletzt noch einem rumän. Volksbuch aus dem 17. Jh. – *Der antike R.* i. e. S. entfaltet sich etwa vom 1. Jh. v. Chr. bis zum Ende des 3. Jh. n. Chr. im Zusammenhang mit der Kultur des Späthellenismus u. der röm. Kaiserzeit. Von den Anfängen sind nur Fragmente u. Exzerpte erhalten, so von dem R. um die Liebe zwischen »Ninos u. Semiramis« (1., vielleicht sogar 2. Jh. v. Chr.), von den abenteuerl. Reise-R.en des Iambulos und des Antonius Diogenes (»Wunderdinge jenseits von Thule«, 1. Jh. n. Chr.). Der wohl *älteste vollständ. R.* ist der des Chariton von Aphrodisias über die Liebe zwischen »Chaireas u. Kallirrhoe« (1. od. 2. Jh. n. Chr.). Sie alle weisen schon die für den antiken R. *typ. Merkmale* auf: exot., meist oriental. Schauplätze (wie schon im R. um Alexanders Züge durch Asien) u. private Schicksale (beides Anzeichen für den Rückzug des einzelnen aus öffentl. Politik u. aktuellem Zeitgeschehen seit dem Übergang zur Kaiserzeit); weiter die Verbindung von phantast. Reiseabenteuern mit einer pathet.-gefühlvollen Liebeshandlung; dramat. Höhepunkte, Dialoge u. Reden, die aus der Tragödie u. mehr noch der Neuen Komödie entlehnt sind; schließl. Motive wie Kindesunterschiebung, Trennung u. Wiederfinden, Treueproben, Standhaftigkeit gegenüber Gefahren u. Versuchungen. Sehr umfangreich waren R.-Produktionen u. Lektüre nach Ausweis der Papyrusfunde während der Zeit relativen Friedens u. Wohlstands unter den Adoptivkaisern im 2. Jh. n. Chr. *Beispiele* sind »Metiochos u. Parthenope« (anonym), die »Babyloniaka« des Syrers Iamblichos, die »Ephesiaka« (Antheia u. Habrokomes) des Xenophon von Ephesos, die verlorenen Werke des Sophisten Nikostratos, die »Metamorphosen des Lukios von Patrai« u. das auf ihnen fußende Hauptwerk der Gattung in latein. Sprache: »Der goldene Esel«(Metamorphosen) des (aus Nordafrika stammenden) Lucius Apuleius mit einem für die röm. Literatur charakterist. satir. Einschlag, der schon das zeit-, gesellschafts- u. literaturkrit. »Satyricon« (1. Jh. n. Chr.) von Petronius prägte. Ein Sonderfall wegen seines ländl.-bukol. Realismus u. seiner Beschränkung auf den einzigen Schauplatz Lesbos und zugleich ein Meisterwerk ist der griech. Hirten-R. »Daphnis u. Chloe« des Longos (Ende der 2. oder Anfang des 3. Jh.s n. Chr.). Ebenfalls wohl ins 2. Jh. n. Chr. gehören in ihrer griech. Urfassung der anonyme Apollonius-R. u. der Troja-R. nach Berichten angeblicher Kriegsteilnehmer (des Diktys u. des Phrygiers Dares), beide einigermaßen vollständig nur in lat. Volksbuchfassungen der Spätantike (4., 5. od. 6. Jh.) erhalten u. durch Aufnahme christl. Elemente als Grundlage für entsprechende mittellat. u. nationalsprachl. Versdichtungen im MA. legitimiert, die dann ihrerseits wieder Vorlage für ↗Prosaauflösungen wurden, z. B. für Heinrich Steinhöwels dt. »Apollonius von Tyros« (1471). Ähnlich erfolg- u. wirkungsreich waren auch die beiden *wichtigsten griech. R.e* aus dem 3. Jh., von Achilleus Tatios »Leukippe u. Kleitophon« u. als Schluß- u. Höhepunkt die »Aithiopika« (Theagenes u. Charikleia) des Heliodor von Emesa, die wegen ihrer kompositor. Vorzüge u. der Vielseitigkeit des Inhalts immer wieder Anklang fanden (1554 z. B. auch in einem dt. Druck vorlagen u. bis ins 18. Jh. hinein die Einschätzung der Gattung R. als eigenständl. Liebesgeschichte bestimmten). Unmittelbar fortgeführt wurde der spätantike R. im griech.-byzantin. Liebes-R., z. B. im 12. Jh. (unter Rückgriff auf Achilleus Tatios) von Eumathios

Makrembolitos in »Hysmine u. Hysminias« (wovon 1573 ebenfalls eine dt. Version gedruckt wurde). *Das europ. MA.* kennt keinen Prosa-R., doch werden ↗Heldenepos, ↗Chansons de geste, die höfische ↗Artus-, aber auch die ↗Spielmannsdichtung u. pseudohistor. Werke wie die dt. Kaiserchronik seit dem späten MA. Quelle u. Vorlage für zahlreiche, zunächst meist frz. *Prosaauflösungen.* Als die älteste gilt der aus dem Artuskreis abgeleitete »Prosa-Lanzelot« (afrz. um 1220, mhd. um 1230). Wichtigste Vermittlerin der franz. Prosawerke ins Dt. ist Elisabeth von Nassau-Saarbrücken (1397–1456) mit »Hug Schapler«, »Loher u. Maller«, »Herzog Herpin«, »Königin Sibille«, danach Eleonore von Österreich (1433–1480) mit »Pontus u. Sidonia« (ein ursprüngl. nord. Stoffkomplex). Mit dem Buchdruck wurden diese Werke im 15. u. 16. Jh. weit verbreitet, ebenso die neuen Versionen antiker u. oriental. Stoffe sowie die ↗Volksbuch-Fassungen anderer Sagenkreise wie zuerst »Die schöne Magelone« (1474) u.a. In diesen breiten Strom einer volkstüml. frühbürgerl. R.-Literatur fügen sich auch *Neuschöpfungen* ein, z. B. der dt. »Fortunatus« (1509), die Werke Jörg Wickrams (insbes. der »Knabenspiegel«, 1554; »Goldfaden«, 1557), das »Faustbuch« (1587) sowie die Schwank-R.e vom »Eulenspiegel« (1515) bis zum »Lalebuch« (1597). Dem Volksbuch verpflichtet, aber angereichert mit humanist. Bildung u. vor allem Satire sind Werke wie »Gargantua u. Pantagruel« (1532–1564) von F. Rabelais u., ihm folgend, die »Geschichtklitterung« (1575 [1582]) von J. Fischart, die sich an eine entsprechend gebildete Leserschaft wenden. Auch die für ein aristokrat. Publikum bestimmte R.-Lit. wandelt Überliefertes um: auf die antike Bukolik greift der *Schäfer-R.* der *Renaissance u. des Barock* zurück, z. B. in der »Arcadia« J. Sannazaros (1502) und der chevalresk abgewandelten »Arcadia« Ph. Sidneys (1590), in H. d'Urfés »Astrée« (1607–27) sowie in den dt. Schäfereyen. Die Artus- u. Ritterepik des MA.s (verbunden mit Zügen aus dem antiken R.) wirkt im span. ↗*Amadis-R.* weiter, dessen Fassung durch G. Rodriguez de Montalvo (1508), vielfach bearbeitet u. übertragen (frz. 1540–48, dt. 1569–95), neben Heliodor u. d'Urfé die wichtigste Grundlage für den höf.-histor. bzw. ↗*heroisch-galanten R.* des Barock abgibt, in Frankreich vertreten durch den Prototyp in John Barclays neulat. »Argenis« (1621, dt. durch Opitz 1626/27), sowie umgestaltet zum Schlüssel-R. bei Madeleine de Scudéry (1607–1701) u. abgewandelt zum aufwendigen Staats-R. bei La Calprenède (1609/10–63), in Deutschland im 17. Jh. aufgegriffen u. weitergeführt durch Ph. von Zesen (1619–89), A. H. Buchholtz (1607–71), Herzog Anton Ulrich von Braunschweig-Wolfenbüttel (1633 bis 1714), H. A. von Zigler-Kliphausen (1663–96) u. D. C. v. Lohenstein (1635–83). – Dagegen ist die dritte R.-Gattung des Barock, der ↗*Schelmen-R.*, eine wirkliche Neuschöpfung, die schon im »Lazarillo de Tormes« (1554, dt. 1617) mit der Parodie auf die herrschende Literatur Sozialkritik aus der Sicht des Nichtprivilegierten betreibt. Er nimmt jedoch auch religiös-erbaul. (M. Alemán, Ae. Albertinus) und satir. Züge auf (F. de Quevedo, J. M. Moscherosch u. v. a. Grimmelshausens »Simplicissimus«, 1668/69, der darüber hinaus noch Ansätze zum Entwicklungs-R. zeigt). *Zentrales Werk* dieser ersten Phase des neueren R.s ist der »Don Quijote« von M. de Cervantes (1605/15, dt. 1648). Einerseits vereinigen sich in ihm die damaligen Hauptlinien der Gattung, andererseits werden sie parodiert u. humorist. überwunden, stets im Blick auf den (für den neueren R. konstitutiven) Gegensatz zwischen subjektivem Idealismus u. umgebender Realität. Seit dem Übergang zum *18. Jh.* wird der R. immer mehr zur wichtigsten literar. Ausdrucksform des zu sich selbst findenden Bürgertums. Entsprechend wandelt sich etwa der Schelmen-R., in Frankreich z. B. über die R.e von P. Scarron (»Le roman comique«), Ch. Sorel u. A. Furetière bis zum »Gil Blas« von A. R. Lesage (1715–35). Das Schema des

höf.-heroischen R.s wird auf bürgerl. Lebensläufe übertragen u. zunächst didakt. gewendet, sei es aufklärerisch weltzugewandt wie bei Chr. Weise u. im sog. *galanten R.*, sei es religiös allegorisch wie bei J. Bunyan (»The Pilgrim's Progress«, 1679–84), später psycholog. oder philosoph. vertieft wie in Marivaux' »Marianne« (1731–36), in A. F. Prévosts »Manon Lescaut« (1731) oder in J. J. Rousseaus »Nouvelle Héloïse« (1761) u. in D. Diderots auch erzähltechn. neuartigem »Jacques« (1773–75). Neue Gehalte u. Formen entstehen vor allem in *England,* wo bürgerl. Gesellschaft u. Kultur am weitesten entwickelt waren: die ↗*Robinsonaden* im Anschluß an D. Defoe, der empfindsame Brief-R. S. Richardsons, der komisch-realist. R. bei H. Fielding u. T. G. Smollett, die humorvolle Familienidylle bei O. Goldsmith, der humorist. R. bei L. Sterne. *Der dt. R.* folgt dem zunächst nach mit Robinsonaden (z. B. J. G. Schnabel) u. dem empfindsamen R. (Ch. F. Gellert u. Sophie von La Roche), findet dann aber eigene Wege bei Ch. M. Wieland, Goethe, F. M. Klinger, K. Ph. Moritz u. W. Heinse, später bei Jean Paul u. am Romantikern (L. Tieck, C. Brentano, Novalis, F. Schlegel, E. T. A. Hoffmann, J. v. Eichendorff), insbes. durch den ↗*Bildungs-R.* u. die bis ins 20. Jh. reichenden Reaktionen darauf (E. Mörike, A. Stifter, G. Keller, W. Raabe, Th. Mann). Ebenfalls eine Neuschöpfung, die bis ins 20. Jh. hineinwirkt, ist seit der europ. Romantik der ↗*historische R.* (A. v. Arnim, W. Scott, A. Manzoni, V. Hugo). Sieht man die etwa wachsenden Bedeutung des Fortsetzungs-, Feuilleton-, Kolportage- u. Serien-R.s für die Entwicklung der ↗Trivial- u. Unterhaltungsliteratur ab (in der sich der zunehmende Warencharakter von Kunst in der bürgerl. Gesellschaft am unmittelbarsten manifestiert), so dominiert *im 19. Jh.* unterm Vorzeichen des bürgerl. Realismus das Wechselspiel zwischen dem krit. Gesellschafts-R. (z. B. in H. de Balzacs »Comédie humaine«, aber auch bei L. Tolstoi) u. dem immer stärker desillusionierenden Entwicklungs-R. (insbes. bei Stendhal u. G. Flaubert), in England verbunden zur ›novel of character and manners‹ (bei Jane Austen, Ch. Dickens, W. M. Thackeray, den Brontës, George Eliot, G. Meredith, Th. Hardy), in Deutschland allenfalls erreicht bei Th. Fontane, in Rußland bereichert um Dimensionen des Unbewußten (N. Gogol, J. A. Gontscharow, F. Dostojewski), am Ende abgelöst vom sozialkrit. Experimental-R. des Naturalismus (E. Zola). *Dt. Sonderformen* sind die Tendenz-R. des Jungen Deutschland, erweitert zum sog. ↗Zeit-R. (K. L. Immermann, F. Spielhagen, P. Heyse u.a.), der Dorf-R. (J. Gotthelf, B. Auerbach, O. Ludwig, M. v. Ebner-Eschenbach u.a., ↗*Dorf*geschichte), den im 20. Jh. der Heimat- u. Bauern-R. fortsetzt (H. Löns, G. Frenssen, L. Thoma, H. Stehr, H. F. Blunck u.a.), und zwar im ausdrückl. Gegensatz zum Großstadt-R. (M. Kretzer, A. Döblin u.a.; ↗Heimatlit., ↗Großstadtdichtung). In der Hauptlinie bestimmt den *R. im 20. Jh.* das Experiment im weitesten gedankl. wie formalen Sinn, verbunden mit neuen Erzählweisen (↗stream of consciousness, ↗innerer Monolog, ↗Simultantechnik, ↗Montage, Sprachspiel u.a.), oft auch mit zykl. Großformen, so bei M. Proust u. A. Gide, bei M. de Unamuno u. C. Pavese, bei Henry James, J. Joyce u. Virginia Woolf, bei R. M. Rilke, H. u. Th. Mann, F. Kafka, A. Döblin, J. Roth, H. Broch, R. Musil u. H. v. Doderer. Neue Anstöße bringt der *anglo-amerikan. R..* der sich im 19. Jh. seit J. F. Cooper, N. Hawthorne, H. Melville u. Mark Twain vom europ. R. gelöst hatte, im 20. Jh. mit Th. Wolfe, E. Hemingway, J. Dos Passos u. W. Faulkner, die in Europa u. insbes. in Deutschland voll erst nach dem 2. Weltkrieg rezipiert wurden. Im *dt. sprach.* R. *nach 1945* (H. Böll, W. Koeppen, Arno Schmidt, G. Grass, M. Walser, M. Frisch, U. Johnson, P. Handke, B. Strauß) geht es zum einen um die Aufarbeitung der jüngsten Vergangenheit, zum anderen um Orientierung in einer problemat. erscheinenden Gegenwart, während etwa der frz. ↗Nouveau roman gerade die Orientierungslosigkeit thematisiert u. auch formal zur Geltung bringt. In den sozialist. Ländern wird andererseits der Versuch gemacht, den R. aus dem Konzept des ⁄sozialist. Realismus heraus zu gestalten. Weitere Impulse gaben dem R. Zeitphänomene wie der internat. Feminismus. Eine eigene R.-Literatur hat sich auch *in den ibero-amerikan. Ländern* herausgebildet, z. B. bei M. Díaz Rodríguez aus Venezuela u. M. A. Asturias aus Guatemala, bei dem Mexikaner M. Azuela, bei den Brasilianern J. B. Monteiro Lobato, M. R. Andrade, Américo de Almeida, G. Ramos, J. Lins do Rêgo, J. Amado, E. Veríssimo, bei dem Peruaner C. Alegría u. den Kolumbianern J. E. Rivera und G. García Márquez, sowie bei den Argentiniern M. Gálvez, E. Mallea, M. Denevi u. a., ferner bei einem afrokarib. Autor wie René Maran, während in Afrika selbst die Ansätze zu einer besonderen R.-Lit. mit anderen, v. a. lyr. u. essayist. Ausdrucksformen verschmelzen (Th. Mofolo, L. S. Senghor). – *Theorie:* Da der R. weder von der antiken noch von der normativen Poetik in Renaissance u. Barock zur Kenntnis genommen wurde, setzen Bemühungen um seine Theorie relativ spät ein. *Erste Ansätze* dazu finden sich in R.-Vorreden u. Selbstkommentaren, etwa im 17. Jh. bei Jean Pierre Camus oder in den Vorreden S. von Birkens zu den Werken Herzog Anton Ulrichs von Braunschweig. Vorrede wie Selbstkommentar bleiben wichtige Quellen für die R.-Theorie von H. Fielding, J. C. Wezel, K. Ph. Moritz im 18. Jh., Jean Paul, Eichendorff, K. Gutzkow, Th. Fontane, É. Zola im 19. Jh. bis zu Henry James, E. M. Forster, A. Gide, G. Duhamel, Th. Mann, H. Broch, R. Musil, A. Döblin, A. Robbe-Grillet, G. Grass u. a. im 20. Jh. Während noch im 17. Jh. Pierre Daniel Huet dem R. in seinem »Traité de l'origine des romans« (1670) erstmals als Prosawerk zur Unterhaltung u. Unterweisung gerecht zu werden sucht, verurteilt ihn Gotthard Heidegger in seiner »Mythoscopia Romantica: oder Discours Von den so benanten Romans« (1698) aus poet. und moral. Gründen. Erst als das Bürgertum den R. als die ihm gemäße literar. Ausdrucksform erkennt u. anerkennt, kommt es auch zu *differenzierender Theoriebildung*, nach einigen anonymen Schriften sowie Hinweisen bei J. Ch. Gottsched, M. Mendelssohn u. J. A. Schlegel v. a. in Ch. F. v. Blanckenburgs »Versuch über den R.« (1774). Für Goethe ist der R. die Form zur Darstellung von Gesinnungen u. Begebenheiten sowie »subjektive Epopöe« (ähnlich F. Schlegel im »Brief über den R.«), für J. C. Wezel u. G. W. F. Hegel ausdrückl. »bürgerliche Epopöe«. Im 19. Jh. werden diese Grundgedanken weiter diskutiert u. modifiziert, in Deutschland z. B. in Nicolais »Versuch einer Theorie des R.s« (1819) u. in Morgensterns »Über das Wesen des Bildungs-R.s« (1820), ferner bei K. Rosenkranz über den »Einleitung über den R.« zu seiner »Ästhetik« (1827), später bei K. L. Immermann, H. Marggraf, L. Wienbarg, Th. Mundt, F. Engels, F. Th. Vischer u. a., dann im Zeichen des sog. poet. Realismus u. vertiefter Psychologie bei Otto Ludwig (»Shakespeare-Studien« (1871/1891), vergröbert auch bei F. Spielhagen (»Beiträge zur Theorie u. Technik des R.s«, 1883; »Neue Beiträge«, 1898). Eine umfassende, wiederum an Hegel orientierte »Theorie des R.s« unter geschichtsphilosoph. Aspekt hat schließl. G. Lukács vorgelegt (1916/1920, Neuaufl. 1963). Trotz krit. u. selbstkrit. Einwände ist sie noch immer einer der konsequentesten Beiträge dazu. Neben einer Fülle von literaturwissensch. Arbeiten über den R. u. seine Theorie ergaben sich gedankl. Neuansätze zur R.-Poetik seit dem ⁄Nouveau roman, z. B. bei A. Robbe-Grillet (»Pour un n.r.«, 1963) u. M. Butor (»Répertoire«, 3 Bde, 1960/64/68), sowie im Zeichen von ⁄Strukturalismus u. Postmoderne, in Reaktion darauf z. B. bei M. Kundera (»Die Kunst des R.s«, 1986. dt. 1987).

📖 *Handbuch u. Bibliographie:* Handbuch des dt. R.s. Hrsg. v. H. Koopmann. Düssel. 1983. – Pabst, W.: Lit. zur Theorie des R.s. DVjs 34 (1960) 264–289. – Frey, J. R.: Bibliogr.

z. Theorie u. Technik des dt. R.s (1910–1953). In: MLN 54 (1939) u. 69 (1954).
Allgemeines und Poetik: Wellershoff, D.: Der R. u. die Erfahrbarkeit der Welt. Köln 1988. – Kundera, M.: Die Kunst des R.s. Paris 1986; dt. Mchn. 1987. – Steinecke, H. (Hg.): Romanpoetik in Dtschld. Von Hegel bis Fontane. Tüb. 1984. – Konstantinović, Z. (Hrsg.): Die Entwicklung des R.s. Innsbruck 1982. – Stanzel, F. K.: Typ. Formen des R.s. Gött. ¹⁰1982. – Theile, W.: Immanente Poetik des R.s. Darmst. 1980. – Hillebrand, B. (Hrsg.): Zur Struktur des R.s. Darmst. 1978. – Scheunemann, D.: R.krise. Die Entstehungsgesch. d. mod. R.poetik in Dtschld. Hdbg. 1978. – Lugowski, C.: Die Form der Individualität im R. (1932), Neuausg. Frkft. 1976. – Schober, W. H.: Erzähltechniken im R. Wiesbaden 1975. – Lämmert, E.: Bauformen des Erzählens. ⁷1980. – Auerbach, E.: Mimesis. Dargestellte Wirklichkeit in der abendländ. Lit. (1946). Bern ⁵1971. – Goldmann, L.: Soziologie des modernen R.s. Paris 1964, dt. Bln./Neuwied 1970. – Klotz, V. (Hrsg.): Zur Poetik des R.s. Darmst. 1965, ²1969. – Lockemann, W.: Die Entstehung des Erzählproblems. Unters. zur dt. Dichtungstheorie im 17. u. 18. Jh. Meisenheim/Glan 1963. – Lubbock, P.: The Craft of Fiction. (1921) London ¹⁷1963. – Kettle, A.: An introduction to the English Novel. 2 Bde. London ⁵1962. – Muir, E.: The Structure of the Novel. (1928) London ⁷1957. – James, H.: The Future of the Novel. New York 1956. – Stanzel, F. K.: Die typ. Erzählsituationen im R. Wien/Stuttg. 1955.
Theorie: Bachtin, M. M.: Formen der Zeit im R. Moskau 1975; dt. Frkf. 1989. – Lämmert, E. (Hg.): R.theorie. Dokumentation ihrer Gesch. in Dtschld. 1620–1880. Köln/Bln. ²1984. – Weber, E. (Hrsg.): Texte zur R.theorie (1626–1781). 2 Bde. Mchn. 1974 u. 1981. – Stanzel, F. K.: Theorie des Erzählens. Gött. 1979. – Ruckhäberle, H.-J./Widhammer, H.: R. u. R.theorie des Realismus. Tüb. 1977. – Steinecke, H.: R.theorie u. R.kritik in Dtschld. Stuttg. 1975. – Schramke, J.: Zur Theorie des mod. R.s. Mchn. 1974. – Grimm, R. (Hrsg.): Dt. R.theorien. 2 Bde. Königstein/Ts. ²1974. – Voßkamp, W.: R.theorie in Dtschld. Von Martin Opitz bis Friedrich von Blanckenburg. Stuttg. 1973. – Hillebrand, B.: Theorie des R.s. 2 Bde. Mchn. 1972. – Rebing, G.: Der Halbbruder des Dichters. F. Spielhagens Theorie des R.s. Frkft. 1972. – Steinecke, H. (Hrsg.): Theorie u. Technik des R.s im 20. Jh. Tüb. 1972. – Hahl, W.: Reflexion u. Erzählung. Ein Problem d. R.theorie v. d. Spätaufklärung bis zum programmat. Realismus. Stuttg. u. a. 1971. – Lämmert, E. (Hrsg.): R.theorie. Dokumentation ihrer Gesch. in Dtschld. 1620–1880. Köln/Bln. 1971. – Migner, K.: Theorie des modernen R.s. Stuttg. 1970. – Steinecke, H. (Hrsg.): Theorie u. Technik des R.s im 19. Jh. Tüb. 1970. – Kimpel, D./Wiedemann, C. (Hrsg.): Theorie u. Technik des R.s im 17. u. 18. Jh. 2 Bde. Tüb. 1970. – Hamburger, K.: Die Logik der Dichtung. Stuttg. ²1968. – Koskimies, R.: Theorie des R.s. Helsinki 1935, Nachdr. Darmst. 1966. – Lukács, G.: Die Theorie des R.s (Bln. 1920), Nachdr. Neuwied/Bln. 1963. – Spielhagen, F.: Beitr. zur Theorie u. Technik des R.s. Lpz. 1883.
Geschichte: Orient, Antike: Helm, R.: Der antike R. Gött. ²1956. – Kerényi, K.: Die griech.-oriental. R.lit. in religionsgeschichtl. Beleuchtung. Tüb. 1927, Nachdr. Darmst. 1962. – Rohde, E.: Der griech. R. u. seine Vorläufer. Lpz. ³1914, Nachdr. Darmst. 1960.
Neuzeit: Überblicke: Eifler, M.: Die subjektivistische R.form. Tüb. 1985. – Engler, W.: Gesch. des frz. R.s v. d. Anfängen bis Marcel Proust. Stuttg. 1982. – Emmel, H.: Geschichte des dt. R.s. 3 Bde. Bern/Mchn. 1972, 1975 u. 1978. – Otten, K.: Der engl. R. vom 16. zum 19. Jh. Bln. 1971. – Stackelberg, J. v.: Von Rabelais bis Voltaire. Zur Gesch. des frz. R.s. Mchn. 1970. – Stanzel, F. K. (Hrsg.): Der engl. R. vom MA. zur Moderne. 2 Bde. Düssel. 1969. – Baker, E. A.: The History of the English Novel. 10 Bde.

London ²1929–50, Erg.bd. v. L. Stevenson. New York 1967. – Schillemeit, J. (Hrsg.): Dt. R.e von Grimmelshausen bis Musil. Frkft. 1966. – Alegría, F.: Historia de la novela hispanoamericana. Mexiko ³1966. – Wiese, B. v. (Hrsg.): Der dt. R. vom Barock bis zur Gegenwart. 2 Bde. Düsseld. 1965. – Engler, W.: Der frz. R. von 1800 bis zur Gegenwart. Mchn. 1965.
17. Jh.: Ortheil, H.-J.: Der poet. Widerstand im R. Gesch. u. Auslegung des R.s im 17. u. 18. Jh. Königstein/Ts. 1980. – Herzog, U.: Der dt. R. des 17. Jh.s. Stuttg. 1976. – Meid, V.: Der dt. Barockr. Stuttg. 1974.
18. Jh.: Hohendahl, P. U.: Der europ. R. der Empfindsamkeit. Wiesb. 1977. – Kimpel, D.: Der R. der Aufklärung 1670–1774. Stuttg. ²1977. – Watt, I.: Der bürgerl. R. Aufstieg einer Gattung. Defoe, Richardson, Fielding. Frkft. 1974. – Borinski, L.: Der engl. R. des 18. Jh.s. Frkft./Bonn 1968. – Wolff, E.: Der engl. R. im 18. Jh. Gött. 1964. – Borcherdt, H. H.: Der R. der Goethezeit. Urach/Stuttg. 1949.
19. Jh.: Mahoney, D. F.: Der R. der Goethezeit. 1774–1829. Stgt. 1988. – Selbmann, R. (Hg.): Zur Geschichte des dt. Bildungsr.s. Darmst. 1988. – Ders.: Der dt. Bildungsr. Stgt. 1984. – Denkler, H. (Hrsg.): R.e und Erz. des Bürgerl. Realismus. Neue Interpretationen. Stuttg. 1980. – Engler, W. (Hrsg.): Der frz. R. im 19. Jh. Darmst. 1976. – Klein, A.: Die Krise des Unterhaltungsr.s im 19. Jh. Bonn 1969. – Neuschäfer, H.-J.: Populärr.e im 19. Jh. von Dumas bis Zola. Mchn. 1976. – Killy, W.: R.e des 19. Jh.s. Wirklichkeit u. Kunstcharakter. Gött. ²1967. – Friedrich, H.: Drei Klassiker des frz. R.s. Stendhal, Balzac, Flaubert. Frkft. ⁵1966. – Lukács, G.: Dt. Realisten des 19. Jh.s. ⁴1953. – Lion, F.: Der frz. R. im 19. Jh. Zürich 1952.
20. Jh.: Berman, R. A.: The rise of the modern German novel. Cambridge, Mass. 1986. – Eisele, U.: Die Struktur des modernen R.s. Tüb. 1984. – Koopmann, H.: Der klass.-moderne R. in Dtschld. Stuttg. 1983. – Weber, R. W.: Der moderne R. Bonn 1981. – Silbermann, M. (Hrsg.): Zum R. in der DDR. Stuttg. 1980. – Durzak, M.: Der dt. R. der Gegenwart. Stuttg. ³1979. – Geissler, R. (Hrsg.): Möglichkeiten des modernen dt. R.s. Frkft. u. a. ⁴1970. – Pabst, W. (Hrsg.): Der moderne frz. R. Interpretationen. Bln. 1968. – Pollmann, L.: Der neue R. in Frkr. u. Lateinamerika. Stuttg. u. a. 1968. – Borinski, L.: Meister des modernen engl. R.s. Hdbg. 1968. – Welzig, W.: Der dt. R. im 20. Jh. Stuttg. 1967. – Oppel, H. (Hrsg.): Der moderne engl. R. Interpretationen. Bln. 1965. – Horst, K. A.: Das Spektrum des modernen R.s. Mchn. ²1964. – Hoffmann, F. J.: The modern novel in America. London/New York ²1964. – Arntzen, H.: Der moderne dt. R. Voraussetzungen, Strukturen, Gehalte. Hdbg. 1962. – Krause, G.: Tendenzen im frz. R.schaffen des 20. Jh.s. Frkft. u. a. 1962. – Zeltner-Neukomm, G.: Das Wagnis des frz. Gegenwartsr.s. Hambg. 1960. – Petriconi, H.: Span.-amerikan. R.e der Gegenwart. Hambg. ²1950. – RL.   RS

Romantik, im allg. Sinne ein von Gefühl und Phantasie geleitetes Verhalten oder eine stimmungsvolle Umgebung bzw. Situation. Im engeren Sinne eine geistige, künstler., insbes. literar. Bewegung in Europa zwischen 1790 u. 1850. Das *Wort* (von afrz. romanz, roman = in der Volkssprache, im Gegensatz zur lat. Sprache) ist als engl. ›romantic‹ seit 1650, dt. ›romantisch‹ seit 1700 nachgewiesen. Es bedeutet ursprüngl. (nach dem Muster der populären ⟋Romanzen): übertrieben, zügellos, phantastisch. Im 18. Jh. wurden v. a. maler. oder wilde Landschaften »romantisch« genannt. Im Sprachgebrauch der R. selbst kann es bedeuten: a) nichtklassisch, z. B. bezogen auf die Literatur des MA.s, b) romanhaft, c) modern, bezogen auf den Roman, der z. T. als literar. Vorbild galt. Zwischen 1810 u. 1850 setzte sich ›R.‹, häufig zunächst abschätzig gebraucht, als Epochen-Begriff durch
Der Beginn der *literarischen Romantik in Deutschland* kann im Jahr 1793 gesehen werden, in dem W. H. Wackenroder

u. L. Tieck in Nürnberg die mal. Kunst und Religion als Gegenbild und Vorbild für ihre Zeit entdeckten. Eine erste Gruppe der R. bildet sich 1798 in Jena (sog. *Jenaer* oder *Früh-R.*) mit F. v. Hardenberg (Novalis), F. u. A. W. Schlegel (den bedeutendsten Theoretikern der R.), ferner L. Tieck, dem Theologen F. D. E. Schleiermacher, den Philosophen J. G. Fichte und W. Schelling, dem Naturwissenschaftler J. W. Ritter u. a. Mittelpunkt ist die Zs. »Athenäum« (1798–1800) und das Programm einer neuen universalen Poesie, verstanden als Ergänzung und Fortbildung der ⟋Weimarer Klassik und als Synthese von Philosophie, Religion, Gesellschaft und Kunst. In Heidelberg tritt 1805 und insbes. 1808/09 eine zweite Gruppe hervor (sog. *Heidelberger* oder *Hoch-R.*) mit A. v. Arnim, C. Brentano, J. v. Eichendorff, J. Görres, F. Creuzer, J. und W. Grimm. Einen gewissen Zusammenhalt bringt hier die »Zeitschrift für Einsiedler« (1808/09) sowie ein der Dichtung zugrundegelegtes, aber auch auf dem Umweg über Sprach-, Geschichts- und Mythenforschung verfolgtes nationales Bildungsprogramm, das sich insbes. gegen die frz. ⟋Aufklärung und ⟋Klassizismus richtete. V. a. die Sammlungen und Bearbeitungen volkstüml. Literatur sollten dazu dienen, die schöpfer. Kräfte des dt. »Volksgeistes« zu wecken (Arnim/Brentano: »Des Knaben Wunderhorn«, 1806/08; Görres: »Die teutschen Volksbücher«, 1807; J. u. W. Grimm: »Kinder- u. Hausmärchen«, 1812/22, »Deutsche Sagen«, 1816/18). In Dresden trafen sich 1808/09 um die Zs. »Phöbus« H. v. Kleist, G. Wetzel, der Staatsrechtler A. Müller, der Naturphilosoph G. H. Schuberth. Wiederholt wurde Berlin nach 1801 Mittelpunkt romant. Gruppierungen *(Berliner R.).* Die Brüder Schlegel, und später der R. Varnhagen, A. v. Chamisso, F. de la Motte-Fouqué, Z. Werner, ab 1814 E. T. A. Hoffmann (die vier letztgenannten waren, zus. mit Tieck, die zu ihrer Zeit beim Publikum erfolgreichsten Schriftsteller der R.), um 1810/11 H. v. Kleist, Arnim, Brentano. Zur *süddt.* oder *schwäb. R.* (nach 1810) zählen v. a. L. Uhland, J. Kerner, G. Schwab, W. Hauff. Nach 1820 macht die R. zunehmend deutlicher einem veränderten Lebensgefühl und solchen Kunstformen Platz, die dem beginnenden Liberalismus und Kapitalismus des 19. Jh.s besser gewachsen schienen (⟋Realismus). Der Widerspruch zwischen der Sehnsucht nach Poesie und der Prosa des bürgerl. Alltags prägt noch einmal in romant. Sinne die nach 1820 hervortretenden Dichtungen von J. v. Eichendorff, E. Mörike, N. Lenau sowie v. a. H. Heine (sog. *Spät-R.*), mit denen die R. ausläuft.
Die R. suchte (mittelbar, aber entscheidend angeregt durch die frz. Revolution und deren Folgeereignisse) alle die geist.-literar. Strömungen aufzunehmen, die im 18. Jh. im Widerspruch gestanden hatten zum absolutist. Staat, zum philosoph. Rationalismus, zur mechanisch-vernünftigen Theologie (Deismus, Aufklärung), v. a. aber zum Klassizismus. – *Vorläufer* der R. sind so: die Literatur der erregten u. kultivierten Gefühle d. 18. Jh.s (S. Richardson, A.-F. Prévost, J. J. Rousseau, B. de Saint-Pierre, W. Heinse, Goethes »Werther«, ⟋Empfindsamkeit), weiter die Literatur der Volkstümlichkeit (G. A. Bürger, ⟋Göttinger Hain), die neue Naturdichtung (J. Thomson, A. v. Haller, E. v. Kleist, E. Young, Th. Gray, v. a. F. G. Klopstock), eine Ästhetik des genialen Subjekts (Shaftesbury, Young, J. G. Hamann, ⟋Geniezeit, ⟋Sturm und Drang), die theoret. Befreiung vom klassizist. Regelzwang (D. Diderot, G. E. Lessing), die angebl. Wiederentdeckung und Nachahmung der ⟋Ossian. Dichtung (MacPherson), der german.-mal. Literatur (J. u. Th. Warton, R. Hurd, Th. Percy) und insbesondere Shakespeares (Lessing, J. G. Herder). Die R. selbst fügte zu diesen Vorbildern v. a. Dante, Ariosto, Tasso, Cervantes u. Calderón hinzu und knüpfte ihre ersten Theorien an den Gegensatz zwischen einer »romant. Poesie« des christl. Mittelalters u. der Renaissance, geprägt durch den Wider-

spruch von »Endlichem und Unendlichem« und der noch immer vorbildl. klass. Antike als »Vollendung im Endlichen« (F. Schlegel). ↗Mystik u. ↗Pietismus (J. Böhme) wirkten insbes. auf Schelling und Novalis. Vorweggenommen sind viele Bestrebungen der R. bei J. J. Rousseau (Verbindung von Vernunft u. Gefühl, naturhaftem Lebensideal u. Staatsbewußtsein, Haltung persönl. Bekenntnisse und Glaube an die unendl. Erziehbarkeit des Menschen) u. J. G. Herder (Organismusdenken, histor. Individualitätssinn u. Vernunftutopie, Begriff der »Ursprache« u. »Naturpoesie«). Unmittelbar anregend wirkten der dt. Idealismus, insbes. die Ästhetik I. Kants u. F. Schillers, sowie J. G. Fichtes Lehre von der freien Tätigkeit des Ich, welche die R. auf den Vorgang künstler. Produktion übertrug. Vorbild war schließl. Goethes »Wilhelm Meister« (1795/96), in dem die R. eine spieler. Verbindung von Poesie, Selbst- und Weltbildung verwirklicht sah. In diesem Sinne nennt F. Schlegel die frz. Revolution, Fichtes »Wissenschaftslehre« (1794) und Goethes »Meister« »die größten Tendenzen des Zeitalters« und fordert für die noch zu schaffende romant. Dichtung, sie solle »die Poesie lebendig und das Leben und die Gesellschaft poetisch machen«, d. h. mit Sensibilität u. freier, sinnvoller Tätigkeit erfüllen. – Die R. brachte sehr unterschiedl. *Themen und Tendenzen* hervor, mit Vorliebe suchte sie gerade die *Produktivität von Widersprüchen* zu nutzen. Eine Gemeinsamkeit ist daher nur im Sinne von Berührungspunkten beschreibbar; charakterist. bleibt die Vieldeutigkeit der R.: sie macht jede Darstellung zur auswählenden u. wertenden Interpretation. Eine gewisse *Fortsetzung der Aufklärung* bedeutet es, wenn die R. die menschl. Vernunft zu vermitteln sucht mit den vernunftlosen, bzw. dem Bewußtsein noch nicht zugängl. Bereichen in der menschl. Seele, in der Geschichte, in der Natur u. in der Existenz Gottes. Der Weg dazu führt einerseits über die Freiheit der Einbildungskraft, näml. daß der Erkenntnis ihre Gegenstände und die Kunst ihre eigene Wirklichkeit hervorzubringen vermöge, andererseits über das Auffinden der in der Wirklichkeit vorgebildeten Vermittlungsmöglichkeiten wie Traum, Weltverhalten des Kindes, Wechseltung etc. V. a. im ↗Märchen, sowie zunehmend zentraler im ↗Mythos sah die R. diese Einheit von Bewußtem und Unbewußtem verwirklicht. Die vielen Märchendichtungen, eine »neue Mythologie« (F. Schlegel), die Verbindung von in die Realität projizierten Vorstellungen, Ängsten und Hoffnungen (»Veräußerung des Inneren«) und Durchdringen der Außenwelt mit Gefühlen und Bedeutungen (»Verinnerungen«) z. B. in Natur-Stimmungen oder in ausgebauten Symbol-Ketten, die Versenkung in die Geschichte, v. a. in das als geschlossene Wert- u. Gefühlswelt gesehene MA., eine Verschmelzung der Künste (Wackenroder, Hoffmann) bzw. der Künste u. Wissenschaften (F. Schlegel, Novalis), die Deutung der Natur als »bewußtlosen Geist« (Schelling), die dichter. Verteidigung der Einheit natürl.-sinnl. und geistig-freier Liebe (F. Schlegel, »Lucinde«, 1799; C. Brentano, »Godwi«, 1801/02), den Tod thematisieren, um der Erlebnisfähigkeit zu erweitern (Novalis, Arnim), ein Verständnis der Religion, das gerade die Begrenztheit und Zufälligkeit des Menschen zum Ausgangspunkt seiner fühlend und ahnend erfahrenen Abhängigkeit vom Unendlichen macht (Schleiermacher), schließl. eine Verschmelzung von Religion, Philosophie und staatl. Ordnung, deren gemeinsames Organ die Poesie sein solle (Novalis): all dies spiegelt auf verschiedene Weise gemeinsame Tendenzen. Der Vermittlung von religiösen oder philosophisch begründeten Geschichts-Kontinuität bzw. einer endlicher Utopie mit den als sprunghaft verworren gesehenen histor. Ereignissen (Novalis: »Die Christenheit oder Europa«, 1799) galt, analog der des selbstbewußten Einzelnen mit der Allgemeinheit in Staat und Gesellschaft, eine weitere zentrale Bemühung der R. Aber indem sie dies in erster Linie auf dem Wege poet. Spiegelungen zu erreichen

suchte, zeigen sich von Anfang an *Fragwürdigkeit und Grenzen der R.*: der Widerspruch zwischen ihren auf äußere Wirkung gerichteten Programmen und praktizierter Ich-Bezogenheit, Überschätzung der dichter. Möglichkeiten, Fragmentarismus. Denn charakterist. Ausdruck dieser romant. Tendenz ist die poet. Geschichts- u. Gesellschafts-Integration ist der sog. ↗Künstler-Roman, der nicht nur romant. Kunsttheorie veranschaulichen, sondern zugleich auch die Utopie poet. Weltveränderung dichter. vorwegnehmen sollte. Aber L. Tiecks »Franz Sternbald« (1798) verbleibt im Gemütvoll-Mittelalterlichen, Novalis' »Heinrich von Ofterdingen« (1802) bricht mit dem ›Weltveränderung‹ ab und entwirft sie nur märchenhaft-allegorisch. Die Künstler-Gestalten E. Th. A. Hoffmanns (»Kreisleriana«, 1810 u. 1813/15; »Kater Murr«, 1820/22) sind in sich zerrissen und ihrer Umwelt fremd. J. v. Eichendorffs »Ahnung und Gegenwart« (1815) endet mit dem (wenn auch zeitkritisch gemeinten) Rückzug auf eine abgeschlossene, christl. und poet. wiederhergestellte Welt. A. v. Arnims »Die Kronenwächter« (1817) vermag die Utopie nur noch als einen Freiraum zu entwerfen, der von Geschichtserzählungen, Symbolik und exemplar. Leben des Roman-Helden nicht erreicht werden kann. E. Mörikes »Maler Nolten« (1832) schließl. enthält als Gegengewicht der Phantasie den realist. Kompromiß. Anspruch und Problematik der R. kommt auch in dem (allerdings vieler Abwandlungen fähigen) Programm »romant. ↗Ironie« zum Ausdruck, die als ein Verstandes- u. Kunst-Spiel zwischen u. über den endlichen Gegensätzen »schwebend« dem Unendlichen sich annähern soll (F. Schlegel, später K. W. F. Solger). Noch deutlicher zeigt das Thema des »poetischen Nihilismus«, daß die R. sich auch der Möglichkeit des Scheiterns ihrer poet. Vermittlungen, d. h. ihres Umschlagens in Vereinsamung, Gegenstands- und Kommunikationslosigkeit bewußt war (v. a. in »Die Nachtwachen des Bonaventura«, 1804). Entsprechend wurde nach 1801 (Tod Novalis'), v. a. dann unter dem Eindruck der napoleon. Kriege und verstärkt nach 1815 die Utopie einer »Poetisierung der Welt« einerseits zur sich selbst genügenden, verklärten Kunstwelt verflüchtigt (E. T. A. Hoffmann: »Der goldene Topf«, 1814; z. T. Brentano, Eichendorff), andererseits verfestigt zur wissenschaftl. Erforschung von Sprache und Literatur (A. W. Schlegels Vorlesungen von 1801–04 u. 1808, die Arbeiten der Brüder Grimm), Mythologie (F. Schlegel, F. Creuzer, J. P. Kanne, J. Görres) und Geschichte (F. K. v. Savigny, B. G. Niebuhr, L. v. Ranke, sog. Historische Schule). Schließl. führte die Entwicklung der R. in Deutschland, die von der schöpfer. Kraft des Ich ausgegangen war, zur Unterordnung alles Individuellen unter das »organische Ganzheiten« von »Volkstum« (F. L. Jahn), Nation u. Tradition in der *politischen Romantik«* (E. M. Arndt: »Geist der Zeit«, 1806–1818; A. Müller: »Elemente der Staatskunst«, 1808; um 1811 in Berlin der ↗»Christlich Deutschen Tischgesellschaft«; K. L. v. Haller: »Restauration der Staatswissenschaft«, 1816–1826; der Kreis um C. M. Hofbauer in Wien). Bereits seit 1800 (F. Stolberg) waren viele R.er zur Autorität der Kath. Kirche konvertiert bzw. zurückgekehrt (1808: F. Schlegels Konversion; 1817: C. Brentanos Generalbeichte). Es waren v. a. diese letztgenannten Tendenzen der R., die schon Goethe (obwohl vielfältig von der R. beeinflußt) und G. W. F. Hegel, sowie insbes. der Kreis um J. H. Voß (v. a. um 1808 an) abgelehnt hatten und die später das ↗Junge Deutschland und die Hegelsche Linke zu scharfer Kritik veranlaßten (H. Heine: »Die romant. Schule«, 1833; Th. Echtermeyer/A. Ruge: »Der Protestantismus und die R.«, Hall. Jb. 1839/40), u. die das ganze 19. Jh. hindurch die Auseinandersetzung des ↗Realismus mit der R. bestimmten. *Bedeutsam für das 20.* Jh. wurde die produktive Kritik S. Kierkegaards (»Über den Begriff der Ironie«, 1841; »Entweder – Oder«, 1843) u. F. Nietzsches (von 1874 an) an der R. Deutlich knüpft einerseits noch der

Nationalsozialismus an die polit. R. an. Andererseits wären die neueren Geisteswissenschaften ohne die romant. Anregungen nicht zu denken. Wichtige Entwicklungslinien führen zur Mythologie (J.J. Bachofen), zur Naturwissenschaft (J. W. Ritter, L. Oken) und zur Psychologie des Unbewußten (C. G. Carus). Mit W. Diltheys Novalis-Studie (Preuß. Jb. 1865) u. R. Haym (»Die romant. Schule«, 1870) beginnt die äußerst kontroverse histor. und literaturwissenschaftl. Erforschung der R. – Die charakterist. *Kunstformen* der R. lassen v. a. drei Tendenzen erkennen: zum einen bemühte sich die R. um eine ständige Erweiterung der Sprachmöglichkeiten, mit der Absicht, die ganze Wirklichkeit künstler. zu erfassen; zugleich aber sollte gerade das Fremde und Geheimnisvoll-Vieldeutige in natürl.-einfacher Weise ausgedrückt werden; und schließl. kam es der R. darauf an, die künstler. Wirkungsmöglichkeiten im Gegensatz zu allem Konventionellen ständig zu erneuern, bis zum »mutwilligen« (F. Schlegel) Spiel mit den Erwartungen des Publikums. Insbes. die *Lyrik* von Novalis, Brentano, Eichendorff u. Mörike, u. hier v. a. die liedhaften Formen, finden in diesem Sinne zu einer virtuos-einfachen Bedeutungsfülle und Musikalität, die Heine durch iron. Kontraste und Stimmungs-Brechungen zu steigern und neu zu orientieren sucht. In vergleichbarer Weise wird im (/Kunst-) *Märchen* der R. eine oft komplizierte Allegorik in volkstümlich-einfache (Novalis) oder spielerisch-improvisierende (Brentano) Darstellung verkleidet. Märchenhaftes u. Phantastisches, z. T. Gespenstisches im Kontrast mit Naturalistisch-Alltäglichem kennzeichnet die Märchen und »Phantasiestücke« von Tieck, Hoffmann, Chamisso, Eichendorff. Der Übergang zur eigentl. / *Novelle* ist hier fließend und bekundet sich v. a. (entsprechendes gilt für die Novellen A. v. Arnims) in der gegenwartsbezogenen, soziologischen, psychologischen oder moralischen Auflösbarkeit des Phantastischen. H. v. Kleist gelingt in seinen Novellen eine für die Zukunft der Gattung beispielhafte Verbindung moderner Subjektivität und Widersprüchlichkeit mit klass. Konzentration. Gerade in den Novellen zeigen sich zuerst die realist. Tendenzen innerhalb der romant. Bewegung. Die *Romane* der R. sind v. a. von der Freude am formalen Experiment und von der Verrätselung ihrer jeweiligen Struktur geprägt. Die Spannweite ihrer Möglichkeiten reicht vom Spiel der Illusions-Erzeugung und -Zerstörung über symbol.-allegor. Mehrschichtigkeit des Dargestellten, kontrastierend vielfältige Handlungsverknüpfungen, bis zur effektvoll musikal. Komposition von Stimmungen. Von beispielhafter Bedeutung sind schließl. die vielen *Übersetzungen* (L. Tieck: Cervantes, 1799 ff.; A. W. Schlegel: Calderón, Dante, insbes. zus. mit Dorothea u. L. Tieck: Shakespeare, 1797 ff.). – In produktiver Auseinandersetzung mit den Kunstformen der R. ist fast die gesamte dt. Literatur des 19. Jh. begriffen. Auffallend sind aber auch die verschiedenen *Spätwirkungen:* so wird z. B. die Forderung des Gesamt-Kunstwerks von R. Wagner wieder aufgenommen, die Anti-Mimetik (/Mimesis) u. Vieldeutigkeit (/Ästhetik die Ästhetik des Häßlichen, die Gestaltung des Unbewußten, die fluktuierende Symbolik und die Tendenz zur Erweiterung der Sprachmöglichkeiten prägt entscheidend den frz. / Symbolismus und seine europäischen Folgen (/Expressionismus, /Surrealismus); die romant. Ironie u. Romantheorie werden z. T. erst von Th. Mann u. R. Musil verwirklicht; die moderne Ästhetik der / Verfremdung hat u. a. romant. Wurzeln. zum poet. Nihilismus der R. finden sich gewisse Entsprechungen (/Nouveau Roman, / Absurdes Theater) in der Literatur der Gegenwart. – Auch die *romantischen Bewegungen in Europa* entstehen in den verschiedenen Ländern im Zusammentreffen eigener anti-klassizist. u. national-bewußter Tendenzen mit fremden Anregungen, die v. a. von England, Deutschland u. Frankreich ausgehen. Im einzelnen zählen zur europ. R.: In *England* von 1788 an W. Blake, nach 1798 S. T. Coleridge, W. Wordsworth, R. Sou-

they (sog. / »Lake School«), nach 1802 W. Scott, nach 1808 Lord Byron, P. B. Shelley, J. Keats; in *Frankreich* um 1800 F. R. de Chateaubriand, E. P. de Senancour, B. Constant, zwischen 1803 u. 1811 der Kreis um Mme. de Staël, 1814–1830 der Kritiker-Streit zwischen Klassikern u. R.ern, nach 1820 die Werke von A. de Lamartine, V. Hugo, A. de Vigny, nach 1830 Th. Gautier, G. de Nerval, M. de Guérin, A. de Musset, G. Sand; in *Italien* nach 1816 (Mailänder Manifeste) S. Pellico, A. Manzoni, G. Leopardi, U. Foscolo; in *Portugal* nach 1825 A. Herculano, A. Garrett, A. F. G. de Castilho; in *Spanien* nach 1833 v. a. J. de Espronceda, J. Zorrilla; in *Dänemark* schon nach 1803 H. Steffens, A. G. Oehlenschläger, C. Hauch, B. S.Ingemann, später H. Ch. Andersen; in *Schweden* nach 1807/08 die Gruppe um P. D. Atterbom (/ Phosphoristen), später v. a. E. Tegnér u. E. G. Geijer (/ Got. Bund); in *Norwegen* nach 1828 H. E. Wergeland u. J. S. Welhaven; in *Ungarn* nach 1815 J. Arany u. S. Petöfi; in *Polen* nach 1816 und nach 1830/31 (im Exil) A. Mickiewicz, Z. Krasinski, J. Sowacki; in *Rußland* nach 1820 v. a. A. Puschkin u. M. Lermontov; im *tschechischen* u. *slovakischen Österreich* F. L. Čelakovský, J. Kollár, K. H. Mácha. Da die dt. Literatur im Ausland wesentl. durch Mme. de Staëls Buch »De l'Allemagne« (1810) u. die dort vorgestellten Autoren bekannt wurde, gehören seitdem für das Ausland häufig auch G. A. Bürger, sowie Goethe, Schiller u. Jean Paul Richter zur dt. R. – In Europa bekannt wurden später v. a. die Theorien A. W. Schlegels, ferner E. T. A. Hoffmann u. H. Heine. *Gemeinsame Berührungspunkte der europ. R.* sind das Zurückgreifen auf die jeweilige nationale Vergangenheit und Literatur (v. a. in Skandinavien, Italien, Spanien, Ungarn u. in den slav. Literaturen), das verschiedentl. dominierende christl. Element (z. T. in Frankreich, Skandinavien, v. a. in Polen), allgemein eine neue Sensibilität für die Natur, die Betonung von Sinnlichkeit und Gefühl für die Erkenntnis und das Zusammenleben. Damit einher geht ein neues Selbstbewußtsein d. Frau (C. Schlegel, B. Brentano, später die Brontë-Schwestern, G. Sand). Häufig eröffnet die Sehnsucht nach einer naturhaft-sinnerfüllten Welt im Gegensatz zur Zivilisation melanchol. Perspektiven (/Byronismus). Gemeinsam ist ferner die Betonung der Einbildungskraft (v. a. bei Coleridge), das Bewußtsein von der histor. Relativität des Schönen (z. B. in V. Hugos Theorie des / Grotesken), die Auflockerung der Kunstformen und Gattungsregeln. Neben der Lyrik, die überall im Vordergrund steht, v. a. auch in erzählenden Formen wie / Ballade, / Romanze, / Verserzählung, ist in der europ. R. im Gegensatz zur dt. R. das / Drama die zweite wesentl. Gattung; in der Nachfolge W. Scotts entwickelt sich der / historische Roman. Die europ. R. orientierte sich weiterhin bewußt an klass. Form-Beherrschung (Keats, Alfieri, Tegnér), nahezu immer war sie um gegenständlich-anschaul. Darstellung bemüht; darin liegt ein gewisser Gegensatz zur dt. R. Während diese sich von liberalen Anfängen weg eher restaurativ entwickelte, nimmt die europ. R. fast immer den umgekehrten Weg. Aus alledem folgt entsprechend regelmäßig (so v. a. bei Scott, Stendhal, Manzoni) ein kontinuierl. Übergang zur ebenfalls europäischen Bewegung des / Realismus.

⌑ Pipkin, J. (Hg.): English and German Romanticism. Hdbg. 1985. – Mandelkow, K. R. u. Heitmann K. (Hg.): Europäische Romantik. 2 Bde., Wiesbaden 1982, 1985. – Gish, Th. G. u. Frieden, S. G. (Hg.): Deutsche Romantik and English Romanticism. Mnchn. 1984. – Vietta, S. (Hg.): Die literar. Früh-R. Gött. 1983. – Jørgensen, S. A. u.a. (Hg.): Aspekte der Romantik. Kopenhagen – Mchn. 1983. – Peter, K. (Hg.): R.forschung seit 1945. Königstein 1980. – Prang, H.: Die romant. Ironie. Darmst. ²1980. – Glaser, H. A. (Hg.): Deutsche Literatur. Eine Sozialgeschichte. Bd. 5: Zwischen Revolution und Restauration. Klassik, Romantik. Reinbek 1980. – Furst, L.: Romanticism in Perspective. London ²1979. – Honour, A.: Romanticism. London 1979.

– Hoffmeister, G.: Dt. und europ. R. Stuttg. 1978. – Brinkmann, R. (Hg.): R. in Deutschland. Stuttg. 1978 (mit Bibliographie). – Steffen, H. (Hg.): Die dt. R. Gött. ³1978. – Krömer, W.: Die franz. R. Darmst. 1975. – Schmitt, H.-J. (Hg.): Die dt. Lit. Abriß in Text u. Darstellung. Bd. 8 und 9: R. Stuttg. 1974. – Mittenzwei, J. u. a. (Hg.): R. Erläuterungen zur dt. Lit. Bln. 1973. – Behler, E. u. a.: Die europ. R. Frkft. 1972. – Thorburn, D./Hartmann, G. (Hg.): Romanticism. Ithaca (N.Y.) 1973. – Eichner, H. (Hg.): ›Romantic‹ and its cognates. Toronto 1972. – Wiese, B. von (Hg.): Dt. Dichter der R. Bln. 1971. – Van Tieghem, P.: Le romantisme dans la littérature européenne. Paris ²1969. – Prang, H. (Hg.): Begriffsbestimmung der R. Darmst. 1968. – Wellek, R.: Konfrontationen. Vergleichende Studien zur R. Dt. Übers. Frkft. 1964. – RL   VG

Romanze, f. [span. el romance = das in der ›roman.‹ Volkssprache Geschriebene], ep.-lyr. Gattung der span. Literatur: kürzeres volkstüml., episod. Erzähllied, das Stoffe der altspan. Sage und Geschichte gestaltet. Häufigste Versform ist der reimlose trochä. 16-Silbler mit Mittelzäsur und Assonanzen. Stil und Erzählstruktur entsprechen der Volks-/Ballade des german. Sprachraumes, von der sie sich teilweise durch größere Heiterkeit, Gelöstheit, Breite der Darstellung und mehr musikal.-klangl. Elemente unterscheidet; jedoch lassen sich grundsätzl. Gattungsunterschiede nicht begründen. – Die frühesten altspan. R.n sind im 14./15. Jh. faßbar (vgl. /Romanzero); man unterscheidet nach den Stoffkreisen
1. *histor.* R.n über geschichtl. Ereignisse oder Legenden (z. B. »Después que el rey Don Rodrigo«, »Castellanos y Leoneses«),
2. R.n des *karoling. und breton. Sagenkreises* (»Asentado está Gaiferos«, »Muerto quede Durandarte«),
3. die sog. *Grenzr.n* über die Kämpfe zwischen Mauren und Christen, bes. in den letzten Jahrhunderten der Rückeroberung Spaniens, und
4. die *maur.* R.n, entstanden nach 1492, dem endgült. Sieg der Christen über die Mauren, die das Leben span. Mauren idealisieren (z. B. »Alora la bien cercada«, »Paseábase el rey moro«); daneben entstehen auch *romanhafte* (»De Francia partió la nina«, »Retraida está la Infanta«), *religiöse und lyr.* R.n (»Fonte frida, fonte frida«, »En Sevilla está una ermita«). Bes. im 16. und 17. Jh. werden R.n auch als Kunstdichtung gepflegt und die Gattung bei gleichen Themenkreisen auch intentional (pastorale, burleske, satir. R.n) und formal (kunstvoller Strophenbau, Vollreime, Refrain) erweitert. Vertreter sind u. a. L. de Góngora (»Angélica y Medoro«, »Amarrado al duro banco«), F. Quevedo y Villegas, Lope de Vega. Die R.nform dringt auch in andere lyr. Gattungen ein (z. B. /Loa, /Endecha). In der modernen span. Dichtung wurde die R. v. a. von F. Garciá Lorca und A. Machado wieder aufgegriffen. – *In Deutschland* wurden Name und Gattung durch J. W. L. Gleim (1756) eingeführt, zunächst als synon. Bez. für /Kunstballade, so im Sturm und Drang, bei G. A. Bürger, Goethe, Schiller (»Kampf mit dem Drachen« als R. bez.). J. G. Herder weist dann durch kongeniale Übersetzungen in assonanz- u. reimlosen trochä. Achtsilblern, sog. span. /Trochäen (insbes. R.nzyklus »Cid«, 1805), auf den formal gebundenen volkstüml. Charakter hin und leitet eine Blüte der R.ndichtung in der /Romantik ein, in der Herders Grundform beibehalten, jedoch meist mit subtilen Assonanzen und Klangreimen verbunden wird; bedeutend sind die R.n (und R.nübersetzungen) von A. W. und F. Schlegel, L. Tieck, F. de la Motte Fouqué, J. v. Eichendorff, L. Uhland, A. v. Platen, insbes. von C. Brentano (»R.n vom Rosenkranz«, entst. 1804–12); parodist. verwenden die R.nform K. L. Immermann (»Tulifäntchen«, 1830) und H. Heine (insbes. »Atta Troll«, 1847).
☐ Brinkmann-Scheihing, B.: Span. R.n in dt. Übersetzung. Marburg 1975. – Bodmer, D.: Die granadin. R.n in der

europ. Lit. Diss. Zürich 1955. – Pfandl, L.: Span. R.n. Halle/Saale 1933. – RL   IS

Romanzero, m. [span. romancero = Slg. von /Romanzen], der erste (gedruckte) R. erschien 1548 in Antwerpen (»Cancionero de Romances«). Im Ggs. zu den /Canciones (/Cancion) sind von den volkstüml. altspan. Romanzen keine handschriftl. Sammlungen bekannt (Verbreitung zunächst wohl mündl., seit dem 15. Jh. auf losen Druckblättern mit groben Holzschnitten). – *Wichtige weitere R.s* sind der dreiteilige R. »Silva de varios romances« (1550, Zaragoza), der R. »Rosa española« (1573, Valencia, enthält neben volkstüml. auch Kunstromanzen). Ausschließl. Kunstromanzen enthalten der »Flor de varios romances« (9 Teilsammlungen 1589–97) und der aus diesen Sammlungen zusammengestellte *bedeutendste R.,* der »Romancero general« (1600, in den folgenden Jahren mehrfach erweitert: 2. Teil 1605; beide Teile hrsg. von P. de Moncayo, A. de Villata u. a.). Seit dem 17. Jh. gab es auch R.s der einzelnen Romanzendichter, ferner Spezialsammlungen zu bestimmten Themen oder Helden (z. B. der »Romancero del Cid«, 1605). – Wiederauflebendes Interesse an der Romanzendichtung in der /Romantik zeitigte *moderne Ausgaben,* so als erste die von J. Grimm 1815 zus.gestellte Sammlung »Silva de romances viejos« (Romanzen des Antwerpener R.s). 1828–32 erschien der große »Romancero general« (von 1600) in 5 Bd.n, hg. von dem span. Romantiker A. Durán; 1828, 1840 u. 1871 je eine Ausg. des »Romancero del Cid« (von 1605), hg. von J. Müller, A. Keller, C. Michaelis; 1856 der umfangreiche R. »Primavera y flor de romances« (von 1621), hg. v. Ferd. Wolf (gilt als die vollständigste u. beste Ausgabe). – Bedeutende *dt. Übersetzungen* span. R.s sind u. a. das »Span. Liederbuch« von E. Geibel und P. Heyse (1852) und der »R. der Spanier und Portugiesen« (1860) von E. Geibel und A. F. Graf Schack. – Der zwischen 1844 und 1851 entstandene »R.« H. Heines
enthält nur teilweise Romanzen.   IS

Rondeau, n. [rŏ'do; frz. m. zu rond = rund; dt. Bez.en in den Verslehren des 17. und 18.Jh.s: Ringelgedicht, Rundgedicht, Rundreim, Rundum], ursprüngl. zum Rundtanz gesungenes frz. Tanzlied, in zahlreichen Varianten seit dem 13. Jh. belegt; kennzeichnend sind /Isometrie, Zweireimigkeit, die (reimlose) refrainart. Wiederholung der Anfangsworte des 1. Verses (meist ein Ausruf, eine Sentenz o. ä.) in der Mitte und am Ende des Gedichts (sog. *rentrement,* Wiedereinschub) und die daraus resultierende Gliederung des Gedichts in zwei (häufig ungleich lange) Teile. – Das ›klass.‹ R., dessen Form sich im 16.Jh. herausbildet, besteht aus 13, im allgem. 10silb. Versen (ohne die beiden *rentrements*). Das 1. *rentrement* (R) folgt auf die 8., das 2. auf die 13. Zeile. Das Ende der 5. Zeile fällt mit einem größeren syntakt. und inhaltl. Einschnitt zusammen, so daß das ganze R., abweichend vom Grundschema (Zweiteiligkeit) in insgesamt 3 Teile (Couplets; 5 + 3 + 5 Zeilen) zerfällt. Reimschema: aabba/aabR/aabbaR. – Im 14. u. 15.Jh. sehr beliebt von den Dichtern der Pléiade jedoch abgelehnt, wird das R. im 17. und 18.Jh. nur noch als Form scherzhafter Dichtung verwandt (V. Voiture); im 19.Jh. von A. de Musset, Th. de Banville und St. Mallarmé wiederaufgegriffen. Dt. *Nachbildungen* finden sich v. a. im 16. und 17.Jh. u. a. von J. Fischart, G. R. Weckherlin, Ph. von Zesen, engl. bei G. Chaucer, Th. Wyatt und weiter bei H. A. Dobson (1840–1921) u. a. – /Rondel, /Triolett.
☐ Gennrich, F.: R.x, Virelais u. Balladen. 3 Bde. Dresden u. a. 1921, 1927, 1963.   K

Rondel, m. [frz., zu rond = rund], altfrz. Lautform von neufrz. *rondeau,* in den älteren Handbüchern synonym mit /Rondeau gebraucht; heute werden die R. meist die älteren, bis ins 16.Jh. gebräuchl. freieren Formen des Rondeaus bezeichnet, um diese von der ›klass.‹ Rondeau-Form auch terminolog. abzusetzen. – In älteren Verslehren

bezeichnen R.s gelegentl. auch Gedichte aus 3 ↗Triolett-
Strophen.   K
Rotations-Romane, nach dem 2. Weltkrieg vom
Rowohlt-Verlag edierte Romane (ro-ro-ro = Rowohlts R.);
Bez. nach dem zeitbedingten Herstellungsverfahren im sog.
Rotationsdruck: die Romane hatten Zeitungsformat u.
waren auf Zeitungspapier gedruckt. R. waren z.T. (dt.)
Erstveröffentlichungen von im 3. Reich unterdrückten
Titeln, z. B. A. Camus, »Die Pest« (1947; dt. 1948), W.
Faulkner, »Licht im August« (1932; dt. 1949), H. Fallada,
»Kl. Mann, was nun?« (entst. 1932, bei Rowohlt 1950).   S
Rotrouenge, f., Retrouange [rɔtru'ã:ʒ; afrz.; Retroensa
(prov.), Etymologie umstritten], zweiteil. Lied der Troba-
dor- und Trouvèrekunst, dessen 2. Teil als Refrain wieder-
holt wird: Grundform aa ab AB. Entstand im 12.Jh. ver-
mutl. als Weiterentwicklung der Laissenstrophe (↗Laisse)
als eine der beliebtesten Formen des monod. Gesellschaftsliedes (Refrain von der Gesellschaft im Chor gesungen).
Verwandt sind ↗Triolett, ↗Virelai, ↗Balada und ↗Dansa;
auch im dt. Minnesang nachgewiesen (Mondsee-Wiener
Liederhs.).
◻ Gennrich, F.: Die altfr. R. Halle/Saale 1925.   S
Roundel, n. [raundl.; engl. für frz. Rondel/Rondeau], von
A. Ch. Swinburne entwickelte engl. Variante des ↗Ron-
deaus aus 3 ↗Terzinen mit refrainart. Wiederholung der
Anfangsworte des Gedichts nach der 1. und nach der
3. Terzine, wobei diese Kurzzeile mit den 2. (b-)Zeilen
reimt; Reimschema: aba B/bab/aba B.   K
Rubai, n., Pl. Rubaiyat, auch: Robã'i [iran.-pers. = Vie-
rer], vierzeil. pers. Gedichtform mit dem Reimschema aaxa,
in der ein epigrammat. Kürze u. treffende Bildhaftigkeit –
sowohl in volkstüml. als auch kunstmäß. Weise – Lebens-
und Spruchweisheiten formuliert sind. Hauptvertreter
Omar Hayyãm (auch: Omar Chajjam), Anf. 12.Jh. – Aufsehen erregte im 19.Jh. die engl. Übersetzung seiner
R.-Sammlung durch E. Fitzgerald (1859 u.ö.); dt. Übersetzungen u. Nachdichtungen versuchten u.a. F. Rückert (nur
einzelne Texte), A. F. v. Schack (1878), F. Bodenstedt
(1881), F. Rosen (1909), C. H. Rempis (1933, ²1940; 1935),
H. W. Nordmeyer (nach Fitzgerald, ²1969).   S
Rügelied, ↗Scheltspruch.
Rührender Reim, Gleichklang ident. Wörter, z. B. *ist* : *ist*,
staunen : *staunen* (auch: *ident. Reim*) oder von Wörtern gleicher Lautung (Homonymen): *ist* : *ißt, lehren* : *leeren* (auch:
äquivoker Reim). Beide Arten waren in mal. Dichtung
erlaubt (als Stilprinzip z. B. in Gottfrieds von Straßburg
»Tristan«-Prolog); seit dem 16.Jh. als Formfehler eingestuft, begegnen aber als Stilprinzip weiterhin, z. B. bei Lessing (»Sinngedichte«) und im franz. Symbolismus.   S
Rührstück, bez. entsprechend der Wirkungsästhetik der
Aufklärung eine dramat. Gattung nicht nach Inhalt oder
Bauform, sondern nach der beabsichtigten Wirkung auf
das Publikum. In dem Maße, als diese Wirkung zu einem
reißer. kalkulierten Effekt wurde, wandelte sich die Bez.
›R.‹ von einer Gattungsbez. zu einem abwertenden Begriff,
der fast unabhängig von literar. oder histor. Zuordnungen
verwendet wird. – Ursprüngl. umfaßte das R. sowohl das
↗weinerl. Lustspiel, das empfindsame Schauspiel und das
↗bürgerl. Trauerspiel. Das dt. R. schließt sich an die engl.
Tradition der *sentimental comedy* (R. Steele, »The con-
scious lovers«, 1722 u.a.) und der *domestic tragedy* (G.
Lillo, »The London merchant«, 1731) und die franz. ↗co-
médie larmoyante an. Viele dt. R.e sind Übersetzungen oder
Bearbeitungen, zu denen v.a. D. Diderots »Le père de
famille« (1758) herausforderte (z. B. O. H. v. Gemmingen,
»Der dt. Hausvater«, 1780). Bes. in seiner Nachfolge entstanden die heute vordringl. als R.e oder ›Hausvaterdra-
men‹ bez. Schauspiele. Sie enthalten meist Scheinkonflikte
zwischen bürgerl. Moral und Laster, Demonstrationen
unerschütterl. Tugend und bürgerl. Verhaltensnormen
(Gehorsam, Fleiß, Sparsamkeit usw.), die Diskussion relig.,

pädagog. und ökonom. Fragen. Konflikte ergeben sich selten durch einen trag. Zusammenprall des Individuums mit
den Institutionen der bürgerl. Gesellschaft, sondern werden als bedauerl. Normverfehlungen im rührenden Versöh-
nungsschluß wieder aufgehoben. Die fruchtbarsten Autoren von R.en waren F. L. Schröder, A. W. Iffland und A. v.
Kotzebue. Stand bei Iffland die Rührung noch im Dienste
moral. Erziehung, so verselbständigte sie sich bei Kotzebue
zum kulinar. Selbstzweck, der durch pikant-erot. Zutaten
effektvoll gesteigert werden konnte. – Figuren des R.s (etwa
der väterl. Patriarch, die zärtl. Mutter, der treue Diener),
Situationsklischees (Abschied, Entsagung, Wiederfinden,
Sündenfall, Reue und Versöhnung), Handlungselemente
und moral. Vorstellungen finden sich noch in der Trivial-
dramatik des 19.Jh.s (R. Benedix, Ch. Birch-Pfeiffer) bis
hin zum Naturalismus (v. a. H. Sudermann) und im Fami-
lienfilm bis ins 20. Jh. Bedeutsam war auch die mit dem R.
verbundene Entwicklung des Theaterstils (F. L. Schröder
als Theaterleiter in Hamburg). Natürlichkeit wurde in
Sprechstil und Gesten angestrebt. Realist. Dekorationen,
eine ungezwungene, ›regelfreie‹ Bewegungsregie sollte zu
einem malerischen, gest. bewegten und gefühlsgesättigten
Ausdrucksstil führen, wie ihn Diderot in seinem »Essai de
la Poésie dramatique«forderte. Allmähl. jedoch führte das
Ausweichen vor echten Konflikten, unzieml. Leidenschaften und Trieben zu einem theatral. Substanzverlust, zumal
selbst klass. Tragödien wie »Othello« empfindsam ver-
harmlosend adaptiert wurden.
◻ Krause, M.: Das Trivialdrama d. Goethezeit 1780–1805.
Produktion u. Rezeption. Bonn 1982. – Glaser, H. A.: Das
bürgerl. R. Stuttg. 1969.   HR*
Rundfunkkantate, auch: Funkkantate, Kantatenhörspiel; Spiel- und Sendeform, die je nach dem Vorherrschen
musikal. oder sprachl. Mittel mehr unter musikal. Gesichtspunkten (K. Szuka, H. Ch. Kargel, »Schlesische Fastnacht«, 1932) oder unter sprachl.-literar. zu hören ist (H.
Anders, »Polarkantate«, 1931). Ansatzweise bereits in den
frühen Rundfunkprogrammen vorhanden, entfaltete sich
die Form der R. über die »Singfabel« (1927–30) und erlebte
ihren Höhepunkt Anfang der 30er Jahre. Gelungenstes Beispiel: B. Brecht, »Der Flug der Lindberghs«, 1929, Musik
P. Hindemith und K. Weill.
◻ Urban, H.: Von der Hörfolge zur R. In: Rufer und Hörer
2 (1932/33) 59–61. – Anders, H.: Kantatenhörspiel. Ebda.
S. 187.   D
Rund-/Kanzone, ↗Stollenstrophe, bei welcher am
Schluß (Melodie-)Teile des Aufgesangs wiederholt werden; vgl. etwa das »Palästina-Lied« Walthers von der
Vogelweide: Reimschema ab ab/cc b, Melodieschema αβ
αβ/γδ β.   S
Runen, f. Pl. [altnord. rūn, Sg.; ahd. rūna; Grundbedeutung: Geheimnis (vgl. raunen) ≙ gr. Mysterium; das nhd.
Substantiv wurde im 17.Jh. aus dem Dän. entlehnt], german. Schriftzeichen, welche v.a. als Inschriften in feste
Materialien (Stein, Holz, Horn, Metall, auf Steindenkma-
len, auch als Felsritzungen, auf Waffen, Schmuck, Münzen
[Brakteaten]) geritzt wurden, (vgl. engl. write, eigentl. ritzen
= schreiben); erst spät wurden R. vereinzelt zu literar. Aufzeichnungen auf Pergament verwendet (vgl. den Codex
runicus um 1300 mit schonischen Gesetzen). Aus der Ritz-
technik erklärt sich das charakterist. Fehlen von Rundungen. Die *ältesten R.zeugnisse* reichen bis ins 2. Jh. n.Chr.
zurück (Lanzenblatt von Øvre Stabu, Nord-Norwegen);
volkstüml. R. sind in Mittelschweden bis ins 19.Jh. im
Gebrauch. Erhalten sind altnord., altengl., got., altsächs.,
altfries. und ahd. R.inschriften (insges. ca. 5000, davon
3000 in Schweden, 30 auf dt. Gebiet) zwischen Grönland
im Westen, dem Ladoga-See (nördl. Leningrad) im Osten
und Piräus (Griechenland) im Süden. Auf eine ältere, sog.
gemeingerman. Reihe von 24 R.zeichen (wie im griech.
Alphabet), gültig vom 2.–7.Jh. (etwa 200 Zeugnisse mit 16

ᚠ ᚢ ᚦ ᚨ ᚱ ᚲ ᚷ ᚹ ᚺ ᚾ ᛁ ᛃ ᛇ ᛈ ᛉ ᛊ ᛏ ᛒ ᛖ ᛗ ᛚ ᛜ ᛞ ᛟ

f u þ(th) a r k g w h n i j ï p z(ʀ) s t b e m l ŋ(ng) d o

Konsonanten, 6 Vokalen und 2 Halbvokalen) folgt vom 8. Jh. an eine jüngere, nordische Reihe von 16 Zeichen, die den sprachgeschichtl. Veränderungen des Altnordischen angepaßt ist. Nach den ersten sechs Zeichen nennt man beide R.-Reihen *fuþark*. Die *Herkunft* der R. liegt im histor. Dunkel, das man mit verschiedenen Hypothesen aufzuhellen versuchte: Im 19. Jh. vertrat J. Liljegren (»Runlära«, 1832) die Meinung, die R. seien eine Urschöpfung der Germanen, die später durch das lat. Alphabet (das die west- und südgerm. Stämme nach der Christianisierung übernahmen) modifiziert wurden. L. F. Wimmer (1874) sah das Vorbild in der röm. Kapitalschrift, S. Bugge (1899) und O. v. Friesen (1906) in der griech. Minuskelschrift, K. Weinhold (1856) und C. J. Marstrander (1928) in einem nordetrusk. Alphabet. Keine der Theorien vermag alle mit Form, Reihenfolge und Auftreten der R. zusammenhängenden Fragen zu klären. Am wahrscheinlichsten ist, daß eine heim. Grundlage durch Einflüsse von außen modifiziert wurde. Der schon im Altnord. auftauchende Name *rūna* deutet ebenso auf *mag. Ursprung* wie die »*Germania*« des Tacitus, wenn (Kap. 10) mit notis, mit welchen Losstäbchen gekennzeichnet wurden, R. gemeint sind (was nahe liegt). R. sind also zunächst als *Begriffszeichen* verwendet worden, was auch durch Stellen in der altnord. Literatur (»Sigdrífumál«, »Atlamál«, »Völsungasaga«, Kap. 35) und die alten R.-Namen mit metaphor. Bedeutungen belegt wird. Die Initialen der R.namen ergeben die Lautwerte. *Runennamen (und ihr Symbolwert):* f = fehu: Vieh – Reichtum (vgl. lat. pecus, pecunia); u = ūruz: Ur, Auerochse – männl. Kraft; þ = altnord. þurisaz: Riese – schädl. Macht (altengl. þorn = Dorn, so der heute übl. Name dieses Zeichens, ≙ engl. th); a = ansuz: Ase – Gott; r = raidō: Ritt – Wagen; k = kenaz: Kien-(span), Fackel – Geschwür; weiter g = gebō: Gabe; w = wunjō: Wonne; h = haglaz: Hagel; n = naudiz: Not; i = īsaz: Eis; j = jēran: (gutes) Jahr; ï = īwaz: Eibe; p = perþo: ein Fruchtbaum; z(R) = algiz: Elch; s = sōwilō: Sonne; t = tīwaz: Tyr (der Himmelsgott); b = berkanen: Birkenreis; e = ehwaz: Pferd (vgl. lat. equus); m = mannaz: Mensch; l = laukaz: Lauch; ŋ = Ingwaz: Gott des fruchtbaren Jahres; d = dagaz: Tag; o = oþalan: Besitz. Die *Schriftrichtung* war frei; sie konnte rechtsläufig (dexiographisch), linksläufig und in Pflugwendeform (griech. bustrophedon) angelegt sein. Neben den regelmäßigen R. begegnen *Wende-R.* (stehen in umgekehrter Schreibrichtung, viele R. sind allerdings ihrer Gleichseitigkeit wegen richtungslos), *Sturz-R.* (stehen auf dem Kopf), *Stutz-R.* (mit verkürzten Zweigteilen), *Binde-R.* (Kombinationen mehrerer Zeichen) und *Geheim-R.* – R.-Ritzungen dienten anfangs v. a. mag.-kult. Zwecken, wohl auch R.-Reihen, vgl. z. B. den gotländ. Stein von Kylver, um 420 (vgl. auch Abecedarium Nordmannicum). Daneben gibt es Weihe-Inschriften (R.ring von Pietroassa, Walachei, 4. Jh.; Stein von Glavendrup, Dänemark, 10. Jh.), Gedenk-Inschriften (Gørlev-Stein, Seeland), Besitzvermerke (Spange I von Himlingøje, Seeland), Runenmeisterformeln (Spange von Bratsberg, um 500, Süd-Norwegen), weiter Beschwörungs-, Abwehr-, Segensformeln. Weitere *bemerkenswerte Zeugnisse* sind: Speerspitze von Kowel (West-Ukraine, 3. Jh.) – die Goldhörner von Gallehus (Nordschleswig, um 400), Inschrift: ek hlewagastir holtingar horna tawido (Herstellervermerk, zugleich ältester germ. Stabreimvers) – Bildstein von Möjbro (Schweden, um 400) – Bügelfibel von Nordendorf (b. Augsburg, Nennung dreier Götternamen) – Lanzenspitze von Wurmlingen (b. Tuttlingen): Inschrift Idorih

(ältester Beleg für die 2. Lautverschiebung) – Stein von Rök (9. Jh.) mit der längsten bekannten R.-Inschrift: ältester schwed. dicht. Text (Theoderich-Sage) – Harald-Stein von Jelling, (10. Jh., von König Harald Blauzahn). □ Düwel, K.: R.kunde. Stuttg. ²1983. – Zeller, Otto: D. Ursprung d. Buchstabenschrift u. das R.-Alphabet. Osnabr. 1977. – Klingenberg, H.: R.schrift. Hdbg. 1973. – Krause, W.: R. Bln. 1970. – Arntz, H.: Handb. d. R.kunde. Halle/S. ²1944.   S

Runolied [finn. runo = Gedicht], auch: Runen-Lied, ep.-lyr. Volkslied der Finnen, dessen Tradition bis in die Mitte des 1. Jt.s n. Chr. zurückreicht und weder durch die Skandinavisierung (seit 1000) noch durch die Katholisierung Finnlands (seit 1150) wesentl. beeinträchtigt wurde. Es handelt sich um Zauberlieder, Beschwörungslieder, aitiolog. Ursprungslieder, die das archaische Weltbild des euras. Schamanismus erkennen lassen, um Jagdlieder, Hochzeits- und Klagegesänge und Balladen im sog. *Runenvers* (auch: *Runovers*), ein 4heb. 8-Silbler mit trochä. Versgang (xxxxxxxx), der sich durch Alliteration und verschiedene Formen des End- und Binnenreims auszeichnet. Der Vers ist zugleich syntakt. Einheit. Zu seinen stilist. Merkmalen gehört v. a. der Parallelismus, meist mit Variation verbunden. Die mündl. überlieferten R.er wurden von Berufssängern zu einer stereotyp wiederkehrenden Melodie gesungen, begleitet von der 5saitigen Kantele. Zum Vortrag gehörten jeweils zwei Sänger, die einander gegenübersitzend, sich an einer Hand festhielten und sich beim antiphon. Vortrag des R.s entsprechend hin- und herzogen. Die Sammlung und Publikation der finn. R.er begann im 19. Jh. im Zuge der Romantik; bis heute sind ca. eineinhalb Millionen Verse veröffentlicht. Durch Kompilation einzelner R.er schuf E. Lönnrot 1849 sein insgesamt 50 Gesänge umfassendes Epos »Kalevala«.   K

Sachbuch, Publikation, die neue Fakten und Erkenntnisse auf wissenschaftl., polit., sozialem, wirtschaftl., kulturellem und kulturhistor. Gebiet in meist populärer und leicht verständl. Form darbietet. Es steht einerseits im Ggs. zur ↗Belletristik, andererseits zum wissenschaftl. ↗Fachbuch. Es wendet sich nicht an den Spezialisten, sondern an den interessierten Laien. Zum S. im weiteren Sinne werden oft auch Lexika, Nachschlagewerke, Wörterbücher und sog. ›Prakt. Ratgeber‹ gerechnet. – Der *Begriff* ›S.‹ wird seit etwa 1930 v. a. in Volksbüchereien und im Verlagswesen verwendet, die *Publikationsart* ist jedoch alt: Sachschriften und sachbuchart. Information lassen sich schon im Altertum und MA. feststellen, z. B. bei Thukydides, Herodot oder dem »Buch der Natur« des Konrad von Megenberg (1349/50); sie erscheinen dann bes. seit dem 18. Jh., wo sie neben den ↗moral. Wochenschriften dem Bildungsbedürfnis des emanzipierten Bürgertums entgegenkamen (z. B. Voltaires »Éléments de la philosophie de Newton«). Einen zweiten Höhepunkt erlebt das 19. Jh., wo es ebenfalls zur Verbreitung der neuen , nun v. a. naturwissenschaftl. Erkenntnisse beitrug. Auch die vom Ende des 19. Jh.s bis nach 1920 in den Schulen verwerteten sog. Realienbücher gehören zur Gattung des S.s, ebenso die der Belletristik zuneigenden ↗Reiseberichte (z. B. B. H. Bürgel, »Aus fernen Welten«, 1910). Als ein Markstein in der Geschichte des S.s gilt der bis heute als ›erstes richtiges S.‹ bez. Publikation v. H. E. Jacob, »Sage und Siegeszug des Kaffees« (1934). Einen ungeheuren Aufschwung erlebte das S. nach dem Zweiten Weltkrieg: nach dem Statist. Jahrbuch 1969 waren 80,5% aller Buchtitel S.er. S.er, die in den letzten Jahren zu ↗Bestsellern wurden, sind z. B. C. W. Ceram, »Götter, Gräber

und Gelehrte« (1949), W. Keller, »Und die Bibel hat doch recht« (1956), R. Pörtner, »Mit dem Fahrstuhl in die Römerzeit« (1959), K. Lorenz, »Das sog. Böse« (1963), H.-E. Richter, »Die Gruppe« (1972), H. Gruhl, »Ein Planet wird geplündert« (1975), F. Vester, »Phänomen Streß« (1976), N. Calder, »Das Geheimnis der Planeten« (1981). – Obwohl das Fernsehen in der Vermittlung von Wissen auf allen Gebieten eine wicht. Rolle spielt, hat es das S. eher noch gefördert als zurückgedrängt, da es diesem oft durch Parallelsendungen in die Hand arbeitet.
📖 Doderer, K.: Das S. als literaturpädagog. Problem. Frkft. u. a. 1962. OB*

Sächsische Komödie, Bez. für die aufklärer., satir.-moralkrit. Komödie aus dem Umkreis J. Ch. Gottscheds (Leipzig, Sachsen), auch ›Verlach-Komödie‹ (B. Markwardt). Sie entstand im Rahmen seiner Theaterreform und entspricht zumeist der Komödientheorie der »Crit. Dichtkunst« (1730, bes. ³1742), die in scharfem Ggs. zur damals verbreiteten extemporierenden, in Sprache und Handlung derben /Hanswurstiade entwickelt wurde. Vorbild für die s. K. ist die frz., regelmäß. gebaute, literar. ausgeformte Gesellschaftskomödie (v. a. Ph. N. Destouches), die in zeitgenöss., dt. bürgerl., ›ehrbare‹ Wirklichkeit umgesetzt wird (›Ehrbarkeitsklausel‹); kennzeichnend sind ferner die satir. Gegenüberstellung von tugendhaftem und – zu verlachendem – lasterhaftem Verhalten (wobei die rationale Einsichtsfähigkeit des Zuschauers vorausgesetzt wird), eine natürl. Umgangssprache (Prosa) und die Vermeidung von Sprachkomik zugunsten lächerl. Handlungen. Vertreter sind v. a. Gottscheds Frau Luise Adelgunde Gottsched (»Die Pietisterey im Fischbein-Rocke«, 1736, »Die ungleiche Heirat«, 1743 u. a.), J. E. Schlegel (»Der geschäftige Müßiggänger«, 1741, »Die stumme Schönheit«, 1747; J. Ch. Krüger (»Die Geistlichen auf dem Lande«, 1743 u. a.), G. E. Lessing (»Der junge Gelehrte«, 1748), ferner G. A. Uhlich, H. Borkenstein, Th. J. Quistorp, G. Fuchs, u. z. T. Ch. F. Gellert (»Die Betschwester«, 1745), der dann zum Repräsentanten des nicht mehr satir., vielm. empfindsamen /weinerl. Lustspiels wird. Die s. K. wurde auf dem Theater realisiert durch die Theatertruppe der Caroline Neuber (Verbannung des /Hanswurst 1737); nach deren Wegzug aus Sachsen veröffentlichte Gottsched die s.n K.n in der »Dt. Schaubühne nach den Regeln und Exempeln der Alten« (6 Bde., 1741–45). – Literarhistor. bedeutsam ist die s. K. als früheste bürgerl. Ausprägung der Gattung /Komödie (vgl. /weinerl. Lustspiel, /Rührstück), an der das Interesse der sich im 18. Jh. konsolidierenden zukünft. kulturtragenden (bürgerl.) Schicht gewinnen konnte.
📖 Brüggemann, D.: Die s. K. Köln, Wien 1970. IS

Sacra rappresentazione, f. [it. = heilige Darstellung], spätmal. italien. Sonderform des /geistl. Spiels: relig. musiktheatral. Darbietung, gepflegt seit dem 15. Jh. v. a. in Florenz, aber auch in anderen italien. Städten vom Wiener Hof (hier in der Karwoche sogar bis ins 18. Jh. hinein). – Die S. r. bildet eine komplexe Mischform, in der sich Bräuche alter Volksfrömmigkeit, umbr. Liedgut, hochsprachl. Dichtung, kirchl. und weltl. Musiktradition mit einer ausgebildeten Theaterkunst zu einer theatral.-religiösen Feier verbanden. Zu bestimmten Anlässen wurden auf einer Simultanbühne mit Kulissen, reichen Theatermaschinen, prunkvollen Kostümen, zahlreichen Darstellern (aus den sog. confraternita, /Passionsbruderschaften) Episoden aus der bibl. Geschichte und Heiligenlegende zur Darstellung gebracht. Über das geistl. Geschehen wurde (oft zu /lebenden Bildern) in Versen orator. berichtet: der weltl. Episoden, die als zwischengeschaltete /Intermezzi den geistl. Text unterbrachen und als Vorläufer der italien. Komödie gelten, dagegen dramat.-komödiant. dargestellt. – Etwa 100 relativ kurze Texte (bis zu 1000 Versen) sind überliefert; sie lassen auf instrumentale Begleitung für Tanz und Gesang schließen. Am berühmtesten ist die »R. di S. Giovanni e Paolo«

des Lorenzo de Medici. Das Humanistendrama verdrängte die S. r. in die Klöster, sofern sie nicht im Rahmen lokaler Bräuche konserviert wurden (z. B. in Wien). E. de Cavalieri griff in der »R. di Anima e di Corpo« (Rom 1600) noch auf die alte Form und ihre rezitativ. Möglichkeiten zurück, als die Entwicklung mit J. Peri, O. Vecchi und C. Monteverdi bereits einer neuen Form des Musikdramas und schließl. der Oper zustrebte.
📖 Bonfantini, A.: Le Sacre Rappresentazioni italiane. Mailand 1939. – d'Ancona, A.: Le Sacre Rappresentazioni dei secoli XIV, XV e XVI, 3 Bde. Florenz 1872. HR*

Saga, f., Pl. sögur, dt. Sagas [altnord. = Bericht, Erzählung, Geschichte (auch im Sinne von Historie)], Sammelbegriff für die altnord., insbes. island. *Prosaerzählungen* des MA.s, deren Anfänge (nach neuester Erkenntnis) in das 12. Jh. fallen und deren Grundbestand (von einzelnen Nachzüglern abgesehen) im 14. Jh. abgeschlossen war. Es handelt sich nicht um eine fest umrissene literar. Gattung; die Bez. S. deckt vielmehr eine Fülle ep. Formen ab – von der fiktionalen Erzählung (Kurzgeschichte [smásaga] oder umfangreichem Roman [skáldsaga]) bis zur histor. Biographie (æfisaga), monograph. Geschichtsdarstellung und Weltchronik, vom Märchen bis zur realist. Erzählung. – In traditioneller Weise werden die S.s nach ihren Inhalten geordnet. Dabei kann noch unterschieden werden zwischen *S.s im engeren Sinne,* d. h. solchen Erzählwerken, die genuin skandinav. sind (von ganz wenigen Ausnahmen abgesehen durchweg in Island entstanden) und weder auf kirchl.-lat. noch auf antike, roman. oder dt. Epik als stoffl. Vorlagen zurückgreifen, und *S.s in weiterem Sinne;* dazu rechnet man die zahlreichen Übersetzungen und Nacherzählungen geistl. oder höf. Epik west- und mitteleurop. Ursprungs bzw. antiker Literaturwerke. Zur *S.literatur im engeren Sinne* gehören:

1. die *Konunga sögur* (»Königssagas«). Diese Gruppe umfaßt histor. Schriftwerke zur norweg. und dän. Königsgeschichte, zur Geschichte der Orkaden (auf den Orkneyinseln) und zur Geschichte der Färöer; gelegentl. werden auch Werke zur island. Geschichte der Landnahmezeit (so die Íslendingabók« des Ari þorgilsson und die »Landnámabók« in ihren verschiedenen Bearbeitungen) hierher gezählt. Die Konunga sögur stellen die älteste Gruppe der S.s dar; ihre Tradition setzt bereits in der Mitte des 12. Jh.s ein und reicht bis ca. 1280. Als Quellen galten Berichte und Darstellungen von Augenzeugen (teilweise auch in Form schriftl. Quellen), die genealog. und annalist. Überlieferung durch die fróðir menn (= die Geschichts- und Genealogiekundigen), Skaldendichtung und (fragwürdig) mündl. Prosaüberlieferung. Ihre Verfasser sind, im Gegensatz zu anderen Zweigen der S.literatur, teilweise namentl. bekannt. Zu den bedeutendsten Vertretern gehören Snorri Sturluson (u. a. »Heimskringla«, 1220/30, eine norweg. Königsgeschichte, deren einleitender Teil, die »Ynglinga saga«, auch schwed. Königsgeschichte referiert) und Sturla þorðarson (»Hákonar saga«, nach 1263 und Magnús[s] saga«, 1278). Die Konunga sögur sind, von Einzelüberlieferungen abgesehen, in umfangreichen Sammelhss. überliefert, die teilweise erst aus dem 14. und 15. Jh. stammen, darunter die Slg. Morkinskinna (13.Jh.), der Eirspennill (14.Jh.), der Frísbók, die Hauksbók und, als umfangreichste, die Flateyarbók.

2. *Íslendinga sögur* (»Isländersagas«), die literar. bedeutendste Gruppe von S.s, die auch lange Zeit fast ausschließl. im Mittelpunkt der S.forschung stand, so daß die Bez. S. teilweise fast synonym mit Íslendinga saga gebraucht wurde. Zu dieser Gruppe gehören insgesamt 36 kleinere und größere Prosaerzählungen aus der Zeit um ca. 1200 (ihre Tradition ist also jünger als die der Konunga sögur) bis zum Ausgang des 14. Jh.s. Die Stoffe (nach neuerer Erkenntnis größtenteils fiktiv) behandeln Geschehnisse der island. Landnahmezeit. Wichtigste Typen sind die roman-

artige Biographie (bes. beliebt ist dabei der Typus der Skaldens.) und der breit ausgeführte isländ. Familienroman (ættarsaga). Während die ältere, namentl. dt. Forschung (bedeutendster Vertreter: A. Heusler) in den überlieferten Íslendinga sögur nur den späten literar. Reflex einer langen mündl. Erzähltradition sah, die teilweise bis ins 9.Jh. zurückreichen und ein Stück altgerm. Prosakunst darstellen sollte (»Erbprosatheorie«), neigt die jüngere Forschung, an ihrer Spitze die »isländ. Schule« S. Norðals (deutscher Vertreter: W. Baetge), dazu, die Íslendinga sögur als individuelle Kunstwerke aufzufassen, deren älteste Vertreter frühestens in die Zeit kurz nach 1200 fallen (»Buchprosatheorie«). Die Íslendinga sögur gelten damit nicht mehr als Zeugnisse eines (von der Forschung idealisierten) germ. Altertums, sondern als literar. Leistung des skandinav. HochMA.s, als unter den besonderen histor. und gesellschaftl. Bedingungen Skandinaviens und v. a. Islands entstandenes Gegenstück zur höf. Epik West- und Mitteleuropas. Wichtige Íslendinga sögur sind die »Egils saga«, die »Gísla saga«, die »Laxdœla saga«, die Hœnsabóris saga«, die »Hrafnkels saga Freysgoða«, die »Niáls saga« und die »Grettis saga«. Die umfangreichen Íslendinga sögur sind größtenteils in Einzelhss. überliefert; die bedeutendste Sammelhs. ist die Möðruvallabók des 14. Jh.s.
3. Die *Sturlunga saga*, eine Kompilation einzelner älterer (nicht erhaltener) Werke zur isländ. Zeitgeschichte des 12. und 13. Jh.s, entstanden in der Zeit um 1300. Ihr Kernstück ist die »Íslendinga saga« des Sturla þorðarson, die den Zeitraum von 1183 bis 1255, die sog. Sturlunga öld (das ›Sturlungenzeitalter‹) Islands, benannt nach dem einflußreichen Geschlecht der Sturlungen, umfaßt. Sie ist in zwei großen Sammelhss. überliefert (Króksfiarðarbók, 14. Jh.; Reykiarfiarðarbók, um 1400).
4. *Byskupa sögur* (»Bischofssagas«), Darstellungen der Geschichte der isländ. Kirche seit der Christianisierung Islands (im Jahre 1000) und ihrer Bischöfe. Die Werke haben teilweise hagiograph. Charakter, z. B. die »Ións saga Helga« und die »þorlaks saga«, die ältesten Byskupa sögur, die die Vita der ersten Heiligen Islands, der Bischöfe Ión Ögmundarson von Hólar (1106–21) und þorlakr þórhallsson von Skálholt (1178–93) erzählen. Größere Zeiträume behandeln die »Kristni saga« des Sturla þorðarson (von der Christianisierung Islands bis 1118) und die »Hungrvaka« (Mitte 11.Jh.s bis 1176).
5. *Fornaldar sögur* (»Vorzeitsagas«). Diese umfangreiche Gruppe von S.s umfaßt Stoffe aus der Heldensage südgerm. Herkunft (z. B. die »Völsunga saga« mit dem Nibelungenstoff), aber auch skandinav. Ursprungs (»Hrólfs saga Kraka«) und sagenhafte Überlieferung aus der Wikingerzeit (z. B. die »Ragnars saga Loðbrókar« und die »Ásmundar saga Kappabanna«); z. T. erfindet sie auch ihre Gegenstände nach dem Muster der Helden- und Wikingersage (↗Fornaldarsaga). *Zur S.literatur im weiteren Sinne* gehören
6. *Riddara sögur* (»Rittersagas«), Prosaübersetzungen und -bearbeitungen westeurop., v. a. frz. und anglonormann. Epik, darunter, zieml. am Anfang der S.dichtung überhaupt stehend, die »Tristrams saga« von Bruder Robert (1226), weiter die »Ívenz saga«, die »Parcevals saga«, die »Erex saga«, die »Flóres saga ok Blankiflúr« und die »Karla Magnús(s) saga«,
7. *Lygisögur* (»Lügengeschichten«, »Märchen«) als isländ. Neuschöpfungen nach dem Muster der Riddara (und Fornaldar) sögur (mit Verarbeitung internationaler Märchenstoffe),
8. die Heldensagenkompilation der *þiðreks saga*, eine Bearbeitung dt. Heldendichtungen, abgefaßt um 1250 in Bergen unter der Regierungszeit des Königs Hákon Hákonarson (wird gelegentl. auch zu den Fornaldar sögur gerechnet),
9. auf lat. Quellen zurückgehende *histor. und pseudo-histor.* *Übersetzungsliteratur*, darunter die »Veraldar saga« (eine

Weltchronik), die »Rómveria saga« (röm. Geschichte nach Sallust und Lukan), die »Breta saga« (nach Geoffrey of Monmouth), die »Trójumanna saga« (Troja-Roman) und die »Alexanders saga« (Alexanderroman), und
10. *hagiograph. Literatur*, unterteilt in Maríu sögur (»Marienlegenden«), Postola sögur (»Apostelsagas«) und Heilagra manna sögur (»Heiligenlegenden«), darunter eine »Barlaams saga ok Josaphats« und eine »Gregorius saga«. – Die neuere Forschung hat diese traditionelle Einteilung der S.literatur durch andere Gliederungen zu ersetzen versucht. Teilweise durchgesetzt hat sich dabei die Gliederung durch S. Norðal; er unterscheidet »Gegenwartssagas«, Darstellungen von Zeitgeschichte wie die jüngeren Konunga Sögur, die Byskupa sögur und die Sturlunga saga, »Vergangenheitssagas«, die im engeren Sinne histor. oder in die geschichtl. Zeit verlegte S.literatur, also die Mehrzahl der Konunga sögur und die Masse der Íslendinga sögur, und »Vorzeitsagas«, d. h. S.literatur, die in hero. Vorzeit, in pseudohistor. Zeit und in Märchenzeit angesiedelt ist. – Von literar. Wirksamkeit im 19. und 20.Jh. waren v. a. die Íslendinga sögur. Sie haben themat. und stilist. (↗Ságastil) insbes. den skandinav. histor. Roman seit der Romantik maßgebl. beeinflußt (S. Undset, H. Laxness). Sie stehen auch als Muster hinter zahlreichen modernen Familienromanen (z. B. Galsworthy, »Forsyte Saga«).
Übersetzung: Thule. Altnord. Dichtung u. Prosa. Bd. 3–24. Jena 1912–1930; Neuausg. Düsseld./Köln 1963–67.
📖 Heinzel, R.: Beschreibung der isländ. S. Wien 1881, Nachdr. Hildesheim 1977. – Baetke, W. (Hrsg.): Die Isländer-S. Darmst. 1974. – Schier, K.: S.literatur. Stuttg. 1970 (mit ausführl. Bibliogr.) – Andersson, Th. M.: The problem of Icelandic S. origin. New Haven/London 1964 (mit ausführl. Bibl.). K

Sagastil, der Stil der Isländer-↗Saga. – Merkmale sind eine gehobene aber dennoch natürl. Alltagsprosa und die äußerste Knappheit und Präzision der Darstellung, verbunden mit Objektivität und Realismus. Dargestellt werden nur bedeutungsvolle und folgenschwere Höhepunkte eines Geschehnisablaufs mit den Mitteln des *doppelseitigen* Erzählens, d. h. objektiv referierende Abschnitte wechseln mit anderen ab, in denen das Geschehen nur im Dialog der Handelnden greifbar wird. Das Subjekt des Erzählers tritt hinter dem Erzählten völlig zurück; weder werden die Figuren der Handlung direkt charakterisiert, noch wird das Geschehen kommentiert. Auch Zustandsschilderungen fehlen. Die Handlungsstruktur wird durch das Gesetz der Dreizahl (mit steigernder Funktion) und des Gegensatzes (mit kontrastierender Funktion) geprägt. In der mod. Literatur als bewußtes Stilmittel insbes. in ↗histor. Romanen und Erzählungen angewandt. K

Sage, f., bis ins 18.Jh. Synonym für Bericht, Erzählung, Kunde, Gerücht, seit den »Dt. Sagen« der Brüder Grimm (2 Bde. 1816–18) eingeengt (als Sammelbegriff) auf volkstüml., knappe Erzählungen, die bestimmte Örtlichkeiten, Personen, Ereignisse, (Natur-)Erscheinungen usw. meist mit mag., numinosen oder myth. Elementen verknüpfen, gleichwohl aber Anspruch auf Glaubwürdigkeit erheben. S.n schöpfen damit aus demselben Stoffbereich (Hexen, Zwerge, Riesen usw.) und Motivschatz (Erlösungsmotiv u. a.) wie das ↗Märchen, sind auch wie dieses anonym und kollektiv mündl. tradiert; unterscheiden sich aber von ihm durch genaue Lokalisierung und Datierung, d. h. durch höheren Realitätsanspruch (wobei die Fixierung des Übernatürlichen an real Vertrautes als Wahrheitsbeweis gilt), ferner durch die strenge Scheidung von numinos-jenseitiger und diesseitiger Welt. Die *Entstehung* von S.n setzt eine orale Erzähltradition voraus; Anlässe zur S.nentstehung werden (nach Bausinger) gesehen in ›subjektiver Wahrnehmung‹ (d. h. in Icherzählungen von selbsterlebten, außergewöhnl. Begegnungen, sog. *Memoraten*), in ›objektivem Geschehen‹ (Ereignisse der Regional- oder Lokalge-

schichte, Naturkatastrophen), die mit normaler Realitätser-
fahrung nicht erklärbar sind, ferner in ›gegenständl. Realität‹ (d. h. in seltsamen Namen, Felsbildungen usw., sog.
»Objektivationen«). Diese singulären Geschehnisse oder
Gegebenheiten werden mit traditionell vorgegebenen
zaubr.-myth. Erklärungsmustern gedeutet und damit in allgemeinere Sinnzusammenhänge eingegliedert und durch
den narrativen Prozeß überformt, erweitert, stilisiert, vom
Memorat zum *Fabulat*, der S., verfestigt. S.n spiegeln somit
den jeweil. Stand volkstüml. Glaubensvorstellungen wider,
besitzen daher auch religions- und sozialgeschichtl. Aussa-
gewert. – Ganz auf den Inhalt gerichtet, sind S.n sprachl.
und stilist. anspruchslos, einepisodisch, oft skizzenhaft und
mundartl. gefärbt, sind ⁄einfache Formen. Erst der
Schwund der Glaubensbindung, der die S. zur Unterhaltung (Gruselgeschichte) macht, bedingt (nach Röhrich)
eine bewußtere Formgestaltung, einen eigenen Gattungs-
stil. – Die neuere *S.nforschung* hat umfangreiche Sammlungen und S.nkataloge erstellt. Sie interpretiert die sehr vielfält. und heterogenen S.nstoffe, -gestalten und -motive
unter kulturhistor., morpholog., stoff- und motivgeschichtl.
Aspekten und untersucht ihre Überlieferung, Verbreitung
und Entwicklung mit histor.-geograph. Methoden. Man
unterscheidet:
1. nach ihrer Verbreitung *Wander-S.n* (deren Motive sich
dann aber jeweils lokalen Gegebenheiten anpassen, sog.
Milieudominanz) und *Lokal-S.n;*
2. nach Stoff und Struktur *myth.-dämon. S.n* und *histor. S.n*
(über Personen und Ereignisse),
3. nach Inhalten *Toten-, Riesen-, Hexen-, Teufels-S.n* usw.;
4. nach funktionalen Elementen *aitiolog.* oder Erklärungs-
S.n und *Erlebnis-S.n* (Warnungen vor Orten, vor bestimmten Verhaltensweisen u. a.);
5. nach modalen Aspekten *Schwank-S.n, Zeitungs-S.n*. –
Von diesen *Volks*-S.n sind die nur in literar. Kunstform faßbaren altnord. ⁄Sagas (Sögur) und die ⁄Heldensagen (die
als Stoffe der ⁄Heldendichtung ebenfalls nur literar. greifbar sind) zu unterscheiden. Vgl. auch ⁄Brautwerbungssa-
gen.
◫ *Sammlung:* Europ. S.n. Begr. von W.-E. Peuckert, Bd.
1–11. Bln. 1961–1982 (auf weitere Bde. berechnet).
Wörterbuch: Peuckert, W.-E. (Hrsg.): Handwb. der S. Gött.
1961 ff.
Petzoldt, L.: Dämonenfurcht u. Gottvertrauen. Zur Gesch.
u. Erforschung unserer Volks-S.n. Darmst. 1989. – Rötzer,
H. G.: S. Bambg. 1982. – Jolles, A.: Einfache Formen.
Darmst. ⁶1982. – Bausinger, H.: Formen der Volkspoesie.
Bln. ²1980. – Ranke, K.: Die Welt der einfachen Formen.
Bln./New York 1978. – Röhrich, L.: S. Stuttg. ²1971. – Pet-
zoldt, L. (Hrsg.): Vergleichende S.nforschung, Darmst.
1969. – Lüthi, M.: Volksmärchen u. Volkss. Bern ²1966. –
Peuckert, W.-E. (Hrsg.): S.n und ihre Deutungen. Gött.
1965. – Peuckert, W.-E.: S. Geburt und Antwort der myth.
Welt. Bln. 1965 (Einf. z. Slg. Europ. S.n).   S

Sagvers, Bez. E. Sievers für einen von ihm vermuteten
zweiten Typus des germ. Verses neben dem ⁄Stabreimvers.
Er glaubte ihn mit Hilfe der Rutz-Siever'schen Schallana-
lyse in verschiedenen altnord., altengl., altfries. und ahd.
Sprachdenkmälern nachweisen zu können, die heute (wie
auch vor Sievers) meist als rhetor. überhöhte Prosadenkmä-
ler gelten oder der Tradition des Stabreimverses zugerechnet werden. Nach Sievers sind S.e Verse von wechselnder
Länge (2–4 Hebungen), die durch weitgehende Freiheit der
Versfüllung, der Zeilengruppierung und durch den freien
Gebrauch der ⁄Alliteration charakterisiert sind. S.dich-
tung (auch *Sagdichtung*) liegt nach Sievers vor in der altnord. Gesetzesliteratur (Upplandslagh, Västgötalagh,
Gutalagh usw., Grágás mit den Tryggdamál usw.), in der
altnord. Memorialdichtung (Gutasaga, Teile der Gylfagin-
ning und der Skáldskaparmál des Snorri Sturluson, Eyrbyg-
giasaga usw.), in den fries. Landrechten, in der angelsächs.

Prosa (angelsächs. Königsgesetze, Peterborough Chro-
nicle, Aelfric) und in Teilen der Merseburger Zaubersprüche und des ahd. Hildebrandslieds.
◫ Sievers, E.: Dt. S.dichtungen des IX.–XI. Jh.s. Hdbg.
1924. – Ders.: Metr. Studien IV. Die altschwed. Upplandslagh nebst Proben formverwandter germ. Sagdichtung. 2
Bde. Lpz. 1918/19.   K

Sainete, n. [span. = Leckerbissen], im span. Theater
knapper, meist schwankhaft-realist. Einakter von brillan-
tem Sprachwitz, mit musikal. u. tänzer. Einlagen, instrumental begleitet von wenigen Musikern; löste Ende des
17. Jh.s den ⁄Entremés als ⁄Zwischen- und ⁄Nachspiel
ab, verselbständigte sich schließl. vom Rahmenstück und
wurde im 18. Jh. von Ramón de la Cruz zum selbständ.
Typus des span. ⁄Volksstücks entwickelt. Als
atmosphär.-heitere oder burleske, satir.-krit. Skizze aus
dem Madrider Volksleben, ohne eigentl. Handlung, aber
mit volkstüml., lebensechten Typen, wurde das S. zu einer
der beliebtesten dramat. Gattungen. Meister des S. war im
18. Jh. Ramón de la Cruz (»El Manolo«, 1784, »La Petra y
la Juana«, 1791), neben zahllosen anonymen Autoren und
Komponisten. – In volkstüml. Kleinformen wie dem S. be-
wahrte das span. Theater über die klassizist. Formen der
Aufklärung hinweg seine spezif. Möglichkeiten und
erblühte im letzten Drittel des 19. Jh.s neu innerhalb des
⁄género chico als dessen Hauptgattung. Wichtigste Autoren dieser zweiten Blütezeit um die Jh.wende waren J. u. S.
Álvarez Quintero und C. Arniches y Barrera. Dem S. kam
hohe Bedeutung als populäres sozialkrit. Medium zu; es
wurde in den 20er Jahren durch Operette und Varieté verdrängt. – Eine Sonderrolle spielten die katalan. S.s des
19. Jh.s, scharfe polit.-soziale Satiren, v. a. von F. Soler i
Hubert, die zugleich das Katalan..als Theatersprache etablierten.
◫ Teatro espagnol, hg. v. F. C. Sainz de Robles, Bd. 5: S.s.
Madrid 1964.   HR*

Salon, m. [frz. aus it. salone = großer Saal, Festsaal], Bez.
für ein großes Empfangszimmer einer Dame der Gesellschaft und zugleich für die darin regelmäßig stattfindenden
gesell. Zus.künfte eines intellektuellen Zirkels (Künstler,
Schriftsteller, Politiker, Gelehrte). – Die ersten S.s dieser
Art wurden in Frankreich seit der 2. Hä. d. 16. Jh.s eröffnet
(z. B. S. der Louise Labé in Lyon, vgl. ⁄École lyonnaise),
jedoch erst im 17. Jh. (nach den Religionskriegen) und seit
der Entwicklung der Stadt Paris zum polit. u. geist. Zentrum) entstanden die berühmten frz. S.s. Ihre *Bedeutung* lag
zunächst in der Entfaltung und Pflege verfeinerter gesell.
Kultur, insbes. der Kunst der zwanglosen Konversation,
dann v. a. in der krit. Diskussion u. Analyse und der
Fixierung ästhet. Maßstäbe. S.s wurden immer wieder zu
Keimzellen polit., wissenschaftl. u. literar. Entwicklungen:
so als berühmtester der *S. der Marquise C. de Rambouillet*
(auch: Hôtel Rambouillet), in dem sich zw. 1613 und 1650
viele der einflußreichsten Geister der Zeit begegneten (u. a.
F. de Malherbe, Richelieu, J. Chapelain, V. Conrart, C. F.
de Vaugelas, P. Corneille, J.-L. Balzac, B. de Segrais, J.
Mairet, V. Voiture). Hier wurde das Stilideal der *Préciosité*
(vgl. ⁄preziöse Lit.) gepflegt, insbes. auch von einem Kreis
gebildeter Frauen (den sog. ⁄Précieuses‹), von denen einige
auch eigene S.s (z. T. mit denselben Gästen) unterhielten, so
Mme M. de Scudéry, Marquise M. de Sablé (als Gast u. a.
La Rochefoucauld, vgl. ⁄Moralisten), Marquise M. de
Sévigné, Mme M. M. de La Fayette (G. Ménage, Kardinal
Retz, P. D. Huet, J. B. Bossuet). In der 2. Hälfte des 17. Jh.s
waren bedeutend die S.s der Marquise M. La Sablière
(neben zahlreichen Wissenschaftlern v. a. La Fontaine) und
der Ninon de Lenclos (u. a. P. Scarron, Molière). *Im 18. Jh.*
wurde im S. der Mme A.-Th. de Lambert u. a. die berühmte
›Querelle des anciens et des modernes‹ diskutiert. Treff-
punkte bes. der Aufklärer waren die S.s der Marquise C. A.
de Tencin, der Marquise M. Du Deffand (neben Voltaire

u. a. auch die Engländer E. Gibbon, D. Hume, H. Walpole), der Julie de Lespinasse, der Mme M. Th. Geoffrin und der Mme. L. F. Épinay (u. a. B. de Fontenelle, Ch.-L. de Montesquieu, P. C. de Marivaux, J. F. Marmontel, d'Alembert, D. Diderot, J. J. Rousseau). Die maßgebl. Politiker der Revolution verkehrten im S. der Mme M. Roland de la Platière; im S. der Mme J.-F. Récamier trafen sich später die Gegner Napoleons (Mme de Staël, B. de Constant, F. R. de Chateaubriand). Die bedeutendsten *S.s des 19. Jh.s* sind der apolit. S. der Prinzessin Mathilde (Nichte Nap. I.; u. a. G. Flaubert, die Brüder Goncourt, P. Mérimée, J.-M. Heredia, Ch. A. de Sainte-Beuve, E. Renan) und der Marquise M. C. S. d'Agoult (H. F. R. de Lamennais, G. Rossini, G. Meyerbeer, A.-M. de Lamartine, H. Heine, F. Chopin, F. Liszt, R. Wagner, G. Herwegh, F. Lewald) und um 1900 der S. von A.-E. Noailles (M. Barrès, M. Proust, F. Jammes, die Colette und J. Cocteau). *In Deutschland* verhinderte das Fehlen eines kulturell-geist. Zentrums die Ausbildung einer ähnl. S.kultur. Versuche machten in Jena Karoline Schlegel (1796–1800; Frühromantiker) in Berlin Henriette Herz (1780–1803: F. Schleiermacher, F. Schlegel, W. und A. von Humboldt) und Rahel Varnhagen von Ense (1790–1806: W. u. A. von Humboldt, F. v. Gentz, F. Schleiermacher, Jean Paul, L. Tieck, A. Müller; 1820–33: Bettina von Arnim, H. Heine, H. v. Pückler-Muskau, G. W. F. Hegel, L. v. Ranke u. a.), in Weimar Johanna Schopenhauer (1806–13: Ch. M. Wieland, Goethe u. a.), in Wien Karoline Pichler (bis 1843: Vertreter des Biedermeier). In Berlin trafen sich im S. Fanny Lewalds seit 1845 die Kräfte des Liberalismus, im S. von F. Duncker und seiner Frau Lisa die Wegbereiter der Sozialreformen der 80er Jahre des 19. Jh.s. In dieser Zeit lösten aber immer mehr programmat. ausgerichtete polit. und literar. Gesellschaften, Dichterkreise u. ä. die von Frauen initiierten kulturell-gesell. S.s ab.

□ Baader, R.: Dames de Lettres. Stuttg. 1986. – Grand, S.: Ces bonnes femmes du 18ᵉ siècle. Paris 1985. – Drewitz, I.: Berliner S.s. Bln. ³1984. – Rièse, L.: Les S.s littéraires parisiens. Toulouse 1962.   IS

Salonstück, ↗Konversations- oder ↗Boulevardkomödie, auch Gesellschaftsstück, sofern es im Kreise der ›führenden‹ Gesellschaft spielt. Das S. entstand in England und Frankreich im 17. Jh. im Rahmen der ↗*comedy of manners* bzw. der *comédie de moeurs* und entwickelte sich dort im 18. und 19. Jh. zu einem getreuen Spiegel der jeweils tonangebenden Gesellschaftsschicht, die sich in den dargestellten Personen wiedererkennen, manchmal sogar ihren geistreichen Konversationston, die ›richtigen‹ Manieren und Toiletten, die Moden und Sitten ihrer eigenen ↗Salons von der Bühne abnehmen konnte. Da sich eine großbürgerl. Gesellschaft in Deutschland erst im 19. Jh. konsolidierte, war ein dt. S. erst in dieser Zeit möglich und bot dann zumeist eine Imitation von Pariser Vorbildern. So verfaßten A. Dumas d. J., É. Augier, V. Sardou oder J. Galsworthy, O. Wilde, später S. Guitry, J. B. Priestley oder G. B. Shaw. Dt. Vertreter sind E. von Bauernfeld, P. Lindau, O. Blumenthal, H. Laube; die besten dt. S.e schrieben A. Schnitzler, H. Bahr und H. von Hofmannsthal (»Der Schwierige«, 1921). Zentren waren Wien (wo H. Laube ab 1850 das Burgtheater dem frz. S. und seinen dt. Nachfolgern öffnete) und Berlin. Das S. ist heute ebenso histor. wie der gesellschaftl. Salon, doch hat die Boulevardkomödie häufig den Ehrgeiz, einen Lebensstil der ›beautiful people‹ an dessen Stelle zu sezten.

□ Klotz, V.: Das bürgerl. Lachtheater. Mchn. ²1984. HR*

Salut d'amour, m. [sa'lyda'mur; frz. = Liebesgruß, auch: Minnesalut], Gattung der provenzal.-altfranz. Lyrik: ↗Minnebrief in Versen; Bez. nach dem feststehenden Einleitungsformel ›Salut‹; meist dreiteil. Aufbau (Einleitung, Liebesgeständnis und Preis der Dame, Schlußformel) mit ausgesprochenem Briefcharakter: der Absender nennt sich häufig, die Niederschrift wird wie ein Brief gefaltet, seltener

auch Datumsangabe; einzige nicht gesungene Gattung der Trobador-Lyrik. – Erhalten sind 19 prov. Beispiele, meist in 8silblern, davon werden mindestens 5 dem Trobador Arnaud de Mareuil (2. Hä. 12. Jh.) zugeschrieben, der als Schöpfer der Gattung gilt. – Die Nachahmungen der nordfrz. Trouvères sind z. T. strophisch gegliedert, oft mit Refrains. Dieser eigenständ. Typus wird z. T. auch als ›Complainte d'amour‹ bez.

□ Bec, P.: Les s.s d'amour du troubadour Arnaud de Mareuil. Toulouse 1961.   IS

Samisdat, m. [russ. samoizdatel'stvo = Selbstverlag], eigentl. *S.-Literatur,* Schriften, die in der Sowjetunion zur Publikation nicht zugelassen sind (↗Zensur) und illegal als Abschriften (mit der Hand oder Typoskript) oder Photokopien (im ›Selbstverlag‹) in Umlauf gebracht werden; einzige Publikationsmöglichkeit für ideologie- u. gesellschaftskrit. Werke, Prozeßberichte u. ä., aber auch für poet. Werke mißliebiger (oft verfolgter) Schriftsteller (O. Mandelštam, A. Achmatova, B. Pasternak, A. I. Solschenizyn, A. A. Amalrick u. a.) und sogar Zeitschriften (erste im S. erschienene Zeitschrift, die in den Westen gelangte: »Sintaksis«, 5 Nrn., Leningrad/Moskau 1959/60; enthielt als nihilist.-pessimist. denunzierte Verse). Als *Tamisdat-Literatur* wird (verbotene) *westl.* Literatur bez., die auf dieselbe Weise illegal verbreitet wird.

□ Feldbrugge, F. J. M.: Samizdat and political dissent in the Soviet Union. Leiden 1975. – Gerstenmaier, C. I.: Die Stimme der Stummen. Stuttg. ³1972.   S

Sammelhandschrift, Sammelcodex, antike und mal. Überlieferungsform, bei der in einer ↗Handschrift Werke verschiedener Dichter gesammelt sind, oft auf bestimmte Gattungen beschränkt (z. B. S.en mhd. Lyrik wie die Große Heidelberger ↗Liederhandschrift um 1300, welche die Texte von rund 140 mhd. Dichtern vereinigt, oder Epen-S.en wie der St. Galler Codex Ms 857, 2. Hä. 13. Jh., der das »Nibelungenlied«, Wolframs »Parzival« und »Willehalm«und Strickers »Karl« enthält). Daneben finden sich S.en mit Texten bestimmter Sachgebiete wie Predigten, Arzneibüchern usw. oder auch gemischte S.en wie das berühmte Hausbuch des Würzburger Protonotars Michael de Leone (um 1350), das sowohl Lyrisches (Reinmar, Walter von der Vogelweide, Frauenlob) als auch Episch-Didaktisches (Hugo von Trimberg, »Renner«), Gnomisches (Freidank) und prakt. Gebrauchsschriften (ein Kochbuch, eine Gesundheitslehre u. a.) umfaßt. – Auftraggeber und Schreiber der S.en sind vor dem 15. Jh. selten bekannt (eine Ausnahme als Auftraggeber ist Michael de Leone). Sie sind sowohl in höf. Kreisen als auch im städt. Patriziat oder in Klöstern zu vermuten. Von den konzeptional angelegten Sammlungen angelegten S.en sind solche zu unterscheiden, die erst *nachträgl.* durch Zusammenbinden vorher getrennter Handschriften-Faszikel entstanden (sog. *Handschriftenkonvolute*), wie z. B. die Vorauer Hs. Nr. XI, bei der die »Gesta Friderici« Ottos von Freising erst später angebunden wurden. Weiter werden unterschieden: a) sprachl. Mischhandschriften mit Texten in verschiedenen Sprachen (z. B. die Paraphrase des »Hohen Liedes« Willirams von Ebersberg: frühmhd. u. lat.); b) formale Mischhandschriften mit Texten verschiedener Gattungen (z. B. die Ried'sche Handschrift, Bln. ms. germ. fol. 1062: enthält neben ep. Texten wie Hartmanns »Iwein«, Strickers »Pfaffe Amis«, »Dietrichs Flucht« und die »Rabenschlacht« auch Lieder Neidharts).   S

Sangspruchdichtung, ↗Spruchdichtung.

Sapphische Strophe, ↗Odenmaße.

Satanismus, im *allgemeinen Verständnis* synonym mit ›Diabolismus‹ gebrauchte Bez. für die Verehrung und Verherrlichung eines widergöttl. Prinzips, oft verknüpft mit Praktiken der Alchimie und der schwarzen Magie. Diese Art von S. taucht seit dem 12. Jh. v. Chr. als Dämonenkult auf und ist in verschiedenen ethn. Gruppen und histor.

Epochen nachweisbar. Im MA. werden dann von der christl. Amtskirche häret. Bewegungen wie die Manichäer, Bogumilen oder Albigenser als ›Satanisten‹ in Acht getan. Im 16. Jh. bezeichnet der Londoner Bischof John Aylmer die Atheisten schlechthin als ›Satanisten‹. *Höhepunkte* des S., der blasphem. christl. Zeremonien und Kultformen in sog. Schwarzen Messen oder im Hexensabbat karikiert, finden sich in der Regierungszeit Ludwigs XIV. und in den Satanistenvereinigungen des 19. Jh.s. Als bekannte moderne Satanisten gelten Gerald Gardner und Aleister Crowley. Über solche Einzelaspekte hinaus wird noch in heutiger christl. Lehre und Verkündigung unter S. alles nur denkbar Mißliebige subsumiert. *Der literar. Gebrauch* des Begriffs S. zeigt im Stofflichen weitgehende Verwandtschaft mit dem allgemeinen Begriffsverständnis: inhaltl. bez. und kritisiert er die Verwendung, Hervorhebung und Feier des Bösen und Teuflischen, das als Grausames und Krankhaftes, Perverses und Gewalttätiges, Ekliges und Brutal-Sinnliches auftritt. Solche Vorwürfe erhob 1821 R. Southey im Vorwort zu seinem Gedicht »The Vision of Judgment« gegenüber den zeitgenöss. engl. Romantikern G. G. N. Byron, P. B. Shelley, J. Keats und weiteren ›Byronisten‹, indem er sie als »Satanic school« zu diskreditieren versuchte – Vorwürfe, die Byron im Jahr darauf in einer gleich betitelten Verssatire zurückwies. Als franz. Satanisten werden immer wieder genannt: Marquis de Sade, V. Hugo, A. de Musset, G. Sand, Lautréamont und bes. Ch. Baudelaire. – Als dt. Satanisten gelten H. v. Kleist (!) und E. T. A. Hoffmann. Weiter wären G. Carducci, G. Leopardi und J. K. Huysmans zu nennen. Die Palette dieser Namen macht aber die Grobschlächtigkeit und allenfalls den motivl. Aspekt einer Klassifizierung deutl., die allzusehr aus polem. Auseinandersetzung resultiert und deshalb nicht als deskriptive Kategorie genügen kann.

📖 Haag, H. (Hrsg.): Teufelsglaube. Tüb. 1974. – Summers, M.: The history of witchcraft and demonology. New York ³1969, Nachdr. London 1973. – Mahal, G.: Mephistos Metamorphosen. Göpp. 1972. – Zacharias, G.: Satanskult u. Schwarze Messe. Wiesb. 1970. – Praz, M.: Liebe, Tod u. Teufel. Die schwarze Romantik. Dt. Übers. Mchn. ²1982. – Winklhofer, A.: Traktat über den Teufel. Frkft. ²1962. – Sylvius, J.: Messes noires. Satanistes et Lucifériens. Paris. 1929. GM

Satire, f. [von lat. satura (erg. lanx) = Fruchtschüssel], Bez. für eine Kunstform, in der sich der an einer Norm orientierte Spott über Erscheinungen der Wirklichkeit nicht direkt, sondern indirekt, durch die ästhet. Nachahmung ebendieser Wirklichkeit ausdrückt, heute v. a. in Literatur, Bild (Cartoon), Film.

1. *Herkunft des Begriffs:* Nach heute vorherrschender Meinung (erstmals überzeugend Casaubon, 1605) ist der Begriff S. aus dem Lat. herzuleiten: satura (lanx) meint eine den Göttern dargebrachte, mit verschiedenen Früchten angefüllte Schale, dann auch allgemein »Gemengsel, Allerlei«. Andere Herleitungen nahmen lat. satur (= satt, reichlich) zum Ausgangspunkt, bes. aber auch, in Spätantike (Donat, Terenzkommentar) und Renaissance (D. Heinsius), das griech. ∕Satyrspiel. Daher die häufige Schreibung (noch bei F. Schlegel) Satyre für S.

2. *Theorie:* Die theoret. Überlegungen zur S. setzen v. a. mit den Kommentaren zur röm. Vers-S. (*satura*) in der Renaissance (15. Jh.) ein. Die hier entwickelten Fragestellungen (Titel, Gegenstand, Form, Zweck) sind bis in die Moderne bestimmend. Noch Schillers Zweiteilung der S. in eine »strafende« und »lachende«Spielform (»Über naive und sentimentale Dichtung«, 1795/96) z. B. liegt der traditionelle Vergleich zwischen Iuvenal und Horaz zugrunde, seiner Konzeption der S. als Dichtung der Entfernung vom Ideal der natürl. Harmonie die (seit Livius 7, 2) geläufige, heute jedoch umstrittene Ursprungserklärung der S. aus spotter. ländl. Stegreifdichtung gegen den Verfall der Stadt (mit dem Satyr als Patron). Die speziell idealist.-utop. Typologie Schillers zeigt auf der anderen Seite die histor. Bedingtheit der jeweiligen konkreten Definitionen. Als gemeinsamer Grund aller Definitionsversuche erweist sich letztl. statt einer ahist.-gattungstypischen eine histor.-menschl. Konstante des satir. Impulses: S. als ästhet. Darstellung und Kritik des Normwidrigen (Brummack). S. ist deshalb nicht nur eine literar. Gattung (die röm. S. mit ihren Fortsetzungen in der Neuzeit), sondern stets möglicher und sich jeweils neu realisierender Ausdruck einer bestimmten krit. Einstellung. Bedeutsame moderne Ansätze zur Definition der S. stammen von Elliott (an vorliterar. Primitivformen sich zeigende ursprüngl. magisch-abwehrende Funktion), Frye (verschiedene Phasen der S. entsprechend verschiedener Normen des satir. Sprechens), Gaier (Einordnung der S. in ein bewußtseinsphilosoph. System) und Lukács (S. als die Form, in der die objektiven gesellschaftl. Widersprüche ohne Vermittlung aufeinanderstoßen). Schönert versucht eine Klassifizierung der histor. verwirklichten Möglichkeiten des satir. Impulses (gegen überlebte soziale Formen, für die Durchsetzung neuer Ordnungsprinzipien in Zeiten sozialer Desorganisation, für die Aufrechterhaltung bedrohter Normen usw.).

3. *Geschichte:* Eine vollständige Darstellung aller histor. Erscheinungsformen der S. ist aus den genannten Gründen nicht möglich. – Vor der röm. satura finden sich Elemente der S. etwa im *Ägypten* der Ramessidenzeit (übertreibende Darstellung der Mühsal verschiedener Berufe) oder in *Griechenland;* dort waren neben der älteren Komödie (Aristophanes), auf die Horaz die S. zurückführt (serm. I 4), u. a. die *mit polymetr. Versen vermischten Prosasatiren* des Kynikers Menippos (3. Jh. v. Chr.) – mit der ∕Diatribe als Vorläufer – für die Folgezeit wichtigen. 2. Jh. n. Chr. entwickelt sich Lukian mit einer außerordentl., auch durch die neuere Komödie (Menander) beeinflußten Variationsbreite zum Meister der *Menippeischen S.:* vom satir. Totengespräch über die Mythentravestie, das satir. Drama (»Verkauf der Philosophen«) bis zum alle Formen in sich aufnehmenden, die Welt satir. umgreifenden als Odysseeparodie gestalteten Abenteuer- und Reiseroman (»Wahre Geschichten«). In der *röm. Literatur* verfaßt bereits im 1. Jh. v. Chr. Varro (nicht erhaltene) »Satirae Menippeae« (Quint. X 1, 95), Seneca übernimmt diese Form in seiner »Apocolocyntosis«, (dt. etwa »Veräppelung« der »Himmelfahrt« des Kaisers Claudius), Petron in seinem (als Fragment überlieferten) »Satyricon«, in dem, Lukians späterer Parodie vergleichbar, der Held wegen eines göttl. Fluches durch alle Bereiche der röm. Welt geführt wird. Schließl. verwenden an der Grenze der Antike Martianus Capella (5. Jh.) und Boëthius (in: »De consolatione Philosophiae«, 6. Jh.) noch einmal diese Form. – Der andere Zweig der S., die *Verssatire,* dagegen ist röm.-ital. Ursprungs (wenn man nicht in der aggressiven ∕Iambendichtung des Archilochos [7. Jh. v. Chr.] etwas Vergleichbares sieht): »satura tota nostra est« (Quint. X 1, 93). Den Begriff »satura« prägte um 200 v. Chr. Ennius für sein »Allerlei« vermischter Gedichte, ohne eigentl. satir. Haltung. Als Erfinder der aggressiven S. gilt deshalb Lucilius, der das polit.-gesellschaftl. Leben seiner Zeit (2. Jh. v. Chr.) mit einem später in Rom nicht mehr mögl. Freimut angreift. Kennzeichnend ist (fast einheitl.) der Hexameter und ein persönlicher, nicht selten apologet. gefärbter Ton. Zur abgeklärten Hochform bildet der Augusteer Horaz die S. (2 Bücher »Sermones« und »Epistulae«); es geht um das »ridentem dicere verum«, das urbane Gespräch über die Schwäche des Menschen unter dem Leitwort des »Sapere aude«. Neben dem manirierten Persius (unter Nero) wird dann Iuvenal zum Antipoden des Horaz: ihm geben die Verfallserscheinungen der Gegenwart (Domitian) den unmittelbaren satir. Impuls. Schließl. finden sich auch in den aesop. ∕Fabeln des Phaedrus (unter Tiberius) und in

den ↗Epigrammen Martials (Zeitgenosse Iuvenals) satir. Elemente. Die vielfältige satir. Literatur unter den Kaisern des 1.Jh. n.Chr. zeigt überdies, wie sehr die S. dazu dienen kann, die Erfahrung fakt. gesellschaftl. Ohnmacht durch geist. Freiheit subjektiv zu überwinden. – Die griech.-röm. Lit. verwirklicht so 4 Möglichkeiten der S. (Verssatire und Prosimetrum als originäre, Epigramm und Fabel als für die S. bes. geeignete Formen), die auch für die Neuzeit wichtig werden. Sie sind im folgenden als Gliederungshilfen verwendet. Das lat. *MA.* kennt das Prosimetrum der Menippea nur als formales Prinzip (s. Bernhardus Silvestris, 12.Jh.), die Fabeldichtung dagegen weitet sich zum für die S. offenen Tierepos, zuerst lat. in der »Ecbasis captivi« (11.Jh.), im »Ysengrimus« (12.Jh.), dann auch in den Volkssprachen, wobei »Reynke de vos« (nd. Volksbuch 1498) in den Mittelpunkt tritt; der literarhistor. früheste »Reinhart Fuchs« des Heinrich Glîchezaere mit konkreten polit. Bezügen zur Stauferzeit (12.Jh.; frz. Roman de Renart, 13.Jh.) trägt dabei die schärfsten satir. Züge. Leitgesichtspunkt dieser Epen ist die Stände-S., die sich auch ohne Verkleidung ins Tiergewand findet und als Fortsetzung der antiken Vers-S. betrachtet werden kann, wobei v.a. Iuvenal das Vorbild abgibt. Den Verfall des geistl. Lebens etwa geißelt beim Aufstieg der Ritterkultur der rückwärtsgewandte Heinrich von Melk (12.Jh.), zu Beginn des bürgerl. Zeitalters im Spät-MA. stellen Hugo von Trimberg (»Der Renner«, 1300) und Heinrich Wittenwiler (»Der Ring«, um 1400) den Werteverfall ihrer Zeit eben auf dem Hintergrund der vergangenen höf. Kultur dar, mit zugleich geistl. und pragmat. bürgerl. Grundzug bei Hugo, in einer sarkast. Parodie auf das höf. Epos bei Heinrich. Eine neue Form der Vers-S. stellt die polit. ↗Sangspruchdichtung Walthers v.d. Vogelweide dar, wie auch die Lieder Neidharts (Minnesang- und Bauernsatire). – *Renaissance und Humanismus* erweitern mit Blick auf die Antike (Neueditionen und Übersetzungen auch griech. Autoren) den Reichtum satir. Formen. Die Menippea erlebt in dem wirkungsmächtigen Roman F. Rabelais' »Gargantua et Pantagruel« (1533) ihre Wiedergeburt; Lukian ist als Vorbild greifbar; dt. Bearbeitung von Fischart (»Geschichtklitterung«, 1575). Wie dort, so bildet auch in M. de Cervantes' »Don Quijote« (1605/1615) die wechselseit. Durchdringung von Vielzahl von Perspektiven – die Erweiterung der ↗Parodie (im »Don Quijote« des Ritterromans) zur S. der Welt – insgesamt das entscheidende Kennzeichen der menippee. Großform. – Im Bereich der satir. Tierdichtung sind M. Luthers Fabelbearbeitungen (1530) zu nennen, sowie das Epos vom Frosch-Mäusekrieg (1595, nach einer griech. Vorlage) G. Rollenhagens, des ersten dt. Lukianübersetzers (1603). Die Verssatire hat in England in J. Skeltons und J. Marstons Dichtungen gegen den moral. Verfall der Zeit ihre Vertreter, in Deutschland steht sie seit S. Brants »Narrenschiff« (1494) unter dem Stichwort der ↗Narrenliteratur auf ihre feste Funktion im Reformationskampf, z.B. Fischarts »Legende vom vierhörnigen Hütlein« (1580, gegen die Jesuiten) und Th. Murners Schrift »Von dem großen lutherischen Narren« (1522). Auch die Brieform wird in der Nachfolge Horaz' wieder zur S. eingesetzt: Huttens u.a. »Epistolae obscurorum virorum« (1515); Hutten erneuert auch die Lukianische Form der satir. Dialogs in seinem »Gesprächsbüchlein« (1521). Das satir. Spiel realisiert sich in den ↗Fastnachtsspielen (H. Sachs, P. Gengenbach), die epigrammat. zugespitzte S. findet sich in Deutschland erstmals in F. Dedekinds Verspottung der Sitten seiner Zeit, in dem in Distichen abgefaßten »Grobianus« (1549). – Die Restauration der Stuarts im England des *17.Jh.s* gibt den Nährboden für S. Butlers Verss. auf den Puritanismus ab: »Hudibras« (1663), in der Cervantes' großes Figurenpaar derb vergröbert als Helden der S. wiederaufgenommen wird. – Das deutsche Barock hält die Verbindung zur menippe. Tradition durch die wieder das Reiseschema

parodierenden Romane Ch. Weises (»Die drei ärgsten Erznarren«, 1672) und Ch. Reuters (»Schelmuffsky«, 1696) aufrecht. J. M. Moscheroschs Zeitsatiren »Wunderliche Gesichte« (1640/1643) gehen zwar auf die »Träume und Gespräche« (»Sueños«) des Spaniers F. G. de Quevedo (1627) zurück, letztes Vorbild aber bildet Lukian. Die Vers-S. findet in N. Boileau den klassizist. Nachahmer (1666), in Deutschland bietet der Alamodekampf gegen die kulturelle und sprachl. Überfremdung Stoff für diese satir. Form (J. Lauremberg: »Veer Schertz Gedichte« (ndt., 1652), aber auch für das satir. Spiel (A. Gryphius: »Horribilicribrifax«, 1663) und für Epigramme (F. Logau: »Sinngedichte«, 1654). – Gegen den Optimismus einer nur oberflächl. aufklärer. Geisteshaltung wenden sich die Vertreter der Menippea des *18.Jh.s.* Ihr pessimist. Perspektivenreichtum ist in J. Swifts »Gulliver's Travels« (1726) und in Voltaires Lebens- und Reiseroman »Candide« (1759) voll ausgeprägt. Auch A. Pope's großes Versepos (»The Dunciad«, dt.: »Die Dummkopfiade«, 1728) zeigt die Fülle der menippe. S. in der dt. Aufklärung steht zu Beginn Ch. L. Liscow (1732–1735) unter dem Einfluß der Bitterkeit Swifts. Später pflegt Ch. M. Wieland, der große Lukianübersetzer und -nachahmer, eine zwar skept., aber mehr iron. Spielform des satir. Romans (»Die Abderiten«, 1774/1780). In den satir. Kleinformen wird die Horazische Mäßigung zum Vorbild. G. W. Rabener warnt in seiner »Sammlung satir. Schriften« (1751/1755) vor dem polit. »Mißbrauch der S.«. F. v. Hagedorn erneuert die Fabel als moral. Dichtung (1738, nach La Fontaine 1668ff.), aber erst G. E. Lessing verleiht ihr wieder die satir., auf Erkenntnis zielende Spitze. G. Ch. Lichtenbergs epigrammat. kurze Aphorismen (1800/1806) dagegen zeigen einen die oft pragmat. nüchterne Rationalität überwindenden, oft grübler. Geist. *Klassik und Romantik* kennen fast nur die epigrammat. (Schiller/Goethe: »Xenien«, 1796) oder dialog. und dramat. (Goethe: »Götter, Helden und Wieland«, 1773; L. Tieck: »Der gestiefelte Kater«, 1797) ↗Literatursatire. Ch. D. Grabbe erweitert dann diese Form zur (die eigene Position einschließenden) S. auf das Leben insgesamt (»Scherz, Satire, Ironie und tiefere Bedeutung«, 1827); auch H. Heine verbindet literar. und polit. S. in seiner Verss. »Atta Troll« (1843) und schärfer noch in seinem (an die menippeische Tradition erinnernden) Reisebild »Deutschland. Ein Wintermärchen« (1844). J. Nestroy nähert sich latent. Sozialkritik in seiner Zauberposse »Lumpazivagabundus« (1833) oder auch in »Launen des Glücks« (1835), wo das ankläger. Vorderhaus-Hinterhaus-Motiv des Naturalismus komödiant. antizipiert wird. – Während sich in Deutschland der resignative sog. poet. Realismus der Zeit nach 1848 der S. enthält und sich allein in der neuen Form der satir. Zeitschrift (»Kladderadatsch«, 1848–1944) ein karikierender Witz betätigen kann, sorgen in England Ch. Dickens' Romane (»Oliver Twist«, 1837) für die Lebendigkeit eines satir. Impulses. Erst H. Mann erweckt durch seine »Wilhelminischen Bücher« (v.a. »Der Untertan«, 1916) in Deutschland die menippe. Großform der S. zu neuem Leben; die dramat. S. erlebt zu dieser Zeit in den Stücken F. Wedekinds (»Frühlingserwachen«, 1891) und C. Sternheims (»Die Hose«, 1911) einen neuen Höhepunkt; auch Ch. Morgensterns groteske »Galgenlieder«(1905), deren kuriose Sprachschöpfungen an die Humanisten (Rabelais, Fischart) erinnern, tragen satir. Züge, schärfer allerdings zeigen sich diese in A. Holz' grandioser Literatur. »Die Blechschmiede« (1902). Als satir. Zeitschrift erscheint seit 1896 der »Simplizissimus«, und um 1900 eröffnen die ersten ↗Kabaretts (»Elf Scharfrichter«, München 1901), wo sich, in der Nachfolge Walthers v.d. Vogelweide, die Kombination von Sprache und Musik als wirkungsvolle satir. Form erweist. – Auch *nach dem 1. Weltkrieg* blühen die Kabaretts; B. Brecht hat hier (z.B. bei Wedekind, W. Mehring) für seine Songs gelernt. K.

Tucholsky und E. Kästner zeigen sich als Meister der satir. Kleinform, Karl Kraus entwirft in »Die letzten Tage der Menschheit« (1918) ein durch das Grauen des Krieges veranlaßtes satir. Totalgemälde seiner Zeit (»Tragödie in 5 Akten«), in dem sich, der menippe. Tradition gemäß, eine Vielzahl von Sprach- und Stilebenen gegenseitig kontrastieren und satir. relativieren und in dem die Technik der Zitatenmontage erstmals eine entscheidende Rolle spielt. Die andere Menippea dieser Zeit, James Joyce' »Ulysses« (1922), parodiert noch einmal das Abenteuer- und Reiseschema; ihre unvermittelte und minutiöse Darstellung äußerer und innerer Wirklichkeit birgt einen kaum ergründbaren Beziehungsreichtum, auch in Sprache und Stil, der für die Theorie und Praxis des modernen Romans von stärkster Wirkung war. – In der *Zeit des Faschismus* verlegt B. Brecht in der S.: »Der aufhaltsame Aufstieg des Arturo Ui« (1941, gedr. 1957) in didakt. Verfremdung die Machtergreifung der Nationalsozialisten in ein amerikan. Gangstermilieu. – Der Zusammenbruch Deutschlands im 2. Weltkrieg sowie der rasante äußere Aufbau der Bundesrepublik hinterließ ein oft empfundenes Defizit an verbindl. Normen und Werten des gesellschaftl. Lebens, wodurch ein der S. günstiges Klima entstand. Erwähnt seien Walsers »Ehen in Philippsburg« (1957), Bölls »Dr. Murkes gesammeltes Schweigen« (1958) oder »Ansichten eines Clowns« (1963), sowie G. Grass' »Die Blechtrommel« (1959), deren aus der Narrenperspektive gewonnener und durch eine parodist. Mischung der Sprachebenen unterstützter Reichtum der Aspekte in die menippe. Tradition gehört. Im englischsprach. Raum setzten A. Huxleys »Brave new world« (1932) und G. Orwells bittere Romane »Animal farm« (1945, in der Tradition der satir. Tierdichtung) und »1984« (1949; als satir. Utopie) die Tradition der S. fort. – Als der 1. Hälfte des 20. Jh.s maßgebl. bestimmende satir. Dramatiker ist G. B. Shaw zu nennen. – Neben den Kabaretts (z. B. G. Kreisler, D. Hildebrand) und der ∕Karikatur (Loriot, Sempé) tritt auch der Film als Mittel der S. in den Vordergrund (von Ch. Chaplins »Modern times« bis zu P. Sellers' »How I learned to love the bomb«).
📖 Arntzen, H.: S. in der dt. Lit. 2 Bde. Bd. 1 Darmst. 1989. – Becker-Cantarino, B. (Hrsg.): S. in der frühen Neuzeit. Amsterdam 1985. – Arntzen, H.: Satir. Stil. Zur S. Robert Musils im »Mann ohne Eigenschaften«. Bonn ³1983. – Brummack, J.: Satir. Dichtung. Mchn. 1979. – Kindermann, U.: Satyra. Die Theorie der S. im Mittellat. Nürnbg. 1978. – Coffey, M.: Roman s. London 1976. – Müller, Rolf Arnold: Komik und S. Zür. 1973. – Freund, W.: Die dt. Verss. im Zeitalter des Barock. Düsseld. 1972. – Korzeniewski, D. (Hrsg.): Die röm. S. Darmst. 1970. – Schönert, J.: Roman und S. im 18. Jh. Stuttg. 1969. – Tronskaja, M. L.: Die dt. Prosas. der Aufklärung. Bln. 1969. – Hodgart, M.: Die S. Mchn. 1969. – Gaier, U.: S. Studien zu Neidhart, Wittenwiler, Brant und zur satir. Schreibart. Tüb. 1967. – Lazarowicz, K.: Verkehrte Welt. Vorstudien zu einer Gesch. der dt. S. Tüb. 1963. – Lukács, G.: Zur Frage der S. In: Internat. Lit. II (1932) 136–153. – RL   DW

Saturnier, m., ältestes bezeugtes lat. Versmaß, dessen Schema sich nach den etwa 150 überlieferten Zeilen aus Epen (Livius Andronicus: Odyssee-Übersetzung; Naevius: »Der Punische Krieg«) und Inschriften rekonstruieren läßt als eine variable ∕Langzeile mit fünf Hauptakzenten und einer nicht festgelegten Zahl von Nebenakzenten oder unbetonten Silben. Vor dem vierten Hauptakzent hat der Vers stets ∕Zäsur. Umstritten ist, ob für den metr. Vortrag die natürl. Wortbetonung oder die Silbenquantität entscheidend war. Beispiel: Virúm mihí, Caména,∕insece versútum (Beginn der »Odissia« des L. Andronicus).
📖 Luiselli, B.: Il verso saturnio. Rom 1967.   HW

Satyrspiel [zu gr. satyros = Waldgottheit (Etymol. ungeklärt)], heiter-ausgelassenes szen. ∕Nachspiel der klass. griech. ∕Tragödien-∕Trilogie und damit Schlußstück der ∕Tetralogie. – Das *Personal* des S.s bestand aus einem Chor von Satyrn (daher die Bez.), ausgestattet mit Ziegenfellen, Pferdeschwänzen und -ohren, Phallus und Masken (Glatze, Stülpnase, runde Augen), geschart um einen alten Anführer (Pappo-Silen; Silen = älterer? Satyr) und aus ein bis drei als Heroen oder Götter kostümierten Darstellern (vgl. Vasenbilder). – Die *Themen* des S.s entstammten meist der Heldensage, ihre Behandlung reichte vom Komischen und Grotesken bis hin zum Derben und Obszönen. Mit witzigen und aggressiven Texten, lust. Liedern und ausgelassenen Tänzen travestierte das S. den Stoff und die Ausführung der vorangegangenen drei Tragödien und bildete so den heiteren, iron.-kontrastierenden Abschluß eines sieben bis acht Stunden dauernden Theaterereignisses im Rahmen des Dichterwettstreites (∕Agon). Die *Entstehung* des S.s ist ungeklärt. Sein Ursprung wird u. a. in dor. rituellen Tänzen, kult. Heroenklagen, fastnachtsähnl. Volksbelustigungen, v. a. auch in dem um 600 v. Chr. entstehenden Kult des Dionysos gesehen, zu dessen Gefolge evtl. die Satyrn gehörten. Da der dionys. Ursprung in Vorstufe der Tragödie ist, ist nicht endgült. zu klären, ob das S. der Vorläufer und Ursprung der Tragödie ist (Aristoteles), oder ob S. und Tragödie gleichzeit. nebeneinander entstanden. – Als *Erfinder* des S.s gilt Pratinas aus (dem dor.) Phleios (erstes Auftreten 515 v. Chr.), der in Athen als erster S.e aufgeführt haben soll (32 S.e bezeugt), evtl. als Versuch, wieder an den dionys. Ursprung der Tragödie anzuknüpfen, und auf den evtl. auch die Verbindung von drei Tragödien mit dem abschließenden S. zurückgeht. Nur wenige Fragmente von S.en sind überliefert; ihre Verfasser sind die Tragiker, nicht die Verfasser von Komödien, von denen sie terminolog. getrennt werden *(satyrikon drama).* – Neben in Form und Inhalt sehr aggressiven Texten von Aischylos (»Diktyulkoi« – Die Netzfischer) und Sophokles (»Ichnoitai« – Die Spürhunde) erscheint das einzige vollständ. überlieferte S. von Euripides (»Kyklops«) als relativ harmlos und ist daher wahrscheinl. nicht allzu typ. – Im Laufe der Zeit wurden die S.e immer weniger derb, waren aber bis zur Zeitenwende übl., ins röm. Theater wurde die eigentl. Kunstform nicht übernommen (∕Exodium). Anklänge an das S. finden sich noch einmal im mal. ∕Fastnachtsspiel, danach ist keine neuere dramat. Form mehr mit dem S. vergleichbar.
📖 Sutton, D.: The Greek Satyr play. Meisenheim 1980. – Brommer, F.: S.e. Bln. ²1959.   MK*

Scapigliatura, f. [skapiλλa'tu:ra; it. von scapigliare = zerzausen (die Haare), ausschweifend leben], Bez. für eine Gruppe meist lombard. Künstler und Schriftsteller in Mailand, ca. 1860–80, die in betonter Ablehnung des bürgerl. Lebensstils (Nachahmung der Pariser ∕Bohème), des polit. Konformismus und des herrschenden literar. Geschmacks (repräsentiert z. B. durch G. Prati und A. Aleardi) eine Erneuerung der Kunst im Rückgriff auf Tendenzen und Motive der europ. ∕Romantik, auf die frz. ∕Dekadenzdichtung (insbes. das Werk Ch. Baudelaires), aber auch auf realist. und verist. Strömungen forderten. *Der Name* ›S.‹ wurde dem Titel des Romans (»La s. e il 6 febbraio«, 1861, Teilabdruck 1857) von Cletto Arrighi (d. i. Carlo Righetti) entnommen. *Haupt der S.* war Giuseppe Rovani, weitere Vertreter waren Carlo Dossi, I. U. Tarchetti, E. Praga, Arrigo Boito, G. Camerana u. a. – Analog zu dieser *S. milanese* oder *S. lombarda* wird ein lit. Künstlerkreis in Turin als ›*S. piemontese*‹ bez. (Vertreter: G. Faldella, G. C. Molineri, A. G. Cagna, Roberto Sacchetti u. a.).
📖 Mariani, G.: Storia della S. Roma-Caltanissetta 1967. IS

Scapin, m. [ska'pɛ̃; frz.], Figur der frz. klass. Komödie, geschaffen von Molière in »Les fourberies de S.« (1671) nach dem it. *Scappino,* einer dem ∕Brighella (oder 1. Zane) verwandten schlauen und intriganten Dienerfigur der ∕Commedia dell'arte. Er trägt ein Käppchen, ein grün-weißes Gewand, Holzschwert und Maske mit Schnurrbart.   IS

Schachbuch, auch Schachzabelbuch [pers. šäh = König

(vgl. Schah), mhd. zabel, aus lat. tabula = Spielbrett u. Brettspiel], Gattung der mal. allegor. Lehrdichtung, bei der die Figuren des Schachspiels auf die einzelnen Stände u. ihre relig., moral. u. polit. Pflichten gedeutet werden. Dem Vorbild des von dem lombard. Dominikaner Jacobus de Cessolis in lat. Prosa verfaßten, durch zahlr. Hss. verbreiteten »Solatium Ludi Scacorum« (um 1300) folgten bald Bearbeitungen in den Volkssprachen, im Mhd. bes. die Sch.er Heinrichs von Beringen (früher ca. 1290, jetzt ca. 1330 datiert) u. Konrads von Ammenhausen (1337), beide in Versen, späterhin auch viele Prosafassungen.
□ Heinemann, W.: Zur Ständedidaxe in der dt. Lit. des 13.–15. Jh.s. 2. Teil. Beitr. (Halle) 89 (1967). MS

Schäferdichtung, auch: Hirtendichtung, entwirft ein Bild vom naturverbundenen Dasein bedürfnisloser, friedl. Schäfer und Hirten (gr. boukolos = Hirt, daher auch: *bukol. Dichtung,* Bukolik) in einer anmutigen (amoenen) Landschaft (↗locus amoenus, seit Vergil »Arcadia« genannt, daher auch: *arkad. Poesie).* Impliziert ist die Idee eines goldenen Zeitalters, eines verlorenen gesellschaftl. Ideals, das dem naturfernen Stadtleben oder anderen durch Konventionen beengten gesellschaftl. Formen entgegengesetzt wird. Geboren aus einem frühen Unbehagen an der Kultur, ist Sch. damit sentimentalisch und utopisch, artikuliert eine Mythos und Wirklichkeit verbindende Wunschvorstellung. – Die Gattung hat seit der Antike die mannigfaltigsten lyr., dramat. und ep. Formen entwickelt (↗Ekloge, ↗Idylle, Schäferspiel und -oper, Schäfer-[Hirten]roman) und die verschiedensten ideolog. Besetzungen übernommen. Charakterist. ist die Mischung lyr., dramat. und ep. Elemente, z. T. auch von Vers und Prosa; ihre Gattungsgrenzen sind daher unscharf. Bereits die Hirtendichtung der *Antike* ist reflexive Kunstdichtung mit genrehaften lyr. und dramat. Bildern aus dem Landleben, in Hexametern, von oft epigrammat. Kürze. Als ihr Begründer gilt Theokrit (3. Jh. v. Chr.); die Gestalt des Schäfers Daphnis geht indes bereits auf Stesichoros (6. Jh. v. Chr.) zurück. Theokrit ist jedoch der erste beachtliche Vertreter, gefolgt von Bion und Moschos (2. Jh. v. Chr.) und bes. Vergil, dessen »Bucolica« in Hexametern zum Vorbild der späteren Sch. wurden. Im Hellenismus entstand neben den Kleinformen auch bereits der Hirtenroman: erhalten ist der »Daphnis und Chloë« von Longos (2./3. Jh. n. Chr.). Eine neuzeitl. Blütezeit bildet die *Sch. der ital. und frz. Renaissance;* sie folgt Vergil, v. a. auch in der Tendenz, die Gattung für zeitgeschichtl. Anspielungen zu benutzen. In den oft dunklen Schlüsseldichtungen tritt die Gestaltung ländl. Szenen gegenüber dem Gedanklich-Allegorischen zurück (z. B. F. Petrarcas neulat. »Bucolicum Carmen«, 1346, G. Boccaccios »Ameto«, 1341, gedr. 1478). Die Sch. steht in Wechselbeziehung zu der bis zum Beginn des 17. Jh.s verbreiteten europ. Mode der »Schäferei« als aristokrat. Gesellschaftsspiel (schäferl. Kostümfeste auf ländl. Lustschlössern, Meiereien usw.). Die literar. Hirtenwelt wird dabei immer mehr zur manierist. gestalteten konventionellen Fiktion, die nicht mehr eine Gegenwelt zur aristokrat. Gesellschaftsform (dem Hof) entwirft, sondern eher Spiegel eines schäferl. kostümierten Lebens und ihrer verfeinerten Sitten ist. Wiederentdeckt wird die *Ekloge* als kantatenhafter Hirten-Einzel- oder Wechselgesang in einer Mischung aus Prosa, kunstvollen Versen, Dialogen und Liedern (Garcilaso de la Vega; P. de Ronsard, »Eglogues«, 1560–67; R. Belleau, E. Spenser, L. de Camões u. v. a.). Neu entwickelt wird daraus die lyr.-dramat. *Schäferspiel* (Lied- und Gedichteinlagen, oft von Chören getragen), das mit seiner Mischung von heiteren und trag. Elementen die ↗Tragikomödie begründet und auf das ↗Melodram vorausweist (A. Poliziano, »Orfeo«, 1480, T. Tasso, »Aminta«, 1573; G. B. Guarini, »Il pastor fido«, 1590, P. C. Hooft, »Granida«, 1615 u. v. a.). Neu entsteht, beeinflußt durch den Amadisroman, der *Schäferroman;* auch

hier ist die Prosaform durch die obligator.-lyr. Einlagen aufgelockert; Verschlüsselungen und allegor. Elemente nehmen immer größeren Raum ein; die weitgehend normierte (Liebes)handlung bleibt dem höf. Gesellschaftsideal untergeordnet, dient also ebenfalls dessen Propagierung (nicht der Kritik). Er wird begründet durch J. Sannazaro (»Arcadia«, 1504) und zu einer Mode. Wirkung gebracht durch J. de Montemayor (»Diana«, 1559); weitere berühmte Beispiele stammen von M. de Cervantes (»Galatea«, 1585), Lope de Vega (»Arcadia«, 1598), Ph. Sidney (»Arcadia«, 1590), J. Barclay (»Argenis«, 1621), J. van Heemskerck (»Arcadia«, 1637) u. v. a.; als Höhepunkt gilt H. d'Urfés Schäferroman »L'Astrée« (1607–27), der die Tendenzen der Entwicklung seit der Renaissance zusammenfaßt und zu einer Art Handbuch internationaler aristokrat. Umgangsformen wurde, der aber durch seine zentrale Liebeshandlung zugleich eine Wendung ins literar. Geschmack einleitete (vgl. ↗hero.-galant. Roman). – *Die dt. Sch.* setzt erst im 17. Jh., nach dem Abschluß der europ. Blüte ein und bleibt von den roman. Vorbildern abhängig, auch als auf die zahlreichen Übersetzungen (seit 1619) und Bearbeitungen (bes. durch M. Opitz) selbständ. Werke folgten, unter denen bes. schäferl. Singspiele und Opern großen Erfolg hatten (z. B. Opitz/Schütz, »Daphne«, 1627, Buchner/Schütz, »Orpheus«, 1634, Harsdörffer u. v. a.). Auch die dt. Sch. nützt die pastorale Situation als Staffage für weitgehend literar. Gesellschaftsspiel mit verschlüsselten Anspielungen. Die Beliebtheit der gesellschaftl. und literar. Schäfermode auch in großbürgerl. Kreisen bezeugt der von G. Ph. Harsdörffer und J. Klaj 1644 gegründete »Pegnes. Hirten- und Blumenorden« in Nürnberg und eine relig. Sch. (neulat.: E. Hessus, J. Balde, etc. / F. v. Spee, J. Klaj). *Vertreter* der dt. Sch. sind M. Opitz (»Schäferey von der Nymfen Hercynia«, 1630), A. Buchner (»Orpheus und Euridice«, 1638), Harsdörffer (»Pegnes. Schäfergedicht«, 1641 ff.), G. R. Weckherlin, P. Fleming, J. Klaj, Ph. v. Zesen, S. Birken u. a. – Die Theorie der *Aufklärung* versucht, der Gattung feste Regeln zu geben (B. Fontenelle, A. Pope, J. Marmontel, J. Florian), wobei gelegentl. auch eine Erneuerung im ursprüngl. Sinne versucht wird (K. W. Ramler, Ch. M. Wieland). S. Geßners »Idyllen« (1756) z. B. verbinden Elemente der antiken Bukolik mit bürgerl. Sentimentalität. Die Gattung mündet schließl. in die schäferl. Gelegenheitsdichtung und die Kleinformen einer erot. Schäferpoesie der ↗Anakreontik (J. Rost, J. W. L. Gleim, J. P. Uz, J. N. Götz, F. v. Hagedorn, Ch. F. Gellert, der junge Goethe, dessen »Laune der Verliebten«, 1767, als Gipfel des dt. Schäferspiels gilt [W. Kayser]). Die Sch. wird aber schließl. durch die realist. Idylle, im 19. Jh. dann durch die nicht mehr sentimentalischen, z. T. schon sozialkrit. Land- oder Bauernroman abgelöst (J. H. Pestalozzi, J. Gotthelf, G. Sand, B. Auerbach). – Die starre Thematik und Typisierung der Sch. des 16. Jh.s hatte schon Cervantes zur Parodie angeregt, eine Tradition, die sich bis zu Arno Holz (»Dafnis«, 1903) fortsetzt.
□ Bauer, M.: Studien zum dt. Schäferspiel des 17. Jh.s. Diss. Mchn. 1979. – Böschenstein, R.: Idylle. Stuttg. ²1978 (mit vollständ. Bibliographie zur Sch.). – Effe, B.: Die Genese einer literar. Gattung, die Bukolik. Konstanz 1977. – Vosskamp, W. (Hrsg.): Sch. Hambg. 1977. – Garber, K. (Hrsg.): Europ. Bukolik u. Georgik. Darmst. 1976. – RL
RG*

Schattenspiel, auch: Schattentheater; auf Zweidimensionalität beschränkte Sonderform des ↗Puppenspiels; Spiel mit schwarzen oder farbigen handgeführten Figuren aus Eselshaut (Peking), Büffelhaut (Sezuan, Java), Ziegenhaut oder Leder, Pergament, (geöltem) Papier, vor einer beleuchteten Glas-, Stoff- oder Papierwand; die Figuren können auch von hinten mit einer (Öl-)Lampe an den Wandschirm (meist auf Holz gespannte Leinwand) projiziert werden. Ein hinter dem Schirm befindlicher Akteur bewegt die Figuren mit 2–3 dünnen am Körper und den

bewegl. Armen befestigten Stäben. Die *Figuren* selbst entwickelten sich aus der bis zu 2 m hohen Bildscheibe über unbewegl. zu teil- bzw. vollbewegl. transparenten und bunten Einzelfiguren. Mit Hilfe von Perforationen konnten außer dem Umriß auch Gesichtszüge und Kleider der Figuren projiziert werden. *Ursprungsland* des Sch.s ist China oder Indien (als Vorform wohl seit dem 2. Jh. v. Chr.). In *China* war das Sch. vom 10. bis zum 13. Jh. eine höf. Kunst, die erst allmähl. als Lehrkunst dem Volk zugängl. gemacht wurde und Erziehungsfunktionen zu erfüllen hatte. Die Sch.figuren waren personifizierte Ahnen, jedes Detail des Spiels hatte symbol. Bedeutung. Erlernt wurde diese Flächenkunst in Spielgruppen oder generationenlang innerhalb der Familie (jeweils vom Vater). Jedes Sch. hatte ein eigenes Textbuch, doch sind Hinzufügungen aus dem Stegreif nicht selten. Das Sch. genoß weite *Verbreitung* in Asien (China, Indien, Thailand, Malaysia, Indonesien), v. a. auf Bali und Java, wo es unter dem Namen ↗Wayang seine kunstvollste Ausprägung erhielt (in der javan. Literatur seit 1000 n. Chr. belegt), ferner in der Türkei (Karagöz-Sch. mit den Helden ↗Karagöz und Hadschiwat; gepflegt am Sultanshof und in den Kaffeehäusern, oft mit sozialkrit. Tendenz; Schilderung von Pietro della Valle, 1614), in arab. Ländern und in Ägypten (hier seit 12. Jh. v. Chr. bezeugt). Über den Orient gelangte das Sch. nach *Europa* (17. Jh.: Italien und insbes. Frankreich, wo noch Ende des 19. Jh.s D. Séraphims ›Ombres Chinoises‹ im Pariser Cabaret Chat Noir erfolgreich waren). In *Deutschland* seit dem 17. Jh. bekannt, wurde das Sch. bes. bei den Romantikern beliebt (C. Brentano, A. v. Arnim, E. Mörikes »Der letzte König von Orplid« im Roman »Maler Nolten«, J. Kerners »Reiseschatten«, Graf Pocci). Neubelebungsversuche wurden in der ersten Hälfte des 20. Jh.s unternommen (A. v. Bernus, K. Wolfskehl, L. Weismantel, M. Copdes, L. Reiniger, L. Boelger-Kling, O. Krämer, R. Stössel).
⌸ Spitzing, G.: Das indones. Sch. Köln 1981. – Sweeney, A.: Malay shadow puppets. London 1972. – Reiniger, L.: Shadow theatres and shadow films. London/New York 1970. – Blackham, O.: Shadow puppets. London 1960. – Jacob, G.: Gesch. des Schattentheaters im Morgen- und Abendland. Hannover ²1925. – Ders.: Erwähnungen des Schattentheaters in der Weltlit. Bln. ³1906.   GG*

Schaubilder, Schautheater, ↗lebende Bilder.

Schauerroman, neben ↗Räuber-, ↗Ritter- und Familien(schicksals)roman eine Hauptgattung der erfolgreichen ↗Trivial- und Unterhaltungsliteratur seit der 2. Hälfte des 18. Jh.s. Der Sch. nimmt Bezug auf die Tendenzen der Aufklärung und des Rationalismus, indem er einerseits das Unheimliche, angesiedelt in Klostergrüften oder Schloßverliesen, als erklärbare Mystifikationen enthüllt (vielfach mit der Absicht, antiklerikale und antifeudale Kritik zu üben) und damit zum Vorläufer des ↗Detektivromans wird, andererseits aber das Irrationale als eine ›Wirklichkeit‹ vorstellt, die sich dem Zugriff der Kausalerklärungen entzieht. Die zweite Art des Sch.s hat, was die Zahl der Werke und ihre Verbreitung betrifft, den größeren Publikumserfolg. Ihr Vorbild war der in Europa rasch und stark verbreitete engl. Sch., die sog. ↗gothic novel, insbes. M. G. Lewis'»The Monk« (1796), der u. a. auch de Sade in »La nouvelle Justine« (1797) beeinflußte u. der in Deutschland zwischen 1797 und 1810 vier Übersetzungen erfuhr und im 19. Jh. dreimal als Opernstoff (z. B. G. Meyerbeer, »Robert der Teufel‹, 1831) diente. Der Sch., aber auch weite Teile der sog. ›schwarzen Romantik‹, zehren von den Versatzstücken des Doppelgängermotivs, der Geheimbund-Intrigen, schwarzen Messen, Gruselkabinette etc. Erreichten die Sch.e der Engländer (H. Walpole, A. Radcliffe, Ch. R. Maturin) der Deutschen (Th. H. Spieß, L. Tieck (frühe Romane), E. T. A. Hoffmann (»Elixiere des Teufels«, 1815), W. Hauff und später des frz. Feuilletonromanciers E. Sue (»Les Mystères de Paris«, 1842/43) noch literar.

Ansehen, so übernahm die Gattung doch bald die Funktion meist leihbibliothekar. verbreiteter Gruselbefriedigung mit den Vielschreiberwerken von H. A. Müller (»Benno von Rabeneck, oder das warnende Gerippe im Brautgemach«, 1820), A. Leibrock, C. Niedmann u. a.
⌸ Baldick, Ch.: In Frankenstein's Shadow. Oxford 1987. – Weber, Ingeborg: D. engl. Sch. Mchn. 1983. – Trautwein, W.: Erlesene Angst. Schauerlit. im 18. und 19. Jh. Mchn./Wien 1980. ↗Trivialliteratur, ↗Kolportageliteratur, ↗Räuberroman.   HW

Schauspiel, der Begriff, der sich zum ersten Mal im 16. Jh. für die Aufführung von Dramen nachweisen läßt, wird in verschiedener Weise verwendet:
1. als Oberbegriff für ↗Drama, auch für ↗Tragödie (Trauerspiel) und ↗Komödie;
2. im Ggs. zum streng gebauten Drama der ↗geschlossenen Form für die offene, episierende Dramenform, z. B. für das ↗Mysterienspiel, für das v. a. in der Romantik beliebte ↗Ritterdrama (oft mit patriot. oder lokalem Hintergrund), für relig. oder patriot. Weihespiele (z. B. »Leben und Tod der hl. Genoveva« von L. Tieck oder die verschiedenen Bearbeitungen des Hermann-Stoffes durch F. G. Klopstock und H. v. Kleist), sowie für das expressionist. Drama und das ↗ep. Theater B. Brechts. Sch.e in diesem Sinne bedürfen meist der großen Bühne, ziehen auch die Darstellung des Volkes mit ein und werden bisweilen auch im Freien gespielt (↗Volks-Sch., ↗Freilichttheater);
3. für ein Drama, das den trag. Konflikt nicht zur Katastrophe kommen läßt, sondern im Charakter der Personen oder durch andere innere Umstände eine Lösung des Konfliktes findet (z. B. Shakespeare, »Maß für Maß«, G. E. Lessing, »Nathan der Weise«, F. Schiller, »Wilhelm Tell«, H. v. Kleist, »Das Käthchen von Heilbronn«, »Der Prinz von Homburg«; auch als Lösungsdramen bez.).   OB

Schelmenroman, pikarischer (pikaresker) Roman. Als fiktive (Auto-)Biographie konzipierter, manchmal als Sonderform des ↗Abenteuerromans angesehener Romantyp, der meist in Ich-Form und aus der Perspektive des Helden, des Pikaro (fahrender Schelm, »Landstörtzer«) erzählt ist. Das *Erzählprinzip* der additiven Reihung von nur durch die Figur dieses Helden verbundenen Episoden wird häufig durch Erzählungen in der Erzählung, Einschübe wie Moralpredigten, Kommentare usw. durchbrochen. Charakterist. für den Sch. ist die Vielfalt der Schauplätze und Figuren, die Reise- und Abenteuermotivik, die ungeschminkt-realist. Beschreibung von Details und die durch die Erzählperspektive vermittelte pessimist., die Welt in Frage stellende Sicht der dargestellten Gesellschaft vom Blickwinkel des sozial Unterprivilegierten aus. Zentrum und Bezugspunkt des Sch.s ist die *Figur des Pikaro,* der den Typ des Abenteurers, des Weltklugen, des Schalks, des Einfältig-Naiven und des Habenichts in sich vereinigt, ein oft philosophischer, reflektierender, krit. ↗Antiheld ›niederer‹ Herkunft. Er schlägt sich im Dienst verschiedenster Herren, deren individuelle Fehler und Schwächen er ebenso verspottet wie ihren Beruf oder ihren gesellschaftl. Status, mit Hilfe von Betrügerei, Fopperei, List und anderen unlauteren Machenschaften ›gerissen‹ durch das Leben: Der oft ironisch, als Tor wie als Schelm dargestellte pikar. Held vertritt die Lebensideologie von der Unzulänglichkeit alles Menschlichen und betrachtet die Welt als Bühne, als eitlen Wahn. Im Mittelpunkt des Sch.s stehen nicht so sehr die Ereignisse und deren Ursachen, sondern ihre Wirkung auf den Erzähler bzw. das erzählende Ich. Der Sch. wird allgem. als literar. Ausdruck eines christl. Vorstellungen oft sehr fernstehenden sozialen Protestes interpretiert (z. T. auch als literar. Rache der verfolgten span. Juden des 16. Jh.s), z. T. auch als didakt. Bekehrungsliteratur. Der europ. Sch. entstand in Spanien in der 2. Hälfte des 16. Jh.s. Ältere ep. Texte mit ähnl. Merkmalen wie der Sch. finden sich schon in der chines. (Shi Naian: »Die Räuber vom

Liang-Schan-Moor«), arabischen (↗Makame) und röm. (L. Apuleius: »Metamorphosen oder Der goldene Esel«) Literatur. Als *frühester europ. Sch.* gilt der 1554 anonym veröffentlichte »Lazarillo de Tormes«; aus der Fülle der span. Sch.e des 16./17. Jh.s sind v. a. M. Alemáns »Guzmán de Alfarache« (1599), L. de Ubedas »La picara Justina« (1605), Cervantes' Novelle »Rinconete y Cortadillo« (1613), V. Espinels »Marcos de Obregón« (1618) und F. G. de Quevedos »Historia de la vida del Buscón« (1626) zu erwähnen, die in ganz Europa rasch übersetzt und nachgeahmt wurden: Vgl. in *Deutschland* z. B. die oft stark erweiterten und modifizierten Übersetzungen etwa des »Guzmán« (»Der Landtstörtzer G. v. A.«) von Ägidius Albertinus (1615), des »Lazarillo« von N. Ulenhart u. a. (1617), der »Picara Justina« (»Landtstörtzerin Justina Dietzin Picara«, 1620) oder des »Buscón« (1671). Bedeutendste dt. Sch.e sind Ch. v. Grimmelshausens »Simplicissimus« (1668) und seine »Simplician. Schriften« (bes. »Landstörtzerin Courasche«), J. Beers »Der Simplizian. Welt-Kukker« (1677), D. Speers »Ungar. Simplizissimus« (1683) und Ch. Reuters »Schelmuffsky« (1696). Für *England* ist u. a. Th. Nash's »The unfortunate traveller« (1594) sowie R. Head's u. F. Kirkman's »The English Rogue« (1665 ff.), für die *Niederlande* N. Heinsius' »Den vermakelijken Avanturier« (1695; ↗Avanturierroman), für *Frankreich* Lesages »Gil Blas« (1715–35) zu nennen. Strukturen und Motive des Sch.s wie auch Elemente der Figur des Pikaro finden sich auch späterhin, oft mit ›verbürgerlichten‹ Helden u. Milieus, in vielen verwandten Romantypen, etwa im abenteuerl. Reiseroman (↗Räuber- und im modernen ↗Landstreicherroman: Im 18. Jh. z. B. in den Romanen D. Defoes, H. Fieldings, T. Smollets, J. G. Schnabels oder G. K. Pfeffels, im 19. Jh. bei Heine (»Aus d. Memoiren d. Herrn v. Schnabelewopski«, 1834), Cooper, Mark Twain (»Adventures of Huckleberry Finn«, 1884), im 20. Jh. u. a. bei J. Winckler (»Der tolle Bomberg«, 1922), J. Hašek (»Schweijk«, 1920/23), J. Steinbeck (»Die Schelme von Tortilla Flat«, 1935), G. Guareschi (»Don Camillo und Peppone«, 1948), A. V. Thelen (»Die Insel des zweiten Gesichts«, 1953), Th. Mann (»Bekenntnisse des Hochstaplers Felix Krull«, 1954), G. Grass (»Die Blechtrommel«, 1959), H. Böll (»Ansichten eines Clowns«, 1963), G. Kunert (»Im Namen d. Hüte«, 1967), oder A. Kühn (»Jahrgang 22«, 1977), I. Morgner (»Leben und Abenteuer der Trobadora Beatriz«, 1974).

⌑ Marckwort, U.-H.: Der dt. Sch. d. Gegenwart. Köln 1984. – Jacobs, J.: Der dt. Sch. Mchn. 1983. – Blackburn, A.: The myth of the Picaro. Continuity and transformation of the picaresque novel, 1554–1954. Chapel Hill (NC), 1979. – Sieber, H.: The picaresque. London 1977. – Bjornson, R.: The picaresque hero in European fiction. Madison/Wis. 1977. – Monteser, F.: The picaresque element in Western literature. Alabama 1975. – Arendt, D.: Der Schelm als Widerspruch u. Selbstkritik d. Bürgertums. Stuttg. 1974. – Rötzer, H. G.: Picaro, Landstörtzer, Simplicius. Darmst. 1972. – Heidenreich, H. (Hrsg.): Pikarische Welt. 1969. – Will, W. van der: Pikaro heute. Metamorphosen d. Schelms bei Th. Mann, Döblin, Brecht, Grass. Stuttg. u. a. 1967. – Chandler, F. W.: The literature of roguery. 2 Bde. Boston/New York 1907, Neudr. New York 1958. KH

Scheltspruch, mhd. auch: *scheltliet, rüegeliet* (Rügelied), Gattung der mhd. Spruchdichtung: gegen eine bestimmte Person (auch gesellschaftl., polit. Erscheinung) gerichtete Strophe (mehrstroph. Lied derselben Thematik: *Scheltgedicht*). Zu unterscheiden vom innerliterar. ↗Streitgedicht, insbes. der prov. ↗Tenzone, in der die Kontrahenten (oder die von ihnen vertretenen Prinzipien als allegor. Figuren) im Gedicht auftreten und diskutieren (vgl. aber ↗Cobla (esparsa), ↗Sirventes). – Der Sch. war eine poet. Waffe der mal. Spielleute und Sänger gegen Konkurrenten (z. B. Walther v. d. Vogelweide L 18, 11, Reinmar d. Fiedler gegen

Leuthold v. Seven, Marner gegen Reinmar v. Zweter), gegen mangelnde *milte* (Freigebigkeit) potentieller Dienstherren (z. B. Walther L 19, 16 gegen Philipp II., L 35, 17 gegen Leopold v. Österreich), aber auch für Stellungnahmen in polit. Streitfragen, z. T. im Dienste bestimmter Gönner (z. B. Walthers Spießbratenspruch, die Löwenherz-Schelte gegen Philipp v. Schwaben, der Unmutston gegen Innozenz III.), deren polit. Resonanz von Thomasin v. Circlaere bezeugt wird. Sch.e finden sich bei vielen mal. Spruchdichtern bis ins Spät-MA.; auch: ↗Dichterfehde. S

Schembartlaufen [zu mhd. scheme = Schatten, Maske, schembart = bärtige Maske, volksetymolog. auch: Schönbart], im 15. und 16. Jh. bezeugte Fastnachtsumzüge bärtiger Masken; insbes. berühmt und für das 16. Jh. in sog. *Schembartbüchern* in Bild und Text dokumentiert war das Nürnberger Sch., das sich der Sage nach 1351 aus einer Laufrotte zum Schutz des Fastnachtstanzes der Metzger entwickelte, dann aber zu einem mehr und mehr vom Patriziat geprägten prunkvollen Maskenumzug (Festwagen mit Schaubildern, die am Schluß verbrannt wurden u. ä.) wurde. Mitte des 16. Jh. wurde das Sch. von der Kirche verboten. Ähnl. Umzüge (Schemenlaufen) sind auch aus Tirol bezeugt. S
⌑ Roller, H. U.: Der Nürnberger Schembartlauf. Tüb. 1965.

Schicksalsdrama, auch: Schicksalstragödie, romant. Dramentyp, der »das Schicksal als eine personifizierte Macht, die Ereignisse vorausbestimmend und tätig bewirkend, gedacht ist« (Minor). – Das *erste Sch.* ist Z. Werners »Der 24. Februar« (1810); es wurde dann bes. von A. Müllner (»Der 29. Februar«, 1812; »Die Schuld«, 1813), E. v. Houwald, später dann v. a. von Trivialautoren (E. Raupach, »Der Müller und sein Kind«, 1835) gepflegt. In diesen Stücken erscheint das Schicksal als ein kausal nicht erklärbares, meist mit unabwendbaren Zufällen, pedant. Detailkrämerei und Schauereffekten gespicktes fatales Geschehen, das beim Publikum eher wohliges Gruseln als trag. Erschütterung auslösen soll, darin dem ↗Melodrama und dem Horrorstück verwandt. – Die besten *Sch.en der Romantik* nähern sich dagegen einer über das bloß Zufällige hinauswesenden absurd-nihilist. Weltsicht, so H. v. Kleist, »Die Familie Schroffenstein« (1803), F. Grillparzer, »Die Ahnfrau« (1817). – Das romant. Sch. steht in einem Entwicklungszusammenhang mit dem Aufklärungsdrama, soweit es eine im ↗bürgerl. Trauerspiel Fatum durch Fatalität, den trag. durch den rührenden Helden ersetzte. Darum werden *in weiterem Sinne* auch bürgerl. Rühr- und Trauerspiele (G. Lillo, G. E. Lessing), aber auch Dramen mit determinist. Weltsicht (H. Ibsen, G. Hauptmann) oder einem von höheren Mächten verhängten Geschick (Sophokles, Calderón, F. Schiller, »Die Braut von Messina«) und Charaktertragödien (F. Schiller »Wallenstein«) als Sch.en bez.
⌑ Kraft, H.: Das Sch. Tüb. 1974. – Minor, J.: Zur Gesch. der dt. Schicksalstragödie u. zu Grillparzers »Ahnfrau«, Grillparzer-Jb. 9 (1899) 1–85. – RL. HR*

Schlager, m., erfolgreiches, ›schlagartig‹ sich verbreitendes Lied; ursprüngl. bloße Erfolgskennzeichnung, heute Gattungsbez. für Dreiminutenlieder mit ›Schlag‹- oder Titelzeile, mehreren Strophen und oft Refrain, musikal. wie textl. schablonenhaft und meist einfach; Melodieführung und Grundstufenharmonien sind eingängig und platt, ledigl. die musikal. Arrangements sind zuweilen raffiniert; der Text gruppiert einige wenige Reizvokabeln um die Wunschprojektionen Liebe, Treue, Sehnsucht, Abenteuer, Heimweh. – Arbeitsteilig produziert und durch riesige Konzerne massenmedial verbreitet, ist der Sch. als leicht konsumierbares Produkt der Vergnügungsindustrie auf hohen und schnellen Verbrauch berechnet. ›Hit‹-Paraden in Pop-Zeitschriften, Funk und Fernsehen sollen Spitzenverkaufszahlen fördern; sog. Evergreens sind dabei gern gesehene

›Betriebsunfälle‹. – Eine Echt-unecht-Opposition zwischen ↗Volkslied und Sch. vereinfacht die Unterschiede, denn manche Sch. (oder ›Lieder‹) bringen neuerdings auch chansonartig anspruchsvollere, selbst sozialkrit. Texte. Insgesamt unterliegen Sch.texte geringfügigen mod. Schwankungen; rascher und einheitlicher wechselt die musikal. Verpackung. Einer generellen ästhet. Ablehnung ist entgegenzuhalten, daß Sch. sozialpsycholog. affirmativ und entlastend wirken, durch eine idolisierte Ich-Du-Beziehung zum ›Star‹ einen offenbar vielfach gesuchten Bindungsersatz bieten und gewichtige Indikatoren individueller wie kollektiver Erfahrung und Entbehrung darstellen. Dies gilt gerade für die als bes. verächtl. eingestuften gefühligen Sch., die ›Schmachtfetzen‹ oder ›Schnulzen‹. – Der Begriff ›Sch.‹ taucht bereits 1869 auf (nicht erst, wie bisher angegeben, 1881). Die Sache ist jedoch älter als der Begriff; hier ist an den ↗Bänkelsang und bes. den ↗Gassenhauer zu erinnern: Couplets, Singspiel-, Operetten- oder selbständ. Lieder (z. B. »Freut euch des Lebens« von J. M. Usteri, 1793) sind von ihrem ›durchschlagenden‹ Erfolg und ihrer Verbreitung her als Sch. anzusehen. Erfolg und Verbreitung der industriell produzierten, vertriebenen und konsumierten Ware Sch. werden hingegen ›gemacht‹; ihre Verkaufszahlen sind weitgehend programmierbar und manipulierbar. Solche Feststellungen treffen auch auf die Preis- und Verkaufs-Sch. anderer Branchen zu: der Begriff Sch. souffliert höchste Preiswürdigkeit – der so entstehende Kaufanreiz soll den erhofften Erfolg herbeiführen.

📖 Kayser, D.: Sch. – Das Lied als Ware. Stuttg. 1975. – Mezger, W.: Sch. Tüb. 1975. – Stölting, E.: Dt. Sch. und engl. Popmusik in Deutschland. Bonn 1975. – Helms, S. (Hrsg.): Sch. in Deutschland. Wiesb. 1972. – RL   GM

Schlagreim, Sonderform des ↗Binnenreims: Gleichklang unmittelbar aufeinanderfolgender Wörter in einem Vers, z. B. »*quellende, schwellende* Nacht« (Hebbel), häufig v. a. im späten Minnesang und im Meistersang; hier findet sich auch erstmals Sch., der das Versende überspringt *(übergehender* oder *überschlagender Reim),*z. B. Neifen: »*nû hat aber diu liebe heide/ beide* . . .« (KLD, XVI).   S

Schlagwort, eigentl. Wort, mit dem (gleichsam als Waffe) zugeschlagen wird: prägnante, eine Sachlage (wirkl. oder scheinbar) ›treffend‹ kennzeichnende Formulierung, oft an Emotionen appellierend (»Waldsterben«, literar.: »Das Junge Deutschland«); insbes. Mittel d. polit. Rede und der Werbung. Von daher heute auch Bez. für Leerformel, unpräzise verwendeter (meist polit.) Begriff.   S

Schlesische Dichterschule, seit dem späten 17. Jh. geläuf. Bez. für die aus Schlesien stammenden Dichter der Barockzeit. Nach zeitl. und stilist. Kriterien unterscheidet man die *1. Schles. Schule,* die Generation um M. Opitz (1597–1639) mit ihren Hauptvertretern P. Fleming, A. Tscherning, P. Titz, D. Czepko und die *2. Schles. Schule* mit ihren Hauptvertretern D. C. von Lohenstein (1635–83) und Ch. H. von Hofmannswaldau (1617–79). A. Gryphius wird gelegentl. eine Sonderstellung im Umkreis der 2. Schles. Schule zugewiesen. – Die Sch. D. vertrat kein von den Zielsetzungen anderer Dichter des dt. 17. Jh.s grundsätzl. verschiedenes Programm; sie war an den meisten literar. Entwicklungen des 17. Jh.s führend beteiligt und fand seit der bahnbrechenden Dichtungslehre Opitz' Anklang im gesamten dt. Sprachraum. Die *Dichtungstheorien* der Sch. D. fordern die Unterordnung des dichter. Schaffens unter rhetor. Prinzipien: Dichtkunst wurde als Sonderdisziplin der ↗Rhetorik innerhalb der Universität regelrecht gelehrt und wandte sich als Gelehrtenkunst an ein bürgerl. und adl. Publikum. Zeugnis ihrer Exklusivität sind hochartist. Formen (↗Schwulst) und z. T. lat. Sprache, in der ein erhebl. Teil des lyr. Schaffens bis in die 2. Hä. des 17. Jh.s abgefaßt wurde. *Vorbilder* für die lat. und die dt.-sprach. Dichtung der Sch. D. waren die innerhalb des humanist. Gelehrtenstandes überlieferten antiken Texte, daneben

zeitgenöss. Dichtung der europ. Nachbarländer, z. B. Hollands, wo Lohenstein, Hofmannswaldau, auch Gryphius, ihre Studienzeit verbrachten; in der eigentl. Schaffensperiode der 2. Sch. D. wich dann der holländ. Einfluß (D. Heinsius, J. v. d. Vondel) dem italienischer und span. Autoren: während sich Gryphius weiter an Vondel orientierte, lehnte sich Lohenstein stärker den Stillehren B. Graciáns und E. Tesauros an, Hofmannswaldau übertrug die differenzierten Stilmittel G. Marinos ins Dt. Das dichter. und dichtungstheoret. Schaffen der Sch. D. steht im Zusammenhang mit der für die dt. Lit. des 17. Jh.s charakterist. Bemühung um eine muttersprachl. Dichtkunst (vgl. auch ↗Sprachgesellschaften), die Anschluß an den Standard der Antike und des zeitgenöss. Auslands finden sollte. Die Vertreter der Sch. D. bemühten sich für diese Aufgabe in allen Gattungen« Für die *Lyrik* wurden bereits Opitz' »Teutsche Poemata« (1624) richtungweisend, später Hofmannswaldaus Gedichte und Heldenbriefe (↗Heroiden); auf dem Gebiet der *Tragödie* brachte das ↗Schles. Kunstdrama Gryphius' und Lohensteins die bedeutendsten Leistungen des dt. 17. Jh.s; innerhalb des an ein Adelspublikum gerichteten ↗hero.-*galanten Romans* entstanden für die Formengeschichte und pädag. Orientierung der Gattung wesentl. Werke. Daneben versuchten sich die Vertreter der Sch. D. an allen rhetor. und poet. Typen der Barockliteratur (Kirchenlied, Epos, Epigramm, Oper und die mannigfalt. Formen der ↗Gelegenheitsdichtung und Gelegenheitsrede). Als lebendige Tradition wirkte die Sch. D. nur während des 17. Jh.s, einzelne Werke wurden bis 1730 neu aufgelegt und gerieten dann (wie auch die noch in barocker Stiltradition stehende, jedoch die existentielle Problematik barocker Dichtung verflachende ↗galante Dichtung) in Vergessenheit. Obwohl die Autorität Opitz' nie ganz an Gewicht verlor, bahnte sich erst durch die histor. Interessen der Romantiker eine neue Auseinandersetzung mit der Sch. D. an. – RL   PS

Schlesisches Kunstdrama, barockes Trauerspiel der sog. ↗Schles. Dichterschule; Entstehungs- u. Wirkungszeit ca. 1650–1690; Hauptvertreter: A. Gryphius und D. C. v. Lohenstein, J. Ch. Hallmann und A. A. v. Haugwitz. Das sch. K. ist wie das gleichzeit. holländ. Drama und das ↗Jesuitendrama gegliedert in fünf ↗Akte *(Abhandlungen)* mit abschließendem ↗Reyen, die als Strophenlied, Ode oder allegor. Zwischenspiel gestaltet sein können. Dominierende Versform ist der paarweise gereimte ↗Alexandriner; Sprache und stilist. Eigentümlichkeiten sind geprägt durch den Einsatz rhetor. Figuren und Tropen, zahlreiche Metaphern, emblemat. Anspielungen und komplizierten Satzbau. Die ↗drei Einheiten sind nicht immer streng beachtet (Schauplatzwechsel, zeitl. Dehnung des Geschehens über mehrere Tage und gelegentl. Uneinheitlichkeiten des Handlungsverlaufs); die notwend. Bewältigung der beliebten Massenszenen, Geistererscheinungen u. grellen Grausamkeitsszenen erforderten eine weiträumige Illusionsbühne. Gemäß der ↗Ständeklausel sind Adlige Träger der Haupthandlung (Ausnahme: Gryphius »Cardenio und Celinde«). Nach M. Opitz' grundlegender Theorie handelt die Tragödie »nur von königlichem willen / todschlägen / verzweiflungen / kinder und vätermördern / brande / blutschanden / kriege und auffruhr / klagen / heulen / seuffzen und dergleichen.« Diese Thematik wurde im sch. K. exemplar. verarbeitet, wobei es ihm weniger um den einzelnen Vorgang als um seine beispielhafte Bedeutung für einen typ. Grundkonflikt geht (im ↗Märtyrerdrama Gryphius' z. B. das Ideal eines christl. getönten Stoizismus). Das sch. K. ist ein ↗Schuldrama und wurde von Schülern der schles. Gymnasien gespielt; nur in Einzelfällen war es für höf. Feste bestimmt. Der Lehrgehalt stand unter dem Einfluß staatsrechtl. Vorstellungen u. entsprach gemäß der für die 2. Hä. des 17. Jh.s charakterist. Auffassung von der Unumschränktheit der Herrschermacht der Verklärung des keimenden Absolutismus. Während in Gryphius' Tragödien (»Leo Arminius«, 1646, »Catharina von Georgien«, 1646/47, »Carolus Stuardus«, 1649/50, »Aemilius Paulus Papinianus«, 1659) die christl. Tugendlehre dominiert, spricht aus Lohensteins Dramen (»Cleopatra«, 1656, »Agrippina«, 1665, »Sophonisbe«, 1666 u. a.) eine zeittyp. Identifikation mit der spätröm. Kaiserzeit. Entsprechend beziehen sich die von ihm selbst beigefügten umfangreichen Anmerkungen zumeist auf spätröm. Quellen, auf Tacitus u. den Tragödiendichter Seneca. Dem korrespondiert auch die stilist. Ausprägung (sog. /Schwulst). Die Werke Hallmanns (»Theodoricus«, 1666, »Mariamne«, 1669, »Sophia«, 1671 u. a.) und Haugwitz' (»Maria Stuart«, 1683) vermochten dem Schaffen von Gryphius u. Lohenstein stilist. und themat. keine wesentl. Neuerung hinzuzufügen. – Die Entwicklung des sch. K. ging mit dem späten 17. Jh. zu Ende; die scharfe Ablehnung, die die Aufklärung den Stilidealen des 17. Jh.s entgegenbrachte, richtete sich heftig gegen das sch. K. und blockierte eine weitere positive Wirkungsgeschichte.

☐ Habersetzer, K. H.: Polit. Typologie u. dramat. Exemplum. Studien zum histor.-ästhet. Horizont des barocken Trauerspiels. Stuttg. 1985. – Szarota, E. M.: Geschichte, Politik u. Gesellsch. im Drama d. 17.Jh.s. Bern 1976. – Spellerberg, G.: Verhängnis u. Gesch. Unters. zu den Trauerspielen u. dem Arminius-Roman D. C.s v. Lohenstein. Bad Hombg. v. d. H. u. a. 1970. – Kaiser, G. (Hrsg.): Die Dramen des A. Gryphius. Eine Slg. v. Einzelinterpretationen. Stuttg. 1968. – Lunding, E.: Das sch. K. Eine Darstellung u. Deutung. København 1940.   PS*

Schloka, m. [altind. śloka = Ruf, Schall, Strophe], altind. Strophenmaß aus 2 gleichgebauten /Langzeilen aus je zwei Halbzeilen aus 8 kurzen oder langen Silben. Grundschema: x x x x ∪—x / x x x x ∪—∪x. Der Sch. als Langzeilenpaar stellt stets eine geschlossene syntakt. Einheit dar. Er ist das ep. Versmaß der altind. Dichtung, z. B. der großen Sanskrit-Epen »Rāmāyana« (24 Tsd. Sch.s) und »Mahābhārata« (90 Tsd. Sch.s). Die *Vorgeschichte* des Sch. konnte bis heute nicht eindeutig geklärt werden. Während die ältere Forschung (19. Jh.; z. B. K. Bartsch) den Sch. ebenso wie den griech. /Hexameter, den lat. /Saturnier, den germ. /Stabreimvers und die altdt. Endreimlangzeile (z. B. der Nibelungenstrophe) auf ein gemeinindogerm. ›Urmetrum‹ zurückführen wollte, sieht man heute im Sch. eher die Weiterbildung veed. Strophenmaße wie etwa der Anuṣṭubh-Strophe. Die Legende (»Rāmāyana« I, 2) schreibt die Erfindung des Sch. dem Dichter Vālmīki zu , der nach dieser Tradition auch der Verfasser des «Rāmāyana» selbst und damit der Begründer der Sanskrit-Epik überhaupt ist.   K*

Schlüsselliteratur [nach frz. livre oder roman à clef, Lehnübersetzung], literar. Werke, in denen wirkl. Personen, Zustände u. Ereignisse meist der Gegenwart des Autors hinter fiktiven oder histor. Namen mehr oder minder verborgen sind. Das Verständnis der Werke setzt beim Leser die Kenntnis der verwendeten ›Schlüssels‹ oder der verschlüsselten Verhältnisse voraus. Im Unterschied zu solchen Werken, in denen bestimmte wirkl. Personen zu Urbildern und Modellen wurden (z. B. in Goethes »Werther«, 1774, oder Th. Fontanes »Effi Briest«, 1894/95), ist in der Sch. der konkrete Realitätsbezug und die Kodifizierung des Textes das bewußte Ziel des Autors. Sie enthält eine implizite Aufforderung an den Leser (oft nur einen Kreis von Eingeweihten), das Verschlüsselte im Hinblick auf reale Vorgänge und Personen zu lesen. Bes. geeignet für Verschlüsselungstechniken sind (biograph.) Romane (sog. *Schlüsselromane*), Fabeln, Dramen. Zur Sch. werden sowohl jene Werke gezählt, in denen der Schlüssel bestimmend für ihre Struktur ist (z. B. die Werke der /inneren Emigration und z. T. der /Exilliteratur), als auch Werke, in denen der Schlüssel nur eine untergeordnete Rolle spielt (z. B. in Th. Manns »Dr. Faustus«, 1947) oder nur einen Teilaspekt des Werkes erhellt (z. B. Schillers »Geisterseher«, 1787). – Entsprechend den Voraussetzungen, die zur Verschlüsselung führten, kann man (nach K. Kanzog) *bestimmte Typen* unterscheiden, z. B.

1. Darstellung zeitgeschichtl., polit. Ereignisse, die zur Verschleierung reizen oder zwingen, z. B. B. Brecht, »Der aufhaltsame Aufstieg des Arturo Ui« (1941: Aufstieg Adolf Hitlers; der Aufführung des Berliner Ensembles 1959 wurde der Schlüssel beigegeben) oder L. Feuchtwangers Roman »Erfolg« (1930: wachsende faschist. Tendenzen in Deutschland). Als Schlüsselroman wurde auch E. Jüngers »Auf den Marmorklippen« (1939) aufgefaßt (Hitler-Tyrannei), obzwar der Autor ihn nicht als solchen beabsichtigt hatte, ferner gehört z. Sch. C. Zuckmayers Drama »Des Teufels General« (1946: Freitod des Fliegergenerals Udet).
2. Ein zweiter Situationstyp umfaßt die Verschlüsselung von Skandalen (hauptsächl. Liebesverhältnissen), polit. u. gesellschaftl. Konflikten, z. B. F. Lewalds satir. Erzählung »Diogena« (1847), O. J. Bierbaums Roman »Prinz Kukkuck« (1906/07) oder K. Manns Roman »Mephisto« (1936).
3. Ein dritter Anstoß für Sch. ist die Verschlüsselung von Kontroversen literar. Gruppen, v. a. in Pamphleten, Künstlerromanen, Literatursatiren u. ä., so finden sich z. B. in L. Tiecks Dramen »Der gestiefelte Kater« (1797) und »Die verkehrte Welt« (1800) eine Reihe verschlüsselter Gestalten und literar. Ereignisse. Beliebt ist die Verschlüsselungstechnik auch in Werken mit programmat. Charakter (vgl. z. B. Teile von »Faust II«, die späten Novellen Tiecks) und in den Selbstdarstellungen literar. Zirkel, die einen gewissen Einblick in das tatsächl. Leben dieser Kreise erlauben (z. B. die Komödien F. Wedekinds, »Oaha«, 1908, und M. Halbes, »Die Seligen«, 1908, oder H. Manns Roman »Die Jagd nach Liebe«, 1903). – Die Anfänge der Sch. in Deutschland sind schwer festzulegen. Vermutete Verschlüsselungen in der höf. Epik sind nicht mehr zu bestimmen. Als erstes Beispiel für erhellte Sch. gilt Augustin von Hamerstettens »Hystori vom Hirs mit den guldin ghurn und der Fürstin vom pronnen« (1496). Das Werk steht durch seinen allegor. Charakter in einer Tradition mit Maximilians »Teuerdank« (1517), dessen Schlüssel beigegeben wurde. In Mode kam die Verschlüsselung in der /Schäferdichtung im Gefolge Vergils (Petrarca, Boccaccio) in Renaissance und Barock (v. a. J. Barclays »Argenis«, 1621) und prägte dann v. a. den franz. /heroisch-galanten Roman (M. de Gomberville, G. de La Calprenède, M. de Scudéry, J. Desmarets u. a.). Dieser Typus der Sch. gelangte durch zahlreiche Übersetzungen nach Deutschland, wo zunächst auch die darin gepflegte Technik der Anspielungen, Verschlüsselungen und Verkleidungen übernommen wurde (vgl. Ph. v. Zesen, »Sofonisbe«, 1647, M. Opitz u. a.). Durch den Ortswechsel aber verlor sie an Bedeutung und nahm in den späteren selbständigen heroisch-galanten Romanen nur eine untergeordnete Stellung ein. Die ausgeprägtesten selbständigen Schlüsselromane sind Anton Ulrich von Braunschweigs »Aramena« (1669–73) und »Octavia« (bes. die 2. Fassung 1712–14) und D. Caspers von Lohenstein »Arminius« (1689–90). – Für das 18. Jh. ist u. a. der junge Goethe zu nennen (»Die Laune der Verliebten«, 1767/68; »Das Jahrmarktsfest zu Plundersweilern«, 1773; »Ein Fastnachtspiel vom Pater Brey«, 1773/74 u. a.), für das 19. Jh. im Rahmen der satir., literat.-krit. Sch. die Romantiker L. Tieck und E. T. A. Hoffmann (»Die Serapionsbrüder«, 1819/21, »Meister Floh«, 1822) später die Romane F. Spielhagens und andere /Zeitromane, für das 20. Jh. außer den schon erwähnten noch einige Werke von H. Böll, G. Grass, R. Hochhuth.

☐ Kanzog, K., RL III, Stuttg. ²1957, S. 647–665. – Schneider, U.: Die Sch. 3 Bde. Stuttg. 1951–53.   IA*

Scholien, n. Pl. [zu gr. scholion = schulmäßige, kurze, kommentierende Erklärung], stichwortart. Erläuterungen sprachl. schwieriger Wendungen oder histor.-fakt. Kommentierung einzelner Textstellen. Die v. a. in der griech. und röm. Antike praktizierten Sch. unterscheiden sich von den einfacheren ↗Glossen durch mehr Informationen (nicht nur Einzelworterklärungen oder -übersetzungen), von den durchgehenden ausführl. Interpretationen dadurch, daß sie ursprüngl. nicht als bes. Schrift verbreitet, sondern in die zu kommentierenden Texte eingefügt wurden. Dabei wurde das Stichwort (↗Lemma) oder auch ein kurzer Textabschnitt am Rande wiederholt, gelegentl. auch durch ein Verweiszeichen (ähnl. der heutigen Fußnotenpraxis) hervorgehoben. Danach folgte die Erläuterung (Interpretament). – Die überlieferten Sch. enthalten Deutungen dunkler Stellen, sprachl. Besonderheiten, rhetor. Figuren, Informationen zur Mythologie, Historie, Textkritik, Etymologie; sie geben inhaltl. oder sprachl. Parallelstellen an und bringen z. T. ausführl. Interpretationen. Wegen der Reichhaltigkeit der Kommentierungsgesichtspunkte sind die antiken Sch. über ihre eigentl. Erklärungsfunktion hinaus wertvolle, oft einzigart. Quellen für die Kenntnis des antiken Fachwissens und vieler Autoren, von deren Werken nur noch Fragmente in Sch.-Zitaten erhalten sind. – Die ältesten Sch. waren Erklärungen zu den homer. Epen (übl. bereits im 5. Jh. v. Chr. in Athen). Die Tradition der antiken Scholiastik wird durch Vermittlung der alexandrin. und byzantin. Philologie im europ. MA. fortgesetzt (wo ganze Sch.sammlungen angelegt wurden) und von den Humanisten des 15. und 16. Jh.s für ihre philolog. Arbeit übernommen. Datierung, Herkunft und Überlieferungswege der Sch. zu bestimmen, ist wegen der zahlreichen, fast nie mit Quellenangaben versehenen Übernahmen mit großen, oft unlösbaren Schwierigkeiten verbunden. – Zur griech. Literatur sind bedeutende Sch. zu Homer, zu Lyrikern (Pindar, Theokrit), Tragikern und Aristophanes, zu Historiographen (Thukydides, Herodot), Philosophen (Platon) und Rhetoren (Demosthenes) überliefert. Sch. von enzyklopäd. Umfang stammen von dem alexandr. Grammatiker Didymos (1. Jh. v. Chr.). Die Sch.-Literatur zur röm. Antike (v. a. in mal. Redaktionen erhalten) befaßt sich vorwiegend mit poet. Werken (Horaz, Vergil, Ovid, Statius u. a.), nur ausnahmsweise mit Prosaschriften (Cicero).

📖 Sandys, I. E.: A History of classical scholarship. 3 Bde. ³1920. Nachdr. New York 1958.   HW

Schöne Seele, Bez. für einen Charakter- oder Menschentypus, in dem Affekte und sittl. Kräfte in harmon. (und damit ästhet. schönem) Verhältnis stehen. Vorgebildet in der europ. Geistesgeschichte seit Platon (4. Jh. v. Chr.; kalokagathia) und Plotin (3. Jh. n. Chr.), wurde er insbes. im 18. Jh. aus dem ästhet.-eth. Harmoniebegriff Shaftesburys entwickelt und von F. Schiller gültig formuliert: sch. S. als Ziel einer ›ästhet.‹ Erziehung, d. h. zu harmon. Menschlichkeit durch Versöhnung von Pflicht und Neigung, Vernunft und Sinnlichkeit, die sich in der äußeren Erscheinung durch Anmut u. Würde offenbare (»Über Anmut u. Würde«, 1793). Der Begriff findet sich auch schon in der mal. und barocken (insbes. span.) Mystik für gesteigerte religiöse und psych. Sensibilität, später im ↗Pietismus und, säkularisiert (für gefühlvoll sentimentale Tugendhaftigkeit um ihrer selbst willen), in der ↗Empfindsamkeit. Diesen Wurzeln v. a. sind die *literar. Beispiele sch.r S.n* verpflichtet: sie finden sich u. a. bei S. Richardson, J. J. Rousseau (»La Nouvelle Héloise«, 1761), J. G. und F. H. Jacobi und bei Goethe (»Wilhelm Meisters Lehrjahre«, 6. Buch: ›Bekenntnisse einer sch. S.‹). Die Bez. ›sch. S.‹ findet sich erstmals bei C. M. Wieland, sie wird, bes. unter dem Einfluß Rousseaus, zwischen 1765 und 1774 zu einem Modewort.

📖 Schmeer, H.: Der Begriff der »sch.n S.« bes. bei Wieland und in der dt. Lit. des 18. Jh.s. Bln. 1926, Nachdr. Nendeln 1967 (mit Bibliogr.).   IS

Schöngeistige Literatur, auch: schöne Literatur, vgl. ↗Belletristik, auch: ↗Dichtung.

Schrift [Subst. zu schreiben < lat. scribere, eigentl. = mit dem Griffel eingraben], die Erfindung der Sch. war eine grundlegende Voraussetzung für die geist. Entfaltung der Menschheit. Sie diente von Anfang an drei Zwecken: dem Kult, der Aufzeichnung von Poesie und der Verwaltung. Seit dem 4. Jt. v. Chr. sind Versuche belegt, Sachverhalte, Mitteilungen, Vorstellungen, Ideen durch Zeichen festzuhalten und übertragbar zu machen. Als *Vorstufen* können Höhlenmalereien und Felsritzungen *(Petrographien)* angesehen werden, die wohl mag. Zwecken dienten (vgl. Höhle von Altamira, 10 000 v. Chr.). – Eine Notierungsform, die bis in die Gegenwart fortlebt, ist die Fixierung von Quantitäten durch Kerbungen oder Knoten *(Kerb-, Knotensch.).* Am Beginn der eigentl. Sch.-Entwicklung steht das mehr oder weniger abstrahierte Bild eines Gegenstandes, einer Vorstellung, die *Piktographie* (lat. pictus = gemalt), *Ideographie* (gr. idea = Ansehen) oder *Bilder-Sch.* Solche Ideogramme (auch Piktogramme, Begriffszeichen) können unabhängig von bestimmten Sprachlautungen verstanden werden, vermögen allerdings nur isolierte Begriffe u. Vorstellungen zu fixieren (daher auch: *Begriffs-Sch.*). Nach diesem Prinzip sind z. B. auch neuzeitl. Verkehrszeichen gestaltet und immer schon graph. Symbole (Kreuz). Begriffszeichen wurden evtl. auch beim germ. Losorakel verwendet (s. Tacitus, »Germania«). Zur Wiedergabe zusammenhängender Texte bedurfte es weiterer Differenzierungen: Basis der frühesten Sch.en sind Wortbildzeichen *(Logogramme),* welche z. T. den Ideogrammen entsprechen. Sie werden aber zur genaueren Sinnfixierung ergänzt durch Silbenzeichen *(Logotypen),* Einzellautzeichen *(Phonogramme)* und *Determinative* (die Genus und Bedeutungsklassen markieren). Logotypen finden sich auch noch in mal. Handschriften als Kürzel (z. B. für -er) oder als feste Buchstabenkombinationen im Druck. Phonogramme folgen dem Prinzip der Akrophonie (gr. akros = Spitze), d. h. ein ursprüngl. Logogramm steht nur für den Anfangslaut des bezeichneten Wortes. Aus diesen Elementen entwickelten sich um 3000 v. Chr. für die Bedürfnisse der Tempelkultur und Staatsverwaltung etwa gleichzeitig die *frühesten Sch.systeme* in den ältesten Hochkulturen der Menschheit: In Mesopotamien (Zweistromland, heutiger Irak) die sog. Keilsch. (lat. litterae cuneatae = keilförm. Buchstaben), in Ägypten die Hieroglyphensch. (gr. hieros = heilig, glyphein = einschneiden), die von 3000 v. Chr. bis ca. 300 n. Chr. verbreitet war. Beide Sch.en verwenden zunehmend abstrahierte Wortbildzeichen, ergänzt durch Silbenzeichen, Lautzeichen und Determinative. Sie sind am Wortschatz orientiert, nicht an der Lautung. Dadurch war z. B. die Keilsch. sowohl von Sumerern als auch Babyloniern, Hethitern und anderen Völkern des Vorderen Orients verwendbar. Dieses Prinzip bestimmt auch die chines. (und jap.) Sch., die damit bis heute die schriftl. Verständnisbasis für ganz verschieden lautende chines. Dialekte bildet. Die Keilsch. war eine mit einem Stichel in Ton gedrückte, auf keilförmige Striche reduzierte ursprüngl. Bilderschrift (eine Entzifferungsansätze 1802 durch G. F. Grotefend). – Auch die ägypt. Hieroglyphensch. entwickelte sich aus ursprüngl. noch deutl. erkennbaren Bildzeichen zu immer stärkeren Vereinfachungen, so in der auch für profane Zwecke verwendeten späteren *hierat. Buch-Sch.* und der daraus entwickelten *demot. Schrift* (gr. demos = Volk, ca. seit 7. Jh. v. Chr.). Hieroglyphen wurden 1822 durch J.-F. Champollion mit Hilfe des dreisprach. Inschriftensteins von Rosette entziffert. Ein völlig neues Sch.prinzip wurde im semit. Raum (Libanon) entwickelt. Dabei wurde die der auch in Keil- und Hieroglyphensch. vorhandenen Sch.elemente, das Phonogramm oder Einzellautzeichen, verabsolutiert: An die Stelle der synthet. Wortsch. trat das die analyt. Lautsch. *(Phonographie)*. Die älteste, auf eine bestimmte Sprachlautung bezogene Sch. war die sog. *semit. Konsonantensch.* mit 32 Zeichen. Bedingt durch die semit.

Sprachstruktur fixierte sie *nur* das konsonant. Sprachgerüst, ein Verfahren, auf dem bis heute die arab. und hebrä. Sch. basiert (älteste Funde seit dem 15. Jh. v. Chr. in Ugarit und Biblos, Libanon). Mutmaßl. von den Phöniziern übernahmen die Griechen um 1000 v. Chr. dieses Schriftprinzip samt Formen, Reihenfolge, Namen der Buchstaben und paßten es ihrer vokalreicheren Sprache an. Sie schufen dabei die *erste reine Lautschrift*, in welcher auch Vokale bezeichnet wurden. In ihrem Alphabet von 24 Buchstaben wurden phöniz. Konsonantenzeichen auch als Vokalbuchstaben eingesetzt. Älteste Funde dieser Sch. reichen ins 8. Jh. v. Chr. zurück (linksläufige Weihe-Inschrift auf der sog. Dipylonkanne, Athen). Auf dieser Grundlage entwickelten sich dann die abendländ. Sch.en. Im folgenden änderten sich nur noch, allgemeinen Stilentwicklungen folgend, die äußere Form und, entsprechend der jeweiligen Sprachstruktur, die Zahl der Buchstaben (wobei für neue Laute allerdings meist Buchstabenkombinationen gebildet wurden, z. B. pf). Aus den ursprüngl. Großbuchstaben (*Majuskeln*, lat. maiusculus = etwas größer) entwickelten sich schließl. auch Kleinbuchstaben (*Minuskeln*, lat. minusculus = etwas kleiner). Im lat. Sprachraum entstand schon im 3./4. Jh. neben den Majuskelsch.en eine Minuskel-*Kursive* (lat. cursus = Lauf, Schreibsch., auch *Kurrentsch.* zu lat. correre = laufen), im griech. erst im 9. Jh. Die Minuskelsch. wurde durch *Versalien* (Großbuchstaben, lat. versus = Zeile) differenziert. – Auf den griech. Schrifttypen ergänzt durch german. /Runen – basiert die von dem Westgoten Wulfila (4. Jh. n. Chr.) für seine Bibelübersetzung geschaffene Sch. Auch die kyrill. (heute russ.) Sch. nahm ihren Ausgang von griech. Majuskeln. Über die Etrusker gelangte die griech. Sch. zu den Römern (älteste Zeugnisse 600 v. Chr.). Von diesem Entwicklungsweg zweigte wohl auch die germ. *Runen-Sch.*, eine reine Inschriftensch., ab (älteste Funde 2. Jh. n. Chr.). Für Inschriften entwickelten die Römer die noch heute gebräuchl. *Monumental-, Lapidar-* (lat. lapis = Stein) oder *Kapital-* (lat. capitalis = hervorragend) Sch., aus der sich nach- und nebeneinander verschiedene Sch.typen für Bücher (Hss.) und den raschen Gebrauch herausbildeten (älteste Zeugnisse kursiver Alltags- oder Geschäftssch. um 20 v. Chr.). *Buchsch.en* sind die Capitalis quadrata (eine aufs Pergament übertragene Kapitalsch., Buchstaben sind ins Quadrat eingeordnet), die *Capitalis rustica* (eine schmälere Variante), die *Unziale* (mit stärkeren Rundungen, ab 3. Jh. n. Chr.), schließl. die zur Minuskel tendierende *Halbunziale* (mit Ober- und Unterlängen, seit 5. Jh.). – Aus diesen Formen entwickelten sich im wesentl. die abendländ. Sch.en. In der Karolingerzeit entstand (Ende 8. Jh.) die sog. *karoling. Minuskel*, eine für die Verwaltung des Reichs Karls des Großen praktikable Sch. Sie wandelt sich, entsprechend der stilgeschichtl. Entwicklung zur späte. *gotischen Buch-Sch.* mit Brechungen an Schäften und Bögen. Typ. Ausprägungen sind die *Textura* (lat. = Gewebe) oder *Missal-Sch.*, bes. für liturg. Bücher (zu lat. missale = zur Messe gehörig). Neben diesen Buch-Sch.en entstehen wiederum kursive Urkunden- und Geschäftssch.en und (für mehr gewerbl. Handschriftenproduktionen) die sog. *Bastarda* (14. Jh.), eine Mischung aus beiden. – Italien entwickelt im 14. Jh. die *Rotunda* (mit ausgeprägten runden Formen), ferner die *Gotico-Antiqua*, die Formen der röm. Capitalis quadrata (jetzt Antiqua genannt) aufnimmt (auch Humanisten- oder Petrarca-Sch. genannt). – Durch die Erfindung des Buchdrucks ändert sich für die Geschichte der Sch. zunächst wenig: Für die Wiegendrucke (/Inkunabeln) bleiben die mal. Handschriften Vorbild: Gutenberg druckt seine Bibel (1455) in Textura. Die Rotunda wird für lat. Texte, Bastard-Sch.en werden für volkssprachl. Texte verwendet. Ausgesprochene *Druck-Sch.en* entstehen erst im 16. Jh.: in Italien sprico die *Antiqua*, ein auf die karoling. Minuskel zurückgreifender Typus, nördl. der Alpen für dt.sprach. Texte die aus der got.

Buch-Sch. entwickelte *Fraktur* (lat. frangere = brechen), auch *Schwabacher* oder *Dt. Sch.* (lat. Werke werden auch hier in Antiqua gedruckt). – Die Schreibsch.en schließen sich an die got. Kursive an, woraus sich die *dt. Schreibsch.* in ihren zeittyp. Ausprägungen entwickelt. Nach einer letzten Phase, der sog. Sütterlin-Sch. (seit 1935), wird sie 1941 durch eine an der lat. Sch. orientierten Form abgelöst. Sowohl bei Schreib- als auch bei Druck-Sch.en gab es mannigfache Varianten mit unterschiedl. ästhet. Anspruch, Kalligraphie und Kallitypie (griech. kallinos = schön) neben Gebrauchs- u. sog. Brotsch.en. Im 18. und v. a. im 19. Jh. herrschte z. B. eine gewisse Gleichgültigkeit. Eine Gegenbewegung setzte Ende des 19. Jh.s ein: Durch die Bemühungen W. Morris' und unter dem Einfluß des Jugendstils entstanden neue künstler. Drucksch.en, befördert v. a. durch private Pressen (Kelmscott Press, 1890, W. Morris; Doves Press, 1900; Bremer Presse, 1911; Cranach Presse, 1912 u. a.), einzelne Verlage (Insel, Fischer) und bibliophile Gesellschaften. Diese Tendenzen setzen sich bis heute – trotz zunehmender Automatisierung des Buchdrucks – fort (seit 1951 z. B. Prämiierung der »schönsten Bücher«). Im 19. und 20. Jh. wurden völlig *neue Prinzipien* zur Aufzeichnung sprachl. Mitteilungen entwickelt: Auf dem binären Prinzip (lat. bini = je zwei) beruht sowohl die um 1850 erfundene *Morse-Sch.* (Länge-Kürze) als auch die *Computer-Registrierung* durch Kombinationen der bits mit den Werten 0 und 1.
 Jackson, D.: The story of writing. London ²1981; dt. Frkf. 1981. – Schmitt, Alfred: Entstehung u. Entwicklung von Sch. en. Hg. v. C. Haebler. Köln 1980. – Lechner, H.: Gesch. der mod. Typographie. Mchn. 1981. – Bischoff, B.: Paläographie d. röm. Altertums u. des abendländ. MA.s. Bln. 1979. – Claiborne, R.: Die Erfindung der Sch. Dt. Übers. Reinbek 1978. – Barthel, G.: Konnte Adam schreiben? Weltgesch. d. Sch. Köln 1972. – Funke, F.: Buchkunde. Lpz. ³1969. – Sturm, H.: Unsere Sch. Einf. in d. Entw. ihrer Stilformen. Neustadt a. d. Aisch 1961.   S

Schriftsinn, eigentl. Lehre vom mehrfachen Schriftsinn, bes. Form der /Allegorese, bei der hinter dem Wortsinn liegende *sensus spiritualis* mehrfach nach Anwendungsbereichen oder Sinnbezügen aufgefächert wird: Nach der von Origenes (3. Jh.) entwickelten *Lehre vom dreifachen Sch.*, dem buchstäbl. (somat., geschichtl.) für einfache Gläubige, dem eth. (psych., seel.) für fortgeschrittene Form und dem myst. (pneumat., geist.) für vollkommene Gläubige, bildete sich in der Patristik (J. Cassianus, Hieronymus) eine v. a. für die Bibel-/Exegese bestimmende hermeneut. Technik einer auf einen *vierfachen Sch.* festgelegten Interpretation *(lectio)* heraus:
1. Erfassen der *historia,* des Wort- oder Literalsinnes *(sensus litteralis)* des Textes,
2. Aufzeigen der *allegoria,* des *sensus allegoricus,* des dahinterliegenden eigentl. Gemeinten (/Typologie, /Präfiguration),
3. die *tropologia,* die moral., auf die prakt. Unterweisung zielende Lehre,
4. die *anagoge,* der Verweis auf die Eschatologie (Lehre von den letzten Dingen). Demnach wird z. B. Jerusalem gedeutet:
1. als die histor. Stadt, 2. als Kirche Christi, 3. als menschl. Seele, 4. als die himml. Stadt Gottes, das himml. Jerusalem. Dieses exeget. Verfahren wurde auch auf profane Schriften übertragen, wodurch v. a. die heidn. Autoren der Antike einem christl. Verständnis erschlossen werden konnten und so vor dem Untergang bewahrt wurden, ferner auf die Deutung mal. geistl. und weltl. Dichtung.
 /Hermeneutik. – Wehrli, M.: Lit. im dt. MA. Eine poetolog. Einf. Stuttg. 1984. – Garin, E.: Gesch. u. Dokumente d. abendländ. Pädagogik I: MA. Reinbek 1964 (umfangreiche Quellentexte). – Lubac, H. de: Exégèse médiévale. 4 Bde. Paris 1959–64. – Ohly, F.: Vom geist. Sinn d. Worts im MA. ZfdA 89 (1958/59) 1–23.   DW*

Schriftsprache, die seit dem Ende des 18. Jh.s belegte Bez. grenzt die hochdeutsche Gemein- oder Verkehrssprache (auch ↗Hoch- oder Standardsprache) von den regionalen Mundarten und Schriftdialekten ab durch eine überregionale *Normierung* der Wortformen (Phonetik), ein verbindl. grammat. System (Morphematik), einen normierten Satzbau (Syntax) und eine weithin gültige Konvention der Wortbedeutung (Semantik). Von ebenfalls schriftlich fixierten ↗Sondersprachen kann sie sich im Satzbau, im Wortschatz oder bei der Wortbedeutung unterscheiden, z. B. von der ↗Literatur- oder Dichtersprache, den Berufs-, Fach- und Gruppensprachen. – Die Bemühungen um eine Normierung des Kommunikationsmittels Sprache sind nahezu so alt wie die Schriftlichkeit der Sprache selbst. Bereits in ahd. Zeit gibt es Ansätze zur Vereinheitlichung und Systematisierung geschriebener Sprache (9. Jh.). Im MA. haben überregionale Sprachregelungen zu gewissen Vereinheitlichungen der Literatursprachen und zu geregelten Verkehrssprachen, z. B. innerhalb der Hanse, geführt. Im 15. Jh. bilden sich Kanzleisprachen, daneben auch Druckersprachen aus. Durch M. Luthers Übernahme der Sprachformen aus der kursächs., dem ostmitteldeutschen Dialekt verpflichteten Kanzlei-Orthographie setzt sich diese Sprache im ganzen hochdeutschen Verbreitungsbereich als Sch. durch. Trotz vielfacher Bemühungen der Philologen und Pädagogen, durch Sprachreinigungen, Sprachregelungen, normative Grammatiken und Stilistiken endgült. Festlegungen zu erreichen, ist Sch. keine geschichtsunabhängige Norm, sondern das jeweils zeitbedingte Angebot eines – z. B. im »Duden« gesammelten – mittlerer Sprachpotentials, das Verständigung erleichtern und zugleich helfen soll, Information überregional verbindl. zu formulieren.

📖 Maurer, F.: Zur Entstehung der nhd. Sch. In: F. M.: Dichtung u. Sprache des MA.s. Bern/Mchn. ²1971. – Henzen, W.: Sch. u. Mundarten. Bern ²1954. – Wegera, K. P.: Zur Entstehung d. nhd. Sch. Tüb. 1986. – Glück, H.: Schrift u. Schriftlichkeit. Stuttg. 1986. HW

Schriftsteller, das *Wort* ›*Sch.*‹ wurde im 17. Jh. abgeleitet aus der Wendung ›eine Schrift stellen‹ für den Verfasser einer Bitt- oder Rechtsschrift im Sinne von ›Konzipient‹ und bürgerte sich im 18. Jh. als Verdeutschung von ›Autor‹ (Verfasser) und ›Skribent‹ (Schreiber) ein im Sinne von ›Verfasser von Prosaschriften ohne poet. Anspruch‹ im Ggs. zum meist höher eingeschätzten ↗Dichter (Poet). Diese Unterscheidung wurde immer wieder in Frage gestellt, bis sie im 20. Jh. im Zuge der allgemeinen Veränderung des Dichtungsbegriffes nebensächl. wurde. Das Wort wird heute überwiegend wertfrei verwendet für Literaturproduzenten aller Sparten, d. h. sowohl für Lyriker u. Autoren fiktionaler Literatur jeder Art als auch für Verfasser von Essays, Sachbüchern, Zeitungs- und Zeitschriftenartikeln, von Drehbüchern, Beiträgen zu Funk und Fernsehen usw. Als Berufsbezeichnung erscheint meist der Zusatz ›freier Sch.‹. Während sich Drucker und Verleger seit dem 16. Jh. durch sog. *Privilegien* ihrer Landesherren vor ↗Nachdrucken ihrer Erzeugnisse schützen konnten, wurde das ›geist. Eigentum‹ der Sch. selbst erst im 19. Jh. gesetzl. geschützt (Ansätze zunächst in Preußen: Landrecht 1794): Ein 1. reichseinheitl. *Urheberrecht* wurde 1871 geschaffen u. nach mehreren Revisionen 1965 neu gefaßt (vgl. etwa parallel: 1886 Abschluß der Berner Konvention zum copyright [Urheberrecht]), 1955 Welturheberrechtsabkommen. Zur weiteren arbeitsrechtl. und tarifpolit. Interessenwahrung sind Sch. in ↗Sch.-Verbänden organisiert. Zur Geschichte des Sch.standes vgl. ↗Dichter.

📖 ↗Dichter. S

Schriftstellerverbände, als öffentl. Körperschaften eingetragene Organisationen von Schriftstellern zur Wahrung ihrer »kulturellen, rechtl., berufl. und sozialen Interessen« (VS), im Ggs. zu den programmat. ausgerichteten oder vornehml. geist.-gesellig Austausch pflegenden ↗Dich-

terkreisen. – Die ersten Sch. mit dem Ziel, durch Lesungen, Aufführungen usw. notleidende Mitglieder zu unterstützen, entstanden *in Dtschld.* Mitte des 19. Jh.s: als erster 1840 der *Leipziger Literatenverein,* 1865 der *Dt. Schriftstellerverein,* 1887 der *Dt. Schriftstellerverband;* sie schlossen sich 1895 im *Verband Dt. Journalisten- und Schriftstellervereine* zusammen. – Von den Einzelverbänden ist der 1909 gegründete *Schutzverband Dt. Schriftsteller* (SDS) erwähnenswert, der sich als dt. Autorengewerkschaft verstand (1920 Umbenennung in *Gewerkschaft Dt. Schriftsteller*). Mit seinen vielfält. Gliederungen (nach literar. Gattungen, nach Regionen) und sozialen Leistungen (Darlehen, Rechtsschutz usw.) war er der vormals größte Interessenverband. Er wurde 1933 als ›Reichsverband Dt. Schriftsteller‹ in der ›Reichsschrifttumskammer‹ (Abteilung der ›Reichskulturkammer zur Überwachung und Lenkung des Kulturlebens‹) gleichgeschaltet (und 1935 aufgelöst), ebenso wie alle weiteren Sch., die seit 1927 in der Dachorganisation *Reichsverband des Deutschen Schrifttums* zusammengeschlossen waren. – Emigrierte Schriftsteller gründeten 1933 in Paris einen antifaschist. Autorenverband, nach der dt. Autorengewerkschaft ebenfalls *Schutzverband Dt. Schriftsteller* (SDS) genannt, der bis zum 2. Weltkrieg bestand (↗Exilliteratur). – Nach dem 2. Weltkrieg kam es bereits am 9. 11. 1945 in Berlin zur Gründung des *Schutzverbandes Dt. Autoren* (SDA); es folgten *in der Bundesrepublik* zahlreiche Neugründungen von regional oder gattungsmäßig abgegrenzten Sch.n, die sich 1952 in Berlin in der *Bundesvereinigung Dt. Sch. e. V.* (BDS) zusammenschlossen. Die Erfolglosigkeit der Bemühungen um soziale Verbesserungen, deren Grund in der satzungsmäß. festgelegten apolit. Haltung der BSD gesehen wurde, führte am 8. 6. 1969 in Köln zur Neuorientierung als *Verband Dt. Schriftsteller e. V.* (VS; Sitz München) mit Landes- und Fachgruppen, der gewerkschaftl. Organisation erstrebte und 1973 der IG Druck und Papier beitrat, um die sozialpolit. Forderungen der Autoren durchzusetzen; 1989 wurde der VS als ›Fachgruppe Literatur‹ (Vorsitzender Uwe Friesel, 1989 ca. 2300 Mitgl.) in die neugeschaffene umfassendere IG Medien (Druck, Papier, Publizistik u. Kunst) integriert. 1973 wurde in München der dieses polit. Engagement ablehnende *Freie Dt. Autorenverband e. V.* (FDA) gegründet. Ferner bestehen u. a. der *Bundesverband der Dolmetscher und Übersetzer e. V.* (BDÜ, gegr. 1955), der *Bundesverband Dt. Schriftstellerärzte e. V.* (BDSÄ, gegr. 1969), die *Dramatiker Union e. V.* (gegr. 1911, vormals ›Verband Dt. Bühnenschriftsteller und Bühnenkomponisten e. V.‹), die *GEDOK* (Gemeinschaft dt. u. oesterr. Künstlerinnen und Kunstfreunde e. V., gegr. 1926), die *Künstlergilde e. V.* (Verband d. ostdt. heimatvertriebenen oder geflüchteten Künstler, gegr. 1948), der *Verband Dt. Kritiker e. V.* (gegr. 1950), der *Verband Fränk. Schriftsteller e. V.* (V. F. S.; gegr. 1962), der *Verband Junger Publizisten Deutschlands* (VJPD, gegr. 1965) u. a. – *In der DDR* bestehen seit 1952 der *Schriftstellerverband der DDR* (SV-DDR; Sitz Berlin, der fachl. und regional gegliedert ist (Organ: ›Neue Dt. Literatur‹, seit 1953) und Einrichtungen zur Ausbildung eines Schriftstellernachwuchses (Joh.-R.-Becher-Institut für Literatur in Leipzig). Ferner existiert ein *Verband der Theaterschaffenden (VT)* u. der *Film- und Fernsehschaffenden (VFF) der DDR* (gegr. 1967). Die *internationalen Sch.* verfolgen v. a. übergreifende Ziele wie die Förderung internationaler Verständigung, Erhaltung der Geistes- und Meinungsfreiheit, Kampf gegen Zensur, Rassen-, Klassen- und Völkerhaß, Verbesserung der Gesetzgebung über das geist. Eigentum in einzelnen Ländern. Zu nennen sind *The Society of Authors,* London (gegr. 1884, Organ: The Author), der ↗*P. E. N.,* die *Confédération Internationale des Sociétés d'Auteurs et Compositeurs* (CISAC) in Paris (gegr. 1926; 90 Gesellschaften sind Mitglieder), der *Internationale Schutzverband dt. Schriftsteller* (ISDS, Sitz Zürich, 1945 hervorgegangen aus dem Zusammenschluß emigrierter Schriftsteller, Mitglieder in 5 Kontinenten). Auskunft über weitere dt.sprach. u. intern. Sch., ihre Ziele, Organisation, Mitgliederzahl u. Präsidenten gibt Kürschners Dt. Literaturkalender, 60. Jg. Bln./New York 1988.

📖 Kron, F.: Schriftsteller u. Sch. Stuttg. 1978.   IS

Schuldrama, das an den niederl. und dt. Lateinschulen und Universitäten des 15. bis 17. Jh.s gepflegte lat. (seit dem 2. Drittel des 16. Jh.s auch dt.sprachige) Drama, dessen Aufführung (wenigstens ursprüngl.) eine primär pädagog.-didakt. Zielsetzung verfolgt: die Schüler, durch die die Aufführungen (mehrmals jährl.) ausschließl. bestritten werden (die Erarbeitung der Stücke erfolgt im Rahmen des Rhetorikunterrichts; die Stücke selbst sind von Pädagogen und Geistlichen verfaßt), sollen zu gewandtem Auftreten und zur eleganten Handhabung der rhetor. Mittel der lat. (und dt.) Sprache erzogen werden. Die Einübung in die eth. Praxis des Christentums und des Humanismus kommt als weiteres Ziel hinzu. – Die erste Phase des Sch.s wird durch das lat. ⁄ Humanistendrama repräsentiert, das formal an antiken Vorbildern (Terenz, Plautus; Seneca) orientiert ist und in der ersten Hälfte des 16. Jh.s, zum religiösen Tendenzdrama umfunktioniert, in den Dienst der Reformation tritt. Diese gibt, von frühen Übersetzungen antiker und humanist. Dramen (Terenz, Plautus, Reuchlins »Henno«) durch humanist. Pädagogen wie J. Muschler, H. Ham, V. Boltz und G. Wagner abgesehen, den eigentl. Anstoß zur Ausbildung eines dt.sprachigen Sch.s, des sog. ⁄ Reformationsdramas. – In der 2. Hälfte des 16. Jh.s entwickelt sich aus dem lat. Sch. der Humanisten das gegenreformator. Tendenzen verfolgende lat. ⁄ Jesuitendrama. – Im 17. Jh. erlebt das dt.sprach. Sch. einen zweiten Höhepunkt im ⁄ schles. Kunstdrama. – Den Abschluß der Tradition bildet gegen Ende des 17. Jh.s das ›polit.‹ Sch. des Zittauer Schulrektors Ch. Weise (»Masaniello«, 1683), das die primär pädagog. Zielsetzung des Sch.s erneut herausgebiert: jetzt die Erziehung zu ›polit.‹Verhalten, d. h. zu gewandtem gesellschaftl. Auftreten, zu einer bürgerl.-gesellschaftl. Kultur und Bildung, zu Weltoffenheit und gesundem Menschenverstand.

📖 Michael, W. F.: Das dt. Drama d. Reformationszeit. Bern/Frkf. 1984. – Sandro, G.: Form und Funktion des Sch.s im 16. Jh. Bonn 1980. – Rupprich, H.: Das Drama der Reformationsepoche. In: H. R., Die dt. Lit. vom späten MA. bis zum Barock, Tl. 2, Mchn. 1973 *(mit ausführl. Bibliographie)*   K

Schundliteratur [Schund = Abfall des Schinders (Abdeckers), Kot, Unrat], abwertende Bez. für einen Teil der ⁄ Trivialliteratur, v. a. für erzählende Texte, die literar. (d. h. ästhet.) anspruchslos und moral. – im Sinne einer bürgerl. Moral – nicht einwandfrei sind. Allerdings hängt die Beurteilung sehr vom jeweiligen Standpunkt des Betrachters ab. Die Grenzen zum ⁄ Kitsch und zur ⁄ pornograph. Literatur sind fließend, jedoch wird mit dem Terminus Sch. eher die Gewaltkomponente als Sexuelles angesprochen. Nicht nur wegen der Subjektivität des Urteils können die gesetzl. Maßnahmen gegen Auswüchse der Sch., v. a. das »Gesetz über die Verbreitung jugendgefährdender Schriften«(GJS, das sog. »Schmutz- und Schundgesetz«; i. d. F. v. 23. 11. 1973) und gegebenenfalls auch § 131 StGB i. d. F. v. 2. 3. 1974 (»Verherrlichung von Gewalt; Aufstachelung zum Rassenhaß«), nicht als optimale Lösungen des Problems angesehen werden. § 1 des GJS offenbart einen weiteren entscheidenden Mangel: »Schriften, die geeignet sind, Kinder oder Jugendliche sittl. zu gefährden, sind in eine Liste aufzunehmen. Dazu zählen v. a. unsittliche, verrohend wirkende, zu Gewalttätigkeit, Verbrechen oder Rassenhaß anreizende sowie den Krieg verherrlichende Schriften«. Da über Wirkungen von Literatur keine verbindl. Forschungsresultate vorliegen, kann eine Definition des inkriminierten Gegenstandes mit Hilfe eben dieser Wirkungen,

erst recht die Erhebung zum Straftatbestand, nicht befriedigen. Die gesetzl. Initiativen wurden und werden unterstützt durch die Aktivitäten bestimmter Gruppen (Literaturkritiker u. -wissenschaftler, Kulturpessimisten und Volksbibliothekare u. a.) und Institutionen (Kirche, Schule u. a.). Die eingesetzten Mittel reichen von der verbalen Diffamierung in entsprechenden Publikationsorganen über den diskriminierenden Vergleich mit ›guter‹ Literatur und deren preiswerter ersatzweiser Offerierung bis hin zum autoritären Verbot (z. B. im schul. oder kirchl. Bereich). Daß diese Bemühungen bisher keine nennenswerten Erfolge erzielten, beweist im Grunde nur, daß es sich hier vornehml. nicht um literarisch-geschmackl. und moral., sondern um psycholog. bzw. sozialpsycholog. Probleme handelt, die nicht mit der Beseitigung des Symptoms, sondern höchstens durch Auseinandersetzungen mit den bedürfniserzeugenden Ursachen zu lösen sind. – Heute versteht man unter Sch. meist die (Groschen-)Heftromane, die als ⁄ Abenteuer-, ⁄ Kriminal-, ⁄ Wildwest-, Kriegs- und Science Fiction-, als Liebes-, Frauen-, Adels-, Arzt- und Heimat-Romane vornehml. an Kiosken und in Bahnhofsbuchhandlungen vertrieben werden; auch ⁄ Fortsetzungsromane in Zeitungen und Illustrierten sind inhaltl. den Heftromanen entsprechende ⁄ Comics und Bibliotheksromane werden häufig der Sch. zugerechnet. *Entstehung und Ursprung* der Sch. sind nicht eindeutig zu fassen. Stoffe und Motive finden sich überwiegend auch in der Hochliteratur. Verbindet man mit dem Begriff ›Sch.‹ massenhafte Verbreitung und die Beteiligung niederer sozialer Bevölkerungsschichten, so sind u. a. die populären ⁄ Ritter-, ⁄ Räuber- und ⁄ Schauerromane, sowie die sentimentalen Familien-, Ehe- und Liebesromane des ausgehenden 18. und beginnenden 19. Jh.s als Vorläufer auszumachen. *Direkter Vorfahre* des Groschenheftes und des Fortsetzungsromans ist der in der zweiten Hälfte des 19. Jh.s v. a. von der Unterschicht vielgelesene ⁄ Kolportageroman. Heftromanserien erreichen heute in der Bundesrepublik Auflagen von bis zu 300 000 Stück (»Jerry Cotton«) pro Woche (ca. 1,8 Mio. Leser), die Jahresproduktion wird auf 320 Mio. geschätzt.

📖 Eßbach, W.: Der schmutzige Kampf gegen Schmutz und Schund. In: D. Richter/J. Vogt: Die heiml. Erzieher. Reinbek 1974. – Nusser, P.: Romane f. d. Unterschicht. Stuttg. ⁵1981. – Schenda, R.: Volk ohne Buch. Frkft. ³1988. – Schilling, R.: Literar. Jugendschutz. Neuwied/Bln. 1959. ⁄ Trivialliteratur.   RK

Schüttelreim, Sonderform des ⁄ Doppelreims: die Anfangskonsonanten der am Reim beteiligten Wörter oder auch Silben werden ausgetauscht, so daß eine neue sinnvolle Wortfolge entsteht: In *Reimes Hut Geheimes ruht.* Sch.e finden sich seit dem 13. Jh. (Konrad von Würzburg, Lied 13 [Ausg. Schröder]).

📖 *Ausgabe:* Papentrigk, B.: Sch.e. Lpz. ³1942.

Selow, L.: Schüttelpoesie u. Schüttelpoetik. Ebenhausen 1976. – Hanke, M.: Die Sch.er. Bericht über eine Reimschmiedezunft. Stuttg. 1968.   S

Schwäbische Romantik, auch *schwäb. Dichterbund* oder *schwäb. Schule* benannter württemberg. Dichterkreis (zwischen 1810 und 1850) um L. Uhland und J. Kerner mit allerdings deutl. romantischen Zügen. Der ursprüngl. Kreis, dem noch G. Schwab und K. Mayer angehörten, erweiterte sich später um W. Hauff, G. Pfizer, A. Knapp, J. G. Fischer und E. Mörike. Das ›Publikationsorgan‹, das handschriftl. »Sonntagsblatt für gebildete Stände« (1807, gegen Cottas »Morgenblatt für gebildete Stände«), enthält das Programm des Kreises in unsystemat. Weise. Bes. gepflegt wurde das volkstüml. Lied, die Ballade, Romanze und Sage mit einer Vorliebe für mittelalterl. und lokale Themenkreise. Eben die Verbindung des literar. Anspruchsvollen mit dem Privatist.-Dilettant. hat dem Kreis den Vorwurf biedermeierl.-idyll. Enge und lokalpatriot. Genügsamkeit eingetragen und dem Spott H. Heines (»Der Schwabenspiegel«, 1838, »Atta Troll«, XXII, 1843) und K. Gutzkows (»Goethe, Uhland und Prometheus«, 1839) ausgesetzt.

📖 Storz, G.: Sch. R. Stuttg. u. a. 1967. – Hölzle, E.: Württemberg im Zeitalter Napoleons und der Dt. Erhebung. Stuttg. 1937. – RL. GG

Schwank, m. [mhd. swanc = schwingende Bewegung, Schlag, derb-lustiger Streich oder Erzählung eines solchen], ursprüngl. Bez. der Fechtersprache, im Mhd. und Frühnhd. dann übertragen für boshaft-list. oder spaßhaften Streich, Finte. Seit dem 15. Jh. lit. Begriff für *scherzhafte* ⁄ *Erzählung in Vers oder Prosa;* seit dem 19. Jh. bez. Sch. auch ein derb-lustiges Schauspiel mit Situations- u. Typenkomik in Nachbarschaft zu ⁄Burleske, ⁄Farce, ⁄Posse, Spektakel. – Ähnlich wie ⁄Anekdote, ⁄Fabel, ⁄Witz ist der literar. Sch. auf eine Pointe hin angelegt. *Gegenstand* ist der Alltag mit seinen Tücken, die Verspottung eines Dummen durch einen list. Schlauen, wobei der Mächtige oft der Unterlegene ist. *Stoffe* liefern die mit Trieben beladenen Lebensbereiche, die Tabuzonen und Ehekonflikte. Ein in der Realität möglicher Umstand wird überzeichnet und pointiert dargestellt. Zeitbezogenheit und Allgemeingültigkeit ergeben einen simplifizierten exemplar. Charakter. Einsträngige Handlungsführung und kontinuierl. Zeitfolge prägen Ausgleichs-, Steigerungs- u. Spannungstyp. Aufgrund der literar. Anpassungsfähigkeit der Stoffe erscheint das Schwankhaftes in allen literar. Gattungen. Seit den Gebrüdern Grimm ist z. B. die Bez. *Sch.märchen* bekannt (»Das Bürle«, »Das tapfere Schneiderlein«). Für die Möglichkeit polygenet. Entstehung spricht die internationale Verbreitung der Sch.stoffe und -formen: Bekannt sind indische, oriental. und antike Zeugnisse. In dieser Tradition stehen die *mittellat. Sch.e,* die teils selbständig in Sammlungen, teils eingelagert in andere Werke erscheinen, vgl. z. B. der »Einsiedler Johann«, der »Cantus de uno bove« (10./11. Jh.), die »Gesta Karoli«, die Tiersch.e im »Ysengrimus« des Nivardus von Gent (um 1150), der »Doligamus« des Adolf von Wien (1315) oder die »Fecunda ratis« (mit zahlreichen Klostersch.en) des Egbert von Lüttich (1000–1040). – Seit dem 13. Jh. werden solche Zusammenstellungen von lat. Sch.en für Unterricht und Predigt beliebt (⁄Predigtmärlein) und sind als homilet. Hilfsmittel bis ins 18. Jh. üblich (vgl. etwa die von J. v. Pauli gesammelten bekannten Predigtmärlein in »Schimpf und Ernst«, 1522, erw. 1550 im »Schertz mit der Warheyt«). Die *dt. Sch.dichtungen* des Hoch- und Spät-MA.s wurden durch die lat. Traditionen, ferner durch die franz. ⁄Fabliaux beeinflußt. Als *selbständ. Gattung* erscheint der Sch. in der seit dem 13. Jh. entstehenden mhd. Kleinepik (⁄Märe). Autoren von sog. *Sch.mären* sind der Stricker, Herrand von Wildonie, Sibote, Johann v. Freiberg, Hermann Fressant, Heinrich Kaufringer, Hans Rosenplüt, Hans Folz, Jörg Zobel, Hans Sachs. Der Stricker schafft mit dem »Pfaffen Amis« (1230) eine zykl. Gruppierung von Sch.en *(Sch.roman)* um eine zentrale Figur, ein Verfahren, das häufig nachgeahmt wurde: am bekanntesten sind die Sch.bücher um Figuren wie Neidhart Fuchs, Markolf, Bruder Rausch, den Pfaffen vom Kahlenberg (von Ph. Frankfurter), Eulenspiegel. Im 15. Jh. beeinflußt die von G. F. Poggio Braccolini entwickelte lat. ⁄Fazetie auch die volkssprach. Sch.literatur: geschliffene, oft pointiert-witzige Sprachformen in Prosa nähern sie z. T. dem neulat. Vorbild, z. T. der ⁄Anekdote an. – Im 16. Jh. beginnt dann der Siegeszug schwankhafter Anekdotenprosa. Auslösend für eine Flut von *Sch.sammlungen* ist 1555 das »Rollwagenbüchlein« des Jörg Wickram nach dem Vorbild Poggios. Ihm folgen u. a. J. Frey mit der »Gartengesellschaft« (1556 u. 1560), M. Montanus mit dem »Wegkürtzer« (1557), M. Lindeners »Rastbüchlein« (1558), V. Schumanns »Nachtbüchlein« (1559), H. W. Kirchhofs »Wendunmuth« (1563), M. K. Lundorfs »Wißbadisches Wisenbrünnlein« (1610/40), die schweizer.

»Schimpf- und Glimpfreden« (1651), »Der Pohlnische Sackpfeiffer« (1663), J. C. Suters »Historisches Lustgärtlein«(1666), das »Gepflückte Fincken- oder Studenten-Confect« (1667). Mit der Tendenz zur Anekdotensammlung reicht dieser Typus bis zu J. P. Hebels »Schatzkästlein des Rhein. Hausfreundes« (1811). *Sch.romane* und *sch.hafte Biographien* sind u. a. repräsentiert durch »Ein kurtzweilig Lesen von Dil Ulenspiegel« (Erstdr. 1515), durch W. Büttners »Historien von Claus Narren« (1572), »Das Lalebuch« (1597), »Die Schiltbürger« (1598), die »Münchhausiaden« (1700), eine Tradition, die sich in ⁄Münchhausiaden, der ⁄Lügendichtung und dem ⁄Schelmenroman fortsetzt. – Im 19. Jh. tritt neben die Posse mit einer »domestizierten kom. Person im Mittelpunkt« (Catholy), so im »Raub der Sabinerinnen« der Gebrüder Schönthan (1885), »Im weißen Rößl« von R. Benatzky/Kadelburg/Blumenthal u. a. (1898), in L. Thomas »Die Medaille« u. »Erster Klasse« (1910). Volksbühnen und leichte Fernsehunterhaltung pflegen diese Form mit einigem Erfolg.

📖 Neumann, N.: Vom Sch. zum Witz. Frkf. 1986. – Theiß, W.: Sch. Bambg. 1985. – Moser-Rath, E.: ›Lustige Gesellschaft‹. Sch. u. Witz des 17. u. 18. Jh. s. Stuttg. 1984. – Straßner, E.: Sch. Stuttg. ²1978 (mit ausführl. Bibl.). – RL.
GK*

Schwarze Romantik, Strömung innerhalb der europ. ⁄Romantik, die deren Themenkreise einseitig zum Irrationalen hin ausweitet und v. a. verborgene Ängste, Träume, Wahnvorstellungen (vgl. z. B. Doppelgängermotiv), ›dunkle‹ melanchol.-resignative Stimmungen (poet. Nihilismus), krankhafte und abseitige Neigungen (die ›Nachtseiten‹ des menschl. Geistes), aber auch (und v. a. im Trivialbereich) Phantastisch-Gespenstisches und Groteskes gestaltet; *dt. Vertreter* u. a. L. Tieck, E. T. A. Hoffmann, W. Hauff, J. Kerner, vgl. außerdem die ⁄gothic novel, die ⁄Schauer- und ⁄Geheimbundromane, ⁄Gespenstergeschichten, ⁄Gräberpoesie und ⁄Nachtstücke, aber auch die Werke des ⁄Byronismus und ⁄Satanismus; ähnl. Erscheinungen gab es auch in der romant. Naturphilosophie, vgl. Mesmerismus oder das weitverbreitete und oft als Quelle benutzte Werk »Ansichten von den Nachtseiten der Naturwissenschaft« von G. H. Schubert, 1808.

📖 Praz, M.: Liebe, Tod u. Teufel. Die sch. R. Florenz ³1948, dt. Mchn. 1963. IS

Schwarzer Humor, Spielart des ⁄Humors, in welchem Makabres, Groteskes und v. a. Tabubereiche (Verbrechen, Krankheit, Tod) in unsinnigen oder paradoxen Bezügen unangemessen scheinbar verharmlost und als normal und selbstverständlich dargestellt werden. Die kom. Wirkung entsteht durch die Inadäquatheit von Stoff und seiner Behandlung, ist weniger Ausfluß heiterer Affirmation wie der Humor, vielmehr der Kritik und satir. Entlarvung (⁄Satire) durch iron.-sarkast. Schockwirkung; steht damit dem Bereich des Komischen näher. Im literar. Bereich v. a. in Kabaretts beliebt (vgl. Georg Kreisler, u. a. »Die Wanderniere«), vgl. aber auch im 18. Jh. z. B. J. Swift, »A modest proposal for preventing the children of poor people from being a burden . . .« (1729), im 19. Jh. W. Busch, im 20. Jh. u. a. R. Dahl (»Switch Bitch«, 1974 u. a.).

📖 Nusser, P. (Hrsg.): Sch. H. Stuttg. 1986. – Breton, A. (Hrsg.): Anthologie de l'humour noir. Paris 1940. S

Schwebende Betonung, ausgleichende Akzentuierung (gleich starke Betonung) von Verspartien, in denen natürliche, sprachbedingte und metr. Betonung in Widerstreit stehen; bewußtes rhythm. Kunstmittel, um
1. einzelne gegen das Versmetrum gesetzte Wörter hervorzuheben, z. B. »Und sah: *ihres* Gefühles grüne Rute« (Rilke, »Abisag«),
2. zur Belebung des Versganges, da die totale Übereinstimmung von Wortton und metr. Akzent auf die Dauer Mono-

tonie erzeugen kann; tritt bes. am Versanfang auf; hier ist die s. B. jedoch von der sog. versetzten Hebung oder versetzten Betonung (/Anaklasis) zu trennen. S. B.: »*Fühl ich mein Herz noch jenem Wahn geneigt?*« (Goethe): ◡́◡̣◡́◡̣◡́◡̣◡́◡̣. Die Voraussetzung ist die Betonungsfähigkeit der zweiten, metr. akzentuierten Silbe. Dagegen Anaklasis: »Abgesetzt wurd ich. Eure Gnaden weiß« (Schiller, »Piccol.«, II, 7): ◡́◡◡̣◡́◡̣◡́◡̣◡́. Hier ist die zweite, nach dem Blankvers-Metrum eigentl. zu akzentuierende Silbe nicht betonungsfähig. Vgl. auch /Tonbeugung.

GG*

Schweifreim, Reimstellung aabccb (älteste Belege bei Heinrich von Morungen, MF 129, 14 und Ulrich von Gutenburg, Leich); die Variante aabaab wird auch als *Zwischenreim* bez. (ältester Beleg bei Heinrich von Veldeke). S

Schwellvers, durch erhöhte Silbenzahl ›aufgeschwellter‹ Vers, der dadurch aus dem Regelschema einer (gp.) Versreihe herausfällt. Die Forschung setzt bei Sch.en ein eigenes Versschema, mehrsilb. Auftakt oder /Hebungs- und Senkungsspaltungen, d. h. eine gedrängtere Füllung des Versschemas, an. – Die weitausholenden, deklamator. wirksamen Sch.e finden sich v. a. in der Stabreimdichtung, insbes. in der altengl. u. altsächs. /Bibelepik (»Heliand«, »Genesis«). S

Schwulst, m., ursprüngl. Bez. für Krankheitsschwellung, seit dem letzten Drittel des 17. Jh.s übertragen auf Stilphänomene der Barockliteratur, insbes. der Vertreter der 2. /Schles. Dichterschule, D. C. v. Lohenstein und Ch. H. v. Hofmannswaldau, ferner J. Klaj, G. Ph. Harsdörffer und A. v. Zigler. – Sch. benennt in abwertendem Sinn den gehäuften Einsatz rhetor. Figuren und /Tropen, bes. dunkle /Metaphern. Als Stilform steht der Sch. dem gemeineurop. /Manierismus nahe. Bildungsgeschichtl. *Voraussetzungen* seiner Entstehung waren
1. das für Dichtungs- und Redelehre des 17. Jh.s gemeinsame Ausbildungskonzept auf der Basis autoritativ gült. Stilbeispiele (exempla) aus antiken Vorlagen, Texten der Bibel und der Kirchenväter und der zeitgenöss. roman. Literaturen, die in /Kollektaneen themat. und alphabet. geordnet verfügbar waren;
2. das innerhalb des Humanismus tradierte Ideal des gelehrten Dichters (/Poeta doctus): Die *Vertreter* des Sch.s waren zumeist Gelehrte, die ihre Kenntnis der antiken Überlieferung, der bibl. Quellen, der Geschichte und Astrologie als Instrument der sozialen Selbstaufwertung für die Annäherung von Geburts- und Geistesadel (nobilitas literaria) einsetzten. Im Zeitraum von 1670–1720 prägte der Sch. einen beachtl. Teil fast aller literar. Gattungen und rhetor. Disziplinen (christl. Leichenreden, weltl. Gelegenheitsreden, Kanzlistik, Lyrik, Epigrammatik, Drama, Roman; sogar ein Vertreter gemäßigter Stilideale wie Ch. Weise vermochte sich der Faszination der gehäuften Figuren- und Tropenverwendung nicht zu entziehen: auch er glaubte an die Beweiskraft der sinnbildl., mit Emblemen arbeitenden Argumentation). – Die führenden Vertreter der 2. Schles. Dichterschule hinterließen keine Theorie, die über die selbstvorgegebenen Wirkungsziele des Sch.s Aufschluß gäbe; nur in ihr verbreiteten Lehre der Scharfsinnigkeit (der dt. Version der argutia-Lehren E. Tesauros und B. Graciáns) zeichnet sich eine *zeittyp. Bewertung des Sch.s* ab: demnach dient der sog. ›prächt. Stil‹ der affektiven Überredung; allerdings war der Anspielungsreichtum mit seinen Entlehnungen aus Mythologie, Geschichte, Geographie, Astrologie usw. nur einem schmalen Gelehrtenschicht verständl. Trotz vereinzelter pejorativer Verwendung der adjektiv. und verbalen Formen »schwülstig« und »aufschwellen« (Buchner, 1665, Morhof 1682, Stieler 1685), bürgert sich die *negative Bedeutung* des Begriffs erst nach dem Wandel der Stilnormen seit etwa 1730 ein: Erstmals deutl. nicht mehr an Lohenstein (als dem Vorbild für den Sch.-Stil) orientiert sind die Epigramme Ch. Wernickes und

die Poetiken F. A. H. Hallbauers (1725) und J. A. Fabricius' (1724). Seit J. Ch. Gottscheds »Crit. Dichtkunst« (1730) ist die Wendung »Lohensteinischer Sch.« geläufig, wird Sch. als Extremform stilist. Ausarbeitung kritisiert. Die bei Gottsched, Bodmer und Breitinger dabei gegen den Sch. angeführten Kategorien sind teilweise mit den aus der humanist. Tradition stammenden Deutlichkeitsforderungen und stilkontrollierenden Motiven identisch, teilweise sind sie aus neuart. Impulsen der zeitgenöss. franz. Redelehre und Ästhetik (Bouhours, Boileau) entnommen. Gottsched vereinigte diese Kategorien mit der neu in den Vordergrund tretenden Kategorie des Geschmacks. In ihrem Zeichen wurde der für das 17. Jh. typ. syntakt. komplexe und anspielungsreiche Sch. als Verfallserscheinung gewertet und diese Kritik des Sch.s durch den Vergleich des späten 17. Jh.s mit dem Hellenismus und der spätröm. Kaiserzeit abgesichert. Die stilkrit. Bedeutung des Sch.-Begriffs wird in diesem Zusammenhang mit moral. Ansprüchen vermischt: Sch. gilt als Ausdruck der Zügellosigkeit ausgehender Epochen, als Ausdruck moral. Verfalls. Die meisten der von Gottsched formulierten krit. Einwände wurden im Verlauf des 18. u. 19. Jh.s beibehalten. Zeitweise kam es zu neuen Ansätzen bei der Übertragung des Begriffs auf außerliterar. Erscheinungen, so z. B. in J. J. Winckelmanns krit. Behandlung der ägypt. Plastik (1755). Positive Einschätzungsversuche des Sch.s sind relativ selten (M. Mendelssohn, A. W. Schlegel). Insgesamt blieb bis ins 20. Jh. die abwertende Behandlung der für den Sch. typ. Stilphänomene in eben der Weise bestimmend, die man auch umgangssprachl. dem Phänomen »geschwollener« Sprache entgegenbrachte.

📖 Schwind, P.: Sch.-Stil. Bonn 1977. – Barner, W.: Barockrhetorik. Unters. zu ihren geschichtl. Grundlagen. Tüb. 1970. – Dyck, J.: Text-Kunst. Dt. Barockpoetik und rhetor. Tradition. Bad Hombg. u. a. ²1969. – Windfuhr, M.: Die barocke Bildlichkeit u. ihre Kritiker. Stuttg. 1966. – RL.

PS*

Science Fiction, f. [ˈsaɪəns ˈfikʃən; engl. science = Wissenschaft, fiction = Dichtung, freie Erfindung], Romane, Erzählungen, Filme, Hörspiele und Comics, die sich spekulativ mit künft. Entwicklungen der Menschheit befassen: Weltraumfahrten und Reisen in zukünft. (und vergangene) Zeiten, Entdeckung und Besiedlung ferner Himmelskörper, Begegnung und Auseinandersetzung mit deren mehr oder weniger fremdart. Bewohnern, Invasionen und Besuche der Erde durch extraterrestr. Wesen; Veränderungen der Lebensbedingungen der Erde in polit., sozialer, biolog., ökonom. und bes. in technolog. Hinsicht. – Der *Begriff* ist umstritten, da es sich bei der S. F. ja nicht um ›wissenschaftl. Erzählungen‹, sondern höchstens um Kurzgeschichten und Romane u. ä. handelt, bei denen u. a. techn. und wissenschaftl. Probleme eine mehr oder minder große Rolle spielen, deren Behandlung jedoch meist alles andere als wissenschaftl. ist. Die Begriffsbestimmung von E. Crispin gilt als eine der informativsten: Danach setzt eine S. F.-Erzählung »eine Technologie voraus . . ., oder den Effekt einer Technologie, oder eine Störung der natürl. Ordnung, die die Menschheit bis zum Zeitpunkt der Niederschrift noch nicht erlebt hat«. – Die S. F. enthält noch heute zahlreiche Elemente der Literaturgenres, die als ihre *Vorläufer* betrachtet werden können: so der phantast. /Reiseliteratur, deren Wurzeln bis in die Antike zurückreichen (ältestes und bekanntestes Beispiel: die »Odyssee« Homers) und der Utopien der Renaissance und der Aufklärung, gegen welche die Abenteuer und Reisen jedoch intergalakt. Dimensionen annehmen; mit den Utopien hat die S. F. v. a. die Konstruktion einer Gegenwelt zur augenblicklichen gemeinsam, die allerdings nicht Beschreibungsgegenstand, sondern v. a. Handlungsort ist. Die Einflüsse des /Schauerromans, der /gothic novel und ihrer Nachfahren betreffen eher die Ausweitungen des engeren S. F.-Bereichs um irrationale Momente. Ferner sind Elemente des Abenteuer-, Kriminal-, Kriegs-, Liebes- und des phantast. Romans in die S. F. eingegangen, ein Indiz für ihre fast unbegrenzte stoffl. Aufnahmefähigkeit. – Die *Entstehung* der S. F. wird allgemein angesetzt mit den Romanen Jules Vernes (»Voyages au centre de la terre«, 1864, »De la terre à la lune«, 1865, »Autour de la lune«, 1870) und H. G. Wells' (»The time machine«, 1895, »The war of the worlds«, 1897, »The first man in the moon«, 1901 u. a.). Ihre Werke, wie auch die des deutschen S. F.-Pioniers K. Lasswitz (»Bilder aus der Zukunft«, 1878, »Auf zwei Planeten«, 1897 u. a.) erfüllen zumindest teilweise die Bedingungen des engeren S. F.-Begriffs: Zukünftige – zumeist techn. – Entwicklungen werden aus dem zeitgenöss. Wissen extrapoliert; die Befolgung dieser Methode erklärt vielleicht das bestaunte Phänomen der literar. Vorwegnahme späterer Erfindungen (Luftschiff, Flugzeug, Fernsehen, Sauerstoffgerät u. a.) durch J. Verne und andere S. F.-Schriftsteller. Zum Erfolg der S. F. haben v. a. die *in den USA* ab Mitte der 20er Jahre erscheinenden S. F.-Magazine beigetragen. Das erste, die von H. Gernsback 1926 gegründeten ›Amazing stories quarterly‹ erreichten eine Auflage von 100 000 Exemplaren (Gernsback wird auch die Prägung des Bez. ›S. F.‹ zugeschrieben). Die S. F. führte zur Bildung von Fan-Clubs, sog. Fandoms, mit eigenen Club-Magazinen (sog. Fanzines = Fan + Magazine), die damit deren Popularität noch steigerten. Die meisten der engl. und amerikan. Autoren haben als Magazin-Schreiber begonnen: Isaac Asimov, Ray D. Bradbury, Alfred Bester, Arthur C. Clarke, L. Sprague de Camp, Robert A. Heinlein, Edward E. Smith, Clifford Stimak, Theodore Sturgeon, A. E. van Vogt u. a. Die Erzählungen und die in Fortsetzungen abgedruckten Romane der Magazine pflegten und förderten überwiegend nur den techn. Aspekt der S. F.: den Glauben an die segenbringende Allmacht zukünft. Technologien. Ein anderer Hauptzug, die Beschäftigung mit sozialen Fragestellungen (angelegt bereits in Wells' »Time Machine«), ist in der westl. S. F. bis in die Gegenwart hauptsächl. nur von den sog. ›negativen Utopien‹ (›Anti-Utopien‹) verfolgt worden: heutige gesellschaftl. Fehlentwicklungen werden hier, konsequent weitergedacht, als negatives Bild einer künftigen Welt dargestellt (A. Huxley, »Brave new world«, 1932; G. Orwell, »Nineteen eighty-four«, 1949 u. a.). – Die Kritik an der Betonung des techn. Bereichs, aber nur in die Zukunft transponierten reaktionären Gesellschafts- und Menschenbild, sowie an den rassist. und faschist. Tendenzen der S. F. hat mit zur einzigen nennenswerten Neuorientierung des Genres beigetragen. Anfang der 60er Jahre begannen die Autoren des ›New wave‹ (England: M. Moorcock, J. G. Ballard u. a.; USA: Th. M. Disch, J. Sladek u. a.) ihre Aufmerksamkeit mehr der ›künftigen Psychologie, sozialen Ordnung und Metaphysik‹ (M. Moorcock) zuzuwenden. Sie versuchten auch, die konservative Erzählweise durch (ihrem Gegenstand gemäßere) experimentelle oder in der modernen Literatur längst etablierte narrative Techniken zu ersetzen. Die sich eigenständig entwickelnde *S. F. in der Sowjetunion* hat dem sozialen bzw. dem sozialkrit. Aspekt von Anfang an mehr Bedeutung beigemessen. Gemäß der marxist. Lehre spielen die Handlungen der sozialist. S. F. überwiegend in einer kommunist. Zukunftsgesellschaft oder schildern deren Entstehung. Lenin selbst regte den bedeutendsten S. F.-Roman der Zeit vor der Oktoberrevolution (1917) an: A. Bogdánovs »Der rote Stern« (1907). Bedeutende Vertreter: A. N. Tolstój (»Aelita«, 1922/23), J. J. Samjátin (»Wir«, 1920), A. Beljáev (»Der Sprung ins Nichts«, 1933), I. Jefrémow (»Andromeda-Nebel«, 1957), A. und B. Strugázki (»Gott sein ist schwer«, 1964) u. a. Der Pole St. Lem, der augenblickl. unumstritten führende S. F.-Autor, kommt zwar ebenfalls aus dem sozialist. Lager, unterliegt jedoch nicht den erwähnten themat. Begrenzungen. »In der heutigen

S. F. ist er einzigartig, dadurch, daß er . . . reale wissenschaftl. Hypothesen und Theorien aufstellt, . . . vielfach der Wissenschaft vorauseilt. Sein Verständnis für reale Probleme, . . ., seine stilist. Eleganz, . . . nicht zuletzt auch seine . . . hohe sittl. Gesinnung machen ihn in der modernen S. F. zu einer Einzelerscheinung« (F. Rottensteiner). S. F. erscheint in *W.-Deutschland* v. a. in Heft- und Taschenbuchform, gehört in der Mehrzahl zur ⁄ Trivialliteratur. Die höchsten Auflagen erzielt die Heftserie »Perry Rhodan, der Erbe des Universums« (seit 1961), von der wöchentl. bis zu 250 000 Exemplare verkauft werden. Dies und die Tatsache, daß als Taschenbücher überwiegend (oft mäßige) Übersetzungen ausländ. Autoren angeboten werden, hat die Gleichsetzung von deutscher S. F. und ›Perry Rhodan‹ einerseits – und einem so reaktionären Autor wie H. Dominik (»Atlantis«, 1925, »Atomgewicht 500«, 1935) andererseits bewirkt. *S. F. in Rundfunk, Film und Fernsehen:* Die Literatur gilt immer noch als das adäquate Medium der S. F. Das zeigt nicht zuletzt die Tatsache, daß dem weitaus größten Teil der Adaptationen in anderen Medien literar. Vorlagen zugrundeliegen. Als bemerkenswertestes S. F.-*Hörspiel*-Ereignis gilt bis heute O. Welles' Rundfunkfassung von H. G. Wells' »The war of the worlds«, deren Sendung 1938 Millionen von Amerikanern wegen ihrer dokumentar. Aufmachung für Realität nahmen und in Panik auf die Straßen flüchteten. Als einer der ersten *Spielfilme* überhaupt entstand 1902 G. Méliès' »Le voyage dans la lune« nach Motiven von J. Verne. Weitere ›klass.‹ Beispiele sind »Metropolis« von Fritz Lang (1927), »Frankenstein« von J. Whale (nach M. W. Shelley, 1931), »Dr. Jekyll und Mr. Hyde« von R. Mamoulian (nach R. L. Stevenson, 1932), »King Kong« von E. B. Schoedsack und M. C. Cooper (1933). Wie auch in der Literatur reicht die Skala der immer populärer werdenden S. F.-Filme von (der Hauptmasse) billiger Dutzendware bis zu (wenigen) cineast. Kunstwerken (in jüngster Zeit St. Kubricks »2001 – a space odyssey«, 1968 nach Motiven von A. C. Clarke, und A. Tarkowskijs »Solaris«, 1972 nach St. Lem). – Seit Mitte der 60er Jahre gehört die S. F. auch zum Repertoire des *Fernsehens*, u. a. als Serien (»Raumschiff Orion«, »Invasion von der Wega«, »Time Tunnel«, »Ufo«, »Alpha, Alpha«, »Raumschiff Enterprise«).

⊞ *Handbücher:* Körber, J. (Hrsg.): Bibliograph. Lexikon d. utop.-phantast. Lit. Meitingen 1984. – Versins, P.: Encyclopédie de l'Utopie et de la S. F. Lausanne ²1984. – Alpers, H. J./Fuchs, W./Hahn, R. M. (Hrsg.): S. F.-Führer. Stuttg. 1982. – Alpers, H. J. u. a. (Hrsg.): Lexikon der S. F. 2 Bde. Mchn. 1980.
Lit.: Heuermann, H. (Hrsg.): Der S. F.-Roman in d. anglo-amerikan. Lit. Düsseld. 1986. – Salewski, M.: Zeitgeist u. Zeitmaschine. S. F. und Geschichte. Mchn. 1986. – Schulz, H. J.: S. F. Stuttg. 1986 (SM 226). – Stache, R.: Perry Rhodan. Überlegungen z. Wandel einer Heftromanserie. Tüb. 1986. – Wuckel, D.: S. F. Eine illustr. Lit.gesch. Hildesheim u. a. 1986. – Kluge, R.-D. u. a. (Hrsg.): Aspekte der S. F. in Ost u. West. Tüb. 1985. – Kasak, W. (Hrsg.): S. F. in Osteuropa. Bln. 1984. – Guthke, K. S.: D. Mythos d. Neuzeit. Bern/Mchn. 1983. – Heidtmann, H.: Utop.-phantast. Lit. in der DDR. Mchn. 1982. – Suerbaum, U./Broich, U./Borgmeier, R.: S. F. Stuttg. 1981. – Nagl, M.: S. F. Tüb. 1981. – Jehmlich, R.: S. F. Darmst. 1980. – Hallmann, C.: Perry Rhodan. Analyse einer S. F.-Serie. Frkf. 1979. – Suvin, D.: Poetik der S. F. Frkf. 1979. – Schröder, H.: S. F. in den USA. Gießen 1978. – Lück, H.: Fantastik. S. F., Utopie. Gießen 1977. – Schäfer, M.: S. F. als Ideologiekritik. Stuttg. 1977. – Klein, K.-P.: Zukunft zw. Trauma u. Mythos. Stuttg. 1976. – Gáttégno, J.: La S. F. Paris ²1973. – Hienger, J.: Literar. Zukunftsphantastik. Gött. 1972. – Nagl, M.: S. F. in Dtschld. Tüb. 1972. – Barmeyer, E. (Hrsg.): S. F. Theorie u. Geschichte. Mchn. 1972. – RL.
S. F.-Film: Hellman, Chr.: Der S. F.-Film. Mchn. 1983. –

Seeßlen, G.: Kino des Utopischen. Gesch. u. Mythologie des S. F.-Films. Reinbek 1980. – Memmingen, J./Dütsch, W.: Filmbuch S. F. Köln 1975.   RK

Scipionenkreis, in Rom zwischen ca. 150 und 130 v. Chr. bestehender Freundeskreis um P. Cornelius Scipio Aemilianus Africanus (dt. Scipio der Jüngere; Zerstörer Karthagos). Dazu gehörten der griech. Stoiker Panaitios, der Historiker Polybios, der aus Afrika stammende Komödiendichter Terenz, der röm. Satirendichter Lucilius, sowie Politiker wie C. Laelius und P. Rutilius Rufus. Der S. bildete das Zentrum der fruchtbaren Auseinandersetzung der von polit. und militär. Realismus geprägten röm. Welthaltung mit der hellenist. Philosophie und Literatur. Zentraler Begriff war die »humanitas«. Nachwirkung auf Cicero und, durch seine philos. Werke, auf die gesamte europ. Kulturgeschichte.

☐ Brown, R. M.: A Study of the Scipionic Circle. Iowa Studies. 1934.   DW

Secentismus, m., it. secentismo, italien. Bez. für ↗Manierismus und Barock.

Segen, ↗Zauberspruch.

Seguidilla, f. [zegi'dilja], span. volkstüml. 7zeil. Tanzliedstrophe, gegliedert in Strophe und Refrain (Copla und Estribillo); wobei die Verse 1, 3 und 6 aus reimlosen Siebensilbern, die Verse 2, 4, 5 und 7 aus je paarweise assonierenden (selten reimenden) Fünfsilbern bestehen; Variationen sind die Reduzierung der S. auf 4 Zeilen (Copla) oder die Zusammenfassung der Fünf- und Siebensilber zu Zwölfsilbern. Seit dem 15. Jh. auch als Kunstform, z. B. bei J. Álvarez Gato (15. Jh.), Lope de Vega und noch bei J. L. Espronceda y Delgado (19. Jh.).   IS

Sehtext, spezielle Form ↗visueller Dichtung, des visuellen Textes, bei dem das visuelle Arrangement nicht unbedingt äußere, äußerl. Konsequenz inhaltl. Aussage ist (wie etwa beim ↗Figurgedicht des Barock, bei zahlreichen visuellen Gedichten ↗konkreter Dichtung), vielmehr – speziell bei F. Kriwet – auf eine dem ›visuellen Zeitalter‹ entsprechende »veränderte Rezeption von Wort und Bild« zielt.

☐ Kriwet, F.: leserattenfänge. S.-kommentare. Köln 1965.   D

Sekundärliteratur [frz. secondaire = an zweiter Stelle], auch: Forschungsliteratur, Literatur *über* Literatur: wissenschaftl. Untersuchungen und Kommentare zu Werken aus den verschiedensten Gebieten des literar. Schaffens (Dichtungen, aber auch histor., philosoph., theolog. usw. Werke, sog. Primärliteratur). S. wird in ↗Bibliographien zusammengestellt.   S

Sekundenstil, im ↗Naturalismus erstmals realisierte literar. Technik, die eine vollkommene Deckungsgleichheit von ↗Erzählzeit und erzählter Zeit anstrebt, vergleichbar der film. Dauereinstellung ohne Raffung und Dehnung (Andy Warhol). Dabei gelten äußere und innere Wirklichkeit als gleich wichtig, beide sind also ebenso vollständig sprachl. abzubilden wie Dialogpausen, ›Regieanweisungen‹, Geräusche, Lichtreflexe, Wahrnehmungen durchs Fenster, Körperwendungen, Simultanvorgänge oder Gedanken. Das Zeitkontinuum bildet die einzige Ordnungsstruktur, während der Autor völlig ›verschwindet‹. – Der *Begriff* ›S.‹ wurde von A. von Hanstein in seiner »miterlebten« Literaturgeschichte »Das Jüngste Deutschland« (1900) geprägt und von H. Hart in seinen »Erinnerungen« »am Beispiel eines vom Baume fallenden Blattes« erläutert. Hanstein und Hart beziehen sich auf die »Skizzen« und »Studien«, die in der Zusammenarbeit von A. Holz und J. Schlaf entstanden, bes. auf deren »Papa Hamlet« (1889). Hier steht der S. in engstem Zusammenhang mit dem Wahrheits-Postulat und dem Mimesis-Prinzip des Naturalismus. Die mit dem S. erreichte Parzellierung und Atomisierung von Wirklichkeit zeigt als Pointillismus-Phänomen Übergänge zu Impressionismus und Symbolismus. Der S. blieb auch nach dem Naturalismus als Extremmög-

lichkeit kopistischen Schreibens erhalten; er zeigt sich etwa in Peter Weiss' »Der Schatten des Körpers des Kutschers« (1960).   GM

Semiotik, f. [zu gr. sema = Zeichen], allgemeine Zeichentheorie, im wesentl. vom ↗Strukturalismus verwendet und für ihn relevant. Objekt der S. sind die ↗*Strukturen* sprachl. und nicht-sprachl. *Zeichen(-systeme),* also z. B. auch die von Malerei, Plastik, Architektur, Musik, Film, comic strip, Werbung, polit. oder religiöser Symbolik usw., aber auch von schriftl. und mündl. literar. und nicht literar. Texten. Zeichen(-systeme) dienen der *Kommunikation* zwischen einem *Sender* und einem *Empfänger,* die damit eine *Nachricht* austauschen. – Die S. besteht aus *Semantik,* deren Objekt die Bedeutungen von Zeichen(-folgen) sind, *Syntax,* deren Objekt die möglichen Verknüpfungen von Zeichen zu Zeichenfolgen sind, *Pragmatik,* deren Objekt die Relationen zwischen Zeichen(-folgen) und Benutzern (Sender, Empfänger) sind. Zeichen bestehen aus einem *Signifikanten,* ihrem materiellen Träger (z. B. graph. Signale, Lautfolgen wie »Haus«), dem *Signifikat,* der Vorstellung, die der Signifikant bedeutet (z. B. der Begriff »Haus«), und dem *Referenten,* dem Objekt bzw. der Klasse von Objekten, die das Signifikat bezeichnet (z. B. die konkreten Objekte, auf die sich »Haus« anwenden läßt). Es müssen *denotative* (lexikalisch-invariante) und *konnotative* (kontext-, sprecher-, situationsabhängige) Signifikate unterschieden werden. Signifikate lassen sich ihrerseits in *semant. Merkmale* zerlegen (z. B. »Ritter« = menschlich + männlich + adlig + . . .), aufgrund derer zwischen den Zeichen *semant. Relationen* bestehen, so z. B. die der *Opposition* (zwei Signifikate schließen einander aus: z. B. etwas kann nicht zugleich schön und nicht schön, als nicht schön sein), die der *Äquivalenz* (zwei Signifikate sind annähernd gleichbedeutend: z. B. »oft« – »häufig«), die der *Hyponymie* (ein Signifikat ist Teilklasse eines anderen: z. B. »Pferd« ist hyponym zu »Tier«) usw. – Zeichen werden in Zeichensystemen *(Kodes)* bzw. deren Teilsystemen, den *Paradigmen* (z. B. Flexionsklassen, lexikal. Klassen usw.), ausgewählt *(Selektion)* und zu Systemen von Zeichen *(syntagmat.* Folgen) verknüpft *(Kombination),* wobei syntakt., semant. und pragmat. Regeln des verwendeten Systems einzuhalten sind und Regeln anderer Systeme (z. B. Gattungssysteme, Moralsysteme) relevant werden und zusätzliche Restriktionen auferlegen oder Abweichungen zulassen können. Literar. Texte können etwa auch die Bedeutung sprachl. Zeichen ändern, indem sie Merkmale hinzufügen oder tilgen oder die semant. Relationen zwischen Zeichen verändern: sie sind damit nicht nur Äußerungen *(parole)* in einem System *(langue),* sondern bringen damit ein eigenen Kode hervor, ein *sekundäres semiotisches System,* das sich der natürl. Sprache bedient, aber von ihr abweicht. Detaillierte Theorien zum syntakt., semant., pragmat. Aspekt der natürl. Sprachen hat die Linguistik entwickelt.

Handbuch: Nöth, W.: Hdb. der S. Stuttg. 1985. – Bense, M./Walther, E.: Wörterb. der S. Köln 1973.

☐ Eco, U.: S. Entwurf einer Theorie d. Zeichen. Mchn. 1987 – Walther, E.: Allgem. Zeichenlehre. Stuttg. ²1979. – Titzmann, M.: Strukturale Textanalyse. Mchn. 1977. – Link, J.: Literaturwissenschaftl. Grundbegriffe. Eine programmierte Einf. auf strukturalist. Basis. Mchn. 1974. – Eco, U.: Das offene Kunstwerk. Frkft. 1973. – Wienold, G.: S. der Lit. Frkft. 1972. – Bense, M.: S. Baden-Baden 1967.
                                                         MT

Senar, m. [von lat. senarius = sechsgliedrig], freiere lat. Nachbildung des altgriech. ↗akatalekt. jamb. ↗Trimeters, wird nicht nach ↗Dipodien, sondern Monopodien (6jamb. Versfüßen) gewertet, mit Zäsur meist nach 5. halben Versfuß (Semiquinaria = ↗Penthemimeres), seltener nach dem 7. (Semiseptenaria = ↗Hephthemimeres). Von größter metr. Beweglichkeit durch Austauschmöglichkeit von

Kürzen und Längen mit Ausnahme im letzten Fuß.
Schema:

‿–‿–‿|–‿|–‿–‿

Die lat. Umbildung des griech. jamb. Trimeters zum S. geschah durch Livius Andronicus, Plautus und Terenz. Er wurde wie sein griech. Vorbild der am häufigsten verwendete Dialogvers des röm. Dramas (↗Diverbia in Tragödie und bes. Komödie), er findet sich aber auch z. B. bei Phaedrus (Fabeln) und noch bei Ausonius (»Spiel von den Sieben Weisen«, 4. Jh.). Zu dt. Nachbildungen s. ↗Trimeter. – ↗Septenar.　　　　　　　　　　　　　　　DW*

Senhal, m. [prov. = Kennzeichen], in der Trobadorlyrik des 12. Jh.s verwendeter Versteckname zur Bez. einer Person (meist einer Dame, eines Gönners), deren Identität vor der höf. Gesellschaft geheimgehalten werden soll; der S. kann Substantiv, Adjektiv, eine Redewendung, ein Satz sein und steht gewöhnl. in der ↗Tornada; vgl. z. B. als S. bei Bertran de Born »En Oc e Non« (Herr Ja und Nein) für Richard Löwenherz, bei Raimbaut de Vaqueiras »Mon Segur« (meine Sicherheit) für Marie de Ventadorn. – Im 13. Jh. verliert der S. seine ursprüngl. Funktion der Geheimhaltung wirkl. Personen und wird zur literar. Technik (z. B. bei Guiraut Riquier).　　　　　　　　　　PH

Senkung, dt. Übersetzung von gr. thesis, Begriff der Verslehre, ↗Hebung.

Senkungsspaltung, Bez. der altdt. Metrik: anstelle einer schemagemäßen einzigen unbetonten Silbe (= Senkung) können in alternierenden Versen auch zwei kurze unbetonte Silben stehen, der unbetonte Versteil wird gleichsam aufgespalten (x‿‿); begegnet in ahd. und mhd. Dichtung, teils aus Versnot (überfüllte Takte), teils zur Belebung des Versrhythmus.　　　　　　　　　　　　　　　　S

Sensualismus, m. [lat. sensus = Empfindung, Gefühl, Sinn],
1. Philos. Lehre, in der die Sinneswahrnehmungen als Erkenntnisquelle dienen (Gegensatz: Rationalismus). In der Antike vertreten u. a. von Epikur (341–270 v. Chr.), in der Neuzeit von J. Locke (sensualist. Formel: »Nihil est in intellectu, quod non prius fuerit in sensu«), É. B. de Condillac, Th. Hobbes, J. St. Mill und H. Spencer (mit psycholog. Orientierung).
2. allgem. geist. Grundhaltung, die den Sinn des Lebens in einem auch Geistiges einschließenden Sinnengenuß sieht (auch: Hedonismus); in der Antike v. a. in der aus Epikurs Philosophie abgeleiteten Lebenslehre des Epikureismus. In der antiken Literatur finden sich Elemente des S. v. a. in den Werken des Lukrez und Horaz, in der dt. Literatur der Neuzeit bei W. Heinse (»Ardinghello«, 1787). – In der bildenden Kunst wird der Begriff für sinnenfrohe Darstellungen mit Betonung üppiger Körperlichkeit verwendet, im Barock bes. für die Werke von Rubens (»sensualist. Hochbarock«: R. Hamann, Gesch. d. Kunst) oder im 19. Jh. für A. Renoir.　　　　　　　　　　　　　　　　　　S

Sentenz, f. [lat. sententia = Meinung, Urteil(sspruch), Gedanke], allgemeiner Satz, der sich durch Geschlossenheit der Aussage und Durchbrechen des Handlungsablaufs aus einem literar. Werk heraushebt und Allgemeingültigkeit beansprucht; bes. häufig im Rahmen des klass. Dramas, aber auch in erzählender Prosa, Balladen, Gedankenlyrik u. a. Die S. wird oft fälschl. den ↗einfachen Formen ↗Sprichwort, ↗Sinnspruch, ↗Denkspruch, ↗Aphorismus, ↗Maxime und ↗Gnome zugeordnet, von denen sie sich jedoch grundlegend unterscheidet durch ihre Kontextbezogenheit, die für die S. konstitutiv ist. Die S. paßt sich in der Form meist dessen Kontext an (Prosa oder Vers, oft Blankvers, Knittelvers oder Alexandriner); sie gehört zu den stark tekton. geprägten Formen (syntakt. Geschlossenheit). Der Stil der S. ist durch reiche Verwendung von Figuren geprägt (v. a. Wortwiederholung, Antithese, Klimax, Parallelismus u. a.). Innerhalb des Kontextes steht sie oft an exponierter Stelle, z. B. am Akt- oder Dramenschluß,

am Beginn oder am Ende eines Monologs. Durch ihre formalen Charakteristika und eine gewisse Autonomie gegenüber dem Kontext eignet ihr eine besondere Zitierbarkeit (↗geflügelte Worte), jedoch ist die Rezeption (im Gegensatz zum Sprichwort) für das Wesen der S. irrelevant. *Inhaltlich* wird die S. charakterisiert durch weitgehende Objektivität und Allgemeingültigkeit der Aussage. Sie leitet sich jedoch nicht von gedankl. Analyse, sondern von konkreter Erfahrung ab. Sie ist dabei differenzierter als das zu pauschalierenden Vereinfachungen neigende Sprichwort (vgl. »Was sind Hoffnungen, was sind Entwürfe,/die der Mensch, der vergängliche, baut« [Braut von Messina], gegenüber dem Sprichwort »Träume sind Schäume«). Aber auch die S. strebt Durchsichtigkeit und Eindeutigkeit an, ihr fehlt die Paradoxie, die Spannung zwischen Einfall und Klärung, die dem Aphorismus eigen ist. Die *Funktion* der S. innerhalb des Kontextes ist, an dem konkreten Einzelfall die allgem. Bedeutung sichtbar zu machen (z. B.: »Das liebt die Welt, das Strahlende zu schwärzen/ und das Erhabne in den Staub zu ziehn« [Wallenstein]). Die *geschichtliche Entwicklung* zeigt sehr verschiedene Ausprägungen der S.: Bibel, Gilgameschepos und die griech. Tragödien (bes. bei Sophokles und Euripides) weisen bereits reich entwickelte Formen der S. auf. Auch die theoret. Reflexion über die S. findet sich bereits in der Antike (bes. bei Quintilian), wo sie der Rhetorik zugeordnet wird. Seneca betont die S. als moral. Kategorie. Die wichtigsten Elemente, die den antiken S.begriff prägen, sind: allgemeiner Satz, eth. Maxime, Kürze, Zitathaftigkeit, Sprichwörtlichkeit. Als Funktion werden u. a. Schmuck, Überzeugung und Autorität genannt. In Epochen mit starker Normativität und geist. Geschlossenheit (MA., Barock, Klassik) finden sich S.en in verstärktem Maße mit dem Anspruch auf Allgemeingültigkeit. Mit zunehmender Infragestellung eines geordneten und zusammenhängenden Weltganzen wird die S. in zunehmendem Maße problematisch. Schon bei H. v. Kleist zeigt sich eine Widersprüchlichkeit in der Beziehung von S. und Kontext, sie verliert ihren eth. verbindlichen und definitiven Charakter, bei G. Büchner vollends bedeutet der S. die Infragestellung fester Werte und Ordnungen (Danton: »Die Welt ist das Chaos. Das Nichts der zu gebärende Weltgott«). Wenn in der Moderne, etwa bei Brecht, die S. noch häufig verwandt wird, so dient sie meist zur Entlarvung der ›ewigen Wahrheiten‹ und der Ideologiekritik, in zunehmendem Maße verhindert sie Identifikation. Einbettung in Songs, direkte Publikumsansprache, Parodie stehen im Dienste der Verfremdung. Die Ablösung von der klass. S. ist hier vollzogen.

📖 Mautner, F. H.: Maxim(e)s, Sentences, Fragmente, Aphorismus. In: Der Aphorismus. Z. Gesch., zu den Formen u. Möglichkeiten einer literar. Gattung. Hg. v. G. Neumann. Darmst. 1976, S. 399–412.　　　　　　IA

Septem Artes (liberales), [lat. = Sieben (freie) Künste], s. ↗Artes

Septenar, m. [von lat. septenarius = siebengliedrig], freiere lat. Nachbildung des altgriech. katalekt. ↗Tetrameters, wird nicht nach ↗Dipodien, sondern ↗Monopodien (7jamb. oder trochäische, seltener anapäst. Versfüße) gewertet, meist mit ↗Diärese nach dem 4. Versfuß; vor größter metr. Beweglichkeit durch Austauschmöglichkeit von Kürzen und Längen mit Ausnahme des letzten Fußes. Grundschema des (häufigsten) *trochäischen S.s*, auch *versus quadratus:*

–‿–‿–‿–‿|–‿–‿–◡̆

Der troch. S. war nach dem jamb. ↗Senar in der röm. Dichtung einer der volkstümlichsten Versmaße; er war v. a. der Dialogvers der Atellane und der Komödie (Plautus, Terenz), er erscheint ferner in Satiren, Rätseln, Soldatenliedern, auch noch in spätlat. Gedichten (z. B. dem »Pervigilium Veneris«, um 350 n. Chr.) und frühchristl. Hymnen; zu dt. Nachbildungen s. ↗Tetrameter.　　　　　IS

Sequenz, f. [lat. sequentia = Folge, Nachhall], Gattung liturg. lat. Chorgesänge, entstand nach heut. Meinung vor Mitte des 9.Jh.s in Nord-Frankreich, evtl. aus einem ↗Tropus: der syllab. Textierung von Melismen (Jubilationen) auf dem Schluß-*a* des ›Alleluia‹ nach dem Graduale, zunächst als Gedächtnisstütze für die Melodie. Diese Textunterlegungen und deren musikal. Weiterentwicklung verselbständigten sich zu einer neuen, vom ursprüngl. Kontext losgelösten musikal. Form für Festanlässe des Kirchenjahres, evtl. auf Grund byzantin. oder ir.-kelt. Vorbilder, die in dieser Zeit die christl. Dichtung des Kontinents beeinflußten (vgl. auch mhd. ↗Leich). Die S. besteht aus einer Folge von Doppel-↗Versikeln, d. h. aus einer Folge von je zwei gleichlangen Texten, die jeweils auf dieselbe Melodie gesungen werden; häufig stehen am Anfang und Ende einer S. noch je ein Einzelversikel; diese wurden vom ganzen Chor, die Doppelversikel von Halbchören gesungen (Schema: A BB CC . . . Z). In der sog. Da-capo-S. wird das S.schema wiederholt (doppelter und mehrfacher Cursus). Hauptpflegestätten der S. waren St. Martial in Limoges, St. Gallen u. Paris. Nach der Textform lassen sich 2 Entwicklungsstufen unterscheiden: Texte der *frühen S.* sind Prosa (daher auch die Bez. *prosa ad sequentiam* oder nur *prosa, prose* – in Frankreich noch heute gäng. Bez. für S.); da auf dieselbe Melodie gesungen, weisen je zwei Textabschnitte (Versikel) dieselbe Silbenzahl (bei unterschiedl. Betonung) auf. Bedeutender Vertreter der frühen S. ist Notker Balbulus in St. Gallen (9.Jh.). Er stellt seine S.endichtung im Proömium zu seinem »Liber Ymnorum« (um 880) selbst dar. Seine S.en, gegenüber den frz. klangbetonten Ausprägungen mehr sprach- und sinnbetont, fanden in ganz Europa Aufnahme in die Meßliturgie. – Seit dem 11.Jh. wurden die S.entexte unter dem Einfluß der Hymnendichtung rhythm. reguliert (oft Vierheber, mit Assonanzen oder Reim geschmückt) und die so entstehenden Doppelstrophen auch im Umfange einander angeglichen; damit ist die *spätere S.* nur durch den Melodienwechsel von der ↗Hymne zu unterscheiden. Hauptvertreter dieser 2. Ausprägung ist Adam von St. Viktor (Paris, 12.Jh.). – Die große Beliebtheit der S. im MA. belegen sog. *Sequentiarien (Prosarien)* mit Tausenden von meist anonymen S.en. Das tridentin. Konzil (1545–1563) verbot sie schließl. für die Liturgie bis auf die S.en »Victimae paschali laudes« (von Wipo, dem Kaplan Kaiser Konrads II., 11.Jh.; für Ostern), »Veni sancte spiritus« (für Pfingsten), »Lauda Sion« (von Thomas von Aquino, 13.Jh.; für Fronleichnam), »Dies irae« (v. Thomas von Celano, 13.Jh.; für die Totenmesse); 1727 wurde für das Fest der Sieben Schmerzen Mariae die S. »Stabat Mater« (von Jacopone da Todi, 13.Jh.) aufgenommen. Die beliebte S.form wurde auch für lat. novellist. Erzählungen (↗Modus) und für volkssprachl. geistl. u. weltl. Dichtungen verwendet; die Beziehungen zum frz. ↗Lai lyrique (oder zu ↗Descort, ↗Estampie) und zum mhd. Leich sind nicht geklärt.

☐ Spanke, H.: Studien zu S., Lai u. Leich. Ausgew. v. U. Aarburg. Darmst. 1977.　　　　　　　　　　　　　　S

Serapionsbrüder,
1. romant. Berliner Dichterkreis 1814–1818 um E. T. A. Hoffmann, zu dem die Schriftsteller J. E. Hitzig, D. F. Koreff und C. W. Salice-Contessa, zeitweilig auch A. von Chamisso und F. de la Motte-Fouqué gehörten. Die wöchentl. Zusammenkünfte in Hoffmanns Wohnung wurden zunächst »Seraphinen-Abende« genannt, entsprechend war Hoffmanns von 1819 ab erscheinende Sammlung von Erzählungen zunächst als »Die Seraphinenbrüder« angekündigt. Nach dem Kalenderheiligen des Tages, an welchem Chamisso von einer Weltreise zurückkehrte (14.11.1818), wurden der Kreis und die Sammlung in »S.« nach dem ägypt. Anachoreten Serapion Sindonita (3.Jh.) umbenannt (Hitzig nennt in seinem Werk »E. T. A. Hoffmanns Leben und Nachlaß«, 1823, dafür fälschlicherweise

den Gründungstag). Dieser Novellenzyklus ist nach dem sog. serapiont. Prinzip gestaltet, d. h. der Integration der Teile aus der Erkenntnis ihrer Heterogenität und die Behandlung des Phantastischen als Realität. In der Rahmenhandlung erscheint der Kreis der S. verschlüsselt nachgebildet.
2. 1921 in Leningrad gegründete literar. Vereinigung, deren Vertreter unter dem Einfluß der apolit. Kunsttheorie des ↗Formalismus (V. Schklowski) eine poetolog. durchschaubare Dichtung, frei von ideolog. und polit. Dogmatismen forderten. Ihr literar. Vorbild war der spannungsreiche und phantasievolle Dichtungsstil E. T. A. Hoffmanns, nach dessen literar. Zirkel ›S.‹ sie sich programmat. benannten. Die sehr bald offizieller Kritik ausgesetzte Vereinigung bestand auf Grund der Förderung durch M. Gorki bis Mitte der 20er Jahre. Zu den S. gehörten als Haupt J. I. Samjatin, ferner der Prosaschriftsteller W. A. Kawerin, W. W. Iwanow, K. A. Fedin, N. N. Nikitin, M. M. Soschtschenko, die Lyriker N. S. Tichonow und Elisabeth Polonskij, der Dramatiker und Theoretiker der S. L. N. Lunz u. a.
☐ *Zu 1:* Winter, I.: Unters. zum serapiont. Prinzip E. T. A. Hoffmanns. Bln./New York 1976.
Zu 2: Drohla, G. (Hrsg.): Die S. von Petrograd, Frkft. 1963.　　　　　　　　　　　　　　　　　　S
Serbische Trochäen, ↗Trochäus.
Serena, f. [von prov. ser = Abend], Gattung der Trobadorlyrik: Liebeslied, das den Abend als Zeit der Zusammenkunft der Liebenden besingt; Name von dem im Refrain vorkommenden Wort *ser*; Gegenstück zur ↗Alba. Bekannter Vertreter: Guiraut Riquier (2. Hä. 13.Jh.).　　PH
Sermo, m. [lat. = Rede, Gespräch, Umgangssprache],
1. in der röm. Antike die der Umgangssprache nahe (auch gebundene) Rede; Horaz bez. z. B. seine Satiren als ›Sermones‹, Cicero empfiehlt für philosoph. Werke den Ton des S., des ruhigen Gesprächs.
2. in der antiken Lehre von der ↗Genera dicendi gleichbedeutend mit ›Stil‹: *s.* (oder *genus*) *simplex, planus, rusticus, humilis* – *s. ornatus;*
3. eine der beiden Hauptarten der mal. ↗Predigt: im Unterschied zur Homilie die gehobene, oft kunstvolle Predigt;
4. heute meist pejorativ als Sermon im Sinne von ›Redeschwall‹, ›langweil. Geschwätz‹, ›Strafpredigt‹.　MS
Sermocinatio, f. [lat. = Rede, Gespräch, Dialog], auch: Percontatio, f. [lat. Frage, Erkundigung], ↗rhetor. Figur: der Redner gibt vor, nicht seine eigene, sondern die Rede eines anderen (auch Verstorbenen) wiederzugeben oder einen Dialog mit einem anderen (dem Gegner, dem Publikum, einem Toten) zu führen. Auch: ↗Ethopoeie.　　S
Serventese, m., italien., inhaltl., nicht formale Entsprechung zum prov. ↗Sirventes: benutzt neben Reimpaarstrophen (13.Jh.) die sog. *S.strophe* aus drei monorimen Versen und kürzerer (3–7-Silber) mit Strophenverkettung durch Reim (häuf. Typus des 13. u. 14.Jh.s: aaab bbbc = *s. caudato*); im 14. u. 15.Jh. auch kompliziertere Formen, jedoch im Ggs. zum Sirventes keine Stollenstrophen; aus einer dreizeil. Sonderform schuf Dante die ↗Terzine.　IS
Sestine, f. [ital. sesto = der sechste], allgemein: sechszeilige Strophe; speziell: eine aus der Provence stammende italien. Liedform aus sechs sechszeil. Strophen und einer dreizeil. Geleitstrophe. Die Einzelstrophe ist in sich nicht gereimt, ihre Endwörter wiederholen sich jedoch in bestimmter Reihenfolge in jeder Strophe so, daß das Endwort des letzten Verses einer Strophe das Reimwort des ersten Verses der nächsten Strophe bildet; in der dreizeil. Schlußstrophe kehren die ↗ident. Reime in der Ordnung der ersten Strophe wieder, und zwar in der Mitte und am Schluß der Verse. Das Originalmaß ist der ↗Endecasillabo (Elfsilber). Die leichtere Form der S. hat folgendes Reimmuster:
1 2 3 4 5 6
6 1 2 3 4 5

5 6 1 2 3 4
4 5 6 1 2 3
3 4 5 6 1 2
2 3 4 5 6 1

Das letzte Reimwort (6) der ersten wird erstes Reimwort der zweiten Strophe. Die folgenden Reimwörter verschieben sich um jeweils eine Position.

Die schwerere Form: Hier wird in kreuzweiser Vertauschung das letzte Reimwort der ersten Strophe zum ersten der zweiten Strophe. Das erste wird zum zweiten, das fünfte zum dritten, das zweite zum vierten, das vierte zum fünften, das dritte zum letzten.

1 2 3 4 5 6
6 1 5 2 4 3
3 6 4 1 2 5
5 3 2 6 1 4
4 5 1 3 6 2
2 4 6 5 3 1

Der Reiz der Sestine beruht, da der Gleichklang entweder unregelmäßig (in der schwierigen Form) oder erst in einem Abstand von sieben Zeilen (in der einfachen Form) erfolgt, nicht auf dem Reimcharakter, sondern auf der Wiederkehr derselben Vorstellungen. Im Deutschen wird diese zur Monotonie neigende Form bisweilen aufgelockert durch Verwendung von Komposita: »Bogen – Regenbogen« oder verschiedenen Präfixen: »genommen – vernommen«. Als Erfinder der S. gilt der prov. Dichter Arnaut Daniel (12. Jh.), sie begegnet dann bei prov. Trobadors und bei zahlreichen italien. Dichtern des 13. bis 16. Jh.s (Dante, Petrarca, Michelangelo, Giovanni Della Casa, Andrea Calmo, Gaspara Stampa). Sie wurde auch in neulatein. (Lydius Cattus, Guido Grandi), in span. (G. de Cetina, F. de Herrera), in portugies. (F. Sá de Miranda, B. Ribeiro, Pero de Andrade Caminha, D. Bernardes, L. de Camões), weniger in franz. Lyrik (Pontus de Tyard) gepflegt und auch im Drama (span.: Lope de Vega; portugies.: A. Ferreira) und in der ↗Schäferdichtung häufig verwendet (italien.: J. Sannazaro; span.: J. Montemayor, Gaspar Gil Polo, M. de Cervantes; engl.: E. Spenser, Ph. Sidney; dt.: M. Opitz). Im Italien des 16. Jh.s entwickelte sich die *Doppel-S.* mit zwölf Reimwörtern (oder mit doppelter Abwandlung der gleichen Reimwörter in zweimal sechs Strophen). – In der dt. Barockdichtung erscheint sie bei M. Opitz, Hans Assmann von Abschatz, G. R. Weckherlin, A. Gryphius, Ph. Harsdörffer (mit ↗Alexandrinern oder ↗vers communs), sie wird wieder von den Romantikern aufgegriffen (Lyrik: J. von Eichendorff, F. Rückert, L. Uhland; Drama: Z. Werner, W. v. Schütz, Sophie Bernhardi; Dialog: F. de la Motte Fouqué, O. von Loeben), in neuerer Dichtung bei R. Borchardt, E. Křenek. – In der engl. Lyrik hat die S. auch in neuerer Zeit bedeutsame Gestaltungen erfahren (E. Gosse, A. C. Swinburne, R. Kipling, Ezra Pound, W. H. Auden).

📖 Riesz, J.: Die S. Ihre Stellung in der literar. Kritik und ihre Geschichte als lyrisches Genus. Diss. Mchn. 1971. GG

Shakespearebühne, die ↗Bühne des elisabethan. Theaters, eine Weiterentwicklung des neutralen Bühnenpodiums; sie unterscheidet sich von anderen Bühnenformen des 16. Jh.s (Meistersinger-Bühne, Terenz- oder Badezellenbühne, Rederijker-Bühne) durch eine differenziertere Raumordnung, wie sie erst durch die (in London seit 1576 nachweisbaren) festen Theaterbauten (»The Theatre«, 1576; »The Curtain«, 1577; »The Rose«, 1587; »Swan-Theatre«, 1595; »Globe-Theatre«, das bedeutendste, 1599 anstelle des abgerissenen »The Theatre« erbaut; »Red-Bull-Theatre«, 1605; »Hope-Theatre«, 1613) mögl. wurde. Es handelt sich, im Gegensatz zu späteren Theaterbauten, nicht um Saaltheater (in England seit 1605 – »Whitefriars Theatre« – nachweisbar), sondern um nach oben offene oktogonale Bauten. Ihre Rekonstruktion im einzelnen ist umstritten. Folgende Grundform ist erschließbar: Eine der acht Seiten des Bauwerks wird durch das *Bühnenhaus* eingenommen (nach den in seinem rückwärtigen Teil gelegenen Umkleideräumen für die Schauspieler »tiringhouse« benannt), die sieben anderen Seiten durch die drei übereinanderliegenden, ringsumlaufenden Zuschauergalerien, die durch ein nach innen abfallendes Dach geschützt sind; der freie Innenhof dient als Stehparkett. Aus dem Bühnenhaus ragt, etwa mannshoch, in Höhe der 1. Galerie, die trapezförmige, durch eine niedere Balustrade eingefaßte Spielfläche (13 × 8 m) der *Vorderbühne* (stage) in das Parterre vor. Im unteren Teil des Bühnenhauses, gegen die Vorderbühne durch einen Vorhang verschließbar, befindet sich die *Hinterbühne* (innerstage, study), die v. a. zur Darstellung von Innenräumen (Saal, Kirche, Gefängnis) dient und die, für besonders aufwendige Innenraumszenen (Kronrat, Gerichtsversammlung) auch mit der Vorderbühne zusammen einen größeren szen. Raum bilden kann. Links und rechts des Hinterbühnenportals sind z. T. Doppeltüren, die v. a. für Torszenen gebraucht werden, hinter denen aber auch der Souffleur sitzt. Beide Doppeltüren können von Säulenpaaren umrahmt sein (in Lauschszenen als Versteck verwandt), die ihrerseits zwei aus dem Bühnenhaus vorspringende Erker (mit Fenstern – für Fensterszenen) und einen die Erker verbindenden, nach vorn durch eine Balustrade abgegrenzten Balkon (tarras) tragen können. Im oberen Teil des Bühnenhauses, zwischen den Erkern, zum Balkon hin durch einen Vorhang verschließbar, befindet sich ein zweiter Innenraum (chamber). Tarras (für Balkonszenen, Szenen auf Wehrtürmen, Stadtmauern usw.) und chamber bilden zusammen die *Oberbühne*, etwa in Höhe der 2. Galerie. Ebenfalls im Bühnenhaus, noch über der Oberbühne und in Höhe der 3. Galerie, befindet sich eine Loge für die Musikkapelle. In der Vorderbühne ist eine Versenkung (hell) eingebaut. Die gesamte Spielfläche der Vorderbühne ist durch einen über der Musikloge aus dem Bühnenhaus vorspringenden und von zwei hohen Säulen gestützten *Baldachin* (heaven, auch: the shadow) überdacht. Auf diesem Baldachin befinden sich ein Glockenturm sowie die Donner-, Blitz- und Windmaschine. Die ganze Bühne ist farbenprächtig gestaltet. Illusionslose Dekorationselemente fehlen allerdings; dargestellt ist ein Neutralraum, der erst durch das gesprochene Wort in einen Bedeutungsraum verwandelt wird. Daher finden auch nur einfache Requisiten Verwendung (Tisch, Stuhl, Bank, etc., selten Busch, Baum oder Grabstätte). – Durch ihre Vielzahl von Raumelementen ermöglicht die Sh. einen raschen Szenenwechsel; durch das Wechselspiel der Räume gewährleistet sie die Lebendigkeit der Aufführung. Gleichwohl wurde sie im 17. Jh. durch die barocke Illusionsbühne (eine Form der Saalbühne) verdrängt, sowohl in England als auch auf dem Kontinent, wo die Wanderbühne (↗engl. Komödianten) die Elemente ihrer Raumordnung (Vorderbühne mit Versenkung, Hinterbühne, Oberbühne) zunächst beibehielt. Seit der Romantik gibt es zahlreiche Versuche einer Erneuerung der Sh. (L. Tieck, K. L. Immermann, K. v. Perfall, The Elizabethan Stage-Society, gegr. 1895 u. a.). Die von T. Guthrie entworfene Sh. in Stratford (Ontario) beeinflußte die neuere Theaterarchitektur, z. B. das National Theatre in London 1976.

📖 Schabert, J. (Hrsg.): Shakespeare-Handbuch. Stuttg. ²1978. – Gurr, A.: The Shakespeare stage 1574 to 1642. London 1970. – Nüssel, H.: Rekonstruktionen der Sh. auf dem dt. Theater. Diss. Köln 1967. – Chambers, E. K.: The Elizabethan stage. 4 Bde. Oxford 1923, Nachdruck Oxf. 1961.　K

Shanty, n. [ˈʃænti, engl., von frz. chanter = singen], ↗Arbeitslied der Seeleute, meist Wechsel von Solo (des *Sh.-man*) und Chorrefrain; bekanntes Beispiel: *What shall we do with the drunken sailor?* – Bewahren z. T. altes Sagengut, daher heute gesammelt.

📖 Shanties. Hrsg. u. komm. v. H. Strobach. Rostock ²1970.　S

Short Story ['ʃɔːt 'stɔːri; engl.-amerikan. = Kurzge-
schichte], amerikan. literar. Gattung: kurze, gedrängte realist. Erzählform in Prosa; entwickelt im 19. Jh. im Rahmen
der zunehmenden Bedeutung und Beliebtheit literar. Zeitschriften und Magazine aus älteren narrativen Formen wie
imaginativem Kurzroman, Novelle, Märchen (tales) einerseits und den mehr faktenbestimmten Anekdoten und Skizzen (sketches) andererseits, zwischen denen sie heute eingeordnet wird (vgl. dagegen die engere Definition der dt.
↗Kurzgeschichte). Als *Vorläufer* der sh. st. werden in der
amerikan. Literaturwissenschaft daher realist. Erzähler von
Boccaccio und Chaucer bis H. v. Kleist, E. T. A. Hoffmann,
N. Gogol oder Prosper Mérimée genannt; als eigentl.
Begründer der sh. st. gelten W. Irving (»Sketch-book«,
1819–20) und J. K. Paulding (»Tales of the good woman«,
1836). *Theoret.* definiert (als »a certain unique effect to be
wrought out«; in der Rezension zu N. Hawthornes »Twice
told Tales«, 1842) und *prakt. zur Kunstform erhoben* wurde
die sh. st. durch E. A. Poe (Sammlung »Tales of the Grotesque and Arabesque«, 1840, mit den Musterbeispielen »The
Fall of the House of Usher«, »Ligeia«, »Eleonora« u. a.).
Fast alle bedeutenden amerikan. Autoren versuchten sich
(z. T. auch theoretisch) danach in dieser neuen Kunstform,
die in Amerika infolge des Fehlens einer Romantradition
und des großen Bedarfs an Zeitschriften bis zur Jahrhundertwende zur beliebtesten literar. Gattung wurde. Zu nennen sind N. Hawthorne, H. Melville (»Bartleby«, 1856),
Mark Twain, Ambrose Bierce, W. Dean Howell; der Höhepunkt ist mit den sh. stories von H. James und O. Henry
erreicht. Erst im 20. Jh. wird die durch Poes Definition
geprägte sh. st. modifiziert zugunsten der Gestaltung
unspektakulärer Ereignisse und größerer Sensibilität für
formale Eigengesetzlichkeiten (vgl. die sh. stories von E.
Hemingway, D. H. Lawrence, W. Faulkner, E. Caldwell, J.
Steinbeck, Sh. Anderson, Kath. Mansfield, K. Anne Porter
u. a.). Seit in jüngster Zeit die Zahl der literar. Zeitschriften
und damit die weitgefächerte Rezeption der sh. st. (zugunsten anderer Medien) abnimmt, wird sie immer mehr zur
Experimentierform und findet entsprechend ein neues
intellektuell anspruchsvolles Publikum, vgl. die sh. stories
von Donald Barthelme (Montagetechnik) und v. a. die
international nachgeahmten »Ficciones« von Jorge L. Borges (1944). Auch *in Europa* fand die sh. st., insbes. in der
Nachfolge Poes, ihre Vertreter, so in Frankreich Ch.
Nodier, G. de Nerval, A. Daudet (»Contes du Lundi«,
1873), G. de Maupassant und Paul Morand, in England R.
Stevenson, R. Kipling, H. G. Wells, J. Galsworthy, E. M.
Forster, G. Orwell, in Rußland Ivan Krylos und N. Gogol
(»Der Mantel«, 1842) auf den Poe neben E. T. A. Hoffmann zurückging, M. Lermontov, I. Turgeniew u. v. a. A.
Tschechow, in Italien A. Moravia oder B. Tecchi.
⌑ Shaw, V.: The Sh. st. London ²1985. – Allen, W.: The
sh. st. in English. Oxford 1981. – Ahrends, G.: Die ameri-
kan. Kurzgeschichte. Stuttg. 1980. – Lubbers, K.: Typolo-
gie der Sh. st. Darmst. ²1989. – Weber, A./Greiner, W. F.
(Hrsg.): Sh.-st.-Theorien (1573–1973). Eine Slg. u. Bibliogr.
engl. u. amerik. Quellen. Kronberg 1977. – Freese, P.
(Hrsg.): Die amerikan. sh. st. der Gegenwart. Bln. 1976. –
Freese, P.: Die amerik. Kurzgesch. nach 1945. Frkft. 1974.
– Bungert, H. (Hrsg.): Die amerikan. sh. st. Theorie u. Entwicklung. Darmst. 1972.   ED

Sideronym, n. [lat sidus, sideris = Stern, gr. onoma =
Name], Sonderform des ↗Pseudonyms: statt des Verfassernamens steht ein Sternenname oder ein astronom. Begriff,
z. B. Sirius für U. van de Voorde (1893–1966).   S

Sieben Freie Künste, ↗Artes.

Sigle, Sigel, n. [von lat. sigla, Pl., synkopiert aus sigilla, Pl.
von sigillum = Abkürzungszeichen, Abbreviatur – oder
von lat. singulae = singulae litterae = einzelne
Buchstaben], feststehendes Abkürzungszeichen für ein
Wort (§ = Paragraph), eine Silbe (⁻ = en, ˢ = er) oder

einen Begriff (bes. bei Handschriften und Drucken: C =
Große Heidelberger Liederhandschrift). Gebräuchl. in
Buch- und Kurzschriften seit dem Altertum, heute v. a. in
wissenschaftl. Werken (textkrit. ↗Apparat, ↗conspectus
siglorum), ↗Abkürzung.   S

Silbenreim, Reimbindung, die auf Silben basiert (↗End-
reim, ↗Binnenreim, ↗Schlagreim usw.) im Unterschied
zum bloßen *Lautreim* (↗Alliteration, ↗Stabreim, ↗Asso-
nanz).   S

Silbenzählendes Versprinzip, im Unterschied zum
↗akzentuierenden oder zum ↗quantitierenden Versprinzip
wird im s. V. der Umfang eines Verses allein durch eine vorgeschriebene Anzahl von Silben bestimmt; begegnet in der
abendländ. Dichtung zuerst in der mittellat. rhythm.-akzen-
tuierenden christl. Dichtung und Vagantenpoesie (vgl.
Beda »De arte metrica«, um 700), nachdem durch den Einfluß des dynam. Akzentes der Volkssprachen das genuine
Gefühl für Silbenquantitäten verloren gegangen war. Das
führte zur Festlegung einer bestimmten Silbenzahl pro Vers
(Isosyllabismus); meist wurde nur der Reihenschluß durch
einen festen Akzent aufgezeichnet, in einem Elfsilber z. B.
die 4. u. 10. Silbe (silbenzählend-akzentuierender Vers).
Dieses s. V. wurde dann zum Hauptkriterium v. a. für den
franz. Vers; es findet sich schon in den ersten literar. Zeugnissen der franz. Dichtung: die Verse sind allerdings nur bis
zur letzten betonten Silbe gezählt, da hier der betonte
(oxytone) Versausgang übl. war, im Unterschied zur italien.
Dichtung, in der Verse mit weibl. (paroxytonem) Versausgang die Regel sind; so entspricht der franz. Zehnsilbler im
Italien. einem Elfsilber (↗Endecasillabo). Der Umfang
des franz. Verses schwankt vom 10.–20. Jh. zwischen 2 und
24 Silben. In der Verslehre ist es strittig, ob der Versrhythmus durch eine regelmäß. Wechsel von betonten und
unbetonten Silben bestimmt wird (Alternationstheorie)
oder ob die Akzentuierung unfest ist. Oft sind die Verse
durch eine Zäsur gezählt; als Auswirkung des Zusam-
menstoßens zweier Vokale (Hiat, Elision, Synalöphe) ist in
Regeln gefaßt (↗Prosodie). – Der älteste franz. Vers ist der
Achtsilber (10. Jh. »Leodegarleben«), der vorherrschende Vers der erzählenden Dichtung blieb entsprechend
dem dt. Vierheber; es folgen der *Zehnsilber* (↗vers commun, 11. Jh., »Alexiuslied«, im Gefolge des »Rolandslie-
des« der Vers des Heldenepos) und der *Zwölfsilber* (12. Jh.,
»Karlsreise«, auch ↗Alexandriner nach seiner Verwendung im »Alexanderroman«, 2. Hä. 12. Jh.), der im 13. Jh.
den 10-Silber verdrängte. V. a. in der prov. u. franz. Lyrik
wurde eine Fülle von Versformen ausgebildet, die von 3- bis
14-Silbern reichen. In der dt. Dichtung findet sich das s. V.
im ↗Meistersang: Das Übergewicht der Melodie führte
dazu, daß die Verslänge nach Silbenzahlen bestimmt wurde
und die Bedeutung des sprachl. Akzentes zurücktrat; die
meist angestrebte strenge Alternation und das s. V. führten
dabei z. T. zu starken ↗Tonbeugungen; diese Erscheinungen finden sich im 16. Jh. auch im Kirchenlied und im strengen ↗Knittelvers (8–9 Silben, Hans Sachs). Das s. V. verschwand im 17. Jh. durch die Forderung der Übereinstimmung von Vers- und Sprachakzent (M. Opitz) wieder
aus der dt. Dichtung.   S

Silberne Latinität, f., auch silbernes Zeitalter, Bez. für
die röm. Lit. im 1. Jh. n. Chr. Darunter fallen u. a. in der
Prosa Seneca, Quintilian, Plinius, Tacitus, in der Poesie
Lucan, Martial, Iuvenal, Status. Als gemeinsames Merkmal gilt das durch den polit. und gesellschaftl. Verfall sich
einstellende gebrochene Verhältnis zur kaiserzeitl. Gegenwart, sowie damit verbunden die Abkehr vom Stil Ciceros
in der Prosa und dem Vergils und Horaz' in der Poesie (vgl.
↗Goldene Latinität, ↗Antike). Der *Begriff* entstammt dem
seit Hesiod (im lat. v. a. Ovid, Met. I, 89 ff.) geläufigen Mythos der vier als golden, silbern, bronzen und ehern metaphor. benannten Weltalter, in dem sich das Bewußtsein
vom stetigen Abstieg der Geschichte bis zum Tiefpunkt der

Gegenwart versinnbildlicht. Die Übertragung auf die Literaturgeschichte erfolgte in engem Zusammenhang mit der Kanonbildung vermeintl. klass. Autoren, nach Ansätzen im MA. (Aimericus, Konrad v. Hirsau, 12. Jh.) in diesem bestimmten Sinne erstmals bei Erasmus (»Seneca«, 1529), verbreitet im Humanismus und Barock (Scioppius, Borrichius, Walch), bei Herder und F. Schlegel (Athenäum I, 2 [1798]: Fragmente).   DW

Sillen, m. Pl. [von gr. sillos, m. = Spott, Spottgedicht], altgriech. philosoph.-satir. Gedichte; *Hauptvertreter* Timon von Phleius (3. Jh. v. Chr.), der in drei (fragmentar. erhaltenen) Büchern »Silloi« (daher die Bez.) die dogmat. Philosophie verspottet. Da er Xenophanes von Kolophon auftreten läßt, wird auch dessen Satire gegen anthropomorphe Gottesvorstellungen zu den S. gerechnet. Als weitere *Sillographen* gelten die Kyniker Krates von Theben und Menippos von Gadara.   S

Silva, f., span. unstroph. Gedichtform aus Elf- und Siebensilblern in beliebig langer Reihung und Anordnung; die Verbindung von Assonanzen (seltener Reime) ist frei, reimlose Verse sind erlaubt. Die S. ist italien. Ursprungs u. verdrängte auf Grund ihrer leichteren Handhabung die ∕Lira. Eine Sonderform ist die *S. arromanzada,* in der jeder 2. Vers durch Assonanz gebunden ist.   IS

Silvae, f. Pl. [lat. = Wälder], Sammlung von Entwürfen (so Quintilian, X, 3, 17), Gedichten oder Prosatexten zu einem Thema, bekannt v. a. durch die »S.« des Statius (1. Jh. n. Chr.; 32 Gelegenheitsgedichte in 5 Büchern, meist in Hexametern); bis ins 18. Jh. beliebter Titel, vgl. z. B. die »S.« von A. Poliziano (15. Jh., Einführung in klass. Autoren) oder die »Silva« von Hieronymus Lauretus (1570, allegor. Deutungen von Bibelstellen). – Verdeutscht erscheint S. als »Poet. Wälder« (Gedichtsammlung von Ch. Gryphius, 1698), »Krit. Wälder« (Titel der von J. G. Herder 1769 »ohne Plan und Ordnung« verfaßten literatur-krit. Schrift) oder »Altdt. Wälder« (Zeitschrift, hrsg. von J. und W. Grimm, 1813–1816); auch ∕Leimon-Literatur.   DW*

Simodie, f., ∕Hilarodie.

Simpliziade, f., Schelmen- und Abenteuerroman des 17. und frühen 18. Jh.s, der, angeregt durch den kommerziellen Erfolg von H. J. C. v. Grimmelshausens »Simplicissimus« (1668), meist zu Reklamezwecken Bezeichnungen wie »simplicianisch«, »Simplicius« usw. im Titel enthält. Manche S.n können als versuchte Imitationen oder erweiternde Kompilationen des »Simplicissimus« gelten. Die meisten als S.n bez. Romane aber ähneln sich ledigl. im Titel; sie sind höchst unterschiedlichen Inhalts und haben mit Grimmelshausens Werk meist nur wenig gemein. Die bekanntesten S.n sind die noch direkt in der Tradition des »Simplicissimus« stehenden pikaresken Abenteuerromane »Der simplizianische Welt-Kucker« (1677–79) von J. Beer und »Ungarischer oder Dacianischer Simplicissimus« (1683) von D. Speer. Die meisten späteren S.n entfernen sich immer mehr von ihrem Vorbild; schon mit der Übersetzung der ersten beiden Teile von R. Heads »The English Rogue« (1665 ff.), dem nur im Titel an Grimmelshausen erinnernden »Simplicianischen Jan Perus« (1672), setzt eine gewisse Verbürgerlichung des pikaresken Helden ein.

▢ Friedländer, E. M.: Etale homotopy of simplicial schemes. Princeton 1982. – Weydt, G.: Hans Jacob Christoffel v. Grimmelshausen. Stuttg. ²1979 (SM 99). ∕Schelmenroman.   KH

Simultanbühne [zu lat. simul = zugleich], bevorzugte Bühnenform des ∕geistl. Spiels des MA.s: auf oder um den Spielplatz (meist dem Markt, z. T. auch nur einem gr. Podium: Bühne des Kölner Laurentiusspiels, 1581) sind alle für die Handlung erforderl. Aufbauten u. Kulissen zugleich (lat. = *simul*) angebracht. Somit erübrigt sich ein Szenenwechsel: die Schauspieler ziehen von ihren »Häusern« (*loca, mansiones,* Spielorten, z. B. Haus des Kaiphas, des Herodes usw.) zum Ort des jeweils nächsten Gesche-

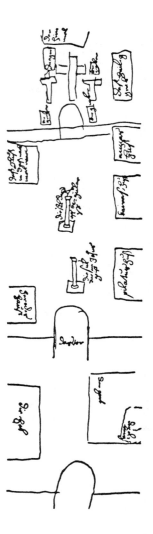

Plan der Passionsspiele in Villingen, Anfang des 16. Jh.s.
Nach einer Handschrift in der Hofbibliothek
Donaueschingen

hens, oft aufgerufen von einem *evocator* oder ähnl. genannten Spielleiter. Himmel u. Hölle sind auf dieser S. meist an den entgegengesetzten Enden der Spielebene angesiedelt. – Im modernen Theater wieder aufgegriffen, z. B. von Otto Devrient, der aber bei seiner Weimarer »Faust«-Aufführung 1876 von der falschen Annahme einer im MA. gebräuchl. dreistöckigen Bühne ausging. Die Technik mehrerer gleichzeit. sichtbarer (auch vertikal angeordneter) Schauplätze benutzten auch J. N. Nestroy (»Das Haus der Temperamente«), F. Bruckner (»Die Verbrecher«, »Elisabeth von England«), Arthur Miller, Tennessee Williams oder das ∕Living Theatre; bei Ariane Mnouchkine findet sich die S. als Regiekonzeption (»1789«, eine polit. Revue). ∕Bühne.   GM

Simultantechnik, [zu lat. simul = zugleich], moderne literar. Technik, die versucht, die Mehrschichtigkeit eines Wirklichkeitsausschnitts, seine Dichte, Komplexität und seine Verflochtenheit in heterogenste Zusammenhänge zu verdeutlichen, das für die Dichtung an sich konstitutive zeitl. Nacheinander einer Geschehniskette zu durchbrechen; sie will (im Unterschied etwa zum naturalist. ╱Sekundenstil) nicht einen exakten Längsschnitt, sondern den Eindruck eines zeitl.-räuml. Querschnitts hervorrufen. Mittel sind die ╱Montage simultan ablaufender, aber disparater Wirklichkeitsausschnitte, kurzer Porträts oder Szenen, und die disparate, abrupte Reihung und Einblendung von Realitätssplittern wie Gesprächsfetzen, ╱Stream of consciousness-Passagen, Zitaten (z. B. aus Schlagern), Zeitungsausschnitten oder Schlagzeilen, Werbeslogans, Geräuschen usw. Findet sich v. a. in Romanen, welche die Vielfarbigkeit des Großstadtlebens widerspiegeln wollen, wie J. Dos Passos, »Manhattan Transfer« (1925), A. Döblin, »Berlin Alexanderplatz« (1929), auch J. Joyce, »Ulysses« (1922), aber auch in Gedichten (Simultangedichte des ╱Dadaismus). Auch ╱Collage.   S

Singspiel, Zwischenform zwischen Schauspiel und Oper, gehört sowohl zur Literatur- als auch Musikgeschichte, wobei der Anteil und das Gewicht der Musik über den Grad der Annäherung an die Oper entscheidet. In seinen *Anfängen* ist das S. eine literar. Gattung, i. d. Regel ein einfaches Schauspiel mit musikal. Einlagen (v. a. volkstüml. Liedern mit und ohne Instrumentalbegleitung). Solche Formen finden sich bereits im antiken Mimus, in mal. weltl. und geistl. Spielen, z. B. in der dialogisierten ╱Pastorelle »Le Jeu de Robin et Marion« (um 1280) von dem franz. Dichterkomponisten Adam de la Halle oder in der anonymen ╱Chantefable »Aucassin et Nicolette« (Anfang 13. Jh.). Eine erste Epoche eines *ausgebildeten S.s* läßt sich im 16. Jh. ausmachen, in welchem die Entwicklung in Italien über Intermedien (╱Intermezzo), Madrigalkomödien und Mysterienspiele auf der Oper zusteuert (auch wenn deren Schöpfer antike Vorbilder wiederzubeleben glaubten). Zur selben Zeit entwickelten die ╱engl. Komödianten eine S.form, für welche die ╱lust. Person und musikal. Einlagen konstitutiv wurden, eine Ausprägung, die ihnen auch in anderssprach. Ländern (auf dem Festland) Wirkung garantierten. Von diesen reisenden engl. Komödiantentruppen ist wohl auch der *älteste dt. S.dichter* beeinflußt: der in der Tradition der Nürnberger ╱Fastnachtspiele stehende J. Ayrer. Sein Stück »Die Erziehung des bösen Weibes« trägt den gattungsmarkierenden Untertitel »Ein schöns neus singet Spil«. Die Melodie zu dem stroph. angelegten Text stammt von J. Regnart. Nach vereinzelten Versuchen im *17. Jh.* (z. B. J. Rist, »Das friedejauchzende Teutschland«, 1653 oder das von Ch. Weise für die Zittauer Schulbühne verfaßte S. »Die betrübte und getröstete Galatheee«) bildet sich eine breitere S.-Tradition in Deutschland erst *im 18. Jh.* heraus. Basis dieser S.e wird das Schäferspiel, z. T. mit offener Wendung gegen die barocke Prunkoper. Auch hier ging England wieder voraus mit der Opernparodie »The Beggar's Opera« von J. Gay (Text) und J. Ch. Pepusch (Musik), 1728 (╱ballad opera). – In Frankreich sind zu nennen J. J. Rousseau mit »Le devin de village« (1752) und v. a. als der erfolgreichste S.autor der Zeit Ch.-S. Favart (1710–92), dessen Texte auch Vorbild für mehrere dt. S.e wurden (Hiller, Mozart, Goethe). Der *erste bekanntere dt. S.autor* ist Ch. F. Weiße, dessen Zusammenarbeit mit dem Komponisten J. A. Hiller bes. fruchtbar wird: Bei ihnen wird das Schäferspielschema gleichsam verbürgerlicht, die Musik wird (im Vorgriff auf Mozarts »Zauberflöte«) ständisch differenziert (Bürgermädchen singen mehr volksliedhafte Melodien, Adlige Arien), vgl. z. B. als ihre erfolgreichsten S.e »Die Jagd« (1770) und »Lottchen am Hofe« (1767, nach Favart). Mundartl. S.texte verfaßte der oberschwäb. Prämonstratenser-Pater S. Sailer (»Die Schöpfung«, 1743

u. a.). Als S.autoren versuchten sich auch Ch. M. Wieland (»Aurora«, 1772; »Die Wahl des Herkules«, 1773, Musik A. Schweitzer) und Goethe, der sich v. a. von Hiller anregen ließ und zu dessen Texten u. a. J. F. Reichardt die Musik schuf; vgl. u. a. »Erwin und Elmire« (1774), »Claudine von Villa Bella« (ein Schauspiel mit Gesang, 1776, vertont u. a. auch von F. Schubert), »Jery und Bätely« (1779). Mit den S.n Mozarts triumphierte erstmals die Musik eindeutig über den Text, so schon bei seinem frühen S. »Bastien und Bastienne« (1768) bis hin zur »Zauberflöte« (1791). S.texte vertonten auch Ch. W. Gluck (z. B. »Die Pilgrime von Mekka«, 1764, ein Vorläufer von Mozarts »Entführung«) und K. Ditters von Dittersdorf (»Dichter und Bauer«, 1786). Eine *Sonderform* bilden die Wiener ╱Zauberstücke mit Musik, z. B. von W. Müller (»Kaspar als Fagottist«, 1791, das Vorbild für Mozarts »Zauberflöte«) oder P. Wranitzky (»Oberon«, 1789) u. a. Einen *Nachklang* zum S. des 18. Jh.s liefern die Romantiker E. T. A. Hoffmann (»Die Maske«, 1799), L. Tieck (»Das Ungeheuer und der verzauberte Wald«, 1797/98) und C. Brentano (»Die lustigen Musikanten«, 1805, Musik von E. T. A. Hoffmann, der auch Goethes »Claudine von Villa Bella« komponierte). Im *19. Jh.* entwickelt sich das S. in zwei Richtungen weiter: 1. zur sog. *Spieloper* (Hauptvertreter als Textdichter und Komponist A. Lortzing);
2. zur *Operette:* Jacques Offenbach (1. Beispiel: »Die Verlobung bei der Laterne«, 1858) und bes. die Wiener Operette: J. Strauß (1. Operette »Indigo«, 1871), F. von Suppé (»Boccaccio«, 1879), K. Millöcker (»Der Bettelstudent«, 1882). Kennzeichnend für die Entwicklung im 19. Jh. ist, daß an die Stelle eines eigenwertigen S.textes immer mehr das der Musik untergeordnete ╱Libretto tritt.
📖 Das dt. S. im 18. Jh. (= Gesch. d. Lit. u. Kunst des 18. Jh.s Bd. 5). Heidelbg. 1981. – Schusky, R.: Das dt. S. im 18. Jh. Bonn 1980. – Schletterer, H. M.: Das dt. S. von seinen ersten Anfängen bis auf die neueste Zeit, mit einer Slg. v. Textbüchern und Auszügen. Augsb. 1863, Nachdruck Hildesheim 1975. – Koch, H.-A.: Das dt. S. Stuttg. 1974 *(mit Bibliogr.).* – RL.   S

Sinngedicht, im Barock geprägte Bez. für ╱Epigramm.   S

Sinnspruch, kurzer, prägnanter Satz, ╱Motto, ╱Maxime, ╱Denkspruch, bes. Inschrift auf Wappen, Waffen, Schilden, Helmen, Fahnen (Devise, Wahlspruch), gewählt als eth. oder polit. Programm; belegt seit dem 18. Jh., die ältere Form ›Sinnenspruch‹ (C. Stieler, 17. Jh.) bez. ursprüngl. die Überschrift (Lemma, Motto) eines ╱Emblems.   S

Sirima, Sirma, f. (it.), ╱Coda, ╱Stollenstrophe.

Sirventes, n. [prov. = Dienergedicht, von prov. sirven = Diener, Kriegsknecht], eine der Hauptgattungen der Trobadorlyrik neben der ╱Canso; ursprüngl. weder durch Inhalt noch Form festgelegte Auftragsdichtung (vgl. Bez.), später eingegrenzt auf spielmänn. Dichtung (Scherz, Spott und Satire), die von der Kunstlyrik der Trobadors zunächst streng geschieden war, ab Mitte 12. Jh. aber zunehmend in diese integriert wurde (endgült. seit Bertran de Born, ca. 1190). Die frühesten Beispiele gehen auf den Joglar Marcoat zurück und stehen noch in der Tradition der Spielmannsdichtung, die auch in dem durch Guiraut de Bornelh, Dalfin d'Alvernhe und Raimon de Miraval repräsentierten *S. joglaresc* fortlebt. Neben diesem sind in der 2. Hä. d. 12. Jh.s aus polit. motivierte *Rüge-S.* (Guilhem de Berguedan), das *Kriegs-S.* sowie das polit. *Moral-S.* belegt (Bertran de Born). V. a. dieses erhielt im trobadoresken Gattungssystem eine neue Funktion, indem es wirklichkeitsbezogen alles kritisierte, was in der polit. und gesellschaftl. Realität der in der Canso gepriesenen höf. Idealwelt entgegengestellt, wobei es neben einfacheren (3–4zeil. Strophen mit Reimverkettung) in zunehmendem Maße auch die kunstvollen Formen der Canso (╱Cobla) benutzte. – Im 14. Jh. griff das S. auch relig. Themen auf,

z. B. das Marienlob. – Dem S. entspricht in Nordfrankr. das *Serventois;* ähnl. ist der ital. ╱Serventese.

Ļ Rieger, D.: Gattungen und Gattungsbezeichnungen der Trobadorlyrik. Unters. zum altprov. S. ZfrPh. 148 (Beiheft), Tüb. 1976.   PH*

Sittenstück, Bez. für ein Drama, das zeitgenöss. Gebräuche, Moden, sinnentleerte oder korrumpierte Sitten – oft nur einzelner Stände oder Gesellschaftsschichten – in krit. Absicht darstellt (Variante des ╱Zeitstücks). Gestalter. Mittel sind die isolierende, typisierende Behandlung des Problems in realist.-milieugetreuer Einkleidung. Meist sind S.e (Typen-)Komödien, die in karikierten Typen und Situationen die zu tadelnden Sitten dem Lachen ausliefern. Das S. findet sich vorwiegend in Zeiten polit. Restriktion, in denen Kritik an öffentl., polit.-gesellschaftl. Zuständen unterdrückt wird. Es entsteht erstmals im 3.–2. Jh. v. Chr. während des Niedergangs der demokrat. Polis in Athen (*neue att. Komödie*, Menander), dann v. a. im 17. Jh.: im Spanien der Gegenreformation als ╱ *Mantel- und Degenstück* (das gesellschaftl. Normverletzungen thematisiert, Lope de Vega), im Frankreich Ludwigs XIV. als sog. *comédie d'observation* (v. a. Molière, z. B. »Les précieuses ridicules«, Dancourt), im England der Restaurationszeit als ╱ *Comedy of manners* (die die äußerl. Imitation aristokrat. Sitten ironisiert, J. Dryden, G. Etherege, W. Congreve). – Weiter findet sich das S. wieder im 19. Jh.: in Frankreich v. a. propagiert von der theoret. Forderung des ›*théâtre utile*‹, d. h. des Theaters als Mittel des sozialen Engagements, einerseits als *comédie de mœurs*, als ernstes Sitten- und Thesenstück (A. Dumas d. J., E. Augier, E. Brieux), aber auch als witzig iron., publikumswirksames ╱Salonstück, als ╱Boulevard- und ╱Konversationskomödie (E. Scribe, V. Sardou, E. Labiche, E. A. Feydeau), die auch in England ihre Vertreter fanden (O. Wilde, F. Lonsdale, S. Maugham); in Deutschland erscheint es v. a. als Tendenz- oder ╱Lokalstück im polit. Vormärz (Junges Deutschland; H. Laube, E. v. Bauernfeld, »Republik der Thiere«, 1848) und im Naturalismus (O. E. Hartleben, G. Hauptmann, H. Sudermann), aber auch noch, satir. zugespitzt, bei C. Sternheim.   IS

Situationsfunktion, poetolog. Begriff, bezogen auf Gestalten, Handlungselemente, Motive in literar., v. a. dramat. Werken, deren Funktion sich ledigl. auf eine bestimmte Situation beschränkt (z. B. Nebengestalten im Drama [Boten, Intriganten, ╱Deus ex machina] oder auch im mal. höf. Roman). Sie sind nur insoweit ausgeführt, wie sie für den Fortgang der Handlung notwendig sind, führen also keine Eigenexistenz, besitzen keine eigene Wertigkeit.   S

Situationskomik, ╱das Komische.

Situationskomödie, ihre kom. Wirkung wird durch Verwicklungen der Handlungsstränge, meist durch Verkettungen von überraschenden Umständen, Verwechslungen oder ╱Intrigen hervorgerufen (dann auch: Verwechslungskomödie, Intrigenkomödie); z. B. Shakespeare, »Komödie der Irrungen«. Eine S. kann zugleich ╱Charakterkomödie (Shakespeare, Molière), aber auch ╱Typenkomödie sein (╱Commedia dell'arte, ╱Boulevardkomödie oder etwa die moderne Kriminalkomödie); treten Motivation und Glaubwürdigkeit der kom. Situationen zurück, wird die Grenze zu ╱Posse, Farce, Burleske, die ebenfalls von der Situationskomik leben, überschritten.   IS

Situationslied, auch Rückblickslied, Typus des altisländ. (edd.) ╱Heldenliedes, in dem kein fortschreitendes Geschehen (╱Ereignislied), sondern eine stat. Situation vorgestellt wird, etwa die an Sigurds Leiche sitzende klagende Gudrun (»Gudruns Gattenklage«); weitere S.er in der »Edda« in der Form von *Frauenelegien* sind »Gudruns Lebenslauf«, »Gudruns Sterbelied«, »Oddruns Klage«.   S

Sizíliane, f., auch sizilian. ╱Stanze; aus Sizilien stammende Sonderform der Stanze mit nur zwei Reimklängen in der Form eines doppelten Kreuzreims: abab/abab. Dt. Nachbildungen (als 5füßige Jamben mit wechselnd männl.

und weibl. Reimen) bei F. Rückert (im »Taschenbuch für geselliges Vergnügen«) u. häufig bei D. v. Liliencron (z. B. »Sommernacht«).   GG

Skalde, m. [altnord. skáld = Dichter, evtl. zur Wortsippe ›Schelte‹ gehörig, also ursprüngl. vielleicht ›Schmähdichter‹, oder von ir. *scël* = Erzählung, Spruch, also ursprüngl. ›Sprecher, Dichter‹], norweg. und isländ. Dichter des 9.–14. Jh.s; die S.n waren als Hofdichter der norweg. Königshöfe meist hoch geachtet und wurden für den Vortrag ihrer schwierigen und artist. Werke (╱Skaldendichtung) reich belohnt; i. d. Regel sind ihre Werke mit ihren Namen überliefert (vgl. dagegen die edd. Gedichte). Bis ins 10. Jh. spielten die *norweg.* S.n eine bedeutende Rolle, seit Ende des 10. Jh.s treten fast nur noch *Isländer* als S.n in Erscheinung. Bekannt sind etwa 250 S.nnamen; dank der Überlieferung v. a. in den S.nsagas (»Egilssaga«, »Kormákssaga«, »Hallfredarsaga«) sind die Lebensumstände vieler S.n ungefähr bekannt, die auch als Krieger, Kauffahrer, Diplomaten, Fürstenberater tätig waren. Der älteste S., von dem Verse überliefert sind, ist Bragi Boddason (9. Jh.), der in der späteren Überlieferung als Dichtergott verehrt wurde; berühmte S.n sind im 10. Jh. Egill Skallagrímsson, Hallfred Ottarsson, Kormák Ögmundarson (der bedeutendste skald. Liebeslyriker), im 11. Jh. Sighvatr Þórðarson (am Hofe Olfas d. Heiligen), Arnórr Jarlaskald u. þjóðolf Arnórsson (am Hofe Haralds des Strengen), im 12. Jh. Einar Skulason.   MS*

Skaldendichtung, lyr. Dichtung der ╱Skalden, eine altnord. Hofkunst, die an den norweg. Königshöfen gepflegt wurde; bis ins 10. Jh. v. a. von norwegischen, seit dem 11. Jh. vornehml. von isländ. Skalden. S. umfaßt in erster Linie umfangreiche (Fürsten-)Preisgedichte (Themen: Verherrlichung krieger. Taten, des Nachruhms, der Ahnen, Tapferkeit, Freigebigkeit), dann Gelegenheitsgedichte, meist in Einzelstrophen, oft Spott- und Schmähverse, *(niðvisur)* und Liebesdichtung *(mansöngr)*. Die S., ein hochkompliziertes, bis heute noch nicht in allen Teilen ergründetes Phänomen, ist in erster Linie *stroph. Formkunst,* die sich evtl. unter ir. Einfluß entwickelte; sie wurde gesprochen, nicht gesungen, vorgetragen. Neben Einzelstrophen *(lausar visur)* sind die bedeutendsten Formen die vielstroph., kunstvolle dreigliedr. ╱Drápa und der kürzere, einfachere, ungegliederte Flokkr. Das häufigste Strophenmaß ist das streng gebaute ╱Dróttkvætt aus 8 Sechssilbern (seit dem 10. Jh. in völliger Regelmäßigkeit), die durch ein kunstvolles System von Stab-, Binnen- und Endreimen verknüpft sind; weitere, z. T. aus den einfacheren edd. Maßen entwickelte Strophenformen der S. sind der ╱Kviðuháttr und seit dem 11. Jh. das ╱Hrynhent. Charakterist. für die S. ist ferner eine extreme Freiheit der Wortstellung, Parenthesen und syntakt. Verschachtelungen, eine verrätselte Sprache durch preziöse Verwendung eines eigenen dichter. Vokabulars (╱Heiti) und durch anspielungsreiche metaphor. Umschreibungen und Bilder (╱Kenning). Ein Kompendium der skald. Technik ist die sog. Jüngere oder Prosa-»Edda« des Skalden Snorri Sturluson (ca. 1178–1241). Ihre *Blüte* erreichte die S. durch die isländ. Skalden im 11. Jh., sie wird danach zusehends veräußerlicht, die Bildersprache immer gekünstelter, künstlicher; allmähl. tritt sie gegenüber der neu aufkommenden ╱Saga-Schreibung zurück. Seit 1000 werden auch christl. Themen aufgegriffen. Die wichtigsten norweg. S.en sind *im 9. Jh.* die fragmentar. erhaltene Schildbeschreibung »Ragnardrápa« von Bragi Boddason, die Kriege und Schlachten preisenden »Glymdrápa« und »Hrafnsmál« von Þorbjörn Hornklofi, das genealog. Merkgedicht »Ynlingatal« von þjóðolfr ór Hvini, beides Skalden am Hof König Haralds harfagri (Schönhaar); *im 10. Jh.* die Fürstengedächtnisstrophen »Eiriksmál« (um König Eirik, anonym überl.) und »Hákonarmál« (um König Hakon) von Eyvind Finnsson, von dem auch ein Gedicht auf Hakons Ahnen, »Háleygjatal«

stammt. – Die bedeutendste S. stammt jedoch von isländ. Skalden, so die »Höfuðlausn« (Haupteslösung), ein Fürstenpreis auf König Eirik, 936, von dem größten Skalden, Egill Skallagrimsson, von dem auch Haß- und Fluchstrophen und eine ergreifende Klage um seinen ertrunkenen Sohn, »Sonartorrek« (Sohnesverlust, 960), erhalten sind. Gleichrangig sind die Preis- und Spottstrophen und vor allem die leidenschaftl. Liebeslyrik (die »Steingerdstrophen«) von Kormák Ögmundarson und die Drápa »Vellekla« (Goldmangel) von Einar Helgason. Ferner sind zu nennen die »Olafsdrápa« und die christl. »Uppreistardrápa« (Auferstehungsdrapa) des Hallfred Ottarsson, *im 11. Jh.* die Preisgedichte auf Olaf den Heiligen und die in seinem Auftrag übernommenen diplomat. Missionen des Skalden Sighvatr þórðarson (z. B. »Vestfararvisur« [Westfahrtstrophen]), die auch zu wichtigen histor. Quellen wurden, weiter die Dichtungen der Skalden Arnórr Jarlaskald und þjóðolf Arnórsson im Umkreis König Haralds harðráði (des Strengen), der selbst S. verfaßte. Seit *dem 12. Jh.* entstehen auch S.en über histor. Persönlichkeiten, z. B. von Einar Skulason (auf Olaf den Heiligen) oder Snorri Sturluson (»Háttatal«: auf König Hakon, 13. Jh.). *Aus dem 14. Jh.* ist als bedeutendste christl. S. die »Lilja« (Lilie), eine Mariendichtung von 100 Strophen im ⁄Hrynhent, des Mönches Eysteinn Asgrímsson zu nennen. Überliefert ist die S. (bes. die Einzelstrophen) in den Königs- und Skaldensagas als Belege der dort aufgezeichneten Viten oder Ereignisse, bes. bedeutsam sind die Königsschichten »Heimskringla« von Snorri Sturluson. Die S. ist die 3. große Gattung der altnord. Literatur neben den Götter- und Heldenliedern der ⁄Edda und der (Prosa-)⁄Saga. Einzelne ihrer Formelemente finden sich in der isländ. ⁄Rima bis in die Gegenwart.

Bibliographie: Bibliogr. of Old Norse-Icelandic Studies. Hrsg. v. H. Bekker-Nielsen u. a. Kopenhagen Bd. 1 ff. 1963/64 ff.
Ausgaben: Hollander, L. M.: The Skalds. A Selection of their poems, with introductions and notes. Ann Arbor (Mich.) ²1968. – Skald. Lesebuch, hg. v. E. A. Kock u. R. Meissner, Bd. 1 Text, Bd. 2 Wörterb., Halle 1931.
Übersetzung: Thule. Altnord. Dichtung u. Prosa, hg. v. F. Niedner, Bde. 3–24, Jena 1911–1930, Neudr. Düss. 1963 ff.
📖 Engster, H.: Poesie einer Achsenzeit. Frankf. u. a. 1983. – See, K. v.: S. Eine Einführung. Zürich/Mchn. 1980. – Kreutzer, G.: Die Dichtungslehre der Skalden. Meisenheim a. Glan ²1977.   MS/S

Skaramuz, m. [it. Scaramuccia, frz. Scaramouche], Typenfigur der ⁄Commedia dell'arte, von Tiberio Fiorilli um 1600 in Neapel als Variante des ⁄Capitano entwickelt und von ihm ab 1640 (oder 1644) auch in der ⁄Comédie italienne in Paris populär gemacht. Von Molière bewundert, findet er Nachfolger bis ins 19. Jh., wo sich die Figur dem ⁄Pulcinella nähert und von den Symbolisten aufgegriffen und idealisiert wird (P. Verlaine, »Fêtes galantes«, 1869).
📖 Sabatini, R.: Scaramouche. Mailand 1975.   HR

Skené, [gr. = Zelt; latinisiert scaena], Bühnenhaus des antiken Theaters, das die Spielfläche (⁄Orchestra, ⁄Proskenion) nach rückwärts abschloß und einerseits zur Vorbereitung der Schauspieler auf ihren Auftritt (z. B. als An- und Umkleideraum) diente, andererseits als Spielhintergrund den Ort der Handlung andeuten sollte. – Ursprüngl. wohl nur ein jeweils für die Aufführung aufgeschlagenes leichtes Holzgerüst, war die Sk. im attischen Theater des 5. Jh.s eine dauerhafte Holzkonstruktion mit versetzbaren Elementen, die einen beschränkten Szenenwechsel zuließen, und mit einem zeltartigen Hinterbau für die Schauspieler (daher auch die Bez.). Seit dem 4. Jh. sind steinerne Bühnenhäuser bezeugt (Theater des Lykurg in Athen). Die Bühnenwand des antiken Szenengebäudes war, als Schaufassade, mit den Mitteln der Malerei und Architektur als Palastfront gestaltet. Die griech. Sk. beschränkte sich dabei wohl auf eine einfache Hallenarchitektur, zwischen deren (ion.) Säulen Kulissenbilder eingeschoben werden konnten; die mehrgeschossige Ausbildung der Fassade mit einer prunkvollen Kolossalordnung ist dagegen wahrscheinl. erst römisch (lat. scaenae frons). Die röm. Sk. kennt auch die Verwendung drehbarer Kulissenteile und des Theatervorhangs. ⁄Bühne.   K

Sketch, m. [skɛtʃ; engl. = ⁄Skizze], kurze dramat. Szene (oft nur wenige Minuten Dauer) mit eindeutiger, vom Zuschauer unmittelbar begreifbarer Personen- und Handlungskonstellation und meist witziger, überraschender Pointe. Themen sind allgem. menschl. Situationen oder aktuelle Ereignisse. Als literar. Form des 20. Jh.s ist er v. a. im ⁄Kabarett weit verbreitet. Eine bes. Ausprägung sind die humorist.-hintersinnigen S.es Karl Valentins im bayer. Dialekt.   OB

Skizze, f. [it. schizzo, m. = (Farb-)Fleck, -Spritzer], aus der Kunstwissenschaft in die Lit.wiss. übernommene Bez.
1. für einen ersten Entwurf, Handlungsgerüst, vorläuf. Fassung eines literar. Werkes.
2. für autonomen, jedoch formal und oft auch stilist. bewußt nicht ausgeformten kurzen Prosatext verschiedensten Inhalts, vom subjekt. getönten Stimmungsbild bis zum objektivierenden, analysierenden Kurzbericht oder photograph. genauen Erzählablauf, daher vielfache Überschneidungen: im fiktionalen Bereich z. B. mit ⁄Prosagedicht, ⁄Erzählung, ⁄Kurzgeschichte, ⁄Parabel, im nichtfiktionalen Bereich mit (Kurz-)⁄Essay, ⁄Feuilleton, ⁄Reportage, ⁄Bericht, ⁄Anekdote (vgl. Reise-S., Porträt-S.). Die S. als literar. Form entwickelte sich seit dem 18. Jh. im Gefolge der Ablehnung einer normativen Regelpoetik zugunsten einer ›inward form‹ (Shaftesbury), zunächst oft noch integriert in Briefe, Tagebücher, Romane; sie wird dann programmat. verwendet im *Naturalismus* (als Protest gegen die Gestaltungsnormen der bürgerl. Dichtung) zur objekt. Erfassung der Außenwelt; v. a. von A. Holz, J. Schlaf (»Papa Hamlet«, 1889, 3 Erzähl-S.n, vgl. ⁄Sekundenstil) und bes. im literar. *Impressionismus* als Mittel der Widerspiegelung der Innenwelt (Stimmungswiedergabe in verblosen Sätzen, Parataxen usw.), v. a. von J. Schlaf (»In Dingsda«, »Frühling«, 1892/93), E. von Keyserling, P. Altenberg, A. Schnitzler, M. Dauthendey, D. von Liliencron u. a. In der modernen Literatur erscheint die S. häufig als Ausdruck des Mißtrauens gegenüber der Eigengesetzlichkeit literar. Formen und der Tragfähigkeit der sprachl. Aussage (R. Walser, R. Lettau, P. Handke).
📖 Fülleborn, U.: Das dt. Prosagedicht. Mchn. 1970. – Spahmann, I.: Die S. als literar. Form. Diss. Tüb. 1956.   IS

Skolion, n. [gr. = das Krumme], das in der griech. Antike beim ⁄Symposion vorgetragene Lied, das von jedem Teilnehmer am Gastmahl erwartet wurde. Skolien konnten entweder literar. Texte älterer oder zeitgenöss. Dichter oder eigens zum Vortrag verfaßte, auch improvisierte Strophen sein. Die metr. Form des S.s ist nicht festgelegt, doch erstreckt sich die Bez. grundsätzl. nicht auf Vortragsstücke im eleg. Versmaß (Epigramme und Elegien); bei kürzeren Strophen überwiegen Vierzeiler (z. B. aus ⁄Enkomiologici) und Zweizeiler. Der Vortrag erfolgte zur Lyra-Begleitung. Skolien sind jedoch keine Trinklieder! Themen sind polit. Ereignisse und Lebensweisheit, oft in iron. oder satir. Form. Überliefert sind nur wenige Texte, z. B. die Skolien-Fragmente der Timokreon (5. Jh. v. Chr.: Polemik gegen Themistokles) und die volkstüml. Sammlung der »Att. Skolien«, die Athenaios im Rahmen seiner »Deipnosophistai« (Symposiondialoge, Anf. 3. Jh. n. Chr.) überlieferte. Mit der zunehmenden Demokratisierung der att. Staatswesens im 5. Jh. starb die aristokrat. Sitte des Skolienvortrags aus.   K*

Skop, m. [von westgerm. scop, ahd. scof, scoph = Dichter, evtl. zu einer Wortsippe mit den Bedeutungen ›Hohn, Spott, scherzen‹, auch ›hüpfen, springen‹ gehörig], Bez. für

den westgerm. Hofdichter u. berufsmäßigen Sänger von ⁄Helden- u. ⁄Preisliedern, wie er in den ags. Dichtungen »Beowulf«, »Widsith«, »Deor« geschildert ist. Seine soziale Stellung wird i.a. als recht hoch eingeschätzt. Ob S. auch den Spaßmacher niedrigen Standes u. Anspruchs meint, ist umstritten. Das Wort *scoph* ist im Dt. noch im 12.Jh. gebräuchl., jedoch nicht mehr als Bez. für den Dichter oder Sänger, sondern offenbar für mündl. vortragbare Gedichte, vgl. als geistl. Ausprägung den *Scoph von dem lône*, als Bez. für eine schriftl. dt. Quelle *schophbuoch* im »Physiologus«, »König Rother«, »Herzog Ernst«.
📖 Werlich, E.: Der westgerm. S. Der Aufbau seiner Dichtung u. sein Vortrag. Diss. Münster 1964. MS

Slogan, m. [ˈsloʊɡən; engl. = Parole, Motto, Wahlspruch, Schlagwort, ursprüngl. aus gäl. sluaghghairm = Schlachtruf], kurze, prägnante, das Wesen einer Sache, Situation oder Konstellation scheinbar treffende Formulierung, die durch ihre sprachl. zugespitzte, klangl.-rhythm. Gestalt sofort ins Ohr geht oder mit Hilfe graph. Verdeutlichungen ins Auge fällt, meist von persuasivem (überredendem) und appellativem (aufforderndem) Charakter; der S. wendet sich an emotionale Kräfte im Menschen, daher v.a. in der Werbung (»Der gute Stern auf allen Straßen«, Werbe-S.) u. im polit. Bereich (Wahl-S., »Wohlstand für alle«, oft auch in demagog. Verzerrung). In neuerer Zeit ist der S. durch die Massenmedien als ein nicht zu unterschätzender Faktor der Beeinflussung von großer Bedeutung, wobei die S.s für die einzelnen Zielgruppen nach psycholog. Erkenntnissen formuliert werden. OB*

Soccus, m. [lat. = Schuh], der zum Kostüm des Schauspielers in der antiken Komödie gehörende niedrige Schuh (Sandale). Im Ggs. zu diesem trägt der Schauspieler in der antiken Tragödie den ⁄Kothurn als hohen Bühnenschuh; der Schauspieler im antiken ⁄Mimus war unbeschuht (mimus planipes). K

Soffitte, f. [it. soffitto = (Zimmer-)Decke], Bez. für den vom Schnürboden (Rollenboden) des Theaters herabhängenden Teil der Bühnendekoration, der das Bühnenbild nach oben abschließt; Teil der Guckkasten-Kulissenbühne seit dem 17.Jh., zunächst als bemalte Leinwand (Wald-, Luft-, Balken-S.); erst im 19.Jh. werden S.n zum Teil durch geschlossene feste Decken (bei Konversationsstücken im geschlossenen Bühnenraum) ersetzt, die Luft-S. auch durch den Rundhorizont (Cyclorama, siehe ⁄Prospekt). IS

Soliloquium, n. [lat. = Selbstgespräch], Typus der antiken Bekenntnisliteratur, s. ⁄Autobiographie.

Solözismus, m. [gr. soloikismos = Verstoß gegen das richtige Sprechen], nach dem anscheinend fehlerhaften Griechisch der Einwohner von Soloi in Kilikien gebildete Bez. für Verstöße gegen korrekten Sprachgebrauch, v.a. in Bezug auf die Syntax (Quint 1, 5, 34ff., vgl. dagegen ⁄Barbarismus). S. wurde z.T. mit der Vorstellung von Entartung und Dekadenz verbunden, v.a. am Beispiel der spätröm. Literatur. – S. kann auch die Folge von Dialekteinwirkung sein (›Ik habe *dir* jesehn‹ beim Berliner), das Ergebnis einer Sprachentwicklung (syntakt. Neuerungen gelten so lange als S., bis sie sich allgemein durchgesetzt haben, als ›richtig‹ anerkannt werden, z.B. ›trotzdem‹ als unterordnende Konjunktion); S. kann aber auch (seltener) als Stilmittel verwendet werden, oft in parodierender Absicht (z.B. bei Ch. Morgenstern oder bei den Vertretern der konkreten Poesie). OB

Sondersprachen, zus.fassende Bez. für die Berufs-, Standes-, Fach-, Gruppen- und Geheimsprachen, die innerhalb der Gemein- oder Standardsprache ein Subsystem darstellen, in dem der *Wortschatz* der Gemeinsprache semant. differenziert wird, im Ggs. zum Dialekt, der sich auch durch eigene Syntax und Grammatik von der Gemeinsprache abhebt. – Der Wortschatz der S.n kann altes Sprachgut bewahren (bes. handwerkl. Berufssprache), Sprache

bestimmter sozialer Gruppen, z.B. alter Leute in verkehrsfernen Gebieten) oder sich rasch fluktuierend umbilden (moderne techn. Fachsprache, Jargon, Geheimsprache), kann weitgehend aus Kunstwörtern und Abkürzungen bestehen (chem., medizin., mathemat. orientierte Fach- und Berufssprachen) oder die Bezz. der Gemeinsprache metaphor. verwenden (Schüler-, Studenten-, Soldatensprache). S.n können mehr bei der Hochsprache (Standes-, Fach-, Berufssprachen) oder mehr bei der Umgangssprache stehen (Jargon, Geheimsprachen). Der Sonderwortschatz der einzelnen S.n wird in Speziallexika gesammelt.
📖 Bausinger, H.: Dt. für Deutsche. Dialekte, Sprachbarrieren, S. Frkft. ²1983. – Hahn, W. von (Hrsg.): Fachsprachen. Darmst. 1981. – Fachsprachen u. Gemeinsprache. Jb. 8 des Instituts f. Dt. Sprache. Düsseld. 1979. – Fluck, H.-R.: Fachsprachen. Mchn. 1976. – Bausani, A.: Geheim- u. Universalsprachen. Stuttg. 1970. S

Sonett, n. [it. sonetto, n.; frz. sonnet, m.; engl. sonnet; dt. Lehnübersetzung des 17.Jh.s: Klinggedicht], italien. Gedichtform; Nachbildungen in fast allen europ. Sprachen und Literaturen. – Die *Grundform* bildet ein 14zeil. Gedicht, das sich aus 2 Vierzeilern (it. quartine, frz. quatrains, dt. Quartette) und 2 Dreizeilern (it. terzine, frz. tercets, dt. Terzette) zusammensetzt. Quartette und Terzette sind in sich durchgereimt; wichtigste Reimschemata (neben zahlreichen anderen) sind in der it. Dichtung (Petrarca) abab abab (und seit den Stilnovisten) abba abba in den Quartetten, cdc dcd (rime alternate) und cde cde (rime replicate) in den Terzetten; in der frz. Dichtung (Ronsard) abba abba ccd ede. Der gängige Vers des S.s ist in der it. Dichtung der ⁄Endecasillabo, in der frz. Nachbildungen der ⁄Alexandriner. Eine Sonderform stellt das sog. engl. S. dar, das auf Durchreimung verzichtet und die 14 Zeilen (5hebige jamb. Verse) in drei Vierzeiler (mit Kreuzreim) und ein abschließendes (epigrammat.-pointierendes) Reimpaar gliedert; Reimschema: abab cdcd efef gg. Als ›dt. S.‹ wird gelegentl. eine Sonderform ohne Durchreimung der Quartette bezeichnet (Reimschema: abba cddc . . . . . .); dieses Reimschema begegnet aber auch in der frz. und engl. S.dichtung des 19.Jh.s; andererseits kennt die dt. S.dichtung eine Fülle anderer S.formen. – Der äußeren Form des S.s (2 Quartette + 2 Terzette) entsprechen der *syntakt. Bau* und die *innere Struktur;* sie sind durch einen dialekt. Ablauf gekennzeichnet. Die Quartette stellen in These und Antithese die Themen des Gedichtes auf; die Terzette führen diese Themen in konzentrierterer Form durch und bringen die Gegensätze abschließend zur Synthese. Quartette und Terzette stehen sich im Verhältnis von Erwartung und Erfüllung, von Spannung und Entspannung gegenüber, syntakt. oft in Form von Voraussetzung und Folgerung, Behauptung und Beweis. – Die *Thematik* der S.dichtung ist, der anspruchsvollen Form und der dadurch bedingten Forderung nach gedankl. Klarheit entsprechend, beschränkt. Grundzug ist die gedankl. Objektivierung subjektiven Erlebens: des Eros in seiner vielgestaltigen Erscheinung (so in der intellektualist. und spiritualist., ›platon.‹ Minne- und Liebesdichtung des ⁄Dolce stil nuovo und des europ. ⁄Petrarkismus), Gottes, des Todes (so in der religiösen ›metaphys.‹ S.dichtung des engl. und dt. Barock), des persönl. Schicksals (J. Milton, »On His Blindness«; A. v. Platen), aber auch polit. und sozialen Geschehens (G. Carduccis S.e auf die frz. Revolution; F. Rückerts »Geharnischte S.e«). – Häufig werden mehrere S.e zum *S.en-Zyklus* verknüpft, dessen vollendetste Gestalt der ⁄Sonettenkranz darstellt. Das it. S. ist 1. Hälfte des 13.Jh.s im Umkreis Friedrichs II. am Hof zu Palermo durch die Vertreter der sog. sizilian. Dichterschule entwickelt worden. Ob J. da Lentini, der die Form des S.s als erster besonders häufig verwendet, dabei als ihr »Erfinder« gelten kann (so W. Mönch), ist nicht gesichert. Umstritten ist auch, wie es zur Ausbildung der S.form kam – ob es sich (so die ältere Forschung) um eine letztl. volkstüml. Form (Verbindung zweier ↗Strambotti, volkstüml. Kurzgedichte von 8 und 6 Versen) handelt, oder ob (so heute) einfach eine Abart der Kanzonenstrophe (↗Stollenstrophe) vorliegt. Das Grundschema des S.s entspricht dem der Stollenstrophe: die beiden Quartette können als zwei ↗Stollen (it. piedi) und damit als ↗Aufgesang (it. fronte) aufgefaßt werden, die beiden Terzette als ein in zwei Teile gegliederter ↗Abgesang (it. coda, sirima, sirma). Auch *die Bez. S.* (it. sonetto nach prov. sonet = Weise, Melodie; Text mit Melodie, in der Bedeutung vergleichbar dem mittelhochdt. *dôn*) meint ursprüngl. (so noch bei G. Cavalcanti) jede Art der Kanzonenstrophe. Von den Sizilianern des 13.Jh.s übernehmen die toskan. Stilnovisten (G. Guinizelli, G. Cavalcanti, Gino da Pistoia; Dante, »Vita Nuova«) die Form. Den Höhepunkt der it. S.dichtung stellt im folgenden der »Canzoniere« Petrarcas dar. M. M. Boiardo, Lorenzo de Medici, J. Sannazaro und Kardinal Bembo setzen die Linie im 15.Jh. fort; im 16.Jh. reihen sich Michelangelo, G. Bruno, T. Tasso und G. Marino, V. Colonna und G. Stampa an. Während im 17. und 18.Jh. das S. vernachlässigt wird, kommt es im 19.Jh. zu einer Wiederbelebung der Form (V. Alfieri, U. Foscolo, G. Carducci, G. D'Annunzio), deren Wirkungen bis in die Gegenwart reichen. – *Sonderformen des it. S.s* sind 1. das *sonetto doppio* (in den Quartetten wird nach der 1., 3., 5. und 7. Zeile, in den Terzetten nach der 2. und 5. Zeile ein 7-Silber eingeschoben, so daß ein 20zeiliges Gedicht aus 14 endecasillabi und 6 7-Silbern entsteht – Reimschema z. B. aabbba aabbba/cddc cddc, so bei Dante, »Vita Nuova« 7); 2. das *sonetto rinterzato* (in den Terzetten wird auch nach der 1. und 4. Zeile ein 7-Silber eingeschoben); 3. das *sonetto commune* oder *sonetto misto* (7-Silber anstelle einzelner 11-Silber); 4. das *sonetto continuo* (durchgereimtes S.; die Reime der Quartette werden in den Terzetten weitergeführt); 5. das *sonetto raddoppiato* (Doppel-S. aus 4 Quartetten und 4 Terzetten, bei Monte Andrea z. B. mit dem Reimschema abab abab abab abab cdc dcd efe fef); 6. das *sonetto caudato* (auch: *sonetto colla coda*: an das S. ist eine coda (= Schweif) von 3 Zeilen angehängt, die in der Regel aus einem 7-Silber, dem der 14. Vers des S.s reimt, und zwei abschließenden paarreimigen endecasillabi mit neuem Reimklang besteht; ein S. mit mehreren solchen ›Schweifen‹ heißt *sonetessa*); 7. das *sonetto ritornellato* (histor. betrachtet eine Vorform des *sonetto colla coda*, beliebt v. a. im 13.Jh., das S. hat eine 15. Zeile, die mit der 14. Zeile reimt); 8. das *sonetto minore* (Verwendung eines kürzeren Verses anstelle des endecasillabo); weiter 9. das *sonetto bilingue* und das *sonetto trilingue* (Mischung italien. Verse mit prov., frz. oder lat. Zeilen); 10. das *sonetto metrico* (ein S. aus 7 italien. endecasillabi und 7 quantitierenden [›metr.‹] lat. Versen aus klass. Dichtung und schließl. noch 11. das *sonetto dialogato* (Dialogs.; die 14 Verse sind abwechselnd auf zwei Sprecher verteilt; eine reizvolle Nachbildung dieser Form findet sich zuletzt in der engl. Dichtung bei A. Dobson) und 12. das *Echo-S.* (↗Echogedicht). – Eine Besonderheit ist die stroph. Verwendung des italien. S.s im poet. Streitgespräch der ↗Tenzone (das 1. S. stellt eine Frage, die in den folgenden S.en verschieden beantwortet wird, z. B. Tenzonen über das Wesen der Liebe bei den Sizilianern und Stilnovisten), im ↗Contrasto (der Auseinandersetzung zwischen dem Dichter und seiner Geliebten in der Form einer Wechselrede von S. zu S.; auch als Mutter-Tochter-Gespräch u. a.) und in der Epik (»Il Fiore«, 13.Jh.; Nachdichtung des frz. Rosenromans). – *Span. und portugies. Nachbildungen* finden sich zuerst im 15.Jh. bei J. López de Mirandola bzw. im 16.Jh. bei F. de Sá de Miranda. Ihren Höhepunkt erreicht die span. und portugies. S.dichtung im 17.Jh. bei Lope de Vega, Cervantes und L. de Camões. – *Frz. Nachbildungen* gibt es seit dem 16.Jh. (C. Marot, M. de Saint-Gelais; v. a. dann bei P. de Ronsard und J. Du Bellay). Die frz. S.dichtung der Renaissance

beschränkt sich, im Ggs. zur Formenvielfalt der italien. Tradition, auf die eine Form des S.s mit dem Reimschema abba abba ccd ede, die von der klassizist. frz. Poetik zum *sonnet régulier* erklärt wird. Als ›vorgeschriebener‹ Vers gilt (von Ronsard in die frz. S.dichtung eingeführt; die Dichtung vor Ronsard verwendet den ↗Vers commun) der ↗Alexandriner. Andere, gelegentl. vorkommende S.formen (Kreuzreim in den Quartetten, 10-Silber und andere Verse, auch die – seltenen – reimlosen S.e) werden demgegenüber als *sonnet irrégulier* (auch: *sonnet licencieux*) abgewertet. In der 2. Hälfte des 17.Jh.s verliert das S. in der frz. Lyrik an Beliebtheit und wird erst im 19.Jh. von den Parnassiens und Symbolisten (Th. Gautier, Ch. Baudelaire, St. Mallarmé, P. Verlaine, A. Rimbaud) wieder aufgegriffen, allerdings mit zahlreichen formalen Freiheiten. – *Sonderformen des (älteren) frz. S.s* sind 1. das *sonnet rapporté* (mit ↗vers rapportés) und 2. das der Gesellschaftskunst des 17.Jh.s verpflichtete *sonnet en ↗bouts-rimés*. – Die ersten *engl. Nachbildungen* entstehen zu Beginn des 16.Jh.s am Hofe Heinrichs VIII. Ihre Verfasser, Th. Wyatt und v. a. H. H. Surrey, entwickeln die engl. Sonderform mit abschließendem Reimpaar. Die Blüte der engl. S.dichtung, jetzt teilweise auch nach frz. Vorbildern, fällt in die 2. Hälfte des 16.Jh.s (E. Spenser, Ph. Sidney, W. Shakespeare). Im 17.Jh. pflegen das S. u. a. noch J. Donne und J. Milton; in der 2. Hälfte des 17.Jh.s kommt es dann, ähnl. wie in der italien. und frz. Dichtung, aus der Mode. Eine Erneuerung erfolgt auch in der engl. Dichtung in der Romantik (W. Wordsworth, J. Keats, E. Barrett, D. G. Rossetti, Ch. Rossetti, Ch. A. Swinburne, M. Arnold, G. Meredith, H. W. Longfellow). – *Die dt. Nachbildungen* lassen sich ebenfalls erstmals im 16.Jh. nachweisen (erstes dt. S. 1556 bei Ch. Wirsing; später bei J. Fischart). Die erste Blütezeit der dt. S.dichtung fällt ins 17.Jh. (M. Opitz, P. Fleming, A. Gryphius, Ch. H. v. Hofmannswaldau u. a.). Der Vers des dt. S.s ist in dieser Zeit, nach frz. Muster, der Alexandriner; zahlreich sind die Varianten des Grundschemas (Ph. v. Zesen), die nach W. Mönch ins »Kuriositätenkabinett« der Literaturgeschichte gehören. J. Ch. Gottsched und die Schweizer J. J. Bodmer und J. J. Breitinger lehnen das S. ab. Erst in der Vorromantik kommt es zu einer Wiederbelebung (G. A. Bürger), die zu einer zweiten Blüte der dt. S.dichtung in der Romantik führt (A. W. Schlegel, A. v. Platen, K. Immermann, F. Rückert, auch, zunächst widerstrebend, Goethe), jetzt mit Bezug v. a. auf italien. Vorbilder und entsprechender Verwendung 5heb., jamb. Verse (darauf 1776 bei Klamer Schmidt). Auch die dt. Lyrik der Jahrhundertwende und des frühen 20.Jh.s wendet sich, v. a. vom frz. Symbolismus angeregt, dem S. zu (St. George, R. M. Rilke, R. Huch, J. R. Becher, G. Heym, G. Britting, J. Weinheber) und verwendet die Form z. T. auch für balladeske Themen (G. Heym; Formstrenge (Weinheber) und freie Variation des S.schemas (Rilke, »S.e an Orpheus«) stehen sich dabei gegenüber. Nach einer Zeit der Abwendung von metr. Kunstformen zugunsten freier Versgestaltung einerseits und volkstüml. Formen (z. B. des Bänkels) andererseits ist heute wieder eine Neigung zu Metrik und Reim festzustellen, vgl. Rainer Kirsch (Liebes-S.e), L. Harig (»Drei Grazer S.e«) u. a.

☐ Schindelbeck, D.: Veränderung der S.-Struktur in der dt. Lyrik v. d. Jh.wende bis in d. Gegenwart. Frkf. 1988. – Schlütter, H. J./Borgmeier, R./Wittschier, H. W.: S. Stuttg. 1979 (mit ausführl. Bibliogr.). – Mönch, W.: Das S. Gestalt u. Gesch. Hdbg. 1955.   K

Sonettenkranz [dt. Übersetzung von it. corona di sonetti], Form des Sonettenzyklus (↗Sonett). – Der formvollendete S. besteht meist aus 15 Sonetten. Dabei nehmen die ersten 14 Sonette jeweils die Schlußzeile des vorhergehenden Sonetts (das 1. Sonett die Schlußzeile des 14. Sonetts) als Anfangszeile auf, so daß eine Ringkomposition entsteht (daher die Bez.). Das 15. Sonett des Kranzes setzt sich, die gedankl. Summe des ganzen Zyklus darstellend, aus den Anfangszeilen der 14 Sonette zusammen; es heißt »Meistersonett«; z. B. G. Carducci, »Ça ira« (1883; S. von 12 Sonetten auf die frz. Revolution). – Verwandt ist die *Sonettenglosse* als Glossierung eines Sonetts (↗Glosa).　K

Sotadeus, m., ant. Vers der Form $--\cup\cup|--\cup\cup|--\cup\cup|-\check\cup$; gilt als katalekt. ↗Tetrameter aus vier ↗Ionici (a maiore). Auflösung der Längen und Ersatz einzelner Ionici durch trochä. ↗Dipodien ($-\cup-\check\cup$) sind möglich. – Der Vers ist nach dem alexandrin. Dichter Sotades von Maroneia (3. Jh. v. Chr.) benannt, der ihn offenbar als erster häufiger verwandte. Er findet sich v. a. in der Komödie, im Mimus, in der Satire und Kinädenpoesie (= sotad. Lit.). In der röm. Dichtung sind Nachbildungen gr. Sotadeen für Afranius, Plautus, Accius, Ennius (»Sota«) und Varro bezeugt; später verwenden ihn noch Petronius und Martial.　K*

Sotadische Literatur, ↗Kinädenpoesie.

Sotternie, f., ↗Klucht.

Sottie (Sotie), f. [frz. von sot = Narr], mal. frz. Possenspiel in einfachen Reimversen, das in satir. Absicht, oft sehr derb, lokale, kirchl., polit. und v. a. soziale Mißstände bloßstellt. Fester Personenbestand *(prince sot, mère sotte)* und allegor. Einkleidung unterscheiden die S. von der ↗Farce; Aufführungen meist durch Narrengesellschaften, bes. die ↗Enfants sans souci und die ↗Basoche; Blütezeit 15./16. Jh.; bedeutende polit. Stoßkraft im Kampf Ludwigs XII. gegen Papst Julius II. hatten die S.s des P. Gringore (27. S.s »Fantaisies de la mère sotte«).

📖 *Ausg.:* Recueil général des s.s, hg. v. E. Picot, 3 Bde., Paris 1909–12.
Goth, B.: Unterss. zur Gattungsgesch. der S. Mchn. 1967.　IS

Soziale Dichtung, unscharfe Sammelbez. (s. ↗soziales Drama) für allgem. gesellschaftl. und humanitär engagierte Literatur in Ggs. zu einer auf einen bestimmten Parteienoder Klassenstandpunkt ausgerichteten Literatur (↗sozialist. Realismus). S. D. befaßt sich vorwiegend mit Problemen der sog. unteren Schichten, der Entrechteten, der menschl. und sozial Minderprivilegierten. Ihre Tendenz reicht vom Mitleidsappell bis zur Sozialkritik und polit. Anklage (↗polit. Dichtung). Beispiele s.r D. finden sich zu allen Zeiten, häufigere Verbreitung fand sie jedoch seit dem Aufkommen der Industriegesellschaft im 19. Jh., vgl. in der Lyrik u. a. H. Heine, »Die schles. Weber«, B. Brecht, »Wiegenlied«, G. Hauptmanns ›soziales Drama‹ »Vor Sonnenaufgang« (1889) und »Die Weber« (1892); als soziale Romane werden u. a. R. Huch, »Aus der Triumphgasse« (1902), H. Fallada, »Kleiner Mann, was nun« (1932) bezeichnet, in der engl. Lit. etwa die Romane von Ch. Dickens, in der frz. Lit. das Werk É. Zolas. ↗Gesellschaftskritik.

📖 Wolfzettel, F. (Hrsg.): Der frz. Sozialroman d. 19. Jh.s. Darmst. 1981. – Adler, H.: Soziale Romane im Vormärz. Mchn. 1980. – Urlaub, W. G.: Der spätviktorian. Sozialroman. Bonn 1977. – Groß, K. (Hrsg.): D. engl. soziale Roman im 19. Jh. Darmst. 1977. – Edler, E.: Die Anfänge d. sozialen Romans u. d. sozialen Novelle in Deutschld. Frkf. 1977.　S

Soziales Drama, häufig verwendeter, selten aber hinlängl. definierter Begriff, dient teils der Beschreibung des inhaltl. Elemente (Vorkommen der ›niederen Stände‹, der unterdrückten ›Klasse‹), teils der Intentionalstruktur (Mitleid mit den Armen, Sturz der Unterdrücker, Klassenkampf wider die Ausbeuter). Versuche exakter Definitionen (E. Dosenheimer: »ein Drama, dessen bestimmter sozialer Untergrund die Voraussetzung ist für Stoff u. Gehalt, dessen Charaktere u. Handlung aus diesem sozialen Untergrund hervorgehen, der einheitl. oder auch gespalten sein kann«) sind deshalb nahezu unbegrenzt besetzbar. Im Anschluß an Dosenheimer hat sich die Forschung zwar angewöhnt, das dt. s. D. mit G. E. Lessing beginnen zu lassen; es fällt jedoch nicht schwer, an älteren dt. oder aus-

länd. Dramen Handlungsantriebe u. Charakterprägungen durch den »sozialen Untergrund« zu registrieren (so ließe sich z. B. die »Antigone« des Sophokles neben der herkömml. Lesart und gegen dieselbe als s. D. begreifen). Die von Dosenheimer angeführten Beispiele sozialer Dramen bis hin zum Naturalismus decken sich weitgehend mit jenen, die man für das ↗bürgerl. Trauerspiel genannt hat. Das s. D. hat zudem eine fließende Grenze zur sozialist. Dramatik, die ideolog. eindeutig Stellung bezieht u. sich (zumindest vom Autorenstandpunkt her) unverwechselbar darstellt, meist auch im Blick auf den – eventuell propagandist. zur Solidarität aufgerufenen – Zuschauer. Da soziale Fragen, Probleme oder Konflikte der Gattung Drama häufig eigen sind, empfiehlt sich die Eingrenzung des s. D.s auf die *Zeit nach dem bürgerl. Trauerspiel u. vor dem Auftreten dezidiert sozialist. Dramatik* etwa seit der Jahrhundertwende. Dazwischen liegt die Epoche des international verbreiteten ↗Naturalismus (Skandinavien, Rußland, Frankreich, Deutschland) mit der erklären Anwaltschaft für die Armen (É. Zola, »J'accuse«), mit einer agitator. Brisanz, die sich den Blickwinkel der Unterdrückten zu eigen machte u. ebenso gegen die »Stützen der Gesellschaft« (H. Ibsen) wie gegen großbürgerl. Arroganz zu Felde zog. Im Umkreis von G. Hauptmanns »Vor Sonnenaufgang« (1889 – das einzige Stück mit dem Untertitel »Soziales Drama«) – entstand eine Dramatik, die vornehml. den arrivierten »3. Stand« anklagte, also nicht mehr wie das bürgerl. Trauerspiel dessen Partei und Optik bezog. Andererseits nahmen die Autoren dieser sozialen Dramen trotz gefühlsmäßiger Nähe zur Arbeiterschaft noch keineswegs einen ideolog.-klassenkämpfer. Standpunkt ein. – Bei dieser Eingrenzung des sozialen Dramas erweist sich dieses als histor. notwendig bedingte Phase von Theatergeschichte u. weltanschaul. Progreß, deren Wirkung auf bürgerl. wie auf proletar. Zuschauer aber als aufklärer. u. bewußtseinsverändernd angesehen werden darf. Bleibt auch die Parteilichkeit dieser sozialen Dramen noch in bürgerl. Perspektive befangen, stellen sie doch einen den veränderten sozialen Bedingungen entsprechenden Schritt über das bürgerl. Trauerspiel hinaus dar u. gleicherweise einen Schritt hin zum radikalen Appell sozialist. Dramatik. ↗Arbeiterdichtung, ↗polit. Dichtung.

📖 Mittler, R.: Theorie u. Praxis des s. D.s. bei G. Hauptmann. Hildesheim 1985. – Gafert, K.: Die soziale Frage in Literatur u. Kunst des 19. Jh.s. Ästhet. Politisierung des Weberstoffes. 2 Bde. Kronberg/Taunus 1973. – Dosenheimer, E.: Das dt. soziale Drama von Lessing bis Sternheim. Konstanz 1949, Nachdruck Darmstadt 1989.　GM

Sozialistischer Realismus, Methode der künstler. Gestaltung (in Literatur, bildender Kunst, Musik, Film und Architektur) wie auch der theoret. Auseinandersetzung mit Kunstwerken. Kriterien sind (trotz erhebl. Unterschiede in der histor. Entwicklung und der wissenschaftl. und ideolog. Position) der materialist. Ansatz, die Festlegung auf den Klassenstandpunkt und weitgehend auch auf die kommunist. Parteilinie, die Darstellung der Wirklichkeit in ihrer revolutionären Entwicklung und die Bewußtseinsbildung der Leser im Geiste des Sozialismus. Die (gesellschaftl.) Bedingungen des Schaffens, die Wahl der Mittel der Darstellung, die gezielte Wirkung auf den Leser werden an den zwei Polen des s. R., nämlich an den Anforderungen des *Sozialismus* als ideolog.-polit. Position und den des *Realismus* als künstler. Prinzip der Wirklichkeitsdarstellung, gemessen. Durch die Verbindung dieser beiden Komponenten unterscheidet sich der s. R. vom sog. bürgerl. Realismus (aus der Sicht des s. R. auch krit. Realismus genannt), in dem der bürgerl. Gesellschaft zwar kritisiert, in dem aber der Weg in den Sozialismus nicht aufgezeigt wird. Der s. R. versteht das Kunstwerk nicht nur als Ergebnis der gesellschaftl. Wirklichkeit, das diese Wirklichkeit passiv widerspiegelt (↗Widerspiegelungs- oder Abbildtheorie), sondern auch als diese Wirklichkeit auf die Zukunft hin transzendierend und dadurch auf sie im Sinne der Veränderung aktiv einwirkend. Das Kunstwerk steht also in der Dialektik von gegebener Wirklichkeit und der in dieser angelegten realen Möglichkeit. Es wird verstanden als ein auf die Wirklichkeit verweisendes Modell, das für die gesellschaftl. Praxis richtunggebend ist und einen dialekt. Prozeß von ästhet. und gesellschaftl. Praxis umgreift. Da die marxist. Entwicklungsgesetze die Grundlage sind, ist die Zukunftsperspektive notwendig optimistisch. Dementsprechend zielt die Forderung nach dem neuen Menschenbild, dargestellt im ↗positiven Helden, nicht auf Wirklichkeitstreue, sondern auf Darstellung des »Typischen«, auf den Menschen, wie er nach den marxist. Vorstellungen sein soll. In programmat. Abgrenzung gegenüber der »bürgerl.« Literaturwissenschaft wird das Werk nicht isoliert genetisch gesehen (als Produkt des isolierten schöpfer. Prozesses), sondern funktional (im Hinblick auf die gesellschaftl. Wirkung) und integriert in das gesamtgesellschaftl. Beziehungsgefüge; die gegenseitige Abhängigkeit und Wechselwirkung von Produktion und Rezeption des Kunstwerks wird herausgestellt. Auch die Aufspaltung der Literatur in »hohe«und »niedere« wird als typisch für die »bürgerl.« Literatur abgelehnt und soll überwunden werden in der Forderung nach inhaltl. und sprachl.-stilist. Volkstümlichkeit, Konkretheit und dem Anspruch, die Interessen und die Situation der arbeitenden Bevölkerung in ihren eigenen Problemen und in ihrer eigenen Sprache darzustellen. Dies führte zur strikten Ablehnung des ↗Formalismus und anderer Formexperimente. In der *Entwicklung des s. R.* geht die Praxis der Theorie voraus, andererseits inspiriert die theoret. Reflexion des s. R. ein Fülle von neuen Werken dieser Richtung. Bereits vor der Oktoberrevolution werden vereinzelt Werke mit revolutionärer Thematik mit den Mitteln des Realismus gestaltet. Als erstes Werk des s. R. gilt Maxim Gorkis Roman »Die Mutter« (1906), der auch zum Vorbild der Revolutionsliteratur der ersten Jahre wurde, etwa für F. Gladkows »Zement« (1925), A. Fadejews »Die Neunzehn« (1925/26) oder die Werke W. Majakowskis und A. Makarenkos. In diesen frühen Jahren herrscht noch eine Vielfalt der künstler. Ausdrucksformen; die Literatur wird noch als ein gegenüber der Partei autonome Praxis angesehen. Erst mit der Verfestigung der totalitären Strukturen der Partei *(seit 1927)* und ihrem Anspruch auf Beherrschung aller Lebensgebiete wird auch die Literatur der absoluten Vorrangstellung der Partei unterstellt *(Beschluß des ZK der KP vom 23. 4. 1932).* In der Auseinandersetzung dieser Jahre und im Zusammenhang mit der Gründung des einheitl. sowjet. Schriftstellerverbandes wird von I. Gromski der Begriff des s. R. eingeführt (1932) und der Schriftsteller von Stalin als »Ingenieur der menschl. Seele« definiert. Der erste Allunionskongreß der Sowjetschriftsteller in Moskau (1934) ist entscheidend für die Durchsetzung des s. R. als für die gesamte Literatur der Sowjetunion fortan verbindliche Lehre. A. Zdanow, Sekretär des ZK der KPR, formulierte ihn hier programmatisch, M. Gorki verkündete ihn als die log. Konsequenz der eingeschlagenen gesellschaftl. Entwicklung. Das Statut der Sowjetschriftsteller, das hier bestätigt wird, formuliert: »Der s. R., der die Hauptmethode der sowjet. schönen Literatur und Literaturkritik darstellt, fordert vom Künstler wahrheitsgetreue, histor. konkrete Darstellung der Wirklichkeit in ihrer revolutionären Entwicklung. Wahrheitstreue und histor. Konkretheit der künstlerischen Darstellung muß mit den Aufgaben der ideolog. Umgestaltung und Erziehung der Werktätigen im Geiste des Sozialismus verbunden werden.« Anpassung an diese neuen Normen, oft unter Umarbeitung früherer Werke, bestimmt das hier bestätigt wird, formuliert: die literar. Entwicklung der folgenden Jahre (A. Fadejew, P. Pawlenko, A. Tolstoi, I. Ehrenburg, M. Scholochow, L. Leonow, N. Wirta, J. Krimow, A. Malyschkin u. a.). Durch die Entwicklung in Rußland gewann die sozialist.-realist. Literatur schnell in aller Welt großen Auftrieb, so fast in allen Ländern Europas, in den USA, in Japan, China usw. Auch im *Deutschland* der Weimarer Republik nimmt die Vorform des s. R., die proletar.-revolutionäre Literatur, wenn auch unter gesellschaftl. völlig verschiedenen Voraussetzungen, eine wichtige Stellung ein (J. R. Becher, B. Brecht, Fr. Wolf, L. Renn, W. Bredel, A. Seghers, E. Kisch, H. Marchwitza, B. Uhse u. a.) und führt 1928 zur Gründung des Bundes Proletarisch-revolutionärer Schriftsteller (BPRS). Sie fordern, »daß die Motoren der Romanhandlung nicht mehr private, sondern große soziale, gesellschaftl. oder Klassenkonflikte sein sollen, daß sich diese Konflikte aber widerspiegeln im Leben einzelner Menschen und Gruppen.« In der Emigration nach 1933 nehmen diese Schriftsteller die Losung des s. R. auf, propagieren ihn 1935 auf dem »Internationalen Kongreß zur Verteidigung der Literatur« in Paris und verwirklichen ihn in Werken der Exilliteratur. Sie führen auch die theoret. Auseinandersetzung um den s. R. und im Zusammenhang damit die Debatte um den ↗Expressionismus weiter, dem Relativierung der histor. Bezüge auf den subjektiven Standpunkt hin vorgeworfen wird. G. Lukács, der den s. R. in der Traditionslinie des bürgerl. Realismus und nicht in der der modernen Literatur sieht, und für den die Widerspiegelung der gesellschaftl. Verhältnisse in der Literatur das entscheidende Kriterium des s. R. ist, und B. Brecht, der lieber an das »schlechte Neue« als an das »gute Alte« anknüpfen will, und für den Literatur die Funktion der Veränderung der bestehenden Gesellschaft hat, sind die Exponenten der Diskussion dieser Jahre. – Für die Entwicklung des s. R. *in der DDR* ist in erster Linie die jeweilige polit. und kulturpolit. Situation maßgeblich. Literatur und Literaturtheorie bleiben zunächst hinter den Errungenschaften der proletar. revolutionären Literatur der zwanziger Jahre zurück. Die Auseinandersetzung mit der neuen gesellschaftl. Wirklichkeit kommt nur langsam in Gang. In den ersten Jahren nach dem Krieg herrscht weitgehende Freiheit und Unabhängigkeit der Kunst. In den fünfziger Jahren verstärkt sich jedoch immer mehr die Tendenz, die Literatur der Politik unterzuordnen, den s. R. als die allein maßgebliche polit.-ästhet. Norm und den gesellschaftl.-polit. Auftrag an den Schriftsteller von Seiten der Partei zu verstehen, ausdrückl. so auf der 2. Parteikonferenz der SED 1952. Fortan bestimmt der s. R. das literar. Schaffen und die literaturtheoret. Auseinandersetzungen. Diskussionen um »literar. Erbe« und seine krit. Aneignung, »Kampf gegen Formalismus in Kunst und Literatur«, Abgrenzung gegenüber dem »destruktiven Einfluß bürgerl. Dekadenzliteratur« bilden den Hintergrund, auf dem die positiven Forderungen nach Darstellung und Gestaltung des neuen Menschen mit sozialist. Lebens- und Arbeitsmoral, des »positiven Helden«, stehen. Diese Forderungen werden in den fünfziger Jahren etwa in den Werken von E. Claudius (»Menschen an unserer Seite«, 1951), O. Gotsche (»Tiefe Furchen«, 1949), B. Apitz, H. Marchwitza, Fr. Wolf, H. Müller, D. Noll u. a. verwirklicht. Einen neuen Akzent in der Entwicklung des s. R. in der DDR, wenn auch unter Anknüpfung an die Versuche des BPRS der Weimarer Republik, setzt die Bitterfelder Konferenz (1959), die v. a. die Trennung von Kulturschaffenden und Kultur Rezipierenden überwinden will durch Erfahrung der Schriftsteller in der Arbeitswelt und Aktivierung der Arbeiter zu schriftstellerischer Tätigkeit. F. Fühmanns »Kabelkran und blauer Peter« (1961), H. Baierls »Frau Flinz« (1961), E. Strittmatters »Ole Bienkopp« (1963) und E. Neutschs »Spur der Steine« (1964) sind Beispiele für die Auswirkungen dieser neuen Etappe des s. R. – Ab Mitte der sechziger Jahre tritt dann in das Literaturgeschehen die Literaturdiskussion eine zunehmende Auseinandersetzung mit der westl. Literatur. Es geht nun nicht mehr ausschließl. um den »positiven Helden«, sondern um eine differenziertere Darstellung des Menschen, wobei das Individuum mit seinen Widersprüchen stärkeres Gewicht erhält, und um die Auseinandersetzung mit dem Verhältnis Individuum und Gesellschaft (H. Kant, Ch. Wolf, G. Kunert, V. Braun, U. Plenzdorf). Auch die theoret. Diskussion um den Begriff des. s. r. bezieht neue Aspekte der Funktion von Literatur und des Verhältnisses von Abbild und Aktion und der Rezeptionsästhetik ein (Redecker, John, Pracht u. a.). Während die weitere Entwicklung des s. R. in der UdSSR und in den anderen sozialist. Ländern verschiedene Entwicklungsstufen zwischen strengem Dogmatismus und größerem Freiheitsspielraum (etwa in Polen oder in der CSSR vor und während des ›Prager Frühlings‹) durchlief, nahm die Bedeutung der sozialist., auf gesellschaftl. Veränderung ausgerichteten Literatur auch in westl. Ländern zu (Lateinamerika, Frankreich, in der Bundesrepublik etwa in Werken von M. Walser, G. Fuchs, F. J. Degenhardt, P. Schneider, U. Timm, M. Scharang, Chr. Geissler u. a.). Umstritten ist jedoch, ob diese engagierte »linke« Literatur dem s. R. im engeren Sinne zuzurechnen ist, da sie sich mindestens der dogmat. Festlegung auf die Linie der KP weitgehend entzieht. Der Begriff des ›politischen Realismus‹, der für diese sozialist. Literatur auch gebraucht wird, trägt dieser Schwierigkeit Rechnung.

□ Jünger, H. (Hrsg.) Der s. R. in d. Lit. Lpz. 1979.– Dimow, G. u. a. (Hrsg.): Internationale Lit. des s. R. 1917–45. Bln. 1978. – Autorenkollektiv (unter Leitung von M. Owsjannikow): Marxist.-leninist. Ästhetik. Bln. (Ost) 1976. – Trommler, F.: Sozialist. Lit. in Deutschland. Stuttg. 1976. – Hohendahl, P. U./Heminghouse, P. (Hrsg.): Lit. und Lit.theorie in der DDR. Frkft. 1976. – Pracht, E. u. a.: Einf. in den s. R. Bln. 1975. – Grimm, R./Hermand, J. (Hrsg.): Realismustheorien in Lit., Malerei, Musik u. Politik. Stuttg. u. a. 1975. – Schmitt, H. J. (Hrsg.): Einf. in Theorie, Gesch. u. Funktion der DDR-Lit. Stuttg. 1975. – Schmitt, H. J./Schramm, G. (Hrsg.): S. R.-konzeptionen. Dokumente zum 1. Allunionskongreß der Sowjetschriftsteller. Frkft. 1974. – Girnus, W.: Zukunftslinien. Überlegungen zur Theorie des s. R. Bln. (Ost) 1974. – Träger, C.: Studien zur Realismustheorie und Methodologie des Lit.wissenschaft. Lpz. u. Frkft. 1972. – Raddatz, F. J. (Hrsg.): Marxismus und Lit. Eine Dokumentation in 3 Bden. Reinbek 1971–74. – Lukács, G.: Probleme des Realismus. In: G. L.: Werke, Bd. 4–6, Neuwied 1964–71.– RL.   IA

Spaltverse, nicht nur formal (durch Zäsur), sondern auch im Sinnzusammenhang zweigeteilte Langverse: Sp. ergeben sowohl fortlaufend als auch in jeder Halbverskolumne für sich gelesen einen Sinn; gehören zu den barocken Formspielereien, vgl. z. B. Ph. v. Zesens »Irr- oder Verführungsgedichte«.   S

Spannung, Bez. für die Erregung von Neugier, Mitgefühl in ep. und dramat. Werken. Sie kann in der Geschehensstruktur eines Werkes liegen, kann aber auch aufgesetzt sein, z. B. als absichtl. Irreführung des Publikums mittels kalkulierter Effekte (z. B. im Trivial- und Kriminalroman). *Elemente der Sp.* sind v. a. Retardation, Verzögerung des Handlungsfortganges, Verschleierung der Handlungsbezüge, längere Ungewißheit über das Schicksal der Personen durch Einschübe etc., aber auch ↗Vorausdeutungen und ↗Anspielungen.   S

Speculum, m. [lat. = Spiegel], häuf. Titel mal. lat. theolog. u. didakt. Werke, s. ↗Spiegel.

Spel, gemeingerm. Wort für ›Erzählung‹, ›Sage‹, ›Fabel‹ (ahd., mhd. *spel,* angelsächs. *spell,* altnord. *spjall,* got. *spill*), in der got. Bibelübersetzung nur für griech. *mythos,* vgl. auch angelsächs. *godspell* (neuengl. *gospel*) ›Erzählung von Gott‹, ›Evangelium‹; mhd. ↗*bispel* (nhd. Beispiel), die einer Darstellung zur Belehrung beigefügte ›Geschichte‹, ↗Exemplum.   S

Spenserstanze, f., in der engl. Dichtung neunzeilige Strophenform aus acht jamb. Fünfhebern und schlußbe-

schwerendem Alexandriner, Reimschema: ab ab bc bc c; zuerst von E. Spenser in seinem Versepos »Faerie Queene« (1590 ff.) verwendet; letztl. wohl zurückgehend auf die in Frankreich seit dem 14. Jh. für die Gedichtform der ↗Ballade benutzte achtzeilige Strophe. In der Zeit nach Spenser lange vernachlässigt, gelangt die Sp. in der engl. Hochromantik (J. Keats, Byron: »Childe Harold«, Shelley, W. Scott) noch einmal zu großer Beliebtheit. Die Sp. gehört nicht zum näheren Umkreis der ↗Stanze (stanza bedeutet im Engl. ›Strophe‹ überhaupt).

□ Reschke, H.: Die Sp. im 19. Jh. Hdbg. 1918.   MS

Sperrung, f., dt. Bez. für die ↗rhetor. Figur des ↗Hyperbaton.

Sphragis, f. [gr. = Siegel], vorletzter Teil der 7teil. altgriech. kitharod. ↗Hymnen-Komposition, in der sich der Sänger nennt; danach in der griech. u. röm. Literatur Bez. für persönl. Angaben (Name, Herkunft, Anlaß, Kunstauffassung u. ä.) des Autors im Werk, auch der diese enthaltende Teil (meist Schlußteil, letzte Strophe, letztes Gedicht eines Zyklus usw.); Beispiele bei Pindar, Kallimachos, Vergil (Georgica), Properz (z. B. I, 22), Horaz (z. B. Carmen III, 30).   OB*

Spiegel (lat. *speculum*), im MA. beliebter Titel belehrende, moral.-religiöse, jurist. und satir. Werke, meist in Prosa. Begegnet zuerst in lat. Werken, z. B.: Gottfried von Viterbo, »Speculum regum« (um 1185, Papst- u. Königskatalog), Nigellus Wireker von Longchamp, »Speculum stultorum« (um 1190, Mönchssatire), Vinzenz von Beauvais, »Speculum naturale, historiale, doctrinale« (Mitte 13. Jh., größte mal. Enzyklopädie). Die ersten dt.sprach. Sp. sind Rechtsbücher: der niederdt. »Spegel der Sassen« (Sachsen-Sp.) von Eike von Repgow (1. Drittel 13. Jh.) und der oberdt. »Sp. aller dt. Leute« (Deutschen-Sp., 2. Hä. 13. Jh.), der sog. ›Schwaben-Sp.‹ (13. Jh.) wurde erst im 17. Jh. analog so benannt. – Die Bez. ›Sp.‹ findet sich weiter im Titel dt. und lat. Erbauungsbücher (↗Heilsspiegel‹), Moralkehren: »Sp. des Sünders«, »Sp.-buch« (beide 15. Jh.), Tugend- und ↗Fürsten-Sp.: »Speculum virtutem moralium«des Abtes Engelbert von Admont (Ende 14. Jh.), der dt. »Sp. der regyrunge« (15. Jh.), Standeslehren: Johannes Rothes »Ritter-Sp.« (um 1410), heilkundl. Werke: »Spygel der gesuntheit« (14. Jh.), »Der frawn sp.« (1500), Fabelsammlungen: »Sp. der Wyßheit« (1520). Im 16. Jh. ist ›Sp.‹ auch als Dramentitel belegt: »Speculum vitae humanae« des österr. Erzherzogs Ferdinand II. v. Tirol (1534). – Als ›Sp.‹ bez. werden auch Werke, die das Wort nicht im Titel führen, z. B. Werner Rolevincks »De origine nobilitatis« als Adels-Sp. oder »De regimine rusticorum« als Bauern-Sp. (beide um 1470). Als Standes- und Sittenlehre dienten auch ↗Schachbücher.   S

Spiel im Spiel, auch: Theater auf dem Theater, in ein Bühnenwerk eingefügte Theateraufführung (dramat., auch dramat.-musikal. oder pantomim. Handlung oder Szene). – Zu unterscheiden sind:

1. das i. Sp. als eigene oder nur mit losem Bezug zum eigentl. Stück hauptsächl. zur Befriedigung der Schaulust des *realen* Publikums (z. B. die prunkvollen, revueartigen ↗Intermezzi u. a. Zwischenspiele des Renaissancetheaters oder die Allegorien zur Ausschmückung des Lehrgehaltes im ↗Jesuitendrama oder Ballette in der Oper).

2. das Sp. i. Sp. als funktionales, in den Spielablauf eines Stückes integriertes Element; seine Zuschauer sind *fiktiv,* oft die Personen des Hauptstückes, die z. T. auch ins Sp. i. Sp. eingreifen, es lenken, unterbrechen; sie können aber auch zugleich Darsteller des Sp. i. Sp. sein. – Das Sp. i. Sp. kann Anlaß für ein Ereignis in der Haupthandlung sein (Mord während einer Pantomime in Verdis »Maskenball«), Mittel der Wahrheitsfindung (z. B. im Mirakelspiel »Mariken van Nijmegen«, Ende 15. Jh., in Shakespeares »Hamlet«), Spiegelung eines Geschehens auf verschiedenen Ebenen (Shakespeares »Sommernachtstraum«, A.

Gryphius' »Peter Squenz«) oder der Relativierung der Bühnenfiktion (L. Tieck, »Der gestiefelte Kater«). In der modernen Dramatik wird diese relativierende Funktion der vielfältigen Brechung der Realität oft zur Grundstruktur eines Werkes, z. B. L. Pirandello, »Sechs Personen suchen einen Autor« (1921, das Sp. i. Sp. enthält seinerseits wieder ein Sp. i. Sp.), G. Genet, »Die Neger« (1957), P. Weiss, »Marat/Sade« (1964). 3. Zum Teil erscheint bei Werken mit Rahmenhandlung die Haupthandlung als ausgedehntes Sp. i. Sp., z. B. in Shakespeares »Der Widerspenstigen Zähmung«, G. Hauptmanns »Schluck und Jau«; ein reizvoller Grenzfall ist H. v. Hofmannsthals/R. Strauß' »Ariadne auf Naxos«.

CD Maurer. R.: D. Theater auf d. Theater. Bern 1981. – Kokott, J. H.: Das Theater auf dem Theater im Drama der Neuzeit. Diss. Köln 1968.   IS

Spielmann, [mhd. *spilman*], fahrender Sänger des MA.s. In den Quellen tritt er, keinem bestimmten Stand angehörig, als Recht- u. Ehrloser entgegen, der seinen Lebensunterhalt v. a. durch artist. u. musikal. Darbietungen u. wohl auch durch den Vortrag literar. Kleinkunst (Lieder, Balladen u. a.) bestreitet. Die romant. Auffassung (zuerst Brüder Grimm) sah in ihm den Nachfolger der german. Sänger (/Skop, /Skalde), zugleich den Träger der Natur- u. Volkspoesie, dann auch (A. W. Schlegel, Uhland u. a.) deren Schöpfer. Heute herrscht über Begriff wie Wesen des Sp.s weitgehend Unsicherheit; gerade auch darüber, ob Spielleute als Vortragende oder gar Verf. der /Spielmannsdichtung zu gelten haben. Die Hauptursache dafür, daß die Konturen des Sp.s (wie die seiner außerdt. Kollegen /Joculator, /Ménestrel, /Minstrel) nur vage zu umreißen sind, liegt darin, daß Art u. Verbreitung der mündl. Dichtung des MA.s kaum ausgemacht werden können.

CD Salmen, W.: Der S. im MA. Innsbruck 1983.– Hartung, W.: Die Spielleute. Wiesbaden 1982. /Spielmannsdichtung.   MS

Spielmannsdichtung, *im engeren Sinn* eine Gruppe von fünf anonymen mhd. Epen, denen das Strukturschema der Brautwerbung und des Brautraubes, ferner ein Stoffrahmen aus dem Umkreis der Kreuzzugs- und Orienterfahrung des 12. Jh.s gemeinsam ist: »König Rother«, »Herzog Ernst«, »Oswald«, »Orendel«, »Salman und Morolf«; die Überlieferung reicht bei den zwei ersten ins 12. Jh. zurück; die anderen sind erst aus dem 15. Jh. bezeugt, doch werden auch ihre Vorstufen ins 12. Jh. verlegt. Umstritten sind die Einheitlichkeit dieser Gruppe, der Grad ihrer Absetzung von der Helden- u. Geistlichenepik wie auch vom höf. Roman, schließl. ihre Zuordnung zum /Spielmann als dem Verbreiter oder gar Autor dieser Werke. Angebl. typ. ›spielmänn.‹ Züge wie additiver Stil, Unbekümmertheit in Sprache u. Vers, starke Formelhaftigkeit, Freude am Vordergründig-Gegenständl., Hang zu Drastik u. Komik finden sich auch in anderen Gattungen des 12. Jh.s, das Brautwerbungsmotiv taucht auch sonst, etwa in den Tristandichtungen u. im »Nibelungenlied« auf. – Unter Sp. *im weiteren Sinn* wird gelegentl. auch jede Art von mündl. tradierter Kleindichtung (volkstüml. Lyrik, heroische oder hist. Balladen, Spruchdichtung) verstanden, die man dem fahrenden Spielmann zuschreiben zu können glaubt.

Ausgabe: Spielmannsepen. Bd. 1 hg. v. H. u. I. Pörnbacher. Darmst. 1984. Bd. 2 hg. v. W. J. Schröder. Darmst. 1976. CD Schröder, W. J. (Hrsg.): Spielmannsepik. Darmst. 1977. – Curschmann, M.: »Spielmannsepik«. Wege u. Ergebnisse d. Forschung von 1907–1965. Mit Erg. u. Nachtr. bis 1967. Stuttg. 1968.– Schröder, W. J.: Spielmannsepik. Stuttg. ²1967. – RL.   MS

Spiritual, eigentl. Negro-Sp., m. [ˈniːɡrou ˈspiritjuəl; engl.-amerik. von mlat. spiritualis = geistl.], schwermüt., *geistl.* Volkslied der amerikan. Negersklaven, ähnl. dem weltl. /Blues.   S

Spondeiazon, n. [gr.], auch Holospondeus; seltene Son-derform des antiken /Hexameters, bestehend aus sechs /Spondeen: $--|--|--|--|--|--$. Im Deutschen ergeben sich Schwierigkeiten bei der Nachbildung: im dt. Sp. wechseln verschiedene Spondeentypen mit Trochäen, vgl. z. B. F. G. Klopstock, »Der Messias« (10, 1030): »Mein Gott! mein Gott! warum hast du mich verlassen?« $--|--|$ $--|--|\underline{\smile}\smile|\underline{\smile}\smile$. Die Bez. wurde auch für den Spondiacus verwendet (z. B. von Cicero, vgl. /Hexameter).   GG

Spondeus, m. [zu gr. spondé = Trankopfer], antiker Versfuß aus zwei langen Silben ($--$), auch als Daktylus bzw. Anapäst mit Kontraktion der jeweils kurzen Silben definiert; erscheint fast nur für andere Versfüße (z. B. im /Hexameter) oder als /Klausel (Di-Sp.: 4 lange Silben, bei Cicero), seltener durchgängig in einem Vers (z. B. /Spondeiazon). – Die *Nachbildung in akzentuierenden Versen* ist problemat., da die Folge ́x x eigentl. dem /Trochäus entspricht; insbes. J. H. Voß und seine Schule versuchten daher die Nachbildung durch die Verbindung zweier Wörter mit gleicher oder annähernd gleicher akzentueller Schwere: des Zeus Rát, meinem Gehéíß treú (x́x́, sog. *gleichgewogener Sp.*) oder durch ein Wort aus zwei Silben, von denen sowohl die erste als auch die zweite den Ton tragen kann: Stúrmnacht, Méerflut, daher auch Schönhéit (x́x oder x́x betont, sog. *geschleifter oder umgedrehter Sp.* (nach A. Heusler »falscher Sp.«; vgl. auch /schwebende Betonung). Solche Spondeen, von Voß theoret. begründet, finden sich auch bei A. W. Schlegel, Goethe, Schiller, A. v. Platen.   S

Spondiacus, versus spondiacus, s. /Hexamter.

Sprache [Etymologie ungeklärt, ebenso wie das Verhältnis zu engl. to speak; vgl. dagegen lat. lingua = Sp., Grundbedeutung ›Zunge‹], System von Lauten und graph. Zeichen (/Schrift), dient der Verständigung über Wollen und Tun, dem Gedankenaustausch, ist sowohl auf zwischenmenschl. Kommunikation als auch auf subjekt-zentrierte Orientierung in der Welt, auf Selbstfindung angelegt. Sp. ist bedeutsames Vehikel bei Denkprozessen, wenn auch Denken nicht ausschließl. an Sp. gebunden ist. Sie dient seit den ersten schriftl. Zeugnissen (4./3. Jt. v. Chr.) über die funktionelle sachl. Kommunikation hinaus dem Kult und der Dichtung. In diesen Bereichen entfalten sich schon früh ihre appellativen und ästhet.-poet. Kräfte, Tendenzen zu gehobenem Sprechen, das rhetor. und metaphor. Elemente aktiviert. Dabei zielen rhetor. Mittel (Wiederholungen, Gleichlauf, Klangintensivierungen wie Reim, Alliteration) auf mehr Nachdruck (auch Klarheit) der Aussage, Metaphorik auf größere Welt- und Sinnfülle. Als Verständigungsmittel ist Sp. auf Konstanz und Eindeutigkeit angewiesen. Dem scheint zu widersprechen, daß Sp. einem stetem *Wandel* unterworfen ist, der sich zwischen den Polen Differenzierung und Normierung bewegt. Seit den erschließbaren indogerm. Anfängen änderte sich immer nur die Lautgestaltung der verschiedenen Einzelsp.n grundlegend (entsprechend den physiolog. und artikulator. Bedingtheiten der Sprechorgane), sondern auch der Morphologie, der syntakt. Struktur, der Wortschatz (Neubildungen, Ableitungen, Lehnwörter, Bedeutungswandel), entsprechend der Differenzierung des menschl. Denkens, neuen Bedürfnissen, Erfahrungen und Gegenständen. Sp. ist immer, und sei sie noch so topisch, d. h. mit Formeln durchsetzt, individuelle Schöpfung und zugleich Gemeinschaftswerk, insofern sie auf Verständigung ausgerichtet ist. So erklärt sich die Entwicklung überindividueller Familien-, Orts- und Landschaftsidiome. Schon im griech. Antike entstand mit der Bildung größerer staatl. Einheiten auf der Basis des Stadtdialekts von Athen, dem Attischen, um 300 v. Chr. die Koiné (gr. = gemeinsam) eine hellenist. *Gemein-Sp.* Sie hatte ihre Wirkung ins Byzantin. Reich als Staats-, Rechts- und Literatur-Sp. Gültigkeit bis zur Eroberung Konstantinopels durch die Türken (1453). Mit zunehmender Ausdehnung des röm. Reiches etablierte sich

Latein als zweite antike *Welt-Sp.* Sie dauerte auch nach dem Untergang Roms als internationale Kirchen- und Gelehrtensp. bis in die Neuzeit fort. Im MA. war deshalb das Bedürfnis nach volkssprachl. Einheitsidiomen nicht so dringlich. Volkssprachl. Dichtung erscheint meist in mehr oder weniger überregional orientierten sog. *Schriftdialekten.* Nur in der höf. Blütezeit entstand durch Dialektausgleich, wohl im Gefolge des mobilen Kaiserhofes, so etwas wie eine überregionale mhd. Dichtersp. Erst das Vordringen der Volks-Sp. in Verwaltung und Handel führte zu überregionalen *Verkehrs-Sp.n* wie dem sog. ›gemeinen Deutsch‹ in Oberdeutschland, ausgehend von der Sp. der kaiserl. Kanzlei in Wien. V. a. mit der Aufnahme der Volks-Sp.n in den kirchl. Raum (Reformation, Luthers Bibelübersetzung: Lautung und Flexion auf mitteldt. Basis, Wortschatz gemeindeutsch) wurde ein entscheidender Schritt hin zu einer nhd. Schrift-Sp. getan, die allerdings erst im 19. Jh. endgültig zu einer allgemein-gültigen Gemein-, Hoch- oder Standard-Sp. wurde. – Eine *National-Sp.* (z. B. Deutsch im Ggs. zu Engl.) zerfällt aufgrund sprachl. Entwicklungen (z. B. 2. Lautverschiebung; trennt den Konsonantismus des Hochdeutschen vom Niederdeutschen) in lautl., morpholog., syntakt. und lexikal. voneinander abweichende *Dialekte* (Mundarten). Über dieser durch bestimmte Lebensräume gegliederten horizontalen Basis der Alltagssprachen entstanden außerdem im Zuge sozialer und kultureller Entwicklungen verschiedene vertikale Sp.schichten, d. h. verschiedene Ausprägungen von Umgangsspr., die durch den Kommunikationsradius der Sprechergemeinschaft bestimmt sind. Diese einem bestimmten Zweck dienenden / *Sondersp.n* führen zu einer gewollten oder ungewollten Abgrenzung von der Gemeinsp., bes. im Wortschatz. Dazu gehören *Standes-, Berufs-* und *Fach-Sp.n., weiter Gruppen-Sp.n* (z. B. Schüler-, Soldaten-Jargon) und *Geheim-Sp.n* (Rotwelsch, Argot). – Eine übergeordnete Funktion kommt der sog. *Hoch-* oder *Standard-Sp.* zu (in geschriebener Form als Schriftsp. bez.). Diese kann mit ihren Normierungen wieder auf die Sprech-Sp., die Umgangssp. zurückwirken. Die dt. Standard-Sp. hat nie die normative Geltung etwa des stärker zentralisierten Französisch erreicht, zumal eine sprachpflegende Instanz wie die Académie française fehlt. – Jeder Sprachteilnehmer hat eine individuelle, sozial, bildungsmäßig und regional gesteuerte Teilhabe am Wort- und Formeninventar einer Sp. (nach Saussure: *la langue*). Er setzt seine generelle Sprachkompetenz *(language),* seinen Wissensanteil an der Sp. unterschiedl. um in geschriebene und gesprochene Sp. *(parole, Performanz).* Er entwickelt seine Sp.kompetenz ständig durch Austausch mit der Sprachgemeinschaft (Rückkoppelung). Aus dem Angebot an Sprachinhalten und Sprachformen bilden sich jeweils auch / *Literatur-* und Dichter-Sp.n. Sie setzen sich auf der Ebene der Hoch-Sp. bewegen (klass. Literatur) mit jeweils unterschiedl. individuellen und regionalen Besonderheiten (vgl. Prosa Schillers und Goethes), sie können auch regionale Formen aufnehmen (Gotthelf) und mundartliche (G. Hauptmann). Dichter.Sp. ist nicht nur Ideengefäß oder Träger von Mitteilungen, sondern auch ästhet. Mittel, das vorgegebenen (normative Poetik) oder selbstgeschaffenen Gestaltungsprinzipien folgt, bes. in d. Versdichtung, aber auch in der Prosa (vgl. z. B. Th. Mann und F. Kafka). Sp. kann als formales Gebilde auch Mittel für Sp.artistik (Barock) oder Sprachexperimente sein (experimentelle Literatur, / *Manierismus).* Die verschiedenen Sektoren v. a. der ästhet. Verwendung von Sp. sind systemat. behandelt in der / Stilistik, / Rhetorik, / Metaphorik, die dichter. poet. Verwendung außerdem in / Prosodik und / Poetik. Ihre formalstrukturellen Seiten werden erfaßt in der Grammatik, ihre Entwicklung in den verschiedenen Disziplinen der Sprachgeschichte (histor. Grammatik). Sp. ist letztl. zweischichtig, wie schon W. v. Humboldt erkannt hat, sie ist einerseits

ergon (Werk, System), aber auch energeia (ins Werk Gesetztes). Einen bes. Problemkreis bildet das Verhältnis von *Sp. und Schrift:* In den Anfängen jeder Schrifttradition besteht eine weitgehende Übereinstimmung von Laut und Schrift. So können ahd. Handschriften zeigen, wie sich die Schreiber bemühten, ihre volkssprachl. Laute möglichst getreu in ein fremdes (lat.) Alphabet umzusetzen, das sie durch Buchstabenkombinationen (pf) und diakrit. Zeichen für ihre Bedürfnisse differenzierten. Im Laufe der Entwicklung konnten Schreibformen zu Schreibnormen werden, die hinter der aktuellen Lautung zurückblieben *(histor. Schreibung).* Ein solcher Prozeß führt in den europ. Sp.n zu unterschiedl. Ergebnissen: weitgehende Kongruenz (von unsystemat. Doppelbezeichnungen abgesehen) in der dt. und ital. Schreibung, z. T. weite Entfernung des Schriftbilds von der Lautung im Franz. und Englischen, die früher als das Deutsche etwa zu einer zentralen Schriftnorm kamen. Die Verschriftlichung von Sp. hat aber auch Auswirkungen auf Struktur, Syntax und Stil: Schrift-Sp. tendiert stärker zu Systematisierung und Abstraktion. Im Dt. ist eine charakterist. Folge der sog. Nominalstil, das ›Schachtelsatz‹ (die komplizierte Satzperiode), während in der gesprochenen Sp. und der an ihr orientierten Schriftsp. der Verbalstil und einfache Satzkonstruktionen herrschen.

⌑ Schweikle, G.: Germ. dt. Sprachgesch. im Überblick. Stuttg. ²1987. – Wolff, Gerh.: Dt. Sprachgesch. Frkf. 1986. – Goody, J./Watt, I./Gough, K.: Entstehung u. Folgen d. Schriftkultur. Frkf. 1986. – Besch, W. u. a. (Hrsg.): Sprachgesch. Hdb. zur Gesch. d. dt. Sprache u. ihrer Erforschung. 1. Halbbd. Bln./New York 1984. – Althaus, H. P./Henne, H./Wiegand, H. E. (Hrsg.): Lexikon der germanist. Linguistik. Tüb. ²1980. – Coseriu, E.: Synchronie, Diachronie u. Gesch. Probleme des Sp.wandels. Mchn. 1974. – Ammon, U.: Dialekt u. Einheits-Sp. in ihrer sozialen Verflechtung. Weinheim 1973. – Agricola, E. u. a. (Hrsg.): Die dt. Sp. Lpz. 1969. – Arens, H.: Sp.wissenschaft. Der Gang ihrer Entw. v. d. Antike bis zur Gegenw. Freibg./Mchn. ²1969. – Hjelmslev, L.: Die Sp. Darmst. 1968. – Saussure, F. de: Grundfragen d. allgem. Sp.wissenschaft. Bln. 1967. – Blackall, E. A.: Die Entw. des Deutschen zur Literaturspr. 1700–1775. Stuttg. 1966. – Bach, A.: Gesch. der dt. Sp. Hdbg. ⁸1965. – Eggers, H.: Dt. Sp.gesch. 4 Bde. Hamb. 1963–77. – Martinet, A.: Grundzüge der allgem. Sp.wissensch. Stuttg. 1963. – Porzig, W.: Das Wunder der Sp. Bern/Mchn. ³1962. – Weisgerber, L.: Von den Kräften der dt. Sp. Düsseld. 4 Bde. ²1953–59.   S

Sprachgesellschaften, gelehrte Vereinigungen des 17. Jh.s zur Pflege der dt. Sprache, insbes. ihrer Reinigung von Fremdwörtern, von idiomat. oder nichtdt. syntakt. Elementen, zur Förderung einer einheitl. Orthographie, zur Klärung sprachwissenschaftl., poetolog. (insbes. vers- und reimtechn.) und ästhet. Fragen, sowie zur prakt. Anwendung und Verbreitung einer solcherart erarbeiteten Litursprache in Übersetzungen, theoret. Abhandlungen und Dichtungen. Die Sp. bekämpften mit diesem Programm einerseits das zeitgenöss. Alamodewesen (/ Alamodeliteratur), aber auch den / Grobianismus. Charakterist. ist die eth.-moral. Fundierung ihrer Bestrebungen als Mittel zur Wiederbelebung und Aufrechterhaltung »alter dt. Tugenden«. – Die Mitglieder setzten sich aus Angehörigen des Adels und (oft geadelten) bürgerl. Gelehrten und (Hof-) Beamten zusammen. Auf Empfehlung und nach Verdiensten gewählt, erhielten sie Devise, Emblem und, um Standesunterschiede auszuschalten, einen Gesellschaftsnamen, unter dem sie ihre Werke veröffentlichten, die z. T. in den Sp. diskutiert, bzw. dort vorher eingereicht werden mußten. Fast alle bedeutenden Dichter und Dichtungstheoretiker der Zeit waren Mitglied einer, oft auch mehrerer Sp. Kontakt, Austausch und Anregungen der Mitglieder erfolgten durch Briefe, seltener durch Tagungen. – Sp. bestanden in Italien bereits seit dem 15. und 16. Jh.; bes. nach dem Vorbild der berühmten *Accadèmia della Crusca* (↗Akademie) in Florenz gründete Ludwig Fürst von Anhalt-Köthen 1617 in Weimars alter Residenz Hornstein die erste und bedeutendste dt. Sp., die *Fruchtbringende Gesellschaft* (auch *Palmenorden*) mit dem Wahlspruch »Alles zu Nuzen« und dem Emblem des »indian. Palmbaums« (Kokospalme), weil er mit seinen verschiedenen Bestandteilen sämtl. materiellen Bedürfnisse des Menschen zu befriedigen vermöge. Sie umfaßte während ihrer Blütezeit (1640–80) über 500 Mitglieder, darunter (in der Reihenfolge ihrer Aufnahme) M. Opitz, G. Ph. Harsdörffer, J. G. Schottel, J. M. Moscherosch, J. Rist, F. v. Logau, Ph. v. Zesen, G. Neumark, A. Gryphius. Aus ihrem Kreis gingen so wichtige Werke hervor wie Ch. Gueintz' »Die dt. Rechtschreibung« (1645), Schottels »Ausführl. Arbeit von der Teutschen Haubt Sprache« (1663) und Stielers »Der Teutschen Sprache Stammbaum und Fortwachs« (1691). – Weitere Sp. waren: *Die Deutschgesinnte Genossenschaft* in Hamburg, gegründet 1643 von Ph. von Zesen, die, wohl nach dem Vorbild der niederländ. ↗Rederijkers, in Zünfte eingeteilt war, und die insgesamt etwa 200 Mitglieder umfaßte. Sie bemühte sich vordringl. um die Wiederherstellung der »dt. Ursprache«, zog sich aber durch einen übersteigerten ↗Purismus (Versuch, längst eingebürgerte Lehnwörter durch Neologismen zu ersetzen) z. T. den Spott der Zeitgenossen (J. Rist) zu. *Der Pegnes. Blumenorden* in Nürnberg (ursprüngl. *Löbl. Hirten- und Blumenorden an der Pegnitz, Pegnitzer Hirtengesellschaft*, auch *Gesellschaft der Blumenschäfer ... Pegnitzschäfer, Gekrönter Blumenorden*), gegründet 1644 von G. Ph. Harsdörffer und J. Klaj; Sinnbild war die »siebenfache Pans-Pfeiffe«, seit 1669 die Passions-Blume. Er hatte in seiner Blütezeit (1660–80) 58 Mitglieder, darunter S. v. Birken, M. D. Omeis, J. Rist, J. G. Schottel, J. M. Moscherosch. Anders als bei vergleichbaren Sp. stand im Mittelpunkt nicht Sprachpflege, sondern Ästhetik (J. Klaj: »Lobrede der Teutschen Poeterey«, 1645, Harsdörffer, »Poet. Trichter. Die Teutsche Dicht- und Reim-Kunst, ohne Behuf der Lat. Sprache in sechs Stunden einzugießen«, 3 Teile, 1647/53, S. v. Birken, »Teutsche Redebind- und Dichtkunst oder kurtze Anweisung zur Teutschen Poesy«, 1679); gepflegt wurde eine gesellig-virtuose Dichtung, die aber für das vornehme Bürgertum bestimmte, von Harsdörffer in seinen »Frauenzimmer-Gesprächsspielen« (1641/49) betonte Verbindung von Dichtung und Malerei anstrebte (Tradition des Horazischen ↗ut pictura poesis). In ↗Figurengedichten erhielten die maler. Tendenzen ihren spezif. Ausdruck, in manierist. Klangmalereien und Reimexperimenten die musikalischen. Sp. beliebt waren Natur- und Liebesgedichte, Schäferspiele und allegor. Festspiele. *Die Aufrichtige Tannengesellschaft* in Straßburg, gegr. 1633 von J. Rompler von Löwenhalt, *Der Elbschwanenorden*, 1658 von J. Rist, dessen Sp. mit den »Monatsgesprächen«(1660) die *erste literar. Zeitschrift* herausgab, *Die Neunständige Hänseschaft* (1643), *Das Poet. Kleeblatt* (1671) u. a. Gegen Ende des 17. Jh.s verloren die Sp. ihre Bedeutung, erloschen z. T. ganz oder änderten ihre Ziele, wie die *Görlitzische Poet. Gesellschaft*, 1697 in Leipzig von J. B. Mencke gegründet, die sich seit 1727 unter der Leitung J. Ch. Gottscheds neuen dichtungstheoret. Fragen zuwandte, die dann von den ↗Deutschen Gesellschaften des 18. Jh.s verfolgt wurden. – Da die Sp. bis heute noch verhältnismäßig wenig erforscht sind, werden ihre Bedeutung und Auswirkungen unterschiedl. beurteilt; bedeutsam scheint aber neben der Lat. theoret. Lehrbücher (s. ↗Poetik) zumindest die reiche Übersetzertätigkeit, die neben Stoff- und Formvermittlung die dt. Sprache zu einem geschmeidigeren und präziseren Ausdrucksmittel in Vers und Prosa (↗Prosa) machte, nicht zuletzt durch eine Fülle heute fest in die dt. Sprache integrierter Neubildungen wie: Anschrift, Briefwechsel, Durchmesser, Grundsatz, Grundstein, Glaubensbekennt-

nis, Jahrbuch, Mitleid, Mundart, Rechtschreibung, Tagebuch, Umfang, Wörterbuch, Zeitrechnung, Zusage.
📖 Engels, H.: Die Sp. des 17.Jh.s. Gießen 1983. – Bircher, M./Ingen, F. van (Hrsg.): Sp., Sozietäten, Dichtergruppen. Arb.gespräch in der Herzog-August-Bibl. Wolfenbüttel, Juni 1977. Vorträge u. Berichte. Hamb. 1978. – Stoll, Ch.: Sp. im Deutschland des 17.Jh.s. Mchn. 1973. – Otto, K. F.: Die Sp. des 17.Jh.s. Stuttg. 1972 (mit ausf. Bibliogr.). – RL

HD/GG/IS

Sprichwort, volkstüml. Aussage (↗einfache Formen), die sich durch Konstanz des Wortlauts, Anspruch auf Allgemeingültigkeit, geschlossene syntakt. Form, vielfach auch durch sprachl. Charakteristika (Bildlichkeit, rhythm. Prägnanz, Reim oder Assonanz, Parallelismus der Satzglieder u. a.) auszeichnet (z. B. »Morgenstund hat Gold im Mund«). Das Sp. gewinnt seine beanspruchte Allgemeingültigkeit aus der Formulierung einer Erfahrung, die trotz des vielfach agrar. Bildbereichs und trotz bestimmter zeit- oder epochentyp. Merkmale (z. B. in den Rechtssprichwörtern oder den Sprichwörtern, die den Teufel zitieren) letztl. weder schichtenspezif. noch histor. gebunden ist. Es unterstellt damit eine »ewige Wiederkehr des Gleichen«, die jedoch nicht durch eine lehrhafte Tendenz oder eine moral. Forderung ausformuliert ist, sondern sich aus der Art der Anwendung ableiten läßt. Denn gibt das Sp. auch vor, eine Regel für den Lauf der Welt, damit eine Vorschrift für Verhalten oder eine Warnung vor Fehlverhalten zu geben, so zeigt sich bei der Anwendung, daß diese Regel sprachl. verwirklicht wird, nicht um Klugheit oder Mahnung zu begründen, sondern um einen Verstoß dagegen abschließend, z. T. ironisierend in die Gesetzmäßigkeit des Wiederkehrgedankens einzubringen. Damit erhält das Sp. eine rückschauende Tendenz und einen resignierenden Charakter (A. Jolles), der in der Diskrepanz von ahistor. Erfahrung und histor. Fall-Anwendung liegt. Dennoch schließt die Verwendung des Sp.s zur nachträgl. Kennzeichnung von Personen oder Situationen nicht aus, daß die Weisheit der geregelten Aussage auch vorausschauend handlungsbestimmend sein kann, wie aus der Sprechersituation beim Gebrauch eines Sp.s bisweilen gefolgert werden mag, wenn z. B. »Wer andern eine Grube gräbt . . .« vom Standpunkt der Schadenfreude dessen gesprochen wird, den die Beherzigung der Regel selbst vor den Folgen bewahrt hat. – Das Sp. unterscheidet sich durch die Formulierung einer kollektiven Erfahrung vom individuellen ↗Aphorismus; durch die syntakt. abgeschlossene, oft eine Kausalbeziehung (»Viele Hunde sind des Hasen Tod«) enthaltende Form von der ↗Redensart; durch die Anonymität und den nicht mehr rekonstruierbaren Situationskontext seiner ersten Verwendung von der dichter. ↗Sentenz (Zitat). *Das Sammeln von Sprichwörtern,* die Untersuchung ihrer Herkunft, ihrer erkenntnis- und moralphilosoph. Bedeutung (»Urweisheit der Menschen«) und ihrer rhetor. Formen und Anwendbarkeit begann schon mit der ↗Paroimiographie der griech. Antike (Aristoteles, Klearchos von Soloi), setzte sich zumal in der spätantiken Philologie von Alexandria (Didymos, Zenobios) und in umfängl. latein. Sammlungen des MA.s fort. Die ersten *deutschsprachigen* Sprichwörter verzeichnet den bereits (gelt. 1022) in seiner Lehrschrift »De partibus logicae« (z. B. »So diz rehpochchili fliet, so plecchet imo ter ars«) man das Rehkitzlein flieht, leuchtet ihm die ›Blume‹). Zahlreiche Sprichwörter sind auch in Werken der mhd. Literatur, vor allem in Freidanks »Bescheidenheit« (13. Jh.), zu finden. Große, z. T. gelehrte Sammlungen entstehen im Humanismus: die »Adagia« (1500) von Erasmus v. Rotterdam, die »Proverbia Germanica« (1508) von H. Bebel, die *deutschen Sammlungen* von J. Agricola (mehrere Ausgaben seit 1528), S. Franck (1541), E. Eyering (1601) und Chr. Lehmann (1630). Auch Luther hat eine nicht zu seinen Lebzeiten veröffentlichte Sammlung von Sprichwörtern angelegt. Im

Zuge der Aufwertung und Erforschung aller Gattungen der Volkspoesie im 19. Jh. entstehen die wissenschaftl. Sprichwort-Kompendien, die sowohl Quellen erforschen, Erläuterungen geben, als auch übernationales Vergleichsmaterial zusammenstellen. Nach den Sammlungen von M. Sailer (1810), W. Körte (1837) und J. Eiselein (1840) hat nach jahrzehntelanger Arbeit K. F. W. Wander das fünfbändige »Deutsche Sprichwortlexikon« 1867–1880 (Nachdr. 1977) herausgegeben, in dem ca. 300000 Sprichwörter und Redensarten nach Stichworten geordnet sind.

Bibliographie: Mieder, W.: Proverbs in Literature. An international bibliography. Bern u. a. 1978. – Ders.: International bibliography of explanatory essays on individual proverbs and proverbial expressions. Frkft./Bern/Las Vegas 1977.

Lexikon: Beyer, H. u. A.: Sp.erlexikon. Mchn. ⁴1988. – Röhrich, L.: Lexikon d. sprichwörtl. Redensarten. 4 Bde. Freib. u. a. ⁴1986.

Sammlung: Rauch, K. (Hrsg.): Sp.er der Völker. Wiesb. 1977. – Vgl. auch W. Mieder (Hg.): Volkskundl. Quellen. Reihe 7, Hildesheim 1970 ff.

Mieder, W.: Anti-Sp.er. Bern 1989. – Ders.: Sp., Redensart, Zitat. Bern u. a. 1985. – Ders. (Hrsg.): Dt. Sp.er-Forschung im 19. Jh. Bern u. a. 1984. – Ders. (Hrsg.): Ergebnisse der Sp.er-Forschung. Bern u. a. 1978. – Röhrich, L./Mieder, W.: Sp. Stuttg. 1977 *(mit Bibliogr.).* – Peukes, G.: Unters. zum Sp. im Deutschen. Bln. 1977. – RL.   HW

Spruch, vgl. ⁄Spruchdichtung, auch ⁄Priamel, ⁄Gnome, ⁄Epigramm, ⁄Denkspruch, ⁄Sinnspruch.

Spruchdichtung

1. Zus.fassende Bez. (eingeführt von K. Simrock, Walther-Ausgabe 1833) für mhd. Lieder und Gedichte, die sich themat. u. teilweise auch formal vom eigentl. ⁄Minnesang absetzen: sie sind v. a. didakt. ausgerichtet, behandeln relig., polit., eth.-moral. Themen, formulieren Totenklagen, Fürstenpreis und -tadel, Kritik an weltl. u. kirchl. Zuständen, Satire und Polemik (z. T. auch gegen Kunstgenossen). Sp. ist meist einstrophig, wie auch die wechselnden Gruppierungen in den Handschriften ausweisen; die Strophen können sich allerdings zu Strophenreihen oder Zyklen zus.schließen (vgl. etwa d. dreistroph. *Reichston* Walthers v. d. Vogelweide), sie sind häufiger als Minnesangstrophen unstollig gebaut. – Sp. wurde anfangs wie der Minnesang *gesungen* vorgetragen (deshalb auch *Sang-Spruchdichtung* nach Hermann Schneider); Melodien sind v. a. in der Jenaer u. der Kolmarer Lieder-Hs. überliefert. Nicht gesungen wurden nur *Reimpaarsprüche,* z. B. die Freidanks (um 1230). Im 14. u. 15. Jh. wurde die gesungene Sp. zurückgedrängt durch *gesprochene* Formen (den sog. *Sprechspruch* und die Gattung der ⁄Reimrede) der sog. Reimsprecher. – Während sich beim Minnesang Vertreter aller Stände vom Hochadel bis zum Fahrenden finden, ist die Sp. vornehml. von nichtadl. Fahrenden verfaßt, die Dichtung nicht als adl. Zeitvertreib, sond. für den Broterwerb betrieben; ein Hinweis darauf sind sog. Heischestrophen, *gerenden-*Sprüche u. a. – Sp. ist überwiegend Gebrauchslyrik, die Grenzen zum Minnesang sind allerdings fließend, was in der Forschung der neueren Zeit dazu führte, die im Kern nicht zu übersehenden Unterschiede zum Minnesang überhaupt in Frage zu stellen. – Als ältester Spruchdichter begegnet ein in den Hss. Spervogel genannter Fahrender des 12. Jh.s (in der neueren Forschung wird ein Teil seiner Sp. neuerdings auch einem Herger zugeschrieben). Walther v. d. Vogelweide entwickelt dann vom 1198 bis 1230 die Sp. zu einer vielgestalt. Instrument der polit.-moral. Auseinandersetzung. Im 13. Jh. sind v. a. Reinmar von Zweter, Bruder Wernher, der Marner, um 1300 Frauenlob zu nennen. Die Hauptvertreter der gesprochenen Sp. sind im 14. Jh. Heinrich der Teichner u. Peter Suchenwirt, im 15. Jh. Hans Rosenplüt und Hans Folz.

2. Bez. für german. gnom. Dichtung (Lebensweisheiten,

Rätsel, Zaubersprüche) in formelhafter Sprache und einfachen stab-, aber auch silben- und endreimenden Versen und Strophen (z. B. im altnord. ⁄ljóðaháttr). Die Grenzen zum ⁄Sprichwort sind fließend.

Brunner, H./Wachinger, B. (Hrsg.): Repertorium der Sangsprüche u. Meisterlieder des 12.–18.Jh.s. Tüb. 1986 ff., geplant sind 13 Bde. – Brunner, H.: Die alten Meister. Studien z. Überlieferung u. Rezeption d. mhd. Sangspruchdichter im Spät-MA. u. in d. frühen Neuzeit. Mchn. 1975. – Mhd. Sp. Hrsg. v. H. Moser, Darmst. 1972. – RL.   S

Staatsroman, Bez. für Robert von Mohls (1845) für die fiktionale »Schilderung eines idealen Gesellschafts- und Staatslebens«, meist als Gegenbild zu bestehenden relig., sozialen oder polit. Zuständen in didakt.-moral. Absicht verfaßt; zunächst synonym mit ⁄Utopie verwendet (so noch W. Rehm, Verf. Lex., ¹1928/29 u. a.), wird ›St.‹ heute meist als nur teilweise mit der in Umfang und Bedeutung weiteren und tieferen Utopie mit ihrer theoret.-staatsphilosoph. Ausrichtung kongruent angesehen. Konstitutiv für den St. ist die dialekt. Spannung zw. dem utop. Entwurf und der impliziten oder (durch satir. Überzeichnung) evozierten Kritik an der histor.-gesellschaftl. Wirklichkeit. Je stärker allerdings die satir.-zeitkrit. Komponente, desto mehr nähert sich der St. der literar. Gattung der ⁄Satire (Swift, Montesquieu). Der geschilderte Idealstaat ist meist in ferne, exot., auch planetar. oder subterrestr. Gegenden, seit Ende 18. Jh. auch in die Zukunft verlegt (⁄utop. oder Zukunftsroman).

Formen der fiktionalen Gestaltung sind, nach dem Vorbild der drei großen Utopiemodelle des Humanismus (Th. Morus, T. Campanella, F. Bacon) fingierte (Reise-)Berichte, Dialoge, später auch Briefe, Tagebücher, wobei die Reflexion über die Gestaltungsmittel z. T. auch zur krit. Reflexion über die utop. Projektionen führt (Swift, Wieland). – Der St. steht auch in der Tradition der ⁄Fürstenspiegel (Muster: Fénelons »Télémaque«, 1699/1717) und vor allem der großen philos. Staats- und Gesellschaftsentwürfe: Th. Morus' rational-demokrat. »Utopia« (1516), T. Campanellas radikal-kommunist. »Sonnenstaat« (1602) und F. Bacons wissenschaftstheoret. ausgerichtete »Neu-Atlantis« (1624/27). Der *St. des Barock* behandelt histor.-polit. Gegebenheiten unter gewissen moral. Bedingungen (Treue) affirmativ; er ist angereichert mit enzyklopäd. Gelehrsamkeit und gekoppelt mit Motiven des Liebes- und Abenteuerromans (⁄heroisch-galanter Roman). Vertreter sind A. H. Buchholtz, Herzog Anton Ulrich von Braunschweig-Wolfenbüttel, H. A. von Zigler u. Kliphausen, D. Casper von Lohenstein. Der St. wird dann zur wichtigen Gattung der europ. *Aufklärung:* Bes. im vorrevolutionären Zeitraum gestaltet er einerseits rationale bürgerl.-emanzipator. Utopien einer von absolutist. Willkür freien Welt sozialer Gerechtigkeit, andererseits die aus Rousseaus Ideen gespeisten anti- oder vorzivilisator., zum Idyllischen tendierenden Utopien; zu nennen sind J. G. Schnabels »Insel Felsenburg« (1731/43), J. M. von Loëns »Der redl. Mann am Hofe« (1740), Morellys »Basiliade« (1753), J.-F. Marmontels »Bélisaire« (1767), L.-S. Merciers »L' an 2440« (1771), A. von Hallers »Usong« (1771), »Alfred, König d. Angelsachsen« (1773) und »Fabius u. Cato« (1774), Ch. M. Wielands »Der goldene Spiegel« (1772), F. L. von Stolbergs »Insel« (1787). u. v. a. Auch viele satir. Werke wie Montesquieus »Lettres persanes« (1721), zahlreiche ⁄Robinsonaden, J. Swifts »Gullivers Reisen« (1726) oder L. Holbergs »Niels Klims unterird. Reise« (1741) enthalten indirekt utop. Staatsmodelle, wie sie sich mit anderer Intention auch in den meisten Bildungs- und Künstlerromanen finden (z. B. Gesellsch. vom Turm, das utop. »Amerika« im »Wilh. Meister« u. a.). *Im 19. Jh.* treten die sozialen Probleme der entstehenden Industriegesellschaft in den Vordergrund; trotz der wissenschaftl. Abwertung der Utopie in dieser Zeit erlangten insbes. die Entwürfe eines kommunist. Idealstaates wie É. Cabets »Ikarien« (1840), E. Bellamys »Rückblick aus d. Jahre 2000 auf d. Jahr 1887« (1888) oder Th. Hertzkas »Freiland« (1890) allgem. Beachtung. *Im 20. Jh.* scheint dagegen ein fiktionaler positiver utop. Entwurf nicht mehr möglich: neben die Parodie des St.s (G. Hauptmann, »Die Insel d. großen Mutter«, 1924) treten sog. *Mätopien* (gr. = Ort, der nicht sein möge) oder Anti-Utopien, pessimist. Zukunftsentwürfe, die negative Tendenzen der Gegenwart konsequent und verabsolutierend weiterentwickeln (H. G. Wells, G. Orwell, A. Huxley, R. Bradbury); wegen ihrer futurist. Ausrichtung werden diese Romane des 19. u. 20. Jh.s als utop. Zukunftsromane bez. oder der ↗Science-Fiction-Literatur zugerechnet.

⌑ Reichert, K.: Utopie u. St. Ein Forschungsbericht. DVjs 39 (1965) 259–287. – Prys, J.: Der St. des 16. u. 17. Jh.s u. sein Erziehungsideal. (1913), Nachdr. Lpz. 1963. – Schwonke, M.: Vom St. zur Science Fiction. Stuttg. 1957. – RL. – Auch ↗utop. Roman. IS

Staberl, eigentl.: Chrysostomus St., zentrale Figur d. ↗Wiener Volkstheaters in der Nachfolge und als Variante des Wiener ↗Hanswurst (Stranitzky) und bes. des Kasperl (J. J. Laroche, s. ↗Kasperltheater): tolpatschig-pfiffiger kleinbürgerl. Wiener Parapluimacher, geschaffen von A. Bäuerle (in: »Die Bürger von Wien«, 1813) und bis etwa 1850 Mittelpunkt zahlreicher Lokalpossen *(Staberliaden),* berühmter Darsteller war Ignaz Schuster im Leopoldstädter Theater. IS

Stabreim, [Wortbildung des 19. Jh.s, zu altnord. *stafr* = Stab(reim), belegt in der ↗Jüngeren Edda« Snorri Sturlusons, 13. Jh.] bes. Ausprägung der ↗Alliteration in german. Versdichtung, die im Unterschied etwa zum Lat. *(docęndo discimus)* am Wortakzent und bestimmte Wortarten gebunden ist: Der St. hebt bedeutungstragende Wörter gleichen Anlauts aus dem Versfluß heraus; es staben deshalb nur Nomen und Verben; er hängt in seiner spezif. Ausprägung eng mit dem german. dynam. ↗Akzent zusammen. Der St. ist *Lautreim* wie die Alliteraton, im Unterschied zum ↗Endreim, der meist *Silbenreim* ist. Beim St. reimen die Vokale untereinander, d. h. der Reimeffekt beruht hier wohl auf dem jeder Vokalartikulation voraufgehenden Stimmritzenlaut *(glottal stop);* außerdem staben i. d. Regel die Lautgruppen *sk, sp, st* nur untereinander. – St. begegnet sowohl in Kurzzeilen, die nur in sich staben, gleichsam als Versschmuck, als auch v. a. in ↗Langzeilen, hier als Mittel der Bindung der beiden Halbzeilen (Anvers und Abvers), s. ↗St.vers. Der St. ist verbreitet in altengl. (»Beowulf«, 8. Jh.), altnord. (»Edda«) und altsächs. (»Heliand«, 9. Jh.) Dichtung; er tritt vereinzelt auch in ahd. Dichtung (»Hildebrandslied«, »Muspilli«). In der abendländ. mal. Literatur wird er mehr und mehr durch den Endreim verdrängt; am längsten begegnet er im Nordischen. Wiederbelebungsversuche im 19. Jh. (W. Jordan, R. Wagner) hatten keinen weiterwirkenden Erfolg. S

Stabreimvers, germ. Versform, die durch ↗Stabreim (↗Alliteration) konstituiert wird. Der häufigste St. ist die german. ↗Langzeile; daneben finden sich in der altnord. Dichtung auch Kurzzeilen (z. B. im ↗Ljóðaháttr) mit zwei (drei) Stäben, die nur in sich staben, ohne Verbindung zu einem der folgenden Verse. – In den dreigipfl. Langzeilen verbinden die drei (oder auch nur zwei) Stäbe die beiden Halbzeilen (An- und Abvers) miteinander, die auf Grund der unterschiedl. Gewichtung der Hebungen und damit unterschiedl. Stabsetzung in einer strukturalen Spannung zueinander stehen: *Wělaga nú, waltant got / wewurt skihit* (Wehe nun, waltender Gott, Unheil geschieht, »Hildebrandslied«). Die Stabsetzung unterliegt bestimmten Regeln: im Abvers steht gewöhnl. nur ein Stab, festgelegt auf die erste Haupthebung, den rhythm. Gipfel der Langzeile; im Anvers bilden im Unterschied dazu beide Haupthebungen Stabstellen; es kann aber bisweilen nur eine

davon mit einem Stab besetzt sein; bei der Stabsetzung sind hier bestimmte Kombinationsregeln zu beachten, so muß z. B. ein Nomen, wenn es in der ersten Hebung steht, einen Stab tragen, kann sich aber, steht es in der 2. Hebung, stablos einem voraufgehenden stabenden Verbum unterordnen. Die Rhythmik des St.es ist schwer zu bestimmen. A. Heusler definiert die Langzeile als zweimal zwei Langtakte mit je einer Haupt- und einer Nebenhebung (Schema: x́xx̀x x́xx̀x // x́xx̀x x́xx̀x). Nach der Stellung der Hebungen hat man 5 Betonungstypen unterschieden. Im Unterschied zum alternierenden Vers oder dem zur Alternation tendierenden ↗Reimvers gruppieren sich die Verssilben im St. um die den Versfluß markierenden Haupthebungen relativ frei. Neuere Interpreten sehen im St. eher so etwas wie freie Rhythmen, die in den Stäben gipfeln: Die Silben zwischen diesen Aufgipfelungen ließen sich demnach nicht taktmäßig (wie bei Heusler), sondern beliebig rhythmisieren; der Versfluß strebt jeweils auf einen Akzentgipfel zu und ebbt dann wieder ab, je nach dem Sinnzusammenhang in markanter Kürze oder ep.-ausladender Breite. Die Füllung des Versschemas variiert zwischen vier und 19 Silben (z. B. im »Heliand«); Binnentakte können (z. B. im »Hildebrandslied«) bis zu sechs Silben enthalten. Auch der Auftakt wird relativ frei gehandhabt: er kann fehlen oder bis zu 14 Silben umfassen (z. B. im »Heliand«, v. 605 b). Vielsilbige Verse werden als ↗Schwellverse bez., sie sind charakterist. z. B. für den Versstil des »Heliand«. St.e sind in altnord. Dichtung meist stroph. geordnet (Ljóðaháttr, ↗Kviðuháttr, ↗Fornyrðislag, ↗Dróttkvætt, ↗Hrynhent u. a.), in ahd. und meist auch in altengl. Dichtung stichisch. Die Verse können dabei im ↗Zeilenstil, aber auch im ↗Hakenstil gereiht sein.

⌑ Kühnel, J. B.: Untersuchungen zum german. St. Göpp. 1978 (mit ausführl. Bibliogr.). – RL. S

Stammbuch, ursprüngl. ein Buch (↗Album) mit genealog. Eintragungen eines Adelsgeschlechtes (-stammes), meist Wappen, ↗Devisen, Unterschriften (auch: Standbuch, *liber gentilitii);* allgem. auch Sammlung herald. Symbole. – Seit dem 16. Jh. erscheint das St. in neuer Funktion: als Erinnerungs- und Gedenkbuch (*album amicorum),* in das sich Verwandte, Freunde, Lehrer, Gönner und womöglich Berühmtheiten mit einem ↗Denkspruch, einer Widmung und einer Zeichnung (Wappen, Portrait, Symbol, Vedute o. ä.) eintragen. Zunächst beliebt in Adels- u. Gelehrtenkreisen (v. a. bei Studenten); bald aber auch in bürgerl. Schichten, selbst bei Handwerkern weit verbreitet. Höhepunkt der St.sitte in d. 2. Hälfte d. 18. Jh.s (↗Empfindsamkeit, Freundschaftskult): auch Frauen, Soldaten, selbst Kinder (Konfirmanden) besaßen ein St.; es entstanden zahlreiche Handbücher mit Hinweisen für ihre Gestaltung (vgl. auch die St.verse Goethes und s. iron. Erwähnung in »Faust« I, Schülerszene). Neben das gebundene Album treten nun auch St.-Einzelblätter mit vorgefertigtem Bildschmuck, die in Mappen oder Kästchen gehalten wurden. – Anfang des 19. Jh.s tritt die Bez. ›St.‹ zugunsten von ›Album‹ zurück; doch allgem. Sitte des St.-Eintragens erlischt um die Jh.mitte, hielt sich noch an den Schulen bis ins 20. Jh. (heute nur noch bei Schülerinnen). – St.er als literar. Gebrauchsform spiegeln in Art und Auswahl sowohl der Texteinträge als auch des Bildschmucks die sich wandelnden literar. und künstler. Konventionen. Sie werden heute als wichtige Quellen für Genealogie, Kultur- und Geschmacksgeschichte gesammelt und ausgewertet. Bedeutende Sammlungen besitzen die Zentralbibliothek der Dt. Klassik in Weimar (Grundstock 1805 durch Initiative Goethes) und die British Library London.

⌑ Fechner, J.-U. (Hrsg.): St.er als kulturhist. Quellen. Mchn. 1981. – Angermann, G.: St.er und Poesiealben als Spiegel ihrer Zeit. Münster 1971. – Keil, R. u. R.: Die dt. St.er des 16. bis 19. Jh.s. Bln. 1893. IS

Stammsilbenreim, auch: Hauptonsilbenreim, grammat. Reimdefinition: ⁄Reim, der v. a. von der Stammsilbe getragen wird: *singen : klingen*, im Unterschied zum ⁄Endsilbenreim. – Der Reim wurde in der dt. Dichtung in dem Maße St., wie die ursprüngl. vollvokal. Endungssilben im Zuge der Sprachentwicklung tonlos wurden; Endungssilben, die vollvokal. blieben (z. B. Bildungssilben *-keit, -heit, -lich*), reimen auch heute noch.   S

Ständeklausel, die in einseitig. Aristoteles-Deutung von den Renaissance- und Barock-Poetiken bis hin zu J. Ch. Gottsched erhobene Forderung, nach der in der ⁄Tragödie die Hauptpersonen zum Zweck einer angemessenen ⁄Fallhöhe nur von hohem, in der ⁄Komödie dagegen nur von niederem Stand sein dürfen. Die wachsende Emanzipation des bürgerl. Selbstbewußtseins führt zur Überwindung der St. durch das ⁄bürgerl. Trauerspiel. ⁄Poetik, ⁄genera dicendi.   HD

Ständelied, ⁄Volkslied (oder volkstüml. Lied), das gemäß seinem Inhalt und seiner sozialen Adressierung auf einen bestimmten Stand oder Berufszweig (krieger., bürgerl. oder bäuerl. Tätigkeit) ausgerichtet ist. Die Volksliedforschung unterscheidet Bauern-, Jäger-, Handwerks-, Bergmannslieder (⁄Bergreihen), ⁄Studenten- und Soldaten- (⁄Landsknechts-)Lieder usw., auch ⁄Arbeitslieder werden in der nicht einheitl. Gruppierungsterminologie z. T. zu den St.ern gerechnet, ferner Preis- und Ehrenlieder, Klagelieder (Soldatenabschied), Handwerksburschennot, Weberlieder, relig. (um Schutz flehende) Lieder, Scherz- und Spottlieder (Schneider, Leineweber); St.er beschreiben aber auch oft berufsbestimmte Lebensformen und eth. Auffassungen. Teilweise charakterisiert der musikal. Ausdruck die beschriebenen oder vorausgesetzten Tätigkeiten (Nachahmung der Arbeitsrhythmen in Schmiede- und Schusterliedern, Signalintervalle in Nachtwächterliedern usw.). – Die von einzelnen Forschern des 19. Jh.s dem St. zugerechneten »Meisterlieder« mit handwerkbeschreibendem Inhalt sind Stilisierungen der sonst anonymen Gattung, die später auch im Kunstlied Nachfolge fanden (Schillers »Lied von der Glocke«, L. Uhlands »Der Schmied«, R. Wagners Aufzugschöre der Handwerker in den »Meistersingern«).   HW*

Stanze, f. [von it. stanza = Zimmer, Aufenthaltsort, Strophe], italien. Strophenform, bestehend aus acht weibl. Elfsilblern (⁄Endecasillabo) mit dem Reimschema ab ab ab cc, wobei das abschließende Reimpaar in verschiedener Weise der inhaltl. Abrundung der Strophe dienen kann (z. B. Zusammenfassung, Steigerung). Die auch als *Oktave, Ottava rima* bezeichnete St. wird Ende des 13. Jh.s erstmals als Versmaß der italien. erzählenden Dichtung gebraucht (»Il Tristano riccardiano«, 1272), dann auch von Boccaccio (»Filostrato«, 1338; »Teseida«, 1339/40), u. wird zur herrschenden Form in der klass. Epik Italiens (Boiardo, Ariost, Tasso). Im 14. u. bes. im 15. Jh. wird die St. in Italien auch vom relig. u. weltl. Drama und von der Lyrik übernommen. Auch in anderen roman. Sprachen wird sie beliebt, so in *Spanien* (in der Lyrik bei Góngora, im Schauspiel bei Lope de Vega) u. *Portugal* (Camões, »Die Lusiaden«). In *Deutschland* wird die St., zunächst meist mit Varianten in Hebungszahl, Reimstellung u. Endung, seit dem 17. Jh. in Übersetzungen (Dietrich von dem Werder, »Das erlösete Jerusalem«, 1626, in Alexandrinern) u. in der Lyrik verwendet. J. J. W. Heinse (Anhang der »Laidion«, 1774) wird mit seiner Regelung der Endungen (a- und c-Reim weibl., b-Reim männl.) vorbildlich. Goethe (»Die Geheimnisse«, 1784; »Tagebuch«, 1810; »Zueignung« zu »Faust«; »Epilog zu Schillers ›Glocke‹«), Schiller (in den klass. Tragödien, in Prologen u. Epilogen), die Romantiker (berühmt »Stanzenrede« in Jena 1799/1800), später dann D. v. Liliencron (»Poggfred«) und R. M. Rilke haben die St. zu einer auch in dt. Dichtung verbreiteten Strophenform gemacht. *Sonderformen* sind die ⁄Siziliane und Nonarime (Anfügung eines 9. Verses, meist mit b-Reim: (ab ab ab

ccb). Freiere Umgestaltungen finden sich bei Ch. M. Wieland (»Oberon« u. a.) und A. Blumauer (Aenëis-Travestie, 1782/88).   MS*

Starinen, ⁄Bylinen.

Stasimon, n. [gr. = Aufstellung, zu stasimos = stehend], das in der Regel strophische, metr. sehr variationsfähige ⁄Chorlied der griech. ⁄Tragödie, das – im Ggs. zu ⁄Parodos (Einzugs-) und ⁄Exodos (Auszugslied) – von der ⁄Orchestra aus, wo sich der Chor in Reihen geordnet aufstellt, gesungen (u. getanzt) wird. Es trennt die Schauspieler-bzw. Schauspieler/Chorpartien (⁄Epeisodion) voneinander, wobei der Chor seine Empfindungen und Gedanken zu den geschehenen Ereignissen äußert. Das zwischen den Epeisodia gesungene St. gibt den Schauspielern Gelegenheit zum Kostümwechsel und ermöglicht dabei dramaturg. oft auch die Überbrückung der gedankl. Vorstellung hinterszenischer Aktionen nötigen Zeitspanne. Als formales Mittel der Akttrennung gebraucht, wird sein Bezug zur Handlung bisweilen künstl., es wird oft auch durch nicht mehr handlungsbezogene (nur zwischenaktfüllende) Chorlieder (⁄Embolima) ersetzt.
▢ Kranz, W.: St. Bln. 1933.   HD*

Stationendrama, eine ⁄offene Form des Dramas, das im Gegensatz zum linear und final gebauten, meist in ⁄Akte gegliederten (aristotel.) Drama aus einer lockeren Reihung von Einzelszenen *(Stationen)* besteht, die das Interesse des Zuschauers weniger auf den Ausgang der Handlung als (aus immer neuer Perspektive) auf das Geschehen selbst lenkt; typ. Form des mittelalterl. ⁄geistl. Spiels, des sog. ⁄Figurendramas im »Sturm u. Drang und v. a. – nach dem Vorbild G. Büchners (»Woyzeck«) und A. Strindbergs (»Nach Damaskus«, 1898) – des expressionist. Dramas (W. Hasenclever, »Der Sohn«, 1914; G. Kaiser, »Von Morgens bis Mitternacht«, 1916; E. Toller, »Die Wandlung«, 1919); fortentwickelt im ⁄ep. Theater B. Brechts.
▢ Stefanek, P.: Zur Dramaturgie des St.s. In: Keller, W. (Hrsg.): Beitr. zur Poetik d. Dramas. Darmst. 1976.   HD*

Statisches Gedicht,
1. im ⁄Dadaismus entwickelter Gedichttyp (auch ›bruitist.‹ oder ›simultanist.‹ Gedicht), der sich widersprechende Aussagen unvermittelt aneinanderreiht, um so die Absurdität der Lebenstotalität widerzuspiegeln.
2. Bez. G. Benns für den in seiner späten Lyrik geschaffenen Typus des »reinen Gedichts«, der im Gegensatz zum dynam. Gedicht gekennzeichnet ist durch den resignativen »antifaustischen« ... »Rückzug auf Maß und Form«; die Sammlung »St. e« (1948) in streng konstruiertem Nominalstil waren sein größter Wurf der Wirkung.   D*

Staufische Klassik, von W. Pinder 1935 geprägter Epochenbegriff für die Zeit um 1200, ausgehend von den künstler. Hochleistungen auf dem Gebiet der Plastik (Straßburg, Bamberg, Naumburg), nicht im Sinne einer strikten, sondern einer entelechialen Gleichstellung mit der antiken Klassik. Von K. H. Halbach (im Anschluß an Pinder) auf die Blütezeit der mhd. Dichtung um 1200 (Hartmann von Aue, Wolfram von Eschenbach, Gottfried von Straßburg – Reinmar, Heinrich von Morungen, Walther von der Vogelweide) übertragen in Analogie zur ⁄Weimarer Klassik.
▢ Halbach, K. H.: Zu Begriff u. Wesen der Klassik. In: Fs. P. Kluckhohn u. H. Schneider, Tüb. 1948, S. 166–194. Wieder in: Begriffsbestimmung d. Klassik und des Klassischen. Darmst. 1972. – Pinder, W.: Die Kunst der dt. Kaiserzeit bis zum Ende der st.n K. Bd. 1 (Textband, Tafelband; 1935), Köln ²1952.   S

Stegreifspiel [Bez. nach der ⁄Redensart *aus dem Stegreif* (= unvorbereitet, spontan) *etwas tun* (zu ahd. stegareif = Seilschlinge oder Ring zum Aufsteigen aufs Pferd, wörtl. etwa: ohne erst vom Pferd zu steigen, noch im Steigbügel stehend), szen.-dramat. Spiel, das nach vorgegebenem Thema oder Handlungsgerüst improvisiert wird. Als Urform des menschl. Spieltriebs gehört es zu den Wurzeln des europ. Dramas. St.e waren der vorliterar. ↗Mimus, die altital. ↗Atellane, die kom. Einlagen des mal. ↗geistl. Spiels, die Aufführungen der ↗engl. Komödianten, insbes. die possenhaften ↗Zwischen- und ↗Nachspiele. St. gehörte v. a. zur Aufführungspraxis der ↗Commedia dell'arte (Stegreifkomödien mit festgelegter Szenenfolge) und des ↗Wiener Volkstheaters, wo u. a. auch literar. Komödien (etwa von Goldoni und Molière) zu Stegreifkomödien ›umgearbeitet‹ wurden, z. B. »Hanswurst, der Kranke in der Einbildung« (1764). – Erlaubt war das St. auch der ↗lustigen Person in literar. Komödien und in den kom. Randszenen ernster Stücke, wo bes. durch ↗Beiseitesprechen aktuelle Anspielungen extemporiert wurden. Die im Laufe der Zeit wuchernden Auswüchse des St.s (Vergröberung, Verrohung, Zotenhaftigkeit) bekämpften im 18. Jh. C. Goldoni (durch literar. fixierte Charakterkomödien), J. Ch. Gottsched (mit dem Versuch der Vertreibung des ↗Hanswurst) und Maria Theresia (durch das Verbot des St.s aus polit. Gründen, 1737). Jedoch konnte das St. nie ganz verdrängt werden (vgl. noch heute Karoline Tschauners Stegreiftheater in Wien, seit 1909); eine breitere Neubelebung versuchte das ›Piccolo Teatro‹ in Mailand (G. Strehler) – RL.   IS

Stemma, n., Pl. Stemmata [griech. = Stammbaum], textkrit. Hilfsmittel, das die Abhängigkeiten unterschiedl. Überlieferungsträger eines Werkes (gelegentl. auch eines Stoffes oder Themas) in zumeist graph. Form darstellt. Aus den v. a. für die Textüberlieferung antiker oder mal. Werke erstellten Stemmata läßt sich ablesen, wie weit der Abstand der tradierten Manuskripte von der Urfassung oder dem Archetypus ist, welchen Weg die Rezeption genommen hat, wie hoch die Zuverlässigkeit der Überlieferung anzusetzen ist und welche Möglichkeiten vorhanden sind, den aus Rezeptionsformen zu authent., d. h. auf den Autor zurückgehenden Text zu rekonstruieren. ↗Textkritik.   HW

Sterbebüchlein, ↗ars moriendi.

Stichisch, eigentl. mono-st. [aus gr. monos = allein, stichos = Vers, Zeile], metr. Begriff: fortlaufende Aneinanderreihung von Verses des gleichen metr. Schemas, im Unterschied zur paarweisen, ↗distich. Zusammenfassung gleicher oder meist verschieden gebauter Verse oder zur stroph. Ordnung (↗Strophe, ↗Odenmaße); st. verwendet wurden in der Antike v. a. die *Sprechverse* (im Ggs. zu den gesungenen Versen der Lyrik), z. B. der daktyl. ↗Hexameter, der jamb. ↗Trimeter (Senar), der trochä. ↗Tetrameter, in späterer Zeit v. a. der ↗Alexandriner und ↗Blankvers.
                                                         OB*

Stichometrie, f. [gr. stichos = Vers, metron = Maß],
1. in der Antike Verszählung und damit Feststellung des Umfangs eines literar. Werkes (die Summe der Verse wurde am Schluß der Papyrusrollen vermerkt); diente zum Schutz gegen unerlaubte Interpolationen und zur Festlegung des Lohnes für den Schreiber. Die Zählung wurde z. T. auch bei Prosatexten vorgenommen, wobei die Länge der daktyl. Hexameterzeile (zu etwa 16 Silben bzw. 36 Buchstaben) als Einheit zugrunde gelegt wurde.
2. in der Rhetorik Bez. für antithet. Dialoge im Drama, eine Art inhaltl. Analogie zur formalen ↗Stichomythie: »Den Admiralshut rißt ihr mir vom Haupt.« »Ich komme, eine Krone draufzusetzen.« (Schiller, Wallensteins Tod, I, 5).
                                                         OB

Stichomythie, f. [gr. stichos = Reihe, Vers, Zeile; mythos = Wort, Rede], Form des längeren Dialogs im Versdrama, bei dem zum Ausdruck innerer Erregung Reden und Gegenreden auf je einen Vers komprimiert sind. Durch die Verteilung auf halbe Verse (*Hemi-St.,* z. B. Sophokles, »Ödipus«, 322 ff.) und Doppelverse *(Di-St.)* kann eine weitere Steigerung bzw. Verminderung der erregten Auseinandersetzung erreicht werden. Da die St. zur scharf pointierten Entgegensetzung der Standpunkte dienen soll, tendiert sie zu sentenz- und formelhaftem Stil. – In Deutschland in

Ansätzen als sog. ↗Stichreime schon im MA nachweisbar, dann v. a. im Barock (nach dem Vorbild Senecas) und in der Klassik (nach griech. Vorbild) gebraucht; später wird die St. im Ggs. zur formal freieren ↗Antilabe meist als allzu künstl. abgelehnt.
📖 Seidensticker, B.: Die St. In: W. Jens (Hrsg.): Die Bauformen der griech. Tragödie. Mchn. 1971.   HD*

Stichreim, Sonderform der ↗Brechung, (Reimbrechung): ↗Stichomythie in dialog. Reimpaartexten: Aufteilung eines Reimpaares auf zwei verschiedene Sprecher (S[1]: aab, S[2]: bcc), dient der Dialogverklammerung im Ggs. zu isolierten Sprecherreden. Findet sich schon in Dialogpartien mhd. Epen (z. B. im »Iwein‹ Hartmanns von Aue) und v. a. im mal. Spiel (»Osterspiel von Muri«, Anf. 13. Jh.), häufig in den ↗Fastnachtspielen (15., 16. Jh., vgl. z. B. Hans Folz, »Bauernheirat« u. a.).
📖 Herrmann, M.: St. und Dreireim bei H. Sachs u. a. Dramatikern des 15. u. 16. Jh.s. In: H.-Sachs-Forschungen, hg. v. A. L. Stiefel. Nürnberg 1894.   S

Stigmonym, n., ↗Pseudonym.

Stil, m. [lat. stilus = Schreibstift, Schreibart], allgemeiner Begriff zur unterscheidenden Kennzeichnung spezif. Haltungen und Äußerungen von einzelnen Personen oder Gruppen (Völker, Stände, Generationen, soziale Schichten) in einem bestimmten Bezugsrahmen histor. oder gattungsbezogener Normen. Spricht man verallgemeinernd auch von ›Lebensstil‹, so ist doch das spezif. Anwendungsgebiet des St.-Begriffs die Kunst- und Literaturwissenschaft. Hier versteht man unter St. besondere, in hohem Grade unverwechselbare Grundmuster, die das Kunstschaffen von Völkern *(National- oder Regional-St.),* histor. Zeitabschnitten *(Epochen-St.),* einzelnen Künstlern *(Personal-, Persönlichkeits- oder Individual-St.)* und die Ausprägungsformen bestimmter Werktypen *(Gattungs-St.)* oder einzelner Kunstprodukte *(Werk-St.)* kennzeichnen. – St. kann in allen Fällen nur als Modifikation oder Abweichung von einer Norm beschrieben werden, d. h. ein Individual-St. setzt einen Kollektiv-, Epochen-, Zeit-St. voraus, ein Epochen-St. ist von anderen Epochenstilen abzugrenzen, der Werk-St. läßt sich nur durch Konfrontation mehrerer Werke erschließen etc. *St.forschung* (St.analyse, ↗Stilistik) wird somit eine Grundlagenforschung der Kunst- und Literaturwissenschaften, die um Verständigung über die anzuwendenden Normen und Vergleichsgrößen bemüht sein muß. Für sprachl. Kunstwerke haben sich dabei u. a. Beschreibungsmittel der Grammatik, Rhetorik und Bildlichkeit bewährt, die je nach Wahl, Mischung oder Verwendungsintensität einzelner, der gesamten Sprache innewohnender Möglichkeiten (›Stilzüge‹) zu einer additiven St.bestimmung führen können. Aufgrund der verwendeten Sprachfiguren ist eine Unterscheidung in einen *rhetor.* und einen *poet.* St. möglich, die jeweils weiter klassifiziert werden können nach der Auswahl der Wortarten *(Nominal- oder Verbalst.)* und syntakt. Verbindungen *(paratakt.* oder *hypotakt.)* auch die Vermittlungsrichtung eines Textes kann zu Unterscheidungen führen, etwa in einen ›objektiven‹ St., der sich durch Information und kommunikative Tendenz auszeichnet, und einen ›subjektiven‹ St., der vorwiegend bei (z. B. lyr.) Selbstaussage eines Autors dient und daher meist in höherem Maße ↗Stilisierungen, d. h. Regelabweichungen von umgangssprachl. Normen enthält. Solche St.bestimmungen suchen weniger nach hist. bedingten Größen, als nach übergeschichtl. sog. ›anthropolog. Konstanten‹, die auf Grundmöglichkeiten menschl. Welterfassung und Mitteilungsmöglichkeiten verweisen: So kann z. B. aus der Zusammengehörigkeit der St.züge objektiv/ parataktisch/episch/nominal auf den (in Schillers Terminologie) »naiven«, aus der Zuordnung der St.züge subjektiv/hypotaktisch/dramatisch/verbal auf den »sentimentalischen« Kunststil geschlossen werden. Diesen ahistor. St.bestimmungen stehen jene gegenüber, die nach geschichtl. Bedingungen der spezif. Ausprägung von Kunstwerken fragen. Hierbei ergeben sich zwei Problemkreise: Die Frage nach den histor. Gründen des St.wandels und die nach den histor. Konstanten einer St.epoche, die alle Einzelkünste (Architektur, Dichtung, Musik, bildende Kunst etc.), aber auch alle individuellen Verwirklichungen dieses Stiles in seiner Zeit umgreifen. Bei den geläufigen Klassifikationen der europäischen Kulturgeschichte (Romanik, Gotik, Renaissance, Barock, Klassik, Romantik, Impressionismus, Expressionismus, Neue Sachlichkeit und die zahlreichen historisierenden Neo-Stile) zeigt sich, daß jeder St. durch einzelne Charakteristika bestimmbar ist. Aber die isolierten Befunde (Romanik: Rundbogen, Gotik: Spitzbogen etc.) ergeben allein noch kein Gesetz, das allen Künsten einer Epoche gemeinsam ist. Selbst die Begrenzung der St.e nach ihrer räuml., zeitl. und die einzelnen Kunstgattungen betreffenden Gültigkeit ist umstritten. So bezieht sich der literaturgeschichtl. Barock-Begriff auf Texte des 17.Jh.s, während sich in Architektur und Musik der barocke St. bis in die 2. Hälfte des 18.Jh.s erstreckt; so gilt der Klassik-Begriff (bei dem sich freilich Epochenbez. und Werturteil schon früh verbunden haben) in Frankreich für die Dichtung des 17.Jh.s, in Deutschland für die Kunstperiode um 1800. Solche stilist. Phasenverschiebungen erschweren auch die vielfältigen Versuche, St.bestimmungen aus grundlegenden Geistesströmungen oder aus den jeweils herrschenden ökonom. Situationen abzuleiten und zu begründen. Der St.begriff ist, zumal ihm fast immer Wertungen beigemengt sind, vornehml. dann als Arbeitsgrundlage verwendbar, wenn der histor. oder ideolog. Standort dessen, der mit ihm operiert, reflektiert und mitgeteilt wird. □ Gumbrecht, H. U. (Hrsg.): St. Gesch. u. Funktionen eines kulturwissenschaftl. Diskurselements. Mchn. 1986. – Hein, R.: St. als geisteswissenschaftl. Kategorie. Würzbg. 1986. – Spillner, B. (Hrsg.): Methoden d. St.analyse. Tüb. 1984. – Por, P.: Epochen-St. Hdbg. 1982. – Sandig, B.: Stilistik. Sprachpragmat. Grundlage der St.-Beschreibung. Bln., New York 1978. – Seiffert, H.: St. heute. Mchn. 1977. – Krahl, S./Kurz, J.: Kleines Wörterb. der St.kunde. Lpz. ⁴1977. – Frey, E.: St. und Leser. Theoret. und prakt. Ansätze zur wissenschaftl. St.analyse. Bern, Frkft. 1975. – Riesel, E.: St. u. Gesellschaft. In: Dichtung, Sprache, Gesellschaft. Akten des 4. Internat. Germanisten-Kongresses 1970 in Princeton. Hrsg. v. V. Lange u. H. G. Roloff. Frkft. 1971. – Spitzer, L.: St.-Studien. 2 Bde. Mchn. 1928, Neudr. 1961. – Böckmann, P. (Hrsg.): St. und Formprobleme in der Lit. Hdbg. 1959. – RL. ⁄Stilistik. HW

Stilarten, ⁄Genera dicendi.

Stilblüte, sprachl. Äußerung, die durch Denkfehler oder Unachtsamkeit (ungeschickte Wortwahl, Weglassen eines Wortes oder Satzteiles, falsche Wortstellung oder falsche syntakt. Verknüpfung usw.) doppelsinnig wird und eine unbeabsichtigte erheiternde Wirkung auslöst: »Stolz verließen des Professors weißseidne Beine die Rednertribüne« (W.v. Molo). Eine eigene Gruppe bildet St.n, denen eine ⁄Katachrese (Bildbruch) zugrundeliegt, d. h. die durch die Kompilation zweier Redewendungen oder Sprichwörter nicht zusammenpassende Bildbereiche koppeln: »der Dirigent, der die lodernde Rhythmik der Partitur mit ungewöhnlicher Schwungkraft herausmeißelte«. S

Stilbruch, Durchbrechung einer Stilebene, etwa durch Einmischung von Wörtern und Wendungen aus einer anderen, höheren oder tieferen Stilschicht oder durch unpassende Bildlichkeit; kann ungewollter Stilfehler sein, aber auch bewußtes, vor allem kom. wirkendes Kunstmittel, z. B. bei Travestien, Parodien, Satiren. S

Stilbühne, Bühnentypus, der im Gegensatz zur ⁄Illusionsbühne den fiktiven Raum für das dramat. Geschehen nicht durch realist. Kulissen vortäuscht, sondern nur symbolhaft andeutet; Mittel sind monumentale Spielfelder, oft geometr. Formen wie Rundscheibe, Treppen, Blöcke, fer-

ner leerer Horizont, Vorhänge, wenige andeutende Requisiten (Säulen, Spiegel, Wappen usw.), Naturstilisierungen und als wichtigstes Mittel die Lichtregie. Der St. entspricht oft auch eine choreograph. Stilisierung der Bewegungen. Ansätze zur St. enthält schon die klassizist. Bühnengestaltung, z. B. J. Ch. Gottscheds und v. a. K. F. Schinkels (Neubau des Berliner Schauspielhauses 1821); die St. wurde dann Ende des 19.Jh.s programmat. gegen den veräußerlichten Bühnenrealismus entwickelt, v. a. von E. G. Craig und A. Appia; sie war die Bühnenform des Expressionismus (J. Fehling, L. Jessner) und ist bis heute eine der wichtigsten szen. Konzeptionen (Neu-Bayreuther St. von Wieland Wagner). IS

Stilfiguren, ⁄rhetor. Figuren, ⁄Rhetorik.

Stilgeschichte,
1. Darstellung der Geschichte verschiedener Epochenstile (s. ⁄Stilistik).
2. Analog zu ⁄›Geistesgeschichte‹ gebildete Bez. einer Forschungsrichtung in der 1. Hälfte des 20.Jh.s, die in der Literaturgeschichte v. a. Entwicklungen und Ausprägungen des Sprach- und Darstellungsstiles literar. Werke verfolgt; method. kennzeichnend ist die Übernahme kunstgeschichtlicher Begriffe, bes. die Weiterbildung der von H. Wölfflin 1912 geprägten Begriffspaare (linear – malerisch; flächenhaft – tiefenhaft; geschlossen – offen; einheitlich – vielheitlich; absolute – relative Klarheit) für die Beschreibung dichter. Phänomene. Vertreter sind O. Walzel, F. Strich, J. Schwietering, L. Spitzer. S

Stilisierung, f., abstrahierende, auf wesentl. Grundzüge reduzierte Darstellung: *In der Kunst* z. B. Umformung eines naturgegebenen Vorbildes nach formalen Prinzipien durch Schematisierung oder geometr. Vereinfachung (z. B. St. des Akanthusblattes im korinth. Kapitell); aber auch Umformung eines ›stilisierten‹ histor. Stilmusters (z. B. St. des antiken Akanthusblatt-Kapitells der Romanik). – *In der Literatur* sind Elemente einer St. die über die Norm der Umgangssprache sich erhebende Wortwahl und Syntax (Formelhaftigkeit, reduzierter od. symmetr. Satzbau, strenge Vers- und Strophenformen, zahlentekton. Gliederungen usw.), oft in Anlehnung an ein klass. Stilideal (A. v. Platen, St. George, auch: ⁄Klassizismus). S

Stilistik, f., Lehre vom (literar.) ⁄Stil:
1. Theorie des literar. Stils,
2. Analyse und Beschreibung gleichzeit. oder nacheinander auftretender Stile (deskriptive bzw. histor.-deskriptive St.),
3. Anleitung zu einem vorbildl. (Schreib-)Stil (normative St.). – Die St. ist Nachfolgerin der ⁄Rhetorik, die schon früh eine literar. Theorie entwickelte, die mit gewissen Modifikationen bis ins 18.Jh. Bestand hatte: Mit der Entwicklung des Geniekults und der Individualisierung des Werkbegriffs bricht das System der Rhetorik mit seinen festen Gattungsbegriffen und normativen Stilprinzipien zusammen. Die neu sich bildende St. wählt als zentrale Kategorie den ›Ausdruck‹; sie bezieht sich genet. auf die Natur des Autors und/oder überindividuelle Faktoren, wie Nation, Gruppe, Gesellschaft, Zeit. Sind Positivismus und geistesgeschichtl. Schule in dieser Hinsicht verwandt, so stellt jedoch die Geistesgeschichte dem Kausalismus und Atomismus des Positivismus den Erlebnisbegriff und die ganzheitl.-organische Deutung des Kunstwerks gegenüber. Auf diesem Boden entsteht die *histor.-deskriptive genet. St.*, die über die Individualstile zu Synthesen als National- und Epochenstile strebt, wobei der Stilbegriff häufig als Form und Inhalt übergreifendes Korrelat eines individuellen oder überindividuellen geistigen Typus verstanden wird. Andererseits wird der Begriff des Organischen selbst problematisiert: der Nachweis der Einheit von Form und Gehalt verdrängt den genet. Aspekt; der Stil wird gleichrangiger, wenn nicht privilegierter Ausgangspunkt der *werkimmanenten Interpretation*. Ähnliche Ziele, aber unter Verzicht auf den Intuitionismus dieser Richtung, verfolgt die

auf dem Schichtenmodell des Kunstwerks basierende *funktionale St.* Demgegenüber steht einerseits eine Neubegründung des genet. Ansatzes in der *soziolog. Methode,* die Stil und Inhalt, Stil und äußere Wirklichkeit dialekt. zu vermitteln sucht; andererseits eine Renaissance des rhetor. Ansatzes in der *linguist.* orientierten *Stilistik,* die, vom Strukturalismus ausgehend, stilist. Elemente als Konstanten innerhalb der Architektur des Sprachsystems bestimmt, in ihrer genet. Richtung Stilmerkmale als Abweichung von einer qualitativen oder quantitativen Norm objektiv zu erfassen sucht, und schließl. der lange vernachlässigten Dimension der Wirkungsforschung neue Anstöße gibt. – Die *normative St.* spielt auf Grund der histor. Bedingungen bei der Entstehung und Entwicklung der St. stets nur eine marginale, zumeist auf Zweckprosa eingeschränkte Rolle. Ansätze liegen vor in den Typologien der stilist. Möglichkeiten einer Sprache, in der Beschreibung der Stilebenen, sowie in der vergleichenden St.

☐ Fleischer, W. u. a. (Hrsg.): St. der dt. Gegenwartssprache. Lpz. ³1979. – Sandig, B.: St. Bln. 1978. – Asmuth, B./Berg-Ehlers, L.: St. Opladen ³1978. – Sanders, W.: Linguist. St. Gött. 1977. – Beutin, W.: Sprachkritik, Stilkritik. Stuttg. 1976. – Sowinski, B.: Dt. St. Frkft. 1973. – Riffaterre, M.: Strukturale St., Mchn. 1973. – Michel, G. (Hrsg.): Einf. in die Methodik der Stilunters. Bln. 1968. – Seidler, H.: Allgem. St. Gött. ²1963. – Fuchs, W.: Mathemat. Analyse des literar. Stils. In: Studium Generale 6 (1953). – ⟋Stil.   ED

Stilmittel, diejenigen sprachl. Ausdrucksformen, die für einen bestimmten Personal-, Gattungs- oder Epochenstil prägend erscheinen, z. B. bes. syntakt. Fügungen (etwa Hypotaxe bei H. v. Kleist), charakterist. Wörter (Mischung mit Dialektformen usw., z. B. bei G. Hauptmann), rhetor. (F. Schiller) oder metaphor. Ausgestaltungen (Jean Paul) oder Hervortreten klangl. Formen (z. B. in d. ⟋Reimprosa, bei R. M. Rilke). Vgl. auch ⟋Genera dicendi.   S

Stoff, literaturwissenschaftl. Bez., die sich einer eindeutigen definitor. Festlegung entzieht, weil sie einmal als Kontrastbegriff zu Form, dann wieder als Konkurrenzbegriff zu Thema, Idee, Intention und Motiv auftritt. Als Gegenbegriff zu Form kann St. verstanden werden als das aus dem formgeprägten literar. Kunstwerk herauslösbare Handlung, Fabel (Plot); er ist damit (wie in den Roman- und Opernführern oder auch in den ausführl. Kapitelüberschriften des barocken Romans praktiziert) eine Abfolge von Ereignissen, die mit bestimmten Personen in spezif. histor. oder mytholog. Situationen verwirklicht wird. Doch verweist die Wahl oder Erfindung eines St.s durch einen Autor bereits auf tiefere Schichten der Stofflichkeit, weshalb der St.begriff nicht nur mit der äußeren Fabel eines Textes verbunden wird, sondern auch mit dem Problem, inwieweit darin Repräsentationen von *Urstoffen* ihre Darstellung finden. Unter solchen Urstoffen oder St.-Substraten können je nach Deutungsinteresse unter psycholog. Aspekt archetyp. Handlungs- und Verhaltensmuster (Ödipus-Konstellation, Generationenkonflikt, Anagnorisis-[= Wiedererkennen]muster u. a.), unter geistesgeschichtl. Gesichtspunkt tendenzielle Auseinandersetzungen von unterschiedl. Weltverständnis (Idealismus – Materialismus; Rationalismus – Irrationalismus u. a.), unter literatursoziolog. bzw. marxist. Verständnis ökonom. bedingte Klassenauseinandersetzungen verstanden werden. Bei allen diesen mehr am St. orientierten Betrachtungsweisen ist das Problem der Trennbarkeit von St. und Form (im weiteren Sinne auch mit den Begriffen ›Gehalt und Gestalt‹ umschrieben) nicht zu lösen, da im Kunstwerk immer nur geformter St. und stoffl. gebundene Form erscheinen, wenn auch die einzelnen Gattungen unterschiedl. St.dichte erkennen lassen, wie man z. B. von der Fabel eines Dramas, dem Plot eines Romans spricht, aber den St.begriff kaum auf lyr. Dichtung anwendet. Läßt sich der Begriff St. von dem der Idee, der Intention und des Themas dadurch abgrenzen, daß er das

Material für eine bestimmte, etwa histor. bezogene Darstellung bietet, so unterscheiden sich St. und Motiv dadurch, daß ein Motiv ledigl. Bestandteil eines stoffl. Komplexes ist, das jedoch wie der St. auf Urmotive verweisen kann, aber keine Handlungskontinuität, keine Fixierung an Personen und keinen erzählbaren inhaltl. Verlauf besitzt.

☐ Frenzel, E.: Stoff-, Motiv- und Symbolforschung. Stuttg. ⁴1978. – ⟋Motiv.   HW

Stoffgeschichte, Forschungsgebiet der ⟋vergleichenden Literaturwissenschaft (Komparatistik), auf dem weniger die Herkunft oder Entstehung eines literaturgeschichtl., vielfach überlieferten und verarbeiteten Stoffes oder Themas erforscht wird als vielmehr deren Veränderungen im Laufe der Geschichte. St. wurde betrieben, seit im 19. Jh. die wissenschaftl. Disziplin der Germanistik gegründet wurde. Bei den Brüdern Grimm war das Anliegen stoffgeschichtl. Arbeiten die Rekonstruktion der Urpoesie und des Urmythos; andere, v. a. spätere Forscher (L. Uhland, K. Müllenhoff, Bolte u. a.) waren v. a. bemüht, Alter und Gemeinsamkeiten vergleichbarer Stoffe zu bestimmen oder innerliterar. Abhängigkeiten einzelner Werke durch detaillierte Stoff- und Motivvergleiche zu erhellen (W. Scherer, M. Koch). Seit den 20er Jahren dieses Jh.s entfernte man sich von diesen Forschungszielen und suchte über die St. zu geistes- und problemgeschichtl. Bestimmungen zu gelangen, die nicht so sehr aus den stoffl. Konstanten als vielmehr aus den Varianten gewonnen werden konnten. Die Verarbeitungsweise eines überkommenen Stoffes kann somit im Hinblick auf die individuelle dichter. Leistung, ihren Produktionsvorgang, ihre psycholog. Besonderheit und ihre zeittyp. Perspektive befragt werden. Das Ziel jedoch ist weniger die Beschreibung oder Wertung einzelner Werke und Autoren als der Versuch, geistesgeschichtl. orientierte Fixierungen für einen Epochenstil, Nationalstil oder auch für einen histor. veränderten Gattungsbegriff (z. B. Entstehung eines Prosaromans aus einem Epos) zu gewinnen. St. nähert sich daher einer Formgeschichte, die an Handlungs- und Ereignisstrukturen, Themen, mytholog. oder histor. Figuren und Problemen exemplifiziert wird; sie liefert Fakten und Beobachtungen für eine rezeptionsgeschichtl. bestimmte Literaturerforschung und stellt Material bereit für literatursoziolog. Untersuchungen, zum Beispiel bei der Frage der Popularisierung oder Trivialisierung von Stoffen der Hochliteratur (Swifts »Gulliver« als Kinderbuch) oder der hochstilisierten Umadressierung populärer Lesestoffe (Faust!).

Bibliographie: Schmidt, F. A.: Stoff- u. Motivgesch. der dt. Lit. Bln. 1959.

☐ Frenzel, E.: Stoffe der Weltlit. Stuttg. ⁷1988. – Mertens, V./Müller, U. (Hrsg.): Ep. Stoffe d. MA.s. Stuttg. 1984. – RL.   HW

Stoichedon, Adv. [gr. = reihenweise, reihenartig], bes. auf altgr. Inschriften (5., 4. Jh. v. Chr.) übl. blockhafte Anordnung der Buchstaben eines Textes in waagrechten Reihen ohne Rücksicht auf die Wortgrenzen, so daß die Buchstaben auch senkrechte Reihen bilden.   S

Stollen,
1. einer der beiden Teile, die den ⟋Aufgesang der ⟋Stollenstrophe (Kanzonenstrophe, ⟋Meistersangstrophe) konstituieren. Die einfachste Form eines St.s besteht aus zwei isometr. oder heterometr. Versen (ab), ein St. kann aber auch aus drei oder mehr Versen gebildet sein; er wird in gleicher Form und Melodie wiederholt (zweiter oder Gegen-St.); beide St. sind in ihrer Grundausprägung durch Kreuzreim verbunden; bei drei- und mehrteil. St. kann das Reimschema in den St.-Anversen von der reinen Wiederholung abweichen: variierte St. aab ccb (z. B. Walther v. d. Vogelweide, 1. Philippston).
2. Bez. (Jacob Grimms) für die beiden Stäbe im Anvers der german. ⟋Langzeile (⟋Stabreimvers), nach altnord. *stuðlar* (Sgl. *stuðill* = eigentl.: Stütze, belegt in d. »Jüngeren Edda«, 13. Jh.).   S

Stollenstrophe, auch: Kanzonenstrophe, lyr. zweiteil. Strophenform aus zwei Perioden. Die erste Periode (↗Aufgesang, it. fronte) besteht in der Grundform aus 2 metr. und musikal. gleichgebauten Hälften (↗Stollen, it./prov. piedi); die zweite Periode (↗Abgesang, prov. cauda, it. coda, sirima, sirma) ist dagegen metr. und musikal. selbständig (bei Petrarca erscheint sie gelegentl. in ebenfalls symmetr. sog. Volten unterteilt): Grundformel A A/B = ab ab/cc. Variabel sind Länge und metr. Gestaltung der Verse, die Länge der Strophe (zwischen 6–18 und mehr isometr. oder heterometr. Verse) und – bes. im Abgesang – Versgruppierung und Reimordnung. Der Abgesang kann reimtechn. auch auf den Aufgesang rückbezogen sein (Anreimung): der beide Perioden dabei verbindende Vers (oder das Verspaar) wird in der St. Petrarcas als Chiave (Schlüssel) bez. Die St. ist die häufigste Strophenform der prov., altfrz., italien. und bes. mhd. Lyrik. Sie begegnet aber auch in neuzeitl. Dichtung (z. B. Goethe, »Wirkung in die Ferne«, »Hochzeitlied«, »Der Sänger«). – Die St. wird meist von der prov. Trobadorlyrik hergeleitet (↗Canso, ↗Cobla); die italien. Forschung jedoch sieht ihren Ursprung in der ↗Ballata (maggiore). In der mhd. Minnelyrik wird sie zur bes. bevorzugten Strophenform seit Friedrich von Hausen. Im Meistersang wurde die Grundstruktur vielfach erweitert (sog. ↗Meistersangstrophe). S

Strambotto, m. [it.], wichtigste Form der einstroph. volkstüml. ital. Tanz- und Liebeslyrik, bestehend aus 8 (auch 6, 12) Elfsilblern (↗Endecasillabo) mit regional verschiedenem Reimschema: Ausprägung der Toskana *(Rispetto)*: ababccdd (auch: ababbcc), der Romagna *(St. romagnolo)*: aabbccdd, Siziliens (↗*Siziliane, Villotta)*: ababab. – Herkunft umstritten (Toskana? Polygenese? vereinfachte Ableitungen der ↗Stanze?), früheste Zeugnisse 14. Jh. (Toskana), seit dem 15. Jh. auch in der Kunstdichtung gepflegt (A. Poliziano, Lorenzo de Medici, G. Carducci, G. Pascoli). IS

Straßentheater, Theaterspiel ohne sichtbar abgegrenzte Bühne (Podest o. ä.) auf offener Straße, wohl die ursprünglichste Spielform abendländ. Theaters seit Thespis, der auf der Athener Agora auftrat; auch das mittelalterl. ↗geistl. Spiel, bes. ↗Prozessionsspiele und Umzüge mit Theaterwagen samt ↗lebenden Bildern finden im Wohn- oder Arbeitsbereich des Publikums statt. Heute wird St. meist zur polit. Aktivierung der Zuschauer dargeboten. Grundvoraussetzung für die intendierte Information und Agitation ist die Mobilität der Truppen (oft Laien), die ihre Texte und Szenen selbst und stets neu aktualisierbar zusammenstellen. Dokumentation wird als Appell formuliert, das Prinzip der Gemeinverständlichkeit soll durch Formen verwirklicht werden, die zum konventionellen Theater in Widerspruch stehen: kurze Szenen, einfach verständl. Texte, Refrain-Lieder mit Hörerbeteiligung, Musikbegleitung, typisierende Masken, plakative Dekorationen und Versatzstücke. Vorbilder für die dt. St.-Szene sind die russ. ↗Agitprop-Theater-Truppen der 20er Jahre (↗Proletkult) und das Off-Off-Broadway-Theatre. Auch: ↗polit. Dichtung.
📖 Büscher, B.: Wirklichkeitstheater, St., Freies Theater. Frkf. u. a. 1987. – Hüfner, A. (Hrsg.): St. Frkft. 1970. GM

Stream of consciousness [striːm əvˈkɔnʃəsnis, engl. = Bewußtseinsstrom], komplexe, amorphe Folge von assoziativ ausströmenden Bewußtseinsinhalten (einer literar. Gestalt), in denen Empfindungen, Ressentiments, Erinnerungen, sich überlagernde Reflexionen, Wahrnehmungen und subjektive Reaktionen auf Umwelteindrücke ungeschieden und vor ihrer gedankl. Ordnung durcheinandergleiten. Literar. umgesetzt wird das Phänomen des St. o. c. durch eine adäquate Erzähltechnik, den sog. ↗inneren Monolog. Die Bez. St. o. c. wurde geprägt von dem amerikan. Philosophen und Psychologen William James in bezug auf den Roman »Les lauriers sont coupés« (1888) von E. Dujardin, der als einer der ersten einen Bewußtseinsstrom

zu gestalten versuchte (und zum Vorbild für J. Joyce wurde).
📖 Humphrey, R.: St. o. c. in the modern novel. Berkeley u. Los Angeles (Calif.) 1954; auch: ↗innerer Monolog. S

Streitgedicht, Gedicht, in dem verschiedene (meist zwei) Personen, personifizierte Gegenstände oder Abstraktionen einen Streit führen: entweder über die eigenen Vorzüge und die Schwächen oder Fehler des Gegners (Rangstreit) oder um eine bestimmte Frage zu entscheiden; wegen der Dialogform oft auch Bez. *Streitgespräch.* – St.e haben eine lange, von der antiken über die mlat. Lit. bis in die Volkssprachen führende Tradition. Einflüsse der ↗Ekloge, der scholast. Disputation u. a. sind von Fall zu Fall anzunehmen. Auch der Orient (bes. die pers. u. die arab. Lit.) kennt St.e. – Formen und Bez. in der griech. Lit.: ↗Agon, ↗Synkrisis, in lat. Lit.: ↗Altercatio, ↗Conflictus, ↗Disputatio, in den roman. Literaturen: ↗Tenzone, ↗Partimen, ↗Jeu parti, ↗Débat, ↗Contrasto. In Deutschland kommt es erst im späten MA. zur Blüte des St.s (Frauenlob, Regenbogen). – Als St.e im weiteren Sinne werden auch german. Scheltgedichte (z. B. »Lokasenna«, »Harbarzljoð«) oder Spott- und Reizreden (Gelfreden) verstanden; vgl. auch ↗Rätsel (Rätselwettstreit), ↗Dichterfehde, ↗Büchlein.
📖 Kasten, I.: Studien zu Thematik u. Form des mhd. St.s. Diss. Hamb. 1973. – Walther, H.: Das St. in der lat. Lit. des MA.s. Mchn. 1920. – Jantzen, H.: Gesch. d. dt. St.es im MA. Breslau 1896, Nachdr. Hildesheim 1977. – RL. MS

Streitgespräch, Bez. 1. für das ↗Streitgedicht, 2. für nicht gebundener Rede abgefaßte Formen eines literar. Streites, z. B. »Der Ackermann aus Böhmen« (Joh. v. Saaz, wohl 1401), 3. Einlagen in ep. Werken wie die St.e unter Bauern u. Bäuerinnen in Wittenwilers »Ring« (Anf. 15. Jh.). – In der konfessionellen Kontroversliteratur der Reformationszeit sind St.e häufig; verbreitet wurden sie meist in Form von ↗Flugschriften. – Auch ↗Dialog, ↗Eristik. MS

Strophe, f. [gr. = Wendung], Zusammenfassung von gleich oder ungleich langen (iso- oder heterometr.) Versen oder ↗Langzeilen zu einer metr. Einheit, die themat. selbständig, ein einstroph. Gedicht oder mit anderen St.n eine themat. mehr oder weniger geschlossene St.nreihe, ein mehrstroph. Gedicht, bilden kann. Konstituierend sind bei antiken St.nformen bestimmte quantitierende Versgruppen, im MA. und in der Neuzeit meist bestimmte Reimschemata. Reimformen wie ↗Kornreime, grammat. Reime oder ein ↗Refrain können mehrere St.n formal eng zusammenbinden (vgl. z. B. ↗Cobla). Die Syntax kann gelegentl. eine St.ngrenze überspringen (↗Strophensprung, vgl. auch ↗Enjambement). St.n finden sich v. a. in der Lyrik, aber auch in der Epik, seltener im Drama. Ihr Gegensatz ist die ↗stich. Ordnung der Verse.
Im griech. Altertum bez. St. ursprüngl. entweder den Wechsel der Bewegungsrichtung bei einem profanen Rundtanz oder die kult. Hinwendung des tanzenden ↗Chores zum Altar; die Bez. wurde dann metonym. auf die bei dieser Tanzphase gesungenen Verse übertragen; die bei der Kehrwendung oder Rückkehr vom Altar im selben Versmaß und nach derselben Melodie gesungenen Verse werden als ↗Anti-St. bez.; sie wurden auch für das ↗Chorlied des antiken Dramas übernommen: auf je eine gleichgebaute St. und Anti-St. folgt hier jeweils die ↗Epode, eine metr. und musikal. anders strukturierte abschließende St. Diese Form bestimmt auch die griech. Chorlyrik, v. a. die Pindars (↗*Pindar. Ode* = aus Ode [= St.], Antode, Epode). Während die volkstüml. Traditionen (seit Alkman) v. a. kürzere, zwei- bis vierzeil. einfache St.n (meist Dimeter-St.n) ausbilden, entwickeln sich in der monod. Lyrik seit dem 6. Jh. v. Chr. kunstvolle St.nformen, die verschiedene quantitierende Reihen kombinieren (↗Odenmaße); sie werden nach den vermutl. Erfindern als *alkäische, asklepiadä..* *sapph.* St.n bezeichnet. Sie wurden in der röm. Dichtung

(Horaz: *archiloch. St.n,* Catull) und später auch in den europ. Volkssprachen nachgebildet und durch neue Varianten erweitert (in der Neuzeit u. a. Klopstock, Hölderlin). – In der *Spätantike* entwickelt sich wohl aus volkstüml. Traditionen die einfach gebaute, meist vierzeil. Hymnen-St. (Ambrosian. ⟋Hymne), bei der anstelle der anfängl. metr. Struktur zunehmend rhythm. Formen, seit dem 9./10.Jh. mit Reimbindung, treten, verwandt der späteren Volkslied-St. und der St. des Kirchenliedes. – *Im MA.* werden die St.n durch ⟋Reim und ⟋Stabreim konstituiert und gegliedert. In altnord. St. wie im ⟋*Fornyrðislag* und ⟋*Ljoðahattr* herrscht der Stabreim, in der ⟋Skaldendichtung finden sich neben Stabreim auch Reimformen (vgl. ⟋*Dróttkvætt*). – Die ältesten St.n der mal. dt. Dichtung bestehen aus zwei vierheb. Reimpaarversen (*Otfried-St.,* 9.Jh.); in der Lyrik begegnen anfangs auch St.n aus paargereimten Langzeilen (Kürenberg) und Kombinationen von Lang- und Kurzzeilen (Dietmar von Aist), seit dem 12.Jh. bilden sich dann, zuerst in der provenzal., später auch in der mhd. und ital. Lyrik, mannigfache Vers- und Reimkombinationen aus: die verbreitetste ist die zweiteil. ⟋*Stollen- oder Kanzonen-St.,* daneben vielfält. Formen der ⟋*Perioden-St.* (s. auch ⟋Reien). Auch in der Epik gibt es eigene St.nformen: neben Langzeilenst.n wie ⟋*Nibelungen-,* ⟋*Kûdrûn-,* ⟋Walther- u. Hildegund-, ⟋Rabenschlacht-St., ⟋Hildebrandston und der ⟋Titurel-St. (Wolfram von Eschenbach, Albrecht von Scharfenberg, Hadamar von Laber, Ulrich Füetrer) und der mit dieser verwandte Schwarze Ton (»Wartburgkrieg«) stehen kurzzeil. Reimpaar-St.n wie die ⟋Morolf- und ⟋Tirol-St. und der ⟋Berner Ton. Auch in anderen europ. Literaturen werden seit dem MA. kennzeichnende St.nformen entwickelt, so in Frankreich außer der Kanzonenstr. (⟋Chanson) die Formen der ⟋Ballade, des ⟋Chant royal, des ⟋Huitain oder ⟋Rondeau, in Italien v. a. die ⟋Stanze (Ottavarime) und ihre Abwandlungen (⟋Siziliane), ⟋Terzine, ⟋Sestine u. a., in Spanien die ⟋Copla, in England v. a. die volkstüml. ⟋Chevy-chase-St., ⟋Chaucer-St. (Rhyme royal) oder die ⟋Spenser-Stanza. Der *Begriff St.* taucht in der dt. Sprache erst im 17.Jh. auf (nach frz. *la strophe*), in mhd. Zeit wurde dafür die Bez. *daz liet*(Plural: *du liet*) gebraucht, die Meistersinger verwenden Bezz. wie Stück, Gebäude, Gebände, Gesätz. Im Kirchenlied wird z. T. bis heute für St. die Bez. *Vers* (von mittellat. *versus* = Abschnitt eines gesungenen Psalms) verwendet.

🕮 Frank, H. J.: Handb. der dt. St.nformen. Mchn. 1980. – Ranawake, S.: Höf. St.nkunst. Mchn. 1976 – Touber, A. H.: Dt. St.nformen des MA.s. Stuttg. 1975. – Schlawe, F.: Die deutschen Strophenformen. Stuttg. 1972. – RL.   S

Strophensprung, Überspielen der metr. Stropheneinheit durch den Syntax: der Satz reicht über das Strophenende in die folgende Strophe hinein (auch: Strophen-⟋Enjambement), z. B. im »Nibelungenlied«, bei Goethe (»An den Mond«), häufig bei Rilke.   GG*

Struktur, f. [lat. structura = Zusammenfügung, Ordnung, (Bau)werk], wissenschafts- und bildungssprachl. Begriff: *allgem.:* (häufig nur metaphor.) gebraucht für Aufbau, Gefüge, Komposition, z. B. in der Sprache oder Literatur, *speziell:* grundlegender programmat. Leitbegriff des ⟋Strukturalismus: bez. die einem Objekt zugrundeliegende Ordnung. Soziokulturelle Objekte (wie z. B. psych., soziale, ökonom., philosoph., wissenschaftl., sprachl., literar. Sachverhalte) lassen sich als Systeme auffassen, soweit sie in der jeweiligen Kultur eine relative Geschlossenheit und Autonomie besitzen, wobei Ebenen innerhalb des Systems wiederum als Teilsysteme beschreibbar sind. Als Systeme können sowohl ein Komplex von Objekten (wie z. B. die Literatur einer Epoche oder ein Gattungssystem) als auch einzelne Objekte (wie z. B. ein Text) beschrieben werden. Ein *System* besteht aus einer Menge von Elementen und der Menge der Relationen zwischen ihnen; *Element* ist, was im Rahmen einer bestimmten Fragestellung und der gewähl-

ten Betrachtungsebene als kleinste und konstitutive Einheit behandelt werden kann, die in anderem Rahmen selbst als System beschreibbar sein mag; *Relation* ist jede beschreibbare Beziehung zwischen beliebigen Größen (Elementen, Relationen, St.en, Systemen); *St.* ist die Menge aller Relationen zwischen den Elementen eines Systems. Untergeordnete Einheiten (Elemente, Teilst.en, -systeme) erfüllen *Funktionen* in übergeordneten Einheiten (St.en, Systemen). Sowohl in St.en oder Systemen (z. B. die Veränderungen zwischen dem Anfangs- und dem Endzustand in narrativen Texten) als auch *zwischen* St.en oder Systemen (z. B. histor. Wandel) finden *Transformationen* statt. Je nach Fragestellung kann die strukturale Analyse verschieden weit von der konkreten Oberfläche des Objektes abstrahieren. St.en sind das Ergebnis einer Rekonstruktion, die von den Merkmalen des Objekts und den Fragestellungen des Subjekts bedingt ist und ein *theoret. Modell* des Objekts liefert, das dessen Eigenschaften in math. Sinne abbilden muß. Die St. läßt sich demnach auch als das *System der Regeln* beschreiben, nach denen ein Objekt funktioniert. Die traditionellen Begriffe ›Aufbau‹ oder ›Inhalt‹ und ›Form‹ bezeichnen nur Teilaspekte einer Textoberfläche, die der Begriff der St. zwar mitumfaßt, aber in übergreifendere und abstraktere Ordnungen integriert.

🕮 Einem, H. von: Der St.-Begriff in den Geisteswissenschaften. Wiesb. 1973. – Naumann, Hans (Hrsg.): Der moderne St.begriff. Materialien zu seiner Entwicklung Darmst. 1973. ⟋Strukturalismus, ⟋Semiotik.   MT

Strukturalismus, m., method. Richtung der Geistes- und Sozialwissenschaften (Psychologie, Soziologie/Ethnologie, Linguistik, Literaturwissenschaft). Nach Ansätzen in der linguist. und literaturwissenschaftl. Richtung des *Russ.* ⟋*Formalismus* (Schklowski, Tynjanow, Jakobson, u. a.) beginnt der St. zunächst in der Linguistik (ab 1916 mit F. de Saussure) und konstituiert sich als Richtung der Linguistik *und* Literaturwissenschaft auf breiterer Basis zuerst ab Ende der 20er Jahre im *tschech. (Prager) St.* (Mukařovský, Jakobson, u. a.), der sich bis in die Gegenwart fortsetzt (Červenka, Vodička). Von der neuen Linguistik beeinflußt oder von ihr unabhängig, entsteht ein St. auch in der Psychologie (Piaget) und Soziologie/Ethnologie, (Lévi-Strauss). Andere Disziplinen (z. B. Mathematik: Bourbaki-Gruppe, Biologie: v. Bertalanffy) entwickeln seit den 30er Jahren verwandte Tendenzen, wozu später auch Kybernetik und Allg. Systemtheorie gehören. In den 60er Jahren bilden sich die neben dem tschech. St. bislang wichtigsten Varianten des St. heraus: der *franz. St.* (Barthes, Bremond, Foucault, Genette, Greimas, Lévi-Strauss, Todorov, u. a.) und der *sowjet. St.* (Lotman, Uspenski, u. a.). Als *wichtigste Prinzipien des St.* gelten, daß Elemente soziokultureller Phänomene nicht willkürl. isoliert werden dürfen, sondern sowohl in ihrem synchronen als auch in ihrem diachronen Aspekt adäquat nur im Kontext und als Funktion der ⟋Strukturen/Systeme, denen sie angehören, beschrieben werden können; daß der Systemcharakter von Phänomenen nicht a priori angenommen werden darf (wie z. B. in idealist. oder marxist. Tendenzen), sondern nur aus der sukzessiven theoret. Rekonstruktion des Objekts folgen kann; daß der Untersuchung der Diachronie (des Wandels des Systems in der Zeit) die der Synchronie (des Zustands des Systems zu einem gegebenen Zeitpunkt) logisch vorangehen muß; daß bei der Beschreibung von Systemen sowohl deren relative Autonomie als auch ihre Korrelation mit anderen, bzw. ihre Integration in andere Systeme berücksichtigt werden muß; daß Systeme nur in expliziten und selbst systemat. Theorien dargestellt werden können und die Untersuchung von Systemen eine explizierbare und kontrollierbare Methodologie und Wissenschaftssprache voraussetzt; daß die Rekonstruktion von Systemen in theoret. Modellen den Normen der Logik und Wissenschaftstheorie zu genügen hat. Beliebige soziokulturelle Phänomene können *Objekt*

des St. werden, so bislang z. B. in der *Psychologie* psychisch-intellektuelle Strukturen und ihre Transformationen in der Entwicklung des Kindes (Piaget), in der *Ethnologie* Verwandtschaftssysteme und Heiratsregeln, Systeme der Realitätsklassifikation, Strukturen des Mythos und Transformationsrelationen zwischen synchronen Mythen (Lévi-Strauss), in der *Geschichte des Denkens* Strukturen, die dem philosoph.-wissenschaftl. Denken, den Wertsystemen und sozialen Institutionen eines synchronen Systems zugrundeliegen, und deren diachrone Transformationen (Foucault). Die *Linguistik* hat die phonolog., syntakt.-semant., pragmat. Aspekte natürlicher Sprachen als (Teil-)Systeme zu beschreiben versucht und sich ebenso für sprachl. Universalien (Invarianten aller Sprachen) wie für spezif. Merkmale der Einzelsprachen interessiert; in der *generativen Transformationsgrammatik* (seit Chomsky) entwirft sie Regelsysteme, die die Operationen bei der Hervorbringung sprachl. Äußerungen log. simulieren und im Prinzip alle sprachl. Teilsysteme integrieren; in der ↗*Textlinguistik* überschreitet sie die Satzgrenze und berührt sich mit literaturwissenschaftl. Fragestellungen. Eine objektbedingte Kooperation von Linguistik und Literaturwissenschaft ist überhaupt für den St. charakteristisch. Im *Bereich der eher literatur- bzw. allgemein textwissenschaftl. Objekte* hat der St. eine neue Methodologie und Praxis der Analyse von Texten oder Textcorpora entwickelt und sich um eine deskriptive ›Poetik‹ bemüht, die die für Texte im allgemeinen oder für spezifische – z. B. gattungsbedingte oder epochale – Textcorpora relevanten Systeme von Wahlmöglichkeiten und Wahlbeschränkungen bei der Textkonstitution zu rekonstruieren versucht, wobei v. a. die strukturale Erzähltheorie ausgebaut wurde (Barthes, Bremond, Genette, Greimas, Lévi-Strauss, Lotman, Todorov u. a.). Charakteristisch für die grundsätzl. fachübergreifende Tendenz des St. ist auch die Entwicklung der ↗Semiotik, deren Kategorisierungen zugleich zu den wesentl. Beschreibungsinventaren des St. gehören.
📖 Fietz, L.: St. Tüb. 1982. – Lotman, J. M.: Die Struktur literar. Texte. Mchn. ²1981. – Todorov, T.: Théories du symbole. Paris 1977. – Titzmann, M.: Strukturale Textanalyse. Theorie und Praxis der Interpretation. Mchn. 1977. – Červenka, M.: Der Bedeutungsaufbau des literar. Werkes. Mchn. 1977. – Vodička, F.: Die Struktur des literar. Entwicklung. Mchn. 1976. – Uspenski, B. A.: Poetik der Komposition, Struktur des künstler. Textes u. Typologie der Kompositionsform. Frkft. 1975. – Todorov, T.: Einf. in die fantast. Lit. Frkft./Bln. 1975. – Oppitz, M.: Notwend. Beziehungen. Abriß der strukturalen Anthropologie. Frkft. 1975. – Wunderlich, D.: Grundlagen d. Linguistik. Reinbek 1974. – Boudon, R.: St. – Methode u. Kritik. Düsseld. 1973. – Genette, G.: Figures I–III. 3 Bde. Paris 1966/69/72. – Lévi-Strauss, C.: Strukturale Anthropologie. Frkft. 1971. – Ihwe, J. (Hrsg.): Lit.wissenschaft u. Linguistik. 4 Bde. Frkft. 1971. – Bourdieu, P.: Zur Soziologie der symbol. Formen. Frkft. 1970. – Piaget, J.: Le Structuralisme. Paris 1968. – Mukařovský, J.: Kapitel aus der Poetik. Frkft. 1967. – RL.   MT
Studentenlied, Gattung des ↗Ständeliedes: Gruppenlied zum Preis student.-(burschenschaftl.) ungebundener Lebensweise (Burschen-, Kneip-, Bummellied) oder von Universitätsstädten oder -festen, auch Spottlied auf Spießbürger oder akadem. Berufsstände u. a.; oft derb, z. T. mit lat. Brocken oder ganz in Vulgärlatein abgefaßt, z. B. »Gaudeamus igitur«, »O alte Burschenherrlichkeit«. Auch von Studenten(-verbindungen) bevorzugt gesungene Balladen, Volks- u. a. Lieder werden zu den St.ern gezählt. – Schriftl. faßbar sind St.er erstmals in den Sammlungen mit ↗Vagantendichtung (z. B. in der Handschrift der Carmina burana, 13. Jh.), dann seit dem 16. Jh. in handschriftl. Liederbüchern (z. B. von den Studenten P. Fabricius und Ch. Clodius); die erste gedruckte Sammlung von St.ern erschien 1782 von Ch. W. Kindleben, vgl. ↗Kommersbuch.   S

Studententheater, student. Laientheater, das dem konventionellen Theaterbetrieb meist krit. bis oppositionell gegenübersteht. St. im weitesten Sinne war schon das ↗Schuldrama des 15.–17. Jh.s; im eigentl., engeren Sinne entwickelt es sich erst im 20. Jh., v. a. an philolog. Fachbereichen der Universitäten. Oft aus den Praktika theaterwissenschaftl. Institute hervorgegangen, versuchte es, neue theatral. Möglichkeiten zu entdecken (Textcollagen, Wiederbelebung alter Spielformen wie Puppen-, Schatten-, Simultan-, Maskenspiele, Rekonstruktion histor., bes. antiker Stücke). Das Repertoire von St.n umfaßte darüber hinaus eigene Texte, Dramatisierungen, Pantomimen, Kabaretts, Revuen usw. Es regte in den 50er bis 60er Jahren an vielen größeren Bühnen die Gründung von Experimentier- und Werkstattbühnen an; bes. in den USA übernahmen St. oft die Funktion von Stadttheatern. – Seit den student. Protestbewegungen der 1960er Jahre entstand ausdrückl. polit. motiviertes St. (Agitations-, Aktionstheater, auch als Happenings), das, v. a. als ↗Straßentheater, die Mittel und Formen des ↗Agitproptheaters der 20er Jahre neu belebte und neue Publikumsschichten zu erreichen suchte; Höhepunkt dieser Entwicklung 1967–70. Aus dem St. hervorgegangen sind das ↗Living Theatre, das Bread and Puppet Theatre (polit. Straßentheater mit Masken und lebensgroßen Puppen), die San Francisco Mime Troupe. Stilist. Wechselwirkungen bestehen auch zu den ↗Zimmer- und Kellertheatern.
📖 Herms, D.: Mime Troupe, El Teatro, Bread and Puppet – Ansätze zu einem polit. Volkstheater in den USA. In: Maske u. Kothurn 19 (1973) 342 ff. – Nürmberger, W.: Wege u. Möglichkeiten des dt. St.s. In: Darstellendes Spiel, hg. v. P. Amtmann u. H. Kaiser. Kassel u. Basel 1966. MK*
Stundenbuch [nach frz. livre d'heures], mal. Gebet- und Andachtsbuch für Laien, verkürztes ↗Brevier: enthält nur die für *Laien* verbindl. Stundengebete, ferner Buß- und Trostpsalmen, Gesänge, Leseabschnitte, meist auch ein Kalendarium. Entstanden in Frankreich; berühmt sind insbes. die kostbaren St.er fürstl. Persönlichkeiten, z. B. die »Très riches heures« des Duc de Berry (1413, von den Brüdern P., H. u. J. von Limburg ausgestaltet; heute im Musée Condé, Chantilly).   S
Sturm und Drang, geistige Bewegung in Deutschland von Mitte der sechziger bis Ende der achtziger Jahre des 18. Jh.s. Die Bez. ›St. u. D.‹ wurde nach dem Titel eines Schauspiels v. F. M. Klinger (1777) auf die ganze Bewegung übertragen. Ihr *Ausgangspunkt* ist eine jugendl. Revolte gegen Einseitigkeiten der ↗Aufklärung, gegen ihren Rationalismus, ihren Fortschrittsoptimismus, ihre Regelgläubigkeit und ihr verflachtes Menschenbild, aber auch gegen die »unnatürliche« Gesellschaftsordnung mit ihren Ständeschranken, erstarrten Konventionen und ihrer lebensfeindl. Moral. Der St. u. D. ist jedoch nicht nur auf diese Opposition begrenzt. Während er im polit. Bereich wirkungslos blieb, gab er dem geist. Leben Impulse, die noch in jeweils anderer Akzentuierung auf die ↗Weimarer Klassik, die ↗Romantik, auf Büchner, auf ↗Naturalismus und ↗Expressionismus bis hin zu Brecht nachwirkten. Im Zentrum stehen als *Leitideen* die Selbsterfahrung und Befreiung des Individuums als leib-seelischer Ganzheit; gegenüber dem Verstand wird nun besonders der Wert des Gefühls, der Sinnlichkeit und der Spontaneität betont. Damit verbunden ist eine neue Erfahrung und Wertung der Natur: Sie ist für den St. u. D. der Urquell alles Lebendigen und Schöpferischen, auch im Menschen selbst. Als höchste Steigerung des Individuellen wird das Naturhaften erscheint das Genie, in dem sich der schöpfer. Kraft einmalig und unmittelbar offenbart (↗Geniezeit). Der geniale Künstler trägt nicht nur, wie bereits G. E. Lessing in Abschwächung der normativen Poetik formuliert, alle Regeln in sich, sondern ist als Originalgenie schlechthin unvergleichlich. Prototyp des Genies ist für den St. u. D. Shakespeare, als Ideal

der Epoche schwärmerisch verehrt, daneben auch Homer, Pindar, »Ossian«, F. G. Klopstock und, aus den eigenen Reihen, der junge Goethe. Aus der Erfahrung des Individuellen entwickelt sich auch die neue Geschichtsauffassung, in der die einzelnen Völker, Kulturen und Sprachen in ihrer einzigartigen Erscheinung vom Ursprung her erfaßt werden. In diesem Zusammenhang erhalten die frühe Dichtung und insbes. die Volksdichtung für den St. u. D. besonderes Gewicht. *Anregungen* erfuhr der St. u. D. vom Ausland durch die Kulturkritik J. J. Rousseaus und das Genieverständnis E. Youngs (»Conjectures on original composition«, 1759), im Inland besonders durch die pietist. und empfindsame Tradition, aber auch durch die Emanzipationsbestrebungen der Aufklärung. Unmittelbarer *Wegbereiter* der antirationalen und religiösen Komponente des St. u. D. war J. G. Hamann, der »Magus im Norden« (»Sokratische Denkwürdigkeiten«, 1759, »Kreuzzüge des Philologen«, 1762, hieraus bes. die »Aesthetica in nuce«). Die eigentl. Grundideen aber, die weit über den St. u. D. hinaus wirkten, entwickelt J. G. Herder (»Fragmente über die neuere dt. Literatur«, 1767, »Journal meiner Reise im Jahre 1769«, »Abhandlung über den Ursprung der Sprache«, 1770, die Aufsätze über Shakespeare und Ossian in den von ihm herausgegebenen Blättern »Von dt. Art und Kunst«, 1773, in denen auch Goethes Aufsatz »Von dt. Baukunst« abgedruckt wurde). Der *literarische* St. u. D. beginnt mit der Begegnung zwischen Herder und Goethe 1770 in Straßburg. Von Herders ästhet. Ideen beeinflußt, schreibt Goethe in der lyr., dramat. und ep. Gattung jeweils die initiierenden Werke des St. u. D. (Sesenheimer Lieder, 1771, »Götz v. Berlichingen«, 1773; »Die Leiden des jungen Werther«, 1774). *Das Drama,* und zwar bes. Tragödie und Tragikomödie (Lenz), gelegentl. auch die Farce, sind die bevorzugten Gattungen des St. u. D., die dem leidenschaftl. und spannungsgeladenen Lebensgefühl der Epoche am meisten entsprechen. Die Form ist der klassizist. verstandenen aristotelischen Tragödie diametral entgegengesetzt; Regeln werden abgelehnt, die ↗drei Einheiten aufgelöst zugunsten eines beliebig häufigen Ortswechsels (»Fetzenszenen«), eines vielfältigen, höchstens im Helden zentrierten Handlungsgefüges und einer freien Verfügung über die Zeit (theoret. am radikalsten formuliert in Lenz' »Anmerkungen übers Theater«, 1774). Fast alle Dramen sind in Prosa geschrieben (auch Rückgriffe auf altdt. Versformen), in einer alltagsnahen, ausdrucksstarken, gelegentl. grellen Sprache. Charakterist. *Themen und Motive* sind die Selbstverwirklichung des genialen Menschen (Faust, Prometheus), der trag. Zusammenstoß des einzelnen mit dem »notwendigen Gang des Ganzen« (Götz, die Räuber, Fiesko), Bruderzwist bis zum Brudermord (Die Zwillinge, Julius von Tarent), Konflikt zwischen Moralkodex und Leidenschaft (Das leidende Weib, Stella), soziale Anklage gegen die Korruption der herrschenden Stände und gegen Ständeschranken (Der Hofmeister, Die Soldaten, Das leidende Weib, Kabale und Liebe), bes. verschärft im Kindsmörderin-Motiv (Gretchen-Tragödie im »Faust«, Die Kindermörderin). Die *wichtigsten Dramen* des St. u. D. sind: J. W. Goethe, »Götz von Berlichingen« (1773), »Clavigo« (1774), »Stella« (1776), »Urfaust« (1772–75); F. Schiller, »Die Räuber« (1781), »Fiesko« (1783), »Kabale und Liebe« (1784); J. M. R. Lenz, »Der Hofmeister« (1774), »Der neue Menoza« (1774), »Die Soldaten« (1776), »Der Engländer« (1776); F. M. Klinger, »Otto« (1775), »Das leidende Weib« (1775), »Die Zwillinge« (1776), »Simone Grisaldo« (1776), »Sturm und Drang« (1777), J. A. Leisewitz, »Julius von Tarent« (1776); H. L. Wagner, »Die Kindermörderin« (1776); Friedr. (Maler) Müller, »Golo und Genovefa« (entst. 1775). In der *Epik* zeigt sich eine Neigung zum Autobiographischen, die dem Interesse des St. u. D. am individuellen Leben entgegenkommt. Das überragende epische Werk der Epoche, »Die Leiden des

jungen Werther« (1774) von Goethe, verdankt seinem biograph. Ansatz, seiner überwiegend subjektiven Erzählweise einen Teil seiner weltweiten Wirkung. Mit der Absolutheit des Gefühls, Naturbegeisterung, Gesellschaftskritik und Hinwendung zum einfachen Volk, mit der Schwärmerei für Homer und Ossian werden St. u. D.-Themen aufgegriffen und zugleich problematisiert. Echte ↗Autobiographien sind »Heinrich Stillings Jugend« von J. H. Jung (1777), die »Lebensgeschichte und natürliche Ebentheuer des Armen Mannes im Tockenburg« von U. Bräker (1789). Zwischen Autobiographie und Roman steht die psychologische Analyse »Anton Reiser« von K. Ph. Moritz (1785–90). Aus der zahlreichen Werther-Nachfolge seien »Der Waldbruder« von Lenz (entst. 1776) und »Eduard Allwills Papiere« von F. H. Jacobi (1792) genannt. 1787 erscheint mit »Ardinghello und die glückseligen Inseln« von J. J. W. Heinse der vielleicht typischste Roman des St. u. D., der die Renaissance als wahlverwandte histor. Epoche entdeckt. Der geniale Künstler u. Tatmensch Ardinghello gründet ein utop. Reich, in dem die Menschen in naturhafter, sinnl.-ästhetischer Erfüllung ohne moral. Schranken leben. Die *Lyrik,* von Herder als Urpoesie aus ihrer gattungstheoret. untergeordneten Stellung herausgehoben, löst sich im St. u. D. zum ersten Mal aus ihrer gesellschaftl. Bezug und wird zum Ausdruck persönlichen Erlebens (↗Erlebnisdichtung). Den Durchbruch bilden Goethes Sesenheimer Lieder, die spontane Gefühl und intensives Naturerlebnis in einer ganz einfach scheinenden, volksliednahen Sprache ausdrücken. Neben das ↗Lied tritt die unter engl. Einfluß erneuerte ↗Ballade als Ausdruck irrationaler Kräfte, bes. der Typ der Geisterballade (G. A. Bürger, »Lenore«; L. Hölty, »Adelstan und Röschen«; Goethe, »Der untreue Knabe«) und der naturmagische Ballade (Goethe, »Der Fischer«, »Erlkönig«). Die Frankfurter ↗Hymnen Goethes gestalten das Genie als Ich-Erfahrung (»Wanderers Sturmlied«, »Schwager Kronos«) oder als Mythos (»Prometheus«, »Ganymed«, »Mahomets Gesang«) in eruptiver, wortschöpfer. Sprache. Die Hymnen-Form weist auf den Einfluß Klopstocks hin, der sich noch stärker bei den Lyrikern des 1772 gegründeten ↗Göttinger Hain manifestiert. Ihm gehören Hölty, J. H. Voß, H. Ch. Boie, Leisewitz und die Brüder Stolberg an; Bürger, Ch. F. D. Schubart und M. Claudius stehen ihm nahe. Neben Deutschtum, Freiheit und einem etwas abstrakten Tyrannenhaß klingen hier auch gesellschaftskrit. und revolutionäre Themen in der Lyrik an.

📖 Hinck, W. (Hrsg.): St. u. D. Königstein/Ts. ²1989. – Grosse, W.: Von d. Aufklärung zum St. u. D. 1988. – Wakker, M. (Hrsg.): St. u. D. Darmst. 1985. – Huyssen, A.: Drama u. d. St. u. D. Mchn. 1980 (mit Bibl.). – Kaiser, G.: Aufklärung, Empfindsamkeit, St. u. D. In: Gesch. der dt. Lit. Bd 3, Bern/Mchn. ³1979. – Pascal, R.: Der St. u. Drang. Stuttg. ²1977. – Korff, H. A.: Geist der Goethezeit. Bd. 1: St. u. D. Darmst. ⁹1974. – Martini, F.: Die Poetik des Dramas im St. u. D. In: R. Grimm (Hrsg.): Dt. Dramentheorien. Bd. 1. 1981. – RL.

Sturmkreis, Berliner Künstler-, speziell Dichterkreis um die von Herwarth Walden herausgegebene Zeitschrift »Der Sturm« (1910–1932), dem wichtigsten Organ des ↗Expressionismus neben der Zeitschrift »Die Aktion«. Der St. wurde v. a. beeinflußt vom italien. ↗Futurismus (Marinetti), dessen Malerei Walden zum ersten Mal in Deutschland in seiner ›Sturm-Galerie‹, seit 1912, vorstellte; innerhalb dieser Ausstellungen fanden seit 1913 Vortragsabende, seit 1916 sog. ›Sturm-Abende‹ (Leitung Rudolf Blümner) statt, mit Rezitationen expressionist. Dichtkunst; ferner wurde 1918/19 eine sog. ›Sturm-Bühne‹ mit gleichnamigem Publikationsorgan (Leitung Lothar Schreyer) begründet. Die wesentl. Leistung des St.es ist die Ausbildung einer von Walden propagierten, v. a. von August Stramm praktizierten, futurist. Tendenzen verarbeitenden

sog. *Wortkunst*, einer gegen das traditionelle Literaturverständnis gerichteten neuen literar. Ausdrucksmöglichkeit in Drama und Lyrik, mit radikaler Verkürzung auf sprachl. Elemente *(Wortsinn, Wortklang, Worttonfall)* und Abstraktion (∕reduzierte Texte, auch Versuche mit ∕akust. und ∕visueller Dichtung: R. Blümner, O. Nebel), die von Kurt Schwitters in seiner ∕Merzdichtung eigenwillig fortentwikkelt wurde (konsequente Dichtung).
□ Brühl, G.: Herwarth Walden und »Der Sturm«. Köln 1983. – Schreyer, L.: Erinnerungen an Sturm u. Bauhaus. Mchn. 1956.   D

Stuttgarter Schule (auch Stuttgarter Gruppe), lose Gruppierung v. a. von Autoren, aber auch Typographen und Druckern (Hansjörg Mayer), weniger bildenden Künstlern, um die von M. Bense herausgegebene Zeitschrift »augenblick« (1955–1961), bzw. die von Bense und Elisabeth Walther herausgegebene Publikationsfolge »rot« (1960 ff.), zu der neben Bense v. a. R. Döhl, L. Harig, H. Heissenbüttel zu rechnen sind. Die nicht einheitl. Texte und z. T. visuell typograph. Arbeiten der St. Sch. zeichnen sich zunächst durch eine Mischung von Experiment und Tendenz, seit Beginn der 60er Jahre zunehmend durch Experimentierfreudigkeit aus (Versuche und Erprobung neuer Textsorten), z. T. parallel, aber auch in Opposition zu Benses Ästhetik (»aestetica«, 1954 ff.), mit zeitweiliger Nähe zur ∕konkreten Dichtung, die in Stuttgart frühe Ausstellungen (seit 1959) und Diskussionen erfuhr.
□ Walther, E./Harig, L. (Hrsg.): Muster möglicher Welten. Eine Anthologie für M. Bense. Wiesb. 1970.   D

Summa, f. [lat. = Gesamtheit, Summe], aus dem Unterricht der Scholastik erwachsene, im MA. verbreitete Form einer übersichtl. und systemat. Gesamtdarstellung eines meist theolog. oder philosoph. Wissens- und Lehrbereiches. Bedeutende Summen dieser Art verfaßten z. B. Albertus Magnus (»S. creatoria«, um 1240), Petrus Cantor (Sakramentenlehre), Alexander von Hales (Philosophie des Aristoteles) und v. a. Thomas von Aquin, dessen »S. theologica« (1273) bis heute die Grundlage der kath. Theologie bildet. – ›S.‹ erscheint aber auch als Titel manchmal begrenzter Werke (z. B. für Kommentare u. ä.). – Die Summen der Hochscholastik führen die frühscholast. sog. *Sentenzenbücher* fort, in denen der Wissensstoff durch Gegenüberstellung von Aussprüchen (Sentenzen) bestimmter Autoritäten (Bibel, Kirchenväter etc.) in scholast. Methode ausgebreitet wird, vgl. z. B. Petrus Lombardus, »Sententiarum libri IV« (um 1150) und als Kommentar dazu die »S. aurea« von Wilhelm von Auxerres (Anf. 13. Jh.). – Die Bez. ›S.‹ wurde in der Neuzeit auch auf andere mal. philos.-theolog. Werke übertragen, z. B. auf die Werke Hugos von St. Viktor oder Roger Bacons, weiter auch auf eine volkssprach. kleinere Dichtung wie die 32stroph. frühmhd. »S. theologiae«. – Verfasser solcher enzyklopäd. Zusammenfassungen werden *Summisten* genannt.   S

Summarium, n. [mlat.], kurzgefaßte Inhaltsangabe einer Schrift, auch Bez. für eine mal.). Glossensammlung (z. B. das »S. Heinrici«, 11./12. Jh.).   S

Surrealismus, m. [zür., zyr . . . frz. = über, jenseits], Bez. für eine nach dem 1. Weltkrieg in Paris entstandene avantgardist. Richtung moderner Kunst und Literatur, die, insbes. beeinflußt von der Psychoanalyse S. Freuds, die eigentl. Wirklichkeit und letztendl. Einheit allen menschl. Seins in einem mit traditionalen Erkenntnismitteln nicht zu begreifenden nichtrationalen Unbewußten sucht, und daher Träume, wahnhafte Visionen, spontane Assoziationen, somnambule und hypnot. Mechanismen, Bewußtseinszustände nach Genuß von Drogen u. ä. als Ausgangsbasis künstler. Produktion versteht. *Surrealist. Literatur* will unter totalem oder partiellem Verzicht auf Logik, Syntax und ästhet. Gestaltung nur »passiv« die von psych. Mechanismen gesteuerten Bildsequenzen aus vorrationalen Tiefenschichten festhalten (∕écriture automatique). Als eine

um die globale Erweiterung v. Bewußtsein und Wirklichkeit und um den Umsturz aller geltenden Werte bemühte anarchist.-revolutionäre Kunst- und Weltauffassung nimmt sie Elemente barocker Mystik, dt. Romantik und orientalischer Kultur auf. Bes. vom ∕Symbolismus, ∕Expressionismus, ∕Futurismus, ∕Dadaismus und den Schriften de Sades und Lautréamonts beeinflußt, lehnt sie jede log.-rationale »bürgerl.« Konzeption von Kunst provokativ ab. In magisch-alchemist. verrätselter Kombinatorik von Disparatem propagiert sie die ›Befreiung d. Wörter‹ und eine Ästhetik der ›kühnen‹ Metapher. – Die Bez. ›S.‹ findet sich erstmals 1916 bei G. Appollinaire, der seinem Drama »Les mamelles de Tirésias« den Untertitel »drame surréaliste« gab. Eine gewisse Führerrolle in der entstehenden surrealist. Bewegung fiel neben L. Aragon und Ph. Soupault v. a. A. Breton zu, der in seinem »Ersten Manifest des S.« (1924) eine theoret. Begründung der neuen Kunstrichtung lieferte; Breton war Mitherausgeber der Zeitschrift »La Révolution Surréaliste« (1924–29), die die wichtigsten Künstler des S. zu Wort kommen ließ und in der auch sein »Zweites Manifest des S.« (1929) erstmals publiziert wurde. Der S. hat außerhalb des literar. Bereichs (L. Aragon, A. Artaud, A. Breton, A. Césaire, R. Char, P. Éluard, P. Reverdy, G. Bataille, J. Prévert, R. Vitrac u. a.) bes. der modernen Malerei wichtige Impulse gegeben (H. Arp, G. de Chirico, S. Dali, M. Ernst, P. Klee, R. Magritte, J. Miró, P. Picasso, Man Ray u. a.); auch im Film wurden s.e Darstellungsweisen versucht (L. Buñuel, J. Cocteau, R. Clair, S. Dali u. a.). Gewisse Tendenzen zur Auflösung der immer schon sehr heterogenen surrealist. Gruppe wurden hauptsächl. in den polit. Streitigkeiten (Verhältnis zur KPF) nach 1928/29 deutlich. Die Jahre der Résistance (1940–44) brachten nochmals eine gewisse Neubelebung surrealist. Kunst und Literatur; nach dem 2. Weltkrieg aber kann von einer surrealist. Bewegung kaum noch gesprochen werden. In Zusammenhang mit der surrealist. Kunst und Literatur Frankreichs entstanden bes. in Spanien (García Lorca), Lateinamerika (P. Neruda) u. den USA (H. Miller), aber auch im dt. Sprachraum literar. Texte mit surrealist. Gepräge (A. Kubin, H. Kasack, E. Langgässer, H. Hesse, H. H. Jahnn, H. E. Nossack, A. Döblin, F. Kafka, W. Benjamin, P. Celan, H. Heißenbüttel u. a.); nachhaltige Einflüsse des S. lassen sich in den verschiedenen Werken zeitgenössischer Kunst und Literatur nachweisen (∕konkrete, ∕abstrakte Dichtung).
□ Fürnkäs, J.: S. und Erkenntnis. Stuttg. 1988. – Chénieux-Gendron, J.: Le S. Paris 1984. – Hedges, I.: Languages of revolt. Dada and Surrealist Literature and Film. Durham/ N. C. 1983. – Pierre, J.: L'univers surréaliste. Paris 1982. – Biro, A. u. a. (Hrsg.): Dictionnaire général du S. et de ses environs. Paris 1982. – Bürger, P. (Hrsg.): S. Darmst. 1982. – Metken, G. (Hrsg.): Als die Surrealisten noch recht hatten. Texte u. Dokumente. Stuttg. 1976. – Bohrer, K.-H.: Die gefährdete Phantasie. S. u. Terror. Mchn. 1970. – Breton, A.: Die Manifeste des S. Reinbek 1968. – Nadeau, M.: Histoire du Surréalisme. Paris ²1964. dt. Reinbek 1965. – Kovacs, Y. (Hrsg.): Surréalisme et cinéma. 2 Bde. Paris 1965. – RL.   KH

Syllepsis, f. [gr. = Zusammenfassung], rhetor. Figur, s. ∕Zeugma.

Symbol, n. [gr. symbolon = Kennzeichen, von symballein = zusammenwerfen, zusammenfügen], in der Antike ursprüngl. konkrete Erkennungszeichen, etwa die Hälften eines Ringes oder Stabes, die, zusammengepaßt, bei einer Wiederbegegnung nach Jahren, einer Vertragserneuerung usw. als Beglaubigung oder Nachrichtenübermittlung usw. dienten, vergleichbar einem vereinbarten Losungswort. ›S.‹ wurde dann auch in übertragenem (metaphor.) Sinne verwendet für ein bildhaftes Zeichen, das über sich hinaus auf höhere geist. Zusammenhänge weist, für die Veranschaulichung eines Begriffes, als sinnl. Zeugnis für Ideenhaftes. Im

Unterschied zur rational auflösbaren, einschicht. ↗Allegorie oder zum klar definierten ↗Emblem hat das S. eine ganzheitl., mehrdimensionale ambiguose Bedeutung: ›Frau Justitia‹ ist z. B. eine Allegorie, die Waage in ihrer Hand kann als S. der Gerechtigkeit aufgefaßt werden. Das S. steht im Gegensatz zur willkürl. gesetzten Allegorie wie die ↗Metapher in einem naturhaften Evidenzverhältnis zum Gemeinten, ist ein Sinn-Bild, bei dem die Relation zwischen Sinn und Bild, zwischen dem Geistigen und der Anschauung offenkundig ist. Das S. wendet sich weniger an den Intellekt wie die Allegorie als an Sinn und Gefühl, es zielt auf tiefere Bewußtseinsschichten, reicht bis ins Unbewußte (Archetypen). Der metaphor. S.-Begriff setzt wie die ursprüngl. konkrete Bez. eine Gemeinsamkeit der geist., weltanschaul. und kulturellen Basis voraus, einen bestimmten S.-Horizont. – S.e gewannen bes. Bedeutung im Mythos (Attribute der Götter), in der Religion (Kreuz als S. des Christentums), in Dichtung und Kunst, aber auch in der polit. und militär. Selbstdarstellung (Wappen, Fahnen), in Brauchtum und Alltagsleben. Neben sog. natürl. S.en (z. B. Tier-S.e: Löwe, Adler, Taube) stehen konventionelle, durch Übereinkunft geschaffene (Friedenszweig, blaue Blume, Hammer und Sichel); neben symbol. Zeichen finden sich auch symbol. Handlungen (Altarsakrament, Taufe, Fahnenweihe), auch bildhafte Abstraktionen von Begriffen im Verkehr (Verkehrszeichen) und schemat. Darstellungen aller Art werden als S.e bezeichnet. In diesen Bereichen sind die Grenzen zur Allegorie fließend. – Ein Phänomen kann in verschiedenen Epochen oder Kulturkreisen unterschiedl. symbol. Bedeutung haben, z. B. ist die Eule im Altertum S. der Weisheit, im christl. MA. S. der Abkehr vom Christentum; der Hase symbolisiert in der mittelalterl. Kunst die Anwesenheit Gottes, in volkstüml. Auffassung ist er S. der Furchtsamkeit (Hasenfuß, das Hasenpanier ergreifen); gelb ist in der Neuzeit die Farbe des Neides, im MA. S. des Minnelohnes. Aber auch innerhalb einer Traditionsreihe kann ein S. je nach dem geist. Zusammenhang Unterschiedliches repräsentieren, so ist der Adler S. der Himmelfahrt Christi und Attribut des Evangelisten Johannes, die Taube S. des Friedens (AT) und des Heiligen Geistes (NT). *In der Dichtung* werden existentielle Grunderfahrungen in mehrschicht., bedeutungstiefe Bilder und Vorgänge gefaßt. Im weitesten Sinne kann mit Goethe alle Dichtung symbol. verstanden werden, als Veranschaulichung geist. Komplexe im Wort. Goethe sieht im S. eine aufschließende Kraft, die das Allgemeine im Besonderen, das Besondere im Allgemeinen offenbart. In diesem Sinne erscheinen Kunst und Dichtung als symbol. Transformationen der Welt. Seit der Goethezeit werden sie demnach als Ausdrucksmedien verstanden, die über ihr Erscheinungsbild hinaus auf tiefere Seinsschichten verweisen (A. W. Schlegel: »Das Schöne ist eine symbol. Darstellung des Unendlichen«; I. Kant sieht im S. »eine Art der intuitiven Vorstellung«). Während der S.-Begriff Goethes ganzheitl. konzipiert ist, kann er in der Romantik einseitig durch philosoph. Reflexion betrachtet sein, so daß sich das Gleichgewicht von Sinn und Bild zugunsten eines verrätselten Sinnes verschiebt, die Symbolik zur Symbolistik wird. Im Verlaufe des 19.Jh.s erscheint dann das S. wieder mehr auf Einzelzüge begrenzt, vgl. das steinige Feld mit Steinwall zwischen den verfeindeten Höfen in G. Kellers »Romeo und Julia auf dem Dorfe«. Manche dichter. Werke sind um ein bestimmtes *Ding-S.* zentriert, vgl. u. a. »Die Judenbuche« von A. v. Droste-Hülshoff, »Der Ring des Nibelungen« v. R. Wagner, »Die Kassette« v. K. Sternheim (vgl. auch ↗Schicksalsdrama und den Falken der Novellentheorie), oder spielen in bestimmten *S.-Bereichen,* vgl. »Der Zauberberg« von Th. Mann, »Berlin Alexanderplatz« von A. Döblin, »Das Schloß« von F. Kafka u. a. Ding-S.e können werkimmanent, singulär fixiert sein, sie können aber auch über ein einzelnes Werk hinausreichen, z. B. das

Grals-S. im »Parzival«. Auch Personen stehen oft für existentielle Wesenheiten, werden zu S.en, z. B. Odysseus, die Sirenen, Faust, Mephisto usw. S.e spielen außerdem in der modernen Traumdeutung eine bedeutsame Rolle.
Bibliographie: Lurker, M.: Bibliogr. z. S.kunde. 3 Bde. Baden-Baden 1964–68.
⌺ Lurker, M. (Hrsg.): Beitr. zu S., S.begriff, S.forschung. Baden-Baden 1982. – Link, J.: Die Struktur des S.s in d. Sprache des Journalismus. Mchn. 1978. – Pongs, H.: Das Bild in d. Dichtung. Marburg. Bd. 1 u. 2 ²1960–63, Bd. 3 1969, Bd. 4 1973. – Sörensen, B. A. (Hrsg.): Allegorie u. S. Texte zur Theorie des dichter. Bildes im 18. u. frühen 19.Jh. Frkft. 1972. – Starr, D.: Über d. Begriff des S.s in der dt. Klassik u. Romantik. Rtl. 1964. – Marache, M.: Le symbole dans la pensée et l'œuvre de Goethe. Paris 1960. – Cassirer, E.: Die Philosophie d. symbol. Formen. Oxford ³1958. – Ders.: Wesen u. Wirkung des S.-Begriffes. Darmst. 1956. – Emrich, W.: S.-Interpretation u. Mythenforschung. Euph. 47 (1953) 38–67. – Schlesinger, M.: Gesch. des S.s 2 Bde. Bln. 1912–30. – RL. S
Symbolik, f.,
1. *Symbolgehalt,* Sinnbildhaftigkeit, über das unmittelbar Wahrnehmbare hinausgehende tiefere Bedeutung von Sprache, Dichtung, Kunst, Mythos, Religion, Naturphänomenen, Gegenständen, Farben, Zahlen, Lauten, Personen, Handlungen. Bes. das mal. Denken begriff das ganze Dasein im Sinne einer umfassenden S., deutete konkrete Erscheinungen als Sinnbilder der christl. Heilslehre; zahlreiche relig., philosoph., naturkundl. und dichter. Werke widmeten sich der aus hellenist.-oriental. Traditionen überkommenen S.
2. *Lehre von den Symbolen,* Umschreibung ihrer Bedeutung, Herkunft, Wandlung (z. B. Umdeutung erot. Symbole zu christl.-moral. Bedeutung, meist nach bestimmten Kategorien oder Sachbereichen geordnet; man unterscheidet *Tier-S.* (Einhorn, Lamm, z. B. als Symbole für Christus, die Schlange für das Böse; Quellen sind Bibel und der späthellenist. »Physiologus«), *Pflanzen-S.* (z. B. Rose, Lilie = Maria, Lorbeer = Ruhm, Pinie = Unsterblichkeit), *Farb-S.* (z. B. Gold im Altertum Symbol der Sonne, im MA. Gottes, Grün im AT Farbe der Gerechten, im MA. des Lebens), *Rechts-S.* (Waage = Gerechtigkeit), *Zahlen-S.* (z. B. Drei = Trinität, Acht = Vollendung, vgl. auch ↗Zahlenproportionen), *Buchstaben-S.* (α und ω = Anfang und Ende der Welt; vgl. auch ↗leipo- und ↗pangrammat. Schriften, ↗Figurengedichte, J. Weinheber, »Ode an die Buchstaben«), *Laut-S.* (vgl. z. B. Lyrik der Romantik, des Symbolismus, A. Rimbaud, ↗Lautmalerei). Auch ↗Leitmotive (Richard Wagner, Th. Mann) können im Sinne einer musikal. oder literar. S. verstanden werden.
3. Verwendung von Symbolen in Werken der Literatur (Th. Mann: Symbolrealismus); nach dem Grad seiner Symbolhaltigkeit bestimmt sich die Symboldichte eines Werkes.
4. Zeichensprache in Verkehr und Wissenschaft.
5. Zweig der Theologie.
Bibliographie: Bibl. zu S., Ikonographie u. Mythologie. Intern. Referateorgan, 1968 ff.
⌺ Lurker, M. (Hrsg.): Wörterb. der S. Stuttg. ⁴1988. – Frenzel, E.: Stoff-, Motiv- und Symbolforschung. Stuttg. ⁴1978. – Pongs, H.: Das Bild in d. Dichtung, bes. Bd. 3 u. 4. Marb. 1969 u. 1973. – Todorov, T.: Introduction à la symbolique. Poétique 3 (1972), 273–308. – Lauffer, O.: Farben-S. Hbg. 1949. – Molsdorf, W.: Führer durch den symbol. und typolog. Bilderkreis d. christl. Kunst des MA.s. Lpz. 1920. ↗Symbol, ↗Bild, ↗Märchen. S
Symbolismus, m., von J. Moréas geprägte Bez. für eine literar. Richtung insbes. der europ. Lyrik seit ca. 1860; gilt als wichtigste, bis in die Gegenwart wirkende Ausprägung des europ. ↗Manierismus, als letzte große europ. Stilepoche (H. Friedrich). Der S. ist antiklassisch; er entstand in Frankreich (z. T. im Gegensatz zu den klassizist. ↗Parnas-

siens und den realist. Strömungen) nach dem Vorbild Ch. Baudelaires, der seinerseits seine Dichtungstheorie unter dem Einfluß der dt. ⁄Romantik (insbes. Novalis), der engl. Praeraffaeliten (Ruskin) und der Dichtung und Dichtungstheorie E. A. Poes (»The poetic principle«, 1849) entwickelt hatte. Weiter waren für die Ausbildung der Ästhetik des S. Elemente des Platonismus, die Philosophie A. Schopenhauers, F. Nietzsches und v. a. H. Bergsons, ferner die Musik R. Wagners bedeutsam. – Der symbolist. Dichter lehnt die gesellschaftsbezogene Wirklichkeit, die spätbürgerl., von Imperialismus, Kapitalismus und Positivismus bestimmte Welt ab (vgl. ⁄Dandyismus, ⁄Bohème, ⁄poète maudit), zieht sich vor ihr bewußt in einen ⁄Elfenbeinturm zurück. Er verzichtet damit, im Ggs. zum ⁄Naturalismus, prinzipiell auf Zweckhaftigkeit oder Wirkabsichten in polit.-moral., weltanschaul. oder sozialer Hinsicht, darüber hinaus auf Wirklichkeitswiedergabe, überhaupt auf konkrete Inhalte oder die Vorstellung objektiver Gegenstände, persönl. Empfindungen oder äußerer Stimmungseindrücke (hier im Ggs. zur Romantik einerseits und ⁄Impressionismus andererseits). Seine dichter. Phantasie transformiert vielmehr die Elemente der realen Welt in Bildzeichen, *Symbole:* »nach Gesetzen, die im tiefsten Seeleninnern entspringen, sammelt und gliedert sie die(se) Teile neu und erzeugt daraus eine neue Welt« (Baudelaire), eine autonome Welt der Schönheit, die *symbolhaft* die geheimnisvollen, mag.-myst. Zusammenhänge zwischen den Dingen, die hinter allem Sein liegende Idee, erahnbar machen soll. *Schlüsselwerk* dieses ästhet. Programms ist Baudelaires Sonett »Correspondances«. Die Verwendung der Realitätsbruchstücke, unabhängig von ihren Sachbezügen, von Raum- und Zeitkategorien, in alog. Verknüpfungen führt zu traumhaften Bildern, verrätselten Metaphern, zu Vertauschungen realer und imaginierter Sinneseindrücke, zu kunstvoll aufeinander abgestimmten ambivalenten Sinnkorrespondenzen, zu bewußt dunkler, hermetischer Aussage. Die Tendenz der Entdinglichung, der Abstraktion, der Tilgung von Assoziationen an reale Gegenstände wird erreicht durch die Verabsolutierung der Kunstmittel, durch reine Wortkunst (⁄poésie pure, ⁄absolute Dichtung), durch Sprachmagie, die bewußt und oft mit mathemat. Kalkül (bes. St. Mallarmé) alle klangl. und rhythm. Mittel einsetzt: Reim, Assonanz, Lautmalereien, ⁄Synästhesien, Farb- und Lautsymbolik (vgl. ⁄audition colorée), die rhythm.-klangl. Anordnung von Wörtern preziös exotischer, archaisch-magischer oder vage-abstrakter Bedeutung, gespannte oder verfremdete syntakt. Fügungen, all dies verleiht der Lyrik des S. eine Musikalität von außerordentl. Suggestivkraft und Intensität, deren Sinn dem Sprachklang untergeordnet erscheint (Mallarmé: »Der Dichter überläßt die Initiative den Wörtern«). Auch wo metr. Formen beibehalten werden (Mallarmé), sind diese von Wortklängen überspült; sie werden von einzelnen Vertretern folgerichtig zugunsten freier Verse (⁄vers libre, Rimbaud, G. Kahn, F. Viélé-Griffin) oder ⁄Prosagedichten aufgegeben. – Bei aller »Unbestimmtheitsfunktion« (Friedrich) ist aber die Sprache noch Bedeutungsträger; die wenn auch schwebenden ›Inhalte‹ der Gedichte reichen von abstrakten Reflexionen über den dichter. Schaffensprozeß bis zu halluzinatorisch-visionären Beschwörungen der Erfahrungen eines durch Drogen erweiterten Bewußtseins. *Hauptvertreter* der abstrakt-reflektierenden Richtung (der sich die Kennzeichen ›Intellektualität und Formstrenge‹ zuordnen lassen, H. Friedrich), sind St. Mallarmé (»L'après-midi d'un Faune«, 1876, »Poésies«, 1881 u. a.), der auch theoret. am weitesten wirkte (»La musique et les lettres«, 1891, »Crise de vers«, 1886–96, »Le mystère dans les lettres«, 1896) und P. Verlaine (»Art poétique«, 1883); Vertreter der visionären Richtung ist A. Rimbaud (»Le bateau ivre«, 1871, »Une saison en enfer«, 1873, »Les illuminations«, ed. 1886). Die Werke dieser Lyriker enthalten

bereits mehr oder weniger ausgeprägt die Charakteristika der nachfolgenden irrationalen lyr. Strömungen bis zur Gegenwart (vgl. z. B. den ital. und russ. ⁄Futurismus, den ⁄Dadaismus, ⁄Surrealismus, it. ⁄Hermetismus, russ. ⁄Imagismus, den ⁄Sturmkreis, ⁄Lettrismus und die ⁄abstrakte oder ⁄konkrete Dichtung), so daß heute z. T. der Begriff ›S.‹ als Bez. einer um 1900 abgeschlossenen Epoche als zu eng abgelehnt wird (H. Friedrich). Als Symbolisten oder Décadents (⁄Dekadenzdichtung) werden oft, bes. in Frankreich, v. a. die Schüler Mallarmés um die Zeitschriften ›Revue indépendante‹ (1884–95), ›Revue Wagnérienne‹ (1885–88), ›Le symboliste‹ (1886) bezeichnet, so J. Moréas, der 1886 die ›*École symboliste*‹ gründete und deren Manifest (eine Zusammenfassung der bereits vorhandenen symbolist. Ästhetik) am 18. 9. 1886 in der Literaturbeilage des ›Figaro‹ veröffentlichte, ferner G. Kahn, Stuart Merrill, F. Viélé-Griffin, René Ghil, J. Laforgue u. a. Der S. beeinflußte, wenn auch oft in einseitiger oder modifizierter Form, die Entwicklung der gesamten europ. Lyrik, z. T. auch die des Dramas und Romans; vgl. in Frankreich selbst noch P. Valéry, P. Claudel, A. Gide, F. Jammes, Saint-John Perse, *in Belgien* A. Mockel, E. Verhaeren, weiter M. Maeterlinck, der den S. im Drama, G. Rodenbach und J. K. Huysmans, die ihn im Roman zu verwirklichen suchten, *in den Niederlanden* A. Verwey, *in England* A. Swinburne, O. Wilde, A. Symons, der Ire W. B. Yeats, ferner T. S. Eliot, in *Spanien u. Lateinamerika* Rubén Darío, Juan R. Jiménez (vgl. ⁄Modernismo), in *Portugal* E. de Castro, M. de Sá-Carneiro, in *Italien* G. D'Annunzio, in *Rußland* K. D. Balmont, V. J. Brjusov, F. Sologub, A. Blok und A. Belyj, in der *Tschechoslowakei* O. Březina, in *Norwegen* S. Obstfelder, in *Dänemark* S. Claussen, J. Jörgensen, in *Polen* St. Przybyszewski. *In Deutschland* wird St. George der Wegbereiter des S. (⁄Georgekreis). George nahm an den berühmten Abenden (Mardis) bei Mallarmé teil, übersetzte die Werke der Symbolisten und suchte insbes. die eth. Auffassung des Dichters als Diener am Kunstwerk zu verwirklichen (»Hymnen«, 1890, »Algabal« und »Pilgerfahrten«, 1892); ihm folgen in ihren Frühwerken H. von Hofmannsthal und R. M. Rilke. Die Dichtungstheorie des S. beeinflußte z. T. auch einzelne Vertreter oder Gruppen, die der stoffl. bestimmten ⁄Neuromantik oder dem literar. ⁄Jugendstil zugerechnet werden (⁄Jung-Wien); auch die Lyrik G. Trakls oder G. Benns steht in der Tradition des S. 🕮 Hoffmann, Paul: S. Mchn. 1987. – Gorceix, P.: Le Symbolisme en Belgique. Hdbg. 1982. – Stephan, V.: Studien zum Drama des russ. S. Frkft./Bern 1979. – Jaffé, H. L. C.: Der S. in Belgien u. in den Niederlanden. In: Fin de Siècle. Zu Lit. u. Kunst der Jh.wende. Hrsg. v. R. Bauer u. a. Frkft./M. 1977. – Larsson, A. C. O.: S. in Skandinavien. Ebda. – Lüthy, H. A.: Schweizer S. Ebda. – Gerhardus, M. u. D.: S. und Jugendstil. Freiburg 1977. – Theisen, J.: Die Dichtung des frz. S. Darmst. 1974. – Mercier, A.: Les sources ésotériques et occultes de la poésie symboliste. 2 Bde. Paris 1969–74. – Gsteiger, M.: Frz. S. in der dt. Lit. der Jh.wende. Bern u. Mchn. 1971. – West, J. D.: Russian symbolism. Ldn. 1970. – Lawler, J. R.: The language of French symbolism. Princeton (N. Y.) 1969. – Friedrich, H.: Die Struktur der modernen Lyrik. Reinbek ¹1967. – Bowra, C. M.: The heritage of symbolism. Ldn. ²1962 (dt. Hamb. 1947). – Michaud, G.: Message poétique du symbolisme. 3 Bde. Paris ²1961. – Holthusen, J.: Studien zu Ästhetik u. Poetik des russ. S. Gött. 1957. – Schmidt, Albert-Marie: La littérature symboliste. Paris (Neuausg.) 1957. – RL.   IS

Symploke, f. [gr. = Verflechtung, lat. complexio], ⁄rhetor. Figur. Häufung von Erweiterungsfiguren meist von ⁄Anapher und ⁄Epipher: Wiederholung der gleichen Wörter am Anfang und Ende zweier oder mehrerer aufeinanderfolgender Verse oder Sätze:
»*Alles* geben die Götter, *die unendlichen*
Ihren Lieblingen ganz,

Alle Freuden, *die unendlichen,*
Alle Schmerzen, *die unendlichen,* ganz« (Goethe).　　GG

Symposion, n. [gr. = das Zusammen-trinken],
1. in der Antike das der (Haupt-)Mahlzeit am späten Nachmittag folgende gesell. Trinkgelage, zu dem neben philosoph. Gedankenaustauch im Gespräch auch Tänzer, Gaukler, Sänger und Rezitatoren literar. anspruchsvoller, aber auch sexuell-obszöner Texte gehörten (⁄ Skolion, ⁄ Kinädenpoesie). – Die fiktive Schilderung eines S. zur Einkleidung eines philosoph. Themas benutzten erstmals Platon (»S.«, um 380 v. Chr.) und Xenophon. Sie schufen damit eine beliebte *literar. Kunstform,* die durch die Vielzahl der darin dialog. dargestellten Themen und zitierten literar. Kleinkunst eine wichtige Quelle der Altertumswissenschaft ist. Weitere Vertreter sind u. a. Aristoteles, Epikur, Menippos, Plutarch, Athenaios (Gelehrten-S. »Deipnosophistai«, in 15 Büchern, 3. Jh. n. Chr., bis ins MA. viel benutzt), Macrobius (»Saturnalia«, Anf. 5. Jh.).
2. Bez. für wissenschaftl. Tagungen, auch Titel für die daraus hervorgegangenen Berichte oder allgem. wissenschaftl. Zeitschriften.
◫ Martin, J.: S., Gesch. einer literar. Form. Paderborn 1931.　　IS

Synalöphe, f. [gr. = Verschmelzung], in ⁄ gebundener Rede Verschleifung eines auslautenden Vokals mit dem anlautenden des Folgewortes (⁄ Hiat) zu einem (metr. einsilb. gewerteten) *Diphthong* (im Lat. auch über auslautendes Flexions-m und anlautendes h hinweg: multum ille zu mult*ui*lla). Verwandte Erscheinungen sind die ebenfalls metr. bedingte ⁄ Elision und die artikulator. bedingte ⁄ Krasis.　　ED*

Synaphie, f. [gr. = Verbindung, dt. Bez.: Fugung], Verknüpfung zweier Verse zu einer einheren metr. (z. T. auch syntakt.) Einheit durch Überspielen der Versfuge, so daß der erste Vers ohne Unterbrechung des gegebenen Versmaßes in den zweiten übergehen kann (Ggs. Asynaphie); in der antiken Dichtung z. B. dadurch gefördert, daß typ. Formen eines markierten Versschlusses (Zus.fall von Vers- und Wortschluß, syllaba anceps, Hiat) vermieden werden, in altdt. Dichtung durch Fortsetzung des Wechsels von betonten und unbetonten Silben (endet z. B. der 1. Vers auf eine Hebung, muß der 2. mit einer Eingangssenkung [⁄ Auftakt] beginnen: ẋx/ẋ/ / x/ẋx).　　S

Synästhesie, f. [gr. = Zusammenempfindung], Vermischung von Reizen, die unterschiedl. Sinneswahrnehmungen oder -organen zugeordnet sind. So kann ein primärer Sinneseindruck (z. B. kratzendes Geräusch) eine sekundäre Sinnesreaktion (Gefühl der Kälte, »Gänsehaut«) hervorrufen, so können akust. Reize opt. Eindrücke (Photismen) auslösen (womit z. B. die illustrative Programmusik seit dem 17. Jh. rechnet), oder es können opt. Reize zu akust. Sekundärwahrnehmungen (Phonismen) führen, was z. B. der ⁄ onomatopoet. Dichtung zu einem Teil ihrer Wirkung verhilft. Bereits umgangssprachl. wird die psych. Fähigkeit der Reizverschmelzung zur metaphor. Beschreibung herangezogen: *duftige Farben, schreiendes Rot, farbige Klänge, heiße Musik* etc. *In der Dichtung* ist das Stilmittel der S. bereits in der Antike bezeugt; es wird angewandt in der Dichtung der Renaissance und im Barock, jenen Epochen, die sich zugleich theoret. mit den psycholog. und ästhet. Problemen der S. auseinandersetzen, wobei die Doppelempfindungen opt. und akust. Reize bevorzugt und bes. auch für die Musik fruchtbar gemacht werden (Farbenklavier von L. B. Castel 1722/23, ⁄ audition colorée). Weiter findet sich S. vielfach in der vorromant. Dichtung (»schaudernde Kühl'«, E. v. Kleist; »goldener Töne voll«, F. Hölderlin). Sie wird dann in der Romantik, mehr noch im späteren ⁄ Symbolismus als Stilfigur zur Manier. Kennzeichnend für die Vielfältigkeit der Reizverbindungen sind z. B. die Gedichte C. Brentanos »Durch die Nacht, die mich umfangen,/ blickt zu mir der Töne Licht«, in denen taktile, opt.

und akust. Sinneseindrücke verbunden werden, oder auch L. Tiecks »Sich Farbe, Duft, Gesang Geschwister nennen« (»Prinz Zerbino«). In Gedichten von Ch. Baudelaire, A. Rimbaud, P. Verlaine, in der deutschsprach. Lyrik bes. bei J. Weinheber und programmat. in E. Jüngers »Lob der Vokale« (1934) wird die synästhet. Metaphorik zum Stilprinzip, das gleichzeitig theoret. begründet (R. Ghil, »Traité du verbe«, 1886), später auch parodist. ad absurdum geführt wird, z. B. von Ch. Morgensterns »Geruchs-Orgel« (Palmström 1910).
◫ Schrader, L.: Sinne u. Sinnesverknüpfungen. Hdbg. 1969.　　HW

Synekdoche, f. [gr. = Mitverstehen], Mittel der uneigentl. Ausdrucksweise, ⁄ Tropus: Ersetzung des eigentl. Begriffes durch einen zu seinem Bedeutungsfeld gehörenden engeren oder weiteren Begriff, z. B. steht der Teil für das Ganze (pars pro toto: *Dach* für *Haus*) oder seltener das Ganze für den Teil (totum pro parte: *ein Haus führen*), die Art für die Gattung (*Brot* für Nahrung) und umgekehrt, der Rohstoff für das daraus verfertigte Produkt (*Eisen* für Schwert), der Singular für den Plural (*der Deutsche* für das deutsche Volk, *die Jugend* für die jungen Leute); die Grenzen zur nächstverwandten, weitere Bezugsfelder umgreifenden ⁄ Metonymie sind fließend. Stilist. dient die S. häufig zur Vermeidung von Wiederholungen desselben Begriffs; in log. Hinsicht ist sie z. T. Grundlage der Gleichnis- und Symbolbildung.　　ED*

Synesis, f. [gr. = Sinn, Verstand, Einsicht, eigentl. constructio kata synesin], s. ⁄ Constructio ad sensum.

Synizese, f. [gr. = Zusammensetzung, auch: Synärese], phonet. Verschmelzung zweier zu verschiedenen Silben gehörender Vokale zu einer einzigen *diphthong.* Silbe, z. B. prote *i* statt prote *i*, *eo* dem, im Mhd. mit Ausstoß des Konsonanten: se *i* t (was sagt); in der Wortfuge (⁄ Hiat) s. ⁄ Synalöphe. – Dagegen Zusammenziehung zweier Vokale zu einem *langen Vokal: Kontraktion* (lat. *dêst* statt deest).　　S

Synkope, f. [gr. = Verkürzung], metr. oder artikulator. bedingte Ausstoßung eines kurzen Vokals im *Wortinnern* (im Lat. bes. vor oder nach Liquida, z. B. *ardus* statt aridus, *coplata* statt copulata), z. B. *du'* gern, *du hörst* (statt: ewiger und hörst); vgl. dagegen ⁄ Synizese.　　S

Synkrisis, f. [gr. = (wertende) Vergleichung], in spätantiker Literatur Bez. für ⁄ Streitgedicht, Streitrede, dialog. ⁄ Streitgespräch, seit 1. Jh. v. Ch. (selten) neben ⁄ ⟩ Agon‹ verwendet; z. B. die scherzhafte »S. von Linsenbrei und dikken Linsen« von Meleagros von Gadara (1. Jh. v. Chr.).
◫ Focke, F.: S. In: Hermes 58 (1923), 327–368.　　IS

Synopse, f. [gr. synopsis = Übersicht, Zusammenschau], übersichtl., z. T. tabellar. Zusammenstellung von sachl., zeitl., räuml. Zusammengehörigem (z. B. Werner Stein: Kulturfahrplan, 1964), auch gleichgeordnete Darbietung (in fortlaufenden parallelen Spalten) von verwandten Texten zur leichteren Bestimmung von Parallelen, Abhängigkeiten, Unterschieden (z. B. die sog. synopt. Evangelien) oder von Originaltext und Übersetzung.　　S

Syntagma, n. [gr. = Zusammenstellung],
1. (veraltete) Bez. für die Zusammenstellung verschiedener Abhandlungen über ein Thema zu einem Sammelwerk.
2. sprachwissenschaftl. Bez. für grammat.-log. eng verbundene, phonet. als Sprechtakte realisierte oder realisierbare Wortgruppen unterhalb der Satzebene, z. B. Subjektgruppe, Prädikatgruppe u. a.　　ED

Synthese, f. [gr. synthesis = Zusammensetzung] der an W. Dilthey anknüpfenden ⁄ geistesgeschichtl. orientierten Literaturwissenschaft
1. die Methode, bei Dicht- und Kunstwerken über die Grenzen einzelner Künste, Gattungen, Sprachen hinweg verwandte, sich räuml. u. zeitl. nahestehende Phänomene zueinander in Beziehung zu setzen, v. a. unter formalen, stilist., strukturelle Gemeinsamkeiten herauszuarbeiten (⁄ vergleichende Lit.wissenschaft), mit dem Ziel, Singuläres in höhere Einheiten des Typischen einzuordnen.

2. die Methode der ganzheitl. Erfassung von Dichtungen auf der Basis des Dilthey'schen Erlebnisbegriffes zur Erkenntnis des Wesenhaften und zum Verständnis der Strukturzusammenhänge des individuellen und gesellschaftl. Lebens. ◫ ↗Analyse, ↗Methode.   S

Systole, f. [gr. = das Zusammenziehen], in der antiken Metrik Kürzung eines langen Vokals oder Diphthongs; im Unterschied zur *Diastole,* der Dehnung einer kurzen Silbe, bes. am Wortanfang.   S

Szenarium, n. [zu ↗Szene]
1. seit dem mittelalterl. Drama verwendete, bes. im ↗Stegreifspiel zur Überblicksorientierung dienende Skizze des gedankl. Ablaufs u. der Handlungsstationen. In der ↗Commedia dell'arte wurde das *scenario* oder *sogetto* (Sujet), auch: Kanevas, links u. rechts hinter der Bühne angeschlagen, um den extemporierenden Schauspielern Anhaltspunkte u. Stichwörter zu bieten.
2. in (teilweise schon dialogisierte) Auftritte eingeteilter Rohentwurf sowohl der Schauplätze wie der Szenenfolge eines Dramas, z. B. Lessings Berliner S. zu seinem »D. Faust«.
3. seit dem 18. Jh. Übersichtsplan für Regie u. techn. Personal, der alle Erfordernisse und Veränderungen opt. u. akust. Art verzeichnet (Dekorationswechsel, Glockenschläge usw.).   GM

Szene, f. [lat. scaena, scena, gr. ↗skene = Zelt, Hütte, Bühne, Theater],
1. Gliederungseinheit des ↗Dramas; im mehrakt. Drama kleinste dramaturg. Einheit des ↗Aktes. – Der Begriff S. ist nicht einheitl. festgelegt; sein Gebrauch schwankt schon bei den Dramatikern. – Ursprüngl. sind S.n an verschiedenen Orten spielenden Teile eines Dramas bzw. Aktes (S. = *Bild,* vgl. auch *S.nwechsel* als Bez. für den Wechsel des Bühnenbildes, so z. B. noch bei Shakespeare). Zumeist meint S. jedoch die durch das Auftreten bzw. Abtreten einer oder mehrerer Personen begrenzte kleinste Einheit des Dramas oder Aktes (seit Ch. Weise, »Masaniello«, 1683 auch als *Auftritt* bez.). Seltener findet sich die Bez. S. für kleinere oder größere Handlungsabschnitte eines Dramas oder Aktes, die ohne notwendige äußerl. Abgrenzung durch Szenenwechsel oder Auftrittsfolge eine in sich geschlossene Handlungseinheit darstellen (so in den Musikdramen R. Wagners. – Die Gliederung der Akte in S.n (bzw. Auftritte) bleibt bis ins 19. Jh. die typ. Form des streng gebauten Dramas (Lessing, Goethe, Schiller, Hebbel). – S. wird auch synonym mit *Bühne* gebraucht, vgl. *in S. setzen.*
2. *ep. S.:* ep. Kompositionselement, konzentrierte, meist eine ›dramat.‹ Krise, Wendung oder Entscheidung des Geschehens wiedergebende Erzähleinheit, in der ↗Bericht oder ↗Beschreibung zugunsten des ↗Dialogs stark zurücktreten; wie in Gespräch, ↗innerem Monolog, ↗erlebter Rede sind in der ep. S. fiktive u. reale Zeit annähernd deckungsgleich behandelt.   K*

Tableau, n. [ta'blo:; frz. = Tafel, Gemälde, Schilderung],
1. Schaubild, bes. zu Beginn oder am Schluß (Schluß-T.) szen.-dramat. Aufführungen (z. B. als Herrscher-↗Apotheose in Renaissance- u. Barockdramen); ↗lebende Bilder.
2. ep. Kompositionselement: breitere personenreiche Schilderung, durch Symbolhaftigkeit dem ep. Bild, durch Bewegtheit und Dialoge dem ep. Szene verwandt. Bez. mit Verweis auf die Darstellungsformen Flauberts in die Romantheorie zugunsten von R. Koskimies (Theorie des Romans, Helsinki 1935) im Anschluß an A. Thibaudet (G. Flaubert, Paris 1922: »description en mouvement«). ↗Epik.   S

Tabulatur, f. [lat. tabula = Tafel], auf Tafeln oder in Büchern seit dem Ende des 15. Jh.s satzungsmäßig festgelegte Regeln des stadtbürgerl. ↗Meistersangs. Die

T. bestimmte die für die Herstellung und Bewertung des Meistersangs verbindl. Poetik. Festgehalten wurden formale Regeln für die Reimqualität, den (silben-, nicht hebungszählenden) Versbau, die Strophenformen (Barform) und die z. T. mit Zeremonien verbundene Vortragspraxis. Daneben fixierten d. T.en Bestimmungen über den Sprachgebrauch, der grammat. korrekt, mundartfrei und hinsichtl. Syntax und Aussage verständlich sein sollte (»blinde Meinung« galt als schwerer Verstoß), und gaben Reglementierungen für den Inhalt der Dichtungen: selbst bei dem internen *Zechsingen* sollten die geltenden religiösen, polit. oder moral. Normen nicht verletzt werden. Die Beherrschung und die – vom ↗Merker kontrollierte – Sicherheit in der Anwendung der T.en war Voraussetzung für die Einordnung in d. zunftgemäße Hierarchie der Meistersinger.   HW
◫s. ↗Meistersang.

Tagebuch, mehrere, in regelmäß. Abständen (meist tägl.) verfaßte und chronolog. aneinandergereihte Aufzeichnungen, in denen der Autor Erfahrungen mit sich und seiner Umwelt aus subjekt. Sicht unmittelbar festhält. Die in ihrer Struktur prinzipiell ›offenen‹ T.abschnitte können ungeordnete Kurznotizen, oft widersprüchl. Stimmungen und Urteile, impressionist. Skizzen und Fragmente sein, aber auch reflektierende essayart. Zustandsberichte oder bekenntnishafte Analysen. Insbes. T.er aus frühen Epochen, wie z. B. das ↗T. eines Pariser Bürgers 1405–49« (ersch. 1653) oder bedeutender Persönlichkeiten haben stets kulturgeschichtl. oder individualpsycholog. Dokumentationscharakter. – Als relativ autonome literar. Texte können T.er betrachtet werden, die schon im Hinblick auf eine spätere Veröffentlichung konzipiert (und damit oft stilisiert) sind; in ihnen ist meist das rein Private zurückgedrängt, indem oft bestimmte Themen im Vordergrund (Kriegs-, Reise-T., philosoph. oder kunstkrit. Reflexionen, zeitkrit. Analysen u. ä.); insbes. *das literar. T.* mit Gedanken und Materialien zu geplanten Arbeiten gibt wichtige Aufschlüsse über künstler. Schaffensprozesse (vgl. z. B. H. Carossa »Rumän. T.«, 1924, E. Jünger »Strahlungen«, 1942, 49 u. 58, Erhart Kästner »Zeltbuch von Tumilad«, 1949, M. Frisch »T. 1946–49«, 1950, J. Cocteau »T. eines Unbekannten«, 1952, A. Gide, C. Pavese, J. Green u. a.). T.-ähnl. Formen sind seit der Antike bekannt (*T.*↗Hypomnema, Commentarii, ↗Ephemeriden, auch: ↗Annalen, ↗Chronik). Das seit den späten 17. Jh. bes. in bürgerl. Schichten zunehmend beliebte T. (Diarium) wird seit Mitte des 18. Jh.s, seit der Entdeckung der subjektiven Perspektive (vgl. die Selbstanalysen und Selbstbeobachtungen des ↗Pietismus; auch: ↗Empfindsamkeit) zum wicht. Bestandteil des literar. und kulturellen Lebens (vgl. auch ↗Autobiographie, ↗Memoiren), und steht bei vielen Autoren (bes. des 20. Jh.s) gleichberechtigt neben ihren sonst. Werken, vgl. etwa die T.er von M. E. de Montaigne, S. Pepys, J. G. Hamann, J. C. Lavater, G. Ch. Lichtenberg, J. K. Lavater, U. Bräker, J. W. v. Goethe, G. Forster, Novalis, Lord Byron, Z. Werner, E. T. A. Hoffmann, J. v. Eichendorff, A. v. Platen, F. Grillparzer, F. Hebbel, G. Keller, den Brüdern Goncourt, R. Wagner, S. Kierkegaard, Ch. Baudelaire, F. Nietzsche, L. Tolstoi, G. Hauptmann, A. Schnitzler, H. v. Hofmannsthal, R. M. Rilke, F. Kafka, H. Hesse, Th. Mann, R. Musil, B. Brecht, V. Woolf, W. Lehmann, A. de Saint-Exupéry, J. P. Sartre, A. Camus, A. Nin, G. Benn u. a. Neben den ›authent.‹ T.ern können in verschiedenen Variationen auch *fingierte T.er* als Strukturelemente erzählender Texte auftreten, sei es als Erzähleinlagen (etwa in D. Defoes »Robinson« 1719, S. Richardsons »Pamela« 1740, Goethes »Wahlverwandtschaften« 1809, A. Gides »La porte étroite« 1909 oder U. Johnsons »Jahrestage«, 1970/83), oder auch als bestimmtes Kompositionselement (*T.-Roman,* z. B. D. Defoes »T. aus dem Pestjahr« 1722, W. Raabes »Chronik der Sperlingsgasse« 1857, R. M. Rilkes »Aufzeichnungen des Malte

Laurids Brigge« 1910, G. Bernanos' »T. eines Landpfarrers«, 1936, M. Frischs »Stiller« 1954, E. Ionescos »Le Solitaire«, 1973, P. Handkes »Das Gewicht d. Welt«, 1977 u. a.).

⌂ Görner, R.: Das T. Mchn./Zürich 1986. – Boerner, P.: T. Stuttg. 1969 (mit Bibliogr.). – Hocke, G. R.: Das europ. T. Stuttg. 1963. – Schultz, H. (Hrsg.): Das T. und d. moderne Autor. Darmst. 1965. – Jurgensen, M.: Das fiktionale Ich. Unters. zum T. Mchn. 1979.   KH*

Tagelied [mhd. tageliet, tagewîse], Gattung der mittelhochdt. Lyrik, gestaltet den Abschied der Liebenden – meist eines Ritters und einer Dame – am Morgen nach einer gemeinsam verbrachten Liebesnacht. Aus den zahlreichen Variationsmöglichkeiten ragt als *Wächterlied* heraus, das als dritte Person den Wächter einführt, der über die Liebenden wacht und bei Anbruch des Tages zum Aufbruch drängt. Ein wichtiges Strukturelement ist außer dem festen Personal – Ritter, Dame, (Wächter) – die Spannung zwischen der zweiseit. offenen Erotik, durch die das T. sich v. a. vom hohen ↗Minnesang unterscheidet, und einer suggerierten Gefährlichkeit der Situation. Typ. Motive sind Tagesanbruch (u. a. Morgenstern, Sonnenaufgang, Gesang eines Vogels als Signale), Weckvorgang, Abschiedsklage und *urloup* (mhd. = Gewährung in doppeltem Sinne: als letzte Hingabe an den Geliebten und als Verabschiedung). Auffallend ist die Passivität des Ritters. Formale Charakteristika sind der Dialog, ein Refrain, der das die Situation bestimmende Motiv des Tagesanbruchs aufgreift (z. B. bei Heinrich von Morungen: Dô tagete ez), und die Dreistrophigkeit (in mehr als 70% der überlieferten Gedichte). Wichtigste mhd. Vertreter sind Dietmar von Aist, Heinrich von Morungen (T.-↗Wechsel MF 143, 23 ff., der die T.situation in der Erinnerung der getrennten Liebenden spiegelt), Wolfram von Eschenbach (v. a. Wächterlied), Walther von der Vogelweide, Otto von Botenlauben, Ulrich von Lichtenstein (zwei T.variationen: Verknüpfung von T. und ↗Serena; Ersatz des als unhöf. empfundenen Wächters durch eine Zofe), Ulrich von Winterstetten, Steinmar (überträgt die T.situation in bäuerl. Milieu), Johannes Hadlaub und in späterer Zeit Oswald von Wolkenstein. Sonderformen sind im Spät-MA das *geistl. T.*, Weck- und Mahnruf an die christl. Gemeinde (meist handelt es sich um Kontrafakturen weltl. T.er) und das *T.-Volkslied* (Übertragung in bürgerl. Milieu, auch ↗Kiltlied). – Parallelen finden sich im gesamten Weltliteratur. Auffallend ist die formale und themat. Nähe zur provenzal. ↗Alba und zur altfrz. Aubade. – Moderne Gestaltungen der T.thematik (nach mhd. Mustern) finden sich bei R. Wagner (»Tristan u. Isolde«, 2. Akt), St. George und R. Borchardt.   K

⌂ Rohrbach, G.: Studien z. Erforschung des mhd. T.s. Göpp. 1986. – Hausner, R. (Hrsg.): Owe do tagte ez. T.er u. motivverwandte Texte d. MA.s u. d. frühen Neuzeit. Göpp. 1983. – Wolf, Alois: Variation u. Integration. Beobachtungen zu hochmal. T.ern Darmst. 1979. – Knoop, U.: Das mittelhochdt. T. Inhaltsanalyse u. literarhistor. Untersuchungen. Marburg 1976 – RL.

Takt, m. [lat. tactus = Berührung, später auch: Schlagen (z. B. des T.es)] in der Verswissenschaft (↗Metrik) seit der 2. Hälfte des 19. Jh.s gebräuchl. Bez. für bestimmte Gliederungseinheiten akzentuierender Verse, bestehend aus ↗Hebung (gutem T.teil) und der darauf folgenden ↗Senkung(en) (schlechtem T.teil), wobei in der rhythm. Reihe die Zeitspanne von ›gutem T.teil‹ zu ›gutem T.teil‹ als jeweils gleich lang angenommen wird (↗Taktmetrik, ↗akzentuierendes Versprinzip).   K

Taktmetrik, Prinzip der metr. Deutung von Versen. Ihre theoret. Grundlagen stellen die (histor. verfehlten) Interpretationen der Rhythmuslehre des Aristotelikers Aristoxenos von Tarent durch den Altphilologen R. Westphal dar. Danach ist ↗Rhythmus das vom sprachl. Material prinzipiell unabhäng. abstrakte Gesetz der Gliederung der reinen

Zeit in regelmäßig wiederkehrende Abschnitte, die als Takte verstanden werden. In der Germanistik setzte sich diese »metaphys. Rhythmustheorie« v. a. durch die Arbeiten von A. Heusler durch, der die Auffassung verbreitete, Verse seien »taktierte, takthaltige Rede«, d. h., ein Vers setze sich aus taktmäßig zu erfassenden Teilen im Sinne von bestimmten Zeiteinheiten (2, 4, 6 usw.) zusammen, wobei auch, wie in der Musik, neben sprachl. gefüllten mit pausierten (leeren) Taktteilen gerechnet wird. Dabei meint ↗Takt den mit einer ↗Hebung beginnenden Versteil. Im wesentl. rechnet Heusler mit *vier Taktgeschlechtern:* dem grundlegenden 2/4-Takt (x́x = ♩♩), dem dreiteil. 3/4-Takt (x́xx), dem vierteil. 4/4-Takt mit abgestufter Hebung (x́xx̀x) als Verbindung zweier 2/4-Takte zur ↗Dipodie, und dem schweren dreiteil. Dreihalbe-Takt (Ländlertakt –́–̀–). Sprachl. Überfüllung oder Unterfüllung eines Taktschemas wird durch längere und kürzere Zeiteinheiten ausgeglichen, z. B. einsilb. Takt –́ statt x́x oder mehrsilb. Takte x́◡◡x oder x́◡◡ statt x́x. Dem ersten Iktus vorausgehende Silben bilden den ↗Auftakt. Wichtig ist weiter das Prinzip der Viertaktigkeit der Perioden. – Die T. wurde v. a. auf german., ahd. und mhd. Verse angewandt, in bes. auf solche, bei denen gesungener Vortrag anzusetzen ist. Heuslers Versuch, mit der T. auch die neuere Dichtung taktmetr. zu erfassen (er deutet z. B. den ↗Alexandriner – Grundschema x́xx́xx́x / xx́xx́x(x) – als Folge zweier Viertakter:

♪|♩♪|♩♪♪|♪♩♩|♩♩|♩(◡)|♪♪|)

hat keine Nachfolge gefunden. Die Einwände gegen Heuslers die germanist. Versswissenschaft über mehrere Jahrzehnte beherrschende T. richten sich v. a. gegen den abstrakten Rhythmusbegriff (Rhythmus kein abstraktes Gesetz, das der reinen Zeit innewohnt, sondern eine Funktion der Sprache), gegen die Übertragung des musikwissenschaftl. Begriffes Takt, der in der musikal. Rhythmik selbst nur geschichtl. Bedeutung hat, auf eine allgemeine sprachimmanente Erscheinung und gegen das Prinzip der Viertaktigkeit der Periode.

⌂ Heusler, A.: Dt. Versgesch. 3 Bde. 1925–29, 2. Aufl. Bln. 1956.   K*

Tanka, n. [sinojap. = Kurzgedicht], jap. Gedicht (Einzelstrophe) aus 5 reimlosen Versen zu 5, 7, 5 – 7, 7 Silben, gegliedert in Ober- u. Unterstrophe. Bezeugt insbes. als typ. höf. Ausdrucksform für impressionist. Natur- u. Gedankenbilder seit den Anfängen d. jap. Literatur im 1. Jt. n. Chr., Blütezeit um 900 bis 1200. – Als ›bürgerl.‹ Variation gilt das ↗Haiku, das der Oberstrophe des T. entspricht.   S

Tanzlied, Bez. für (spät-)mittelalterl. lyr. oder erzählendes Lied, das weniger durch formale oder inhaltl. Charakteristika als durch den speziellen Situationsbezug (gesell. Tanz) gekennzeichnet ist. So kehren wohl typ. Formen wie das *Refrain-Lied* (↗Ballade, ↗Ballata, ↗Balada, ↗Rondeau, ↗Virelai, ↗Villancico u. a.) oder der unstroph. ↗Leich vielfach als T.er wieder, obwohl bei solchen lyr. Bauformen der Bezug zum Tanz nicht konstitutiv ist; andererseits ist nicht auszuschließen, daß auch andere Liedformen, die dem Inhalt und der metr. Struktur nach sich nicht als T.er ausweisen, dennoch zum Tanz gesungen wurden, s. auch altgr. ↗Chorlied, ↗Reien. – RL.   HW

Tartaglia, m. [tar'talja; it. = Stotterer], im 17. Jh. entwickelte Typenfigur der ↗Commedia dell'arte: dicker, tölpelhafter stotternder, kahlköpf. Diener in gelb-grün gestreiftem Kostüm mit grauem Hut u. weißer Halskrause, oft mit Brille; im 18. Jh. mit z. T. verändertem Kostüm auch wirrköpf. Notar, Richter, Apotheker (vgl. ↗Dottore); gehörte neben ↗Brighella, ↗Pantalone und ↗Truffaldino zu den obligaten Figuren des venezian. Stegreifspiels (auch noch bei C. Gozzi und F. Schiller, »Turandot«).   IS

Taschenbuch

1. [wörtl. Übernahme des angels. Begriffs ›pocket book‹], gängiger Buchtyp. Preiswert aufgrund des Einsatzes ratio-

neller Satz- (u. a. Composer-S.), Druck- (u. a. Rotations-Druck, vgl. auch ↗Rotationsromane) und Binde-Techniken (Broschur, Lumbeckverfahren, Paperback), der Verwendung billiger Papiersorten und einfacher Aufmachung, sowie der Kalkulation mit hohen Auflagen (30 000–50 000). Ein Großteil der bedeutenden dt. Buchverlage hat gegenwärtig eigene *T.-Reihen*, bzw. ist kooperativ daran beteiligt. Beim Aufkommen der T.er in Dtl. nach 1945 meist billige Neuauflagen erfolgreicher (gebundener) Buchausgaben; heute beträgt das Verhältnis von Erstauflagen zu Neuauflagen ca. 2 : 1. 1975 erschienen 11,4 % aller in der Bundesrepublik registrierten Buchveröffentlichungen als T., ihr Anteil an gehandelten Exemplaren liegt erhebl. höher.
2. spezielle, seit Ausgang des 18. Jh.s erscheinende Form des ↗Almanachs, gegen diesen jedoch nicht eindeutig abzugrenzen. Wie Almanache und ↗Musenalmanache ein (meist jährl.) veröffentlichtes *Periodikum*, im Ggs. zu ihnen aber Sammlung unterschiedl. literar. (Lyrik, Novellen u. ä.) und nicht- oder nur bedingt literar. Texte (Reisebeschreibungen, belehrende Prosa u. ä.); da auf größere Verbreitung hin konzipiert, allgemeinverständl. Niveau der Beiträge. Einzelne T.er wenden sich an bestimmte Bevölkerungsgruppen (z. B. »T. für Frauenzimmer von Bildung«, 1800; »T. für gute Eltern«, 1811; »T. für Brüder Freimaurer«, 1784), andere enthalten ausschließl. Texte zu einzelnen Lebensbereichen (z. B. »T. des Wiener Theaters«, 1777; »T. für Schauspieler und Schauspielfreunde«, 1816, 1817, 1821–23). Heute durch neue Publikationsformen (entsprechende Zeitschriften, Illustrierte, populärwiss. Sachbuch u. ä.) weitgehend verdrängt. Mehr oder weniger bekannte Schriftsteller waren an der *Herausgabe von T.ern* beteiligt (z. B. Goethe und Ch. M. Wieland am »T. auf das Jahr 1804«, A. v. Kotzebue und L. F. Huber am »T. auf das Jahr 1807«), bzw. lieferten Beiträge (z. B. Goethe in Viewegs »T.«, 1798–1803, Schiller für das »T. zum geselligen Vergnügen«, 1791–1814).
3. Handliches Buch, in dem in knapper, übersichtl. Form ein Wissensgebiet, der Teil eines Wissensgebietes oder eine wiss. Disziplin dargestellt sind (z. B. »T. Erdgas«, »T. für Atomfragen«, »T. der Wasserwirtschaft« u. ä.).
□ zu 1 : Skreb, Z.: Gattungsdominanz in dt.-sprach. literar. T. Wien 1986. – Ziermann, K.: Romane vom Fließband. Bln. 1969. – Escarpit, R.: Die Revolution d. Buches. Gütersloh 1967. – Zu 2.: Marwinski, F.: Almanache, T., Taschenkalender. Weimar 1967. – Lanckorońska, M./Rümann, A.: Gesch. der dt. Tbb. und Almanache aus der klass.-romant. Zeit. Mchn. 1954. – Bibliogr. der Almanache, Kalender und Tbb. f. d. Zeit von ca. 1750–1860. Bearb. u. hg. v. H. Köhring, Hamb. 1929. – Auch: ↗Musenalmanach. RK

Tatsachenbericht, vgl. ↗Bericht, ↗Dokumentarliteratur.

Taufgelöbnis, formelhaftes Bekenntnis zum christl. Glauben, verbunden mit einer meist vorangestellten Absage an den Teufel oder das Heidentum (Abschwörungsformel), i. d. Regel in Fragen des Priesters und Antworten des Täuflings (oder seines Paten) gegliedert. – Taufgelöbnisse gehören zu den ältesten dt. Sprachdenkmälern: erhalten sind vier ahd. u. altsächs., auf eine einfachere lat. Version zurückgehende T.e aus dem 8. u. 9. Jh.
□ Baesecke, G.: Die altdt. T.e. In: Forschungen u. Fortschritte 21/23 (1947). MS*

Tautazismus, m. [gr. tauto = dasselbe], stilist. Begriff: als fehlerhaft oder unschön empfundene Häufung gleicher oder ähnl. Laute oder Silben: Lisztsche Rhapsodie, »Lotterieziehzeit« (Fontane). S

Tautogramm, n. [zu gr. tauto = dasselbe, gramma = Buchstabe], s. ↗pangrammatisch.

Tautologie, f. [gr. tautó < τò αὐτó = das selbe, logos = Wort], Wiedergabe eines Begriffs durch zwei oder mehr Wörter gleicher Bedeutung u. Wortart (Synonyma), meist in einer ↗Zwillingsformel: ganz und gar, recht und billig, angst und bange, Art und Weise, Schloß und Riegel; dient der Ausdrucksteigerung. Die zwei- oder mehrgliedrige T. wird selbst in wissenschaftl. Darstellungen nicht immer scharf vom eingliedrigen, attributiven ↗Pleonasmus (bereits schon, neu renoviert) unterschieden. S

Tauwetter, (nach dem Roman »T.« von I. Ehrenburg) Bez. für die polit.-soziale und kulturelle Situation der UdSSR und anderer sozialist. Staaten nach Stalins Tod (März 1953). Die sog. Entstalinisierung führte neben manchen Verbesserungen im staatl. Bereich zu einer relativen Liberalität im geist. Sektor. Der kulturellen Stagnation der Stalinära folgte im T. eine Phase der Neubesinnung und krit. Emanzipation von den seitherigen ideolog. Reglementierungen, die Ablehnung der offiziellen Literatur zugunsten einer die Konfliktstoffe der Gegenwart und Vergangenheit oder die neue Bewußtseinslage krit. reflektierenden Literatur im Anschluß an die große russ. Erzähl-Tradition des 19. Jh.s. Neben dem programmat. Roman »T.« (1954–56, dt. 1957) sind zu nennen W. D. Dudinzew (»Der Mensch lebt nicht vom Brot allein«, 1956, dt. 1957), A. I. Solschenizyn (»Ein Tag im Leben des Iwan Denissowitsch«, 1962, dt. 1963), W. P. Nekrassow (»Ein Mann kehrt zurück«, 1955), W. S. Rosow (»Die ewig Lebenden«, Dr. 1956), D. A. Granin, J. M. Nagibin, J. A. Jewtuschenko (»Stalins Erben«, »Sima« u. a. Lyrik, 1956). Obwohl die materialist. Ästhetik (↗Parteilichkeit, ↗sozialist. Realismus) grundsätzl. nicht in Frage gestellt wurde, war die Publikation vieler Werke nicht ohne Risiko (vgl. B. L. Pasternaks erzwungene Ablehnung des Nobelpreises 1958); bereits 1962 wurde das Buchwesen wieder zentral kontrolliert, seit 1964 begannen Schriftstellerprozesse (vgl. A. J. Solschenizyn).
□ Ssachan, H. v.: Der Aufstand der Person. Sowjetlit. seit Stalins Tod. Bln. 1965. IS

Technopaignion, n. ↗Figur(en)gedicht.

Teichoskopie, f. [gr. = Mauerschau], in der Homerphilologie Bez. für die Episode »Ilias« 3, v. 121–244, in der Helena von der troischen Mauer aus dem Priamos die Haupthelden der Achaier zeigt. Danach bezeichnet man als T. oder Mauerschau ein dramentechn. Mittel v. a. des antiken und klassizist. Dramas der Neuzeit, das dazu dient, bestimmte Szenen, z. B. Schlachten, die aus techn. Gründen von der ↗Bühne in einen außerhalb der Bühne gedachten Raum verlegt sind, durch eine Art synchroner Reportage (vom Turm, von der Mauer, aus dem Fenster u. ä.) auf der Bühne zu vergegenwärtigen. Beispiele: für das antike Drama Euripides, »Phoinissen«, v. 88–200 (deutl. von der Homer. T. inspiriert), für das neuere Drama Klopstock, »Hermanns Schlacht« (passim), Goethe, »Götz von Berlichingen« (Akt 3), Schiller, »Die Jungfrau von Orleans« (Akt 5, Szene 11), Kleist, »Penthesilea« (Szenen 2 und 7), auch Shakespeare, »Julius Caesar« (Akt V, Szene 3). – ↗Botenbericht. K

Tektonisch [zu gr. tektoniké (téchné) = Baukunst], Bez. für den strengen, kunstvollen Aufbau eines Sprachkunstwerkes, bei dem die einzelnen Elemente sich dem Ganzen unterordnen, oft in symmetr. Gliederung, z. B. Perioden einer Strophe, Strophen eines Liedes, geschlossener Zyklus, Aktgliederung und Beachtung der ↗drei Einheiten im Drama, einheitl. Perspektive eines Romans. T.er Bau ist Kennzeichen klass. und klassizist. Formauffassung (↗geschlossene Form). Ggs. atektonisch, ↗offene Form. S

Telari-Bühne [it. telaro, telaio, m. = Rahmen], (auch: Periakten-Bühne), eine in Italien entwickelte Vorform der barocken Kulissenbühne. Ihr Erfinder ist der it. Theaterarchitekt J. Barozzi da Vignila (»Le due regole della prospettiva pratica«, 1583 posthum hrsg. durch Danti), der die festen, einen Szenenwechsel nicht zulassenden Dekorationselemente der Winkelrahmenbühne der Renaissance (Winkelrahmen, fester Prospekt) durch bewegl. *Telari* oder

Periakten ersetzte, (in seiner Version der T.-B. fünf) dreikantige Prismen mit dem Grundriß eines gleichseitigen Dreiecks, mit bemalter Leinwand bespannt, drehbar um eine vertikale Mittelachse. Der größte dieser fünf Telari ist in der Mitte des Bühnenhintergrundes aufgehängt und übernimmt die Funktion des ⁄Prospektes; die vier kleineren Telari sind seitl. montiert, links und rechts je zwei – sie bilden die Seitendekoration. Dazwischen verlaufen die Bühnengänge. Barozzis System ermöglicht einen dreifachen Szenenwechsel. Es wurde im 17. Jh. durch den dt. Theaterbaumeister J. Furttenbach (»Architectura civilis«, 1628) und durch N. Sabbattini (»Pratica di fabricar Scene e Machine ne' Teatri«, 1638) weiterentwickelt. Sabbattini verwendet neben dreiseitigen auch vierseitige Telari; diese dreiseitigen Telari haben ein ungleichseitiges Dreieck zum Grundriß, wodurch mit dem Szenenwechsel der Bühnenraum vergrößert oder verkleinert werden kann; den Telaro mit Prospektivfunktion ersetzt er durch neuere Typen des bewegl. Prospekts (aus zwei seitl. verschiebbaren und damit auswechselbaren Teilen oder als ›Vorhang‹, der herabgelassen und nach oben gezogen werden kann). Die den Zuschauern abgekehrten Seitenflächen der Sabbattinischen Telari können immer wieder neu bezogen werden. Damit sind die Möglichkeiten des Szenenwechsels bei diesem Bühnentypus gegenüber Barozzis einfacher T.-B. um ein Vielfaches gesteigert. Im 17. Jh. wird die T.-B. allerdings durch die etwas jüngere Kulissenbühne, eine Erfindung des Theaterarchitekten G. B. Aleotti, verdrängt (⁄KulisseBühne) K

Telegrammstil, Reduzierung eines Textes auf die unbedingt notwendigen Wörter: Fortfall v. a. von Füll- und Formwörtern und Artikeln; verwendet in Gebrauchstexten (Anzeigen, Werbung), im literar. Bereich eingesetzt für exaltierte, hekt.-aufgeregte oder hilflose Sprechweise, z. B. im ⁄Sturm- und Drang, ⁄Naturalismus, ⁄Expressionismus. S

Telesilleion, m., antiker lyr. Vers der Form ◡–◡◡–◡–, ein akephaler ⁄Glykoneus, eines der Grundmaße der äol. Lyrik (⁄äol. Versmaße), benannt nach der griech. Dichterin Telesilla aus Argos (5. Jh. v. Chr.). S

Telestichon, n. [gr. télos = Ende u. stichos = Vers], schmückende Figur in Gedichten: die am Ende der Verse (oder Strophen) stehenden Buchstaben ergeben, von oben nach unten gelesen, einen bestimmten Sinn, z. B. bei Otfrid von Weißenburg in den Widmungen zu seinem »Evangelienbuch« (um 870). ⁄auch Akrostichon, Mesostichon, Akroteleuton. MS

Telonisnym, n. [gr. télos = Ende, Ausgang, das Letzte, onoma = Name], Sonderform des ⁄Pseudonyms: statt dem Verfassernamen werden nur dessen letzte Buchstaben angegeben; v. a. im Tagesjournalismus übl. S

Tendenzdichtung [von lat. tendere = nach etwas streben], im weitesten Sinne ›politische Dichtung‹. Eine allgemeingült. Definition des Begriffes ›Tendenz‹ ist dabei nicht möglich. Man kann eine subjektive, vom Autor her gesehene, und eine objektive, vom lit. Werk her gesehene Bedeutung unterscheiden.
1. *subjektiv:* die bewußte Parteinahme eines Autors für polit. Ziele wurde erstmals im ⁄Jungen Deutschland als ›Tendenz‹ bezeichnet. Literatur sollte ins Leben integriert werden. Mit dem Scheitern der 1848er Revolution, der Kanonisierung der Klassiker und dem Rezeption der idealist. Ästhetik Hegels wurde ›T.‹ zum negativen Werturteil für alle lit. Werke, die nicht die Höhe der Darstellung überzeitlicher Werte erreichten, sondern im Gegenteil den Leser aus dem »interesselosen Wohlgefallen« heraus zur Erkenntnis und zum Handeln hinführen wollten. Trotz Gegenbewegungen, wie dem von H. Mann geführten Aktivismus, den Dramen Friedrich Wolfs (»Cyankali«) und ⁄Lehrstücken B. Brechts, setzte sich eine negative Wertung der T. durch. Man unterschied allenfalls darin, wie stark die

äußeren Ideen durch die innerästhet. Einheit von Form und Inhalt überwunden seien. Als positive Beispiele galten hier Lessings »Nathan« (Toleranzidee) oder Goethes »Iphigenie« (Humanitätsidee). So noch bei W. Kayser, Das sprachl. Kunstwerk (1948[1]). – In diesen Zusammenhang gehört auch der seit der Romantik geführte Streit zwischen der littérature pure (⁄L-'art pour l'art) und der ⁄littérature engagée.
2. *objektiv:* Seit F. Engels versteht die marxist. Literaturtheorie unter ›Tendenz‹die realist. künstler. Darstellung der wirkl. polit. und sozialen Kämpfe innerhalb der Gesamttendenz der Geschichte als einer Geschichte der Klassenkämpfe. Der Begriff der Tendenz scheint dann in Lenins Prinzip der »sozialist. Parteilichkeit« aufgegangen zu sein.
3. Unter dem Gesichtspunkt eines erweiterten Literaturbegriffs erscheint der Begriff T. veraltet. Von histor. Standpunkt aus erweist sich die Literatur der Antike, des Mittelalters, der Reformation bis ins 17. Jh. hinein in weiten Teilen als T. im Sinne einer grundlegend didakt. Ausrichtung. Differenzieren kann man hier nach Aktualität und Schärfe (etwa einer Satire, eines polit. Gedichtes), im Hinblick auf die Bedingungen des literar. Lebens (Mäzen, Markt), nach dem Grad der unmittelbaren Thematisierung des Zeitbezugs (etwa im Gesellschafts-/Zeitroman) oder seiner Verleugnung, seiner dialekt. Vermittlung im ›autonomen‹ Kunstwerk (etwa in den Sprachspielen der experiment. Prosa oder der konkreten Literatur). Elemente einer direkt auf das polit. Denken und Handeln des Publikums ausgerichteten T. zeigen in der Bundesrepublik Werke von H. Böll, H. M. Enzensberger, der ⁄Gruppe 61, von R. Hochhuth, F. X. Kroetz, E. Runge, G. Wallraff, M. Walser, P. Weiss, des ⁄Werkkreises Literatur der Arbeitswelt u. a.
◻ Peter Stein (Hrsg.): Theorie der polit. Dichtung. Mchn. (1973). DW

Tenzone, f. [von altfrz. tenzon, prov. tenso = Streit, Wettstreit, wohl zurückgehend auf lat. con-tentio],
1. Allgem. Bez. für ⁄Streitgedicht,
2. in provenzal. u. altfrz. Lit. bez. T. im Ggs. zu ⁄Partimen und ⁄Jeu parti das freie, nicht durch ein dilemmat. Fragestellung eingeleitete Streitgedicht: Diskutiert wird zwischen zwei (auch fiktiven) Dichtern (von Strophe zu Strophe wechselnd) über einen belieb. Gegenstand; sind mehr als zwei Dichter beteiligt, spricht man von einem *Tornejamen* (Turnier). Überliefert sind T. n v. a. aus dem 12. u. 13. Jh., die älteste T. (tenso) fand 1168 zwischen Guiraut de Bornelh und Raimbaut d'Aurenga über das ⁄trobar clus statt.
◻ Köhler, E.: T. In: GRLMA II, 1 (1979). – Ders.: Z. Entstehung d. altprov. Streitgedichts. ZfromPh. 75 (1959) 37–88. – Jones, D. J.: La tenson provençale. Diss. Paris 1934. MS*

Terenzbühne, humanist. Rekonstruktionsversuch der röm.-antiken Bühnenaufbaus zur Darstellung der Komödien des Terenz, deren (durch die Texte wie die späteren Kommentare gesicherter) dramaturg. Eigenheit die strikte Einheit des Handlungsortes ist. Die T. unterscheidet sich von den ⁄Simultan(flächen)bühnen des MA.s dadurch, daß sie nur *einen* Schauplatz, eine Straße, darstellt; den Hintergrund bilden (manchmal durch Pfeiler getrennte) Vorhänge als Eingänge zu Häusern, oft mit Inschriften über jeder Vorhangtür, durch die die Spieler auf- und abtreten alle, geöffnet, evtl. einen zweiten Schauplatz (Inneres eines Hauses) abgeben (Abb.). Ihre Ähnlichkeit mit Badekabinen führte zur Bez. *Badezellenbühne* bei E. Schmidt (1903). – Die Kenntnis von der T. basiert vorwiegend auf den Illustrationen der Terenzausgaben des 15. Jh.s (Ulm 1486, Lyon 1493, Venedig 1497 u. a.), die jedoch bühnentechn. unterschiedl. Versionen zeigen und auch nicht als gesicherte theatergeschichtl. Quellen gelten können. Die dem dt. ⁄Schuldrama des 16. Jh.s zugesprochene Aufführungspraxis mit der T. ist nicht unumstritten, zumal viele

Texte mit häufigem Ortswechsel sich besser für Aufführungen auf neutraler Gerüst- oder simultaner Flächenbühne eignen. Für einige Aufführungen ist jedoch der Nachbau der T. aus den illustrierten Textvorlagen gesichert.
📖 Schmidt, Expeditus: Die Bühnenverhältnisse des dt. Schuldramas und seine volkstüml. Ableger im 16.Jh. Bln. 1903. HW*

Terminologie f. [Kunstwort aus mlat. terminus = Begriff u. gr. logos = Lehre], die in einem Fachgebiet übl. Benennung der Gegenstände und Begriffe; Gesamtheit der Fachwörter und Fachausdrücke und ihre Erklärung (vgl. *terminus technicus* = Fachausdruck), auch ╱Nomenklatur. – RL. S

Terminus a quo – terminus post quem; terminus ad quem – terminus ante quem, ╱Datierung.

Terzett, n. [aus it. terzo, lat. tertius = dritter], dreizeil. Abschnitt eines Gedichtes (z. B. T.e im ╱Sonett) oder dreizeil. Strophe (z. B. ╱Terzine). S

Terzine, f., auch terza rima [it. = Dreizeiler, Dreireimer], dreizeilige italien. Strophenform mit durchlaufender Reimverkettung nach dem Schema aba/bcb/cdc/ded/... und mit einem abschließenden Vers, der den Mittelreim der letzten Strophe aufgreift (.../xyx/yzy-z). Der Vers der it. T. ist der ╱Endecasillabo; die frz. Nachbildungen verwenden den ╱vers commun, die (neueren) dt. Nachbildungen 5-hebige jamb. Verse, wobei formstrenge Dichter nach dem Muster des it. Endecasillabo ausschließl. Verse mit weibl. Reim gebrauchen. Die Strophe stellt im allgemeinen keine syntakt. Einheit dar. – Die italien. T. ist eine Sonderform der it. ╱Serventesstrophe und wurde von Dante für seine »Divina Commedia« entwickelt. Sie begegnet im 14.Jh. noch als Form des ╱Serventese, des Lamento als des histor.-polit. Zeitgedichts, und des großen allegor. Lehrgedichts (Petrarca, »Trionfi«; Boccaccio, »L'amorosa visione«). Seit dem 15.Jh. wird die T. in der it. Dichtung als Äquivalent für das gr.-lat. eleg. ╱Distichon angesehen und

damit zum Versmaß der bukol. Dichtung (Übersetzungen der »Bucolica« des Vergil; Lorenzo il Magnifico; J. Sannazaro, »Arcadia«), der Epistel, der Elegie, der Heroide, aber auch der Satire (╱Capitolo). Im 19.Jh. begegnet sie bei G. Leopardi, G. Carducci, G. Pascolini u. a. als Versmaß lyr. Dichtung. – Frz., engl. und dt. *Nachbildungen* finden sich zunächst im 16.Jh., in der frz. Dichtung zuerst bei J. Lemaire de Belges, in der engl. Dichtung bei Th. Wyatt und H. H. Surrey, in der dt. Dichtung in den Psalmenübersetzungen v. Melissus Schede (1572). Größerer Beliebtheit erfreut sie sich allerdings erst in der Romantik, im Frz. bei V. Hugo, bei Th. Gautier und den Parnassiens, bei A. Rimbaud, P. Verlaine, P. Valéry, im Engl. bei G. G. Byron, P. B. Shelley, R. Browning, W. Morris und A. MacLeish (Epos »Conquistador«), im Dt. bei A. W. Schlegel, Goethe (»Faust II«, Eingangsmonolog; Gedicht »Im ernsten Beinhaus wars«), F. Rückert, später bei St. George, H. v. Hofmannsthal, (»T.n über die Vergänglichkeit«), R. Borchardt, Th. Däubler, J. Weinheber u. a. – Eine Besonderheit der älteren T.ndichtung (Lemaire) ist die syntakt. Geschlossenheit der Einzelstrophe.
📖 Bernheim, R.: Die T. in der dt. Dichtung. Diss. Bern 1954. K

Tetralogie, f. [gr. tetra = vier, logos = Geschehnis, Handlung], Folge von vier einem Aufführungszyklus zugehörigen Dramen, die sich zudem durch die Einheit des Stoffs (Mythos) oder der Thematik auszeichnen. Die T. der griech. Antike bestand zunächst aus drei Tragödien (Trilogie) und einem Satyrspiel, das jedoch schon bei Euripides durch eine vierte Tragödie (»Alkestis«, die 438 v. Chr. als viertes Drama die Trilogie »Kreterinnen«, »Alkmeon in Psophis« und »Telephos« zur T. ergänzte) abgelöst wurde. Die älteste erhaltene T. ist die 458 v. Chr. aufgeführte »Orestie« des Aischylos, bestehend aus den Dramen »Agamemnon«, »Choephoren«, »Eumeniden« und dem nur dem Inhalt nach bekannten, in der Textgestalt nicht überlieferten Satyrspiel »Proteus«. – In neuerer Zeit entstanden, z. T. in bewußter Anlehnung an die Antike, die T.n von R. Wagner »Der Ring des Nibelungen« und G. Hauptmann »Atriden-T.« (beide ohne eine Entsprechung zum gr. Satyrspiel). Obwohl die Bez. T. zunächst nur der dramat. Dichtung vorbehalten war, spricht man von T. auch bei vierteiligen Romanzyklen wie Th. Manns »Joseph und seine Brüder«.

HW

Tetrameter, m. [zu gr. tetrametros, Adj. = aus vier metr. Einheiten], in der antiken Metrik ein aus vier metr. Einheiten (Versfüßen, Dipodien) bestehender Vers, insbes. der *katalekt. trochä. T.* aus vier trochä. Dipodien, deren letzte um eine Silbe verkürzt ist. Durch eine feste ⁄ Dihärese nach der 2. Dipodie zerfällt der Vers in zwei symmetr. Hälften. Grundschema: –◡–◡–◡–◕ | –◡–◡–◡◕ (Die Längen können jeweils in zwei Kürzen aufgelöst werden: – = ◡◡; ursprüngl. wohl ein Tanzrhythmus). – Der katalekt. trochä. T. ist neben dem jamb. ⁄ Trimeter der zweite Sprechvers des antiken Dramas; er dient dabei v. a. dem Ausdruck emotionaler Erregung; er ist beliebt in älterer Zeit (Aischylos, »Die Perser«) und begegnet, bewußt archaisierend eingesetzt, in den späteren Tragödien des Euripides (»Die Bakchen«) und, in der röm. Tragödie, bei Seneca. Die röm. Dichtung verwendet ihn auch in der Komödie, in der menippaeischen Satire (Varro), in der (späten) Lyrik (»Pervigilium Veneris«, 2./3. Jh.; Ausonius; Prudentius) und im frühchristl. Hymnus. Vgl. ⁄ Septenar. – Eine nem. Variante des trochä. T.s ist der *trochä.* Hink-T. (mit Umstellung der Silbenfolge am Versende) –◡–◡–◡–◕ | –◡–◡ | –◡–◕; Verwendung in der menippae. Satire bei Varro). – *Dt. Nachbildungen* des trochä. T.s sind äußerst selten; Goethe verwendet ihn als reimlosen 8-Heber mit fester Mittelzäsur in einzelnen Partien des Helena-Aktes in »Faust II« (»Réde núr! erzähl, erzähle, wás sich Wúnderlíchs begében!«); ähnl. auch A. v. Platen. Weitere T. in der gr. und röm. Verskunst sind der *katalekt. iamb.* T. (◡–◡–◡–◡– | ◡–◡–◡); belegt in der gr. Lyrik bei Hipponax, in der att. Komödie bei Aristophanes; freie röm. Nachbildungen bei Plautus und Terenz, der *akatalekt. daktyl.* T. (–◡◡–◡◡ ◡◡–◡◡); häufig als Teil ⁄ archiloch. Verse, ferner in den Gesangspartien der röm. Tragödie bei Ennius und später bei Seneca und der katalekt. daktyl. T. (–◡◡–◡◡–◡◕); gelegentl. in den Carmina und Epoden des Horaz. Auch T. aus ⁄ Anapästen, ⁄ Kretikern, ⁄ Ionikern und ⁄ Bakcheen sind bezeugt.

K

Teufelsliteratur, Sonderform der satir.-didakt. Prosaliteratur des 16. Jh.s, die v. a. äußerl. Mißstände der Zeit zu tadeln und mit literar.-publizist. Mitteln zu bekämpfen sucht, indem die einzelnen Laster auf die Besessenheit mit einem speziellen Teufel zurückgeführt werden. Diese hauptsächl. im Protestantismus verbreitete Literatur, an der sich (nach neuerer Zählung) allein zwischen 1552 (M. Friderich »Wider den Saufteuffel«) und 1604 (H. Decimator »Gewissens Teuffel«) 31 Autoren (mit 38 Erst- und 105 Zweit- oder Mehrausgaben) beteiligten, hat ihre Vorbilder nicht in den Teufelsszenen des ⁄ geistl. Spiels oder den volkstüml. Teufelserzählungen des MAs, sondern in der ⁄ Spiegel-, ⁄ ars-moriendi- und ⁄ Narrenliteratur des Spät-MAs. Wo aber z. B. die Narrenliteratur erklären und lächerl. machen will, versucht die T. zu dämonisieren und Erschrecken auszulösen. Dies gilt vornehml. für die *flugblattartigen Drucke* (»Wunderer Zeitung, von einem Geldteuffel«, 1538), für die *dramat.* T. (»Hofteuffel« von J. Chryseus, 1544) und *predigthafte* T. (»Vom Geitz Teuffel« von J. Brandmüller, 1579), weniger für die eigentl. »*Teufelsbücher*«. In ihnen wird ein kleinerer Bereich der Wirklichkeit in satir.-humorist. Weise als teufelsbesessen geschildert, so daß diese Hauptspezies der T. bereits zu einer entdämonisierenden Umwandlung des aus dem MA tradierten Teufelsbildes beiträgt. Nicht mehr der Teufel, sondern viele arbeitsteilige Spezialteufel werden einge-

führt; nicht mehr die Hölle, sondern die ird. Welt wird zum Haupthandlungsort; weniger das theolog. als vielmehr das moral. und gesellschaftskrit. Anliegen macht den Teufel zum Träger und Repräsentanten der verschiedenen Laster. – Neben der erfolgreichen T. des Oberpfarrers A. Musculus (»Vom Hosen Teuffel«, 1555; »Wider den Fluch Teuffel«, 1556; »Wider den Eheteuffel«, 1556) entstanden Teufels-Bücher gegen den »Spilteuffel« (J. Eichhorn, 1557), den »Jagteuffel« (C. Spangenberg, 1560), den »Faul Teuffel« (J. Westphal, 1563), den »Huren Teuffel« (A. Hoppenrodt, 1565), den »Gerichts Teuffel« (G. am Wald, 1580), den »Sacramants Teuffel« (J. Schütz, 1580) u. a. Die Produktion der T. erstreckte sich bis weit ins 17. Jh., wobei meist auf die älteren Vorlagen bearbeitend zurückgegriffen wurde (»Allamodischer Kleyder Teuffel« von J. Ellinger, 1629). Die Beliebtheit der T. bezeugt das Sammelwerk des Frankfurter Verlegers H. Feyrabend »Theatrum Diabolorum«, das drei Auflagen (1569, 1575, 1587/88) erlebte und dessen letzte Auflage in zwei Foliobänden 33 Teufelsbücher enthielt.

◻ *Ausgabe:* Stambaugh, R. (Hrsg.): Teufelsbücher in Auswahl. 5 Bde. Bln./New York 1970–1980. – Roos, K. L.: The devil in 16th century German literature: The Teufelsbücher. Bern/Frkft. 1972 (mit Bibliogr.) – RL.

HW

Textkritik, philolog. Methode der Geistes-, Rechts- und Religionswissenschaften zur krit. Prüfung solcher Texte, deren Authentizität nicht gesichert ist, notwendig bes. bei Texten der Antike und des MA.s, aber auch bei neuzeitl. Werken, die nicht in einer vom Autor beglaubigten endgült. Fassung vorliegen (z. B. das Werk Grimmelshausens) oder wenn es mehrere autograph. Entwürfe oder Fassungen gibt (Hölderlin). – Die Analyse der Texte und ihrer Überlieferung soll zur Herstellung (Synthese) eines dem Original nahestehenden Textes (⁄ Archetypus) oder zu einer vom Autor mutmaßl. intendierten ⁄ Fassung führen. – T. ist ohne Interpretation eines Textes nicht möglich; von ihr hängen oft auch die Ansichten über die Notwendigkeit textkrit. Eingriffe in überlieferte Textfassungen ab. Ausgangspunkt für die Entstehung der T. ist das ungeklärte Verhältnis überlieferter Texte zu ihrem mutmaßl. Autor in Antike und MA. Im Verlaufe jahrhundertelanger Tradierung sind mannigfache Veränderungen des Wortlautes der ursprüngl. Texte denkbar. Die selten normierte Schreibung, der Sprachwandel konnten bei Abschriften zu Mißverständnissen führen. Außerdem sind Lesefehler auf Grund flücht. Lektüre oder geänderter Wortbedeutungen, Auslassungen von Wörtern, Zeilen, Strophen, ganzer Handschriftenseiten, Abirrungen des Auges zu einem später nochmals begegnenden Wort usw. zu beobachten. Neben solchen unbewußten Fehlermöglichkeiten ist auch mit nachträgl. Änderungen des Autors selbst (Fassungen) oder Eingriffen späterer Redaktoren (⁄ Redaktion) zu rechnen, die einen Text ihren eigenen Intentionen unterordneten oder vermeintl. Fehler bessern wollten (vergleichbar manchem Übereifer auch neuzeitl. Textkritiker), auch Erweiterungen (⁄ Interpolationen, z. B. auch Aufnahme von ⁄ Glossen und ⁄ Scholien in den Text) und Kürzungen gehören hierher. Für die Textherstellung hat die klass. Philologie folgende method. Schritte entwickelt:

1. die weitgehend bibliothekar. orientierte *Heuristik,* die Sammlung und krit. Bestandsaufnahme aller direkten und indirekten Textzeugnisse (Handschriften, Handschriftenfragmente, Drucke, auch Auszüge, Zitate in anderen Werken, bei antiken Texten zudem Übersetzungen).

2. die *Kollationierung* (Kollation), das Vergleichen des Wortlautes, der Orthographie der Zeugnisse, bei einer großen Anzahl von Handschriften bisweilen auch nur einer als repräsentativ erkannten oder vertretenen Auswahl. Ziel ist es, durch Feststellung von Gemeinsamkeiten und Leitfehlern (Bindefehler- error significativus) oder Trennfehlern (error seperativus), kontradiktor. Varianten und Sonderfeh-

lern (die zur eliminatio codicum, dem Ausscheiden einer Handschrift, führen können) die Handschriften nach dem Grade ihrer Autornähe zu klassifizieren und die gegenseitigen Verwandtschafts- und Abhängigkeitsverhältnisse klarzustellen; unterschieden wird zwischen Leithandschriften und zweitrangigen Handschriften (sog. codices deteriores). Dies führt

3. zur *Handschriften-Filiation*, zur Aufstellung eines ⁄Stemmas (Stammbaumes). Bei kontaminierten Handschriften (deren Text aus mehreren Quellen stammt) kann die Aufstellung eines Stemmas unmögl. werden. Neuerdings ist der Wert dieser im 19. Jh. gepflegten Handschriftensortierung umstritten.

4. Die *Rezension* (Recensio, auch *Examinatio*) hat sodann das Ziel, auf der Basis eines als Grund- oder Leithandschrift angesetzten Textzeugen und mit Hilfe der übrigen überlieferten Fassungen den Archetypus herzustellen (constitutio textus) unter Berücksichtigung von Untersuchungen zu Wortgebrauch, Metrik, Reimtechnik, Stil eines Autors. Die Beobachtung, daß Abschreiber eher die Tendenz haben, einen Text zu vereinfachen, zu verdeutlichen, gibt in Einzelfällen der ⁄lectio difficilior (der schwierigeren Lesart) ein bes. Gewicht bei der Wahl zwischen konkurrierenden ⁄Varianten. Die Unterscheidung von Entstehungsvarianten (Autorvarianten) und Überlieferungsvarianten ist nicht immer möglich.

5. Die ⁄*Emendation* versucht, durch bessernde Eingriffe über einen Text, der sich aus den überlieferten ⁄Lesarten gewinnen läßt, hinauszugelangen. Die einfachste Stufe ist die Verbesserung offenkund. (Verschreibungen) wirklicher oder vermeintlicher ⁄Korruptelen (den vermuteten Sinn störende Wörter, syntakt. oder formale Ungereimtheiten) werden durch ⁄Konjekturen (Vermutungen) zu beseitigen versucht. Eine nicht zu klärende Stelle wird als ⁄Crux bezeichnet, mutmaßl. spätere Ergänzungen (Interpolationen) werden als unecht eliminiert, athetiert (⁄Athetese). Die sog. Konjekturalkritik erfreute sich im 19. Jh. eines bes. Ansehens in der Philologie; neuerdings beurteilt man ihre meist auf subjekt. Basis oder unhistor. Analogien beruhenden Möglichkeiten skeptischer. Das gilt auch für die sog. höhere Kritik.

6. Die *Echtheitsdiagnose* eines unter einem bestimmten Namen überlieferten Textes. Meist reichen die vorhandenen stilist.-formalen oder inhaltl. Kriterien nicht aus, um nur mit einiger Wahrscheinlichkeit ein Werk einem Autor zu- oder abzusprechen. Kennzeichnende Beispiele dafür sind die Lieder Reinmars des Alten (vgl. C.v. Kraus – F. Maurer) oder Neidharts.

7. Steht der Wortlaut eines Textes fest, gilt es, ihn für die ⁄*Edition*, für eine ⁄krit. oder ⁄histor.-krit. Ausgabe herzurichten. Eine Frage ist dabei, inwieweit Lautstand, Orthographie, Interpunktion usw. normalisiert werden sollen (vgl. auch ⁄Editionstechnik). Entscheidet sich ein Herausgeber für den ⁄diplomat. Abdruck, entfallen die Punkte 4–7.

8. Die im sog. krit. Text nicht berücksichtigten Varianten werden im krit. ⁄Apparat (Varianten-Apparat) verzeichnet.

Geschichte der T.: Systemat. betrieben wurde sie erstmals im Hellenismus (in Alexandria seit dem 3. Jh. v. Chr.), zunächst indem man die verschiedenen Versionen der Homer-Überlieferung miteinander verglich (vgl. ⁄Philologie). Zenodotus (2. Hä. 3. Jh. v. Chr.), der erste Leiter der Bibliothek von Alexandria und dessen Nachfolger Aristophanes von Byzanz und Aristarchos (217–145) versuchten, für ihre Klassiker-Editionen durch Vermutungen einen jeweils authent. Text zurückzugewinnen. Diese weitgehend subj. begründete, divinator. T. wurde auch im MA. und in der frühen Neuzeit geübt, seit dem Humanismus mit zunehmender Normierung in der klass. Philologie (R. Bentley, 1662–1742, F. A. Wolf, 1759–1824, G. Hermann,

1772–1848). Erst K. Lachmann (1793–1851) unternahm es mit seiner genet. Methode (einer genauen, erstmals umfassenden Sichtung der gesamten Überlieferung), einen wissenschaftl. begründbaren Text herzustellen, wobei er die aus der Altphilologie überkommenen textkrit. method. Schritte systematisierte und diese auch auf mal. Texte anwandte, ohne allerdings immer die unterschiedl. Überlieferungssituation zwischen antiken und mal. Texten zu berücksichtigen. Schließl. wurden die textkrit. Methoden für die Edition neuzeitl. Autoren, v. a. solchen, deren Werke nicht in einer ⁄Ausgabe letzter Hand erhalten sind, weiterentwickelt (F. Beißner, Hölderlin-Edition 1943 ff.).

▢ Avalle, D'Arco S.: Introductio alla critica del testo. Padua ²1978. – Lutz-Hensel, M.: Prinzipien d. ersten textkrit. Editionen mhd. Dichtung. Bln. 1975. – Kreutzer, H.-J.: Überlieferung u. Edition. Textkritik. u. editor. Probleme. Hdbg. 1976. – Kraft, H.: Zur Geschichtlichkeit literar. Texte. Eine Theorie d. Edition. Bebenhausen 1973. – Timpanaro, S.: Die Entstehung d. Lachmann'schen Methode. Florenz 1963; dt. Hambg. 1971. – Seiffert, H. W.: Studien z. Kritik u. Edition dt. Texte. Bln. 1963. – Maas, P.: T. Lpz. ⁴1960. – Kirchner, J.: Germanist. Handschriftenpraxis. Mchn. ²1967. – Pasquali, G.: Storia della tradizione e critica del testo. Florenz 1934. – Witkowski, G.: T. und Editionstechnik neuerer Schriftwerke. Lpz. 1924. – Paul, H.: T. In: Grundriß d. Germ. Philol. I, Straßburg ²1901, S. 184 ff.   S

Textphilologie, f., derjenige Zweig der ⁄Philologie, der sich primär der ⁄Textkritik und der ⁄Edition widmet.

Textsorten oder Textarten, in die moderne Literaturwissenschaft eingeführter Bez. für alle Arten literar. fixierter Texte. Im Ggs. zu den formalen und intentionalen Bezeichnungen der an einer prinzipiellen Gattungstrias (Epik, Lyrik, Dramatik, vgl. ⁄Gattungen) orientierten, auf poet. und fiktionale Texte zugeschnittenen Einteilungen der älteren Literaturwissenschaft versucht die Texttypologie der modernen Lit.wiss., Texte unter anderem nach funktionalen oder sozialen Kriterien zu klassifizieren, und Beurteilungskategorien auch für vormals außerhalb des literaturwissenschaftl. Interesses liegende Texte (Reklametexte, Reportagen, auch jurist. und wissenschaftl. Schriften) zu gewinnen.

▢ Gobyn, L.: T. Ein Methodenvergleich, illustriert an einem Märchen. Brüssel 1984. – Conrady, C. O./Cramer, Th./Bachofer, W. (Hrsg.): T. und literar. Gattungen. Bln. 1982. – Hinck, W. (Hrsg.): T.lehre -Gattungsgeschichte. Hdbg. 1977.   S

Texttheorie, innerhalb der Informationsästhetik (M. Bense, A. Moles [*1920]) die Darstellung statist., semant. und ästhet. Verfahren der Textanalyse und (experimentellen) Textherstellung, wobei zwischen eigenwtl. materialem (Textinnenwelt) und außerwtl. intentionalem (Textaußenwelt) Aspekt der Texte unterschieden wird. Wichtige Teilaspekte der T. sind eine die Textstatistik ergänzende Texttopologie, ferner Inhaltstheorie, Interpretationstheorie, Textphänomenologie und Textontologie. Die T. hat wesentl. Bedeutung im Zusammenhang experimenteller literar. Strömungen der Gegenwart (⁄konkrete Dichtung u. a.), aber auch als Annäherung an einzelne Autoren (Gertrude Stein, J. Joyce u. a.).

▢ Scherner, M.: Sprache als Text. Tüb. 1984. – Frier, W. (Hrsg.): Grundfragen d. Textwissenschaft. Linguist. u. literaturwissenschaftl. Aspekte. Amsterdam 1979. – Plett, H. F.: Textwissenschaft u. Textanalyse, Semiotik, Linguistik, Rhetorik. Hdbg. 1975, ²1979. – Bense, M.: Aesthetica. Baden-Baden 1965. – Bense, M.: Theorie der Texte. Köln 1962.   D*

Thaddädl, ⁄lust. Person des ⁄Wiener Volkstheaters: der immer schusslige, dummschlaue Lehrbub, meist Partner des Kasperl (⁄Kasperltheater); berühmter Darsteller war A. Hasenhut im Leopoldstädter Theater.   S

Theater [gr. theatron = Schaustätte],

1. Jede sichtbare Darstellung eines äußeren oder inneren Geschehens auf einer Bühne: sowohl die Darstellung mit Hilfe *künstl. Figuren* (/Puppenspiel, /Schattenspiel) als auch *durch Menschen:* die *wortlose* Pantomime, das /lebende Bild und das Tanzspiel (Ballett) ebenso wie das *gesprochene* /Schauspiel oder die *gesungene* Oper (/Singspiel), der *nichtliterar.* /Mimus (/Stegreifspiel), das /Laienspiel wie das professionelle Th.
2. Der Gesamtkomplex aller Einrichtungen, die eine Darstellung dieser Art ermöglichen. Hierzu gehören Schauspielkunst, /Regie, /Inszenierung und /Dramaturgie, die Technik, die /Bühne in ihren verschiedenen Formen, /Bühnenbild (/Kulissen, Requisiten), /Maske, Kostüm, Beleuchtung, Musik, Gesang und Tanz (Orchester, Chor und Corps de Ballet), die Th.administration (Intendanz), die Th.werkstätten, der Fundus, aber auch /Publikum, /Theaterkritik und -zensur, die Mäzenatentum, die Subvention des Th.s durch Hof, Staat oder Kommune oder seine kommerzielle Finanzierung, eventuell die institutionelle Bindung an Schule, Universität, Orden oder Zünfte.
3. Der Theaterbau.
Zur *Geschichte des Th.s* vgl. /Chor, /Dithyrambus, /Mimus, /Drama, /Tragödie, /Komödie, /geistl. Spiel, /Commedia dell'arte, /Wanderbühne, /engl. Komödianten, /Lustige Person und /Hanswurst, /Schuldrama, /elisabethan. Drama, /schles. Kunstdrama, /bürgerl. Trauerspiel, /absurdes, /experimentelles Th., /Living Theatre, /Agitprop-Th. Auch: /Th.wissenschaft. /Weltth.

📖 *Handbücher:* Dictionary of the Theatre. Hrsg. v. D. Pikkering. London 1988. – Cambridge Guide to World Theatre. Hrsg. v. M. Banham. Cambr. u. a. 1988. – Theaterlexikon. Hrsg. v. H. Rischbieter. Velber ³1983. – Enciclopedia dello spettacolo. Fondata da S. D'Amico. 9 + 2 Bde. Rom 1954–1966. – Kürschners biograph. Th.-Hdb. Hrsg. v. H. A. Frenzel u. H. J. Moser. Bln. 1956.– Kosch, W.: Dt. Th.-Lexikon. Biograph. u. bibliograph. Hdb., fortgef. v. H. Bennwitz. Klagenfurt 1953 ff.
Zeitschriften: Theater heute. Hrsg. v. E. Friedrich/S. Melchinger/H. Rischbieter. Velber seit 1960. – Maske u. Kothurn. Hrsg. v. Institut f. Th.wissenschaft d. Univers. Wien. Graz u. a. seit 1955. – Le Théâtre dans le monde/World-Theatre. Hrsg. v. Internationalen Th.-Institut (UNESCO), seit 1951.
Frenzel, H. A.: Gesch. d. Th.s. Darmst. 1979. – Blume, H.-D.: Einf. in d. antike Th.wesen. Darmst. 1978. – Melchinger, S.: Gesch. des polit. Th.s. Velber 1974. – Knudsen, H.: Th. der Erfahrung. Stuttg. ²1970. – Whiting, F. M.: An introduction to the theatre. New York u. a. ³1969. – Berthold, M.: Weltgesch. des Th.s. Stuttg. 1968. – Devrient, E.: Gesch. der dt. Schauspielkunst. Bln. (Ost) 1967 (Neudruck). – The Oxford Companion to the Theatre. Ed. Ph. Hartroll. London ³1967. – Hürlimann, M. (Hrsg.): Das Atlantisbuch des Th.s. Zür./Freibg. i. B. 1966. – Histoire des spectacles. Paris 1965 (= Encyclopédie de la Pléiade, 19). – Melchinger, S./Rischbieter, H.: Welt-Th. Braunschweig 1963. – Arpe, V.: Bildgesch. des Th.s. Köln 1962. – Knudsen, H.: Dt. Th.geschichte. Stuttg. 1959. – Fredley, G./Reeves, J. A.: A history of the theatre. New York ¹¹1958. – Kindermann, H.: Th.gesch. Europas. 10 Bde. Salzbg. 1957–64; Bd. 1–4 Neuaufl. 1966–72. – Gregor, J.: Weltgesch. des Th.s. Wien 1933 – RL (Theatergesch.). K

Theater der Grausamkeit, nach A. Artauds »Manifeste du théâtre de la cruauté« (1932) Bez. für eine theatral. Darstellungsart, die (im Ggs. zum konventionellen Theater) die rituellen, mag.-emotionalen Elemente des Theaters betont: durch Schreien, Heulen, disharmon. Musik, Licht- und Farbeffekte, Maskentänze u.a. Aktionen, die den Zuschauer einbeziehen, soll diesem ›Grausamkeit‹, d. h. ein ästhet. Schock zugefügt werden, der sein unterdrücktes Unterbewußtsein befreien und ihn dadurch verändern soll.

– Das Prinzip kennen bereits die antike Tragödie (/Katharsis, z. B. »Ödipus«) oder auch Shakespeare und seine Zeitgenossen (»König Lear«); Artaud verschärfte es v. a. nach dem Beispiel A. Jarrys. Es beeinflußte bes. die Dramatiker des /absurden Theaters, ferner Regisseure wie J.-L. Barrault, R. Blin, P. Brook oder die Gruppe des /Living Theatre.
📖: Tonelli, F.: L'esthétique de la cruauté. Étude des implications du »Théâtre de la cruauté« d'Antonin Artaud. Paris 1979. IS

Theaterdichter, auch: Bühnendichter. Vertragl. an eine Bühne gebundener Schriftsteller mit der Auflage, jährl. eine festgelegte Anzahl von Stücken (auch Prologe, Epiloge usw.) für das betreffende Theater zu schreiben, z. T. auch zu inszenieren und andere dramaturg. Aufgaben (Bearbeitungen, Übersetzungen) wahrzunehmen; hauptsächl. übl. im 18. u. frühen 19.Jh. Verpflichtet wurden Dramatiker mit Tageserfolgen, z. B. F. Schiller nach dem Erfolg der »Räuber« (Th. in Mannheim 1783/84), F. Grillparzer nach »Ahnfrau« u. »Sappho« (Th. am Wiener Burgtheater 1818–23, wo vordem schon A. v. Kotzebue, 1797–99, und K. Th. Körner, 1812/13, Th. waren). Im Hinblick auf erfolgverheißende Theaterpraxis konnten erfolgreiche Dramatiker auch zu *Theaterleitern* berufen werden, so Wieland u. Goethe in Weimar, A. W. Iffland in Berlin (1796–1814), Ch. Birch-Pfeiffer 1837 in Zürich, H. Laube am Wiener Burgtheater (1849–67). In neuerer Zeit finden sich zeitweilige Bindungen eines Dramatikers an eine Bühne, die seine Werke zur Uraufführung bekommt und werkgerechte Inszenierungen garantiert, auch Werkaufträge erteilt, vgl. z. B. G. Hauptmann und das Lessingtheater Berlin seit 1905, M. Walser u. Th. Bernhard oder C. Orff und H. W. Henze und die Stuttgarter Staatstheater.
📖 Siebert-Didczuhn, R.: Der Th. Die Gesch. eines Bühnenamtes im 18.Jh. Bln. 1938. IS

Theaterkritik, Berichterstattung über eine theatral. Aufführung in Tageszeitungen, Wochen- oder Fachzeitschriften, in Funk und Fernsehen. Umfaßt neben einer Literatur- oder musikkrit. Analyse und Würdigung des aufgeführten Werkes v. a. die Beurteilung seiner szen. Realisierung in ihren einzelnen Komponenten (Interpretation, Regie, Ausstattung, Besetzung usw.), oft auch allgemein der Gesamtkonzeption eines Theaters und dessen Standortbestimmung und Einordnung in theater- und kulturpolit. Strömungen. – Die geforderte Aktualität der Th. führte in der 2. Hälfte d. 19.Jh.s zu sogenannten *Nachtkritiken,* bei denen spontane, subjektive Eindrücke nicht selten überwogen; heute erscheinen oft vor einer ausführlichen Th. kurze sachl. *Vorberichte* über die Tendenz einer Inszenierung und (falls sie unmittelbar nach der Premiere erscheinen) auch über ihre Aufnahme durch das Publikum. – Th. ist im Idealfall unabhängig von Interessengruppen, ist aber doch von der geist. oder polit. Einstellung des Kritikers bestimmt, so daß dieselbe Aufführung bei verschiedenen Kritikern Zustimmung oder Widerspruch erfahren kann. *Hauptfunktion* ist neben der Einführung und Information die Eröffnung eines literar. Gesprächs, das Autor/Regisseur und Publikum zu fruchtbarer Auseinandersetzung führen kann, d. h. das Theater in der öffentl. Meinung als Stätte kulturellen Lebens bestätigt. Objekt. *Kriterien* für eine Th. gibt es nicht. Die im 18.Jh. zugrundegelegte normative Poetik mußte neuen Strömungen gegenüber versagen. Theaterkritiker sind in der Regel Journalisten, die Kenntnis des Literatur- und Theatergeschichte, der dramaturg. Gesetzlichkeiten und der techn. u. ökonom. Bedingungen des Theaters besitzen (sollten). Ihr Urteil kann über den Erfolg einer Aufführung und die Durchsetzung eines Inszenierungsstils entscheiden. In der modernen Theaterwissenschaft wird versucht, mit Hilfe der Semiotik eine Theorie der Kritik (Gesetzmäßigkeiten der Beziehungen Autor/Regisseur – Publikum) zu erarbeiten. – *Geschichte:* Vorstufe und Vorbereitung der modernen Th. bildeten die seit dem 16. Jh. entwickelte Theorie und Kritik des Dramas. In poetolog. Werken erschienen sporad., und meist als negative Beispiele, *die ersten Kritiken* bestimmter Aufführungen (z. B. im Horazkommentar von J. Willichius, 1545: Kritik eines Josephspiels). Die eigentl. Th. entstand mit der Entwicklung des Zeitungswesens. Seit Beginn des 18. Jh.s etablierte sich zuerst in *England* eine aktuelle Th. in den ⁄moral. Wochenschriften. Zu den Begründern der Th. gehören J. Addison (im ›Spectator‹), A. Hill, W. Popple (in ›The Prompter‹) und C. Cibber. Engl. Einflüsse bestimmten dann in *Frankreich* die Literaturtheorie (D. Diderot, L. S. Mercier), die ihrerseits der Th. starke Impulse gab. Die *ersten aktuellen Th.en* erschienen im ›Mercure de France‹, in der ›Correspondance littéraire‹ (F. M. von Grimm über das Musiktheater) und im ›Journal des Débats‹ (J.-L. Geoffroy, P. Duvicquet, J. Janin, ⁄Feuilleton). Ebenso in *Deutschland:* J. Ch. Gottsched veröffentlichte Th.en in den ›Vernünftigen Tadlerinnen‹ und der ›Neuen Zeitung von gelehrten Sachen‹, K. Ekhof in dem von ihm gegründeten ›Theaterjournal‹. Beispielhaft wurden die Th.en G. E. Lessings in der ›Hamburg. Dramaturgie‹ (1767/68) durch ihr fundiertes, abgewogenes Urteil, ihre Abkehr von der normat. Poetik und ihre stilist. Brillanz. Nach seinem Muster tauchten zahllose ähnl. Werke (u. a. J. v. Sonnenfels, ›Briefe über die Wienerische Schaubühne‹, 1767), Theaterzeitschriften (J. F. Schinks ›Dramaturg. Monate‹, 1778) u. a. Periodika mit regelmäß. Th.en auf. Auch J. G. Herder (über Lessings »Emilia Galotti«), Goethe (über »Wallensteins Lager«, »Die Piccolomini«) und Schiller schrieben gelegentl. Th.en. Theatergeschichtl. bedeutsam sind v. a. jene Th.en, die mithalfen, neue geist. Strömungen durchzusetzen, so z. B. die Th.en der Romantiker (A. W. Schlegel, L. Tieck, C. Brentano: gegen Schiller; Iffland, Kotzebue), die Th.en der Vertreter des Jungen Deutschland (L. Börne, K. Gutzkow, H. Laube, H. Heine: gegen den ›romant. Obskurantismus‹, für soziale, realist. Stücke) oder die Th.en Th. Fontanes (für die Vossische Zeitung in Berlin), der die historisierende Gründerzeitliteratur (etwa E. v. Wildenbruch) ablehnte und die Bedeutung eines G. Hauptmann erkannte; weiter die Th.en O. Brahms und P. Schlenthers, die sich für G. Hauptmann, H. Ibsen und das naturalist. Drama engagierten und die Th.en ihrer Wegbegleiter (als Leiter der Freien Bühne) M. Harden, H. und J. Hart, J. Bab und vor allem die Th.en des gefürchteten Kritikers A. Kerr im ›Tag‹ und ›Berliner Tagblatt‹, der dem Naturalismus zum Durchbruch verhalf. Er verstand seine Th.en als eigenständ., von aktuellem Anlaß losgelöste Kunstform: Es sind scharf pointierte, aggressive, oft aphorist. verknappte Meinungsbilder. Die Th.en C. Frenzels standen dagegen dem Naturalismus ablehnend gegenüber, diejenigen S. Jacobsohns feierten die vor Kerr abgelehnten Inszenierungen M. Reinhardts. Entdecker und Wegbereiter B. Brechts und des polit. engagierten Regisseurs E. Piscator wurde H. Jhering, der mit seinen Th.en auch expressionist. Regisseure wie L. Jessner, J. Fehling und E. Engel unterstützte. – In Wien wurde nach L. Speidel v. a. H. Bahr zum Vorkämpfer neuer Strömungen; einen eigenen Stil des iron. parodierenden, pointierten Berichts fand A. Polgar; in seiner Tradition stehen auch Th.en in jüngerer Zeit (H. Weigel, F. Torberg, H. Spiel). – Gesteuerte Ideologisierung kennzeichnet die Th. des Nationalsozialismus oder der sozialist. Länder. – *Th. en der neueren Zeit* sind (evtl. bedingt durch das Fehlen einer ausdrückl. Theatermetropole) geprägt von der Anerkennung eines weltweit praktizierten, von international renommierten Regisseuren getragenen Stilpluralismus. Dennoch können auch heute noch Richtsprüche berühmter Kritiker über die Dauer einer Aufführung (z. B. im kommerzialisierten Theaterbetrieb des Broadway) oder die Durchsetzung eines Inszenierungsstils entscheiden. Moderne Theaterkritiker sind u. a. F. Luft, K. Korn, G. Hensel, A. Schulze-Vel-

linghausen, J. Kaiser, S. Melchinger, H. Rischbieter, B. Henrichs, H. Koegler (Ballett), H. H. Stuckenschmidt, K. H. Ruppel, W. Schuch (Opern), in Frankreich R. Kemp, P. Brisson, J.-J. Gautier, in England K. Tynan, E. Bentley, H. Hobson, in den USA B. Atkinson, W. F. Kerr.

◫ Pflüger, I.: Th. in d. Weimarer Republik. Frkf. 1981. – Hamm, P. (Hrsg.): Kritik, von wem, für wen, wie? Eine Selbstdarstellung dt. Kritiker. Mchn. 1968. – Blöcker, G. u. a.: Kritik in unserer Zeit. Gött. 1960. – Melchinger, S.: Keine Maßstäbe? Kritik der Kritik. Zür./Stuttg. 1959. – Knudsen, H.: Wesen u. Grundlagen der Th. Bln. 1935. – Damann, O.: Von Lessing bis Börne. Zur Entw.gesch. der Th. In: Preuß. Jb. 195 (1924).
Sammlungen: Kerr, A.: Mit Schleuder u. Harfe. Th.en aus 3 Jh.en. Hrsg. v. H. Fetting. Bln. 1981. – Jacobsohn, S.: Das Jahr d. Bühne. Auswahl hrsg. v. W. Karsch, Hdbg. 1965. – Brahm, O.: Kritiken u. Essays. Hrsg. v. F. Martini. Zür./Stuttg. 1964. – Bahr, H.: Kritiken. Hrsg. v. H. Kindermann. 1962. – Jhering, H.: Von Reinhardt bis Brecht. 3 Bde. Bln. 1958–61. IS

Theatermaschinerie, Apparate, Maschinen und Vorrichtungen, die bei einer Theateraufführung eingesetzt werden. – Mechan. betriebene Apparate zur illusionist. Bewegung von Puppen sind schon in alten Ägypten bezeugt (s. ⁄Puppenspiel), auch das antike Theater kennt seit Euripides Schwebevorrichtungen (⁄Deus ex machina), Donner- und Blitzmaschinen. Vor allem aber das Theater der Renaissance und des Barock ist gekennzeichnet durch die Verwendung von Th.n zur Verwirklichung der allegor.-mytholog. ⁄Schaubilder, der Festwagen und -küsfe der ⁄Trionfi oder der prunkvollen Bühnen bes. für Opernaufführungen und deren ⁄Intermezzi. Die Th. bestand v. a. aus Flug- und Hebeapparaten, Versenkungen, dreh- und teilbaren Aufbauten und Gerüsten, Schnürböden mit Wolkenmaschinen, Schwebekranen usw., Vorrichtungen für Blitze, Donner und Regen, den Einsatz von Licht, Rauch, Dampf oder Wasser: Einbezogen war auch die artist. Ausnutzung des jeweil. Bühnensystems (Winkelrahmen, Telari, Kulissen) zur raschen und häufigen Verwandlung (⁄Bühnenbild). Berühmte Erfinder solcher Th.n waren Leonardo da Vinci (für den mailänd. u. franz. Hof), die Ingenieure und Theaterarchitekten B. Buontalenti (16. Jh., u. a. Florenz), im 17. Jh. L. Burnacini (u. a. Wien), G. Vigarani und G. Torelli (u. a. Paris) und der Bildhauer G. L. Bernini (Rom). Berühmt waren auch die Th.n der ⁄Rederijker. – Die Th.n des 16. u. 17. Jh.s waren oft Selbstzweck und zwangen Dichter und Librettisten, ihre Stücke so zu konzipieren, daß die gesamte Th. eingesetzt werden konnte. Obligator. waren damit z. B. allegor. Szenen in metaphys. Räumen (Himmel, Hölle, Olymp, Orkus), Klüfte mit mytholog. Wesen, Felslandschaften und Meeresgestade in Gewitter und Sturm und zahlreiche Möglichkeiten zum Dekorationswechsel (bis zu 30 Szenenwechsel für eine Aufführung). Erst gegen Ende des 17. Jh.s wird die Th. den dramaturg. Notwendigkeiten untergeordnet, im 18. Jh. tritt an ihre Stelle dann F. Galli-Bibienas architekt. Kulisse in Winkelperspektive und beschränkterem Einsatz von Th.n. Trotz der fortschreitenden Entwicklung der Th. durch techn. Errungenschaften bis zur perfektionist. modernen Bühnentechnik hatte die Th. im 16. u. 17. Jh. ihren eigentl. Höhepunkt. Im 20. Jh. ist eher eine Abkehr von der perfekten ⁄Illusionsbühne festzustellen (⁄Stilbühne). IS

Theaterwissenschaft, Wissenschaft vom Wesen und der histor. Entwicklung des Theaters als kulturgeschichtl. Phänomen: eine Integrationswissenschaft, die im Grenzbereich oder Überschneidungsgebiet von Literaturwissenschaft, Volkskunde und Völkerkunde, Religionswissenschaft und Mythologie, Geschichte der Musik und des Tanzes, Geistes- und Sittengeschichte, Publizistik, Soziologie, Psychologie und Ästhetik, Geschichte der Technik und der Architektur angesiedelt ist. Ihre *Aufgabenbereiche* sind Phänomenologie, Morphologie, Ästhetik und Geschichte des Theaters, Geschichte der Schauspielkunst, der Regie, des Bühnenbildes usw. und schließl. Wirkungsgeschichte des Theaters (einschl. der Geschichte der ⁄Theaterkritik). – Die Th. ist jünger als die anderen ›Kunstwissenschaften‹ (Kunstgeschichte und Musikgeschichte/Musikwissenschaft) und als selbständige wissenschaftl. Disziplin erst im 20.Jh. ausgebildet worden. *Erste bedeutende theaterwissenschaftl. Arbeiten* entstanden seit dem Ende des 19.Jh.s im Rahmen der Literaturwissenschaft (W. Creizenach, »Bühnengeschichte des Goetheschen Faust«, 1881, »Geschichte des neueren Dramas«, 1893–1909; R. M. Werner, »Der Wiener Hanswurst Stranitzky«, 1883; A. v. Weilen, »Geschichte des Wiener Theaterwesens«, 1899; E. Lintilhac, »Histoire générale du théâtre en France«, 1904–10; vorausging E. Devrients allerdings noch ›vorwissenschaftl.‹ »Geschichte der dt. Schauspielkunst«, 1848). 1891 gründete B. Litzmann eine erste theaterwissenschaftl. Publikationenreihe (»Theatergeschichtl. Forschungen«). 1902 wurde in Berlin die *erste theaterwissenschaftl. Gesellschaft* gegründet (»Gesellschaft für Theatergeschichte«; Publikationsorgan: »Schriften der Gesellschaft für Theatergeschichte«; es folgen 1933 die »Société d'Histoire du Théâtre« – Publikationsorgan: »Revue d'Histoire du Théâtre«, 1942 die «Gesellschaft für Wiener Theaterforschung«, 1955 die »Fédération Internationale pour la Recherche Théâtrale«). 1909 wird im Victoria and Albert Museum die *theaterwissenschaftl. Abteilung* eröffnet (z.T. auf der Grundlage der Sammlung Kean; es folgen 1913 das Museo Teatrale alla Scala, 1922 die Theatersammlung der Österreich. Nationalbibliothek mit der Sammlung Hugo Thiemig, 1929 das Museum der Preuß. Staatstheater; bereits 1910 begann der Aufbau des Münchner Theatermuseums mit der Sammlung Cl. Ziegler). Die erste große *theaterwissenschaftl. Ausstellung* fand 1927 in Marburg statt; 1955 folgt die Europ. Theaterausstellung in Wien. Das *erste theaterwissenschaftl. Institut* wird 1923 in Berlin von Max Herrmann gegründet, es folgt 1942 das Institut für Th. an der Universität Wien (Leitung: A. Wolfram). Schon seit 1915 hatte A. Kutscher an der Münchner Universität theaterwissenschaftl. Vorlesungen gehalten; er ist auch der Verfasser eines ersten theaterwissenschaftl. Grundrisses (»Grundriß der Th.«, 1932–36); er gilt als Begründer der Th. als Hochschuldisziplin. Heute wird Th. im deutschsprachigen Raum an den Universitäten Berlin, Erlangen, Hamburg, Köln, Marburg, München; Greifswald; Wien; Bern und Zürich gelehrt.

🕮 *Bibliographie:* Schindler, O. G.: Theaterliteratur. Ein bibliogr. Behelf f. d. Studium der Th. Wien ⁶1978. – Hadamowsky, F.: Bücherkunde dt.-sprach. Theaterlit. Wien u.a. 1982 f. – Schwanebeck, G.: Bibliographie der dt.-sprach. Hochschulschriften zur Th. v. 1885–1952. Bln. 1956 (= Schr. d. Ges. f. Theatergesch. 58). – Rojek, H. J.: Bibl. d. dt.-sprach. Hochschulschriften z. Th. v. 1953–1969. Bln. 1962 (= Schr. d. Ges.f. Theatergesch. 61). *Handbuch:* Niessen, C.: Hdb. d. Th. Emsdetten 1949. *Zeitschrift:* Maske und Kothurn. Intern. Beitr. zur Th. Graz/Köln seit 1955.
Holtus, G. (Hrsg.): Theaterwesen u. dramat. Lit. Tüb. 1986. – Klier, H. (Hrsg.): Th. im dt.sprach. Raum. Darmst. 1981. – Lazarowicz, K.: Th. heute. Mchn. 1975. – Knudsen, H.: Methodik d. Th. Stuttg. u.a. 1971. – Steinbeck, D.: Einleitung in d. Theorie u. Systematik d. Th. Bln. 1970. – Kutscher, A.: Grundriß d. Th. Mchn. ²1949. K

Theaterzettel, seit dem 15.Jh. bezeugte Einzelblätter (1. handschriftl. Th. 1466; 1. gedruckter Th. 1520) mit Angaben zu einer Theateraufführung; löste den mal. Ausrufer (Praecursor), Prolog- oder Epilogsprecher ab (vgl. ⁄geistl. Spiel, ⁄Fastnachtsspiel), enthielt Titel u. Zeitpunkt der Aufführung und, v.a. bei lat. Stücken (⁄Humanisten-, ⁄Jesuitendrama, [hier auch: Perioche]), eine Inhaltsan-

gabe, im Barock darüberhinaus Anpreisungen der Schaueffekte. Erst Mitte des 18.Jh.s werden der Verfasser des Stücks, der Prinzipal der Truppe und die Schauspieler (erstmals von Abel Seyler), Mitte des 19.Jh.s auch der Regisseur genannt. Das Bedürfnis nach Einführungen, Analysen und Betrachtungen und die Aufnahme von Reklame etc. führte insbes. durch die Volksbühnenbewegung seit 1890 zur Ausweitung des Th.s zum Programmheft.

🕮 Pies, E.: Einem hocherfreuten Publikum wird heute präsentiert: eine kl. Chronik des Th.s. Hambg. 1973. – Hänsel, J.-R.: Die Gesch. des Th.s u. seine Wirkung in d. Öffentlichkeit. Diss. Bln. 1959. IS

Théâtre italien ⁄Comédie italienne.

Théâtre libre [teatra 'libr; frz. = freies Theater], von dem Pariser Gaswerkangestellten André Antoine gegründeter Privatbühnenverein, der von seinen Mitgliedern durch einen Jahresbeitrag finanziert wurde u. in geschlossenen, vor staatl. Zensur geschützten Aufführungen durch Amateurschauspieler seit dem 30. März 1887 Stücken des naturalist. Moderne zur Aufführung verhalf. Antoine, zuvor Statist bei der Comédie Française, hatte bei H. Taine Vorlesungen über positivist. Kunsttheorie gehört u. wurde von Zolas theoret. Schriften ermutigt, in Anlehnung an Victor Hugos Wort von einem *théâtre en liberté* auf finanzielles wie künstler. Wagnis zu beginnen. Sein Milieurealismus in Bühnenausstattung u. Schauspielerführung knüpfte an die Meininger an, verschärft allerdings durch den sog. Verismus der 4. Wand, also eine gänzl. Ignorierung des Publikums (Spiel mit dem Rücken zum Zuschauer). Die Auswahl der Stücke u. Autoren war bewußt progressiv u. provokativ; dem frz. Publikum wurden erstmals L. N. Tolstoi, H. Ibsen u. – mit riesigem Erfolg – G. Hauptmanns »Weber« präsentiert. Durch Gastspiele machte das Th. 1. Stoffe u. Stil auch im Ausland bekannt. Nachfolgegründungen waren die Berliner ⁄Freie Bühne 1889, das Londoner Independent Theatre 1891 u. das Moskauer Künstlertheater 1898.

🕮 Antoine, A.: Mes souvenirs sur le théâtre libre. Paris 1921 (dt. 1960). GM

Theogonie, f. [gr. theos = Gott, goné = Geburt], Bez. für myth. Vorstellungen von Herkunft und Wirken der Götter, auch Bez. für eine Götterlehre, vgl. z.B. die erste systemat. Zusammenfassung des griech. Götterglaubens bei Hesiod (»Th.«, 1022 Verse, 700 v. Chr.). IS

Thesaurus, m., Pl. Thesauri [gr. thesauros = Schatz], alphabet. und systemat. geordnete wissenschaftl. Sammlung aller sprachl. oder sonstigen Bezeichnungen eines bestimmten Anwendungsbereiches (z.B. einer Fachsprache) nach ihren semant. Beziehungen in einem System syntagmat. und paradigmat. Querverweise. Die ständig sich erweiternden und zu ergänzenden Th.i sind als Funktionsträger im Rahmen eines Dokumentationssystems grundlegende Hilfsmittel zur Wiederauffindung und inhaltl. Erschließung von Dokumenten und zur Wiedergewinnung von Information über jedes gewünschte Element des jeweils erfaßten Bereiches. Die Bedeutung von ›Th.‹, früher lediglich Bez. für eine Sammlung des Gesamtbestandes einer Sprache zu deren lexikal. Bearbeitung (z.B. Th. linguae Latinae, 1894 ff.; Th. linguae Graecae, 1955 ff.), hat sich mit der Entwicklung von Linguistik, Datenverarbeitung und Dokumentationswesen entscheidend verändert. Noch nicht gelöste Probleme der Th.erstellung und -verwendung, etwa bezügl. der Systematisierung des jeweiligen Zeichencorpus oder der Kompatibilität verschiedener Th.i untereinander, bedürfen weiterer Grundlagenforschung.

🕮 Wersig, G./Schuck-Wersig, P.: Th.-Leitfaden. Mchn. ²1985. – Gerstenkorn, A./Rolland, M. Th.: Vorstudie zu einem Th.-Führer. Frkf. 1981. – Terminologie der Information u. Dokumentation. Hrsg. vom Komitee Terminologie u. Sprachfragen u. der Dt. Gesellsch. f. Dokumentation. Bearb. v. U. Neveling u. G. Wersig. Mchn. 1975 (mit

Bibliogr.); – Soergel, D.: Klassifikationssysteme und Th.i. Frankft. 1969.   KH

Thesenstück, auch Tendenzstück; in der Tradition der sozialkrit. ↗Sittenstücke stehendes Drama (Hörspiel, Sketch etc.), in dem die Richtigkeit einer bestimmten These dargestellt werden soll. Handlung und typisierte Personen sind weitgehend abstrakt und funktional nur im Hinblick auf die dialekt. Auseinandersetzung zugunsten nur eines Aspektes konstruiert, die oft simplifizierend, perspektiv. einseitig, agitator. oder emotional geführt wird. Die Grenzen zum aspektereicheren, sachl. offener diskutierenden ↗Problemstück sind jedoch fließend. Th.e sind z. B. einige Dramen G. B. Shaws, v. a. aber die der marxist. Gesellschaftslehre verpflichteten Stücke von P. Weiss, B. Brechts ↗Lehrstücke, die Stücke des ↗sozialist. Realismus, des frühen Arbeitertheaters, des ↗Agitprop- und ↗Straßentheaters (vgl. ↗Proletkult). Zu Th.en umfunktioniert werden können durch entsprechende Streichungen und Inszenierungen auch Dramen mit allgem. polit. Thematik, vgl. die Inszenierungen E. Piscators. Auch: ↗polit. Dichtung, ↗Tendenzdichtung.   IS

Thesis, f. [gr. = Senkung], Begriff der Verslehre, s. ↗Hebung.

Thespiskarren, im eigentl. Sinne der (nicht histor. belegte) Wagen (als Wagenbühne?, als Transportmittel für Requisiten?), mit dem Thespis aus Ikara (Attika, bezeugt zw. 536–532 v. Chr.), der älteste bekannte Tragödiendichter, umhergezogen sein soll (nach Horaz, De arte poetica, vv. 275–78); in übertragenem Sinne (meist iron.) gebraucht für eine Wanderbühne, auch als Name für kleine Theater.
                                      IS

Thingspiele ↗Freilichttheater.

Threnos, m. [gr. = 1. Totenklage, Trauergedicht, 2. Vorsänger beim Vortrag der Totenklage; Gattung des griech. ↗Chorliedes, ursprüngl. die unliterar., teilweise wohl auch unartikulierte ↗Totenklage; sie galt als barbarisch und wurde mehrfach gesetzl. verboten (u. a. durch Solon in Athen). Erst in der Tragödie begegnet ›th‹. als Bez. für die dichter. Totenklage. In alexandrin. Zeit werden dann die chor. Klagegedichte des Simonides (vermutl. Begründer der kunstmäß. ausgebildeten ↗Klage) und Pindars als *threnoi* bezeichnet; sie verbinden Totenklage mit Totenpreis. – Die eigentl. literar. Formen des griech. Trauergedichtes sind das Grab-↗Epigramm, das ↗Epikedeion, der prosaische ↗Epitaphios (logos) und in der Tragödie der ↗Kommos.   K

Thriller, m. [ˈθrɪlə, engl. zu to thrill = durchdringen, durchbohren, schaudern machen], anglo-amerikan., auch im Dt. übl. Bez. für Romane, Theaterstücke, v. a. aber Filme, Fernseh- und Hörspiele, die auf starke, oft reißer. Spannungs- oder Schauereffekte ausgerichtet sind (Horror-, Kriminal-, Spionagefilme oder -romane usw.); umfaßt sowohl (und vor allem) den Trivialbereich, aber auch künstler. anspruchsvolle Werke (A. Hitchcocks Psycho-Th., C. Reed, »Der dritte Mann«, 1949 u. a.). 📖 Seeßlen, G.: Kino d. Angst. Hdbg. 1980. – Palmer, J.: Th.s. Genesis and Structure of a popular Genre. London 1978.   IS

Tierdichtung, Sammelbez. für literar. Werke, in denen Tiere im Zentrum stehen; umfaßt intentional und formal die verschiedenartigsten literar. Gattungen (Vers, Prosa, lyr., ep., dramat. Gestaltung). – T. entstand nach neuerer Auffassung polygenet. in allen Kulturen, wohl bedingt durch den für einfache Lebenszusammenhänge charakterist. vertraul. oder bedrohl. Umgang mit Tieren, jedoch weniger auf Grund genauer Beobachtung, als vielmehr aus myth. oder aitiolog. Vorstellungen heraus: das Tier spielte v. a. in frühzeitl. Kulten eine große Rolle (Tiergötter, Tieropfer. kult. Tiertänze oder -verkleidungen). In diese vorliterar. Bereiche zurück reichen das Tier-↗*Märchen* (Hauptthema: Verwandlung Mensch-Tier), die Tier-↗*Sage*, zum

volkstüml. Erzählgut gehört der Tier-↗*Schwank*, das lehrhafte *Tiergleichnis*, deren internationale Verbreitung zudem durch Austausch der Stoffe (vor- und unterliterar. Wandermärchen, -sagen etc.) oder später durch literar. Sammlungen gefördert wurde. Ein weiterer, für Spätantike und MA. charakterist. Zweig der T. sind die ↗*Bestiarien,* Beschreibungen realer und myth. (Einhorn, Phönix) Tiere, deren oft phantast. Eigenschaften und Handlungen allegor. heilsgeschichtl. gedeutet werden. Das früheste Zeugnis ist der griech. »Physiologus« (2. Jh.), dessen Bestand, vielfält. aus anderen Quellen erweitert, Vorbild aller weiteren Bestiarien wurde, eine Tradition, die im 14. Jh. zu Ende ging, an die dann wieder G. Apollinaire im 20. Jh. mit seinem »*Bestiaire ou cortège d'Orphée*« (1911) anknüpfte: diese Sammlung von Tierepigrammen verarbeitet zahlreiche der myth. und phantast. Vorstellungen der Bestiarien in subtiler, altertüml.-einfacher Sprachkunst zu meisterhaften, oft humorvollen poet. Tierportraits. Wichtigste und eigenständigste Ausprägung der T. ist die ↗*Fabel,* die mit eindeutig didakt., oft auch krit. Stoßrichtung eine allgemeingült. Maxime oder Lehre exemplifiziert. Als ihr ›Erfinder‹ gilt der Thraker Äsop (6. Jh. v. Chr.); bedeutsam für ihre Ausprägung in Altertum und MA. wurden die lat. Sammlung von Phaedrus (1. Jh.), die Sammlungen »Romulus« (4./5. Jh.) und »Anonymus Neveleti« (12. Jh.). Sie erscheint seit dem 12. Jh. auch in den Volkssprachen und erlebt in Deutschland eine Blüte im 15. u. 16. Jh. (H. Steinhöwel, 1476, Burkhard Waldis, 1548, Erasmus Alberus, 1550), in Frankreich im 17. Jh. (J. de La Fontaine, 1678–94); ihren Höhepunkt und zugleich ihr Ende findet sie im Zeitalter der Aufklärung (J. Gay, F. v. Hagedorn, J. W. L. Gleim, M. G. Lichtwer, Ch. F. Gellert, G. E. Lessing). Etwa parallel verläuft die Entwicklung des *Tierepos.* Es gründet auf der äsop. Fabel, indem es deren Tierkanon benutzt und die Anthropomorphierung wie diese auf konstante typ. Eigenschaften eingrenzt, zugleich bedient es sich des Darstellungs- u. Sprachstils des ↗Epos und nutzt beides auch zur ↗Parodie (↗kom. Epos), v. a. aber zur Darstellung spezieller aktueller gesellschaftlicher (nicht wie die Fabel allgem. menschlicher) Probleme, d. h. zur ↗Satire. Das älteste bekannte Tierepos ist die pseudohomer. »*Batrachomyomachia*« (6./5. Jh. v. Chr.), eine Parodie auf das griech. Heldenepos, die in patthet. Breite einen Krieg zwischen Fröschen und Mäusen schildert. Das erste mal. Tierepos ist im 10. oder 11. Jh. in Toul entstandene »*Ecbasis cuiusdam captivi*« (in lat. leonin. Hexametern), ist in Einzelzügen eine Satire auf das zeitgenöss. Mönchstum; als Gesamtwerk aber als Allegorie (per tropologiam) konzipiert: Flucht eines Mönches (Kalb) in die Welt (Höhle des Wolfes) und seine Rettung daraus. Satire ist auch der 1148 in Gent von Magister Nivardus verfaßte »*Ysengrimus*«, eine Kompilation dialog. gebauter Fabeln in lat. Distichen (6 Tsd. Verse) um den Wolf als dem Sinnbild sünd. Geistlichkeit, der vom Fuchs, dem Vertreter des Laienstandes, übertölpelt wird. Der Fuchs Renart (Reineke, Reinhart usw.) wird dann Mittelpunkt der traditionsreichsten T.: Vom 12. – 13. Jh. bildet sich in Frankreich allmähl. ein volkssprachl. Zyklus von 27 Fabeln (branches), der »*Roman de Renart*«, heraus, der immer wieder Umformungen erfuhr, z. B. durch Rutebeuf (»*Renart le bestourné.*« 1260/70), Philippe de Novare (»*Renart encouronné.*« 1260/68) u. a. Auf den frühen branches beruht das 1. dt.-sprach. Tierepos, der um 1180 entstandene »*Reinhart Fuchs*« des Elsässers Heinrich der Glichesære. Nur in Bruchstücken und einer Bearbeitung des 13. Jh.s erhalten, erweist es sich als die schärfste mal. Standessatire insbes. auf das zeitgenöss. Hofleben, mit konkreten Bezügen zur stauf. Reichspolitik. Ebenfalls auf den »Roman de Renart« basiert der ostfläm. »*Reinaert de Vos*« (1250), lehrhaft mit dem Sieg der Gerechtigkeit endend (Bestrafung des Fuchses); dagegen endet dessen erweiterte westfläm. Überarbeitung von 1375 mit dem Sieg der Verschlagenheit, eine

Tendenz, die die Fassung Hinreks van Alkmar (1480) noch durch moral. Prosaglossen verstärkt. Die satir. Tendenz dieser Fassung, jeweils auf aktuelle Zeitprobleme bezogen und durch lehrhafte, aber auch schwankhafte Elemente erweitert, bestimmt die weitere Tradierung: den 1. niederdt. Druck »*Reynke de Vos*«, (Lübeck 1498), den hochdt. Druck 1544, die zahlreichen weiteren Drucke (Prosaauflösungen im Volksbuch), Übersetzungen ins Dän., Schwed., Lat. (!) usw. Die Popularität dieser T. wurde gesteigert durch die Anerkennung Luthers, Erasmus Alberus', B. Waldis', die aus ihr Anregungen zu ihren Fabeln entnehmen. Ihr sind (neben antiken Mustern) auch satir. Tierepen wie J. Fischarts »*Flöhhatz*« (1573), G. Rollenhagens »*Froschmeuseler*« (1595) und W. Spangenbergs »*Gansz-König*« (1607) verpflichtet, und noch (über J. Ch. Gottscheds Ausgabe und Prosaübertragung, 1752, des Druckes von 1498) Goethes Hexameterepos »Reineke Fuchs« (1794), das in lehrhaft satir. Absicht wie jene ein »wahres Bild der Geschichte seiner Zeit« geben will. Die Tradition setzt sich fort in E. T. A. Hoffmanns »*Lebensansichten des Katers Murr*« (1819/21), H. Heines »*Atta Troll*« (1843), A. Glaßbrenners »*Neuer Reineke Fuchs*« (1846) und E. v. Bauernfelds satir. Drama »*Die Republik der Tiere*« (1848), im 20. Jh. in den Tiererzählungen K. A. Gjellerups (»*Das heiligste Tier*«, 1920), J. R. Haarhaus' *(»Die rote Exzellenz«,* 1922) und G. Orwells *(»Animal Farm«,* 1945). – Als neuer Zweig der T. entwickelt sich seit dem 19. Jh. (parallel zu dem breiteren Interesse an der wissenschaftl. Naturerforschung) der *Tierroman,* die *Tiererzählung.* Unterhaltend-lehrhafte Tierbeschreibungen auf Grund genauer Beobachtungen gab es seit dem 18. Jh. zunehmend in Wochenschriften und ↗ Kalendern (J. P. Hebel). Das Tier wird nun in seinem Eigenleben, seinen Umweltbedingungen darzustellen versucht. Es entstehen jedoch zahlreiche T.en, die – ohne satir. Absicht – menschl. Züge, v. a. Gefühle, auf die Tiere übertragen oder von Mitleid und dem Gefühl der Verwandtschaft geprägt sind, z. B. von R. Kipling *(»Dschungelbücher«,* 1894/85), E. v. Schönaich-Carolath *(»Der Heiland der Tiere«,* 1896), J. V. Widmann *(»Maikäferkomödie«,* 1897, »*Der Heilige und die Tiere«,* 1905), F. Jammes *(»Hasenroman«,* 1903) J. London *(»Ruf der Wildnis«,* 1903, *Wolfsblut, 1905),* W. Bonsels *(»Die Biene Maja«,* 1912, »*Himmelsvolk«,* 1915) oder Gedichte von F. Werfel, R. M. Rilke u. a. – Vertreter einer unsentimentalen Einfühlung in das Tier als eigengesetzl. Existenz, einer auf realist. Beobachtung aufbauenden T., sind M. Maeterlinck mit seinen naturphilosoph. Betrachtungen *(»Das Leben der Bienen«,* 1901, » . . .d. Termiten«, 1926, » . . .d. Ameisen,« 1930), H. Meerwarth, H. Löns *(»Mümmelmann«,* 1909 u. a.), M. Kyber *(»Unter Tieren«,* 1912 u. a.), und der eigentl. Schöpfer des modernen Tierromans, der Däne S. Fleuron *(»Schnipp Fidelius Adelzahn«,* 1917, »*Die rote Koppel«,* 1922, »*Meister Lampe«,* 1923 u. a.), ferner Th. Seton, B. Berg, M. Fønhus, J. Wenter, F. Salten *(»Bambi«,* 1923) und viele andere. Eine *Sonderform der T.* ist die Verbindung eines Tierschicksals mit dem eines Menschen, vgl. u. a. H. Melville *(»Moby Dick«,* 1851), Fritz Reuter *(»Hanne Nüte«,* 1860), M. v. Ebner-Eschenbach *(»Krambambuli«,* 1883), Th. Mann *(»Herr und Hund«,* 1920), W. Bonsels *(»Mario und die Tiere«,* 1927), E. Hemingway *(»Der alte Mann und das Meer«,* 1952). – Beklemmende Einfühlung in Angstzustände eines Tieres führt zum autobiograph. Gleichnis bei F. Kafka *(»Der Bau«,* 1923); Rückgriffe auf das Tiermärchen kennzeichnen den Roman *»Der Butt«* (1977) von G. Grass.

Knapp, F. P.: Das lat. Tierepos. Darmst. 1979. – Schwab, U. (Hrsg.): Das Tier in d. Dichtung. Hdbg. 1970. – Jauß, H. R.: Unters. zur mal. T. Tüb. 1959. – Sells, A. L.: Animal poetry in French and English literature and the Greek tradition. Bloomington (Ind.) 1955.   IS

Tirade, f. [zu it. tirata = Ziehen, Zug], 1. gelegentl. (unscharf) Bez. für ↗ Laisse;

2. im Theaterjargon des 17. Jh.s abschätz. Bez. für längere, effektvolle, atemtechn. schwierige Redepartie im Drama; in der Bedeutung ›Wortschwall‹, ›Worterguß‹ seit dem 18. Jh. in die Umgangssprache eingedrungen.   S

Tiradenreim ↗ Einreim.

Tirolstrophe, mhd. Strophenform aus sieben Vierhebern: 2 Reimpaaren und Waisenterzine (a a b b c x c) mit männl. Kadenz (die Waisenzeile kann auch klingend enden); belegt durch die fragmentar. Dichtung ›Tirol und Fridebrant‹(13. Jh.); wohl Weiterentwicklung der ↗ Morolfstrophe.   MS

Tischzuchten, spezif. Gattung der mit dichter. Mitteln geformten Anstands- und Lehrliteratur des hohen und späten MAs, in welcher Regeln für das den höf. oder bürgerl. Normen entsprechende Verhalten bei den Mahlzeiten gegeben werden. Die ersten T. aus dem 12. Jh. sind *latein. Werke* aus dem Bereich klösterl. Erziehung und an die monast. didakt. Distichen der ›*Dicta Catonis*«(3. Jh.) angehängte »*Facetus*« bes. reich überliefert und vielfach übersetzt wurde, so noch 1490 von S. Brant. Ansätze zu *volkssprach. T.* finden sich in der höf. Epik (z. B. Wolfram v. Eschenbach, »Parzival«, IV, 184). Die erste selbständ. T. läuft unter dem Namen Tannhäusers (Mitte 13. Jh.s). Bedeutung erhielt diese Gattung jedoch erst, als sie vom höf. ans bürgerl. Publikum umadressiert wurde und sich zunehmend einer negativen Didaktik in satir. Absicht bediente: Seit der Mitte des 15. Jh.s wird der »Cato« parodiiert, S. Brant gab den sog. *grobian. T.* in der 2. Aufl. seines »Narrenschiffs«, 1495 (Kap. 110a) ein stark rezipiertes Vorbild (↗ Grobianismus). T. sind ergiebige Quellen zur europ. Kulturgeschichte, nicht nur, weil sie in fast allen Ländern reich verbreitet und zur humanist. Erziehungsliteratur gehörten, sondern weil sich an ihnen das Vordringen und Verfestigen der bürgerl. Peinlichkeitsschwellen ablesen läßt, die noch heute für die Tabuisierung im Bereich des gesellschaftl. Verhaltens gültig sind.

Winkler, A.: Selbständige dt. T. des MA.s. Diss. Marbg. 1982. – Neuer, J. G.: The historical development of T.-literature in Germany. Diss. Los Angeles. 1970. – Höf. T. Hrsg. v. Th. P. Thornton. Bln. 1957. – Elias, N.: Über den Prozeß der Zivilisation. Basel 1939. – RL   HW

Titel, m. [lat. titulus = Aufschrift, Überschrift] Benennung eines Werkes der Lit., Wissenschaft, Kunst u. Musik (Beethoven, »Pastorale«, Rembrandt, »Nachtwache«) etc. zum Zweck der Information, der Klassifikation, auch der Anpreisung. In der Neuzeit von Autor oder Verlag gewählte Titel ein fester, jurist. geschützter Bestandteil eines Werkes (Titelschutz). – *Buch-T.* in neuzeitl. Sinne waren in Antike und MA., z. T. auch noch bei Wiegendrucken nicht üblich. Ihre Funktion erfüllten ↗ Incipit, ↗ Explicit und ↗ Kolophon. Im Bereich der dichter. Werke finden sich die ältesten dt. Buch-T. im 12. und 13. Jh.; dabei sind zu unterscheiden

1. T., die im Werk selbst genannt sind, z. B. *cronica* (Kaiserchronik, ca. 1150), *Der Welsche Gast* (Thomasin von Zerklære, 1216), *Der Nibelunge liet (nôt),*

2. T., die in Werken anderer Autoren zitiert werden: *Der Umbehanc* von Bligger von Steinach (bei Gottfried von Straßburg), *Der Âventiure Crône* von Heinrich von dem Türlin (bei Rudolf von Ems, hier noch weitere T.-angaben);

3. T., die vereinzelt in Handschriften als Überschriften auftauchen, z. B. *Âventiure von den Nibelungen* (Handschr. N), *Ditz Puech heysset Chrimhilt* (Ambraser Heldenbuch). T-los überlieferte Werke wurden von neuzeitl. Philologen benannt, etwa mit dem ersten Wort eines Werkes *(Abrogans,* 8. Jh.), durch Gattungs- oder Herkunftsbez. *(Carmina burana, Benediktbeurener Osterspiel).* Heldennamen etc. Die Wahl eines T.s erfolgt nach den unterschiedlichsten Kriterien, die z. T. einem bestimmten Epochenstil unterliegen (vgl. T. im Barock). Die einfachste *T.form* ist die Namensnennung des oder der Haupthelden (»Wallen-

stein« v. F. v. Schiller, »Leonce und Lena« v. G. Büchner), oft erweitert durch ein charakterisierendes Attribut (»Der grüne Heinrich« v. G. Keller) oder eine Inhaltskennzeichnung (»Die Leiden des jungen Werthers« v. J. W. v. Goethe; »Die Abenteuer des braven Soldaten Schwejk« v. J. Hašek). Außerdem geben T. häufig erste allgemeine Inhaltsangaben (»Der Bürger als Edelmann« v. Molière oder, in Form eines Sprichwortes: »Wer einmal aus dem Blechnapf frißt« v. H. Fallada), typisierende Kennzeichnungen des Helden (»Der Geizige« v. Molière), charakterist. oder symbol. Ortsangaben (»Berlin Alexanderplatz« v. A. Döblin, »Die Strudelhofstiege«v. H. v. Doderer, »Der Zauberberg« v. Th. Mann), oft auch verbunden mit einer Gattungsbez. (»Die Chronik der Sperlingsgasse« v. W. Raabe). Manchmal weist ein Zusatz ein Werk auch als Neugestaltung eines älteren Stoffes aus (»Der neue Amadis« v. Ch. M. Wieland, »Amphitryon 38«, v. J. Giraudoux). Bes. bei Gedichten kann der Titel der Einstimmung dienen (»Melancholie des Abends«, v. G. Trakl) oder ein Schlüssel zum Verständnis sein (»Ganymed« v. Goethe); als Gedichtt. übl. sind weiter Apostrophen (»An Schwager Kronos«, Goethe), Widmungen (»An Wilhelm Hartlaub«, E. Mörike), Form- oder Gattungsbez. (»Dithyrambe«, »Nänie«, Schiller), auch verbunden mit einer Inhaltsangabe (»Ballade vom angenehmen Leben«, B. Brecht), bei Rollenlyrik die Bez. des Sprechers (»Prometheus«, Goethe, »Das verlassene Mägdlein«, Mörike) oder die Voranstellung der ersten Wörter oder ersten Zeile (»Manche freilich . . .«, H. v. Hofmannsthal). Seit der Antike finden sich auch *Doppeltitel,* d. h. zweigliedrige, durch *oder* verbundene Überschriften, wobei der kürzere erste Teil meist eine Person oder eine Sache nennt, die zweite eine erklärende oder präzisierende Ergänzung gibt (»Phaidros oder Über das Schöne«, Plato); häufig im Humanismus (Erasmus), verbreitet v. a. im Barock als sog. *sprechende T.,* die den Inhalt wortreich umreißen (»Trutz Simplex oder Ausführliche und wunderseltsame Lebensbeschreibung der Ertzbetrügerin und Landstörtzerin Courasche. Alles miteinander Von der Courasche eigner Person dem Autori in die Feder diktiert, der sich dießmal nennet . . . [H. J. Ch. v. Grimmelshausen]«; oft steht statt *oder* auch *das ist:* »Güldnes Tugendbuch, das ist: Werk und Übung der dreien göttlichen Tugenden« v. Spee), beliebt auch im Trivialroman (»Benno von Rabeneck oder Das warnende Gerippe im Brautgemach«), mit bewußt kom. Kontrastwirkung v. a. bei Jean Paul (»Blumen- Frucht- und Dornenstücke oder Ehestand, Tod und Hochzeit des Armenadvokaten F. St. Siebenkäs im Reichsmarktflecken Kuhschnappel«). – Ferner wird dem Haupt. bisweilen ein erläuternder *Unter-T.* beigefügt (»Doktor Faustus. Das Leben des deutschen Tonsetzers Adrian Leverkühn, erzählt von seinem Freunde«, Th. Mann). Unterscheiden lassen sich T. nicht nur nach ihrem Informationsgehalt, sondern auch nach ihren Intentionen: neben der häufigsten Form einer sachl. Orientierung des Lesers mit mehr oder weniger offenen oder zutreffenden Hinweisen auf den Inhalt gibt es eingängige, durch Klangmittel gestaltete T. (»Nächte von Fondi« v. I. Kurz, »Götter, Gräber und Gelehrte« v. C. W. Ceram), spannungserzeugende, neugierweckende reißer. T., bes. bei Kriminalromanen und -stücken (»Der Doppelmord in der Rue Morgue« v. E. A. Poe, »Die Geheimnisse von Paris« v. E. Sue) oder auch agitator. oder proklamator. T. (»Volk ohne Raum« v. H. Grimm) und witzig-paradoxe T. (»Der Ruinenbaumeister« v. H. Rosendorfer). – Die disparate Vielfalt der T.gebung läßt sich im Werk auch schon *eines* Autors beobachten, vgl. etwa J. Gotthelf »Wie Uli der Knecht glückl. wird. Eine Gabe für Dienstboten und Meisterleute«; der T. der Fortsetzung lautet dagegen »Uli der Pächter. Ein Volksbuch«, an barocke T. erinnert anderseits »Wie Anne Bäbi Jowäger haushaltet und wie es ihr mit dem Doktern ergeht«.

Erst seit dem 16. Jh. ist der T. fester Bestandteil eines Buches, ergänzt durch ausführl. bibliogr. Angaben wie Herausgeber, Auflage, Verlag, Erscheinungsjahr und Druckort. Das erste vollständ. T.blatt dieser Art druckte W. Stökkel 1500 in Leipzig. In sog. T.büchern sind T. literar. alphabet. erfaßt, soweit bekannt mit Autorenangabe, z. B. in: M. Schneider, Dt. T.-buch. Ein Hilfsmittel z. Nachweis von Verfassern u. T.büchern mit Nachträgen u. Berichtigungen v. H. J. Ahnert. 2 Bde. Bln. 1966.
🕮 Rothe, A.: Der literar. T. Frkf. 1986. – Lohse, G.: Einiges über mal. dt. Bücher-T. In: Bibliothekswelt u. Kulturgesch. Fs. f. J. Wieder, hg. v. P. Schweigler. Mchn. 1977 *(mit Bibliogr.).* – Rothe, A.: Der Doppel-T., Wiesb. 1970. – Lehmann, Paul: Mal. Bücher-T. In: P. L.: Erforschung des MA.s, Bd. V, Stuttg. 1962 *(lat. T.)* – Schröder, Edw. Aus den Anfängen des dt. Buch-T.s. In: Nachrichten v. d. Ges. d. Wiss. zu Gött. Phil.-hist. Kl. NF II, 1, Gött. 1937. – RL. S

Titlonym, n. [aus gr. titlos = Aufschrift, Titel, onoma = Name], Sonderform des ⁄Pseudonyms: statt des Verfassernamens steht ein früherer, erfolgreicher Buchtitel desselben Autors, z. B. »›Die Rückkehr‹vom Verfasser der ›Briefe eines Verstorbenen‹« (für H. Fürst von Pückler-Muskau). S

Titulus, m. [lat. = Aufschrift, Überschrift], Bildüberschrift oder -unterschrift, auch in ein Bild eingefügtes Schriftband, bez. die dargestellte Person oder erläutert den Bildinhalt, z. T. in Versen; findet sich bes. *in mittelalterl. Bildern* (Fresken und Miniaturen in Handschriften). In der Antike bez. T. auch einen aus einer Buch-(Papyrus-)Rolle heraushängenden Streifen, auf dem Autorname und ⁄Titel des Werkes stehen. S

Titurelstrophe, vierzeil. Strophenform der mhd. ep. Literatur, zuerst in den »Titurel«-Fragmenten Wolframs v. Eschenbach (um 1220), weiterentwickelt im sog. »Jüngeren Titurel« Albrechts (?um 1270). Wolframs Strophe besteht aus drei Langzeilen zu 8 und zweimal 10 Hebungen und einer vor der letzten Langzeile eingeschobenen 6heb. zäsurlosen Zeile, mit paarigen, klingenden Endreimen. Die Strophenform ist jedoch nicht streng ausgeprägt; in den Langzeilen können die Zäsuren variieren oder fehlen, auch die Hebungszahlen können wechseln. – Im »Jüngeren Titurel« treten (in den ersten beiden Langzeilen regelmäßig) Zäsurreime auf, Reimschema a-b|a-b|c|x-c; die Anverse der zäsurierten Zeilen enden meist klingend, gelegentl. auch mit voller Kadenz. Diese fortentwickelte Form der T. auch in der »Jagd« Hadamars v. Laber (um 1335) u., z. T. etwas variiert, in Ulrich Füetrers »Buch der Abenteuer« (letztes Drittel des 15. Jh.s). MS*

Tmesis, f. [gr. = Zerschneidung], ⁄rhetor. Figur, Trennung eines zusammengesetzten Wortes, indem andere Satzglieder dazwischengeschoben werden: »*ob* ich *schon* wan-derte« = obschon ich . . . (Psalm 23.4), eine Form des grammat. ⁄Metaplasmus (der Abweichung von der Sprachnorm); begegnet als grammat. Norm auch bei Präfixen, die ursprüngl. Ortsadverbien waren: anfangen – ich fange an. S

Togata, f. [lat. eigentl.: fabula togata, von lat. toga, der Oberbekleidung des röm. Bürgers], Gattung der röm. ⁄Komödie im 2. Jh. v. Chr. aufkommende, bis in Sullas Zeit reichende eigenständ. Gestaltung röm.-ital. Stoffe in röm. Milieu u. röm. Tracht, wohl als literar. Gegenströmung gegen die Hellenisierung des geistigen Lebens dieser Zeit (vgl. ⁄Palliata nach griech. Vorbild). Wichtigste Vertreter der T. sind Titinius, L. Afranius, T. Quinctius Atta. Insgesamt sind etwa 70 Titel und 650 Verse überliefert. Als Sonderformen der T. werden z. T. unterschieden: die *fabula tabernaria* (von *taberna* = Bretterhütte, Bude), die in den unteren Schichten und die (von Melissus erfolglos [?] entwickelte) *fabula trabeata* (von *trabea* = prächt. Staatskleid), die im röm. Ritterstand spielt. DW*

Ton, mhd. *dôn:* im ⁄Minnesang, in der ⁄Sangspruchdichtung, im ⁄Meistersang und in der stroph. Epik die Einheit von Strophenform und Melodie (= *wise*), ein »Strophenmodell«, das sowohl den Verlauf der Melodie, ihre Gliederung und ihre rhythm. Struktur als auch die metr. Gestalt des vertonten Textes umfaßt. T. ist also musikal. und metr. Terminus zugleich (vgl. die mittelhochdt. Begriffspaare *dôn und wort, wort unde wise*). Zwischen dem T. als Form und dem Inhalt eines Textes gibt es in der mhd. stroph. Dichtung meist keine semant. Relation; daher kann derselbe T. für Strophen und Gedichte verschiedensten Inhalts verwandt werden (/ Kontrafaktur), ledigl. die Vortragsart (Tempo, Agogik, instrumentale Begleitung) läßt hier Modifikationen zu. Andererseits gehört es zu den formalen Charakteristika des Minnesangs, daß immer wieder neue und kunstvollere Töne geschaffen wurden. Erhalten sind bis Frauenlob (um 1300) ca. 200 T.e. – Mhd. *dôn* geht auf zwei Wurzeln zurück: einmal auf ahd. *tuni* (Geräusch) und lat. *tonus* (Saite, Ton), um 1000 als Lehnwort übernommen; die Lehnwortbedeutung setzt sich im Mittelhochdt. mit dem höf. Minnesang durch. Von den Minnesängern übernehmen ihn die Meistersinger. Sie beschränken sich zunächst auf die Verwendung von T.en, die ihrer Vorstellung nach auf die »12 alten Meister« zurückgehen; ein Großteil dieser Töne, meist mit Melodien, ist in der Colmarer Liederhandschrift (Mitte 15. Jh.) überliefert; seit dem ausgehenden 15. Jh. (H. Folz) sehen sie jedoch in der Erfindung neuer Töne eine ihrer wichtigsten Aufgaben. Nach dem Vorbild der bei den Meistersingern übl. (teilweise recht wunderl.) T.-Benennungen (der »kurze, lange, zarte, blühende, grüne, schwarze T.«, »vrou Eren dôn«, »Türinger hêrren dôn«, »Hildebrandston«) wurden im 19. Jh. neue T.-Benennungen für die von Walther von der Vogelweide in seinen Sangspruchgedichten verwandten Töne geschaffen (z. B. »Reichst.«, »Erster und Zweiter Philippst.«, »Ottent.«, »Unmutst.«, »Rüget.«).   K

Tonbeugung, Begriff der Verslehre: Durchbrechung der / akzentuierenden Versprinzips: Widerstreit zwischen der vom metr. Schema geforderten Akzentuierung und der natürl. Sprachbetonung. Im Ggs. zur / schwebenden Betonung mißachtet das metr. Schema den sprachl. Akzent ohne bestimmte expressive Absicht; findet sich häufig allerdings nur im / Meistersang (Versuch der Anwendung des / silbenzählenden Versprinzips), im Kirchenlied und in alternierenden Versen und dt. Nachbildungen griech. und röm. Versmaße und Strophenformen vor M. Opitz, z. B. »Venüs die hát Junó nit vérmocht zú obsiegen« (Opitz, »Poeterey«, 1624).   K*

Topos, m., Pl. Topoi (gr. = Ort, Gemeinplatz, lat. locus communis], *im modernen Verständnis:* Gemeinplatz, stereotype Redewendung, vorgeprägtes Bild, Beispiel, Motiv, z. B. Klage über die Schlechtigkeit der Welt, den Verfall der Bildung, der Sitten, Lob des Goldenen Zeitalters, klischeehafte Beschreibungsmuster von (schönen / häßl.) Personen, Örtern (Städte, Landschaften, / locus amoenus), Vorgängen (Schlachten) – auch solchen, die schon nach Sitte u. Vorschrift stereotyp sein können (z. B. Abschied), Lob-, Trost-, Demutsformeln. *Ursprüngl.:* Begriff der antiken / Rhetorik: Teil der inventio (s. / Disposition): allgem. Gesichtspunkt zur Gewinnung von Argumenten für die öffentl. Rede, z. B. Argumentation aus dem Gegensatz, der Ähnlichkeit usw. Aristoteles (Rhet. II, 23–24) nennt 28 solcher Aspekte (Topoi). Anweisungen zur Auffindung der konkreten Topoi, meist als lehrhafte Zusammenstellung von relevanten Fragestellungen und Suchformeln, gibt die *Topik*, die Lehre von den Topoi. Aristoteles' wenig system at. Anweisungen gingen ein in die spätantiken und mal. lat. Rhetoriken (Matthaeus von Vendôme, Johannes de Garlandia), erlangten im Humanismus gesteigerte Bedeutung (Agricola, Erasmus, Melanchthon) und erreichten ihren Höhepunkt im Barock: Lat. und volkssprachl. Rhetoriken (u. a. G. Ph. Harsdörffer, »Poet. Trichter«, C. Stieler, »Sekretariatkunst«) boten immer detailliertere Anweisun-

gen zum Auffinden der Topoi und dazu gleich die poet. Ausführung. Die Fülle solcher Topoi (traditioneller Bilder und Motive), die oft auch gesondert gesammelt wurden, ließ diese zu Klischees erstarren und führte zur Verschiebung des T.-begriffs: vom Denkprinzip der inventio zur *vorgeprägten Wendung, zum Versatzstück* zur prakt. Verfügbarkeit. Entsprechend bez. Topik ein *Arsenal von Topoi* im Sinne von (für die einzelnen Gattungen oder Redeabsichten typischen oder verbindl.) konventionellen Gemeinplätzen – ein Grund für die Verachtung der Rhetorik und Topik durch die Aufklärung. Bis zum 18. Jh. ist die europ. Literatur von Topoi geprägt, welche die Konventionen des europ. Bildungsgutes lebendig hielten. Jedoch auch nach der Ablösung der traditionsorientierten Rhetorik durch die Aufklärung blieb ein Grundbestand an Topoi erhalten (z. B. in Trost- oder Preisreden, geistl. Texten). Es entstehen sogar neue Topoi, die meist zeitgeschichtl. stark gebunden und damit einem beschleunigten Wandel unterworfen sind, vgl. z. B. den Genie- und Originalitätsbegriff der klass. Ästhetik, den Nationalbegriff der Romantik, die Topoi moderner polit. Argumentation (Blindheit, Ausbeutung u. a.).

Der Begriff Topos *im erweiterten, übergreifenden Verständnis* umfaßt alle gesellschaftl. vermittelten Elemente der Tradition, sowohl in Texten verschiedener Kommunikationsbereiche (z. B. Parteirede, Flugblatt, Werbetext) als auch im Repertoire fachspezif. Begrifflichkeit in den modernen Wissenschaften. In größter Ausweitung wird der Begriff auch verwandt für Konventionen im nichtverbalen Kommunikationszusammenhang (z. B. Begrüßungszeremonien). T. wird somit zum Sammelbegriff für jedes traditionelle oder konstante Textelement, darüber hinaus zum Sammelbegriff für Elemente der Tradition überhaupt.

Die *Toposforschung* als wichtiger Zweig der Literaturwissenschaft wurde begründet durch E. R. Curtius (Europ. Literatur und lat. MA., 1948), der auf der Suche nach einer gesamteurop. literar. Tradition einen topischen Grundbestand an Motiven für die europ. Literatur aufgezeigt hat. Durch ihn wurden die zuvor oft als Originalschöpfungen mißverstandenen Aussagen und Bilder einzelner Autoren in einen Traditionszusammenhang gestellt, der »von Homer bis Goethe«, von der Antike bis ins 18. Jh. reicht. Von Curtius und der ihm folgenden Richtung setzt sich die neuerdings in verschiedenen wissenschaftl. Disziplinen intensivierte T.forschung ab, indem sie versucht, Topoi stärker im geschichtl. Kontext zu sehen. Die Frage nach der jeweiligen Funktion des T. sowohl im einzelnen Werk als auch im geschichtl. Zusammenhang gewinnt zunehmend Bedeutung für die Interpretation der Topoi im literar. Kunstwerk wie im Gebrauchstext.

📖 Moos, P. von: Geschichte als Topik. Hildesh. / New York 1988. – Schmidt-Biggemann, W.: Topica universalis. Hambg. 1983. – Müller, Wolfgang G.: Topik des Stilbegriffs. Darmstadt 1981. – Bornscheuer, L.: Topik. Frkft. 1976. – Baeumer, M. L. (Hrsg.): T.forschung. Darmstadt 1973. – Jehn, P. (Hrsg.): T.forschung. Eine Dokumentation, Frkft. 1972 *(mit Bibliogr.).* – Curtius, E. R.: Europ. Lit. u. lat. MA. Bern 1948, [8]1973. – RL (Topik).   HSch

Tornada, f. [prov. = Rückkehr], abschließende Geleitstrophe als epilogant. Ausklang in Gedichten der prov. Trobadors (auch sonst in roman. Lyrik, vgl. / Envoi); wiederholt in Metrum u. Melodie den Schluß der voraufgehenden Strophe (selten die ganze Strophe), enthält i. d. Regel eine Widmung, eine Anrede an Hörer, Gönner, die besungene Dame, das Lied selbst oder die Namensnennung des Dichters; im Dt. selten, s. / Geleit; auch: / Senhal.   MS*

Tornejamen / Tenzone.

Totenbücher,
1. altägypt. Papyrusrollen als Grabbeigaben, enthalten nach Umfang, Auswahl u. Anordnung variable *Sammlungen von Hymnen,* Weihe- und Beschwörungsformeln, auch

Sündenkataloge (von 42 Sünden), gedacht als Hilfe für den Toten auf dem Weg ins Jenseits. In mehreren 100 Exemplaren aus dem Mittleren und Neuen Reich (2000 – 700 v. Chr.) erhalten, letztere fast immer illustriert. – Die Texte (in archai. poet. Formen: Parallelismus, Wiederholungen) finden sich z. T. bereits als sog. *Pyramiden-* und *Sargtexte* (Inschriften in Gängen, Grabkammern und auf Särgen) aus dem Alten Reich (3000 v. Chr.) mit derselben Funktion. Verwandt, aber von ungleich größerer poet. (Bild-)Kraft sind sog. *Jenseitsführer,* visionäre Schilderungen der Unterwelt, die z. T. ebenfalls Toten beigegeben wurden. Ältestes u. zugleich berühmtestes Beispiel ist das Buch »Amduat« (ägypt. = Das, was in der Unterwelt ist), 1500 v. Chr.
2. *Kultbücher* tibetan. Lamaismussekten, enthalten rituelle Texte, die der Priester den Toten ins Ohr flüstert, um sie auf die 49tägige Übergangszeit bis zur Wiedergeburt vorzubereiten.

⊓ Hornung, E. (Hrsg.): Ägypt. Unterweltsbücher. Zürich/ Mchn. ³1989. – Ders.: D. Totenbuch d. Ägypter. Zür./Mchn. 1979. – Sethe, K.: Die Totenlit. der alten Ägypter. Bln. 1931.   IS
Totengespräche, dem ernstkom. Stil der menippe. ╱Satire verpflichtete bes. Form des Prosadialogs, in dem durch fiktive Gespräche zwischen histor. oder mytholog. Figuren im Totenreich Menschheitstadel und Zeitkritik geübt werden. Die ersten T. der europ. Literatur sind Lukians um 165 v. Chr. entstandene »Nekrikoi dialogoi«. Dieses Vorbild bestimmte Form (Prosa) und Haltung der T., die zwar mit histor. Personen geführt werden und auf histor. Adressaten berechnet sind, doch überdies schon durch die Mischung von Mythenreich und Weltgeschehen den Anspruch erheben, mehr zeitlose Menschheits- als zeitverhaftete Situationskritik zu sein. Die Wirkung der Lukianischen Gattung begann im Humanismus. 1495 übersetzte J. Reuchlin ein T. von Lukian, 1507 erschien in Straßburg eine weitere Verdeutschung, Erasmus von Rotterdam gab 1512 eine Interpretation der Lukianischen T., U. v. Huttens Dialoge sind von Lukian beeinflußt. Doch die Gattung des T.s wurde zu einem europä. Ereignis erst seit ihrer Erneuerung durch N. Boileaus »Satires« (1666), B. Fontenelles »Dialogues des morts« (1683), durch die von 1718–1739 erschienene Monatszeitschrift »Gespräche im Reiche der Todten« von D. Fassmann und durch die Lukian-Übersetzungen von J. Chr. Gottsched und Ch. M. Wieland. Wieland verfaßte selbst Werke dieser Gattung: »Die Dialoge im Elysium« (1780), »Neue Göttergespräche« (1791) u. a. Goethe benutzte sie in seiner gegen Wieland gerichteten satir. Farce »Götter, Helden und Wieland« (1774). Herrschten in den T.n von Grillparzer (1806 u. 1841) und F. Mauthner (1906) noch die satir. Mittel der Ironie und Polemik, so tendieren die den T.n gattungsverwandten »Erdachten Gespräche« von P. Ernst mehr zu philosophierender Didaktik. Im neueren Drama finden sich Stilmittel der T. z. B. in B. Brechts Hörspiel »Das Verhör des Lukullus« (1939) wieder. Nur bedingt zu den T.en zählen jene mal. Werke, die, z. T. mit satir. Mitteln, Zeitkritik von einem Jenseitsort aus vortragen (Dantes »La Comedia« oder die Höllenfahrtszenen der geistl. Spiele).

⊓ Rutledge, J.: The dialogue of the dead in 18th century Germany. Bern/Frkft. 1974. – RL.   HW
Totenklage, Trauer um einen Toten, Trost, Totenpreis artikulierende Dichtung, bedeutendste Ausprägung der literar. ╱Klage. Existiert in allen Kulturen schon als vorliterar., aus dem Mythos erwachsenes ╱Kultlied, ist vielfach auch integrierter Bestandteil des Epos, z. B. Gilgameschs T. um seinen Freund Enkidu, die T. der Trojaner um Hektor in Homers »Ilias«, die T. der Gauten um ihren König im »Beowulf«. – Als eigenständ. Ausprägung erscheint die T. in der antiken Chorlyrik als ╱Threnos (wie die altröm. ╱Nänie zunächst wohl ungeformte Klageschreie zur Flötenbegleitung) und als ╱Epikedeion (Simonides, Pindar),

in der antiken Tragödie als ╱Kommos. Häuf. Form der T. ist seit der griech. Klassik die (epikedeische oder threnet.) ╱Elegie; sie findet sich auch in der röm. (Properz, Ovid) u. mittellat. Lit. (Venantius Fortunatus) bis in die Neuzeit (Goethe »Euphrosyne«, Hölderlin »Menons Klage um Diotima«). – Aus Zeugnissen (Prokopios aus Kaisareia, 6. Jh., Gotenkriege, Beowulf) erschlossene frühgerm. rituelle (Chor-)Gesänge auf einen Toten (meist einen Fürsten) verbinden T. und Preislied. – Das mit dem »Nibelungenlied« überlieferte Reimpaarepos »Die Klage« ist T. und Totenfeier für die gefallenen Burgunden. Weitere mal. Formen der T. sind der mlat. ╱Planctus u. prov. ╱Planh, die afrz. ╱Complainte, das engl. ╱Dirge. – Eine aufrüttelnde T. und Anklage gegen den Tod ist der Prosadialog »Der Ackermann aus Böhmen« von J. v. Saaz (um 1400). – Themat. verwandt sind auch Prosaformen wie ╱Epitaphios, ╱Laudatio funebris, ╱Elogium, ╱Nekrolog, auch: ╱Epigramm.

⊓ Leicher, R.: Die T. in d. dt. Epik v. d. ältesten Zeit bis zur Nibelungenklage. Breslau 1927; Nachdr. 1977.   GG*
Totentanz.
1. abergläub. Vorstellung vom mitternächtl. Tanz wiedergänger. Toter auf ihren Gräbern (vgl. Goethes Ballade »Der Totentanz«);
2. zykl. *Monolog- und Dialogdichtungen* des Spät-MA.s um die Gestalt des Todes als Spielmann, der zum Tanz lädt oder aufspielt, Spielart der Memento-Mori-Dichtungen mit sozialkrit. Tendenz, die v. a. die Gleichheit aller Stände vor dem Tode hervorhebt. Als ältester T. gilt der sog. »Oberdt. T.« in *lat.* Hexametern (Mitte 14. Jh.): 24 Verstorbene verschiedener Stände und Altersstufen klagen in Monologen, nach der Pfeife des Todes tanzen zu müssen. Die *dt. Fassung,* der in vielen Handschriften und Drucken verbreitete sog. »Vierzeil. oberdt. T.« ist zur Dialogdichtung erweitert: auf die Klagen antwortet jeweils der Tod. In Frankreich schuf 1376 der Pariser Jurist Jehan le Fevre das für die frz. Tradition grundlegende *Danse macabre*-Gedicht, in dem weltl. und geistl. Vertreter im Wechsel auftreten. – Als ╱geistl. Spiel ist der »Augsburger T.« (15. Jh.) gestaltet, eine Tradition, die im 20. Jh. in Inszenierungen von G. Haaß-Berkow (1917) und in Nachdichtungen von A. Lippl und M. Hausmann (»Der dunkle Reigen«, 1951) u. a. wieder aufgegriffen wurde. Als *Vorläufer* dieser T.-Dichtungen werden die 13. Jh. v. a. in Frankreich verbreiteten lat. Vado-mori-Disticha vermutet, ferner die Parabel von der »Begegnung von drei Lebenden und drei Toten« aus dem Legendenroman »Barlaam und Josaphat«, verselbständigt im frz. »Dit des trois morts et des trois vifs« von Baudoin de Condé (2. Hä. 13. Jh.). Unmittelbarer Anstoß für die Entstehung von T.en könnten die Pesterfahrungen der 14. Jh.s gewesen sein. Seit dem 15. Jh. sind T.texte *verbunden mit bildl. Darstellungen* bezeugt (Hss., Blockbücher, Bilderbogen, Drucke, Freskenzyklen). Bemerkenswert in der Fülle der Beispiele sind der T. von Hans Holbein d. J. (1525, mit rückseit. Texten), der T. auf dem Pariser Friedhof Saints-Innocents (um 1425, mit den Texten le Fevres), der nur noch in Kopien erhaltene Basler T. (nach 1440), der bis zu den Füssener T.-Fresken (1602) fortwirkt. – Im 19. Jh. schufen T.e u. a. M. von Schwind, A. Rethel (Texte von R. Reinick). Textlose T.e finden sich im 20. Jh. von A. Kubin, HAP Grieshaber.

⊓ Fest, J.: Der tanzende Tod. Über Ursprung u. Formen des T.es v. MA bis zur Gegenwart. Lübeck 1986. – Koller, E.: T. Innsbruck 1980. – Rosenfeld, H.: Der mal. T. Köln/ Graz ²1968. – Stammler, W.: Der T., Entstehung u. Deutung. Mchn. 1948. – KLL – RL.   S

Traductionym, n. [gr.-lat. Kunstwort aus traductio (lat.) = Übersetzung, onoma (gr.) = Name], Grenzfall des ╱Pseudonyms: Der Verfassername wird in eine andere Sprache übersetzt, z. B. (J.) Corvinus für (W.) Raabe; bes. in Humanismus und Barock sind Gräzisierungen und Latinisierungen häufig: z. B. Ph. Melanchthon für Ph. Schwarzerd(t), A. Olearius für A. Ölschläger, A. Gryphius für A. Greif. S

Tragik, f. [gr. tragikē (technē) = Kunst des Trauerspiels], philosoph.-ästhet. Grundbegriff; in der Literatur wesentl. Gattungsmerkmal der ↗Tragödie. Die Frage nach dem Wesen des Tragischen steht im Mittelpunkt der neuzeitl. Tragödiendiskussion. Dabei können im wesentl. drei Theorien des Tragischen unterschieden werden. Die *moralist. Theorie* sieht das Wesen des Tragischen in der trag. Schuld; sie reduziert T. auf den Mechanismus von moral. Schuld und einer ins Maßlose gesteigerten Sühne. Nach der *fatalist. Theorie* beruht T. im Walten eines unentrinnbaren »trag. Schicksals« (lat. *fatum*); diese Vorstellung hat ihren Niederschlag v. a. im romant. ↗Schicksalsdrama gefunden. Die *idealist. Theorie* (Hegel; weiterentwickelt bei F. Hebbel ↗Pantragismus) sieht das Wesen des Tragischen im »trag. Konflikt« von Individuum und Gesellschaft, Freiheit und Gesetz, Individualethik und Verantwortungsethik, Freiheit und Notwendigkeit usw. Alle diese Theorien des Tragischen beruhen auf histor. Fehlinterpretationen der gr. Tragödie und stimmen mit der von Aristoteles in seiner Poetik gegebenen Deutung der Tragödie (s. d.) nicht überein (vgl. auch ↗Katharsis).

📖 Sander, V. (Hrsg.): T. u. Tragödie. Darmst. 1971. – Mack, D.: Ansichten zum Tragischen. Mchn. 1970. – Forster, F.: Studien zum Wesen v. Komik, T. und Humor. Diss. Wien 1967. – Jaspers, K.: Über das Tragische. Neuaufl. Mchn. 1961 u. ö. – Weber, A.: Das Tragische u. die Gesch. Hbg. 1943. – Volkelt, J.: Ästhetik des Tragischen. Mchn. [4]1923. K

Tragikomödie, dramat. Gattung, in der trag. und kom. Elemente sich wechselseit. durchdringen, bzw. so zusammenwirken, daß die Tragik durch humorist. Brechung gemildert wird oder die trag. gebrochene Komik die trag. Aspekte vertieft. Grenzformen sind, je nach der Gewichtung der Aspekte, die satir. Komödie, die ↗Groteske (Verzerrung des Komischen), das ↗Rührstück, das ↗weinerl. Lustspiel (nur mäßige Komik und Tragik); tragikom. Szenen erscheinen auch in Tragödien integriert, vgl. u. a. bei Shakespeare (Totengräberszene im »Hamlet«, Narrenszenen im »Lear«). – Als Gattung definiert wird die T. *in der Renaissance:* J. C. Scaliger (1561) rechtfertigt sie unter Hinweis auf die (allerdings seltene) Praxis der Antike (Euripides); G. B. Guarini, Donatus, Lope de Vega entwickeln ihre Theorie und Guarini führt einer (nicht eindeutigen) Stelle bei Aristoteles (Poetik 13) und der Bez. *tragico-comoedia*, mit der Plautus seinen »Amphitruo« kennzeichnete (Prolog), in dem ein ›regelwidriges‹ Nebeneinander von trag. und niederen Personen, von trag. und burlesken Elementen herrsche. Danach gilt die T. bis ins 18. Jh. als dramat. Form, für die zwei Einheiten gegenüber dem klass. Regelkanon charakterist. sind: 1. die Durchbrechung der ↗Ständeklausel, 2. der untrag. Ausgang einer trag. angelegten Begebenheit. Dieser Typus erlebt eine *1. Blüte im Barock:* abgesehen von den sentimentalen schäferl. T.en (↗Schäferdichtung), z. B. Guarinis »Pastor fido« (1590), an dessen ›Mischform‹ sich die Theoriediskussion entzündete, handelt es sich um regelstrenge Tragödien mit heiterem Ausgang, vgl. *in Frankreich* die T.en von R. Garnier, A. Hardy, J. de Rotrou, P. Du Ryer, G.de Scudéry u. a.; die (nach heutiger Definition) bedeutendsten T.en dieser Zeit sind Molières ›Komödien‹ »Le Misanthrope« (1667) und »Tartuffe« (1669) und einige der Komödien Shakespeares (neben »Troilus und Cressida« 1609 und »Sturm«). Weitere *engl. Vertreter* der barocken T. sind G. Peele, R. Greene, F. Beaumont, J. Fletcher, Ph. Massinger, Th. Dekker, Th. Heywood. Die teilweise Betonung der bürgerl. Realität macht die engl. T. zum Vorläufer des ↗bürgerl. Trauerspiels. – *In Deutschland* erscheinen Bezz. wie *tragicocomoedia, comicotragoedia* zunächst willkürl. für die Stücke des lat. und dt. ↗Schuldra-

mas, der ↗engl. Komödianten und dt. ↗Wanderbühnen (vgl. die 1. T. dieser Art von V. Boltz: »Tragicomoedia Sant Pauls Bekerung«, 1546). Anschluß an die europ. barocke Tradition finden J. Ch. Hallmann und A. von Haugwitz. – Die dt. klassizist. Poetik von M. Opitz bis J. Ch. Gottsched lehnt die T. als ›Bastardgattung‹ ab, so auch G. E. Lessing (Hamburg. Dramaturgie, 70. Stück); er skizziert dort aber zugleich eine *neue* Möglichkeit der Gattung, die weitgehend der heutigen Definition entspricht (vgl. ähnl. in Frankreich D. Diderots Theorie des *genre sérieux*). *Ende des 18. Jh.s* setzt dann, z. T. im Zusammenhang der Shakespearerezeption, eine neue theoret. Beschäftigung mit der T. ein (J. M. R. Lenz, A. W. Schlegel, V. Hugo, F. Hebbel, G. B. Shaw, R. Dehmel), die bis in die jüngste Gegenwart anhält u. die die T. immer intensiver, insbes. in der zur Groteske tendierenden Spielart, als die dem modernen existentiellen Bewußtsein adäquate Form empfindet (F. Dürrenmatt, E. Ionesco). Nach einer ersten Phase (J. M. R. Lenz, »Hofmeister«, »Soldaten«, L. Tieck, »Der gestiefelte Kater«, 1797, H. v. Kleist, »Amphitryon«, 1807, G. Büchner, »Leonce und Lena«, 1836, F. Hebbel, »Trauerspiel in Sizilien«, 1851) erreicht die T. eine *neue europ. Blüte* um die Jh.wende mit H. Ibsen (»Wildente«, 1884 u. a.), A. Strindberg (»Rausch«, 1899), A. Tschechow (»Kirschgarten« 1904, »Onkel Wanja« u. a.), E. Rostand (»Cyrano von Bergerac«, 1897), F. W. van Eeden (»Ysbrand«, 1908), J. M. Synge (»Der heilige Brunnen«, 1905), A. Schnitzler (»Der grüne Kakadu«, 1899), G. Hauptmann (»Der rote Hahn«, 1901, »Die Ratten«, 1911) u. a. Seit ca. 1920 nehmen die grotesken Elemente überhand und bestimmen die Entwicklung bis heute: u. a. F. Wedekind, G. Kaiser, L. Pirandello, E. O'Neill, J. Giraudoux, J. P. Sartre, F. Werfel, J. Anouilh, F. Dürrenmatt (»Besuch der alten Dame«, 1956), S. Beckett, E. Ionesco, B. Behan, H. Pinter, E. Albee, H. E. Nossack, W. Hildesheimer, Th. Bernhard.

📖 Dutton, R.: Introduction to modern Tragicomedy. Brighton 1986. – Hirst, D. L.: Tragicomedy. London 1984. – Dutton, R.: Modern Tragicomedy and the British Tradition. Brighton 1980. – Guichemerre, R.: La tragicomédie. Paris 1981. – Melzer, G.: Das Phänomen d. Tragikomischen. Kronberg 1976. – Guthke, K. S.: Die moderne T. Theorie u. Gestalt. Dt. Übers. Gött. 1968. – Herrick, M. T.: Tragicomedy. Its origin and development in Italy, France and England, Urbana (Ill.) [2]1962. – Dürrenmatt, F.: Theaterprobleme. Zürich 1955 *(wichtigste Theorie der modernen T.).* – RL IS

Tragödie, f. [gr. tragodia = Bocksgesang], bedeutendste Gattung des europ. ↗Dramas; in einem engeren Sinne die griech. (att.) T., die, bei wechselnder Interpretation, als stoffl., formales und eth. Muster die weitere Entwicklung des europ. Dramas in der Antike (röm. T.) und erneut seit der Renaissance (neuzeitl. T., Trauerspiel) wesentl. beeinflußt hat. – *Die griech. (att.) T.: Ursprung und Frühgeschichte.* Sie ist auf Grund der wenigen und teilweise problemat. Zeugnisse (Herodot, I 23 und V 67; Aristoteles, Poetik, 1449a, 9–25), zu denen noch archäolog. Befund und die Ergebnisse der archäolog. Untersuchung kommen, nur in Umrissen zu rekonstruieren. Danach weisen Etymologie u. Ursprünge auf prähistor. Kulte, auf rituelle Begehungen von als Böcke (gr. *tragoi*) verkleideten Chören *(tragikoi choroi);* die alexandrin. und röm. Deutung, nach der die Bez. ›T‹ im dann Brauch zurückgehen solle, daß die Sieger im trag. Agon mit einem Bock zu belohnen, ist demgegenüber eine aus der Bez. abgeleitete These. Die eigentl. Anfänge der T. liegen im Dionysoskult, der im 8. Jh. aus Kleinasien auf den Peloponnes importiert wird. Ihre Vorform ist das dionys. Oratorium des ↗Dithyrambus, eine chor. Aufführung zu Ehren des Dionysos, gesungen und getanzt von einem (jetzt wohl nicht mehr böckisch) vermummten und maskierten ↗Chor, der von einem Chorführer (gr. ↗Koryphaios, exarchon) angeführt wird. Inhalte dieser Tanzspiele mit mag. Charakter sind die »Widerfahrnisse« (gr. *pathea*) des Gottes selbst. Der zunächst improvisierte Dithyrambus wird früh kunstmäßig gestaltet, zuerst wohl um 600 v. Chr. in Korinth durch Arion aus Methymna; seine Leistung ist (vermutl.) die Bindung der Aufführung an einen festen poet. Text. Gleichzeitig vollzieht sich ein inhaltl. Wandel: an die Stelle der Taten und Leiden des Dionysos treten Stoffe aus der Heroensage, nachweisbar zuerst in Sikyon unter dem Tyrannen Kleisthenes. Die kunstmäßige Gestaltung und die Aufnahme ep. Stoffe entfremden den Dithyrambus zugleich dem eigentl. Kultischen. Der Ausbau dieses formal und inhaltl. gewandelten (literarisierten und episierten) Oratoriums zur T. erfolgt dann in der 2. Hälfte des 6. Jh.s in *Athen* zur Zeit des Peisistratos. Hier wird, vermutl. durch Thespis, ein Schauspieler (↗Hypokrites, ↗Protagonist) in die T. eingeführt. Damit ergibt sich als eine Art Urform der T. die Folge von Einzugslied (↗Parodos), Auftritt des Schauspielers, i.d.R. wohl mit einem Botenbericht (↗Epeisodion), auf den der Chor im sog. Standlied (↗Stasimon) reagiert; daran schließt sich evtl. ein lyr. Wechselgesang zwischen Chor und Schauspieler (↗Amoibaion) an. Das Auszugslied (↗Exodos) bildet den Schluß. Der Chor befindet sich während der ganzen Aufführung auf der Bühne. Die Einführung eines zweiten Schauspielers (↗Deuteragonist) durch Aischylos ermöglicht schließl. den Dialog und darüberhinaus eine formale Ausweitung der T.: die Folge von Epeisodion und Stasimon im Mittelteil der T. wird mehrfach wiederholt. Damit ist die Entwicklung vom chor. Dithyrambus zur dramat. Großform abgeschlossen. Weitere dramaturg. Möglichkeiten schafft Sophokles durch die Einführung eines dritten Schauspielers (Tritagonist). – Neben die T. tritt seit der 2. Hälfte des 6. Jh.s das der (↗Satyrspiel, zuerst von Pratinas von Phleios aufgeführte) ↗Satyrspiel, evtl. ein Versuch, die ursprüngl. improvisierte Form des dionys. Dithyrambus wiederzubeleben; es wird jedoch im Laufe des 5. Jh.s denselben Literarisierungstendenzen unterworfen wie die T. – Die **klass. T. des 5. Jh.s v. Chr.** kann definiert werden als »ein in sich abgeschlossenes Stück der Heldensage, poet. bearbeitet in erhabenem Stile für die Darstellung durch einen att. Bürgerchor und zwei bis drei Schauspieler und bestimmt, als Teil des öffentl. Gottesdienstes im Heiligtum des Dionysos aufgeführt zu werden« (U. von Wilamowitz-Möllendorff). Ihre *Stoffe* entstammen der ep. Tradition (Heroenmythos); nur selten finden (zeit)geschichtl. Themen Eingang in die T. (Aischylos, »Die Perser«). Ihre formale *Struktur* wird bestimmt durch die Spannung zwischen Chor und Schauspieler(n), Gesang und dramat. Rede, d. h. emotionell-musikal. und log. Elementen, irrational-ekstat. und rationaler Seelenhaltung. Ihre traditionellen Bauelemente sind das gesungene und getanzte ↗Chorlied (Parodos, Stasimon, Exodos) und die gesprochene und gespielte Szene (Epeisodion); innerhalb der Epeisodia wird zwischen ↗Monolog und ↗Dialog, zwischen längeren geschlossenen Redeabschnitten (↗Rhesis, häufig ep. Formen wie ↗Botenbericht und ↗Teichoskopie) und zeilenweise aufgeteilten dramat. Wechselreden (↗Stichomythien) unterschieden. Die Chorlieder sind in komplizierten lyr. Strophenmaßen gehalten und häufig in Strophen-↗Triaden angeordnet, die Verse der gesprochenen Teile im rationalen, prosanahen jamb. ↗Trimeter und (seltener, aber in der T. wohl das ursprünglichere Maß) im tänzer. trochä. ↗Tetrameter, beide in stich. Reihung. Häufig sind auch Wechselgesänge zwischen Chor und Schauspieler(n) (Amoibaia) und vom Schauspieler gesungene arienartige ↗Monodien. Der Parodos des Chores kann ein von Schauspielern gesprochener monolog. oder dialog. ↗Prolog vorausgehen. – *Die innere Form der T.* ist durch das Tragische (↗Tragik) bestimmt. Nach der Poetik des Aristoteles führt die in ihren Grundzügen (mythos) überlieferte Handlung (gr. *praxis)* dem Zuschauer eine Wandlung (gr. *meta-*

bole) vor, meist vom Glück (gr. *eutychia*) zum Unglück (gr. *atychia, dystychia),* die sich an einem durchschnittl. (»mittleren«) Menschen, der weder ein Verbrecher noch absolut tugendhaft ist, vollzieht. Diese Wandlung geschieht im Zeichen eines ›üblen Dämons‹ (gr. *kakodaimonia),* der sinnzerstörend in das Geschehen eingreift. Sie ist gleichzeitig eine ↗Anagnorisis, eine Wandlung von der Unkenntnis (gr. *agnoia)* zur Kenntnis (gr. *gnosis).* Der ›üble Dämon‹ wird in der *agnoia* wirksam. Er manifestiert sich in der trag. Verfehlung (gr. ↗Hamartia) des Helden, seinem unschuldig Schuldig-Werden – im Affekt, in der Verblendung, im Leichtsinn oder in der Selbstüberschätzung (↗Hybris). Der Zuschauer ist an diesem trag. Geschehen beteiligt durch »Schauder« und »Jammer« (gr. *phobos* und *eleos)* und die daraus entspringende ↗Katharsis (vgl. auch ↗Poetik), einen psych. Reinigungsprozeß, in dem der kult. Sinn der T. auch in klass. Zeit noch deutl. wird. Dem *phobos* entspricht in der T. das Herannahen des Dämons, dem *eleos* das Offenbarwerden der menschl. Gebrechlichkeit im Schicksal des trag. Helden, der Katharsis die Aufhebung dieses sinnzerstörenden trag. Vollzugs in den Sinnzusammenhang einer göttl. Weltordnung, die auch im Kollektiv des Chors präsent ist. *Die Aufführungen* der T.n fanden im Rahmen der att. ↗Dionysien statt; sie waren als Wettbewerb (↗Agon) angelegt, an dem sich jährl. drei Dichter beteiligen durften, deren jeder (mit Sicherheit seit Aischylos) eine ↗Tetralogie aus drei T.n (↗Trilogie) und einem Satyrspiel zur Aufführung bringen mußte. Der Autor der besten Tetralogie erhielt dabei den Preis. Seit 449 v. Chr. waren auch die Schauspieler am Agon beteiligt. Veranstaltet wurden die Spiele vom Magistrat der Polis; finanziert wurden sie durch die reichen Bürger der Stadt (↗Chorege, vgl. auch ↗Bühne, ↗Maske). *Zeugnisse:* Von den zahlreichen T.n des 5. Jh.s sind uns ledigl. die von alexandrin. Philologen des 3. Jh.s (Aristophanes von Byzanz) besorgten Auswahlausgaben der drei *tragici maiores* (der drei großen Tragiker) Aischylos (73 [90?] Titel; erhalten »Die Perser«, »Hepta«, »Die Hiketiden«, die »Orestie« [»Agamemnon«, »Choephoren«, »Eumeniden«], »Prometheus«, mit Scholien versehen), Sophokles (132 Titel; erhalten ebenfalls 7 mit Scholien versehene T.n: »Trachinierinnen«, »Aias«, »Antigone«, »Oidipus Tyrannos«, »Elektra«, »Philoktet«, »Oidipus auf Kolonos«) und Euripides (92 Titel, erhalten 19 T.n, davon 10 mit Scholien, u. a. »Alkestis«, »Medea«, »Elektra« »Die Troerinnen«, »Iphigenie bei den Tauern«, »Iphigenie in Aulis«, »Die Bakchen«) überliefert. Von den Vorgängern und Zeitgenossen des Aischylos sind namentl. bekannt Thespis (2. Hälfte 6. Jh.) und Choirilos von Samos, Pratinas von Phleios und Phrynichos (frühes 5. Jh.), von den *tragici minores* (den kleinen Tragikern) der späteren Zeit Agathon, Ion von Chios, Kritias, Euphorion (ein Sohn des Aischylos), Iophon (ein Sohn des Sophokles), der jüngere Sophokles (ein Enkel des Sophokles), im 4. Jh. Astydamas und Theodektes, in alexandrin. Zeit die Dichter der ↗Pleias. – In den überlieferten Werken des Aischylos, Sophokles und Euripides läßt sich eine zunehmende Verschiebung in der Auffassung des Tragischen feststellen. Während bei den T.n des Aischylos der Akzent auf der Aufhebung menschl. Tragik im immer wieder neu hergestellten Sinnzusammenhang der göttl. (und polit.) Weltordnung liegt, betont Sophokles die Gottferne des Menschen und seines Leidens; der Sinn des trag. Geschehens wird gleichwohl als göttl. hingenommen. Bei Euripides erscheint das trag. Geschehen als sinnentleertes Spiel der *tyche* – das Handeln der Götter ist dem Menschen nicht mehr begreiflich. *Die röm. T.,* 240 v. Chr. durch Senatsbeschluß eingeführt, ist stoffl. und formal an griech. (alexandrin.) Vorbildern abhängig (↗Crepidata). Die Stücke wurden als *ludi Graeci* (griech. Spiele) im Rahmen der großen öffentl. Feste, aber auch anläßl. außergewöhnl. Ereignisse (Triumph, feierl. Leichenbegängnisse) aufgeführt. Sie galten als Teile des röm. Staatskultes und wurden durch die Aedilen (Beamte, zuständ. für Bau-, Markt- u. Zirkuswesen) organisiert. Am Agon waren im Gegensatz zur att. T. nicht die Dichter, sondern Schauspieler und Regisseure beteiligt. Begründer der röm. T. sind Livius Andronicus und Naevius. Letzterer führt als neue Form der röm. T. die ↗Praetexta ein, die histor.-polit. Gegenstände aus der röm. Nationalgeschichte behandelt. Beider Werke sind allerdings, wie auch die der jüngeren Autoren Ennius, Accius und Pacuvius und der Tragiker der augusteischen Zeit (darunter C. I. Caesar, Cicero, Augustus, Ovid) nur in einzelnen Zitaten erhalten. Überliefert sind dagegen 9 T.n des Seneca (u. a. »Agamemnon«, »Medea«, »Ödipus«, »Phaedra«, »Die Troerinnen«) und, als einzige Praetexta, die ihm wohl fälschl. zugeschriebene »Octavia«. Diese Werke zeichnen sich durch ihren Formalismus (stark rhetor. Charakter des Dialogs, Gliederung in 5 Akte entsprechend einer normierten Anzahl von Stasima und Epeisodia), ihre theatral. Effekte und ihre Vorliebe für Monstrositäten aus. – *Die neuzeitl. T.* setzt mit dem Humanismus ein. Ihre *ersten Ausprägungen* findet sie im 16. Jh. im lat. ↗ *Humanistendrama,* im italien., franz. und engl. Drama der Renaissance (vgl. z. B. ↗ *elisabethan. Drama),* im dt. ↗ *Reformationsdrama* und im lat. ↗ *Jesuitendrama;* im 17. Jh. in der franz. ↗ *haute tragédie* und im ↗ *schles. Kunstdrama.* Die T.n dieser Zeit sind gekennzeichnet durch die formale Abhängigkeit vom antiken Vorbild, den T.n des Seneca: 5 Akte, Aktgliederung durch Chöre (an deren Stelle allerdings auch ↗ Zwischenspiele und Zwischenaktmusiken treten können), rhetor. Charakter des Dialogs; die aristotel. Deutung der T. wird zwar übernommen, jedoch auf Grund von Mißverständnissen teilweise uminterpretiert, z. B. werden ↗ Ständeklausel und ↗ Fallhöhe aus der Poetik des Aristoteles als Strukturelemente der T. abgeleitet. Die wirk-ästhet. Dreiheit von *phobos, eleos* und ↗ Katharsis wird im Sinne pädagog. Abschreckung bzw. einer Erziehung zum stoischen Ideal der *ataraxia/constantia* umgedeutet. Diese Entwicklung gipfelt im barocken Trauerspiel, insbes. im ↗ *Märtyrerdrama* als seiner wichtigsten Ausprägung. Eine Sonderstellung nehmen die ↗ *Charaktert.n* Shakespeares ein, bei denen die trag. Konflikt im widersprüchl. Charakter des Helden angelegt ist. – *Im 18. Jh.* vollzieht sich die schrittweise Ablösung von der normativen Poetik. Während J. Ch. Gottsched in Deutschland noch die Nachahmung der klass. franz. T. fordert, durchbricht G. E. Lessing im ↗ *bürgerl. Trauerspiel* den strengen Regelkanon (Blankvers, Mißachtung der Ständeklausel, Neudeutung des Aristoteles), so daß von nun an der Weg für vielfält. formale ↗ offene Form), stoffl. und weltanschaul. Neuansätze frei ist (T.en des ↗ Sturm und Drang, der ↗ Romantik, G. Büchner). Nur noch gelegentl. finden sich formale Nachahmungen der antiken T. (F. Schiller, Die Braut von Messina«). Das Hauptinteresse wendet sich v. a. dem Problem des Tragischen zu, das im Konflikt von Individuum und Gesellschaft, Freiheit und Notwendigkeit, Ich und Welt, Mensch und Gott seinen Ausdruck findet, einem Konflikt, der nur in der trag. Vernichtung des Individuums aufhebbar wird. Antikes Vorbild ist daher v. a. Sophokles. Die bedeutendste Ausprägung dieses Typus ist die Geschichts-T. des dt. Idealismus (↗ Geschichtsdrama, F. Schiller, F. Grillparzer, F. Hebbel). Das im frühen 19. Jh. beliebte ↗ *Schicksalsdrama* beruht auf einer Fehlinterpretation die sophokle. »König Ödipus«. Seit F. Nietzsches Abhandlung über die »Geburt der T. aus dem Geiste der Musik« (1871) mehren sich die Versuche, die archaischen (G. Hauptmanns »Atridentetralogie«) und kult. (C. Orff) Elemente der T. wiederzubeleben, oder die T. im Sinne archetyp. Situationen zu psychologisieren (E. O'Neill). Das Vorbild des Sophokles wird dabei durch Aischylos abgelöst. Für das moderne Bewußtsein scheint jedoch die T. nicht mehr mögl. (nach K. Jaspers schon seit Hebbel), da die in ihr vorausgesetzten Werte

»nicht mehr als etwas Dauerndes, von den Menschen nicht Abänderbares, für alle Menschen Bestehendes betrachtet« werden können (B. Brecht, vgl. ↗ ep. Theater); an ihre Stelle treten die ↗ Tragikomödie, die ↗ Groteske, das ↗ absurde Theater (vgl. auch: ↗ Komödie).

📖 Breuer, R.: Trag. Handlungsstrukturen. Eine Theorie d. T. Mchn. 1988. – Wagner, H.: Ästhetik der T. von Aristoteles bis Schiller. Würzbg. 1987. – Zimmermann, B.: Die griech. T. Mchn. 1986. – Söring, J.: T. Stuttg. 1982. – Corrigan, R. W.: Tragedy. New York ²1981. – Pillau, H.: Die fortgedachte Dissonanz. Hegels T.ntheorie u. Schillers T. Mchn. 1981. – Melchinger, S.: Die Welt als T. 2 Bde. Mchn. 1979/80. – Melchinger, S.: Das Theater der T. Aischylos, Sophokles, Euripides auf d. Bühne ihrer Zeit. Mchn. 1974. – Wiese, B. v.: Die dt. T. von Lessing bis Hebbel. Hamb. ⁸1973. – Lesky, A.: Die trag. Dichtung der Hellenen. Gött. ³1972. – George, D.E.R.: Dt. T.ntheorien vom MA bis zu Lessing. Texte u. Kommentare. Mchn. 1972. – Jens, W. (Hrsg.): Die Bauformen der griech. T. Mchn. 1971. – Sander, V. (Hrsg.): Tragik und T. Darmst. 1971. – Kommerell, M.: Lessing u. Aristoteles. Unters. über die Theorie der T. Frkft. ⁴1970. – Lesky, A.: Die griech. T. Stuttg. ⁴1968. – Benjamin, W.: Ursprung des dt. Trauerspiels (1928); in: Schriften, hrsg. v. R. Tiedemann, Bd. 1 Frkft. ²1972. – Schadewaldt, W.: Shakespeare u. die griech. T.; in: Shakespeare-Jb. 96 (1960) 7 ff. – Pohlenz, M.: Die griech. T. 2 Bde. Gött. ²1954. K*

Traktat, m. [lat. tractatus = Behandlung], literar. Zweckform in Prosa, Abhandlung über ein relig., moral. oder wissenschaftl. Problem, z. B. »Tractatus de primo principio« (T. über das erste Prinzip) von Johannes Duns Scotus (1305) oder »Tractatus theologico-politicus« von B. de Spinoza (1670); in Deutschland seit dem 16. Jh. häufig im Titel popular-theolog. ↗ Erbauungsliteratur (z. B. Hieronymus Weller: »T. vom Leiden und der Auferstehung Christi«, 1546), relig. Flugschriften, Streit- und Schmähschriften, daher ›T.‹ bisweilen auch abschätzig als Bez. für platt tendenziöse Schrift (›Traktätchen‹) verwendet, nicht dagegen in anderen Sprachen, vgl. B. Pascal, ›Traité du traite arithmétique« (ersch. postum 1665), Voltaire, ›Traité sur la tolérance« (1763 u. a.). – RL. S

Trauerspiel, dt. Bez. für ›Tragödie‹, eingeführt von Ph. v. Zesen (Hochdt. Helicon, 1641) nach dem Vorbild ↗ ›Lustspiel‹ für ›Komödie‹, heute synonym mit Tragödie gebraucht; von manchen Literaturwissenschaftlern wird ›T.‹ auch eingeengt auf dramt. Werke, deren Helden als Vertreter eines christl. Stoizismus zwar leiden und untergehen, als Christen trag. Konflikten aber entrückt sind, z. B. im barocken ↗ Märtyrerdrama. – RL. IS

Traum in der Literatur, der T. galt jahrhundertelang als die Sphäre der Berührung des Menschen mit metaphys. Mächten, wo direkt oder verschlüsselt höhere Einsichten, Weissagungen, Botschaften, göttl. Aufträge übermittelt wurden (vgl. z. B. den antiken Tempelschlaf [Inkubation], Jakobs T. oder die T.e Pharaos im AT [1. Mos. 28,11–22; 41, 1–36], Josephs T.e im NT [Matth. 2,13–23]). Verschlüsselte, unverständl. T.-inhalte wurden von T.deutern mit Hilfe sog. *T.bücher* gedeutet (Zeugnisse schon 2. Jt. v. Chr. in Ägypten). Das umfassendste erhaltene T.buch ist die »Oneirokritika« des Artemidoros von Ephesus (oder Daldis, 2. Jh. n. Chr.), ein Werk in 5 Büchern, das stoische Lehren und babylon.-ägypt. Gedankengut verarbeitet und das, auch formal (Klassifizierung der T.e nach Wahrheitsgehalt), für das gesamte MA. von grundlegender Bedeutung war und heute eine wichtige Quelle für den antiken T.glauben darstellt. Auch zu literar. Aussagen wurde der T. als Fiktion oder Motiv vielfältig genutzt, in Antike und MA. z. B. häufig als *T.-allegorie:* Die Schilderung einer T.begegnung mit allegor. Gestalten in allegor. Räumen dient dabei als Einkleidung für moral.-didakt., philosoph., theolog., polit. Themen, für Utopie und Kritik. Vorbild war das im

MA. hochberühmte, vielfach (gesondert) tradierte und kommentierte staatstheoret.-eth. »Somnium Scipionis« aus Ciceros »De re publica« (Buch VI, 54 v. Chr.); weitere traditionsbildende T.allegorien sind der minnedidakt. »Rosenroman« von G.de Lorris (um 1230, fortgeführt von J.de Meung um 1280, zugleich die berühmteste ↗Minneallegorie des MA.s), diesem sind v. a. G. Boccaccios »L'amorosa visione« (1342/43), F. Petrarcas »Trionfi« (1352ff.), G. Chaucers »Parlement of foules« (1382), Hermanns v. Sachsenheim »Mörin« (1453) verpflichtet. Zeitgeschichtl., theolog. u. philosoph. Bereiche durchmessen »Der T.« (»Lo Somni«, 1397) des katalan. Dichters Bernat Metge und v. a. die bis ins 16. Jh. wirkende »Vision of William concerning Piers the Plowman« von J. Langland (Ende 14. Jh.). *T.-Satiren* sind dagegen »Der T. oder der Hahn« von Lukianos (163 n. Chr.) oder die »Sueños« (»Träume«, 1627) F. de Quevedos, auch sie mit vielen Nachahmungen (z. B. von J. M. Moscherosch, 1650). Einige dieser Werke berühren sich mit der *T.-Vision,* die (ohne allegor. Einkleidung), Ideal- oder Schreckbilder jenseit. Welten entwirft. Ihre Tradition wurde in frühchristl. Zeit begründet durch die Petrus- und Paulusapokalypse (2.–4. Jh.); wichtige Zeugnisse sind die gr. Kirchenvision »Der Hirt« des Hermas (Mitte 2. Jh.), die mlat., poet. gestaltete »Visio Wettini« von Walahfrid Strabo (9. Jh.), die »Visio Tundali« (1149, an die Stelle des T.s tritt der Scheintod; ihnen folgen viele dt. Prosa- und Vers-Bearbeitungen und zahlreiche myst. Visionen. Krönung dieser Gattung ist Dantes »Comedia« (1307/21); eine T.vision (die moderne geist. Entwicklungen vorwegnimmt) ist Jean Pauls »Rede des todten Christus vom Weltgebäude herab, daß kein Gott sei« (1796). – Der T. ist außerdem in literar. Werken ein häufiges und beliebtes *Motiv,* z. B. der träumende Bauer (bereits in »1001-Nacht«, u.a. »Jeppe vom Berge«, 1722 von L. v. Holberg), er ist Mittel der ↗Vorausdeutung (Kriemhilds Falken-T. im »Nibelungenlied«), der Kritik (Oblomovs T. im gleichnam. Roman von I. A. Gontscharow, 1859). Der T. dient ferner als *Strukturelement* (P. Calderón, »Das Leben ist T.«, 1631/32, F. Grillparzer, »Der T. ein Leben«, 1840) oder als *Rahmen* (W. Shakespeare, »Der Widerspenst. Zähmung«, 1594–98, G. Hauptmann, »Schluck und Jau«, 1900). Seit der europ. Romantik wird der T. immer mehr als Raum und Zeit aufhebende, alog.-eigenschöpfer. Phantasiewelt erkannt und dichter. nachgestaltet (Novalis, »Heinrich von Ofterdingen«, 1802, C. Brentano, L. Tieck); insbes. dem ↗Symbolismus und den in ihm wurzelnden Strömungen (bes. ↗Surrealismus) gilt der T. geradezu als wahres Abbild der Wirklichkeit (erstmals in Ch. Nodiers Erzählung »Smarra«, 1821; vgl. u. a. auch A. Strindberg, »Traumspiel«, 1902, F. Kafkas Charakterisierung seiner Werke als »Gestaltung meines traumhaften inneren Lebens«). Eine dichter. Umsetzung der in der Literatur eine fundamentale Neuorientierung bewirkenden »T.-deutung« S. Freuds (1900) ist A. Schnitzlers »T.novelle«, 1926.

⊞ Fischer, Steven R.: The dream in the Mhg. epic Bern/Frkf. 1978. – Spearing, A. C.: Medieval Dream-poetry. Cambridge 1976. – Kamphausen, H. J.: Traum u. Vision in der lat. Poesie d. Karolingerzeit. Bern/Frkf. 1975.   IS

Travestie, f. [von italien. travestire u. frz. travestir = verkleiden], komisch-satir. literar. Gattung, die einen bekannten Stoff beibehält, seine Stillage oft grob verändert, eine Form der aktualisierten u. häufig nicht nur traditions-, sondern gleichzeitig gesellschaftskrit. Auseinandersetzung. Entgegen gängigen Definitionen kommt es nicht immer auf eine bloße Verspottung der travestierten Vorlage an; ebensowenig existieren nur T.n in eine ›niedrigere‹ Stillage. Erkennbarkeit, Effekt u. ›Witz‹ der T. beruhen stets auf der Diskrepanz zwischen altem Inhalt u. neuem Gattungsniveau, wobei das Kalkül mit dem Zeitaspekt u. dem so gebrochenen Erwartungshorizont eine zentrale Rolle spielt

(so z. B., wenn Barbara Garson in »MacBird« [1967] Shakespeares »Macbeth«umfunktioniert zu polit. Kritik am Clan der Kennedy u. Johnson). Abgesehen von der Beibehaltung des Stoffes zeigen sich zwischen T. u. ↗Parodie wechselseitige Übergänge, vor allem in den reinen Literatur-T.n, die heute seltener sind als im 17.–19.Jh. (Vergil-T.n von P. Scarron »Le Virgile travesti«, 1648–53, von A. Blumauer 1783; J. N. Nestroys T.n von Hebbel, Meyerbeer, Wagner; Ch. Morgenstern, »Horatius travestitus«, 1897).

⊞ Karrer, W.: Parodie, T., Pastiche. Mchn. 1977. – Görschen, F.: Die Vergilt.n in Frankreich. Diss. Lpz. 1937. – Jolles, A.: Die Literatur-T.n. In: Blätter für dt. Phil. 6 (1923). – Bourset, A. (Hrsg.): Das Buch der Parodien u. T.n. Mühlhausen 1920.   GM

Triade, f. [gr. trias = Dreiheit], in der griech. Verskunst Gruppe aus drei Strophen, die sich aus einer ↗Strophe, einer nach dem gleichen metr. Schema gebauten Gegen- oder ↗Antistrophe und einer im metr. Schema abweichenden Abgesangsstrophe oder ↗Epode zusammensetzt (Schema AAB). Strophen-T.n dieser Art finden sich v. a. in der griech. Chorlyrik: vgl. die ↗Pindar. Ode aus mehreren nach diesem triad. System gebauten Abschnitten (Perikopen); auch das ↗Chorlied der Tragödie folgt teilweise dem T.nschema. – Strophen-T.n nach griech. Vorbild finden sich in der neulat. Dichtung (Celtis), der franz. ↗Plejade, in dt. Dichtung v. a. in der Lyrik des 17. Jh.s (allerdings ohne genaue metr. Entsprechung). Bes. A. Gryphius hat sich dieser prunkvollen Form angenommen, er bezeichnet die drei Strophen der T. als *Satz, Gegensatz* und *Zusatz.*   K*

Tribrachys, m. [gr. = dreimal kurz], antiker Versfuß aus drei kurzen Silben (⌣⌣⌣), sog. Brachysyllabus (z. B. *animus*), entsteht i. d. Regel durch Teilung einer Länge in zwei Kürzen beim Jambus oder Trochäus, begegnet häufig im jamb. u. troch. Dimeter, Trimeter, im Senar, Septenar u. a.   DW

Trilogie, f. [gr. tri = drei, logos = Geschehnis, Handlung], Folge von drei stoffl.-themat. zusammengehörigen Dramen im Rahmen eines Aufführungszyklus; ursprüngl. die drei Tragödien in der griech. Dramen- ↗Tetralogie. Gelegentl. wird die Bez. T. auf neuzeitl. Dramen(zyklen) übertragen. In den meisten Fällen handelt es sich dabei jedoch nicht um T.n im strengen Sinne, sondern entweder um umfangreiche Dramen, die aus techn. Gründen in zwei Teile zerlegt wurden, und denen als (ungleichwertiger) dritter Teil ein einaktiges Vorspiel vorangestellt wurde (F. Schiller, »Wallenstein«), oder um Einheiten aus zwei Dramen mit separatem Vorspiel (F. Grillparzer, »Das goldene Vlies«; F. Hebbel, »Die Nibelungen«); diese ›T.n‹ werden nach dem Willen der Autoren an zwei aufeinanderfolgenden Abenden aufgeführt. T.n im Sinne der Vereinigung dreier abendfüllender Dramen sind z. B. F. G. Klopstocks ↗Bardiete (»Hermanns Schlacht«, »Hermann und die Fürsten«, »Hermanns Tod«), Goethes geplante T. aus dem Umkreis der frz. Revolution (ausgeführt der erste Teil: »Die natürl. Tochter«), F. de la Motte-Fouqués »Held des Nordens« und, in jüngster Zeit, E. O'Neills »Trauer muß Elektra tragen«. In übertragenem Sinne wird die Bez. T. auch auf dreiteilige Romanzyklen (z. B. Raabe: »Der Hungerpastor«, »Abu Telfan«, »Der Schüdderump«; E. G. Kolbenheyer, »Paracelsus«-T.) und Gedichtzyklen (z. B. Goethe, »Trilogie der Leidenschaft«) angewandt.

⊞ Steinmetz, H.: Die T., Entstehung u. Struktur einer Großform d. dt. Dramas nach 1800. Hdbg. 1968.   K

Trimeter, m. [zu gr. trimetros, Adj. = aus drei metr. Einheiten], in der antiken Metrik ein aus drei metr. Einheiten (Versfüßen, Dipodien) bestehender Vers, insbes. der jamb. T. aus drei jamb. ↗Dipodien.

(Grundschema: ⌣–⌣–⌣ | –⌣–⌣–⌣⌣: Längen können jeweils in zwei Kürzen aufgelöst werden. Wichtigste Zäsur ist die ↗Penthemimeres (Verseinschnitt nach dem fünften halben jamb. Fuß); seltener ist die ↗Hephthemimeres (Verseinschnitt nach dem siebenten halben jamb. Fuß).

Der in seiner Wirkung prosanahe jamb. T. findet sich in der griech. Dichtung seit Archilochos (7. Jh. v. Chr.), der ihn, wie auch die späteren Iambendichter, v. a. in Schmähgedichten verwendet (╱Iambendichtung). In der att. Tragödie, im Satyrspiel und in der Komödie ist er das Grundmetrum der dramat. ╱Rhesis, das Dialogmaß schlechthin. In der röm. Dichtung setzt sich der jamb. T. seit dem 1. Jh. v. Chr. durch (Varro), vgl. ╱Senar; Horaz verwendet ihn in seinen Epoden (epod. 1–11), in den Tragödien des Seneca ist er, ganz nach griech. Vorbild, der Vers der Dialoge. Auch die christl. Hymnendichtung greift auf den jamb. T. zurück. – Varianten und Sonderformen des jamb. T.s sind 1. der T. *purus* (ein aus ›reinen Jamben‹ gebildeter T., zuerst bei Catull, carm. 4), 2. der um eine Silbe verkürzte *katalekt. jamb. T.* (mit regelmäßiger Hephthemimeres; gelegentl. bei Horaz) und 3. der ╱*Choliambus* oder Hinkjambus. *Dt. Nachbildungen* des jamb. T.s haben sich nur vereinzelt durchsetzen können. Sie finden sich gelegentl. im Drama bei Schiller (»Jungfrau von Orleans«, II, 6–8, »Braut von Messina«, IV, 8), Goethe (»Pandora«, »Palaeophron und Neoterpe«, »Faust II« – Helena-Akt) und vereinzelt bei epigonalen Dramatikern des 19. Jh.s (E. Geibel), in der Lyrik u. a. bei A. W. Schlegel, E. Mörike (»Auf eine Lampe«) und A. v. Platen. Der jamb. T. erscheint hier als 6-hebiger alternierender Vers mit Eingangssenkung und männl. Versschluß; den Auflösungen im antiken T. entsprechend, kommen, v. a. bei Goethe, gelegentl. Doppelsenkungen vor (höchstens 2 pro Vers). Der Vers wird stets reimlos verwandt; die antiken Zäsurregeln werden nicht beachtet. Beispiel: »Bewúndert víel und viel geschólten, / Helená, / Vom Stránde kómm ich, wó wir érst gelándet sind, / Noch ímmer trúnken vón dĕs Gĕwóges régsamém / Geschául el ...« (Goethe, »Faust II«). – Im dt. Drama des 17. Jh.s (Gryphius, Lohenstein) und der Gottsched-Zeit dient, nach frz. Vorbild, der ╱Alexandriner als Ersatzmetrum für den jamb. T.; in der 2. Hälfte des 18. Jh.s setzt sich als Vers des dt. Dramas der in seiner prosanahen Wirkung dem jamb. Tr. vergleichbare ╱Blankvers durch.

☐ Boghart, M.: Der jamb. Tr. im Drama der Goethezeit. Hamb. 1977. K

Triolett, n. [frz. triolet, m.], frz. Gedichtform; in der Terminologie der frz. Verskunst seit dem Ende des 15. Jh.s Bez. für ein ╱Rondeau aus 8 Versen, mit 2 Reimklängen, von denen Vers 1 als Vers 4 und die Verse 1 und 2 als Schlußverse wiederholt werden (Reimschema: ABaA abAB). Die Bez. rührt von der dreimaligen Wiederholung der Eingangszeile (A) her. – Beispiele für das T., das zunächst nur einstroph. und mit epigrammat. Funktion verwandt wird, finden sich seit dem 13. Jh. (Adenet Le Roi). Nachdem es im 16. Jh. vorübergehend an Bedeutung verliert, wird es im 17. Jh. als Form des pointierten polit. Gedichtes in Kreisen der Adelsfronde erneut beliebt. In dieser Zeit begegnen auch längere Gedichte, die sich aus mehreren stroph. aneinandergereihten T.s zusammensetzen (M. A. de Saint Amant, »Les nobles triolets«). Im 19. Jh. greifen Th. de Banville (»Divan Le Peletier«) u. A. Daudet (»Les prunes«) u. a. das T., sowohl als (einstrophige) Gedichtform als auch als Strophenform, wieder auf. – Dt. Nachbildungen finden sich im 18. Jh. bei den ›Anakreontikern‹ (F. v. Hagedorn, Der erste May«), im 19. Jh. bei A. v. Platen, F. Rückert, A. v. Chamisso und E. Geibel. K

Trionfi, m. Pl., Sg. Trionfo [it. = Triumph(zug)], 1. didakt. *Gedichte,* meist in ╱Terzinen, nach Dantes Beschreibung des von allegor. Gestalten und Heiligen begleiteten Triumphzuges der Beatrice in der »Divina Commedia« (Purg. 29,43–30,9); vgl. z. B. G. Boccaccio, »L'Amorosa Visione« (1342/43, gedr. 1521) und v. a. F. Petrarca, »T.«, eine Schilderung der sechs allegor. Gestalten Liebe, Keuschheit, Tod, Ruhm, Zeit, Ewigkeit (begonnen 1352, gedr. 1470), die von einzigart. Wirkung auf seine Zeit war und vielfach nachgeahmt wurde (G. Gubbio, M.

A. Sabellico u. viele andere) und auch zur szen. und bildkünstler. Realisierung anregte: vgl. 2. in der europ. Renaissance *Umzüge zu festl. Anlässen* (Einoder Auszüge fürstl. Persönlichkeiten, Gesandtschaften o. ä., Friedensfeiern, Wahlsiege, auch Karnevalszüge); in ihnen verband sich die Tradition antiker Triumphzüge röm. Feldherren mit literar.-gelehrten, allegor.-emblemat. und volkstüml. Elementen. (Karnevals- und ╱Maskenzüge, kirchl. Prozessionen). Als Mittel der Repräsentation und Selbstbestätigung entfalteten die T. ungeheuren Schauprunk: Kostüme, Wagen mit allegor. Schaubildern (auch Schiffe: Wasser-T. in Venedig, Amsterdam, Antwerpen, Florenz), der Schmuck der Häuser und Straßen wurden oft nach einem bestimmten Programm von berühmten Künstlern (u. a. F. Brunelleschi, Leonardo da Vinci, A. del Sarto, J. Pontormo) entworfen. An bestimmten Haltepunkten der T. (oft eigens errichteten Triumphbögen, Tempeln, Säulen usw.) wurden Ballette, Pantomimen, musikal. Darbietungen, dramat. Szenen, oft ganze ›Multimediaschauen‹ aufgeführt, die die T. zu einer wicht. Vorform des europ. Renaissancetheaters machen. – Die unübersehbare Fülle an Symbolen, Emblemen, Allegorien, die Dichtungen und Ansprachen wurden in Foliobänden zusammengestellt, erklärt, häufig durch Abbildungen festgehalten; sie sind neben Augenzeugenberichten wichtige Quellen dieser Festkultur. – Finanziell getragen wurden die T. vom Bürgertum (Gilden, Zünften, in den Niederlanden z. B. von den ╱Rederijkern) und Adel gemeinsam oder im Wettbewerb. – Die eigentl. T. verfallen mit dem Niedergang der bürgerl. Stadtkultur: Im Barock werden die T. alleinige Angelegenheit der Höfe und, bes. in ihren szen. Teilen, in die Prunksäle der Schlösser verlegt, d. h. mehr und mehr eine Form des höf. Theaters, zum Element des ╱Festspiels (vgl. ╱Masque). Letztes großes europ. Beispiel eines echten Trionfo ist der Einzug des span. Kardinal-Infanten Ferdinand 1635 in Antwerpen unter der Leitung P. P. Rubens.
3. Die literar. aufgeführten T. beeinflußten auch die bildende Kunst, wurden beliebte Vorwürfe für Freskenzyklen, Gemälde, Buchillustrationen, die z. T. wieder Programmvorbilder späterer szen. T. abgaben (z. B. A. Mantegnas »Triumphzug Cäsars«, die mytholog. T. von Annibale Carracci, G. Reni, N. Pussin u. a.); bemerkenswert ist der von Maximilian I. (und J. Stabius) als graph.-literar. Werk konzipierte, von A. Dürer, A. Altdorfer, H. Burgkmair, H. Schäuffelin u. a. ausgeführte »Triumphzug« (und »Triumphbogen«) in einer über 50 m lange Folge von 136 Holzschnitten, die eine »Gemäldepoesie« als Selbstdarstellung seines Herrschertums (1514–19, gedr. 1526).

☐ Weisbach, W.: T. Bln. 1919. IS

Tripodie, f. [gr. = Dreifüßler], in der antiken Metrik rhythm. Einheit aus drei ╱Versfüßen, erscheint oft als ╱Klausel; z. B. kann der ╱Ithyphallikus als troch. gewertet werden. K*

Tristien, f. Pl. [von lat. tristis = traurig], ╱Klage.

Tritagonist, m. [gr.], ╱Protagonist

Trithemimeres, f. [aus gr. tritos = der dritte, hemi = halb, meros = Teil], in der antiken Metrik die ╱Zäsur nach dem 3. halben Fuß eines Verses, z. B. im daktyl. ╱Hexameter –∪∪–‖∪∪–∪∪–∪∪–∪∪–∪ ; meist mit der ╱Hephthemimeres (|) verbunden. In dt. Nachbildungen als männl. Zäsur nach der 2. Hebung. DW

Trivialliteratur [frz. trivial = allbekannt, gewöhnl., zu trivium = Kreuzung dreier Wege, allgem. zugängl. Platz], literar. Schriften, die inhaltl. oder sprachl.-stilist. als ›minderwertig‹ gelten, meist Werke, in denen wieder dieselben Themen (Liebe, Abenteuer, Krieg, Verbrechen, Heimat, Science Fiction) in ›abgedroschener‹, d. h. klischeehafter Weise abgehandelt werden. Zur T. werden im Grunde alle Texte gezählt, die nicht den Maßstäben der jeweils geltenden Normen für die sog. ›gehobene‹ oder ›hohe‹ Literatur entsprechen. Sie umfaßt die größtenteils in Heftform erscheinende sog. ⟋Schundliteratur, den anspruchslosen Fortsetzungsroman wie die Kurzgeschichte einer Kundenzeitschrift, den seriell gefertigten (Leih-)Bibliotheksroman, auch ⟋pornograph. Literatur oder das ›triviale‹ Jugendbuch. Auch Trivialdramen (Volksstücke u.ä.), Triviallyrik (Gelegenheitsgedichte u.ä.), Schlagertexte und ⟋Comics sind der T. zuzurechnen. V.a. die histor. T.-Forschung bezieht Erbauungsschriften, religiöse ⟋Traktate, ⟋Bildergeschichten, ⟋Flugschriften, ⟋Kalender, ⟋Almanache und ⟋Einblattdrucke ebenfalls in den Bereich der T. mit ein. Diese Ausweitung auch auf nicht-poet. Gattungen berücksichtigt vorrangig ein zweites konstitutives Merkmal – neben der ›Minderwertigkeit‹ –: das ihrer ›massenhaften‹ Verbreitung (daher auch die Bestrebungen, die diffamierende Bez. ›T.‹durch neutralere, dieses Merkmal betonende zu ersetzen: ›Massenliteratur‹, ›populäre Literatur‹ u.ä.). Nicht allein die Tatsache, daß die T. in denselben Gattungen wie die Hochliteratur existiert und eine Vielzahl literar. Elemente und Techniken in beiden Bereichen gleichermaßen benutzt werden, hat eine modellhafte Aufteilung in separate Literaturschichten (sog. Zwei-Schichten-Modell: Hochliteratur – T.; sog. Drei-Schichten-Modell: Hochliteratur – ⟋Unterhaltungsliteratur – T.) fragwürdig erscheinen lassen. Auch die Übernahme von Bestandteilen der Trivialsphäre in die zeitgenöss. Hochliteratur machte nachdrückl. darauf aufmerksam, daß fließende Übergänge zwischen den einzelnen Bereichen bestehen und eine Zuordnung zu einem bestimmten Bezirk immer subjektiv, vom individuellen oder kollektiven Geschmack diktiert ist. Die Verwendung des Terminus T. »als Bezeichnung des Literaturkomplexes, den die dominierenden Geschmacksträger einer Zeitgenossenschaft ästhetisch diskriminieren« (H. Kreuzer), wäre deshalb nur konsequent. So gesehen, erfüllt der Begriff – v.a. für wissenschaftl. Zwecke – höchstens eine heurist., kaum aber eine exakt definitor. Funktion. Die Anfänge einer literaturwissenschaftl. Beschäftigung mit der T. reichen zwar bis in die 20er Jahre dieses Jahrhunderts zurück (M. Thalmann), zu einem anerkannten Forschungsgebiet der Germanistik hat sie sich jedoch erst in den späten 60er/frühen 70er Jahren entwickelt. Bereits vorher existenten Bestrebungen, die wirklich ›gelesene Literatur‹, die Lesestoffe des größten Teils der Bevölkerung in den Forschungsprozeß (und in die Literaturgeschichtsschreibung, bereits Mitte des 19.Jh.s von R. Prutz gefordert) mit einzubeziehen, wurde durch die polit. Entwicklungen in der Gesellschaft und an den Hochschulen nach 1968 Nachdruck verliehen. Der anfängl. Versuch, sich der T. mit den an der Dichtkunst entwickelten Methoden und Instrumentarien zu nähern, erwies sich auf die Dauer als wenig fruchtbar. Die (werkimmanente) Interpretation (W. Killy, D. Bayer u.a.), der Vergleich mit der Hochliteratur mußten immer wieder zu einer minderen Wertung der T. führen. Die zwangsläufig daraus resultierende »Feststellung ihrer geringeren literar. Qualität ist selber eine Banalität« (M. Greiner). Mit den vorher weitgehend im Dunkeln gebliebenen Produktions-, Distributions- und Rezeptionsbedingungen befaßt sich eine literatursoziolog. Richtung der T.-Forschung (W. Nutz u.a.). Die trivialen Lesestoffe als Schriften, die den herrschenden Verhältnissen positiv gegenüberstehen und den zum größten Teil aus den unteren Bevölkerungsschichten stammenden Lesern Verhaltensweisen, Werte und Normen einzuüben helfen, die diesen Verhältnissen Bestand verleihen, entlarvt die ideologiekrit. Forschung (Th. W. Adorno, K. Ziermann u.a.). Immer noch aber fehlen plausible Erklärungen für die große Popularität der ›minderwertigen‹ Literatur: Auskünfte darüber versprechen eventuell (sozial-)psychology. (J. Bark, O. Hoppe) und kommunikationstheoret. Ansätze (G. Waldmann u.a.), die freilich noch am Anfang stehen. ⟋Identifikation.

Bibliographie: Plauel, H.: Bibliographie dt.sprach. Verö-

fentlichungen über Unterhaltungs- und T. v. letzten Drittel d. 18.Jh.s. bis z. Gegenwart. Lpz. 1980. *Handbuch:* Seeßlen, G./Kling, B.: D. große Unterhaltungslexikon. Bayreuth o. J. ▯ Mallinckrodt, A. M.: Das kl. Massenmedium. Soziale Funktion u. polit. Rolle der Heftreihenlit. in der DDR. Köln 1984. – Škreb, Z./Baur, U. (Hrsg.): Erzählgattungen der T. Innsbruck 1984. – Plauel, H.: Illustrierte Gesch. d. T. Hildesheim 1983. – Zimmermann, H. D.: T.? Schema Lit. Stuttg. ²1982. – Domagalski, P.: T. Freiburg u.a. 1981. – Fetzer, G.: Wertungsprobleme in der T.-Forschung. Mchn. 1980. – Waldmann, G.: Lit. z. Unterhaltung. Reinbek 1980. – Klein, A./Hecker, H.: T., Wiesb. 1977. – Rucktäschel, A./Zimmermann, H. D. (Hrsg.): T. Mchn. 1976. – Schenda, R.: D. Lesestoffe der kleinen Leute. Mchn. 1976. – Wernsing, A. V./Wucherpfennig, W.: Die Groschenhefte. Wiesb. 1976. – Lit. für viele. Beihefte LiLi. Bd. 1. Hrsg. v. A. Kaes und B. Zimmermann, Bd. 2. Hrsg. v. H. Kreuzer. Gött. 1975 und 1976. – Burger, H.-O. (Hrsg): Studien zur T. Frkft. ²1976. – Schemme, W.: T. und literar. Wertung. Stuttg. 1975. – Grimm, R./Hermand, J. (Hrsg.): Popularität und Trivialität. Frkft. 1974. – Hoppe, O.: Triviale Lektüre. In: Linguistik u. Didaktik Bd. 4, H. 13 (1973) 16–33. – Waldmann, G.: Theorie u. Didaktik der T. Mchn. ²1977. – Bark, J.: T.-Überlegungen zur gegenwärt. Diskussion. Sprache im techn. Zeitalter 41 (1972) 52–65. – Schulte-Sasse, J.: Die Kritik an der T. seit der Aufklärung. Mchn. 1972. – Ziermann, K.: Romane vom Fließband. Bln. (Ost) 1969. – RL.　　　　　　　　　　　　　　　　　　　　　　RK

Trivium, n. [lat. = Dreiweg], Teilgebiet der Artes liberales (⟋Artes), umfaßt die einführenden Fächer Grammatik, Rhetorik, Dialektik; vgl. ⟋Quadrivium.　　　　S

Trobador, Trobadorlyrik, auch: Troubadour [von prov. trobar = finden, dichten und komponieren], prov. Dichter-Komponist und Sänger des 12. und 13.Jh.s. Die Bez. ›T.‹ im Sinne von *Kunstdichter* im Unterschied zum *Volksdichter* begegnet zuerst bei Raimbaut d'Aurenga (2. Drittel 12.Jh.); das Verbum *trobar* gebraucht schon Wilhelm von Poitiers in der Bedeutung von ›dichten in. kunstvoller Form‹ (lat. *inventio*). – Überliefert sind Texte von ca. 450 Sängern, darunter 25 Italiener (u.a. Sordello), 15 Katalanen und auch ca. 20 weibl. Autoren (z. B. die Comtessa Beatritz de Dia, um 1160). Darunter mehr als tausend anonym überlieferte Texte. Die im Unterschied zum mhd. ⟋Minnesang sehr reiche handschriftl. Überlieferung setzt nach der Mitte des 13.Jh.s ein. Erhalten sind knapp 100 Handschriften, davon sind 19 provenzal. Herkunft, 14 franz., 10 katalan., die meisten und ältesten Handschriften stammen aus Italien (52). Eine Prachthandschrift ist der ›Chansonnier du roi‹ (13.Jh.) mit reichem figürl. Initialenschmuck und Melodieaufzeichnungen. Insgesamt sind zu etwa einem Zehntel der Lieder Melodien erhalten. In den Handschriften finden sich auch meist stilistische Lebensläufe (⟋Vidas) und Angaben zur Entstehung der Lieder (⟋Razos, Gedichterläuterungen). Die *Sprache* der Lieder ist die südfranz. ›okzitanische‹ *lengua d'oc.* Die *Hauptorte der T.-kunst* lagen im westl. und mittleren Südfrankreich, in den Grafschaften Poitou, Toulouse, im Herzogtum Aquitanien und im Gebiet der heutigen Provence (Orange, Aix, Marseille). – Gepflegt wurde die Kunst der T.s auch an italien. u. katalan. Höfen. *Vertreter:* Als ältester T. gilt Wilhelm IX., Graf von Poitiers (Poitou, comte de Peitieu), Herzog von Aquitanien (1071–1127), von dem 11 Lieder, allerdings ohne Melodien, überliefert sind. Es dürfte indes auch schon vor und neben ihm T.s gegeben haben. Die 2. T.-Generation wird vertreten durch den Sänger der Fernliebe *(amor de lonh)* Jaufré Rudel, Fürst von Blaia (1. Hä. 12.Jh.), den Frauen- und Minnefeind Marcabru (dichtete um 1135–50) und dessen mutmaßl. gascogn. Lehrer Cercamon (1133–45). Aus der 3. Generation ragen heraus Bernart de Ventadour (Ventadorn, 1150–1170), Peire d'Alvernhe

(1138–1180), Raimbaut d'Aurenga (Orange, ca. 1144–73). In der 4. Generation sind zu nennen Guiraut de Bornelh (Borneil, ca. 1165–1200), Bertran de Born (vor 1180–1196), Peire Vidal (ca. 1180–1205), Gaucelm Faidit (ca. 1180–1215), der von Dante gepriesene Arnaut Daniel (1160–1210) und Folquet de Marseille (ca. 1180–1195/1231). Im 13. Jh. wird die T.-kunst repräsentiert v. a. durch den Satiriker Peire Cardenal (1216–76), den Norditaliener Sordello (1230–70) und den Sammler und Vidaverfasser Uc de Saint-Circ (†nach 1253). Einer der letzten namhaften T.s war Guiraut Riquier (1254–1292). Gegen Ende des 13. Jh.s geht die Liedkunst von Berufsdichtern, Spielleuten und adligen Dilettanten in die Hände von Bürgern und Studenten über, vergleichbar dem Übergang des mhd. Minnesangs in den ↗Meistersang. – Die T.s stammten aus allen Ständen: aus dem Hochadel (Wilhelm von Poitiers), aus dem Ministerialenstand (Guilhelm de Cabestanh, Peire Cardenal), städt. Herkunft waren Folquet de Marseille (Sohn eines Kaufmanns), Peire Vidal (Sohn eines Kürschners), aus der Unterschicht kam Bernart de Ventadour (Sohn eines Ofenheizers), Geistlicher war der Mönch von Moutaudon, außerständ. Marcabru (Findelkind). Die T.s entwickelten für diese älteste europ. Laienkunst, die sich im *chantar (cansó),* im gesungenen Lied, verwirklichte, eine Reihe von kennzeichnenden *Gattungen:* Im Zentrum stand die ↗*cansó* (die ↗Kanzone), dem Gottespreis und v. a. dem Frauenpreis gewidmet, oft mit einer ↗*Tornada* (Geleitstrophe) versehen, die z. B. den Namen des Sängers, des Gönners, versteckt auch den der Dame (↗*Senhal*) enthielt. Von den ca. 2600 Liedern sind 40% Kanzonen. Mit etwa 20% ist das ↗*Sirventes* vertreten; es war ursprüngl. im Auftrag eines Herrn abgefaßt und handelt von öffentl. und privaten Angelegenheiten, moralisiert, lobt und tadelt (Lob- und Rügelied); weiter waren beliebt ↗*Tenzone* und ↗*Partimen* (↗Streitgedicht), die häufig auch Minneprobleme behandelten. ↗Spruchdichtung in Einzelstrophen waren die *Coblas esparsas* (↗cobla 2). Weitere Gattungen sind ↗*Planh* (↗Klagelied), ↗*Alba* (↗Tagelied), *Pastorela (pastorela,* ↗Pastorelle), *Devinhal* (Rätsellied), *Plazer* (Freudenlied) und *Gab* (Prahllied). Die Lyrik der T.s war eine subtile Formkunst, die immer differenziertere Reimschemata und Strophen *(Coblas)* aus silbenzählenden Versen erfand. Die Dichter waren zugleich Komponisten der *sonets* (Melodien). Neben dem häufigeren ↗*trobar leu,* dem leichtverständl. Stil, wurde das ↗*trobar ric,* der reiche, ausgeschmückte Stil und das hermet. ↗*trobar clus* gepflegt. In der zentralen Gattung, dem *Cansó,* bildete sich eine besondere Form der hochstilisierten Frauenverehrung heraus, der Anbetung einer als unerreichbar dargestellten Herrin *(domna);* die dem *lauzengier* (Aufpasser) belauerten Sänger abverlangte vergeistigte Verzichtliebe sollte zu dessen Selbstverwirklichung führen. Diese mit Naturbildern angereicherte T.lyrik war keine einfache Liebeslyrik, sondern im Bildrahmen der feudal-höf. Dienstideologie eingespannte sublimierte Erotik *(fins amors)* mit spiritualisierter Minneauffassung und stark eth.-moral. Implikationen. Soziale Probleme erscheinen in erot. Sphären übersetzt. Die prov. Lyrik war aber bei aller Idealität stärker als der mhd. Minnesang weltzugewandt, wirklichkeitshaltig. Für ihre *Entstehung* werden verschiedene Quellen genannt: die arab. Lyrik (Th. Frings), lat. und mittellat. Lyrik (H. Brinkmann); keines der genannten Vorbilder genügt aber zur Erklärung der Entstehung dieser eigenart. Liedkunst, es gibt kein als alleinige Basis ausreichendes Vorbild. Neben literar. werden auch soziale und sozialpsycholog. Erklärungen erwogen (Einbettung in die feudale Gesellschaftshierarchie und Kompensation mangelnden Sozialprestiges der Aufsteiger im Ministerialenstand (E. Köhler, E. Wechssler). Die Idee der Entrückung der besungenen Dame in unerreichbare Höhe findet ihre Fortsetzung im ↗*Dolce stil nuovo,* zu dessen Vorläufern v. a. Sordello gezählt wird. Die

Formen der T.-kunst und deren Liebeskasuistik werden im 13. Jh. von dem ›Theoretiker der Liebe‹ Matfre Ermengau (aus Béziers, »Breviari d'amor«, nach 1288) und den Grammatikern Raimon Vidal (»Razos de trobar«) und Jaufré de Foixá (»Regles«, 1290) kodifiziert, weitergeführt im 14. Jh. in der Grammatik und Poetik der »Leys d'amors« (↗Gai saber). – Einer der ersten ›Provenzalisten‹, Erforscher der T.-kunst, war Johannes Nostradamus (16. Jh.), der Bruder des bekannten Astrologen.

Ausgaben: Rieger, D. (Hrsg.): Lieder der T.s. Stuttg. 1980. – Lommatzsch, E.: Leben u. Lieder der prov. Troubadours. 2 Bde. Bln. 1957/1959 (mit Bibliogr.). – Appel, C.: Prov. Chrestomathie. Mit Abriß d. Formenlehre u. Glossar. Lpz. ⁶1930. – Jeanroy, A.: Anthologie des troubadours, XIIe et XIIIe siècles. Paris 1927.
Übersetzungen: Die T.s. Leben u. Lieder. Dt. Nachdichtung v. F. Wellner. Hg. v. H. G. Tuchel. Bremen ²1966. – Die großen T.s. Dt. Nachdichtung v. R. Borchardt. Mchn. 1924.
📖 Gruber, J.: Die Dialektik des Trobar. Unters. z. Struktur u. Entwicklung des occitan. u. frz. Minnesangs des 12. Jh.s. Tüb. 1983. – Mölk, U.: Trobadorlyrik. Mchn. 1982. – Rieger, D.: Gattungen u. Gattungsbezeichnungen der T.lyrik. Tüb. 1976. – Baehr, R. (Hrsg.): Der prov. Minnesang. Darmst. 1967 (mit Bibliogr.). – Wechssler, E.: Das Kulturproblem des Minnesangs. Halle/S. 1909; Neudr. Osnabrück 1966. – Boutière, J./Schutz, A.-H.: Biographie des troubadours. Paris 1964. – Köhler, E.: Trobadorlyrik u. höf. Roman. Bln. 1962. – Hoepffner, E.: Les troubadours dans leur vie et dans leur œuvres. Paris 1955. – Jeanroy, A.: La poésie lyrique des troubadours. 2 Bde. Toulouse 1935. – Diez, F.: Leben u. Werke der Troubadours. Neubearb. v. K. Bartsch. Lpz. ²1882. – Gröber, G.: Die Liedersammlungen der Troubadours. Roman. Studien 2 (1877) 337–670.   S

Trobar clus, n. [prov. = verschlossenes Dichten], absichtl. den Sinn verrätselnde, esoter.-manierierte Stilart der prov. Lyrik, mit z. T. gewollt aristokrat.-hermet. Anspruch; charakterist. sind gesuchte Wortwahl (seltene Wörter, Fremdwörter, Archaismen), Allegorisierungen, schwierige Syntax, Wort- und Reimspiele; entspricht etwa dem *ornatus difficilis* der antiken Rhetorik (↗Ornatus, ↗Poetik) oder dem ↗geblümten Stil in der mhd. Dichtung (vgl. auch ↗Asianismus, ↗Manierismus). Der dunkle Wortsinn kann als Widerspiegelung komplexer Zusammenhänge aufgefaßt werden: der Hörer sollte durch eigene Sinnerhellung bewußt zur Sache finden. – Die bedeutendsten Vertreter des t.c. sind Marcabru und die dem ↗trobar ric zuneigenden Peire d'Alvernhe und Raimbaut d'Aurenga (vgl. seine ↗Tenzone mit Guiraut de Bornelh, dem Vertreter des ↗trobar leu).
📖: Mölk, U.: T.c., t. leu. Studien z. Dichtungstheorie d. Trobadors. Mchn. 1968.   S

Trobar leu, n. [prov. = leichtes Dichten], auch: *trobar planh* (klares Dichten), der allgem. verständl. Stil der prov. Lyrik, im Gegensatz zum ↗*trobar clus,* propagiert u. a. von Guiraut de Bornelh, vgl. seine ↗Tenzone gegen das *trobar clus* des Raimbaut d'Aurenga.   S

Trobar ric, n. [prov. = reiches Dichten], Stilart der prov. Lyrik, in alle Mittel der Rhetorik und Formvirtuosität eingesetzt werden; wird auch als ins Formale transponierter Spielart oder Fortbildung des ↗*trobar clus* aufgefaßt: Vertreter sind Raimbaut d'Aurenga (Canso von Winter und Liebe), Arnaut Daniel, Peire d'Alvernhe.   S

Trochäus, m. [gr. trochaios = Läufer, auch Choreus (gr. = Tänzer)], antiker Versfuß der Form ‒◡. Als metr. Einheit trochä. *Sprechverse* gilt in der griech Dichtung (einschl. der strengen Nachbildungen griech. Sprechverse in der lat. Dichtung) nicht der ↗Versfuß, sondern die ↗Dipodie, d. h. die Verbindung zweier Versfüße: ‒◡‒◡; auch die troch. Dipodie (auch: Di-T.) kann durch Auflösungen d. Längen (‒ = ◡◡) vielfach variiert werden. Wichtigste trochä. dipod. Versmaße der trochä. ↗Tetrameter und seine (seltene) kom.-satir. Variante, der trochä. Hinktetrameter. Demgegenüber werden die freien Nachbildungen griech. trochä. Sprechverse in der älteren lat. Dichtung nach Versfüßen gemessen; so v. a. der trochä. ⁄Septenar (7 volle Füße + ein katalekt. 8. Fuß). – Bes. Regeln gelten für die Messung *gesungener trochä. Verse* in der griech. Lyrik: bei ihrer Analyse ist zwar von trochä. Dipodien auszugehen, doch besteht außer der Möglichkeit der Auflösung von Längen noch die Möglichkeit der ⁄Synkope des anceps und der Kürze. Als dem T. gleichwertig gelten in lyr. Versen damit der ⁄Kretikus (–‿–), der Palim-⁄Bakcheus (–‿‿) und der ⁄Molossus (–‿–). Häufig begegnet in der griech. Lyrik der aus solchen metr. Einheiten zusammengesetzte trochä. Dimeter, als dessen Sonderformen das ⁄Lekythion (–‿–‿–‿‿) und der ⁄Ithyphallikus (–‿–‿–‿) mit ihren Varianten gelten. Daneben begegnen in der griech. Lyrik auch trochä. Trimeter. In den *akzentuierenden Versen* (⁄akzentuierendes Versprinzip) der dt., engl. usw. Dichtung gilt als T. die Folge einer betonten und einer unbetonten Silbe (x́x); trochä. Verse sind hier mithin alternierende Verse ohne Eingangssenkung: x́xx́x x́xx́ . . . Die Bez. en ›T.‹ und ›trochä.‹ werden im allgemeinen nicht auf alternierende Verse in mal. Dichtung angewandt; doch braucht man sie im Hinblick auf neuere Dichtung seit etwa M. Opitz regelmäßig auch dort, wo kein histor. Bezug zur gr.-röm. Verskunst vorliegt. *Wichtigste trochä. Verse der neueren dt. Dichtung* sind, von den v. a. in gereimter Dichtung seit dem 17. Jh. häufigen 4-, 5- und 8-Hebern abgesehen, 1. die Nachbildungen gr.-röm. trochä. Verse, v. a. des trochä. Tetrameters, 2. die 4-hebigen *Span. Trochäen,* dt. Nachbildungen der 8-Silbler der span. Dichtung, die seit J. G. Herders Romanzenzyklus »Cid« und in der Folge der Rezeption der span. Dramatiker durch die dt. Romantik als Versmaß der Romanzendichtung (C. Brentano, »Romanzen vom Rosenkranz«; H. Heine) und teilweise auch des Dramas (F. Grillparzer, »Die Ahnfrau«, »Der Traum ein Leben«) beliebt waren. Es handelt sich um trochä. Verse des Typus x́xx́xx́x(x) (»Tráuernd tief sáß Dón Diégo . . .«, Herder, »Cid«, 1,1), die reimlos, assonierend oder mit Endreim und in der Romanzendichtung zu vierzeil. Strophen vereinigt gebraucht werden. – 3. Die sog. *Serb. Trochäen,* stets reimund zäsurlose troch. 5-Heber; sie wurden von Herder und Goethe durch die Nachbildung serb. Volksballaden in die dt. Dichtung eingeführt, später noch von A. v. Platen (»Die Abassiden«) als Versmaß ep. Dichtung verwendet; Schema: x́xx́xx́xx́xx́x (»Wás ist Wéißes dórt am grünen Wálde? . . .«, Goethe, »Klaggesang von den edlen Frauen des Asan Aga«). K

Troparion, n. ⁄Hymne, ⁄Tropus.

Tropus, m. [gr. = Wendung, Weise], melismat. oder textl. Einschub (Interpolation) in liturg. Gesänge des MA.s. Man unterscheidet nur musikal. Erweiterungen, kombinierte Text- *und* Melodieerweiterungen und bloße Textierungen vorher textloser Melodieabschnitte (Textierungstropen). Ein T. konnte an den verschiedensten Stellen der gesungenen Meßtexte (Introitus, Kyrie, Gloria etc.), aber auch in Lektionen oder außerhalb der Messe im Offizium auftreten. Er blieb stets, im Unterschied zu der sich verselbständigenden ⁄Sequenz, dem Ausgangsmelodie und dem Grundtext verbunden und diente der erklärenden Ausschmückung, der musikal. Bereicherung, der Verlebendigung und Aktualisierung der Liturgie. Tropen wurden anstelle von Wiederholungen der Liturgietexte durch einen zweiten Chor oder Halbchor (als ⁄Antiphon, evtl. auch als Responsorium) gesungen. Die Texte waren zunächst in Prosa, später auch versifiziert und gereimt (leonin. Hexameter). Bezeugt z. T. schon vor der Karolingik, erlebten bes. Textund Melodieerweiterungen eine Blüte im 9. und 11. Jh.; Zentren waren St. Martial in Limoges, St. Gallen und der Reichenau. Ältester und bedeutendster Tropendichter war Tutilo v. St. Gallen (gest. 913?). Die weite Verbreitung und Beliebtheit der Tropen dokumentieren zahlreiche Sammlungen, sog. *Troparien,* schon im 11. Jh. Die T. überwucherten mit der Zeit die eigentl. Liturgie und wurden schließl. durch das tridentin. Konzil (1545–1563) verboten. Für die Literaturgeschichte bedeutsam wurden zwei Tropenformen, die sich aus dem ursprüngl. Melodie- und Textverbund lösten: 1. der Textierungst. zu den Schlußmelismen des ›Alleluia‹: aus ihm entwickelte sich die *Sequenz.* 2. ein wohl im 10. Jh. entstandener Introitust. als antiphonale Einleitung zum Introitus der Ostermesse. Als dieser T. Ende des 10. Jh.s von der Ostermesse gelöst und in die österl. Matutin (den Morgengottesdienst) zwischen das 3. Responsorium und das Tedeum gelegt wurde, war wahrscheinl. der Grund geschaffen für seine Weiterentwicklung zu einer der Keimzellen des mal. ⁄geistl. Spiels (siehe v. a. ⁄Osterspiel). Dramat. Impetus zeigt auch der Weihnachtst. (in dialog. Prosa) Tutilos (»Hodie cantandus est nobis puer«).

☐ Stephan, R.: Lied, T. und Tanz im MA. ZfdA 87 (1956/57). S

Tropus, m. oder **Trope,** f., Pl. Tropen, f. [gr. trópos = Wendung, Richtung], in der Klassifikation der ⁄Rhetorik Bez. für ein sprachl. Ausdrucksmittel der uneigentl. Rede. Tropen sind Wörter oder Wendungen, die *nicht im eigentl. Sinne,* sondern in einem übertragenen, bildlichen gebraucht werden, z. B. Blüte für Jugend. Im Gegensatz zu den ⁄rhetor. Figuren, welche die Stellung und Beziehung von Wörtern zueinander organisieren und der rhetor. Ausschmückung dienen, besteht bei den Tropen ein semant. Unterschied zwischen Gesagtem und Gemeintem, zwischen Bezeichnung und Bedeutung, ursprünglich zum Zweck der Veranschaulichung. Nach dem Grad der Begriffsverschiebung lassen sich unterscheiden: 1. *Grenzverschiebungs-T.,* bei denen eine sachl. Beziehung zwischen dem Gesagten und dem Gemeinten besteht, z. B. die ⁄Periphrase (Umschreibung: Höllenfürst für Teufel) und 2. *Sprung-T.,* bei denen der gemeinte Wortsinn in andere Vorstellungs- oder Bildbereiche über›springt‹: Löwe für Krieger. Zur ersten Gruppe gehören (nach dem Grad des Unterschieds zw. Bezeichnung und Bedeutung): ⁄Emphase, ⁄Periphrase, ⁄Antonomasie, ⁄Synekdoche, ⁄Metonymie, ⁄Litotes, ⁄Hyperbel, zur zweiten: ⁄Metapher, ⁄Allegorie, ⁄Ironie. Auf Grund des charakterist. Unterschieds von Sagen und Meinen können die Tropen einen schwierigen Schmuck und eine starke Verfremdung darstellen, die in Spannung zum Prinzip der Klarheit (perspicuitas) geraten kann; ihre reichl. oder programmat. Anwendung führt zu manieristisch beweilen hermet.-manierist. Stil (⁄Asianismus, ⁄Manierismus). Die Begriffsverschiebungen, die den Tropen zugrundeliegen, sind ein bedeutendes Mittel der Spracherweiterung und -anpassung. Tropen tauchen daher in großer Zahl bei der Analyse des Sprachwandels auf (z. B. als ›tote‹, mechanisierte, habituelle Tropen – der Umgangssprache auf (z. B. Tisch-*Bein,* s. ⁄Katachrese). Insbes. beim schnelleb. Jargon läßt sich die Funktion der Tropen als eine Grundlage der Sprachkreativität deutl. beobachten.

☐ ⁄Rhetorik. ED

Trostbücher, auch: Consolatorien, bes. in Spät-MA. und Pietismus verbreitete literar. Gattung (Traktate, Dialoge, Briefe, auch Gedichte), die in religiös-erbaul. oder theolog.-philos. Sinne im Unglück (v. a. bei Todesfällen) Trost spenden oder auch nur allgem. in christl. Geist aufrichten soll, vgl. für d. letztere Gruppe 2. B. »De consolatione theologiae« von Johannes Gerson (um 1418/19 in der Nachfolge des Boëthius). Auch: ⁄Erbauungsliteratur, ⁄Consolatio, ⁄Ars moriendi. S

Troubadour, Troubadourlyrik [truba'du:r] ⁄Trobador, Trobadorlyrik.

Trouvère, m. **Trouvèrelyrik** [tru'vɛ:r, von frz. trouver =

finden, nach trobar, ↗Trobador] 1. Mal. französ. Dichter-Sänger, nordfranz. Entsprechung zum prov. Trobador. Begegnet seit der 2. Hä. des 12.Jh.s an nordfranz. Höfen, z. B. denen der Eleonore von Aquitanien, der Enkelin des ältesten Trobadors, Wilhelm IX. von Poitiers (Gattin des nordfranzös. Königs Ludwig VII., nach 1152 des engl. Königs Heinrich II.) und deren Tochter Marie de Champagne. – Die Lieder, in nordfranzös. Sprache, der *langue d'oil* verfaßt, sind überwiegend in etwa 30 Sammelhandschriften *(chansonniers)* überliefert. – *Hauptvertreter* sind der v. a. als Artusepiker bekannte Chrétien de Troyes (ca. 1150–1190), der Vizegraf Huon d'Oisy (2. Hä. 12.Jh., von dem u. a. ein satir. Gedicht über ein Damenturnier überliefert ist), der pikard. Adlige Conon de Béthune (ca. 1150–1220, der als Teilnehmer am 3. und 4. Kreuzzug auch Kreuzlieder verfaßte), der champagn. Ritter Gace Brulé (ca. 1160–1212), Blondel de Nesle (2. Hä. 12.Jh., als Sagengestalt mit Richard Löwenherz verbunden), Graf Thibaud IV. de Champagne, später König von Navarra (1201–1253) und Adam de la Halle (1238–1287). In ihren *Liedern* übernehmen die T.s z.T. Themen und Gattungen der prov. Vorbilder, so folgt z. B. Conon de Béthune Bertran de Born; z.T. distanzieren sie sich aber iron. von der prov. Minne-Idealisierung und suchen stärker Realität und persönl. Erleben zur Geltung zu bringen (Höhepunkt: das Werk des die T.-Kunst durchbrechenden *jongleurs* Rutebeuf, ca. 1250–1285), z. B. durch die Pflege volkstüml. Formen, etwa Tanzlieder u. ä. Kennzeichnend ist die Form des ↗Jeu parti (↗Partimen), in welcher Fragen einer dialekt. Liebeskasuistik behandelt werden, vgl. auch den Traktat »De Amore« des Andreas Capellanus (um 1185). An Bedeutung tritt die Kunst der T.s hinter der sich in Nordfrankreich zur selben Zeit entwickelnden Erzählkunst, v. a. dem Artusroman (Chrétien de Troyes) zurück. 2. Bez. für Verfasser der ↗Chansons de geste.
📖 Rieger, D. (Hrsg.): Lieder der T.s. Stuttg. 1980 (Reclam). – Frank, I.: T.s et Minnesänger. Saarbrücken 1952. **S**

Truffaldino, m. [it. von truffa = Betrug], Typenfigur der ↗Commedia dell'arte, dem ↗Arlecchino verwandter derbgutmütiger, auch spött.-witziger Diener; der Name geht evtl. auf den Diener Truffa in Ruzzantes »Vaccaria« (16.Jh.) zurück. T. gehörte neben ↗Tartaglia, ↗Pantalone, ↗Brighella zu den obligaten Figuren des venezian. Stegreiftheaters, auch noch bei C. Gozzi (und F. Schiller, »Turandot«); bes. im 18.Jh. wurde der T. in ganz Europa berühmt durch den Schauspieler A. Sacchi, für den C. Goldoni z.B. die Hauptrolle, den ›T.‹, im »Diener zweier Herrn« (1747) schrieb. **IS**

Trümmerliteratur, Bez. für die neorealist. dt. Lit. unmittelbar nach 1945, die traumatisiert war von den Erfahrungen aus dem Faschismus und der (materiellen wie ideellen) Zerstörung, aber auch getragen vom Pathos des Neubeginns. Stichworte wie »Kahlschlag« oder »Stunde Null« kennzeichnen die Haltung dieser Werke (↗Kahlschlagliteratur), die stilist. weitgehend dem Expressionismus verpflichtet sind und sich zunächst auf die Traditionen aus Humanismus und Christentum stützen, darüber hinaus aber auch stark von den (lange verbotenen) Autoren des Auslands beeinflußt werden: v. a. durch den Existentialismus (J. P. Sartre) und amerikan. Schriftsteller (E. Hemingway und W. Faulkner). Zu einem wirkmächtigen Initial-Organ dieser Nachkriegslit. wird die Zs. ↗Der Ruf«, aus deren Mitarbeitern sich später die ↗Gruppe 47 bildet. Zu den wichtigsten Vertretern der T. zählen Lyriker wie Günter Eich, Elisabeth Langgässer, Hans Erich Nossack und Karl Krolow, Prosaautoren wie Hans Werner Richter, Wolfgang Weyrauch, Walter Kolbenhoff, Alfred Andersch und Wolfdietrich Schnurre sowie Dramatiker wie Wolfgang Borchert.
📖 Zürcher, G. (Hrsg.): »Trümmerlyrik«. Polit. Lyrik 1945–1950. Kronberg 1977. – Wehdeking, V. C.: Der Null-punkt. Über d. Konstituierung d. dt. Nachkriegslit. (1945–48) in d. amerik. Kriegsgefangenenlagern. Stuttg. 1971. **Kr**

Tunnel über der Spree, Berliner gesellig-literar. Zirkel, 1827 von dem Wiener Kritiker und Schriftsteller M. G. Saphir nach dem Vorbild der Wiener ↗Ludlamshöhle gegründet, bestand bis 1897. Schutzpatron war Till Eulenspiegel. Ständische u. konfessionelle Unterschiede sollten durch Decknamen aus Geschichte und Literatur aufgehoben werden, z. B. M. von Strachwitz: »Götz von Berlichingen«, E. Geibel: »Bertran de Born«, Th. Fontane: »Lafontaine«, P. Heyse: »Hölty«, A. Menzel: »P. P. Rubens«, Th. Storm: »Tannhäuser«; dem Kreis gehörten außerdem die Kunsthistoriker F. Th. Kugler, der Maler Th. Hosemann und die Literaten Ch. F. Scherenberg, F. Dahn und H. Seidel an. Der Höhepunkt des T.s ü.d.Sp. lag in den fünfziger Jahren; das wichtigste Dokument der gemeinsamen dichter. Bemühungen ist das literar. Jahrbuch »Argo« (1854).
📖 Kohler, E.: Die Balladendichtung im Berliner T.ü.d.Sp. Diss. Bln. 1940. **GG**

Typenkomödie, ältester Komödientypus: seine kom. Wirkung beruht auf dem Handeln stehender Typen (d. h. Gestalten, die auf einen karikierend überzeichneten Wesenszug bestimmter Stände, Berufe, Lebensalter reduziert sind, vgl. ↗Typus) wie dem gefräß. Diener, schwadronierenden Advokaten, ruhmred. Soldaten, dem Parasiten, dem geizigen oder lüsternen Alten u. a.; Ggs. die ↗Charakterkomödie, die Darstellung eines komplexen Charakters. – T.n sind meist zugleich ↗Situationskomödien, so der antike ↗Mimus (und in seiner Tradition die volkstüml. ↗Posse bis zur Neuzeit), die mittlere att. und die röm. Komödie, die ↗Commedia dell'arte (als Prototypus), die engl. ↗Comedy of humours, z. T. auch die Boulevardkomödie. Als Grenzfälle gelten die Komödien der Aufklärung (↗comédie larmoyante, ↗sächs. Komödie, ↗weinerl. Lustspiel). **IS**

Typologie, f.
1. *Lehre vom Typischen,* vom Typus (Phänotypus, Idealtypus), von Grund- oder Urformen, von exemplar. Mustern; eine Form des abstrahierenden Denkens, in der Philosophie seit Platon, in der Psychologie seit C. G.Jung (Archetypen). In der Geisteswissenschaft stellte W. Dilthey eine T. der künstler. Weltanschauungen auf, die drei Haupttypen unterscheidet: 1. *Positivismus:* erklärt die gesamte Welt aus der physischen und postuliert eine Vorherrschaft des Intellekts; hierzu werden gezählt: in der Antike Demokrit, Lukrez, in der Neuzeit Th. Hobbes, dem modernen Materialismus und Positivismus, Dichter wie H.de Balzac und Stendhal. 2. *objektiver Idealismus:* sieht die Realität als Ausdruck einer inneren Wirklichkeit und baut auf die Vorherrschaft des Gefühls, Vertreter in der Antike: Heraklit, in der Neuzeit: Spinoza, G. W. Leibniz, F. W. Schelling, G. W. F. Hegel und Goethe. 3. *dualist. Idealismus:* behauptet die Unabhängigkeit des Geistigen gegenüber der Natur, basiert auf der Vorherrschaft des Willens; hierzu werden gerechnet: in der Antike Platon und die mal. Theologen; weiter Kant, J. G. Fichte und F. Schiller. – H. Nohl erweiterte diese T. auf Malerei und Musik und ordnete einen ersten Typus etwa Velasquez, F. Hals, H. Berlioz, dem 2. Typus Rembrandt, P. P. Rubens, F. Schubert, dem 3. Typus Michelangelo und L.van Beethoven zu.
2. *exeget. Methode* (↗Exegese), bei der typ. Gestalten, Geschehnisse und Sachverhalte als Typus und Antitypus aufeinander bezogen werden. Seit der Patristik werden bei der Bibelauslegung nach dem 2. ↗Schriftsinn, dem *sensus allegoricus* (↗Allegorese) Gestalten und Ereignisse des ATs als Vorausdeutungen (↗Präfigurationen) auf das NT verstanden, so weist z. B. Adam als Typus auf Christus als Antitypus voraus (auch: ↗Figuraldeutung). Diese typolog.-allegor. Methode prägte das ganze mal. Denken, das geistl. und weltl. Schrifttum des MAs; demgemäß wurden dann in der Hagiographie z. B. auch Heiligenfiguren als ↗Postfigura-

tionen in Bezug zu bibl. Gestalten gesetzt (z. B. der Hlg.
Georg als Antitypus zu Christus als Typus), ferner beeinflußte die T. auch die mal. Malerei: vgl. typolog. Bilder-
kreise wie am Klosterneuburger Altar des Nikolaus von
Verdun oder in der ↗Biblia typologica.
3. *phänomenolog. Klassifikation von Texten* nach typ. Formen, Stofftraditionen und Aussageweisen; tritt in der neueren Literaturwissenschaft an die Stelle der alten Gattungs-
einteilung (↗Textsorten).
⊡ Wellek, R./Warren, A.: Theorie d. Literatur. Bln. ³1963.
– Nohl, H: Typ. Kunststile in Dichtung u. Musik. Jena
1915. – Dilthey, W.: Die drei Grundformen d. Systeme in d.
1. Hälfte d. 19.Jh.s (1898). Ges. Schr. IV, Lpz. 1925,
S. 528–554.   S
Typus, m [gr. typos = Schlag, Abbild, Muster], *allgem.*
Grund-, Urform verwandter Erscheinungen, exemplar.
Muster, Vorstellung von Personen oder Sachen, die sich aus
konstanten, als wesensbestimmend angesehenen Merkmalen zus.setzt. *In der Lit.:* Gestalt ohne individuelle Prägung,
vielmehr Verabsolutierung einer für bestimmte Stände,
Berufe oder Altersstufen charakterist. Eigenschaft; in karikierender Überzeichnung (mit feststehenden Funktionen)
konstituierend für die ↗Typenkomödie (z. B. die kuppler.
Alte). Im Drama des ↗Expressionismus sind Typen auch
als Ideenträger (ohne Namen oder Standesangaben, z. B.
›der Sohn‹, ›der Mann‹) eingesetzt.   IS
Übergehender, überschlagender Reim, Sonderform des
↗Schlagreims.
Überlieferung, Gesamtheit des Textbestandes eines
literar. Werkes von der ersten handschriftl. Niederschrift
des Autors bis zur Erstausgabe (editio princeps) oder zur
↗krit., ↗histor.-krit. Ausgabe. Nach den Tradierungsme-
dien werden unterschieden: mündl., handschriftl. und
gedruckte Ü., wobei mündl. Ü. nur aus schriftl. Aufzeichnungen erschlossen werden kann. Zur Ü. zählen auch sog.
Neben-Ü.en wie wörtl. Zitate bei anderen Autoren. Nach
dem Bezug der überlieferten Texte zum Autor sind zu trennen: *authent.,* auf ein ↗Autograph des Autors zurückgehende Ü., *autorisierte,* auf einer ↗Ausgabe letzter Hand
basierende und *nichtautorisierte,* nur auf nicht kontrollier-
baren Abschriften beruhende Ü.; zu letzterer gehören ein
Großteil der antiken und mal. Literatur und (in der Neuzeit) Raub- oder ↗Nachdrucke. – Nach dem Modus der Ü.
ist (nicht immer scharf) zu unterscheiden: die *krit. Ü.* (z. B.
die Tradierung antiker Literatur durch alexandrin. oder
humanist. Gelehrte in Hellenismus und Renaissance), die
schulmäß. Ü. (die Tradierung der antiken Literatur v. a. in
mal. Klosterschulen usw.), die *dilettant. Ü.* (Liebhaberab-
schriften, z. B. bei mhd. Dichtung) und die *gewerbl. Ü.*
durch berufsmäß. Schreiber (z. T. schon in Klosterskripto-
rien; als älteste dt. weltl. Handschriftenmanufaktur gilt die
Diebold Laubers in Hagenau, Anf. 15. Jh.), davon abgesetzt
die *neuzeitl. Ü.* autorisierter Texte durch Drucker
(15.-17.Jh.) und Verlage. Jeder Ü.sweg hat spezif. Fehler-
quellen (falsche Zuordnung, Lese-, Hör-, Druckfehler,
Kontaminationen, Verluste, etc.). – Im Hellenismus wurde
erstmals das überlieferte Material krit. gesichtet, wurden
Ansätze zur systemat. Korrektur von Fehlern (↗Emenda-
tion) und Kommentierung der Texte unternommen
(↗Scholien). *Sammelstätten der Ü.* literar. Werke sind
Archive und Bibliotheken; in der Antike die Tempelbiblio-
theken (z. B. hinterlegte Heraklit ein Exemplar seines Werkes im Tempel zu Ephesos), Hofbibliotheken (Alexandria,
gegründet um 280 v. Chr. durch Ptolemaios I., Pergamon),
öffentl. Bibliotheken (z. B. in Rom, gegründet unter Augustus), auch Privatbibliotheken spielten schon in der Antike
eine wichtige Rolle. Im MA waren es dann Kloster- (St.
Gallen) und Hofbibliotheken (z. B. in der stauf. Pfalz zu
Hagenau) und wiederum Privatbibliotheken (bezeugt von
Hugo von Trimberg um 1300, Petrarca 14.Jh., Hartmann
Schedel um 1500 u. a.). In der beginnenden Neuzeit spielen

neben Hof- (Bibliotheca Palatina Heidelberg) und Klosterbibliotheken die Universitätsbibliotheken und Archive eine
zunehmende Rolle. – Die Ü. setzt bei antiken und mal. Texten meist erst Jahre nach deren Entstehung ein; Autographen (oder Handschriften Dritter) aus der Zeit des Autors
sind äußerst selten (in der dt. Literaturgeschichte mutmaßl.
bei Otfried von Weißenburg, dann erst wieder bei Oswald
von Wolkenstein, 15.Jh.). Die krit. Überprüfung (Rezension) der Ü. hatte in der ↗Textkritik v. a. den Zweck, ein
verlorenes Original zurückzugewinnen oder zumindest
einen diesem nahekommenden ↗Archetypus wiederherzu-
stellen. Neuerdings wird bei divergierenden Textfassungen
teilweise auch mit authent. Parallelfassungen (Autor-↗Va-
rianten) gerechnet. Die verschiedenen ↗Redaktionen und
Ü.stadien werden in krit. ↗Apparaten erfaßt (↗Textkritik,
↗Editionstechnik, ↗Stemma). – Seit der Entstehung des
Buchdrucks und der damit in stärkerem Maße gegebenen
authent. Autorfassungen gewinnt auch die Textvorge-
schichte an Hand von handschriftl. oder gedruckten Vor-
fassungen Interesse, vgl. z. B. die Hölderlin-Philologie (F.
Beißner).
⊡ Koppitz, H. J.: Studien z. Tradierung der weltl. mhd.
Epik im 15. u. beginnenden 16.Jh. Mchn. 1980. – Hunger,H./Stegmüller, O. u. a.: Gesch. der Text-Ü. d. antiken
und mal. Lit. 2 Bde. Zürich 1961–64; Bd. 1 auch Mchn.
1975 (dtv).   S
Übersetzung, Wiedergabe eines Textes in einer anderen
Sprache, Form der *schriftl.* Kommunikation über Sprachgrenzen hinweg im Unterschied zur aktuellen mündl. Vermittlung des Dolmetschers. Während dieser auf die Präsenz
seines Gedächtnisses angewiesen ist, kann der Übersetzer
auf Hilfsmittel wie Lexika, Handbücher, gegebenenfalls
auch auf ältere Ü.en zurückgreifen. – Bei Ü.en lassen sich
verschiedene Modi unterscheiden:
1. a) Ü. aus einer zeitgenöss. Sprache, b) aus einer älteren
Sprache (z. B. Lat., Griech.) oder aus einer älteren Sprachstufe (z. B. Ahd., Mhd.),
2. a) Ü. eines Textes aus dem gleichen Kulturkreis, b) aus
einem fremden Kulturkreis,
3. a) Ü. stellvertretend für das Original, b) als Hilfsmittel für
das Verständnis des (meist synopt. dargebotenen) Origi-
nals,
4. a) sinnwahrende Ü. (↗Paraphrase), b) formgetreue Ü.
(bei poet. Texten), c) wortgetreue Ü. (↗Interlinearversion,
↗Metaphrase). Nach der Nähe zum Originaltext wird z. T.
auch begriffl. differenziert zwischen *Ü.* (möglichst wortge-
treuer Anschluß ans Original), *Übertragung* (freiere sinnbetonte Wiedergabe unter voller Berücksichtigung der
semant., idiomat. und stilist. Eigentümlichkeiten der Zielsprache), *Nachdichtung* (formbedachte und gehaltkonforme Nachschöpfung, bes. bei poet. Texten). Ein Übersetzer muß sich, nach Goethe, entscheiden, ob er einen Text
dem Leser nahebringen oder den Leser zum Urtext hinführen will. – Die prinzipielle Problematik jeder Ü. besteht
auch bei synchron dargebotenen Texten darin, daß jede
sprachl. Äußerung in einem mehrdt. Umfeld steht, ferner, daß jede Ü. aus dem mehrschicht. Bedeutungsspektrum meist nur bestimmte Sinnschichten herausgreift, die
dann, in die Zielsprache transponiert, wiederum neu
mehrschicht. Kontexte werden. Je höher das Sinn-Niveau
und der Verstehensanspruch eines Textes in der Original-
sprache ist, desto schwieriger wird die Ü. Die prinzipielle
semant. Disparenz wird noch dadurch verstärkt, daß Wörter kaum einmal in zwei Sprachen dasselbe Bedeutungsfeld
umfassen, meist andere Bedeutungsschwerpunkte haben
(z. B. dt. Uhr, engl. watch, clock). Deshalb empfiehlt schon
Hieronymus, nicht ex verbo, sondern ex sensu zu übersetzen. Jede Sprache besitzt zudem Wörter ohne genau entsprechendes Äquivalent in anderen Sprachen (z. B. dt.
Gemüt, Kultur, Geist, vgl. auch die Ü.svarianten für griech.
logos in Goethes »Faust« I). Wo schon Begriffe differieren,

sind zwangsläufig auch ihre Benennungen disparat. Hinzutreten unterschiedl. idiomat., grammat. und stilist. Strukturen. – Schwierigkeiten bereitet nicht nur die Vermittlung des Sinnes, sondern auch die Wiedergabe von Stilvalenzen oder von Wortspielen, mundartl. Färbungen usw., ferner die Berücksichtigung der Verstehenshorizonte, die Verdeutlichung von Sachverhalten, die im Kulturkreis der Zielsprache keine oder eine andere Rolle spielen (z. B. im Mhd. minne, frouwe = nhd. Frau, Herrin, Dame). Selbst bei wissenschaftl. Schriften mit weitgehend gleichem Begriffssystem können Differenzen auftreten. Die Inkongruenzen nehmen zu, je weiter sich der zu übersetzende Text von einfachen Sachverhalten und Mitteilungsformen entfernt, oder je weiter Ausgangs- und Zielsprache räuml. oder zeitl. getrennt sind (1b, 2b). Kommt es bei der Ü. inhaltsbetonter Texte (Nachrichten, Sachbücher, wissenschaftl. Literatur, Trivialliteratur) v. a. auf eine möglichst genaue Wiedergabe des Sinnes an (4a), so treten bei poet. Werken noch Rücksichten auf Stilistisches (Stilebene) und Formales (Metren, Strophen, Rhythmus, Klang, Bildlichkeit) hinzu. Beiden Seiten gleichermaßen gerecht zu werden (3a), erfordert ein kongeniales Einfühlungs- und v. a. Sprachvermögen in beiden Medien (Ausgangs- und Zielsprache). Für den Schulbetrieb aller Zeiten gewannen die Ü.sformen 3b und 4c an Bedeutung. So begann die Rezeption der lat. Literatur in ahd. Zeit mit ledigl. auf den lat. Text ausgerichteten Interlinearversionen; ähnl. Aufgaben stellen sich manche moderne zweisprach. Ausgabe. Die Theorie des Übersetzens wandelt sich je nach Anspruch und Intention des Übersetzers, vgl. etwa F. Schleiermacher, »Über die verschiedenen Methoden des Übersetzens« (1813). – *Geschichte der Ü.*: Eines der ältesten Werke in der antiken Geschichte der Ü. ist auch späterhin eines der meist übersetzten: die Septuaginta (3. Jh. v. Chr.), die Ü. des hebr. ATs ins Griech. – Ü.en aus dem Griech. ins Lat. bestimmten die Anfänge der röm. Literatur: bedeutende röm. Übersetzer waren Livius Andronicus (2. Jh. v. Chr.; Homer, att. Tragödien und Komödien), Terenz (Menander) und Cicero (1. Jh. v. Chr.; Platon, Xenophon, Demosthenes). Manche dieser Ü.en kommen allerdings sprachl. Neuschöpfungen gleich. Krit. äußerten sich zum Problem des Übersetzens Cicero (Einleitung zu den Reden des Aischines, Demosthenes), Quintilian (1. Jh. n. Chr.) und Gellius (2. Jh.). – Als Vater der *mal.* Ü.sliteratur gilt Hieronymus (um 400), der sich auch theoret. mit den Problemen der Ü. auseinandersetzte (Brief an Pammachius) und ältere lat. (Teil-)Bibel-Ü.en seit dem 2. Jh. (Sammelbez.: Vetus Latina) revidiert und z. T. neu übersetzt (sog. Vulgata). Bemerkenswert ist ferner die got. Bibel-Ü. des Bischofs Wulfila (4. Jh.). Die *ahd.* Literaturgeschichte beginnt mit Ü.en aus dem Lat., zunächst einzelner Wörter (⌐Glossen, »Abrogans«, 8. Jh.), dann auch zusammenhängender Texte mit der Zwischenstufe der Interlinearversionen (Isidor, Tatian, 9. Jh., Notker Teutonicus um 1000); diese Ü.en hatten eine Fülle von Lehnwörtern im Gefolge, welche die dt. Sprache bis heute mitprägen (Straße, Kloster, Wein und viele andere). Als bedeutende Übersetzer des *Hoch-MAs* gelten Adelard von Bath (12. Jh.; Euklid) und Gerhard von Cremona, fruchtbarstes Mitglied der Übersetzerschule von Toledo (12. Jh.; u. a. Ptolemaios, Archimedes, Aristoteles). Eine der ältesten mehrsprach. Ausgaben ist die Paraphrase des Hohen Liedes von Williram von Ebersberg (um 1100). Die *mhd.* Literaturentwicklung wird durch freie Nachdichtungen nach franz. Vorbildern gefördert (Heinrich von Veldeke, Hartmann von Aue); die Geschichte des dt. Prosaromans beginnt ebenfalls mit Ü.en aus dem Französ. (um 1400, Elisabeth von Nassau-Saarbrücken). Auch am Beginn der *humanist. Epoche* stehen Übersetzer wie Johann Hartlieb (gest. 1468), Niclas von Wyle und Heinrich Steinhöwel (15. Jh.). Den nachhaltigsten Einfluß auf die Entstehung einer nhd. Schriftsprache übte Luthers Bibel-Ü. (1522–34),

der sich dazu auch krit. äußerte (Sendbrief vom Dolmetschen). Wie schon im Altertum und im MA, betätigten sich auch in der *Neuzeit* Dichter zugleich als Übersetzer; im 17. Jh. förderten v. a. die ⌐Sprachgesellschaften Ü.en, bes. auch aus den modernen Sprachen; ferner waren als Übersetzer tätig: Ch. M. Wieland (Shakespeare u. a.), Goethe (Voltaire, B. Cellini), J. G. Herder (Cid, u. a.), J. H. Voß (Homer), F. Schiller (Shakespeare, Racine), F. Hölderlin (Sophokles u. a.), Mörike (Anakreontiker u. a.); im 20. Jh. St. George, R. M. Rilke, R. Borchardt. Künstler. Ansprüche erhebende Ü.en von Werken der literar. Geschmackswandels, vgl. z. B. die Homer-Ü.en von F. L. v. Stolberg, J. J. Bodmer, G. A. Bürger, J. H. Voß bis hin zu T. v. Scheffer, R. A. Schröder, W. Schadewaldt, W. Jens, oder die Ü.en Shakespeares: nach den Versuchen Wielands (1762 ff.) und J. J. Eschenburgs (1775 ff.), welche die Shakespeare-Rezeption des Sturm und Drang wesentl. förderten, nehmen die Ü.en von A. W. Schlegel/L. und D. Tieck/W. v. Baudissin (1825–33) eine bes. Stellung ein; sie gelten als sprachschöpfer. Glücksfall einer Umsetzung eines dichter. Werkes in eine andere Sprache, die man aber trotzdem durch immer neue Ansätze zumindest zeitgemäßer zu gestalten versucht, im 20. Jh. z. B. F. Gundolf (1908 ff.), H. Rothe (1921 ff.), R. Flatter (1938 ff.), R. A. Schröder (1941 ff.), R. Schaller (1960 ff.), E. Fried (1969 ff.). – Im 19. Jh. ragen noch die Ü.en F. Rückerts aus oriental. Sprachen, die Ü.en mhd. Werke durch K. Simrock, Molières durch L. Fulda, im 20. Jh. durch H. Weigel, hervor. Mit wenigen Ausnahmen (Wielands Prosa-Shakespeare) bemühte man sich in früheren Jahrhunderten bei poet. Werken um formentsprechende Übertragungen. Erst im 20. Jh. mehren sich daneben die Prosaparaphrasen. Im Verlaufe der Jahrhunderte ist ein Großteil der Weltliteratur in die dt. Sprache übertragen worden; diese Tendenz wird laufend fortgeführt. Als mustergültige Ü.en von Prosawerken gelten E. K. Rahsins Dostojewski-Ü.en, Eva Rechel-Mertens' Proust-Ü., H. Wollschlägers Ü. des »Ulysses« von J. Joyce, E. Littmanns Ü. der arab. Geschichtenslg. »1001-Nacht« oder F. Vogelsangs Ü.en aus dem span./portugies. Sprachbereich. – Die Problematik des Übersetzens beleuchtet das ital. Wortspiel »traduttore traditore« (Übersetzer-Betrüger). Die schwierige Situation eines Großteils der Übersetzer fixiert das Wort von ›Übersetzerelend‹, das nicht nur auf das Unzulängliche mancher unter Zeitnot, aber auch unzureichender Sprachkompetenz entstandener Ü.en anspielt, sondern auch das mangelnde materielle und ideelle Anerkennung einer für den internationalen Kulturaustausch so bedeutsamen Tätigkeit ausdrückt. Anerkennung finden jedoch herausragende Leistungen in *Übersetzerpreisen*, z. B. dem Dt. ⌐Akademie für Sprache u. Dichtung (Darmstadt) oder dem Wielandpreis (seit 1979). Organisiert sind die Übersetzer im Verband dt. Übersetzer literar. u. wissenschaftl. Werke e. V. (seit 1954). Die internationale Übersetzertätigkeit registriert der ›Index translationum‹, hrsg. vom Institut international de coopération intellectuelle (Paris 1932–40), NF hrsg. von der UNESCO (seit 1948), außerdem die ›Chartotheca translationum alphabetica‹ (internationale Bibliographie der Ü.en), hrsg. von H. W. Bentz (seit 1964). – Eine moderne Sonderform des Übersetzens ist die Neutextung von Kino- und Fernsehfilmen (Synchronisation). – Nach theoret. Vorüberlegungen der Mathematiker M. Weaver und A. Booth begannen 1954 in den USA u. 1955 in der Sowjetunion prakt. Versuche einer automat. Sprachen-Ü. mit Hilfe elektron. Datenverarbeitung (EDV). Auch Erkenntnisse der Kybernetik und Linguistik führten bis jetzt nicht über die Umsetzung einfach strukturierter Mitteilungen hinaus. Die Schwierigkeiten ergeben bereits bei der Wort- für Wort-Wiedergabe, da die Äquivalenz zwischen zwei Sprachen selten eindeutig ist. Höhere Schwierigkeits-

stufen bilden unterschiedl. syntakt. und idiomat. Strukturen (als Beispiel sei allein schon auf die Umsetzung dt. Genitiv-Zusammensetzungen etwa ins Engl. oder Franz. verwiesen). Erfolge in Richtung auf eine künstler. Ü. scheitern bislang noch an der komplexen Ambiguität und Ambivalenz des Mediums Sprache.
Bibliographie: Index translationum. Répertoire international des traductions. Paris 1932 ff., NF 1950 ff. ◫ Wilss, W.: Kognition u. Übersetzen. Tüb. 1988. – Ders. u. a. (Hrsg.): Theorie d. Übersetzens. Tüb. 1984. – Reiss K. u. a.: Grundlegung einer allgem. Translationstheorie. Tüb. 1984. – Apel, F.: Literar. Ü. Stuttg. 1983. – Wilss, W. (Hrsg.): Ü.swissenschaft. Darmst. 1981. – Koller, W.: Einführung in die Ü.swissenschaft. Hdbg. 1979. – Spitzbardt, H. (Hrsg.): Spezialprobleme der wiss. u. techn. Ü. Halle/S. 1972. – Reiß, K.: Möglichkeiten u. Grenzen der Ü.skritik. Mchn. 1971. – Brockhaus, K.: Automat. Ü. Braunschw. 1971. – Wuthenow, R.-R.: Das fremde Kunstwerk. Aspekte d. literar. Ü. Gött. 1969. – Lévy, J.: Die literar. Ü. Dt. Übers. Frkft./Bonn 1969. – Störig, H. J.: (Hrsg.): Das Problem des Übersetzens. Darmst. ²1969 (mit Bibliogr.). – Mounin, G.: Die Ü. Gesch., Theorie, Anwendung. Dt. Übers. Mchn. 1967. – RL.   S

Ultraismo, m., span. und lateinamerikan. literar. Bewegung, begründet 1919 in Madrid von G. de Torre (»Manifiesto vertical ultraísta«, 1920); erstrebte als Fortführung des ↗Modernismo, aber gegen dessen formalen Ästhetizismus gerichtet, eine Erneuerung der Lyrik durch ihre Reduktion auf eine auch die moderne Technik umgreifende autonome Metaphern- und Bildersprache (unter Eliminierung traditioneller formaler und inhaltl.-emotionaler Elemente). Vertreter sind neben Torre (»Hélices«, 1923) G. Diego (»Imagen«, 1922, »Manual de espumas«, 1924, beides Hauptwerke des U.), der Argentinier J. L. Borges (der den U. in Lateinamerika einführte), der Ecuadorianer J. Carrera Andrade, die Mexikaner J. Torres Bodet und C. Pellicer, die Peruaner C. Vallejo und J. M. Eguren und der Chilene V. Huidobro, der die verwandte Strömung des ↗Creacionismo entwickelte. Die Werke der Ultraisten erschienen v. a. in den Zeitschriften »Grecia« (1919/20) und »Ultra« (1921/22). Etwa ab 1924 gingen beide Richtungen im ↗Surrealismus auf.
◫ Videla, G.: El u. Madrid ²1971.   IS

Umarmender Reim, auch: umschlingender, umschließender Reim, Spiegelreim, Reimstellung abba; älteste dt. Belege bei Dietmar v. Aist und Friedrich von Hausen.   S

Unanimismus, m. [frz. unanimisme nach lat. una = eins, anima = Seele], philosoph.-ästhet. Bewegung in Frankreich Anfang des 20. Jh.s, basiert auf der Idee eines beseelten Kosmos, der sich v. a. in der Gruppenseele (âme unanime) manifestiere, d. h. in einem kollektiven Bewußtsein und in kollektiven emotionalen Kräften, die das Individuum, als Teil des beseelten Kollektivs, tragen. Der U. wurde in Auseinandersetzung mit der subjektivist. Esoterik des ↗Symbolismus um 1905 von J. Romains entwickelt und prägte v. a. die um ihn zentrierte Künstlergruppe der ›Abbaye‹ (benannt nach ihrem Domizil in einer alten Abtei in Créteil bei Paris), der G. Duhamel, Ch. Vildrac, R. Arcos, L. Durtain, A. Gleizes u. a. angehörten. *Literar. Niederschlag* fand er zuerst in der Lyrik (vgl. die Sammlung »La vie unanime«, 1908 von J. Romains, die zum Manifest des U. wurde), für welche eine an W. Whitman orientierte unanimist. Prosodie entwickelt wurde (Duhamel/Vildrac, »Notes sur la technique poétique«, 1910; Romains/G. Chennevière, »Petit Traité de versification«, 1923), dann auch im Drama (Romains, »Knock ou le triomphe de la médecine«, 1923) und im Roman (Romains, »Les hommes de bonne volonté«, Zyklus in 27 Bänden 1932–46, teilweise dt. u. d. T. »Die guten Willens sind«, 1935), in denen anstelle des individuellen Helden eine Gruppe tritt. Eine Entmystifizierung des U. versucht M. Butor in »Passage de Milan« (1954) und in »Degrés« (1960).

◫ Cuisenier, A.: J. Romains, l'unanimisme et les »hommes de bonne volonté«. Paris 1969. – Norrish, P.-J.: The drama of the group. A study of unanimism in the plays of J. Romains. New York/Cambridge 1958.   IS

Underground-Literatur ['ʌndə graund, engl., amerik. = Untergrundliteratur], auch Subliteratur:
1. *grundsätzl.* jede Literatur, deren Verfasser aus polit. oder ideolog. Gründen (Zensur) in den Untergrund gehen müssen, die heiml. erscheinen muß und vertrieben wird.
2. *speziell:* Sammelbez. für unterschiedl. literar. Strömungen und Formen, die seit etwa 1960 von den USA ausgehen und, bei fließenden Übergängen zum Untergrundfilm, zur bildenden Kunst (u. a. Pop Art, Andy Warhol), zum musikal. Untergrund (Rockmusik; Politrock), Teil einer zur offiziellen kulturellen und polit. Szene kontroversen Subkultur sind. Die Entwicklung dieser Subkultur ist nicht zu trennen vom polit. Protest gegen den Vietnam-Krieg, vom Aufbegehren gegen soziale Ungerechtigkeiten, von Studentenunruhen und dem Entstehen außerparlamentar. Oppositionen. Wie die gesamte Subkultur mußte sich auch die U. für ihre (kulturellen) Tabuzertrümmerungen (in Agitations-↗Comics, psychodel. Texten, Quasipornographie in neuentdeckten oder weiterentwickelten Techniken, z. B. der ↗Cut-up-Methode) geeignete und eigene Distributionsapparate und Umschlagplätze schaffen (Underground Press, Kleinstverlage, ↗Straßentheater, vgl. speziell das ↗Living Theatre, ↗Happenings, ↗Multi-Media-Schauen, Clubs), aber auch neue Formen des Zusammenlebens (Kommunen u. ä.), mit deren Hilfe sie v. a. die traditionelle Trennung von Leben und Kunst aufzuheben versuchte und radikalen Pazifismus, ungestörte Entfaltung der eigenen Persönlichkeit und gewaltlose Anarchie propagierte. Da die U. über ein gefühlsmäßig betontes, ideolog. vages polit. Engagement meist kaum hinauskam, fand sie sich (wie fast die ganze Subkultur) bereits Ende der 60er Jahre beinahe vollständig kommerzialisiert und ins offizielle Kulturleben weitgehend integriert, wobei sich die offizielle Literatur, soweit sich die U. nicht selbst etablierte (↗Beat-Generation, ↗Pop Literatur), Elemente und Formen der U. aneignete und sie speziell in den Medien nutzbar machte. z. B. den Fernsehfilm »Rotmord oder I was a German« von T. Dorst, P. Zadek, H. Gehrke. – Ihre Vorbilder, u. a. H. Hesses »Demian« und »Steppenwolf«, verarbeitete die U. durchaus unkritisch. – Eine genaue Zuordnung dt.sprach. *Autoren* zur U. ist wegen der unterschiedlichsten Tendenzen in der Subkultur nur mit Vorbehalten und z. T. nur für Einzelwerke mögl., etwa bei R. D. Brinkmann (auch als Vermittler der amerikan. Szene), bei J. Ploog, C. Weissner u. a. Autoren des März-Verlages, bedingt auch bei P. O. Chotjewitz oder dem Einzelgänger D. Rot (»Scheiße«, 1966 ff.). Eine spezif. Form polit. U. vermittelten Zeitschriften wie ›Konkret‹, the Verlagsprogramme der Oberbaumpresse oder des Trikont-Verlages u. a.

◫ Darnton, R.: The literary underground of the Old Regime. Cambr. 1982; dt. Mchn. 1985. – Hermand, J.: Pop oder die These vom Ende der Kunst. In: Die dt. Lit. der Gegenwart. Hrsg. v. M. Durzak. Stuttg. 1971. – Schütt, P.: Agitation durch Aktion. Untergrund-Literatur. In: Protestfibel. Hrsg. v. R.-U. Kaiser. Bern u. a. 1968.   D

University wits [juːniˈvəːsiti 'wits, engl. wit = Verstand, geistreicher Kopf], Bez. für diejenigen engl. Dramatiker Ende des 16. Jh.s, die akadem. gebildet und daher mit der antiken Theatertradition und der italien. Versuchen ihrer Erneuerung vertraut waren. Im Bemühen, daran anzuknüpfen, entwickelten sie einen neuen Komödien- und Tragödientypus, der sie zu den direkten Wegbereitern Shakespeares machte. Aus Oxford kamen J. Lyly (als Vorläufer: neuer, *heiter-lyr.* Komödientypus in *Prosa),* G. Peele, Th. Lodge; aus Cambridge: R. Greene, Th. Nashe und Ch. Marlowe (Hauptvertreter: heroisch-pathet. ↗Charaktertragödie in *Blankversen);* außerdem wird der nicht akadem.

gebildete Th. Kyd zu den u.w. gerechnet; vgl. ↗elisabethan. Drama. IS

Unreiner Reim, auch: Halbreim, ungenauer Reim, unvollkommene vokal. oder konsonant. Übereinstimmung der Reimsilben (vokal. oder konsonant. Halbreim); bei *vokal. unreinem R.* wird unterschieden: qualitativ u.R. *blüht: flieht* – quantitativ u. R. *hat : Rat. Konsonant. unreine R.e* wie *Reden* : *Poeten, neige : schmerzensreiche* (Goethe) können aber mundartl. rein sein (vgl. *Menschen : Wünschen* bei F. Schiller). – Ledigl. orthograph. unrein sind Reime wie *Geld : Welt, Gedränge : Menge,* in der Aussprache unrein sind dagegen ↗Augenreime. S

Unsinnspoesie (Unsinnsdichtung, Nonsense ['nɔn-sɔns-]dichtung), von der Literaturgeschichte und Ästhetik seit der Aufklärung diskreditierte literar. Arten und (Spiel-) formen, die unter dem Aspekt der Logik oder Semantik unsinnig sind. Der heutige Gebrauch des Wortes ›Un-sinn‹ verstellt jedoch ein ursprüngl. breiteres Bedeutungsspektrum und läßt die zentrale Frage nach den Motiven der U. außer Acht. U. spielt mit Klängen, Wörtern und deren oft doppeltem Sinn, ist eine Schöpfung der grotesken Phantasie und führt in die Bereiche der Mystik, des Traums und der verkehrten Welt. U. reicht, entsprechend der Bedeutungsmehrschichtigkeit der Vorsilbe ›un‹-, von Beispielen, die radikal auf jeden semant. und log. Sinn verzichten (z. B. ↗Lautgedichte, ↗reduzierte Texte) über Werke, die einen vorgebl. Sinn (↗Limericks u. a.) zu Werken, die über zerstörte vordergründige Sinngefüge oder Paradoxien auf einen Sinn jenseits von Semantik und Logik zielen (↗Würfeltexte, ↗Permutationen u. a.). Einzelne Spielarten der U. begegnen schon sehr früh, z. B. in alten Kinderreimen, dann in Renaissanceformen wie ↗Coq-à-l'âne, ↗Baguenaude, ↗Fatras, ↗Frottola oder auch den Reden der Narrengestalten Shakespeares, in der Sprachmystik und -magie der barocken Epigrammatiker (A. Silesius, D. v. Czepko, Q. Kuhlmann), in der Romantik. Seit Mitte des 19.Jh.s etabliert sie sich v. a. in England mit E. Lears »Book of Nonsense« (1846, daher *Nonsense-Dichtung)* und L. Carrolls »Alice's Adventures in Wonderland« (1865) und »Through the Looking Glass« (1872) und ist seither v. a. ein Phänomen der engl. Literatur. Vergleichbare Vertreter in Deutschland sind E. Morgenstern, J. Ringelnatz, P. Scheerbart, A. Okopenko. Verbindungslinien bestehen auch zu ↗Futurismus, ↗Dadaismus (K. Schwitters, H. Arp, die den Wahn-Sinn der Zeit den Ohne-Sinn der Kunst konfrontieren wollten), ↗Surrealismus und zu neueren Tendenzen der ↗abstrakten Dichtung, z. B. zu H. C. Artmann.
□ Tigges, W.: Anatomy of literary nonsense. Amsterdam 1988. – Ders. (Hrsg.): Explorations in the field of nonsense. Amsterd. 1987. – Lang, P. Ch.: Literar. Unsinn im späten 19. u. frühen 20.Jh. Frkf./Bern 1982. – *Anthologie:* Dt. U., hrsg. v. K. P. Dencker, Stuttg. 1978. Reichert, K.: Lewis Carroll. Studien zum literar. Unsinn. Mchn. 1974. – Petzold D.: Formen u. Funktionen des engl. Nonsense-Dichtung im 19.Jh. Nürnbg. 1972. – Liede, A.: Dichtung als Spiel. Studien zur U. an den Grenzen d. Sprache. 2 Bde. Bln./New York 1963. D*

Unterbrochener ↗**Reim,** regelmäß. Wechsel zwischen reimlosen und reimenden Versen, Schema xaya; findet sich bes. in ↗Volkslied und Volks-↗Ballade (↗common metre, ↗Chevy-chase-Strophe), vgl. z. B. Goethe (»Gefunden«), Heine u. a. S

Unterhaltungsliteratur, Bez. für literar. Texte, deren Hauptfunktion die Befriedigung eines Unterhaltungsbedürfnisses des Publikums ist; unterscheidet sich von ↗Trivialliteratur und ↗Schundliteratur v. a. durch eine größere themat., formale und sprachl. Vielfalt, von der sog. gehobenen Literatur, der Dichtung, durch geringere gedankl. Tiefe, formalen und inhaltl. Konservativismus und ein sprachl. meist niedrigeres Niveau. Eine eindeut.

Festlegung ist jedoch nicht mögl.; der Begriff U. verdeckt vielmehr die Tatsache, daß Lektürefunktionen nicht allein von der Beschaffenheit des Textes, sondern weitgehend von der Nutzung durch den Leser bestimmt werden: auch gedankl. und formal anspruchsvolle und erst recht triviale Werke können als U. gelesen werden. Zu den augenblickl. in der Bundesrepublik meistverkauften Autoren gehören die U.-Schriftsteller J. M. Simmel, H. G. Konsalik und M. L. Fischer (↗Bestseller).
□ Dumont, A.: Zur Trivialisierung des Erzählens im 1. Drittel d. 19.Jh.s. Erfurt-Mühlhausen 1985. – Schultze, B.: Studien zum polit. Verständnis moderner engl. U. Hdbg. 1977. – Hienger, J. (Hrsg.): U., zu ihrer Theorie u. Verteidigung. Gött. 1977. – Langenbucher, W. R.: Der aktuelle Unterhaltungsroman. Bonn ²1974. – Klein, A.: Die Krise des Unterhaltungsromans im 19.Jh. Bonn 1969. – Greiner, M.: Die Entstehung der modernen U. Reinbek bei Hbg. 1964. – auch ↗Trivialit. RK

Uraufführung, seit 1902 gebräuchl. Bez. für die erste theatral. Darbietung eines Bühnenwerks (übertragen auch: eines Musikwerks, bes. Oper, Operette, Film), meist in der Sprache und im Herkunftsland des Originaltextes; bis dahin als Premiere bez. Dieser Ausdruck ist – neben *Erstaufführung* – heute gebräuchl. für die Neuinszenierung eines bereits andernorts uraufgeführten Stückes. – U. nennt man oft auch die erste Inszenierung eines Stückes in einer Übersetzersprache. – Während der Weimarer Republik mußte vorübergehend jede Bühne pro Jahr eine U. inszenieren, was Berlins Bedeutung als Theaterzentrum zugunsten einer lebendigen Theater-›Provinz‹ zurückdrängte. – Wurden vor der Regelung des Urheberrechts Dramen erst nach der U. in Druck gegeben, so erscheinen die Textbücher meist am Tag der U. oder kurz danach. GM

Urbild, Lehnübersetzung des 17.Jh.s für gr.-lat. ↗Archetypus im Sinne von letztgült. Vorbild, Idee, Ideal, Typus: In Geistesgeschichte und Philosophie eine nur *intuitiv,* durch »anschauende Urteilskraft« (Goethe) zu erschließende Urstufe, der ideale Ausgangspunkt einer Entwicklung, in dem die Phänotypen aufgehoben sind, z. B. die Urpflanze Goethes als Inbegriff aller höheren Gewächsarten, als prinzipielle Zusammenfassung der wesentl. Elemente einer Gattung, vgl. auch Goethes »Metamorphose der Tiere« (1820) und weitere Begriffsvarianten wie Ur-Ei, Urfarbe, Urgebirge, Urkraft, Urlicht, Urphänomen, Urwesen, Urworte u. a. S

Urschrift, seit 1517 Lehnübersetzung für griech.-lat. autographum (↗Autograph), seit 1645 (Ph. v. Zesen) auch für ↗Original, allgem. übl. seit J. H. Campe, Wörterbuch der dt. Sprache, 1811. IS

Utopie, f. [gr. = Nicht-Ort, Nirgendwo; Kunstwort, von Th. Morus in »Utopia« (1516) aus gr. ou = nicht u. topos = Ort für die fiktive Insel seines Idealstaates unter König Utopos gebildet], philosoph. oder literar. Entwurf eines Idealstaates nach dem Vorbild von Platons »Politeia« (Staat, 4. Jh. v. Chr.). Der insulare Eigenname der Fiktion wurde in seiner Bedeutung erweitert zur Bez. einer Gattung, eines philosoph. Zukunftsentwurfs, eines allgemeinen Denkmusters, in dem sich das »Prinzip Hoffnung« (E. Bloch) sprachlich konkretisiert. Sieht man vom pejorativen Gebrauch des Begriffs U. im 19.Jh. ab (Fr. Engels, Die Entwicklung des Sozialismus von der U. zur Wissenschaft. London 1882) und vom Negativsinn in der Umgangssprache, wo zumal das Adjektiv ›utopisch‹ Synonym für ›wirklichkeitsfremd‹, unerfüllbar‹ ist, dann kann in literar. und philosoph. Werken U. ›U.‹ verstanden werden als: Vorausprojektionen einer krit. Vernunft, die Entwürfe für bessere Lebens- und Staatsformen (Morus: »de optimo rei publicae statu«) diskursiv oder fiktional bereitgestellt (↗utop. Roman). Dabei wird weitgehend nicht unterschieden, ob die U. gleichzeitig in fernen Gebieten oder in fernen Zeiten (›Uchronie‹) an gleichen

Orten gedacht ist. Wird die U. begriffsgeschichtl. danach unterschieden, ob sie als literarischer, wissenschafts- und ideologiegeschichtlicher oder intentionaler Terminus erscheint, so hat eine systemat. Typologie, erarbeitet an 153 U.en von der Antike bis zur frühen Neuzeit, versucht, nach inhaltlichen und formalen Kriterien zu unterscheiden: 1. nach dem Genre: fiktionale und nichtfiktionale U.n (vom Seefahrermärchen bis zum Verfassungsentwurf); 2. nach den vorgestellten Rechtsmodellen: privates oder Gemeineigentum (vom Individualbesitz bis zum totalen Kommunismus mit staatsverordneter Promiskuität); 3. nach der Text- und Vermittlungsform: Dialog, Essay, Roman, Satire etc.; 4. nach dem intentionalen Charakter: Handlungsanweisungen können als regressiv, progressiv, reformerisch oder revolutionär gegeben oder rezipiert werden.
⛕ Neusüß, A. (Hrsg.): U. Begriff u. Phänomen des Utopischen. Frkf./New York ³1986. – Wiegmann, H.: U. als Kategorie d. Ästhetik. Stuttg. 1980. – Winter, M.: Compendium Utopiarum. Typologie u. Bibliographie literar. U.n v. d. Antike bis zur d. Frühaufklärung. Bd. 1. Stuttg. 1978. – Kamlah, W.: U., Eschatologie, Geschichtsteleologie. Mannheim u. a. 1969. – ∕Utop. Roman.　　　　HW

Utopischer Roman, in Erzählform, meist als Roman dargebotene ∕Utopie, ein konstruierter Idealzustand ird. Verhältnisse und menschl. Beziehungen. Der u. R. gestaltet meist ein als ›ideal‹ angesehenes Gegenbild zu den sozialen, polit. und wirtschaftl. Verhältnissen der Epoche des Verfassers und ist insofern letztendl. doch der jeweil. Zeit verhaftet. Die literar. Einkleidung ist oft so wenig ausgeprägt, daß der Übergang zur nicht-fiktionalen U. in einzelnen Fällen kaum festzulegen ist. Die zeitl. (meist in die Zukunft) oder örtl. (einsame Inseln, Planeten innerhalb und außerhalb unseres Sonnensystems usw.) entrückten Schauplätze sollen einerseits die Existenzmöglichkeit solcher idealen Gemeinwesen plausibler erscheinen lassen, andererseits die direkte oder indirekte Kritik der Autoren kaschieren bzw. mildern und sie vor Nachstellungen durch die staatl. Machthaber schützen. – Die literar. U. gilt als Form des ∕Staatsromans; diesem Typus wird allerdings auch der ∕Fürstenspiegel zugerechnet, der fast gegenteilige Intentionen verfolgt: nicht radikale Neuordnung, sondern Besserung auf der Basis der alten Herrschafts- und Sozialverhältnisse. Es gibt jedoch Fürstenspiegel, die utop. Episoden enthalten, z. B. F. S. de la Mothe Fénelon: »Les Aventures de Télémaque« (1699). In diesem Sinne stellen auch einige der sozialist. utop. Romane keine U.n dar, sondern sind ausschließl. Illustrationen der marxist.-leninist. Staatsphilosophie. Vor allem aufgrund seiner Schilderung des sagenumwobenen ›Atlantis‹ (im ∕Kritias‹) gilt Platon als der *Begründer der literar. U.* Ihre eigentl. *Hoch-Zeit* setzt aber erst mit dem begriffsbildenden Werk des engl. Lordkanzlers Thomas Morus (»Utopia«, 1516) ein, dem bis ins 20. Jh. hinein zahlreiche U.n unterschiedlicher weltanschaul. und polit. Richtung folgen. Wie Morus' »Utopia« enthält auch der ›Sonnenstaat‹ (»Civitas solis«, 1602) des italien. Dominikaners Tommaso Campanella kommunist. Züge. Bei »Christianopolis« (1619) des schwäb. Theologen J. V. Andreae stand die protestant. pietist. Glaubenswelt Pate. In »Nova Atlantis« (1624/27) rückt F. Bacon erstmals die Naturforschung ins Zentrum einer literar. U. Die späteren U.n variieren einzelne Motive ihrer Vorgänger, bzw. verschmelzen sie mit zeitgenöss. populären Romanformen. Die Führungseliten Morus' und Bacons verselbständigen sich zu *Gelehrtenrepubliken:* die Dichter träumen von ›Dichter-Staatswesen‹, so u. a. Diego Saavedra Fajardos von einer »República Literaria« (ersch. 1655), J. H. G. v. Justi von einer »Dichterinsel« (1744) und F. G. Klopstock von einer »Deutschen Gelehrtenrepublik« (1774). Das Bild der friedl. und fruchtbar zusammenarbeitenden Wissenschaftler zerstört der Zeitgenosse Arno Schmidt: In seiner schwimmenden »Gelehrtenrepublik« (1957) geht der Streit zwischen Ost und West auch nach dem die Erde weitgehend zerstörenden Atomkrieg weiter. Von der ∕Robinsonade angeregt zeigt sich J. G. Schnabels in Deutschland sehr populäre »Insel Felsenburg« (1731/43), in der ein Schiffbruch mehrerer Personen zum Ausgangspunkt für die Gründung einer idealen Gemeinschaft auf christl. Basis wird. In »Gullivers Reisen« (1726) verbindet J. Swift Züge der ›voyage imaginaire‹, schärfste polit. ∕Satire mit utop. Gedankengut. In gewissem Sinne können auch die Arkadien-Utopien, die Ausmalung vergangener Idyllik hierher gezählt werden, romanhafte Ausgestaltungen einer laudatio temporis acti (∕Schäferdichtung). Das Schwinden unerforschter Territorien auf der Erde erforderte neue utop. Spielräume (bei wenig differierenden gesellschaftstheoret. Konzepten): Die außerird. Bereiche und das Erdinnere wurden (teilweise wieder-)entdeckt (vgl. Bishop Wilkins: »The Discovery of a World in the Moon«, 1638; S. Cyrano de Bergerac: »L'autre monde ou les états et empires de la Lune«, 1657 und »Histoire comique des états et empires du Soleil«, 1662; C. I. Geiger: »Reise eines Erdbewohners in den Mars«, 1790; L. Holberg: »Niels Klims Reise in das Erdinnere«, 1741; »Voyage to the Center of the Earth«, 1755; J. Verne: »Voyage au centre de la terre«, 1864 u. a.). Die daraus resultierenden Reiseprobleme werden im Laufe des 18. u. 19.Jh.s zunehmend mit Hilfe von techn.-naturwissenschaftl. Mitteln bewältigt, eine Folge einmal des fortschreitenden Eindringens von Technik und Naturwissenschaft in zahlreiche Lebensbereiche, zum andern des pauschalen Vertrauens, das man ihnen im Zeitalter der industriellen Revolution entgegenbringt. In den techn. Errungenschaften sehen denn auch Autoren wie Th. Erskine (»Armata«, 1816), É. Cabet (»Le Voyage en Icarie«, 1840), E. Bellamy (»Looking Backward 2000 – 1887«, 1888), Th. Hertzka (»Freiland«, 1890) u. a. den Weg zur Beseitigung sozialer Probleme. Auch die u. R.e, die radikaler als ihre Vorgänger die Gleichheit ihrer Bewohner verkünden, gründen auf den naturwissenschaftlichen Fortschritt: L.-S. Merciers erster ∕Zukunftsroman »L'an 2440« (1771) wie auch z. B. A. Bogdanovs vor der Russ. Revolution geschriebenes Werk »Der rote Planet« (1907). Die immer größer werdende Betonung des techn. Aspekts führt in der Literatur mehr oder weniger zur Ablösung der U. durch die ∕Science Fiction. Der ungehemmte Fortschrittsglaube ruft Gegenreaktionen hervor, die sich literar. als ›Anti-U.‹ niederschlagen. Bereits die Romantiker wandten sich gegen die Betonung der Maschine; dezidiert aber machen erst É. Souvestre (»Le Monde tel qu'il sera«, 1846), E. Bulwer-Lytton (»The Coming Race: or The New Utopia«, 1871), S. Butler (»Erewhon«, 1872), William Morris (»News from Nowhere«, 1891) u. a. Front gegen die Hypertrophie von Naturwissenschaft und Technik, die totale Industrialisierung und die daraus resultierende Vermassung unter diktator. Herrschaft. Aus neuerer und neuester Zeit zu nennen: Jevgenij Zamjatin, »Wir« (1920); A. Huxley, »Brave New World« (1932); G. Orwell, »1984« (1948); W. Jens »Nein – Die Welt der Angeklagten« (1950) und Stanislav Lem »Der futurologische Kongreß« (1972). Die Skepsis gegenüber modernen Entwicklungen schlägt um in tiefen Pessimismus, z. B. in Erzählungen, die die Situation nach einem mögl. Atomschlag schildern (u. a. Arno Schmidt besonders in »Schwarze Spiegel«, 1951 und »KAFF auch Mare Crisium«, 1960; Jens Rehn in »Die Kinder des Saturn«, 1959, und Carl Amery in »Der Untergang der Stadt Passau«, 1975). Das postkatastrophale Verhalten der wenigen Überlebenden ähnelt hier oft demjenigen, das zur Katastrophe führte. Letztl. negativ enden auch die utop. Entwürfe von G. Hauptmann (»Die Insel der großen Mutter«, 1924), H. Hesse (»Das Glasperlenspiel«, 1943), F. Werfel (»Stern der Ungeborenen«, 1946) und Ernst Jünger (»Heliopolis«, 1949). Eine der wenigen bedeutenden ›positiven‹ literar. U. n in der jüngsten Zeit verfaßte mit »Futurum II« (1948) der Psychologe B. F. Skinner, der insofern über die bisherigen Ansätze hinausgeht, als er in seinem Konzept das Eingehen auf die individual-psych. Bedürfnisse der Bewohner der idealen Gemeinschaft ins Zentrum stellt.

⌷ Müller, G.: Gegenwelten. Die Utopie in d. dt. Lit. Stuttg. 1989. – Braungart, W.: Die Kunst der Utopie. Stuttg. 1989. – Erzgräber, W.: Utopie u. Anti-Utopie in d. engl. Lit. Mchn. ²1985. – Kuon, P.: Utop. Entwurf u. fiktionale Vermittlung. Tüb. 1985. – Heuermann, H./Lange, B. P. (Hrsg.): Die Utopie in d. angloamerik. Lit. Düsseld. 1984. – Gnüg, H.: Der u. R. Zürich 1983. – Voßkamp, W. (Hrsg.): Utopieforschung. 3. Bde. Stuttg. 1982. – Berghahn, K. L./Seeber, H. U.: Literar. Utopien von Morus bis zur Gegenwart. Königstein/Ts. 1982. – Biesterfeld, W.: Die literar. Utopie. Stuttg. ²1982. – Soeffner, H. G.: Der geplante Mythos. Unters. zur Struktur u. Wirkungsbedingung der Utopie. Hbg. 1974. – Villgradter, R./Krey, F. (Hrsg.): Der u. R. Darmst. 1973. – Walsh, C.: From Utopia to nightmare. London ²1972. – Elliot, R. C.: The shape of Utopia. Studies in a literary genre. Chicago 1970. – Krymanski, H.-J.: Die utop. Methode. Eine lit.- u. wissenssoziolog. Unters. dt. utop. R.e des 20. Jh.s. Köln 1963. RK

Ut pictura poesis [lat. = wie ein Bild (sei) das Gedicht], von der Spätantike bis ins 18.Jh. zur programmat. Formel erhobenes Zitat aus der »Ars poetica«des Horaz (v. 361): dort als Hinweis auf die Wichtigkeit des Betrachter-/Leserstandpunktes formuliert, wird sie seit der Renaissance als Aussage über die gemeinsamen Grundgesetze von Dichtung und bildender Kunst mißverstanden, in Anlehnung an Aristoteles (Poetik 25), der für den Dichter wie den Maler die ↗Mimesis als Fundament definiert hatte, und an das Wort des Simonides (um 500 v. Chr.) von der Malerei als einer stummen Poesie bzw. der Poesie als einer redenden Malerei. Unter der u.p.p.-Formel tendierte insbes. die Dichtung bis zum 18.Jh. zum beschreibenden poet. Gemälde (↗Bild- und Gemäldegedicht, Figurengedicht), die Malerei zur auslegungsbedürftigen Allegorie. Mit der Betonung der Nachahmung notwendig verknüpft ist die Frage nach den Auswahlkriterien der Darstellung. Dies kann zur normative ↗Poetik führen (M. Opitz, 1624, N. Boileau, 1674, J. Ch. Gottsched, 1730). – In der Auseinandersetzung mit der beschreibenden Literatur seiner Zeit (A. v. Haller, E. v. Kleist), v. a. aber mit J. J. Winckelmanns Interpretation der hellenist. Laokoon-Statue als einer »edlen Einfalt« und »stillen Größe«, die trotz größtem Schmerz den Mund nicht zum Schrei öffne, versucht Lessing in seinem »Laokoon« (1766) eine doppelte Grenzziehung zwischen beiden Künsten (↗Laokoon-Problem): Malerei als räuml. Gestaltung des fruchtbaren Augenblicks, Dichtung als zeitl. Entfaltung bewegter Handlung, wobei das Wort zugleich als »willkürl. Zeichen« einen weiteren geist. Raum als die Malerei eröffne. Das Drama als höchste Gattung der Poesie erzeuge die größtmögl. geist. Bewegung (»Illusion«) im Bereich der Kunst überhaupt. Die Literaturtheorie der deutschen Klassik und des poet. Realismus hat die zentrale Stellung des Handlungsbegriffs übernommen. In die Tradition einer ›malenden‹, beschreibenden Lit. nach Lessing kann man A. Stifter, F. Kafka, den ↗nouveau roman (Robbe-Grillet) stellen, freilich mit veränderter Begründung: hier läßt sich ein wachsender Zug zur naturwissenschaftl. Detailgenauigkeit und damit zugleich die Erfahrung der Undurchdringlichkeit der Dinge selbst als gemeinsame Tendenz beobachten. Auch daß sich seit der Romantik die subjektiven Integrationsformen des Humors, der Ironie, Parodie und Groteske zunehmend gegenüber den klass. Gattungsformen durchsetzen, trägt zur Auflösung der Lessingschen Trennungslinien bei.

⌷ Dyck, J. (Hrsg.): Dichtung u. Malerei – U.p.p. Frankft. 1974. – Buch, H.-Ch.: U.p.p. Die Beschreibungslit. und ihre Kritiker v. Lessing bis Lukács. Mchn. 1972. – Graham, J.: »U.p.p.« A bibliography. In: Bulletin of bibliography and magazine notes 29 (1972). DW

Vademekum, n. [lat. vade mecum = geh mit mir], Titelbestandteil für kurzen Abriß, Leitfaden od. prakt. Ratgeber, z. B. E. Dieth, V. der Phonetik (Bern 1950). S

Vaganten [lat. vagari = umherziehen], schwer zu erfassende zwischenständ. Schicht der ↗Fahrenden im Hoch-MA.: Studierende (Scholaren) und Studierte (Kleriker, Geistliche), entweder unterwegs zu Studienorten oder nach abgeschlossenem Studium auf der Suche nach einer Anstellung, aber auch solche, die aus Abenteuerlust, aus Gefallen am ungebundenen Leben auf Wanderschaft blieben, darunter z. B. entlaufene Mönche, ›ewige‹ Scholaren usw. V. suchten ihren Lebensunterhalt beim lateinkundl. Teil der Bevölkerung in Klöstern, Kirchenkapiteln, Universitäten, Schulen, die sie mit ihren literar. Künsten (↗Vagantendichtung) unterhielten. Diese lat. gebildeten Vertreter des mobilen Teils der hochmal. Gesellschaft treten der Entstehung welt. Wissenschaften und ihren Schulen und Universitäten im 12.Jh. auf; sie waren ursprüngl. v. a. in Frankreich verbreitet, eine frühe Ausprägung eines europ. Gelehrtenproletariats, einer internationalen Bohème oder Intellektuellengarde des MA.s, die ohne eth. Bindungen (Libertins) und Verantwortung oft aggressive Modethemen aufgriff. – Eine Abgrenzung zwischen den *scolares vagantes,* den nur vorübergehend ›fahrenden‹ Schülern, und den *vagi* (Sg. *vagus*), den ziellos Umherziehenden, ist nicht mögl., eher noch zwischen diesen und den schon in mal. Synodalbeschlüssen meist moral. als ›Teufelsbündler‹ verurteilten ↗Goliarden und anderen gesellschaftl. Außenseitern. Sie unterscheiden sich auch von dem mehr mit mim. und akrobat. Darbietungen hausierenden ↗Joculator *(joglar)* und dem volkssprachl., als Dichter aber ebenso schwer zu fassenden ↗Spielmann und dem meist in Hofdiensten stehenden ↗Ménestrel (Minstrel, v. Ministeriale = Diener).

⌷ s. ↗Vagantendichtung. S

Vagantendichtung, umstrittene Bez. für welt. lat. Dichtung v. a. des 12. und 13.Jh.s, bes. für mittellat. Lyrik verschiedenster Gattungen wie Liebes- u. Tanzlieder, Trink-, Spiel- und Buhllieder, Bettel- und Scheltlieder, Parodien, Satiren und Schwänke. Ein Teil dieser meist anonym überlieferten Werke ist wohl von den namengebenden ↗Vaganten verfaßt, andere können evtl. auch von Vertretern der höheren Geistlichkeit stammen oder nur als Schulpoesie, als Übungsstücke nach Vorbildern entstanden sein. Gemeinsam ist der V. v. a. eine jugendl. libertinist. Unbekümmertheit und Unbefangenheit und eine gewisse scharfzüng.-krit. Frontstellung gegen etablierte Mächte, Formen und Regeln. Bes. Zielscheiben sind die Kirche und ihre Würdenträger, aber auch weltl. Herren und polit. Zustände. Gegeißelt werden Widersprüche zwischen Ideal und Wirklichkeit, bes. zwischen moral. Soll und Haben. Die Parodien und Schwänke machen oft auch vor Sakralem nicht halt (vgl. z. B. als Meßparodie die Spielermesse). Aus der Perspektive der (noch) Nicht-Arrivierten sind v. a. die Bettel- und Scheltlieder gegen den Geiz der Pfründeninhaber gesehen. Der zweite große Themenkreis, der lyr. Lobpreis des ungebundenen Lebensgenusses, der Liebes- und Sinnenfreude, eines oft hemmungslosen carpe-diem-Aufrufs, wurde in der Neuzeit zum Inbegriff der V. – Der *Stil* der V. ist realist., witzig, naturzugewandt, voll von Anspielungen; er verrät, dem Bildungsstand der Autoren entsprechend, Vertrautheit mit der klass. antiken Dichtung (Horaz, v. a. Ovid) und der antiken Mythologie. Neben der ↗Vagantenzeile und -strophe werden zahlreiche andere metr. und rhythm. Verse und Strophen verwendet. Die *Sprache* unterscheidet sich vom klass. Latein durch grammat. u. stilist. Freiheiten, gelegentl. finden sich auch volkssprachl. (afrz., mhd.) Einsprengsel und Formen einer lat.-dt., lat.-frz. Mischpoesie. Die Lieder wurden in der Regel *gesungen vor-*

getragen, die Chor- und Tanzlieder zeigen Refrain; die Melodien sind bis auf schwer deutbare Neumenaufzeichnungen meist verloren. Man hat die V. als Produkt eines ersten europ. Gelehrtenproletariats, einer mal. Bohème bezeichnet, die ihr Publikum an den Höfen geistl. Fürsten, in Klöstern, bei gebildeten weltl. Herren, an Universitäten und Domschulen fand. Bisweilen klingt auch der Hochmut der litterati, der Intellektuellen, gegenüber dem ungebildeten Volk durch. Einige der zahlreichen anonym überlieferten Texte lassen sich namhaften *Vertretern* zuordnen: dem Primas Hugo von Orléans (ca. 1093–1160), dem Archipoeta (2. Hä. 12. Jh., vgl. seine Vagantenbeichte »Meum est propositum in taberna mori«), Walter von Chatillon (um 1135–1201, u. a. Lehrer in Paris, zuletzt Domherr in Amiens) u. Petrus von Blois (um 1135–1204, u. a. Kanzler des Erzbischofs von Canterbury). – Gesammelt ist ein Großteil der Lieder in der Handschrift der sog. *Carmina burana* (entstanden im 13. Jh., im Kloster Benediktbeuren, heute Staatsbibl. München), die in vier Teilen moral.-satir. Gedichte, Liebeslieder, weiter Trink- und Spiellieder und geistl. Spiele enthält. Die Tradition der V. setzt sich fort in den neuzeitl. Studentenliedern (/Kommersbuch; vgl. »Gaudeamus igitur«, das auf einen vagant. Text zurückgeht). Einige Vagantenlieder aus den *Carmina burana* wurden von C. Orff im gleichnam. Chorwerk vertont (1937).

🕮 *Texte:* Carmina Burana. Die Gedichte des Codex buranus. Lat. u. dt. Übertr. v. C. Fischer u. H. Kuhn, Anm. u. Nachwort v. G. Bernt, Zür./Mchn. 1974. – Langosch, K.: Hymnen u. Vagantenlieder. Darmst. ³1972. – Carmina Burana. Krit. hrsg. v. A. Hilka u. O. Schumann (abgeschlossen von B. Bischoff). Bd. 1 (Text) Hdbg. 1930/1970; Bd. 2 (Kommentar) Hdbg. ²1961. Langosch, K. (Hrsg.): Mittellat. Dichtung. Ausgew. Beitr. zu ihrer Erforschung. Darmst. 1969. – Raby, F. J. E.: A History of secular Latin poetry in the Middle Ages. 2 Bde. Oxf. ²1957.　S

Vagantenzeile, rhythm. Langzeile aus einem endbetonten vierheb. Siebensilbler und einem dreiheb. Sechssilbler, mit /Diärese nach der 4. Hebung: »Méum ést propósitúm / in tabérna móri« (Archipoeta); vier durchgereimte V.n bilden die *Vagantenstrophe.* Verbreitet in der lat. Vagantendichtung des Hoch-MA.s, z. B. beim Archipoeta, in den *Carmina burana,* auch bei Hugo von Trimberg (»Registrum multorum auctorum«).　S

Vampirroman, Spät- und Sonderform des /Schauerromans, knüpft an europ. Volksüberlieferungen an, die ihrerseits auf die antike Dämonologie mit ihren *Lamien, Harpyien* und *Strigen* zurückverweisen, aber auch auf die ebenso leichenhaften wie leichenverzehrenden und nekrophilen *Ghoule* oriental. Herkunft und Tradition. Nach dem v. a. auf dem Balkan verbreiteten Volksaberglauben sind *Vampire* ›untote‹ Verstorbene, die dem Grab entsteigen und als Wiedergänger oder ›Nachzehrer‹ und oft in Tiergestalt (als Werwolf oder Fledermaus) Lebenden das Blut aussaugen. Ersten Berichten über sie aus dem späten MA u. v. a. aus dem frühen 18. Jh. folgten zahlr. theolog. u. gelehrte Traktate bis zur Schrift des frz. Benediktiners A. Calmet (1746, dt. 1751). *Literar.* aktuell werden Vampire gegen Ende des 18. Jh.s im Zusammenhang mit irrationalistischen Gegenströmungen zum konsequenten Rationalismus der Aufklärung, z. B. durch den Naturforscher und Geographen Abbate Alberto Fortis (Reisebericht »Viaggio in Dalmatica«, 1774), ausführlicher im »Taschenbuch für Aufklärer und Nichtaufklärer« (1791) des Carl von Knoblauch zu Hatzbach, der bereits auf die griech. Mythologie hinweist und auf dessen ersten Nachnamen das spätere Klischee zurückgeht, das beste Schutzmittel gegen Vampire sei Knoblauch. Eine *erste literar. Gestaltung* findet sich in Goethes Ballade »Die Braut von Korinth« (1797). Für die europ. Romantik wird der Vampir sodann das Inbild ihrer

Erfahrungen von unheiml. Todesangst, übersteigerten Haß-, Rache- und Ohnmachtsgefühlen, aber auch von verdrängter Sexualität, die sich vor allem beim Vampirbiß in junge Mädchenhälse manifestiert. In der Dichtung erscheinen Vampirmotive zunächst diffus und oft wenig ausgeprägt sowie gattungsmäßig noch nicht festgelegt in Gedichten, Balladen, Verserzählungen, Novellen, Romanen und Dramen von S. T. Coleridge, Lord Byron, Ch. R. Maturin, Ch. Nodier, P. Mérimée, C. Potocki, H. Heine, M. Lermontow u. a. Seit der Erzählung »The Vampyre« des engl. Arztes J. William Polidori (1819, versehentl., aber bezeichnenderweise unter dem Namen seines Freundes Byron erscheinen) setzt sich, formal an die Gothic novel anknüpfend, inhaltl. gespeist von der sog. Schwarzen Romantik, die Prosaform und damit der V. im engeren Sinne durch (nachträgl. oft dramatisiert, später auch in Opern, Balletten, Filmen gestaltet), meist in deutlicher Nähe zur /Trivial- und Kolportageliteratur. Frühe dt. Beispiele sind die Erzählung »Der Vampyr und seine Braut« (1826) von Carl Spindler, sowie das v. einem Prosafragment Byrons angeregte Libretto zu H. Marschners Oper »Der V.« (1828). Als Meisterwerk der Gattung gilt die Erzählung »Carmilla« (1872) von J. Sh. Le Fanu, der um einen lesb. Vampir kreist. Auf balkan. Volksüberlieferung von einem histor. Gestalt des blutrünstigen Vojevoden Vlad (2. Hälfte 15.Jh.), genannt Tepez (= der Pfähler), ungar.: Dracole, basiert der V. »Dracula« (1897, mit der Fortsetzung »Draculas Gast«, 1914) des Iren Bram Stoker, das Hauptwerk und geradezu der Prototyp der Gattung. Sein anhaltender Erfolg beruht wiederum auf dem Ungenügen am rationalist. (jetzt mehr wissenschaftl.-techn., biolog. und medizin.) Fortschrittsglauben des 19. und 20. Jh.s, der jedoch am Schluß des Romans – ganz im Sinn trivialer Schablonen – mit knapper Not obsiegt. Die Einflüsse der Schwarzen Romantik treten zugunsten eines gelegentlichen (selbst-)parodistischen Einschlags zurück. Seine Elemente (einschl. der parodistischen) finden sich in unterschiedl. Mixtur wieder in den zahlreichen Übersetzungen, Bearbeitungen, Dramatisierungen und Nachahmungen des »Dracula«, insbes. auch in Verfilmungen (von Fritz Murnaus »Nosferatu«, 1921 bis zu Roman Polanskis »Tanz der Vampire«, 1967). Eine weitere filmische Variante findet sich in der männermordenden Frauenfigur des ›Vamp‹. Ein eigenwilliger, literar. anspruchsvollerer Sonderfall ist die motiv- und sprachspielerische Gestaltung des Stoffes durch H. C. Artmann in »dracula, dracula. ein transsylvanisches abenteuer« (1966). /gothic novel, /Schauerroman.

🕮 Bauer, W. (Hrsg.): Des A. Calmet gelehrte Verhandlung von denen sog. Vampiren. Hamburg 1976. – Von denen Vampiren oder Menschensaugern. Dichtungen u. Dokumente. Hrsg. v. D. Sturm/K. Völker. Mchn. ³1973.　RS

Variante, f. [zu lat. varius = verschiedenartig, wechselnd], Bez. der /Textkritik für Abweichung von der /Lesart eines textkrit. erarbeiteten Haupttextes oder des Textes der editio definitiva bei zwei oder mehreren Fassungen. Zu unterscheiden sind:

1. *Autor- oder Entstehungs-V.n,* d. h. Verbesserungen, Änderungen eines Textes durch den Autor selbst. Sie erscheinen als Dokumente der Textgeschichte bei Editionen moderner Werke im Apparat einer /histor.-krit. Ausgabe.

2. *Überlieferungs- oder Fremd-V.n,* d. h. absichtl. oder zufällige Eingriffe von fremder Hand, z. B. vermeintl. Verbesserungen (etwa der Reime, der Wortwahl) durch Schreiber oder Redaktoren (/Redaktion), Abschreibfehler und andere Versehen (Auslassungen von Wörtern, Zeilen); sie werden oft bei handschriftl. Überlieferung antiker und mal. Werke vermutet; sie sind oft von möglichen Autor-V.n nicht zu unterscheiden; sie werden im textkrit. /Apparat aufgeführt. V.n können auch als Leitfehler (sog. Trenn- oder Bindefehler) für die Handschriftenverwandtschaften Bedeutung erlangen (/Stemma).

Martens, G./Zeller, H. (Hrsg.): Texte u. V.n. Probleme ihrer Edition u. Interpretation. Mchn. 1971.   S

Variation, f. [lat. variatio = Verschiedenheit, Veränderung],

1. auch gr. *metabolé* (= Wechsel), in der antiken ↗Rhetorik und Stilistik die abwechslungsreiche Gestaltung einer Rede, insbes. der unerwartete Wechsel in Syntax (↗Inkonzinnität), Rhythmus oder Wortwahl.

2. allgemein: Stilprinzip, einfache oder mehrfache Wiederholung eines Begriffes (Wortes) oder Gedankens (Satz, Kola) in anderer Form: als *Wort-V.* v.a. durch Synonyma und Periphrasen, als *Satz-V.* durch synonyme, trop. oder phraseolog. freie Glossierung oder Nuancierung eines Satzinhalts (Gedankens) in syntakt. koordinierten oder selbständ. Kola und Sätzen (»Wir haben keinen Freund und keine treue Seele [Wortv.] hier, wir haben nichts als uns selbst« [= Satzv.], Schiller, »Piccolomini«). In der antiken Rhetorik Mittel der ↗Amplificatio; in der altgerman. ep. Stabreimdichtung kennzeichnendes Stilmittel, eng mit dem ↗Hakenstil verbunden (Verknüpfung der jeweils 2. Langzeilenhälfte mit der nachfolgenden 1. Langzeilenhälfte durch V.); in angelsächs. weltl. und geistl. und altnord. edd. Dichtung dienen der V.stechnik v.a. ↗Kenning und ↗Heiti.   IS

Vaterländische Dichtung (auch: patriot. Dichtung), Spielart der ↗polit., z.T. auch der ↗Kriegsdichtung; will, vordringl. in Zeiten drohender oder überwundener nationaler Gefährdung (z.B. Türkenkriege, napoleon. Kriege usw.) patriot. Begeisterung und Sendungsbewußtsein, aber auch Verteidigungswillen, Opfer- und Kriegsbereitschaft wecken. Meist patho. oder hymn. angelegt, appelliert die *v. Lyrik* v.a. an emotionale Kräfte und setzt oft auch starke polem.-agitator. Mittel ein. Die *dramat. v. D.* greift gerne auf Stoffe glanzvoller histor. Vergangenheit zurück (↗Geschichtsdrama). V.D. entstand v.a. während der sogen. Freiheitskriege (H.J. von Collin, E.M. Arndt, H.v. Kleist, Th. Körner, M.v. Schenkendorf) und im Gefolge des dt.-franz. Krieges 1870/71 (M. Schneckenburger, »Wacht am Rhein«, Ch.F. Scherenbergs Schlachtepen, M. Greifs und E.v. Wildenbruchs Hohenstaufen-, Hohenzollern- u.a. Dramen).

↗polit. Dichtung.   IS

Vaudeville, n. [vod'vi:l; frz. f. aus Vau-de vire (15./16.Jh.) und voix-de-ville (16. Jh., = Stimme der Stadt)], Bez. für mehrere literar. Gattungen, deren Entstehung die Wortgeschichte widerspiegelt: In Val (= vau) de Vire, einer Landschaft in der Normandie am Flüßchen Vire, entstand im 14.Jh. eine bes. Gedichtgattung, die sich dann bes. in Paris vielseitig entwickelte:

1. als V. wird im 17. u. 18.Jh. ein Gedicht spött.-epigrammat., auch derb-erot. Inhalts bezeichnet, dem eine populäre Melodie unterlegt wurde (vgl. N. Boileau, Art poétique, 1674); musikal. bewahrt das V. vielfach alte franz. Tanzformen des 16.Jh.s; Texte und Melodien *(timbres)* wurden gesammelt, z.B von J.-B. C. Ballard, »La clef des Chansonniers ou recueil des V.s«, 1717; allein zwischen 1715 und 1760 zählt man 2000 bis 3000 V.s.

2. Schon im 17.Jh. erscheint das V. auch im Pariser ↗Volkstheater, zuerst in Gherardis ↗Comédie italienne, dann in den sog. *Comédies-en V.s* (volkstüml. Jahrmarkttheater, *théâtre forain).* Da die Oper und die Comédie Française das Privileg des Musik- bzw. Sprechtheaters besaßen, entstanden hier V.s als Mischformen von Pantomime, Sprech- und Musikdarbietungen, wobei Zuschauer und Schauspieler die populären *timbres* zu Texten und Spruchbändern anstimmten. Diese Entwicklung führt direkt zur *Opéra comique,* wobei unter italien. Einfluß neu komponierte *airs* die alten V.s ersetzten. Blüte zwischen 1690 und 1762; danach wurde das V. endgültig zum Sprechstück, das *Comédie à Couplets* oder *Comédie-V.,* kurz *V.,* ab 1782 von Piis und Barré gepflegt wurde und 1792 ein eigenes *Théâtre*

du V. erhielt. Als satir.-literar. Komödie mit musikal. Einlagen entwickelte sich das V. im 19.Jh. zum reichsten Genre des frz. Theaters mit ca. 10 000 Stücken. Charakterist. sind Autorenteams, deren sich auch die bekanntesten Autoren, z.B. E. Scribe (»Das Glas Wasser«, 1840) u. E. Labiche (»Der Florentinerhut«, 1851) bedienten. Was es an geistreichem Witz verlor, ersetzte das V. nun durch groteske Situationskomik, drast. Komödiantik und Schauspielerpersönlichkeiten. In der III. Republik entwickelte sich aus ihm die ↗Boulevardkomödie. Unter den Autoren sind zu nennen H. Meilhac, L. Halévy, v.a. G. Feydeau. Im 20. Jh. führen u.a. G. Quinson, L. Verneuil, P. Armont und Barillet et Grédy das V. fort. – Rußland entwickelte im 19.Jh. nach Pariser Vorbild ein eigenes V. (A. Tschechow, »Der Heiratsantrag«, 1889). – In Großbritannien und den USA nennt man leichte Komödien und Varieté-Theater nach Art der Music-Hall V. Man spricht auch von einem Film-V. (R. Clair, »Le Million«, 1931).

3. Eine Sonderform bildet das sog. *V. final,* eine Form des Finales in der frz. Oper des 18.Jh.s, bei der die Personen sich mit je einer Strophe eines Strophenliedes verabschieden, zu der das Ensemble den Refrain singt. In einer direkten Wendung ans Publikum wurde so das moralische oder humorvolle Fazit gezogen, vergleichbares kennt auch das Sprechtheater: Finale von W.A. Mozart, »Die Entführung aus dem Serail«; I. Strawinsky, Epilog zu »The Rake's Progress«; P.-A.C. de Beaumarchais, »Die Hochzeit des Figaro«.

Matthes, L.: V. Heidelbg. 1983. – Samuels, C./Samuels, L.: Once upon a stage: The merry world of v. New York 1974.   HR*

Verbalstil, Sprachstil, bei dem, im Ggs. zum *Nominalstil,* Verben die den Sprachduktus bestimmenden Aussageelemente sind, nominale Wendungen dagegen eher gemieden, Abstrakta verbal umschrieben werden, z.B. ›ausführen‹, ›anwenden‹ statt (wie im Nominalstil) ›zur Ausführung‹, ›Anwendung bringen‹, ›weil er arm war‹ statt nominal ›aus Armut‹. Der V. tendiert zu Anschaulichkeit und Konkretheit, er kennzeichnet v.a. frühe Sprachstufen und bis heute die Mundarten und affektgeladene Ausdrucksweise (z.B. im ›Sturm und Drang‹), dagegen herrscht in Wissenschaft, Politik und Publizistik der abstraktere, oft gedrängtere Nominalstil vor, der begriffl. präziser sein kann, jedoch auch Gefahr läuft, zur Phrasenhaftigkeit, zum sog. ›Papierstil‹, abzuflachen, er erscheint aber auch als ep. Stilform (z.B. bei Th. Mann).   IS

Verfremdung, Begriff der Literaturtheorie:

1. *allgemein* für die grundlegende Distanz der poet. Sprache zur Alltagssprache. Er dient in der Lit.wiss. deshalb zur Kennzeichnung literar. Strömungen, in denen diese Distanz bewußt künstler. eingesetzt wird: vom rhetor. ↗Asianismus der Antike über den ↗Manierismus, das ↗Wiener Volkstheater bis zur modernen Lyrik oder dem ↗absurden Theater der Gegenwart. Gemeinsame Intention: das Publikum soll aus seinen Sprachgewohnheiten (sowohl der Alltagssprache als auch der Rezeption von Lit.) herausgerissen, damit auf das Neue der künstler. Darstellung oder der in ihr vermittelten Wirklichkeit aufmerksam gemacht werden. Dies setzt auf Seiten des Autors die bewußte Wendung gegen literar. oder weltanschaul. Traditionen, auch gegen gesellschaftl. Phänomene voraus. Techniken der V. sind deshalb Witz, Satire, Parodie, Groteske, oder auch Metaphorik, Dunkelheit, Hermetismus.

2. *im russ. Formalismus* wurde der Begriff V. geprägt von V. Schklowski (»Die Kunst als Verfahren«, 1916). Das »Verfahren der V.« *(priem ostranenija)* erscheint hier als die charakterist. Methode der Kunst. Ziel jeder lit. Sprache sei es, die durch sprachl. und gesellschaftl. Konventionen automatisierte Wahrnehmung zu erschweren: »ein Empfinden des Gegenstandes zu vermitteln, als *Sehen,* und nicht als *Wiedererkennen«.* Zugleich aber werde das Interesse des

Rezipienten auf die verfremdende künstler. Form selbst gelenkt. Deshalb wendet sich der russ. Formalismus weniger dem durch die Kunst veränderten Blick auf das Leben als innerliterar. Phänomenen zu, etwa in J. Tynjanovs Darstellung der literar. Evolution als einer Tradition formaler Traditionsbrüche. Die linguist. Texttheorie greift auf diese Erkenntnisse der Formalisten zurück.

3. Begriff in Bertolt Brechts *Theorie vom* ⁄ *epischen Theater,* entwickelt wohl in Auseinandersetzung mit dem Formalismus (1935 Besuch in Moskau). Dessen Formel vom »Sehen« statt »Wiedererkennen« wird zugleich dialekt. verstanden (Hegel: »Das Bekannte überhaupt ist darum, weil es bekannt ist, nicht erkannt«): das vorhandene ungenügende Verstehen soll durch den Schock des Nicht-Verstehens zum wirkl. Verstehen geführt werden: V. als Negation der Negation. Das formale Prinzip wird zugleich mit der marxist. Gesellschaftstheorie (Begriff der *Ent*fremdung) verbunden: Ziel des Theaters sei, dem Zuschauer die Wirklichkeit als historische, also widersprüchliche und veränderbare aufzuzeigen. Der bisher allein auf die Natur angewandte wissenschaftl. Blick solle durch das Theater auch auf die menschl. Gesellschaft gerichtet werden. V. wird zum didakt. Prinzip. Damit wendet sich Brecht sowohl gegen Intention (Einfühlung, ⁄ Katharsis) als auch Wirklichkeit (unabänderl. Schicksal, menschl. Tragik) der »aristotel. Dramatik«. Das dialekt. Theater ist dabei nicht emotionslos: statt passiver Furcht und Mitleid solle aktive Wissensbegierde und Hilfsbereitschaft im Zuschauer geweckt werden. Die V. läuft technisch auf 3 Ebenen ab: in Dramenbau, Bühnenbau (Inszenierung) und Spielweise werden ⁄ Verfremdungseffekte (V.-effekte) eingesetzt. Wichtig v.a. Brechts Rede »Über experimentelles Theater« (1939), die Zusammenfassung der »Dialoge aus dem Messingkauf« im »Kleines Organon für das Theater« (1948).

▢ Helmers, H. (Hrsg.): V. in d. Lit. Darmst. 1984. – Knopf, J.: V. In: J. K.: Brecht-Hdb. Theater. Stuttg. 1980. – J. Striedter: Texte der russ. Formalisten. 2. Bde. München (1969). – R. Grimm: V. In: Revue de Littérature Comparée 35 (1961). – Ders.: Vom Novum Organon zum Kleinen Organon. Gedanken zur V. In: Das Ärgernis Brecht. Basel-Stuttg. 1961. – RL. **DW**

Verfremdungseffekt (V-Effekt), Bez. B. Brechts für die techn. Mittel zur ⁄ Verfremdung in Dramenbau, Bühnenbau (Inszenierung), Spielweise im Rahmen seines »dialekt.« ⁄ ep. Theaters. Im Gegensatz zu den illusionist. Techniken des »aristotel.« Theaters dient der V. einem gesellschaftl. Zweck: er soll die geschichtl. Widersprüche und dialekt. Bewegungsgesetze der Realität aufzeigen und vom Standpunkt des sozialist. Realismus (s. Realismusdebatte) sichtbar machen und zwar

1. *in Dramenbau und Sprache:* statt geschlossener Akteinteilung und stringent psycholog. motiviertem, dramat. Handlungsaufbau Gestaltung einer für Widersprüche offenen Struktur: Reihung von Bildern, Prolog, Epilog, Überschriften, Sprecher, direkte Anreden der handelnden Personen ans Publikum, Songs; unvermittelte sprachl. Kontraste, Zitate (etwa aus der Bibel) in neuem Zusammenhang, gegen den gewohnten Rhythmus rhythmisierte Verse. – Einfluß von Jahrmarkt (Moritat), ⁄ Volkstheater (Karl Valentin), ⁄ Kabarett (W. Mehring), G. Büchner, F. Wedekind u. a. Neue Rolle der Musik (K. Weill, H. Eisler).

2. *in der Inszenierung:* Verzicht auf Interieur und Atmosphäre (etwa der Beleuchtung), sichtbare Bühnentechnik, Einsatz von Medien (Film). – Einfluß der polit. Revue E. Piscators.

3. *in der Spielweise:* gest. Darstellung: nicht identifizierend, sondern demonstrierend (wie die Erläuterung eines Unfalls in einer »Straßenszene«). – Einfluß D. Diderots, der chines. Schauspielkunst (Moskauaufenthalt Brechts, 1935), Gegensatz zur Spielweise des psycholog. Realismus (Stanislawskij), vgl. auch: ⁄ Dramaturgie.

▢ ⁄ ep. Theater. **DW**

Vergleich, allgem. jede Form, durch die zwei oder mehrere Phänomene miteinander in Beziehung gesetzt, aneinander gemessen werden. Als ⁄ rhetor. Figur Sinnfigur, die im Gegenüber von ⁄ Bild und Gegenbild die Anschaulichkeit erhöhen, eine verdeutlichende Analogie herstellen soll. Konstitutiv sind Vergleichspartikel *(wie)* und das ausgesprochene oder unausgesprochene *tertium comparationis,* der Vergleichs- oder Berührungspunkt zwischen den beiden Analogiesphären: *sie hat Haare* (strahlend = *tert. comp.) wie Gold.* In der antiken Rhetorik galt die ⁄ Metapher als verkürzter V.: *das Gold ihrer Haare.* Der V. ist eher ein Stilmittel d. Epik, die Metapher der Lyrik. Ein breiter ausgeführter V. wird zum ⁄ Gleichnis, der selbständig ausgemalte V. zur ⁄ Parabel (Lessings Ringparabel). Der V. gilt in der Rhetorik als ⁄ Amplificatio.

▢ Knapp, F. P.: Similitudo. Stil u. Erzählfunktion von V. u. Exempel in d. lat., frz. u. dt. Großepik des Hoch-MA.s. Stuttg./Wien 1975. **S**

Vergleichende Literaturwissenschaft, auch: komparative Literaturwissenschaft, Komparatistik, beschäftigt sich bes. mit Beziehungen, Verwandtschaften, Gemeinsamkeiten und Unterschieden zwischen den Nationalliteraturen, mit literar. Entwicklungen über Sprachgrenzen hinweg, und zwar einerseits mit literar. Phänomenen, die supranational bedingt sind (z. B. Entwicklung einer Gattung), andererseits auch jeweils mit deren bes. Ausprägungen in bestimmten Sprachen unter verschiedenen nationalsprachl. und völkerpsycholog. Bedingungen (z. B. des Dramas). Sie bearbeitet dabei v.a. internationale Gebiete wie Stoff- u. Motivgeschichte, Topik, Emblematik, verfolgt Quellenfragen (diachroner Aspekt), Einflüsse und Nachwirkungen, bes. bei ⁄ klass. ⁄ Autoren wie Homer, Dante, Shakespeare, Molière, Goethe etc., aber auch (unter synchronem Aspekt) bei Einzelwerken und Dichtern; sie betreibt Form- und Gattungsgeschichte (vgl. z. B. Sagen- und Märchenforschung), widmet sich Wertungsproblemen, der internationalen Literaturkritik und schließl. auch der Geistes- und Ideengeschichte. Sie untersucht Epochenparallelen oder internationale Stilströmungen, literatursoziolog. Fragestellungen, neuerdings auch die Rezeption und das ›Nachleben‹ literar. Phänomene. Weiter zählen Probleme der Übersetzens und die Wechselbeziehungen der Künste (wechselseitige Erhellung) zu den Aufgaben der v. L. Ihr Arbeitsfeld, insgesamt die ⁄ Weltliteratur, ist aber oft sach- und personenbedingt eingeengt auf den europ.-amerikan. Gesichtskreis. Auch übernational ausgerichtete Literaturgeschichten sind meist auf den europ. Bereich beschränkt (vgl. z. B. F. Bouterwek, Geschichte der Poesie und Beredsamkeit seit dem Ende des 13. Jh.s, 12 Bde. 1801–19; G. Brandes, Die Hauptströmungen der Literatur des 19. Jh.s, 6 Bde. 1872–90). – Die v. L. berührt sich in ihren Grundtendenzen mit der auf literar. Universalien ausgerichteten Allgemeinen ⁄ Literaturwissenschaft (auch: synthet. Literaturwissenschaft, ⁄ Synthese), v. a. auch bei der Erörterung von Methodenfragen. Geistesgeschichtl. Gesamtschau bildet das eine Extrem der v.n L., positivist. Tatsachenregistrierung das andere. – Vergleichende Literaturbetrachtung findet sich seit dem Altertum, z. B. schon bei der Rezeption des griech. Dichtung durch die Römer, weiter in der Antikennachfolge der Renaissance (z. B. F. Meres, A comparative discourse of our English poets with the Greek, Latin und Italien poets, 1598), im Barock (in Frankreich z. B. in der Querelle des anciens et des modernes, 1688–97), in der europ. Aufklärung (in Deutschland z. B. bei der Shakespeare-Rezeption, im ⁄ Literaturstreit zwischen Gottsched und den Schweizern Bodmer u. Breitinger). Ansätze zu einer Systematisierung und methodologischen Grundlegung finden sich im Gefolge der kosmopolit. und kosmoliterar. orientierten Romantik in Parallele zu natur- und sprachwissenschaftl. vergleichenden Untersuchungen (z. B. der indogerm. Sprachforschung: F. Bopp, R. K. Rask, J. Grimm u. a.), vgl. etwa schon A. W. Schlegels »Vorlesungen über dramat. Kunst u. Lit.«, ersch. 1809–11. Der erste Versuch einer komparatist. Methodenlehre stammt von H. M. Posnett (Comparative Literature, 1886). Der *erste komparatist. Lehrstuhl* wurde 1865 in Genf errichtet, es folgten 1890/91 die Harvard University (USA), 1896 Lyon (Frankreich). In Deutschland entstanden Lehrstühle für v. L. erst nach dem 2. Weltkrieg. Als akadem. Lehrfach hat die v. L. ihre Schwerpunkte auch heute noch v. a. in Frankreich und in den USA. Heute widmen sich mehr als 20 Zeitschriften und Jahrbücher komparatist. Problemen, hervorzuheben sind für die Bundesrepublik als älteste die ›Zs.f. vergleichende Literaturgeschichte‹ (hg. v. M. Koch u. a., 1877–1910) und ›Arcadia, Zs. f. v.L.‹ (hg. v. H. Rüdiger, seit 1966). Ferner bestehen wissenschaftl. Gesellschaften wie die ›Association Internationale de Littérature Comparée‹ (mit dem Referatenorgan ›Actes-Proceedings‹, hg. v. W. P. Friedrich seit 1955) und die ›Dt. Gesellschaft für allgemeine und v. L.‹ (Referatenorgan ›Komparatist. Studien‹ hg. v. H. Rüdiger, seit 1971). Seit 1968 erscheinen die »Studien zur Allgemeinen und Vergleichenden Literaturwissenschaft« (Stuttg. 1968 ff.), hg. v. E. Lämmert, K. Reichert, K. H. Stierle, J. Striedter, mitbegründet v. P. Szondi.

📖 *Bibliographie:* Dyserinck, H. (Hrsg.): Intern. Bibliogr. zu Gesch. u. Theorie d. Komparatistik. Stuttg. 1985. – Baldensperger, F./Friederich, W. P.: Bibliography of comparative literature. Chapel Hill (N. C.) 1950; Schröder, Susanne: Komparatistik u. Ideengesch. Frkf./Bern 1982. – Dyserinck, H.: Komparatistik. Bonn ²1981. – V. L. Theorie und Praxis. Hrsg. v. M. Schmeling. Wiesbaden 1981. – Kaiser, G. R.: Einf. in die v. L. Darmst. 1980. – Komparatistik. Aufgaben u. Methoden. Hrsg. v. H. Rüdiger. Stuttg. u. a. 1973. – V. L. Hrsg. v. H. N. Fügen. Düsseld./Wien 1973. – Pichois, C./Rousseau, A.-M.: V. L. Eine Einf. in die Gesch., die Methoden u. Probleme der Komparatistik. Dt. Übers. Düsseld. 1971. – Weisstein, U.: Einf. in die v. L. Stuttg. u.a. 1968. – Wais, K. (Hrsg.): Forschungsprobleme der v.n Literaturgeschichte. Tüb. 1951. – Tieghem, P. van: La littérature comparée. Paris ³1946. – RL   S

Verismus, m. [von lat. verus = wahr], Bez. für absolute, photograph.-dokumentarist., i. d. Regel unter d. Gesichtspunkt soz.-krit. Anklage ausgewählte Wiedergabe ›nackter‹ u. bes. auch häßl. Wirklichkeit in Literatur, Schauspielkunst, Oper, bildender Kunst, Photographie und Film. Anstelle einer ›realist.‹ Verklärung, Beschönigung und Harmonisierung erscheint Wahrheit als Schock. Kraß und grell werden menschl. Leidenschaften, Sadismen und Katastrophen in äußerstem Naturalismus wiedergegeben, teils (natur-)wissenschaftl. fundiert, teils anthropolog. begründet als Aufweis des Inhumanen mit dem Ziel seiner Beseitigung. Ende des 19.Jh.s wurden u. a. L. Tolstoi und H. Ibsen als Vertreter des V. angesehen, in der bildenden Kunst G. Courbet, G. Grosz oder O. Dix; verist. Tendenzen kennzeichnen bes. den zeitgenöss. Film und die Stücke der neuen Volksdramatik. Als *Verismo* wird die italien., dem europ. ↗Naturalismus entsprechende Stilrichtung bez.; Hauptvertreter verist. (jedoch zum Regionalismus tendierender) Literatur sind G. Verga (»Vita dei campi«, 1880: Novellensammlung, darunter »Cavalleria rusticana«; »I Malavoglia«, 1881, »Mastro Don Gesualdo«, 1888/89: Romane) und L. Capuana (»Giacinta« 1879, »Il marchese di Roccaverdura«, 1901), verist. Musik G. Puccini, R. Leoncavallo und P. Mascagni (Opern-V. seit etwa 1890). – Nach dem 2. Weltkrieg knüpfte der ↗Neorealismo (oder Neoverismo) an die naturalist. (verist.) Tendenzen an.

📖 Meter, H.: Figur u. Erzählauffassung im verist. Roman. Frkf. 1986. – Ulivi, F.: La letteratura verista. Turin 1972.
                                                        GM*

Verlag, Wirtschaftsunternehmen zur Herstellung, Vervielfältigung und zum Vertrieb von Büchern, Zeitschriften, Landkarten, Noten, Kalendern und anderen der Information und Unterhaltung dienenden Medien (↗Buchhandel). Verleger, bzw. deren Lektoren entscheiden darüber, was gedruckt und gelesen werden soll und haben damit einen wichtigen Einfluß auf das kulturelle Leben. Der V. erwirbt durch einen Vertrag mit dem Autor das Recht zur wirtschaftl. Nutzung des ›geistigen Eigentums‹ des Urhebers. Der Autor erhält ein Honorar prozentual anteilig am Verkaufspreis oder eine Pauschale. Der V. setzt Auflagenhöhe, den Verkaufspreis und den Händlerrabatt (Buchhandel) fest. Ungewöhnl. hohe Kostensteigerungen haben dazu geführt, daß seit den siebziger Jahren über die Hälfte des Netto-Preises eines Buches für die Verwaltung innerhalb der V.e veranschlagt wird. Neue, billigere Herstellungsverfahren wie ↗Taschenbücher haben das Buch zum Massenartikel werden lassen, viel von früherer kultureller Initiative und Verantwortung der V.e ist wirtschaftl. Rentabilitätsprinzipien gewichen. Die eigentl. Geschichte der V.e beginnt im 15. Jahrhundert, bedingt durch die *Erfindung des Buchdruckes* mit beweglichen Lettern (Gutenberg). Verleger, Drucker und *Buchführer* bildeten zunächst eine Einheit. Durch *Buchführer* (reisende Buchhändler) boten sie ihre Waren auf Märkten und *Messen* an. Zunächst war Frankfurt Mittelpunkt des buchhändlerischen Verkehrs, ab etwa 1700 wurde die Leipziger Messe für den Markt bestimmend. Im Laufe des 18.Jh.s trennten sich langsam die Funktionen in eigenstände Unternehmen, und die V.e konzentrierten sich auf die verlegerische Tätigkeit. Zur gleichen Zeit setzten sich allmähl. *Autorenrechte* gegenüber den Verlegern durch, von urheberrechtlichem Schutz konnte jedoch noch keine Rede sein. Die V.e hatten ihrerseits gegen ↗Zensur und den Wildwuchs des Raubdrucks (↗Nachdrucks) zu kämpfen. 1825 erfolgte die Gründung des »Börsenvereins des dt. Buchhandels« als Dachorganisation der Verleger und Sortimenter zum Schutze ihrer wirtschaftl. Interessen, d. h. zur Verhinderung von Nachdrukken, Organisierung von Buchmessen, Einführung fester Ladenpreise und kaufmänn. Beratung ihrer Mitglieder. Nach 1945 verlor Leipzig seine zentrale Bedeutung für das gemeinsame deutsche Verlagswesen; in der DDR (1945) wie in der Bundesrepublik (1949) wurden eigenständige Börsenvereine gegründet. Gab es um 1900 noch weit über 3000 V.e in dt. Reich, so existieren heute in der Bundesrepublik durch Verlagskonzentration laut »Adreßbuch für den deutschsprachigen Buchhandel« (Ausgabe 1981/82) noch 2044 V.e, die Mitglied des Börsenvereins in Frankfurt a.M. sind. Die herausragendste Leistung des Börsenvereins ist der Wiederaufbau der Frankfurter Messe seit 1949 zu einer internationalen Präsentation von Verlagsprodukten; ihre Mitglieder kamen daran weit über 5000 V.e teil.

📖 Röhring, H.-H.: Wie ein Buch entsteht. Einf. in d. modernen Buch-V. Darmst. ³1987. – Arnold, H. L. (Hrsg.): Lit.betrieb in der Bundesrepublik Mchn. 1981. – Widmann, H.: Gesch. des Buchhandels vom Altertum bis zur Gegenw. Wiesbaden ²1975. – Kapp, F./Goldfriedrich, J.: Gesch. des dt. Buchhandels. 4 Bd. u. Reg. Lpz. 1886–1913. – RL (Verlagsbuchhandel).   LS

Verlagsalmanach ↗Almanach, ↗Musenalmanach.

Vers, m. [lat. versus = Wendung (des Pflugs)], das Wort V. ersetzt seit dem 17.Jh. das mhd. rîm ↗ Reim(-vers); die geläufige Bedeutung V. = Strophe entstammt der Kirchensprache, wo entvor Bibelvers einer Strophe entspricht. Der V., die rhythm. Ober-, seltener Grundeinheit der Verssprache, ist gekennzeichnet durch eine mehr oder minder feste Binnenstruktur und eine Endpause. Die *Binnenstruktur* kann je nach den phonet. Voraussetzungen der zugrundeliegenden Sprache (↗Metrik) als Minimum durch die bloße Silbenzahl (silbenzählendes V.prinzip), die Zahl der betonten Silben bei freier Umgebung (akzentzählendes

V.prinzip) und durch die geregelte Abfolge qualitativ unterschiedener Silbentypen (lang-kurz, betont – unbetont: (akzentuierendes, quantitierendes V.prinzip) definiert werden. *Zusätzl.* *Strukturmerkmale* sind auf eine oder mehrere Positionen fixierte Binnenpausen (↗Zäsur), die den V. in häufig gegensätzl. profilierte rhythm. Einheiten (↗Kola) teilen. *Endsignal* des V.es ist die heute i. allg. typograph. durch das Zeilenende repräsentierte Pause, die im Prinzip durch eine syntakt. Pause realisiert wird und durch Klangsignale (↗Reim, ↗Assonanz, ↗Kadenz) verstärkt werden kann. Durch die Zäsuren sind metr. und syntakt. Struktur auf Parallelität hin angelegt, doch kann diese gelegentl. durchbrochen werden (↗Enjambement), wobei alle Grade von der einfachen Umkehr von Haupt- und Nebenpause bis hin zur gewaltsamen Brechung eines ↗Syntagmas (harte Fügung) möglich sind. Extreme sind einerseits der ↗Zeilenstil, andererseits die völlige Verwischung der Versstruktur. – Je nach Organisationsgrad genügt also zur *Beschreibung einer Versstruktur* die Angabe der Silben (z. B. ↗Endecasillabo u. dgl.), evtl. mit fester Zäsur (↗Alexandriner ↗Vers commun) oder der Takte und Kadenzen (z. B. Viertakter), d. h. die Zahl der betonten Silben, um die sich die unbetonten gruppieren, teilweise mit Besonderheiten in den Schlußtakten, oder der ↗Versfüße als Grundeinheiten eines Schemas der Silbenabfolge (jamb. ↗Trimeter, daktyl. ↗Hexameter, ↗Blankvers u. a.). Die Silbenorganisation in den V.en entspricht i. allgem. der rhythm. Bedingungen der jeweiligen Sprache; eine Ausnahme ist der antike V., dessen Rhythmisierung überwiegend musikal. Charakter hat und mit dem Wortakzent konkurriert und der daher nur bedingt mit dem modernen V. zu vergleichen ist; dennoch ergibt sich als allgem. Prinzip der V.gestaltung – im Ggs. zur jeweiligen Prosa – die Steigerung und Überhöhung des Sprachrhythmus durch die Einschränkung auf rhythm., sich wiederholende Grundmuster, die gerade dadurch stark konturiert erscheinen. Aus der Doppelnatur der Sprache als Klangkörper und Bedeutungsträger folgt, daß die Einbindung der Sprache in V.e nicht nur ein ästhet.-rhythm., sondern auch ein bedeutungshaftes Moment enthält. Ist das erstere in der menschl. Allgemein- und speziell der artikulator. Motorik verwurzelt, so das andere in der log. Funktion von Syntax und Satzakzent, in deren natürl. System der V.gang entscheidend eingreifen kann. Durch die eigenwertige Organisation einer V.form wird der unmittelbare Funktionszusammenhang von Form und Inhalt verändert, ebenso die natürl. Hierarchie der Sprachelemente, die sich durch Variationen in Dynamik und Tempo ausdrückt. Dagegen entsteht eine gleichmäßig verteilte ↗Emphase (das Paradox der Hervorhebung als Regelfall), und infolge des eingeschränkten Horizontes durch die Konzentration auf wenige Formen, eine Zone verschärfter Wahrnehmung, in der alle formalen Eigenschaften der Sprache potentiell Teile eines Ausdrucks- und Bedeutungssystems sind. Sowohl vom produktiven Aspekt, der von vielen Dichtern bezeugt ist, wie vom rezeptiven ist V. daher ästhet. und sinnhafte Struktur nicht zu trennen. – *Die Geschichte des V.es* beginnt mit dem *griech. V.,* der auf der Organisation der Silbendauer basiert (quantitierendes V.prinzip, ↗Mora). Rationale, d. h. auf Wiederholung kleinerer Einheiten (↗Versfüße, ↗Dipodien) zurückführbare Metren stehen neben irrationalen, die erst nachträgl. nach dem gleichen Muster analysiert wurden. Der Unterschied deckt sich großenteils mit dem von stroph. (Lyrik) und nichtstroph. (↗stich.) Dichtung und reflektiert wohl auch einen Unterschied im Vortrag (gesungen – rezitiert). Die Nachfolgesprachen des Lat., das sich weitgehend an die griech. Metrik anschloß, geben, da sie das Gefühl für die Quantität verlieren, die Unterscheidung von Silbentypen im wesentl. auf und gelangen zum silbenzählenden V.prinzip. Die german. Sprachen zeigen von Anfang an das akzentuierende (akzentzählende) V.prinzip, wobei die Zahl der Hebungen

fest, die der Senkungen frei ist. Grundriß scheint allgem. der Viertakter (↗Vierheber) zu sein, der indessen durch die bes. Behandlung der Schlußhebung (↗Kadenz) verschieden, insbes. auch nur durch drei Hebungen realisiert werden kann. In Volks- und Kirchenlied bewahrt, bilden diese alten Bauformen einen bis in die neueste V.geschichte reichenden Impuls. Der roman. Einfluß begünstigt auch in den german. Sprachen feste Silbenzahlen, setzt sich episod. sogar gegen das akzentuierende Prinzip durch (s. ↗Tonbeugung, Meistersang), gewinnt aber endgültig mit der Opitz'schen Reform (1624) die Oberhand (alternierendes-akzentuierendes V.prinzip). Seit dem 17. Jh. läßt sich ein direkter Einfluß des antiken V.baus (wobei Hebung für Länge steht) beobachten, dessen originellstes Produkt in Auseinandersetzung mit den irrationalen ↗Odenmaßen die sogenannten ↗freien Rhythmen darstellen. Im letzten Drittel des 18. Jh.s ist die breiteste metr. Vielfalt erreicht: neben den dominierenden alternierenden Metren stehen das neu belebte Lied, die Nachahmung antiker V.e (Hexameter, Distichon, Odenmaße) und die freien Rhythmen. Einiges davon, insbes. das Lied, wird in der Folge bis zur Erschöpfung variiert, bei anderem gelingt bis ins 20. Jh. durch sehr persönl. Diktion eine Erweiterung der rhythm. und expressiven Möglichkeiten. Vielfach treten die traditionellen V.formen in iron. Spannung zu neuen Inhalten. Neu ist die Annäherung an die Prosa in zwei gegensätzl. Richtungen; einmal durch die Befreiung der rhythm. Rhetorik von der deutl. V.struktur im Langvers (E. Stadler); zum anderen durch die Reduktion des rhythm. Pathos auf ein Minimum (B. Brecht). Schließl. zeigt sich eine neue Tendenz, das Rhythmische vom Artikulatorisch-Motorischen auf die Variation anderer Sprachelemente, etwa der Wörter und ihrer Bedeutungen (↗konkrete Literatur).

📖 Behrmann, A.: Einf. in d. neueren dt. V. vom Barock bis z. Gegenw. Stuttg. 1989. – Kayser, W.: Gesch. des dt. V.es. Unveränd. Nachdr. d. 2. Aufl. 1971, Mchn. 1981. – RL. – ↗Metrik. **ED**

Vers, m. [prov. = Dichtungsart, Lied] ↗Canso.

Verschränkter Reim, auch: erweiterter Kreuzreim, Reimstellung abc(d) abc(d); älteste Belege in dt. Dichtung im 12. Jh. (Heinrich von Veldeke, Friedrich von Hausen). **S**

Vers commun, m. [vɛrkɔ'mœ̃; frz. = gewöhnl. Vers], jamb. alternierender 10Silber (männl. Reim) oder 11Silbler (weibl. Reim) mit Zäsur nach der 4. Silbe (2. Hebung). – Der v.c. war in Frankreich neben dem ↗Alexandriner die beliebteste Versart; ↗Dekasyllabus. Nach Versuchen im 16. Jh. (Paul Melissus Schede) bürgerte er sich in Deutschland seit die »Poeterey« von M. Opitz (1624) ein: »Auff, auff, mein Geist, / und mein gantzer Sinn, / Wirff alles das / was welt ist von dir hin «. Der v.c. begegnet auch in Verbindung mit kürzeren Versen (A. Gryphius) oder mit Alexandrinern (Lohenstein). Die regelmäßige Wiederkehr derselben Zäsur läßt den v.c. auf die Dauer monotoner erscheinen als den freieren italien. ↗Endecasillabo oder den ungereimten engl. ↗Blankvers. – Nach der Mitte des 18. Jh.s begegnet der v.c. in dt. Dichtung kaum mehr (s. aber Ch. M. Wieland, »Musarion« u. a.). **GK***

Versepos, Bez. für das ↗Epos, die vor allem seine Besonderheit als *Versdichtung* im Unterschied zu anderen Formen der ↗Epik in Prosa, insbes. zum ↗Roman hervorhebt. **RS**

Verserzählung, *im weiteren Sinne* jedes kürzere Epos in Versen, vom antiken ↗Epyllion (und seinen neuzeitl. Nachbildungen), dem altgerman. Heldenlied über mal. Formen wie Verslegenden oder die mittellat. ↗Modi, lehr- oder schwankhaften Reimversdichtungen (H. Sachs u. a.) bis zu ↗Fabel, ↗Idylle oder der vielfält. Kleinepik des 17./18. Jh.s (gesammelt in erfolgreichen Anthologien wie W. Heinses »Erzählungen für junge Damen und Dichter«, 1775, K. W. Ramlers »Fabeln und Erzählungen aus verschiedenen Dichtern«, 1779, J. J. Eschenburgs »Poet. Erzählungen«,

1788 und noch A. Dietrichs »Braga X«, 1828). – Für die V. *im engeren Sinne* sind neben der Versform (vom Knittelvers bis zum Hexameter, oft auch komplizierte Strophenformen) charakterist. der Wechsel von erzähltem Handlungsbericht und lyr. Einlagen (Stimmungsbilder u. a.), oft auch gedankl. Elementen und eine deutl. herausgearbeitete Symbolstruktur. Sie wurde als *eigene Gattung* ausgebildet von Ch. M. Wieland: Nach den »Moral. Erzählungen« (1752) und den »Kom. Erzählungen« (1762/65) gilt als erste bedeutende V. der »Oberon« (1780/84). – Weiterentwickelt wurde die V. v. a. von den *engl. Romantikern*, vgl. die V.en von W. Scott (u. a. »The Lay of the Last Minstrel«, 1805; »Marmion«, 1808; »The Lady of the Lake«, 1810), W. Wordsworth, R. Southey und bes. P. B. Shelley (»Queen Mab«, 1813, »Alastor«, 1816 u. a.), J. Keats (»Endymion«, 1817/18, »Hyperion«, 1818/20) und Lord Byron (»The Giaour«, 1813, »The Corsair«, 1814, »The Prisoner of Chillon«, 1816; »Don Juan«, 1819/23; »Childe Harold's Pilgrimage«, 1812/18 u. v. a.), ferner von A. Tennyson, R. und E. Browning, M. Arnold, W. Morris, A. Ch. Swinburne und noch von J. Masefield (»The Everlasting Mercy«, 1911, »The Landworkers«, 1943). – Der engl. V. verpflichtet sind in *Osteuropa* A. S. Puschkins »Ruslan und Ludmilla« (1820), M. J. Lermontows »Dämon« (ersch. 1856) und die V.en des Ungarn S. Petöfi (»Held Janos«, 1845 u. a.), in *Spanien* J. de Espronceda y Delgados »El estudiante de Salamanca« (1839) u. a., in *Frankreich* die V.en von V. Hugo, A. de Lamartine (»Jocelyn«, 1836, »La chute d'un ange«, 1838) bis hin zu freirhythm. Ausprägungen im 20. Jh. (Saint-John Perse). In *Deutschland* finden sich neben V.en nach engl. Mustern (N. Lenaus »Savonarola«, 1837; »Die Albigenser«, 1842; »Don Juan«, ersch. 1851) auch Ansätze zu einer eigenständ. Gestaltung: nach dem Vorbild Wielands (E. Schulze, »Cäcilie«, »Bezauberte Rose«, 1818; R. Hamerling, als freie Adaptionen nord. u. oriental. Dichtungen (F. Rückert, Graf. A. F. v. Schack) oder in balladesken Formen (A. v. Chamisso, A. v. Droste-Hülshoff: »Das Hospiz auf dem Gr. St. Bernhard«, 1823/34; »Die Schlacht im Loener Bruch«, 1837/38; F. Hebbel, »Mutter und Kind«, 1859, u. a.). Herausragend unter den dt. Versnovellen von L. Tieck bis P. Heyse sind C. F. Meyers »Huttens letzte Tage« (1871) und »Engelberg« (1872). – Weitere Spielarten sind die kom. oder satir. V.en K. L. Immermanns (»Tulifäntchen«, 1829), H. Heines »Atta Troll«, 1843; »Deutschland, ein Wintermärchen«, 1844), auch E. Mörikes (»Idylle vom Bodensee«, 1846) u. noch G. Kellers (»Der Apotheker von Chamounix«, ersch. 1882/3) oder D. v. Liliencrons (»Poggfred«, 1891), ferner die sog. ∕Butzenscheibenlyrik. Eine Sonderstellung hat F. Reuters niederdt. V. »Kein Hüsung« (1858) wegen ihrer mundartl. Sprachgebung und ihrem starken sozialen Engagement. Als Beispiel für Nachklänge der dt. V. im 20. Jh. kann die »Osterfeier« (1921) von M. Mell gelten.

Ⓛ Fischer, Hermann, Die romant. V. in England. Tüb. 1964. – Kurz, Wilhelm: Formen d. Versepik in d. Biedermeierzeit. Ein Beitr. zu Problem u. Gesch. der großen Epik u. der Kleinepik. Diss. Tüb. 1955. – RL (V., nhd.) RS

Versfuß, auch Metrum, feststehende Zahl und Abfolge mehrerer, nach Dauer oder Gewicht unterschiedener Silben, z. B. ∕Daktylus = V. aus 1 langen + 2 kurzen (bzw. 1 betonten + 2 unbetonten) Silben (–◡◡); in der antiken Metrik werden gewisse V.e zu ∕Dipodien zusammengefaßt (z. B. ∕Jambus, ∕Trochäus, ∕Anapäst.). Der V. ist die kleinste Einheit des metr. Schemas eines Verses, der als Kombination gleich- oder verschiedenartiger V.e aufgefaßt wird (z. B. Vers aus 6 daktyl. V.en = daktyl. ∕Hexameter); Voraussetzung ist die qualitative Unterscheidung von zwei Silbentypen, z. B. lang – kurz in den antiken, betont – unbetont in den german. Sprachen (denen sich z. T. die slav. anschließen). Die Vielfalt von V.en u. Versformen in der antiken Lyrik erklärt sich aus der erst nachträglich metr.

Analyse ursprüngl. ganzheitl. konzipierter Verse. – Für die abendländ. Tradition sind, mit Ausnahme der direkten Nachahmung antiker Formen (∕Odenmaße), v. a. die alternierenden V.e (Jambus, Trochäus), in geringerem Maß die dreisilbigen (Anapäst, Daktylus) bedeutsam. In der ∕Taktmetrik wird der Begriff des V.es durch den Musik entlehnten des ∕Taktes ersetzt, um dem prinzipiellen Unterschied Rechnung zu tragen zwischen antiker quantitierender Metrik und dt. akzentuierender Metrik, bei der die Zahl der unbetonten Silben anfängl. mehr oder weniger frei war.

ED*

Versikel, m. [lat. versiculus = Verschen]
1. Bauelement der lat. ∕Sequenz und des mhd. ∕Leichs: Melodie-Texteinheit (Prosatext- oder Versfolge, Strophe); erscheint in der Sequenz meist als paarweise geordnete sog. *Doppel-V.*, d. h. je 2 V. entsprechen sich musikal. und hinsichtl. der Silbenzahl bzw. – bei späteren Sequenzen – nach Metrum und Reimschema: BBCCDD. – Im komplizierter gebauten, längeren Leich können die V. zu verschiedenen langen V.gruppen *(Perikopen)* zusammengefaßt sein; sind 2 V. durch dasselbe Reimschema verbunden, werden diese als *Halb-V.* bezeichnet; die V. können im Umfang zwischen einfachen Drei- oder Vierversgruppen und längeren Strophengebilden mit reich strukturierten Reim- und Versschemata variieren.
2. Bez. der nicht stroph. gegliederten Versgruppen oder Abschnitte eines Kunstliedes (Arie). S

Version, f. [frz. = Wendung, Übertragung in die Muttersprache, über nlat. versio aus lat. vertere = kehren, wenden, drehen, vgl. ∕Vers], im 16. Jh. aus dem Franz. übernommene Bez. für *Übersetzung* (vgl. auch ∕Interlinear-V.), seit dem 18. Jh. (Bodmer) dafür auch ∕Lesart, d. h. die spezielle Fassung eines Textes oder Textteils, s. ∕Textkritik. S

Versi sciolti [vɛrsi ∫ɔlti; it. = (vom Reimzwang) gelöste Verse], in der italien. Dichtung reimlose Verse, meist Endecasillabi (Elfsilber); sporad. schon Ende des 13. Jh.s nachweisbar, werden sie seit dem 16. Jh. im Rahmen der Antikenrezeption bewußt als Ersatz für den antiken ∕Hexameter (und Trimeter) verwendet: bes. durch G. G. Trissino (»L'Italia liberata dai goti«, 1548) u. A. Caro (Äneis-Übersetzung, posth. 1581) werden v.s. das Versmaß des Epos, der Epenübersetzungen und des Lehrgedichts (U. Foscolo, A. Manzoni), durch V. Alfieri dann v. a. das Standardmetrum der Tragödie (entsprechend dem ∕Blankvers, der evtl. nach dem Vorbild der v.s. entwickelt wurde); nach dem Vorbild C. I. Frugonis, der v. s. auch in lyr. Gattungen verwendete, wurden diese das bevorzugte Versmaß des Klassizismus. – Die dem symbolist., auch rhythm. freien ∕vers libre nachgebildeten Verse werden als *versi liberi* bez. IS

Vers libre [vɛr'libr, frz. = freier Vers],
1. frz. Bez. der in der franz. Literatur des 17. Jh.s beliebten ∕freien Verse; auch: vers mêlés.
2. Bez. für den im ∕Symbolismus im Rahmen der konsequenten Ablehnung aller Tradition entwickelten freirhythm., reimlosen Vers; er entspricht formal den sog. ∕freien Rhythmen des 18. Jh.s, obwohl er entstehungsgeschichtl. nicht an diese anknüpft. Er wurde theoret. fundiert und programmat. eingesetzt seit 1886 v. a. von G. Kahn (»Les palais nomades«, 1887). J. Laforgue, J. Moréas, F. Vielé-Griffin in der Zeitschrift ›La Vogue‹, z. T. gefördert durch ähnl. freie Versuche W. Whitmans (»Leaves of grass«, 1855, übers. von Laforgue, 1886). Der symbolist. v. l. beeinflußte nachhaltig die Verssprache der europ. und angloamerikan. Lyrik (E. Pound, T. S. Eliot, A. Lowell, vgl. die engl. Bez. cadenced verse). – Als v. l.s gelten auch die Verse, die die syntakt.-log. Bezüge der Sprache auflösen (Verse aus Einzelwörtern, Silben, Buchstaben; Versuche im ∕Dadaismus, ∕Surrealismus, ∕Lettrismus usw.).

Ⓛ Kahn, G.: Le v. l. Paris 1912 IS

Vers rapportés, m. Pl. [vɛ:rapɔrte; frz. nach lat. versus rapportati = zurückgetragene Verse], manierist. Sprach- und Formspiel: Gedichte, in denen gleichart. Satzglieder (Nomina, Verben, Adjektive) über mehrere Verse hinweg versweise asyndet. gereiht werden, wobei die syntakt. Struktur erst nach Rekonstruktion der horizontalen und vertikalen Sinnbezüge (Korrelationen) erkennbar wird: »Die Sonn, der Pfeil, der Wind, / verbrennt, verwundt, weht hin, / / Mit Fewer, schärfe, sturm, / mein Augen, Hertze, Sinn« (M. Opitz). Auflösung: Die Sonne verbrennt mit Feuer meine Augen . . . – Das bereits in altind. Dichtung bekannte »Rapportschema« (H. Lausberg) begegnet in Europa zuerst in der Spätantike (Vorformen in der ›Anthologia Graeca‹, bei Sallust, Statius, Martial und Claudian). In mlat. und prov. Lyrik und Epik gepflegt, erscheint es in der neulat. Renaissancedichtung auf Epigrammatik und Spruchdichtung eingeschränkt (Erasmus, J. C. Scaliger, A. Alciatus, F. Rabelais, J. Lauterbach u. a.), in den Nationalliteraturen bei Dante und Petrarca und erreicht einen Höhepunkt im 16. Jh., insbes. durch die Dichter der ∕Pléiade (Du Bellay, P. de Ronsard, sogar im ∕Sonett), durch L. de Góngora, Ph. Sidney, W. Shakespeare u. a., in Deutschland seit Anfang des 17. Jh.s (bei G. R. Weckherlin, M. Opitz, Ph. v. Zesen, G. Ph. Harsdörffer, J. G. Schottel, P. Fleming, F. v. Logau, C. Stieler, Qu. Kuhlmann u. a.) bis zum Anfang des 18. Jh.s (B. H. Brockes). Im 19. Jh. begegnen die Korrelationen in aufgelockerter Form hin und wieder (Goethe, C. Brentano).

ⓄⒹ Zeman, H.: Die versus rapportati in der dt. Lit. des 17. u. 18. Jh.s. In: Arcadia 9 (1974) 134–160.   GG

Versschluß, vgl. ∕Kadenz.

Vida, f. [prov. = Leben], Kurzbiographien in Prosa zu den ∕Trobadors, in zahlreichen mal., v. a. italien. Trobador-Hss. den betreffenden Autorsammlungen vorangestellt; enthalten Name, Herkunft, soziale Stellung, Werdegang. Während gewisse biograph. Daten meist histor. begründet scheinen, erheben sich die Angaben zum Liebesleben der Trobadors nicht selten ins Fabulöse, sind narrative Topoi, vgl. z. B. die V. zu Jaufre Rudel (Fernliebe-Thema) oder zu Guillem de Cabestanh (Herzmäre-Motiv). Zu kleinen Novellen erweitert wurden die V. in den »Vies des plus célèbres et anciens poètes provençau« des Jean de Nostredame (16. Jh.). – Erhalten sind etwa 200 V.s zu rund 100 Trobadors. Als Verfasser namentl. bekannt ist der Trobador Uc de Saint-Circ (1. Hä. 13. Jh.). ∕Razo.

ⓄⒹ Boutière, J./Schutz, A. H.: Biographies des troubadours. Paris 1964.   S

Vierheber, auch: Viertakter, Vers mit 4 Hebungen oder (nach der ∕Taktmetrik) aus 4 ∕Takten, entweder mit freier Senkungsfüllung oder alternierendem Wechsel von ∕Hebung und Senkung und freier oder vorbestimmter ∕Kadenz, evtl. mit ∕Auftakt; Grundvers der Dichtungsgeschichte, erklärbar aus dem doppelten Kursus einer Schrittfolge. Der V. gilt als Basisvers der akzentuierenden Dichtung (∕akzentuierendes Versprinzip), vgl. die ∕Langzeile (german. Stabreimvers, altdt. ep. Versformen wie die Verse der ∕Nieblungenstrophe), den ahd. und mhd. Reimvers, den v. a. im 16. Jh. in der dramat., ep. und didakt. Dichtung herrschenden ∕Knittelvers oder den Vers der Volkslied- und Volksballadendichtung oder des Kirchenliedes. Vgl. auch ∕Vierzeiler.   S

Vierzeiler, Strophe aus 4 Verszeilen, Grundform metr. Gruppenbildung, häufig v. a. in der volkstüml. Lyrik (und z. T. der Epik ∕Nibelungenstrophe). Länge und metr. Bauart der Verszeilen sind variabel, unterliegen jedoch gewissen Konventionen: am häufigsten sind in akzentuierender Dichtung 3-5-Heber, in silbenzählender entsprechend 8-10/11-Silber, wobei der ∕Vierheber (bzw. 8-Silber) dominiert. Ein V. kann aus isometr. (gleich langen) oder heterometr. Versen bestehen. Neben Kreuzreim (abab), Paarreim (aabb) und umschließendem Reim (abba) finden sich Durchreimungen (aaaa, z. B. in der ∕Cuaderna via),

assonant. Bindungen (∕Copla) und reimlose V. (Nachbildungen antiker Verse, frühchristl. Hymnen). Die häufigsten V. sind der isometr. vierheb. (bzw. 8-silb.) V. mit Kreuzreim (aber auch anderen Variationen) als volkstüml. Lied- und Balladenstrophe, als Strophe des Kirchenliedes und der volkstüml. Kunstlyrik (v. a. der Romantik, engl. common metre), und der heterometr. V. aus 4- und 3-Hebern mit Reimstellung abab, bes. aber xaya, die sog. ∕Chevy-Chase-Strophe, die aber auch weitverbreitet in Volks- und Kunstlied ist. Ferner sind V. konstituierende Bestandteile des ∕Sonetts (Quartette) und z. T. der ∕Glosa (Motto), des ∕Virelai, der ∕Villanelle. Vgl. franz. ∕Quatrain.   S

Villancico, m. [bijanˈʃiko; span., von villano = dörflich], in der span. Lyrik ∕Tanzlied mit Refrain; urspüngl. themat. nicht gebunden, neben bäuerl. Liebesthematik jedoch häufig Weihnachtslied (so bis heute: canción de navidad), seit dem 16. Jh. auch relig. Lied zu anderen kirchl. Festen (was Tänze nicht ausschloß!). Der V. beginnt mit einem 2–4zeil. Refrain, dessen Thema oder Motto in den folgenden Strophen glossiert wird (vgl. ∕Glosa) und der nach jeder Strophe ganz oder mit den letzten Zeilen als Schlußrefrain (estribillo) wiederholt wird; in der meist 3–6zeil. Strophe (meist 8-Silber) entspricht der Schlußteil formal und musikal. oft dem letzten Refrainteil: einfache Form: ABB / ccb BB, im 16. Jh. häufige Form: ABBA / abbaba (B)A. Vertreter u. a. Juan del Encina, F. Lope de Vega. – Vgl. ähnl. Formen wie ∕Virelai, ∕Rotrouenge, ∕Dansa, ∕Ballata, engl. ∕Carol.

ⓄⒹ Sanchez Romeralo, A.: El V. Madrid 1969.   IS

Villanelle, f. [zu ital. villanesca = ländlich], drei- bis vierstimm., meist mehrere Strophen umfassendes Lied des Spätma.s, zuerst in Italien (Neapel; auch unter Bez. wie canzon villanesca alla napolitana oder aria napolitana) gepflegt, seit der 2. Hälfte des 16. Jh.s in ganz Westeuropa als Form und Genus vokal. Kunstmusik übernommen. Die V.n-Texte beschreiben in einfacher, dann auch auf volkstüml. Einfachheit hin stilisierter Weise Lebensbereiche und Daseinsäußerungen bäuerl.-ländl. Lebens. Die Musik, urspüngl. der Volkskunst zugehörend, wird schon bald als Gegenstück zum kunstreichen, höf. orientierten Madrigal verstanden und zeichnet sich durch eine der polyphonen Kunstmusik entgegengesetzte, dennoch erkennbar künstl. Einfachheit aus: syllab. Deklamation, Homophonie, Modelle volkstüml. Tanzrhythmik, parallele Intervallführung. Die Textform ist nicht festgelegt, doch wird zumeist ein jamb. Elfsilber verwendet, der zu einer achtzeil. Strophe mit dem Reimschema ab ab ab cc verbunden wird. Im 16. und frühen 17. Jh. wird diese Form erweitert durch eine jedem Verspaar angehängte Refrainzeile. In Frankreich und England setzte sich bei J. Passerat (16. Jh.) eine 3zeil. Strophenform (Terzinen) mit abschließender 4zeil. Strophe durch, wobei die 1. und 3. Zeile der ersten Terzine in den folgenden abwechselnd wiederholt wird (A_1bA_2 abA_1 abA_2 . . . aaA_1A_2), so noch im 19. Jh. bei Ch. M. Leconte de Lisle, im 20. Jh. bei Dylan Thomas u. a. Die erste Sammlung von V.n erschien 1537 in Neapel, die erste außerhalb Italiens gab Orlando di Lasso 1555 in Antwerpen heraus. In die deutsche Dichtung und Musik drang die V. namentl. durch die mehrstimm. Sammelwerke von J. Regnart (1576), L. Lechner (1586) und H. L. Hassler (1590) ein.

ⓄⒹ Galanti, B. M.: Le v. alla napolitana. Florenz 1954.   HW

Virelai, m. oder n. [virˈle; frz.], Etymologie umstritten], in der franz. Lyrik des 13. – 15. Jh.s ∕Tanzlied mit ∕Refrain: auf einen 2–4zeil., später auch nur 1zeil. Refrain folgen 2–3 Strophen, deren Schlußteil jeweils dem Refrain (oder einem Teil desselben) formal und musikal. entspricht; nach jeder Strophe wird der Anfangsrefrain oder dessen erste Zeile wiederholt (Schema bei 2zeil. Refrain und 4zeil. Strophe: AB ccab A(B)). Eine V. nur einer Strophe wird als Bergerette bez. Die bedeutendsten Verfasser von V.s waren im 14. u. 15. Jh. G. de Machaut (der die Bez. chanson balla-

dée vorzieht), J. Froissart, E. Deschamps u. Christine de Pisan. Verwandte Formen sind ↗Rotrouenge, ↗Balada, ↗Dansa, ↗Ballata, ↗Carol und ↗Villancico.
🕮 Françon, M.: On the nature of the v. In: Symposium 9 (1955). – Heldt, E.: Frz. V.s aus dem 15.Jh. Krit. Ausg. mit Anmerkungen, Glossar u. einer literarhistor. u. metr. Unters. Halle/Saale 1916.   MS*

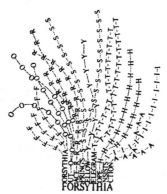

Mary Ellen Solt: »*Forsythia*«

Visuelle Dichtung, neben der ↗akust. Dichtung wesentlichste Spielart der internationalen ↗konkreten Dichtung, in zahlreichen Veröffentlichungen mit ihr fälschlicherweise synonym gesetzt. Die v. D. hat eine lange Geschichte, die (unterschiedl. zu bewerten) von den Technopaignien des Hellenismus über die ↗Figurengedichte des Barock zu einer neuen Blüte im 20.Jh. führt. Von einigen z. T. der ↗Unsinnspoesie zuzurechnenden Vorgängern (L. Carroll) abgesehen, beginnt die Geschichte der v. D. im 20.Jh. mit den Achsenkompositionen A. Holz', mit St. Mallarmés »Un coup de dés« und G. Apollinaires »Calligrammes«, die einen wichtigen Schritt einer Entwicklung darstellen, bei der schließl. das traditionelle sprachl. Bild durch einen außersprachl., figuralen Wortbezug, durch das typograph. Bild, ersetzt wird. Voraussetzung einer derart figuralen Typographie waren schließl. noch K. Schwitters' bewußte Grenzüberschreitungen (»gesetztes Bildgedicht«) und v. a. die futurist. »Parole in libertà« F. T. Marinettis, die den Text aus seiner traditionellen von-links-nach-rechts-Abfolge brachen und damit die Möglichkeit schufen, Silben, Laute, Wörter, Wortgruppen frei über eine Fläche zu verteilen. Die futurist. Forderung nach Zerstörung der Syntax was dabei der Typographie gleichsam Rolle und Funktion der traditionellen Syntax zu, führte in die Literatur so etwas wie eine typograph. Syntax ein. Mit dem Marinetti-Schüler Belloli, bzw. seinen audivisuellen Gedichten, erfolgt der Übergang zur v. D. in und seit den 50er Jahren. Früher Vertreter ist E. Gomringer (↗Konstellationen); wichtige dt.-sprach. Autoren einer v. D., von sog. ›Pictogrammen‹, ›Ideogrammen‹ oder ›Sehtexten‹, die an der Grenze zwischen Text und Typographie, zwischen noch-Sprache und schon-Bild, zwischen materialem Buchstaben- und Schriftbild und tautolog. Repetition des durch das Wort oder die Wörter Gesagten angesiedelt ist, sind u. a. C. Bremer, H. Gappmayr, E. Jandl, F. Kriwet, F. Mon, D. Rot, T. Ulrichs, die Autoren der ↗Wiener Gruppe und ↗Stuttgarter Schule, aber auch Typographen wie J. Reichart, Hansjörg Mayer u. a.
🕮 Dencker, K. P.: Textbilder. Visuelle Poesie international. Von d. Antike bis zur Gegenwart. Köln 1972. – Heißenbüttel, H.: Zur Gesch. d. visuellen Gedichts im 20.Jh. In:

H. H.: Über Lit. Olten/Freibg. 1966. ↗konkrete Dichtung.
                                                                              D
Vita, f., Pl. Viten [lat. = Leben], Lebensbeschreibung, (Auto)biographie, vornehml. Abriß der äußeren, aktenmäß. Lebensdaten *(curriculum vitae)*, erscheint v. a. als Bez. und Titel antik und mal. Biographien (erstmals bei Cornelius Nepos 1.Jh. v. Chr.). – Die *antike V.* folgt einem von den Peripatetikern (Aristoxenos, 4. Jh. v. Chr.) entwickelten Schema der Reihung exemplar., der philosoph. Ethik entnommener Tugenden, dem z. T. auch überlieferte Daten zugeordnet werden und bei dem auch Irrtümer, anekdot. Ausschmückungen und systemat. Fälschungen einzurechnen sind. Die schemat. Tugendreihung und die rhetor. Ausgestaltung machten die antike V. zur mal. Schullektüre geeignet. Die ältesten Viten der Antike sind unpolitisch, gelten Philosophen und Schriftstellern (Sophisten-Viten); traditionsbildend wurden die Parralleldarstellungen griech. und röm. Feldherren und Staatsmänner durch Plutarch (»Bioi paralleloi«) und die Kaiser-Viten Suetons (»De v. Caesarum«, 1./2.Jh.). – Nach dem antiken Schema entwickelt *das MA.* die panegyr. Fürsten-V. (z. B. Einhards »V. Caroli magni«, um 830, oder die Autobiographie Kaiser Karls IV. »V. Karoli IV. ab ipso conscripta«, 1378), die stark legendar. und exemplar. ausgerichtete Heiligen- und Märtyrer-V. (z. B. die »V. S. Martini« von Sulpicius Severus, um 400, die »V. Benedicti« Gregors des Großen, 6. Jh., die genuine »V. Altmanni episcopi Pataviensis«, um 1130, mit einer Notiz über den frühmhd. Dichter Ezzo), später auch Künstlerviten, z. B. die ↗Vidas der ↗Trobadors (evtl. von Uc de Saint-Circ, 13. Jh.), die in ihrer Verläßlichkeit ebenso angezweifelt werden wie G. Boccaccios »V. di Dante« (um 1360) oder G. Vasaris »Vite de' piu eccellenti architetti, pittori et sculptori italiani . . .« (1550/58).   S
Volksballade, die im Ggs. zur Kunstballade ältere, anonyme (oft zersungene) ↗Ballade. – RL.
Volksbuch, von J. Görres (»Die teutschen Volksbücher,« 1807) eingeführter Gattungsbegriff; bezeichnet zunächst populäre, in »gemeiner prosaischer Form« verfaßte Druckwerke des späten 15., 16. und 17.Jh.s, zu denen Görres auch noch Traumbücher, Glücksrad-Literatur, volksmedizin. Schriften, Wetterprophezeiungen, Bauernpraktiken, Kalender und literar. Erscheinungen der Volksfrömmigkeit zählte; später hat sich der Begriff verengt auf erzähler. fiktionale Literatur, die zwischen dem Spätma. und der frühen Barockzeit entstand und zunächst von einem höfischen, ab dem 16.Jh. von einem vorwiegend nicht-höf. Publikum rezipiert wurde. Die *Stoffe* dieser Volksbücher sind – mit wenigen Ausnahmen – nicht Erfindungen der Zeit ihrer Publikation, sondern Bearbeitungen, Sammlungen, Fortsetzungen älteren Erzählguts: ↗Prosaauflösungen höf. und Heldenepen, Übersetzungen antiker, z.T. auch oriental. Dichtungen, Vereinigung von Geschichten unterschiedl. Herkunft unter einem eine lose Einheit stiftenden neuen Namen (z. B. Eulenspiegel). Druckausführung, Illustration, Einband, Vertriebsart, aber auch sprachl. und stilist. Eigenheiten (Parataxe, unrhetor. Mitteilungsform, Derbheiten des Ausdrucks) lassen erkennen, daß die Volksbücher in engerem Sinne mehr den geschäftl. Erfolg durch hohen Unterhaltungswert als durch didakt. Anliegen zu sichern suchten. Obwohl diese Werke vielfach auf alte, z.T. anonyme und bei vielen Völkern heim. Stofftraditionen zurückgreifen, sich kunstvoller Erzählperspektiven, individueller Kommentierungen und konstruktiver Kunstmittel der sog. gehobenen Literatur enthalten, sind sie doch weder Werke einer unpersönl. Volksseele als Repräsentationen eines überhistor. Volks- oder Nationalgeistes, sondern Erzeugnisse von einzelnen, zuweilen auch namentl. bekannten Verfassern, die im 15.Jh. dem Adel (Elisabeth von Nassau, Eleonore von Österreich), dann dem Patrizierstand, später dem Bürgertum (Lehrer, Geistliche, Handwerker) angehörten. – Aus dem 15. und 16.Jh. sind etwa 75

Titel bekannt, von diesen wiederum rund 750 verschiedene Ausgaben. Die Beliebtheit der Volksbücher läßt sich z. B. aus einem Frankfurter Meßkatalog von 1569 ersehen, in dem der Umsatz von 2400 Exemplaren eines Verlegers in wenigen Tagen bezeugt wird. Aus solchen Quellen und der bibliograph. Erfassung durch P. Heitz und F. J. Ritter kann geschlossen werden, daß nach zunächst stark bevorzugten Bearbeitungen höf. Stoffe (Prosa-Tristan) im 16. Jh. novellist. und schwankhafte Sammlungen vordringen, wobei das Interesse an mal. ›Sachbüchern‹ – mit einer Fülle kurioser und abenteuerl. Informationen – erhalten blieb. So stehen Werke wie der mal. »Lucidarius« in so hoher Gunst, daß noch heute ca. 70 Auflagen bekannt sind, ebenso sind die Jenseitsvisionen eines »Tundalus« oder die in eine Rahmenhandlung eingepaßten, ursprüngl. oriental. Novellen der »Sieben weisen Meister« (68 deutsche, dazu 8 jidd. Ausgaben bis 1687) weit verbreitet. J. Paulis Schwanksammlung »Schimpf und Ernst«, die Volksbücher der »Melusine«, des »Eulenspiegel«, »Faust«, »Griseldis« oder das »Buch der Weisheit« haben den Alexander-Roman oder den »Hürnen Seyfried« (frühester erhaltener Druck aus dem 18. Jh.) auf dem Markt übertroffen. Der Erfolg vieler Werke führte zu Nachahmungen und Fortsetzungen. Dem »Eulenspiegel« folgten »Claus Narr« (1572) und »Hans Clawert« (1587), dem »Lalebuch« die erfolgreicheren »Schildbürger« (1598), dem Faustbuch, ohnedies immer wieder bearbeitet, wurde im »Wagnerbuch« (1593) nachgeschickt. – In der 2. Hälfte des 18. Jh.s kam es zu einer Wiederentdeckung und Neubewertung der Volksbücher, die sich zunächst in Neuverarbeitung der Stoffe (F. W. Zachariae: »Zwei schöne neue Märlein«, 1772; Goethe: »Faust«; später Tieck: »Haimonskinder«, 1796, »Genoveva«, 1800, »Octavianus«, 1804 u. a.), dann auch in Ausgaben niederschlugen. Doch nicht die ersten, wissenschaftl. ambitionierten Editionen von J. G. G. Büsching und F. H. von der Hagen (»Buch der Liebe« 1809 und »Narrenbuch« 1811) brachten den bis heute anhaltenden Erfolg, sondern die Bearbeitungen von G. Schwab (1836), K. Simrock (1839–66) und R. Benz (1924, Nachdr. 1956).

📖 *Weitere Textausg.*: Roman. V.er Hrsg. v. F. Karlinger und I. Lackner. Darmst. 1978. – V.er vom sterbenden Rittertum. Hrsg. v. H. Kindermann (1928), Nachdr. Darmst. 1974.
Schröder, E.: Zur Gesch. des V.-Begriffs. Euph. 78 (1984). – Aust, H.: Zum Stil d. V.er. Ebda. – Kreutzer, H. J.: Der Mythos vom V. Stuttg. 1977. – Schmitt, Anneliese: Die dt. V.er. Diss. Humb. Univ. Bln. 1973. – Melzer, H.: Trivialisierungstendenzen im V. Hildesheim/New York 1972. – Heitz, P. und Ritter, F. J.: Versuch einer Zus.-stellung der dt. V.er des 15. u. 16. Jh.s nebst deren späteren Ausgaben und Lit. Straßbg. 1924. – RL.   HW

Volksbühne, Besucherorganisation auf Vereinsbasis, die ihren Mitgliedern verbilligte regelmäß. Theaterbesuche ermöglicht. – Im Anschluß an die 1889 gegründete Theaterverein ↗»Freie Bühne« wurde am 29. 7. 1890 von W. Bölsche und B. Wille die »Freie V.« als Theaterverein für Arbeiter gegründet (mit der Zeitschrift »Die freie V.«), um auch dem Arbeiter den Besuch polit.-progressiver Theaterstücke zu ermöglichen. Die Freie V. schuf ein billiges Theaterabonnement für (Sonntag)-Nachmittagsvorstellungen, wobei die Karten einmal monatl. ohne Platzkategorien verlost wurden. 1892 spaltete sich die »Neue freie V.« unter Wille ab; 1919 vereinigten sich beide Vereine als »V«. Nach dem Berliner Beispiel entstanden in ganz Deutschland ähnl. Vereine, die sich 1920 zum »Verband der Dt. V.n-Vereine« zusammenschlossen. Der Verband baute eigene Theater, mehrere davon in Berlin (berühmte Inszenierungen durch E. Piscator), unterhielt einen eigenen Bühnenverlag, Tournee- und Laienspielgruppen. 1948 wurde er neu gegründet und zählt heute mit anderen Besucherorganisationen zu den wichtigsten Faktoren, die Arbeitsweise, Spiel-

plan und Etats der dt. Theater mitbestimmen (1977: 770000 Mitglieder). Die V.-idee erwuchs aus der sozialist. Arbeiterbewegung. Da sie in den 1920er Jahren kurzzeitig von extrem linken Gruppen beherrscht wurde, entstand 1919, gegründet von W. K. Gerst, im »Bühnenvolksbund« eine Gegenorganisation auf betont christl. Basis, dessen Nachfolge seit 1951 der »Bund der Theatergemeinden« (1976/77: 145000 Mitglieder) angetreten hat.
📖 Hirsch, H.: Viel Kultur für wenig Geld? Entwicklungen u. Verwicklungen der V. Düssel./Wien 1975. – Schwerd, A.: Zw. Sozialdemokratie u. Kommunismus. Zur Gesch. der V. von 1918–1933. Wiesb. 1975. – Nestriepke, S.: Gesch. der V. Berlin. Bln. 1930.   HR*

Volksepos, ältere Bez. für ↗Epos, insbes. für ↗Heldenepos wie Homers »Ilias« und »Odyssee«, den altengl. »Beowulf« oder das mhd. »Nibelungenlied«, zurückgehend auf die inzwischen weithin entkräftete ↗Liedertheorie, nach der (im Sinne so romant. Vorstellungen von Geschichte und Poesie) das V. vom ›dichtenden Volksgeist‹ selbst ›zusammengesungen‹ sein soll; heute ist die Bez. allenfalls verwendbar im Zusammenhang damit, daß die Verfasser sog. V.epen Stoffe und gelegentl. auch Formen aus vielen und vielschicht. Volksüberlieferungen aufgreifen, die sie dann aber zu eigenständigen, literar. fixierten Dichtungen gestalten. Durch seine spezif. stoffl. und formale Herkunft unterscheidet sich das V. (z. B. das »Nibelungenlied« oder die ↗»Chansons de geste«) vom ↗höf. Roman und der ↗Artusdichtung.
📖 Panzer F.: Das altdt. V. (1903) und Meier, J.: Werden u. Leben des V. (1907); beide in: Das dt. Versepos.Hg. v. W. J. Schröder. Darmst. 1969.   RS

Volkslied, das von J. G. Herder 1773 dem engl. *popular song* nachgebildete, von G. A. Bürger, F. Nicolai, J. H. Voß, Goethe u. a. aufgegriffene und durchgesetzte Wort bezeichnete zunächst weniger eine neue Sache als vielmehr eine neue Wertung jener literar.-musikal. Gattungen, die als Gegenposition zur zeitgenöss. Gelehrten- und Individualpoesie (bes. der antikisierenden Anakreontik) verstanden wurden. Herder sah in den V.ern die »bedeutendsten Grundgesänge einer Nation«, in denen sich ethn. Eigenarten, zeitüberdauernde psych. Möglichkeiten der Menschen in Phantasie und Leidenschaft verkünden, schließl. Dokumente menschlicher sittl. Grundnormen und Zeugnisse einer natürl., damit auch verbindl. ästhet. Qualität. Mit der Wiederentdeckung des V.s verband sich ein poetolog. Anspruch, der die zeitgenöss. Dichtung in der Romantik so beeinflußte, daß die Modelle der V.er nachgeahmt (C. Brentano, H. Heine, sogar gefälscht wurden (A. W. F. Zuccalmaglio). – Das V. unterscheidet sich von anderen Formen der Kunst- oder Gebrauchspoesie durch Alter und Langlebigkeit (vgl. dagegen ↗Schlager), durch die Anonymität des Autors, eins zunächst nicht schriftl. Überlieferung und die daraus resultierende Veränderlichkeit des Textes und der Melodie (›Zersingen‹), durch die Spontaneität seines Gebrauchs und seine Gebundenheit an Gruppen oder Gemeinschaften, die nur selten eindeutig bestimmbar sind. Zu den *Merkmalen* des V.s gehören: Mischung der Stilelemente (Pathos und Trivialität; Bericht und Ausdruck von Stimmung, Gefühl; Wechsel von Heiterkeit und Traurigkeit etc.), bruchstückhafte Ereigniswiedergabe, Vernachlässigung von Logik und Informationsgenauigkeit, Anspielungscharakter (Bürger: »balladenhafter Unzusammenhang«). Die vielfältigen Strophenformen sind meist gereimt, teilweise assoniert, reich an metr. und rhythm. Entsprechungen und Wiederholungsfiguren (denen vielfach auch melod. ident. Formteile zugeordnet sind). Neuere Forschung hat die oft unterstellte Simplizität der metr. und stroph. Bauformen widerlegt. *Erforschung des V.s*: Nachdem die im 19. Jh., bes. der Romantik (A. v. Arnim, C. Brentano, J. Grimm, L. Uhland) vertretene Ansicht, das V. verkörpere und veranschauliche Nationalcharakter, Volksseele, überzeitl. Sittlichkeitsnormen, auch dadurch erschüttert wurde, daß man internationale Stoff- und Motivvergleiche anstellte, teilweise individuelle Verfasser (zumal bei den Volksballaden) aufspürte und auch das bislang vernachlässigte ›subkulturelle‹ erot. und obszöne Liedgut in die Betrachtung einbezog, konzentrierte sich die Forschung zunächst auf das Problem, ob das V. definiert werden könne als anonymes, d. h. kollektives Produkt oder nur als kollektiv rezipiertes Liedgut, an dem das ›Volk‹ nur insofern schöpfer. beteiligt ist, als es durch Erweiterungen, Vermischung, Parodie, Kontrafaktur, Assoziationszugaben etc. vorliegende Werke verändert (»Kunstlied im Volksmund«). So stehen sich zwei Theorien gegenüber: Die *Rezeptionstheorie,* verfochten vom langjähr. Leiter des Deutschen Volksliedarchivs (DVA) Freiburg/Br., J. Meier, und die *Produktionstheorie,* vertreten vom Gründer der Wiener Zeitschrift »Das deutsche Volkslied«, J. Pommer. Die neuere Forschung, an der sich Volkskunde, Philologie, Sozial-, Musik- und Geschichtswissenschaft beteiligen, wendet ihr Interesse (sieht man vom Sammeln und Sichten der Volkslieder ab, von denen das Freiburger DVA rund 210000 Aufzeichnungen besitzt) auf Gattungsfragen, Probleme des Funktionswandels, des sozialen Kontextes und die Erforschung der Gründe für die Veränderlichkeit des V.s, die seine produktive Aneignung bis heute kennzeichnet. *Gruppierung und Geschichte:* Da nur für wenige seltene Arten des V.s spezif. musikal. Merkmale feststellbar sind (z. B. bei Kinderliedern und Resten ritueller Totengesänge), erfolgt die Gruppierung der V.er nach textl.-inhaltl. Gesichtspunkten. Man unterscheidet: Volksballaden (Erzähl-, Legendenlieder), histor.-polit. Lieder, ↗Arbeitslieder, ↗Brauchtumslieder (Weihnachts-, Neujahrslied, Martinslied, Hirten-, Wallfahrts-, Prozessionslied), Scherz- und Spottlieder, ↗Ständelieder (der Bergleute, Schneider, Soldaten, Studenten etc.), Schnaderhüpfl, Kinderlieder, Liebes- und erot. Lieder. Fast alle diese Formen des V.s sind erst spät in konkreten Texten greifbar. Wieweit sich Verbote an Nonnen (etwa in einem Kapitulare vom Jahre 789), wieweit. Lieder (cantilenae saeculares, cantica rustica) zu pflegen, auf V.er beziehen, wieweit Motive, Stilelemente und Formtypen des Minnesangs (↗Pastorelle, ↗Tagelied, gnom. Dichtung) sich auf V.-Traditionen beziehen lassen, wieweit populäre Lieder, wie gelegentl. in Chroniken (Limburger Chronik) zitiert werden, dem genuinen V. zuzurechnen sind, ob schließl. alte geistl. Lieder (»Christ ist erstanden«) V.er sind, ist umstritten. Die Überlieferung des V.s beginnt im Spätma. in handschriftl. später gedruckten Liederbüchern. Dem 15. Jh. gehören Sammlungen wie die Liederbücher von St. Blasien, Locham, Glogau, Wienhausen, Königstein, Rostock und das der Clara Hätzlerin an. Im 16. Jh. werden dann Volkslieder durch mehrstimm. Bearbeitungen (H. Isaac, C. Othmayr, L. Senfl, G. Rhau, G. Forster u. a.) für die stadtbürgerl. Volkspflege übernommen. Daneben entstehen in dieser Zeit, v. a. auf Flugblättern, Einblattdrucken, neue oder veränderte V.er. Was heute zum V. gerechnet wird, ist weithin durch die großen Sammlungen des 19. Jh.s entschieden worden: v. a. A. v. Arnim/C. Brentano: »Des Knaben Wunderhorn« (3 Bde. 1806–8); F. K. von Erlach: »Die Volkslieder der Deutschen« (5 Bde. 1834–37); L. Uhland: »Alte hoch- und niederdeutsche Volkslieder« (2 Bde. 1844–45); L. Erk/F. M. Böhme: »Deutscher Liederhort« (3 Bde. 1893). – Obwohl die sozialen und gesellschaftl. Bedingungen für die spontane V.-pflege geschwunden sind, wurde es seit Anfang des 20. Jh.s in der Singbewegung (offenes V. singen in Chören) und in den Schulen wiederbelebt und erfreut sich heute bes. im Rahmen des Folklorismus, unterstützt von den Massenmedien, erneuter Wertschätzung. Seit 1928 erscheint im Jahrbuch f. V.-Forschung.

📖 Suppan, W.: V. Stuttg. ²1978 *(mit Lit. angaben).* – Hirsch, S.: Das V. im späten MA. Bln. 1974. – Brednich, R.

W./Röhrich, L./Suppan, W. (Hrsg.): Hdbuch d. V.s. 2 Bde. Mchn. 1973–75 *(mit Lit.).* – Steinitz, W.: Dt. V.er demokrat. Charakters aus 6 Jh.en. Bln. (Ost) 1972. – Danckert, W.: Das europ. V., Bonn ²1970. – Schmidt, L.: Volksgesang und V. Proben und Probleme. Bln. 1970. – RL.

HW

Volkspoesie, wie die Begriffe ›Volkslied‹ und ›Volksdichtung‹ stammt der für die Einzelgattungen übergreifende Terminus V. von J. G. Herder. Zunächst bezeichnete er eine dem anonymen Kunstschöpfertum der einzelnen Völker zugeschriebene Weise der dichter. Welterfassung und -vermittlung, die sich v. a. von der Gelehrten- und Individualpoesie unterschied. Je nach der Gewichtung der Unterscheidungsmerkmale und der spezif. Charakteristika konkurrierte der Begriff V. auch mit anderen terminolog. Festlegungen: Man sprach von *Urpoesie,* wenn die vermutete Altertümlichkeit betont und der V. als Relikt sonst nicht überlieferten archaischen Dichtens verstanden wurde; von *Nationalpoesie,* wenn die ethn. Besonderheiten der V. – zumal im 19. Jh. – ins Zentrum der Betrachtung und Wertung rückten; von *Naturpoesie,* wenn der V.-Begriff polem. oder beschreibend gegen die Kunstpoesie verwandt wurde oder der V. insgesamt die Qualität eines organ. gewachsenen, daher weithin nicht schriftl. überlieferten Kulturguts zuerkannt wurde. – Als *formale und inhaltl.* Kriterien gelten seit Herders bildl. Charakterisierung »Sprünge und Würfe« (1773) Gestaltungsweisen, die auf kausale Begründung, log. Richtigkeit, Erzählkontinuität, Informationsgenauigkeit und chronol. Abfolge in der ep. Geschehniswiedergabe – zugunsten eines episod. reihenden, unverbundenen Erzählens – weitgehend verzichten. Überdies ist die Form der V. gekennzeichnet durch Abwesenheit des Erzählers im Text (da er in der mündl. Vortragssituation als phys. präsent angenommen werden kann), durch eine auf Individualisierung verzichtende Personentypik und durch das Fehlen von reflektierenden, abstrahierenden und moralisierenden Momenten. Inhaltl. verweisen fast alle Gattungen der V. auf archetyp., allgemeinmenschl. Daseins- und Verhaltensformen, so daß Themen wie Familie, Liebe, Kampf, myth. Naturerfahrung, Tod, Jenseitsvorstellung im Mittelpunkt vieler volkspoet. Werke stehen. Weniger die mit den Erscheinungsformen der Volkspoesie verbundenen Fragen, ob die einzelnen Stoffe und Formen nationalen Traditionen entstammen oder universale ›Wandergut‹ sind, ob sich hier ein sozial nicht bestimmbarer allgemeiner Volksgeist ausspricht oder ob V. weithin ›gesunkenes Kulturgut‹ und damit Trivialisierung von elitärer Dichtung ist, bestimmen neueres Interesse an der V., als die Fragen nach der spezif. literar. Typik (↗einfache Formen), der tiefenpsychol. Entschlüsselung (bes. des Märchens), der histor. gebundenen Überlieferungs- und Veränderungsgeschichte und nach dem funktions- und sozialgeschichtl. Ort ihrer Rezeption. – Der Begriff selbst ist, da seine Bestandteile ›Volk‹ und ›Poesie‹ ihren einst normativen und wertenden Inhalt eingebüßt haben, umstritten. Einerseits wird er für veraltet gehalten, andererseits aktualisiert: indem man unter V. nicht mehr nur die herkömml. Gattungen (↗Volkslied, ↗Rätsel, ↗Märchen, ↗Sage etc.) versteht, sondern auch volkstüml. Mitteilungs- und Spielformen wie ↗Witz, erot. und skatalog. »Volksvermögen« (P. Rühmkorf) und sich keineswegs durch hohe Altertümlichkeit auszeichnende Populärformen wie Schunkelieder, Evergreen-Schlager und ›unbürgerl.‹ Sprachvarianten (z. B. Teenager-Sprache) trivialisiert.

📖 Bausinger, H.: Formen der »V.«. Berlin ²1980. – Lüthi, M.: Volkslit. und Hochlit. Menschenbild, Thematik, Formstreben. Bern/Mchn. 1970.

HW

Volksschauspiel, für ein großes Personenaufgebot (↗Massenszenen), z. T. auch mit großem Ausstattungsaufwand konzipiertes volkstüml. Theaterstück (↗Volksstück), das ein breites Publikum aller Stände erreicht, auch Bez. der

Aufführung (oft durch Laienorganisationen, z. B. die mal. ⟋Passionsbruderschaften). In diesem Sinne kennen das MA. und teilweise der Barock V.e aus religiösem (⟋Oster-, ⟋Mysterien-, ⟋Mirakelspiele, ⟋Moralitäten) oder saisonalem Anlaß (⟋Fastnachtsspiele); bes. letztere verbinden bürgerl. Spielfreude bereits mit professionellen Elementen (vgl. die Aufführungen der ⟋Rederijkers und Meistersinger, die Schweizer Bürgerspiele). V. ist auch das Drama der Gegenreformation, das die reiche Bühnentradition des Barock nutzt (⟋Jesuitendrama). – Während in der Aufklärung im Norden Deutschlands das V. (als Laien- und Stegreiftheater) versiegt (1718 Spielverbot an preuß. Schulen, Gottscheds Reform 1737) und dann nur lokal als ⟋Lokaloder Dialektstück wieder auflebt (Hamburg, Berlin, Niebergall in Darmstadt), riß im Süden die Barocktradition nicht ab (Zauberspiele, Maschinenkomödien des ⟋Wiener Volkstheaters, Oberammergauer Passionsspiele), bes. im 19. Jh. erfaßte eine neue Welle des Laientheaters vorwiegend ländl. Bereiche (»Komödi-Spielen«, ⟋Bauerntheater).

🕮 Schmidt, Leopold: Das dt. V. Ein Hdb. Bln. 1962. – RL.
HR

Volksstück, von professionellen Schauspieltruppen (oder Laienorganisationen) für ein breites Publikum teils auf ⟋Wanderbühnen, teils an festen Vorstadtbühnen der Städte gespieltes volkstüml. Theaterstück; charakterist. ist die Integration literar., sinnl.-theatral. und schlicht volkstüml., auch banaler Elemente und die komödiant.-virtuose Darbietung, oft mit musikal. (Gesangsnummern), pantomim., tänzer. und Stegreif- Einlagen, ferner die gleichmäß. Anziehung auf gebildete und ungebildete Kreise. Bedeutendste Ausprägung im ⟋Wiener Volkstheater. – Bes. das süddt. V. galt immer als Modell für ein vitales Volkstheater, wie es aus sozialen, polit. oder künstler. Motiven so unterschiedl. Autoren wie G. Hauptmann, L. Anzengruber, L. Thoma, H. v. Hofmannsthal, B. Brecht (»Über das V.«, 1952) angestrebt wurde. Da Gesellschafts-, Charakter- und Sprachkritik immer zum V. gehörten, brauchte das moderne V. von Ö. v. Horváth, B. Brecht, M. L. Fleißer, H. Lautensack, F. X. Kroetz, P. Turrini, W. Bauer, W. Deichsel, F. Kusz, M. Sperr u. a. hier nur an alte Traditionen anzuknüpfen, um die Klischees des kleinbürgerl. Alltags anzuprangern.

🕮 Schmitz, Thomas: Das V. Stuttg. 1990. – Müller, Gerd: Das Volksschauspiel von Raimund bis Kroetz. Mchn. 1979. – Hein, J. (Hrsg.): Theater u. Gesellschaft. Das V. im 19. und 20. Jh. Düsseldf. 1973 *(mit ausführl. Bibliographie).* – Das österr. V. Hg. v. Institut für Österreichkunde, Wien 1971. – Lee, G.: Quest for a public. French popular theatre since 1945. Cambridge, Mass. 1970. – Nathan, G. J.: The popular theatre, New York [2]1923, Nachdr. 1971.   HR*

Volkstheater,
1. Sammelbegriff für volkstüml. Theaterpraxis (oft auch mit Laienschauspielern) und Theaterliteratur, die keine Bildungsschranken setzt; wird in diesem Sinne synonym mit ⟋Volksstück, ⟋Volksschauspiel, ⟋Bauerntheater, Dialekt- und ⟋Lokalstück gebraucht.
2. Bez. für ein Theaterunternehmen, das im Ggs. zum Hof- und Bürgertheater inhaltl. und finanziell von allen Schichten getragen wird; Bez. erstmals von Goethe im Ggs. zu ⟋Hoftheater gebraucht. V. setzen eine soziale Trennung des Publikums nach Bildung, Geschmack und Einkommen voraus, die dem Barocktheater Shakespeares oder Calderóns noch unbekannt war, und die sich im 18. Jh. auch im süddt. Sprachraum weniger als im norddt. (J. Ch. Gottsched) durchgesetzt hatte (vgl. ⟋Wiener Volkstheater, Volksschauspiel). Feste V. entstanden für die ⟋Wanderbühnen außerhalb des Einflußbereichs der privilegierten höf. oder bürgerl. Theater als Vorstadttheater, Marktbuden *(Théâtre forain)* oder Theaterhäuser der ⟋Commedia dell'arte; Schwerpunkte solcher V. waren Wien, Paris,

Venedig. – Die Idee eines V.s lag bereits der Wiener Theaterreform Josefs II. (1776, subventioniertes ⟋Nationaltheater für alle Stände) zugrunde; sie wurde in der Romantik im Gefolge der Neueinschätzung volkstüml. Elemente aufgewertet und verband sich mit dem Nationalgedanken und schließl. mit sozialpolit. und erzieher. Absichten. Dies führte zur Errichtung von V.n mit populärem Repertoire, z. T. mit Beteiligung von Laienakteuren und verbilligtem Eintritt (Freilichttheater der Heimatkunstbewegung, ⟋Volksbühne).

🕮 Moser, G.: Das V. – Kultur i. d. Provinz. Frkft. 1983. HR
Vollreim ⟋reiner Reim.
Volumen, n., Pl. Volumina [lat. = Gerolltes, Schriftrolle, von voluere = rollen, wickeln], seit dem 17. Jh. Fremdwort für ein ⟋Buch (Einzelband) als Teil eines mehrbänd. Werkes (Abk.: vol.); vgl. auch die scherzhafte Übersetzung ›Wälzer‹ (= unhandl., dickes Buch).   S
Vorausdeutung, konventionelles Strukturmerkmal erzählender, dramat. oder auch film. Texte. Die V. hebt momentan die erwartbare zeitl. Abfolge des dargestellten Geschehens auf und weist auf spätere, oft gegen Ende des jeweiligen Kapitels bzw. Abschnittes oder des ganzen Textes eintretende Ereignisse und Vorgänge voraus. Generell können unterschieden werden
1. *Figuren.en:* Prophezeiungen, Visionen, Orakel oder Träume von Personen, die zur Ebene der dargestellten Welt gehören, wodurch z. T. deren psych. Situation näher charakterisiert und eine Verlaufs- oder Lösungshypothese aus der ⟋Perspektive eben dieser Figuren vorgestellt wird (z. B. Kriemhilds Falkentraum im »Nibelungenlied«).
2. *Erzählerv.en,* die einen ›allwissenden‹ (auktorialen) Erzähler voraussetzen und als Mittel der Zeitgestaltung und Vorgangsverklammerung die strukturelle Konzeption des Textes bewußt machen und in ihrer integrierenden und straffenden Funktion die ästhet. Spannung wirkungsvoll erhöhen können (z. B. H. v. Kleist: »Die Marquise von O . . .«). – In vielen Texten alter histor. Epochen (von Homers »Odyssee« über das »Nibelungenlied« und F. Schillers »Geisterseher« bis zu Th. Manns »Doktor Faustus« oder P. Handkes »Wunschloses Unglück«) finden sich oft reine Figuren- und Erzählerv.en bis zu den verschiedensten Formen und Zwischentypen der V., manchmal bereits von rhetor. Theorie und poet. Versatzstück konventionalisiert (z. B. die ⟋Präfiguration in mal. Dramen). Die spezif. Funktionen der V.en als Elemente erzählerischer Technik sind z. B. Plausibilisierung zukünft. Geschehens; programmat. Verweis auf ein Hauptthema; Erzählerlegitimation u. a.

🕮 Lämmert, E.: Bauformen d. Erzählens. Stuttg. [8]1983. – Michielsen, G.: The preparation of the future. Techniques of anticipations in the novels of Th. Fontane u. Th. Mann. Bern/Frkf. 1978. – Burger, H.: V. und Erzählstruktur in mal. Texten. In: Typologia Litterarum Festschr. f. M. Wehrli, Zürich 1969, S. 125–153.   KH

Vormärz, neben ⟋Jungem Deutschland und ⟋Biedermeier wichtigster, jedoch nicht unproblemat. literaturgeschichtl. Epochenbegriff für eine literarhistor. Phase in der 1. Hälfte des 19. Jh.s. Als Epochenbez. datiert man die V. 1. (den Historikern folgend) gelegentl. seit 1815; 2. häufiger von 1830 (Julirevolution) bis 1848 (Märzrevolution in Deutschland): Dieser das Junge Deutschland einbeziehende Epochenansatz erweist sich für die neuere Forschung als praktikabler als das umgekehrte Verfahren (das seine Berechtigung u. a. von H. Hoffmann v. Fallersleben »37 Lieder für das junge Deutschland«, 1848, ableiten kann) und faßt mit V. die *polit. progressive Spielart des konservativen Biedermeier,* das mit 1815 bis 1848 ähnlich weitgreifend datiert wird. Neuerdings setzt sich 3. jedoch eine weitere Unterteilung in Junges Deutschland (ca. 1830 bis zum Verbot 1835), eine (unbenannte) Zwischenphase und den eigentlichen V. (1840 bis 1848/49) durch, v. a. aus zwei Gründen:

1. historisch kam mit der Rheinkrise 1840 erneut ein starkes Nationalgefühl auf; man verband mit der Thronbesteigung Friedrich Wilhelms von Preussen (1840 polit. Amnestie; 1841 Lockerung der Zensurbestimmungen) große polit. Hoffnungen; ferner treten seit 1840 die Jung-, bzw. Linkshegelianer auf;
2. vom Standpunkt der V.-Dichter war das Junge Deutschland eine abgeschlossene Phase, deren Vertreter man ob ihres »illusionären Liberalismus« strikt ablehnte. So findet sich von den Jungdeutschen eigentl. nur H. Heine (»Neue Gedichte«, 1844; »Deutschland. Ein Wintermärchen«, 1844) im schärferen polit. Fahrwasser des V. wieder, während (L. Börne war bereits 1837 gestorben) L. Wienbarg um 1840 verstummte, K. Gutzkow, H. Laube, Th. Mundt und G. Kühne sich zurückhielten oder auf Positionen zurückzogen, die u. a. von F. Engels scharf kritisiert wurden. Statt ihrer traten jetzt als *neue Autoren* auf: vor allem G. Herwegh (»Gedichte eines Lebendigen«, 1841/43), H. Hoffmann von Fallersleben (»Unpolitische Lieder«, 1841), F. Freiligrath (»Ein Glaubensbekenntnis«, 1844; »Ça ira«, 1846), G. Weerth (auch als Redakteur des Feuilletons der ›Neuen Rheinischen Zeitung‹), E. Dronke, L. Pfau. Ihnen zurechnen muß man den schon früher publizist. tätigen H. Harring, mit einigen Gedichten auch G. Keller, ferner R. Prutz, den (Literatur-)Historiker G. G. Gervinus und die polit. Schriftsteller und Linksphilosophen K. Marx und F. Engels, A. Ruge, M. Hess u. a. Die verstreuten Stellungnahmen zur zeitgenöss. Literatur dieser Jahre von Marx und Engels können rückblickend als erste Aufgabenstellung und erste Schritte einer sozialist. *Literaturbetrachtung* (einer sozialist. Literaturwissenschaft) gewertet werden. Mit ihr entwickelt sich zögernd auch eine sozialist. Literatur, für die eine zunehmende Radikalisierung v. a. eine gesellschaftsperspektiv. Erweiterung bezeichnend ist, am deutlichsten vielleicht bei den Veröffentlichungen im Umkreis des schles. Weberaufstandes (1844), die zum ersten Mal den Arbeiter nachdrückl. ins Blickfeld bürgerl. Literatur rücken: Bettina v. Arnins »Armenbuch«, die Gedichte Heines, Weerths, Pfaus u. a., der Bericht W. Wolffs »Das Elend und der Aufruhr in Schlesien«, das schnell verbreitete anonyme Weberlied »Das Blutgericht« (das G. Hauptmann in »Die Weber« wieder aufgreift). Es ist bezeichnend für die Epoche des V., daß seine Vertreter fast alle für kurze oder längere Zeit ins Exil (Zürich, Brüssel, Paris, London) gehen mußten (↗Exilliteratur) und nur von dort mit ihren Veröffentlichungen wirken konnten. Diese Exilsituation führte sicherl. neben den polit. Enttäuschungen mit zur Radikalisierung der Positionen; sie ist aber wohl auch dafür mit verantwortlich, daß – mit Ausnahme des oft operativ, bzw. agitator. eingesetzten Gedichts und hastiger Revolutionskomödien – die Dichter des V. nicht die Ruhe hatten, spezif. Gattungen aus- oder in ihrem Sinne weiterzubilden, so daß ihre literar. Arbeiten fast durchgehend Programm-, Bekenntnis-, Aufruf oder Pamphletcharakter aufweisen. Als die Literatur des V. mit dem Scheitern der bürgerl. Revolution 1848/49 ihr Ende fand, war das dies z. T. schon vorprogrammiert durch die Zerstrittenheit ihrer Vertreter, einem aus immer radikaleren Positionen geführten gegenseitigen »Vertigungskrieg« (Hermand).

📖 Seidler, H.: Österreich. V. und Goethe-Zeit. Wien 1982. – Labuhn, W.: Lit. u. Öffentlichkeit im V. Königstein/Ts. 1980. – Adler, H.: Sozialer Roman im V. Mchn. 1980. – Stein, P.: Epochenproblem »V.« (1815–1848). Stuttg. 1974. – Mattenklott, G. / Scherpe, K. R. (Hrsg.): Demokrat.-revolutionäre Lit. in Dtschld. V. Kronberg i. T. 1974. – Behrend, W. W. u. a. (Hrsg.): Der literar. V. Mchn. 1973. – Kaiser, B. (Hrsg.): Die Achtundvierziger. Ein Lesebuch f. unsere Zeit. Bln. u. Weimar [11]1973. – (Autorenkollektiv): Erläuterungen zur dt. Literatur. V. 1830–1848. Lpz. [9]1972. – Jäger, H.-W.: Polit. Metaphorik im Jakobinismus und im V. Stuttg. 1971. – Hermand, J.: Der dt. V. Texte und Dokumente. Stuttg. 1967. – RL.   D

Vorpostler, m. Pl. (russ. Napostovcy), russ. Schriftstellergruppierung, die den 1923 als »gefährl. Abweichung« kritisierten ↗Proletkult ablöste, mit dem Ziel einer ideolog. reinen proletar. Literatur und Kultur, die jegl. Nonkonformismus ausschließen und alle Reste bürgerl. Literaturtradition (z. B. auch »formalist.« Experimente) ausmerzen sollte. Gruppiert um die Zeitschriften »Na postu« (= Auf Posten, 1923, daher der Name) und »Oktjabr« (= Oktober, 1924; daher auch: *Oktobergruppe),* gründeten die V. 1925 die *VAPP* (= Allruss. Assoziation proletar. Schriftsteller) bzw. *RAPP* (= Russ. Assoziation proletar. Schriftsteller), die mit der Gründung der *SSSR* (= Schriftstellerverband der UdSSR) 1932 wie alle anderen Schriftstellervereinigungen auf- bzw. abgelöst wurde. Mit den V.n, zu denen v. a. A. I. Besymenski und J. N. Libedinski zu zählen sind, beginnt auf freiwilliger Basis die zentrale Kontrolle der Literatur als Parteiliteratur und damit (innerhalb der russ. Literaturgeschichte) gleichsam die Phase der Sowjetliteratur. ↗sozialist. Realismus.   D

Vorspiel,
1. Szene, Szenenfolge oder einakt. Stück als Eröffnungsteil eines Dramas (Oper, Film etc.), gehört im Gegensatz zum ↗Zwischen- und ↗Nachspiel themat. und funktional als Vorbereitung des Zuschauers eng zum Hauptstück; enthält neben anderem z. B. die Vorgeschichte des dramat. Geschehens (R. Wagner, »Rheingold«), eine Charakterisierung des Milieus (B. Brecht/K. Weill, V. zur »Dreigroschenoper«) oder den Haupthelden (F. Schiller, »Wallensteins Lager«), die Bedingungen der Haupthandlung (Goethe, »Faust«, V. auf dem Theater, J. N. Nestroy, »Lumpazivagabundus«), eine Rahmenhandlung oder Verstehenshinweis (B. Brecht, »Der kaukas. Kreidekreis«).
2. Im franz. Theater der Mitte des 19.Jh.s vom eigentl. Hauptstück themat. unabhäng., kom. Einakter zur Unterhaltung der Zuschauer bis zum (üblicherweise verspäteten) Eintreffen der adl. und großbürgerl. Besucher, nach dem erst die eigentl. Aufführung begann; in Frankr. als *Lever de rideau* (Aufziehen des Vorhangs) bez.; sie wurden auf Bestellung von bes. Spezialisten (z. B. F. Carré, E. Dupré, E. Blum) oft serienmäßig verfaßt; im frz. Boulevardtheater waren oft zwei und mehr selbständ. V.e, Zwischen- und Nachspiele üblich; Ende d. 19.Jh.s abgeschafft. – RL.   IS

Vortizismus, m. [engl. vorticism zu vortex = Wirbel], kurzleb. literar. Bewegung in England um den Maler und Schriftsteller Wyndham Lewis und seine Zeitschrift »Blast, review of the great English vortex« (2 Nummern 1914/15) mit einem gegen die epigonale Romantik gerichteten Erneuerungsprogramm, das versucht, Tendenzen der modernen Malerei, insbes. des Kubismus und Futurismus, für die Literatur fruchtbar zu machen. Personell z. T. ident. mit dem nachhaltiger wirkenden ↗Imagismus (Th. E. Hulme, E. Pound, T.S. Eliot).   ED

Wächterlied vgl. ↗Tageslied.

Wagenbühne, auch Prozessionsbühne, eine in MA., Renaissance und Barock weitverbreitete Spielgrundlage (engl. *pageant,* span. *carro,* italien. *carro* oder *edificio),* nachweisbar zuerst in England (13. Jh.). W.n entstanden im Rahmen der seit 1264 theatral. gestalteten Fronleichnamsprozessionen (fahrbare Altäre), evtl. auch beeinflußt von ritterl. Huldigungsaufzügen (Triumphwagen): Spielszenen wurden auf Wagen aufgebaut (oft als ↗lebende Bilder) und diese durch die Straßen geführt; an vorbestimmten Stationen hielt der Wagen inne und die Szene wurde gespielt. Im span. Theater bildeten je drei Wagen eine Einheit; sie fuhren jeweils von der einen Seiten an ein festes Podest heran, wodurch eine kleine Simultanbühne entstand. Die mal. W.n waren zumeist 6-rädrig und doppelstöckig (verhängter Umkleideraum unten, darüber die Spielfläche, oft mit Aufbauten); sie wurden zunächst von der Kirche, dann v. a. von den Zünften und Gilden der Städte (oft reich) ausgestaltet. Sie dienten dem ↗geistl. Spiel (Prozessionspielen wie

/ Fronleichnamsspiel und Lauda drammatica, / Mysterienspielen, / Moralitäten), z. T. auch weltl. Spielen (Fastnachtsspiele, / Schembartlaffen). – In der Renaissance wurden W.n bes. zum Vehikel prunkvoller relig. und höf. Allegorien (Schaubilder) bei festl. Aufzügen, z. B. den italien. Maskenzügen und Trionfi, den Triumphzügen *(incomste)* der / Rederijkers (weltberühmt z. B. die Wagen zum Einzug Karls V. in Brügge 1515), den franz. *entrées solennelles* (z. B. von Henri II. in Rouen, 1550). Erhalten hat sich das Prinzip der W. bis heute beim ortsungebundenen Theater, v. a. dem Straßen- und Antitheater, um Theater ans »Volk« heranzubringen (Das schiefe Theater, Straßentheater der Salzburger Festspiele). / Thespiskarren, / Bühne.   HR*

Wahlspruch, Verdeutschung Ph. von Zesens (1648) für lat. *symbolum* (Glaubensbekenntnis, Sinnbild), im Sinne eines auf Siegeln, Wappen, Emblemen u. ä. angebrachten / Sinnspruchs (/ Motto, / Devise), seit Anfang des 18. Jh.s auch allgemein für Maxime oder synonym mit Denk- oder Sinnspruch verwendet. Vgl. auch / Emblem, / Impresse. S

Waise, reimlose Zeile innerhalb einer gereimten Strophe; Bez. aus der Meistersingerterminologie. W.n begegnen in Minnesang und Spruchdichtung seit dem Kürenberger (Stegstrophe), häufig in der / Stollen- oder Kanzonenstrophe (Waisenterzine), auch in stroph. Epik (z. B. / Berner Ton), im Volkslied und später etwa im / Ritornell. Reimen zwei W.n verschiedener Strophen miteinander, spricht man von / Korn(reim).   MS

Walther-Hildegund-Strophe, Strophenform der mhd. Epik, benannt nach ihrem Vorkommen in dem fragmentar. überlieferten Gedicht von »Walther und Hildegund« (1. Hälfte des 13. Jh.s). Abkömmling der / Nibelungenstrophe, unterscheidet sich von dieser ledigl. im Anvers der 4. Langzeile, der zu einem klingenden Sechstakter erweitert ist: 6 k – 4 m.   MS

Wanderbühne, auch: Wander- oder / Straßentheater, Bez. für reisende Berufsschauspieler ohne festes Theater. *Vorläufer* sind schon die mal. / Joculatoren (vgl. auch / Spielmann), *Prototypen* dann v. a. die / engl. Komödianten und ihre Nachahmer auf dem Kontinent wie J. Velten; von seiner berühmten *Bande* der »Chur-Sächs. Komödianten« (bis 1684, danach war Velten fest am Dresdner Hof) läßt sich die Entwicklung zu den *wichtigsten dt. Prinzipalen* und Truppen der W. des 18. Jh.s verfolgen: J. und C. Neuber, J. F. Schönemann, K. Ackermann, G. H. Koch, C. T. Doebbelin, Abel Seyler bis hin zu A. W. Iffland. Ende des 18. Jh.s waren diese Truppen aktiv an den Versuchen einer / Nationaltheater-Gründung beteiligt (Hamburg, Mannheim), spielten regelmäß. an / Hoftheatern und wurden schließl. fest in höf. oder bürgerl. gefuhrte Theater integriert, sofern die Prinzipale nicht vorzogen, als Schauspielunternehmer selbst ein Theater kommerziell zu führen (z. B. E. Schikaneder das ›Theater an der Wien‹ in Wien). Auch im 19. und 20. Jh. ist neben dem festen Hof-, Stadt-, Staats- und Landestheater die auf eigenes Risiko gastierende Truppe nie ausgestorben. Neben dem anspruchslosen Tourneetheater stehen Gastspielkonzepte internationaler Bühnen (Royal Shakespeare Touring Company) oder Stadtrand- und Regionalbespielungen durch Subventionstheater (Burgtheater, Théâtres Nationaux Populaires). Daneben treten heute zunehmend ein polit., künstler. und didakt. engagiertes mobiles / Antitheater (The / Living Theatre, The Bread and Puppet Theatre, El Teatro Campesino, The Joint Stock Company) und das Straßentheater (Rückgriff aufs Volkstheater). – Der *Stil* der W. gilt seit den engl. Komödianten als drast., effektvoll, ihr Repertoire als trivial und melodramat., aber publikumswirksam. Ihre Vitalität, Publikumsnähe und unabhängige Armut wird heute zur Erneuerung literarisierten Bildungstheaters und zur Entdeckung neuer theatral. Möglichkeiten zu nutzen gesucht (P. Zadek; Spielstraßenprojekt der Münchner Olympiade 1972). – Literar. gestaltet ist die W. in Goethes »Wilhelm Meisters Lehrjahre«, aber auch in F. u. P. Schönthans »Raub der Sabinerinnen« (Theaterdirektor Striese).
📖 Shank, T.: Contemporary political theatres and their audiences. Vorträge der 3. Doz.konferenz der FIRT, Venedig 1975. Wien 1976. – Spieltexte der W. Hg. v. M. Brauneck. 6 Bde. Bln. 1970 ff. – RL.   HR*

Wappendichtung, vgl. / Heroldsdichtung.

Wayang (Wajang), n. [javan. = Schatten], Bez. für javan. Theaterspiele, bes. für / Schattenspiele, aber auch Tanz- und Maskenspiele. Die *Ursprünge* liegen in der Ahnenverehrung der prähinduist. Zeit; auf die Genese aus den Initiationsriten weist die noch heute übliche Trennung der männl. und weibl. Zuschauer hin. Man unterscheidet *vier charakterist. W.-Gattungen.*
1. *W. purwa* (purwa = alt) oder *W. kulit* (kulit = Leder): Seit 1000 n. Chr. in Java belegtes, nachts aufgeführtes Schattenspiel mit Lederfiguren (meist aus perforierter Büffelhaut). Der Spielführer (Dalang) bewegt die vor oder hinter einer mit Öllampen beleuchteten Leinwand erscheinenden Figuren jeweils an zwei Stäben und dirigiert die Musik (Gamelan-Musik). Die einzelnen Phasen der einem altüberlieferten Schema folgenden Handlungen (Lakon) dauern von 21 Uhr bis 6 Uhr morgens. Ein Spiel kann bis zu 144 Figuren haben. Auf Bali finden die Spiele im Freien, auf Java im Herrenhaus statt, wobei die Männer hinter dem Dalang, mit Blick auf die Figuren, die Frauen auf der Schattenspielseite sitzen. Die Themen des in der hindujavan. Periode ausgeprägten W.-Spiels stammen aus den ind. Epen »Ramayāna« und »Mahâbhârata« und stellen den Kampf des guten und des bösen Prinzips dar.
2. Das jüngere *W. gedok* (ebenfalls Lederfiguren) behandelt Themen aus der islam. Periode Javas.
3. Das *W. golek* (golek = rund, plastisch) mit vollplast., holzgeschnitzten Figuren ist in Mittel- und Westjava verbreitet; seine Themen stammen aus der islam.-arab. Geschichte. 1931 von R. Teschners Theater »Figurenspiegel« in Europa eingeführt.
4. *W. klitik* (klitik = klein, mager) oder *kruchil*, Spiel aus flachen, holzgeschnitzten Figuren mit Lederarmen. – Ferner gibt es das (heute ausgestorbene) *W. bèbèr*: ein vom Dalang über den Bildschirm gezogenes Rollbild mit aufgemalten Personen, das *W. topeng* (topeng = Masken): stumme Maskentänze, und das *W. wong* (wong = Mensch): das Menschentheater in seinen verschiedenen Ausprägungen.
📖 Spitzing, G.: Das indones. Schattenspiel – Bali, Java, Lombok. Köln 1981. – Mellema, L.: W. Puppets. Amsterdam 1954.   GG

Wechsel, spezif. Liedgattung des mhd. / Minnesangs, Kombination einer Frauen- und einer Mannesstrophe, wobei die Rollenfiguren nicht miteinander (dialogisch), sondern übereinander sprechen, ihre Gefühle und Gedanken monolog. äußern. Die zweistroph. Grundstruktur kann durch zusätzl. Strophen erweitert werden, auch durch Anrede einer dritten Person, z. B. eines Boten (Botenstrophe–Botenlied); verbreitet v. a. in der 2. Hä. des 12. Jh.s (Kürenberg, Dietmar, Johansdorf, Rugge, Reinmar, Walther v. d. Vogelweide). Sonderformen sind der / Tagelied-W. (Morungen) und der Lied-W. (Veldeke). – Die Bez. findet sich in der Neidhart-Hs. c (15. Jh.) für Dialoglieder; sie wurde erstmals von M. Haupt im heutigen Sinne im Unterschied zum Dialoglied (vgl. etwa Johansdorf MF 93,12), auch zum / Wechselgesang verwendet. Gehört zu den / genres objectifs.
📖 Angermann, A.: Der W. in der mhd. Lyrik. Diss. Marburg 1910.   S

Wechselgesang, lyr. Gattung: i. d. Regel nicht unmittelbar aufeinander bezogene Äußerungen zweier oder mehrerer (z. T. außerhalb des poet. Textes bezeichneter) Personen zu einem bestimmten Thema (Liebe, Natur), meist hymn.

gestimmt und metr. oder stroph. gleichgeordnet; nicht immer scharf zu trennen vom ep. Verbindungsstücken versehenen Dialoggedicht, das bisweilen auch als W. bez. wird. – *Beispiele* finden sich im AT (Hohes Lied), in der altgriech. kultgebundenen Chorlyrik, in der griech. Tragödie (↗Amoibaion), den bukol. Gesängen Theokrits, Vergils u. a., im MA. in der spezif. Form des ↗Wechsels, in geistl. Gesängen (Antiphon, Responsorium), auch im ↗Volkslied in den Formen des Wettsingens; dann in der ↗Schäferdichtung des 17. u. 18. Jh.s, weiter bei Goethe (»Wechsellied zum Tanze«, »Buch Suleika«, Schluß des »Faust«), E. Mörike (»Gesang zu zweien in der Nacht«), auch noch bei R. Dehmel (»Schöpfungsfeier«), St. George (»Brand des Tempels«), H. von Hofmannsthal (»Gesellschaft«).
📖 Langen, A.: Dialog. Spiel. Formen u. Wandlungen des W.s in der dt. Dichtung (1600–1900). Hdbg. 1966.   S

Wechselseitige Erhellung, interdisziplinäre Versuche, durch Übernahme von Methoden, Begriffen und fachspezif. Sehweisen anderer Wissenschaftszweige die jeweil. Erkenntnisbasis zu verbreitern und den Anschauungsgrad zu vergrößern, v. a. um begriffl. schwer zu Fassendes evident zu machen. Angewandt bes. bei vermuteten Parallelen zwischen Dichtung und bildender Kunst, gelegentl. auch der Musik. Solches Arbeiten mit dem Begriffsapparat verwandter Wissenschaften geht von der Hypothese aus, daß sich damit epochentyp. Denk- und Sehweisen aufdecken lassen, welche zu ähnl. kategorialen Strukturierungen von Werken bildender und sprachl. Kunst führten; in einem mehr äußerl. Sinne resultierten daraus auch die literaturhistor. Adaptionen von Epochenbezz. wie ›Romanik‹, ›Gotik‹, ›Barock‹, ›Neue Sachlichkeit‹. – Die Methode der w. E. ist v. a. mit dem Namen O. Walzels und der kunstwissenschaftl. Begriffe für die literarhistor. Stilforschung fruchtbar zu machen. Er übernahm die Begriffspaare des Kunsthistorikers H. Wölfflin für die Kunst des 16. und 17. Jh.s (linear – malerisch; flächenhaft – tiefenhaft; geschlossene – offene Form; Einheit – Vielheit; absolute – relative Klarheit), um damit den Stil der Dichtung des 16. und 17. Jh.s aufzuschließen. Ähnliches findet sich bei F. Strich für den lyr. Stil des 17. Jh.s. Th. Spoerri erweiterte die Begriffsreihe Wölfflins für die italien. Renaissance um die Gegenpositionen ›Begrenzung – Auflösung‹ und ›Gliederung – Verschmelzung‹. Den Künstlervergleich als Mittel der Stilerhellung setzte dann auch M. Hauttmann für literar. und künstler. Werke und Entwicklungen im Hoch-MA ein, ferner C. Robert für die Erklärung von Parallelen zwischen griech. Vasenbildern und bestimmten Szenen bei Homer oder in der griech. Tragödie, ebenso Karl Ludwig Schneider für Beziehungen zwischen Literatur und Kunst des Expressionismus, E. Hajek für den literar. und künstler. Jugendstil oder E. Panofsky für Bezüge zwischen den bildner. und sprachl. Werken Michelangelos (gemeinsame neuplaton. Basis; gleiche Psychologie?). Neben method.-begriffl. Anleihen steht (mit dem Ziel der Verständnisvertiefung) die Suche nach stilist., strukturalen, psycholog. und geistesgeschichtl. Parallelen im dichter. und gestalter. Gefühlsausdruck (Gestaltpsychologie), im Formwillen oder die Suche nach typ. Grundformen (Kunsttypologie), nach gemeinsamen prinzipiellen Entwicklungstendenzen, Geisteshaltungen (Schwietering, Halbach), vergleichbaren Gestaltungselementen (z. B. Ornamentik), stehen Fragen d. Ikonologie, der symbol. Bedeutung von Kunst und Literatur, nach inneren Korrelationen der Künste und ihren gegenseit. Abhängigkeiten von geist., polit., ökonom. und sozialen Strömungen (Lukács, Hauser, Hugo Kuhn). Die Mannigfaltigkeit der Ausgangs- und Zielpunkte, die Disparatheit der method. Ansätze und eine gewisse Diskontinuität der Untersuchungen macht die w. E. nicht unumstritten. Inwieweit Künstevergleiche über unverbindl. Analogien hinausgelangen, hängt einerseits von der speziellen Ergiebigkeit

der Beispiele ab, wesentl. aber auch von der Evidenz und Überzeugungskraft der Darstellung des Interpreten. Eine gewisse Bedeutung kann die w. E. v. a. im pädagog.-didakt. Bereich gewinnen. Auch die Untersuchungen von ↗Doppelbegabungen führen nicht immer zu stringenten Ergebnissen. Dasselbe gilt bisweilen auch für Untersuchungen zu Illustrationen von Dichtungen, vollends wenn Illustrator und literar. Werk nicht derselben Epoche angehören. Von solchen Versuchen zur Aufdeckung gemeinsamer schöpfer. Grundlagen und deren stilist. Umsetzung sind zu trennen die Übernahme musikal. Begriffe für die gleichstrukturierte Versmetrik (Akzent, Takt, Rhythmus, Kadenz), weiter die Untersuchungen gemeinsamer stoffl. und motivl. Quellen und die entsprechenden themat. Wechselbeziehungen und metaphor. Wechselbeziehungen (wenn z. B. von der ›Farbe‹ eines Klanges, dem ›Rhythmus‹ eines Bauwerkes gesprochen wird; auch ↗Synästhesie).
📖 Strelka, J.: Methodologie der Lit.wiss. Tüb. 1978 (dort weitere Lit. S. 381–384). – Friedrich, M.: Text u. Ton. Wechselbeziehungen zw. Dichtung u. Musik. Hohengehren 1973. – Knaus, J. (Hrsg.): Sprache, Dichtung, Musik. Texte zu ihrem gegenseit. Verständnis von R. Wagner bis Th. W. Adorno. Tüb. 1973. – Schweikle, G.: Versuche w. r. E. mal. Dichtung u. Kunst. Fs. K. H. Halbach, Göpp. 1972, S. 35–53. – Hermand, J.: Litwiss. und Kunstwiss. Method. Wechselbeziehungen seit 1900. Stuttg. ²1971. – Rasch, W. (Hrsg.): Bildende Kunst u. Lit. Zum Problem ihrer Wechselbeziehungen. Frkft. 1970. – Stammler, W.: Wort u. Bild. Studien zu den Wechselbeziehungen zw. Schrifttum u. Bildkunst im MA. Bln. 1962. – Wais, K.: Die zeitgenöss. Dichtung u. die bild. Künste. In: Actes du cinquième congrès international des langues et littératures modernes. Oxford 1955, S. 457–474. – Wellek, R.: The parallelism between literature and the arts. Engl. Institute Annual 1942, S. 29–63. – Wais, K.: Symbiose der Künste. Forschungsgrundlagen zur Wechselberührung zw. Dichtung, Bild- u. Tonkunst. Stuttg. 1936. – Medicus, F.: Das Problem einer vergleichenden Gesch. der Künste. In: Philosophie der Lit.wiss. Hrsg. v. E. Ermatinger. Bln. 1930, S. 188–239. – Hauttmann, M.: Der Wandel der Bildvorstellungen in der dt. Dichtung u. Kunst der roman. Zeitalters. Fs. H. Wölfflin. Mchn. 1924, S. 63–81. – Walzel, O.: Gehalt u. Gestalt im Kunstwerk des Dichters. Potsdam 1923, Nachdr. Darmst. 1957. – Walzel, O.: W. E. der Künste. Bln. 1917. – Strich, F.: Der lyr. Stil des 17. Jh.s. Fs. F. Muncker, Mchn. 1916, S. 21–53. – Panzer, Fr.: Dichtung u. bildende Kunst des dt. MA.s in ihren Wechselbeziehungen. Neue Jbb. für d. klass. Altert. Gesch. und dt. Lit. 7 (1904) 135 f.   S

Weiblicher Reim, zweisilbiger, aus einer Hebungs- und einer Senkungssilbe bestehender Reim: *klingen : singen.* Zur Bez. vgl. ↗männl. Reim.   S

Weihnachtsspiel, ↗geistl. Spiel des MA.s, das sich, wie das ↗Osterspiel, aus der Tropierung der Offiziumstexte und der szen. darstellenden Erweiterung der Festtagsliturgie entwickelte. Die drei vom Evangelium vorgegebenen Haupthandlungen der Weihnachtsliturgie – Engelsverkündigung, Hirtenprozession, Anbetung des Kindes in der Krippe – wurden durch Zusätze aus der bibl. Geschichte erweitert, z. B. durch ein ↗Prophetenspiel mit der Weissagungen des AT.s (als Prolog), ein ↗Dreikönigs- oder Magierspiel, ein Spiel vom Kindermord in Bethlehem (von dem zunächst die Klage der Rahel, »Ordo Rachelis«, als selbständige Szene ausgeführt wurde). Die einzelnen Szenen wurden zunächst, d. h. seit dem 11. oder frühen 12. Jh., zu den entsprechenden Festtagen aufgeführt (Hirtenspiel am 25., Kindermord am Tag der unschuldigen Kinder, 28. Dezember, Dreikönigsspiel am 6. Januar); ein die ganze Weihnachtsgeschichte umfassendes W. in *lat.* Fassung findet sich erstmals in der Benediktbeurer Handschrift (13. Jh.). Das erste *volkssprachl.* W. ist das »St. Galler Spiel von der Kindheit Jesu« (Ende 13. Jh.), das szenenreichste und liturg. am wenigsten gebundene W. stammt aus Hessen (W. v. Friedberg, spätes 15.Jh.). Umfängliche W.e sind weiter aus Tirol (Eisacktaler W., 1511, Unterinntaler W., um 1600) überliefert. In volkstüml. Tradition leben bis heute Einzelszenen wie *Kindlwiegen, Krippenspiel, Hirten-* und *Dreikönigsprozessionen* nach. Eine Neubelebung erfuhren die »Oberuferer W.e« (bei Preßburg, 2. Hä. 16.Jh.) durch R. Steiner (seit 1915). Vielerorts werden neuere, z. T. aktualisierende oder religionspädagog. bestimmte W.e, vorwiegend an der Weihnachtsgeschichte Luk. 2, 1–20 orientiert, in die Liturgie der Christvesper einbezogen. Eine moderne literar. Gestaltung ist Max Mells »Wiener Krippel« von 1919« (1921).

📖 Schröer, K. J.: Über die Oberuferer W.e, hg. v. H. Sembdner, Stuttg. 1963. – Schmidt, Leopold: Formprobleme der dt. W.e. Emsdetten 1937.   HW

Weimarer Klassik, auch: dt. Hochklassik, eine vor allem von Goethe u. Schiller geprägte Richtung (nicht Epoche) der dt. Literatur- u. Geistesgeschichte im Übergang vom 18. zum 19.Jh., beginnend mit Goethes Italienreise (1786–88) u. zugleich Schillers Übersiedlung nach Weimar (1787, dann Jena 1788, schließl. wieder Weimar 1799), gipfelnd in der engen Freundschaft u. Zusammenarbeit beider seit 1794 bis zu Schillers Tod (1805); von großer Wirkung auf Literatur, Geistesleben, Bildungswesen, auch Politik bis ins 20.Jh. hinein. *Leitideen* der W. K. sind Harmonie u. Humanität. Beide antworten auf die komplexe Zeitsituation gegen Ende des 18.Jh.s und vertreten in Auseinandersetzung damit ein eigenes gedankl. und ästhet. Programm. Nach einer Aufbruchsphase innerhalb der ökonom., gesellschaftl. u. kulturellen Emanzipation der europ. Bürgertums, der literar. etwa der dt. ↗Sturm u. Drang entspracht u. die polit. in der frz. Revolution kulminiert, spiegelt die W. K. eine 1. Phase der Konsolidierung unter bestimmt. dt. Bedingungen. Die Aufteilung in Kleinstaaten u. der dort überall in Varianten praktizierte aufgeklärte Absolutismus fangen den revolutionären Impuls ab u. fördern das *Bestreben nach Ausgleich* zwischen herrschenden u. aufstrebenden Kräften. Daher die auf den ersten Blick polit. reaktionäre Haltung der W. K. u. ihre Diffamierung als ›Hofklassik‹. Hinzu kommt die in dieser Zeit immer wieder artikulierte Bedürfnis nach einer eigenständigen, sowohl menschenbildenden als auch mustergültigen u. in diesem Sinn klass. dt. ↗Nationalliteratur als Ersatz für die mangelnde polit. Einheit u. Gleichberechtigung, so z. B. schon 1774 in F. G. Klopstocks Entwurf einer »dt. Gelehrtenrepublik«. Das führt zur Auseinandersetzung mit den als vorbildl. geltenden Leistungen anderer Nationalkulturen, insbes. mit dem hochbarocken frz. classicisme (↗Klassizismus) zur Zeit Ludwigs XIV. u. auch mit dem span. Siglo d'Oro, eine dort zur *Orientierung an der griech.-röm. Antike* u. damit zu einer in diesem Sinn klass. Position. Auch der persönl. Reifeprozeß Goethes u. Schillers und verbunden damit sowohl die Abkehr vom Sturm u. Drang als auch die Reserve gegenüber revolutionärer Veränderung tragen zur Entstehung der W. K. bei. Eine weitere dt. Besonderheit u. Voraussetzung der W. K. ist die *Philosophie des dt. Idealismus,* vorbereitet schon bei Moses Mendelssohn u. G. E. Lessing mit ihren Konzeptionen von Toleranz u. Freiheit, entscheidend geprägt von I. Kant mit seinen drei Kritiken (Kritik der reinen Vernunft 1781, erweitert 1787, der prakt. Vernunft 1788 u. der Urteilskraft 1790), zur Zeit der W. K. jeweils selbständig fortgeführt von J. G. Fichte u. dem frühen F. W. Schelling, gegen Ende der W. K. in neue Bahnen gelenkt durch G. W. F. Hegel (seit 1807). Das für die W. K. Wesentliche am dt. Idealismus ist seine Konzentration auf den Menschen mit seinem geistigen, seel., moral. u. ästhet. Vermögen, u. zwar weniger nach Art des aufklärer. Menschheitspathos (das in der frz. Revolution polit. Folgen zeitigt), sondern im Sinn *allgemeiner Menschlichkeit u. Humanität,* wie sie sich gleichzeitig in den philosoph., ästhet. u. pädagog.

Schriften J. G. Herders u. W. v. Humboldts finden. So ergeben sich eine geist. Grundhaltung u. ein Stilwille, die sich ausrichten an Vorstellungen wie Klarheit, Reinheit, Maß, Vollendung, Übereinstimmung von Geist u. Gemüt, Denken u. Sein, Mensch u. Natur, Individuum u. Gesellschaft, Freiheit u. Notwendigkeit, Inhalt u. Form etc., sowie an evolutionärem statt revolutionärem Denken u. Handeln, an der Vermeidung oder Bändigung von Extremen jeder Art, am Ausgleich von Gegensätzen, sei es im Kompromiß, die weithin die polit. Haltung bestimmt, sei es in der wechselseitigen Durchdringung u. Balance polarer Daseins- u. Ausdrucksweisen, wie sie in den theoret. Schriften propagiert u. in den literar. Kunstwerken der W. K. gestaltet werden. – *Die lokale Zentrierung* der W. K. auf die damals etwa 6000 Einwohner zählende Residenzstadt des Herzogtums Sachsen-Weimar ergab sich durch den sog. *Weimarer Musenhof,* begründet von der Herzogin Anna Amalia gegen Ende ihrer Regentschaft (1758–75) u. fortgeführt auch unter ihrem Sohn Karl August, Herzog seit Sept. 1775. *Die prominentesten Mitglieder* des Musenhofs waren zunächst Ch. M. Wieland (nach dem Erfolg seines Staatsromans »Der goldene Spiegel« 1772 als Literaturlehrer der Prinzen berufen), dann ab Nov. 1775 Goethe aufgrund seiner Freundschaft mit dem jungen Herzog, in dessen Dienst er mehrere Staatsämter übernahm, schließl. J. G. Herder (seit 1776 auf Empfehlung Goethes Hofprediger, Oberkonsistorialrat u. Generalsuperintendent in Weimar). Weiter zählten zu dem Musenhof, außer einigen Damen wie der Seelenfreundin Goethes Ch. v. Stein, der Schauspielerin Korona Schröter u. der Hofdame L. v. Göchhausen, der Prinzenerzieher u. Übersetzer antiker Werke K. L. v. Knebel, der Kammerherr H. v. Einsiedel u. der Oberstleutnant v. Seckendorff (beide als Dichter u. Komponisten dilettierend, daneben als Übersetzer latein., span. u. portugies. Literatur tätig) u. der Gymnasialprofessor, Roman- u. Märchenautor J. K. A. Musäus u. der Übersetzer wichtiger engl. Romane des 18.Jh.s J. J. Bode, später auch der Schweizer Maler u. Kunstschriftsteller J. H. Meyer (erst seit 1791 in Weimar, aber schon 1788 mit Goethe in Italien u. seitdem im Briefwechsel mit ihm), ferner Persönlichkeiten aus dem nahen Jena, der Universitäts-, aber auch Industrie- u. Handelsstadt des Herzogtums: neben Schiller u. zeitweise (1794–97) W. v. Humboldt vor allem noch F. J. Bertuch (herzogl. Rat u. Geheimsekretär, dann selbständiger Unternehmer u. Verleger, u. a. der »Allgemeinen Literaturzeitung«, sowie Übersetzer frz. u. span. Werke, z. B. des »Don Quijote«). Weniger ausgebildet u. zunehmend spannungsvoll waren die Beziehungen zu zwei weiteren an der Universität Jena vertretenen Tendenzen des dt. Geisteslebens um 1800: zur Frühromantik um Novalis, die Brüder Schlegel u. L. Tieck sowie zur Philosophie des Idealismus nach Kant u. vor Hegel, repräsentiert durch Fichte (der von 1794 bis zu seiner Entlassung im Lauf des Atheismusstreits, 1799, dort seine »Wissenschaftslehre« entwickelte) u. von 1798–1803 durch den auf Rat Goethes berufenen jungen Schelling, der seinerseits eng mit den Frühromantikern zusammenarbeitete. In Beziehung zur W. K. traten auch *zeitweilige Besucher,* so 1788/89 K. Ph. Moritz (nach der Rückkehr aus Italien u. vor der Berufung nach Berlin), später die Hauptvertreter gegenklassizist. Tendenzen: 1794/95 ein halbes Jahr lang F. Hölderlin; 1796 u. 1798–1800 Jean Paul (vor allem Herder nahestehend), schließl. im Winter 1802/03 H. v. Kleist (bei Wieland). – *Ansätze zu einer dt. Klassik* gab es mehrfach in der neueren dt. Lit., so bei den Humanisten des 16.Jh.s, bei M. Opitz Anfang des 17.Jh.s, seit Beginn des 18.Jh.s bei J. Ch. Gottsched u. seinen Gegnern mit ihren Versuchen, den frz. bzw. engl. Klassizismus einzudeutschen. Diese Ansätze verdichten sich seit Mitte des 18.Jh.s zur *Vorklassik,* die zwar noch mit anderen Tendenzen wie ↗Aufklärung, ↗Empfindsamkeit sowie Sturm u. Drang konkurriert, aber schon wichtige Grundlagen für die W. K. schafft, so vor allem die *Leitformel* »edle Einfalt und stille Größe« in der Schrift »Über die Nachahmung der griech. Werke in der Malerei und Bildhauerkunst« (1755) u. in der »Geschichte der Kunst des Altertums« (1764) von J. J. Winckelmann, die auf die Gleichsetzung von simplicité u. sublimité in N. Boileaus Übertragung (1674) der pseudolonginischen Schrift »Vom Erhabenen« (3. Jh. n. Chr.) zurückgeht, und die von A. F. Oeser nach Dtschld. vermittelt u. hier durch Beiworte aus dem Umkreis des Pietismus modifiziert worden war. Weitere theoret. Impulse gab G. E. Lessing mit seinem »Laokoon oder über die Grenzen der Malerei und Poesie« (1766), mit der »Hamburgischen Dramaturgie« (1767–69) u. mit den philosoph.-pädagog. Spätschriften »Erziehung des Menschengeschlechts« (1780) u. den Freimaurergesprächen »Ernst und Falk« (1778–80). *Hauptwerke* der Vorklassik sind Lessings »Nathan der Weise« (1779), der als ⁄Ideendrama in Blankversen schon die gehaltl. u. formalen Grundmerkmale des Dramas der W. K. aufweist. Auch der Übergang von freirhythm. Prosa zum Hexameter in F. G. Klopstocks »Messias« (1748–73), besonders in der Gesamtausg. von 1780, u. seine Abwandlung antiker Muster in den Oden (Gesamtausg. 1771), die sich auch bei K. W. Ramler, der Karschin, L. Hölty u. a. findet, kennzeichnen diese Vorklassik ebenso wie Ch. W. Glucks Reformopern (1762–79) u. die von Goethe in »Götter, Helden und Wieland« (1774) verspotteten Singspiel-Libretti Wielands, mehr noch dessen ⁄Verserzählungen »Musarion« (1768) u. »Oberon« (1780), sein ⁄Erziehungs- u. ⁄Staatsroman »Der goldene Spiegel« (1772) u. sein ⁄Bildungsroman »Agathon« (1766/67, vor allem in der Neufassung von 1773). Hinzu kommen vorklass. Tendenzen in der ⁄Göttinger Hain, insbes. bei J. H. Voß mit seinen Hexameteridyllen u. seinen Homerübertragungen (»Odüssee« 1781, dann das Gesamtwerk 1793). In die Vorklassik fällt auch Goethes 1. Jahrzehnt in Weimar (1775–86) mit dem Engagement in Staatsgeschäften u. der Erhebung in den Adel (1782), mit der Freundschaft zu Frau v. Stein, gespiegelt in den Briefen u. Gedichten an sie (z. B. »Meine Göttin« 1780), mit dem Beginn der Arbeit an »Egmont«, an »Wilhelm Meister« u. der Prosafassung von »Iphigenie«, insgesamt mit dem Übergang von subjektivem Naturerlebnis zu objektiv naturwissenschaftl. Forschung, von der Natur- u. Volksballade zur klass. ⁄Ideenballade, von den aufbegehrend freirhythm. Hymnen wie »Ganymed« u. »Prometheus« zu ausgewogener, auch formal gebändigter ⁄Gedankenlyrik wie in »Grenzen der Menschheit«, »Das Göttliche« u. vor allem »Zueignung« (1784 als Einleitung zu dem Eposfragment »Die Geheimnisse« entstanden, dann der 1. Werkausgabe von 1786/87 vorangestellt). Einen ähnlichen Weg geht aus Schiller mit der Arbeit am »Don Carlos« vom Bauerbacher Entwurf (1783) bis zur Endfassung (1785–87) als Ideendrama in Blankversen, getragen von der Toleranz- u. Humanitätsidee in der Figur des Posa u. verbunden mit der Hinwendung zur Philosophie in den Thalia-Briefen (1786). – Die W. K. oder *Hochklassik* i. e. S. setzt ein mit Goethes 1. Italienreise (Sept. 1786 – Juni 1788), von ihm selbst verstanden als Abschluß einer Lebens- und Schaffensphase. Ihre Ergebnisse sind zugleich Hauptwerke der *Frühklassik:* die Blankversfassung der »Iphigenie« (1787), in der Humanität u. Harmonie als Leitideen der W. K. besonders deutl. hervortreten, daneben der Abschluß des »Egmont« (1788) u. als weiteres Ideendrama im Sinn der W. K. »Torquato Tasso« (1790), der das Verhältnis von Künstler u. Gesellschaft thematisiert, ferner der Zyklus »Römische Elegien« (1788–90) als Zeugnis der Reise u. Belebung antiker Vorbilder, schließl., u. a. dank botan. Studien auf Sizilien, die »Metamorphose der Pflanzen« (1790), in der aufgrund der Theorie der Ur-Pflanze die evolutionäre organolog. Naturkonzeption der W. K. niedergelegt u. auf den Menschen bezogen ist. Nach der 2. Italienreise (1790) folgen noch

»Venezianische Epigramme«, deren polem. Ton aber schon auf die Spätphase der W. K. verweist, in der die meisten auch publiziert wurden (1795). In die Zeit der *Hochklassik,* des Übergangs von der Früh- zur Spätklassik, fällt die 1. Publikation eines »Faust«-Fragments (1790), ferner das Tierepos »Reineke Fuchs« (1794) in 12 Hexametergesängen sowie die Umgestaltung von »Wilhelm Meisters theatralischer Sendung« in den Bildungsroman »Wilhelm Meisters Lehrjahre« (1791–1795/96), der auf dem harmon. Menschenbild der W. K. beruht, es zugleich aber durch iron. Erzählhaltung u. einen offenen Schluß relativiert. Schiller, der 1787 während Goethes Abwesenheit erst nach Weimar, 1788 nach Jena übersiedelt u. sich wegen seiner dortigen Professur vorrangig seinen histor. Schriften widmet, sucht ebenfalls die *Begegnung mit der Antike,* indem er 2 Dramen des Euripides eindeutscht u. mit dem Gedicht »Die Götter Griechenlands« (1788) eine eigene Klassik-Konzeption entwirft, ergänzt durch das philosph. ästhet. Gedicht »Die Künstler« (1789, allseitige Harmonie im Leben nur auf dem Weg über die Kunst zu erlangen). Die *theoret. u. ästhet. Postionen* der W. K. artikuliert er außerdem in den 12 »Briefen über Don Karlos« (1788) sowie in Rezensionen, positiv zu Goethes »Iphigenie« (1789), negativ zu G. A. Bürgers Gedichten (1790). Seit 1791 nach schwerer Krankheit, Aufgabe der Professur u. finanzieller Absicherung für 3 Jahre) entwickelt Schiller, v. a. ausgehend von Kants Kritik der prakt. Vernunft u. der Urteilskraft, die Grundlagen für die *philosoph. Ästhetik der W. K.,* zunächst in Schriften über Einzelfragen wie »Über den Grund des Vergnügens an tragischen Gegenständen« (1791), »Über die tragische Kunst« (1792), »Über das Pathetische« (1793) u. »Vom Erhabenen« (1793), allgemeiner über die Schönheit in den Kalliasbriefen (1793) u. zusammenfassend in der Abhandlung »Über Anmut und Würde« (1793), die in der ⁄schönen Seele Pflicht u. Neigung, Vernunft u. Sinnlichkeit, Leidenschaft u. ihre Bändigung vereinigt u. auf die Trias des Wahren, Schönen u. Guten bezogen sieht, wobei Anmut u. Würde einander als äußere Erscheinungsformen harmonischer Menschlichkeit ergänzen. Insgesamt ist die W. K. in ihrer Hauptphase offen für andere Konzeptionen neben denen Goethes u. Schillers, seien sie verwandt oder abweichend. So entwirft K. Ph. Moritz, gleichzeitig mit Goethe in Italien, aufgrund der Gespräche mit ihm schon vor Schiller eine klassische Ästhetik in seiner Schrift »Über die bildende Nachahmung des Schönen« (1788). Herder (mit Dalberg u. 1788/89 ebenfalls in Italien) schreibt 1784–91 sein Hauptwerk, die »Ideen zur Philosophie der Geschichte der Menschheit«, die er in den »Briefen zur Beförderung der Humanität« (1793–97) u. in der Zeitschrift »Adrastea« (1801–03) weiterführt. Geschult an Platon u. vor allem an Lukian, spielt Wieland in den »Neuen Göttergesprächen« (1789–93) mit skept. Überlegenheit die Antike gegen das Christentum aus; 1794 tritt sein erneut umgearbeiteter »Agathon« unmittelbar neben Goethes Bildungsroman. Sein Nachahmer A. G. Meißner münzt mit seinen Griechenromanen (»Alkibiades«, 1781–88 u. a.) Prinzipien u. Elemente der W. K. um für die damals aufstrebende Trivial- u. Unterhaltungsliteratur. Selbst der freizügige, nicht auf die Antike, sondern auf die Renaissance zurückgreifende ⁄Künstler-Roman »Ardinghello« (1787) von J. J. W. Heinse (der schon 1780–83 Italien bereiste) wird zur Kenntnis genommen, während seine späteren Werke unbeachtet bleiben. So herrscht für 3–6 Jahre um 1790 bei aller Vielfalt eine gemeinsame Geistes- u. Ausdruckshaltung, die dazu berechtigt, von einer *Hochklassik* zu sprechen. *Spätklassik:* Diese Gemeinsamkeiten zerbrechen mit der *Einengung der W. K. auf Goethe u. Schiller,* die sich 1788 schon einmal begegnet waren u. nun 1794, nach einer Aussprache im Juli u. nach Schillers Huldigungsbrief an Goethe vom 23. 8., ihren Freundesbund schließen, zu den allenfalls noch W. v.

Humboldt in eine nähere Beziehung tritt. Am frühesten u. nachhaltigsten kommt es 1795 zum Bruch mit Herder. Hauptgrund dafür ist die *unterschiedliche Einschätzung der frz. Revolution* u. ihrer Folgen für Politik u. Geistesleben. Wie Herder lehnt auch Wieland in seinen »Gesprächen unter vier Augen« (1798/99) die Revolution u. Napoleon nicht eindeutig ab, u. seine Spätwerke (»Agathodämon« 1799; »Aristipp« 1800–02; »Das Hexameron von Rosenhain« 1805) stehen dem inneren Kern der W. K. entsprechend fern. Goethe dagegen hatte sich schon in den Venezian. Epigrammen (1789–91) u. im »Groß-Cophta« (1787–91) sowie in den Revolutionskomödien von 1793 satir. gegen die frz. Ereignisse gewandt, dann einen anderen Ansatz in der Rahmenhandlung der »Unterhaltungen deutscher Ausgewanderter« (1794/95) versucht u. die Polemik in dem Aufsatz »Literarischer Sansculottismus« (1795) schließl. auf sein eigenes Schaffensgebiet übertragen, verbunden mit einer sehr engen Definition dessen, was ein »klassischer Nationalautor« sei. Ein ernsthafter Gegenentwurf zur frz. Revolution in dem Trauerspiel »Das Mädchen von Oberkirch« (1795) bleibt Fragment, gelingt aber dann in den an die 9 Musen gerichteten, aber auf Tagesprobleme bezogenen 9 Hexametergesängen von »Hermann und Dorothea« (1797), freilich um das *Rückzugs aus der Zeitgeschichte* in die Idylle. Humboldt versteht das in seiner Rezension (1799) im Sinn von Autonomie der Kunst. Ähnlich empfiehlt Schiller in einem Brief an Herder (4. 11. 1795) dem »poetischen Geist«, daß er sich »aus dem Gebiet der wirklichen Welt zurückzieht« und »durch die griechischen Mythen . . . der Verwandte . . . eines idealischen Zeitalters bleibt«. Das theoretische Konzept dazu liefern seine »Briefe über die ästhetische Erziehung des Menschen« (1794/95), die entgegen der frz. Revolution propagieren, daß der *Weg zur Politik über die Ästhetik,* der Weg zur Freiheit über die Schönheit führe u. der autonome »ästhetische Zustand« Voraussetzung für harmon. edles Menschentum sei. Auf die Literatur überträgt Schiller diese Prinzipien in der Schrift »Über naive und sentimentalische Dichtung« (1795/96), die zugleich die Goethesche u. die eigene Schaffensart als einander ergänzend darzutun sucht. Vertreten u. verteidigt werden die Ansichten dieser um Goethe u. Schiller zentrierten *Spätklassik* v. a. in *Zeitschriften,* zunächst in Schillers »Horen« (1795–97), dann in seinem Musenalmanach (1796–1800), daneben in Goethes Kunstzeitschrift »Propyläen« (1798–1800) u. später in der auf seine Anregung hin gegründeten »Jenaischen Allgemeinen Literaturzeitung« (1804–07), die Wielands, Bertuchs u. C. W. Hufelands »Allgemeine Literaturzeitung-Jena« (1785–1804) ablöst. Dagegen stehen die Zeitschriften früherer Weggenossen wie Herders »Adrastea« (1801–03), Wielands »Neuer teutscher Merkur« (1790–1810) u. sein »Attisches Museum« (1796–1803, neu 1805–09), in dem u. a. die Brüder Schlegel publizieren, sowie deren eigenes »Athenäum« (1798–1800), das Forum der Frühromantik, die zunächst zur W. K. aufblickt, bald aber eigene Wege geht. Höhepunkt des Streits der W. K. mit anderen Richtungen sind die aggressiven »Xenien« Goethes u. Schillers im Musenalmanach von 1797. Der *Balladenalmanach* von 1798 will dagegen Musterstücke dieser Gattung im Sinn der Spät-K. vorlegen, von Goethe z. B. »Der Schatzgräber«, »Die Braut von Korinth«, »Der »Zauberlehrling«, von Schiller »Der Ring des Polykrates«, »Die Kraniche des Ibykus«, »Die Bürgschaft« u. a. Am konsequentesten realisiert Schiller die idealischen Konzeptionen der Spätklassik in seiner *Gedankenlyrik* von 1795/96 (»Die Ideale«, »Das Ideal und das Leben«, »Der Spaziergang«, »Die drei Worte des Glaubens« u. a.), weiter im »Lied von der Glocke« (1799) und v. a. in den *Geschichtsdramen* von der »Wallenstein«-Trilogie (1796–99) über »Maria Stuart« (1799/1800) u. »Die Jungfrau von Orleans« (1800/01) bis zu »Wilhelm Tell« (1803/04). Hierbei ergibt sich seit Schil-

lers Übersiedlung nach Weimar (1799) auch eine enge Zusammenarbeit mit Goethe am Hoftheater, das dieser 1791 gegründet hatte u. bis 1817 leitete, dabei stets bedacht, die Prinzipien der W. K. in den eigenen Werken, aber auch in der Übernahme u. Einrichtung fremder Stücke über das Medium Bühne u. in Abwandlung der Nationaltheateridee zu popularisieren. Während sich bei Schiller Probleme mit den Grundsätzen der W. K. allenfalls in den Chorpartien der »Braut von Messina« (1802/03) u. in der Unsicherheit über die Fortführung der Fragmente »Demetrius« u. »Warbeck« abzeichnen, gerät Goethe stärker an die *Grenzen der W. K.* Neben einzelnen gelungenen Ansätzen in elegischem Versmaß (»Alexis und Dora«, »Euphrosyne«, »Amyntas« 1796/97) bleibt der große Wurf des Hexameterepos »Achilleis« Fragment (1798/99). Von der Dramentrilogie zum Revolutionsthema ist nur »Die natürliche Tochter« (1799–1803) vollendet, doch fällt sie in Gehalt u. Gestalt gegenüber »Iphigenie« u. »Tasso« ab. Auch die »Pandora« (1806/07), die bei aller Nähe zu einigen weiteren höf. Festspielen in antiker Aufmachung deutlich auf die Beunruhigung durch Napoleon u. ein Gegenkonzept enthält, bleibt Fragment. Mit dem Beginn der Arbeit an »Wilhelm Meisters Wanderjahren« (1807) u. an der Autobiographie (1808), mit den Sonnetten (1807/08), den »Wahlverwandtschaften« (1807–09) u. mit dem um 1806 vollendeten »Faust I« hat Goethe den Boden der W. K. bereits verlassen. Schon F. Hölderlin gestaltet in dem Roman »Hyperion« (1797–99), in den 3 Dramenfragmenten des »Empedokles« (seit 1797) u. in seiner Griechenlandlyrik den Verlust des klass. harmon. Menschenbildes, Jean Paul entwirft im Blick auf seine eigenwillige Romane u. in Verehrung für Herder eine weitgehend unklass. »Vorschule der Ästhetik« (1804). Am nachdrücklichsten verwirklicht Kleist in dem Jahrzehnt nach seiner sog. Kantkrise (1801) eine gegenklass. Konzeption. Wie ein Abschied von der W. K. wirken Goethes Schrift über »Winckelmann und sein Jahrhundert« (1804/05) u. sein »Epilog zu Schillers Glocke« (1805), wie ein Nachtrag die »Italienische Reise« (1816/17 u. 1829 aufgrund der Aufzeichnungen von 1786–88), der Helena-Akt in »Faust II« (vollendet 1826) u. die Publikation des Briefwechsels mit Schiller (1824), zu dem sich 1830 der Briefwechsel zwischen Goethe u. W. v. Humboldt gesellt. – Trotz aller Kontroversen u. Widerstände – im 19. Jh. nochmals durch das ⁄Junge Deutschland belebt – etabliert sich die W. K. im dt. Kulturbewußtsein als vorbildlich u. mustergültig, nicht zuletzt durch Humboldts Einfluß auf das Bildungswesen seit seiner Gründung der Berliner Universität (1810) u. bis hin zu den Versuchen, die W. K. ideologisch zu vereinnahmen, sei es bildungsbürgerlich oder sozialistisch im Sinn des sog. klassischen Erbes. Das führte zur mißverständlichen Ausweitung des Begriffs W. K. von einer Tendenz- zu einer Epochenbezeichnung für die gesamte dt. Lit. zwischen 1770 u. 1830, sei es als ›Dt. Klassik‹ oder gar als ›Goethezeit‹ (H. A. Korff). Der histor. Vielfalt dieses Zeitraums nur ansatzweise gerechter werden Versuche, dt. Klassik u. Romantik unter den Leitbegriffen ›Vollendung u. Unendlichkeit‹ als komplementär zu verstehen (F. Strich) oder die vermeintl. Klassik-Legende ideologiekritisch aufzulösen. Trotz aller Kanonisierung ist die Diskussion über die W. K. immer noch offen.

📖 *Bibliographie:* Seifert, S. u. a.: Internationale Bibliographie zur dt. Klassik 1750–1850. Weimar 1959 ff. – Bertel, K. J.: German literary history 1777–1835. An annotated bibliography. Bern/Frankft. 1976. Ueding, G.: Klassik u. Romantik. Mchn. 1988. – Schlaffer, H.: Klassik u. Romantik. 1770–1830. Stuttg. 1986. – Wittkowski, W. (Hrsg.): Verlorene Klassik? Tüb. 1986. – Richter, K./Schönert, J. (Hrsg.): Klassik u. Moderne. Stuttg. 1983. – Müller-Seidel, W.: Die Geschichtlichkeit der dt. Klassik. Stuttg. 1983. – Lange, V.: Das klass. Zeitalter der dt. Lit. 1740–1815. Dt. Übers. Zürich/Mchn. 1983. – Reed, T. J.: Die klass. Mitte. Goethe u. Weimar 1775–1832. Dt. Übers. Stuttg. 1982. – Brandt, H./Beyer, M. (Hrsg.): Ansichten der dt. Klassik. Bln. 1981. – Kommerell, M.: Der Dichter als Führer in der dt. Klassik. Frkft. ³1981. – Borchmeyer, D.: Die W. K. Königstein/Ts. 1980. – Irmscher, J. (Hrsg.): Antikerezeptionen, dt. Klassik und sozialist. Gegenwart. Bln. 1979. – Berghahn, K. L./Pinkerneil, B. (Hrsg.): Die W. K. Königstein/Ts. 1978. – Seifert, S.: Bibliographie u. Literaturwissenschaft. Zur Erschließung der klass. dt. Lit. In: Impulse 1 (1978) 293–313. – Conrady, K. O. (Hrsg.): Dt. Lit. zur Zeit der Klassik. Stuttg. 1977. – Corngold, S. A. u. a. (Hrsg.): Aspekte der Goethezeit. (Fs. V. Lange) Gött. 1977. – Bruford, W. H.: Die gesellschaftl. Grundlagen der Goethezeit. Weimar 1936, Neudr. Bln. 1975. – Tümmler, H.: Das klass. Weimar und das große Zeitgeschehen. Köln/Wien 1975. – Petersen, U.: Goethe u. Euripides. Hdbg. 1974. – Mommsen, K.: Kleists Kampf mit Goethe. Hdbg. 1974. – Korff, H. A.: Geist der Goethezeit. 4 Bde. Lpz. ⁵1966, Nachdr. Darmst. 1974. –Janz, R.-P.: Autonomie und soziale Funktion d. Kunst. Studien zur Ästhetik von Schiller u. Novalis. Stuttg. 1973. – Grimm, R./Hermand, J. (Hrsg.): Die Klassik-Legende. Frkft. 1971. – Rehm, W.: Griechentum u. Goethezeit. Mchn. ⁴1969. – Bloch, P. A.: Schiller und die frz. klass. Tragödie. Düsseld. 1968. – Bruford, W. H.: Kultur u. Gesellschaft im klass. Weimar 1775–1806. Dt. Übers. Gött. 1966. – Bruford, W. H.: Dt. Kultur der Goethezeit. Frkft. 1965. – Justi, C.: Winckelmann und seine Zeitgenossen. 3 Bde (1866), hrsg. v. W. Rehm. Köln ⁵1965. – Braemer, E./Wertheim, U.: Studien zur dt. Klassik. Bln. 1960. –Schultz, F.: Klassik u. Romantik der Deutschen. 2 Bde. Stuttg. ³1959. – Benz, R.: Die Zeit der dt. Klassik. Kultur des 18.Jh.s 1750–1800. Stuttg. 1953. – Rehm, W.: Götterstille u. Göttertrauer. Aufsätze zur dt.-antiken Begegnung. Mchn. 1951. – Strich, F.: Dt. Klassik u. Romantik oder Vollendung und Unendlichkeit. Bern ⁴1949. – Lukács, G.: Goethe und seine Zeit. Bern 1947. – Spranger, E.: Wilhelm v. Humboldt und die Reform des Bildungswesens. Bln. 1910.   RS

Weinerliches Lustspiel, Lustspieltyp der dt. Aufklärung, in dem die komischen Elemente zugunsten der empfindsamen zurückgedrängt werden. Die Bez. w. L. stammt von G. E. Lessing nach frz. *comédie larmoyante,* dessen spött. krit. Nebenton er durch die dt. Übersetzung »weinerlich« ausdrückl. beibehalten wollte; die Befürworter der Gattung bezeichneten sie als »rührendes Lustspiel« (Gellert). Das w. L. entsteht unter dem Einfluß der empfindsamen Strömungen innerhalb der europäischen Aufklärung, die von England und den empfindsamen Romanen, den ⁄Moralischen Wochenschriften und der *sentimental comedy* auf die dt. Literatur eingewirkt haben. Die in Frankreich entstandene ⁄Comédie larmoyante wird dann zum unmittelbaren Vorbild des w. L.s, das zunehmend den von J. Ch. Gottsched propagierten Typus der ›Verlach-Komödien‹ (⁄sächsische Komödie) verdrängt. Wandte sich diese u.a. an die Spottlust und die rationale Einsicht der Zuschauer, so spricht das w. L. das ›Herz‹, d. h. Empfindung und Gemüt an. Beiden gemeinsam ist die moral.-erzieher. Absicht der Aufklärung, die erst später in den ⁄Rührstükken, z. B. A. v. Kotzebues, zurücktritt. – Die Entwicklung der Komödie zur Sonderform des w. L.s im 18.Jh. entspricht dem wachsenden Selbstbewußtsein der bürgerl. Gesellschaft, die sich auf der Bühne nicht mehr komisch, sondern vor dem Hintergrund ihrer privaten Lebensgewohnheiten vorbildhaft mit ihren Tugenden und Idealen abgebildet sehen möchte. Das erste w. L., die 1745 erschienene »Betschwester« von Gellert, zeigt noch Einflüsse der sächs. Komödie. Die Titelheldin entspricht dem komischen, tadelnswerten Typ dieses Komödientyps, während nicht zufällig gerade die jungen Frauen des Stückes die neue Gefühlskultur verkörpern und sich an Hochherzigkeit

überbieten. In Gellerts folgenden Stücken »Das Los in der Lotterie« (1746) und »Die zärtlichen Schwestern« (1747) ist der Übergang vollzogen, und im gepflegten Umgangston des gehobenen Bürgertums feiern die empfindsamen Tugenden ihre Triumphe auf der Bühne. Das Gattungsproblem dieser *Komödie ohne Komik* wird vor allem im formbewußten Frankreich am Beispiel der Comédie larmoyante heftig diskutiert (Vgl. P. M. M. de Chassirons krit. »Réflexions sur le Comique-larmoyant«, 1749). In Deutschl. setzt sich Gellert auch theoret. mit seiner Verteidigungsschrift »Pro comoedia commovente« (1751) für die Erweiterung der Gattung in Anpassung an die veränderten Bedürfnisse der Gesellschaft ein, lehnt aber eine Überschreitung der Gattungsgrenzen zum Tragischen hin ausdrückl. ab. Lessing übersetzt u. veröffentlicht beide Schriften 1754 in der »Theatralischen Bibliothek« mit einer eigenen Stellungnahme, die für ein ausgewogenes Verhältnis zwischen kom. und rührenden Elementen eintritt, wie sie der »wahren Komödie« von jeher eigen gewesen seien. In der Praxis ist es aber gerade Lessing, der die Gattungsgrenzen überschreitet und das w. L. in eine neue Form der Tragödie überführt. Seine »Miß Sara Sampson« ist unter Beibehaltung vieler ›rührender‹ Elemente das erste dt. ⁄bürgerl. Trauerspiel, das dann in »Emilia Galotti« seinen ersten Höhepunkt erreicht und den bürgerl. Menschen über die enge, kleinstädt. Welt des w. L.s in die Größe trag. Perspektiven erhebt. – Eine andere, eher verflachende Entwicklung des w. L.s führt zum ⁄Rührstück. Wichtigster Vertreter des w. L.s ist Gellert, daneben J. Ch. Krüger (»Die Kandidaten«, 1747), J. E. Schlegel (»Der Triumph der guten Frauen«, 1748), Ch. F. Weiße (»Amalia«, 1765).

□ Wicke, G.: Die Struktur d. dt. Lustspiels d. Aufklärung. Bonn ³1985. – H. Steinmetz, Die Komödie der Aufklärung, Stuttg. ³1978. – H. Arntzen, Die ernste Komödie, Mchn. 1968. – H. Friederici, Das dt. bürgerl. Lustspiel der Frühaufklärung (1736–1750), Halle/S. 1957.   GH

Weltchronik ⁄Chronik.

Weltgerichtsspiel, Typus des ⁄geistl. Spiels im MA., das von den Vorzeichen und den Entscheidungen des Jüngsten Gerichts handelt. Stoffl. Quellen sind Texte des AT (Daniel 7 und 12), des NT (Offenbarung 20), die apokryphen Evangelien, aber auch Schrifttum des MA.s, bes. der Traktat des Adso von Toul (Mitte 10. Jh.) über die Herkunft und Wirkungszeit des Antichrist *(De ortu et tempore Antichristi).* Diese nicht liturg. gebundenen Spiele wurden meist am letzten Sonntag des Kirchenjahres oder dem ersten Adventssonntag, seit dem 13.Jh. auch zu anderen Zeiten aufgeführt. Das älteste Zeugnis ist der lat.-afrz. »Sponsus« (12. Jh.), eine Dramatisierung des Gleichnisses von den klugen und törichten Jungfrauen (Matth. 25). Dem Ende des 12.Jh.s gehört das bedeutendste lat. W. des MA.s, der Tegernseer »Ludus de Antichristo«, an, das sich, auf Adsos Traktat basierend, durch den Versuch einer zeitgeschichtl. Aktualisierung (Kreuzzüge, stauf. Renovatio-Politik) und einen Text auszeichnet, der reiche Angaben zur Aufführungspraxis macht. Das eschatolog. »Zehnjungfrauenspiel« (Frkr., 12. Jh., dt. erstmals 1321 in Eisenach bezeugt) und das »Rheinauer W.« (1350, in 16 Handschriften überliefert) sind die wichtigsten Zeugnisse des volkssprachl. Spiels in Deutschland, dem als Sonderform des 15.Jh. überlieferte, wohl aber um 1353 entstandene Spiel »Des Endchrist. Vasnacht« anschließt. Seit dem 15. Jh. vielfach das W. in den Kontext themat. umfänglicher Spiele aufgenommen (»Künzelsauer Fronleichnamsspiel«, 1479); seit dem 16. Jh. sind zwei große, z. T. mehrtägige W.e aus Chur und Luzern überliefert. W.e sind auch aus anderen europ. Ländern bezeugt: aus Frankreich »Le jour de jugement« (1340/50), aus England »The Chester Play« (um 1330), Italien »Lauda dell' Anticristo o del giudizio finale« (13. Jh.) und aus den Niederlanden. Das Thema des jüngsten Gerichts wurde später in Oratorien

(Telemann, »Tag des Gerichts«, 1762) und in der Oper (C. Orff, »De temporum fine comoedia«, 1973) wieder aufgegriffen.

📖 Reuschel, K.: Die dt. W.e des MA.s und der Reformationszeit, Lpz. 1906.   HW

Weltliteratur,
1. allgemein: gesamte Literatur aller Völker und Zeiten;
2. im bes. und heute vorwiegend: ↗Kanon der nach den jeweil. ästhet. Normen als überzeitl. und allgemeingült. angesehenen literar. Werke aus dieser Gesamtliteratur; Bez. in diesem Sinne (»universelle, unvergängl. Poesie«) erstmals 1802 bei A. W. Schlegel (Berliner »Vorlesungen über schöne Literatur und Kunst«); ihre Interdependenzen sind Gegenstand der ↗vergleichenden Literaturwissenschaft.
3. Goethe bez. mit W. (deren Epoche er erwartete, vgl. Gespräch mit Eckermann 1.1.1827) eine Funktionsform der Literatur: ↗Nationalliteratur werde zur W., insofern sie, über die (für ihn selbstverständl.) Forderung gegenseit. Kennenlernens und Bezugnehmens hinaus, die großen Aufgaben einer gemeinsamen Welt – d. h. das naturwissenschaftl., gesellschaftl. und histor. Wissen der Zeit – umfassend und formal erhellend darzustellen vermag, um »gesellschaftl. zu wirken« (vgl. auch Paralipomena zur Gesch. d. Wissenschaften Nr. 414).

📖 *zu 2: Bibliographie:* Eppelsheimer, H. W.: Hdb. d. W. v. d. Anfängen bis z. Gegenw. Frkft. ³1960.
Zeittafel: Spemann, A.: Vergleichende Zeittafel d. W. vom MA. bis z. Neuzeit (1150–1939). Stuttg. 1951.
Lexika: Kindlers Lit.-Lexikon in 12 Bd.n. Zür. 1965–71; Nachdr. als dtv-Tb. Mchn. 1974. – Meyers Hdb. über die Lit. Mannh. u. a. 1970. – Lexikon d. W. Hrsg. v. G. v. Wilpert. Stuttg. Bd. 1 ²1975, Bd. 2 1968. – *Lexikon zum 20. Jh.:* W. im 20. Jh. Hrsg. v. M. Brauneck. Reinbek 1981. 5 Bde.
Lit. Geschichten: Laaths, E.: Gesch. d. W. Mchn. ⁸1972. – Eppelsheimer, H. W.: Gesch. d. europ. W. Frkft. 1970 ff.
zu 3: Lange, V.: Nationallit. und W. In: Jb. d. Goethe-Ges. NF 33 (1971) 15–30. – Schrimpf, H. J.: Goethes Begriff d. W. Stuttg. 1968. – Strich, F.: Goethe und die W. Bern ²1957. – RL.   IS

Weltschmerz, Bez. für existentiellen Pessimismus, insbes. für das seel. Leiden an der in ihrem Sinn bezweifelten oder negierten Welt und für die daraus folgende Resignation, durch Jean Paul (»Selina«, 1810, gedr. 1827) und bes. H. Heine (1831) zu weiterer Verbreitung gebracht. Findet sich als Haltung einzelner und kollektives Gefühl »in immer neuer Präsenz in den Zeiten, die großen, aber enttäuschenden Veränderungsversuchen folgten« (Sengle), so schon bei Heraklit, Platon, bes. seit dem 17. Jh. in der Gegenreformation, der sog. ›Empfindsamkeit‹ (Wertherfieber), der Romantik (Jean Paul, L. Tieck, »William Lovell«, »Nachtwachen des Bonaventura«). – *Im besonderen* wird mit W. die resignierende Gefühlskultur der Restaurationsperiode (ca. 1815–48, ↗Biedermeier) bez., in der die Enttäuschung der nachidealist. Generation (Unsicherheit gegenüber Sinn- und Wertfragen, Zweifel an der Sicherheit und Wahrheit subjektiven Empfindens, Gefühl des Epigonentums) verstärkt wird durch die geschichtl. Situation (nationale Enttäuschung nach dem Zusammenbruch des preuß. Staates, Restauration des Adels und der Kirche, allgem. Armut und Unfreiheit, neue unüberschaubare Welt- und Gesellschaftsverhältnisse). Die Symptome reichen von ↗Melancholie, Passivität und Resignation über nihilist. Skepsis, Überdruß an Welt und Gesellschaft (»Europamüdigkeit«) bis zu Depression, Verzweiflung und Selbstmord; neben echter Betroffenheit erscheint jedoch der W. auch als mod. Attitüde des »Zerrissen«-Seins (Gervinus: Modernsanthropie). Das Phänomen dieses W.es ist in allen Kulturbereichen der Zeit greifbar, z. B. in fast allen literar. Werken zumindest als Untertönung, insbes. bei den sogenannten *W.-poeten* (G. Büchner, Ch. D. Grabbe, N. Lenau, J. Ker-

ner, W. Waiblinger, A. v. Platen), die auch in Formen und Themen Anschluß an die europ. pessimist. Strömung des ↗Byronismus fanden, ferner in der Musik (H. Marschner, »Hans Heiling«, 1833; R. Wagner, »Der fliegende Holländer«, 1843) und in der Philosophie A. Schopenhauers (»Die Welt als Wille und Vorstellung«, 1819), die jedoch erst in der 2. Hälfte des 19. Jh.s wirkte (Kierkegaard, Nietzsche). Prinzipiell abgelehnt und programmat. bekämpft wird der W. von den Jungheglianern; er galt um 1850/60 als überwunden.

📖 Sengle, F.: Biedermeierzeit. Bd. 1. Stuttg. 1971, S. 1–34, 221–238. – Hof, W.: Pessimist.-nihilist. Strömungen in der dt. Lit. vom Sturm u. Drang bis zum Jungen Deutschland. Tüb. 1970. – Martens, W.: Bild u. Motiv im W. Köln/Graz 1957. – Rehm, W.: Experimentum medietatis. Mchn. 1947. – Rose, W.: From Goethe to Byron. The development of »W.« in German literature. London 1924.   IS

Welttheater [dt. Übers. v. lat. *theatrum mundi*], Vorstellung der Welt als eines Theaters, auf dem die Menschen (vor Gott) ihre Rollen spielen: je nach der philosoph. oder theolog. Auffassung als Marionetten oder mit der Freiheit der Improvisation innerhalb der ihnen auferlegten Rollen. Diese Vorstellung erscheint als Vergleich oder Metapher bereits in der Antike (Platon, Horaz, Seneca) und im Urchristentum (Augustin); sie wird seit dem 12. Jh. (v. a. durch den »Policraticus« des Johannes von Salisbury, 1159) ein bis ins Barock weitverbreiteter literar. Topos *(scena vitae, mimus vitae, theatrum mundi),* so z. B. bei M. Luther (Geschichte = Puppenspiel Gottes), P. de Ronsard, W. Shakespeare (»All the world is a stage«: As you like it, II, 7, 139 ff.), bei M. de Cervantes, B. Gracián und P. Calderón, der das W. erstmals auch zum Gegenstand eines ↗Auto sacramental macht (»El gran teatro del mundo«, entstanden 1635?, gedruckt 1675; dt. Übers. v. J. v. Eichendorff »Das große W.«, 1846): Unter der Regie der Frau Welt agieren die einzelnen Rollenträger, bis sie der Tod von der Bühne abruft und Gott ihr Spiel beurteilt. Die moderne Nachdichtung durch H. v. Hofmannsthal (»Das Salzburger große W.«, 1922) verschiebt den theozentr. Aspekt ins Sozial-Ethische. In pessimist. Literatur findet sich daneben auch die Auffassung des W.s als eines Unternehmens eines gleichgültigen, gelangweilten oder bankrotten Gottes (H. Heine).

📖 Link, F. H./Niggl, G.: Theatrum mundi. Götter, Gott u. Spielleiter im Drama v. d. Antike bis zur Gegenw. Bln. 1981. – Christian, L. G.: Theatrum mundi. The history of an idea. New York 1969; Nachdr. 1987.   IS

Werkimmanent, auch: textimmanent [aus lat. in und manere = bleiben], Methode der Text-↗Interpretation, die v. a. in der dt. ↗Dichtungswissenschaft nach 1945 verbreitet war; in Ansätzen schon früher als Reaktion auf den sich oft von den Texten entfernenden Historismus und Psychologismus des 19. Jh.s (Vertreter: O. Walzel, E. Staiger, W. Kayser). Die w.e Methode konzentriert ihr Deutungsinteresse nur auf den dichter. Text, der aus sich selbst heraus verstanden werden soll. Sie wird problemat., wenn sich der Erkenntnisradius auf den Wortlaut beschränkt, ohne die von Werk zu Werk jeweils zu bestimmenden biographischen, literatur-, geistes-, sozial- und religionsgeschichtl. Einflüsse und Bedingtheiten zu berücksichtigen. Ähnl. Interpretationsmethoden finden sich auch in der frz. explication de texte (G. Lanson, L. Cazamian), dem russ. ↗Formalismus (R. Jakobson, V. Schklowski), im ↗New Criticism (close reading, intrinsic method: I. A. Richards, T. S. Eliot, J. G. Ransom).

📖 ↗Literaturwissenschaft.   S

Werkkreis Literatur der Arbeitswelt, auch: Werkkreis 70; Vereinigung von Arbeitern und Angestellten, gegründet März 1970 in Köln als Sezession der »Gruppe 61«. Er wollte laut Programm »in örtl. Werkstätten mit Schriftstellern, Journalisten und Wissenschaftlern zusammenarbeiten. Seine Aufgabe ist die Darstellung der Situation abhängig Arbeitender, vornehml. mit sprachl. Mitteln, ... [um] die menschl. und materiell-techn. Probleme der Arbeitswelt als gesellschaftl.e bewußt zu machen. Er will dazu beitragen, die gesellschaftl. Verhältnisse im Interesse der Arbeitenden zu verändern.« – Inzwischen bestehen über 35 Werkstätten (v. a. in industriellen Ballungszentren, zu denen dann auch Grafik-Werkstätten getreten sind); anfangs 70% Arbeiter u. Angestellte, der Rest Schüler, Studenten, Journalisten, Lehrer u. a.; nach 1975 nahm der Anteil der Intellektuellen zu: 1978: 50%. Die Werkstätten sind, da sie die Texte schon im Entstehen diskutieren, an deren endgültiger Ausformung oft kollektiv beteiligt und mit verantwortlich. Die Ergebnisse der literar. Produktion werden in Werkstatt-Heften (lokal) und wurden v. a. von 1972–87 in einer Tb.-Reihe des S.Fischer-Verlags (Anthologieform in Auflagen von je 300 000 Exemplaren; 1987: 50 Titel) veröffentlicht. Der eigene Arbeitsplatz, die eigene Arbeitssituation und allgemein Lebenszusammenhänge und geschichtl. Selbstverständnis der Arbeitnehmer wurden hier v. a. dokumentarisch, in Reportage- und Berichtform behandelt. Neben diese Kurzformen treten aber auch Versuche des Romans (oft als Mischform), ferner zumeist agitator. Gedichte. Kritik an den als zu pluralist. eingeschätzten Werkstätten, die Anlehnung des Werkkreises an gewerkschaftl. Organisationen hat innerhalb des Werkkreises zu einer weiteren Sezession, der DKP-nahen »Produktion Ruhrkampf« geführt, die mit eigenem Vertriebssystem an die proletar.-revolutionäre ⁄Arbeiterliteratur anzuknüpfen versucht. In den letzten Jahren ist das öffentl. Interesse am W. L. d. A. mehr u. mehr zurückgegangen.

📖 10 Jahre W. L. d. A., Dokumente, Analysen. (Fischer-Tb. 2195). Frankf. 1980 (umfassende Selbstdarstellung). ⁄Gruppe 61. D

Werktreue, schillernder Begriff für die Umsetzung literar. und musikal. Werke in die Aufführungspraxis. Er berührt sowohl die Frage der Deutung eines Kunstwerks als auch die Rolle des jeweiligen Interpreten (Regisseur, Dirigent). Hinter einer polem. Berufung auf ›W.‹ steht meist ein immobiler u. steriler Werkbegriff, eine festgelegte Meinung vom Sinngehalt eines Kunstwerkes, die sich an überkommenen Mustern orientiert und dabei Zeitbedingtheit und auch Offenheit jeder Werkdeutung negiert. Andererseits wird die Vielschichtigkeit und Vieldeutigkeit (die Komplexität) eines Kunstwerkes (die wesentl. seinen Rang bestimmen) mißachtet, wenn nur *eine* (meist mod.) Tendenz oder Sinnebene als die allein gültige herausgestellt wird (wobei sich ein Regisseur gelegentl. offensichtl. vor das Werk stellt: Regietheater – ein Problem der Publicity). S

Wertung ⁄Literar. Wertung, ⁄Literaturkritik, ⁄Literar. Geschmacksbildung.

Widerspiegelungstheorie, auch: Abbildtheorie. Begriff der Erkenntnislehre des dialekt. Materialismus. Im Ggs. zur Philosophie des Idealismus, die auf der Priorität des Bewußtseins gegenüber dem Sein aufbaut, stellt der dialekt. Materialismus Erkenntnis als Widerspiegelung der Wirklichkeit auf. Diese Theorie wurde im philosoph. Grundlagen von K. Marx und Lenin von G. Lukács in die ästhet. und literaturwissenschaftl. Theoriediskussion eingebracht. Im Unterschied zum vulgärmarxist. Mißverständnis der W. als direkter Spiegelung histor. und sozialer Situationen in der Dichtung, betont Lukács die selektive Wiedergabe sowohl der Naturwirklichkeit als auch gesellschaftl. Zustände im menschl. Bewußtsein in Form von Abstraktionen, durch die Bildung von Begriffen u. Gesetzen, wobei elementare Lebensinteressen als subjektive Auswahlprinzipien fungieren können. Vgl. ⁄sozialist. Realismus.

📖 Gallas, H.: Marxist. Lit.theorie. Neuwied 1971. – Lukács, G.: Die Eigenart des Ästhetischen. In: G. L. Werke Bd. 11 u. 12. Bln. 1963. S

Widmung, ⁄Dedikation literar. Werke in bestimmter,

meist ebenfalls sprachkünstler. Form. W.en gelten einem materiellen oder geist. Förderer, einem Fürsten, Gönner oder Lehrer, auch dem führenden Kopf einer Kunstrichtung oder Gelehrtenschule (bis hin zur Künstler- und Gelehrtenw. der Gegenwart) und enthalten meist Angaben zur gedankl. oder ästhet. Programmatik sowie zu den zugrunde gelegten oder angestrebten Funktionen von Literatur. – Frühe W.en verbanden sich oft mit Formen der einleitenden Textweihe älterer, teils noch mündl. geprägter Literaturstufen (Anruf von Musen [⁄Musenanruf], Göttern oder Ahnen). – Bis heute finden sich W.en innerhalb anderer Beitextarten zur Werkerläuterung, z. B. in Prologen, Leseradressen, Vor- oder Nachworten. Eigene Textoder Kunstformen der W. sind schon in der *Antike*, seit dem Übergang von der röm. Republik zum Prinzipat des Augustus u. seines Kulturbeauftragten Maecenas, voll ausgebildet: *Kurzw., W.sbrief in Versen* oder *Prosa, W.sgedicht.* Immer wieder treten aufwendige, oft gekünstelte Verknüpfungen zur Ein-, aber auch Ausleitung von literar. Werken auf, in der Antike z. B. bei Horaz, im frühen MA z. B. bei Otfried von Weißenburg, in der Renaissance z. B. bei Edmund Spenser u. insgesamt im europ. *Barock*. Bis in die frühe Neuzeit u. insbes. in Hofkulturen dienten W.en u. ihre huldvolle Annahme überdies dem Urheberschutz u. der öffentl. Anerkennung samt Aussicht auf materielle oder ideelle Gegengaben. Diese Funktionen verloren sich mit dem Anwachsen der Buchproduktion bis zur Massenliteratur und dem Entstehen eines zunehmend anonymen Literaturmarkts seit dem 18.Jh. Damit ergaben sich *neue Aufgaben* für die literar. W.: 1. im Blick auf ihre allgem. Leser und menschl. Grunderfahrung, wie in Schillers »in tyrannos« zu seinem ersten Bühnenstück »Die Räuber«, oder der W. an »Freund Hein« bei M. Claudius, auch iron. »An die Vergessenheit« bei G. Ch. Lichtenberg; 2. im Widerstreben gegen die Anonymität des Buchmarkts als betont private W. an Freunde oder Angehörige, die entweder Intimes öffentlich macht oder sich, neuerdings, durch Chiffren für wenige Eingeweihte (wie »To A. B.« bei Th. Wolfe) aller Öffentlichkeit ostentativ verweigert; 3. durch die Verselbständigung der W. zu rein poetisch literar. Gesten oder Gebilden entweder in Zwiesprache des Autors mit seinem Werk samt impliziter Leserschaft wie in Goethes »An Werther« zur »Trilogie der Leidenschaft« (1824), auch in H. Hesses »den Morgenlandfahrern« zum »Glasperlenspiel« (1943), oder fiktionalisiert zu eigenen Kunstformen wie schon in Goethes »Zueignung« (1787; 1797), auch bei Jean Paul, besonders ausgeprägt bei A. Döblin.

📖 Schönhaar, R.: Literaturverständnis in W.stexten von Lukrez bis Döblin. In: R. Krüger u. a. (Hrsg.): Ist zweierlei herzen nâchgebûr. Stuttg. 1989. – Leiner, W.: Der W.sbrief in d. frz. Lit. Hdbg. 1965. – Springorum, F. (Hrsg.): Vorwort, Nachwort, Nachworte. Mchn. 1965. – Schottenloher, K.: Die W.svorrede im Buch des 16.Jh.s. Münster 1952. – RL ⁄Paratexte. RS

Wiegendrucke, dt. Bez. für ⁄Inkunabeln.

Wiener Gruppe, seit 1958 Bez. für eine Wiener Künstlergruppe (Autoren, Maler, Komponisten) mit bewußt avantgardist. Zielen; entwickelte sich seit 1952 aus dem »artclub« (gegr. 1946), umfaßt im engeren Sinne die Autoren F. Achleitner, H. C. Artmann, K. Bayer, G. Rühm, O. Wiener, die in herausforderndem Gegensatz zur allgemeinen österreich. Kulturszene nach dem Krieg am ⁄Dadaismus und ⁄Surrealismus anknüpfen und v. a. sprachexperimentell arbeiteten (⁄abstrakte oder ⁄konkrete Dichtung, ⁄Konstellationen, ⁄Montagen, Dialektgedichte). Theoret. Beschäftigung mit Kybernetik, Neopositivismus, Sprachphilosophie (Wittgenstein). Höhepunkte in zwei literar. Kabaretts (1958 u. 59) und in dem Band Dialektgedichte »hosn, rosn, baa« (v. Achleitner, Artmann, Rühm, 1959). Seit 1958 löste sich Artmann von der Gruppe. Die kulturpolit. Widerstände wuchsen. Nach dem Selbstmord K. Bayers (1964) Auflösung der Gruppe.

⊡ Die W. G. Achleitner, Artmann, Bayer, Rühm, Wiener. Texte, Gemeinschaftsarbeiten, Aktionen. Hrsg. v. G. Rühm, Reinbek ²1969.   DW

Wiener Volkstheater, Bez. für das spezif. Wiener Vorstadttheater vom 18. bis zur Mitte des 19. Jh.s. Sein *Repertoire* umfaßte v. a. heitere oder satir. (Lokal)∕Possen, ∕Zauberstücke, ∕Singspiele, sog. Volksstücke: sie schöpften sowohl aus der barocken Bühnentradition (Schema der Haupt- und Staatsaktionen, ∕Theatermaschinerie, üppige Ausstattung, Ballette) als auch der ∕Commedia dell'arte (∕Stegreifspiel, stehende Typen wie ∕Hanswurst, Kasperl, Staberl, Gesang- und Tanzeinlagen) und integrierten auch Märchenhaftes; sie entwickelten einen komödiant.-virtuosen Stil, der Realismus, Sprachwitz, Satire, Zeit- und Gesellschaftskritik mit Sentiment, Skurrilem und Fantastischem verband. – Als *Publikum* zog es, im Ggs. zum Hoftheater, gebildete wie ungebildete Kreise an, den Hof und das Bürgertum. Die wichtigsten *Repräsentanten* waren J. A. Stranitzky, G. Prehauser, J. F. v. Kurz-Bernardon, Ph. Hafner, in der Blütezeit (Ende 18./Anfang 19. H.) J. A. Gleich, K. Meisl, A. Bäuerle, F. Raimund und J. Nestroy. – Die berühmtesten *Vorstadtbühnen*, in denen diese z. T. auch als Schauspieler wirkten, und deren jedes zeitweise bestimmte Präferenzen (Lokalposse, Pantomimen, Ballette, Opern) hatte, waren: das *Kärntnertortheater* (1712 Eröffnung der Tradition durch Stranitzyks ∕Hanswurstiaden), das *Leopoldstädter Theater* (gegr. 1781, berühmt durch die Komiker J. Laroche als Kasperl, A. Hasenhut als ∕Thaddädl, I. Schuster als Staberl, seit 1823 F. Raimund), das *Wiedner Theater* (gegr. 1787), 1801 Neubau als *Theater an der Wien* (berühmt durch den Bühnenbildner V. Sacchetti; unter E. Schikaneder 1791 Aufführung der »Zauberflöte« Mozarts, 1805 des »Fidelio« Beethovens, seit 1831 dann neben dem Leopoldstädter Theater Hauptwirkungsstätte Nestroys und des Komikers Wenzel Scholz), das *Josefstädter Theater* (gegr. 1788, erste und letzte Wirkungsstätte Raimunds: 1834 »Der Verschwender« mit Musik von K. Kreutzer). – Das W. V. gelangte zu europ. Berühmtheit und großer Wirkung (vgl. ∕Volksstück), bis um 1850 (nach verstärkter Zensur seit Ende 1848) sentimentale Pseudovolksstücke, frz. Vaudevilles und v. a. die klass. Operette die spezif. Wiener Lokalpossen immer mehr zurückdrängten.

⊡ Hein, J.: Das W. V. Raimund u. Nestroy, Darmst. 1978. – May, E. J.: Wiener Volkskomödie u. Vormärz, Bln. 1975. – Bauer, R.: Das W. V. zu Beginn des 19. Jh.s, in : Theater u. Gesellsch. Hg. v. J. Hein, Düss. 1973. – Rommel, O.: Die Alt-Wiener Volkskomödie, Wien 1952.   HR/IS

Wilamowitzianus, m., Bez. von P. Maas für einen von U. v. Wilamowitz für die griech. Tragödie nachgewiesenen Vers der Form ◡◡◡◡–◡◡–, den er irrtüml. als choriamb. Dimeter deutete. Konkretere Ausprägungen in der Lyrik (Korinna, 5.?, 2./1. Jh. v. Chr.?) zeigen das Schema –◡–◡–◡◡–; seine Verwendung anstelle eines ∕Glykoneus weisen ihn als äol. Vers (Variante des Glykoneus?) aus.   S

Wildwestroman, amerikan. Romantypus: gestaltet Ereignisse aus der Zeit der Westkolonisation der USA (1848–98) in realist.-dokumentar. Einkleidung, einfacher Sprache und Struktur, mit suggestivem äußeren Handlungsablauf aus feststehenden Versatzstücken (Orte: Saloon, Prairie; Requisiten: Pferde, Rinder, Colt, Lasso; stark polarisierte Rollen: Siedler, Goldsucher, Cowboys, Indianer usw.). Diese Struktur, die ständ. Wiederholung der stoffl. Elemente, das Identifikationsangebot der Vorbildfigur (der einsame, körpergewandte, eth. autonome Held) und eine eingängige ›Westernideologie‹ erklären seine breite Resonanz und damit seine Eignung für eine (nach 1900 einsetzende) Massenproduktion innerhalb der ∕Trivial-(∕Schund)literatur (v. a. durch Simplifizierung, Anreicherung mit Unglaubwürdigkeiten und Brutalitäten). – *Vorläufer* sind die ethnograph. und histor. ausgerichteten Chroniken aus der Pionierzeit von J. F. Cooper, F. Bret Harte, Mark Twain. Nach den *ersten eigentl. W.en* von E. Z. C. Judson (= Ned Buntline) um die legendäre Gestalt des Buffalo Bill (1869 ff.) erlebte der W. seine Blüte um die Jh.wende mit O. W. Wister (dessen auch literar. bedeutender W. »The Virginian«, 1902, den Cowboy in der Literatur etablierte), A. Adams (u. a. »The Log of a Cowboy«, 1903), A. H. Lewis (Wolfville-Romane, 1902–1908), denen später Z. Grey, F. Faust (= Max Brand), L. L'Amour, Luke Short, J. Schaefer und viele andere folgten, die meist im Auftrag von Produktionsgesellschaften und unter mehreren Pseudonymen jeweils mehrere hundert W.e verfaßten, die in Millionenauflagen in billigen Buchreihen, insbes. in Wildwest-Magazinen durch Massenvertrieb an Kiosken und in Leihbüchereien weiteste Verbreitung fanden. Sie regten ferner sog. *Wildwestshows* mit berühmten Stars an und, davon ausgehend, den Wildwestfilm oder *Western* (wegweisende Regiseure: D. W. Griffith, TH. H. Ince; bekanntester Western-›Klassiker‹: John Fords »Stage Coach«, 1939, dt. »Höllenfahrt nach Sante Fé« oder »Ringo«), der dieselbe Entwicklung zur serienmäßigen Massenproduktion durchlief (Westernserien, sog. ›Horseoperas‹ im Fernsehen, z. B. »Bonanza« von W. R. Cox). – Die am 16. 5. 1952 gegründete »Association of Western-Writers« (Zeitschrift seit 1953: »The Roundup«) versucht im Anschluß an die Bemühungen des W.-Autors E. Haycox (u. a. durch einen jährl. Preis für den besten W.) dessen Standard wieder zu heben (vgl. die W.e von Will Henry, W. D. Overholser, Todhunter Ballard, Elmer Kelton u. a.). In *Europa* wurden Amerika-, Siedler- und Indianerromane seit Coopers Lederstrumpfgeschichten (1826–45) übersetzt und nachgeahmt: in Frankreich u. a. durch G. Aimard, in England u. a. durch Th. M. Reid, in Deutschland bes. durch Ch. Sealsfield, B. Möllhausen und, mit größtem Erfolg, K. May. Erst seit etwa 1930 eroberten der spezif. W. und seine Herstellungs- und Vertriebsform den europ. Markt, z. T. als direkte Übersetzungen, z. T. als freie Nachbildung der amerikan. Muster. 1969 erreichten W.e in Heftreihen wöchentl. Auflagen von 400–500 000 Stück, für die etwa 2 Millionen Leser errechnet wurden. W.e machen ungefähr 10 % der wöchentl. Romanheftproduktion aus.

⊡ Hembus, J.: Western-Geschichte 1540–1894. Chronologie, Mythologie, Filmographie. Mchn. 1979. – Fischer, Ludwig: Die wiederholte Verwandlung d. Bürgers in den natürl. Menschen u. umgekehrt. Thesen zur ideolog. Funktion des W.s. In: Triviallit. Hrsg. v. A. Rucktäschl/H. D. Zimmermann. Mchn. 1976, S. 296–338. – Prodolliet, E.: Lexikon d. Wilden Westens. Mchn. 1967.   IS

Wirkungsästhetik, Forschungsrichtung der theoret. Kunst- und bes. der Literaturwissenschaft, die nach Bedingungen eines effektiven und gesellschaftsbezogenen Verhältnisses von Kunstwerk (Text) und seiner handlungsorientierenden *Wirkung auf den Rezipienten* (Hörer, Zuschauer, Leser) fragt. Sie grenzt sich ab von der *Produktions- oder Darstellungsästhetik*, die das Herstellungsverfahren von Kunstwerken im Bezugsfeld histor. Produktionsformen zu erforschen sucht, sowie von der *Rezeptionsästhetik*, deren Interesse vornehmlich der Veränderlichkeit des Kunstwerkes durch seine Verschmelzung mit jeweils histor. anders bestimmten Bewußtseinsprägungen und ∕Erwartungshorizonten gilt. Die W. sucht zu begründen und empir. zu bestätigen, daß die Mitteilungsrealität des Kunstwerks (Textes) aus den in ihm verankerten Wirkungs*absichten* und -signalen sich erschließen, möglicherweise sogar vorhersagen läßt. Sie versucht so, den Stellenwert ästhet. Produkte zu erhöhen, indem sie dem Vorwurf ihres Luxuscharakters widerspricht und sie als spezif. Konkretisationen sozialen Handelns begreifbar zu machen bestrebt ist. Zur empir. Absicherung dieser Theorie, innerhalb derer die Probleme etwa des (inhaltl.) Handlungsziele und der Praxismodelle z. T. noch kontrovers diskutiert werden, werden Methoden anderer Wissenschaften (Soziologie, Kommuni-

kationswissenschaft, Psychologie, Linguistik) in zunehmendem Maße angewandt. Rechtfertigung aus der Geschichte ergibt sich für die W. durch die wirkungsästhet. Gesichtspunkte in den ⁄Poetiken namentl. des Aristoteles (Katharsis-Problem), der Aufklärung (»Rührstück«) und in B. Brechts ⁄ep. Theater (»Lehrstück«).
⌷ Turk, H.: W. Theorie u. Interpretation der lit. Wirkung. Mchn. 1976. – Kinder, H./Weber, H.-D.: Handlungsorientierte Rezeptionsforschung. In: Kimpel, D./Pinkerneil, B. (Hrsg.): Method. Praxis d. Lit.wiss. Kronberg/Ts. 1976. – Naumann, M.: Zum Problem der W. in d. Lit.theorie. Bln. 1975. – Hohendahl, P. U. (Hrsg.): Sozialgesch. u. W. Frkf. 1974. – Iser, W.: Die Appellstruktur d. Texte. Konstanz ²1971. – RL. HW

Witz, 1. *ursprüngl. Bedeutung* (ahd. *wizzi,* altengl. *wit*): Wissen, Verstand, Klugheit, so noch in Mutterw., Vorw., W.bold, auch Wahnw. (= mangelnde Klugheit), Aberw. (= Unverstand), Treppenw. (= verspäteter, erst auf der Treppe sich einstellender kluger Einfall); Bedeutung im 17.Jh., als Übersetzung von frz. *esprit:* Geist, Talent zum geistreichen Formulieren (so noch heute: *W. haben).* Als *2. Bedeutung* entsteht im 18.Jh. (Goethe, C. Brentano) daneben W. = Scherz, spezif. sprachl. Form des Komischen *(einen W. machen),* die seit dem 19.Jh. zur Hauptbedeutung wird. Als *Textsorte* gehört W. zu den ⁄einfachen Formen: ein kurz umrissener Sachverhalt erhält eine überraschende, den gängigen Erwartungshorizont desavouierende Wendung durch seine unvermutete Verbindung mit einem abliegenden Gebiet, wodurch ein – scheinbar unbeabsichtigter – kom. Doppelsinn entsteht, der blitzartig die eingangs angesprochene Wertwelt (Normen, Sitten, Institutionen usw.) in Frage stellt, pervertiert, ihren geheimen Wesenskern entlarvt. Die Wirkung, im durch das Erkennen der Funktion der Pointe ausgelöstes Lachen machen den W. zu einem sozial und psych. wichtigen Phänomen: er bietet Identifikationsmodelle, seine Aggression, seine implizite Gesellschaftskritik oder seine Erotik gewinnen Ventilfunktion: vgl. z.B. den *polit.* oder *Flüster-W.,* der v.a. in totalitären Systemen blüht, den *jüd. W.,* der durch iron. Distanz zum eigenen Geschick geist. Souveränität beweist, die W.e über einzelne Nationen *(Schotten-W.e),* Stämme oder Städte (meist *Mundart-W.e,* z.B. die Tünnes- und Schäl-W.e Kölns), über Stände (z.B. *Professoren-W.e),* menschl. Schwächen und Verhaltensmuster (bes. im erot. Bereich vielfach als *Tier-W.e)* oder die W.e über aktuelle Zeiterscheinungen, die oft auch W.-moden hervorbringen *(Häschen-W.e* gegen Konsumverhalten) oder sich bestimmter W.-modelle bedienen (sog. *Wander-W.e).* Das *Prinzip des W.es* wurde seit der Antike (Platon, Aristoteles) zu erfassen versucht. Von den philos., psycholog. oder anthropolog. begründeten Theorien sind hervorzuheben die Auffassungen des W.es als überraschender Verbindung heterogener Vorstellungen, Aspekte, Kategorien, Normbereiche (I. Kant, Jean Paul, F. Th. Vischer u.a.), als paradoxer Subsumption ganz verschiedener realer Objekte (A. Schopenhauer, A. Wellek), als Abbau des durch Konventionen geforderten Hemmungsaufwandes gegenüber dem triebgesteuerten Unterbewußten (S. Freud, Th. Reik u.a.). Diesen z.T. mit der Definition des ⁄Komischen oder der Theorie des Lachens nahezu ident. Theorien setzt W. Preisendanz seine Auffassung des W.es vordringl. als eines *Sprachgebildes* gegenüber: nach ihm wird der W. konstituiert durch den *Aussagemodus,* der auf dem Spiel mit dem »Bedeutungspotential und Bedeutungsspektrum von Wörtern und Sätzen« (⁄Homonyme, ⁄Amphibolie, ⁄Ambiguität) basiert, der auf »Möglichkeit, Wörter und Sätze in verschiedene Kontexte einzustellen oder verschiedene Prämissen der Wort- oder Satzbedeutung anzunehmen«. Eine falsche Formulierung der Pointe kann z.B. einen W. ›töten‹, Verfasser und Rezipient eines W.es müssen Form- und Sprachempfinden besitzen. Die Art und der Grad der sprachl. Manipulation

bedingt auch den geist. Anspruch eines W.es sowie seine Grenzüberschreitungen zur Zote, zum ⁄Kalauer, zum ⁄Wortspiel, ⁄Aphorismus, ⁄Apophthegma, zur ⁄Anekdote, zum ⁄Rätsel. Grenzfälle sind auch die surrealist. und die sog. Irrenw.e, die auf Scheinlogik oder Normvertauschungen (nicht -entlarvungen) beruhen. Seltener sind gezeichnete W.e *(Bild-W.e),* die ebenfalls mit der sprachl. Mehrdeutigkeit arbeiten (Bildunterschrift deckt sich in den Benennungen, nicht in der Sache mit dem Bildinhalt.)
⌷ Best, O. F.: Der W. als Erkenntniskraft u. Formprinzip. Darmst. 1989. – Neumann, Norbert: Vom Schwank zum W. Zum Wandel d. Pointe seit d. 16.Jh. Frkf. 1986. – Röhrich, L.: Der W.: Figuren, Formen, Funktionen. Stuttg. 1977. – Marfurt, B.: Textsorte W. Tüb. 1977. – Preisendanz, W.: Über den W. Konstanz 1970. – Schöffler, H.: Kleine Geographie des dt. W.es. Gött. ⁸1970. – Schmidt-Hidding, W. u. a.: Humor und W. Mchn. 1963. – Wellek, A.: Zur Theorie u. Phänomenologie d. W.es. In: A. W.: Ganzheitspsychologie u. Strukturtheorie. Bern 1955, S. 151–180; wieder in: A. W.: W., Lyrik, Sprache. Bern/Mchn. 1970, S. 13–42. – Freud, S.: Der W. u. seine Beziehung zum Unbewußten (1905). Ges. Werke VI, Frkft. ⁴1969. – RL. IS

Wortkunst, von den Autoren und Theoretikern des ⁄Sturmkreises geprägte Bez. 1. allgem. für Dichtung, 2. speziell für ihre eigenen, auf dem Wort und seinen Elementen aufbauenden Arbeiten. D*

Wortspiel, Spiel mit der Bedeutungsvariabilität und Klangvielfalt der Sprache, oft Konstituens bestimmter Kleinformen wie ⁄Witz, Scherzgedicht (z.B. ⁄Echogedicht), ⁄Anekdote, ⁄Sprichwort, ⁄Aphorismus, ⁄Rätsel etc. Das W. kann kom.-witzig (Einsatz von Wortwitz) bis geistvoll-beziehungsreich (also auch unkomisch!) sein, der Ambiguität einer Aussage; ein nur um des witzigen Effektes willen als Selbstzweck konstruiertes W. wird positiv als ⁄Bonmot, abwertend als ⁄Kalauer bezeichnet. W.e sind in der Regel unübersetzbar, weil die konstitutiven Wörter (meist ⁄Homonyme) in anderen Sprachen so nicht vorhanden sind. – Schon in der Spätantike wird die Technik des W.s zu klassifizieren versucht; die vielfält. Arten und Unterarten lassen sich in *3 Gruppen* zusammenfassen:
1. W.e durch den *Gebrauch der Amphibolie,* der eigentl. und metaphor. Bedeutung eines Wortes, einer Phrase, eines Satzes je nach dem Kontext: ». . . wir haben alle braune Haar' ghabt, lauter dunkle Köpf', kein lichter Kopf zu finden« (Nestroy).
2. W.e durch ⁄ *Paronomasie* (Annominatio), dem Spiel mit Wörtern desselben Stammes (wer sich auf den verläßt, ist verlassen), gleichen oder ähnlichen Klanges, die oft in paariger, gegensätzl. Setzung eine pseudoetymol. Beziehung suggerieren sollen (Alter macht weiß, aber nicht weise; Rheinstrom – Peinstrom [Schiller]).
3. W.e durch das *Spiel mit Bedeutungsnuancen, -spaltungen, – wandlungen der Wörter,* der absichtsvollen Bedeutungsoder auch Silben- und Buchstabenverwechslung (der Punsch war der Vater des Gedankens; vgl. auch ⁄Schüttelreime), durch Wortzerlegungen (»Eifersucht ist eine Leidenschaft, die mit Eifer sucht, was Leiden schafft« [Schleiermacher], künstl. Worttrennungen (medi-zynisch [Nietzsche], abgelebte Dame [Heine], Wortzusammenziehungen (Rothschild empfing ihn familionär [Heine]), ähnl. Neubildungen (Zweisamkeit [Nietzsche], Hausfeind [Heine]), durch das Spiel mit der Syntax (⁄Polyptoton u. ähnl.), versetzter Betonung usw. – W.e sind einerseits charakterist. für gewisse Epochenstile (Gongorismus, Marinismus, Euphuismus, Preziosität, Meister: u.a. Calderón, Shakespeare, J. Donne, in Deutschland J. Fischart, Abraham a Santa Clara), finden sich aber als Stilkennzeichen bestimmter Dichter aller Epochen, so bes. bei Jean Paul, C. Brentano, H. Heine, J. Nestroy, F. Nietzsche. Auf die

manierist. Tradition greifen in der Moderne G. Apollinaire, J. Prévert, H. Arp, H. M. Enzensberger zurück. Netze von irrealen, mehrsprach. W.en bestimmen die ganze sprachl. Struktur von J. Joyce's Roman »Finnegans Wake« (1939). ⌑ Weis, Hans: Spiel m. Worten. Dt. Sprachspielereien. Bonn 1976. – Shipley, J. T.: Playing with words. New York 1960. – Mautner, F.H.: Das W. und s. Bedeutung. DVjs. 9 (1931).   IS

Würfeltexte, bei ihrer Herstellung werden Auswahl und Reihenfolge der Wörter zufällig mit Hilfe von Würfeln bestimmt. Zu ihrer Bewertung wichtig ist, welche Bedeutung ihre Hersteller dem Zufall beimessen (Sprachspiel, ↗Unsinnspoesie, aber auch Sprachmystik). Eine geschichtl. oder systemat. Darstellung der W. gibt es bisher nicht, obwohl sich W. oder vergleichbare Texte u. Überlegungen schon relativ früh nachweisen lassen: im Barock ansatzweise, dann in der Romantik, vgl. z. B. L. Tieck, der in »Die verkehrte Welt« den Narren sagen läßt: »Ich schüttle die Worte zwischen den Zähnen herum und werfe sie dann dreist und gleichgültig wie Würfel heraus«. Als literar. Gesellschaftsspiel bietet das 19. Jh. Würfelalmanache (»Die Kunst, ernste und scherzhafte Glückwunschgedichte durch den Würfel zu verfertigen«, 1825 oder »Neunhundert neun und neunzig und noch etliche Almanachs-Lustspiele durch den Würfel«, 1829). Diese Spiele sinken alsbald zu Würfelspielen der Art »Wer würfelt Worte« ohne jegl. literar. Ambition ab. Dagegen kommt es seit der ↗Literaturrevolution (im Gefolge St. Mallarmés bes. im ↗Dadaismus) wiederholt zu einer programmat. Diskussion des Zufalls (↗aleator. Dichtung), in deren Tradition noch die »gewürfelten Texte« F. Kriwets (1959) oder T. Ulrichs' tautolog. »würfel« (der statt der Augen die sechs Buchstaben des Wortes w-ü-r-f-e-l enthält) stehen.   D*

Xenien, n. Pl. [gr. xenion = Gastgeschenk]
1. *Titel* des 84/85 n. Chr. entstandenen 13. Buches der Epigramme Martials, das, im Ggs. zu seinen sonst. ↗Epigrammen, vorwiegend freundschaftl. Begleitverse (meist je ein Distichon) zu (Saturnalien-)Geschenken enthält.
2. Im Rückgriff auf diese »Xenia« Martials von Goethe vorgeschlagene iron. *Bez.* für die von ihm und F. Schiller verfaßten polem. Epigramme in Monodistichen gegen andere zeitgenöss. literatur- und kunstkrit. Richtungen, die sie gemäß ihrer in den »Horen« vertretenen Kunstauffassung (↗Weimarer Klassik) bekämpften. Die insgesamt 926 X., z. T. aggressiv-persönl., z. T. sentenzhaft-philosoph. gehalten, entstanden erst Ende 1795, der größte Teil erschien im Okt. 1796 in Schillers »Musenalmanach auf d. Jahr 1797« (die »friedl.«. X. gesondert u. d. T. »Tabulae votivae«) und riefen zahlreiche ebenfalls polem. *Anti-X.* hervor (X.-kampf). Die Bez. ›X.‹ für literaturkrit. Spottverse findet sich auch bei H. Heine, K. L. Immermann (vgl. dessen X. im Anhang zu Heines »Nordsee«-Reisebilder, 1827), F. Grillparzer, F. Hebbel u.a. Ausdrückl. als »zahme« X. bez. Goethe in der Ausgabe letzter Hand (1827) seine seit 1820 entstandenen besinnl. Spruchdichtungen. ⌑ Klinger, K.: Der X.krieg. Ein dt. Bürgerkrieg der Worte. Hannover 1975. – Meyer, Friedrich: X. 1797. 2 Bde. Lpz. 1939.
Editionen: X. 1796. Nach den Hss. des Goethe u. Schiller-Archivs hg. v. E. Schmidt und B. Suphan. Weimar 1893. - Anti-X. In Auswahl hg. v. W. Stammler. Bonn 1911.   IS

Zahlenproportionen, Zahlensymbolik. Zahlen finden sich als Struktur- und Formelemente allenthalben in der Dichtung. Zu unterscheiden sind *ästhet.-proportionale Kategorien* wie die Wahl einer runden, harmon. oder mehrfach teilbaren oder typ. Zahl für Einteilungen, Untergruppierungen, Zyklen usw.: die Zwei zur Gliederung von Versen (german. Langzeile, Alexandriner), Strophen (Stollenstrophe: Auf- und Abgesang), die Drei zur inneren oder äußeren Ordnung von Versen (Trimeter, Terzine), Strophen (Triade), Dramen (Dreiakter, Trilogie), die Sieben oder Zwölf als Kompositionsprinzip ep. Werke (vgl. das »*Heptameron«* der Margarete von Navarra, den »Josephsroman« Th. Manns: 4 Teile aus je 7 Hauptstücken, J. Miltons »Paradise Lost«: 12 Bücher, Ch. M. Wielands »Oberon«: 12 Gesänge, W. Raabes »Hungerpastor« oder »Schüdderump«: 3mal 12 Kapitel) usw. Nicht immer sicher zu bestimmen ist bei dieser Maßästhetik die Grenze zur bewußten Anknüpfung an die *traditionellen Symbolzahlen,* die seit der Antike in den Versuchen der sinndeutenden Erfassung des Weltganzen eine Rolle spielen: z. B. weist die Drei nach Platon (»Timaios«) auf Anfang, Mitte und Ende jeden Werkes (vgl. auch Trinität), im mal. Weltbild auch auf die Hauptreligionen Christen, Juden, Heiden, die drei Stände (Krieger, Pfaffen, Bauern, vgl. auch die allegor. Ausdeutung der ↗Genera dicendi), die Vier auf die Weltenden u. a., die Fünf auf die fünf Weltalter, die fünf Sinne u. a., die Sieben (aus 3 + 4) auf die Todsünden, die Neun auf die neun Musen, neun Engelschöre, die Zwölf auf die zwölf Stämme Israels, die zwölf Apostel u. a. – Bes. in antiken und mal. Werken, aber auch in der Volksdichtung werden Zahlenkonstellationen in ausdrückl. symbol. Analogie gewählt, vgl. die Drei im Märchen (3 Brüder, 3 Aufgaben, das mag. dreimal Sagen), die Zwölf im mal. Epos (12 Paladine Karls des Großen, 12 Ritter der Artusrunde, 12 Helden Dietrichs von Bern usw.). Symbol. Zahlenkompositionen traten bisweilen an die Stelle inhalt. orientierter Gliederungen, vgl. z. B. die hellenist. Einteilung der Epen Homers in 24 Gesänge (nach den 24 Buchstaben des griech. Alphabets), die Einteilung der »Evangelienharmonie« Otfrieds in 5 Bücher (nach den 5 Sinnen). Dem Aufbau von »Ezzos Gesang« in 33 + 1 Strophen liegt die Zahl der Lebensjahre Christi zugrunde, ebenso der Struktur der »Göttl. Komödie« Dantes (3mal 33 Gesänge + Einleitung) oder dem »Ackermann aus Böhmen« des Johannes von Saaz (33 Kap. + Schlußgebet). In St. Georges Gedichtzyklus »Der Siebente Ring« hat die Sieben mehrfache symbol. Bezüge (Erscheinungsjahr 1907, 7. Schöpfungstag, 7 Gedichtgruppen aus jeweils einem Vielfachen von 7). Bes. in manierist. Werken sollen Zahlenbezüge geheimnisvollen Sinndeutungen dienen. – Die in der neueren Forschung v. a. für mal. Dichtungen aufgespürten, meist auf irrationalen Zahlen basierenden Aufbauschemata sind in ihrer Aussagerelevanz und Authentizität umstritten.
⌑ Meyer, H./Suntrup, R.: Lexikon d. mal. Zahlenbedeutungen. Mchn. 1987. – Meyer, H.: Die Zahlenallegorese im MA. Mchn. 1975. – Curtius, E. R.: Europ. Lit. und lat. MA. Bern/Mchn. ⁸1973, bes. S. 491–498. – Knopf, W.: Zur Gesch. der typ. Zahlen in der dt. Lit. des MA.s Diss. Lpz. 1902. – RL. (Zahlensymbolik).   S

Zani, Zanni, m. Pl., Sg. Zane, Zanne, typisierte Dienerfiguren, gehören neben ↗Pantalone und ↗Dottore zu den ältesten Typen der ↗Commedia dell' arte. Da diese Personenkombination an die altröm. ↗Atellane erinnert, hat man versucht, den *Namen* der *Sanniones,* altröm. Spaßmacher, zurückzuführen; richtig ist aber wohl die Herleitung von der lombardo-venezian. Kurzform Zan oder Zuan für Giovanni. Man unterscheiden den verschlagenen, zuweilen auch musikal. ↗*Brighella (Erster Zane;* zu dessen Nachfahren evtl. auch der franz. Figaro gehört) und den tölpelhaften ↗*Arlecchino* (Harlekin), der, obwohl stets als *2. Zane* bez., doch als der wahre König der Commedia dell'arte gilt. – Der 1. Zane wurde auch *Scappino, Flautino, Coviello,* der 2. Zane u. a. ↗ *Truffaldino, Pasquino, Tortellino, Pedrolino,* ↗*Pulcinella* oder *Zaccagnino* genannt. Häufig erhielt die Figur ihren Namen von einem berühmten Interpreten; so schufen A. Naselli den *Zan Ganassa,* P. M. Cecchini den *Fritellino,* N. Barbieri den *Beltrame,* F. Gabrielli den *Scappino* oder Carlo Cantù den *Buffetto.* Der berühmteste Arlecchino war G. D. Biancolelli. Die Z. setzten die spätmal. Spielmanntradition der Bauernsatire fort. Sie sprachen

Dialekt, meist bergamaskisch oder venezianisch, aber auch den anderer Regionen wie Neapel oder Mailand. Entsprechend ihrer Differenzierung gewann der geistvollere, listenreiche erste Zane Bedeutung für die stärker an Intrigenhandlung und Wortwitz orientierte Komödie Gozzis und der ╱Comédie italienne, der burleske, groteskbewegliche zweite Zane wurde zum Zentrum von Aktionskomik und Slapstick, wie sie im allgemeinen die italienische Komödie bevorzugte. Sein Erbe hat sich bis ins moderne italien. Volkstheater erhalten. HR

Zarzuẹla, f., [span. sarsu'e:la], span. Sonderform des Musiktheaters, deren *Name* vom Zarzuelapalast im Prado, nahe Madrid, herrührt, wo sich im 17. Jh. der Infant Don Ferdinando und danach sein Bruder Philipp IV. gern zur Jagd aufhielten und zur Unterhaltung Madrider Komödiantentruppen einluden. Das erste als Z. bekannte Stück »El Jardin de Falerina« von Calderón de la Barca (1649) zeigt bereits ihre *typ. Eigenarten:* 2 Akte, regelmäßiger Wechsel von Gesang und Dialog, großart. Abenteuer und trag. Verwicklungen zwischen Heroen, Göttern und Herrschern. Während die Musik selten, oft nur bruchstückhaft überliefert ist, sind die Texte gedruckt erhalten. Zu den bekanntesten Librettisten gehörten außer Calderón Antonio Solís, José Clavijo, Antonio Zamora, zu den Komponisten J. Hidalgo, C. Patiño, Antonio Literes und J. de Nebra. In der zweiten Hälfte des 18. Jh. übernahm die Z. angesichts der enormen Popularität der italienischen Oper von dieser Stoffe, Libretti und musikal. Formen. Ramón de la Cruz, der vieles übersetzte (G. Paisiello, A.-E. M. Grétry u. a.), bereicherte die Z. auch um volkstüml. span. Themen (»Las Segadoras de Vallecas«, 1770). In enger Anlehnung an ausländ. Vorbilder entstand eine span. Variante der Opéra comique, des Vaudevilles und des dt. Singspiels. Dennoch wurde sie von der italien. Oper verdrängt und fast völlig vergessen. Erst die als Melodrama bezeichnete Z. »Los Enredos de un curioso« leitete 1832 eine Renaissance ein. Es entwickelten sich drei Stiltypen: die *z.s parodias,* welche v. a. italien. Belcanto-Opern parodierten (ab 1846, v. a. A. Azcona), die *z. andaluza* (»La Venta del puerto o Juanillo el contrabandista«, 1846) und die *Bearbeitungen franz. Vaudevilles* und kom. Opern. Die Erweiterung der kurzen alten Form auf *drei* Akte (»Jugar con fuego«, 1851, von F. A. Barbieri und V. de la Vega) führte zur heutigen Differenzierung zwischen der *z. grande* und den Kleinformen, die als ╱*género chico* zusammengefaßt wurden. Die Z.-Künstler eröffneten 1857 auf Vereinsbasis ihr eigenes *Teatro de la Z.* in Madrid, das neue Stücke förderte. Zeitweise florierte v. a. das género chico so sehr, daß 10 Madrider Theater sich darauf spezialisierten. Wichtige Namen waren T. Bretón, R. Chapí, J. Giménez. Um die Jahrhundertwende wurde die Z. grande, für die auch E. Granados und M. de Falla komponierten, wieder sehr populär. Bis heute sind Z.s in Spanien und Südamerika ausgesprochen beliebt; iberische Gesangsstars wie P. Domingo und T. Berganza haben in Z.s begonnen.
📖 Mindlin, R.: Die Z. Zürich 1965. HR

Zäsur, f. [lat. caedere, caesus = hauen, einschneiden], in der Verslehre ein durch ein Wortende markierter syntakt. oder metr. Einschnitt, meist in längeren Versen oder Perioden. Zu unterscheiden sind: a) *verskonstituierende (feste) Zäsuren: eine* festgelegte Z. pro Vers, z. B. in ╱Alexandriner, ╱Vers commun, ╱Heroic verse; *eine* an zwei bestimmten Versstellen mögliche Z., z. B. ╱Trimeter, ╱Endecasillabo: *eine* oder *mehrere* festgelegte Z.en, z. B. im ╱Hexameter, b) *frei bewegliche Z.en,* z. B. im ╱Blankvers, im ╱Vers libre. – *In der gr.-röm.* Metrik muß die durch eine Wortgrenze markierte Z. innerhalb eines ╱Versfußes oder einer ╱Dipodie liegen, vgl. z. B. die ╱Hephthemimeres oder ╱Penthemimeres im jamb. Trimeter oder daktyl. Hexameter, im Gegensatz zur ╱Dihärese, bei der Wortende und Versfuß-(Dipodie-)ende zusammenfallen (z. B. im ╱Penta-

meter); diese Unterscheidung gilt auch für die Nachbildungen antiker Verse. Z.en haben unterschiedl. Aufgaben: beim Alexandriner z. B. stellen sie zwei antithet. oder parallele Hälften einander gegenüber, in anderen Versen sorgen sie für Spannung und Abwechslung im Versfluß. Der Begriff Z. wird auch allgemein verwendet als gedankl. Einschnitt in Prosareden, Einschnitt in einem Lebenslauf, einer Entwicklung etc. S

Zäsurreim, Reim an metr. Einschnitt,
1. im Versinnern (╱Binnenreim): a) zwischen Wörtern vor den Zäsuren *eines* Verses (Sonderform des inneren oder Binnenreims i. eng. Sinne), b) zwischen Wörtern vor den Zäsuren *zweier* Verse, z. B. ╱Titurelstrophe, oft in der ╱Nibelungenstrophe (z. B. Str. 1 des »Nibelungenlieds«);
2. zwischen dem Wort vor der Zäsur eines Verses und dem Versende (Sonderform des ╱Inreims oder ╱Mittenreims), z. B. ╱leonin. Vers. S

Zauberspruch, archaische Literaturgattung zur mag. Abwehr von Unheil und Bedrohung, z. T. unter Beschwörung übernatürl. Mächte als Hilfe und Schutz. Z.e gehören zu den ältesten Zeugnissen geformter Sprache; sie sind geprägt durch Parallelismus, Alliteration, Reim, formelhaft knappe Sprachgebung (sog. ╱Carmenstil); kennzeichnend sind Zwei- (manchmal Drei-)Gliedrigkeit: auf einen ›ep.‹ Teil, in dem eine Analogiehandlung berichtet oder die beschworene Situation kurz umrissen wird, folgt die eigentl. ╱Beschwörungsformel. *Älteste german. Zeugnisse* sind die aus heidn. Zeit stammenden sog. »*Merseburger Z.e*« (Fessellösung und Heilszauber), aufgezeichnet im 10. Jh. als christl. Fortbildung finden sich seit dem 12. Jh. sog. *Segen,* die in Aufbau und Stil an die heidn. Z.e anknüpfen wobei im ep. Teil auf ein bibl. Ereignis oder Faktum Bezug genommen wird, heidn. Gottheiten durch den christl. Gott oder Heilige ersetzt werden, z. B. im *»Wiener Hundesegen«, »Weingartner Reisesegen«,* im *Straßburger, Bamberger* oder *Trierer Blutsegen* (9., 10. Jh.) u. a.; aus dem MA. sind bes. auch Vieh- und Waffensegen bezeugt. Im Unterschied zum Gebet, das die Erfüllung einer Bitte der Gnade des Angerufenen anheimstellt, gehen Z. und Segen davon aus, daß durch das mag. Wort die Angerufenen zur Hilfe herbeigezwungen werden können. Die Tradition des Z.s und Segens lebt bis heute im Brauchtum der Völker fort (u. a. als Aufschriften auf Amuletten, Talismanen etc., vgl. Zachariassegen, Zachariaskreuze). Sammlungen von Beschwörungsformeln, Z.en, Vorschriften und Anleitungen zur Beeinflussung mag.-übernatürl. Kräfte enthalten seit dem Hellenismus bezeugte Zauberbücher.
📖 Eis, G.: Altdt. Z.e. Bln. 1964. – Schirokauer, A.: Form u. Formel einiger altdt. Z.e. ZfdPh 73 (1954) 353. – RL. S

Zauberstück, Spielvorlage, die mit übernatürl. Personal und Zauberrequisiten arbeitet; charakterist. sind theatral. Illusionszauber und imponierende Bühnentechnik, sowie die Affinität zum naiv-spielfreud., relativ regellosen, meist auch volkstüml. Theater. – Eine der Wurzeln des europ. Theaters liegt evtl. in archaischen Zauber- und Beschwörungsritualen (Jagdzauber, Initiationsriten, Ernte- und Fruchtbarkeitstänzen, Totemismus und Kulten). Das europ. MA. kennt die Legenden- und Mirakelspiele; Elemente des Z.s verwenden die Dramatiker der Renaissance (z. B. Shakespeare in »Der Sturm«, »Der Sommernachtstraum«, »Macbeth«). Seine Hochblüte erlebt das Z. jedoch im Barock mit der Ausbildung einer perfekten Bühnentechnik (╱Theatermaschinerie) und reicher Ausstattung: das Z. erfaßte damals alle Formen des Sprechtheaters, der Oper und des Balletts; vgl. z. B. die ╱Intermezzi, die theatral. relig. Wunder im ╱Jesuitendrama und das Z. ╱Autos sacramentales, die Mythen- und Märchenmotive in weltl. Dramen der Zeit: im span. Barockdrama z. B. bei Tirso de Molina (»El burlador de Sevilla«, Don-Juan-Stoff), Calderón de la Barca (»Der wundertät. Magus«) u. a.; Vergleichbares gilt für das Barocktheater Englands (Maskenspiele

und Opern: z. B. H. Purcell »Dido and Aeneas«, »King Arthur«), Frankreichs (↗Féerie) und Deutschlands. – Der europ. Rationalismus des 18. Jh.s, v. a. der Einfluß des geregelten franz. Dramas reduzierten das Z. auf das ↗Melodrama, die Oper und das ↗Volksstück, das v. a. – als *süddt.* Z. – im 19. Jh. in Wien zur Blüte gelangt: es schließt sich an die barocke Tradition des Z.s, die höf. Oper und volkstüml. Komödiantik an. In offener Terminologie unterschied man das *Zauberspiel* (F. Raimund, »Die gefesselte Phantasie«), das *Zaubermärchen* (Raimund, »Der Verschwender«), die *Zauberoper* (E. Schikaneder, »Die Zauberflöte«) und die *Zauberposse* (Raimund, »Der Barometermacher auf der Zauberinsel«, J. N. Nestroy, »Der böse Geist Lumpazivagabundus«). Vorgänger der beiden unbestrittenen Meister des Z.s, Raimund und Nestroy, waren J. F. v. Kurz-Bernardon (sog. Maschinenkomödien), J. A. Stranitzky, K. Meisl, J. A. Gleich, A. Bäuerle, C. Carl, bei denen sich parodist., sentimentale, kom. u. Schaueffekte auf unterschiedl. Weise verbanden. – Elemente und Techniken des Z.s finden sich u. a. auch in den romantisierenden Commedia dell' arte-Stücken C. Gozzis, im romant. Drama, im Surrealismus, bis heute auch in Zauberoper und -ballett (W. Egk, »Die Zaubergeige«, I. Strawinski, »Der Feuervogel«, »Petruschka«) und v. a. im Film.
📖 Zitzenbacher, W.: Hanswurst und die Feenwelt. Von Stranitzky bis Raimund. Graz/Wien/Köln 1965.   HR*

Zeilensprung, dt. Bez. für ↗Enjambement.

Zeilenstil, Kongruenz von syntakt. und metr. Gliederung; kennzeichnend bes. für archaische Dichtung, v. a. die german. Stabreimdichtung. Im *strengen* Z. fallen jeweils Satz- und Vers-(Langzeilen)ende zusammen, er findet sich selten rein durchgeführt (z. B. bei Kürenberg, MF 10, 17); meist ist er gemischt mit dem *freien* Z., in dem Satz- und Versschlüsse erst nach zwei oder mehreren Langzeilen zusammenfallen (z. B. »Hildebrandslied«, altnord. »Edda«; auch ↗Enjambement oder Zeilensprung, ↗Brechung). – Fällt der Satzschluß in die Mitte eines Folgeverses, spricht man von ↗Haken-(oder Bogen-)stil.   S

Zeitroman, in der dt. Lit. des 19. Jh.s entwickelter Romantypus, in dem die zeitgeschichtl. Umstände des Autors, die Analyse der polit., sozialen, ökonom., kulturellen u. eth.-religiösen Verhältnisse seiner Gegenwart im Mittelpunkt stehen. Die Bez. wurde erstmals 1809 von C. Brentano geprägt für A. v. Arnims »Gräfin Dolores«. Der Z. ist stoffl.-themat. nicht eindeutig abzugrenzen vom ↗histor. Roman, vom europ. ↗Gesellschaftsroman oder ↗Entwicklungsroman, stellt aber *struktural einen neuen,* theoret. fundierten (u. a. K. Gutzkow, L. Wienbarg u. a.) erzähler. *Bautyp* dar: anstelle des Nacheinander einer chronolog. fortschreitenden Handlung tritt das Nebeneinander mehrerer simultan ablaufender Erzählstränge aus oft kontrastiv gereihten Augenblicks- oder Zeitbildern, in denen (meist in Gesprächsform) jeweils ein Aspekt streiflichtartig beleuchtet wird. Die Handlung wird sekundär, dient nur der stoffl. Einkleidung, ›ereignet sich‹ in den Lücken zwischen den Zeitbildern. An die Stelle einer zentralen, mehrschicht. gezeichneten Hauptfigur tritt eine Vielzahl eher eindimensional, rein funktional entworfener, in ihrer Relevanz gleichwertiger Typen. *Zeittypen* als Repräsentanten bestimmter zeitgeschichtl. Strömungen, oft nach bekannten zeitgenöss. Persönlichkeiten gestaltet, wodurch sich viele Z.e zur ↗Schlüsselliteratur stellen. Das Prinzip der Gleichzeitigkeit wird durch genaue Zeitangaben, den Anspruch auf Aktualität und Wirklichkeitstreue durch realist. Beschreibung des Details, die Vielfalt der Aspekte durch Perspektivenwechsel zu erreichen versucht. Einige Z.e enthalten über die Zeitanalyse hinaus auch Zeitkritik, z. T. auch utop. Programme (Immermann, die Z.e des Jungen Deutschland), so daß sie auch der ↗polit. Dichtung oder der ↗Tendenzliteratur zuzurechnen sind. Zwar bergen die Verschlüsselungen und aktuellen Anspielungen die Gefahr des Veraltens in sich;

der Z. ist jedoch durch die neuen erzähltechn. Mittel von Bedeutung für die Entwicklung moderner Romanstrukturen (↗Simultantechnik, ↗Montage, Aufhebung der Handlung etc.). Als *Begründer* des Z.s gilt K. L. Immermann (»Epigonen«, 1836; »Münchhausen«, 1838/39), propagiert wurde er vom Jungen Deutschland (K. Gutzkow, »Die Ritter vom Geiste«, 1850/51; »Der Zauberer von Rom«, 1858/61; H. Laube, »Das junge Europa«, 1833/37), weitere Vertreter sind J. Gotthelf (»Zeitgeist u. Berner Geist«, 1851), G. Freytag (»Soll und Haben«, 1855), F. Spielhagen (»In Reih u. Glied«, 1867; »Sturmflut«, 1877), P. Heyse (»Kinder der Welt«, 1873) und Th. Fontane (»Frau Jenny Treibel«, 1892, »Die Poggenpuhls«, 1896), im 20. Jh. noch F. Werfel (»Barbara oder die Frömmigkeit«, 1929) oder R. Musil (»Der Mann ohne Eigenschaften«, 1930/34). Im Gefolge der radikalen Infragestellung traditioneller Romankonventionen seit den 60er Jahren wird der Z. von einer Mischung von Dokumentation und Fiktion abgelöst (↗Dokumentarliteratur).
📖 Worthmann, J.: Probleme des Z.s. Hdbg. 1974. – Hasubek, P.: Der Z. Ein Romantypus des 19. Jh.s. ZfdPh 87 (1968), 218–245; ↗Roman.   IS

Zeitschrift, period. Druckwerk, das i. d. R. mindestens 4mal jährl. erscheint. Im Gegensatz zur ↗Zeitung ist sie nicht an unmittelbarer Aktualität orientiert, sondern – mit Ausnahme der Illustrierten – auf ein Fach- oder Sachgebiet spezialisiert; es gibt die literar., wissenschaftl., politische, berufsgebundene, humorist. u. ä. Z.en. In den Anfängen war eine Z. kaum unterscheidbar von der Zeitung. Als ursprüngl. universell wissenschaftl. Organ im 17. Jh. konzipiert, beginnt erst im 18. Jh. eine Differenzierung in verschiedene Z.en-Typen. Das *Wort* Z. im Sinne einer period. erscheinenden Publikation ist erstmals 1751 belegt. Die *erste Z. in deutscher Sprache* wurde 1688 von Ch. Thomasius in Leipzig herausgegeben (›Monatsgespräche‹). Mit dem Erscheinen der ↗moralischen Wochenschriften im 18. Jh. erschließt sich über das gelehrte Publikum hinaus eine breitere Leserschicht in den gebildeten Ständen. Lehrhafte und geschmacksbildende Artikel zur Verfeinerung von Kultur und Sitten bestimmten diese Z.en. Daneben nahmen ↗literar. Z.en einen breiteren Raum ein, die oft an einzelne Dichterpersönlichkeiten gebunden waren (Wieland, Goethe, Schiller, Boie oder die Brüder Schlegel). Poetolog. und literaturkrit. Auseinandersetzungen standen im Mittelpunkt dieser Z.en. Im 19. Jh. setzte eine weitere Differenzierung in: Kinder- und Jugend-Z., Partei-Z., Standes- und Berufs-Z. folgten. Die erste *Werkszeitschrift,* der »Schlierbacher Bote«, erschien 1888–90. Neue Erfindungen im techn. Bereich ermöglichten die Entstehung der *Illustrierten.* Parallel zur Anwendung und Perfektionierung des Maschinensatzes (s. Zeitung) vollzog sich die Entwicklung vom Kupfer- und Stahlstich (mit denen die frühesten Illustrierten ausgestattet waren) zur Lithographie und schließl. zur Photographie, die Massenauflagen illustrierter Z.en erlaubten. Insgesamt eroberten die Z.en im 19. Jh. ein breiteres Massenpublikum und waren nicht mehr gebildeten Kreisen vorbehalten. Heute haben die Z.en alle Bereiche des Lebens erfaßt, vom Essen über das Wohnen bis hin zur Freizeitgestaltung. Laut amtl. Statistik erschienen 1979 in der Bundesrepublik 6042 Z.en mit einer Gesamtauflage von 237 Mio. Exemplaren, 91 Mio. Exemplare wurden unentgeltl. abgegeben. Am meisten verbreitet sind sogen. *Publikums-Z.en* mit politischen, kulturellen und populärwissenschaftl. Themen. Die zehn auflagenstärksten Publikums-Z.en hatten 1977 eine Gesamtauflage von 26,3 Mio. Exemplaren. Auch im Bereich der Z.en haben sich Pressekonzentration eingesetzt, so daß nur vier Verlage über einen Marktanteil von 52,7 % verfügen.
Bibliographien: J. Kirchner (Hrsg.): Bibliogr. d. Z.en des dt. Sprachgebiets bis 1900. 4 Bde. Stuttg. 1969 ff. – Dt. Bibliographie: Z.en. Bearb. v. d. Dt. Bibliothek. 2 Bde.

(1945–1957). Frkf. 1958/67. – Dt. Bibliographie: Z.enverzeichnis 1958–70. Bearb. u. hrsg. v. d. Dt. Bibliothek. 3 Bde. Frkf. 1977/80. – Z.en-Verzeichnis Germanistik. Bestände d. Sondersammelgebietsbibl. (Stadt- u. Univ.-Bibl.) Frkf. 1978. – ⌑ Obenaus, S.: Literar. u. polit. Z.en 1830–48 und 1848–1880. Stuttg. 1986/87 (SM 225 u. 229). – Hocks, P./Schmidt, P.: Literar. u. polit. Z.en 1789–1805. Stuttg. 1975 (SM 121). – Bormann, H./Schneider, P.: Z.enforschung. Ein wissenschaftl. Versuch. Bln. 1975. – Pross, H.: Lit. u. Politik. Gesch. u. Programme der polit.-literar. Z.en im dt. Sprachraum seit 1870. Olten/Freibg. 1963. – Kirchner, J.: Das dt. Z.enwesen, s. Gesch. u. seine Probleme. 2 Bde. Wiesb. 1958/62. – RL.

Zeitstück, moderner Dramentypus, der zeitgeschichtl. Probleme oder Zustände vorführt; steht in der Tradition des gesellschaftskrit. Dramas seit dem 18. Jh. (Beaumarchais) und wurde in seiner spezif. Form entwickelt und theoret. begründet in der ∕Neuen Sachlichkeit als objektives, d. h. der Wirklichkeit nachgestelltes, tatsachenorientiertes, dokumentierendes »direktes Theater«. Die erhoffte Betroffenheit des Zuschauers soll zu dessen Bewußtseinsänderung und zur Beseitigung der Mißstände führen. Durch diese implizite, mehr oder weniger polit. motivierte Gesellschaftskritik ist das Z. auch der ∕polit. Dichtung zuzurechnen. Programmat. polit. Ziele verfolgte v. a. das »polit. Theater« E. Piscators, der den traditionell-realist. Darstellungsstil des Z.s (der neue Inhalt war wichtiger als eine neue Form) durch formale Neuerungen (Simultantechnik, Simultanbühne) bereicherte: Einfluß z. B. auf F. Bruckner. – Vertreter des Z.s (häufig Antikriegs-, Erziehungs- oder Justizstücke in Prozeß-, Verhörs-Form) sind bis 1933 und insbesondere bis zum Weltkrieg etwa 1960: B. Brecht (∕Lehrstück), E. Mühsam, B. Blume, E. Toller, G. Weisenborn (»U Boot S 4«, 1928), P. M. Lampel (»Revolte im Erziehungshaus«, 1929), F. Bruckner (»Krankheit der Jugend«, 1929), F. Wolf (»Cyankali«, 1929; »Prof. Mamlock«, 1933); – W. Borchert (»Draußen vor der Tür«, 1947), C. Zuckmayer (»Des Teufels General«, aufgef. 1946), L. Ahlsen oder R. Hochhuth. – Seit etwa 1960 wurde das Z. als »Imitiertheater« (M. Frisch, M. Walser) kritisiert und vom Dokumentarstück (∕Dokumentarliteratur) abgelöst, als dessen Vorstufe es durch sein Mißtrauen in ästhet. Mittel betrachtet werden kann. Durch Übernahme ins Fernsehen wurde es aber zu breiter Kenntnis und oft nachträgl. Resonanz gebracht. – ⌑ Jaron, N.: Das demokrat. Zeittheater d. späten 20er Jahre. Frkf. u. a. 1981. – Michel, W.: Physiognomie der Zeit u. Theater der Zeit. In: Masken 22, 1928 (Theorie). ∕Neue Sachlichkeit. IS

Zeitung, f. [erstmals belegt um 1300 als *zîdunge* im Raum Köln nach mittelniederdt. *tidinge* = Nachricht, Botschaft; in dieser Bedeutung bis 19. Jh., dann Bez. für Nachrichtenslg. (zunächst im Pl., gegen Ende des 19. Jh. auch Sgl.)]. Vier Merkmale definieren den modernen Begriff der Z.: Öffentl. Zugänglichkeit *(Publizität),* Zeitnähe *(Aktualität),* regelmäßiges, mindestens zweimal wöchentl. Erscheinen *(Periodizität)* und inhaltl. Vielfalt *(Universalität).* Die frühesten Z.en wurden in Deutschland zu Beginn des 17. Jh.s herausgegeben: 1609 erschien in Straßburg die »Relation Aller Fürnemmen und gedenckwürdigen Historien«, im gleichen Jahr in Wolfenbüttel der »Aviso Relation oder Zeitung«. Die *erste* bekannte *Tages-Z.* kam 1650 in Leipzig unter dem Titel »Einkommende Zeitungen« heraus; sie erschien bis 1918, zuletzt als ›Leipziger Zeitung‹. Im 18. Jh. existierten rund 200 Z.en, von denen nur wenige eine Auflage von 2000 Exemplaren erreichten. Schon früh entstanden einzelne meinungsbildende Z.en, die eine überregionale Bedeutung erlangten, darunter die ›Vossische Zeitung‹ (1617–1934), die ›Augsburger Abendzeitung‹ (1676–1934) und der ›Schwäbische Merkur‹ (1729–1943). Im 19. Jh.

bereiteten stürmische technolog. Entwicklungen den Weg der Z. zur Massenpresse vor. F. Koenig konstruierte 1812 die erste mit Dampf betriebene Schnellpresse; die Rotationspresse entstand Mitte des Jh.s; die erste Lynotype wurde 1886 eingesetzt. Heute ist eine neuerl. Umwälzung im Gange, bedingt durch die Abschaffung des Bleisatzes, den Einsatz von Lichtsatz und die elektron. Texterfassung über Bildschirmterminals (Lesegeräte). – Seit etwa 1800 wurden Z.en zunehmend aus Anzeigen finanziert. Gegenwärtig beträgt das Verhältnis von Anzeigen- und Verkaufseinnahmen rund 2/3 zu 1/3; damit ist für die Z. eine bedenkl. Abhängigkeit von Werbeträgern entstanden, die sich auch in der inhaltl. Gestaltung der Z. niederschlagen kann. Ein anderes, erfolgreiches Mittel der Finanzierung bzw. Auflagensteigerung war Mitte des letzten Jhdts. der sensationelle ∕Fortsetzungsroman (Eugène Sue, Alexandre Dumas), der heute für die Z. keine Bedeutung mehr hat. Nach der ersten amtl. Statistik der Bundesrepublik gab es 1975 375 Z.entitel von Hauptausgaben und 811 Titel von Nebenausgaben mit einer Gesamtauflage von 22,7 Mill. Exemplaren. Der zunehmende Prozeß der Pressekonzentration hat in der Bundesrepublik dazu geführt, daß 1979 nur 122 Z.en eine selbständige Vollredaktion unterhalten. Die Konkurrenz anderer Medien, des Hörfunks und v. a. des Fernsehens, die größere Aktualität bieten können, hat den Einfluß der Z.en zurückgedrängt. In der Weltrangliste für Z.sdichte liegt die Bundesrepublik auf dem 14. Platz. Dt. Forschungsstätten (mit gr. Archiven) für das Z.swesen sind das Institut f. Z.sforschung Dortmund und das Institut f. Kommunikationswissensch. München.

Bibliogr. u. Bestandsverzeichnisse: Bogel, E./Blühm, E.: Die dt. Z.en des 17. Jh.s. 2 Bde. Bremen 1971. – Hagelweide, G.: Dt. Z.sbestände in Bibliotheken u. Archiven (1700–1969). Düsseld. 1974. – ⌑ Smith, Anthony: The newspaper. An international history. London 1979. – Schmidt, M.: Die Tagesberichterstattung in Z. und Fernsehen. Bln. ²1979. – Noll, J.: Die dt. Tagespresse. Frkft. 1977. – Dovifat, E.: Z.slehre. 2 Bde. Bln. ⁶1976. – Fischer, H. D.: Dt. Z.en des 17.–20. Jh.s. Pullach 1972. – RL. LS

Zeitungslied, Gattung des sog. ∕histor. (Volks-)Liedes, berichtet in episierendem Stil von (meist) sensationellen Ereignissen. Sein Aktualitätsanspruch wird vielfach durch den werbenden Titel »Neue Zeitung« hervorgehoben. Doch gegenüber dem stärker polit. orientierten histor. Lied, das in geschichtl. Prozesse agitator., parteil. einzugreifen suchte und formal sich näher an verbreitungsfähige Volksliedtypen anschloß, zeigt das Z. eine moralisierende Tendenz. Nach einigen Andeutungen in histor. Quellen schon des 10. Jh.s kann gefolgert werden, daß solche Lieder zum Vortragsrepertoire der Fahrenden gehörten; die handschriftliche Überlieferung beginnt jedoch erst im 15. Jh. (zwei Lieder über Hostienfrevel im Wienhäuser Liederbuch, ca. 1455–1471). Seine Blütezeit erreicht das Z. mit dem Buchdruck. Bereits mit der »Wundernachrichten« von S. Brant ist für die lange Zeit herrschende *Verbreitungsform* gefunden: ∕Flugblatt mit großlettrigem Titel und drast. Illustration. So ist das Z. bes. im 16. und 17. Jh. verbreitet, von sog. Zeitungssängern auf Märkten ausgeschrien und gehandelt; es berichtet vornehml. von Wundergeschehnissen (Kometen, Mißgeburten etc.), kriminellen Taten (Mord, Hexerei, Kirchenschändung) und ihrer Bestrafung. Seit dem 17. Jh. wird der Text von mehreren Bildern begleitet, und das Z. nähert sich dem ∕Bänkelsang, von dem es abgelöst wird und dessen agitator. Funktion es bis zur Institutionalisierung der Tageszeitung im 19. Jh. überlebt.

⌑ Brednich, R. W.: Die Liedpublizistik im Flugblatt des 15. bis 17. Jh.s. 2 Bde. Baden-Baden 1974–75. HW

Zensur, f. [lat. censura = Prüfung, Beurteilung], staatl. und kirchl. Überwachung öffentl. Meinungsäußerungen.

Polit.nonkonforme oder nicht genehme sozialkrit. Äußerungen in Wort und Bild werden der Kontrolle unterworfen. Histor. geht die Z. auf das röm. Amt des Censors zurück, der das staatsbürgerl. und sittl. Verhalten der Bürger überwachte. Im MA übte die kath. Kirche literar. Z. aus. Mit dem Aufkommen der Buchdruckerkunst nahm die Z. systemat. Charakter an: 1559 stellte die kath. Kirche den ↗ *Index librorum prohibitorum* auf, der alle verbotenen Schriften aufführte. Zur selben Zeit wurde erstmals eine staatl. Z. durch die Einrichtung einer kaiserl. Bücherkommission (1569) ausgeübt, die für die Einhaltung der Z.-bestimmungen auf der Frankfurter Buchmesse sorgen sollte. Eines der Ziele bürgerl. Revolutionen war die Aufhebung der Z. In England wurde sie 1694 abgeschafft, in Frankreich 1789. In Deutschland hielt sich die Z. als Instrument feudaler Bevormundung und wurde mit den Karlsbader Beschlüssen (1819) sogar verschärft. So wurde 1835 eine ganze literar. Richtung, ↗ das Junge Deutschland, unter Z. gestellt. Erst mit der Revolution von 1848 erfolgte teilweise eine Lockerung der Z. Doch wurden weiterhin literar. Werke zensiert, v. a. Theaterstücke (G. Hauptmann: »Die Weber«, 1892, oder A. Schnitzler: »Der Reigen«, 1897). Die Weimarer Reichsverfassung von 1919 verbot die Z., schränkte dieses Verbot jedoch durch die 1922 erlassenen Republikschutzgesetze zur Bewahrung der Jugend vor Schund- und Schmutzschriften und Verordnungen zur Bekämpfung polit. Ausschreitungen erhebl. ein. 1933 hob das nationalsozialist. Regime mit der »Verordnung zum Schutz von Volk und Staat« die Rechte freier Meinungsäußerung auf, die totale Gleichschaltung der Medien und die Unterdrückung jegl. Opposition erübrigte eine Z. Das Grundgesetz der BRD übernahm das Z.verbot der Weimarer Verfassung ohne die Einschränkungen (Art. 5, Absatz 1 Satz 3 GG: »Eine Zensur findet nicht statt«). Statt der direkten staatl. Z. wurde die Sanktionierung mißliebiger Meinungsäußerungen nun in privatrechtl. Form durch Selbstkontroll-Institutionen übernommen, wie etwa durch die ›Freiwillige Selbstkontrolle der Filmwirtschaft‹ oder die ›Filmbewertungsstelle Wiesbaden‹. Z.fälle in den fünfziger Jahren häuften sich im Zusammenhang mit dem KPD-Verbot, in den sechziger Jahren aufgrund von angebl. pornograph. Darstellungen, in den siebziger Jahren wegen »Verherrlichung von Gewalt«. 1976 – auf dem Hintergrund der Verfolgung der Rote-Armee-Fraktion – löste die 14. Strafrechtsreform Unruhe in der demokrat. Öffentlichkeit, bes. unter Schriftstellern aus. Die polit. Strafverschärfung erzeugte ein geistiges Klima der vorbeugenden Selbstzensur.
In der DDR wurde seit ihrer Gründung 1949 eine umfassende staatl. gelenkte Z. ausgeübt, obwohl die erste Verfassung der DDR ausdrücklich Meinungsfreiheit und Freiheit der Kunst garantierte. Zur Durchführung der Z. wurden Institutionen und Gesetze geschaffen wie die ›Anordnung über das Genehmigungsverfahren für die Herstellung von Druck- und Vervielfältigungserzeugnissen‹ (1959). Die ›Hauptverwaltung Verlage und Buchhandel‹ im Ministerium für Kultur kontrollierte die gesamte Jahresproduktion aller Verlage. Über das ›Büro für Urheberrechte‹ sollte verhindert werden, daß verbotene Manuskripte im Westen erscheinen könnten. Die vierzigjährige Geschichte der DDR ist gekennzeichnet durch spektakuläre und leise Z.maßnahmen, Strafverfolgungen und Gefängnisstrafen in allen Bereichen der Literatur und der Kunst. Allein die zwangsweise Ausbürgerung des ↗ Liedermachers Wolf Biermann 1976 hatte zur Folge, daß rund fünfzig protestierende DDR-Schriftstellerinnen und -Schriftsteller die DDR gezwungen oder freiwillig verließen, weil sie keine Möglichkeit mehr sahen, frei von Z. arbeiten zu können. Die polit. Umwälzung in der DDR im Herbst 1989, die Bildung einer demokratisch gewählten Regierung hat dazu geführt, daß offiziell alle Z.institutionen abgeschafft wurden.

⌑ Assmann, A. u. J. (Hrsg.): Kanon und Z. Mchn. 1987. – Hauschild, J.-C. (Hrsg.): Verboten. Das Junge Deutschland 1835. Düsseld. 1986. – Weyergraf, B./Lübbe, P.: Z. In: Langenbucher, W. R. u. a. (Hrsg.): Kulturpolit. Wb. Bundesrepublik Deutschland/DDR im Vergleich. Stuttg. 1983. – Breuer, D.: Gesch. d. literar. Z. in Deutschld. Hdbg. 1982. – Kienzle, M./Mende, D. (Hrsg.): Z. in der Bundesrepublik. Mchn. ²1981. – Otto, U.: Die literar. Z. als Problem d. Soziologie d. Politik. Stuttg. 1968. – Houben, H.: Polizei und Z. Bln. 1926. – RL.
LS

Zeugma, n. [gr. = Joch, Zusammengefügtes, auch Syllepsis, gr. = Zusammenfassung], ↗ rhetor. Figur der Worteinsparung, Sonderform der ↗ Ellipse: Zuordnung eines Satzgliedes (Wortes) zu zwei (oder mehr) syntakt. oder semant. verschiedenen Satzteilen; unbeabsichtigt gesetzt als grammat. Verstoß oder Stilfehler gewertet. Man unterscheidet:
1. *syntakt.* Z. (auch Adexnio) = ein Satzglied wird auf zwei (oder mehr) nach Genus, Numerus oder Kasus inkongruente Satzteile bezogen, obwohl es nur zu einem paßt und eigentl. neu gesetzt werden müßte: ich gehe meinen Weg, ihr [geht] die euren, »Entzahnte Kiefern schnattern und das schlotternde Gebein« (Goethe, »An Schwager Kronos«).
2. *semant.* Z.: ein Satzglied wird auf zwei Wörter oder Satzteile bezogen, die entweder verschiedenen Sinnsphären angehören oder in eigentl. und metaphor. Bedeutung verstanden werden müssen: er *warf* die Zigarre in den Aschenbecher und einen Blick aus dem Fenster; »Er *saß* ganze Nächte und Sessel *durch*« (Jean Paul, »Siebenkäs«); wird oft in scherzhafter oder verfremdender Absicht verwendet.
S

Zimmertheater, spezif. Theaterform, die erst zu Beginn des 20. Jh.s in Experimentierstudios entstand und Alternativen zur Illusionsbühne des 19. Jh.s und ihren Repräsentationsbauten entwickelte. (Die improvisierten Aufführungen in Privaträumen im 16. u. 17. Jh. wurden nicht als künstler. Alternative empfunden und werden nicht als Z. bez.). Am Anfang stehen das »Erste Studio« des Moskauer Künstlertheaters unter K. S. Stanislawski und seine Nachfolgestudios (Behelfsbühne mit wenig Versatzstücken in einem Zimmer), nachgeahmt in Osteuropa und (über M. Tschechow) sogar in New York (Group Theatre); bes. bekannt geworden sind das jüd. Habima-Theater und das armen. Studio. Seine Blüte erlebte das Z. in den 40er und 50er Jahren, da es dem Mangel an bespielbaren Theatern ebenso entsprach wie einem nüchternen Theaterstil und einem informellen Publikum (vgl. die dt. Notbühnen oder die halbprivaten Ateliertheater etwa der Pariser Existentialisten: 1944 wurde P. Picassos Stück »Wie man Wünsche am Schwanz packt« in einer Pariser Privatwohnung aufgeführt). Das 1. dt. Z. entstand 1947 in Hamburg, zunächst im Hause H. Gmelins, später in einem Patrizierhaus, wo u. a. auch Regisseure wie G. Rennert inszenierten. Weitere Z., auch Kellertheater, folgten in Berlin, Frankfurt, Wiesbaden, Düsseldorf, Bonn, Köln, München (Schwabinger Ateliertheater, 1949), aber auch kleineren Orten (z. B. L. Malipieros Torturmtheater im fränk. Dorf Sommerhausen), ebenso etwa in Mailand (Teatrangolo und Teatro San Erasmo, 1953) u. anderen Orten. Der aus der Spieldimension des Z.s entwickelte spezif. Stil findet sein Publikum bis heute bes. in Universitätsstädten, zumal sich das Z. in letzter Zeit mit Tendenzen des sog. *alternativen* oder *armen Theaters* trifft, das ebenfalls bewußt auf den Apparat der etablierten Bühnen verzichtet, eine enge Publikumsbeziehung in kleinen Räumen und eine intensiven Darstellungsstil erstrebt (charakterist. etwa die Theaterlabore etwa von J. Grotowski und G. Tabori). Es trifft sich auch mit Trends zu neuen Bühnenformen wie der Arena- und Proszeniumsbühne und der Neigung, Spiellandschaften in eigenwilligen Stätten wie unbenutzten Kirchen, Fabrikhallen, Bahnhöfen und sogar ausgebrannten Theatern zu schaffen (London:

The Warehouse, Hamburg: Malersaal; Vincennes: La Cartoucherie, Paris: Les Bouffes du Nord), vgl. die Produktionen der Royal Shakespeare Company in Stratford (The Other Place) und London (The Warehouse, The Young Vic), von denen v. a. B. Goodbodys »Hamlet« (1975) oder T. Nunns »Macbeth« (1976) neue Dimensionen einer mim.-choreograph. und verbalen Ausdrucksintensität eröffneten. HR*

Zinnespel, n.; Pl. zinnespelen, auch sinnespel, spel van sinne [niederländ. = Sinn-spiel], niederländ. Bez. für ↗Moralität; bekanntestes Werk der Gattung: »Elckerlijc« (vor 1495); auch ↗Rederijkers. MS

Zitat, n. [lat. citare = auf-, herbei-, anrufen], wörtl. Übernahme einer Wendung, eines Satzes, Verses oder längeren Abschnittes, auch eines mündl. Ausspruches eines anderen Autors in ein literar. Werk (oder die mündl. Rede) mit Nennung des Verfassers, oft auch der Quelle, sei es durch bes.Hinweise im Text, sei es durch Fußnoten oder Anmerkungen, im Druck meist durch graph. Auszeichnung (Anführungszeichen, Kursivdruck etc.) hervorgehoben. Die Verfasserangabe kann evtl. entfallen bei Z.en mit breitem Bekanntheitsgrad, sog. ↗geflügelten Worten (»Die Axt im Haus erspart den Zimmermann«, Bibelsprüche); fehlt sie bei weniger bekannten Z.en, kann es sich um ↗Plagiat handeln. Grenzfälle sind indirekte, sinngemäße Wiedergabe von Z.en (↗Paraphrase, ↗Anspielung) und absichtl. abgewandelte oder ungenaue Z.e (zu humorist. oder parodist.-satir. Zwecken: »Wer hat dich, du schöner Wald, *abgeholzt* so hoch da droben?«). Unterschieden werden kann zwischen nur inhaltl. relevanten und auch formal mustergült. geprägten Z.en. Die Möglichkeiten ihrer Integration in ein Werk sind so vielfält. wie ihre *Funktionen:* Z.e dienen der Bestätigung und Erläuterung eigener Aussagen, als Ausgangspunkt der Widerlegung der durch sie repräsentierten Thesen, dem Bildungsnachweis, der literar. Anspielung oder ↗Reminiszenz, der rhetor. Ausschmückung, als Element des formalen Aufbaus (als Exposition, Zäsur, Conclusio einer Rede, Predigt o. ä.), aus dem Zus.hang gerissen auch als Mittel polem., demagog. oder humorist.-satir. Absicht. In *dichter. Werken* können Z.e ein Stilspezifikum (Jean Paul) oder fiktionales Darstellungsmittel sein, z. B. zur Personencharakterisierung (bes. im Realismus: W. Raabe, Th. Fontane), als Leitmotive, in symbol. Funktion (Th. Mann), als Mittel der ↗Vorausdeutung oder rezipientenorientierter Verweise auf bestimmte, auch außerfiktionale Zusammenhänge. Z.e können weiter Strukturelement sein, z. B. in den Werken von F. Rabelais, M.de Cervantes, L. Sterne, Ch.M. Wieland, E. T. A. Hoffmann, K. L. Immermann, bes. aber in modernen Werken in der Tradition der Z.-Montage (↗Collage, vgl. auch das spätantike und mal. ↗Cento) etwa bei K. Kraus, J. Dos Passos, J. Joyce, A. Döblin bis zu ↗Dadaismus und ↗konkreter Dichtung. – Z.e können als ↗Motto, ↗Widmung oder ↗Titel Traditionszusammenhänge oder -gegensätze andeuten oder Schlüssel zur Interpretation sein (vgl. E. Hemingway, »The sun also rises« aus ›Prediger Salomo‹), können ferner durch sog. Selbst-*Z.e* Beziehungen einzelner Werke eines Autors untereinander sichtbar gemacht werden (Heinrich v. Morungen, MF 123,7; H. Hesse). – Von bes. Bedeutung für die Wissenschaft sind Z.e oder Z.-sammlungen aus der Antike oder dem MA., da sie oft von verlorenen Werken Zeugnis ablegen (vgl. z. B. das Z. eines nicht erhaltenen Gedichtes Walthers v. d. Vogelweide bei Wolfram v. Eschenbach) oder durch Inhalt, Auswahl u. Häufigkeit Geistesrichtungen und die Wertschätzung von Autoren oder Werken dokumentieren. Z.e finden sich schon in antiker Literatur (Plato) und seit dieser Zeit bis heute in *Z.-sammlungen,* bes. zum Gebrauch für Rede, Predigt und ähnl. (vgl. Analekten, Florilegien, Kollektaneen, Anthologien, Blütenlesen oder ›Lesefrüchte‹). *In der Musik* findet sich das musikal. Zitat in ähnl. Funktionen (vgl. z. B. Don

Giovanni, II, 13 v. W. A. Mozart). – Heute wird die Bez. ›Z.‹ in übertragenem Sinne auch für die Übernahme von Gestaltungsideen, z. B. in Bühneninszenierungen oder der Mode verwendet.

📖 Mieder, W.: Sprichwort, Redensart, Z. Bern u. a. 1985. – Meyer, Herman, Das Z. in der Erzählkunst. Stuttg. [2]1967. – Panzer, F.: Vom mal. Zitieren. Hdbg. 1950. – Staiger, E.: Entstellte Z.e. Trivium 3 (1946). – RL.
Sammlungen: Z.e u. Sprichwörter von A – Z, ausgewählt und nach Schlagwörtern geordnet von G. Hellwig. Gütersloh u. a. 1974. – Schmidt, Lothar: D. große Handb. geflügelter Definitionen. Mchn. 1971. – The Oxford dictionary of quotations. Fair Lawn (N. J.) [3]1970. – Zoozmann, R.: Z.enschatz d. Weltlit., neubearb. v. O. A. Kielmeyer, Bln./Hambg. [12]1970. – Hauschka, E. R.: Handb. moderner Lit. im Z. Regensburg 1968. – Puntsch, E.: Z.en-Handb. Mchn. [4]1968. – Fumagalli, G.: Chi l'ha detto? Mailand[10]1968. – D. große Handb. moderner Z.e des 20.Jh.s. Hg. v. M. Schiff. Mchn. 1968. – Peltzer, K.: Das treffende Z., Gedankengut aus 3 Jt.en. Thun/Mchn. [3]1963. – Führende Worte. Bd. 1 (Deutschland), hg. v. E. Eckart, 1912, 6. Aufl. verb. u. bis in d. Gegenw. fortgeführt v. A. Grunow, Bln. [6]1961, Bd. 2 (Abendland), Bd. 3 (klass. Altert.), Bd. 4 (Asien) hg. v. A. Grunow, Bln. 1962, 1963, 1965. – Dupré, P.: Encyclopédie des citations. Paris 1959. – Genest, É.: Dictionnaire des citations françaises. Paris 1955. IS

Zukunftsroman, Form des ↗utop. Romans und der ↗Science Fiction: spielt – ausgesprochen oder unausgesprochen – in einer für den Autor zukünft. Zeit. Als literar. Utopie schildert er v. a. die sozialen Zustände, als Science Fiction die techn. Errungenschaften kommender Gesellschaften. Die anspruchsvolleren Z.e gewinnen ihr Zukunftsbild mehr auf der Basis von Extrapolationen (Ausweitungen) zeitgenöss. Zustände. In den Science-Fiction-Heftromanen dargestellten Entwicklungen sind meist reine Phantasieprodukte oder Gegenwartsschilderungen mit pseudofuturist. Anstrich. Als *erster* Z. gilt L. S. Merciers »L'an deux mille quatre cent quarante. Rêve s'il en fut jamais« (Das Jahr 2440, der kühnste aller Träume), anonym erschienen. 1770 in Amsterdam, 1771 in London. Sein Erfolg löste eine Flut von Z.en aus, die im 19.Jh. noch anschwoll. Seit den Romanen von J. Verne und H. G. Wells dominiert die Science-Fiction-Spielart.
📖 ↗Science Fiction, ↗utop. Roman. RK

Zwillingsformel, umgangssprachl., vorgeprägte Redewendung (↗Formel) aus zwei Wörtern derselben, meist nominalen Wortart, die durch Konjunktion oder Präposition verbunden sind: *Katz und Maus, Knall auf Fall,* z. T. durch klangl. Mittel wie Alliteration *(Kind und Kegel),* Reim *(Weg und Steg)* und vielfach durch das rhythm. Modell der wachsenden Silbenzahl *(Kopf und Kragen)* verfestigt. Inhaltl. können zu Z.n sowohl ident. Wörter *(Schlag auf Schlag),* als verwandte *(Nacht und Nebel,* ↗Tautologie) oder gegensätzl. Begriffe *(Himmel und Hölle)* gekoppelt werden. Das hohe Alter vieler Z.n, die z. T. Formeln der Rechtssprache waren, die Kürze und formale Strenge bewahren diese Redewendungen weithin vor Veränderung; andererseits erlaubt der eingängige, verbreitete in sich variable Formtyp Neuschöpfungen bis hin zum polit. Schlagwortpaar *(Freiheit oder / statt / und Sozialismus).* – Seltener sind Drillingsformeln: *Feld, Wald und Wiese.*
📖 Matzinger-Pfister, R.: Paarformel, Synonymik u. zweisprach. Wortpaar. Zürich 1972. – Lieres u. Wilkau, M. von: Sprachformeln in d. mhd. Lyrik bis zu Walther v. d. Vogelweide. Mchn. 1965. HW

Zwischenakt, Zeitspanne zwischen zwei Akten einer dramat. Aufführung, oft musikal. überbrückt (Z.-musik), bis ins 19.Jh. auch durch Pantomimen, Gesangs- oder Tanzeinlagen, in Renaissance u. Barock durch selbständ. ↗Zwischenspiele (vgl. auch ↗Vorspiel [2], ↗Nachspiel). IS

Zwischenreim ↗Schweifreim.
Zwischenspiel, szen.-dramat., tänzer. oder musikal. Einlage vor, nach oder v. a. zwischen der eigentlichen Theaterdarbietung zum Zweck inhaltl. Abwechslung oder Überbrückung techn. Schwierigkeiten wie des Kulissen- und Kostümwechsels; auch Bez. für Einlagen *(Divertissements)* im Rahmen anderer Unterhaltungen, z. B. bei Festmählern. – Je nach diesen Aufgaben und entsprechend den nationalen Theatertraditionen entstanden verschiedenartige Z.formen: Das griech. Theater kannte hauptsächl. musikal. Z.e, das röm. die getanzte Pantomime, das mal. geistl. Spiel derbe Possen oder ↗Farcen (Füllsel) zwischen Mysterien- und Mirakelspielen, das lat. ↗Jesuitendrama eingefügte volkssprachl. *Possen,* aber auch Z.e mit allegor. Verweischarakter. Im it. Renaissancetheater wurden die ↗*Intermezzi* zu prunkvollen, Musik, Pantomime, Tanz und dramat. Handlung verquickenden theatral. Formen ausgebaut; England kannte das höf. ↗*Interlude* als unterhaltsames kurzes Stück, neben der pantomim. ↗*Dumb show* und dem schwankhaften gesungenen und getanzten ↗*Jig,* der neben gesprochenen (Pickelhering)possen auch bei den dt. Wanderbühnen beliebt wurde. Halb Singspiel mit Tanz, halb derbvolkstüml. Stücke waren die span. ↗*Entreméses* und ↗*Sainetes.* In Deutschland hat sich, nach franz. Vorbild, bes. das musikal. Z. und die Zwischenaktmusik erhalten, vgl. schon die stroph. Chorlieder zwischen den einzelnen Akten des lat. ↗Schuldramas und im ↗schles. Kunstdrama. Der Ausdruck Z. oder *Intermezzo, Entr'acte, Interlude* wird auch übertragen gebraucht für eine heitere, episod. gedachte Dramen-, Opern-, Ballett- oder Filmschöpfung (R. Strauß, »Intermezzo«, 1924; René Clair, »Entr'acte«, Stummfilm 1924).
📖 Hammes, F.: Das Z. im dt. Drama v. seinen Anfängen bis zu Gottsched. Bln. 1911. – RL   HR*

Zyklus, m. [griech. kyklos = Kreis], Corpus von Werken, die als selbständ. Einzeltexte zugleich Glieder eines größeren Ganzen bilden. In *weiterem Sinne* wird Z. oft für jede Art Sammlung von Gedichten, Erzählungen u. a. gebraucht, die über eine nur zufällige oder nach rein äußerl. Gesichtspunkten zusammengestellte Folge hinaus eine vom themat. Zusammenhang her motivierte Struktur aufweist. Im *strengeren Sinne* spricht man von Z. nur dann, wenn die Werke um ein bestimmtes Grundthema zentriert sind und dieses Grundthema unter jeweils neuem Ansatz so entfalten, daß es in seinen verschiedenen Aspekten und Perspektiven explizlert und gleichsam ›kreisförmig‹ abgeschritten wird, so daß es am Ende auf einer höheren Sinnebene den Anfang wieder aufnimmt. Das kann in sehr verdichteter oder mehr lockerer Form geschehen. Sekundär können die verschiedensten verknüpfenden Elemente hinzukommen: narrative und dialog. Formen, Spiegelungen, Wiederholungen und Abwandlungen von Motiven, Bildern, Leitworten usw. Der Z. ist nicht an eine bestimmte Gattung gebunden, tritt aber in der *Lyrik* am häufigsten auf. Sein variables Bauprinzip scheint bes. geeignet, Themen oder Themenkomplexe, die sich im einzelnen Gedicht nicht erschöpfend aussprechen lassen, lyr. zu gestalten; es erlaubt eine lyr. ›Großform‹, in der dem einzelnen Gedicht gleichwohl eine relative Autonomie erhalten bleibt. Beispiele sind Goethes späte Zyklen von den »Röm. Elegien« bis zu den »Chines.-deutschen Jahres- und Tageszeiten«, Novalis' »Hymnen an die Nacht«, H. Heines »Buch der Lieder«, St. Georges »Siebenter Ring«, R. M. Rilkes »Duineser Elegien« usw. Beispiele aus der *erzählenden Literatur*

sind Zyklen von Novellen und Erzählungen (G. Kellers »Die Leute von Seldwyla«) oder zykl. Romanformen (Goethes »Wilhelm Meisters Wanderjahre«), vgl. auch ↗ep. Z. Seltener findet sich der Z. im *Drama* (A. Schnitzlers »Anatol« oder »Reigen«, wo schon der Titel auf die zykl. Form weist). – Die Forschungsdiskussion entzündet sich weitgehend an Werken, in denen sich Z. zum Problem wird wie in Goethes »West-östl. Divan«.
📖 Gerhard, C.: D. Erbe d. großen Form. Unters. zur Z.-Bildung in d. express. Lyrik. Frkf. 1986. – Schrimpf, H. J.: Das Prinzip des Z. bei Goethe. Diss. Hdbg. 1955. – Müller, Joachim: Das zykl. Prinzip in d. Lyrik. GRM 20 (1932). – RL
                                                                          GH

Zynismus, m., Geisteshaltung, evoziert durch polit., gesellschaftl. oder geist. Macht, als Protest aus einer krit. reflektierten sozialen Unterlegenheit heraus oder verbunden mit dem Einsatz polit.-ökonom. Überlegenheit. Der Begriff geht zurück auf die antike Philosophenschule der Kyniker, deren Namen wohl von ihrem Versammlungsort, dem außerhalb der Stadtmauer von Athen gelegenen Gymnasium Kynosarges herrührt, dessen erster Namensbestandteil (Hund) dann auch symbol. verstanden wurde. Als ihr Begründer gilt Antisthenes von Athen (444–368 v. Chr.), bekanntester Vertreter ist Diogenes von Sinope (404–323 v. Chr.), dessen Übername ›Kyon‹ nach anderer Meinung der philosoph. Richtung den Namen gegeben haben soll. Die Kyniker propagierten materielle Bedürfnislosigkeit, Selbstgenügsamkeit (autarkeia), Mißachtung der herkömml. Kultur und Sitte, Opposition gegen Religion und Ehe, Freiheit von Klischeevorstellungen und Tabus (atypia). Sie vertraten in aggressiv-provokanter Wendung gegen die idealist. platon. Philosophie eine prakt., atheoret. und illusionsfreie Lebensnähe. Dieser Z. fand eine adäquate literar. Ausdrucksform in der ↗Satire, die mit dem ehemaligen Sklaven und Kyniker Menippos aus Gadara (Syrien) beginnt. Seine Erzählungen sollen mit bissigem Witz die Nichtigkeit des Daseins, auch der Philosophie entlarven. Menippos wirkte auf die Satiriker Varro, Petronius und Lukian (Saturae Menippeae, vgl. auch die frz. »Satyre ménippée«, 1593). Die moderne Bedeutung des Wortes mit den Implikationen verletzend, bissig, sarkastisch, herabsetzend bildete sich erst im 18. und 19. Jh. heraus. Z. kann ganze literar. Werke (Satiren) prägen, vgl. z. B. J. Swift, »A modest proposal for preventing the children of poor people from being a burden . . .« (1729), Voltaire, »La Pucelle« (1762) oder etwa Ch. D. Grabbe, »Herzog Theodor von Gothland« (1827) und H. Heine, »Das Testament« (nach 1837, in der Tradition F. Villons). Z. findet sich auch im Werk v. K. Kraus, K. Tucholsky, B. Brecht, H. Mann, weiter in ↗Dadaismus und ↗Futurismus (Tendenz zur Selbstaufhebung). Auch einzelne Wendungen können von Z. zeugen, z. B. solche Mephistos in Goethes »Faust«. Der Begriff Z. spielt in der neueren kulturkrit. Diskussion sowohl in seinem antiken Verständnis (Verweigerung gegenüber gesellschaftl. Zwängen: Aussteiger) als auch in dem seit dem 18. Jh. geläuf. Verständnis eine Rolle: Mißbrauch von Macht, Umkehrung traditioneller Werte hinter (aus strateg. Gründen) beibehaltener Wortfassade (Faschismus); oder auch die Umdefinierung des Begriffs ›Demokratie‹ in sozialist. Staaten.
📖 Sloterdijk, P.: Kritik d. zyn. Vernunft. Frkft. 1982. – Niehues-Pröbsting, H.: Der Kynismus des Diogenes u. der Begriff des Z. Mchn. ²1988.   S

nihil perfectum

Sachgebiete im Überblick

(bei Verweis-Stichwörtern steht in Klammern der Grundartikel)

Lyrik

Allgemein: Bilderlyrik · Gedankenlyrik · Gassenhauer · Gedicht · Genres objectifs · Hymne · Ideenballade · Kunstballade · Lied · Lyrik · Lyrisches Ich · Ode · Poem · Protestsong · Refrain · Rhapsodie · Rollenlyrik · Schlager
Formale Aspekte: Bildreihengedicht · Briefgedicht · Carmen figuratum (Figurengedicht) · Cento · Chiffregedicht · Echogedicht · Elegie · Figur(en)gedicht · Glosa · Klinggedicht · Lautgedicht · Sonett · Spaltverse · Vers rapportés · Wechselgesang
Inhaltliche Aspekte: Bardendichtung · Barditus · Bildgedicht · Butzenscheibenlyrik · Dinggedicht · Elegie · Gemäldegedicht · Naturlyrik · Palinodie · Panegyrikus
Brauchtums-, Ständelieder: Arbeitslied · Bergreihen · Bohnenlied · Brauchtumslied · Brautlied · Handwerkslied (Ständelied) · Kiltlied · Klopfan · Kranzlied · Kuhreihen · Landknechtslied · Marschlied · Martinslied · Noël · Shanty · Ständelied · Studentenlied · Tanzlied · Volkslied
Erzähllieder: Ballade · Bänkelsang · Daina · Duma · Folkevise · Historisches (Volks)Lied · Ideenballade · Kaempevise · Kunstballade · Lay · Moritat · Rima · Romanze · Runenlied · Volksballade · Zeitungslied
Antike Lyrik: Apopemptikon · Aulodie · Chorlied · Epithalamium (Hymenaeus) · Enkomion · Epinikion · Epithalamium · Erotikon · Eucharistikon · Feszenninen · Genethliakon · Hymenaeus · Hyporchema · Jambendichtung · Kinädenpoesie · Kitharodie · melische Dichtung · Monodie · Ode · Päan · Paignion · Paraklausithyron · Partheneion · Pindarische Ode · Priapea · Propemptikon · Prosodion · Sillen · Skolion · Technopaignion (Figurengedicht)
Mal. Lyrik: Frauendienst
Afrz./provenzalisch: Alba · Aubade (Alba) · Balada · Canso · Cansoneta (Canso) · Chanson · Chanson balladée (Virelai) · Chanson de toile · Chant royal · Congé · Dansa · Descort · Ensenhamen · Estampie · Lai · Pastorelle · Razo · Rondel · Rotrouenge · Senhal · Serena · Sirventes · Triolett · Trobador(lyrik) · Trouvère(lyrik) · Vers (Canso) · Vida · Virelai
Mhd. Lyrik: Dörperliche Dichtung · Erzähllied · Frauenstrophe (Minnesang) · Gegensang · Herbstlied · Höf. Dorfpoesie · Leich · Liebesgruß · Mädchenlied (Minnesang) · Meistersang · Merker · Minneklage (Minnesang) · Minnelied (Minnesang) · Minnelyrik (Minnesang) · Minneparodie (Minnesang) · Minnesang · Spruchdichtung · Tagelied · Wächterlied (Tagelied) · Wechsel
Italien. Formen: Ballata · Barzelletta · Caccia · Capitolo · Frottola · Gliommero · Kanzone · Kanzonetta · Madrigal · Ritornell · Serventese · Sestine · Sonett · Sonettenkranz · Strambotto · Villanelle
Iberische Formen: Canción · Cantiga · Endecha · Fado · Glosa · Letrilla · Lira · Rédondilla · Seguidilla · Silva · Villancico
Frz. Formen: Baguenaude · Bouts rimés · Chanson · Coq-à-l'âne · Couplet · Fatras · Iambes · Rondeau
Engl./angloamerik. Formen: Blues · Carol · Catch · Curtal sonnet · Lullaby · Roundel · Spiritual
Außereurop. lyr. Formen: Ghasel · Haiku · Hokku (Haiku) · Kasside · Rubai · Tanka
Lyriksammlungen: Cancioneiro · Canzoniere · Chansonnier · Diwan · Kommersbuch · Liederbuch · Liederhandschriften · Romanzero
Mischformen: Arkadische Poesie · Bukolische Dichtung · Ekloge · Hirtendichtung (Schäferdichtung) · Ossianische Dichtung · Prosagedicht · Schäferdichtung

Dramatik

Allgemeines: Aristotel. Dramatik (ep. Theater) · Comedia · Comédie · Commedia · Drama · Dramaturgie · Furcht und Mitleid · Komödie · Libretto · Lustspiel · Pantragismus · Schauspiel · Tetralogie · Tragik · Tragikomödie · Tragödie · Trauerspiel · Trilogie · Verfremdung · Verfremdungseffekt
Innere und äußere Strukturelemente: Akt · Anagnorisis · Aufzug · Botenbericht · Deus ex machina · Dreiakter · Drei Einheiten · Dumb show · Einakter · Epitasis · Erregendes Moment · Exposition · Fallhöhe · Fünfakter · Götterapparat · Hamartia · Handlung · Hybris · Intrige · Kanevas · Katastasis · Katastrophe · Katharsis · Konflikt · Krisis · Massenszenen · Nachspiel · Perioche · Peripetie · Plot · Protasis · Retardierendes Moment · Reyen · Spiel im Spiel · Ständeklausel · Szenarium · Szene · Teichoskopie · Vorspiel · Zwischenakt · Zwischenspiel
Bauformen: Analytisches Drama · Buchdrama (Lesedrama) · Duodrama · Ep. Theater · Figurendrama · Geschehnisdrama · Handlungsdrama (Figurendrama) · Lösungsdrama · Lesedrama · Lyr. Drama · Raumdrama (Figurendrama) · Stationendrama
Antikes Drama und Theater: 1. Allgemeines: Choreg · Choreut · Didaskalien · Dionysien · Ekkyklema · Fabula · Histrione · Hypokrites · Koryphaios · Kothurn · Ludi · Orchestra · Proskenion · Skene · Soccus · 2. Formen: Atellane · Crepidata · Dithyrambus · Hilarodie · Lysiodie (Hilarodie) · Magodie (Hilarodie) · Mimiamben · Mimus · Palliata · Phlyaken · Planipes · Praetexta · Simodie (Hilarodie) · Satyrspiel · Togata · 3. Strukturelemente: Amoibaion · Cantica · Chor · Diverbia · Embolima · Epeisodion · Epiparodos (Parodos) · Epirrhema · Exodos · Exodium · Monodie · Parabase · Parodos · Pnigos · Rhesis · Stasimon
Mittelalterl. Drama und Theater: 1. Geistl. Spiele: Adventsspiel · Apostelspiel · Auto · Auto sacramental · Dreikönigsspiel · Fronleichnamsspiel · Geistl. Spiel · Legendenspiel (Legende) · Mirakelspiel · Moralität · Mysterienspiel · Osterspiel · Paradiesspiel · Passionsspiel · Predigtspiel · Prophetenspiel · Prozessionsspiel · Sacra rappresentazione · Weihnachtsspiel · Weltgerichtsspiel · Zinnespiel (Moralität) · 2. Weltliche Spiele: Abele spelen · Cause grasse · Esbatement (Klucht) · Fastnachtspiel · Klucht · Neidhart-Spiele · Sotternie (Klucht) · Sottie – Dirigierrolle
Neuzeitliche Dramentypen: Bardiet · Biblisches Drama · Bürgerl. Trauerspiel · Charakterdrama · Charaktertragödie · Comédie rosse · Dokumentarspiel (Dok.-Lit.) · Elizabethan. Drama · Geschichtsdrama · Haupt- und Staatsaktionen · Haute tragédie · Historie · Histor. Drama (Geschichtsdrama) · Humanistendrama · Ideendrama · Jesuitendrama · Krippenspiel (Weihnachtssp.) · Künstlerdrama · Lehrstück · Märchendrama · Märtyrerdrama · Milieudrama · Problemstück · Proverbe dramatique · Reformationsdrama · Revolutionsdrama · Ritterdrama · Rührstück · Schicksalsdrama · Schlesisches Kunstdrama · Schuldrama · Soziales Drama · Thesenstück · Volksschauspiel · Volksstück · Zeitstück
Neuzeitl. Komödien und Kleinformen: Boulevardkomödie · Charakterkomödie · Comédie de moeurs (Sittenstück) · Comédie italienne · Comédie larmoyante · Comedy of humours · Comedy of manners · Commedia dell'arte · Commedia erudita · Konversationskomödie · Lokalstück · Mantel- und Degenstück · Sächsische Komödie · Salonstück · Sittenstück · Situationskomödie · Typenkomödie · Weinerl. Lustspiel
Antimasque · Burleske · Cavaiola · Christmas pantomimes · Entremés · Farce · Groteske · Hanswurstiade · Interlude · Lever de rideau (Vorspiel) · Loa · Paso · Posse

Dramatisch-musikal. Formen: Arie · Ballad opera · Burletta · Comédie ballett · Genero chico · Gesamtkunstwerk · Grand opéra · Jig · Masque · Melodram · Melodrama · Monodrama · Multimediaveranstaltung · Musikdrama · Musiktheater · Oper · Sainete · Singspiel · Vaudeville · Zarzuela · Zauberstück
Theatral.-szen. Grenzformen: Apotheose · Ausstattungsstück · Bluette · Féerie · Happening · Interludium (Intermezzo) · Intermedium (Intermezzo) · Intermezzo · Kabarett · Lebende Bilder · Maskenzüge · Revue · Sketch · Schattenspiel · Schembartlaufen · Tableau · Trionfi · Überbrettl

Theater

Allgemeines: Bühnenanweisungen · Bühnenmanuskript · Dramaturg · Erstaufführung · Inszenierung · Periochen · Regie · Theater · Theaterkritik · Theaterwissenschaft · Theaterzettel · Uraufführung · Welttheater
Bühne: Amphitheater · Badezellenbühne (Terenzbühne) · Bühne · Bühnenbild · Guckkastenbühne (Bühne) · Illusionsbühne · Kulissen · Maske · Pageant (Wagenbühne) · Periakten (Teraribühne) · Prospekt · Shakespearebühne · Simultanbühne · Soffitte · Stilbühne · Telaspearebühne · Simultanbühne · Soffitte · Stilbühne · Teraribühne · Terenzbühne · Theatermaschinerie · Thespiskarren · Wagenbühne
Figuren und Darstellung: Ad spectatores · Antagonist · À part (Beiseitesprechen) · Beiseitesprechen · Charakterrolle · Charge · Deuteragonist (Protagonist) · Dramatis personae · Extemporieren (Stegreifspiel) · Figurant · Hosenrolle · Mime · Protagonist · Rolle · Stegreifspiel · Tritagonist (Protagonist) · Typus
Komödienfiguren: Arlecchino · Bontemps · Bramarbas · Brighella · Capitano · Colombina · Crispin · Dottore · Gracioso · Guignol · Hanswurst · Harlekin · Jean Potage · Karagöz · Lustige Person · Pantalone · Parasit · Pickelhering · Pierrot · Pulcinella · Punch (Pulcinella) · Scapin · Skaramuz · Staberl · Tartaglia · Thaddädl · Truffaldino · Zani
Theaterformen: Absurdes Theater · Agitproptheater · Antitheater · Bauerntheater · Englische Komödianten · Experimentelles Theater · Festspiel · Freie Bühne · Freilichtheater · Grand Guignol · Heckentheater (Freilichttheater) · Hoftheater · Jahrmarktspiel · Kindertheater · Laienspiel · Liebhabertheater · Living Newspaper · Living Theatre · Meininger · Nationaltheater · Naturtheater (Freilichttheater) · Niederländ. Komödianten · Straßentheater · Theater der Grausamkeit · Théâtre libre · Thingspiele (Freilichttheater) · Volksbühne · Volkstheater · Wanderbühne · Wiener Volkstheater · Zimmertheater
Puppenspiel: Kasperltheater · Marionettentheater · Puppenspiel
Asiatisches Theater: Kabuki · Nó · Wayang

Epik

Allgemeines: Auktoriales Erzählen · Epik · Epische Gesetze der Volksdichtung · Epische Integration · Episches Praeteritum · Erlebte Rede · Erzähler (Epik, auktoriales, personales Erzählen) · Erzählforschung · Erzählkunst · Erzählzeit · Fiction · Heldendichtung · Heldensage · Historisches Präsens · Ich-Form · Innerer Monolog · Liedertheorie · Narrativik · Oral poetry · Personales Erzählen · Perspektive · Reminiszenz · Stream of consciousness · Tableau · Vorausdeutung
Epos: Epopöe · Epos · Epyllion · Fabel · Fürstenspiegel · Idylle · Komisches Epos · Lehrdichtung · Nationalepos · Tierepos (Tierdichtung) · Versepos · Verserzählung · Volksepos

Spezif. antike Formen: Aretalogie · Apolog · Epischer Zyklus · Heroiden · Katabasis · Metamorphosen · Orphische Dichtung
Spezif. mal. Formen: Artusdichtung · Âventiure · Boerde · Cantar · Chanson de geste · Chantefable · Dit · Fabliau · Heldenbuch · Heldenepos · Heldenlied · Höfische Dichtung · Höfisches Epos · Höfischer Roman · Lai narratif · Maere · Matière de Bretagne – Spel · Bylinen (russ.) · Makame (arab.)

Prosaroman

Inhaltl. definiert: Abenteuerroman · Amadisroman · Antiroman · Autobiograph. Roman · Avanturierroman · Bildungsroman · Biographischer Roman · College-Novel · Detektivroman · Entwicklungsroman · Erziehungsroman · Familienroman · Fashionable novel · Geheimbundroman · Gesellschaftsroman · Gothic novel · Heimkehrerroman · Hintertreppenroman · Historischer Roman · Historisch-galanter Roman · Indianerbücher · Kolportageroman · Kriminalroman · Künstlerroman · Landstreicherroman · Nouveau roman · Pikarischer Roman · Psychologischer Roman · Räuberroman · Reiseroman · Ritterroman · Robinsonade · Roman · Schauerroman · Schelmenroman · Science fiction · Simpliziade · Staatsroman · Thriller · Utopischer Roman · Vampirroman · Wildwestroman · Zeitroman · Zukunftsroman

Formal definiert: Briefroman · Dialogroman · Doppelroman · Fortsetzungsroman · Ich-Roman
Erzählerische Kurzprosa: Anekdote · Arabeske · Binnenerzählung · Capriccio · Chronikale Erzählung · Conte · Dorfgeschichte · Erzählung · Fazetie · Feengeschichten · Fragment · Gespenstergeschichte · Gesprächsspiel · Historische Erzählung · Humoreske · Kalendergeschichte · Kunstmärchen · Kurzgeschichte · Nachtstück · Novelle · Novellette · Paramythie · Rahmenerzählung · Schwank · Short story · Skizze

Prosa

Cursus · Klausel · Kunstprosa · Jambenfluß · Mischprosa · Prosa · Prosarhythmus · Prosimetrum · Reimprosa · Rhythmische Prosa
Spezif. antike Prosalit.: Commentarius · Confessiones · Diatribe · Doxographen · Ephemeriden · Hypomnemata · Logographen · Paränese · Periegesen · Soliloquium
Mittelalterl. Prosaliteratur: s. mittelalterl. Gebrauchsliteratur, Didaktik

Nicht-fiktionale Literatur

Apologie · Artikel · Autobiographie · Bericht · Biographie · Brief · Brouillon · Causerie · Diskurs · Elaborat · Epistel · Erörterung · Essay · Exposé · Feuilleton · Index · Lebenserinnerungen · Literaturbriefe · Manifest · Memoiren · Memorabilien · Monographie · Paratexte · Programm · Rede · Reisebericht · Reportage · Tagebuch · Tatsachenbericht (Bericht, Dokumentarlit.) · Vita · (s. auch: Anstands-, Erbauungs-, Dokumentarliteratur)

Archaische Poesie – Einfache Formen

Aitiologisch · Aufreihlied · Beschwörungsformel · Beichtformel · Brautwerbungssage · Carmen · Carmenstil · Eidformeln · Einfache Formen · Kasus · Katalogvers · Kultlied · Legende · Märchen · Memorabile · Merkdichtung · Mythe · Mythos · Paroimiographie · Preislied · Preisgedicht · Proverbium · Rätsel · Sage · Segen · Sprichwort · Taufgelöbnis · Theogonie · Totenbücher · Volkspoesie · Witz · Zauberspruch

Formeln, literar. Kurzformen

Aperçu · Aphorismus · Apophthegma · Bon mot · Calembour · Captatio benevolentiae · Chrie · Concetto · Dedikation · Demutsformel (Devotionsformel) · Denkspruch · Devise · Devotionsformel · Diktum · Epigramm · Floskel · Formel · Geflügelte Worte · Gemeinplatz · Gnome · Kalauer · Maxime · Merkvers (Merkdichtung) · Motto · Phrase · Pointe · Redensart · Reimformel (Formel) · Reimspruch · Schlagwort · Sentenz · Sinnspruch · Slogan · Titel · Wahlspruch · Wortspiel · Xenien · Zitat · Zwillingsformel

(Toten-)Klagen, Grabpoesie

Complainte · Danse macabre (Totentanz) · Dirge · Éloge · Elogium · Epikedeion · Epitaph · Epitaphios · Gräberpoesie · Klage · Kommos · Laudatio funebris · Nänie · Nekrolog · Planctus · Planh · Threnos · Totenklage · Totentanz · Tristien (Klage)

Religiöse Literatur

Andachtsbuch · Antichristdichtung · Apokalypse · Apokryphen · Ars moriendi · Bibelepik · Bibelübersetzung · Biblia typologica · Bilderbibel · Brevier · Consolatio · Deutschordensdichtung · Epistolar · Erbauungsliteratur · Evangeliar · Evangelienharmonie · Evangelistar · Geistl. Dichtung · Geistl. Epik · Heilsspiegel · Historienbibel · Jeremiade · Lektion · Mariendichtung · Messiade · Missale · Patriarchade · Postille · Predigt · Reimbibel · Reimpredigt · Sermo · Speculum · Spiegel · Summa · Stundenbuch · Traktat · Trostbücher
Liturg.-musikal. Formen: Antiphon · Cantica · Cantilène · Cantio · Choral · Conductus · Geißlerlieder · Geistl. Lyrik · Hymne · Kirchenlied · Lauda · Leis · Modus · Motet · Perikope · Psalmen · Psalter · Sequenz · Tropus · Versikel

Mittelalterliche Didaktik

Bestiarium · Bîspel · Büchlein · Ehrenrede · Exempel · Heroldsdichtung · Lapidarium · Minneallegorie · Minnebrief · Minnelehre · Minnerede · Predigtmärlein · Priamel · Pritschmeisterdichtung · Reimrede · Salut d'amour · Schach(zabel)buch · Spruch · Spruchdichtung · Wappendichtung (Heroldsdichtung)

Mittelalterl. Gebrauchsliteratur

Artes(-literatur) · Ars dictandi · Cisiojanus · Epistolographie · Fachprosa (mal.) · Formelbücher · (Sieben) freie Künste (Artes) · Itinerarium · Losbuch – Quadrivium · Trivium

Anstandsliteratur

Anstandsliteratur · Briefsteller · Ehestandsliteratur · Grobianismus · Hofzucht · Komplimentierbuch · Tischzucht

Streitliteratur, Satire

Antike: Agon · Altercatio · Arai · Dirae · Eristik · Philippika · Satura · Synkrisis
MA.: Blason · Conflictus · Contrasto · Débat · Dichterfehde · Disputatio · Hymne-blason · Jeu parti · Joc partit (Jeu parti) · Partimen · Tenzone · Tornejamen (Tenzone)
Neuzeit: Alamodeliteratur · Dunciade · Famosschrift · Invektive · Kapuzinade · Karikatur · Literatursatire · Literaturstreit · Pamphlet · Parodie · Pasquill · Pastiche · Persiflage · Querelle des anciens et des modernes · Satire · Scheltspruch · Streitgedicht · Streitgespräch · Totengespräche · Travestie · Xenien

Geschichtsdarstellungen

Annalen · Charta · Chronik · Fasti · Geschichtsklitterung · Gesta · Historie · Reimchronik · Weltchronik (Chronik)

Bild-Wort-Formen

Bilderbogen · Bildergeschichte · Comics · Emblem · Fotoroman (Bildergeschichte) · Imprese · Titulus · Totentanz · Visuelle Dichtung

Buchstaben- und Klangspiele

Abecedarium · Akrostichon · Akroteleuton · Anazyklisch · Audition colorée · Chronogramm · Etym · Klanggestalt · Lautmalerei · Leipo-(lipo)grammatisch · Melos · Mesostichon · Palindrom · Pangrammatisch · Paragramm · Rebus · Synästhesie · Telestichon

Abstrakte (konkrete) Dichtung u. ä.

Absolute Dichtung · Abstrakte Dichtung · Akustische Dichtung · Aleatorische Dichtung · Artikulation · Automatische Texte · Autonome Dichtung (Absolute Dichtung) · Collage · Computerliteratur · Computertexte · Crossreading · Cut-up-Methode · Écriture automatique · Elementare Dichtung · Konfiguration · Konkrete Dichtung · Konsequente Dichtung · Konstellation · Lautgedicht · Lettrismus · Materialer Text · Merzdichtung · Mischformen · Montage · Operationelle Literatur · Permutation · Reduzierter Text · Sehtext · Simultantechnik · Statisches Gedicht · Visuelle Dichtung · Wortkunst · Würfeltexte

Nonsense-Dichtung

Baguenaude · Clerihew · Donquichottiade · Klapphornverse · Leberreim · Limerick · Lügendichtung · Makkaronische Dichtung · Münchhausiade · Pedanteske Dichtung · Unsinnspoesie

Kinder- und Jugendliteratur

ABC-Buch · Bilderbuch · Fibel · Kinder- und Jugendliteratur · Lesebuch · Mädchenliteratur

Funk/Fernsehen

Aufriß · Drehbuch · Feature · Fernsehspiel · Funkerzählung · Hörbericht · Hörbild · Hörfolge · Hörspiel · Rundfunkkantate

Klassifizierungen

Nach Verfasser oder Zielgruppen: Arbeiterliteratur · Ausländerliteratur · Freimaurerdichtung · Frauendichtung · Geistlichendichtung · Hofdichtung · Jesuitendichtung · Spielmannsdichtung · Vagantendichtung
Nach dem Inhalt: (Antikisierende Dichtung) · Antiquarische Dichtung · Bauerndichtung · Bildungsdichtung · Blut- und Boden-Dichtung · Emblemliteratur · Erlebnisdichtung · Erotische Literatur · Existentialistische Literatur · Fantasy-Literatur · Galante Dichtung · Geschichtsdichtung · Graziendichtung · Großstadtdichtung · Heimatliteratur · Horrorliteratur · Kreuzzugsdichtung · Kriegsdichtung · Liebesdichtung · Narrenliteratur · Orientalisierende Dichtung · Orphische Dichtung · Poésie fugitive · Reformationsliteratur · Traum-Literatur
Nach sprachlichen und formalen Aspekten: Dokumentarliteratur · Experimentelle Literatur · Faction Prosa · Hermetische Literatur · Mundartdichtung · Neulat. Dichtung · Onomatopoietische Dichtung · Pop-Literatur · Rhythmische Dichtung

Nach (zeittypischen) Wertkategorien: Alternative Literatur · Belletristik · Epigonale Literatur · Dekadenzdichtung · Obszöne Literatur · Pornographische Literatur · Schöngeistige Literatur · Schundliteratur · Trivialliteratur · Undergroundliteratur · Unterhaltungsliteratur
Nach Wirkabsichten (Tendenzen): Ankunftsliteratur · Bekenntnisdichtung · Engagierte Literatur · Freiheitsdichtung · Gebrauchsliteratur · Gesellschaftskritische Dichtung · Gesellschaftsdichtung · Littérature engagée · Politische Dichtung · Résistance-Literatur · Schlüsselliteratur · Soziale Dichtung · Tendenzdichtung · Vaterländische Dichtung
Nach Entstehungsbedingungen: Exilliteratur · Gelegenheitsdichtung · Kahlschlagliteratur · Rotationsromane · Trümmerliteratur

Epochen und Strömungen (s. auch Dichterkreise)

Dekade · Epoche – Antike · Goldene Latinität · Hellenismus · Silberne Latinität – Germanische Dichtung – Frühmhd. Literatur · Historismus · Karolingische Renaissance · Staufische Klassik · Latinitas – Humanismus · Mystik · Renaissance
16./17. Jh.: Barock · Conceptismo · Euphuismus · Gongorismus · Manierismus · Marinismus · Preziöse Literatur
18. Jh.: Aufklärung · Anakreontik · Deutsche Bewegung · Empfindsamkeit · Geniezeit · Keltische Renaissance · Pietismus · Rokoko · Sturm und Drang · Weimarer Klassik
Ende 18./Anfang 19. Jh.: Biedermeier · Byronismus · Dandyismus · Junges Deutschland · Philhellenismus · Romantik · Schwarze Romantik · Vormärz
Mitte 19./Anfang 20. Jh.: Fin de siècle · Gründerzeitliteratur · Heimatkunst · Impressionismus · Jugendstil · Jüngstes Deutschland · Literaturrevolution · Modernismo · Naturalismus · Neuklassizismus · Neuromantik · Realismus · Regionalismus · Symbolismus · Verismus
20. Jh.: Akmeismus · Aktivismus · Creacionismo · Dadaismus · Egofuturismus (Futurismus) · Expressionismus · Poststrukturalismus · Formalismus · Futurismus · Georgian Poetry · Hermetismus · Humanistische Front · Imagismus · Konstruktivismus · Kritischer Realismus · Magischer Realismus · Neorealismo · Neue Sachlichkeit · Poetismus · Populismus · Poststrukturalismus · Proletkult · Renouveau catholique · Sozialistischer Realismus · Surrealismus · Ultraismus · Unanimismus · Vortizismus – Avantgarde

Altnordische Literatur

Drapa · Drottkvaett · Eddische Dichtung · Ereignislied · Fornaldarsaga · Fornyrðislag · Gelfrede · Heiti · Helming · Hending · Hrynhent · Kenning · Kviðuháttr · Ljóðaháttr · Malaháttr · Saga · Sagastil · Situationslied · Skaldendichtung

Keltische Dichtung

Cynghanedd · Cywydd · Dyfalu · Englyn · Eisteddfod · Keltische Renaissance

Jiddische Literatur

Negritude

Metrik

Allgemeines: Akatalektisch · Akephal · Akzentuierendes Versprinzip · Anakrusis · Anceps · Antilabe · Arsis

(Hebung) · Asynaphie · Auftakt · Beschwerte Hebung · Brechung · Bukolische Dihärese · Dihärese · Dikatalektisch · Distichisch · Distrophisch · Eingangssenkung · Enjambement · Fermate · Fugung (Synaphie) · Gebundene Rede · Hakenstil · Hebung · Hebungsspaltung · Hemistichion · Hephthemimeres · Hyperkatalektisch · Iktus · Isometrie · Kadenz · Katalektisch · Kata metron · Kata triton trochaion (Hexameter) · Kolometrie · Langzeile · Metrik · Metrum · Monostrophisch · Mora · Pause · Penthemimeres · Polymetrie · Prokephal · Prosarhythmus · Quantitierendes Versprinzip · Reimbrechung (Brechung) · Reimpaarsprung · Rhythmus · Senkungsspaltung · Schwellvers · Silbenzählendes Versprinzip · Stichisch · Stichometrie · Stichomythie · Stichreim · Strophe · Strophensprung · Synaphie · Takt · Taktmetrik · Thesis (Hebung) · Tonbeugung · Triade · Trithemimeres · Vers · Versfuß · Zäsur · Zeilenstil
Prosodie: Akzent · Aphärese · Apokope · Diastole (Systole) · Elision · Epenthese · Hiat · Krasis · Kürze (Länge) · Länge · Metaplasmus · Positionslänge (Prosodie) · Prosodie · Quantität · Schwebende Betonung · Senkung · Synalöphe · Synkope · Synizese · Systole · Tonbeugung
Versmaße: Adoneus · Alternierende Versmaße · Amphybrachys · Anapäst · Bakcheus · Brachysyllabus · Choriambus · Choreus (Trochäus) · Daktylus · Dibrachys (Pyrrhichius) · Dikretikus · Dipodie · Dochmius · Epitrit · Hypodochmius · Ionikus · Jambus · Kretikus · Molossus · Monopodie · Palimbacchius (Bacchius) · Päon · Prokeleusmatikus · Pyrrhichius · Spondeus · Tribrachys · Tripodie · Trochäus

Verse

Antike Verse: Alkäische Verse · Anakreonteus · Antiker Vers · Äolische Versmaße · Archebuleus · Archilochische Verse · Archilochius · Aristophaneus · Asynarteten · Choliambus · Daktyloepitrit · Dimeter · Elegiambus · Enkomiologikus · Enoplios · Epodos (Epode) · Eupolideus · Euripideus · Galliambus · Glykoneus · Hinkjambus (Choliambus) · Hemiepes · Heptameter · Hexameter · Hipponakteus · Hypermeter · Iambelegus · Ithyphallikus · Keulenvers · Kratineus · Lekythion · Logaödische Reihen · Monometer · Oktonar · Paroimiakus · Pentameter · Phalaikeius · Pherekrateus · Priapeus · Prosodiakus · Reizianus · Saturnier · Senar · Septenar · Sotadeus · Spondeiazon · Spondiacus · Telesilleus · Tetrameter · Trimeter · Wilamowitzianus
Europ. Verse seit dem MA: Abvers · Alexandriner · Anvers · Arte major · Arte menor · Blankvers · Dekasyllabus · Doggerel verse · Eigenrhythmische Verse · Endecasillabo · Flickvers · Freie Rhythmen · Freie Verse · Hendekasyllabus · Heroic verse · Hymnenvers · Knittelvers · Langvers · Leoninischer Vers · Politischer Vers · Proteusvers (Permutation) · Reimvers · Sagvers · Stabreimvers · Vagantenzeile · Vers commun · Vers libre · Versi sciolti · Vierheber
Versgruppen: Abgesang · Aufgesang · Cauda (Coda) · Coda · Dreiversgruppe · Envoi · Epanastrophe · Fronte (Stollenstrophe, Aufgesang) · Gegenrefrain · Geleit · Kehrreim (Refrain) · Quartett · Quartrein · Oktett · Refrain · Stollen · Terzett · Terzine · Tornada · Vierzeiler

Strophen

Antike: Alkäische Strophe (Odenmaße) · Antistrophe · Antode · Archilochische Strophen (Odenmaße) · Asklepiadeische Strophen (Odenmaße) · Distichon · Elegeion (Distichon) · Epode · Hipponakteische Strophe · Mesodos (Proodos) · Monodistichon · Odenmaße · Proodos · Sapphische Strophe

MA: Bar · Berner Ton · Cobla · Gebäude · Gesetz · Hildebrandston · Kudrunstrophe · Kürenbergstrophe (Nibelungenstrophe) · Laisse · Meistersangstrophe · Morolfstrophe · Nibelungenstrophe · Rabenschlachtstrophe · Reien(-Strophe) · Stollenstrophe · Tirade (Laisse) · Tirolstrophe · Titurelstrophe · Ton · Walther-Hildegundstrophe
Strophen seit dem MA: Burns stanza · Chaucer-Strophe · Chevy-Chase-Strophe · Common metre · Copla · Couplet · Cuaderna via · Heroic couplet · Kanzonenstrophe (Stollenstrophe) · Nonarime · Oktave (Stanze) · Ottaverime (Stanze) · Periodenstrophe · Pie quebrado · Poulter's measure · Redondilla · Rhyme royal (Chaucer-Strophe) · Siziliane · Stanze
Strophen der Neuzeit: Dezime · Dizain · Douzain · Espinelas (Dezime) · Heroic stanza · Huitain · Jambes · Lira · Quintilla · Spenserstanze
Außereurop. Metrik: Beit (arab.) · Schloka (ind.)

Reim

Alliteration · Anfangsreim · Assonanz · Augenreim · Binnenreim · Doppelreim · Dreireim · Einreim · Endreim · Endsilbenreim · Erweiterter Reim · Fermatenreim · Gebände · Gebrochener Reim · Gespaltener Reim · Gleichklang · Gleitender Reim · Grammatischer Reim · Halbreim (unreiner Reim) · Historischer Reim · Identischer (rührender) Reim · Inreim · Kettenreim · Klangreim · Klingender Reim · Korn(reim) · Kreuzreim · Lautreim (Alliteration) · Männlicher Reim · Mittelreim · Mittenreim · Paarreim · Pausenreim · Reicher Reim · Reimhäufung · Reimpaar · Reimschema · Reiner Reim · Responsion · Rührender Reim · Schlagreim · Schüttelreim · Schweifreim · Silbenreim · Stabreim · Stammsilbenreim · Tiradenreim (Einreim) · Übergehender (überschlagender) Reim · Umarmender Reim · Unreiner Reim · Unterbrochener Reim · Verschränkter Kreuzreim · Waise · Weiblicher Reim · Zäsurreim

Poetik (s. auch Epik, Dramatik, Rhetorik, Metrik)

Aemulatio · Antiheld · Dichten · Dichtung · Document humain · Dramatisch · Episch · Falkentheorie · Fiktion · Formenlehre · Gattungen · Gehalt und Gestalt · Held · Imitation · Laokoon-Problem · Linguist. Poetik · Literatur · Lyrisch · Mimesis · Nachahmung · Naturformen der Dichtung · Poesie · Poetik · Poetische Lizenz · Poetizitätsgrad · Positiver Held · Stoff · Textsorten · Texttheorie · Ut-pictura-poesis

Bilder (s. auch Metaphorik, Tropen)

Allegorie · Archetypus · Beispiel · Bild · Blaue Blume · Genrebild · Gleichnis · Locus amoenus · Parabel · Paradigma · Personifikation · Symbol · Symbolik · Topos · Urbild · Vergleich

Rhetorik

Abbreviatio · Ambiguität · Ambivalenz · Amphibolie (Ambiguität) · Amplificatio · Argumentatio · Articulus · Bathos · Beschreibung · Conclusio · Cursus · Descriptio · Disposition · Ekphrasis · Epideixis · Epitheton · Euphonie · Exordium · Figur · Flores rhetoricales · Geblümter Stil · Genera dicendi · Gestus · Gorgianische Figuren · Homogramme · Homoiarkton · Homoiprophoron · Homoioptoton · Homoioteleuton · Homonyme · Inkonzinnität · Inzision · Isokolon · Kakophonie · Klausel · Kolon · Komma · Konzinnität · Metabole · Musenanruf · Numerus · Onomatopoie · Ornatus · Paradoxon · Par-

omoion · Pathos · Periode · Peroratio · Pleonasmus · Propositio · Rhetorik · Rhetorische Figuren · Syntagma · Tautologie · Variation
Rhetorische Figuren: Accumulatio · Adjunctio · Amplificatio · Anadiplose · Anaklasis · Anakoluth · Anantapodoton · Anapher · Anastrophe (Inversion) · Annominatio (Paronomasie) · Antiklimax · Antimetabole · Antithese · Antizipation · Apokoinou · Aporie (Dubitatio) · Aposiopese · Apostrophe · Aprosdoketon · Ascensus (Klimax) · Asyndeton · Brachylogie · Chiasmus · Complexio · Correctio · Constructio ad sensum · Dialogismus · Diaphora · Deprecatio · Digression · Distributio · Dubitatio · Duplicatio · Ellipse · Enallage · Enumeratio (Accumulatio) · Epanadiplosis · Epanalepsis · Epanastrophe (Anadiplose) · Epanodos · Epexegese · Epipher · Epiphrasis · Epiploke · Epizeuxis · Ethopoeie · Exclamatio · Exkurs · Figura etymologica · Geminatio · Gradatio · Hendiadyoin · Hypallage (Enallage) · Hyperbaton · Hyperoché · Hysteron proteron · Incrementum · Interiectio · Inversion · Invocatio · Iteratio · Klimax · Kyklos · Meiosis · Occupatio · Oppositio · Oxymoron · Paralipse · Parallelismus · Parechese (Paronomasie) · Parenthese · Paronomasie · Polyptoton · Polysyndeton · Praeteritio · Prolepsis · Prosopoeie (Ethopoeie) · Sermocinatio · Sperrung · Syllepsis (Zeugma) · Symploke · Synesis · Tmesis · Zeugma
Tropen: Allegorie · Antonomasie · Adynaton · Antiphrasis · Akyrologie · Circumlocutio · Emphase · Euphemismus · Hypostase · Hyperbel · Ironie · Katachrese · Litotes · Metonymie · Metapher · Metaphorik · Metonomasie · Metalepsis · Pars pro toto · Periphrase · Synekdoché · Tropus

Stil (s. auch Rhetorik)

Abundanz · Anachronismus · Aphoristischer Stil · Asianismus · Attizismus · Brachylogie · Camouflage · Ciceronianismus · Dolce stil nuovo · Elegantia · Epochenstil (Stil) · Füllwort · Hypotaxe · Individualstil (Stil) · Lakonismus · Lapidarstil · Manier · Nominalstil · Parataxe · Schwulst · Sekundenstil · Stil · Stilanalyse (Stil, Stilistik) · Stilblüte · Stilbruch · Stilgeschichte · Stilisierung · Stilistik · Stilmittel · Spannung · Tautazismus · Telegrammstil · Trobar clus · Trobar ric · Trobar leu · Verbalstil

Bauelemente, Strukturen

Anspielung · Argumentum · Atektonisch · Aufbau · Canto · Dialog · Direkte Rede · Einleitung · Epilog · Epimythion · Episode · Fitte · Form · Funktionalität der Teile · Gesang · Geschlossene Form · Gespräch · Indirekte Rede · Innere Form · Inquit-Formel · Kapitel · Komposition · Leitmotiv · Monolog · Motiv · Natureingang · Offene Form · Prolegomena · Prolog · Proömium · Situationsfunktion · Sphragis · Struktur · Tektonisch · Widmung · Zahlenproportionen · Zyklus

Textbearbeitungen

Adap(ta)tion · Bearbeitung · Bühnenbearbeitung · Dialogisierung · Dramatisierung · Kontrafaktur · Metaphrase · Nachdichtung · Paraphrase · Prosaauflösung · Übersetzung

Literaturwissenschaft, Computerunterstützte Literaturforschung

Deutsche Philologie · Deutschkunde · Dichtungswissenschaft · Ecriture féminine · Geistesgeschichte · Germanische Altertumskunde · Germanische Philologie · Germanist · Germanistik · Humaniora · Literarische Wertung · Literaturdidaktik · Literaturgeschichte · Literaturkritik · Literatursoziologie · Literaturtheorie · Literaturwissenschaft · Mediaevistik · Mediengermanistik · Mentalitäts-forschung · Methodologie · Morphologische Literaturwis-senschaft · Nationalliteratur · Neuphilologie · New Criti-cism · Philologie · Positivistische Literaturwissenschaft · Primärliteratur · Problemgeschichte · Sekundärliteratur · Semiotik · Stoffgeschichte · Strukturalismus · Verglei-chende Literaturwissenschaft · Wechselseitige Erhellung · Weltliteratur · Textphilologie · Widerspiegelungstheorie

Textphilologie (s. auch Buch, Interpretation)

Textelemente: Abbreviaturen · Abkürzung · Akronym · Dittographie · Explicit · Fassung · Hapax legomenon · Haplographie · Incipit · Initia · Interlinearversion · Inter-polation · Kolophon · Kontamination · Korruptel · Mar-ginalien · Nota · Paragraph
Editorisches: Ad usum delphini · Anmerkungen · Appa-rat · Appendix · Asteriskus · Athetese · Ausgabe · Aus-gabe letzter Hand · Bibliographie · Biobibliographie · Conspectus siglorum · Crux · Datierung · Editio castigata · Editio definitiva · Editio spuria · Edition · Editionstech-nik · Einzelausgabe · Emendation · Erstausgabe · Erst-druck · Erstlingsdruck · Fußnote · Gesammelte Werke · Gesamtausgabe · Glossar · Glossen · Historisch-kritische Ausgabe · Kollation · Kommentar · Konjektur · Konkor-danz · Kritische Ausgabe · Lectio difficilior · Lemma · Lesart · Nomenklatur · Personalbibliographie · Phraseo-logie · Quelle · Redaktion · Register · Rezension · Scho-lien · Sigle · Stemma · Synopse · Terminologie · Textkritik · Überlieferung · Variante · Version

Rezeption

Erwartungshorizont · Identifikation · Informationsästhe-tik · Kode · Leser · Lesergeschichte · Rezeption · Wir-kungsästhetik

Interpretation

Allegorese · Analyse · Dialogizität · Diskursanalyse · Dis-kursdiskusssion · Einfühlung · Exegese · Euhemerismus · Figuraldeutung · Gradualismus · Hermeneutik · Ideolo-giekritik · Interpretation · Intertextualität · Kontextualität · Kommunikationsforschung · Literalsinn · Paradigmen-wechsel · Postfiguration · Präfiguration · Propädeutik · Schriftsinn · Synthese · Typologie · Werkimmanent · Werktreue

Ästhetische Begriffe

Apollinisch · Arbiter litterarum · L'art pour l'art · Ästhetik · Ästhetizismus · Dionysisch · Eklektizismus · Kitsch · Klassik · Klassisch · Klassizismus · Das Komische · Lite-rarische Geschmacksbildung · Melancholie · Naiv und sentimentalisch · Poesie pure · Schöne Seele · Situations-komik · Utopie

Geistige Haltungen

Egotismus · Elfenbeinturm · Eskapismus · Exotismus · Humor · Innerlichkeit · Ironie · Nostalgie · Satanismus · Schwarzer Humor · Sensualismus · Weltschmerz · Zynis-mus

Politisch-gesellschaft. Aspekte

Bitterfelder Weg · Bücherverbrennung · Esoterisch · Exil-literatur · Exoterisch · Innere Emigration · Kultbuch · Kulturindustrie · Parteilichkeit · Publikum · Samisdat · Tauwetter · Zensur

Dichter und Schriftsteller

Aöde · Aschug · Barde · Bohème · Bühnendichter · Chan-sonnier · Diaskeuast · Dichter · Dichterkrönung · Dilet-tant · Doppelbegabung · Fahrende · Ghostwriter · Goliar-den · Hofdichter · Homeriden · Joculator · Liedermacher · Ménestrel · Minnesänger · Minstrel · Poeta doctus · Poeta eruditus · Poeta laureatus · Poeta vates · Poëte mau-dit · Rhapsode · Schriftsteller · Skalde · Skop · Spielmann · Theaterdichter · Trobador · Trouvère · Vaganten

Pseudonymik

Adespota · Allonym · Anagramm · Ananym · Anonym · Aristonym · Ascetonym · Asteronym · Autonym · Chiffre · Deckname · Fälschungen · Geonym · Kryptogramm · Kryptonym · Mystifikation · Nom de guerre · Nom de plume · Orthonym · Phraseonym · Phrenonym · Plagiat · Prenonym · Pseudandronym · Pseudepigraphen · Pseudo-gynym · Pseudonym · Sideronym · Stigmonym · Telonis-nym · Titlonym · Traductionym

Gesellige und programmatische Dichter- und Schriftstellerkreise

Antike: Neoteriker · Pleias · Scipionenkreis
MA: Basoche · Blumenspiele · Cour d'amours · Enfants sans souci · Gai saber · Minnehof (Cour d'amour) · Pas-sionsbruderschaften · Puy
15./16. Jh.: École lyonnaise · Rederijkers · Rhétoriqueurs · Pléiade (frz.) · University wits
17. Jh.: Cavalier Poets · Königsberger Dichterkreis · Metaphysical poets · Moralisten · Muiderkring · Pegnitz-schäfer · Pindaristen · Schlesische Dichterschule · Sprach-gesellschaften
18. Jh.: Bremer Beiträger · Connecticut wits · Darmstädter Kreis · Enzyklopädisten · Freitagsgesellschaft · Göttinger Hain · Hallesche Dichterkreise · Hartford wits (Connecti-cut wits) · Kreis von Münster
Anf. 19. Jh. (Romantik): Arzamas · Cénacle · Christl.-Deutsche Tischgesellschaft · Gotischer Bund · Lake School · Nordsternbund · Phosphoristen · Plejade (russ.) · Schwäbische Romantik
19. Jh.: Dekabristen · Durch · École romane · Fabian Society · Félibrige · Friedrichshagener Dichterkreis · Iduna · Imaginisten · Jung Wien · Kreis von Medan · Kro-kodil · Ludlamshöhle · Maikäferbund · Münchner Dich-terkreis · Parnassiens · Scapigliatura · Tunnel über der Spree
20. Jh.: Aeternisten · Aktionskreis · Angry young men · Beat generation · Bloomsbury group · Charonkreis · Cre-puscolari · Darmstädter Kreis · École fantaisiste · Forum Stadtpark · Frankfurter Forum f. Literatur · Fugitives · Generation von 98 · Georgekreis · Gruppe 1925 · Gruppe 47 · Gruppe 61 · Gruppo 63 · Kölner Schule · Kosmisten · Lef · Literarisches Colloquium · Lost generation · Muck-rakers · Nylandkreis · Sturmkreis · Stuttgarter Schule · Vorpostler · Werkkreis Literatur d. Arbeitswelt · Wiener Gruppe · Salon · Symposion

Literarische Institutionen

Akademie · Antiquariat · Bibliothek · Börsenverein des dt. Buchhandels · Buchgemeinschaften · Buchhandel · Buch-messen · Deutsche Gesellschaften · Deutscher Sprachver-ein · Gesellschaft für Dt. Sprache (Dt. Sprachverein) · Lek-tor · Lesegesellschaft(en) · Literarische Gesellschaften · Literaturarchiv · Literaturpreis · Mäzenatentum · Natio-nale Forschungs- und Gedenkstätten der klass. dt. Literatur in Weimar (NFG) · Nobelpreis · P.E.N. · Schriftstellerver-bände · Verlag

Buch

Anopisthographon · Auflage · Aushängebogen · Bestseller · Beutelbuch · Bibliophilie · Blockbuch · Buch · Buchdruck · Buchillustration · Caput · Chapbooks · Corrigenda · Diplomat. Abdruck · Errata · Erscheinungsjahr` · Erscheinungsort · Faksimile · Frontispiz · Groschenhefte · Inkunabel · ISBN · Kodex · Kustode · Nachdruck · Neudruck · Opisthographon · Raubdruck · Volksbuch · Volumen **Andere Publikationsformen:** Autograph · Bilderbogen · Einblattdruck · Fliegende Blätter · Flugblatt · Flugschrift · Handschrift · Manuskript · Original · Palimpsest · Sammelhandschrift · Urschrift

Periodika

Almanach · Familienblätter · Intelligenzblätter · Kalender · Literarische Zeitschriften · Meßkatalog · Moralische Wochenschriften · Periodika · Praktik · Taschenbuch · Verlagsalmanach · Zeitschrift · Zeitung

Sammel- und Nachschlagewerke

Acta · Album · Analekten · Anthologie · Blütenlese · Centiloquium · Chrestomathie · Clavis · Corpus · Dictionarium · Enchiridion · Enzyklopädie · Epitome · Exzerpt · Fachbuch · Florilegium · Gradus ad Parnassum · Hamâsa · Institutionen · Isagoge · Kanon · Katalekten · Katalog · Kladde · Kollektaneen · Kompendium · Kompilation · Konversationslexikon · Leimonliteratur · Lexikon · Literaturatlas · Literaturkalender · Literaturlexikon · Magazin · Miszellen · Musenalmanach · Nachlese · Onomastikon · Paralipomena · Parerga · Pinakes · Reallexikon · Reimlexikon · Repertorium · Sachbuch · Silvae · Stammbuch · Summarium · Thesaurus · Vademekum

Schrift

Alphabet · Bustrophedon · Dexiographie · Inschrift · Runen · Schrift · Stoichedon

Sprache

Anglizismus · Antibarbarus · Archaismus · Barbarismus · Gallizismus · Germanismus · Gräzismus · Hochsprache · Küchenlatein · Latinismus · Literatursprache · Neologismus · Purismus · Schriftsprache · Solözismus · Sondersprachen · Sprache

Benutzerhinweise

1. Findet sich ein **Stichwort** (Lemma) nicht unter dem jeweiligen Bestimmungswort, suche man beim Grundwort, z. B. Deutsche Bibliothek unter Bibliothek, Marienpreis, -lob, -gruß, -klage, -leben unter Mariendichtung usw.

2. Auch **Schreib-Varianten** sind nicht als eigene Stichwörter aufgeführt. Steht ein Stichwort nicht unter C, suche man unter K oder Z und umgekehrt, etwa bei Creticus/Kretikus, Caesur/Zäsur, Codex/Kodex, Konzetto/Concetto, Kyklos/Zyklus, ebenso etwa auch Dekadenz/Decadence, makkaronische/maccaronische Dichtung.

3. Nicht ins **Verweissystem** aufgenommen wurden synonyme Stichwörter, die sich aus sich selbst erkären oder lediglich Übersetzungen sind, z. B. Kanzelrede für Predigt, unzüchtige Schriften für Pornographie, Versuch für Essay.

4. **Verweiszeichen** stehen auch vor flektierten Formen.

5. Das **Lemma** erscheint **im Text** abgekürzt: z. B. A. für Akzent.

6. **Abkürzungen** richten sich nach Duden; ein Großteil wird sich ohnedies aus dem Kontext von selbst verstehen (s. auch Abkürzungsverz. S. 493).

7. Eine **Genusangabe** steht nur bei fremdsprachlichen Wörtern (m. = mask., f. = fem., n. = neutr.), ebenso Betonungszeichen: $\underline{e}$ = lang, ę = kurz.

8. **Sekundärliteratur** ist aus Platzgründen meist nur einmal, beim Grundwort oder übergeordneten Stichwort, aufgeführt. In der Regel sind nur jüngere Werke verzeichnet, deren Bibliographie auch Auskunft über ältere Werke gibt. – Die Literaturliste im Anhang beschränkt sich auf eine überschaubare Auswahl weiterführender Werke.

9. **Vers-Schemata** antiker und neuerer Dichtung sind in dem üblichen Längen-Kürzen-System notiert (–◡). Für die mittelalterliche Literatur wurde das System A. Heuslers übernommen (x́x = ´); ◡ oder ◡̌ bezeichnen eine ∕anceps-Silbe; in nicht-antiken Schemata kann dafür auch x gesetzt sein. 4ka heißt: ein vierhebiger Vers mit klingender Kadenz auf Reim a.

10. **Reim-Schemata** sind mit Kleinbuchstaben, ∕Refrain- und ∕Geleitzeilen mit Großbuchstaben markiert.

11. Besondere Schriftzeichen:
á, ó: im Altnord. = langes a, o
æ: Ligatur (Verbindung) von a und e für langes ä
ð ≙ engl. stimmhaft th
þ ≙ engl. stimmlos th

12. Der Orientierung innerhalb eines **Sachgebietes** dienen sowohl die internen Verweise als auch die Übersicht über die Sachgebiete (S. 513 ff.), welche auch einen Eindruck zu geben vermag von den Schwierigkeiten einer Systematisierung und Klassifizierung. Die Einteilung wurde aus sachgegebenen Zwängen großmaschig angelegt, zumal bei einer feineren Strukturierung viele Begriffe mehrfach aufgeführt werden müßten.

Abkürzungsverzeichnis

Stets abgekürzt werden die Endungen -lich, -isch, -ig (auch flektiert)

Abh.	Abhandlung(en)	Jg.	Jahrgang
ags.	angelsächsisch	Jh.	Jahrhundert
ahd.	althochdeutsch	Jt.	Jahrtausend
alem.	alemannisch	kath.	katholisch
Aufl.	Auflage (^{3}1970 = 3. Aufl. 1970)	k, kl.	klingende ⤸Kadenz
Bd., Bde.	Band, Bände	lat.	lateinisch
Ber.	Bericht(e)	LB.	Landesbibliothek
Bez., Bezz.	Bezeichnung(en)	Lit.	Literatur
Bibliogr.	Bibliographie	m.	maskulinum
Bll.	Blätter	m	männl. ⤴Kadenz
bzw.	beziehungsweise	MA.	Mittelalter
c.	Carmen, Carmina	mal.	mittelalterlich
ca.	circa	ms.	manu scriptum = mit der Hand
dgl.	dergleichen		Geschriebenes; Manuskript
d. h.	das heißt	mhd.	mittelhochdeutsch
d. i.	das ist	mlat.	mittellateinisch
Diss.	Dissertation	n.	neutrum
dt.	deutsch	nb.	nota bene (lat.) – merke wohl!
Ed.	Edition, Editor	ndt.	niederdeutsch
ed.	ediert	nhd.	neuhochdeutsch
Einf.	Einführung	niederl.	niederländisch
Einl.	Einleitung	nlat.	neulateinisch
europ.	europäisch	n. Chr.	nach Christi (Geburt)
ev.	evangelisch	österr.	österreichisch
f., ff.	folgend(e)	Pl.	Plural
f.	femininum	port.	portugiesisch
Fg.	Festgabe	prov.	provenzalisch
fol.	lat. folium = Blatt oder Folio = Blattgröße (Buchformat)	rom.	romanisch
		sc., scil.	scilicet (= nämlich)
frz., franz.	französisch	Schr.	Schrift(en)
Fs.	Festschrift	Sg(l).	Singular
gegr.	gegründet	Sh.	Sonderheft
germ.	germanisch, germanicus	Slg.	Sammlung
Ges.	Gesellschaft	sog.	sogenannt
Gesch.	Geschichte	UA	Uraufführung
Ggs.	Gegensatz	u. a.	und andere, unter anderem
gr.	griechisch	UB.	Universitätsbibliothek
H.	Heft	u. v. a.	und viele andere
Hä.	Hälfte	Unters.	Untersuchung(en)
Hdb.	Handbuch	v. (vv.)	Vers(e)
hebr.	hebräisch	v. a.	vor allem
hpts.	hauptsächlich	v. Chr.	vor Christi (Geburt)
Hrsg., hrsg.	Herausgeber, herausgegeben	vgl.	vergleiche
Hs.(s.)	Handschrift(en)	w	weibl. ⤸Kadenz
idg.	indogermanisch	Wb.	Wörterbuch
i. e. S.	im engeren Sinne	Wiss., wiss.	Wissenschaft, wissenschaftlich
it.	italienisch	z. B.	zum Beispiel
Jb.	Jahrbuch	Zs.(s)	Zeitschrift(en)

Abgekürzt zitierte Werke, Literatur und Zeitschriften

AFK   Archiv für Kulturgeschichte (1903 ff.)
AGB   Archiv für Geschichte des Buchwesens
AM   Archiv für Musikforschung (1936 ff.)
AH   Analecta Hymnica Medii Aevi. Hrsg. v. G. M. Dreves u. C. Blume. 55 Bde. Lpz. 1886–1922. Nachdr. Frkft. 1961
AILC   Association internationale de littérature comparée.
AT   Altes Testament
Beitr.   Beiträge zur Geschichte der deutschen Sprache und Literatur (1874 ff.), seit 1955 (Bd. 77) Halle und Tübingen (auch PBB)
DU   Der Deutschunterricht (1949 ff.)
DVjs   Deutsche Vierteljahrsschrift für Literaturwissenschaft und Geistesgeschichte (1923 ff.)
Euph.   Euphorion. Zeitschrift für Literaturgeschichte (1894–1933, 1950 ff., 1934–1944/45 Dichtung und Volkstum)
GLL   German Life and Letters (1936 ff.)
GR   Germanic Review (1926 ff.)
GRLMA   Grundriß der roman. Literaturen des Mittelalters (s. Handbücher)
GRM   Germanisch-romanische Monatsschrift (1909–1943; NF 1950/51 ff.)
IASL   Internationales Archiv für Soziologie der Literatur
JEGPh   Journal of English and Germanic Philology (1897 ff.)
L   Die Gedichte Walthers v. d. Vogelweide. Hrsg. v. Karl Lachmann (1827)
LiLi   Zeitschrift für Literaturwissenschaft und Linguistik (1971 ff.)
LJb   Literaturwissenschaftliches Jahrbuch der Görresgesellschaft (1926–39, NF 1960 ff.)
MF   Des Minnesangs Frühling. Hrsg. v. Karl Lachmann u. M. Haupt. Lpz. 1857
MGG   Musik in Geschichte und Gegenwart (s. Handbücher)

MGH   Monumenta Germaniae Historica (1842 ff.)
MLN   Modern Language Notes (1886 ff.)
MLQ   Modern Language Quarterly (1940 ff.)
MLR   Modern Language Review (1905 ff.)
NDL   Neue Deutsche Literatur. Monatsschrift für Schöne Literatur und Kritik (1953 ff.)
Neophil.   Neophilologus (1915 ff.)
NeuphMitt.   Neuphilologische Mitteilungen (1899 ff.)
NL   Nibelungenlied
NT   Neues Testament
PBB   Paul/Braunes Beiträge, s. Beitr.
PMLA   Publications of the Modern Language Association of America (1884 ff.)
Quint. Inst. (orat.)   M. Fabius Quintilianus, De Institutione Oratoria libri 12. Hrsg. von H. E. Butler. 4 Bde. London/Cambr. 1959–63 (mit engl. Übers.); dt. Übers. von Buch 10 v. F. Loretto Stuttg. 1974
QF   Quellen und Forschungen zur Sprach- und Kulturgeschichte der german. Völker (1874–1918, NF 1958 ff.).
RF   Romanische Forschungen. Vierteljahresschrift für romanische Sprachen und Literaturen (1883 ff.)
RGG   Religion in Geschichte und Gegenwart (s. Handbücher)
RL   Reallexikon der dt. Literaturgeschichte (s. Handbücher)
VL   Verfasserlexikon (s. Handbücher)
WB   Weimarer Beiträge
WdF   Wege der Forschung
WirkWort   Wirkendes Wort (1950/51 ff.)
ZfdA   Zeitschrift für deutsches Altertum (1841 ff.)
ZfdPh   Zeitschrift für deutsche Philologie (1868 ff.)
ZfromPhil   Zeitschrift für romanische Philologie (1877 ff.)

Literaturhinweise

(s. auch unter den Stichwörtern Bibliographie, Biographie, Literaturgeschichte, Literaturlexikon, Theater, Weltliteratur).

I. Lexika zu bestimmten Sachgebieten

Paulys Realencyclopädie der classischen **Altertumswissenschaft**. Neue Bearbeitung unter Mitwirkung zahlreicher Fachgenossen. Hrsg. v. G. Wissowa, W. Kroll, K. Mittelhaus, K. Ziegler, Stuttg. 1956 ff.

Der Kleine Pauly. Lexikon der Antike. Auf der Grundlage von Pauly's Realencyclopädie der classischen Altertumswissenschaft hrsg. v. K. Ziegler u. W. Sontheimer. 5 Bde. Mchn. 1964/75 (als Tb 1979).

Lexikon der Alten Welt. Hrsg. v. C. Andresen, H. Erbse u. a. Zür./Tüb. 1965.

Tusculum-Lexikon gr. u. lat. Autoren des Altertums u. d. MA.s. Völl. neu bearb. v. W. Buchwald, A. Hohlweg, O. Prinz. Mchn. ³1982.

Reallexikon für Antike und Christentum. Hrsg. v. Th. Klauser. Stuttg. 1950 ff. (1989 bis Hipp.).

*

Reallexikon der Germanischen Altertumskunde. Begr. v. J. Hoops. 4 Bde. 1911–19. 2. völl. neu bearb. u. stark erw. Aufl. hrsg. v. H. Beck, H. Jankuhn u. a. Bln. 1973 ff. (1989, Bd. 7 bis ›Epona‹).

Lexikon des MA.s. Mchn./Zür. 1980 ff. (1989 bis Hidd.)

Grundriß der **Germanischen Philologie**. Hrsg. v. H. Paul. Straßb. ²1901 ff.

*

Handbuch der **Weltliteratur**. Von H. W. Eppelsheimer. Frankft./M. ³1960.

Lexikon der Weltliteratur. Hrsg. v. G. v. Wilpert. Stuttg. Bd. 1: Biogr.-bibliogr. Handwörterbuch. ³1988. Bd. 2: Hauptwerke d. Weltliteratur in Charakteristiken und Kurzinterpretationen. ²1980.

Kindlers Literaturlexikon (KLL). 12 Bde. Zür. 1965–1974 (auf der Grundlage des Dizionario delle Opere di tutti i Tempi e di tutti le Letterature. Ed. v. V. Bompiani. Milano ²1964). Als Tb (dtv) 25 Bde. Mchn. 1974.

Kindlers Neues Literaturlexikon. Hg. v. W. Jens. Mchn. 1988 ff., bis 1990 6 Bde. (bis Gr).

Harenbergs Lexikon d. Weltliteratur. Autoren, Werke, Begriffe. Kuratoren: F. Bondy, I. Frenzel, J. Kaiser u. a. 5 Bde. Dortmund 1989.

Der Literatur-Brockhaus. Hg. v. W. Habicht u. W.-D. Lange. 3 Bde. Mannheim 1988.

Herders Lexikon Literatur. Bearb. v. Udo Müller. 2 Bde. Freiburg Bd. 1 (Sachwb.) ⁵1981, Bd. 2 (Biogr.) ³1983.

World-Literature 20th century. Ed. Leonard S. Klein. 4 Bde. New York 1967, ³1981–84.

Dizionario della letteratura mondiale del 900. Ed. F. L. Galati. 3 Bde. Rom 1980.

Knaurs Lexikon d. Weltliteratur. Hg. v. D. Krywalski, Mchn./Zürich 1979.

European Authors 1000–1900. Ed. St. J. Kunitz u. V. Colby. New York ²1968.

Twentieth Century Authors. Ed. St. J. Kunitz. New York ⁷1973.

Weltliteratur im 20. Jh. Hg. v. M. Brauneck. 5 Bde. Hamb/Reinbek 1981.

Kritisches Lexikon zur fremdsprach. Gegenwartsliteratur. Hg. v. H. L. Arnold. Mchn. 1984 ff. (Loseblattsammlung).

*

Gero v. Wilpert: Sachwörterbuch der Literatur. Stuttg. 1955, ⁷1989.

A Handbook to Literature. Hg. v. C. H. Holman u. W. Harmon. New York/London 1986.

Dictionnaire international des termes littéraires. Ed. R. Escarpit. The Hague/Paris 1979 ff. (1989 6 Bde. bis Em).

Handlexikon zur Literaturwissenschaft. Hg. v. D. Krywalski. Mchn. 1974, ²1976 (als Tb 2 Bde. 1978).

Ruttkowski, W. V. (Hg.): Nomenclator litterarius. Mchn. 1980.

*

Stoffe der Weltliteratur v. E. Frenzel. Ein Lexikon dichtungsgeschichtl. Längsschnitte. Stuttg. ⁷1988.

*

Motive der Weltliteratur. Hg. v. E. Frenzel. Stuttg. 1976, ³1988.

*

Cambridge Guide to World **Theatre**. Ed. M. Banham. Cambr. u. a. 1988.

Dictionary of the Theatre. Ed. D. Pickering. London 1988.

Theaterlexikon, Hg. v. H. Rischbieter. Zürich ³1983.

Theaterlexikon. Hrsg. v. Ch. Trilse, Kl. Hammer, R. Kabel. Bln 1977.

*

Linguistisches Wörterbuch. Hg. v. Th. Lewandowski. 3 Bde. Hdbg. ⁴1984/85.

Bußmann, Hadumoth: Lexikon d. **Sprachwissenschaft.** Stuttg. 1983.

Sprachgeschichte. Ein Handbuch zur Gesch. der dt. Sprache u. ihrer Erforschung. Hg. v. W. Besch u. a. Bln./New York 1985.

Etymolog. Wörterbuch des Deutschen. Hg. v. Wolfgang Pfeifer u. a. 3 Bde. Bln. 1990.

Kluge, F./Mitzka, W.: Etymolog. Wörterbuch der dt. Sprache. 22. Aufl. völlig neu bearb. v. E. Seebold. Bln./New York 1989.

Lexikon der Germanistischen Linguistik. Hrsg. v. H. P. Althaus, H. Henne, H. E. Wiegand, Tüb. ²1980.

Duden. **Etymologie**. Herkunftswörterbuch d. dt. Sprache. Bearb. v. G. Drosdowski, P. Grebe u. a. Mannheim 1963, ²1989.

*

Dictionnaire de Poétique et de Rhétorique par H. Morier. Paris ²1974.

Lausberg, H.: Handbuch d. literar. **Rhetorik**. Mchn. 1960, ²1973.

*

Kulturpolitisches Wörterbuch. Bundesrepublik Deutschland/Deutsche Demokratische Republik im Vergleich. Hrsg. v. W. L. Langenbucher, R. Rytlewski, B. Weyergraf. Stuttg. 1983.

*

Handbuch der Deutschen **Geschichte**. Von B. Gebhardt. 8. Aufl. hrsg. v. H. Grundmann. 4 Bde. Stuttg. 1954–1959. ⁹1970–76.

Musik in Geschichte und Gegenwart (MGG). Hrsg. v. F. Blume. 16 Bde., Kassel 1949/79. Nachdr. dtv Mchn. 1989.

Die **Religion** in Geschichte und Gegenwart (RGG). Hrsg. v. K. Galling. 6 Bde. Tüb. ³1957–65.

*

Domay, F.: Handbuch der dt. **wissenschaftl. Akademien** u. Gesellschaften. Einschließl. zahlr. Vereine, Forschungsinstitute u. Arbeitsgemeinschaften in der Bundesrepublik. Mit einer Bibliogr. dt. Akademie- u. Gesellschaftspublikationen. Wiesbaden ²1977.

Handbuch der **Bibliothekswissenschaft**. Begr. v. F. Milkau. 2. Aufl. hrsg. v. G. Leyh. 3 Bde. + Reg., Wiesbaden 1952/65.

Lexikon des Bibliothekswesens. Hrsg. v. H. Kunze u. G. Rückl. 2 Bde. Lpz. ²1974/5.

*

Lexikon des **Buchwesens**. 2. Aufl. bes. v. J. Kirchner. 4 Bde. Stuttg. 1952–56.

Lexikon des gesamten Buchwesens (LGB²). Hg. v. S. Corsten. Stuttg. ²1987 ff. (1990 Bd. 3 bis ›Gespräche‹).

Handbuch des Buchhandels. Hrsg. v. P. Meyer-Dohm u. W. Strauß, 4 Bde. Hamb. 1974–77.

Silbermann, A.: Handwörterbuch der Massenkommunikation und Medienforschung. 2 Bde. Bln. 1982.

II. Lexika zu einzelnen Literaturen

1. Deutsche Literatur

Reallexikon der Deutschen Literaturgeschichte (RL). Begr. v. P. Merker u. W. Stammler, 4 Bde., 1925–31. 2. Aufl. bearb. v. W. Kohlschmidt u. W. Mohr. 4 Bde + Reg., Bln. 1958–88.

Deutsche Philologie im Aufriß. Hrsg. W. Stammler. 3 Bde. Bln. ²1957/62.

Lexikon dt.-sprach. Schriftsteller v. d. Anfängen bis zur Gegenwart. Bearb. v. G. Albrecht u. a. 2 Bde. Lpz. 1967/72. 4 Bde. Kronberg/Ts. 1974.

Dt. Literatur-Lexikon. Biogr. u. bibliogr. Hdb. Begr. v. W. Kosch. 4 Bde. Bern/Mchn. ²1949–58. 3. Aufl. bearb. von B. Berger u. H. Rupp 1968 ff. (1988 bis P).

Dt. **Dichter**lexikon. Biograph.-bibliogr. Hdwb. zur dt. Lit.-Geschichte. Hrsg. v. G. v. Wilpert. Stuttg. ³1988.

Metzler Autoren-Lexikon. Dt. sprach. Dichter und Schriftsteller vom MA. bis zur Gegenwart. Hg. v. B. Lutz. Stuttg. 1986.

Literatur-Lexikon. Autoren u. Werke dt. Sprache. Hg. v. W. Killy. Gütersloh/Mchn. 1988/89 ff. (bis jetzt 4 von geplanten 15 Bdn.).

Dt. Dichter. Leben u. Werk dt.sprach. Autoren. Hg. v. G. E. Grimm u. F. R. Max. 8 Bde. Stuttg. 1988–90.

The Oxford Companion to German Literature. By H. and M. Garland. Oxford 1976, ²1986.

Die dt. Lit. des MA.s. Verfasserlexikon. Hrsg. v. W. Stammler/K. Langosch. 5. Bde. Bln./Lpz. 1933–55. 2. Aufl. hrsg. v. K. Ruh u. a. Bln./New York 1978 ff. (1989: Bd. 7, bis Reu).

Lexikon d. deutschsprachigen Gegenwartsliteratur. Begr. v. H. Kunisch, fortgef. v. H. Wiesner, erg. u. erw. v. Sibylle Cramer. Mchn. ²1987.

Schriftsteller der DDR. Hg. v. Autorenkollektiv unter d. Gesamtredaktion v. K. Böttcher u. H. Greiner-Mai. Lpz. 1974, ²1975.

Krit. Lexikon zur dt.sprach. Gegenwartsliteratur (KLG). Hg. v. H. L. Arnold. Mchn. 1978 ff. (Loseblattsammlung).

Autorenlexikon dt.sprach. Literatur des 20. Jh.s. Hg. v. M. Brauneck. Hambg. ³1988.

*

Blinn, Hansjürgen: Informationshandbuch Dt. Lit.wissenschaft. Frkf. 1982, ²1990. (Fischer tb).

2. Englische Literatur

Encyclopedia of Poetry and Poetics. Ed. A. Preminger. Princeton 1965.

The Oxford Companion to English Literature. Ed. Margaret Drabble. Oxford u. a. ⁵1985.

The Cambridge Guide to Literature in English. Ed. Ian Ousby. Cambr. 1988.

British writers. Ed. J. Scott-Kilvert. 8 Bde. New York 1979–84.

Lexikon der engl. Lit. Hg. v. H. W. Drescher u. a. Stuttg. 1979.

3. Amerikanische Literatur

The Oxford Companion to American Literature. Ed. J. D. Hart. New York ⁵1983.

Reference Guide to American Literature. Ed. D. L. Kirkpatrick. Chicago/London ²1987.

4. Franz. Literatur

Grundriß der romanischen Literaturen des Mittelalters (GRML). Hrsg. v. H. R. Jauss u. E. Köhler. 6 Bde. Heidelberg 1968 ff.

Dictionnaire des littératures. Ed. Ph. v. Tieghem. 3 Bde. Paris 1968.

Dictionnaire des lettres françaises. Publ. sous la Direction de C. Grente. 5 Bde. Paris 1951/72.

Lexikon der frz. Literatur. Hg. v. Manfred Naumann. Lpz. 1987.

Dictionnaire de la littérature française et francophone. Ed. J. Demougin. 3 Bde. Paris 1987.

Dictionnaire des littératures de langue française. Paris 1987 (bis D).

Lexikon der frz. Literatur. Hg. v. W. Engler. Stuttg. 1974, ²1984.

5. Ital. Literatur

Dizionario enciclopedico della letteratura italiana. Ed. G. Petronio. 6 Bde. Bari 1966–70.

Dictionary of Italian Literature. Ed. by P. Bondanella, Julia Conaway Bondanella. Westport, Connect. 1979.

Dizionario critico della letteratura italiana. Ed. V. Branca. 4 Bde. Turin 1986.

6. Span. Literatur

Diccionario de Literatura Española. Dirig. por G. Bleiberg/J. Marías. Madrid ⁴1972.

The Oxford Companion to Spanish literature. Ed. by Ph. Ward. Oxford 1978. Span. u. d. T.: Diccionario Oxford de la literatura española e hispano-americana. Barcelona 1984.

Manual de bibliografía de la literatura española. Ed. J. Simón Diaz. Madrid ³1980.

Quien es quien en poesía (lenguas de España). Ed. J. Ruiz de Torres. Madrid 1985 ff. (Loseblattsammlung span. u. lat.amerik. Autoren d. 20. Jh.s).

7. Lateinamerikan. Literatur

Lateinamerikan. Autoren. Literaturlexikon und Bibliographie der dt. Übersetzungen. Von D. Reichardt, Tüb./Basel. 1972.

8. Russ. Literatur

Dictionary of Russian literature. Ed. by W. E. Harkins. New York 1956.

Die russ. Sowjet-Literatur. Namen, Daten, Werke. Von G. Dox. Berlin 1961.

Lexikon der russ. Literatur ab 1917. Hrsg. v. W. Kasack. Stuttg. 1976, Erg. Bd. Mchn. 1986.

The modern encyclopedia of Russian and Soviet literature. Ed. H. B. Weber. Gulf Breeze (Fla.) 1977 ff. (1989: Bd. 9 bis Hol).

Handbook of Russian Literature. Ed. V. Terras. New Haven u. a. 1985.

*

9. Dictionary of **Oriental** Literatures. Ed. J. Prušek. 3 Bde. London 1974.